DORDT INFORMATION SERVICES
3 6520 0097418 2

D1241460

LEXICON IN VETERIS TESTAMENTI LIBROS

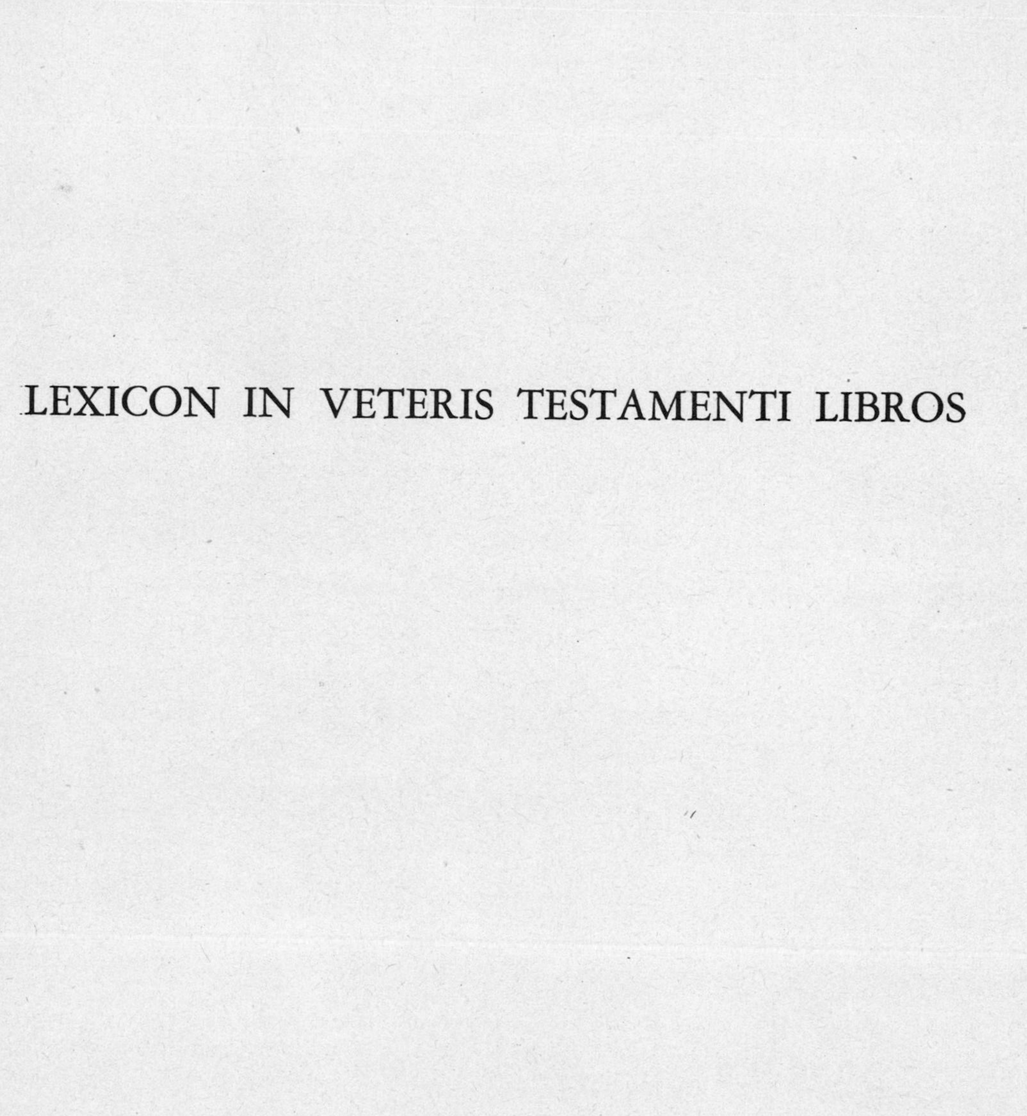

LEXICON IN VETERIS TESTAMENTI LIBROS

EDIDIT

LUDWIG KOEHLER

WÖRTERBUCH ZUM HEBRÄISCHEN ALTEN TESTAMENT
IN DEUTSCHER UND ENGLISCHER SPRACHE

A DICTIONARY OF THE HEBREW OLD TESTAMENT
IN ENGLISH AND GERMAN

WALTER BAUMGARTNER

WÖRTERBUCH ZUM ARAMÄISCHEN TEIL DES ALTEN TESTAMENTS
IN DEUTSCHER UND ENGLISCHER SPRACHE

A DICTIONARY OF THE ARAMAIC PARTS OF THE OLD TESTAMENT
IN ENGLISH AND GERMAN

EDITIO PHOTOMECHANICE ITERATA
CUI ADJECTUM EST

SUPPLEMENTUM

LEXICON GERMANICO-HEBRAICUM (-ARAMAICUM)
ET
CORRECTIONES ADDITAMENTAQUE I.A. CONTINENS

LEIDEN
E. J. BRILL
1958

WM. B. EERDMANS
PUBLISHING COMPANY
GRAND RAPIDS 1951 MICHIGAN

HEBRÄISCHER TEIL	HEBREW PART
Seite 1—1044	Page 1—1044
VON	BY
LUDWIG KOEHLER	LUDWIG KOEHLER

ARAMÄISCHER TEIL	ARAMAIC PART
Seite 1045—1138	Page 1045—1138
VON	BY
WALTER BAUMGARTNER	WALTER BAUMGARTNER

SUPPLEMENTUM

Seite I—XL, Seite 1—227

PRINTED IN THE NETHERLANDS

VORWORT

Auf den ersten Blick mag die Aufgabe, ein Wörterbuch zum hebräischen (und aramäischen) Wortlaut des Alten Testaments zu schreiben, leicht scheinen; doch gibt es dabei eine Reihe von Punkten und von Schwierigkeiten, die ein erklärendes Wort nötig machen.

Das Erste, was man zu tun hat, ist dies, dass man sämtliche sich findenden Wörter alphabetisch anordnet. Schon dies ist deshalb nicht einfach, weil eine grosse Reihe von Wörtern mit Zusätzen beginnen. Das verdiente Hebrew and English Lexicon von Brown, Driver und Briggs ordnet diese Wörter unter ihrem Stammwort, der sogenannten Wurzel, ein. Für den Anfänger und Ungeübten ist es aber nicht immer einfach, sie dort zu suchen. Dazu kommt, dass die Ableitung nicht bei allen Wörtern feststeht; deshalb ist hier ausnahmslos die Reihenfolge der Wörter alphabetisch; dazu wird bei jedem Stammwort (Wurzel) angegeben, welche Bildungen man von ihm ableitet.

Das Zweite, was es zu tun gilt, ist die Aufzählung der Formen eines Wortes. Von diesen sind nicht alle genannt (dies würde eine überflüssige Belastung bedeuten), sondern nur die, von denen die andern mit Sicherheit abgeleitet werden können, und dazu alle die, welche irgendwie auffällig oder „unregelmässig" sind. Zu ihnen sind, wo es angebracht scheinen mochte, Verweise auf die Grammatik geboten.

Das Dritte, was man erwarten kann, ist die Aufzeichnung der Stellen, wo sich das betreffende Wort findet. Wo es möglich war, sind diese Stellen vollständig geboten; wo es wegen ihrer grossen Zahl nicht möglich (und auch nicht sinnvoll) war, sind Angaben über die Häufigkeit des Wortes oder über die Abschnitte, Schichten, Bücher des biblischen Textes, in denen es sich findet, beigefügt.

Wie jedermann weiss, ist es auch bei der grössten Zurückhaltung in der „Verbesserung" des überlieferten Textes nötig, ihn von Schreibfehlern und sonstigen Versehen, die offensichtlich sind, zu befreien. Diese sogenannten Konjekturen (mit cj kenntlich gemacht) sind so behandelt, dass sowohl das überlieferte als auch das an seine Stelle gesetzte Wort an seinem eignen Orte gebucht ist. So geht der Stoff dieses Lexikons in der Darbietung der Belege überhaupt und besonders in der Buchung der Konjekturen über andere vorliegende Lexika beträchtlich hinaus.

Die Hauptaufgabe eines Wörterbuches aber ist die, genau anzugeben, welche Wiedergabe oder Übersetzung in der heutigen Sprache dem hebräischen Worte, der hebräischen Wendung entspricht. Seit der Entstehung der Texte sind sie immer gelesen und von den Lesern und Hörern in irgend einem Sinne verstanden worden. Es hat sich rasch eine Tradition des Verständnisses gebildet, und dieses Verständnis ist von Geschlecht zu Geschlecht durch die Zeiten gewandert. Schon früh sind dabei einzelne Wörter und Begriffe nicht mehr deutlich verstanden worden, und in einigen Fällen (גָּבִיעַ Jr 35, 5; קֻבַּעַת Js 51, 17. 22; der Begriff רֹאֶה 1 S 9, 9 seien als Beispiele genannt) sind sie durch Beischriften erläutert worden. Schon von Anfang an mag auch ein Ausdruck von den Einen so, von den Andern anders verstanden worden sein, sodass sich uns nicht erhaltene Erörterungen an den Wortlaut anschlossen. Auf Grund dieser Tradition entstanden die alten Übersetzungen ins Aramäische, ins Griechische usw. Auch bei ihrer Entstehung mag die Mehrfälligkeit der Tradition mitgewirkt haben; und dazu kamen auch, wie besonders die Septuaginta zeigt, Missverständnisse des hebräischen Wortlautes.

Aber im Allgemeinen ist die Tradition eine geschlossene und sichere Grösse, die noch heute im Grossen und Ganzen gilt und besteht. Die werdende Wissenschaft hat sich je länger je mehr mit ihr nicht mehr begnügt, sondern man fing an, grundsätzlich zu fragen, mit welchem Recht und auch mit welcher Zuverlässigkeit ein hebräisches Wort und eine hebräische Wendung so oder so verstanden wird. Auf diesem unabweislichen Verlangen beruht unsere wissenschaftliche Wörterbuchschreibung. Sie nimmt nichts als gegeben an, sondern fragt überall nach der Begründung einer Wiedergabe. Sie verwirft dabei keine Tradition als solche ohne Weiteres, aber sie erkennt auch keine Tradition als richtig an, ehe sie nicht, soweit ihr das möglich ist, s ch vergewissert hat, dass die Aussage der Tradition zutreffend ist.

Bei dieser Forschung stehen der Wörterbuchschreibung zwei grosse, durchgehende Verfahren zu Gebot. Das eine ist die Erklärung des Wortlautes im Zusammenhang, die sogenannte Exegese. Ein Wort ist dann richtig übersetzt, wenn seine Wiedergabe verständlich und im Zusammenhang sinngemäss ist.

Das andere Verfahren ist das der Sprachwissenschaft, und zwar in zwei Beziehungen. Der eine hier wichtige Teil der Sprachwissenschaft ist die Sprachvergleichung. Neben dem Hebräischen stehen eine Reihe verwandter, sogenannter semitischer, Sprachen: so das Arabische, das Aramäische, das Äthiopische, das Akkadische, das Ugaritische und — in beträchtlicher Entfernung, aber besonders für Lehnwörter in Betracht kommend — das Ägyptische. Nach und nach sind alle diese Sprachen bekannt geworden und in steigendem Masse herangezogen worden. Die Geschichte dieser Beiziehungen zu schreiben, wäre eine lohnende und spannende Aufgabe, die hier nicht versucht werden kann. Dabei bewegt man sich freilich auf einem Boden nicht ohne Gefahren. Um ein einfaches Beispiel zu geben: burro bedeutet im Italienischen „Butter'' und im Spanischen ,,Esel'', denn das italienische kommt von βούτυρος ,,Rinderkäse'', und das spanische Wort kommt von πυῤῥός ,,rot''. Die beiden gleichlautenden Wörter haben miteinander nichts zu tun; wüsste man aber ihre Ableitung nicht, so stünde man vor einer unlösbaren Aufgabe. Man muss also bei der Sprachvergleichung die grösste Vorsicht und Umsicht walten lassen, und dies ist nicht immer genügend beachtet worden. Dazu kommt, dass wir über die oben genannten Sprachen lange nicht so viel wissen, wie nötig wäre. So ist der arabische Wortschatz — unendlich gross an Wortfülle und darum nur zu willfährig, wenn man mit ihm etwas belegen will — noch in keiner Weise befriedigend behandelt. So ist das Ugaritische, so erstaunlich das Mass seiner jungen Erforschung sein mag, noch sehr wenig durchsichtig, und so sehr man es heute liebt, es heranzuziehen, so deutlich ist dabei Zurückhaltung geboten. Vor dem Ugaritischen war es Brauch, das Akkadische möglichst freigiebig zu benutzen; kein Wunder bei dem Schatz neuer Erkenntnis, die seine Entzifferung und weitere Bearbeitung an den Tag förderte. Aber Anklänge, Parallelen usw. können täuschen. Man darf schliesslich nicht darüber hinwegsehen, dass das Hebräische wie jede andere Sprache seine eigene Art hat und seine eigene Welt der Dinge und Gedanken spiegelt.

Die Entdeckung der andern semitischen Sprachen und Texte hat auf das hebräische Lexikon eine doppelte Wirkung ausgeübt. Sie hat es um viele Stützen seiner Angaben und um Seitengänger seiner Erscheinungen bereichert, wie andererseits die Fortschritte z.B. in der akkadischen und ugaritischen Lexicographie ohne das Hebräische nicht denkbar wären. Sie hat aber auch das hebräische Lexikon zu einem Sammelbecken der semitischen Sprachen gemacht. Was an gleichen Erscheinungen in den Wurzeln, Wörtern und Bedeutungen sich in irgendeiner semitischen Sprache findet, ist im hebräischen Lexikon gebucht worden, auch wenn eine geschichtliche Berührung zwischen der hebräischen und der andern semitischen Sprache in dem betreffenden Falle nicht nachweisbar, ja, selbst fraglich war. Dadurch ist das hebräische Wörterbuch mit einer Fülle von Angaben belastet worden, welche nicht nur für den Anfänger und den durchschnittlichen Benutzer entbehrlich sind, sondern auch insofern irreführen können, als sich Vollständigkeit kaum erreichen lässt und die lexikalische Aufarbeitung der einzelnen Sprachen auf einer sehr verschiedenen Höhe steht. Vielleicht wird schon das nächste Lexikon hier eine wesentliche Verkürzung des gebotenen Stoffes bringen müssen.

Das andere Verfahren, welches die Sprachwissenschaft der Wörterbuchschreibung in steigendem Masse zur Verfügung stellte, ist die Lehre von der Bedeutungsentwicklung (Semantik). Bei dem vorwiegend theologischen Gehalt des Alten Testamentes und bei der Tatsache, dass vorwiegend Theologen es erforschten, versteht man es leicht, dass die theologische Bedeutung und Wiedergabe der hebräischen Wörter und Wendungen zunächst die grösste Aufmerksamkeit fanden und auch räumlich in den Vordergrund gestellt wurden, während alles Andere als Beiwerk nur nebenher behandelt wurde. Aber die theologische und auch die weiter reichende religiöse Begriffswelt ist vielfach aus der nichttheologischen, aus der allgemeinen Begriffswelt entstanden; man sagte, was man theologisch zu sagen hatte, mit den zur Verfügung stehenden Ausdrücken der allgemeinen Begriffswelt, indem man in vielen Fällen diesen Ausdrücken einen tiefern, geistigern, spezifisch theologischen Sinn beilegte. Ein einfaches Beispiel dafür mag das Wort מִנְחָה bieten. Grundsätzlich ist die heutige Semantik darauf aus, diejenige Bedeutung, die ursprünglich, aber in vielen Fällen beschränkter, anschaulicher ist, von den Bedeutungen abzuheben, welche sich später aus der ursprünglichen ergeben haben. Grundsätzlich sucht man heute, einen genetischen Ablauf für die Entwicklungen und Wandlungen der Bedeutungen eines Wortes zu ermitteln und dementsprechend eine genetisch durchsichtige Reihe der Bedeutungen zu bieten. Dieser Grundsatz ist im vorliegenden Wörterbuch befolgt worden, wobei freilich zu sagen ist, dass die Wege der Bedeutungsentwicklung sehr verschlungen sind und dass, wenn je auf einem Gebiet, unser Wissen und Können Stückwerk ist.

Das vorliegende Wörterbuch ist in rund vierzigjähriger Arbeit Stück um Stück, Schritt um Schritt entstanden. Es ist selbständig aus den Quellen erarbeitet worden. Keine Angabe wurde aufgenommen, ohne dass sie vorher auf die wägende Hand gelegt wurde. Dabei wurde an den Beobachtungen, Behauptungen, Beweisen anderer Gelehrten alles in Rücksicht genommen, was erreichbar war. Dass die zwei Kriegszeiten, welche während dieser Arbeit die Heimsuchung der Menschheit wurden, manches schwer und nicht möglich machten, braucht nicht gesagt zu werden. Doch würde mancher irren, der, weil seine Studie nicht erwähnt ist, meinen wollte, sie sei nicht beachtet worden. Denn es war nie schwer, eine Angabe, einen Beitrag aufzunehmen und zu nennen. Dagegen war es das Schwerste an der ganzen Arbeit, wegzulassen und nicht zu nennen, was dessen wohl wert gewesen wäre. Aber das höchste Gebot für den Verfasser eines Wörterbuches ist die Rücksicht auf den Leser. Verhältnismässige Kürze, knappe Deutlichkeit und Verzicht auf weitläufige Erörterung sind bei dieser Rücksicht peinvolle, aber unumgängliche Pflicht. Schliesslich soll das Wörterbuch dem Verständnis der Heiligen Schrift dienen und zu ihm hinführen. Es soll nicht zum Verweilen bei seinem eigenen Inhalt verleiten.

Es braucht nicht gesagt zu werden, dass ich mir der Fehler meines Wörterbuches wohl bewusst bin. Nicht sein Verfasser, sondern sein Kritiker zu sein, muss eine Lust sein. Vielleicht werden sich aber einige Kritiker dessen bewusst, dass sie erst dann den rechten Masstab für ihre Kritik gefunden haben, wenn sie selber einmal den Versuch machen, auch nur ein einziges Dutzend der Seiten eines Wörterbuches bis zur Druckfertigkeit auszuarbeiten.

Das letzte Wort ist Dank. Dankbar gedenke ich des unvergleichlichen Meisters der alttestamentlichen Lexicographie, Wilhelm

Gesenius. Dankbar gedenke ich der Generationen bekannter und unbekannter Gelehrter, auf deren Schultern der heutige Stand des Wörterbuches ruht. Dankbar gedenke ich meines Freundes Walter Baumgartner, dessen Bearbeitung des aramäischen Teiles ein von mir nicht erreichtes Vorbild der Sorgfalt, Genauigkeit und Vollständigkeit ist. Er hat in den letzten sechs Jahren alle Korrekturen mitgelesen und auf seine Bemerkungen und Beiträge gehen zahlreiche Verbesserungen und Ergänzungen zurück.

Die Stiftung für wissenschaftliche Forschung der Universität Zürich hat für die Vorarbeiten eine Geldsumme zur Verfügung gestellt, das Holländische Kultusministerium hat durch Bewilligung des nötigen Papiers den Druck erst ermöglicht, Prof. P. A. H. de Boer in Leiden hat den entscheidenden Anstoss zur Drucklegung gegeben, die ehrwürdige und berühmte Firma E. J. Brill, ihre Leitung und ihre Arbeiter, haben für den Druck das Möglichste getan.

Mein tiefster Dank geht zu Dem, der mir Kraft und Gesundheit und täglich neue Freude an dieser Arbeit geschenkt hat. Er möge das Werk und alle seine Leser segnen.

Zürich, 5 September 1953 LUDWIG KOEHLER

PREFACE

At first sight the task of writing a lexicon of the Hebrew (and Aramaic) of the Old Testament may appear to be an easy one. Yet there are a number of points and difficulties which call for a word of explanation.

The first thing that has to be done is the arrangement of all the words in alphabetical order. This is, however, not a simple matter, because a large number of words begin with a prefix. The excellent Hebrew and English Lexicon of Brown, Driver and Briggs arranges these words under their appropriate stem, the so called root. It is not always easy, however, for beginners and the inexpert to find them there. Moreover, the derivation of a word is not always certain. The order of words adopted in the present lexicon is, therefore, strictly alphabetical. In addition, derivative forms are given with each stem (root).

The second requirement is the enumeration of the forms of a word which occur. Not all the forms are referred to—this would impose an unnecessary burden—but only those from which the others can be derived with certainty, as well as all those which are in any way unusual or "irregular". Where it appears appropriate, references are made to points of grammar.

The third thing to be expected is the list of passages where the word in question occurs. Where possible, all these passages are given. Where, however, this has not been possible, or where it would have no point, because of their large number, information is given concerning the frequency of the word, or concerning the parts, strata, and books of the Old Testament in which they occur.

As is well known, even when the greatest reserve is shown in the matter of emendation of the traditional text, it is still necessary to render it free from obvious scribal errors and other mistakes. These so called conjectures (indicated by cj) are treated in such a way that both the word in the text and the conjecture are each entered in the lexicon in its proper place. Thus the material of this lexicon, so far as concerns the presentation of the evidence, and especially the inclusion in it of conjectures, goes considerably beyond other lexicons.

The main task of a lexicon, however, is to indicate precisely the rendering or translation into modern speech which corresponds to the Hebrew word or phrase. Ever since the texts came into existence, they were continually read, and were understood by the readers of them and by their audience in some sense or other. Thus a tradition as to the way in which the texts were understood was quickly formed, and the traditional understanding of them was handed down from generation to generation. Even at an early stage some words and ideas were no longer clearly understood, and in some cases (נָבִיעַ Ir. 35, 5; קֻבַּעַת Js 51, 17. 22; the meaning of רֹאֶה 1. S. 9, 9 may be cited as examples) they were explained by means of marginal notes. From the very beginning an expression may have been understood by some in one way, and by others in another, so that discussions which are no longer preserved arose in connection with the text. On the basis of this tradition arose the ancient translations into Aramaic, Greek and so on. The diversity in the tradition may have influenced them from the beginning, and there arose in consequence misunderstandings of the Hebrew text, as is revealed especially by the Septuagint.

In general, however, the tradition as a whole is solid and trustworthy, and still continues to be valid. The growing scientific study of the Old Testament found itself increasingly unable to remain satisfied with it, and questions began to be asked as to the correctness and reliability of the traditional understanding of a Hebrew word or phrase. On this imperative demand modern scientific lexicography is based. It takes nothing for granted, but always enquires as to the basis of a rendering. It rejects no tradition as such out of hand, but at the same time recognizes no tradition as correct before it has, so far as possible, verified it.

In this kind of lexicographical research, two ways of proceeding, each of them important and consistent, lie open. One is the explanation of the text in its context, what is usually called exegesis. A word then becomes correctly translated when the rendering of it is intelligible and fits the context.

The other way open is that of the science of language, and that in two respects. The most important part of the science of language is comparative philology. Side by side with Hebrew stands a number of cognate languages, the so called Semitic languages.

They are Arabic, Aramaic, Ethiopic, Akkadian, Ugaritic, and Egyptian, the last being rather remote, but important especially for loan-words. All these languages have gradually become known, and have become increasingly drawn upon. To write the history of the relationship between them would be a rewarding and interesting task, which cannot be attempted here. One moves here, to be sure, on somewhat dangerous ground. To give but one example; "burro" in Italian means "butter", and in Spanish "donkey". The Italian word comes from βούτυρος "cheese", while the Spanish word comes from πυῤῥός "red". The two similarly sounding words have nothing to do with each other. If their derivation were unknown, an insoluble problem would present itself. It is necessary then to exercise the greatest caution and prudence in matters of comparative philology, and this fact does not always receive sufficient attention.

Moreover, there is the fact that we are still far from knowing as much about these languages as we need to know. The Arabic vocabulary, for example, immensely rich, and consequently too easily capable of being cited as evidence, has by no means yet been satisfactorily treated. Again, Ugaritic, astonishing though the extent of recent investigation into it may be, is still largely obscure; and although there is today a ready inclination to draw upon it, it is clearly a duty to exercise reserve in this matter. Before Ugaritic came on the scene, it was customary to use Akkadian as liberally as possible. This was hardly to be wondered at in view of the rich store of new knowledge which its decipherment and subsequent research into it brought to light. But similarities, parallels and so on can easily deceive. Finally, it should not be overlooked that Hebrew, like any other language, has its own character, and reflects its own world of things and thoughts.

The discovery of the other Semitic languages and texts has exercised a twofold influence on the Hebrew lexicon. It has enriched it by means of much supporting evidence and by parallel phenomena. On the other side, the progress, for example, in Akkadian and Ugaritic lexicography would be inconceivable without Hebrew. It has at the same time made the Hebrew lexicon a treasury of the Semitic languages. All similar phenomena—roots, words and meanings—which are found in any Semitic language have been entered in the Hebrew lexicon, even where a historical connection between Hebrew and the other Semitic languages was not demonstrable in a particular case, even indeed when it was questionable. Thereby the Hebrew lexicon has become encumbered with an abundance of information, which is not only unnecessary for the beginner and the average reader of it, but which can also be misleading, in so far as completeness can hardly be attained, and the lexical study of the several languages is not on the same level. Perhaps the next lexicon to be compiled will have to reduce substantially the material to be presented.

The other way in which the science of language has increasingly served lexicography is the science of semantics. Because of the predominantly theological content of the Old Testament, and because of the fact that it is chiefly theologians who have investigated it, it may be readily understood that the theological meaning and rendering of Hebrew words and phrases received the greatest amount of attention, and were given pride of place, while all else was treated as secondary by comparison. But the theological, and also the more far reaching religious, world of ideas grew out of the non-theological, the common, world of ideas; whatever one wished to say theologically was expressed in language drawn from the common world of ideas, while in many cases there was added to these expressions a deeper, more spiritual, specifically theological, meaning. A simple example is afforded by the word מִנְחָה. It is a principle of modern semantics to differentiate the meaning which is primary, but which is in many cases more restricted, more concrete, from the meanings which have followed later from the primary meaning. The modern principle is to attempt to discover a genetic relation in the development and changes in the meaning of a word, and accordingly to provide a series of meanings established on sound genetic principles. This principle is followed in this lexicon. It should be added that the ways in which development in meaning have taken place are very tortuous, and that nowhere is our knowledge and understanding so incomplete as here.

This lexicon has been compiled over a period of about forty years of continuous work. It has been achieved through independent enquiry into the original text. No statement has been accepted unless it has been carefully weighed. As far as possible, every consideration has been given to the observations, remarks and arguments of other scholars. That the periods of the two wars, by which mankind was afflicted during the preparation of this work, made many things difficult, if not impossible, hardly needs to be said. Yet he would be mistaken who should think that, because there is no reference to his work, it has not received attention. For to adopt a statement or contribution and to mention it was never difficult. The hardest part of the work was indeed to omit and not to mention what would have been well worth mentioning. But the supreme obligation laid upon the author of a lexicon is consideration for the reader. To be reasonably brief, concise yet clear, and to avoid prolixity in discussion are in this respect a difficult, but inescapable, duty. Finally, the lexicon should be of service for the understanding of Holy Scripture, and should lead on to it. It should induce the reader to advance beyond the limits of its contents.

It need hardly be said that I am well aware of the faults of my lexicon. No doubt there is more pleasure to be had in being its critic than its author. But perhaps some critics will realize that they will only begin to have found the proper standard for their criticism, if they themselves will first make the attempt to compile only a dozen pages of a lexicon up to the stage when it is ready for printing.

My final word is one of thanks. I remember gratefully the incomparable master of Hebrew lexicography, Wilhelm Gesenius. I remember gratefully the generations of scholars, known and unknown, on whose shoulders the modern lexicographer stands. I remember gratefully my friend, Walter Baumgartner, whose work on the Aramaic part of the lexicon is a model of care, exactness and completeness which is beyond my attainment. In the last six years he has read all the proofs, and numerous improvements and additions are due to remarks and contributions of his.

The Stiftung für wissentschaftliche Forschung of the University of Zürich has made available a sum of money for the preparation of this work. The Ministry of Education of The Netherlands has made the printing of it possible by a grant of the necessary amount of paper. Professor P. A. H. de Boer, of Leiden, played a decisive part in initiating its publication. The venerable and famous firm of E. J. Brill, both management and employees, has done everything possible in connection with the printing of it.

My deepest thanks go to Him who has bestowed upon me health and strength, and new joy daily in this work. May He bless the work and all who read it!

Zürich, Sept. 15th 1953 LUDWIG KOEHLER

EINLEITUNG ZUM ARAMÄISCHEN TEIL

1. Die Scheidung des biblisch-aramäischen Wortschatzes im AT vom hebräischen, die uns heute selbstverständlich vorkommt, ist in Wahrheit recht jung. Gefordert hat sie 1886 Friedrich Delitzsch im Eingang seiner „Prolegomena". Verwirklicht wurde sie zuerst von Brown-Driver-Briggs in ihrem seit 1891 erscheinenden Wörterbuch, weiter von Siegfried-Stade (1893) und von Buhl bei seiner ersten Bearbeitung des Gesenius (12. Aufl. 1895). Vgl. Eissfeldt-Festschrift S. 47 f.

Erst diese Trennung macht die Eigenart des ba. Wortschatzes augenfällig. Vorab seinen geringen Umfang: rund 650 Wörter ohne die rund 40 Eigennamen. Vom überlieferten Bestand gehen ab דִּינָיֵא, דהוא und חֲדַת, vielleicht auch שׁפט; neu hinzugekommen sind dafür כיל, II מְשַׁח und שְׁלָה. Sehen wir von Gen 31, 47 und Ir 10, 11 ab, die zusammen nur drei neue Wörter ergeben, so verteilt sich dieser Bestand auf die Bücher Daniel (2, 4 b–7, 28) und Esra (4, 8–6, 18 und 7, 12–26); und zwar so, dass rund 22% beiden Büchern gemeinsam sind, während 60% nur in Da und 18% nur in Esr vorkommen. Beide Komplexe entstammen der nachexilischen Zeit und liegen da nicht sehr weit auseinander: die Urkunden in Esr mit dem verbindenden chronistischen Text gehören in der Hauptsache dem 5. und 4. Jahrhundert an; Da 2–7 haben ihre jetzige Gestalt in der Makkabäerzeit erhalten, reichen aber stofflich ins 3. Jahrhundert und zum Teil noch weiter zurück. Nach dem Inhalt und der literarischen Art sind die beiden Komplexe allerdings recht verschieden. In Da 2–6 haben wir es mit Erzählung zu tun und in c. 7 mit Apokalyptik, die auch in c. 2 hereinspielt; in Esr mit Urkunden und mit chronistischer Geschichtserzählung. Daher jene starke Verschiedenheit im Wortschatz, die allerdings dadurch ein wenig gemildert wird, dass die Daniellegenden, ihrem Milieu nach „Hofgeschichten", sich in der Zitierung königlicher Erlasse und in der Aufzählung von Ämtern und Würden dem Urkundenstil etwas nähern. Und vollends ist beiden gemeinsam der ganze Hintergrund der israelitisch-jüdischen

Religion, der der Sprache auch ihre engen Beziehungen zum Hebräischen des AT gibt; man denke an die zumeist dem Hebräischen entlehnten Termini der Sakralsprache (s. u. § 5) oder an die hymnischen Stellen Da 2, 20–23 3, 33 6, 27f. 7, 14.

Aber auch so bleibt das BA nicht bloss im Umfang stark hinter dem hebräischen Bestand des AT zurück; es fällt ebensosehr gegenüber dessen Mannigfaltigkeit ab. Darum sind auch die Möglichkeiten, die der Lexikograph dort hat, dem Auftreten der einzelnen Wörter in bestimmten Zusammenhängen und Wortverbindungen und den Unterschieden in der Bedeutung nachzugehen, hier soviel geringer; die ganze Zufälligkeit dessen, was uns gerade erhalten ist, macht sich ganz anders geltend als dort. Damit wird auch die Aufgabe des Lexikographen eine andere. Ist der ba. Wortschatz soviel weniger aus sich selber heraus zu erklären — was ja auch dort seine Grenzen hat — so gilt es hier um so mehr, diesem Mangel durch Beiziehung anderer Quellen zu begegnen.

2. Zur Geschichte der ba. Lexikographie weiss Rosenthal in seinem sonst so vorzüglichen Buche nicht eben viel zu sagen (AF 54f.). Sie beginnt aber gleich der he. mit Wilhelm Gesenius (s. W. E. Miller, The Influence of Gesenius on Hebrew Lexicography, 1927). Bereits in der ersten Auflage seines Wörterbuches (1810-12) empfahl er zum besseren Verständnis des „Chaldäischen" — so nannte man damals und noch bis in die 9. Auflage des Gesenius hinein das BA auf Grund eines alten Missverständnisses von Da 2, 4 — die Beiziehung der Targume und der syrischen Übersetzung. In dem der zweiten Auflage des etwas kürzeren „Neuen Handwörterbuches" (1823) beigegebenen Essai „Von den Quellen der hebräischen Wortforschung", der in der Folge noch mehrfach überarbeitet wurde und erst mit der 11. Auflage (1890) wegfiel, ist schon vom Samaritanischen, vom „Zabischen" oder „Nazoräischen" — d. h. dem Mandäischen — und dem Palmyrenischen die Rede. Gesenius hat auch einen guten Blick für die Fremdwörter und bietet zu סוּמְפּוֹנְיָה, סַרְבָּל u. a. ein erstaunlich reiches Material, das aber in den späteren Auflagen des Handwörterbuches auch meist wieder weggelassen wurde. — Die zweite Hälfte des 19. Jahrhunderts brachte mit der starken Vermehrung der palmyrenischen Inschriften — 1881 wurde der „Zolltarif" gefunden —, mit dem ersten Bekanntwerden der nabatäischen und mit der Veröffentlichung der aramäischen

Beischriften zu Keilschrifturkunden im CIS II (1889ff.) den ersten grossen Aufschwung der ba. Studien, der an die Namen Th. Nöldeke (s. Rosenthal AF), S. R. Driver in seiner „Introduction to the Literature of the OT" (1891) und A. A. Bevan in seinem Danielkommentar (1892) geknüpft ist. Die von F. Mühlau u. W. Volck besorgte 10. Auflage des Gesenius (1886) nahm auf die damals bekannten nabatäischen, altaramäischen (Tema) und ägyptisch-aramäischen Inschriften Bezug und erwähnte gelegentlich sogar wieder das „Zabische" und erstmals das Neusyrische. Zur vollen Geltung kam all dieses Material aber erst, als Buhl mit der 12. Auflage 1895 die Abtrennung des ba. Wortschatzes durchführte. Das neue Jahrhundert brachte dann seit 1906 die Elephantinepapyri hinzu, womit erstmals die ganze Bedeutung dieses Ägyptisch-Aramäischen aus Licht trat; den Niederschlag davon findet man in der 15. (1910) und 16. (1915) Auflage des Gesenius.

Den Ertrag der jungen Assyriologie führte Friedrich Delitzsch in die 8. Auflage des Gesenius (1878) und in S. Baers Textausgabe von Daniel-Esra-Nehemia (1882) S. VI-XII ein; vgl. auch seine „Prolegomena" (1886) S. 140. Für die 9. Auflage (1883) stellte Eberh. Schrader das Manuskript der im selben Jahr erscheinenden 2. Auflage von „Keilinschriften und AT" zur Verfügung. Buhl zog dann gleich von der 12. Auflage an als assyriologischen Mitarbeiter H. Zimmern hinzu, den späteren Verfasser der „Akkadischen Fremdwörter" (1917). Der Bestand an persischen Wörtern und Namen machte aber auch die Mitarbeit der Iranisten notwendig. Nach M. Haug, der mit seiner „Erklärung der persischen Wörter des AT" (in Ewalds „Jahrbuch für Biblische Wissenschaft" v, 1853) voranging, sind namentlich die Beiträge von C. F. Andreas zum Glossar in K. Martis Grammatik (1896, in der 2. Aufl. von 1911 revidiert und teilweise gekürzt) und Isidor Scheftelowitz zu nennen. Gleich den neueren Auflagen des Gesenius hat auch das Wörterbuch von Brown-Driver-Briggs dieses Material, soweit es damals zur Verfügung stand, eingearbeitet; zu dem von Brown selber bearbeiteten ba. Teil, der erst kurz vor dem Erscheinen des ganzen Werkes (1906) abgeschlossen wurde, steuerte Stanley A. Cook allerhand bei. Geringeren Gebrauch machten davon die Wörterbücher von Siegfried-Stade und von König (1910). Dagegen ist Brockelmanns „Lexicon Syriacum" (1894), zu dem P. Jensen das assyriologische Material lieferte, auch für das BA wichtig geworden, zumal dann in der Neubearbeitung (1928) mit den durchgängigen etymologischen Hinweisen.

3. Dieser Rückblick auf die Entwicklung der ba. Lexikographie bis zum Jahr 1915 lässt deutlich erkennen, wie sehr der Fortschritt in Etymologie und Semasiologie hier durch die Erweiterung des sprachlichen Vergleichsmaterials bestimmt war. Daraus ergibt sich die Aufgabe, das Wörterbuch im selben Sinn, aber nach den heutigen Erfordernissen und mit den heutigen Möglichkeiten weiterzuführen. Neben dem seitherigen Ertrag der textkritischen und exegetischen Arbeit also vor allem unter möglichster Heranziehung des gesamten aramäischen und sonstigen semitischen Sprachmaterials. Ersteres findet man bis 1927 in ZAW 45, 84 ff., bis 1937 bei Rosenthal AF 24 ff. 295 ff. aufgeführt, neueres bei Dupont-Sommer, Les Araméens (1949) 79 ff. Hier kann nur das Allerwichtigste genannt werden.

a. Von altaramäischen Texten — ich verstehe darunter alle vor den „reichsaramäischen" (s. u.) liegenden — sind es: der Brief aus Assur (↗ Assbr.), die Inschrift von Sefīre-Suǧīn (↗ Suǧ.), die des Barhadad von Damaskus (↗ Barh.) und die neue Kilamu-Inschrift (↗ Znǧ). Zusammen mit den früher bekannt gewordenen Texten, ↗ Znǧ. — wo die Hadad- und die Panammu-Inschrift gewiss ihre sprachlichen Besonderheiten haben, aber von J. Friedrich Gr. 153 ff. doch wohl allzusehr vom Aramäischen losgelöst werden — Zkr usw., belegen sie ein Fünftel des ba. Wortschatzes.

b. Schon länger bekannt sind die aramäischen Ideogramme im Mittelpersischen oder Pehlevi (↗ pehl., Rosenthal AF 72 ff., Dupont-Sommer, Les Aram. 95 ff.), ein Gegenstück zu den sumerischen Ideogrammen der akkadischen Keilschrift, die deutlich als Vorbild gedient haben (s. C. Autran, Mémoires de la Société de Linguistique 23, 1923–35, 184 ff. und Ebeling ↗ Frah.). Ihren Charakter hat als erster M. Haug 1870 erkannt und schon Nöldeke hat sie gelegentlich für das BA herangezogen (GGA 1884, 1016). Aber noch in Brockelmanns „Grundriss" sucht man sie ebenso vergebens wie in den neueren Einleitungen in die semitische Sprachwissenschaft von L. H. Gray (1934), von H. Fleisch (1947) und J. H. Kramers (1949). Auch in der Diskussion der zwanziger Jahre um das Alter des Daniel-Aramäisch (Driver, Baumgartner, Rowley, Charles und Montgomery gegen Wilson und Boutflower, s. ZAW 45,

81 ff., Rowl. Aram.) war von ihnen nicht die Rede, wiewohl schon Fr. Hommel in seinem „Grundriss der Geographie und Geschichte des Alten Orients" (1904) 193² 203² ihre Bedeutung für das BA betont und auch Albright JBL 40, 1921, 107 kurz auf sie hingewiesen hatte. Erst H. H. Schaeder führte sie 1930 mit Erfolg in die Diskussion ein. Man kennt heute gegen 600 solcher Ideogramme, muss sie allerdings aus den einzelnen Texten (F namentlich Frah. und Paik.) und aus dem Glossar in Nybergs Handbuch II 296 ff. zusammensuchen. Für rund 200 ba. Wörter, also fast für ein Drittel des ba. Wortschatzes, findet man hier bei Berücksichtigung der besonderen Orthographie und der Schreibung mit mittelpersischen Endungen ihre Entsprechung, wenn auch gelegentlich bei etwas veränderter Bedeutung: (א)שתי nicht „trinken", sondern „essen", חלם „schlafen" usw. Freilich ist Lesung und Interpretation oft so schwierig und die Forschung durch Unterscheidung verschiedener Dialekte (Pahlavik und Parsik) so kompliziert und auch stark im Fluss, dass der Semitist hier der Hilfe des Iranisten nicht entraten kann. In geringerem Umfang verwendet auch das Sogdische, die erst seit 1904 bekannte Literatursprache eines zwischen Oxus und Iaxartes wohnhaft gewesenen nordiranischen Volkes, aramäische Ideogramme; das BA betreffen nur etwa 20, davon 5 neu gegenüber dem Pehlevi. Und allerneuestens sind nun auch noch solche aus Dura-Europus dazugekommen, für die vorläufig auf Altheim-Stiehl, Asien und Rom (1952) und Das erste Auftreten der Hunnen etc. (1953) verwiesen sei. — Der hier erhaltene und im Ganzen ziemlich homogene Wortbestand geht in der Hauptsache deutlich zurück auf die von Darius I. in Fortführung entsprechender Einrichtung im neuassyrischen und neubabylonischen Reiche eingeführte aramäische Kanzleisprache, für die sich die von J. Markwart geprägte Bezeichnung als „Reichsaramäisch" (RA) eingebürgert hat (vgl. Schaeder 1 ff., Rosenthal AF 24 ff., auch O.G. von Wesendonk, Litterae Orientales 49 [1932] 1 ff. und I. H. Hospers, Twee Problemen betreffende het Aramese van het Boek Daniel, 1948, 9 ff.). Wenn Messina 20 ff. die Existenz einer solchen offiziellen aramäischen Sprache bestreitet und den Gebrauch des Aramäischen auf den Handel und auf die westlichen Provinzen beschränkt sein lässt, so widerlegen ihn die aramäische Fassung der Behistun-Inschrift und ähnliche neuere Funde. Im allgemeinen stammen diese Ideogramme also aus der frühen Achämenidenzeit und sind damit

für uns die ältesten Vertreter dieser wichtigen reichsaramäischen Periode der aramäischen Sprachgeschichte. Gelegentlich stösst man freilich auch schon auf jüngere Erscheinungen, auf Pleneschreibung oder auf die aus dem Sam., Cp. und Md. bekannte Wiedergabe eines Murmelvokals mit *j*, und in den Ideogrammen aus Dura sogar auf einen ostaramäischen Einschlag parthischer und sassanidischer Zeit (Altheim-Stiehl 59 ff. 63 ff.). Als Beispiel für die Bedeutung für das BA sei צַוַּאר „Hals" erwähnt, das hier ebenso wie im Cp. und Sy. ohne א geschrieben wird; das bestätigt gegen Nöldeke MG 127 f. und BLH 548 die Erklärung des א als blosses Unterscheidungszeichen gegenüber צוּר.

c. Ausser in diesen Ideogrammen liegt der Wortschatz des RA namentlich in den ägyptisch-aramäischen Texten zumeist des 5. Jahrhunderts vor. Zu den 1906 ff. gefundenen Papyri und Ostraka aus Elephantine sind seitdem noch weitere Texthaufen gekommen. Aus Elephantine selber die 1933 durch Borchardt erworbenen und dann in den Besitz der Bodleian Library in Oxford übergegangenen „Ledertexte" aus dem Archiv des Arscham (↗ AD; G. R. Driver ZAW 62, 220 ff., Kahle ThR 1949, 205 ff.), deren Herausgabe durch Driver unmittelbar bevorsteht. Weiter die 1893 von Wilbour angekauften und nun im Besitz des Museums von Brooklyn befindlichen Papyri, die E. G. Kraeling herausgeben wird (↗ BMAP; Kraeling BArch. 15, 1952, 49 ff.). Endlich die 1907–09 von Clermont-Ganneau aufgefundenen Ostraka, deren Ausgabe Dupont-Sommer vorbereitet (s. Actes du XXIe Congrès International des Orientalistes 1948, 109 ff.); einzelne Stücke hat er bereits da und dort veröffentlicht (↗ Ostr.). Der älteste dieser äga. Texte ist der 515 geschriebene „Pachtvertrag" (↗ Pachtv.). Jünger als die Elephantinetexte sind die von Aimé-Giron veröffentlichten, stark fragmentarischen Papyri aus Saqqara (↗ Ai.-Gi.), während der 1942 ebendort gefundene Papyrus (↗ Saqq.) der um 600 an den Pharao gesandte Brief eines philistäischen oder phönizischen Stadtfürsten ist. Über die 1945 von S. Gabra in Tuna el-Gabal (Hermopolis-West) in einem Topf aufgefundenen Papyri, Privatbriefe des 5. Jahrhunderts, die Murad Kamil bearbeitet, liegen bis jetzt nur summarische Nachrichten vor (↗ Hermop., Actes du XXIe Congrès 106 f., Or. 17, 1948, 549 f.).

Dieser ganze äga. Wortschatz deckt sich weitgehend mit dem der Pehlevi-Ideogramme, deckt sich aber ebenso auch mit dem des

BÀ. Rund 320 Wörter, also knapp die Hälfte des ba. Bestandes, kehren hier, wenn auch nicht immer ganz in derselben Form (F דִּבְרָה) wieder. Es ist mehr als die Hälfte, wenn man noch die 25 Wörter dazu nimmt, die bisher zwar nicht äga., aber als Ideogramme belegt sind und dort also offenbar nur zufällig fehlen. Und noch höher wird voraussichtlich die Zahl der belegten Wörter steigen, wenn erst die Ostraka, die BMAP und die Texte von Hermopolis im ganzen Umfang vorliegen. Man ist gespannt, wie sich dazu die von Herzfeld und E. Schmidt in Persepolis gefundenen, in die Hunderte gehenden Aufschriften auf Schalen und Tontäfelchen aus der Zeit des Darius I. und Xerxes I. verhalten werden, die R. A. Bowman in Bearbeitung hat. — An der Zugehörigkeit des BA zum RA kann jedenfalls kein Zweifel mehr bestehen. Nicht zufällig betrifft die Übereinstimmung so oft gerade Wörter und Wendungen der Kanzleisprache: אַזְדָּא, שְׁלָם אֲמַר, עַל־דִּבְרַת, יְדִיעַ לֶהֱוֵא, שְׁלַחְנָא וְהוֹדַעְנָא u. ä. Da werden auch für das RA bisher nicht belegte Wörter, gut aramäische wie בטל, נזר, טַבָּח, כְּתָב usw., und erst recht Fremdwörter wie אַדְרַזְדָּא, אֲדַרְגָּזַר, אֲפָרְסָי, נִדְבָּךְ, נִזְבְּזָה, הַדָּבַר, הֲלָךְ usw. ebenso daher stammen.

d. Namentlich für die Kenntnis des damaligen Vokalismus wichtig sind zwei etwas jüngere Texte: der in babylonischer Keilschrift geschriebene Brief aus F Uruk (3. Jahrh.) und der wohl nicht viel ältere längere, aber auch viel schwierigere und erst zum geringsten Teil zugänglich gemachte Papyrus mit demotischer, d.i. spätägyptischer Schrift, der sich als Wiedergabe eines aramäischen Textes herausgestellt hat (F Demot.). Beim ersteren schliesst die syllabische Schreibweise die Vokale ein: *qu-um* = קוּם. Auch sonst reduzierte Vokale erscheinen als voll: קֳדָם als *qu-da-am*, was hier freilich nur ein *q^{u}dām* wiedergeben wird; denn die Reduktion war damals schon zeit Jahrhunderten üblich, und in Fällen wie *ti-ḫu-u-ut* = תְּחוֹת drückt das *i* bereits den Murmelvokal aus. — Der demotische Text geht auf eine aramäische Konsonantenschrift zurück, die aber nicht bloss ו und י für *ō/ū*, bzw. *ī* gebraucht, sondern auch א für *a*, wie man es schon aus der aramäischen Inschrift vom Achämenidengrab in Nakš-i Rustam (Herzfeld 12, Altheim-Stiehl, As. u. Rom 59) und vereinzelt auch aus den Pehl.-Ideogrammen (F קָל) kennt, sodass auch hier wenigstens etwas vom Vokalismus fassbar wird. Und zwar ist es ein gegenüber dem ba. in gewisser Hinsicht älterer

Vokalismus, der dort reduzierte und sogar ausgestossene Vokale noch kennt, vgl. תאבארכאכא u.ä.: *תְּבָרְכָךְ, מאלאכאת: *מַלְכָת; desgleichen in Uruk *ḫabarān*: *חַבְרָן, gab(a)rē: נִבְרַיָּא, *rugazē*: *רְגַזַיָּא (s. Gordon, AfO 12, 111, § 35). Beide Texte geben auch der Präposition בְּ den *a*-Vokal (s. Gordon Ug. Handb. § 10, 1 und Rosenthal Or. 11, 176 f.). Anderseits fehlt die für den Osten charakteristische pl.-det.-Endung *-ē* von Uruk (*gabarē* Männer, *nīšē* Frauen, *rugazē*) kaum zufällig dem demotischen Text.

e. Am unteren Rande des Reichsaramäischen stehen, beide reich durch Inschriften vertreten, das Nabatäische (ꜰ nab.; Rosenthal AF 83 ff.) und das Palmyrenische (ꜰ palm.; Rosenthal 93 ff.), jenes nach dem ethnischen Untergrund mit einem arabischen Einschlag, dieses mit einem ostaramäischen. Der nabatäische Wortschatz ist aus dem Glossar bei Cantineau (Le Nabatéen II 55 ff.) leicht zu überschauen; die neueren Inschriften haben den Bestand nicht wesentlich verändert. Für den palmyrenischen fehlt leider ein solches Glossar. Aber in CIS II 3, 1926/47 hat man jetzt wenigstens die Texte beisammen, nur zu ergänzen durch die allerneuesten Publikationen (ꜰ LP Rec. und Doura F.). Auch die Grammatiken von Cantineau (1935) und von Rosenthal (1936) helfen die Lücke etwas ausfüllen. — Die neuen Texte aus ꜰ Hatra, von der iraqischen Grabung von 1951, sind viel ergiebiger als die seinerzeit von der Deutschen Orient-Gesellschaft dort und in Assur aufgefundenen (s. Rosenthal AF 175). Gleich den früheren stammen sie aus christlicher Zeit; das charakteristische שנפיר für שַׁפִּיר kehrt hier wieder.

f. Die nächste Stufe des Aramäischen vertreten im Gegensatz zur Kunstsprache des RA wirkliche lokale Dialekte, die hier in scharf getrennten religiösen Volksgemeinschaften zu religiösen Schriftsprachen entwickelt weiterleben (s. Kahle, ThR 1949, 201 ff.). Leider ist ihre Benützung durch das Fehlen guter Ausgaben oft stark erschwert. — Bei den jüdisch-aramäischen Dialekten einschliesslich des babylonisch-talmudischen macht ihre Verteilung über zwei getrennte Gebiete mit nie unterbrochenem Verkehr Schwierigkeiten. Für die gegenüber der Zeit Dalmans stark veränderten Probleme der Targume und ihrer Sprachformen vgl. Rosenthal AF 127 ff. und Kahle ThR 1949, 213 f. Zur richtigen Bewertung der zahlreichen grammatischen und lexikalischen Berührungen ist zu beachten, dass der grösste und wichtigste Teil der persischen Entlehnungen nach dem vorausgesetzten Lautstand der achämenidischen oder frühparthischen Zeit entstammen (Telegdi JA 226, 177 ff.). — Das Samaritanische, sehr schlecht überliefert und stark hebräisch durchsetzt, aber mit einem westaram. Lokaldialekt im Hintergrund, liefert u.a. den einzigen, freilich nicht ganz sicheren Beleg zum ba. בנם. — Das Christlich-Palästinische, trotz der syrischen Schrift auch ein palästinischer Dialekt und dem Sam. recht nahestehend, ist durch Schulthess' Lexikon und Grammatik leicht zugänglich, nur in der Vokalisation oft unsicher. Mit dem BA hat es u.a. נְפַל עַל „obliegen" gemeinsam; es gibt auch für טלל haf. die richtige Bedeutung und bei יבל den einzigen weiteren Beleg für die Bildung des haf als פ״י. — Neben dem JA liefert das reichste Vergleichsmaterial das aus dem Lokaldialekt Edessas erwachsene Syrische, das dank Nöldekes Grammatik und Brockelmanns Wörterbuch auch am besten bearbeitet ist. In der im Sinaikloster entdeckten syrischen Bibelhandschrift (Syra vetus) sind Reste einer älteren westaramäischen Sprachform erhalten (s. Black 216 ff.).

g. Stärker herangezogen als es bisher geschehen ist auch das Mandäische, das im Lautstand (↗ אֲרַק) und in dem öfteren Haphel trotz der jungen literarischen Bezeugung noch teilweise älteren Sprachcharakter bewahrt hat (s. HUCA 23 II, 46 ff), gelegentlich auch zur Bestimmung einer Grundform mithilft (↗ חֲרַץ). Schmerzlich vermisst man natürlich das von Lidzbarski geplante, aber nicht mehr zur Ausführung gekommene Wörterbuch. Hier ist nun wenigstens das in Nöldekes Grammatik verarbeitete Material, das schon eine ganz gute Übersicht über den Wortschatz vermittelt, vollständig ausgezogen und dazu, freilich ohne Vollständigkeit, manches aus den durch Lady Drower (↗ Drow.; s. HUCA 23 II, 45[12] und neuestens ihr eigenes Schriftenverzeichnis JRAS 1953, 34 ff) veröffentlichten Texten hinzugenommen.

h. Die neuzeitlichen aramäischen Dialekte, das Neusyrische von Kurdistan, Urmia und der Umgegend von Mosul (↗ Macl.), und das Neuaramäische von Maʿlūla (↗ Gl. und Spit.) beizuziehen hat noch Brockelmann als unnötig abgelehnt (LS S. III). Aber dass in beiden das sonst nicht häufige בָל weiterlebt, im Nsy. auch טְוָת und קְטְרֵי חֲרְצָא, oder dass die von Brockelmann selber für חִוָּר angesetzte

Grundform *ḥuwwār* (VG I 362) im Nar. tatsächlich vorkommt, ist immerhin nicht ohne Interesse. Beim Nar. muss allerdings der starke arabische Einschlag beachtet werden.

i. Vereinzelte Belege zum ba. Wortschatz finden sich auch, zusammen mit hebräischen Wörtern und darnach offenbar durch jüdische Händler vermittelt, auf arabischem Boden: in der Ṣafa östlich vom Hauran (s. Littmann, SI xxi, F נוֹ, נטר, רשם), und sogar, wie das von Ch. F Rabin aus den arabischen Grammatikern zusammengestellte Material dartut, in den Dialekten der Westhälfte der arabischen Halbinsel bis nach dem Jemen hinunter (F דִּי, חֲבָל, חֲסַף, מְרֵא, נשם, רחם).

k. Schliesslich liefert selbst das Ugaritische, das sonst natürlich von ungleich grösserer Bedeutung für das Hebräische ist, seinen Beitrag: nämlich für he. יֵשׁ ein überraschendes ʾš = aram. אִית, die Nebenform des ba. אִיתַי; und die schärfere Unterscheidung der Zischlaute in jener Schrift bestätigt die sonst schon meist vorgenommene Trennung der beiden Wurzeln he. I שׁנה „sich ändern", ba. שׁנה, und he. II שׁנה „wiederholen", ba. תנה.

Der im Lexikon gemachte Versuch, den ba. Wortschatz ganz in den Zusammenhang des allgemein aramäischen hineinzustellen und von da aus zu erklären, dürfte sich durch das Ergebnis als gerechtfertigt erweisen. Dafür nur drei Beispiele, die zugleich dartun mögen, wie die notwendig knappen Angaben des Lexikons erst so Leben gewinnen. Das sy. ܦܽܪܣܳܝܳܐ weist gleich dem he. פָּרְסִי diejenige Form des Gentile zu פָּרַס auf, die auch für das BA zu erwarten wäre, hier aber durch eine Form mit *ă* — nach BL in Analogie zu כַּשְׂדָּי — verdrängt ist, die als Variante auch im He. auftritt. — Für פֶּחָר wird die von Lidzbarski und A. Fischer aus dem Arabischen gewonnene Erkenntnis, dass das Wort zunächst den Töpfer und erst in zweiter Linie dann auch sein Fabrikat und dessen Stoff bezeichnet, durch das neuere Material bestätigt. Letztlich sumerischer oder gar vorsumerischer (v. Soden) Herkunft — *baḫar*, Deimel, Sumerisch-akkadisches Glossar, 1934, 24 — erhält es im Akkadischen die für Berufsnamen beliebte Form *parrās* (v. Soden § 55, 23a). Erst im aramäischen Bereich kommt daneben die zweite Bedeutung auf. In Da 2, 41 liegt noch die erstere vor, wenn nicht Montgomery mit seiner Deutung als *clay* recht hat. — Für das Herz hat das

Westsemitische zwei Wörter: das im Akk. Ar. und Äth. allein vorhandene *libbu > לֵב, und daneben das sonst nicht vorkommende *libabu > he. לֵבָב, ba. לְבַב. Die einsilbige Form ist von Suğ. bis ins Nsy. und Nar. belegt, die zweisilbige vom Pehl. bis ins Md. Wie im He. (☞ Koehler, Lex. s. v. und F. H. von Meyenfeldt, Het Hart . . . in het OT, 1950) werden auch im BA beide Formen ohne ersichtlichen Bedeutungsunterschied gebraucht (Da 7, 4:4, 13). Aber im He. ist לֵב sehr viel häufiger, nach Koehler 598 × : 252 ×. Im BA ist es gerade umgekehrt: 7 × לְבַב und 1 × לֵב. Und das gilt ebenso für das Pehl., das nur לבב kennt, und für das Äga., wo in AP לבב c. 20 × vorkommt, לב allerhöchstens 1 × (AP 71, 6); in AD etc. fehlen beide. Weiterhin ist es dann so, dass für JA und Md. beide belegt sind, für Cp. Sam. Sy. Nar. u. Nsy. nur לב. Beide Formen sind also alt; aber das RA, und damit auch das BA, hat aus irgendwelchen Gründen eine Vorliebe für לבב, während לב sich länger und bis in die modernen Dialekte hinein erhält. — Aber auch ohne solch unmittelbare Beziehung hat durchgängige Bestandesaufnahme ihren Wert; schärft sie doch die Augen für die Vielgestalt der Formenbildung, die Neigung zu bestimmten Entwicklungen sowie Verbreitung und Zähigkeit mancher Wörter und Formen.

4. Der im Codex Leningradensis vorliegende Text des Ben Ascher, den die BH seit der dritten Auflage bietet (s. BH³ S. 1 ff.) und der auch dem Lexikon zugrunde gelegt ist, weicht vom Text des Ben Chajim der Editio Bombergiana, auf dem gleich den meisten neueren Bibelausgaben auch die beiden ersten Auflagen der BH fussten, in den ba. Partien häufiger ab als in den hebräischen. In Da 2-7 sind es rund 90 Abweichungen, doppelt so viel als in einem he. Stück gleichen Umfanges. Damit wird für das Lexikon manches, was bisher Text war, zur Variante und werden umgekehrt bisherige Varianten zum Text. Gelegentlich betrifft das Fälle, wo man sonst schon der Variante den Vorzug gab (so bei מִתְחַנַּן oder bei עֲנָיִן, wo nur die falsche Pausaldehnung zu beseitigen ist); anderes, אֲמַיָא auch ohne Dagesch und *עֲמִיק, ist neu. Aber der sachliche Wert einer Lesart hängt natürlich nicht daran, sondern muss davon unabhängig von Fall zu Fall geprüft werden. Im allgemeinen betreffen diese Abweichungen der Handschriften zumeist ja nur die Orthographie: Plene- oder

Defektivschreibung, Schwanken zwischen א und ה bei auslautendem *ā* und *ē*, Setzung oder Nichtsetzung eines Maqqēf und dgl. Manche berühren aber doch auch die Vokalisation, den Dageschpunkt, den Konsonantismus, und gewinnen damit an Bedeutung. Die gegenüber dem He. viel stärkere Variabilität springt besonders bei קֳבֵל, קֳדָם, קום haf. und hof. in in die Augen. In der wechselnden Schreibung von שנא,שַׂבְּכָא,כַּשְׂדָּי und שׂטר spiegelt sich wie im He. die beginnende Verdrängung des שׂ durch ס. Bei נַהִיר, עַמִּיק, עֲצִיב, עַתִּיד und רַחִיק haben wir es mit dem für das Aram. charakteristischen (VG I 362 f.) Schwanken zwischen den Nominaltypen *qaṭṭīl* und *qaṭīl* zu tun, bei אתה, בטל, הוה, מטא, רבה mit verschiedenen Entwicklungen der 3. sg. f. pf. Eine unverkennbare Neigung der Überlieferung ein *ā* vor Murmelvokal zu verkürzen (שְׁנָיָה > שַׁנְיָה), habe ich in der Eissfeldt-Festschrift 48 f. behandelt.

Besondere Beachtung verdienen die Varianten der „babylonischen" oder „orientalischen" Überlieferung, die zum Teil schon bei Strack S. 32* ff., dann aus Kahles Material vermehrt in BH³ geboten wurden. Ihre Wichtigkeit — auch für den he. Text des AT — hat namentlich Kahle betont (s. MT und MdO, die Aufsätze ZAW 46, 1928, 113 ff., ThR 1933, 232 ff. und BH³ x ff.). Die supralineare Schreibung ist aus technischen Gründen und auch darum, weil sie nicht immer leicht zu verstehen ist, hier in Umschrift wiedergegeben. Das Besondere dieser Varianten gegenüber den sonstigen ist, dass hier weithin ein System, eine zusammenhängende andersartige Überlieferung des BA dahinter steht: *'amar*, *'elāh* etc. statt אֲמַר, אֱלָהּ etc., *wᵉ* vor Konsonant mit Murmelvokal als *wi-*, anlautendes *jᵉ* als *ī*, anderer Typus von Perfekt (F טאב, יכל, קרב, שׂפר), von Imperfekt (F אכל), von Nomen (F אֱסָר, חֱסֵן, טְפַר), andere Stammform (F בהל, נצח, קטל), andere Behandlung schwacher Verben (F אתה haf. hof., זון hitpe., סוף haf.), andere Bildung der 3. sg. f. pf. (נפק haf.), und dgl. Gewiss liegen nicht alle Abweichungen auf gleicher Linie (s. Rosenthal AF 49 f.), und manche sind ohne Frage sekundär. Aber oft stehen die Formen doch wie zunächst gleichwertig nebeneinander: *ḥusnā* neben חִסְנָא, *naghā* neben נָגְהָא, *jōkul* neben יֵאכֻל. Und nicht selten muss die orientalische Form ursprünglich sein: in *gulī*: גְּלִי, *haḥsinū*: הַחְסִנוּ, *šab'ā*: שִׁבְעָה, *riglajjā*: רַגְלַיָּא usw. Auch *'aḥšᵉdarpan* steht der persischen Wortform näher als

אֲחַשְׁ'. Die sprachgeschichtliche Tragweite solcher Varianten, die häufiger sind als beim He. und die sprachliche Überlieferung des BA als wesentlich weniger geschlossen erweisen, liegt auf der Hand.

Wieweit dieses Nebeneinander verschiedener Formen und Systeme in zeitlichen oder örtlichen Verschiedenheiten begründet ist, bleibt offen. Im Fall von *maškab*: מִשְׁכַּב u. ä. handelt es sich um eine gemeinsame westsemitische Erscheinung (s. ThZ 9, 154 ff.). Es gehört zu den Verdiensten von BL, diese Varianten, soweit sie ihnen bekannt waren, in ihre Grammatik aufgenommen zu haben. Und da das Lexikon zugleich das Material für grammatikalische Untersuchungen bereitstellt, sind sie auch hier sorgfältig zu buchen. Das ist m. E. neben dem Anliegen von § 3 heute das andere Hauptenfordernis.

5. Der Bestand an Fremd- und Lehnwörtern ist im BA um einiges höher als im He.; ohne die hebräischen (und kanaanäischen), von denen nachher gesondert zu reden ist, sind es ihrer etwa 75, d. h. 12 % des gesamten Wortschatzes. Die Frage ihrer Herkunft ist seit Gesenius nun in den meisten Fällen geklärt.

An erster Stelle steht, mit über 40 Wörtern, der Beitrag des Akkadischen, dem besonders Delitzsch und Zimmern nachgegangen sind (s.o. § 2). Noch Nöldeke hatte hier öfter mit persischer Herkunft gerechnet (GGA 1884, 1022 für נִדְבָּךְ, זִיו, אִגְּרָה); bei אַפְּתֹם und זְמָן besteht diese Alternative noch heute. Die Höhe der genannten Zahl — beim gesamten he. Wortschatz sind es nur ihrer gut 100 — erklärt sich einmal aus dem besonderen Inhalt und Milieu unserer Texte (s. § 1). Dann ist der akk. Einschlag im Aram. aber überhaupt ziemlich stark, wie die freilich wohl etwas zu reichlich bemessene Liste bei Zimmern 79 ff. zeigt; auch von den bei Fraenkel festgestellten aram. Lehnwörtern im Arabischen gehen nicht wenige auf das Akkadische zurück. Elf jener 40 Wörter sind übrigens durch das Akkadische nur übermittelt, selber letztlich anderer Herkunft: 8 (אשׁ, אַתּוּן, הֵיכַל, כָּרְסֵא usw.) kommen aus dem Sumerischen, אַרְגְּוָן und פַּרְזֶל aus Kleinasien, כַּרְבְּלָה vermutlich aus der Sprache der Saken. Zwei Fünftel der Gesamtzahl sind für das RA belegt, ein Fünftel bereits im Altaramäischen; אִגְּרָה, זכה, כֹּר, סְפַר, סָפַר, פֶּחָה u.a. könnten schon durch das Kanaanäische vermittelt sein. Bei זקף, טְעֵם, לִשָּׁן, פלח, פשׁר und צלה ist nur je eine bestimmte

Bedeutung des an sich gut aramäischen Wortes entlehnt. הֲלָךְ, פְּרֵם und תְּקֵל sind in der Form teilweise aramaisiert, אָשַׁף ist es besonders in den Varianten. Dem Inhalt nach beschlagen diese Wörter Handel, Bauwesen, Töpferei, Verwaltung, Recht und Religion.

Die persischen Fremdwörter, etwa 25 an Zahl, haben von jeher besonders viel Mühe gemacht; bei einigen ist es noch heute strittig, ob es sich um Appellativa oder um Völkernamen handelt. Vom Boden der stärker differenzierten modernen Iranistik aus sind namentlich Benveniste, Eilers, Schaeder und Telegdi über die älteren Erklärungsversuche (s. o. § 2) hinausgekommen. Aber manches bleibt schwierig; in einzelnen Fällen (סַרְבָּל) mag es sich auch um ein Fremdwort innerhalb des Persischen handeln. Diese persischen Wörter betreffen zumeist Verwaltung, Recht und Religion. Zur Hälfte sind sie für das RA belegt, ein Viertel kommt sonst im Aram. überhaupt nicht vor.

Ein ägyptisches Fremdwort und als solches eine grosse Seltenheit — denn selbst in den äga. Texten sind solche überaus selten, beschränken sich z. B. in den AP auf Personennamen und die paar nautischen Termini in nr. 26 — wäre חַרְטֹם (F he. Lex), wenn es hier nicht einfach aus der Josephgeschichte stammt. Als griechische Lehnwörter bleiben, da כָּרוֹז und פִּתְגָם dafür nicht mehr in Frage kommen, die drei Musikinstrumente von Da 3, 4.

Wie sehr sich diese Fremdwörter im Aram. eingebürgert haben, ersieht man daraus, dass nicht wenige von ihnen hier denominative Verben entwickelten. Solche sind im BA. זבן, wo das Lehnwort selber ja überhaupt nur im Md. belegt ist, und זמן; von נְוָלוּ kommt das Denominativ im JA, von אש und כַּרְבְּלָה spät im AT und im Mhe. vor. Das Überwiegen der Wörter akk. Herkunft bezeugt den tiefgehenden Einfluss der babylonischen Kultur weit über den Untergang des neubabylonischen Reiches hinaus.

Die Frage grammatischer und lexikalischer Hebraismen ist in den vergangenen Jahrzehnten sehr verschieden beantwortet worden. Kautzsch Gr. § 8 hatte solche in grösserem Umfang angenommen, Nöldeke GGA 1884, 1015 f. und noch mehr Powell ihre Zahl im Blick auf die Inschriften stark beschränkt, während Blake wieder mehr damit rechnet. Dass die erweiterte Kenntnis des älteren Aram.

hier stark ins Gewicht fallen muss, ist klar. Noch 1913 war Brockelmann geneigt, die ba. und tg. Fragepartikel הֲ aus he. Einfluss zu erklären (VG II 193); vier Jahre später trat sie im Assurbrief zutage. Wörter, die im RA ausserhalb des jüdischen Milieus, also vor allem in den Ideogrammen, im Nabatäischen und Palmyrenischen belegt sind, wie z.B. *אַחֲרִי (gegen Montg. 163) oder שְׁאָר, kommen für Hebraismen nicht mehr in Betracht. Im übrigen hat schon Kautzsch mit Recht unterschieden zwischen Hebraismen, die schon dem damaligen BA eigen waren, und solchen, die erst durch Abschreiber bewusst oder unbewusst in die Texte kamen (אֱלָה in dieser Vokalisation, יוּכַל zu יְכֻל, בֵּיתִי, die Pluralendung *-īm* z.B. in מֶלֶךְ). Von den „echten" Hebraismen aber sind mit Bauer-Leander weiter die „Kanaanismen" abzuspalten, die schon vor- und ausserhebräisch, sei es aus kanaanäischer Unterschicht, sei es aus kanaanäischen Einfluss auf die Ausbildung einer aram. Schriftsprache, in das Aram. und damit auch in das BA hineingekommen sind (s. BL § 1, s-w, OLZ 29, 801 ff., Lidzbarski Urk. 11). Praktisch fällt allerdings die Unterscheidung nicht immer leicht. Der Gruppe eigentlicher Hebraismen sind gewiss spezielle Ausdrücke der he. theologischen und Sakralsprache zuzuweisen (BL 10 u), also etwa גְּלוֹ, חֲנֻכָּה, חטא und seine Derivate, מַחְלְקָה, מַלְאָךְ, נִיחוֹחַ, מִנְחָה, עֶלְיוֹן und das bereits etwas aramaisierte עלוה, alles Wörter, die ausserhalb des biblischen Bereiches meist überhaupt nicht vorkommen; die paar Ausnahmen aus Elephantine wären leicht verständlich. מאזנא und צַוַּאר scheinen wenigstens ihr א aus dem He. zu haben. Für die dritte Gruppe bleiben dann einige, meist gewerbliche und verwaltungstechnische Ausdrücke wie אֶל (? F עַל), לֵאמֹר, דִּבְרָה, זכה (s. o.), לְבוּשׁ, עִלִּי, die teils im RA oder noch früher belegt sind, teils durch ihren Lautstand und schwache sonstige Bezeugung im Aram. sich als unaram. verraten (I לָהֵן, רֵו u. שְׁפֵט). Aber wenn BL auch Bildungen wie אֱנוֹשׁ, דִּכְרוֹן, גְּזֵרָה dahin rechneten, so stiessen sie damit bei Brockelmann, Littmann, Rosenthal auf Widerspruch. Auch bei Wörtern wie קצף, רַעֲנַן u.a. ist natürlich mit der Möglichkeit gemeinsamen westsemitischen Bestandes zu rechnen. Die Zahl der he. wie der kanaanäischen Wörter schwankt beidemal zwischen 15 und 20. Jedenfalls muss der Entscheid auch hier differenzierter sein als früher.

6. Das Hauptergebnis ist also die Zugehörigkeit des BA zum RA, freilich mit einem starken he. Einschlag, der auf Rechnung des jüdischen Volkes und seiner Religion geht und dem ganzen BA, jedenfalls soweit es auf uns gekommen, eine gewisse religiös-theologische Färbung gibt. Sonst hat man sich das RA gewiss recht säkular vorzustellen; höchstens dass jenes אחרית עדן (F אַחֲרֵי) als Pehl.-Ideogramm an die Frage einer ausserjüdischen Apokalyptik rührt. Von einer theologischen Umprägung des überkommenen Sprachgutes, wie man sie später im Md. findet, ist abgesehen etwa von einer besonderen Verwendung von רָז nichts zu erkennen.

Geographisch lässt sich das BA nicht festlegen. Die übliche Unterscheidung von Ost- und Westaram gilt für jene Zeit noch nicht. Das einzige ältere, vorchristlich aber überhaupt seltene, Merkmal der östlichen Dialekte, -ē als Endung des pl. det. m. (Rosenth. AF. 173f.), fehlt jedenfalls. Auch Versuche, der Frage durch die Beziehung bestimmter Formen, Wörter und Bedeutungen zu den verschiedenen Dialekten beizukommen, führen zu keinem rechten Ergebnis, da die einzelnen Beobachtungen allzusehr auseinandergehen (s. Eissfeldt-Festschr. 53f.). — Im ganzen ist das Ba einheitlich. Wohl bestehen einige Unterschiede zwischen der Sprache von Esr und Da, und man ist versucht, dieselben im Sinn einer sprachlichen Entwicklung vom einen zum anderen auszuwerten (ZAW 45, 120ff.) Indes hat sich gezeigt, dass es sich da im wesentlichen nur um orthographische Verschiedenheiten innerhalb des einen RA handelt (Schaeder 30ff.). Immerhin sind natürlich auch solche aufschlussreich und bezeugen einen gewissen zeitlichen Abstand (so auch Schaeder 48 55).

Im übrigen ist es selbstverständlich, dass alle diese Fragen weiter und wo möglich auf der Grundlage vermehrten Materials zu verfolgen sind.

7. Die Anlage des Wörterbuches folgt soweit als möglich der des he. Teiles. Die Kopfartikel enthalten, was für das Verhältnis des betreffenden Lautes und Zeichens gegenüber dem He., sowie innerhalb des Aram. und des Semitischen überhaupt von Belang ist. Eine „Wurzel", zur Entlastung der eigentlichen Stichworte gesondert aufgeführt, ist überall dort angegeben, wo ein entsprechendes Verb, primär oder denominativ, irgendwo im Semitischen vorkommt. Das Stichwort ist bei

Verben unvokalisiert gelassen; ל״ה und ל״א sind grundsätzlich unterschieden, auch wenn das in den Texten bereits verwischt ist. Es folgt das he. Äquivalent, und zwar auch eines, das nicht in der Form (טָב : טוֹב), sondern nur in der Funktion entspricht, also אַחֵר zu אָחֳרָן, קָדוֹשׁ zu קַדִּישׁ usw. Dann die sonstigen aram. Belege und was etwa darüber hinaus wichtig ist (F אֵב und אבב, II בַּר); sonst vergleiche man dafür das he. Lex. Bloss wenn ein he. Äquivalent fehlt, werden alle Belege gegeben (F נְוָ, חשׁל). Ein Verweis auf BL und gegebenenfalls auf weitere Literatur sorgt für grammatische Erklärung; in besonderen Fällen wird die Grundform eines Nomens ausdrücklich vermerkt. Es werden sämtliche vorkommende Formen des betreffenden Wortes und zwar nach BH[3.4] aufgeführt. Dazu wichtigere Varianten; auch schlechte, als solche gekennzeichnet (אֱזַדָּא, מְחֵא, עִנְיָן). Meteg ist ohne Rücksicht auf die tatsächliche Überlieferung gesetzt, wo es $\bar{a}$ von $\breve{o}$ zu unterscheiden gilt. Die proklitischen Partikelen וְ, בְּ, כְּ, לְ sind nur mitaufgeführt, wenn formal (וִיקָר) oder sachlich von Bedeutung. Die Stellenbelege konnten fast überall vollständig mitgeteilt werden. Bei den Verben ist Konstruktion mit dem acc. oder dem dafür eintretenden לְ im allgemeinen nicht vermerkt.

Grosse Sorgfalt ist auf die Mitteilung der aram. Dialektbelege verwendet, wenn auch natürlich nicht alle Formen und Bedeutungen angegeben werden konnten. Um Platz zu sparen ist, wo Glossare vorhanden sind, auf genaue Stellenangaben verzichtet. Soweit nichts anderes bemerkt ist, schlage man also nach: für die altaram. (Znǧ. Ner. Tema) und die palm. Wörter NE, für die mspt. Delaporte, die nab. Cantineau, die ja. Dalman, die sam. Petermann und Cowley SL, die cp. das Lexikon von Schulthess, die sy. das von Brockelmann, die nar. Bergsträsser und die nsy. Maclean. Bei den pehl. Ideogrammen ist in erster Linie das Frahang zitiert; nur wo dieses nicht ausreicht, Paikuli usw. Von den verschiedenen Status des Nomens ist die für das BA bezeichnende Form gewählt.

Ich bin mir dessen bewusst, dass das Lexikon in dieser Gestalt über die unmittelbaren Bedürfnisse des Anfängers wesentlich hinausgeht; aber dafür sind die Glossare bei Marti, Strack und in BLK da. Wer tiefer in das BA hineinkommen will, darf die Mühe sich mit dem Lexikon vertraut zu machen nicht scheuen. In Fortsetzung der ehrwürdigen Tradition des Gesenius hat es vor allem auch den Fachgenossen und damit der Forschung selber zu dienen. Und da verlangt eben die Sachlage die Mitteilung von soundso viel Material, das zunächst unnötiger Ballast scheinen mag. Sie bringt es auch mit sich, dass so oft auf die Frage nach einer Form oder einer Bedeutung keine einfache und glatte Antwort gegeben werden kann, sondern neben der mir richtig erscheinenden auch noch andere als möglich oder doch erwähnenswert zu nennen waren, manchmal überhaupt nur verschiedene Meinungen nebeneinander gestellt werden konnten.

Zum Schluss habe ich noch all denen zu danken, die zum Zustandekommen etwas beigetragen haben. Meinem Freunde Ludwig Koehler, dessen hebräisches Lexikon mir als Vorbild und Vorarbeit wertvolle Dienste leistete, auch wenn sich mir meine Aufgabe dann in manchem etwas anders stellte; er hat auch eine Korrektur mitgelesen und manche Verbesserung und Berichtigung geht auf ihn zurück. Weiter Winton Thomas, der meinen englischen Text einer gründlichen Durchsicht unterzog und dem dort vor allem die Einleitung ihre gegenwärtige Form verdankt; G. R. Driver, der mir die Korrekturbogen der AD zur Verfügung stellte, sowie E. G. Kraeling für wertvolle Mitteilungen aus den BMAP; für mancherlei Rat und Auskunft aber auch vielen anderen, besonders P. de Menasce, P. Kahle, E. Littmann, G. Widengren und meinem früheren Schüler Dr. R. Mach. Dank gebührt aber auch dem Verlage, der ebenso wie L. Koehler dem ba. Teil soviel mehr Platz einräumte und der auch auf meinen Wunsch die syrischen Estrangelatypen durch die praktischeren jakobitischen ersetzte.

Kleinere Unausgeglichenheiten, namentlich im Gebrauch der Abkürzungen, möge der Benützer entschuldigen.

Basel, im Oktober 1953 W. BAUMGARTNER

INTRODUCTION TO THE ARAMAIC PART

1. The practice of separating the Aramaic vocabulary of the O.T. from the Hebrew, which to-day is taken as a matter of course, has in fact come into fashion only quite recently. It was Friedrich Delitzsch who first put it forward as a requirement in the introduction of his "Prolegomena" (1886) and it was first introduced by Brown-Driver-Briggs in their dictionary, which began to be published in 1891. They were followed by Siegfried-Stade in 1893 and in 1895 by Buhl, when he undertook his first revision of Gesenius.

Only by this separation does the peculiarity of the Aram. vocabulary become evident. Above all, how small in extent it is — about 650 words, excluding the forty or so proper names. From the present number דהוא, דִּינָיֵא and חֲדַת, perhaps also שפט, should disappear; while כִּיל, II מְשַׁח and שְׁלָה should probably be added. If we disregard Gen 31, 47 and Ir 10, 11, which together yield only three new words, the number is distributed among the books of Daniel (2, 4b-7, 28) and Esra (4, 8-6, 18 and 7, 12-26). About 22 per cent are common to both books, while 60 per cent occur only in Da, and 18 per cent in Esr. Both these literary collections originate from postexilic times and not very far apart from each other in time. The documents in Esr together with the text of the Chronicler which unites them, belong in the main to the fifth and fourth centuries B.C. Da 2-7 attained their present form during the Maccabean period; but, so far as their material is concerned, they go back to the third century, and in part perhaps even earlier. In content and literary character, both collections are very different. In Da 2-6 we have to deal with narrative, and in ch. 7 with apocalyptic, which finds its way also into ch. 2. In Esr we have to deal with documents, and with the historical writing of the Chronicler. There is, therefore, a marked difference in their vocabulary, which is, however, modified a little by the fact that the legends of Daniel, centring in the royal court, approximate to the documentary style in their citations of royal edicts and their enumeration of offices and titles. And last, but not least, they have in common the whole background of Israelitish-Jewish religion, which gives to the language, its close relationship the He. language. The cultic terms, most of them borrowed from He., and the hymnal passages in Da 2, 20-23 3, 33 6, 27 f. 7, 14 come especially to mind in this connection.

But even so, it is not only in its extent, that BA falls short of the He. in the O.T. It contrasts strongly with it also in variety. So the lexicographer has fewer opportunities of tracing the appearance of single words in certain connections and combinations, or of following differences in their meaning. The wholly accidental circumstances of what has been preserved appears as quite different in the one case and in the other. A different task is consequently set. If the Ba. vocabulary is so much less to be explained by itself—a limitation which applies also to Hebrew—we have to make good this shortcoming by utilising other sources.

2. In his otherwise excellent book, Rosenthal has not much to say concerning the history of Ba. lexicography. But as in the case of Hebrew, this history begins with Wilhelm Gesenius. Even in the first edition of his lexicon (1810-12), he recommended the taking into consideration of the Targums and the Syriac translation for a better understanding of the Chaldaean language—as BA was then called and continued to be called as late as the ninth edition of Gesenius owing to an ancient misunderstanding of Da 2,4. In his essay on the sources of He. lexicographical research, which was added in 1823 to the second edition of his shorter "Neues Handbuch"—it was revised several times later until 1890—he already mentions the Samaritan, the "Zabian or Nazoraean"—i.e. Mandaean—and the Palmyrene language. He had a keen eye for foreign words, and on סַרְבָּל, סוּמְפּוֹנְיָה etc. he provides astonishingly reach material. In the later editions, however, most of it was omitted. When, in the second half of last century, the number of Palmyrene inscriptions largely increased—in 1881 the great tariff was found—,the first Nabataean inscriptions became known, and the first Aramaic dockets of cuneiform inscriptions where published in CIS II (1889 ff.), there came about the great rise of Ba. studies connected with the names of Th. Nöldeke, S. R. Driver (1891) and A. A. Bevan (1892). The tenth edition of Gesenius (1886), prepared by F. Mühlau and W. Volck, referred to the inscriptions of

the Nabataeans, of Tema and of Egypt; it mentioned once more the "Zabian" language and, for the first time, modern Syriac. But all these materials became really important only when Buhl in the 12th edition of 1895 separated the He. from the Ba. vocabulary. The new century, since 1906, added the papyri from Elephantine, by means of which the importance of Egyptian-Aramaic at once became clear. The result is found in the 15th and the 16th editions.

The results of the young science of Assyriology were introduced by Friedrich Delitzsch into the 8th edition of 1878. For the 9th edition of 1883, Eberh. Schrader made available the manuscript of the second edition of "Keilinschriften und Altes Testament", which was to appear in the same year. For the first edition prepared by himself and for later editions Buhl had as his collaborator on the Assyriological side Heinrich Zimmern, who later on wrote the "Akkadische Fremdwörter" (1917) — The amount of Persian words and names made the co-operation of Iranian scholars also indispensible. After M. Haug who had taken the lead with his "Erklärung der persischen Wörter des AT" (1853), we have to mention especially the contributions of C. F. Andreas to the glossary in the grammar of K. Marti (1896, [2]1911) and of Isidor Scheftelowitz.

Like the more recent editions of Gesenius, the lexicon of Brown-Driver-Briggs also incorporated this material as far as it was available. Brown was in charge of the Aramaic part, which seems to have been completed not much earlier than 1906, and S. A. Cook added some notes to it. Less use of it was made by Siegfried-Stade and by König. Of great importance for Ba. studies was the Syriac lexicon by K. Brockelmann (1894), for which Jensen provided the Assyriological material. Especially important was the second edition (1928) with its thorough etymological notes.

3. This survey of the development of Aramaic lexicography up to 1915 enables us to see clearly the degree to which progress in etymology and semasiology depended on the increase of comparative linguistic material. Hence our task is to carry on the dictionary in the same lines, but in accordance with present day requirements and possibilities. This means that, in addition to the results of exegetical study and textual criticism which have accrued since 1915, special consideration must be

given to all the material relating to Aramaic dialects and the Semitic languages. Up to 1927 it is specified in ZAW 45, 84ff., up to 1937 in Rosenthal AF. 24ff. 295ff., more recent references may be found in Dupont-Sommer, Les Araméens (1949) 79ff. Mention can be made here only of what is especially important.

a. Of Old-Aramaic texts, i.e. those which are older than the texts in "Reichsaramäisch" (RA, see below), I mention the letter from Assur (F Assbr.), the inscription from Sefire-Sujīn (F Suğ.), of Barhadad of Damascus (F Barh.) and the recent one of Kilamu (F Znğ.). Together with the texts already known, Znğ.—the inscriptions of Hadad and Panammu have certain linguistic peculiarities, but are unduly detached from Aramaic by J. Friedrich—Zkr etc., they attest a fifth of the whole Ba. vocabulary.

b. The Aramaic ideographs in Middle-Persian or Pehlevi —a counterpart of the Sumerian ideographs in the Accadian cuneiform script and undeniably modelled upon them—have been known for many years. M. Haug was the first to recognize their nature, and already Nöldeke had made use of them incidentally for BA. But one seeks for them in vain in Brockelmann's "Grundriss" as well in the more recent introductions to Semitic linguistics by L. H. Gray (1934), H. Fleisch (1947) and J. H. Kramers (1949). Nor was there any mention of them in the discussion which took place after 1920 about the age of the Aramaic of Daniel, although Fr. Hommel had already stressed their importance for BA in 1904, and Albright too had referred to them briefly in 1921. H. H. Schaeder was the first to introduce them in 1930 successfully into the discussion. To-day about 600 such ideographs are known; only they have to be collected from isolated texts, particularly from the Frahang and Paikuli, and from the glossary in Nyberg's "Handbuch". About 200 Ba. words, nearly a third of the whole Ba. vocabulary, find here their counterpart, if we take into consideration their special orthography and the addition of Middle-Persian terminations. Sometimes also their meaning is changed: (א)שתי does not mean 'to drink', but 'to eat', חלם 'to sleep' etc. But the reading and interpretation of them is often so difficult, and research into different dialects is so complicated and ever advancing, that we cannot do here without the help of the Iranian scholars. — Also the Soghdians, a North-Iranian people who lived between the Oxus and the Jaxartes, used Aramaic ideographs in their script to some small extent. Only about 20 concern BA, and only five of these are not known from Pehlevi. Quite recently some additional ideographs have come from Dura-Europos, for which I refer to Altheim-Stiehl. — The stock of words preserved in these ideographs is in the main homogeneous, and in its essentials it goes back to the official Aramaic language introduced by Darius I in continuation of a similar institution in the late Assyrian and Babylonian kingdom. We follow J. Markwart in calling it "Reichsaramäisch" (RA, i.e. "Imperial Aramaic"). Messina, who denies the existence of an official Aramaic language and restricts the use of Aramaic to the commerce and the western provinces, is refuted by the Aramaic version of the Behistun inscription and similar more recent finds. In the main these ideographs date from the early Achaemenid period and are the earliest representatives of this important phase in the history of Aramaic. Yet incidentally younger phenomena are met with, for example scriptio plena and the representation of a half-vowel by *j*, as known from Cp., Sam. and Md.; and in the ideographs from Dura even a slight East-Aramaic element from the Parthian and Sassanide period is discernible. The importance of these ideographs for BA may be illustrated by צַוְּאר; written in Pehl. and Soghd. without א as in Cp. and Sy. it confirms, that א has been introduced only in order to differentiate it from צוּר.

c. Besides these ideographs, the vocabulary of RA meets us in the Aramaic texts from Egypt (EgA), most of them belonging to the fifth century. To the papyri and ostraca found in and after 1906 at Elephantine, other texts have been added. From the same place come the documents written on leather from the archives of Arsham, which were acquired by Borchardt in 1933 and afterwards came into the possession of the Bodleian Library (F AD). Their publication by G. R. Driver is expected at any moment. Further, there are the papyri bought in 1893 by Wilbour and now the property of the Brooklyn Museum, which E. G. Kraeling is going to publish (F BMAP; Kraeling in BArch. 15, 1952, 49 ff.). And lastly, there are the ostraca found 1907–09 by Clermont-Ganneau. Dupont-Sommer is preparing an edition having already published a few of them here and there (F Ostr.) The earliest of these texts is the lease written in 515 (F Pachtv.). The papyri from Saqqara published by Aimé-Giron, which are very badly preserved, are later (F Ai-Gi.). The papyrus found in 1942 at Saqqara is a letter of about

600 B.C. sent to the Pharaoh by the king of a Phoenician or Philistine town (F Saqq.). Of the papyri found by Ṣ. Gabra in a pot in Tuna el-Gabal (West-Hermopolis) in 1945, which are private letters belonging to the fifth century, we have so far little information; Murad Kamil is at work upon them (F Hermop.).

All this Aramaic vocabulary is largely identical with the vocabulary of the ideographs, as well as with the Ba. vocabulary. About 320 words, nearly half of the Ba. stock, occur here, though not always in quite the same form. It is indeed more than half, if we add the 25 words not hitherto attested in Egypt, occurring as ideographs, and so probably lacking in Egypt only by accident. And the number of attested words will presumably be greater still when the ostraca, the BMAP, and the texts from Hermopolis are available in their entirety. We are eager to know the relationship to it of the Aramaic endorsements on bowls and small clay tablets which belong to the time of Darius I and Xerxes I which were found by hundreds at Persepolis by Herzfeld and E. Schmidt, and which are to be published by R. A. Bowman. After all, there can be no doubt, that BA belongs to RA. It is no mere accident that they agree in so many terms and expressions which belong to the official style: שְׁלַחְנָא וְהוֹדַעְנָא, יְדִיעַ לֶהֱוֵא, עַל־דִּבְרַת, אֲמַר, שְׁלָה, אַזְדָּא and the like. And so even terms not yet attested there, good Aramaic words like כְּתָב, טַבָּח, נזר, בטל etc., and even more foreign words like הֲלָךְ, הַדָּבַר, נִזְבַּר, אֲפַרְסָי, אַדְרַזְדָּא, אֲדַרְגָּזַר etc. may have the same origin.

d. For our knowledge of the vocalisation of that time, two texts of a somewhat later date are important: a letter from Uruk written in cuneiform (third century), and a papyrus probably not much earlier—longer, but much more difficult and only partly available so far—written in Demotic, i. e. in late Egyptian script, which proves to be a reproduction of an Aramaic original. In the former, the syllabic script includes the vowels: *qu-um* = קום. Even vowels otherwise reduced or dropped appear as full vowels: *qu-da-am* = קֳדָם. But here probably it does not mean more than *q*[u]*dām*, the reduction being customary many centuries since, and in cases like *ti-ḫu-u-ut* the *i* expresses already the half-vowel. The Demotic text goes back to an Aramaic consonantal script which uses not only ו and י for *ō*/*ū* and for *ī*, but also א for *ā*, as it is known from the Aramaic inscription on the Achaemenid tomb at Naksh-i Rustam and sporadically from the Pehl. ideographs, so that we may grasp at least something of the vocalisation. And in certain respects it is, compared with that of BA, an earlier vocalisation which still expresses vowels otherwise reduced or dropped, תאבאראכאכא and the like: *תְּבָרְכָךְ, מאלאכאת: *מַלְכָּת; similarly in Uruk *ḫabarān*: *חַבְרָן, *rugazē*: *רְגְזַיָּא. Both texts also agree in giving to the prefix בְּ the vowel *a*. On the other hand, the termination *-ē* occurring at Uruk (*gabarē* men, *nīšē* wives) which is characteristic of the pl. det. m. in the east is lacking here. This is hardly an accident.

e. At the lower limit of RA we have equally numerous Nabataean and Palmyrene inscriptions, the former having, in accordance with their ethnic substratum, an Arabian element, the latter an Eastern-Aramaic. The Nab. vocabulary can be easily surveyed in the glossary of Cantineau's book. The inscriptions found since have not altered it much. A similar glossary for the Palm. vocabulary does not exist. But we have at least the inscriptions collected in CIS II3, 1926/1947, which need only to be supplemented by the most recent publications. Also the grammars by Cantineau (1935) and Rosenthal (1936) help to fill the gap. — The Iraqi excavation at Hatra made in 1951 has furnished more rewarding texts than those found long ago by the Germans there and at Assur. Like the former, they date from Christian times, and the characteristic שנפיר for שַׁפִּיר recurs here.

f. In contrast to the rather artificial RA, the next stage of Aramaic is represented by real local dialects, which here survive in quite distinct religions as well as national communities, and develope into religious literary languages. The use of them is often rendered difficult by the lack of good editions. The Jewish-Aramaic dialects, including that of the Babylonian Talmud, raise difficulties, because they are distributed over two different districts which were always in contact with each other. Concerning the problems of the Targums and of their linguistic forms, which are very different since the time of Dalman, s. Rosenthal AF and Kahle ThR 1949, 213 f. For a correct evaluation of the numerous grammatical and lexical contacts with BA it should be noted that the greatest and most important part of the Persian borrowings according to the phonetic system which is presupposed go back to Achaemenid or early

Parthian times. — The Samaritan language, very poorly handed down, with a strong admixture of Hebraisms, but having a real West-Aramaic dialect at the back of it, furnishes the sole, but not quite certain, example of Ba. בנס. — The Christian-Palestinian which, in spite of the Syriac script, is a Palestinian dialect, standing in a near relationship to the Sam., is easily accessible in Schulthess' books. The vocalisation, however, is often uncertain. It has in common with Ba. נפל על 'be incumbent upon', and it provides the real meaning of טלל haf. and the one extra-biblical example of יבל haf. formed as פ״י. — Besides JA, the richest material for comparison is supplied by Syriac, formerly the local dialect of Edessa, the best treated of all, thanks to Nöldeke's grammar and Brockelmann's lexicon. In the Bible manuscript discovered in the Sinai monastery (Syra vetus) remains of an earlier Western-Arabian dialect are preserved.

g. More fully drawn on than ever before is also Mandaean, which, in spite of its late appearance in literature, has preserved both in phonetics and in the more frequent use of the haf. some earlier linguistic features. Occasionally it enables us to fix an original form (F חֲרַץ). Of course, the lexicon planned, but not carried out, by Lidzbarski is sadly missed. Here at least the material collected by Nöldeke in his grammar, which provides quite a good survey of the vocabulary, is fully abstracted, and words from the texts published by Lady Drower are added without any attempt at completeness.

h. In his lexicon Brockelmann has deemed unneccessary to take in the modern dialects, the Modern-Syriac (F Nsy.) of Kurdistan, Urmia and the neighbourhood of Mosul, and the Modern-Aramaic (Nar.) spoken in Maʿlūla. But it is not without interest that בָּל, otherwise comparatively rare, survives in both dialects, in Nsy. also טְוָת and קִטְרֵי הַרְצָא, and that *ḥuwwār*, postulated by him as the original form of הִוָּר, occurs in Nar. In Nar. however the strong Arabic element has to be taken into account.

i. Sporadic parallels to the Ba. vocabulary, together with He. words evidently mediated by Jewish merchants, are also found on Arabian soil, in the Safa, east of the Hauran (F גוּ, נטר, רשם), and even, as the material collected from Arabian grammarians by Ch. Rabin shows, in the dialects of the western zone of the Arabian peninsula as far as the Yemen.

k. Finally even Ugaritic, which is much more important, of course, for Hebrew, makes it contribution. In place of He. יֵשׁ we find an amazing ʾṯ = Aram. אִית, a parallel form to Ba. אִיתַי. And the sibilants, more exactly differentiated in Ugaritic script, confirm the long-established separation of He. I שׁנה, Ba. שׁנה 'change', and He. II שׁנה, Ba. תנה 'repeat'.

I hope the attempt made here to bring the Ba. vocabulary into connection with the Aram. vocabulary as a whole and to interpret it therefrom, will be justified by the results. Three examples may be given, which may demonstrate at the same time how the bare statements of the lexicon may be amplified. Sy. ܦܪܣܝܐ, like He. פָּרְסִי, exhibits that form of the gentilic name to פָּרַס, which one might expect also for BA. But here we have instead a form with ă, on the analogy of כַּשְׂדָּי according to Bauer-Leander, which also occurs as a variant reading in He.—Lidzbarski and A. Fischer have inferred from Arabic that פֶּחָר originally denotes the potter, and only secondarily his product and its material. This is confirmed by our more recent sources of information. The akk. word, of Sumerian or even pre-Sumerian origin, takes the form *parrās* which is usual for names indicating professions. In the Aramaic sphere the second meaning comes into use beside. In Da 2, 41 we have still the first, unless Montgomery is right in interpreting it as clay.—West-Semitic has two words for 'heart': * *libbu* > לֵב, which alone occurs in Akk., Ar. and Eth., and * *libabu* > He. לֵבָב, Ba. לְבַב. The short form is attested from Suğ. to Nsy., the longer one from Pehl. to Md. As in He., so also in BA both forms are used without any perceptible difference of meaning (Da 7, 4 : 4, 13). But in He., לֵב is much more frequent, 598 times against 253 times according to Koehler. In BA we find the opposite is the case: 7 times לְבַב and once only לֵב. And the same holds good for Pehl., which uses only לבב, and EgA, where in AP לבב occurs about 20 times, לב once if at all; in AD etc. both are lacking. Later on both are attested in JA and Md., לב only in Cp., Sam., Sy., Nar. and Nsy. So both forms are old, but RA, and therefore also BA, prefers, for some reason or other, לבב, while לב continues in use longer, right up to the modern dialects.

But even without such direct connections, a thorough survey has its value, as it sharpens the eye for varieties of formation, for the tendency towards certain developments and for the distribution and tenacity of many words and forms.

4. The text as given in the codex Leningradensis, the text of Ben Asher, which is printed in the third and later editions of the BH, and which is taken as a basis also in the lexicon, differs from the text of Ben Chaiyim in the Editio Bombergiana — on which most recent editions of the Bible including the first editions of BH are based—more frequently in Ba. parts than it does in He. parts. In Da 2-7 we have about 90 divergencies, twice as many as in a He. piece of similar extent. Consequently, many a reading, which hitherto has been taken as text, becomes for the lexicon a variant, and former variants have become text. Sometimes this concerns cases where previously the variant had been preferred — so in the case of מִתְחַנַּן or of עֲנָיִן. Other things are new, like אֲמַיָּא also without dagesh and *עֲמִּיק. But, of course, the real value of a reading does not depend on that. Each case has to be examined on its own merits. In general these divergencies of the manuscripts concern only the orthography, plene or defective writing, alternations of א and ה with final *ā* or *ē*, the insertion or omission of maqqeph and the like. But some affect the vocalisation, the dagesh or the consonants, and these are more important. This variability in forms, which is much greater than in He., is most obvious in the case of קֳבֵל, קֳדָם, קום haf. and hof. The varying writing of כַּשְׂדָּי, שַׂבְּכָא, שׂנא and שְׂטַר reflects, as in He., the beginning of the displacement of שׂ by ס. In the case of נַהִיר, עֲמִּיק, עֲצִיב, עֲתִיד and רַחִיק we have to do with the fluctuation of the nominal types *qaṭṭīl* and *qaṭīl* which is characteristic of Aramaic and in the case of אתה, בטל, הוה, מטא and רבה with different developments of the 3 f. sg. pf. I have dealt with an obvious tendency of the tradition to shorten *ā* before a half-vowel (שָֽׂנְיָה > שַׂנְיָה) in the Eissfeldt-Festschrift.

Special attention should be paid to the variant readings of the "Oriental" or "Babylonian" tradition, which may be found in part in the Appendix of Strack's grammar and since then more completely with the material supplied by Kahle in BH[3]. Their importance — even as for the He. text of the OT. — has been stressed especially by Kahle. Both for technical reasons, and because the signs are not always easy to understand, the supralinear writing is given in the lexicon in transcription. In contrast to the other variants there is often behind these a system, a continuous divergent tradition of BA : *'amar*, *'elāh* etc. instead of אֲמַר, אֱלָהּ, *wᵉ* before a consonant with a half-vowel as *wī*, initial *jᵉ* as *ī*, another type of perfect, of imperfect, of noun, another verbal stem, a different treatment of weak verbs, a different formation of 3 sg.f. and the like. Certainly these differences are not all of one kind, and some of them are unquestionably secondary. But often they stand side by side as having the same value; and fairly frequently the oriental form cannot but be primary. So in the case of *gulī*: גְּלִי, *haḥsinū*: הֶחֱסִנוּ, *šab'ā*: שִׁבְעָה, *riglajjā*: רַגְלַיָּא etc. Also *'aḥšᵉdarpan* stands nearer to the Persian form of the word than אֲחַשְׁ'. The linguistic importance of such variants is quite obvious. They are more frequent than in He , and they show that the grammatical tradition of BA is essentially less homogeneous. How far this juxtaposition of different forms and systems depends on differences of time and place, remains an open question. In the case of *maškab*: מִשְׁכַּב and such like, it is a common West-Semitic phenomenon, which affects also He. It is one of the merits of Bauer-Leander, that they have included these variants in their grammar, so far as they were known to them. And since the lexicon supplies material for grammatical research, they are to be entered with great care here too. This is, in my opinion, the second main requirement at the present time. The first was referred to in § 3.

5. The number of foreign and loan-words in BA is somewhat higher than in He. If He. and Canaanite words are excluded — they will be discussed later—they amount to about 75, i.e. 12 per cent of the whole Ba. vocabulary. The question of their origin, first raised by Gesenius, is now settled for most of them.

In the first place there are more than 40 words contributed by Accadian, to which Delitzsch and Zimmern have given special attention. Nöldeke had often thought of a Persian origin for them. In the case of אַפְּתֹם and זְמָן this alternative still is open. That the number mentioned is so high — for the whole of the He. vocabulary we have to reckon only with about a hundred! — is in part explained by the special contents and the scene of action of our texts. But in Aramaic generally we find a fairly strong Akk. element, as Zimmern's list (p. 79 ff.) shows, although it seems to go too far. Also of the Aram. words established by Fraenkel in Arabic, not a few go back to Akk. But of these 40 words, eleven are only mediated by the Akk., eight come from Sumerian, אַרְגְּוָן and פַּרְזֶל from Asia Minor, and כַּרְבְּלָה probably from the Kimmerian language. Two fifth of the whole number are attested for RA, one fifth in Old-Aramaean. אִגְּרָה, זכה, כֹּר, סְפַר, סָפֵר, פֶּחָה and others could have been mediated by the Canaanite language. In the case of זקף, טְעֵם, לִשָּׁן, פלח, פשר and צלה only a certain meaning of a good Aram. word is borrowed. הֲלָךְ, פְּרֵס and תְּקֵל are partly Aramaized in form, אָשַׁף expecially in its variants. As to their contents, these words are concerned with architecture, pottery, administration, law, and religion.

The foreign words of Persian origin, about 25 in number, have always raised difficulties. It is still debated whether some of them are common nouns or tribal names. On the basis of the modern science of Iranian, more markedly differentiated than previously, Benveniste, Eilers, Schaeder and Telegdi have advanced beyond the earlier attempts at explanation. But some still remain doubtful. In some cases, as in that of סַרְבָּל, it may have been a foreign word in Persian. Most of these words are concerned with administration, law or religion. Half of them are attested for RA; a quarter of them do not occur elsewhere in Aramaic generally.

A foreign word from Egypt, and therefore a great rarity— even in the EgA texts they are very scarce, being restricted, for example, in AP to personal names and a few nautical terms in no. 26 — might be חַרְטֹם, unless is has come in from the story of Joseph. Of greek loan-words there remain only the three musical instruments of Da 3, 4; כָּרוֹז and פִּתְגָם no longer come into the question.

The extent to which these foreign words have become naturalized in Aramaic may be seen from the fact that not a few of them developed denominative verbs. Such are זבן, where the foreign word itself is preserved only in Md., and זמן in BA. From נְוָלוּ we have the denominative attested in JA, and from אשׁ and כַּרְבְּלָה we have denominatives late in the O.T. and in middle He. The predominance of words of Akk. origin shows the profound influence of Babylonian culture long after the fall of the Babylonian empire.

The question of grammatical and lexical Hebraisms has of late found different answers. Kautzsch supposed that they were extensive. Nöldeke and even more so Powell restricted their number on account of the inscriptions. Blake again takes them more into account. That a better knowledge of earlier Aramaic is of great importance here is clear. Im 1913 Brockelmann was still inclined to explain the interrogative הֲ in BA and Targum as due to He. influence. Four years later it came to light in the letter from Assur. Words which occur in RA outside the Jewish sphere, especially in the ideographs, in Nab. and Palm., as אַחֲרִי or שְׁאָר, can no longer be considered as Hebraisms. Moreover, Kautzsch had already rightly distinguished between Hebraisms, which already belonged to the BA of that time, and those which got into the text, intentionally or unintentionally, through copyists (the vocalisation of אֵלֶּה, יוכל cf. יְכֻל, בָּתֵּי and the termination *-īm*). Bauer-Leander, on the other hand, separated off from those genuine Hebraisms still another group — "Canaanisms" — which came into Aramaic, and consequently also into BA, either from the Can. stratum, or as a result of Can. influence on the developments of an Aram. literary language. In practice, of course, the distinction is not so easily drawn. To the group of real Hebraisms we may assign He. theological and cultic terms as גָּלוּ, חֲנֻכָּה, חטא and its derivatives, מַחְלְקָה, נִיחוֹחַ, מִנְחָה, עֶלְיוֹן and עלוה, already Aramaised in part, all of them words which mostly do not occur outside the Biblical sphere. The few exceptions from Elephantine are easily intelligible. מֹאזְנַא and צַוַּאר seem to have got at least their א from He. For the third group there remain some words, mostly professional and administrative technical terms, as אֶל (? F עַל), לֵאמֹר, דִּבְרָה, זכה, לְבוּשׁ, עִלִּי, which are attested partly for RA or even earlier, or partly proved to be not Aram. on the ground of phonetics, or because of their scarce occurrence in Aram. as I לָהֵן and שׁפט. Yet when BL include formations like אֱנוֹשׁ, דִּכְרוֹן, גְּזֵרָה, they are opposed in their view by Brockelmann, Littmann, Rosenthal and others. Also in the case of words like קצף, רַעֲנַן etc., the possibility of a common West-Semitic stock has to be reckoned with. The number of each of these groups amounts to between fifteen and twenty words. At any rate, here too more different decisions are called for than previously.

6. So the main result is, that BA belongs to RA, yet with a strong He. element, due to the Jewish people and its religion. And this gives to BA as a whole, as far as it has come down to us, a certain religious and even theological colouring. RA itself could be thought to be quite secular. Only that Pehl. ideograph אחרית ערן impinges on the question of an Apocalyptic outside Judaism. Of a theological recoining of the vocabulary passed on to them, as we find it later in Mandaean, we have no traces, except perhaps a special use of the term רָז.

Geographically BA cannot be determined. The traditional distinction between East- and West-Aramaic is irrelevant to that period, and the only earlier sign of an eastern dialect, namely *-ē* as termination of pl. det. m., is lacking. Attempts to resolve the question by fixing the relationship between certain forms or words or meanings in different dialects have so far failed, since individual observations diverge too much. In general, BA is homogeneous. There are some differences between the language of Esra and that of Daniel, and one is tempted to regard them as evidence of a development in the language. But it appears that in the main they are rather to be regarded as mere orthographical differences within the one RA. Yet even these are richly informative and point to some interval in time.

It goes without saying, that all these questions need to be pursued more thoroughly and, where possible, on the basis of additional material.

7. The arrangement of the lexicon follows that of the He. part as far as possible. The articles at the head of each letter contain what is relevant for the relationship of the sound and of the letter to He., Aram. and Semitic in general. A "root", entered separately so as not to overload the article proper, is always given if a corresponding verb, primary or denominative, exists anywhere in Semitic. If it is a verb, the catchword is left without vowels; ל״ה and ל״א are differentiated, even when

tradition has obliterated the differentiation. Then follows the He. equivalent, whether it corresponds in form (טָב: טוֹב), or only in function (קַדִּישׁ: קָדוֹשׁ, אָחֳרָן: אַחֵר). Then come the examples from the other Aram. dialects and, if necessary, from further afield (F אֵב and אבב, II בַּר). Only if there is no He. equivalent, are all Semitic forms given (F נַּוּ, חשׁל). Otherwise a reference to BL and, in any given case, further literature provides the grammatical explanation. In special cases the original form is expressly indicated. All the forms which occur of the word in question are entered, according to the text of BH[3.4]. Important variant readings are added; poor ones are marked as such. Metheg is inserted without regard to the actual tradition, wherever its function is to distinguish *ā* and *ŏ*. The proclitic particles וְ, בְּ, כְּ and לְ are only entered, when significant in form (וִיקָר) or in meaning. The passages are given in full in almost every case. In the case of verbs, the constructions with the accusative or the corresponding לְ are generally not noted.

Great care has been taken in giving the Aramaic dialect forms, although, of course, not every form and every meaning could be entered. In order to save space, exact indications of passages are omitted, if an adequate glossary is available. So if nothing else is indicated, the reader must consult, for the Old-Aram. (Znğ. Ner. Tema) and Palm. words NE, for the Mspt. Delaporte, the Nab. Cantineau, the JA Dalman, the Sam. Petermann and Cowley SL, the Cp. Schulthess Lex., the Sy. Brockelmann LS, the Nar. Bergsträsser and Nsy. Maclean. In the case of the Pehl. ideographs, in the first instance Frah. is cited; only if that is not sufficient, Paik. etc. Of the different states of nouns, that which is the most significant for BA is chosen.

I am well aware, that the lexicon in its present form goes beyond the immediate needs of the beginner. But for the latter there are the glossaries of Marti, Strack, BLK. Anyone who wishes to become close acquainted with BA, ought not to shrink from the trouble of making himself familiar with the lexicon. In accordance with the venerable tradition of Gesenius it has to serve also, if not primarily, the needs of colleagues, and consequently of research. The situation demands that much material should be given which may at first sight seem superfluous. There is the consequence too that very often no simple and plain answer can be given to questions of form and meaning, and that, in addition to the apparently correct answer others should be included as possible or worthy of mention.

Finally I have to express my warm thanks to all those who helped to make the lexicon possible. To my friend Ludwig Koehler, whose lexicon was so valuable as a model and so helpful to me, even though my task proved to be somewhat different; he has also read proofs and he is to be thanked for many corrections and improvements. To Winton Thomas, who has subjected my English translation to a thorough examination and who has especially the merit of the present form of this introduction. To G. R. Driver, who put at my disposal the proofs of AD, and to E. G. Kraeling for valuable communications from his BMAP. Further for information on various matters and advice to many others, especially to P. de Menasce, P. Kahle, E. Littmann, G. Widengren and to my former pupil Dr. R. Mach. Thanks are due also to the publisher, who, like Ludwig Koehler, allowed more room for the Ba. part, and, at my request, substituted the more convenient Jacobite type for the Estrangela-type.

In the English version of the introduction examples and references are shortened or altogether omitted; so anyone interested in detail must compare the German text. The reader is asked to forgive minor inconsistencies, especially in the use of the abbreviations.

Basel, october 1953 W. Baumgartner

NACHTRÄGE UND BERICHTIGUNGEN ZUM ARAMÄISCHEN TEIL

ADDENDA AND CORRECTIONS TO THE ARAMAIC PART

S. 1047 a, אבב, Z. 1 : palm. אבב n. m. u. אבבא n. f. CIS II 3, 4374. 4462.

S. 1048 a, אַח, Z. 3 adde : Esr 7, 18.

S. 1049 a, אֲחַשְׁדַּרְפַּן, Z. 7 f. l.: cf. Levi; an cohaereat n. d. cum nomine supra citato valde est dubium.

S. 1053 a, אַרְגְּוָן, Z. 2 : cf. Friedrich ZDMG 96, 483. 488.

S. 1054, ארך, Z. 2 : sbst. ארך חי Kilamu (F Znğ.; cf. he. אֹרֶךְ 2.) 7.

S. 1056, בְּאִישׁ, Z. 1 : äga. non nisi באיש.

S. 1056 a, בָּבְלָי, Z. 2 : l. BL 196 d.

S. 1057, *בִּירָה, Z. 2 : pehl. in monumento quod vocatur Kaʿaba Zoroastri, AJSL 57, 365 u. a.

S. 1057 a, בית, Z. 2 : בית saf. TU 182.

S. 1058, בֵּלְשַׁאצַּר, Z. 7 f. : cf. Ruž. 6.

S. 1058 a, בִּנְיָן, Z. 3 l.: nsy; ar. بُنْيَان, < aram. Frae. 27.

S. 1059, II בַּר, 1 adde : Kilamu (Eph. 3, 221 f.) 1.

S. 1061, גוח, adde: جاخ (med. و), äth. ገሐ diluculum.

S. 1062, גְּלָל, Z. 1: זי גלל in Persepol. (F Einl. § 3c) materiae est significatio (Bowman mündlich *orally*).

S. 1062 a, גְּשֵׁם, Z. 3 adde : جِسْم < aram., Frae. 286.

S. 1064 a, דִּי, Z. 4 : palm. די u. ד; warab. *dhī*, Rabin 39.

S. 1069 a, הִמּוֹ: pl. f. הני Assbr. 12.

S. 1069 a, הֵן, Z. 3 l. : sam., cp. usw.

S. 1071, זבן, Z. 3 : palm. n. m. מזבנא, n. f. מזבחא CIS II, 4, 4067. 4270.

S. 1072 a, זְעֵיר, Z. 1 : ḥe. < aram., Cant. Gr. 105, Blake 93.

S. 1076 a, חסן haf. : Ostr. Dura (Altheim-Stiehl, Das erste Auftreten der Hunnen etc, 1953, 9.) 1, 1 אחסנת af. inf. vel sbst.

S. 1077 a, חשח, Z. 3 l.: *ḫašāḫu*.

S. 1078 a, טַבָּח, Z. 5 l.: רַב(F)־טַ׳.

S. 1080, *טְפַר, Z. 2 f. : md. *טופר Or 15, 327, 3.

S. 1081 a, יום, Z. 1 : ימי, יומי Znğ. (Friedr. Gr. 154, 4*).

S. 1082, יטב pe., Z. 3 l.: עַל Esr 7, 18.

S. 1082 a, יעט; post Z. 8 adde: Der. עֵטָה.

S. 1085, *כַּבַּר, Z. 5 f.: < ak.? cf. Zimm. 21.

S. 1085 a, כֹּל, Z. 17 l.: Da 2, 40.

S. 1087 a, כַּשְׂדָּי, Z. 2: palm. iuxta כלדיא etiam אכלדיא Eph. 1, 197 u. CIS II 3, 4358. 4359.

S. 1090, לֵוָי, Z. 1: palm. לויא n. f. CIS II 3, 4031 u. a.

S. 1092 a, מוֹת, Z. 2 l.: nsy.; מותנא.

S. 1093, מטא, Z. 7 l.: šaf. שנצי (< *שמצי).

S. 1094 a, מַן, Z. 10 f.: etiam asy., Black 219, u. md. MG 341; Z. 12 l.: BL 268 d.

S. 1096, מְעָל, Z. 1: cf. etiam Cant. Gr. 79 f.

S. 1096, מָרֵא, Z. 5: insere מראן Tax. 9. 12; Z. 18: l. מָרֵא־שְׁ' 5, 23.

S. 1097, נ, Z. 8: cf. etiam צִפַּר, שַׁפִּיר.

S. 1098, נגד Z. 5: tg. נְגְדָא pro he. שְׁפָיִם.

S. 1104, סְפַר, Z. 2 f.: pehl. AJSL 57, 332.

S. 1108, עלוה, Z. 1: in fine lineae l. *עֲלָת.

S. 1110, עֲנֵה, Z. 7 l.: עֲנָיִן, melius עֲנָיִן, BL 23 d.

S. 1113 a, פַּרְזֶל, Z. 6: Lit. R. J. Forbes Jb EOL 9, 207 ff.

S. 1117, קֳבֵל, Z. 4: pehl. לקבל AJSL 57, 383.

S. 1118 a, קום, haf. Z. 4: הקימו palm. Syr. 17, 351, 12.

ABKÜRZUNGEN UND ZEICHEN
ABBREVIATIONS AND SIGNS

I. DIE BÜCHER DER BIBEL *THE BOOKS OF THE BIBLE*

Gn Ex Lv Nu Dt Jos Jd 1 S 2 S 1 K 2 K Js Ir Hs Ho Jl Am Ob Jon Mi Na Ha Ze Hg Sa Ma Ps Pr Hi Ct Ru Th Ko Est Da Esr Ne 1 C 2 C
1 Mk 2 Mk Si
Mt Mc Lc Jo Act Ro 1 Cor 2 Cor Gal Eph Phil Kol 1 Th 2 Th 1 Ti 2 Ti Tit Philem Heb Ja 1 P 2 P 1 Jo 2 Jo 3 Jo Jud Apk

II. ZEICHEN *SIGNS*

F	siehe *see*
*	anzunehmende, aber nicht belegte Form *form supposed, but not to be found in texts*
†	alle Stellen sind angegeben *all quotations are given*
'	Abkürzung des in Frage stehenden Wortes *the Hebrew word in question is abbreviated* (אֶ׳ = אֶרֶץ; מִ׳ = מִלְחָמָה).
<	entstanden aus *has developed from*
>	wird zu *develops to*
<	(über einem Konsonanten) gibt die Tonsilbe an (*above a consonant*) *indicates the stressed syllable*
::	im Unterschied, Gegensatz zu *in contrast, opposition to*
×	10 ×, 37 × 10 mal, 37 mal *ten times, 37 times*
!	besonders zu beachten *especially remarkable*
[ ]	fällt weg *to be left out*
?	fraglich *dubious*
//	parallel mit *parallel to*
י׳	יַהְוֶה*

III. ABKÜRZUNGEN *ABBREVIATIONS*

a.	*and* und
AAS	The Annual of the American Schools of Oriental Research
Abel	Abel, F.-M., Géographie de la Palestine, 2. éd., I 1933, II 1938
abs.	absolut *absolutely*; (status) absolutus
ac(c.)	accusativus
Act. Or.	Acta Orientalia
AD	Driver, G. R., Aramaic Documents of the Fifth Century B. C. edited, 1953
adj.	adjectivum
adv.	adverbium
äg.	ägyptisch *Egyptian*

äga.	ägyptisch-aramäisch *Egyptian-Aramaic*, spec. AP, ↗ etiam AD, APE, APO, BMAP, Ai.-Gi., Ostr.
Äg. Z.	Zeitschrift für ägyptische Sprache
äth.	äthiopisch *Ethiopian*
af.	Aph^{c}el
AfO	↗ AOF
Aḥ.	Aḥiqar (AP 212 ff.)
Ai.-Gi.	Aimé-Giron, M. N., Textes Araméens d'Égypte, 1931
AJS(L)	American Journal of Semitic Languages a. Literatures
ak(k).	akkadisch *Accadian*; in besonderen Fällen unterschieden als *in special cases differentiated in* ↗ altbab., ass., bab. u. spbab.
Albr.	Albright, William Foxwell
Albr. ARI	Albright, Archaeology and the Religion of Israel, 1946
Albr. Atl.	The Westminster Historical Atlas to the Bible, 1946
Albr. Voc.	Albright, The Vocalization of the Egyptian Syllabic Orthography, 1934
altbab.	altbabylonisch *Old Babylonian*, ↗ ak.
Alth.	Altheim, Franz, ↗ Dura
amhar.	amharisch *Amharic*
amor.	amoritisch *Amorite*, ↗ Bauer, Ostkan.
Andr.	Andreas, F. C., im Glossar von *in the glossary of* ↗ Marti
Ant.	Flavii Josephi Antiquitatum Judaicarum libri XX, ed. B. Niese
AO	Der Alte Orient
AOB	Gressmann, H., Altorientalische Bilder zum AT, ^{2}1926
AOF	Archiv für Orient-Forschung, ↗ AfO
AOT	Gressmann, Altorientalische Texte zum AT, ^{2}1926
AP	Cowley, A., Aramaic Papyri of the Fifth Century B.C., 1923
APAW	Abhandlungen der Preussischen (Berliner) Akademie der Wissenschaften
ape.	altpersisch *Old-Persian*, ↗ Hinz u. Kent
ApI	↗ Herzf.
APN	Tallqvist, Knut, Assyrian Personal Names, 1914
APO	Sachau, E., Aramäische Papyrus u. Ostraka, 1911
Aram.	gemeinaramäisch *common Aramaic*
aram.	aramäisch *Aramaic*
↗ aram.	siehe den aramäischen Teil *see the Aramaic part* (Baumgartner)
arch.	Architekturwort *architectural expression*
ARW	Archiv für Religionswissenschaft
AS	Dalman, Gustaf, Arbeit und Sitte in Palästina, I—VI, 1928—1939
asa.	altsüdarabisch *Old-South-Arabic* (s. K. Conti Rossini, Chrestomathia Arabica Meridionalis Epigraphica, 1931)
ass.	assyrisch *Assyrian*, ↗ ak.
Assbr.	aramäischer Brief aus *Aramaic letter from* Assur (M. Lidzbarski, Altaram. Urkunden aus Assur, 1921, A. Dupont-Sommer, Syr. 24, 1944—45, 24 ff.)
assim.	assimiliert *assimilated*
asy.	altsyrisch *Old-Syriac* (Syra vetus), ↗ Black 216 ff.
AT	Altes Testament *Old Testament*
av.	avestisch *Avestic*
Avr.	Nyberg, H. S., The Pahlavi Documents from Avroman, MO 17, 1923, 182 ff.
BA., ba.	biblisch-aramäisch *Biblical-Aramaic*

bab.	babylonisch *Babylonian* ak., altbab., spbab.
BArch	Biblical Archaeologist
Barh.	Inschrift d. *inscription of* Bar-Hadad (BASOR 87, 23 ff. 90, 30 ff. 32 ff.)
Barth	Barth, Jakob, Die Nominalbildung in den semitischen Sprachen, [2]1894
Barth ES	Barth, Etymologische Studien, 1893
BAS(OR)	Bulletin of the American Schools of Oriental Research
Baud., AdEs.	Baudissin, Wolf Wilhelm Graf, Adonis und Esmun, 1911
Baud., Kyr.	Baudissin, Kyrios als Gottesname im Judentum usw., 1929
Bauer, Ostkan.	Bauer, Theod., Die Ostkanaanäer, 1926
BDB	Brown, Francis, Driver, S. R. and Briggs, Charles A., A Hebrew and English Lexicon of the OT, 1906
Beh.	die aram. Version der Behistun-Inschrift *the Aram. version of the inscription of Beh.* (AP 248 ff.)
Behrm.	Behrmann, Georg, Das Buch Daniel, 1894
Bentz	Bentzen, Aage, Daniel, [2]1952
Benv.	Benveniste, E., Termes et normes Achéménides en Araméen, JA 225, 1934, 177 ff.
BE(U)P	The Babylonian Expedition of the University of Pennsylvania
Berggren	Berggren, J., Guide français-arabe vulgaire, 1844
Beryt.	Berytus (1934 ff.)
Bev.	Bevan, A. A., A Short Commentary on the Book of Daniel, 1892
Bew.	Bewer, Jul. A., Der Text des Buches Ezra, 1922
BH	Biblia Hebraica ed. R. Kittel, [3]1937, [4]1951
Bibl.	Biblica
Birk.	Birkeland, Harris, Akzent u. Vokalismus im Althebräischen, 1940
BL(H)	Bauer, Hans u. Leander, Pontus, Historische Grammatik der Hebräischen Sprache I, 1922
BL (im ba.Teil)	Bauer u. Leander, Grammatik des BA, 1927 (cum!, wenn die betreffende Stelle dort nicht genannt ist *if the passage in question is not mentioned there*)
Bl.-De.	Blass, Friedr. u. Debrunner, Alb., Grammat. d. neutestamentlichen Griechisch, [7]1943
BLK	Bauer u. Leander, Kurzgefasste ba. Grammatik, 1929
Black	Black, Matthew, An Aramaic Approach to the Gospels a. Acts, 1946
Blake	Blake, Frank R., Hebrew Influence on Biblical Aramaic, in Blake, A Resurvey of Hebrew Tenses, 1951, 81—96
BMAP	The Brooklyn Museum Aramaic Papyri, ed. by E. G. Kraeling, 1954
BO	Bibliotheca Orientalis (1944 ff)
Bodenheimer	Bodenheimer, F. S., Animal Life in Palestina, 1935
Bori	Pehlevi-Inschrift von *Pahlavi-inscription from* Bori in Grusinien *Grusinia* (Altheim, Literatur u. Gesellschaft im ausgehenden Altertum II, 1950, 46 ff.)
Brgstr. Gl.	Bergsträsser, Gotth., Glossar des neuaramäischen Dialekts von Maʿlûla, 1921
Brgstr. Gr.	Bergsträsser, Hebräische Grammatik, I 1918, II 1929
BRL	Galling, Kurt, Biblisches Reallexikon, 1937
Brønno	Brønno, Einar, Studien über hebräische Morphologie und Vokalismus, 1943
bta.	aramäisch d. Babylonischen Talmuds *Aramaic of the Bab. Talmud*
BzA	Beiträge zur Assyriologie
BZAW	Beihefte zur ZAW
c.	cum; konstruiert mit *constructed with*
Cant.	Cantineau, J. Le Nabatéen, I 1930, II 1932

caus.	kausativ *causative*
cf.	vergleiche *compare*
Ch. (in nom. loci)	Chirbet
Cha.	Charles, R. H., A Critical a. Exegetical Commentary on the Book of Daniel, 1929
churr.	churritisch *Hurrian*
cj.	conjectura
CIS	Corpus Inscriptionum Semiticarum
coh.	cohortativus
coll.	collective
conj.	conjunctio
cons.	konsonantisch *consonantal*
Cooke	Cooke, G. A., A Text-Book of North-Semitic Inscriptions, 1903
corr.	verderbt *corrupt*
cp.	christlich-palästinisch *Christian-Palestinian*, F Schulth.
CR	Comptes Rendus
cs.	(status) constructus
d.	der; die; das; des; dem
Dalm. AS	Dalman, Gustaf, F AS
Dalm. Gr.	Dalman, Grammatik des jüdisch-palästinischen Aramäisch, [2]1905
Dalm. Wb.	Dalman, Aramäisch-Neuhebräisches Wörterbuch, [2]1922
Dam.	Damaskus-Schrift *The Zadokite Fragments* (S. Schechter 1910, L. Rost 1933, S. Zeitlin 1952)
Deimel, Panth.	Deimel, Antonius, Pantheon Babylonicum, 1914
De L.	De Langhe, Robert, Les textes de Ras Shamra-Ugarit, I, II, 1945
Delap.	Delaporte, Louis, Épigraphes araméens, 1912
Del. Prol.	Delitzsch, Friedr., Prolegomena eines neuen hebräischen Wörterbuchs, 1886
Demot.	Bowman, R. A., An Aramaic Religious Text in Demotic Script, JNES 3, 1944 219—31
denom.	Denominativ; *word derived from a noun*
Der.	Derivatum, -a *derivative(s)*
det.	(status) determinatus
determ.	determiniert *determined*
Dir.	Diringer, David, Le iscrizioni antico-ebraiche palestinesi, 1934 (Ostr. = ostraca; Sig. = sigilla)
dissim.	dissimiliert, Dissimilation *dissimilated*, *dissimilation*
dl	dele
Doura F	Cumont, François, Fouilles de Doura-Europos, 1926, Les inscriptions (S. 339 ff, nr. 1—134)
Doura Inv.	F Inv. DE
Dozy	Dozy, R., Supplément aux dictionnaires arabes, [2]1927
Driver, SW	Driver G. R., Semitic Writing, 1948
Drow. MJJ	Drower, E. S., The Mandaeans of Iraq a. Iran, 1937
Drow. Zod.	Drower, The Book of the Zodiac, 1947
DSS	die Texte aus der Qumranhöhle *the Dead Sea Scrolls*
du.	dualis
Dura	die aram. Ideogramme der mittelpersischen Pergamente u. Synagogeninschriften von

	Dura-Europos *the Aram. ideographs of the mpe. parchments a. Synagogical inscriptions from D.-E.*, (Franz Altheim u. Ruth Stiel, Asien u. Rom, 1952)
Dussaud, Top.	Dussaud, René, Topographie historique de la Syrie ancienne et médiévale, 1927
e.	ein, eine, einem usw. *a*
EA	Knudtzon, J. A., Die El-Amarna-Tafeln, 1915
Ebeling	Frah.
Edd	Editiones
EG	Erman, Adolf, u. Grapow, Hermann, Wörterbuch der ägyptischen Sprache I—V, 1926—31
Ehr(l).	Ehrlich, Arnold B., Randglossen zur Hebräischen Bibel, I—VII, 1908—14
Eil.	Eilers, Wilhelm, Iranisches Beamtentum in der keilinschriftlichen Überlieferung, 1940
Eissf.	Eissfeldt, Otto
Eissf.-Fe.	Festschrift O. Eissfeldt, 1947; S. 47—55 W. Baumgartner, Vom neuen biblisch-aramäischen Wörterbuch
ell.	elliptisch, *elliptically*
Eph.	Lidzbarski, Mark, Ephemeris für Semitische Epigraphik, I—III, 1902—15
e. r	einer
e. s	eines
Esd	Esdra, Ἔσδρας α in G, 3. Esr in V
et, etym.	Etymologie, etymologisch *etymology*, *etymological*
ET	The Expository Times
etc.	et cetera
ETL	Simons, J., Handbook for the Study of Egyptian Topographical Lists of Western Asia, 1937
etw.	etwas *something*
exc.	ausser *except*
f., ff.	folgend(e) Verse, Seite(n) *following verse(s)*, *page(s)*
f., fem.	femininum
Festschr.	Festschrift (für)
Festschr. Marti	Vom Alten Testament. Karl Marti ... gewidmet, 1925
FF	Forschungen und Fortschritte
F. v.	Frau des *wife of*
Frae.	Fraenkel, Siegmund, Die aramäischen Fremdwörter im Arabischen, 1886
Friedr. Ph. Gr.	Friedrich, Joh., Phönizisch-Punische Grammatik, 1951
Frah.	Frahang-i Pahlavik (ed. F. I. Junker, 1912; E. Ebeling, Das aram.-mittelpers. Glossar Frah.-i P. im Lichte d. assyriol. Forschung, MAOG 14, 1, 1941); App. = ib. Appendix
FW	Fremdwort *foreign word*
G	Septuaginta (G^A, G^B = codex A, B)
G(A)A	Göttinger Gelehrte Anzeigen
Gauth.-B.	Gauthiot, R. u. Benveniste, E., Essai de Grammaire Sogdienne, I 1904—23, II 1929
Garstang Josh.	John, Joshua Judges, 1931
Gehm.	Gehman, Henry Snijder, Notes on the Persian Words in the Book of Esther, JBL 43, 1924, 321 ff.

Ginsb.	Ginsberg, H. L. Studies in Daniel, 1948
GGN	Nachrichten der Gesellschaft der Wissenschaften zu Göttingen
Gi.	Lidzbarski, Mark, Ginza, 1925;
GK	Gesenius-Kautzsch, Hebräische Grammatik, [27]1902
Gl.	Glosse *glosse*; im ba. Teil *in ba. part* F Brgstr. Gl.
gntl.	gentilicium
Gordis	Gordis, Robert, The Biblical Text in the Making, 1937
Gordon	Gordon, Cyrus H., Ugaritic Handbook, 1947
Grdf.	Grundform *original form*
GSAI	Giornale della Società Asiatica Italiana
Gulk. Abstr.	Gulkowitsch, Lazar, Die Bildung von Abstraktbegriffen in der hebräischen Sprachgeschichte, 1931
Guzneh	Inschr. v. Guzneh in Kilikien *inscription from G. in Cilicia* (JAOS 28, 1907, 164ff., Eph. 3, 64)
GVI	Geschichte des Volkes Israel
haf.	Haphᶜel
Harris	Harris, Zellig S., A Grammar of the Phoenician Language, 1936
Harris, Dev.	Harris, Development of the Canaanite Dialects, 1939
Hatra	die neuen Inschriften von *the new inscriptions from* Hatra (Sumer 7, 1951, 170—184, O. Krückmann, AfO 16, 1952, 141—48)
he.	hebräisch *Hebrew*
Hermop.	Papyri von *from* Hermopolis (Or. 17, 1948, 549f.)
Herzf.	Herzfeld, Ernst H., Altpersische Inschriften, 1938
Hess	Hess, J.-J., Die Entzifferung der thamûdischen Inschriften, 1911
heth.	hethitisch *Hititte*
hif.	Hiphiᶜil
hitp.	Hithpaᶜel
hitpa.	Hithpaᶜal
hitpe.	Hithpeᶜel
hitpo.	Hithpoᶜel
Hinz	Hinz, W., Altpersischer Wortschatz, 1942
Holma, ABP	Holma, Harri, Assyrisch-babylonische Personennamen der Form quttulu, 1914
Holma, Kl. Btr.	Holma, Kleine Beiträge zum Assyrischen Lexikon, 1912
Holma, NKt	Holma, Die Namen der Körperteile im Assyrisch-Babylonischen, 1911
Hommel	Hommel, Fritz, Die Namen d. Säugetiere bei d. südsemitischen Völkern, 1897
HThR	The Harvard Theological Review
Hübschm.	Hübschmann, H., Armenische Grammatik I, 1897
HUC(A)	Hebrew Union College Annual
ib.	ibidem
id.	idem
imp.	imperativus
impf.	imperfectum
inf.	infinitivus
indeterm.	indeterminiert *undetermined*
interj.	interjectio
intr.	intransitiv *intransitive*

Inv. DE	Du Mesnil du Buisson, Inventaire des inscriptions Palmyréniennes de Doura-Europos, ^{2}1939
Inv. P	Cantineau, J., Inventaire des inscriptions de Palmyre I-IX, 1930—33
ital.	italienisch *Italian*
׳י	*יְהוָה
JA	Journal Asiatique
ja.	jüdisch-aramäisch *Judaeo-Aramaic*
JAO, JAOS	Journal of the American Oriental Society
Jb EOL	Jaarbericht Ex Oriente Lux (1938 ff.)
JBL	Journal of Biblical Literature
JCS	Journal of Cuneiform Studies (1947 ff.)
Jehuda, ThH	Elieser ben Jehuda, Thesaurus totius Hebraitatis I–IX, 1909—39
jemen.	jemenitisch *Yemenite*, F Rabin
JJS	The Journal of Jewish Studies (1950 ff.)
jmd	jemand (-es, -em, -en) *somebody*
JNES	Journal of Near Eastern Studies (1942 ff.)
Johb.	Lidzbarski, Mark, Das Johannesbuch der Mandäer, I 1905, II 1915
Jos. Ant.	Flavii Josephi Antiquitates
Jos. Ap.	„ „ Contra Apionem
Jos. BJ	„ „ De Bello Judaico
JPO, JPOS	Journal of the Palestine Oriental Society (1921 ff.)
JPhil	Journal of Philology
JQR	Journal Quarterly Review
JRA, JRAS	Journal of the Royal Asiatic Society
JSO, JSOR	Journal of the Society of Oriental Research
JTS	Journal of Theological Studies
juss.	jussivus
K	Ketib
Kahle Bem.	Kahle, Paul, Textkritische u. lexikalische Bemerkungen zum samaritanischen Pentateuchtargum, 1898
Kahle MT	Kahle, Der masoretische Text des AT nach der Überlieferung der babylonischen Juden, 1902
kan.	kanaanäisch *Canaanite*
kan. Gl.	kanaanäische Glosse (in EA) *Canaanite gloss* (in EA)
KAT	Schrader, Eberhard, Die Keilschriften und das AT, ^{3}1902
Kau. Aram.	Kautzsch, Emil, Die Aramaismen im AT, 1902
Kau. Gr.	Kautzsch, Grammatik des Biblisch-Aramäischen, 1884
KB	Keilschriftliche Bibliothek
keilschr.	keilschriftlich *in cuneiform characters*
Kelso	Kelso, J., The Ceramic Vocabulary of the OT (BASOR, Supplem. Studies 5—6), 1948
Kent	Kent, R.G. Old Persian Grammar, Texts, Lexicon, 1950
KF	Kurzform *shortened form of name*
klas.	aram. Inschriften aus Kleinasien *Aram. inscriptions from Asia Minor*, F ZAW 45, 86
Kl L	Koehler, Ludwig, Kleine Lichter, 1945
km	Kilometer
König	König, E. Hebr. u. aram. Wörterbuch zum AT, $^{6.7}$ 1936

Kolari	Kolari, Eino, Musikinstrumente u. ihre Verwendung im AT, 1947
Komm.	Kommentare *commentaries*
Kraeling	Kraeling, E. G., briefliche Bemerkungen zu *notes by letter concerning* F BMAP
Krauss	Krauss, S., Griechische u. lateinische Lehnwörter im Talmud, Midrasch u. Targum, I 1898, II 1899
l.	lege
l.	linea
Landb. Daṯ.	Landberg, Graf C., Daṯina 1909—13
Landsb.	Landsberger, Benno, Die Fauna des alten Mesopotamien, 1934
Landsb.	F MSL
Lane	Lane, Edw. William, Al-Qamūsu, an Arabic-English Lexicon, I—VIII, 1863—93
lat.	lateinisch *Latin*
Levy	Levy, J., Neuhebr. u. chaldäisches Wörterbuch, I—IV, 1876—89
Lewy	Lewy, Hrch., Die semitischen Fremdwörter im Griechischen, 1895
Leand.	Leander, Pontus, Laut- u. Formenlehre des Ägyptisch-Aram., 1928
Liddell-Scott	Liddell, H. G., a. Scott, R., A Greek-English Lexicon, [9]1940
Lidzb.	Lidzbarski, Mark, F NE
Lidzb. Urk.	Lidzbarski, Altaram. Urkunden aus Assur, 1921
Lit.	Literatur (darüber) *literature (concerning the topic)*
Littm. SI	Littmann, Enno, Safaïtic Inscriptions, 1943
Littm. TS	Littmann, Thamud u. Ṣafa, 1940
Lkš	Lakisch-Ostraka (H. Torczyner, The Lachish Letters, 1938, [2][he.] 1940)
loc.	örtlich *locally*
Löw	Löw, Immanuel, Die Flora der Juden, I—IV, 1924—34
LS	Brockelmann, Carolus, Lexicon Syriacum, [2]1928
LP Rec.	Ingholt, M. u. Starcky, J. Recueil des Inscriptions, in: Schlumberger, D., La Palmyrène du Nord-Ouest, 1951, S. 139—177
LW	Lehnwort *loan-word*
m.	Meter (überm Meer) *metre (above sea-level)*
m.	masculinum
Macl. Dict.	Maclean, A. J., A Dictionary of the Dialects of Vernacular Syriac, 1901
Macl. Gr.	Maclean, Grammar of the Dialects of Vernacular Syriac, 1895
Maisler	Maisler, B., Untersuchungen zur alten Geschichte und Ethnographie Syriens u. Palästinas, I, 1930
MAO(G)	Mitteilungen der Altorientalischen Gesellschaft (1925 ff.)
Marti	Marti, Karl, Kurzgefasste Grammatik der biblisch-aram. Sprache, [2]1911
Mcheta	griech.-aram. Bilingue aus *Greco-Aramaic inscription from* Mcheta-Armazi in Grusinien *Grusinia* (Bailey, JRAS 1943, 1 ff., Altheim, Mélanges Grégoire, 1949, 1 ff. = Lit. u. Ges. [F Bori] II 40 ff.)
md., mnd.	mandäisch
MdO	Kahle, Paul, Masoreten des Ostens, 1913
Meissner	Meissner, Bruno, Beiträge zum assyrischen Wörterbuch, I 1931, II 1934
Mél. Syr.	Mélanges Syriens offerts à M. R. Dussaud, I. II, 1939
Messina	Messina, G., L'aramaico antico, 1934
metaph.	übertragen *metaphorically*
Meyer (im he. Teil)	Die Israeliten u. ihre Nachbarstämme, 1906

Meyer (im ba. Teil)	Die Entstehung des Judentums, 1896
MFB	Mélanges de l'Université St.-Joseph Beyrouth
MG(r)	Nöldeke, Th., Mandäische Grammatik, 1875
MG(W)J	Monatsschrift für Geschichte u. Wissenschaft des Judentums
mhe., mh.	mittelhebräisch *Postbiblical-Hebrew*
min.	minäisch *Minaean* (F asa.)
ML	Lidzbarski, M., Mandäische Liturgien, 1920
MND	Mitteilungen u. Nachrichten des Deutschen Palästina-Vereins
mo.	moabitisch (Mesa-Inschrift *inscription of Mesha*, NE 415 f., Cooke 1 ff.)
MO	Monde Oriental
Montg.	Montgomery, James A., Arabia and the Bible, 1934
Montg. (im ba. Teil)	Montgomery, The Book of Daniel, 1927
Montg. AIT	Montgomery, Aramaic Incantation Texts, 1913
Mont.-Gehm.	Montgomery, The Books of Kings, ed. by H. S. Gehman, 1951
Moscati	Moscati, S., L'epigrafia ebraica antica 1935—1950, 1951
mpe.	mittelpersisch *Middle-Persian*, F pehl.
MSL	Landsberger, B., Materialien zum sumerischen Lexikon, I 1937
mspt.	aram. Texte des Zweistromlandes *Aramaic texts from Mesopotamia*, F Delap.
Mus	Le Muséon
Musil AP	Musil, Alois, Arabia Petraea, I-III, 1907—08
MV(A)G	Mitteilungen der Vorderasiatischen (Vorderasiatisch-Ägyptischen) Gesellschaft
n.	nördlich (von) *north (of)*
nab.	nabatäisch *Nabataean*, F Cant.
nar.	neuaramäisch *Modern-Aramaic*, F Brgstr. Gl. u. Spit.
n.b.	nota bene
n. d.	nomen dei
NE	Lidzbarski, Mark, Handbuch der nordsemitischen Epigraphik, 1898
Ner.	die Inschriften von *the inscriptions from* Nērab (NE 445, Cooke 186 ff.)
neuar.	neuarabisch *Modern-Arabic*
Neubauer	Neubauer, Adolphe, La géographie du Talmud, 1868
n. f.	nomen feminae
NF	Nebenform *parallel form*
n. fl.	nomen fluvii
NGGW	Nachrichten der Gesellschaft der Wissenschaften zu Göttingen
Nicoll	Nicoll's Birds of Egypt by Col. R. Meinertzhagen, 1930
nif.	Niphʿal
n. l.	nomen loci
n. m.	nomen masculini
nö.	nordöstlich (von) *north-east (of)*
Nöld. BS	Nöldeke, Theodor, Beiträge zur semitischen Sprachwissenschaft, 1904
Nöld. MG(r)	Nöldeke, Mandäische Grammatik 1875
Nöld. NB	Nöldeke, Neue Beiträge zur semitischen Sprachwissenschaft, 1910
Nöld. NsG	Nöldeke, Neusyrische Grammatik, 1868
Nöld. SG, Sy. Gr.	Nöldeke, Syrische Grammatik, [2]1898
nom. (pers.)	nomen, nomina (personae)
Noth	Noth, Martin, Die israelitischen Personennamen (257 = Nummer *number* 257, S. 233 ff), 1928

Noth, Jos	Noth, Das Buch Josua, 1938
n. p.	nomen populi
NT	Novum Testamentum
n. t.	nomen territorii
n. unit.	nomen unitatis
nsy.	neusyrisch *Modern-Syriac*, F Nöld. NsG, Maclean
nw.	nordwestlich (von) *north-west* (*of*)
Nyb.	Nyberg, H. S., Hilfsbuch des Pehlevi, II 1931
ö.	östlich (von) *east* (*of*)
OLZ	Orientalistische Literatur-Zeitung
Onom.	Eusebius, Onomastikon, ed. E. Klostermann, 1904
Or(i).	Orientalia: commentarii periodici Pontificii Instituti Biblici
or.	die orientalische oder babylonische Textüberlieferung des AT *the Oriental or Babylonian recension of the OT text*
orig.	ursprünglich, eigentlich *originally*
OS	Orientalische Studien Th. Nöldeke ... gewidmet 1906
Ostr.	die äga. Ostraca der *the äga. ostraca of the* Collection Clermont-Ganneau; nr. 16 in den *in the* Annales du Service des Antiquités d'Égypte 48, 1948, 109 ff.; nr. 152 F Sabb.
OTS	Oudtestamentische Studiën (1942 ff.)
Oudh. Med.	Oudheidkundige Mededeelingen
P	Priesterschrift *Priest's Code*
pa.	Paᶜel
Pachtv.	H. Bauer u. Br. Meissner, Ein aram. Pachtvertrag aus dem 7. Jahr des Darius I, 1936
Paik.	Herzfeld, E., Paikuli, 1924
palm.	palmyrenisch *Palmyrene*, F NE, Inv. DE, Inv. P u. LP Rec.
Pan.	Inschrift des *inscription of* Panammu (NE 472, Cooke 171 ff.)
P. Anast.	Papyrus Anastasi
part. expr.	*particular expressions*
pass.	passiv *passive*
patr.	patronymicum
PEF	Palestine Exploration Fund
pe.	Peᶜal
pehl.	die aram. Ideogramme im Mittelpersischen (Pehlevi) *the Aramaic ideographs used in Middle-Persian* (*Pahlavi*) *texts*, F Frah., Paik., Ps., Avr., Bori u. Dura, etiam sogd.
pers.	persona, -ae; persisch *Persian*
Peterm.	Petermann, J. H. P., Brevis linguae Samaritanae Grammatica etc., 1873
pf.	perfectum
ph.	phönikisch *Phoenician*, F Friedr. u. Harris
pi.	Piᶜel
PJ	Palästinajahrbuch
pl.	pluralis
Plin.	C. Plinii Secundi naturalis historiae libri XXXVII
PN	Personenname *proper name*

Powell	Powell, H. H., The Supposed Hebraisms in the Grammar of the Biblical Aramaic, 1907
Post	Post, Flora of Syria, Palestine and Sinai, 1896
prob.	probabiliter
procl.	proklitisch *proclitic*
pron.	pronomen
Ps.	C. F. Andreas † u. Kai Barr, Bruchstücke einer Pehlevi-Übersetzung der Psalmen, 1933
P. Sm.	Paine Smith, Thesaurus Syriacus, 1901
PSB	Proceedings of the Society of Biblical Archaeology
pu.	Puᶜal
pul.	Puᶜlal
Pul-i D.	die mittelpersisch-aram. Inschrift von *the Middle-Persian-Aramaic inscription from* Pul-i Daruntah bei *near* Kabul (Altheim, Eissf.-Fe. 29 ff. = Weltgeschichte Asiens im Griech. Zeitalter I, 1947, 25 ff.)
pun.	punisch *Punic*, F Friedr. u. Harris
P-W	Pauly-Wissowa, Realencyclopädie der classischen Altertumswissenschaft
Q	Qerē
Rabin	Rabin, Ch., Ancient West-Arabian 1951
Reckendorf	Reckendorf, H., Über Paronomasie in den semitischen Sprachen, 1909
refl.	reflexive
RÉS(B)	Revue d'Études Sémitiques (et Babyloniaca)
RHR	Revue de l'Histoire des Religions
RLA	Reallexikon der Assyriologie
RLV	Reallexikon für Vorgeschichte
Rössler	Rössler, O., Untersuchungen über die akkadische Fassung der Achämeniden-inschriften, 1938
Rosenth. AF	Rosenthal, Franz, Die aramaistische Forschung seit Th. Nöldekes Veröffentlichungen, 1939
Rosenth. Spr.	Rosenthal, Die Sprache der palmyrenischen Inschriften, 1936
Rowl. Aram.	Rowley, H. H., The Aramaic of the OT, 1929
Rowl. DM	Rowley, Darius the Mede etc., 1935
R S, Rel.	W. Robertson Smith, Lectures on the Religion of the Semites, 1889
Rud.	Rudolph, Wilh., Ezra u. Nehemia, 1949
Ruž.	Růžička, Rud., Konsonantische Dissimilation in den semitischen Sprachen, 1909
Ryck.	Ryckmans, G., Les noms propres sud-sémitiques, I—III, 1934—35
S	syrische Bibel (Peschitta) *Syriac version (Peshitta)*
s.	siehe *see*
Saarisalo	Saarisalo, Aapeli, The Boundary between Issachar a. Naphtali, 1927
Sabb.	Sabbat-Ostrakon *Sabbatical ostracon* (Coll. Clermont-Ganneau, F Ostr. nr. 152, Dupont-Sommer Sem. 2, 1949, 29 ff.),
saf.	safatenisch *Safaitic*, F Littm.
sam.	samaritanisch *Samaritan*, F Peterm. u. Sl.
Saqq.	Papyrus von *papyrus from* Saqqara (Dupont-Sommer Sem. 1, 1948, 43 ff., Ginsberg BASOR 111, 24 ff.)

Sarauw	Sarauw, Chr. S., Über Akzent u. Silbenbildung in den älteren semitischen Sprachen, 1939
Sard.	die lydisch-aram. Bilingue aus Sardes *the Lydian-Aramaic bilingual inscription from Sardis* (Kahle-Sommer, Kleinasiat. Forschungen 1, 1927, 28 ff.; J. Friedrich, Kleinasiatische Sprachdenkmäler, 1932, 109 f.)
SBAP	Sitzungsberichte der Preussischen Akademie der Wissenschaften
sbst.	substantivum
Schaed.	Schaeder, H. H., Iranische Beiträge, 1930
Šanda	Šanda, A., Die Bücher der Könige, 1911—12
Scheft.	Scheftelowitz, Isidor, Arisches im AT, 1901
Scheft. II	Scheftelowitz, Zur Kritik d. griech. u. massoretischen Buches Esther, MGWJ 47, 1903, spec. 117 ff., 308 ff.
Schulth. Gr.	Schulthess, Friedr., Grammatik des Christlich-Palästinischen Aramäisch, 1924
Schulth. HW	Schulthess, Homonyme Wurzeln im Syrischen, 1900
Schulth. Lex. LS	Schulthess, Lexicon Syropalaestinum, 1903
Schwally	Schwally, Friedr., Idioticon des Christlich Palästinischen Aramäisch, 1893
S.d.	Sohn des *son of*
sec.	secundum: entsprechend *according to*
Seetzen	Seetzen, Ulr. Jasper, Reisen durch Syrien, Palästina usw., I—IV, 1854—59
Sem	in (fast) allen semitischen Sprachen belegt *to be found in (nearly) all Semitic languages*
Sem.	Semitica (1948 ff.)
seq.	sequitur, sequuntur, sequente
sf.	cum suffixo
sg.	singularis
s. o.	siehe oben *see above*
sö.	südöstlich (von) *south-east (of)*
sogd.	die aram. Ideogramme in den sogdischen Texten *the Aramaic ideographs in the Soghdian texts*, ↗ Gauth.-B. u. TSB.
soq.	soqoṭri (Leslau, W., Lexique soqoṭri, 1938)
spät-äg.	spätägyptisch *Late-Egyptian*
spbab.	spätbabylonisch *Late-Babylonian*, ↗ ak.
spec.	speziell *specially*
Spiegelb.	Spiegelberg, Wilh., Ägyptologische Randglossen zum Alten Testament, 1904
Spit.	Spitaler, A., Grammatik des neuaramäischen Dialektes von Maʿlula, 1938
Stace	Stace, E. V., An English-Arabic Vocabulary, 1893
Stamm	Stamm, J. J., Die akkadische Namengebung, 1939
Stra(ck)	Strack, H. L., Grammatik des Biblisch-Aram., [6]1921
Str.-Bi.	(Strack- u.) Billerbeck, P., Kommentar zum NT aus Talmud u. Midrasch, 1922 ff.
südl.	südlich (von) *south (of)*
südsem.	südsemitisch *South-Semitic*
Suğ.	die Inschrift von *the inscription from* Sefire-Suğin (H. Bauer, AfO 8, 1932, 1 ff.)
sy.	syrisch *Syriac*
Sy(r).	Syria (1920 ff.)
Σ	Symmachus
T. (in n. l.)	Tell
Tāğ	Tāğ al-ʿarūs, I—X, Cairo, 1307

Tallq.	Tallqvist, Knut, Neubabylonisches Namenbuch, 1905.
Tallq. APN	Tallqvist, Assyrian Personal Names, 1914
Tax.	die Inschrift von *the inscription from* Taxila (F. C. Andreas NGGW 1932, 6 ff., Altheim, Lit. u. Ges. [F Bori] II 178 ff.)
techn.	technischer Ausdruck *technical term*
Telegdi	Telegdi, S., Essai sur la Phonétique des Emprunts Iraniens en Araméen Talmudique, JA 226, 1935, 177 ff.
temp.	zeitlich *temporally*
Tg, tg.	Targum, targumisch *Targum*, *Targumic*
T. Halaf	Die Inschriften vom Tell Halaf, her. v. J. Friedrich, G. R. Meyer, A. Ungnad u. E. F. Weidner, 1940; S. 69-78, Denkmäler mit westsemitischer Buchstabenschrift
ThR	Theologische Rundschau
tham.	thamudisch *Thamudian* (F Hess)
ThZ	Theologische Zeitschrift (Basel, 1945 ff.)
TLZ	Theologische Literaturzeitung
Tiq. sof.	Tiqqūn soferim
Torr. ESt.	Torrey, Ch. C., Ezra Studies, 1910
Torr. N.	Torrey, Notes on the Aramaic Part of Daniel (Transactions of the Connecticut Academy 15, 1909, 241 ff.)
Torcz. Bund.	Torczyner, Harri, Die Bundeslade und die Anfänge der Religion Israels, ²1930
Torcz. Entst.	Torczyner, Die Entstehung des semitischen Sprachtypus 1916
trad.	herkömmlich *traditionally*
trans.	transitiv *transitive*
TSB	Benveniste, E., E., Textes Sogdiens, 1940
t. t.	terminus technicus
TU	Grimme, Hub., Texte u. Untersuchungen zur safatenisch-arabischen Religion, 1929
T. v.	Tochter von *daughter of*
Typ.	Typus (einer Bildung) *type* (*of a formation*)
u.	und *and*
u. a.	und andre Stellen *and more quotations*
u. ä.	und ähnlich *and the like*
übertr.	in übertragenem Sinn *metaphorical*
ug.	ugaritisch *Ugaritic*, F Gordon
UMB(P)	University of Pennsylvania. The Museum. Publications of the Babylonian Section
Uruk	aram. Keilschrifttext aus *Aramaic text in cuneiform script from* Uruk (C. H. Gordon, AfO 12, 1937—39, 105 ff., Dupont-Sommer, RA 39, 1942—44, 35 ff.).
usw.	und so weiter *etc.*
V	Vulgata
v.	von *of*
VAB	Vorderasiatische Bibliothek
Var.	Variante *variant reading*; lectio (scriptio) varia; Var.[BH] in BH, Var.[S] in Strack 1* ff.
verw.	verwandt (mit) *related* (*to*)
vb	verbum
Vincent	Vincent, A., La religion des Judéo-Araméens d'Elephantine, 1937
VG	Brockelmann, Carl, Grundriss der vergleichenden Grammatik der semitischen Sprachen, I 1908; II 1913

v. Soden	von Soden, Wolfram, Grundriss der akkadischen Grammatik, 1952
Vol.	Band *volume*
W.	Wady
w.	westlich (von) *west (of)*
warab.	westarabisch *West-Arabian*, ↗ Rabin
Wellh. RaH	Wellhausen, J., Reste arabischen Heidentums, [2]1897
westsem.	westsemitisch *western Semitic*
WHA	↗ Albr., Atl.
W. Hamm.	Inschrift aus *inscription from* Wadi Ḥammāmāt (Dupont-Sommer, RA 41, 1947—48, 105 ff.)
Widgr.	Widengren, Geo, Mesopotamian Elements in Manichaeism, 1946
Wuthn.	Wuthnow, Heinz, Die semitischen Menschennamen in griechischen Inschriften u. Papyri, 1930
WO	Die Welt des Ostens, (1947 ff.)
WZ(K)M	Wiener Zeitschrift für die Kunde des Morgenlandes
Z	Zeile *line*, linea
ZA	Zeitschrift für Assyriologie
ZAW	Zeitschrift für die alttestamentliche Wissenschaft
ZDM(G)	Zeitschrift der deutschen Morgenländischen Gesellschaft
ZDP(V)	Zeitschrift des deutschen Palästina-Vereins
Zim(m).	Zimmern, Hrch., Akkadische Fremdwörter, [2]1917
Zkr	Inschrift des *inscription of* Zkr von *of* Hamath (Eph. 3, 1 ff.)
Znğ.	die Inschriften aus *the inscriptions from* Zenğirli (NE 440 ff., Cooke 159 ff.; die neue Inschrift des *the new inscription of* Kilamu s. Luschan-Andrae, Die Kleinfunde von Sendschirli, 1943, 102, Dupont-Sommer RHR 133, 1949, 19 ff.)
Zod.	↗ Drow. Zod.
ZS	Zeitschrift für Semitistik
z. St.	ad locum citatum

WÖRTERBUCH ZUM HEBRÄISCHEN ALTEN TESTAMENT
IN DEUTSCHER UND ENGLISCHER SPRACHE

A DICTIONARY OF THE HEBREW OLD TESTAMENT
IN ENGLISH AND GERMAN

VON/BY

LUDWIG KOEHLER

א : אָלֶף, Konsonant, der den in den europäischen Sprachen nicht geschriebnen Stimmeinsatz (deutlich hörbar in der 2. Silbe von *Abart, buée, cooperate*) bezeichnet, *consonant marking glottal stop which is not written in the European languages, but is distinctly audible at the beginning of the second syllable in words like the English cooperate, the French buée, the German Abart;* im Silbenschluss gelegentlich noch hörbar: בָּאְשָׁם, יַאְדִּימוּ (bŏ-schām), *sometimes* א *must have been audible at the close of a syllable as in* בָּאְשָׁם, יַאְדִּימוּ *(bŏ-shām);* meist nur noch geschrieben, nichtmehr gesprochen, *in most cases* א *is only written, but no longer pronounced:* בָּרָא > *בָּרָא, מָצָאתִי > *מָצַאְתִי; oft nur als etymologischer Rest geschrieben, aber nichtmehr gesprochen („übersprochen"), *in many cases* א *is written only as an etymological survival, but not pronounced:* הָאסַפְסֻף > *הָאַסַפְסֻף Nu 11, 4, יִשְׁמָעֵאל > *יִשְׁמַעְאֵל; gegen die Etymologie weggelassen, *omitted contrary to etymology:* תֹּבֵא Pr 1, 10 < תָּאבֶה Gn 24, 5, אָזִין < אַאֲזִין (MSS) Hi 32, 11, מַלְּפֵנוּ < מְאַלְּפֵנוּ Hi 35, 11; gegen die Etymologie hinzugeschrieben, *added contrary to etymology:* אָבוּא (אָבוֹ) Js 28, 12, קָלִיא (קָלִי) 1 S 17, 17; zur orthographischem Unterscheidung (im noch unpunktierten Text) steht א *is written, in the unvocalised text, for the sake of orthographical differentiation* in צַוּאר (:: צוּר), später auch *later on even* דָּאג (דָּג), קָאם (קָם); zur Vermeidung des Hiatus, *to avoid the hiatus* א > י in דּוֹיֵג 1 S 22, 18. 22. א in Vorsatzsilbe, *proclitically used* F אֶזְרוֹעַ, אַכְזִיב. א im Auslaut wechselt mit, *final* א *alternates with* ה F פָּרָא, מָרָא, לִקְרַאת, שָׁנָה. Über den (fraglichen oder besonders begründeten) Wechsel von א mit ע, *with reference to the (doubtful or specially occasioned) transition of* א *to* ע F אָנַס, אָפֵר, III שׁאה. אַתָּה u. עַתָּה sind mehrfach verwechselt, *are sometimes confused.* גָּבְהָא zur Vermeidung von, *is written to avoid* גָּבְהָה Hs 31, 5.

אָב (1190 ×): Sem; ug. *'b*, Lallwort *word originating in infants' babble* ZAW 55, 169—72: cs. אֲבִי, אָב (אֲבִיאֶסָף, אֶבְיָתָר: ā-ā-ā zur Vermeidung von, *to avoid* a-ā-ā), sf. אָבִי, אָבִיךָ, אָבִיךְ, אָבִיהוּ, אָבִיו (אָבִיהָ cj Gn 27, 5 u. 1 C 2, 24) > אָבִיהָ, אָבִינוּ, אֲבִיכֶם, אֲבִיכֶן, אֲבִיהֶם, pl. אָבוֹת u. אָבֹת (! ZAW 55, 172), cs. אֲבוֹת, sf. אֲבֹתַי, אֲבֹתֶיךָ, אֲבֹתָיו, אֲבֹתֵיכֶם, אֲבֹתָם (107 ×) u. אֲבוֹתֵיהֶם (33 ×, spät *late*):

1. (leiblicher) **Vater,** *(physical) father* 1 K 5, 15 Gn 2, 24, = Grossvater, *grandfather* Gn 28, 13, Stammvater, Ahnherr, e.s Stamms, Volks *forefather, ancestor of tribe, nation* Gn 10, 21 Dt 26, 5 Js 51, 2, e.s Orts *of a place* 1 C 2, 24. 42. 42 †, א' הָרִאשׁוֹן Js 43, 27; אָבֹת Väter = Vorfahren *fathers = ancestors* Gn 15, 15 1 K 19, 4, אֲבוֹת אֲבֹתֶיךָ Ex 10, 6 Da 11, 24; 2. Stammvater e. Stands *found'r of a class or station,* Gewerbs *of a trade* Gn 4, 20 f, Gründer, Vorsteher e. Orts *founder, chief magistrate of a place* 1 C 4, 14 (BAS 80, 19); 3. väterlicher

Beschützer *fatherly protector*, v. Vaterlosen *of fatherless* Ps 68, 6, Armen *of the poor* Hi 29, 16, Bevölkerung *of a population* Js 22, 21; 4. Ehrentitel, *title*: d. Ältern *of an older person* 1 S 24, 12, Lehrers *teacher* 2 K 2, 12, Propheten *prophet* 6, 21, Priesters *priest* Jd 17, 10 18, 19, Ehemanns *husband* Ir 3, 4. 19, Ratgebers *adviser* Gn 45, 8 (G Est 3, 13 f), e.r vertrauten Sache *of something familiar* Hi 17, 14; 5. בֵּית אָב Familie *family* Jos 22, 14 Ps 45, 11, pl. בֵּית אָבֹת Ex 12, 3 > (ellipt.) אָבוֹת 19, 51 1 K 8, 1; 6. אָב v. Gott *signifies god*: Vater Israels Dt 32, 6 Ir 31, 9 Js 63, 16 64, 7 Ma 1, 6, unser aller Ma 2, 10, d. Vaterlosen Ps 68, 6, d. Königs 2 S 7, 14 Ps 89, 27; Titel e.s (Baum-) Gotts *title of a tree-god* Ir 2, 27; 7. אָב = Erzeuger *begetter* (d. Regens *of rain*) Hi 38, 28; 8. F אֲבִי־עַד Js 9, 5; 9. אָב ist Teil der *is part of* PN mit *with* ־אָב, אֲבִי־, אֶב־, אֲב־ (Noth, 66ff); hier bezeichnet אָב wie in *like in* אֲבִיָּה die (eine) Gottheit, *in these cases* אָב *means (a) god.*

***אֵב**: *אנב, ak. *inbu*, ja. אִנְבָּא, [Syriac] Frucht, *fruit*: sf. אִבּוֹ, cs. pl. אִבֵּי: **Trieb, Knospe** *shoot, bud* Hi 8, 12 Ct 6, 11. †

אֹב: F אוֹב

***אבב**: F אָבִיב

אֲבַגְתָא: (S אגבותא) n.m.; pers. Scheft 37: Hofbeamter in Persien *Persian court-official* Est 1, 10. †

אבד: Sem; verloren gehn *get lost*, ug. ʾ*bd*, a. *abātu* VG 1, 152, EA 288, 52 (kan. Gl.) *abadat*, P. Anast. I, 23, 5 *abiti* Alb. Voc. 33, أَبَدَ scheu fliehen *take fright a. flee* (Tiere *animals*), تَأَبَّدَ lang fern sein *be away for a long-time*, verfallen *fall to pieces* (Ort *place*), አበደ umherirren *wander about*, ph (Cypern BAS 83, 16, 3): qal: pf. אָבַד, אָבְדָה, אָבַד, אָבְדָה, אָבַדְתָּ, אָבְדוּ, אָבַדְנוּ; impf. יֹאבַד (juss. Hi 3, 3), תֹּאבַד, תֹּאבֵד, יֹאבֵדוּ, יֹאבְדוּ, וַתֹּאבַדְנָה, תֹּאבֵדוּן Dt 4, 26, נֹאבֵד, נֹאבְדָה; inf. אֲבֹד, אֲבֹד, אָבְדְךָ, אָבְדָם, אֲבָדְכֶם; pt. אֹבֵד u. אוֹבֵד, cs. אֹבַד Dt 32, 28, f. אֹבֶדֶת, pl. אֹבְדִים, אֹבְדוֹת: 1. **verloren gehn** *perish* Lv 26, 38 (בְּ unter *among*) Js 27, 13 Ir 48, 36 (Besitz *property*) Ko 5, 13 (Reichtum *riches*) Jl 1, 11 (Ernte *harvest*) 2 S 1, 27 (Kampfgerät *weapons of war*) Hi 30, 2 (Kraft *strength*) Hs 12, 22 (Gesicht *vision*) Ps 9, 7 (Erinnerung *memory*) 41, 6 (Name *name*) Th 3, 18 (Glanz *splendour*) Js 29, 14 (Weisheit *wisdom*) Ir 7, 28 (Wahrhaftigkeit *sincerity*) Ko 9, 6 (Liebe *love*, Hass *hatred*, Eifer *zeal*) Hs 19, 5 (Hoffnung *hope*), so auch *also* 37, 11 Ps 9, 19 112, 10! Pr 10, 28 u. 11, 7 Js 41, 11 (Feinde *enemies*), cj. אָבְדוּ Ob 13 (Volk *people*); c. מִן jmd verloren gehn *be lost to someone* Dt 22, 3 Ir 18, 18 25, 35 49, 7 Hs 7, 26 Am 2, 14 Ps 142, 5 Hi 11, 20; 2. **sich verlaufen,** *go astray* אֲרַמִּי Dt 26, 5, Vieh *cattle* Ir 50, 6 Hs 34, 4. 16 Ps 119, 176 1 S 9, 3. 20, umherirren *stray* Hi 31, 19; 3. **umkommen** *perish* (Menschen *mankind*) Nu 17, 27 Dt 7, 20 8, 19 f 28, 20 30, 18 Jd 5, 31 Js 57, 1 60, 12 Ir 6, 21 (l. יֹאבֵדוּ) 10, 15 27, 10. 15 40, 15 51, 18 Ob 12 Jon 1, 6. 14 3, 9 Mi 4, 9 Ps 37, 20 49, 11 73, 27 80, 17 83, 18 92, 10 102, 27 119, 92 Pr 11, 10 cj 17, 5 19, 9 21, 28 28, 28 Hi 4, 7. 9, 20 6, 18 (Karavane *caravan*) 20, 7 Ko 7, 15 Est 4, 14. 16, Löwe *lion* Hi 4, 11; 4. **zugrunde gehn** *perish*, Volk *people* Ex 10, 7 Nu 21, 29 Ir 48, 46, Land *country* Ir 9, 11 48, 8 (עֵמֶק), Stadt *town* Hs 26, 17!, Häuser *buildings* Am 3, 15, Pflanze *plant* Jon 4, 10, Tag *day* Hi 3, 3; 5. א' מִן **weggerafft werden aus** *be carried off from among* Nu 16, 33 Mi 7, 2 Sa 9, 5 Ps 10, 16 Hi 18, 17; א' מֵעַל dasselbe *the same* Dt 4, 26 (Israel) 11, 17 Jos 23, 13. 16; א' מִפְּנֵי weggerafft werden vor *perish at* Ps 9, 4 68, 3; 6. א' לֵב d. **Mut vergeht** *the heart (courage) fails him* Ir 4, 9, daher *therefore* אֹבֵד[לֵב] mutlos *disheartened* Pr 31, 6 Hi 29, 13, cj Js 46, 12 (l אֹבְדֵי);

7. **Einzelnes** *particular expressions:* (Pläne *designs*) scheitern *fail* Ps 146, 4, אָבַד עֲצוֹת bei dem Ratschläge umsonst sind *who is deaf to advice* Dt 32, 28, כְּלִי אֹבֵד verdorbenes *damaged* G. Ps 31, 13; unklar *dubious* Ps 1, 6 2, 12 Nu 21, 30; †

pi: pf. אִבַּד, אִבַּדְתִּי, sf. אִבְּדָם; impf. וַיְאַבֵּד, וַאֲבֶדְךָ, תְּאַבְּדֵם, sf. תְּאַבְּדוּן, תְּאַבְּדוּ, יְאַבֵּד־, וַיְאַבְּדוּם; inf. אַבֵּד, sf. אַבְּדָם, אַבְּדֵנִי; pt. מְאַבְּדִים:

1. **verloren gehn lassen** *give up as lost* (:: בִּקֵּשׁ) Ko 3, 6; 2. **umkommen lassen** *let perish* Ir 23, 1; 3. **vernichten** *destroy* Nu 33, 52 Dt 11, 4 12, 2 2 K 11, 1 13, 7 19, 18 21, 3 Js 26, 14 37, 19 Ir 12, 17 15, 7 Hs 6, 3 22, 27 Ze 2, 13 Ps 5, 7 9, 6 119, 95 Hi 12, 23 Ko 9, 18 Th 2, 9 Est 3, 9. 13 4, 7 7, 4 8, 5. 11 9, 6. 12. 24 cj 2 C 22, 10; 4. c. מִן **ausrotten aus** *extinguish from* Ir 51, 55 Hs 28, 16? Ps 21, 11; 5. **zugrunde richten** *ruin* Pr 1, 32; 6. א׳ הוֹן **Vermögen durchbringen** *squander one's fortune* Pr 29, 3, א׳ לֵב um d. Verstand bringen *drive mad* Ko 7, 7; †

hif: pf. וְהַאֲבַדְתִּי, וְהַאֲבַדְתָּ, הֶאֱבַדְתָּ, הֶאֱבִיד, sf. וְהַאֲבַדְתָּךְ, וְהַאֲבַדְתָּם; impf. אֹבִידָה; inf. הַאֲבִיד, sf. הַאֲבִידֵנוּ, הַאֲבִידוֹ; pt. מַאֲבִיד:

ausrotten *exterminate* Dt 7, 10 9, 3 28, 51. 63 Jos 7, 7 cj 1 S 12, 15 2 K 10, 19 24, 2 Ir 1, 10 18, 7 31, 28 46, 8 Hs 25, 16 30, 13 Mi 5, 9 Ze 2, 5 Ps 143, 12 Hi 14, 19, c. מִן aus *from among* Lv 23, 30 Nu 24, 19 Dt 7, 24 8, 20 (מִפְּנֵי) Ir 25, 10 49, 38 Hs 25, 7 32, 13 (מֵעַל) Ob. 8. †

Der. [אֹבֵד] cj אֹבֵד, אֲבֵדָה, [אֲבַדֹּה], אֲבַדּוֹן, אָבְדָן, אַבְדָן*.

[אֹבֵד]: I אבד: אָבַד: أبَدًا immer *always*: עֲדֵי א׳ (OLZ 34, 609—11) **für immer** *for ever* cj Nu 24, 20 24. †

אֲבֵדָה: אבד: cs. אֲבֵדַת: **Sache, die verloren ging** *a thing, which has been lost* Ex 22, 8 Lv 5, 22 f Dt 22, 3. †

אֲבַדֹּה: = אֲבַדּוֹן Pr 27, 20. †

אֲבַדּוֹן: אבד (> אֲבַדֹּה Pr 27, 20), aram.: (Ort des) **Untergang(s)** (*place of*) *destruction* Ps 88, 12 Pr 15, 11 27, 20 Q Hi 26, 6 28, 22 31, 12 (> Ἀβαδδών im NT). †

אָבְדָן: אבד, aram.: **Untergang** *destruction* Est 9, 5. †

אַבְדָן*: אבד, aram.: cs. אָבְדַן: **Untergang** *destruction* Est 8, 6. †

אבה: Sem; ak. *abītu* Wunsch *wish*, أَبَى nicht wollen, *refuse*, aram. אֲבָא wollen *want*, äg. *ꜣbj* wünschen, *desire* F Nöld. BS 66[5]: أبى südsem. = nicht wollen, *decline* :: VG 2, 186; hebr. אבה ist immer mit Negation verbunden *always accompanied by a negative*, auch *even* Hi 39, 9 Js 1, 19 (ZS 4, 196 f); Honeyman. JAO 64, 81 f; F יאב, I תאב:

qal: pf. אָבָה, אָבִיתִי, אָבוּ > אָבוּא Js 28, 12; impf. יֹאבֶה, תֹּאבֶה > תֹּבֵא Pr 1, 10, יֹאבוּ; pt. אֹבִים;

1. mit לְ: **jm. willfahren** *accede to a wish* Dt 13, 9 Ps 81, 12, einer Sache den Willen haben, sie annehmen *think much of, accept* Pr 1, 30; 2. c. ac. (Rüge) **annehmen** *accept* (*a reproach*) Pr 1, 25; 3. c. inf. **wollen** *want to* Dt 2, 30 10, 10 25, 7 29, 19 1 S 15, 9 2 K 13, 23 Js 28, 12 30, 9 42, 24 Hi 39, 9; 4. c. לְ c. inf: **wollen** *want to* Gn 24, 5. 8 Ex 10, 27 Lv 26, 21 Dt 1, 26 23, 6 Jos 24, 10 Jd 19, 10. 25 20, 13 1 S 22, 17 26, 23 2 S 2, 21 6, 10 13, 14. 16. 25 14, 29 23, 16 f 2 K 8, 19 24, 4 Hs 3, 7 20, 8 1 C 11, 18 f 19, 19 2 C 21, 7; 5. abs. **willig sein** *be willing*, **folgen** *consent to* 1 K 20, 8 Pr 1, 10 6, 35, wollen Jd 11, 17 1 S 31, 4 2 S 12, 17 1 K 22, 50 Js 1, 19 (wenn ihr wolltet *if you were willing*) 30, 15 1 C 10, 4. †

Der. אֲבוֹי, I אָבִי ? אֶבְיוֹן ?

אֵבֶה: ak. *apu*: Schilf (-Kahn) *reed (-boat)*; Erman, Aegypten, 1923, 571 f, Aharoni, Schiffsterminologie d. AT, 1914, 19—22) Hi 9, 26. †

אֲבוֹי: אבה: Verlangen > Unbehagen *desire* > *uneasiness* Pr 23, 29. †

אֵבוּס: אבס, BL 234q: sf. אֲבוּסֶךָ: Krippe *manger* Js 1, 3 Hi 39, 9 Pr 14, 4? †

[*אִבְחָה]: cs. אִבְחַת l טִבְחַת G Hs 21, 20. †

אֲבַטִּחִים: בטח prall sein *be taut (like the skin of a ripe melon or a drum)* ZAW 55, 172 f; LW بَطِّيخ < ܦܛܝܚܐ: Wassermelonen *water-melons, Citrullus vulgaris Schrad.* (Löw 1, 550 ff) Nu 11, 5. †

I **אָבִי**: אבה ?: interj. o dass doch! *o that!* 2 K 5, 13 (?) Hi 34, 36 (?), l הוּא וְאָבִי: רְאֵה 1 S 24, 11/12. †

II **אָבִי**: n.m. 2 C 2, 12 *F* חִירָם. †

אֲבִי: n.f., KF < אֲבִיָּה 2 C 29, 1: 2 K 18, 2. †

אֲבִיאֵל: n.m.; אָב, אֵל; ak. *Abi-ili* Stamm 298 asa. אבאל: 1. Grossvater v. *grandfather of* Saul 1 S 9, 1 14, 51; 2. 1 C 11, 32 *F* אֲבִי־עַלְבוֹן. †

אֲבִיאָסָף: n.m.; < אֶבְיָסָף: Ex 6, 24. †

אָבִיב: *אבב; أَبّ Futtergras *grass for cattle*, אִבָּא, ܐܒܐ Frucht, *fruit*: Ähren (im Zustand der Weichreife, deren Körner man als Reibkorn oder geröstet geniesst) *ears (already ripe, but still soft, the grains of which are eaten either rubbed or roasted*, AS 2, 245. 305) Lv 2, 14, חֹדֶשׁ הָאָבִיב Ährenmonat, *month of the ears* Ex 13, 4 23, 15 34, 18 Dt 16, 1; *F* חֹדֶשׁ. †

cj **אֲבִיבַעַל**: n.m.; אָב, בַּעַל; Dir. O 23. 39: *F* אֲבִי־עַלְבוֹן. †

אֲבִיגַיִל u. (1 S 25, 32 2 S 3, 3 17, 25; nach Nöld. BS 43[2] älteste Schreibung *oldest spelling* אבגל) אביגל u. אבוגיל K 1 S 25, 18: אב, גיל ? גל ? Dir. Si 218 f, Bauer ZAW 48, 75 f: n. f.; 1. F. v. Nabal u. David 1 S 25 (9 ×) 27, 3 30, 5 2 S 2, 2 3, 3 1 C 3, 1 2. Schwester v. *sister of* David 2 S 17, 25! 1 C 2, 16 f. †

אֲבִידָן: n.m.; אָב, דִּין; *Abi-dāna* APN 4a: Nu 1, 11 2, 22 7, 60. 65 10, 24. †

אֲבִידָע: n.m.; ak. Abi-jadiʿ APN 4b, asa. Ryck 2, 22; אָב, ידע (Am 3, 2): Gn 25, 4 1 C 1, 33. †

אֲבִיָּה: n.m.; < אֲבִיָּהוּ: 1. 1 S 8, 2 1 C 6, 13; 2. 1 K 14, 1; † 3. 1 C 7, 8; 4. Ne 10, 8 12, 4. 17 1 C 24, 10; 5. K. v. Juda *F* אֲבִיָּהוּ: 1 C 3, 10 2 C 11, 20—13, 23 (14 ×); 6. n.f. 2 C 29, 1 *F* אֲבִי; l אָבִיהָ 1 C 2, 24. †

אֲבִיָּהוּ: n.m.; אָב, יְ׳; > אֲבִיָּה: K. v. Juda 2 C 13, 20 f; *F* אֲבִיָּם. †

אֲבִיהוּא: n m.; אָב, הוּא: Ex 6, 23 24, 1. 9 28, 1 Lv 10, 1 Nu 3, 2. 4 26, 60 f 1 C 5, 29 24, 1 f. †

אֲבִיהוּד: n.m.; אָב, הוֹד: 1 C 8, 3 (l אֲבִי אֵהוּד ?). †

אֲבִיהַיִל: n.f.; אָב, הַיִל, Ryck 2, 22 אבהל: 2 C 11, 18 (l אֲבִיחָיִל 1 C 2, 29). †

אֶבְיוֹן: אבה ? ug. *ʾbjnt*; > LW ⲉⲃⲓⲏⲛ; 60 ×, 33 × Ps: sf. אֶבְיֹנְךָ, pl. אֶבְיוֹנִים, cs. אֶבְיֹנֵי, sf. אֶבְיוֹנֶיהָ: bedürftig *needy*, arm *poor* Dt 15, 4. 7. 11 u. ö., *a. more*; (oft arm *often poor* =) unterdrückt *oppressed* Am 2, 6 4, 1 Js 32, 7 Ir 20, 13 u. ö; mit religiösem Klang *in a religious meaning* Ps 40, 18 86, 1 u. ö; // דַּל Am 8, 6, עָנִי

Ps 109, 22; מִשְׁפַּט אֶ׳ Ex 23, 6, עָמַד לִימִין אֶ׳ Ps 109, 31.

אֲבִיּוֹנָה: Et?: **Kaperfrucht** *caper-fruit* (Löw 1, 322—31 F צָלָף) Ko 12, 5. †

אֲבִיחַיִל: n.m.; אָב, חַיִל: 1. Nu 3, 35 2. Est 2, 15 9, 29 3. 1 C 5, 14 4. cj n.f. 1 C 2, 29. †

אֲבִיטוּב: n.m.; ak. *Abi-ṭāb*, *Abi-ṭābu* etc. Stamm 294, daher *therefore* Bauer, ZAW 48, 75 < abitôb; אָב, טוב: 1 C 8, 11. †

אֲבִיטָל: n.f.; אָב, טַל: F. v. David 2 S 3, 4 1 C 3, 3. †

אֲבִיָּם: n.m.; asa. אבים; Noth 234, Driver ZAW 46, 12[6]; Αβιου, cf *Aḫiami* 2. Taanachbrief (Alb. BAS 94, 20); אָב, *-jām*: K. v. Juda 1 K 14, 31 (MSS אֲבִיָּה) 15, 1. 7 f. †

אֲבִימָאֵל: n.m.; אָב, (bedeutungslose) Sprosssilbe *(meaningless) accrescent syllable -ma-* wie in *as in* ak. *Ili-ma-abi* Stamm 300, אֵל: Gn 10, 28 1 C 1, 22. †

אֲבִימֶלֶךְ: n.m.; אָב, מֶלֶךְ; ph. *Abi-milki* in EA, asa. אבמלך: 1. K. v. Gerar, Philister Gn 20, 2—26, 26 (24 ×) 2. S. v. Gideon Jd 8, 31—10, 1 (40 ×) 2 S 11, 21 3. Ps 34, 1! l אֲחִימֶלֶךְ 1 C 18, 16. †

אֲבִינָדָב: n.m.; אָב, נדב: 1. S. v. Isai 1 S 16, 8 17, 13 1 C 2, 13 2. S. v. Saul 1 S 31, 2 1 C 8, 33 9, 39 10, 2 3. 1 S 7, 1 2 S 6, 3 f 1 C 13, 7 4. 1 K 4, 11. †

אֲבִינֹעַם: n.m.; אָב, נֹעַם, asa. אבנעם: Jd 4, 6. 12 5, 1. 12. †

אֲבִינֵר: n.m.; F אַבְנֵר: 1 S 14, 50. †

אֶבְיָסָף: n.m.; < *אֲבִיסָף, אָב, יסף; אֲבִיאָסָף: 1 C 6, 8. 22 9, 19 cj 26, 1. †

אֲבִיעֶזֶר: n.m.; אָב, עֵזֶר; Dir. O 26. 29: 1. Held *champion* Davids 2 S 23, 27 1 C 11, 28 27, 12 2. Jos 17, 2 Jd 6, 34 8, 2 1 C 7, 18; † Der. אֲבִי עֶזְרִי.

אֲבִי עֶזְרִי: patr.: Abiesrit Jd 6, 11. 24 8, 32. †

[אֲבִי־עַלְבוֹן]: n. m. G Αβιηλ; dafür *for it* אֲבִיאֵל 1 C 11, 32: l אֲבִיבַעַל 2 S 23, 31. †

***אָבִיר**: I אבר: cs. אֲבִיר: **stark, gewaltig** *strong, powerful* (künstlich unterschieden von *artificially differentiated from* אַבִּיר) אֲ׳ יַעֲקֹב Gn 49, 24 Js 49, 26 60, 16 Ps 132, 2. 5, אֲ׳ יִשְׂרָאֵל Js 1, 24. †

אַבִּיר: I אבר, Torczyner ZAW 39, 296—300, ug. *ʾbr* (*stallion*), Alb. Voc. 33, äg. als *some* kan. LW Hengst *stallion* Alb. BAS 62, 30: אַבִּירָיו, אַבִּירֵי, אַבִּירִים: **stark, gewaltig** *strong, powerful* Th 1, 15, Anführer *chief* 1 S 21, 8, Gewalthaber, Tyrann *despot, tyrant* Js 10, 13 Hi 24, 22 34, 20, = Gottwesen *divine being* Ps 78, 25 (cf. 103, 20), > Stier *bull* Js 34, 7 Ir 46, 15 (l אַבִּירְךָ MSS) Ps 22, 13 50, 13, (übertr. *metaph.*) Ps 68, 31, > Hengst *stallion* Ri 5, 22 Ir 8, 16 47, 3 50, 11; אַ׳ לֵב hochgemut *stout-hearted* Ps 76, 6; l אַבִּירֵי (G) Js 46, 12. †

אֲבִירָם: n. m.; אָב, רום; F אֲבִרָם Baudissin, Kyr. III 111 f.: 1. 1 K 16, 34; 2. Nu 16, 1. 12. 24 f. 27 26, 9 Dt 11, 6 Ps 106, 17 Si 45, 18. †

אֲבִישַׁג: n.f.; אָב, שׁגג: 1 K 1, 3. 15 2, 17. 21 f. †

אֲבִישׁוּעַ: n.m.; אָב, II שׁוע; bab. *Abi-ešuʾa* KAT 481 :: Th. Bauer, Ostkan. 50 f.; Noth Nr. 26, asa. ? אבישע Ryck 2, 22: 1. 1 C 8, 4; 2. 1 C 5, 30 f 6, 35 Esr 7, 5. †

אֲבִישׁוּר: n. m.; אָב, III שׁוּר, asa. אבשור Ryck 2, 23; Noth Nr. 27: 1 C 2, 28 f. †

אֲבִישַׁי: n. m.; F אֲבִשַׁי.

אַבְשָׁלוֹם: n. m.; F אֲבִשָׁלוֹם; Gemser 91, theophor Lervy HUC 18, 43[58]: 1 K 15, 2. 10. †

אֶבְיָתָר: n. m.; אָב, יתר; altbab. *Abijatar*: 1 S 22, 20—23, 9 30, 7 2 S 8, 17 15, 24—36. cj 27 17, 15 19, 12 20, 25 1 K 1, 7–2, 35 4, 4 1 C 15, 11 18, 16 24, 6 27, 34 (29×) †

אבך: ak. *abâku* bringen, drehen *bring, turn*, F הפך: hitp: וַיִּתְאַבְּכוּ: **sich dahintragen lassen** *be borne along* (brennende Zweige *burning twigs*) Js 9, 17. †

I *אבל: ug. ʾ*bl*, aram. אֲבֵל, ܐܒܠ leidtragen *mourn*, أَبَنَ (Nöld. ZDM 40, 724) e. Toten preisen, beklagen *praise a dead person, mourn for the dead*:

qal: pf. אָבַל, אָבְלוּ, impf. תֶּאֱבַל, תֶּאֱבַל: **d. Trauerbräuche beobachten** *observe the mourning rites*: Menschen *men* Js 19, 8 Ho 10, 5 (עַל wegen *on account of*) Jl 1, 9 Am 8, 8 9, 5, Seele *soul* Hi 14, 22, Land, Erde *land, earth* Js 24, 4 33, 9! Ir 4, 28 12, 11 Ho 4, 3 Jl 1, 10, Juda Ir 14, 2, Tore *gates* Js 3, 26; Wein *wine* 24, 7; †

hif: וַיַּאֲבֶל, הֶאֱבַלְתִּי: **zu Trauerbräuchen veranlassen** *give cause for mourning rites* Hs 31, 15 Th 2, 8 (l וַיִּתְאַבֵּל־?); †

hitp: impf. יִתְאַבֵּל, וַיִּתְאַבֵּל, וָאֶתְאַבְּלָה, וַיִּתְאַבְּלוּ, וַיִּתְאַבְּלוּ, pt. מִתְאַבֵּל, imp. הִתְאַבְּלִי: **sich in (der Pflicht zu) Trauerbräuchen befinden, Trauer (= bräuche) beobachten** (*be under an obligation to*) *observe mourning rites* (Esr 10, 6 Ex 33, 4 2 S 14, 2 Da 10, 2 f), עַל Gn 37, 34 2 S 13, 37 19, 2 Js 66, 10 Esr 10, 6 2 C 35, 24, אֶל 1 S 15, 35 16, 1; abs. Ex 33, 4 Nu 14, 39 1 S 6, 19 2 S 14, 2 Hs 7, 12. 27 Da 10, 2 Ne 1, 4 8, 9 1 C 7, 22. †

Der. I אָבֵל, אֵבֶל.

II **אבל**, ak. abālu: Driver, Gaster Anniversary Vol. 1936, 73 ff: أُبْلَة dried figs; // יבשׁ: qal: pf. אָבְלוּ, אָבְלָה, impf. תֶּאֱבַל: **vertrocknen** *dry up*, Land *country* Ir. 12, 4 23, 10 Am 1, 2. †

Der. תֵּבֵל.

I **אָבֵל**: I אבל: cs. אֲבֵל־ l אָבֵל Ps 35, 14, pl. אֲבֵלִים, אֲבֵלֵי, אֲבֵלָיו, f. אֲבֵלוֹת: **trauernd** (d. Trauerbräuche beobachtend) *mourning* = *observing mourning rites* Gn 37, 35 Js 57, 18 61, 2 f cj Ir 16, 7 Hi 29, 25 Th 1, 4 (Wege *roads*) Est 6, 12 Si 7, 34 48, 24. †

II **אָבֵל**: < **jôbēl* (I יבל) Albright BAS 89, 15[44]: loc. אָבֵלָה: **Wasserlauf, Bach** *water-course, brook*: n. l. 1. אָ׳ מִצְרַיִם Gn 50, 11; 2. אָ׳ הַשִּׁטִּים (> F שִׁטִּים) Nu 33, 49; 3. אָ׳ כְּרָמִים (Onom. 32, 15: 6 (7) römische Meilen v. *Roman miles from* רַבַּת עַמּוֹן) Jd 11, 33; 4. אָ׳ מְחוֹלָה *Tell el-ḥammi* 13 Km s. Basan ZDP 33, 18; in Gilead Glueck BAS 90, 10 ff, 91, 15 f (*Tell Abil? T. el-maqlūb?*) Jd 7, 22 1 K 4, 12 19, 16; 5. אָ׳ בֵּית [הַ]מַּעֲכָה *Abil* (227 m) 7 Km wnw Dan 2 S 20, 14 (l בֵּית).15 1 K 15, 20 2 K 15, 29; = אָבֵל 2 S 20, 18; 6. אָ׳ מַיִם = 5. 2 C 16, 4 (= 1 K 15, 20); 1 S 6, 18 l הָאֶבֶן. †

אֵבֶל: אבל: sf. אֶבְלֵךְ: **Trauerbräuche, Trauerfeier, Trauer** *mourning rites, funeral ceremony*: עָשָׂה אֵ׳ לְ für jem. Trauerbräuche beobachten *observe m. r. for someone* Gn 50, 10 Hs 24, 17 Mi 1, 8 Ir 6, 26; יְמֵי אֵ׳ Trauerzeit *time of mourning* Gn 27, 41 Dt 34, 8 Js 60, 20; > אֵ׳ Trauerzeit 2 S 11, 27 Ir 31, 13 Am 8, 10 Est 9, 22, Trauerfeier *funeral ceremony* Gn 50, 11 Am 5, 16 (קָרָא אֶל aufbieten zu *summon to*) Th 5, 15 Est 4, 3, Trauer 2 S 19, 3 Hi 30, 31; אֵ׳ c. gen. Trauer um jm. *mourning for* Gn 27, 41 Dt 34, 8 Ir 6, 26, cj Ps 35, 14; בִּגְדֵי אֵ׳ 2 S 14, 2, מַעֲטֵה אֵ׳ (umgestellt! *in-*

verted!) Js 61, 3; בֵּית אֵ׳ Trauerhaus *house of mourning* Ko 7, 2. 4; 1אָבֵל Ir 16, 7. †

אֲבָל: -בַל ,-אַ: ug. *bl*, *blt* ph. pu. אבל (איבל Harris 87 = בל u. אי Cooke 33):
1. interj.: **fürwahr** *verily* Gn 42, 21, **ach!** *alas!* 2 S 14, 5 2 K 4, 14, **jedoch** *but* Da 10, 21 Esr 10, 13, **nein!** *no!* Gn 17, 19 1 K 1, 43; 2. part. des Gegensatzes *of the adversative*: **sondern** *but* Da 10, 7, **jedoch** *however*, 2 C 1, 4 19, 3 33, 17. †

אָבָל: < יוּבַל, *F* II אָבֵל: cs. אוּבַל: **Wasserlauf** *water-course*, **Kanal** *canal* Da 8, 2. 3. 6. †

אבן: אֶבֶן, *אֹבֶן, n. fl. אֲבָנָה?

אֶבֶן (270 ×): ug. *ʾbn*, ak. *abnu*, asa. u. ph. אבן, *F* aram.!, **አብን**, als *some* LW أَبَانَ: fem., אֶבֶן, sf. אַבְנוֹ, pl. אֲבָנִים, אַבְנֵי:
1. **Stein** (im Feld) *stone in the field* Gn 28, 11 Hi 5, 23, (im Bachtal *valley*) 1 S 17, 40 etc., stumm wie Stein *mute as stone* Ex 15, 16, als Mazzebe aufgerichtet *erected as maṣṣēbā* Gn 28, 22; לִקְטוּ אֲבָנִים 31, 46, סִקֵּל בָּאֶ׳ 2 S 16, 6, רָגַם בָּאֶ׳ Dt 21, 21, קָלַע בָּאֶ׳ Jd 20, 16; אֶבֶן יָד ug. *ʾbn jd*, Schlagstein *striking-stone* Nu 35, 17, אֲבָנִים Wurf= (Schleuder =?) Steine *hurling-stone* (*in a sling*) 1 C 12, 2; (erzhaltiges) **Gestein** *ore* Dt 8, 9 Hi 28, 2 41, 16; 2. (bearbeiteter *hewn*) **Stein** *stone*: הָיָה לְאֶ׳ als Baustein dienen *be used for building purposes* Gn 11, 3, אֶ׳ קִיר 2 S 5, 11, אֶ׳ פִּנָּה Hi 38, 6; אֶ׳ **Steinplatte** *slab* (auf Brunnenmund *upon mouth of a well*) Gn 29, 2, חָרָשֵׁי אֶ׳ Steinhauer *stone-cutter* 1 C 22, 15, אֲבָנִים יְקָרוֹת edle Bausteine *costly stones* 1 K 5, 31, יְסַד אֶ׳ Js 28, 16; אֶ׳ **steinernes Idol** *stone-idol* Ir 2, 27 3, 9 Hs 20, 32 (Lv 26, 1); אֲבָנִים **Steingefässe** *stone-vessels* Ex 7, 19; 3. **Edelstein** *precious stone* חָרַשׁ אֶ׳ Steinschneider *engraver* Ex 28, 11, אַבְנֵי זִכָּרוֹן Ex 28, 12, אֶ׳ יְקָרָה Edelstein, Juwel *jewel* 2 S 12, 30, (ell.) אֶ׳ Edelstein Ex 39, 10, אַבְנֵי קֹדֶשׁ heilige St. *holy st.* Th 4, 1; 4. **Gewichtstein** *stone weight*: אֶ׳ וָאֶ׳ Pr 16, 11, *F* כִּיס אַבְנֵי כִיס zweierlei (verschiedenes) Gewicht *divers weights* Dt 25, 13 Pr 20, 10. 23, אַבְנֵי צֶדֶק richtiges (ehrliches) Gewicht *accurate, genuine weight* Lv 19, 36, אֶ׳ הַמֶּלֶךְ Königsgewicht *royal weight* 2 S 14, 26; 5. אַבְנֵי הַבָּרָד (ak. *aban šamê* Tallquist, D. ass. Gott, 1932, 98[2]) **Hagelkörner** *hailstones* Jos 10, 11 Js 30, 30, אַבְנֵי אֵשׁ feurige Steine *stones of fire* Hs 28, 14. 16, אֶ׳ עֹפֶרֶת **Bleiplatte** *slab of lead* Sa 5, 8, אֶ׳ דּוּמָם ,אֶבֶן יִשְׂרָאֵל Gn 49, 24, 6. *F* אֶלְגָּבִישׁ; Ha 2, 19, הָיָה לְאֶ׳ (Lähmung *paralyses*) 1 S 25, 37, לֵב אֶ׳ **steinern** *stony* (fühllos *unfeeling*) Hs 11, 19 36, 26; *F* ,בְּדִיל ,בֹּחַן ,גָּזִית ,אֶקְדָּח ,גַּל ,גֵּר ,חֵן ,חֵפֶץ ,*מְלֵאָה ,מִלֻּאִים ,מַעֲמָסָה ,מַרְצֶפֶת ,נֶגֶף ,נֵזֶר ,קֶלַע; אֶבֶן in n.l. *F* ,בֹּחַן ,זֹחֶלֶת ,I עֵזֶר, cj אֶבֶן [הַגְּדוֹלָה] (MS, G, Tg) 1 S 6, 18.

***אֹבֶן**: = אֶבֶן? Barth ZDM 42, 346: du. אָבְנַיִם: **Töpferscheiben** *potter's wheels* Ir 18, 3; ?? Ex 1, 16 (Spiegelb. 19 ff: Gebärsteine *stones of delivery*, Ehrl. (Midrasch rabba): Geschlechtsteile *genitals* (v. בנה abgeleitet) Torcz. Entst. 163 f.; *F* Komm. †

אֲבָנָה (< Q אֲמָנָה, אמנה): n. fl., durchfliesst *flows through* Damaskus v. *F* אֲמָנָה her; Χρυσορ-ροας, *Nahr baradā*: 2 K 5, 12. †

אַבְנֵט: FW, äg. *bnd* einwickeln *wrap up* EG 1, 465, spät-äg. *bnd* > βύνητος (εἶδος ἱματίου) Stricker Act Or 15, 10 u. Oudh. Med. XXIV, 1943, 30[1]: sf. אַבְנֵטְךָ, pl. אַבְנֵטִים: **Schärpe** *scarf, sash* (αβανηθ Antt. III, 7, 2), des Beamten *of an official*, Js 22, 21, d. Priesters *of a priest* Ex 28, 4. 39 f 29, 9 39, 29 Lv 8, 7. 13, aus Linnen *made of linen* 16, 4. †

אַבְנֵר: n. m.; אָב, נֵר, > אֲבִינֵר: Heerführer v., *commander of* Saul 1 S 14, 51 17, 55. 57 20, 25 26, 5—15 2 S 2, 8—4, 12 1 K 2, 5 1 C 26, 28 27, 21 (59 ×). †

אבס: mh. den. mästen *fatten*:
qal: pt. אָבוּס, אֲבוּסִים: mästen *fatten* 1 K 5, 3 Pr 15, 17. †
Der. אֵבוּס, מַאֲבוּס.

אֲבַעְבֻּעֹת: < *בַּעְבֻּעַת mh. בַּעְבַּע (beebe, bebi Act. Or. 15, 3) aufwallen, sprudeln *bubble (up)*, verw. נבע, ak. *bubu'tu* [Syriac] Geschwür, *ulcer, abscess*: **Blasen**, *blisters, vesicles* Ex 9, 9f. †

אבץ: n. l. אֶבֶץ, n. m. אִבְצָן.

אֶבֶץ: n. l.; אבץ: Jos 19, 20 (Alb. ZAW 44, 231: רֶבֶץ = G^B Ρεβες). †

אִבְצָן: n. m.; אבץ: Jd 12, 8. 10. †

I **אבק**: أَبَقَ davonlaufen *run away*: אָבָק, אֲבָקָה.

II **אבק**: ja. אֲבַק verflechten *intertwine*:
nif: impf. וַיֵּאָבֵק, inf. sf. הֵאָבְקוֹ: c. עִם ringen mit *wrestle with* Gn 32, 25 f. †

אָבָק: I אבק: cs. אֲבַק, sf. אֲבָקָם: **Staub** *dust*, Js 29, 5 (דַּק fein *small*), aufgewirbelt von Pferden *raised by horses* Hs 26, 10, Fussgängern *walkers* Na 1, 3 Dt 28, 24 Js 5, 24, **Russ** *soot* Ex 9, 9. †

*אֲבָקָה (*אֲבָקָה?): I אבק: cs. אַבְקַת: **Gewürzpulver** *scent-powders* Ct 3, 6. †

I **אבר**: ak. *abāru* stark sein *be strong*: אֵבֶר, אֶבְרָה, אַבִּיר, אָבִיר.

II **אבר**: den. v. אֵבֶר:
hif: impf. יַאֲבֶר־: **sich aufschwingen** *soar up* Hi 39, 26. †

אֵבֶר: I אבר; ak. *abru* Schwinge *wing*, [Syriac] Feder *feather*: **Schwinge, Flügel** *wing, pinion*, (Adler *eagle*) Js 40, 31 Hs 17, 3, (Taube *dove*) Ps 55, 7. †
Der. II אבר, אֶבְרָה.

אֶבְרָה: fem. v. אֵבֶר: sf. אֶבְרָתוֹ, sf. pl. אֶבְרוֹתֶיהָ: **Schwinge, Flügel** *wing, pinion* Dt 32, 11 Ps 68, 14 91, 4 Hi 39, 13. †

אַבְרָהָם: n. m.; אָב, רָהָם = رُهَام, Menge *multitude* (Eitan JAO 49, 32 f); F אַבְרָם; ak. *Abamrāmā* Stamm 291 f: Gn 17, 5 (Deutung *interpretation*) — 50, 24 (123 ×) Ex 2, 24 3, 6. 15 f 4, 5 6, 3. 8 32, 13 33, 1 Lv 26, 42 Nu 32, 11 Dt 1, 8 6, 10 9, 5. 27 29, 12 30, 20 34, 4 Jos 24, 2 f 1 K 18, 36 2 K 13, 23 Js 29, 22 41, 8 51, 2 63, 16 Ir 33, 26 Hs 33, 24 Mi 7, 20 Ps 47, 10 105, 6. 9. 42 Ne 9, 7 1 C 1, 27 f 32. 34 16, 16 29, 18 2 C 20, 7 30, 6; אֹהֲבִי אַ׳ Js 41, 8, אֹהַבְךָ אַ׳ 2 C 20, 7 אֱלֹהֵי אַ׳ Ps 47, 10. †

אַבְרֵךְ: Gn 41, 43, ungedeuteter (äg.?) Zuruf *Egypt? acclamation, not yet explained* F Komm. †

אַבְרָם: n. m.; אָב, רום, Si Dir, 222 f; F אֲבִירָם > אַבְרָהָם Gn 17, 5 Ne 9, 7 1 C 1, 27: Gn 11, 26—17, 5 (55 ×) 1 C 1, 27 Ne 9, 7. †

אַבְשַׁי: n. m.; F אֲבִישַׁי; Bauer ZAW 48, 77: יִשַׁי = יֵשׁ? Eph 2, 13: < אֲבִישָׁלוֹם?: 2 S 10, 10 1 C 2, 16 11, 20 19, 11. 15; ? 18, 12, cj 12, 19. †

אַבְשָׁלוֹם: n. m.; אָב, שָׁלוֹם; F אֲבִישָׁלוֹם: 1. S. v. David 2 S 3, 3 13, 1—19, 11 (99 ×) 20, 6 1 K 1, 6 2, 7. 28 Ps 3, 1 1 C 3, 2; 2. 2 C 11, 20 f. †

אֹבֹת: n. l.; יאב?; *Ajn al Wejbe* W-Rand der Araba, Knotenpunkt wichtiger Strassen *w. ledge* *of Arabia, intersection of important roads* Musil AP, II, 2, S. 204, PJ 36, 16 f. 25 f.: Nu 21, 10 33, 43 f. †

אנא: אָנָּא.

אָגֵא: n.m.; mischnisch (Löw 2, 416), asa. Ryck 2, 23, أَجَا, tham. n.m. (Hess Nr. 89), Kameldorn Althagi camelorum Fisch., ThZ 4, Heft 2: 2 S 23, 11. †

אגג: אָגָג.

אֲגַג, אָגָג: n.m.; ph. n.m. אגג CIS I 3196: 1. Amalekiter 1 S 15, 8—33 (6 ×); 2. Nu 24, 7 (Γωγ!); F אֲגָגִי. †

אֲגָגִי: Beiname *surname* Hamans; pers.? später auf אֲגַג bezogen, *later on connected with* אֲגַג: Est 3, 1. 10 8, 3. 5 9, 24. †

אגד: ak. *agittû* Binde *fillet*(?), aram. אֲגַד zusammenbinden *tie*: אֲגֻדָּה.

אֲגֻדָּה: אגד: cs. אֲגֻדַּת, sf. אֲגֻדָּתוֹ, pl. אֲגֻדּוֹת: Bündel *bundle* = 1. **Sprengwedel** *sprinkler* Ex 12, 22; 2. **Haufe** *troop, band* (Leute *people*) 2 S 2, 25; 3. pl. **Bande** *bands* (Seile *ropes*) Js 58, 6; 4. **Gefüge,** Gewölbe? *structure, vault*? Am 9, 6. †

אֱגוֹז (Var. אֱגֹז): FW (Nöld. NB 43, reiches Material!): **Baumnuss** *nut* (Juglans regia L., Löw 2, 29—59) Ct 6, 11. †

אָגוּר: n.m.; asa. אגר < אגרם Ryck 2, 24; ug. *ʒgr* n.d. Cassuto, Or. 16, 474; אגר: Pr 30, 1. †

***אֲגוֹרָה**: I אגר; ak. *igrum*, [cuneiform] Lohn *fee*, ὀβολός: **Bezahlung** *payment* 1 S 2, 36. †

אגל: أَجِلَ zurückgehalten werden *be kept back*: *אֶגֶל, n. l. אֶגְלַיִם.

***אֵגֶל**: אגל: cs. pl. אֶגְלֵי: **Tropfen** *drop* Hi 38, 28. †

אֶגְלַיִם: n.l.; אגל: in Moab; Musil AP I, 381: *ḫirbet el-Ǧilime* nö. *er-Rabba*: Js 15, 8. †

cj I אגם: أَجَمَ heiss sein *be hot*:

qal: pt. אֹגֵם: **glühend** *aglow* cj. Hi 41, 12. †

II אגם: אַגְמוֹן, אֲגַם.

***אֲגַם**: ak. *agammu*, [cuneiform] Sumpf *swamp* مَأْجَم schilfbestandner Tümpel *pool full of reeds* Nöld. ZA 19, 156: pl. אֲגַמִּים, cs. אַגְמֵי, sf. אַגְמֵיהֶם: **Schilftümpel** *reedy pool* Ex 7, 19 8, 1 Js 14, 23 35, 7 41, 18 42, 15 Ps 107, 35 114, 8; l הַגְּמָאִים Ir 51, 32. †

***אָגֵם**: : < *עגם F עגם, Nöld. ZDM 40, 727: cs. pl. אַגְמֵי: **betrübt** *grieved* Js 19, 10. †

אַגְמוֹן: II אגם: **Schilfhalm** *rush* Js 9, 13 19, 15 58, 5 Hi 40, 26; l אֹגֵם 41, 12. †

***אגן**: kreisrund *round, circular*: der. אַגָּן.

***אַגָּן**: ug. *ʾgn*, ak. *agannu*, [cuneiform] äg. *ỉkn*, Schale *bowl*: cs. אַגַּן, pl. אַגָּנֹת: **Schale** (*large deep two handled ring-based*) *bowl* (Honeyman, PEF 1939, 79) Ex 24, 6 Js 22, 24 Ct 7, 3. †

***אֲגַף**: F II *גַּף; جَفّ Trupp, Schar *troop*: pl. sf. אֲגַפֶּיהָ, אֲגַפָּיו: **Schar** *band* Hs 12, 14 17, 21 38, 6. 9. 22 39, 4. †

I אגר: *אֲגוֹרָה.

II אגר: عَجِرَ fett werden *became bigbellied* (Lane 1958b; ע > א F Hess, ZS 2, 219 ff) F עָגוּר:

qal: תֶּאֱגֹר, אָגַר, pt. אֹגֵרָה, אֹגֵר: (Ernte) **einbringen** *gather (in)* Dt 28, 39 Pr 6, 8 10, 5. †

***אֲגַרְטָל**: < κάρταλος wie [Syriac]: pl. cs. אֲגַרְטְלֵי: **Korb** *basket* Esr 1, 9. †

אֶגְרֹף: גרף; مِجْرَفَة **Besen, Schaufel, Rechen** *broom, shovel, rake* Hacke *hoe*, جَارُوف Schaufel *shovel*: Haue, Hacke *pick, hoe* Ex 21, 18 (*πυγμή*, *pugnum*) Js 58, 4. †

אִגֶּרֶת: ak. *egirtu* Brief, Schriftstück *letter, deed*; F ba. אִגְּרָה, Zim. 29, Landsberger MAO 4, 315 f Köbert, Or. 14, 278 f): pl. אִגְּרוֹת, sf. אִגְּרֹתֵיהֶם: **Brief** *letter* שָׁלַח א׳ Ne 6, 19, נָתַן א׳ לְ jm. e. Brief ausstellen *write a l. for* 2, 7, א׳ אֶל Br. an *l. to* 2, 8 הָלְכָה א׳ e. Br. geht ab *a l. is sent* 6, 17, פָּתַח א׳ 6, 5. קִיֵּם א׳ e. Br. bestätigen *confirm a. l.* Est 9, 29; 2 C 30, 1. 6. †

אֵד: Gn 2, 6, sf. אֵדוֹ Hi 36, 27, cj 30: Ableitung u. Bedeutung unklar, *derivation a. meaning obscure*; ak. *edû* Hochwasser, *inundation* (Zim. 44); Alb. JBL 57, 231 u. 58, 102: ID = **edda* unterirdischer Süsswasserstrom *subterranean stream of fresh water*; Deutungen *explanations* F Vriezen, Onderzoek naar de paradijsvoorstelling 1937, 127 f u. Komm. †

אדב: أَدَبَ z. Mahl einladen *invite to repast*: hif. inf. לַאֲדִיב < *לְהַאֲדִיב, l לְהָדִיב F דוב: 1 S 2, 33. †
Der. אַדְבְּאֵל n.m.

אַדְבְּאֵל: n.m.; אדב, אֵל; ak. *Idibiʾlu* APN 94b: S. v. Ismael Gn 25, 13 1 C 1, 29. †

אֲדַד: n.m.; F הֲדַד: Edomiter 1 K 11, 17. †

***אדה**: أَدَّى er führte [es] aus *he performed*: F אוֹדוֹת.

אִדּוֹ: n.m.; KF? ph. n.m. אדא CIS I, 426; keilschr. *Iddūa* APN 94a: Esr 8, 17. †

אֱדוֹם: n. t., n. p., n. t., n.m.; אדם, ursprünglich kleiner, durch rote Erde gekennzeichneter Bereich, *originally small area covered with reddish soil, later on a whole country*: **Edom** Ἰδουμαία; ug. *Udm*, ak. *Udumu*, äg. *Aduma* (Alb. Voc. 34), Nöld. EB 1182[2]! 98 ×, nicht in *absent* Dt Ho Mi Hg Sa Esr Ne; cj 2 S 8, 12 1 K 11, 25 2 K 16, 6? Hs 16, 57 27, 16 2 C 20, 2; l מֵאָדָם Js 63, 1; Buhl, Geschichte d. Edomiter 1893; Musil AP II Edom 1907 Glueck, AAS 1935 u. The Other Side of the Jordan 1940: 1. n. t.: Gn 32, 4 (שְׂדֵה אֱ׳) 36, 16 (אֶרֶץ אֱ׳, + 10 ×) 36, 43 Ex 15, 15 Nu 24, 18 2 K 3, 20 Ir 40, 11 49, 7. 17 fem. (+ 8 ×); 2. n. p.: Nu 20, 18 masc. 20 f Js 11, 14 34, 5 Ir 9, 25 25, 21 Hs 36, 5 (fem.) Am 1, 6. 9. 11 9, 12! (+ 26 ×); 3. אֱ׳ die **Edomiter** *the Edomites* Gn 36, 9. 43 2 S 8, 14 1 K 11, 15 f 2 C 21, 8—10, F אַלּוּפֵי אֱ׳, מֶלֶךְ אֱ׳ Nu 20, 14 + 5 ×, אֱלֹהֵי אֱ׳ 2 C 25, 20 † בַּת אֱ׳ Th 4, 21. 22 † cj [בְּנוֹת] אֱ׳ Hs 16, 57 † בְּנֵי אֱ׳! Ps 137, 7, שְׁאֵרִית אֱ׳ Am 9, 12, מִדְבַּר אֱ׳ 2 K 3, 8 †, Botenspruch über *message concerning* Edom Ir 49, 7 †; das Gebiet Edoms, sdl. (Juda u.) Moab gelegen, hat keine natürlichen Grenzen, *the territory of E. situated south of (Juda a.) Moab has no natural boundaries*; 4. n.m.: = Esau Gn 25, 30 36, 1. 8 †; Esau Stammvater v. *progenitor of* Edom Gn 36, 9.
Der. אֲדֹמִי, אֲדוֹמִי.

***אֲדוֹמִי**: gntl. v. אֱדוֹם, F אֲדֹמִי: pl. אֲדוֹמִים: die **Edomiter** *the Edomites* 2 K 16, 6 2 C 25, 14 28, 17. †

אָדוֹן: ug. *ʾdn*, Herr *master* u. Vater *father* (Vater die Grundbedeutung? *father the original meaning*? Ginsberg, Or. 8, 473 f); Zusammenhang mit *connexion with* *ʾd*? Lewy ZA 38, 253 ff 40, 345 f; Rosenthal, Or. 11, 181; ph. אדן Gebieter v. König u. Gott *ruler, master said of kings a. gods* (fem. אדת Herrin *mistress*, pu. *donni* mein Herr *my master* Poenulus 998), n.m.; *Adûni-baʿal*, *Adûnu-apla-iddin* KAT[3] 398[2]; EA *Aduna* K. v. Irqata; > Ἀδωνις: Ableitung unklar *origin obscure*; v. אדה Lagarde, Übersicht 204, v. ak. *danānu* stark, mächtig sein *be mighty* Schwally, ZDM 53, 198, v. asa. *ʾdn* Befehl *command*, إِذْن Auftrag *commission*, أَذَان Aufruf *announcement* Bauer OLZ 36, 473 f 38, 131 f: die Bedeutung **Herr = Gebieter** *the meaning lord =*

master:: בַּעַל Herr = Besitzer *lord = owner* steht fest *is obvious*:: cs. אֲדוֹן, pl. אֲדֹנִים, אֲדֹנֵי, sf. ausser *except* אֲדֹנִי immer *always* v. pl. אֲדֹנָיו, אֲדֹנֶיךָ, v. Gott אֲדֹנָי; beachte *n.b.* בַּאדֹנָי u. אֲדֹנִים קָשֶׁה e. harter Herr *a cruel lord* Js 19, 4:

I. (irdischer *earthly*) **Herr, Gebieter** *lord, master* (über *more than* 300 ×): אֲדֹנִים:: אֲדֹנָיו Js 24, 2 Ma 1, 6, Herr *master* über Sklaven *of slaves* Gn 24, 9, Ehefrau *wife* Gn 18, 12 Am 4, 1, Volk *people* 1 K 22, 17, Land *country* Gn 42, 30 45, 9, Haushalt *household* 45, 8, Gebiet *territory* 1 K 16, 24; selten *rarely*, plural.: Herren *lords*, *masters* Js 26, 13 Ir 27, 4; oft als Höflichkeitsform: mein Herr = du, *frequently a formula of politeness = thou*: Frau z. Gatten *wife to husband* 1 K 1, 17, Tochter z. Vater *daughter to father* Gn 31, 35, Bruder z. Bruder *brother to brother* Gn 32, 6, Frau z. Fremdem *woman to stranger* Jd 4, 18, König z. Prophet *king to prophet* 2 K 8, 12, Mehrere z. Einem *several people to a single* Gn 23, 6 42, 10; m. Zusatz *with addition*: m. Herr *my lord* Mose Nu 11, 28, m. H. Elia 1 K 18, 7, m. H. König *my lord the king* 1 S 29, 8 (oft *frequent*): der König, m. Herr *the king my lord* 2 S 14, 15; im Höflichkeitsstil sagt man: mein Herr für du oder er, dein oder sein, *in polite speech my lord is used instead of thou or he, thy, thine or his*: Gn 24, 27 Ex 21, 5 1 S 30, 13 2 S 1, 10; Mehrere von Einem *several people speaking of one person*: unser Herr *our lord* 1 S 16, 16, Einer *one* (als Glied e. Gruppe *a member of a band*): unser H. *our lord* 1 K 1, 43;

II. אָדוֹן bezeichnet **Gott** *means God* (über *more than* 450 ×): Gott ist *God is* אָדוֹן Ps 114, 7, הָאָדוֹן Js 1, 24 3, 1 10, 16. 33 19, 4 (stets folgt *always followed by* י׳ צְבָאוֹת) u. Ma 3, 1, †. אֲדוֹן כָּל־הָאָרֶץ Jos 3, 11. 13 Mi 4, 13 Sa 4, 14 6, 5 Ps 97, 5 †. אֲדֹנֵי הָאֲדֹנִים Dt 10, 17 Ps 136, 3 †; אֲדֹנָי יהוה mein Herr Jahwe *my lord Y.* (Gottesname mit vorangehender Zueignung *the name of God preceded by formula of appropriation*) 280 × (211 × Hs!) Gn 15, 2. 8 Dt 3, 24 9, 26 Jos 7, 7 Jd 16, 28 2 S 7 (7 ×) 1 K 2, 26 8, 53 Js 17 ×, Ir 9 ×, Am 20 × Ob 1, 1 Mi 1, 2 Ze 1, 7 Sa 9, 14 Ps 71, 5. 16 73, 28; אֲדֹנָי allein *used apart* = du, er, dein, sein usw., *thou, he, thine, his* (50 × MSS י׳, Gn 18, 27 Ex 15, 17 Js 6, 1. 8); 37 × (Js 12 ×, Ps 13 ×) auffallende Stellung *remarkable position* Am 5, 16,? Hi 28, 28 (א׳ sonst nicht *nowhere else* in Hi), l אֵינֶנּוּ Ps 73, 20; אֲדֹנִי Anrede *address* 26 ×: (20 × Ps) Gn 18, 3 19, 18 (Engel *angel!*) 20, 4 (v. Nichtisraelit gesagt *used by non-Israelites* Ex 5, 22 Js 38, 16! Zueignung *by way of appropriation*: du bist m. Herr *Thou art my lord* Ps 16, 2; J. unser *our l.* Ps 8, 2. 10 Ne 10, 30 †, unser H. *our l.* Ps 135, 5 147, 5 Ne 8, 10 †, י׳ אֲדֹנָי Ha 3, 19 Ps 68, 21 109, 21 140, 8 141, 8 †, dein H. J. *thy l. Y.* Js 51, 22 †, m. H. J. Zebaoth Js 10, 23. 24 (u. 11 ×). — הוֹי א׳ Ir 22, 18 34, 5 † = Adonis? cj אֲדֹנָי Ps 89, 48, l גְּרֹנָם f. אֲדֹנָי Ps 55, 10.

Der. n.m. אֲדֹנִיָּה.

אַדּוֹן: n.l. in Babylonien (= אַדָּן Esr 2, 59) Ne 7, 61. †

אֲדוֹרַיִם: n.l.; דור?: *Dûra* 9 Km w. Hebron (— Aduri EA 256, 24?) 2 C 11, 9. †

אדורם: F אֲדֹנִירָם

אַדִּיר: אדר: pl. אַדִּירִים, אַדִּירֵי, אַדִּירֶיךָ mächtig (mit d. Beiklang des Prächtigen) *mighty* (*approaching magnificent*): Götter *gods* 1 S 4, 8, Gott *God* Ps 76, 5 93, 4! 4, Jahwes Name *Y.'s name* Ps 8, 2. 10 Js 33, 21 (l שֵׁם?), Könige *kings* Ps 136, 18, Herrscher (l אַדִּיר) Ir 30, 21; d. Mächtigen (als soziale Gruppe *as social group*) Jd 5, 13. 25 Ir 14, 3 Na 2, 6 3, 18 Ps 16, 3! cj אַדִּרִים 42, 5 Ne 3, 5 (v. Thekoa) 10, 30 2 C 23, 20, (= Herren) d. Kleinviehs *masters of the small cattle* Ir 25, 34—36; mächtig (prächtig) *mighty* (*magnificent*) Wasser *water* Ex 15,

10, Baum *tree* Hs 17, 23 Sa 11, 2 Js 10, 34 (l בְּאַדִּירָיו), Schiff *ship* 33, 21b; cj Ps 77, 12, l אֹרֵדִם? Hs 32, 18. †

אֲרִלְיָא: n.m.; Scheft. 38: Est 9, 8. †

אדם: ug. *ʾdm*, أَدِمَ, አደመ rot sein *be red*, äg. *ỉdmj* Leinenstoff v. roter Farbe *linen of red colour*:

qal: אָדְמוּ: **rot sein** *be ruddy* Th 4, 7; †

pu.: pt. מְאָדָּם: **mit Rötel eingerieben** (Hess, ZAW 35, 121), Widderfelle *ram's skins rubbed with reddle* Ex 25, 5 39, 34, Schildleder *shield* Na 2, 4; cj Js 63, 1 **rot gefärbt** (v. Traubensaft) *dyed red* (*grape-juice*); †

hif: יַאְדִּימוּ: **rote Farbe haben** *be red* Js 1, 18;

hitp.: יִתְאַדָּם: **roten Schein zeigen** *exhibit a red colour* Pr 23, 31. †

Der. אֲדַמְדָּם, אֹדֶם, אָדֹם, אָדָם, אֲדוֹמִי, אֱדוֹם, אַדְמֹנִי, אֲדָמָה.

I אָדָם: immer *exclusively* abs. sg. (539 ×): für *instead of* 'אָ l אֱדֹם Jd 18, 7. 28 Js 22, 6 u. Sa 9, 1, l אֲדֹנִי 1 S 17, 32, l אָמַר Js 47, 3, l אֲדָמָה קִנְיָנִי Sa 13, 5, l אֲדָמֹת Js 43, 4 u. וּבַאֲדָמוֹת Ir 32, 20, l מֵאֲדָמָה Pr 30, 14, dele אָדָם Hi 20, 29.

I. Sprachgebrauch *usual expressions*. 1. über *concerning* Gn 2, 5—5, 5 F 3; 2. אָדָם ist Kollektiv u. heisst (die) **Menschen, Leute** *has a collective meaning* (*the*) *mankind, people*: a) mit pl. verbunden *construed with pl.* 'זָעֲקוּ הָאָ Ir 47, 2, 'כָּל־אָ חָזוּ Ho 13, 2, 'אָ יִשְׁקוּן Hi 36, 25, 'הָאָ וְהַמָּה Ko 7, 29, 'שְׁמָם אָ Gn 5, 2 etc.; b) auch m. sg. verbunden *construed with sg.*: 'אָ (die) Menschen *mankind, people*, so fast immer *thus almost always*, F g; c) 'בְּנֵי אָ (38 ×) Dt 32, 8 u. 'בְּנֵי הָאָ (9 ×, l בֶּן־ Da 10, 16) Gn 11, 5 (die) **einzelnen Menschen** = Männer (*the*) *individual men, males*, analog *accordingly* 'בְּנוֹת הָאָ die Menschen weiblichen Geschlechts *females* = Frauen, *women* Gn 6, 2. 4; 'בֶּן־אָ **einzelner Mensch** (Mann) *single man* wie *like* בֶּן־בָּקָר einzelnes Rind *single ox*: Hs 2, 1—47, 6 (93 ×) u. Nu 23, 19 Hi 35, 8 Js 51, 12 56, 2 Ps 8, 5 Hi 25, 6 Ir 49, 18. 33 50, 40 51, 43 Ps 80, 18 146, 3 Hi 16, 21 (l וּבֵין בֶּן־) Da 8. 17, cj 10, 16 †; 'בַּת־אָ ist nicht belegt *is not found*;

d) אָדָם in Verbindungen *in connections*: Menschen- = *man's*, **menschlich** *human*: 'לֵב הָאָ d. menschliche H. *man's heart* Gn 8, 21, 'יְדֵי אָ Menschenhände *men's hands* Dt 4, 28 (8 ×), 'דַּם הָאָ Menschenblut *human blood* Gn 9, 6 etc. (40 derartige Verbindungen *40 compositions of this kind*);

e) 'אָ בְּלִיַּעַל (appositionell *in apposition*): Menschen, die Verderber sind, *men who are perverters* Pr 6, 12;

f) in Negationen *in connection with a negative*: 'אָ לֹא niemand *nobody* Ps 105, 14, 'לֹא..אָ niemand *nobody* Lv 16, 17, 'אֵין־אָ keiner *no one* 2 C 6, 36, etc.;

g) אָדָם die Menschen, d. Typus Mensch *mankind* > spät u. vereinzelt *late and sporadic* 'אָ einzelner Mensch *an individual man*, so wohl *thus* 'בְּאָ (an) Menschen > (an) jemand *somebody* Lv 22, 5, 'אָ כִּי wenn man *if they* > wenn jemand *if somebody* Lv 13, 2 Nu 19, 14, 'הָאָ לָאָ (die) M. zu (den) M. > einer zum andern *one to the other* Pr 27, 19 (meistens ist kollektive Fassung möglich *the collective meaning is in most cases also possible*); 3. Gn 2, 5—5, 5 spielen d. Kollektiv 'אָ = (die) Menschen u. n.m. Adam in einander über *the collective* 'אָ = *mankind a. the n.m. Adam are shifting from one to the other*, daher *therefore* 'הָאָ z. B. Gn 2, 7. 8. 19 4, 1 der (Typus) Mensch (*the*) *man* = *Adam*, aber *but* 'אָ Gn 5, 1a (die) Menschen *mankind* F II אָדָם;

II. Ableitung *Etymology*: ug. *El* = *ʾb ʾdm*, ph. אדם Mensch *man*, asa. אדם Knecht *serf*; Nöld. ZDM 4, 722 u. Brock. VG 1, 166. 231:

أَنَام [= אדם], aber es bedeutet nicht Menschen, sondern alle Kreatur *but it denotes not only mankind, but all creation*; Del. Prol. 104: ak. *admu* Kind *child*, aber *but* < (*w*)*atmu*! Lidzbarski NGW 1916, 90 f: pu. מלך אדם (CIS 1, 365 f). n.m. עבדאדם (Eph 1, 41 f) setzt e. Gott אדם = Erd, Erdmann voraus *supposes a god* אדם = *Earth, the Earthly*; dann wäre אָדָם = Menschen u. אֲדָמָה = Menschenland vom n.m. אָדָם abzuleiten; *thus* אָדָם = *mankind a.* אֲדָמָה *the land of man derived from the n.m.* אָדָם; ist אָדָם d. Rote (Hautfarbe)? *denotes* אָדָם *the Red (on account of the colour of their skin)*?

II **אָדָם**: n.m.; *F* I: Gn 4, 25 5, 1a. 3. 4. 5 1 C 1, 1 Si 49, 16 (l לָאָ׳ Gn 2, 20 3, 17. 21). †

III **אָדָם**: n.l.; *T. ed-Dāmije* (BAS 90, 5 ff) bei d. Mündung des Jabbok, *near the influx of Jabbok*: Jos 3, 16 (l בָּאָ׳, *F* Noth z. St.), cj Ho 6, 7 (בְּאָ׳), cj(?) 1 K 7, 46 u. 2 C 4, 17. †

אָדֹם: אדם: f. אֲדֻמָּה, pl. אֲדֻמִּים: (blut-) **rot** *red*, Blut *blood* 2 K 3, 22, Traubensaft *grape-juice* Js 63, 2, Linsen *lentils* Gn 25, 30, Kuh *cow* Nu 19, 2, Pferd *horse* Sa 1, 8 6, 2. cj 7, Haut *skin* Ct 5, 10; *F* אֲדֻמִּים. †

אֹדֶם: אדם: (Edelstein, *jewel*) **Rubin** *ruby* (Korund *corundum* Al_2O_3 u. Spinell *spind* $MgO\,Al_2O_2$ oder $MgAl_2O_3$, im Altertum kaum unterschieden *in Antiquity not always discriminated*) Ex 28, 17 39, 10 Hs 28, 13. †

אֲדַמְדָּם: אדם: f. אֲדַמְדֶּמֶת, ־דֶּמֶת, pl. אֲדַמְדַּמֹּת: **rötlich** *reddish* Lv 13, 49 14, 37, לָבָן אֲ׳ **rötlichweiss** *reddish-white* Lv 13, 19. 24. 42 f. †

I **אֲדָמָה**: (221 ×, cj Js 43, 4 Ir 32, 20 Mi 5, 4 Sa 13, 5 Ps 76, 11 Pr 30, 14) אדם; wie أَحْمَر (AS 1, 233) ursprünglich d. rote, gepflügte Land, > bestelltes, pflanzentragendes Land überhaupt (Gegensatz שְׁמָמָה, מִדְבָּר Js 6, 11), > Grundbesitz, fast Heimat, aber nie politischer Begriff אֲ׳ *like* أَحْمَر *denotes originally the red arable soil, > cultivable, plantable ground* (opp. מִדְבָּר, שְׁמָמָה Js 6, 11), > *landed property, almost home country, but never used in a political sense* (L. Rost, d. Bezeichnungen f. Land u. Volk im AT, Festschrift O. Procksch 1934, 125 ff): cs. אַדְמַת, sf. אַדְמָתִי, אַדְמַתְכֶם, pl. אֲדָמוֹת: **Ackerboden** mit Wasser u. Pflanzen *arable soil with water and plants* Gn 2, 6. 9 Hg 1, 11, aus dem Menschen Gn 2, 9, Tiere 2, 19 u. irdne Gefässe Js 45, 9 u. d. Altar Ex 20, 24 geformt werden, der Frucht Dt 7, 13, Erstlinge Ex 23, 19, Ertrag Dt 11, 17 bringt, den man ansät Gn 47, 23 Js 30, 23 u. bestellt עבד 2 S 9, 10 Ir 27, 11, *from which human beings*, Gn 2, 9, *animals* 2, 19, *earthen vessels* Js 45, 9 *a. altars* Ex 20, 24 *are made, which produces corn* Dt 7, 13, *firstfruits* Ex 23, 19, *yield* Dt 11, 17, *which is sown* Gn 47, 23 Js 30, 23 *a. cultivated* עבד 2 S 9, 10 Ir 27, 11 daher *therefore* עֹבֵד אֲ׳ Sa 13, 5 Gn 4, 2 Js 30, 24; auf ihm leben Menschen, *on it men live* Dt 4, 10 1 S 20, 31 1 K 8, 40 Dt 32, 47 u. kehren sterbend in ihn zurück *a. return to it in death* Ps 146, 4; man erwirbt ihn als Grundbesitz *it is acquired as farmland*, cj קְנִינִי אֲ׳ Sa 13, 5, als verheissen *as promised* Nu 11, 12, als ererbt *it is inherited* Lv 20, 24, d. Mensch wird von ihm fort verflucht *man is driven from it by a curse* Gn 4, 11, entfernt *removed from it* Ir 27, 10, muss von ihm fort ins Exil *is driven out of it into exile* *F* גָּלָה מֵעַל 2 K 17, 23, wird zu ihm zurückgebracht *is brought back to it* Hs 34, 13, gesammelt *gathered* 39, 28; אַדְמַת מִצְרַיִם **Grundbesitz** in Äg. *arable land of E.* Gn 47, 20, d. Priester *of the priests* 47, 22, Hiobs Hi 31, 38, Jonas (fast *almost*: Heimat *home*) Jon 4, 2; Einzelnes *part. expr.* אַדְמַת קֹדֶשׁ **heil. Boden** *holy ground* Ex 3, 5, אֲ׳ הַקֹּדֶשׁ d. heil. **Grundbesitz** *holy property*. Sa 2, 16, אַ׳ יִשְׂרָאֵל nur *solely* Hs (7, 2—38, 19, 17 ×),

אֲ׳ עַמִּי Js 14, 2 †, אֲ׳ יְהוּדָה 19, 17 †, אֲ׳ יהוה 32, 13, cj Dt 32, 43 [עַמּוֹ] אֲ׳; (מַשָּׂא אֲ׳ Last burden) **Ackererde** *arable soil* 2 K 5, 17; אֲ׳ שְׁמֵנָה Ne 9, 25; אֲ׳ נֵכָר Ps 137, 4, אֲ׳ טְמֵאָה Am 7, 17, מִשְׁפְּחֹת הָאֲ׳ Gn 12, 3 28, 14 Am 3, 2 †; אִישׁ הָאֲ׳ **Landmann** *farmer* Gn 9, 20; אֲ׳ **Landbau** *agriculture* 2 C 26, 10; אֲ׳ **Erde** (Stoff! aber nie die (ganze) Erde *matter! but never the earth, world*) 1 S 4, 12; אֲדָמוֹת **Ländereien** *property* Ps 49, 12 †, **Volksgebiete** *territories* cj Js 43, 4 u. Ir 32, 20 (Israel :: die andern); ?? Js 15, 9 Sa 9, 16.

II אֲדָמָה: n.l.; in Naftali, wohl *presumably Ḥagar ed-damm* unweit Jordaneinfluss in d. Tiberiassee *near Jordan's influx into the Sea of Galilee*, BAS 90, 5 f: Ios 19, 36; 1 K 7, 46 u. 2 C 4, 17 F III אָדָם. †

אַדְמָה: n.l.: Ho 11, 8 F צְבֹאִים, Gn 10, 19 14, 2. 8 Dt 29, 22 neben *mentioned along with* סְדֹם, עֲמֹרָה, צְבֹיִים †

אַדְמוֹנִי: F אַדְמֹנִי.

אֲדֹמִי: gntl. zu אֱדוֹם: pl. אֲדֹמִיִּים u. אֲדֹמִים, f. אֲדֹמִיּוֹת: 1. sg.: der = **die Edomiter** *the Edomite(s)* Dt 23, 8 cj Jd 1, 36 u. Esr 9, 1; 2. (einzelner) **Edomiter** (*individual*) *Edomite* 1 S 21, 8 22, 9. 18. 22 1 K 11, 14 Ps 52, 2, pl. 2 K 16, 6; 3. edomitisch *of the Edomites* 1 K 11, 1. 17. †

אֲדָמִי הַנֶּקֶב: n.l. in Naftali; F Noth: Ios 19, 33. †

אֲדֻמִּים: אָדֹם; in n.l., מַעֲלֵה אֲ׳, *Talʿat ed-damm* an d. Strasse Jerusalem–Jericho *on the Jerusalem–Jericho road*: Jos 15, 7 18, 17. †

אַדְמוֹנִי, אַדְמֹנִי: אדם: **rötlich** *red* Gn 25, 25 („Schafpelze, auf d. Lederseite braunrot gefärbt" *sheepskin dyed brownish-red on the inside* Seetzen, 2, 340) 1 S 16, 12 17, 42. †

אַדְמָתָא: n.m.; pers.: Est 1, 14. †

אֶדֶן: אדן?: אָדֶן, pl. אֲדָנִים, אַדְנֵי, אֲדָנָיו, אַדְנֵיהֶם: **Fussgestell, Sockel** *pedestal, sock* Ex 26. 27. 35. 36. 38—40 (51 ×) Nu 3, 36 f 4, 31 f; d. Erde *of the earth* Hi 38, 6, Säulen *of pillars* Ct 5, 15, Altar *altar* cj Hs 41, 22. †

אַדָּן: n.l. in Babylonien: Esr 2, 59, F אַדּוֹן. †

אֲדֹנָי: F אָדוֹן.

אֲדֹנִי בֶזֶק: n.m.; [illegible], F בֶּזֶק, Hertzberg JPO 6, 213 ff: kan. König *Canaanite king* Jd 1, 5—7. †

אֲדֹנִיָּה: n.m.; < אֲדֹנִיָּהוּ, Dir. 236: 1. S. v. David 2 S 3, 4 1 K 1, 5. 7. 18 2, 28 1 C 3, 2 F אֲדֹנִיָּהוּ; 2. Ne 10, 17; F טוֹב אֲ׳. †

אֲדֹנִיָּהוּ: n.m.; אָדוֹן, י׳; > אֲדֹנִיָּה; 1. S. v. David 1 K 1, 8—2, 24 (18 ×); 2. Levit 2 C 17, 8. †

אֲדֹנִי־צֶדֶק: n.m.: kan. K. v. *Canaanite king of* Jerusalem Jos 10, 1. 3. †

אֲדֹנִיקָם: n.m.; אֲ׳, קום: Esr 2, 13 8, 13 Ne 7, 18. †

אֲדֹנִירָם: n.m.; אֲ׳, רום: Beamter v. *official of* Salomo 1 K 4, 6 5, 28; > אֲדֹרָם 2 S 20, 24 1 K 12, 18 = הֲדֹרָם 2 C 10, 18. †

אדר: ug. *ʾdr* mächtig *mighty*, Menschen *people* (Rang *rank*), Bäume *trees*, ph. אדר (Gott, König *god, king*):

nif: pt. נֶאְדָּר Ex 15, 11, 1 נֶאְדָּרָה 15, 6: **sich als mächtig erweisen** *prove oneself powerful*; †

hif: יַאְדִּיר: **als mächtig, herrlich erweisen** *make powerful, glorious* Js 42, 21. †

Der. אֶדֶר, אַדִּיר, אַדֶּרֶת.

אֶדֶר: אדר: **Macht, Pracht** *might, splendour* Sa 11, 13 (Text?); l הָאַדֶּרֶת Mi 2, 8. †

אֲדָר: ak. *Addaru*, nab., palm. etc. אדר; I. Lewy AOF 11, 42 f alt- u. mittelassyrisch *ḫubur*; wie schon *thus already* Del. Prol. 138³: d. dunkle, mehr bewölkte *the dark, clouded* (*adāru* dunkel sein *be dark*): ὁ δωδέκατος μὴν Αδαρ 2 Mk 15, 36: (d. 12. Monat *month*) **Adar** (Februar/März *February/March*) Esth 3, 7. 13 8, 12 9, 1. 15. 17. 19. 21. †

[אַדָּר]: n. m.; l אַרְדְּ: 1 C 8, 3. †

אַדָּר: n. l., F חֲצַר־אַדָּר. †

***אֲדַרְכּוֹן**: אֲדַרְכֹּנִים: < δαρ(ε)ικῶν Schwyzer, Indogerm. Forschungen 49, 14—20. 21, Jongkees Jaarber. 9, 163—8: (pers. Goldmünze *gold-coin*) **Darike** *daric* 1 C 29, 7 Esr 8, 27. †

אֲדֹרָם 1 K 12, 18 F אֲדֹנִירָם. †

I **אַדְרַמֶּלֶךְ** (Or. אַדְרַמֶּלֶךְ < *אֲדַרְמֶלֶךְ < *אֲדַדְמֶלֶךְ) = (ass. Gott *Assyrian god*) *Adadmilki* (Pohl, Bibl. 22, 35), Harris 75: Gott d. *god of* סְפַרְוִים 2 K 17, 31 II. †

II **אַדְרַמֶּלֶךְ**: n. m., = I: S. v. u. Mörder v. *murderer of* Sanherib Js 37, 38 2 K 19, 37. †

אֶדְרֶעִי: n. l.: 1. *Derʿa* in Basan Nu 21, 33 Dt 1, 4 (l וּבְאֶ') 3, 1. 10 Jos 12, 4 13, 12. 31; 2. in Naftali Jos 19, 37. †

אַדֶּרֶת: אדר: אַדֶּרֶת, sf. אַדַּרְתּוֹ: 1. **Pracht, Herrlichkeit** *splendour, glory* (Rebe *vine*) Hs 17, 8 (Hirten *shepherds*) Sa 11, 3, cj (?) אַדִּרְתְּכָה (Gottes) Ps 8, 2; > 2. **Prachtkleid** *state-robe*, **Mantel** *state-coat* (König v. Ninive) Jon 3, 6, aus *from* Sinear Jos 7, 21. 24, (Elias) 1 K 19, 13. 19 2 K 2, 8. 13 f, d. Propheten *of the prophets* Sa 13, 4, aus Haar *made of hair* Gn 25, 25 Sa 13, 4. †

[אדשׁ]: inf. אָדוֹשׁ (l דּוֹשׁ vel dele) Js 28, 28. †

***אָה**: F אָנָּא.

אהב mhb., aram. CIS II, 150! ug. *jʾhb*, sbst. *ʾhbt*; W. Thomas, ZAW 57, 57 ff, verwandt *cognate to* هَبَّ ? :

qal: pf. אָהַב, אָהֵב, אָהֲבָה, אָהַבְתָּ, אָהַבְתִּי, אָהֵבוּ, sf. אֲהֵבוֹ, אֲהֵבָךְ, l אֲהֵבַתֶךְ Ru 4, 15, אֲהֵבוּם, אֲהֵבוּךָ, אֲהַבְתַּנִי; impf. יֶאֱהַב, וַתֶּאֱהַב, אֹהַב* > אֶאֱהָב Pr 1, 22, תֶּאֱהָבוּ l תֶּאֱהֲבוּ, תֶּאֱהָבוּן, תֶּאֱהָבוּ Pr 8, 17, :: וָאֹהַב Ma 1, 2, sf. יֶאֱהָבְךָ Pr 9, 8, יֶאֱהָבֵנִי, וַיֶּאֱהָבֶהָ, וַיֶּאֱהָבֶהָ :: אֹהֲבֵם Ho 14, 5 וָאֹהֲבֵהוּ Ho 11, 1, l 1 S 18, 1 וַיֶּאֱהָבוֹ K; inf. אֱהֹב F אַהֲבָה, cs. אַהֲבַת, sf. אַהֲבָתָהּ; imp. אֱהַב, אֱהָבוּ, אֶהֱבוּ, sf. אֱהָבֶהָ; pt. אֹהֵב, אֹהֲבִים, אֹהֲבֵי, sf. אֹהֲבִי, אֹהֲבַי, אֹהֲבֶיהָ, אֹהֲבֵי, f. אֹהֶבֶת, cs. אֹהַבְתִּי, אֹהַבְתְּךָ, pass. אָהוּב, אֲהוּבָה, אֲהֻבַת: **gern haben, lieben** *like, love* 1. e. Menschen *a human being*: Vater d. Sohn *father his son* Gn 22, 2, Mutter d. Sohn *mother her son* Gn 25, 28, Mann d. Frau *husband his wife* Gn 24, 67 Ho 3, 1, Sklave d. Herrn *slave his master* Ex 21, 5, Frau d. Mann *wife her husband* 1 S 18, 20 Ho 3, 1, d. Schwiegermutter *her mother-in-law* Ru 4, 15, Volk d. Einzelnen *people its individuals* 1 S 18, 16; 2. e. Sache lieben *love a thing*: Bestechung *bribery* Js 1, 23, Recht *justice* Ps 37, 28 33, 5, Jerusalem Js 66, 10, Gestirne *stars* Ir 8, 2 Kuchen *cake* Ho 3, 1, das Gute *that which is good* Am 5, 15, gute Tage *good days* Ps 34, 13, Reichtum *wealth* (l הָמוֹן) Ko 5, 9, cj זֶבַח אָהֵבוּ Ho 8, 13; 3. **Gott lieben** *love God* Ex 20, 6 Dt 5, 10 7, 9 6, 5 (u. 9 ×) Jos 22, 5 23, 11 Jd 5, 31 1 K 3, 3 Ps 31, 24 38, 12 Da 9, 4, Gottes Namen *God's name* Ps 5, 12 69, 37, Gottes Hilfe *God's help* 40, 17 70, 5, Gottes Gebote *God's commandments* Ps 119, 48, Gottes Stätte *God's place* Ps 26, 8; 4. **Gott liebt** *God loves*: Israel Ho 3, 1, Israels Väter *I.s forefathers* Dt 4, 37 10, 15, d. Frommen *the devout* Dt 7, 13 23, 6 Js 43, 4 Ir 31, 3 Ho 11, 1 14, 5 Ps 97, 10 (l אֹהֵב), d. גֵּר

Dt 10, 18, Salomo 2 S 12, 24, d. Recht *justice* Ps 33, 5 37, 28, צְדָקָה Ps 11, 7, Zion Ps 87. 2; 5. אהב לְ **es lieben, zu...** *like to* (*do*) Js 56, 10 Ir 14, 10 Ho 10, 11 12, 8; 6. אֹהֵב **Freund** *friend* Ir 20, 4. 6 Ps 88, 19 (Hi 19, 19) Est 5, 10. 14, Gottes Freund *God's friend*: Abraham (اَلْخَلِيل) Js 41, 8 2 C 20, 7, Cyrus Js 48, 14 (l אֹהֲבִי), הָיָה א׳ לְ befreundet sein mit *be a friend of* 1 K 5, 15; 7. Einzelnes *part. expr.*: אָ׳ לְ jm. lieben *love someone* Lv 19, 18. 34 †; כַּאֲשֶׁר אָ׳ wie er es gern hat *how he likes it* Gn 27, 4. 9. 14; אָהוּב beliebt *beloved* Ne 13, 26, אֲהוּבָה Lieblingsfrau *favourite wife* (:: שְׂנוּאָה) Dt 21, 15 cj Ct 7, 7; אָ׳ כֵּן hat es so gern *likes to have it so* Ir 5, 31 Am 4, 5; אֲהֻבַת רֵעַ v. e. Andern geliebt *loved by some-one else* Ho 3, 1, אֹהֵב אֲדָמָה 2 C 26, 10; שֶׁאָהֲבָה נַפְשִׁי Ct 3, 1—4 †; l אָהֵבוּ אָהֹב Ho 4, 18, l וְאֹחֲזֵהוּ Pr 18, 21; ? Ho 9, 10;

nif.: (n.f. נאהבת Dir 217) pt. pl. נֶאֱהָבִים: **liebenswert** *worthy to be loved, love-able*, 2 S 1, 23 †;

pi.: pt. pl. sf. מְאַהֲבַי, ־בַיִךְ, ־בֶיהָ: Freunde, Liebhaber *friend, lover*, e. Frau *of a woman* Ir 22, 20. 22 30, 14 Hs 16, 33. 36 f 23, 5. 9. 22 Ho 2, 7—15 Th 1, 19, e. Manns *of a man* Sa 13, 6. †

Der. אַהֲבָה, אֲהָבִים, אֳהָבִים.

אַהֲבָה: אהב bildet *forms* inf. fem. אַהֲבָה; cs. אַהֲבַת, sf. בְּאַהֲבָתוֹ אֹתָהּ: אַהֲבָתוֹ weil er sie liebte *because he loved her* Gn 29, 20, מֵאַהֲבַת י׳ אֶתְכֶם weil J. euch liebte *because Y. loved you* Dt 7, 8, so *the same* 1 S 18, 3 20, 17 1 K 10, 9 Ho 3, 1 2 C 9, 8 Js 56, 6 2 C 2, 10; > אַ׳ **Liebe** *love*: 1. zwischen Mann u. Frau *between man a. woman* Ct 2, 4. 5. 7 3, 5 5, 8 8, 4. 6 f, אַ׳ כְּלוּלֹת 2 S 1, 26, אַ׳ נָשִׁים Brautliebe *bride's love* Ir 2, 2, חוֹלַת אַ׳ liebeskrank *love-sick* Ct 2, 5 5, 8, אַ׳ (:: שִׂנְאָה) Liebesgefühl *love* 2 S 13, 15, אַ׳ Liebschaft *love*[*-affair*] Ir 2, 33, Liebeserweisung *caress* Pr 5, 19; 2. zwischen Freunden u. Menschen überhaupt *love between friends a. individuals generally* 1 S 18, 3 20, 17 2 S 1, 26 Ps 109, 4 f Pr 10, 12 15, 17 17, 9 27, 5 Ko 9, 1. 6; 3. zu Sachen *for things* 1 K 11, 2 (Götter *idols*) Js 56, 6 (שֵׁם י׳) Mi 6, 8 (חֶסֶד); 4. Gottes Liebe zu d. Seinen *God's love for his own* Dt 7, 8 1 R 10, 9 Ho 3, 1 2 C 2, 10 9, 8 Js 63, 9 Ir 31, 3 (אַ׳ עוֹלָם) Ho 11, 4 (עֲבֹתוֹת אַ׳) Ze 3, 17; l הֲבָנִים Ct 3, 10 u. הָאַהֲבָה 7, 7. †

אֳהָבִים: אהב: **Liebesfreuden** *joys of love* Pr 7, 18. †

אֲהָבִים: אהב: **Liebesgeschenke** *gifts of love* Ho 8, 9, Lieblichkeit *charm* Pr 5, 19 (// חֵן). †

אהד: אַהַד n. m., אָהוּד n. m.?

אֹהַד: n. m.; S. v. Simeon Gn 46, 10 Ex 6, 15. †

אֲהָהּ: Lallwort *natural sound without etymo-logical meaning*, Ruf abwehrenden Erschreckens *cry of alarm*: **ach**! *alas*! 2 K 3, 10 Jl 1, 15 Jd 11, 35 2 K 6, 5. 15; zu Gott oder sein. מַלְאָךְ *in the presence of God or his angel* Jos 7, 7 Jd 6, 22 Ir 1, 6 4, 10 14, 13 32, 17 Hs 4, 14 9, 8 11, 13 21, 5. †

אַהֲוָא: nach *according to* Esr 8, 15. 31 (noch unbekannter *not identified*) Kanal *canal* in Babylonien; 8, 21 gloss. †

אֵהוּד: n. m.; אהד?: Richter *judge* Jd 3, 15—4, 1 (8 ×), cj 1 C 8, 3. 6. †

[אֱהִי]: *ποῦ*: l אַיֵּה Ho 13, 10. 14. 14. †

אֶהְיֶה: היה: verhüllende Selbstbezeichnung Gottes *veiling self-designation of God* Ex 3, 14b; l אָ׳ אֱלֹהֵיכֶם Ho 1, 9. †

I אהל: hif. impf. יַאֲהִיל: N.F. יָהֵל v. I הלל: hell sein *be bright* (Mond, *moon*) Hi 25, 5. †

II אהל: den. I אֹהֶל:
qal: וַיֶּאֱהַל: **s. Zelt aufschlagen** *pitch a tent* Gn 13, 12. 18; †
pi.: יַהֵל < *יְאַהֵל: **s. Zelt aufschlagen** *pitch a tent* Js 13, 20. †

I אֹהֶל: (340 ×): unableitbar *no derivation*; ug. *'hl* Zelt, *tent*, ph. in n.m. אהלמלך, אהלבעל, أَهْل u. asa. אהל Leute, die dasselbe Zelt (d. gleichen Ort) bewohnen *people, dwelling in the same tent, at the same place*: loc. הָאֹהֱלָה Gn 18, 6, sf. אָהֳלִי, אָהֳלֹה, pl. אֹהָלִים Gn 13, 5 u. אֲהָלִים Jd 8, 11, cs. אָהֳלֵי, sf. אֹהָלָיו, אָהֳלֵיהֶם: **Zelt** *tent*, 'ישֵׁב א Gn 4, 20, *F* נטה, תקע, 'יְרִיעֹת א; 'פֶּתַח א Gn 18, 1, מתח, צען, פרשׂ Ex 26, 13, 'מְקוֹם א Js 54, 2; Einzelzelte *tents for one person* Gn 31, 33, Z. einer Frau *t. of a woman* Jd 4, 17, 'א Zeltdach *roof of a t.* Ex 40, 19; Z. f. Krieger *t. for warriors* Ir 37, 10, f. Vieh *for cattle* 2 C 14, 14, auf d. Dach *upon the roof* 2 S 16, 22, e. Volks *of a people*: Edom Ps 83, 7, Qedar Ct 1, 5, Juda Sa 12, 7; הָלַךְ לְאֹהָלוֹ Jd 20, 8, אִישׁ לְאֹהָלָיו 1 S 4, 10 13, 2 2 S 18, 17 19, 9 20, 1 2 K 14, 12.!; א' דָּוִד Js 16, 5, א' יהוה 1 K 2, 28; א' מוֹעֵד *F* מוֹעֵד, > אֹהֶל 1 K 1, 39 1 C 9, 23 15, 1 16, 1 etc.; עֵדוּת *F* א' עֵדוּת.
Der. II אהל, II אֹהֶל, n.f. אָהֳלָה, אָהֳלִיאָב, אָהֳלִיבָה, אָהֳלִיבָמָה.

II אֹהֶל: n.m. = I, KF?: S. v. (Enkel *grandson*?) Serubabel 1 C 3, 20. †

אָהֳלָה: n.f. = Samaria, I אֹהֶל: Hs 23, 4 f. 36. 44. †

אֲהָלוֹת: Sanskrit *aghal*: **Aloeholz** *aloewood* (Aloexyllon Agallochum Louv. u. Aquilaria Agallocha Roseb., beide aus Indien *both from India*, Löw 1, 646) *F* אֲהָלִים: Ps 45, 9 Ct 4, 14. †

אָהֳלִיאָב: : n.m.; I אֹהֶל, אָב: Ex 31, 6 35, 34 36, 1 f 38, 23. †

אָהֳלִיבָה: n.f. = Jerusalem, *F* אָהֳלָה: Hs 23, 4. 11. 36. 44. †

אָהֳלִיבָמָה: I אֹהֶל, בָּמָה? Moritz, ZAW 44, 87 (denkt an *thinks of* asa. אהל pronomen relativum): 1. n.f. Frau Esaus Gn 36, 2. 5. 14. 18. 25; 2. n.p., edomitischer Stamm *Edomitic tribe* Gn 36, 41 1 C 1, 52. †

I אֲהָלִים: = אֲהָלוֹת: **Aloeholz** *aloewood* Pr 7, 17 (l 'וְא). †

II אֲהָלִים: (d. üppige Rasen bildende) **Eiskraut** (Mesembrianthemum nodiflorum L., *forming rich tufts*, Löw 1, 643; AS 2, 263) Nu 24, 6. †

אַהֲרֹן: n.m.; אהר? äg.?: Aaron, gestorben u. begraben in, *died a. buried at* מוֹסֵרָה Dt 10, 6, in הֹר 32, 50, heisst *called* 'קְדוֹשׁ י Ps 106, 16, sein Bart *his beard* 133, 2; Ex 4, 14—40, 31 (115 ×) Lv 1, 5—24, 9 (80 ×) Nu 1, 17—33, 39 (wird 123 Jahre alt) 101 × (= 296 × in P) Jd 20, 28 1 S 12, 6. 8 Mi 6, 4 (einzige Prophetenstelle *only occurence in Prophets*) Ps 77, 21 99, 6 105, 26 106, 16 115, 10. 12 118, 3 133, 2 135, 19 Esr 7, 5 Ne 10, 39 12, 47 1 C 5, 29—27, 17 (14 ×) 2 C 13, 9 f 26, 18 29, 21 31, 19 35, 14. 14. †

אוֹ: Sem; ug. *'u*, ak. *'ū*, أَوْ, ܐܘ > hebr. *'ô* (או : אוה = lat. *vel*: *velle*, König): Partikel der Wahl *particle of choice*: **oder** *or*: רַע אוֹ טוֹב Gn 24, 50, מִי ... אוֹ מִי, אָב אוֹ אָח 44, 19, Hi 38, 5; reihend *in a series* עֵץ אוֹ בֶגֶד אוֹ־עוֹר אוֹ שָׂק Lv 11, 32, steigernd *grading* יוֹמַיִם אוֹ **oder gar** *or even* 2 Tage Ex 21, 21, vor beide Wahlwörter gesetzt *preceding both expressions*

אוֹ־בֵן ... אוֹ־בַת Ex 21, 31, Satz einleitend *introducing a clause* אוֹ כִּי **oder falls** *or if* Ex 21, 33, ohne *without* כִּי: אוֹ נוֹדַע oder es war bekannt *or it was known* Ex 21, 36, zwei Untersätze einleitend *introducing two subordinate clauses* אוֹ רָאָה אוֹ יָדָע ob ... oder *whether ... or* Lv 5, 1; הֲ ... אוֹ **ob ... oder ob** *whether ... or* Ko 2, 19; l אִם f. אוֹ מָה 1 S 20, 10, l אוֹר Hi 22, 11, l אֱוֵה f. אוֹ Pr 31, 4; ? Js 27, 5 u. Hs 21, 15; F אוּלַי.

[אַו]: F אוֹ Ende *at the end.*

אוּאֵל: n. m.; ? אוה ? אֵל; Esr 10, 34 (G יוֹאֵל). †

אוב: I u. II אוֹב.

I *אוֹב: pl. אֹבוֹת; أوب umwenden *turn inside out*?: **Schlauch** *bag* (f. Wein; Fell, dessen Haarseite nach innen gewendet ist *for wine; a goatskin the outer side of which has been turned inside*) Hi 32, 19. †

II אוֹב: pl. אֹבוֹת, אֹבֹת: oft neben *often together with* יִדְּעֹנִי (ἐγγαστρίμυθος, ἐκ τῆς γῆς φωνοῦν, pytho, magus, ܘܒܐܘܒܐ): אוֹב ist in (בְּ) Mann oder Frau *is inside a man or a woman* Lv 20, 27, Frau ist *a woman is* בַּעֲלַת אוֹב 1 S 28, 7, אוֹב ertönt *sounds* מֵאֶרֶץ Js 29, 4, man befragt ihn *is consulted* פָּנָה אֶל Lv 19, 31 20, 6, שָׁאַל בְּ Dt 18, 11, דָּרַשׁ אֶל Js 8, 19 19, 3, 1 C 10, 13, קָסַם בְּ 1 S 28, 8; עָשָׂה אוֹב halten, bestellen *keep, appoint* 2 K 21, 6 2 C 33, 6, in Israel verboten *forbidden in Isr.* הֵסִיר 1 S 28, 3, הִכְרִית 28, 9, בִּעֵר 2 K 23, 24: אוֹב ist nicht Schwirrholz *is not the bull-roarer* (H. Schmidt, Festschr. Marti, 253 ff, das nach d. Geräusch ḥarrâre, wurrâre, wiššâše heisst *which called is after the sound it produces*), eher *more probably revenant* (F I אוֹב): **Totengeist** *spirit of the dead.* †

אוֹבִיל: n. m.; I יבל, أبَّال Kameltreiber *camel-driver*: 1 C 27, 30. †

***אוּבָל**: cs. אוּבַל F אֻבָל. †

***אוד**: אֵיד, *מְאוֹד.

אוּד: אוּד; pl. אוּדִים, aram. אוּדָא: **Holzscheit** *log* Am 4, 11, Js 7, 4 Sa 3, 2. †

אוֹדוֹת, אֹדוֹת, אוֹדֹת, *אֹדָה: sf. אֹדֹתֶיךָ: Veranlassung *inducement*, immer *always* עַל־א׳ **wegen** *on account of*: Gn 21, 11. 25 26, 32 Ex 18, 8 Nu 12, 1 13, 24 Jos 14, 6 Jd 6, 7, cj Gn 20, 3; עַל־כָּל־אֹדוֹת אֲשֶׁר **gerade deshalb weil** *for the very reason that* Ir 3, 8. †

אוה: mhb. אִוָּה wünschen *wish*, أوى إِلَيْهِ begab sich zu ihm *went to see him* (Nöld. N B 190): pi.: pf. אִוָּה, אִוְּתָה, impf. תְּאַוֶּה, inf. cj אַוֵּה Pr 31, 4: **wünschen** *wish*, **begehren** *desire*, ausser *except* Ps 132, 13 f, cj 119, 30 (l אִוִּיתִי) Si 6, 37, cj Pr 31, 4 ist immer נֶפֶשׁ Subjekt *is the subject*: Dt 12, 20 14, 26 1 S 2, 16 cj נ׳ 20, 4 2 S 3, 21 1 K 11, 37 Js 26, 9 Mi 7, 1 Pr 21, 10 Hi 23, 13; †

hitp.: pf. הִתְאַוָּה, הִתְאַוּוּ, הִתְאַוֵּיתִי, impf. יִתְאַוֶּה, יִתְאָו, וַיִּתְאַוּוּ, תִּתְאָו, pt. f. מִתְאַוָּה, pl. מִתְאַוִּים: **Gelüst haben** *long for*, **sich begierig zeigen** *show oneself desirous* Nu 11, 34 2 S 23, 15 1 C 11, 17 Pr 13, 4 Ko 6, 2, c. acc. nach *of* Dt 5, 21 Ps 45, 12, c. לְ nach *for, of* Pr 23, 3. 6 24, 1, c. תַּאֲוָה Nu 11, 4 Ps 106, 14 Pr 21, 26, c. יוֹם e. Tag sich herbeiwünschen *long for the day* Ir 17, 16 Am 5, 18. †

Der. אוּאֵל ?, אַו n. m. ?, *אַוָּה, I *הַוָּה, מַאֲוַיִּים, תַּאֲוָה.

*אַוָּה: אוה: cs. אַוַּת: **Begehren, Verlangen** *desire, longing* בְּכָל־אַוַּת הַנֶּפֶשׁ Dt 12, 15. 20 f 18, 6, לְכָל־אַ׳ 1 S 23, 20 (c. לְ zu), ohne *without* כָּל־ Ir 2, 24, l בָּאתִי Ho 10, 10. †
Der. I הַוָּה.

אוּזַי: n.m.; Noth Nr. 58: Ne 3, 25. †

אוּזָל: n.p.; *Azâl*, *Izâl* vorislamischer Name v. *pre-islamic name of Ṣanʿâ* in Jemen CIH 1, 1 f: Gn 10, 27 1 C 1, 21, cj מֵאוּזָל Hs 27, 19. †

אֱוִי: n.m.: Midianiterkönig *king of the Midianites* Nu 31, 8 Jos 13, 21. †

אוֹי: Schallwort: o! **wehe**! *woe* m. voc. Hs 24, 6. 9, c. לְ: אוֹי לְךָ weh dir! *woe to thee*! Nu 21, 29 Ir 13, 27 48, 46, אוֹי לְנַפְשָׁם weh ihnen! *woe to them*! Js 3, 9, אוֹי wiederholt Hs 16, 23, אוֹי־נָא לִי weh mir doch! *alas*! *woe is me* Ir 4, 31 45, 3 Th 5, 16; c. עַל wegen *on account* Ir 10, 19, כִּי weil *because* 1 S 4, 7 Js 3, 9. 11 6, 5 Ir 4, 13 6, 4 15, 10 Ho 7, 13, c. folgendem Fragesatz *followed by an interrogative sentence* Nu 24, 23 1 S 4, 8, c. begründender Aussage *followed by an explanatory clause* Js 24, 16; ? Ho 9, 12; אוֹי > subst. **Wehe** *woe* Pr 23, 29. †
Der. אוֹיָה.

אוֹיָה: erweitert aus *developed from* אוֹי: **wehe**! **ach**! *woe, alas*! Ps 120, 5. †

אֱוִיל: I אול: pl. אֱוִילִים: **törricht** *foolish* Ir 4, 22 Ho 9, 7 Pr 29, 9, **Tor, Dummkopf** *fool, stupid person* Js 19, 11 35, 8 Hi 5, 2 (// פֹּתֶה) Pr 1, 7—27, 22 (13 ×), cj 11, 7 u. 24, 9; אֱ׳ שְׂפָתַיִם törichter Schwätzer *foolish chatterer* Pr 10, 8. 10, l חוֹלִים Ps 107, 17; ? Pr 7, 22 14, 9. †
Der. *אֱוִלִי F אֱוִלִי.

אֱוִיל מְרֹדַךְ: n.m.; [Entstellung von *intentional corruption of*] bab. *Awel Marduk* (Mann, Verehrer *man, worshipper of* Marduk(s)) [nach *from* מְבָרֵךְ gesegnet = verflucht, *blessed = accursed*?] K. v. Babylonien 561—60 2 K 25, 27 Ir 52, 31. †

I *אול: אֱוִיל, אֱוִלִי, אִוֶּלֶת führen auf *suggest* אול dumm sein *be foolish*, das aber nicht belegt ist u. das Andre v. אול stark (stark, fett > dumm) sein ableiten *but this derivation is not supported by actual quotation*; *others derive it from* אול *strong* (*strong = fat > stupid*) N.F. I יאל.

II *אול: Wörter wie *words like* אַיִל, אֵיל, אַיָל, אֵלָה, אֵלָה, אַלּוֹן, אֵלוֹן führen auf *suggest* *אול vorn, stark sein *be in front, strong*; dazu gehört wohl *to the same may belong also* pehl. אולא erster *first*, أوّل der erste *the first*, hebr. מוּל, מוֹאל; F V אֵל?

I *אוּל: II אול: sf. אוּלָם: **Leib**? *body*? **Wanst**? *belly*? Ps 73, 4. †

II *אוּל: pl. cs. אוּלֵי: l אֵילֵי Q 2 K 24, 15. †

אֱוִלִי: אֱוִיל: **ungeschickt** *awkward*, **unbrauchbar** *useless* Sa 11, 15. cj 17 (הָאֱוִלִי). †

I אוּלַי: n. fl.; ak. *U-la-a*, Eulaeus (Plinius 6, 135), als *under the name of* Disful-Karun ö. Susa nach S. fliessend, *flowing south* Da 8, 2. 16. †

II אוּלַי: (43 ×), אֻלַי Gn 24, 39 †: < אוֹ לֹא oder nicht *or not* (Johnston, Johns Hopkins Sem. papers 20): **vielleicht** *perhaps* (Ausdruck d. Hoffnung, Bitte, Befürchtung *expression of hope, pleading or fear*, c. pf. Hi 1, 5, c. יֵשׁ Th 3, 29, c. Nomen Gn 43, 12 1 K 18, 27, c. pt. Jos 9, 7, sonst *otherwise* c. impf. Gn 18, 29, Ex 32, 30 c. Voluntativ; l לוּלֵי Nu 22, 33.

I אוּלָם: ak. *ellamu* vor, gegenüber *in front of, opposite* **hingegen, aber** *on the other-hand, but* Hi 2, 5 5, 8 13, 3; וְאוּלָם hingegen, aber Gn 28, 19 48, 19 Ex 9, 16 Nu 14, 21 Jd 18, 29 1 S 20, 3 25, 34 1 K 20, 23 Mi 3, 8 Hi 1, 11 11, 5 12, 7 13, 4 14, 18 17, 10 33, 1 Si 44, 10. †

II אוּלָם: n.m. (Noth S. 231): 1. 1 C 7, 16f; 2. 1 C 8, 39f. †

III אוּלָם: F אֵילָם.

אִוֶּלֶת: I *אויל: sf. אִוַּלְתּוֹ: (unfromme *impious*) **Torheit** *foolishness* Ps 38, 6 69, 6 Pr 5, 23—27, 22 (17 ×, l אֱוִיל 24, 9); עָשָׂה א׳ unbesonnen handeln *act thoughtlessly* Pr 14, 17, הִבִּיעַ א׳ unbesonnen schwatzen *chatter thoughtlessly* 15, 2; Si 8, 15 41, 15 47, 23; l לִוְיַת Pr 14, 24. †

אוֹמָר: n.m.; אמר; ZAW 44, 84, Nöld. BS 83: Edomiter Gn 36, 11. 15 1 C 1, 36. †

און: Der. אָוֶן, I, II און n.m., אוֹנָם n.m., אוֹנָן n.m., תְּאֻנִים: Grundbedeutung wohl wegen der Derivate stark, wuchtig sein *original notion suggested by the derivatives be strong, mighty*; cf. أَوْن rasten *rest* u. ermüdet sein *be tired*, أَوْن Last *weight* ZDM 65, 257 (semasiologisches Verhältnis unklar *semantic relation obscure*).

אָוֶן: און, von I און absichtlich differenziert *intentionally differentiated from* I און, sf. אוֹנִי, אֹנִי: Mowinckel, Psalmenstudien I, 1921, 1—58: böse Macht *evil power*, Zauber *magic*, Pedersen, Israel, I–II, 1926, 431: *the magic power*; Hjelt, Stud. Orient. 1. 1925, 61 ff: Zauber höchstens früher, nichtmehr in Israel *magic power at best in earlier times, but no longer in Israel*: unheimliche Macht, Tabuzustand *uncanny power, state of taboo* Nu 23, 21 Js 29, 20 Dt 26, 14 (Trauernder *mourner*) Js 1, 13 u. 1 S 15, 23 (Kultteilnehmer *worshipper*); בָּמוֹת א׳ unheimliche *uncanny* Ho 10, 8, בֶּן־אוֹנִי m. unheimlicher S. *my uncanny son* Gn 35, 18, > **Böses** *evil*, **Unheimliches** *uncanny things*, **Schlechtigkeit** *wickedness* פֹּעֲלֵי א׳, Js 31, 2 Ho 6, 8 Ps 5, 6—141, 4. 9 (16 ×) Pr 10, 29 21, 15 Hi 31, 3 34, 8. 22, פָּעַל א׳ Pr 30, 20 עָשָׂה א׳ Js 32, 6, דִּבֶּר א׳ 58, 9 Sa 10, 2, מַעֲשֵׂי א׳ Js 59, 6, חָשַׁב א׳ Hs 11, 2 Mi 2, 1 Ps 36, 5, חִקְקֵי א׳ Js 10, 1, מַחְשְׁבוֹת א׳ Js 59, 7 Pr 6, 18 Ir 4, 14, הָיָה לְאָ׳ d. Unheimlichkeit verfallen *become uncanny* Am 5, 5, עָמָל וָאָ׳ Ps 10, 7 90, 10, א׳, וּמִרְמָה Ps 36, 4; אָוֶן ist oft etwas Gesprochnes *often something said*: unheimliche (d. Zauber nahe) Worte *uncanny (verging on magic) words* Js 66, 3 Ir 4, 15 Ps 55, 4 Pr 17, 4 19, 28; אִישׁ אָ׳ unheimlicher, unheilvoller M. *uncanny, baneful m.* Js 55, 7 Pr 6, 12, אַנְשֵׁי א׳ Hi 34, 36, מְתֵי אָ׳ 22, 15; l אַיִן Js 41, 29, l III און, Ha 3, 7 F *חתא; Ps 56, 8 66, 18 (Gunkel!); die übrigen Stellen sind *the remaining passages are*: Ho 12, 12 Ha 1, 3 Ps 5, 6 6, 9 7, 15 14, 4 28, 3 36, 13 41, 7 53, 5 55, 11 59, 3. 6 64, 3 92, 8. 10 94, 4. 16 101, 8 119, 133 125, 5 Pr 12, 21 Hi 4, 8 5, 6 11, 11. 14 15, 35 18, 7. 12 (l בְּאוֹנוֹ) 21, 19 36, 10. 21, cj. אוֹנָם Pr 20, 26. †
Der. n.l. בִּקְעַת אָוֶן u. בֵּית אָוֶן.

I און: און, in d. Ansprache v. אָוֶן differenziert *with differentiated pronounciation*: sf. אוֹנוֹ, pl. אוֹנִים: **Zeugungskraft** *generative power* (*vir-tus*) Gn 49, 3 Dt 21, 17 Ps 78, 51 105, 36; **Kraft** *power* Ho 12, 4 Hi 40, 16 (Nilpferd *hippopotamus*), רַב אוֹנִים kraftreich *powerfull* (Gott *god*) Js 40, 26, אֵין אוֹנִים kraftlos *powerless* 40, 29; **Kraft, Vermögen** *power, wealth* Ho 12, 9 Hi 20, 10; l אֱוִלִים Pr 11, 7. †
Der. II און n.m.

II און: n.m.; = I; Αυν: Nu 16, 1. †
Der. n.m. אוֹנָם u. אוֹנָן.

III **און**, **אן**: n.l.; äg. *Iwnw* EG 1, 54, ωΝ, ass. *Ûnu*, bab. *Ânu* Äg. Z 58, 135, ph. אן; Ἡλίου πόλις: **On, Heliopolis** = Maṭarîje n. Kairo: Gn 41, 45. 50 46, 20; *F* בֵּית שֶׁמֶשׁ u. II חֶרֶס. †

אֹנוֹ, **אוֹנוֹ**: n.l.; äg. ʾU-nu Alb. Voc. 35: in Benjamin, *kafr* ʿ*Ānā* 9 km nw Lydda: Esr 2, 33 Ne 7, 37 11, 35 1 C 8, 12; בִּקְעַת א׳ Ne 6, 2. †

אוֹנִים: *F* I און u. *אֹנֶה.

אוֹנָם: n.m.; II און u. *-âm*, ZAW 44, 91: 1. Gn 36, 23 1 C 1, 40; 2. 1 C 2, 26. 28. †

אוֹנָן: n.m.; I און u. *-ân*: Gn 38, 4. 8. 9 46, 12 Nu 26, 19 1 C 2, 3. †

[**אוּפָז**: n.t.; unbekannt *unknown*: l אוֹפִיר Ir 10, 9 u. וּפָז Da 10, 5.] †

I **אוֹפִיר**, **אֹפִיר** 1 K 10, 11: n. t; אפר?: loc. אוֹפִירָה: **Ophir**, d. Goldland; seine Lage, viel umstritten (Indien, Ostafrika, Südafrika, Elam), bestimmt sich dadurch zuverlässig, dass man es von עֶצְיוֹן גֶּבֶר aus zu Schiff erreicht 1 K 9, 26—28, dass es zwischen שְׁבָא u. חֲוִילָה genannt wird Gn 10, 29 u. dass s. Flusstäler Gold führen Hi 22, 24; dies führt auf die südliche Westküste Arabiens, *Ophir, the land of gold; its position is much discussed, but can be defined with certainty because it can be reached from* עֶצְיוֹן גֶּבֶר *by boat and is named between* שְׁבָא *a.* חֲוִילָה *Gn 10, 29 a. in its wadis gold is to be found; this points to the S.W.-coast of Arabia* (Moritz, Arabien, 1923, 84 ff); Gn 10, 29 1 K 9, 28 10, 11 22, 49 Js 13, 12 cj Ir 10, 9 Ps 45, 10 Hi 22, 24 28, 16 1 C 29, 4 2 C 8, 18 9, 10 Si 7, 18. †

II **אוֹפִיר**: n.m.; = I: S. des (südarabischen *south-arab.*) יָקְטָן: 1 C 1, 23. †

אוֹפַן: Et?: אוֹפָן, cs. אוֹפַן, pl. אוֹפַנִּים, cs. אוֹפַנֵּי, sf. אוֹפַנֵּיהֶם: **Rad** *wheel* (e. Fahrzeugs *of a vehicle*) Ex 14, 25 1 K 7, 30. 32 f Js 28, 27 Hs 1, 15—21 3, 13 10, 6—19 11, 22 Na 3, 2; l אָפְנָיו Pr 20, 26. †

אוּץ: أَصَّ drängen *urge*:
qal: pf. אָץ, אַצְתִּי, pt. אָץ, pl. אָצִים:
1. **drängen** *urge* Ex 5, 13; 2. **es eilig haben** *be in haste* Jos 10, 13 cj אָצִים Hs 30, 9 Pr 19, 2 21, 5 28, 20 29, 20; 3. אָץ לְ **zu eng sein für** *be too narrow for* Jos 17, 15; †
hif.: impf. וַיָּאִיצוּ: **dringen** *urge*, בְּ in jem. *somebody* Gn 19, 15, לְ auf etwas *insist upon* Js 22, 4. †

אוֹצָר (81 ×): אצר; aram. אוֹצְרָא, 𐡀𐡅𐡑𐡓𐡀, mnd. עוצאר: cs. אוֹצַר, sf. אוֹצָרוֹ, pl. אוֹצָרוֹת u. אֹצָ׳, cs. אוֹצְרוֹת, אוֹצְרֹתַי, ־תֵיהֶם: 1. **Vorrat, Vorräte** *supply* Ne 12, 44 13, 12 2 C 8, 15, cj Pr 27, 24, אוֹ׳ עָשָׂה לוֹ לְ beschaffte sich Vorräte an *procured for himself supplies of* 2 C 32, 27, פָּעַל א׳ V. erwerben *acquire* Pr 21, 6, א׳ הַיַּיִן Weinvorräte *wine-supplies* 1 C 27, 27, א׳ הַשֶּׁמֶן Ölvorräte *oil-s.* 27, 28, נָגִיד עַל־הָא׳ Verwalter der V. *keeper of the s.* 26, 24, אוֹ׳ בֵּית הַמֶּלֶךְ 1 K 14, 26 (10 ×), א׳ בֵּית יהוה 7, 51 (9 ×); בֵּית הָאוֹצָר Vorratshaus *storehouse*, Schatzhaus *treasure-house* Ma 3, 10 Ne 10, 39, Da 1, 2, בֵּית אוֹ׳ אֱלֹהָיו אוֹצַר יהוה Schatz *treasure* J.s Jos 6, 19 (.24); übertr. *metaph.* Js 33, 6; 2. Jahwes (kosmische *cosmic*) Vorräte *supplies* Dt 28, 12 32, 34; daher kommt d. Wind *the wind comes from there* Ir 10, 13 51, 16 Ps 135, 7, die תְּהֹמוֹת Ps 33, 7, J.s Zorn *wrath* Ir 50, 25, Schnee u. Hagel *snow a. hail* Hi 38, 22.

אור: ug. ʾ*r* in *j*ʾ*rk* (k = sf.), ak. *urru*, *ûru* Licht *light*, أُوَار Glut, *glow* aram. אור hell werden *become light*; *F* I *ארה:

qal: pf. אוֹר, אֹרוּ, impf. וַיֵּאוֹר, וְהָאוֹרְנָה (Ginsberg, Or. 8, 318: Kompromiss v. *compromise between* qal u. hif.), inf. אוֹר F אוֹר 3, imp. אוֹרִי, pt. אוֹר, pl. אוֹרִים Si 13, 26: **hell werden, sein** *become, be light*: Tageslicht *day-light*, Gn 44, 3 1 S 29, 10 2 S 2, 32, Augen *eyes* (*beam*) 1 S 14, 27Q. 29, *shine* Gesicht *face* Si 13, 26, Pfad *path* Pr 4, 18, Zion Js 60, 1, Gerechtigkeit *justice* cj Js 26, 9 (כַּאֲשֶׁר f. כְּאוֹר); †

[nif.: inf. לֵאוֹר < לְהֵאוֹר* Hi 33, 30 **erleuchtet werden** *be lit up*, l לִרְאֹת; pt. נָאוֹר Ps 76, 5 l נוֹרָא;] †

hiph.: pf. הֵאִיר, הֵאִירָה, impf. יָאִיר, יָאֵר, הָאִירָה, יָאִירוּ, וַיָּאֶר, inf. הָאִיר, imp. הָאֵר, pt. מֵאִיר, cs. f. מְאִירַת, pl. מְאִירוֹת:

1. **leuchten** *shine*, **erhellen** *light up*, Licht spenden *give light* Gn 1, 15. 17 Ex 13, 21 25, 37 Nu 8, 2 Js 60, 19 Ps 118, 27 (l וַיָּאֶר) 119, 130 139, 12; 2. leuchten *shine*, strahlen *beam* Hs. 43, 2; 3. erleuchten, erhellen *light up*, *illuminate* Ps 77, 19 97, 4 105, 39 Ne 9, 12. 19, l וַיַּעֲבֹר Ex 14, 20; 4. hell sein lassen *give light* (Mond *moon*) Hs 32, 7, (Gott s. Gesicht *God his face*) Nu 6, 25 Ps 31, 17 67, 2 80, 4. 8. 20 119, 135 Da 9, 17, (Weisheit *wisdom*) Ko 8, 1; 5. hell machen *make shine* (Augen) Ps 13, 4 19, 9 Pr 29, 13 Esr 9, 8; 6. (אוּר) anzünden *light* Ma 1, 10 Js 27, 11 cj 50, 11 Ps 18, 29 (dele תָּאִיר?). †

Der. אוֹר, I אוּר, IV n.m., אוֹרָה, מָאוֹר, n.m. יָאִיר, n.m.c. אוּר־.

אוֹר (118×): אוֹר; ug. *ʾr*: sf. אוֹרוֹ, l אֹרְבוֹ Hi 25, 3, pl. אוֹרִים Ps 136, 7 †; masc., l עָלָיו (MSS) Hi 36, 32 u. וְשָׁם צ׳ Ir 13, 16: 1. **Helligkeit** *brightness*, Tageslicht *day-light* Gn 1, 3. 4 Hi 3, 9; 2. **Licht** *light* (das von e. Körper ausgeht *which emanates from a body*) א׳ הַלְּבָנָה u. א׳ הַחַמָּה Js 30, 26, א׳ אֵשׁ Feuerschein *fire-light* Ps 78, 14, א׳ נֵר Lampenschein *lamp-light* Ir 25, 10, א׳ עֵינַיִם Leuchten d. A. *light of the eyes* Ps 38, 11, כּוֹכְבֵי א׳ leuchtende St. *shining st.* 148, 3; אוֹר Sonnenlicht *sun-light* Hi 31, 26, Blitz *lightning* Hi 36, 32 37, 11. 15, pl. אוֹרִים גְּדוֹלִים d. gr. Lichter (Sonne u. Mond *sun a. moon*) Ps 136, 7; בְּיוֹם אוֹר am lichten T. *in broad day-light* Am 8, 9; 3. (in Zeitangaben, wo אוֹר als cs. auch inf. von אוֹר sein könnte *statements of time*; *here* אוֹר *might just as well be inf. cs. of* אוֹר, Nestle, ZAW 23, 338) Tagesanbruch *dawn* Jd 16, 2, עַד־הָא׳ 19, 26, מִן־הָא׳ לָאוֹר bei T. *at dawn* Ze 3, 5 Hi 24, 14, Ne 8, 3, בָּא׳ Mi 2, 1, כְּא׳ 2 S 23, 4; 4. (übertr. *metaph.*) א׳ הַחַיִּים Lebenslicht *light of life* Ps 56, 14 Hi 33, 30, רָאָה אוֹר = leben *to be alive* Ps 49, 20 Hi 3, 16, = volle Erkenntnis haben *have complete knowledge*, Ps 36, 10; נָתַן א׳ לְ = ins Leben rufen *call to life* Hi 3, 20, רָאָה בָאוֹר = am Leben bleiben *remain alive* Hi 33, 28; א׳ פָּנִים = Wohlwollen *goodwill* Hi 29, 24, d. Königs Pr 16, 15, Gottes Ps 4, 7 44, 4 89, 16. שִׂמְחָה // אוֹר Ps 97, 11; אוֹר Inbegriff d. Glücks *the sum of happiness* Ps 97, 11 112, 4 Hi 12, 25 u. d. Heils *a. of salvation* Am 5, 18, J. ist אוֹר d. Frommen *of the devout* Mi 7, 8 Ps 27, 1; הָלַךְ בְּא׳ י׳ Js 2, 5; אוֹרֵךְ = d. Heil für dich *salvation for thee* Js 60, 1, א׳ גּוֹיִם Js 42, 6 49, 6 u. א׳ עַמִּים 51, 4 = Heil für d. Völker *salv. for the nations*; Gott ist אוֹר יִשְׂרָאֵל Js 10, 17; l כַּיְאֹר Am 8, 8, l אֵדוֹ Hi 36, 30.

Der. אוֹרָה, אֹרֹת.

I **אוּר**: אוּר: pl. אֻרִים: **Schein** *light*, אוּר אֵשׁ Feuerschein *light of a fire* Js 50, 11, > Feuer *fire* Js 31, 9 (// תַּנּוּר) 44, 16 47, 14 Hs 5, 2; pl. d. Lichtgegend (d. östliche Horizont) *the region of light* (*the eastern horizon*) Js 24, 15. †

Der. IV אוּר n.m. u. n.m. אוּרִי־.

II ***אוּר**: pl. אוּרִים, הָאוּרִים Nu 27, 21, cj 1 S 14, 41, עָנָה בָּא׳ 1 S 28, 6; אוּרִים וְתֻמִּים Ne 7, 65, הָא׳..וְהַתֻּ׳ Ex 28, 30 Lv 8, 8, לָא׳..וּלַתֻּ׳

Esr 2, 63, sf. תֻּמֶּיךָ וְאוּרֶיךָ Dt 33, 8. Ableitungen *derivations*: a) v. ארר, verfluchte *accursed* = fluchbringend *curse-bearing* (Wellhausen); b) pt. pass. v. ארה abgerupfte *plucked off* [Zweige *twigs*] (H. Duhm, D. Verkehr Gottes, 1926, 50); c) א' inhaltsloses Wortgebilde zur formalen Auffüllung v. *meaningless word formed for the formal completion of* תֻּמִּים (Press, ZAW 51, 229); unerklärt *unexplained*; e. Losorakelmittel *an article for casting lots* (G, V, S raten hin u. her *are guessing at random*). †

III **אוּר**: n.l.; אוּר כַּשְׂדִּים (daher die Sage, Abraham sei aus d. Feuerofen d. Chaldäer gerettet worden, *hence the legend, that Abraham was saved from the fiery furnace of the Chaldaeans*): ak. *Uru*, المقير „d. mit Asphalt gemörtelte" Ort, *the place „cemented with asphalt"*) im südlichsten Babylonien, einst am, jetzt südlich v. Eufrat, im 3. Jahrtausend Hauptstadt von Sumer u. Akkad, Sitz d. Mondgotts Sin-Nannar, *in the most southerly part of Babylonia, once on the east of Euphrates, now south of it; in the 3. millennium capital of Sumer a. Accad, residence of the Moon-god Sin-Nannar*, Langdon, AO, Bd 26, 19—55: Gn 11, 28. 31 15, 7 Ne 9, 7. †

IV **אוּר**: n.m.; = I: 1 C 11, 35. †

אוֹרָה: fem. v. אוֹר: **Licht** *light* Ps 139, 12, Heiterkeit *serenity* (וְשִׂמְחָה) Est 8, 16; pl. אוֹרֹת F אֹרֹת. †

אֻרְוֹת 2 C 32, 28: F אֻרְוָה. †]

אוּרִי: n.m., KF; אוּר: 1. V. v. בְּצַלְאֵל Ex 31, 2 35, 30 38, 22 1 C 2, 20 2 C 1, 5; 2. Torhüter *door-keeper* Esr 10, 24, F אֻרִי. †

אוּרִיאֵל: n.m.; אוּר u. אֵל; ass. *Ilu-urri* APN 99b: 1. 1 C 6, 9 15, 5. 11; 2. 2 C 13, 2. †

אוּרִיָּה: n.m.; < אוּרִיָּהוּ; keilschr. *U-ri-ia-ia* APN 243b: 1. הַכֹּהֵן 2 K 16, 10—16 Js 8, 2; 2. Esr 8, 33 Ne 3, 4. 21; 3. Ne 8, 4; 4. הַחִתִּי, Gatte d. *husband of* בַּת־שֶׁבַע, 2 S 11, 3—26 12, 9 f. 15 23, 39 1 K 15, 5 1 C 11, 41; *Ariya* churr. (*ar* geben *to give*) hebraisiert *hebraized* Feiler ZA 45, 219). †

אוּרִיָּהוּ: n.m.; אוּר u. יה; > אוּרִיָּה: Prophet Ir 26, 20 f. 23. †

אוֹרְנָה: F אֲרַוְנָה.

***אוש**: F אִישׁ, (אִשָּׁה cs.) אֵשֶׁת, F יְהוֹאָשׁ n.m.

אוֹת (78 ×): *אוה? aram. אָתָא, آيَة; Lag. Üb. 82; Lkš 4, 11 אתת Feuer-Signale *beacons*; Keller, Carl A., D. Wort Oth als „Offenbarungszeichen Gottes", 1946: אֹת Ex 4, 8, pl. אֹתוֹת, sf. אֹתֹתַי, אוֹתֹתֶיךָ, fem., selten *rarely* masc. (1 S 10, 7: 9): **Zeichen** *sign*: 1. Kennzeichen *distinguishing mark* Gn 4, 15 Ex 8, 19 12, 13 Nu 2, 2 Jos 2, 12 (א' אֱמֶת) sichres K. *trustworthy s.*) Hi 21, 29; 2. Merkzeichen (d. an e. Pflicht mahnt) *sign (as reminder of a duty)* Gn 9, 12 17, 11 Ex 31, 13. 17 Dt 11, 18 Js 19, 20 Hs 20, 12. 20 cj Nu 15, 39; 3. Erinnerungszeichen *reminding token* Ex 13, 9. 16 Nu 17, 25 Dt 6, 8 28, 46 Jos 4, 6 Js 55, 13 Hs 14, 8; 4. Zeichen (das hinterher eine Behauptung als wahr erweist) *sign which subsequently shows the truth of a statement* Ex 3, 12 Jd 6, 17 1 S 2, 34 10, 7. 9 2 K 19, 29 Js 7, 11. 14; 5. Wunderzeichen *miraculous sign* (das d. ἐξουσία jemandes erweist *proving somebody's* ἐξουσία) Ex 4, 8. 8. 9. 17. 28. 30 Dt 13, 2. 3; Gottes Wunderzeichen *God's miraculous signs* Ex 7, 3 10, 1. 2 Nu 14, 11. 22 Dt 4, 34 6, 22 7, 19 11, 3 Jos 24, 17 Ir 32, 20. 21 Ps 65, 9 78, 43 105, 27 135, 9 Ne 9, 10; 6. Vorzeichen (das Kommendes ansagt) *omen, indicating future events* Gn 1, 14 1 S 14, 10 2 K 20, 8. 9 Js 8, 18 20, 3 37, 30 38, 7. 22 66, 19 Ir 44, 29 Hs 4, 3 Ps 74, 9; אֹתוֹת הַשָּׁמַיִם Ir 10, 2; 7. Warnzeichen *warning sign*, abschreckendes Beispiel *deterrent example* Nu 17, 3; ?? Ps 74, 4; — נָתַן אוֹת Z. anbieten *offer, give a s.*, בָּא א' eintreffen *a s.*

comes true; אות בְּרִית א׳ לְטוֹבָה Ps 86, 17; Gn 9, 13. 17; cj בָּרִים [אֹתוֹת] Js 44, 25; אות oft neben *often along with* F מוֹפֵת. †

אוֹת, אֹת (c. sf.): F I אֵת.

אָז (130 ×: Deutewort da > dann *demonstrative there > then*: ug. *ɜdk* = إِذَّاكَ, F ba. אֱדַיִן, הֵידֵין, ..., إِذْ, إِذَا, إِذًا, asa. ʾd, verwandt mit *cognate with* זֶה? F אֱזַי: 1. damals *then*: אָז הוּחַל Gn 4, 26, אָז יָשִׁיר Nu 21, 17; אָז ... עַתָּה damals, *then* ... nun *now* Jos 14, 11; 2. (mit gedachtem Vordersatz *prothesis lacking*) dann *then*: אָז יִזְעֲקוּ Mi 3, 4 Ze 3, 9; (mit ausgedrücktem Vordersatz *prothesis given*) dann *then* Ps 126, 2 Ex 12, 44; אִם ... אָז wenn *if* ..., dann *then*, Js 58, 13 f Pr 2, 4 f Hi 9, 30 f, כִּי אָז ... לוּלֵא wenn nicht *if not*.., dann *then* 2 S 2, 27, לֹא ... כִּי אָז ... לוּלֵי Ps 119, 92, אָז ... wenn nur *if only* ..., dann *then* 2 S 19, 7, אַחֲלֵי ... אָז ach wenn *o, if* ..., dann *then* 2 K 5, 3; (d. Bedingungswort fehlt *hypothetical term lacking*) 2 K 13, 19 Hi 3, 13; 3. (als Stilmittel leitet אָז e. betonten Satzteil ein, אָז *used as a stilistic form indicates stress*) damals dann *then* Gn 49, 4 Ex 15, 15 Jd 5, 8 (l אָזַל?). 11. 13. 19. 22 Js 33, 23 41, 1 Ha 1, 11, Ps 2, 5; l אַף Ps 96, 12 u. וְאֵין Ko 2, 15, l הִתְזַכִּי Ir 11, 15; ?? Ps 69, 5 u. Jos 22, 31;

מִן־אָז von da an, wo = seitdem *from that time forward, when* = *since* Ir 44, 18 †; מֵאָז 1. (adv.) ehedem, früher *formerly* 2 S 15, 34 Js 16, 13, längst Js 44, 8 45, 21 48, 3. 5. 7. 8, vorlängst *of old* Ps 93, 2 Pr 8, 22 †; 2. (präp.) seit *since* (Lkš 3, 7) Ru 2, 7 Ex 4, 10 †; 3. (conj.) seitdem *since* Gn 39, 5 Ex 5, 23 9, 24 Jos 14, 10 Js 14, 8 †; l מָעֹז Ps 76, 8.

Der. אֱזַי.

***אזב**: n.m. אֶזְבַּי?, אֵזוֹב.

אֶזְבַּי: n.m.; אזב? זבה?: 1 C 11, 37 (:: 2 S 23, 35!). †

אֵזֹב, אֵזוֹב: אזב?: ὕσσωπος > Ysop *hyssop*; ... ak. *zûpu*: *Origanum Maru L.* (Löw 2, 84—101) Ex 12, 22 Lv 14, 4. 6. 49. 51 f Nu 19, 6. 18 1 K 5, 13 Ps 51, 9. †

אֵזוֹר: إِزَارٌ, ug. *m3zrt*, Lendengegend *loins*: (d. innerste, zuletzt ausgezogne) Schenkeltuch, **Hüftschurz** *the innermost garment*, *loincloth* 2 K 1, 8 (aus *made of* עוֹר) Js 5, 27 11, 5 (eng anliegend *closely fitting*, nie abgelegt *never taken off*) Ir 13, 1 (aus *made of* פִּשְׁתִּים, weil Linnen besonders kühl ist *because linen is particularly cool*). 2. 4. 6. 7. 10. 11 Hs 23, 15 Hi 12, 18 (?), F אֵזֶן. †

Der. אזר.

אֱזַי: n.f. v. אָז: אֱזַי [... לוּלֵי wenn nicht *if not* ...,] dann *then* Ps 124, 3. 4. 5. †

אַזְכָּרָה: d. Teil des Speisopfers *that part of the meal offering* Lv 2, 2. 9. 16 5, 12 6, 8 Nu 5, 26 u. der Schaubrote *a. of the showbread* Lv 24, 7, der verbrannt wird *which is burnt*; μνημόσυνον, ἀνάμνησις, *memoriale*, ...; Bedeutung *meaning*: Erinnerung *memory* (זכר)? Duftteil *odorous part* (זכר stechen *be pungent*)? Ansage *announcement* (Jacob ZAW 17, 79)? benannt nach d. bab. liturgischen Formel *called after the Babylonian liturgical form*: *šumuka azkur* „ich rufe deinen Namen an" *I call upon thy name* (Schötz, Schuld- u. Sündopfer im AT 19. 55): Anrufung *invocation*? †

אזל: F ba. أَزَلِيٌّ längst vergangen *long since past*:

qal: pf. אָזַל, אָזְלַת Dt 32, 36, אָזְלוּ, pt. אֹזֵל: **weggehn** *go away*, **schwinden** *disappear* Dt 32, 36 1 S 9, 7 Hi 14, 11, cj Jd 5, 8, אֹזֵל לוֹ geht seines Wegs *goes his way* (:: ZAW 32, 292) Pr 20, 14; l הֻזְּלִי (F זלל) Ir 2, 36, l מְאֻהָל (F אהל) Hs 27, 19. †

[*אָזַל: הָאֵזֶל 1 הַלָּאז 1 S 20, 19.] †

I אזן: den. v. אֹזֶן Ohr *ear*:
hif: pf. וְהַאֲזַנְתָּ, הֶאֱזִין Ex 15, 26, הֶאֱזִינוּ, impf. יַאֲזִין, אָזִין (< אַאֲזִין) Hi 32, 11, imp. inf. הַאֲזִין Ps 77, 2, imp. הַאֲזִינִי, הַאֲזִינָה, fem. pl. הַאֲזֵנָּה Gn 4, 23, pt. מֵזִין (< מַאֲזִין) Pr 17, 4:
1. abs. d. Ohr brauchen *use one's ears*, **hinhören** *listen to* Dt 32, 1 Jd 5, 3 Js 1, 2 8, 9 64, 3 (l הַאֲזִינָה אֹזֶן) Ho 5, 1 Jl 1, 2 Ps 80, 2 135, 17 Ne 9, 30 2 C 24, 19, cj Mi 6, 2; 2. auf jmd **hören** *heed*, לְ Hi 34, 2, אֶל Dt 1, 45 Ps 77, 2 Js 51, 4, עַד (?) Nu 23, 18 Hi 32, 11; 3. **auf** etw. **hören** *heed*, acc. Gn 4, 23 Js 1, 10 32, 9 42, 23 Ps 5, 2 17, 1 39, 13 49, 2 55, 2 78, 1 84, 9 86, 6 140, 7 141, 1 Hi 9, 16 33, 1 37, 14, לְ Ex 15, 26 Ps 54, 4 Hi 34, 16, אֶל Ps 143, 1, עַל Pr 17, 4; האזין ושמע deutlich, nur ja hören *listen carefully* Js 28, 23, = שמע והאזין Ir 13, 15. †
Der. n.m. אֲזַנְיָה u. (ו)יַאֲזַנְיָה; אָזְנִי?

II אזן: den. von in מֹאזְנַיִם irrig vermutetem אֹזֶן, *from* אֹזֶן *erroneously supposed in* מֹאזְנַיִם: pi.: pf. אִזֵּן: **abwägen** *ponder* (?) Ko 12, 9. †

אֹזֶן (188 ×): Sem u. äg. *ʾdn*; ug. *ʾdn*, ak. *uznu*, aram. אוּדְנָא, ܐܕܢܐ, asa. *ʾdn*, أُذُن, ኦዝን: sf. אָזְנוֹ, du. אָזְנַיִם, cs. אָזְנֵי, sf. אָזְנַי, אָזְנֵיהֶם (fem. Js 30, 21 Ir 6, 10 Mi 7, 16 etc.): **Ohr** *ear*, des Menschen *of man* Gn 35, 4, des Tiers *of an animal* Pr 26, 17, Gottes *of god* Nu 11, 1. 18 Ps 10, 17; בְּדַל א׳ Ohrzipfel *tip of the ear* Am 3, 12, תְּנוּךְ א׳ Ohrläppchen *lobe of the ear* Ex 29, 20; Ringe i. Ohr *ear-rings* Gn 35, 4 Hs 16, 12, (Nase u.) Ohren abschneiden *cut off ears* Hs 23, 25; Gott hat d. Ohr gegraben *god has it hollowed out* Ps 40, 7, gepflanzt *planted* Ps 94, 9, taub gemacht *deafened* הִכְבִּיד Js 6, 10; אטם d. Ohr verstopfen, *stop up the ear* Js 33, 15, F I צלל gellen *yell*; הִטָּה א׳ s. Ohr neigen *lend an ear to* 2 K 19, 16 Js 37, 17; אֹזֶן Ohr *ear* > Verständnis *understanding* (cf. ak. *ḫasīsu* Verstand *understanding* > Ohr *ear*) גָּלָה א׳ d. Ohr aufdecken = mitteilen, offenbaren *uncover the ear = inform, reveal* 1 S 9, 15 20, 2. 12 f 22, 8. 17 2 S 7, 27 Hi 33, 16 36, 10. 15 Ru 4, 4 1 C 17, 25.
Der. הֶאֱזִין: I אזן.

*אָזֵן: aram. זֵינָא, ܙܝܢܐ, Waffe, Gerät *weapon, implements*, Lag. GA 43, 110: sf. אֲזֵנֶךָ (MSS pl. אֲזֵנֶיךָ): **Gerät** *tools* (ζώνη, V *balteus* = אֵזוֹרְךָ) Dt 23, 14. †

אַזְנוֹת תָּבוֹר: n.l.; Et?: in Naftali, Saar. 127 *Umm ǵebeil* (Tabor): : Noth z. St.: Jos 19, 34. †

אזנח: hif. וְהֶאֱזְנִיחוּ Js 19, 6: F I זנח.

I אָזְנִי: n.m.; אֹזֶן?: S. v. Gad Nu 26, 16. †

II אָזְנִי: gntl.: zu אָזְנִי gehörig *belonging to* אָזְנִי Nu 26, 16. †

אֲזַנְיָה: n.m.; < יַאֲזַנְיָה: Ne 10, 10. †

אֻזֵּן שֶׁאֱרָה: n.l.?: 1 C 7, 24. †

*אֲזִקִּים: in בָּאזִקִּים Ir 40, 1 u. הָאזִ׳ Ir 40, 4: N.F. zu I זִקִּים **Handfesseln** *handcuffs*. †

אזר: denom. v. אֵזוֹר (Zimmern: unter d. Einfluss v. *influenced by* אסר):
qal: pf. אָזְרוּ, impf. תֶּאְזוֹר, יַאְזְרֵנִי, imp. אֱזָר־, pt. אֹזֵר: d. אֵזוֹר **anlegen** *put on*, **umschürzen** 2 K 1, 8, d. Hüften umschürzen *gird one's loins* Ir 1, 17 Hi 38, 3 40, 7, umschürzen, umfassen *enclose* Hi 30, 18, אֹזַר חַיִל legt Kraft als Schurz an *gird one's self with strength*, 1 S 2, 4; †
nif: pt. נֶאְזָר: **umschürzt** *girded* Ps 65, 7; †
pi: impf. וַתְּאַזְּרֵנִי Ps 30, 12 > וַתְּזָרְנִי (MSS ותאזרני) 2 S 22, 40, אֲאַזֶּרְךָ, pt. הַמְאַזְּרֵנִי! Ps 18, 33:

c. ac. jmd **fest, eng umschliessen** *gird someone closely* Js 45, 5, c. 2 ac. jmd mit etwas fest, eng umschliessen *gird, encompass* 2 S 22, 40 Ps 18, 33. 40 30, 12; l. מְאִירֵי Js 50, 11. †
hitp.: pf. הִתְאַזָּר, imp. הִתְאַזְּרוּ: sich d. Schurz anlegen, *gird oneself* Js 8, 9, sich etwas eng anlegen *attire oneself* Ps 93, 1. †

אֶזְרֹעַ; ba. אֶדְרָע: = זְרוֹעַ: sf. אֶזְרֹעִי: **Arm** *arm* Ir 32, 21 Hi 31, 22. †

אֶזְרָח: זרח, ph. מזרח Clan *clan*: cs. אֶזְרַח: אֶזְרַח הָאָרֶץ (Gegensatz immer *opposite always* גֵּר der Nichteinheimische *foreigner, not resident*) αὐτόχθων *indigena*: d. im Land Geborne, Einheimische *native, born in the place* Ex 12, 19. 48 Nu 9, 14, > אֶזְרָח der (am Ort, im Stamm) **Einheimische, Vollbürger** *native of the place, citizen possessing the full civic rights* Ex 12, 49 Lv 16, 29 17, 15 18, 26 19, 34 23, 42 24, 16. 22 Nu 15, 13. 29 f Jos 8, 33 Hs 47, 22; l אֶרֶז Ps 37, 35. †

אֶזְרָחִי: gntl., II זֶרַח n. m.: zu d. בְּנֵי זֶרַח gehörig *one of the* בְּנֵי זֶרַח 1 C 2, 6, אֵיתָן 1 K 5, 11 Ps 89, 1, הֵימָן Ps 88, 1. †

אָח: Lautwort: *word imitating sound* **ach! wehe!** *alas!* Hs 6, 11 (l הֶאָח) 18, 10 (l אַחַד f. אָח מֵאַחַד) 21, 20. †

II אָח (630 ×): Sem; ug. *'ḫ* u. *3h* wie Zenǧ. אח u. איח, אחי אבה (Brüder s. Vaters *brothers of his father*) Pan. 3: cs. אֲחִי, sf. אָחִי, אָחִיהוּ Ir 34, 9 > אָחִיו; pl. אַחִים (*'aḥḥim*), aber *but* cs. אֲחֵי (wie von *as from* *אָחִים) Nu 27, 10, sf. אַחַי, אֶחָי (*'äḥḥāj*), אַחֵינוּ, aber אֲחֵיכֶם Ho 2, 3: **Bruder** *brother*: 1. Vollbruder *full-brother* (gleicher Vater u. Mutter *by the same father and mother*) Gn 4, 8 44, 20 Ho 12, 4 (Zwillinge *twins*), Gn 49, 5 (nach Abstammung u. Art *in descent a. disposition*); 2. Halbbruder *half-brother* (Mütter verschieden *by different mothers*) Gn 37, 4 2 S 13, 4; 3. Blutsverwandter *blood-relation* Gn 9, 25 14, 16 (Brudersohn *brother's child*) 16, 12 25, 18, אֲנָשִׁים אַחִים Blutsverwandte *blood-relation* Gn 13, 8, אָח Vetter *male cousin* 29, 15, בַּת־אָח Base *female-cousin* 24, 48, אֲחִי־אָב Vetter *cousin* 29, 12, v. Stamm zu Stamm *from tribe to tribe* Jd 1, 3 Ma 1, 2; 4. (ohne Blutsverwandtschaft *without blood-relationship*) Wahlbruder, Gefährte *brother by choice, companion* 2 S 1, 26 Ne 5, 10; 5. Stammgenosse *tribesman* Gn 31, 32 Jd 9, 18 2 S 19, 13, בְּרִית אַחִים Pflicht gegen Stammverwandte *duty towards tribal kinsmen* Am 1, 9; 6. Volksgenosse *fellow countryman* Ex 2, 11 Lv 19, 17 u. ö.; deshalb *therefore* אָחִיךָ בֶן־אִמֶּךָ d. leiblicher Bruder *real (somatic) brother* Dt 13, 7; 7. d. Zugehörige *relation* Hi 30, 29, d. Andre *the other* אִישׁ . . . אָחִיו Gn 13, 11 26, 31, auch v. Sachen *also of things* Ex 25, 20 37, 9; 8. Höflichkeitsform gegen Unbekannte *expression of courtesy towards strangers* Gn 29, 4; 9. im öffentlichen (amtlichen) Verkehr *in public (official) intercourse* Nu 20, 14 1 K 9, 13 20, 32; 10. im Leichenlied *in the dirge* הוֹי אָחִי Ir 22, 18; l אָחוּ Ho 13, 15, l אַךְ Ps 49, 8 (MSS), l אַל אָחִי כִּי 2 S 13, 16, dl אָח Hs 18, 18.

Der. אָחוֹת, אַחֲוָה, n. m. אַחְאָב, אַחְיָן, אַחְיוֹ, אַחְלַי u. die mit אֲחִי beginnenden n. m. (in denen אֲחִי wie in אֲחִיָּה „J. ist mein Bruder" eine Gottheit bedeutet *and n. m. beginning with* אֲחִי *which means a god*); F חִיאֵל, חִירוֹם, חִירָם.

***אַח**: הָאָח: äg. *'ḫ*: **Kohlenbecken** *brazier* Ir 36, 22 (l וְאֵשׁ הָאָח). 23. †

***אֹחַ**: Schallwort *word imitating sound*: pl. אֹחִים: **Adlereule** *eagle owl Bubo bubo aharonii* (Aharoni, Osiris 5, 1938, 469; selten, in d. Felsen Südpalästinas lebend, nach dem Ruf benannt *rare, living in the rocks, named after its cry*) Js 13, 21. †

אַחְאָב: n.m. אָח, אָב; Dir. 214; ak. *Aḫi-abi* = Onkel (Ersatzname) *uncle (substitute-name)*, Stamm 302, Bruder d. Vaters = „ganz der Vater" *the father's brother = quite the father*: > אֶחָב Ir 29, 22: 1. S. v. Omri, K. v. Israel 1 K 16, 28—2 K 21, 13 2 C 18, 1 — 22, 8 Mi 6, 16; 2. Prophet *prophet* Ir 29, 21 f. †

אֶחָב (*äḥāb*): F אַחְאָב.

אַחְבָּן: n.m.; Noth: خَابِن stark *strong*: 1 C 2, 29. †

[**אחד**: hitp. imp. f. הִתְאַחֲדִי: l הִתְחַדִּי Hs 21, 21.]

אֶחָד *äḥād* (960 ×): Sem; Brock. VG § 249a α, F ba. חַד; cf. יָחַד, وَاحِد einzig *only*, ug. *ʾḥd* zusammen *together*: ursprünglich gab es das Wort in mehrern Formen *the word originally existed in several forms*: 1. *אַחַד, davon *der.* אֲחָדִים, 2. אַחַד *ʾaḥḥad* abs. u. cs., f. אַחַת abs. u. cs. < *ʾaḥḥadt*, 3. אֶחָד, f. אַחַת < *aḥḥadt* cs. אַחַת: 1. (Grundzahlwort *cardinal*) einer, eine, eins *one* מָקוֹם אֶחָד ein (einziger) Ort *one (single) place* Gn 1, 9, שָׂפָה אֶחָת Gn 11, 1, בְּרָכָה אַחַת Gn 27, 38, נֶפֶשׁ אַחַת eine Seele *one soul*, ein Einzelner *a single one* Lv 4, 27, אַחַת :: שְׁנֵי zwei *two* :: ein *one* u. אֶחָד :: שְׁלֹשָׁה drei *three* :: ein *one* Lv 14, 10; מִשְׁפָּט אֶחָד einerlei Recht *the same right* Nu 15, 16, מִדָּה אַחַת einerlei Mass *the same measure* Ex 26, 2; אַחַד מִמֶּנּוּ einer v. uns *one of us* Gn 3, 22, אֲחִיכֶם אֶחָד einer v. euch Brüdern *one of you brothers* Gn 42, 19, יהוה אֶחָד der eine J. *the only Y.* Dt 6, 4, אַחַד הָעָם einer v. d. Leuten *one of the people* 1 S 26, 15; verneint *negative form*: לֹא ... א׳ Ex 8, 27 u. עַד־אֶחָד לֹא 2 S 17, 22 keiner *not one*, אֵין גַּם א׳ auch nicht einer *not even one* Ps 14, 3, לֹא ... עַד־א׳ nicht nmal einer *not even one* Ex 14, 28; קוֹל א׳ m. einer Stimme *with one voice*, einmütig *unanimous* Ex 24, 3, שְׁכֶם א׳ Schulter an Schulter *shoulder to shoulder* Ze 3, 9, לְיוֹם א׳ für T. um T. *day by day*, täglich *daily* 1 K 5, 2, cj Ne 5, 15; אַחַת eins, einmal *once* Lv 16, 34, בְּאַחַת Ir 10, 8 u. כְּאֶחָד Koh 11, 6 in Einem, gleichzeitig *at one and the same time*, אַחַת ein für allemal *once and for all* Ps 89, 36; pl. אֲחָדִים: דְּבָרִים א׳ dieselben, eine Art Worte *the same, one kind of word* Gn 11, 1, יָמִים א׳ einige T. *some days* Gn 27, 44 29, 20 Da 11, 20; (prädikativ gestellt *as predicative*) אֶחָד הוּא nur einer *only one* Gn 41, 25, וַיְהִי ... א׳ wurde eins *became one*, e. Einheit Ex 36, 13 26, 6. 11, וְהָיוּ לַאֲחָדִים werden eins *become one* Hs 37, 17; 2. אֶחָד in Reihen (daher eins > erster) *in series (therefore one > the first)* מִזֶּה א׳ וּמִזֶּה א׳ hier einer u. da einer *one here a. one there* Ex 17, 12, הָא׳ ... וְהָא׳ 1 S 10, 3, א׳ ... וְא׳ ... וְא׳ d. eine u. d. andre *the one a. the other* 1 K 12, 29, אַחַת הֵנָּה וְאַחַת הֵנָּה einen (Gang) hierhin u. einen dahin = auf u. ab *up and down* 2 K 4, 35, אַחַת לְאַחַת eins ums andre *one after the other* Koh 7, 27; auffallend *remarkable* הַדּוּד אֶחָד ... וְהַדּוּד אֶחָד d. eine ... d. andre Korb *the one basket a. the other basket* Ir 24, 2, cf. 1 S 13, 17 u. Hs 10, 9; 3. אֶחָד ein > irgendein *anyone τις*: אִישׁ א׳ e. Einziger *an only one* Jos 23, 10 :: jemand *somebody* Jd 13, 2 1 S 1, 1, נָבִיא א׳ (irgend =) ein Pr. *some pr.* 1 K 13, 11, רֶחֶם (Q אֶחָד) אַחַת ein G. *a g.* 1 K 19, 4. 5, יוֹם א׳ eines Tags *one day* 1 S 27, 1, אַחַד שִׁבְטֵי יִשׂ׳ irgendeiner der St. *anyone of the tribes of* 2 S 15, 2, אַחַת מֵהֵנָּה(!) irgendeins davon *anyone among them* Lv 4, 2; vorangestellt *put in the first place* קָדוֹשׁ א׳ e. Heil. *a holy one* Da 8, 13, אַחַת מְעַט um ein Kleines, e. kleine Weile *for a short while* Hg 2, 6; 4. (Ordnungszahlwort *ordinal*) א׳ erster *the* *first*: שֵׁם אַחַת (d. eine (hiess) ... die zweite *the one* (*was called*) ... *the other*, *the second*>) d. erste hiess *the first was called* 1 S 1, 2, יוֹם אֶ׳ d. erste T. *the first day* Gn 1, 5; (in Daten *in dates*) בְּיוֹם אֶ׳ לַחֹדֶשׁ Esr 10, 16 > בְּאֶחָד לַחֹדֶשׁ Gn 8, 5 am ersten T. d. Monats *on the first day of the month*; בִּשְׁנַת אַחַת לְ im 1. Jahr des *in the first year of* Da 9, 1, בְּאַחַת וְשֵׁשׁ־מֵאוֹת שָׁנָה im 601. Jahr *in the* 601*th year* Gn 8, 13; 5. (multiplikativ *multiplicatively*) אַחַת einmal *once* 2 K 6, 10; 6. (distributiv *distributively*) אֶ׳ לַשֵּׁבֶט je einer auf den St. *one in each tribe* Dt 1, 23, לְאִישׁ אֶ׳ auf je einen M. *of each one* 2 K 15, 20, לְאַחַד אֶחָד einer um den andern *one after the other* Js 27, 12, לְאַחַת jede einzelne *each single one* Hs 1, 6, הָאַחַת die einzelne *each* 1 C 27, 1; l הָאֶחָד Gn 32, 9, l אַחֵר 2 S 7, 23 u. Hs 17, 7, l חֹדֶשׁ Hs 11, 19, l בְּשַׁחַת Pr 28, 18 u. בָּחַר Hi 23, 13 u. בְּאַחַת Jd 19, 13.

אָחוּ: ug. *ʾḫ*, äg. *ỉḫ* u. *ꜣḫj* (EG 1, 39. 122): (Sumpfpflanze *marsh-plant*, Löw 1, 570f) **Rietgras** *reed*(?) Gn 41, 2. 18 Hi 8, 11, cj Ho 13, 15 (אח : : ירק aram. Suğ. Ab 10). †

[**אֵחוּד**: n.m. l אֵהוּד 1 C 8, 6.]

[***אַחֲוָה**: aram. אַחֲוָיָה; I חוה: sf. אַחֲוָתִי: Darlegung, l וְאַחֲוָה Hi 13, 17. †

אַחֲוָה: אָח; auch *also* mh, asa. אחון, أُخُوَّة, ak. *aḫûtu*: **Bruderschaft** *brotherhood* Sa 11, 14. †

אֲחוֹחַ: n.m.: 1 C 8, 4, = אֲחִיָּה v. 7! F אֲחוֹחִי. †

אֲחוֹחִי u. אֲחֹחִי: gntl.: zu אֲחוֹחַ gehörig *belonging to* אֲ׳ 2 S 23, 9. 28 1 C 11, 12. 29 27, 4. †

אֲחוּמַי: n.m.; ak. *Aḫumma* Stamm 130: 1 C 4, 2. †

אָחוֹר: אחר: pl. cs. אֲחֹרֵי, sf. אֲחֹרָיו, אֲחֹרֵיהֶם: 1. pl. **Rückseite** *back* (v. Wohnung *dwelling* Ex 26, 12, (v. Menschen *man*) Hs 8, 16, (Gottes *God*) Ex 33, 23, Hinterteile *hind-parts* (v. Rindern *cattle*) 1 K 7, 25 2 C 4, 4; 2. sg. (örtlich *local*) **hinten** *behind* פָּנִים וְאָחוֹר vorn u. hinten *on the front a. on the back* Hs 2, 10 1 C 19, 10, אָ׳ : : קֶדֶם Hi 23, 8, אָ׳ וָקֶדֶם h. u. v. *behind a. before* Ps 139, 5, מֵאָ׳ v. hinten *from behind* 2 S 10, 9, נָפַל אָ׳ nach hinten, **auf** d. Rücken stürzen *fall backwards*, *on his back* Gn 49, 17, כָּשַׁל אָ׳ Js 28, 13, הִכָּה אָ׳ v. Rücken her *from behind* schl. Ps 78, 66; (übertr. *metaph.*) מֵאָ׳ v. Westen her *from the west* Js 9, 11; (im Übergang vom Anschaulichen zur Übertragung *in transition from the visual to the metaphorical*) נָסוֹג אָ׳ zurückweichen *give way* 2 S 1, 22 Js 42, 17 50, 5 Ir 46, 5 Ps 35, 4 40, 15 70, 3 129, 5 = נָסַב לְאָ׳ Js 1, 4 = נָזוֹר אָ׳ Ps 114, 3. 5; שׁוּב אָ׳ zurückweichen *turn back* Ps 56, 10 Th 1, 8, הֵשִׁיב אָ׳ zurückreissen *pull back* Th 1, 13, zurückweisen *repel* Js 44, 25 Ps 44, 11, c. יְמִינוֹ s. Rechte zurückziehn *withdraw* Th 2, 3, הָלַךְ אָ׳ (moralisch *morally*) zurückgehn *go back* Ir 15, 6, הָיָה לְאָ׳ (moralisch *morally*) zurückkommen *come back* Ir 7, 24; 3. sg. (zeitlich *temporally*): לְאָחוֹר für **nachher** *for afterwards* Js 42, 23, אָתָה לְאָ׳ nachherkommen *come afterwards* Js 41, 23, בָּאָ׳ zuletzt, schliesslich *at the last*, *in the end* Pr 29, 11, = לְאָ׳ Si 6, 28 12, 12. † Der. אַחֲרַנִּית.

אָחוֹת (114×): fem. v. אָח, Sem. BL 616, ug. *ʾḫt*: cs. אֲחוֹת, sf. אֲחֹתִי. אֲחוֹתִי, pl. sf. אַחְיֹתַי (אַחְיוֹתַי Jos 2, 13 Q), אֲחוֹתַיִךְ (אֲחִיּוֹתַיִךְ Hs 16, 51. cj 52), אַחְיוֹתֵיהֶם Hi 42, 11, אֲחוֹתֵיכֶם Ho 2, 3, אַחְיֹתָיו 1 C 2, 16: **Schwester** *sister* (v. Vater u. Mutter her *by the same father a. mother*) Gn 4, 22, (Halb-) Schwester (v. Vater her) (*half-*) *sister* (*on the father's side*) Gn 20, 12 Lv 18, 11, (v. Vater oder Mutter her *on the side of the father or the mother*) Lv 18, 9, (leiblich)

Verwandte (*blood-*) *relation* Gn 24, 60; Israel Judas Schw. Ir 3, 7, Jerusalem Samarias Schw. Hs 16, 46, deine Schw. Sodom 16, 48; d. Weisheit meine Schw. *wisdom my sister* Pr 7, 4, d. Gewürm meine Schw. Hi 17, 14; אֲחֹתִי zur Geliebten *to the loved one* Ct 4, 9—12 5, 1 f; Leichenklage *dirge*: הוֹי אָחוֹת Ir 22, 18; (zur Bezeichnung d. Gegenseitigkeit *to indicate reciprocity*) אִשָּׁה אֶל־אֲחֹתָהּ eine (Sache) an die andre = an einander *one thing to the other* = *to each other* Ex 26, 3 Hs 1, 9.

I **אחז**: ug. *ʾḫd*, Suğ. Bb 20 אחז, mo. אחז erobern *conquer*, aram. אחד, asa. אחד, أَخَذَ, **ʾḫH**, ak. *aḫâzu* packen, fassen, *seize*, *grasp*: qal: pf. אָחַז, אָחֲזָה, sf. אֲחָזַנִי, אֲחָזָתְהוּ, אֲחָזַתְנִי, impf. Typ. *jaqtul*: וַיֹּאחֵז Jd 16, 3 1 K 6, 10, תֹּאחֵז Ko 7, 18, Typ. *juqtil* תֹּאחֵז, אֹחֲזָה Ct 7, 9, יֹאחֵזוּן, וַתֹּאחֵז 2 S 20, 9, > וַיֶּאֱחֹז, וָאֹחֲזָה, וָאֹחֵז, וַיֹּאחֲזוּ, sf. יֹאחֲזֵמוֹ Ex 15, 15, יֹאחֲזֵנִי, יֹאחֲזוּךָ, תֹּאחֲזֵנִי, יֹאחֲזוּנִי, inf. אֱחֹז, לֶאֱחֹז, imp. אֱחֹז, אֶחֱזוּ, אֶחֱזוּ Ne 7, 3, pt. אֹחֵז, אֹחֶזֶת, אֹחֲזִים, אֹחֲזוֹת Ko 9, 12: **packen** *seize*, **fassen** *grasp*, **festhalten** *hold fast*, c. בְּ jem. *somebody*, etwas *something* Gn 25, 26 Ex 4, 4 Dt 32, 41 Jd 16, 3 20, 6 2 S 4, 10 6, 6 20, 9 1 K 1, 51 Ps 73, 23 Hi 16, 12 18, 9 23, 11 38, 13 Ct 7, 9 Ru 3, 15 Koh 2, 3 7, 18 Est 1, 6; c. ac. jem., etw. Ex 15, 14 f Jd 12, 6 16, 21 2 S 1, 9 Js 5, 29 13, 8 21, 3 33, 14 Ir 13, 21 49, 24 Ps 56, 1 77, 5 (s. unten *see below*) 119, 53 137, 9 139, 10 Hi 17, 9 18, 20 21, 6 30, 16 Ct 2, 15 3, 4 Koh 9, 12 1 C 13, 9 2 C 25, 5, cj וְאֹחֲזֶיהָ Pr 18, 21; אָחַז לוֹ אֶת macht sich heran an *tackle someone* 2 S 2, 21; (bautechnisch *architecturally*) אָחַז בְּ eingreifen in *have hold in* 1 K 6, 6; 6, 10 F II אחז; אָחַז דֶּלֶת verriegeln *bolt* Ne 7, 3; (zahltechnisch *arithmetically*) אָחֻז מִן Nu 31, 30. 47 (l הָאֶחָד אָחֻז) u. אָחֻז לְ 1 C 24, 6. 6 herausgegriffen von, für *picked out of*, *for*; אָחַזְתָּ du hältst fest = machst, dass (m. vor Schreck weit aufgerissnen Augenlider) starr offen bleiben *you hold fast* = *you make my eyes* (*with their lids opened wide*) *stare* Ps 77, 5 (Löw, Festschr. Marti 194—6); †

nif.: pf. נֶאֱחַז, נֹאחֲזוּ (eigentlich *exactly*: nufʿal!) Nu 32, 30, impf. וַיֵּאָחֲזוּ, imp. הֵאָחֲזוּ, pt. (נֶאֱחָז Gn 22, 13), pl. נֶאֱחָזִים: **gepackt, festgehalten werden** *be seized, be held fast* Gn 22, 13, נֶאֱחַז בָּאָרֶץ v. Land festgehalten = im Land ansässig sein *held fast by the country* = *be settled in it* Gn 34, 10 47, 27 Nu 32, 30 Jos 22, 9; ohne *without* בָּאָרֶץ Jos 22, 19. †

[hof.: pl. מָאֳחָזִים, l מַאֲחֲרָיו 2 C 9, 18.] †

Der. *אָחֻז, אֲחֻזָּה u. n.m. אָחָז, אַחְזַי, אֲחַזְיָה(וּ), יוֹאָח, יְהוֹאָחָז, אֲחֻזַּת, אֲחֻזָּם.

II **אחז**: ak. *uḫḫuzu* (mit Gold, Silber, Leder) überziehn *cover with* (*gold*, *silver*, *leather*) (Perles AOF 4, 218):

qal: impf. וַיֶּאֱחֹז: **überziehn** *cover*, **täfern** *panel* 1 K 6, 10; †

pi.: pt. מְאַחֵז: **überziehn** *cover* Hi 26, 9. †

אָחָז: n.m., KF < אֲחַזְיָהוּ; Siegel BAS 79, 27 f: Αχαζ: 1. K. von Juda 2 K 15, 38—23, 12 1 C 3, 13 2 C 27, 9—29, 19 Js 1, 1 7, 1. 3. 10. 12 14, 28 38, 8 Ho 1, 1 Mi 1, 1; 2. S. e. מִיכָה 1 C 8, 35 f 9, 42. †

***אָחֻז**: I אחז, VG 1, § 141aβ: pl. cs. אֲחֻזֵי **haltend** *holding* Ct 3, 8; F אֲחֻזָּה. †

אֲחֻזָּה: fem. v. *אָחֻז, s. I אחז nif.: d. seine Besiedler festhaltende Land *a country which holds fast its settlers*: cs. אֲחֻזַּת, sf. אֲחֻזָּתוֹ: **Grundeigentum** *landed property* Gn 47, 11, אֲחֻזַּת קֶבֶר als Eigentum gehöriges Grab *possession of a buryingplace* Gn 23, 20 49, 30 50, 13, עִיר אֲחֻזָּתוֹ Stadt, wo er Grundeigentum hat *town where he has property* Lv 25, 33, אֲחֻזַּת י׳ J.s Grundeigentum *land of Y.'s possession* Jos 22, 19; (übertragen *metaph.*) Eigentum überhaupt *property in general*, v. Sklaven *slaves* Lv 25, 45 f, J. das Eigentum der Priester *Y. the property of the priests* Hs 44, 28; seit Hs im Gebrauch *used since Hs*: Hs 44, 28—48, 22 (14 ×) Gn 17, 8 23, 4. 9. 20 36, 43 47, 11 48, 4 49, 30 50, 13 Lv 14, 34. 34 25, 10—46 (12 ×) 27, 16—28 Nu 27, 4. 7 32, 5. 22. 29 35, 8. 28 Dt 32, 49 Jos 21, 12. 41 22, 4. 9. 19. 19 Ps 2, 8 Ne 11, 3 1 C 7, 28 9, 2 2 C 11, 14 31, 1; *F* n.m. אֲחֻזַּת. †

אַחְזַי: n.m.; KF < אֲחַזְיָה? Var. אַחְזַי: Ne 11, 13; = יַחְזֵרָה 1 C 9, 12? †

אֲחַזְיָה: n.m.; < אֲחַזְיָהוּ; Οχοζιας: 1. K. v. Israel 2 K 1, 2 2 C 20, 35; 2. K. v. Juda 2 K 9, 16. 23. 27. 29; l אֲחִיָּה 2 K 11, 2.

אֲחַזְיָהוּ: n.m.; אָחָז, יְ'; > אֲחַזְיָה u. אָחָז; Οχοζιας: 1. K. v. Israel 1 K 22, 40. 50. 52 2 K 1, 18 2 C 20, 37; 2. K. v. Juda 2 K 8, 24 f 9, 21 1 C 3, 11 2 C 22, 1 u. mehr *a. more*, cj 2 C 22, 6.

אֲחֻזָּם: n.m.; I אחז, Noth S. 179[1]): 1 C 4, 6. †

אֲחֻזַּת: n.m.; = אֲחֻזָּה: Gn 26, 26. †

אֲחוֹחִי: *F* אֲחוֹחִי.

[**אֵחִי**: l אֲחִירָם Gn 46, 21.] †

אֲחִי: n.m.; fraglich *doubtful*: 1 C 5, 15 (dele?) 7, 34 (l אֲחִיו?). †

אֲחִיאָם: n.m.; אָח u. -*âm*? Nöld BS 95 = אֲחִיאָם; Bildung wie *formation such as* אַחְאָב (?); Noth S. 192: 2 S 23, 33 1 C 11, 35. †

אֲחִיָּה: n.m.; < אֲחִיָּהוּ: 1. Priester *priest of* Saul(s) 1 S 14, 3. 18; 2. Beamter *official of* Salomo(s) 1 K 4, 3; 3. Prophet aus *prophet from* Silo 1 K 11, 29 12, 15 14, 2. 4 15, 29 2 C 9, 29 *F* אֲחִיָּהוּ; 4. Vater d. Königs *father of the king* בַּעְשָׁא 1 K 15, 27. 33 21, 22 2 K 9, 9; 5. 1 C 8, 7 (= אֲחוֹחַ v. 4); 6.—9. Ne 10, 27; 1 C 11, 36(?); 1 C 26, 20 l אֲחֵיהֶם; 1 C 2, 25 l אָחִיו? †

אֲחִיָּהוּ: n.m.; אָח u. יְ', > אֲחִיָּה; Ostr., Dir. 74: Prophet aus *prophet from* Silo (= אחיה 3.) 1 K 14, 4—6. 18 2 C 10, 15. †

אֲחִיהוּד: n.m.; אָח u. הוֹד; Noth S. 146: Nu 34, 27. †

אַחְיוֹ: n.m. (v. G verkannt *misunderstood by* G); אָח u. יְ': 1. 2 S 6, 3 (l אָחִיו אַחְיוֹ Budde ZAW 52, 48 f). 4 1 C 13, 7; 2. 1 C 8, 31 9, 37; 3. 1 C 8, 14. †

אֲחִיחֻד: n.m.; Noth S. 192: 1 C 8, 7. †

אֲחִיטוּב: n.m.; wegen *on account of* ak. *Aḫu-ṭāb* (Stamm 295) Bauer ZAW 48, 73 < אֲחִיטוֹב, so liest *thus reads* Noth 91 wegen *on account of* Αχιτωβ; אָח u. טוֹב: 1. 1 S 14, 3 22, 9. 11 f. 20; 2. 2 S 8, 17 1 C 5, 33 f. 37 f 6, 37 9, 11 18, 16 Esr 7, 2 Ne 11, 11. †

אֲחִילוּד: n.m.; אָח u. *לוד: 1. 2 S 8, 16 20, 24 1 K 4, 3 1 C 18, 15; 2. 1 K 4, 12. †

אֲחִימוֹת: n.m.; אָח u. *מות; oder ak. *Aḫi-miti* (m. Bruder ist m. Stütze *my brother is my support*, Stamm 312, ?), *F* מַחַת: 1 C 6, 10. †

אֲחִימֶלֶךְ: n.m.; אָח u. (Gottheit) מֶלֶךְ; ak. *Aḫi-milki* (APN 17), Ostr., Dir. 27 ff אחמלך, > ph. חמלך: 1. Priester in *priest at* Nob 1 S 21, 2—23, 6 (9 ×) 30, 7 2 S 8, 17 (Budde!) Ps 52, 2; 2. Priester *priest of* David(s) 1 C 24, 3. 6. 31, cj 18, 16; 3. 1 S 26, 6. †

אֲחִימַן, אֲחִימָן 1 C 9, 17 †: n.m.; אָח u? cf. ph. אחמן (Harris 75) u. ug. n. f. *'ḫmn* (Syr 15, 103); Albr. JOP 12, 26[4]; Maisler JOP 16, 153:

1. Sohn d. *son of* עֲנָק Nu 13, 22 Jos 15, 14 Jd 1, 10; 2. 1 C 9, 17. †

אֲחִימַעַץ: n. m.; אָח u. מַעַץ: 1. Schwiegervater *father-in-law of* Saul(s) 1 S 14, 50; 2. Sohn d. *son of* צָדוֹק 2 S 15, 27. 36 17, 17. 20 18, 19—29 1 C 5, 34 (אֲחִימָעַץ). 35 6, 38; 3. (= 2.?) 1 K 4, 15. †

אֲחִיָן: n. m.; אָח u. -*ân* „Brüderchen *little brother*" Nöld. BS 98: 1 C 7, 19. †

אֲחִינָדָב: n. m.; אָח u. נדב; ak. *Aḫi-nadbi* APN 47: 1 K 4, 14. †

אֲחִינֹעַם: n. f.; אָח u. נֹעַם; Ostr., Dir. 24ff אחנעם: 1. Frau *wife of* Saul(s) 1 S 14, 50; 2. Frau *wife of* David(s) 1 S 25, 43 27, 3 30, 5 2 S 2, 2 3, 2 1 C 3, 1. †

אֲחִיסָמָךְ: n. m.; אָח u. סמך: Ex 31, 6 35, 34 38, 23. †

אֲחִיעֶזֶר: n. m.; אָח u. עֵזֶר: 1. Nu 1, 12 2, 25 7, 66. 71 10, 25; 2. 1 C 12, 3. †

אֲחִיקָם: n. m.; אָח u. קום; ak. *Aḫija-qāmu* APN 16; Lidzbarski (Festgabe f. Nöldeke, 1916, 90): קם wie קָיַם v. Gott Da 6, 27 u. ph. אבקם „m. Vater steht *my father stands*": Vater d. *father of* גְּדַלְיָה 2 K 22, 12. 14 25, 22 Ir 26, 24 39, 14 40, 5—43, 6 (14 ×) 2 C 34, 20. †

אֲחִירָם: n. m.; אָח u. רום; *Aḫi-râmu*, *Aḫi-râme* APN 17; > חִירָם: Nu 26, 38, cj Gn 46, 21 u. 1 C 8, 1; der. אֲחִירָמִי. †

אֲחִירָמִי: gntl. zu אֲחִירָם: Nu 26, 38. †

אֲחִירַע: n. m.; אָח u. רַע (Αχιρε)?: Nu 1, 15 2, 29 7, 78. 83 10, 27. †

אֲחִישָׁחַר: n. m.; אָח u. II *שַׁחַר: 1 C 7, 10. †

אֲחִישָׁר: n. m.; Noth S. 189[5] 1אֲחִיָשָׁר: 1 K 4, 6. †

אֲחִיתֹפֶל: n. m.; אָח u. תֹּפֶל (?): 2 S 15, 12—23, 34 1 C 27, 33 f. †

[**אַחְלָב**: n. l.; 1 מַחֲלָב* Jd 1, 31.] †

אַחֲלַי Ps 119, 5 u. אַחֲלֵי 2 K 5, 3, ug. *ʾhl* Ori 8, 241 f: interj.: **ach!** *alas!* **dass doch!** *I wish he would; would that!* †

אַחְלַי: n. m.; Stamm 303: *Aḫ-ilija* „Bruder meines Gottes *brother of my god*", Ersatzname *substitute name*: 1. 1 C 2, 31; 2. 1 C 11, 41. †

אַחְלָמָה: äg. *ḥnm.t* EG 3, 294; wohl roter und brauner **Jaspis** *probably red or brown jasper*, :: G ἀμέθυστος (A. Lucas, Ancient Egyptian materials, 1926, 164 f, Bauer, Edelsteinkunde, 3. A., 1932, 677): Ex 28, 19 39, 12. †

אַחַסְבַּי: n. m. KF; חסה u. בִּי = בִּיהוה?: 2 S 23, 34. †

אחר: ug. *ʾḫr* später, darnach *later on, afterwards*, ak. *uḫḫuru* zurückbleiben *remain behind*, asa. אחר andrer *other*, أَخَّرَ zurücktreiben *drive back*, ph. אחרי Rest *remains*; syr., mhb: hinten sein *be behind*:

qal: impf. וָאֵחַר < וָאֶאֱחַר*: **zurückbleiben, sich aufhalten** *stay on* Gn 32, 5;

pi: pf. אִחַר, אֵחֲרוּ < אִחֲרוּ* Jd 5, 28, impf. יְאַחֵר, תְּאַחֵר, תְּאַחֲרוּ, pt. מְאַחֲרִים, מְאַחֲרֵי: 1. **aufhalten, versäumen**, jem. *detain somebody* Gn 24, 56; 2. etw. zurückhalten *keep back*, **zögernd geben** *give hesitantly* Ex 22, 28; 3. **sich lang aufhalten** *stay for a long time*, עַל bei *with* Pr 23, 30; 4. säumen, **zögern** *hesitate* Dt 7, 10 (לְ gegenüber *towards*) Jd 5, 28 Js 5, 11 46, 13 Ha 2, 3 Ps 40, 18 70, 6 Da 9, 19, c. לְ c. inf. Gn 34, 19

Dt 23, 22 Ko 5, 3; 5. c. inf. **spät tun** *do late* Ps 127, 2; *F* hif;

pu: s. מְחָרַת, מָחָר;

hif: impf. וַיּאחֶר < וַיְאַחֵר ו* וַיּוֹחֶר, c. מִן versäumen *come late, miss* 2 S 20, 5.

Der. אַחֲרוֹן, אַחַר, אַחֵר, I, II n.m. אַחֵר*, אָחוֹר, אַחֲרִית, מָחָר, מְחָרַת.

אחר*: s. I אַחַר.

I אַחֵר (*aḥēr*): fem. אַחֶרֶת, pl. (von אָחֵר*!) אֲחֵרִים, אֲחֵרוֹת: **nachkommend, folgend, anders** *following, different*: 1. זֶרַע אַחֵר e. weitrer Sohn *another son* Gn 4, 25, בַּשָּׁנָה הָאַחֶרֶת im folgenden Jahr *in the next year* Gn 17, 21, יָמִים אֲחֵרִים weitre T. *further d.* Gn 8, 10. 12, דּוֹר אַחֵר folgendes, neues Geschlecht *another, new gen.* Jd 2, 10 Jl 1, 3; 2. anders, **von andrer Art** *different*: אִישׁ אַ׳ e. Andrer *another* Lv 27, 20, לָשׁוֹן אַחֶרֶת fremde Sprache *different, foreign* Js 28, 11; 3. אֵל אַחֵר andrer Gott *other g.* Ex 34, 14 †, אַחֵר e. Andrer *other* (Gott) Js 42, 8, אֱלֹהִים אֲחֵרִים andre Götter *other gods* Ex 20, 3 23, 13, cj 22, 19 Dt 5, 7–31, 20 (19 ×) Jos 23, 16 24, 2. 16 Jd 2, 12. 17. 19 10, 13 1 S 8, 8 26, 19 1 K 9, 6. 9 11, 4. 10 14, 9 2 K 5, 17 17, 7. 35. 37 f 22, 17 Ir 1, 16—44, 15 (18 ×) Ho 3, 1 2 C 7, 19. 22 28, 25 34, 25 †, l אָרְחָם Ps 16, 4, l לַחֹרִים Ne 5, 5. Der. II אַחֵר n.m.

II אַחֵר: n.m.; = I; *another* ein Andrer = Ersatz f. e. Gestorbnen *substitute for a dead relative*: 1 C 7, 12. †

אַחַר (*aḥar*): אחר, אחר, ug. *ʾḫr*; Ton *stress* אַחַר כֵּן Lv 14, 36 Dt 21, 13 1 S 10, 5 † אַחַר זֶה 2 C 32, 9; *F* ba., mo., ph. אחר [zeitlich *with a temporal meaning*] nach *after*, mhb., äga. adverb. u. präp., aram. אַחֲרָא hinten *behind*: pl. cs. אַחֲרֵי, sf. אַחֲרַי, אַחֲרָיו (Driver ZDM 91, 346: dual = Hinterbacken *buttocks*):

sg. 1. (adv.) **hinten** *behind* Ps 68, 26, l אָחֹר Gn 22, 13, hernach *afterwards* Gn 18, 5 Ho 3, 5, dann, darauf *thereupon* Jos 2, 16 Nu 12, 16; 2. (präp.) [örtlich *with a local meaning*] **hinter** *behind* Ct 2, 9 Gn 37, 17 Ex 11, 5, הָיָה אַחַר יהוה hinter (bei) J. bleiben *stay behind, be a follower of* 1 S 12, 14, מֵאַחַר הַצֹּאן (MSS מֵאַחֲרֵי) hinter .. weg *from behind* 2 S 7, 8, נָסוֹג מֵאַחַר sich zurückziehn von *retreat from* Js 59, 13, דָּרַשׁ אַחַר einer Sache nachgehn *search for a thing* Hi 39, 8; [zeitlich *with a temporal meaning*] **nach** *after* Gn 9, 28 15, 1 Am 7, 1, עַד אַחַר bis nach *until after* Ne 13, 19; [mit Verbum als Conjunction *used as conjunction*] אַ׳ דִּבֶּר nachdem er gesagt hatte *after he had said* Hi 42, 7, אַ׳ שַׁלַּח nachdem . . . hatte *after he had* . . . . Ir 40, 1; אַ׳ אֲשֶׁר nachdem dass *after [that]* Hs 40, 1;

pl. 1. (Substantiv:) אַחֲרֵי הַחֲנִית Stumpf, **Ende** *stump* 2 S 2, 23 (?), פָּנָה אַחֲרָיו wandte sich um *look behind him* 2 S 2, 20; 2. (präp.) **hinter, hinterher** *behind*: [örtlich *loc.*] אַחֲרֶיךָ hinter dir *behind thee* Jd 5, 14, מֵאַחֲרָיו hinten an ihm *on its back* 1 K 10, 19, cj 2 C 9, 18, מֵאַחֲרֶיךָ hinter dir *behind thee* Js 30, 21, מֵאַחֲרֵי לְ hinter *behind* Ne 4, 7; hinter > westlich von *behind = to the west of* אַחֲרֵי קִרְיַת Jd 18, 12, מֵאַחֲרֶיהָ westlich von ihr *west of it* Jos 8, 2; רָדַף אַחֲרֵי Jos 2, 5, הָלַךְ אַ׳ (man geht in Palästina hinter einander, wo wir mit einander gehn sagen *in Palestine they walk one behind the other and not as we say: they walk together*) Ho 2, 7, c. סָגַר u. נָעַל דֶּלֶת 2 S 20, 2, יָרַד 1 S 14, 37; עָלָה 2 S 13, 17 Gn 19, 6 etc.; daher *therefore*, הָיָה אַ׳ sich an, zu jem. halten *to attach oneself to* Ex 23, 2 2 S 2, 10 1 K 12, 20, סוּר מֵאַ׳ ablassen von *desist from* 2 S 2, 21, זָנָה מֵאַ׳ jem. untreu werden *to become unfaithful to* Ho 1, 2, סָבַב אֶל־אַ׳ sich hinter jem. begeben *go behind someone* 2 K 9, 18 etc., l אֶל־אַ׳ הַיָּם Sa 6, 6; [zeitlich *temp.*:] זַרְעֲךָ אַחֲרֶיךָ d. Nachwuchs [, der] **nach** dir [sein wird] *descendants after* ... Gn 17, 8, אַחֲרָיו = nach s. Tod *after his death* Hi 21, 21, = מֵאַחֲרָיו Ko 10, 14, אַ׳ זֹאת nach d. Ereignissen *after the events* Hi 42, 16 Esr 9, 10†, אַ׳ כָּל־זֹאת nach all dem *after all this*, *finally* 2 C 21, 18 35, 20, אַ׳ כֵן darnach *thereafter* Gn 6, 4 (46 ×), מֵאַחֲרֵי כֵן darnach *thereafter* 2 S 3, 28 15, 1 2 C 32, 23 †; 3. [conj.] אַחֲרֵי הוֹלִידוֹ nachdem ... hatte *after he ... had* Gn 5, 4, [נִמְכַּר] אַ׳ nachdem *after* Lv 25, 48, 1 S 5, 9 †, אַ׳ אֲשֶׁר nachdem dass *after* [*that*] Dt 24, 4 Jos 7, 8 9, 16 23, 1 24, 20, אַ׳ כַּאֲשֶׁר! nachdem dass *after* [*that*] Jos 2, 7; 2 S 13, 34 l חֹרֹנַיִם, Ho 5, 8 l הַחֲרִידוּ, Ps 49, 14 l אַחֲרִיתָם; 94, 15 l אַחֲרִית, Ne 11, 8 l וְאֶחָיו; ? Hs 41, 15 u. Pr 28, 23.

אַחֲרוֹן: אחר; EA 245, 10 *aḫrunu* hinter ihm: *behind him*: adj., fem. אַחֲרוֹנָה, אַחֲרֹנָה, pl. אַחֲרוֹנִים: hinten befindlich *at the back*; 1. [örtlich *with a local meaning*] **hinten** *at the back* (:: רִאשׁוֹן) Gn 33, 2, = westlich *western* הַיָּם הָאַ׳ d. Westmeer *the Western Sea* Dt 11, 24 34, 2 Jl 2, 20 Sa 14, 8 †, pl. die Leute im Westen *the people in the west* (:: קַדְמֹנִים) Hi 18, 20; 2. [zeitlich *with a temporal meaning*] **später** *later on*, künftig *future*, zuletzt; d. spätre *the later* Ex 4, 8 Dt 24, 3 Js 8, 23 Da 11, 29, d. letzte *the last* הָיוּ אַ׳ לְ waren die letzten, die *were the last to* 2 S 19, 12 f, d. letzten Worte *last words* 2 S 23, 1 1 C 23, 27 29, 29 2 C 9, 29, Gott (d. Erste u.) der Letzte *the last* Js 44, 6 48, 12; d. letzte *the last* Ir 50, 17 Ru 3, 10 Ne 8, 18; als letzter *as the last* Hi 19, 25, d. Letzten *the last* Js 41, 4; [adv.] לָאַחֲרֹנָה zuletzt *at last* Nu 2, 31 Ko 1, 11 †; בָּאַ׳ schliesslich *in the end* 2 S 2, 26, später, darnach *later on, afterwards* Dt 13, 10 17, 7 1 S 29, 2 1 K 17, 13 Da 8, 3 †; spätere *later*? Esr 8, 13; 3. **künftig** *future*: חַרוֹר הָאַ׳ Dt 29, 21 †, דֹּ׳ אַ׳ Ps 48, 14 78, 4. 6 102, 19 †, יוֹם אַ׳ Js 30, 8 Pr 31, 25 †, künftige Pracht *future splendour* Hg 2, 9. †

[**אַחְרַח**: n. m.; l אֲחִירָם Nu 26, 38: 1 C 8, 1. †]

אֲחַרְחֵל: n. m.; < חלחל vel חרחר?: 1 C 4, 8. †

אַחֲרִית: אחר, *F* ba.: sf. אַחֲרִיתוֹ: **Ende, Ausgang** *end, issue* 1. [räumlich *with a spatial meaning*] Hinterteil *hind-part*? Am 4, 2, אַ׳ יָם d. äusserste, fernste M. *the most remote sea* Ps 139, 9; 2. [zeitlich *temp.*] אַ׳ שָׁנָה Ende d. J. *end* Dt 11, 12, אַ׳ הַשָּׁנִים Hs 38, 8, בְּאַ׳ הַיָּמִים (ak. *ina aḫrât ûmê* eschatologischer Terminus *eschatological term*) am Ende d. T. *at the end of the days* Gn 49, 1 Nu 24, 14 Dt 4, 30 31, 29 Js 2, 2 Ir 23, 20 30, 24 48, 47 49, 39 Hs 38, 16 Ho 3, 5 Mi 4, 1 Da 10, 14, אַ׳ מַלְכוּתָם Da 8, 23, אַ׳ הַזָּעַם Da 8, 19, אַ׳ אֵלֶּה Da 12, 8, l אַ׳ הַשִּׂמְחָה Pr 14, 13; d. Ende, das es mit jem. nimmt *the end to which somebody has come* Nu 23, 10 Dt 32, 20. 29 Ir 17, 11 Ps 37, 37, cj 49, 14 73, 17, cj 94, 15 cj Pr 1, 19 29, 21 Hi 8, 7. cj 13 42, 12 Th 1, 9, Ende, Ausgang einer Sache *end, result of a matter* Js 41, 22 46, 10 47, 7 Ir 5, 31 Am 8, 10 Pr 14, 12 16, 25 20, 21 25, 8 Ko 7, 8 10, 13; die Folgezeit = zuletzt *in after-days* Dt 8, 16 Pr 5, 4. 11 23, 32; das Letzte, d. Rest *the last, the remainder* Ir 31, 17 Hs 23, 25 Am 9, 1 Ps 37, 38 109, 13; das Letzte, d. Zukunft *the last, the future* Ir 29, 11 Pr 23, 18 24, 14 Si 7, 36 48, 24; 3. [wertend *by way of estimate*] d. letzte = geringste *the last* = *the least important* Ir 50, 12 (Volz!); ? Nu 24, 20, l אָרְחֹתֵינוּ Ir 12, 4 u. בְּאָרְחֹתֶיךָ Pr 19, 20. †

אֲחֹרַנִּית אָחוֹר: **nach hinten,** rückwärts **gehend** *going to the back, backwards* Gn 9, 23, fallen *fall b.* 1 S 4, 18, wenden *turn b.* 1 K 18, 37, sich wenden *turn b.* 2 K 20, 10, sich wenden lassen *be turned b.* Js 38, 8. †

אֲחַשְׁדַּרְפְּנִים: *F* ba.; pers. *khšatrapân* > *satrapus*: cs. ־פְּנֵי: Statthalter, Satrapen *representative governors, satraps* Esr 8, 36 Est 3, 12 8, 9 9, 3. †

אֲחַשְׁוֵרוֹשׁ: n. m.; pers. Khašajâršâ, bab. *Hi-ši-ʾ-ar-ši* Schaeder, Iran. Btr. 71 f, AP חשיארש u. חשירש *F* Cowl.: d. Perserkönig *Persian king* Xerxes (*F* Komm.) Est 1, 1—10, 3 (28 ×) cj 10, 1 Da 9, 1 Esr 4, 6. †

[**אֲחַשְׁרֹשׁ**: 1 אֲחַשְׁוֵרוֹשׁ: Est 10, 1. †]

אֲחַשְׁתָּרִי: n. m.; Noth: *nomen tribus*: 1 C 4, 6. †

אֲחַשְׁתְּרָנִים: pers. *khšatra* Herrschaft *dominion, governement* + *-ana-* Adjektivsuffix: pl. herrschaftliche, königliche *belonging to the king, used in the king's service* Est 8, 10. 14. †

אַט u. ***אֵט**: אטט: sf. אִטִּי: **leise, sanft** *gentle* לְאִטִּי in m. Gemächlichkeit *at my leisure* Gn 33, 14, לְאַט auf sanfte Weise (handeln) (*act*) *gently* 2 S 18, 5, (fliessen, v. Wasser *flow gently, water*) Js 8, 6, לְאַט sanft *gently* (Wort *word*) Hi 15, 11, הָלַךְ אַט leise, gedrückt umhergehn *walk about unobtrusively, despondently* 1 K 21, 27; ?Ho 11, 4. †

***אטד**: אָטָד.

אָטָד: אטד: ak. *eṭidu*, אטדא > אטטא, mand. אטאטא, ܐܛܛܐ: **Bockshorn** *Lycium europaeum L.* (Löw 3, 361 f), e. dorniger Strauch *a thorny bush*: Jd 9, 14 f Ps 58, 10; n.l. גֹּרֶן הָאָטָד Gn 50, 10 f. †

אֵטוּן: äg. *ìdmj* Leinen v. roter Farbe *linen of red colour* (אדם) EG 1, 153?: **Leinwand** *linen* Pr 7, 16. †

***אטט**: أَطَّ knurren *moan*: Der. אַט, *אֵט.

אִטִּים: pl., ak. (sum.). *edimmu, eṭimmu* Totengeist *ghost of a dead person*: **Beschwörer** *charmers* Js 19, 3. †

אטם: أَطَمَ verstopfen *stop up*; mhb. ausgefüllt *solid*, ja. אטמא Masse:

qal: impf. יַאְטֵם! Ps 58, 5 †, pt. אֹטֵם, אֲטֻמִים, אֲטֻמוֹת: 1. d. Ohr **verstopfen** *stop up one's ear* Js 33, 15 Ps 58, 5 Pr 21, 13, d. Lippen **verschliessen** *close one's lips* Pr 17, 28 *F* אטר; 2. [bautechnisch *architecturally*] v. חַלּוֹן in **Steinrahmen gefasst** *framed with stone* (?; so Galling) Hs 40, 16 41, 16. 26, v. שְׁקֻפִים mit engen Jalousien *with closed lattices* (Šanda:: Möhlenbrinck, Tempel Salomos, 1932, 128 f Schliessungen = Gitter *screen*?) 1 K 6, 4. †

אטר: أَطَرَ biegen *bend*:

qal: impf. תֶּאְטַר: (dem Sinn nach *according to the sense*) **schliessen** *close* Ps 69, 16, 1 תֶּאְטַם? †

Der. אָטֵר n.m., אִטֵּר.

אָטֵר: n. m.; אטר, Noth S. 227 krumm *crooked*: 1. Esr 2, 16 Ne 7, 21 10, 18; 2. Esr 2, 42 Ne 7, 45. †

אִטֵּר: אטר: אִטֵּר יַד יְמִינוֹ (wie *as* mhb.) rechts gehemmt = **linkshändig,** oder (G ἀμφοτεροδέξιος) mit beiden Händen gleich geschickt *impeded on the right side* = *left-handed, or ambidexterous* (*F* 1 C 12, 2) Jd 3, 15 20, 16. †

אִי: < *אַי, ug. *3y where?*, ak. *ayakâ* wo *where?* EA *ayakam, ayami* wo?, ak. *ayu(m)* welcher *who*, أَىّ wer *who?* was *what?*, አይ: sf. אַיּוֹ, אַיָּם, 1 וְאַיֵּה Ir 37, 19, sf. *ay er-

weitert zu *enlarged to* *ayyan gibt *ayyanka = אַיֶּכָּה: 1. **wo** *where*? אַיֶּכָּה wo bist du *where are you*? Gn 3, 9, אַיּוֹ wo ist er *where is he*? Ex 2, 20 Hi 14, 10 20, 7, וְאַיָּם (sic) Na 3, 17, אֵי הֶבֶל wo ist A. *where is A.*? Gn 4, 9, noch *the same* Dt 32, 37 1 S 26, 16. cj 16; אַיּוֹ יהוה wo ist J.? Mi 7, 10 2 K 19, 13; verstärkt durch אֵפוֹא, *with emphasizing* אֵפוֹא wo sind denn *where then are*? Js 19, 12, mit לָזֹאת verstärkt *emphasized by* לָזֹאת: wo da? = wie, wenn es so ist, ..? *what if it is so*? Ir 5, 7; 2. mit זֶה verstärkt *emphasized by* זֶה (äg. *i-ṯi* Alb. Voc. 35): **wo da** *where then*? (in direkter Frage *in direct question*) 1 S 9, 18 1 K 13, 12 2 K 3, 8 Js 50, 1 66, 1 Ir 6, 16 Hi 28, 12. 20 38, 19. 19. 24 Est 7, 5 2 C 18, 23, אֵי מִזֶּה von wo *from where*? Gn 16, 8 1 S 30, 13 2 S 1, 3. 13 Hi 2, 2, mit genauerer Bestimmung *more accurately defined*: אֵי מִזֶּה עִיר aus welcher St. *from which town*? 2 S 15, 2, אֵי מִזֶּה עַם aus welchem V. *from which people*? Jon 1, 8, (in indirekter Frage *in indirect question*) אֵי מִזֶּה Jd 13, 6 1 S 25, 11, אֵי זֶה Ko 11, 6, אֵי־זֶה טוֹב was Gutes *what good*? Ko 2, 3. †
Der. אַיֵּה, אֵיךְ, אֵיכָה, אֵיכֹה; אֵיפֹה.

I אִי: äg. *ỉw* Insel, Küste *island*, *coast*, ph. אי Insel *island*: pl. אִיִּים, cs. אִיֵּי, msc.: **Küste, Insel** *coast*, *island*, diese K. *this coast* = Palästina Js 20, 6, יֹשֵׁבֵי אִי = Phönizier *Phoenicians* Js 23, 2. 6, אִיֵּי כִתִּיִּים Ir 2, 10 Hs 27, 6, אִיֵּי אֱלִישָׁה Hs 27, 7, אִ' כַּפְתּוֹר Ir 47, 4, אִיֵּי הַגּוֹיִם Gn 10, 5 Ze 2, 11, אִיֵּי הַיָּם Js 11, 11 24, 15 Est 10, 1; coll. מַלְכֵי הָאִי Ir 25, 22; אִיִּים die (entlegnen) **Inseln, Gestade** *the (distant) islands*, *shores*, cj Nu 24, 23 (pro אוֹי מִי Alb. JBL 63, 222) Js 40, 15 41, 1. 5 42, 4. 10. 12. 15? 49, 1 51, 5 59, 18 60, 9 66, 19 Ir 31, 10 Hs 26, 15. 18 (הָאִיִּן!) 27, 3. 35 39, 6 Ps cj 65, 6 72, 10 97, 1 Da 11, 18 (hier = Kleinasien u. seine Inseln *Asia Minor a. its islands* wie *as* اَلْجَزَائِر die Inseln *the islands* = Algier); die Inseln u. Küsten des Mittelmeers stellen die äusserste westliche Welt dar *the islands a. coast of the Mediterranean Sea are the furthermost part of the western world.* †
Der. II *אִי.

II *אִי: pl. אִיִּים, Torrey, Second Isaiah 1928, 290 f sg. *אִיִּי v. I אִי: früher, *formerly*: Schakale, nach d. Zusammenhang *jakals*, *according to the context* (Js 13, 22 // תַּנִּים, 34, 14 Ir 50, 39 zusammen mit *together with* צִיִּים): die (gespenstischen) **Inselleute, Dämonen** *the (uncanny) islanders*, *demons*. †

III אִי: ak. *ai*, *ē*, *ī* nicht *not* (prohib.), ph. אי איבל (Cooke 33) nicht *not*, ኢ. (praefix.) nicht *not* (Driv. WO 1, 31): 1. **wo**? *where*? = kein(e) *no* F אִיכָבוֹד u. F אִיזֶבֶל (?); 2. **wie**? *how*?: אִי לוֹ (Var. אִילוֹ) wie [ist es] mit dem? *how [shall it be] for him*? Koh 4, 10, אִי־לָךְ wie [ist es] mit dir? *how [shall it be, is it] with thee*? 10, 16; f. אִי Hi 22, 30 l אֱלוֹהַּ. †

איב (283 ×): ug. *3b*, EA 252, 28 kan. Gl. *i-bi* (Albr. BAS 89, 32[26]):
qal: pf. וְאָיַבְתִּי **sich feindlich verhalten gegen** *to be hostile towards* Ex 23, 22 †, pt. אֹיֵב; noch mit Verbalrektion *still used as a verb* אֹיֵב אֶת 1 S 18, 29, sf. אֹיְבִי, אוֹיִבְךָ Pr 24, 17 Q, pl. אוֹיְבִים, אֹיְבִים, cs. אֹיְבֵי, אוֹיְבֵי, sf. אֹיְבַי, אֹיְבֵינוּ etc., sg. fem. sf. אֹיַבְתִּי: **Feind** *enemy*: eines Einzelnen oder e. Volks *of an individual*, *or of a nation* Gn 22, 17 49, 8 Ex 23, 22; אֹיְבַי die mich anfeinden *those who show enmity towards me* Ps 38, 20 69, 5 Th 3, 52; Feind Gottes *enemy of god* Na 1, 2 Ps 8, 3; Gott der Feind d. Volks *god the enemy of the people*

Js 63, 10 Th 2, 5; Feindin (*female*) *enemy* Mi 7, 8. 10; אֹיְבַי euphemistischer Einschub *euphemistic insertion* 1 S 25, 22 (G) u. 2 S 12, 14 (Dalm., Gr 109).
Der. אֵיבָה u. אִיּוֹב n.m.

אֵיבָה (<'ajbā): איב: cs. אֵיבַת: **Feindschaft** *enmity* Gn 3, 15 Hs 25, 15. 35, 5, feindliche Gesinnung *hostile disposition* Nu 35, 21 f, cj Esr 3, 3 בְּ(עַל gegen *towards*). †

אֵיד: *אוד: sf. אֵידִי: (nicht gelegentliches, sondern endgültiges *not an occasional, but a final*) **Unglück** *calamity, disaster*: es droht *is imminent* Hi 31, 3, steht bereit *is ready* 18, 12; יוֹם אֵיד Hi 21, 30 Dt 32, 35 Ir 18, 17 46, 21 Ob 13 Pr 27, 10 2 S 22, 19 Ps 18, 19, עֵת אֵידָם Hs 35, 5, אֵ׳ מוֹאָב Ir 48, 16, אֵ׳ עֵשָׂו 49, 8; ihr U. *their c.* Ir 49, 32 Pr 24, 22 cj 13, 15, sein U. *his c.* Pr 6, 15, euer U. *your c.* Pr 1, 26 f, dein U. *thy c.* Pr 27, 10, mein U. *my c.* 2 S 22, 19 Ps 18, 19; אָרְחוֹת אֵידָם Hi 30, 12; l אֲבָדוֹ Ob 13, l אֹבֵד Pr 17, 5; ? אֵיד אֵל Hi 31, 23. †

I אַיָּה: Schallwort wie *word imitating sound as* ar. ju'ju' nach d. Ruf; daher *imitating the cry, therefore*: *Milvus migrans migrans* (Nicoll, Birds of Egypt, 1930, 408—10) e. Milonsart, **Königsweih**, Hühnerweih *black kite*, als unrein verboten *forbidden as unclean* Lv 11, 14 Dt 14, 13 Hi 28, 7, cj 15, 23. †
Der. II אַיָּה.

II אַיָּה: n.m.; = I: 1. Gn 36, 24 1 C 1, 40; 2. 2 S 3, 7 21, 8. 10 f. †

אַיֵּה: (45 ×): wohl *probably* < *אַיְאַי > *אַיַּי F אֵי: Fragewort *interrogation*: **wo** *where*? (nie vor Verbum, immer in direkter Frage *never before verbs, always in direct question*); die Frage nach Gott *the quest for God*: 2 K 18, 34 Js 36, 19 Ir 2, 28 2 K 2, 14 Ir 2, 8 Ps 79, 10 115, 2 Jl 2, 17 Ps 42, 4. 11 Ir 2, 6 Hi 35, 10 Ma 2, 17 Js 63, 11; Wo ist d. Wort J.'s Ir 17, 15; אַיֵּה אֵפוֹ(א) Wo ist denn? *where then is*? Jd 9, 38 Hi 17, 15, cj Ho 13, 10 †; אַיֵּה־נָא Wo doch *where ever*? Ps 115, 2 †; cj Js 40, 13 (l וְאַיֵּה אִישׁ) Ir 37, 19 Ho 13, 10. 14. 14; l אַיָּה Hi 15, 23.

אִיּוֹב: n.m.; איב; eher *rather* // יִלּוֹד der Angefeindete *the assailed* als *than* // גִּבּוֹר der Anfeinder *the assailer*; Ιωβ, Job, أَيُّوب; EA 256, 6. 13 Ajab; keilschriftl. Ajjābun s. Albr. BAS 83, 36 89, 11[18]: Hiob Hi 1, 1—42, 17 (53 ×) Hs 14, 14. 20 Si 49, 9. †

אִיזֶבֶל, p. אִיזָבֶל: n. f.; III אִי u. זָבַל? ug. H. Bauer ZAW 51, 89, ph. n.p. בעלאזבל; Ιεζαβελ, Jezabel: tyrische Königstochter, Frau Ahabs *daughter of the Tyrian king, wife of Ahab* 1 K 16, 31 18, 4. 13. 19 19, 1. 2 21, 5—25 2 K 9, 7—37. †

***אִיִּי**: s. II *אִי.

אֵיךְ (57 ×): > הֵיךְ, ug. *3k-*, F ba. הֵיךְ, F אֵיכָה: Fragewort *interrogative*: **wie**? *how*? 1. [einfache Frage *simple question*] Ir 36, 17 2 S 2, 22 1 K 12, 6, cj אֵיךְ תִּשָּׁאֵר Jd 21, 17; 2. [abhängige Frage *dependent question*] Ru 3, 18; 3. [zweifelnd *doubting*] אֵיךְ נְגַנֵּב wie sollten wir *how should we*? Gn 44, 8; 4. [vorwurfsvoll *reproachful*] wie kannst du *how dare you*? Jd 16, 15; 5. [klagend *complaining*] 2 S 1, 19; 6. [spottend *mocking*] Js 14, 4; 7. [beteuernd *asserting*] Pr 5, 12 Ir 3, 19; 8. [entsetzt *horrified*] Ps 73, 19; l וְאֵין Mi 2, 4; ? אֵיךְ לֹא Ir 49, 25 (Volz).

אִיכָבוֹד: n.m.; < *אֲבִיכָבוֹד (Šanda zu 1 K 16, 31, < *אֲחִיכָבוֹד Eissfeldt, Mél. Dussand 1, 170); volksetymologisch אִי u. כָּבוֹד = Unehre *popular etymology* אִי a. כָּבוֹד = *dishonour*: 1 S 4, 21 14, 3. †

אֵיכָה: Fragewort *interrogative*; אֵי < *אַי u. כָּה s. כֹּה; *F* אֵיכֹה > אֵיךְ: 1. wie? auf welche Weise? *how? in what manner* Dt 12, 30 18, 21, [abhängig *dependant*] Jd 20, 3; wie? = was? *how?* = *what?* 2 K 6, 15; 2. wo? *where?* Ct 1, 7. 7; 3. [rhetorisch *rhetorical*] Dt 1, 12 7, 17 32, 30 Ps 73, 11; 4. [vorwurfsvoll *reproachful*] Ir 8, 8; 5. [klagend *lamenting*; Jahnow, D. hebr. Leichenlied 1923, 136: אֵיכָה feststehendes Anfangswort der Leichenklage *the commonly used opening-word of a dirge*] Js 1, 21 Ir 48, 17Q Th 1, 1 2, 1 4, 1. 2. †

אֵיכֹה: Fragewort *interrogative*; אֵי u. כֹּה: wo? *where?* 2 K 6, 13. †

אֵיכָכָה Ct 5, 3 u. אֵיכָכָה Est 8, 6: Fragewort *interrogative*: אֵי u. כָּכָה: **wie?** *how?* †

I אַיִל: II *אול; ug. *3l*, äg. LW *ꞽjr* EG 1, 38 = *iir* Alb. Voc. 34 u. ⲟⲗⲉⲓⲉ: cs. אֵיל, אֵל s. unten *see below*, pl. אֵילִים, אֵלִים, cs. אֵילֵי s. unten *see below*: männliches Schaf *male sheep*, **Widder** *ram*, aus *from* בָּשָׁן Dt 32, 14, aus נְבָיוֹת Js 60, 7, aus Moab אֵילִים צֶמֶר ungeschorne Widder *unshorn rams* (Dalm. AS 6, 195) 2 K 3, 4, als Speise *as food* Gn 31, 38, als Opfertier *as sacrifice* Gn 22, 13 u. oft; 20 Widder auf 200 Mutterschafe *20 rams to 200 mother-sheep* Gn 32, 15; [übertragen *metaph.* wie *as* ak. *lulīmu* Hirsch *stag*, كَبْش Widder *ram*] אֵילֵי מוֹאָב d. Widder = **Gewalthaber** *despots*, *the mighty of* M.(s) (ph. האלם ZAW 49, 3) Ex 15, 15, אֵילֵי הָאָרֶץ Hs 17, 13 2 K 24, 15Q (JThSt 34, 33 ff), אֵל גּוֹיִם (l אֵיל) Gewalthaber unter den V. *mighty, despot among the peoples* Hs 31, 11, cj אֵילִים 30, 13, cj כְּאֵילֵי Ir 25, 34; ? אֵלֵיהֶם Hs 31, 14 u. אֵלֵי (MSS אֵילֵי) 32, 21 u. אֵלִים Hi 41, 17.
Der. I אֵילוֹן n.m.

II *אַיִל: II אול, dazu אֵלָה: pl. tantum אֵילִים Js 1, 29, אֵלִים 57, 5, cs. אֵילֵי (Var. אֵלֵי) 61, 3: [nicht besondre Baumart, sondern:] **grosser, mächtiger Baum** [*not a special kind of tree, but*:] *a large, mighty tree* auch Hs 31, 14? *F* n.l. בְּאֵר אֵילִים u. אֵילִם, אֵיל פָּארָן. †
Der. II אֵילוֹן n.l.; *F* אֵילַת n.l.

III אַיִל: = I?, bautechnisch *architectural*: cs. אֵיל, pl. אֵילִים, sf. אֵילָיו u. אֵלָיו, f. אֵלֵיהֶמָּה Hs 40, 16 l אֵילֵיהֶם: Mauerpfeiler *wall-pillar*, Seitenpfeiler *side-pillar* (Šanda), **Pfeiler** *pillar* (Galling) 1 K 6, 31 Hs 40, 9—41, 3. †

אֱיָל: II אול; ܐܝܠܐ: **Kraft** *strength* Ps 88, 5. †
Der. אֱיָלוּת.

אַיָּל: II אול; ug. pl. *ᵓaylm*, ak. *ayalu*; ⲉⲉⲓⲟⲩⲗ = ἔλαφος; إِيَّل je nach der Gegend Steinbock, Hirsch, Damhirsch *according to the country ibex, stag, or fallow-buck*: pl. אַיָּלִים: **Damhirsch** *fallow-buck Cervus capreolus* (Bodenheimer 114) Dt 12, 15. 22 14, 5 15, 22 1 K 5, 3 Js 35, 6 Ct 2, 9. 17 8, 14 Th 1, 6, cj Pr 7, 22; l אַיֶּלֶת Ps 42, 2. †
Der. אַיָּלָה u. אַיֶּלֶת; אַיָּלוֹן n.l.

אַיָּלָה u. **אַיֶּלֶת**: fem. v. אַיָּל, ug. *ᵓylt*: pl. אַיָּלוֹת, cs. אַיְלוֹת: **Damhirschkuh**, Hinde *doe of a fallow-deer* (Aharoni, Osiris 5, 464: Reh *doe*, besonders zwischen Tiberias-Safed u. d. Karmel, daher d. Vergleich *especially between Tiberias-Safed a. mount Carmel, hence the comparison* Gn 49, 21) Gn 49, 21 2 S 22, 34 Ir 14, 5 Ha 3, 19 Ps 18, 34 29, 9 Pr 5, 19 Hi 39, 1 Ct 2, 7 3, 5, cj Ps 42, 2; ? Ps 22, 1. †

אַיָּלוֹן: n.l.; אַיָּל: EA *Aialuna*, äg. *ꞽjrn*, Epiphanius Ἰάλω, jetzt *today Jâlo* 20 km wnw. Jerusalem: Jos 19, 42 21, 24 Jd 1, 35 1 S 14, 31 (אַיָּלֹנָה)

1 C 6, 54 8, 13 2 C 11, 10 28, 18, cj 1 K 4, 9: 2. in Sebulon (l אֵילוֹן?) Jd 12, 12; 3. עֵמֶק אַיָּלוֹן Jos 10, 12. †

I **אֵילוֹן**: n.m.; = I אַיִל: 1. Richter *judge* Jd 12, 11 f; 2. הַחִתִּי (ZAW 44, 93) Gn 26, 34 (אֵילֹן) 36, 2. †

II **אֵילוֹן**: n.l.; II אַיִל: in Dan Jos 19, 43; l אַיָּלוֹן 1 K 4, 9. †

אֵילוֹת: *F* אֵילַת.

אֱיָלוּת: אֱיָל: sf. אֱיָלוּתִי: **Kraft** *power* Ps 22, 20. †

*__אֵילָם__: bautechnisch *arch.*; Schreibung schwankend *orthography varying*: אוּלָם 1 K 6, 3 (20 ×), אֻלָם 1 K 7, 7 (12 ×), אֵלָמָו (l אֵילַמּוֹ K) Hs 40, 21 (7 ×), אֵילַמָּו (l אֵילַמּוֹ) Hs 40, 22 (7 ×), אֵלַמּוֹת (l אֵילָם) Hs 40, 16. 30 u. אֵלַמֵּי (l אֵלַמּוֹ) Hs 41, 15, G immer *always* αιλαμ, Fremdwort *foreign word*; ak. *i/ellâmu* vor *in front of*, *i/ellâmi* vorn *in front*: **Vorhalle** (d. Tempels) *porch* 1 K 6, 3 7, 12. 21 Hs 8, 16 40, 7—49 (25 ×) 41, 15. 25 f 44, 3 46, 2. 8 Jl 2, 17 1 C 28, 11 2 C 3, 4 8, 12 15, 8 29, 7. 17; אוּלָם הָעַמּוּדִים 1 K 7, 6, אוּלָם 7, 7, א׳ הַמִּשְׁפָּט 7, 7, א׳ הַכִּסֵּא 7, 6. 8. 8; l כֻּלָּם 7, 19. †

אֵילִם: n. l.; loc. אֵילִמָה; pl. v. II אַיִל?: Lage? *situation?* Ex 15, 27 16, 1 Nu 33, 9 f. †

אֵיל פָּארָן: n.l.; II אַיִל u. פָּארָא?: Gn 14, 6. †

אֵילַת Dt 2, 8 2 K 14, 22 16, 6. 6 u. †אֵילוֹת, אֱלוֹת 1 K 9, 26 2 K 16, 6 2 C 8, 17 26, 2: n.l. Αἰλαθ, Αἰλων; fem. zu II אַיִל?: **Elath**, Hafenstadt an d. Nordende d. (nach ihr benannten) älanitischen Busens des Roten Meers *seaport at the north-end of the Gulf of ʿAḳaba (Elanitic Gulf) of the Red Sea* Tell el Kheleifeh; Thomsen, Loca Sancta 17 f, Musil, AP 2, 260. 305, jüngrer Name f. *later name for* עֶצְיוֹן גֶּבֶר Glueck AAS XVIII/XIX 1 ff. †

אֵילַת: *F* אַיָּלָה.

*__אים__: mhb. pi. erschrecken *frighten*, aram. אימתא Furcht *fear*, *F* ba. אֵימְתָן furchtbar *fearful*: Der. אֵימָה, אֵימִים, אָיֹם.

אָיֹם: אים: fem. אֲיֻמָּה: **schrecklich** *frightful* Ha 1, 7 Ct 6, 4. 10. †

אֵימָה, אֵמָה Hi 9, 34 13, 21 20, 25 †: < ajmā, אים: cs. אֵימַת, c. -ā אֵימָתָה Ex 15, 16 †, sf. אֵימָתִי (Hi אֵמָתִי), pl. אֵימִים (אֵמִים Hi 20, 25) u. אֵימוֹת, fem.: **Schrecken** *fright*, *horror* Gn 15, 12 Ex 15, 16 Dt 32, 25 Hi 39, 20 41, 6; אֵימָתִי etc. Schrecken vor mir etc. Ex 23, 27 Jos 2, 9 Hi 9, 34 13, 21 33, 7, אֵימַת מֶלֶךְ Schr. vor d. König Pr 20, 2, vor Jahwe cj Ps 89, 9 (l אֵימָתְךָ); א׳ Schreckliches *frightful things* Js 33, 18, אֵימִים Schreckgestalten *frightful visions* Ir 50, 38, אֵימוֹת Ps 55, 5, אֵימִים Hi 20, 25 Schrecknisse *objects of fright*; cj Schreckgebilde *products, visions of fright* (die Meerfauna *the fauna of the sea*) Ps 104, 26; Ps 88, 16 *F* בְּאֵיבָה, l מְכֹנָה Esr 3, 3. Der. אֵימִים n. p. †

אֵימִים u. **אֵמִים**: n.p.; אים, Schrecklinge *frightening-beings* (*F* Ir 50, 38 אֵימָה): (von d. Moabitern so genannt *thus called by the Moabites*) Gn 14, 5 Dt 2, 10 f. †

I **אַיִן**: mo. אן, mhb. אין, ak. *iânu* es ist nicht *is not, is not existing*; = أَيْنَ wo? *where?* BL S. 633 (?); suffixa *F* III:

I. absol. אַיִן, אֵין: **Nichtvorhandensein** *non-existence* (:: יֵשׁ), וְאֵין sie waren nicht da *they were not there* 1 S 9, 4, ist nicht da *there is none* Hs 7, 25 Js 41, 17 Pr 25, 14, אִם־אַיִן oder ist er nicht da? *or is he not among us?* Ex 17, 7, אַיִן לְ c. inf. ist nicht da, um ... *there is none to ...* Gn 2, 5 Js 37, 3 Nu 20, 5, לֵב־אַיִן es ist kein Verstand da *there is no understanding* Pr 17, 16, רֹדֵף אַיִן e. Verfolger ist nicht da *there is no pursuer* Lv 26, 37; אַיִן er ist nicht vorhanden = nein *there is nobody = no* Jd 4, 20 1 K 18, 10, וְאִם אַיִן > u. sonst *or else* Gn 30, 1 Ex 32, 32 Jd 9, 15, וָאַיִן > aber umsonst *but in vain* Pr 13, 4; אַיִן Nichtvorhandensein > nichts *non-existence > nothing*: כְּאַיִן Js 40, 17 41, 11f Hg 2, 3 Ps 39, 6 73, 2, נָתַן לְאַיִן macht zunichte *bring to nothing* Js 40, 23, אַיִן (sic!) nichts *nothing* Js 41, 24, אַיִן וָאֶפֶס nichts u. nichtig *nothing a. null* cj Js 41, 29; l אַיִן פָּקַד Hi 35, 15;

II. cs. אֵין: 1. [einfaches Genitivverhältnis אֵין *as gen.*] אֵין אִישׁ es ist kein Mann da *there is no man* Gn 31, 50, אֵין יהוה J. ist nicht da *is not among you* Nu 14, 42, אֵין זֹאת das kommt nicht vor *this does not happen* 1 S 20, 2 F Am 2, 11; אֵין . . לְ: אֵ' מֶלֶךְ לָנוּ wir haben keinen König *we have no king* Ho 10, 3, F Dt 22, 27 Ps 72, 12; אֵין לָהּ sie hatte nicht *she had not* Gn 11, 30, F Ex 22, 1 Lv 11, 10; אֵין לְ = nicht haben *to have not*, d. v. אֵין abhängige Genitiv tritt davor *the thing possessed is named at the first place*: חֵמָה אֵין לִי ich habe keinen Gr. *I have (feel) no rancour* Js 27, 4 Hs 38, 11; andre Lockerung des Genitivverhältnisses *the genitive is expressed otherwise*: אֵין בְּרוּחוֹ רְמִיָּה Ps 32, 2, אִישׁ אֵין בָּאָרֶץ Gn 40, 8, פֹּתֵר אֵין אֹתוֹ Gn 19, 31; 2. אֵין vor Genitiv = -los, ohne *preceding gen. = -less, without* אֵין קֵץ endlos *endless* Js 9, 6, אֵין אוֹנִים ohne Kr. *powerless* Js 40, 29; c. בְּ: בְּאֵין חוֹמָה ohne Mauer *unwalled* Hs 38, 11, בְּאֵין סוֹד ohne Beratung *without advice* Pr 15, 22; c. מִן: מֵאֵין יֹשֵׁב ohne Bewohner *without inhabitant* Js 5, 9, מֵאֵין מָקוֹם weil kein Platz ist *because there is no room* Ir 7, 32, מֵאֵין כָּמוֹהוּ (f. מֵאַיִן!) sodass keiner wie er ist *so that none is like it* Ir 30, 7; c. לְ: לְאֵין שְׁאֵרִית sodass kein ... ist *so that ... no* Esr 9, 14, לְאֵין מַשָּׂא sodass es nicht zu tragen war *and it was not to be carried away* 2 C 20, 25; עַד־לְאֵין מַרְפֵּא bis es k. Heilung mehr gab *till there was no healing* 2 C 36, 16; 3. אֵין sinkt zur einfachen Negation ab *develops into simple negative*: אֵין־יֶשׁ־ es ist nicht da *is not there* Ps 135, 17; 4. אֵין vor inf., *preceding inf.*: מֵאֵין פְּנוֹת sodass er sich nicht wendet *so that he does not turn* Ma 2, 13, אֵין הָבִין ohne Verstand *without understanding* Ps 32, 9, אֵין עֲרֹךְ ohne Vergleich *above comparison* Ps 40, 6; אֵין יוּכַל Ir 38, 5 erklärt man durch Fehlen des pt. v. יָכֹל impf. *instead of the wanting pt.*; 5. אֵין c. לְ c. inf.: אֵין לָבוֹא es war unmöglich hineinzugehn *it was impossible to enter* Est 4, 2 8, 8, לַלְוִיִּם אֵין־לָשֵׂאת die L. brauchten nicht zu tragen *the L. had no need to carry* 1 C 23, 26 2 C 35, 15, אֵין לִשְׁמוֹר לְ ohne Rücksicht auf *regardless of* 2 C 5, 11;

III. אַיִן c. suff. 1. übliche Formen *usual forms*: אֵינְךָ, אֵינֵךְ, אֵינְכֶם, אֵינָם; 2. ʾēn + -an = ʾēnan: *ʾēnan- hu > ʾēnannu >* אֵינֶנּוּ, אֵינֶנִּי, אֵינֶךָּ, אֵינֶנָּה; 3. f. אֵינָם findet sich *there is* אֵינֵמוֹ Ps 59, 14 73, 5. יוֹסֵף אֵינֶנּוּ J. ist nicht [mehr] da *is not [more] there* Gn 42, 36, וְאֵינֶנּוּ er war nichtmehr da *he was not [more there]* Gn 5, 24, אֵינֶנִּי נֹתֵן ich gebe nicht *I will not give* Ex 5, 10, אֵינְךָ מְשַׁלֵּחַ du entlässest nicht *you are not releasing* Ex 8, 17; Auflösung der Suffigierung ist spät *lately the suffixed forms are decomposed*:

אֵין אֲנַחְנוּ פֹשְׁטִים keiner von uns zog aus *none of us put off* Ne 4, 17.

IV. Emendationen: l אַיִן f. מֵאַיִן Js 41, 24, l אַיֵּה f. מֵאַיִן Ir 10, 6 u. 7, l וְאַיֵּה... אֵין f. אֵין... וְאֵין Hs 13, 15, l אֵין פֹּקֵד Hi 35, 15; cj אֵינֶנּוּ f. אֲדֹנָי Ps 73, 20; l אֵין אִתָּם steht nicht in ihrer Macht *is not in their power* Ir 10, 5, l אִתְּכֶם f. אֶתְכֶם Hg 2, 17b, l וְאֵין יִתְרוֹן Ko 10, 10, cj וְאֵין Ho 5, 2.

II **אַיִן**: < אַי* (אֵי), אַיֵּ-, أَيْنَ, אָן >: immer in d. Verbindung מֵאַיִן *always combined with* מִן: **von wo? woher:** *whence?* מֵ' אַתֶּם woher seid ihr? *from what place are you?* Gn 29, 4, מֵ' תָּבוֹא woher kommst du? *whence do you come?* Jd 17, 9, מֵ' גֵּחֲזִי woher? Geh. *whence? G.* 2 K 5, 25; so noch *see* Gn 42, 7 Jos 9, 8 Jd 19, 17 2 K 20, 14 Js 39, 3 Jon 1, 8 Na 3, 7 Ps 121, 1 Hi 1, 7 28, 12. 20 Si 13, 18; [indirekte Frage *indirect question*] woher *whence* Jos 2, 4; [rhetorisch *rhetorically*] woher soll ich... *whence should I...?* Nu 11, 13 2 K 6, 27; Ir 30, 7 l מֵאַיִן, Js 44, 8 l וְאִם. †

[**אִין**: f. וְאִין 1 S 21, 9 l וְאֵי]. †

אִיעֶזֶר: n. m.; אִי < אֲבִי u. עֶזֶר: Nu 26, 30; der. אִיעֶזְרִי. †

אִיעֶזְרִי: gntl., v. אִיעֶזֶר: Nu 26, 30. †

אֵיפָה u. Lv 5, 11 6, 13 † אֵפָה: äg. *ipt*, ⲟⲓⲡⲓ, ⲱⲓⲡⲓ, ⲁⲓⲡⲓ (Sethe, Äg. Z 62, 61): **Epha**, e. Getreidemass *ephah, corn-measure* = $\frac{1}{10}$ חֹמֶר Hs 45, 11, = 10 עֹמֶר Ex 16, 36 (= 36, 44 Liter), Ex 16, 36 Lv 5, 11 6, 13 19, 36 Nu 5, 15 28, 5; אֵיפָה וְאֵיפָה zweierlei E. *two kinds of e.* Dt 25, 14 Pr 20, 10; noch *see* Dt 25, 15 Jd 6, 19 1 S 1, 24 17, 17 Js 5, 10 Hs 45, 10 f. 13. 24 46, 5. 7. 11. 14 Am 8, 5 Mi 6, 10 Sa 5, 6—10 Ru 2, 17 Si 42, 4 (G πέμμα v. אפה Hs 45, 24—46, 11, οιφι (koptisch) in Lv Nu Jd 1 S Ru, sonst *besides* μέτρον). †

אֵיפֹה: אֵי u. פֹּה wo... da? *where... there?*, noch getrennt *separated* cj 1 S 21, 9: **wo?** *where?* 1. [direkte Frage *direct question*] Jd 8, 18 1 S 19, 22 2 S 9, 4 Js 49, 21 Ir 3, 2 Hi 4, 7 38, 4 Ru 2, 19; 2. [abhängige Frage *dependant question*] Gn 37, 16 Ir 36, 19; F אֵיכֹה. †

אֵיפוֹא: F אֵפוֹ.

אִישׁ (2160 ×): mo. אש, ph. אש, pl. אשם, aram. (Zkr 2) אש u. Rosenth., Spr. 99; v. Wurzel *root* *אושׁ (oder *or* *אישׁ): sf. אִישִׁי Gn 29, 32, אִישׁוֹ 1 K 20, 20, אִישָׁהּ Gn 3, 6, pl. אִישִׁים Ps 141, 4 Pr 8, 4 Js 53, 3; gewöhnlich heisst der pl. *usual pl.* אֲנָשִׁים (Wurzel אנשׁ), cs. אַנְשֵׁי, sf. אֲנָשַׁי, אֲנָשֵׁינוּ etc.:

1. **Mann** *man* (:: Frau *woman*) Gn 2, 24 Lv 15, 18, auch v. Tier *said of animal* Gn 7, 2, Mann *man* (:: Tier *animal*) Ex 11, 7 Ps 22, 7; Mann *man* (// בֶּן־אָדָם :: Gott *god*) Gn 32, 29 Nu 23, 19 Ho 11, 9, לֹא אִישׁ // אֵל Js 31, 8 Hi 9, 32 32, 13; אִישׁ Erzeuger *procreator* Ko 6, 3, männliches Kind *male child* Gn 4, 1, זֶרַע אֲנָשִׁים männlicher Nachwuchs *male offspring* 1 S 1, 11; 2. [daher *therefore*] **Ehemann** *husband* Gn 3, 6. 16 16, 3 29, 32. 34 Lv 21, 7 Nu 30, 7, אִישׁ חֵיקָהּ Dt 28, 56, Gott d. Ehemann d. Volks *god the husband of the people* Ho 2, 18; 3. Mann = **Mannhafter** *man = a manly one* 1 S 4, 9 26, 15 1 K 2, 2; 4. אִישׁ Mann = **Mensch** *man = human being*, daher אַמַּת אִישׁ gewöhnliche Elle *common cubit* Dt 3, 11, שֵׁבֶט אֲנָשִׁים Stock, wie ihn Menschen gebrauchen *rod used by men* 2 S 7, 14; f. אֲנָשִׁים Hs 24, 17 u. 22 l אוֹנִים; 5. אִישׁ m. appos. bezeichnet Stellung, Beruf, Amt etc. *position, public function* etc.: אִישׁ כֹּהֵן Lv 21, 9, אִישׁ נָבִיא

Jd 6, 8, אִישׁ סָרִיס Ir 38, 7, אִישׁ שַׂר וְשׁוֹפֵט Ex 2, 14, הָאִישׁ אֲדֹנֵי הָאָרֶץ Gn 42, 30. 33, אִישׁ הָאֲדָמָה Landwirt *husbandman*, *farmer* Gn 9, 20, אַנְשֵׁי אֳנִיּוֹת Seeleute *shipmen*, *sailors* 1 K 9, 27, אַ' מִלְחָמָה Krieger *warriors* Jl 2, 7, אַ' מוֹפֵת Träger d. Vorbedeutung *bearers of foreboding* Sa 3, 8, אַ' הַשֵּׁם Berühmte *men of renown* Gn 6, 4, אִישׁ בְּשֹׂרָה Bote *messenger* 2 S 18, 20, אִישׁ הַבֵּנַיִם d. Zweikämpfer *champion* [*engaged in single combat*] 1 S 17, 4. 23, אִישׁ רֵעִים Allerweltsfreund *everybody's friend* Pr 18, 24, אִישׁ חֶרְמִי der meinem Bann verfallen ist *the man under my ban* 1 K 20, 42, etc.; 6. אֲנָשִׁים die Leute, die zu jmd gehören *the people belonging to somebody*: אַ' הַבַּיִת d. Gesinde *the servants* Gn 39, 11, אַ' דָוִד d. Leute D.s *D.'s men* 1 S 23, 3, אַ' הָאָרֶץ d. Einwohner *inhabitants* Lv 18, 27 etc.; 7. אַנְשֵׁי ,אִישׁ bezeichnet die Volkszugehörigkeit *indicates the belonging to a people*: אַ' נִינְוֵה Jon 3, 5, אִישׁ עִבְרִי Gn 39, 14, אִישׁ מִצְרִי Ex 2, 11, אִישׁ יְהוּדִי Sa 8, 23, אִישׁ יְהוּדָה d. Judäer *the man of Judah* Js 5, 3, אַ' יִשְׂרָאֵל d. Israeliten *the men of Israel* 1 S 7, 11, אִישׁ יִשְׂרָאֵל coll. die Isr. *the men of Isr.* Jos 9, 6 Jd 7, 23, sg. der Isr. *the man of Isr.* Jd 7, 14; 8. אִישׁ ein Mann > einer, jemand = man *a man* > *somebody* = *they*: Gn 13, 16 Ex 12, 4 16, 19, לֹא ... אִישׁ Gn 23, 6 u. אִישׁ ... לֹא Jos 10, 8 u. אִישׁ אַל Ex 16, 19 keiner *nobody*, אֵין אִישׁ niemand *none* Gn 39, 11, אֲנָשִׁים einige *some* Ex 16, 20 etc.; 9. אִישׁ jeder *each*: אִישׁ חֲלֹמוֹ Gn 40, 5, אִישׁ תַּחְתָּיו jeder an seinem Platz *every man in his place* Ex 16, 29, etc.; 10. אִישׁ in Ausdrücken der Gegenseitigkeit *to express reciprocity*: einer den andern *each other* אִישׁ אָחִיו Gn 9, 5, אִישׁ אִישׁוֹ 1 K 20, 20, אִישׁ רֵעֵהוּ u. אִישׁ קְרֹבוֹ Ex 32, 27, etc.; 11. jeder = je einer *every* = *each one in his turn*: לְאִישׁ e. Einzelnen *every man's* Ir 23, 36, אִישׁ וְאִישׁ Ps 87, 5 u. אִישׁ וָאִישׁ Est 1, 8 Mann für Mann *every man*; 12. בְּנֵי אִישׁ Leute *people*, *folks*? Vornehme *distinguished people*? Ps 4, 3 49, 3 62, 10 Th 3, 33.

Der. אִישׁ הָאֱלֹהִים, [אִישׁ יהוה], אִישׁ־בֹּשֶׁת n.m., אִישְׁהוֹד n.m.; אִישׁוֹן; אֶשְׁבַּעַל n.m., יִשָּׂשכָר n.m., יִשְׁבַּעַל n.m.

אִישׁ הָאֱלֹהִים: **Gottesmann** *man of God*, auszeichnende Benennung für *distinguishing title for* 1. Mose Dt 33, 1 Jos 14, 6 Ps 90, 1 Esr 3, 2 1 C 23, 14 2 C 30, 16; 2. Samuel 1 S 9, 6—10; 3. David Ne 12, 24. 36 2 C 8, 14; 4. Elia 1 K 17, 18. 24 2 K 1, 9—13; 5. Elisa 2 K 4, 7—13, 19 (29 ×); 6. e. Engel Jd 13, 6. 8; 7. 1 S 2, 27; 8. Semaja 1 K 12, 22 2 C 11, 2; 9. 1 K 13, 1—31 (15 ×) 2 K 23, 16 f; 10. 1 K 20, 28; 11. Jigdalja Ir 35, 4; 12. 2 C 25, 7. 9. †

*אִישׁ יהוה: vermutet *supposed* Gn 4, 1 (l אֶת אִישׁ י׳) ZAW 43, 55. †

אִישׁ־בֹּשֶׁת: n.m.; Schimpfform *abusive form* f. אֶשְׁבַּעַל Sohn Sauls 2 S 2, 8—4, 12 (11 ×), cj 4, 1. 2. †

אִישְׁהוֹד: n.m.; אִישׁ u. הוֹד; Noth S. 225: 1 C 7, 18. †

אִישׁוֹן: אִישׁ: [Männlein (im Auge) *little man* (*in the eye*)] **Pupille** *pupil* (*of the eye*) (wie إِنْسَانُ الْعَيْنِ, aeg. *ḥwn.t* Mädchen, *girl*, sanskrit *puruscha* = Männchen *little man*) אִישׁוֹן עַיִן Dt 32, 10 Pr 7, 2; ohne *without* עַיִן Ps 17, 8 (l כְּבַת); l בֶּאֱשׁוֹן Pr 7, 9. †

אִישׁ טוֹב: n.m.: 2 S 10, 6 (dele אֶלֶף אִישׁ). 8. †

אִישַׁי: n.m.; < יִשַׁי 1 C 2, 12: 1 C 2, 13. †

אִיתוֹן: הָאִיתוֹן Q f. הָיְאתוֹן K Hs 40, 15: unerklärt *unexplained.* †

אִיתַי: F אִתַּי.

אִיתִיאֵל: n.m.; Noth S. 125—7, Bauer ZAW 48, 77; < אִתִּיאֵל?: Ne 11, 7 Pr 30, 1. †

אִיתָמָר: n.m.; < *אֲבִיתָמָר Šanda S. 408: Sohn Aarons Ex 6, 23 28, 1 38, 21 Lv 10, 6. 12. 16 Nu 3, 2 4, 28. 33 7, 8 26, 60 Esr 8, 2 1 C 5, 29 24, 1—6. †

I **אֵיתָן** u. Hi 33, 19 † אֵתָן: < *אַיְתָן; *יתן: sf אֵיתָנוֹ, pl. אֵיתָנִים u. 1 K 8, 2 Hi 12, 19 אֵתָנִים: 1. **immer wasserführend** *always filled with running water*, נַחַל Dt 21, 4 Am 5, 24 Si 40, 13, נַהֲרוֹת Ps 74, 15, אֵתָנִים immer wasserführende Ströme *everflowing rivers* Hi 12, 19, נְוֵה אֵ׳ Weideplatz am im. wasserf. Bach *pasture-ground on the everflowing river* Ir 49, 19 50, 44, יֶרַח הָאֵ׳ (ph. ירח אתנם) d. Monat, n dem nur die immer wasserführenden Bäche noch Wasser haben *the month in which only the everflowing rivers have water left*, Oktober 1 K 8, 2; 2. [übertr. *metaph.*] **beständig** *durable, lasting* אֵיתָנוֹ (d. Meers) beständiger Ort *persistent place* Ex 14, 27, Wohnsitz *dwelling place* Nu 24, 21, Volk *people* (// מֵעוֹלָם) Ir 5, 15, Krankheit *illness* Hi 33, 19; l וְהַאֲזִינוּ Mi 6, 2 u. אֵידָם Pr 13, 15; ?Gn 49, 24. † Der. II אֵיתָן n.m.

II **אֵיתָן**: n.m.; = I: 1. 1 K 5, 11 Ps 89, 1 1 C 2, 6. 8 6, 29 15, 17. 19; 2. 1 C 6, 27. †

אַךְ (150 ×): ursprünglich Ausruf? verwandt mit *originally exclamation? cognate of* כִּי, כֹּה, כֵּן?, pehl. = wenn *if*: adv. der Heraushebung; die Bedeutung ergibt sich aus d. Zusammenhang *adv. of emphasis; the exact meaning is to be gained from the context*: 1. [einschränkend, vorbehaltend *limitative, reserving*] **nur** *only*: אַךְ נֹחַ nur N. *N. only* Gn 7, 23, אַךְ הַפַּעַם nur diesmal *but this once, only this time* Jd 6, 39, אַךְ שְׁמַע nur höre *only listen*! Gn 27, 13, אַךְ יָצֹא יָצָא er war gerade, kaum herausgeg. *he was just come out* Gn 27, 30, אַךְ אַל nur nicht *only [turn] not* 1 S 12, 20, אַךְ לְהָרֵעַ nur um Böses zu tun *only to do evil* Ps 37, 8, אַךְ אֶת־נַפְשׁוֹ nur ihn selbst *only himself* Hi 2, 6, אַךְ שָׂמֵחַ nur, völlig froh *altogether joyful* Dt 16, 15; [> zeitlich *temp.*] אַךְ הֲקִימוּ sie hatten eben *they had but newly* Jd 7, 19; 2. [hervorhebend *emphasizing*]: **ja, fürwahr** *yea, surely*: אַךְ עַצְמִי ja, mein B. *yea, my b.* Gn 29, 14, אַךְ הֵמָּה gerade sie *especially they* Ir 5, 5, אַךְ אֶת־שַׁבְּתֹתַי nur ja m. S. *especially m. s.* Ex 31, 13, אַךְ הִנֵּה אִשְׁתְּךָ הִיא siehe, sie ist ja d. F. *behold, but she is* Gn 26, 9, אַךְ עָשַׁרְתִּי fürwahr, ich bin ... *surely I am ...* Ho 12, 9, אַךְ אֲדַבֵּר wahrhaftig, ich will ... *yea, I will ...* Ir 12, 1, אַךְ שְׁמַע (sagt d. Gegenteil an *indicates the opposite*) jedoch höre *yet hear* Ir 34, 4, לֹא ... אַךְ nicht, vielmehr [*not ...*], *but* Js 43, 24; 3. [weiterführend *in continuation*] **jedoch** *however, but* Lv 23, 27. 39 1 K 9, 24, cj jedoch loskaufen kann d. M. sich nicht *but to redeem himself man is not able* Ps 49, 8; etc.; cj אַךְ כְּבֶגֶד אִשָּׁה Ir 3, 20.

אַכַּד: n.l.; > Αρχαδ wie דַּמֶּשֶׂק < דַּרְמֶשֶׂק, Stadt *town* in שִׁנְעָר, bei *Abu Habba* 44° 15′ ö. Länge, 30° 3′ n. Breite vermutet *supposed near Abu Habba at 44° 15′ E. L. a. 30° 3′ n. L.*: **Akkad** *Accad*, RLA 1, 62: Gn 10, 10. †

אַכְזָב: כזב: **trügerisch** *deceitful* (Wasser, d. im Sommer versiegt *water drying up during* *the summer*) Ir 15, 18, [übertr. *metaph.*] Mi 1, 14. †

אַכְזִיב: n.l.; כזב?: loc. אַכְזִיבָה: אכזב Lkš 8, reverse, 1 (Elliger PJ 34, 58) 1. = כְּזִיב Gn 38, 5, *Tell el bēḍa* n. לָכִישׁ (ZDP 57, 124) Jos 15, 44 Mi 1, 14; 2. *ez-zib* 15 km n. Akko, in Asser, Is. Lévy Mél. Syr. 539ff., Jos 19, 29 Jd 1, 31. †

אַכְזָר: כזר: **grausam** *cruel* Dt 32, 33 Hi 30, 21 Th 4, 3; ? Hi 41, 2. † Der. אַכְזָרִי.

אַכְזָרִי: אַכְזָר: **grausam** *cruel* Ir 6, 23 30, 14 50, 42 Pr 5, 9 11, 17 12, 10 17, 11, d. Tag J.s *the day of Y.* Js 13, 9. †

אַכְזְרִיּוּת: כזר: **Grausamkeit** *cruelty* Pr 27, 4. †

אֲכִילָה: אכל: **Speise** *food* 1 K 19, 8. †

אָכִישׁ: n.m.; philistäisch *Philistine*? cf. *Ikausu* v. Ekron APN 95: König v. *king of* Gath 1 S 21, 11 1 K 2, 39. †

אכל (800 ×): ug. *ʾkl*, ak. *akâlu* essen *eat*, etc. SEM *F* ba. (ausser äth. *not Ethiopic*): qal: pf. אָכַל, אָכַל, אָכְלָה, אָכָלָה, אָכַלְתָּ, אָכַלְתִּי, אֲכַלְתִּי Hs 16, 13 = אָכַלְתְּ, sf. אֲכָלוֹ, אֲכָלַנִי, אֲכָלָתַם, אֲכָלֻהוּ, impf. יֹאכַל, יֹאכֵל, וַיֹּאכַל, תֹּאכְלִי Gn 3, 6, וַיֹּאכַל Gn 25, 34, תֹּאכַל, אֹכֵל, יֹאכְלוּן, יֹאכְלוּ, וָאֹכַל, וָאֹכֵל Js 44, 19, אֹכֵל, אוֹכַל Dt 4, 28, f. יֹכְלוּ Hs 42, 5 l יֵאָצִילוּ, sf. יֹאכְלֻנוּ Hs 7, 15, f. תֹּאכְלֵהוּ Hi 20, 26 l תְּאָכְלֵהוּ, תֹּאכְלְכֶם, אֹכְלֵם, inf. אֱכוֹל, אָכוֹל, בֶּאֱכֹל, aber *but* לֶאֱכֹל wie *like* אָכְלָה Hs 3, 1, אֱכָל־, sf. אָכְלוֹ, אָכְלְךָ, f. אֶכְלוֹ, אֲכוֹל 1 S 1, 9 l אָכְלָם; imp. אֱכֹל, אֱכָלוּ, pt. אֹכֵל, אוֹכֵל, אֹכְלָה, אֹכְלִים, אֹכְלָיו, אֹכְלֵיךְ, sf.: **feste Nahrung aufnehmen** *take solid food*, **essen, fressen** *eat, feed*: Mensch *man* Gn 3, 6, Tier *animal* Gn 40, 17 (Hs 34, 3 cj חָלָב Milch geniessen *drink milk*); aus Trauer nicht essen *not eat in the state of mourning* 1 S 1, 7. 18; essen u. trinken = bescheiden d. Leben geniessen *eat a. drink = lead an unassuming existence* Ko 5, 17; gierig fressen *devour greedily* Hi 20, 21; אָכַל לְ Th 4, 5; אָכַל בְּ (auch ug.) von etwas essen *eat of* [*a meat*] Ex 12, 43—45. 48; אָ׳ מִן von etw. essen *eat of* Gn 3, 3 Lv 7, 21 25, 22. [Bildlich *metaph.*] verzehren *devour* (Schwert *sword*) Dt 32, 42, (Feuer *fire*) Nu 16, 35; c. 2 acc. d. Feuer verzehrt d. עֹלָה zu דֶּשֶׁן *the fire consumes* עֹלָה *into ashes* Lv 6, 3; אָ׳ (Hunger, Pest, Seuche *famine, pestilence, plague*) Hs 7, 15 Hi 18, 13; e. Land verzehrt s. Bewohner *a country consumes its inhabitants* Nu 13, 32 Hs 36, 13, Hitze u. Kälte verzehren *heat a. cold consume* Gn 31, 40, Götter verzehren Opfer *gods eat sacrifices* Dt 32, 38, Gott tut es nicht *God does not eat sacr.* Ps 50, 13; הָאֹכֵל d. Fresser = d. Löwe *the eater = the lion* Jd 14, 14, = Heuschrecken *grasshoppers* Ma 3, 11; den Acker (s. Ertrag) *eat the ground* (*its yield*) Gn 3, 17 Js 1, 7, jmds Geld *eat somebodys money* Gn 31, 15 (Nuzi *akālu kaspa* RB 44, 36) verzehren; אָ׳ לֶחֶם e. Mahlzeit halten *have a meal* (cf. Mt 15, 2) Gn 37, 25 43, 32 Ir 41, 1 52, 33, s. Brot finden = s. Leben fristen *eats his bread = earns his living* Am 7, 12; אָ׳ לִפְנֵי יהוה angesichts J. essen *eat before Y.* = d. Opfermahl halten *eat the sacrificial repast* (Ex 18, 12) Dt 12, 7. 18 14, 23; אָ׳ עַל־הַדָּם *F* דָּם; אָ׳ בְּשַׂר פְּ׳ jmd zerfleischen *eat one's flesh = tear him to pieces* Ps 27, 2 (41, 10), אָ׳ עַמִּים Völker vertilgen *consume peoples* Dt 7, 16 Ir 10, 25 30, 16 50, 7. 17 51, 34; אָ׳ שֹׁפְטִים Ho 7, 7, אָ׳ עָנִי Ha 3, 14 Pr 30, 14; Sa 9, 15 l בָּשָׂר f. כַּבְשׁוּ; אֹכֵל בְּשָׂרוֹ verzehrt (innerlich) sich selbst *to wast oneself away* Ko 4, 5; Gottes Wort verschlingen *eat the word of God* Hs 3, 1 f (Ir 15, 16 l וְכַלֵּם); essen *eat* = Geschmacksempfindung haben *taste* Dt 4, 28; essen = Genuss haben *enjoy*, (Liebe) geniessen *enjoy* (*love*) Pr 30, 20, c. בְּ Genuss haben von *taste of something* Hi 21, 25; l וַיְכַלּוּ 2 C 30, 22;

nif: pf. נֶאֱכַל, impf. יֵאָכֵל, יֵאָכְלוּ, יֵאָכֵלוּ, תֵּאָכַלְנָה, inf. הֵאָכֵל Lv 7, 18, pt. f. נֶאֱכֶלֶת: **gegessen werden** *b e e a t e n*: Speise food Gn 6, 21, d. Passa *passover* Ex 12, 46, מַצּוֹת Ex 13, 7 Lv 6, 9 Nu 28, 17 Hs 45, 21, Jagdbeute *booty* Lv 17, 13, Baumfrucht *fruit of tree* Lv 19, 23, חָמֵץ Ex 13, 3, Opfer *sacrifice* Ex 29, 34 Lv 6, 16. 19. 23 7, 6. 15; abs. essbar sein *be eatable* Lv 11, 47 Ir 24, 2. 3. 8 29, 17 verbotne Tiere *forbidden animals* Lv 11, 13. 41. 47; יֵאָכֵל לְ dient zum Essen *serves as food* Ex 12, 16; נֶאֱכַל בָּאֵשׁ v. Feuer verzehrt werden *be devoured by the fire* (Ex 22, 5) Hs 23, 25 Ze 1, 18 3, 8 Sa 9, 4; d. faulende Fleisch des Totgebornen *the putrefying flesh of a still-born* Nu 12, 12; [übertr. *metaph.*] gefressen werden *be devoured* Ir 30, 16; c. אֶת־ des Gefressnen *of the devoured* Ex 21, 28 Lv 7, 16 Dt 12, 22; sonst *see* Lv 7, 16. 18f 11, 34 19, 6. 7 22, 30 Hi 6, 6; cj יֵאָכֵל v. Krankheit *by illness* Hi 18, 13; †

pu (qal passiv?): pf. אֻכְּלוּ, impf. תְּאֻכְּלוּ, pt. אֻכָּל: gefressen, **verzehrt werden** *b e d e-v o u r e d*, *c o n s u m e d* (Feuer *fire*) Ex 3, 2 Ne 2, 3. 13 Na 1, 10, (Schwert *sword*, l בַּחֶרֶב?) Js 1, 20; †

hif: pf. הֶאֱכַלְתִּי, וְהַאֲכַלְתִּי, sf. הֶאֱכַלְתִּיךָ, וְהַאֲכַלְתִּים, impf. תַּאֲכִל (אוֹכִיל? Ho 11, 4), sf. יַאֲכִלֵנוּ, וַיַּאֲכִילֵהוּ, וַיַּאֲכִלְךָ, imp. sf. הַאֲכִילֵהוּ, הַאֲכִלֵהוּ, pt. מַאֲכִיל, f. F מַאֲכֶלֶת, sf. מַאֲכִילָם, הַמַּאֲכִלְךָ! Dt 8, 16: jmd **zu essen geben** *f e e d somebody* 2 C 28, 15, c. 2 acc. jmd etwas zu essen geben *feed somebody with something* Ex 16, 32 Nu 11, 4. 18 Dt 8, 3. 16 1 K 22, 27 Js 49, 26 58, 14 Ir 9, 14 19, 9 23, 15 Hs 3, 2 16, 19 Ps 80, 6 Pr 25, 21 2 C 18, 26 Si 15, 3, c. מִן von etw. *with something* Ps 81, 17; l. תֹּאכַל Hs 3, 3. †

Der. אֹכֶל, אָכְלָה, אֲכִילָה, מַאֲכָל, מַאֲכֶלֶת, מַאֲכֹלֶת, מַכֹּלֶת.

אֹכֶל: אכל; ug. *ʾkl*: sf. אָכְלוֹ, אָכְלֶךָ, אָכְלָם, אָכְלְכֶם: **Speise** *f o o d* (f. Menschen *for mankind*) Gn 14, 11, Futter *fodder*, f. Löwen *f. lions* Ps 104, 21, Adler *eagle* Hi 9, 26 39, 29, Raben *raven* 38, 41; עָשָׂה א׳ Nahrung hervorbringen *yield food* Ha 3, 17, טָעַם א׳ Hi 12, 11, שָׁבַר א׳ Gn 42, 7. 10 43, 2. 20. 22 Dt 2, 6. 28, נָתַן א׳ Nahrung (käuflich *for sale*) weggeben *give victuals* Lv 25, 37; לְאָכְלְכֶם f. e. Ernährung *nourishment* Gn 47, 24, לְפִי אָכְלוֹ nach d. Mass dessen, was sie essen *according to the eating* Ex 12, 4 16, 16. 18. 21, עֵת הָא׳ Essenszeit *mealtime* Ru 2, 14; sonst *see* Gn 41, 35 f. 48 44, 1 Lv 11, 34 Dt 23, 20 Jl 1, 16 Ma 1, 12 Ps 78, 18. 30 104, 27 107, 18 145, 15 Pr 13, 23 Hi 36, 31 Th 1, 11. 19, cj לוֹ אֹכֶל Hi 34, 3. †

אֻכָל (Var. אֻכָּל): unerklärt *unexplained*, F כלה, Pr 30, 1. †

אָכְלָה: f. v. אֹכֶל: **Speise, Nahrung** *f o o d*, הָיָה לְאָ׳ als Speise dienen *be for meat* Gn 1, 29f 6, 21 9, 3 Lv 11, 39 25, 6 Hs 21, 37 34, 5. 8. 10, נָתַן לְאָ׳ Ex 16, 15 Hs 15, 4. 6 29, 5 35, 12 39, 4, אָתָה לְאָ׳ zum Frass kommen *come to devour* (Vögel *birds*) Ir 12, 9, הֶעֱבִיר לְאָ׳ zum Frass *to be devoured* Hs 23, 37 (אָכְלָה nur in *only in* Ir, Hs, P). †

אָכֵן: < אַךְ־הֵן* Eitan AJS 45, 197f; ak. (EA) *akanna* hier, dort; so *here*, *there*; *thus*: Ausruf der Bekräftigung bei Unerwartetem *exclamation to emphasize the unexpected*: **fürwahr** *s u r e l y*! Gn 28, 16 Ex 2, 14 1 S 15, 32 Js 40, 7 45, 15 49, 4 53, 4 Ir 3, 23 4, 10 8, 8 Ze 3, 7 Ps 31, 23 66, 19 82, 7 Hi 32, 8; l פֵּן 1 K 11, 2, l. אַךְ כִּבְגֹד Ir 3, 20. †

אכף: ja., cp., sy., drängen *press*, ja. אַכְפָּא Last *load, charge*:
qal: pf. אָכַף: m. עַל (Si 46, 5. 16 לְ) jmd **zusetzen** *press hard a. p.* Pr 16, 26. †
Der. אֶכֶף.

***אֶכֶף**: אכף: sf. אַכְפִּי: **Drängen** *pressure* Hi 33, 7. †

אִכָּר: ak. (sum.) *ikkaru*: pl. אִכָּרִים, sf. אִכָּרֵיכֶם: **Bauer** *farmer* Js 61, 5 Ir 14, 4 31, 24 51, 23 Jl 1, 11 Am 5, 16 2 C 26, 10. †

אַכְשָׁף: n. l.; כשף; äg. ʾ(a)ks(a)pʾ = *Akšāpa* BAS 81, 19; Albr. Voc. 34, EA *Akšapa*, RA 19, 99, Alt, PJ 20, 24 ff: in Asser, *T. Keisan* bei *near* Ǧenīn? (Garstang, Joshua, 189 f 354) Jos 11, 1 12, 20 19, 25. †

I **אַל**: ug. ʾl, ph., *F* ba., አል; ak. *ul*?, v. אלל? ursprünglich *originally* subst. **Nichts** *nothingness*, dann Negation der Abwehr u. d. Verbots *becomes the defendent negation*: 1. שִׂים לְאַל zu nichts machen *undo, make invalid* Hi 24, 25; 2. [abwehrend *defensive*] **nicht doch** *nay*! אַל אַחַי Jd 19, 23, 2 S 13, 25 2 K 3, 13 4, 16 Ru 1, 13 cj 2 S 13, 16; 3. אַל־נָא **nicht doch** *oh, not so*! Gn 19, 18 cj Nu 12, 13; 4. [verbietend *prohibiting*] c. impf. אַל תִּירָא fürchte dich nicht *fear not*! Gn 15, 1 Pr 3, 25, אַל תֵּצֵא אִישׁ keiner soll hinausgehn *let no man go out* Ex 16, 29 cj Hs 9, 5, oft *often*; 5. אַל־נָא [verbietend *prohibiting*] אַל־נָא תַעֲבֹר geh doch nicht weiter *pray, do not proceed* Gn 18, 3, אַל־נָא תְהִי es sei doch nicht *let there be no* ... Gn 13, 8; נָא u. אַל getrennt *separated from each other* Jd 19, 23; אַל c. cohort.: וְאַל נֵקְשִׁיבָה u. wir wollen nicht *let us not* Ir 18, 18 Ps 25, 2; so auch *see* אַל אֶרְאֶה ich darf, kann nicht *I dare, may not* Gn 21, 16; 7. וְאַל im Satz nach imp. drückt den Zweck (die Absicht) aus וְאַל *in a sentence after imp. expresses the end (design)*: וְאַל נָמוּת **damit .. nicht** *lest we die* 1 S 12, 19 Ps 69, 15; 8. אַל m. Weglassung d. (selbstverständlichen) Verbums *with omission of the (self-understood) verb*: אַל טַל (es falle) kein Tau *no dew (shall fall)*! 2 S 1, 21, אַל־דֳּמִי לָךְ bleibe nicht still *be not silent*! Ps 83, 2; 9. אַל ohne Verb, das aus d. vorhergehenden imp. sich ergänzt *the verb is to be supplied out of the preceding imp.*: וְאַל [תקרעו] u. nicht *and not* Jl 2, 13 Pr 8, 10, so auch *the same* (nach *after* inf. pro imp.) Pr 17, 12, nach *after* ussiv Pr 27, 2; l. אֶל Pr 12, 28, l. אִם לֹא 2 K 6, 27, l. וְאֵל Ps 85, 9; unklar *obscure* Js 2, 9; *F* אַל in טָבְאַל n. m.

II **אַל**: ak. *âli where*?: **wo**? *where*? (Driv. WO 1, 31) 1 S 27, 10. †

I **אֵל**: *F* I אַיִל (Widder *ram*) Gewalthaber *tyrant*. †

II **אֵל**: *F* II אַיִל grosser Baum *big tree*. †

III **אֵל**: *F* III אַיִל Pfeiler *pillar*? †

IV **אֵל**: יֶשׁ־לְאֵל יָדִי (לְ) es steht in meiner **Macht** (zu) *it is in the power of my hand (to ...)* Gn 31, 29 Mi 2, 1 Si 14, 11 u. אֵין לְאֵל יָדֶךָ du bist machtlos *it is not in your power (in the power of your hand)* Dt 28, 32 Ne 5, 5 u. בִּהְיוֹת לְאֵל יָדְךָ לְ solange es in d. Macht steht, zu *as long as it is in your power to* Pr 3, 27: die Redensart ist der Bedeutung nach klar, der Ableitung nach aber noch ungeklärt *the meaning of this saying is clear, but its derivation has not yet been explained*; Brockelmann, ZAW 26, 29—32: V אֵל Geist, Numen *spirit, numen*, andre v. *others derive it from* אול; Beth, ZAW 36, 129 ff, Kleinert, Baudissin-Festschr. 259 ff. †

V **אֵל**: **Gottheit** *god*: sf. אֵלִי †, in Verbindungen *in compounds* אֵל־ (אֱלִיָסָף), אֱלִי־ (אֱלִיהוּא), pl. אֵלִים (Js 57, 5 *F* I אֵלָה):

I. Verbreitung *statistics.* 1. אֵל nicht in *lacking in* Lv 1 K 2 K Jl Am Ob Ha Ze Hg Sa Pr Ct Ru Ko Est Esr 1 C 2 C; 2. Vereinzelt *sporadically*: a) Jos 3, 10 (חַי) 22, 22 (2 × אֵל אֱלֹהִים יהוה!) 24, 19 (קַנּוֹא), b) Jd 9, 46, = 9, 4 בַּעַל, c) 1 S 2, 3 (Ps), d) 2 S 22, 31. 32. 33. 48 u. 23, 5 (Ps), e) Ir 32, 18 (Dt 10, 17) u. 51, 56, f) je einmal *each once* Jon 4, 2 (חַנּוּן) Mi 7, 18 Na 1, 2 (קַנּוֹא) Th 3, 41, g) Hs 10, 5 (שַׁדַּי) 28, 2. 2. 9, h) Ho 2, 1 (חַי) 11, 9 12, 1, i) Ma 1, 9 2, 10. 11, j) Da 9, 4 (Dt 10, 17) 11, 36. 36, k) Ne 1, 5 u. 9, 32 (Dt 10, 17). 31 (חַנּוּן), viele dieser Belege sind formelhaft *many of those quotations are formal*; 3. אֵל häufig *frequent*: Ps (69 ×, F 7!) Hi 5, 8—40, 19 (48 ×), Gn 18 × Ex 7 × Nu 9 × Js 5, 16—31, 3 8 × 40, 18—46, 9 13 ×; 4. P kennt *says* אֵל nur in d. Formeln *only in formularies* אֵל שַׁדַּי Gn 17, 1 28, 3 35, 11 48, 3 Ex 6, 3 u. אֵל אֱלֹהֵי הָרוּחֹת Nu 16, 22 (יהוה אֱלֹ׳ הָר׳! 27, 16); 5. אֵל sehr häufig *most frequently* in a) *n. l.* (בֵּית־אֵל), b) n. m.; n. f. (שְׁמוּאֵל u. אֱלִיעֶזֶר, אֵלִיָּה), Zusammensetzungen mit אֱלֹהִים sind unmöglich *compounds with* אֱלֹהִים *not being possible*; 6. אֵל ist alt, wie die n. l. u. n. m. zeigen, aber verhältnismässig selten u. nur in Formeln lebendig. Einige Schriften scheinen es ganz zu meiden (Jd 1 S 2 S 1 K 2 K Ir Hs Pr 1 C 2 C), während Ps u. Hi es lieben; in der Regel ist אֱלֹהִים an seine Stelle getreten; אֵל, *very old as evident from the nom. pers. and loci, in use in formulae, avoided by some books, preferred in Ps a. Hi, generally substituted by* אֱלֹהִים; 7. Emendationen *emendations*: Nu 12, 13 u. Ps 10, 12 l אַל, Ps 52, 3 l עַל חָסִיד, 73, 1 l לַיָּשָׁר אֵל, 85, 9 l יהוה הֲלֹא, 102, 25 l אָמַר אֵלָי, Ps 77, 15 l אֵל, 84, 8 cj אֵל; 58, 2 cj אֵלִים, 55, 20 l יִשְׁמַעְאֵל.

II. Bedeutung *meaning.* 1. **ein Gott**, pl. **Götter** *a god, pl. gods*: J. unter d. Göttern *among the gods* Ex 15, 11, J. ist אֵל אֵלִים Da 11, 36, die Götter *the gods* cj Ps 58, 2, בְּנֵי אֵלִים [einzelne] Götter [*individual*] *gods* Ps 29, 1 89, 7, d. Bundesgott von S. Jd 9, 46, einen G. formen *form a god* Js 43, 10 44, 10, e. G. machen *make a g.* 44, 15, zu e. G. machen *make it a g.* 44, 17 46, 6, אֵל אֶחָד e. einziger G. *one g.* Ma 2, 10, כָּל־אֵל jeder G. *every g.* Da 11, 36, אֵל אַחֵר Ex 34, 14, אֵל נֵכָר fremdländischer G. *foreign g.* Dt 32, 12 Ma 2, 11 Ps 81, 10, אֵל זָר fremder (ungehöriger) G. *strange (not acknowledged) g.* Ps 44, 21 81, 10, אֵל לֹא יוֹשִׁיעַ Js 45, 20, אֵל צַדִּיק 45, 21; עֲדַת אֵל Götterversammlung *congregation of gods* Ps 82, 1, מִי אֵל was für e. G.? *what god?* Dt 3, 24, ich bin ein Gott *I am a god* Hs 28, 2, e. Gott wie du *a g. like unto thee* Mi 7, 18; 2. **Gott** *God* im Gegensatz zu *in antithesis to* אָדָם die Menschen *mankind* Js 31, 3 Hs 28, 9, אִישׁ Nu 23, 19 Ho 11, 9 Hi 32, 13, אֱנוֹשׁ Hi 25, 4; Gott *God* im Wechsel mit *alternating with* יהוה Nu 23, 8, אֱלֹהִים Hi 5, 8 (Hs 28, 2 : : 9), עֶלְיוֹן Nu 24, 16 Ps 73, 11 107, 11, שַׁדַּי Nu 24, 4. 16 Hi 8, 3—35, 13 (11 ×); לֹא־אֵל Nichtgötter *ungods* Dt 32, 21, kein Gott *not God* Js 31, 3 Hs 28, 2. 9; 3. אֵל (meistens *mostly*) der Gott, **Gott** schlechthin *God absolutely*: a) אֵל ohne Beifügung *without addition* אֵל יהוה J. ist Gott Ps 118, 27, ich bin G. *I am G.* Js 43, 12 46, 9; Nu 23, 8. 22 f 24, 8 2 S 23, 5 Js 40, 18 45, 14 46, 9 Ps 7, 12—150, 1 (24 ×) Hi 5, 8—40, 19 (37 ×); b) הָאֵל ohne Beifügung *without addition* 2 S 22, 31. 33. 48 = Ps 18, 31. 33. 48 Ps 57, 3 68, 20 f Hi 21, 14 22, 17 31, 28 34, 10. 37 40, 9; c) אֵל mit Attribut *with attribute* (alle Belege *all quotations* F Attribut) אֵל עֶלְיוֹן Gn 14, 18, אֵל קַנָּא Gn 21, 33 †, אֵל עוֹלָם Gn 17, 1, אֵל שַׁדַּי Ex 20, 5, אֵל קַנּוֹא Jos 24, 19 Na 1, 2 †, אֵל רַחוּם וְחַנּוּן [וְחַנּוּן רַחוּם] Ex 34, 6, אֵל חַנּוּן Jon

אֵל אֱמוּנָה 4, 2 Ne 9, 31 †, הָאֵל הַנֶּאֱמָן Dt 7, 9 †, Dt 32, 4 †, אֵל אֱמֶת Ps 31, 6 †, אֵל גָּדוֹל Dt 7, 21 Ps 95, 3 77, 14, הָאֵל הַגָּ' Dt 10, 17 Ir 32, 18 Da 9, 4 Ne 1, 5 9, 32 †, אֵל חַי Jos 3, 10, אֵל מִסְתַּתֵּר 1 S 2, 3 †, הָאֵל הַקָּדוֹשׁ Js 5, 16 †, דֵּעוֹת Js 45, 15 †, אֵל גְּמֻלוֹת Ps 68, 21 †, אֵל לְמוֹשָׁעוֹת Ir 51, 56 †, אֵל הַכָּבוֹד Ps 29, 3 †, אֵל נְקָמוֹת Ps 94, 1. 1 †, אֵל נֹשֵׂא Ps 99, 8, אֵל הַשָּׁמָיִם (cf. אֵל בַּשָּׁמַיִם Th 3, 41) Ps 136, 26 †; d) אֵל mit persönlicher Beziehung *in personal relation*: עִמָּנוּ אֵל Js 7, 14 8, 8. 10, אֵלִי Ex 15, 2 Ps 18, 3 22, 2. 2. 11 63, 2 68, 25 89, 27 118, 28 140, 7 Js 44, 17, אֵל חַיָּי Ps 42, 9, אֵל סַלְעִי 42, 10 אֵל שִׂמְחָתִי! 43, 4, אֵל יְשׁוּעָתִי Js 12, 2, הַנִּרְאֶה Gn 16, 13, אֵל אָבִיךָ Gn 49, 25, אֵל רֳאִי הָאֵל אֱלֹהֵי אָבִיךָ Gn 35, 1, הָעֹנֶה אֹתִי 35, 3, אֵלֶיךָ 46, 3, אֵל מְחֹלְלֶךָ Dt 32, 18; e) אֵל u. seine Verehrer *a. his worshippers* (*F* d.) Ende): אֵל אֱלֹהֵי יִשְׂרָאֵל Gn 33, 20 †, אֵל יַעֲקֹב Ps 146, 5 †, cj (בֵּית יַעֲקֹב) אֵל Js 29, 22 †, אֵל יְשֻׁרוּן Dt 33, 26 †, אֵל יִשְׂרָאֵל Ps 68, 36; f) אֵל u. sein Besitz *a. what belongs to him*: אִמְרֵי Nu 24, 4. 16 Ps 107, 11 †, פְּנֵי Ma 1, 9 †, כְּבוֹד Ps 19, 2, נִשְׁמַת 149, 6, מִקְדְּשֵׁי 73, 17, רוֹמְמוֹת Hi 37, 10, מַעַלְלֵי Ps 74, 8, נִפְלָאוֹת Hi 37, 14, מוֹעֲדֵי Ps 78, 7, דַּרְכֵי Hi 40, 19, יַד 27, 11; in *in phrases like* הַרְרֵי Ps 36, 7 cj 50, 10 †, כּוֹכְבֵי Js 14, 13 u. אַרְזֵי Ps 80, 11 hat d. folgende אֵל fast nur noch den Sinn von: erhaben, mächtig *means* אֵל *nearly nothing more than mighty, eminent.* †

4. Besondres *Particulars*: a) Nu 24, 23 u. Ho 12, 1 sind verderbt *are corrupt*; b) אֵל אֱלֹהִים Jos 22, 22. 22 Ps 50, 1 84, 8 wohl Dittographie *rather dittography*; c) Gn 33, 20 Nu 16, 22 l יהוה *like* Jos 8, 30 Nu 27, 16 f. אֵל? d) אֵל גִּבּוֹר Js 9, 6 *F* Komm; e) Gn 31, 13 35, 7 scheint הַנִּרְאֶה אֵלֶיךָ בְּ hinter [הָ]אֵל ausgefallen *seems to be omitted after* [הָ]אֵל.

III. Die Herkunft von *Etymology of* אֵל.

1. Die Verbreitung *occurrence*: ug. *3l*, pl. *3lm*, f. *3lt*, *El* u. *Elt* auch *also* n.d. u. *el* auch in *likewise in* n.p.; ph. אל, pl. cs. אל, n.d. אל, f. אלת u. n.p. wie *as* מתנאל, אלחנן; ak. *il*, *iltu* Gott, Göttin, *god, goddess*, aram. אל u. n.p. wie *as* דניאל, אליהב, auch *also* n.d. (Lidz. 214), ar. *F* Nöldeke, Elohim, El, SBA 1882, 1175 ff. אֵל ist demnach im Akkadischen u. Kanaanäischen besonders verbreitet u. bezeichnet 1. Gott, Göttin u. dann 2. einen aus den andern Gottheiten herausgehobenen Gott El; אֵל, *above all used in Accadian a. Canaanite, means 1. any god (goddess) a. 2. especially El, the highest among the gods*; 2. Die Ableitung von אֵל bleibt dunkel. *The etymology of* אל *is still obscure*: a) v. אול stark sein *be strong*, אֵל Kraft, Macht *strength, power*, persönlich gefasst, *as person understood*, > Gott *god*; b) v. אול vorn sein *be in front*, Nöld. l. c. 1190; c) v. אלה stark sein *be strong*, König, Lehrgebäude 2, 102 f; d) אלי < אלה hinkommen *reach a p.*, Lagarde, Übersicht 159. 162. 170 „der, welchem man sich nahe anschliesst *he whose party one joins*"; e) J. J. Hess (mündlich *orally*): ar. *'il* = غيل flowing water (Stace, English-Arabic Vocabulary, London, 1893, 67); Beth, ZAW 36, 129 ff; Kleinert, Baudissin-Festschr. 261 ff Baudissin, Kyrios III, 6 ff; Hehn, Gottesidee 150 ff 200 ff; Fischer ZDM 71, 445 f; dazu andre Vorschläge, von denen keiner Evidenz hat *there exist other explanations none of which is evident.*

Der. viele *many* n.p. u. n.l. c. אֵל wie *like* אֶלְדָּד, c. אֵלִי wie *like* אֱלִימֶלֶךְ u. endend auf *ending by* אֵל *like* אוּאֵל, עַבְדִּיאֵל etc.

VI אֵל, הָאֵל: andre Schreibung f. *different orthography of* הָאֵלֶּה, אֵלֶּה; BL 261d: diese *these* Gn 19, 8. 25 26, 3. 4 Lv 18, 27 Dt 4, 42 7, 22 19, 11 1 C 20, 8; l אֵלֶּה? הָאֵל? †

אֶל präpos.: إِلَى gegen hin *towards*; IV *אלה sich auf etw. hin bewegen *move towards*; Mitchell, JBL 1888, 143 ff, Noordtzij, Het hebr. Voorzetsel אל 1896: meist *in most cases* אֶל־; אֱלֵי (cs. v. *אֱלִים Richtung auf *direction towards* ?) Hi 3, 22 5, 26 15, 22 29, 19, cj וֶאֱלֵי Ps 85, 9 †, sf. אֵלַי, אֵלָי, אֵלֶיךָ, אֵלַיִךְ, אֵלָיו, אֵלֶיהָ, אֵלֵינוּ, אֲלֵיכֶם, אֲלֵיכֶן, אֲלֵיהֶם, auch אֲלֵהֶם u. Ps 2, 5 † אֵלֵימוֹ, אֲלֵיהֶן u. אֲלֵהֶן Ex 1, 19 †: Grundbedeutung **nach... hin, auf... zu**; daher 1. von Bewegung auf e. Ziel, bei gehn, kommen, werfen Lv 1, 16, bringen Gn 2, 19, blicken Js 8, 22, hören Gn 16, 11, kurz bei allen Tätigkeiten u. Vorgängen, die in d. Richtung auf etw. zu geschehn *original meaning: towards, therefore 1. expressing motion, used with verbs as go, come, throw, carry, look, listen, in short every action or event happening connected with the notion of direction*: נָתַן אֶל an jm. geben *give to a p.*, דִּבֶּר אֶל zu jmd. sagen *say to* neben *beside* נָתַן לְ u. דִּבֶּר לְ; beachte *notice* בּוֹא אֶל zu e. Frau eingehn, geschlechtlich verkehren *enter towards a woman = lie with a. w.*, קָרַב אֶל sich an jmd. = für sich (refl.) halten *stand by oneself* Js 65, 5, זָנָה אֶל sich buhlerisch zuwenden *turn prostituting towards a p.* Nu 25, 1, דָּרַשׁ אֶל sich suchend zuwenden *turn seekingly to a p.* Js 8, 19, פָּחַד אֶל sich erschreckt zuwenden *turn frightened to a p.* Ho 3, 5, הִלֵּל אֶל gegenüber jmd. rühmen *praise to a p.* Gn 12, 15; אֶל :: מִן: מִפֶּה אֶל־פֶּה Esr 9, 11, מִיּוֹם אֶל־יוֹם Nu 30, 15; 2. v. d. Richtung **nach etw. hin** *direction towards a p., or a thing*: פֶּה אֶל־פֶּה Nu 12, 8; dieser Gebrauch ist besonders häufig u. vielseitig *this use is very common a. many-sided*; [übertr. *metaph.*] אֶל־עֶזְרָתֵנוּ [schmachten *long*] nach H. *for help* Th 4, 17, קִוָּה אֶל warten *wait* [sich strecken *be stretched to*] auf *for* Ho 12, 7; Ir 10, 2 u. Ho 12, 5 l אֶת f. אֶל; [היה] אֶל zugewandt sein *have affection for* Ir 15, 1, שָׁלֵם אֶל völlig zugewandt *perfectly affected* 2 C 16, 9; 3. אֶל oft für עַל (u. umgekehrt) geschrieben, אֶל *is frequeutly written* עַל (*a. inversely*): aber auch *but even* Gn 4, 8 Js 2, 4 3, 8 Jos 10, 6 Jd 20, 30 Ko 9, 14 u. in d. Formel *a. in the phrase* הִנְנִי אֶל Ir Hs Na (Humbert, ZAW 51, 101—8) bedeutet אֶל die Bewegung (Richtung) nach etw. hin *means* אֶל *the direction (motion) towards a thing or p.*; 4. אֶל **bis gegen hin** *as far as, up to* Ir 51, 9 Hi 40, 23; אֶל־אַמָּה (ak. *ina ištên ammat*) an d. E. gemessen, nach d. Elle *to a cubit* Gn 6, 16; אֶל־מִן Hi 5, 5 ist verderbt *corrupt*; 5. אֶל (zu... hin) > **in... hinein** *into*: אֶל־הַיָּם ins Meer *into the sea* Jon 1, 5, אֶל־מְעָרַת > in der H. *in the c.* Gn 23, 19, אֶל־קוֹצִים unter die D. *among th.* Ir 4, 3, אֶל־הַכֵּלִים untern Gepäck *among the baggage* 1 S 10, 22; 6. אֶל bei Ausdrücken des Hinzufügens אֶל *with terms of adding* 1 K 10, 7 (Var. עַל) u. Verbindens *a. connecting* Da 11, 23; so *thus* אֶל **zu... hinzu** *in addition to*: אֶל־אֲחוֹתָהּ Lv 18, 18, אֶל־כַּפַּיִם Th 3, 41, הָיָה אֶל bestimmt sein für *be meant for* Hs 45, 2; 7. אֶל = **in Rücksicht auf** *with regard to*: בָּכָה אֶל wegen *for the sake of* 2 S 1, 24, הִנָּחֵם אֶל wegen *respecting* 2 S 24, 16, אֶל־נַפְשׁוֹ wegen s. Lebens *for his life* 1 K 19, 3 2 K 7, 7, אָמַר אֶל inbetreff, von *regarding* Gn 20, 2, הַשְּׁמוּעָה אֶל d. Nachricht von *the news regarding* 1 S 4, 19; אֶל־פִּי hinsichtlich des, nach d. Befehl *according to the order* Jos 15, 13 17, 4; 8. Verbindungen *compounds*: אֶל־אַחֲרֵי hinter... hin *behind* 2 K 9, 18, אֶל־תַּחַת unter... hin *under* 1 K 8, 6, אֶל־מִבֵּית לְ hinein in *in between* 2 K 11, 15, אֶל־מִחוּץ לְ hinaus vor *outside of* Lv 4, 12; F בֵּין, נֹכַח, תַּחַת; 9. [prägnant, wo wir die der Bewegung folgende Ruhe ausdrücken *constructio praegnans, where we would express the rest following the motion*] יָשַׁב אֶל an *at* 1 K 13, 20, אֶל־מַיִם am W. *by, at* Ir 41, 12, Gn 24, 11 1 S 17, 3 Hs 7, 18 u. mehr *a. more.*

אֵלָא: n.m., KF?, F II אֵלָה; Dir 31. 338: 1 K 4, 18 †

***אֶלְאָסָף**: F אָסָף.

אֶלְגָּבִישׁ: אַבְנֵי אֶ׳ Hs 13, 11. 13 38, 22 cj Si 43, 15 u. 46, 5: LW; ak. *algamešu*, äg. *'a-ar-qa-bi-sa* Albr. Voc. 33; Geller, Altorientalische Texte u. Untersuchungen I, 1917, 341; > גָּבִישׁ = כֵּפִים; > جِبْس, γύψος: Gips (Sure 105) **Eisgraupeln**, Eiskörner *sleet, ice-crystals.* †

אַלְגּוּמִּים: F אַלְמֻגִּים.

אֶלְדָּד: n.m.; אֵל u. דוד; ak. *Dādi-ilu* D. ist Gott *D. is god* APN 67 f; F בִּלְדַּד: Nu 11, 26 f. †

אֶלְדָּעָה: n.m.; midjanitisch; אֵל u. דעה, Flashar ZAW 28, 210 f: Gn 25, 4 1 C 1, 33. †

I אלה: ألى schwören *swear, take oath*:
qal: pf. אָלִית, inf. אָלֹה, fem. אָלוֹת: **e. Fluch, e. Verwünschung aussprechen** *swear, hurl curses* Jd 17, 2 Ho 4, 2 10, 4;
hif: impf. cj וַיֹּאֶל 1 S 14, 24, inf. הַאֲלֹתוֹ: jmd **unter e. Fluch, e. Verwünschung stellen** *bring a p. in the pledge of an oath, a curse* 1 K 8, 31 2 C 6, 22, cj 1 S 14, 24. †
Der. אָלָה, *תַּאֲלָה.

II אלה: Aram אֱלָא wehklagen *wail*:
qal: imp. f. אֱלִי: **wehklagen** *wail* Jl 1, 8. †

III אלה: ألّا nicht reichen *fall short* (Driver, ZAW 51, 74):
qal: impf. וַיֹּאֶל: **unfähig sein** *be unable* (לְ zu *to*) 1 S 17, 39. †

IV *אלה: < *אלי: Der. אֵל; V אֵל?

V *אלה: Der. אֵלָה:

אָלָה: I אלה: sf. אָלָתוֹ, pl. אָלֹת, אָלוֹת: **1. Fluch** (Androhung v. Unglück bei Missetat), unter den jmd sich selber stellt oder von andern gestellt wird *curse (threat of calamity in case of misdeed), laid on a p. by himself or by others* (Pedersen, D. Eid bei den Semiten, 1914): Gn 24, 41 Dt 29, 19 Js 24, 6 Ir 23, 10 Pr 29, 24 Ps 10, 7 59, 13 Hi 31, 30; **2. Verfluchung**, die man über jmd ausspricht *curse laid upon a p.*: Hs 16, 59 17, 16. 18 f Sa 5, 3, קוֹל אָלָה laute Verfluchung *public cursing* Lv 5, 1, נָתַן אָלוֹת עַל Verfl. auf jmd kommen lassen *put curses upon* Dt 30, 7, נָשָׂא אָ׳ בְּ Verfl. über jmd aussprechen *lay a cursing upon* 1 K 8, 31 2 C 6, 22, בּוֹא בָּאָ׳ (l so) 1 K 8, 31 u. 2 C 6, 22 unter Verfl. geraten *get into the reach of a curse*, הֵבִיא בָאָ׳ Hs 17, 13 u. הֵבִיא אָלוֹת עַל 2 C 34, 24 unter Verfl. stellen *put a p. into the reach of a curse*, נָתַן אָ׳ בְּרֹאשׁ Verfl. auf d. Kopf kommen lassen *bring a curse upon one's head* Hs 17, 19, אָלָתוֹ Nu 5, 23 Dt 29, 20, דִּבְרֵי הָאָ׳ Dt 29, 18 Fluchworte *words of curse*: 3. [eidliche Verpflichtung mit] Unterstellung unter einen Fluch [bei Vertragsbruch] [*obligation by oath which puts a*] *curse* [*upon the transgressor*] Gn 26, 28, אָלָה zusammen mit *together with* בְּרִית Abmachung u. **Verfluchung** *covenant a. oath* Dt 29, 11. 13, הָאָלָה וְהַשְּׁבֻעָה d. eidliche Unterstellung unter den Fluch *curse a. oath* Da 9, 11, ebenso *the same* שְׁבֻעַת הָאָלָה Nu 5, 21, בּוֹא בְאָלָה וּבִשְׁבוּעָה sich eidlich d. Fluch unterstellen *enter into a curse a. into an oath* Ne 10, 30; **4. Fluchformel** *formula of cursing* Hi 31, 30, m. נָתַן לְ zur Fl. machen *make to a formula of cursing* Nu 5, 21 Ir 29, 18, m. הָיָה לְ zur Fl. werden *be a* *f. of cursing* Nu 5, 27 Ir 42, 18 44, 12; cj אָלָה f. Fluchformel *formula of cursing* Ir 10, 11. †

I אֵלָה: < *אֵילָה, F II *אַיִל: pl. אֵלִים Js 57, 5 †: **grosse Baumart**, unbestimmt, welche *species of big tree undecided which*; Eiche *oak*? (τερέβινθος, δρῦς, *quercus*, *terebinthus*, ܒܛܡܬܐ) kultisch bedeutsam *of religious significance* Gn 35, 4 Jd 6, 11. 19 Ho 4, 13 Hs 6, 13 Js 57, 5 1 C 10, 12 (= אֵשֶׁל 1 S 31, 13); sonst *see* 2 S 18, 9—14 Js 1, 30 6, 13 1 K 13, 14 (localisirt Dalman JBL 48, 354 ff); F n. l. עֵמֶק הָאֵלָה. † Der. II אֵלָה n. m.; F אַלָּה. †

II אֵלָה: n. m.; = I, F אֵלָא: 1. Edomiter *Edomite* Gn 36, 41; 2. K. v. Israel *king of Isr.* 1 K 16, 6—14; 3. Vater des Hosea, K. v. Israel *father of Hosea, king of Isr.* 2 K 15, 30 17, 1 18, 1. 9; 4. 1 C 4, 15; 5. 1 C 9, 8. †

אַלָּה: II *אוּל: andre Form f. *variant of* I אֵלָה, unbestimmte **stattliche Baumart** *undefined species of big tree* Jos 24, 26, F אַלּמֶּלֶךְ. †

אֵלֶּה, F VI אֵל: ph. אל, أُولَى, ܐܠܝܢ, ܐܠܗ, asa. אלן, F ba. אֵלֶּה: pl. comm. zu זֶה u. זֹאת: **diese** *these*; 1. (auf d. Vorhergehende, Genannte, Berichtete bezogen *relating to the past, the said*) אֵלֶּה עָשָׂה 2 S 23, 22; 2. (auf das Folgende, was nun genannt, berichtet werden wird, bezogen *relating to the coming, the things to be told*) אֵלֶּה תּוֹלְדֹת Gn 6, 9; 3. (attributiv) שְׁלֹשָׁה אֵלֶּה diese drei *these three* Gn 9, 19, אֹתֹתַי אֵלֶּה diese meine Z. *these my* Ex 10, 1, הַדְּבָרִים וְהָאֱמֶת הָאֵלֶּה Gn 15, 1, הַדְּבָרִים הָאֵלֶּה 2 C 32, 1, אֲנַחְנוּ אֵלֶּה eben wir, wir hier *even we* Dt 5, 3; 4. (Einzelnes *Particulars*:) אֵ׳ **dies, so** *that, thus* Dt 18, 12 Ps 15, 5, אֵ׳ הֵם eben dies *even these* 1 S 4, 8, בְּאֵלֶּה unter diesen Bedingungen *on these terms* Lv 25, 54, dadurch *thereby* 26, 23, עַד־אֵ׳ bis zu diesem Grad *to that extent* 26, 18, עַל־אֵ׳ deswegen *therefore* Ir 5, 9; Reihen: אֵלֶּה ... וְאֵלֶּה diese ... jene *these ... those* Dt 27, 12 f Js 49, 12 Ps 20, 8 Hi 18, 21; Ir 10, 11 l אֵלֶּה.

אֱלָהּ (A. Fischer, Islamica 1, 390 ff) u. אֱלֹהִים: F אֱלוֹהַּ.

אִלּוּ: < אִם לוּ, aram. אִלּוּ, AP הן לו, لَوْ إِنْ: gesetzt, wenn *supposing*, *if* = **wenn** *if* Ko 6, 6 Est 7, 4.

אֱלוֹהַּ u. אֱלֹהִים:

I. אֱלוֹהַּ, ba. אֱלָהּ, ug. *3lh*, fem. *3lht*; 1. Verbreitung *statistics*: Hi 3, 4–40, 2 (41 ×) Dt 32, 15. 17 (אֱלֹהַּ) Ha 3, 3 Ps 18, 32 (= 2 S 22, 32 אֵל) 50, 22 139, 19 Pr 30, 5 (= Ps 18, 31 יהוה) Da 11, 37 (אֱלֹהַּ). 38. 39 Ne 9, 17 (Ex 34, 6 אֵל) 2 C 32, 15; 2 K 17, 31 l אֱלֹהֵי Q, Js 44, 8 l אֱלֹהִים, Ha 1, 11 l לֵאלֹהָיו, Ps 114, 7 l אֱלֹהֵי; 2. Bedeutung *meaning*: a) **ein Gott** *a goa* Ps 18, 32 Da 11, 38, כָּל־אֵ׳ irgendein G. *any god* Da 11, 37 2 C 32, 15, אֱ׳ נֵכָר ausländischer G. *foreign god* Da 11, 39, אֱ׳ מָעֻזִּים (Zeus Olympios) 11, 38, die שֵׁדִים sind לֹא אֱלֹהַּ Ungötter *no gods* Dt 32, 17; b) der (wahre) **Gott** *the (true) god*: alle übrigen Stellen *all the other quotations*; ?? Hi 12, 6; 3. Ableitung *derivation* F III;

II. אֱלֹהִים (2550 ×): cs. אֱלֹהֵי, sf. אֱלֹהָיו, אֱלֹהֶיךָ, beachte *notice* בֵּאלֹהֵי, כֵּא׳הִים etc., אֱלֹהִים 1 K 11, 5 von Göttin *goddess*; 1. pl. **Götter** *(the) gods*: כָּל־אֱלֹהֵי מִצְרַיִם Ex 12, 12, הָאֵ׳ die Götter *(all) gods* Ex 18, 11 Ps 86, 8, Götter u. Menschen *the gods a. men* Jd 9, 9. 13, Götter *gods* Ex 32, 1. 23 34, 15. 15 Dt 32, 39 Jos 24, 15 Ho 13, 4 Ps 82, 1 Da 11, 37, אֱלֹהֵי הָאֵ׳ der Gott der Götter *God of gods*

Dt 10, 17 Ps 136, 2, אֱלֹהִים אֲחֵרִים Ex 20, 3 (64 ×, F אַחֵר), בְּנֵי הָאֱ' die (einzelnen) Götter *the (single) gods* Gn 6, 2 Hi 1, 6 2, 1 38, 7; 2. אֱלֹהִים wird Singular *becomes singular*: ein **Gott, Gott** *a god, God*: a) mit noch pluralischer Konstruktion *the construction remains in the plural*: נִגְלוּ הָאֱ' Gn 35, 7, הִתְעוּ אֱ' Gn 20, 13, אֱ' חַיִּים der lebendige G. *the living God* Dt 5, 23 1 S 17, 26. 36 Ir 10, 10 23, 36 (2 K 19, 4. 16 אֱ' חַי), אֱ' שֹׁפְטִים e. Gott, der Ps 58, 12 u. sonst *a. more*; in diesen Fällen wird אֱ' als Einzahl begriffen, aber das formale Empfinden der Mehrzahl ist noch lebendig *in all such cases* אֱלֹהִים *is a real singular, but the pluralistic form is still felt*; b) [meistens *mostly*] singularisch gemeint u. singularisch konstruiert *meant as singular a. accordingly construed as such*: J. ist Gott *God* הָאֱ' Dt 4, 35, הָאֱ' Gott sagte *God said* Gn 29, 6, בָּרָא אֱ' Gott schuf *God created* Gn 1, 1 (הָאֱלֹהִים — der einzige, wahre — Gott ist sprachlich älter als אֱלֹהִים Gott, aber in vielen Fällen hat Wohlklang u. freie Wahl den einen oder den andern Ausdruck genommen הָאֱלֹהִים = [*the only, true*] *God is linguistically older than* אֱלֹהִים [*without article*] = *God*; *but in many cases reasons of euphony have decided for the one or the other form*); Gott e. Volks, Landes *god of a people, or country*: אֱ' יִשְׂרָאֵל Ex 5, 1, אֱ' הָאֱמֹרִי Jos 24, 15, אֱ' אֱדוֹם 2 C 25, 20, אֱ' צִדֹנִים d. Göttin! *the goddess*! d. Sid. 1 K 11, 5; Gott e. Bereichs *god of a realm*: אֱ' הַשָּׁמַיִם u. אֱ' הָאָרֶץ Gn 24, 3, אֱ' מָרוֹם Mi 6, 6, אֱ' כָּל־בָּשָׂר Ir 32, 27, אֱ' הַמִּשְׁפָּט Ma 2, 17, אֱ' צְבָאוֹת Am 4, 13; Gott m. qualifizierendem Genitiv *god, followed by a qualifying genitive*: אֱ' עוֹלָם d. ewige G. *the eternal g.* Js 40, 28, אֱ' יִשְׁעִי d. G., der mir hilft *the god who helps me* Mi 7, 7, אֱ' כֶּסֶף, אֱ' זָהָב e. G. aus Silber, aus Gold *a g. of silber, of gold* Ex 20, 23; Gott Einzelner *god of an individual*: אֱ' דָּוִד 2 K 20, 5, אִישׁ אֶל־אֱלֹהָיו jeder zu seinem Gott *each to his god* Jon 1, 5, נִסְרֹךְ אֱלֹהָיו N., sein G. *his g.* 2 K 19, 37, אֱ' אֲבִיהֶם d. G. ihres V. *the g. of their father* Gn 31, 53; 3. Einzelnes, Besondres *Particulars*: Mose ist f. Aaron לֵאלֹהִים an Gottes Stelle *M. stands for A. instead of God* Ex 4, 16, נְתַתִּיךָ אֱ' לְ' mache dich zum Gott für *I make thee a god to (for)* Ex 7, 1, Bin ich (ein) Gott *am I (a) god?* 2 K 5, 7, גְּדוֹלָה לֵאלֹהִים selbst für (e.) Gott gross *big even for (a) god* Jon 3, 3, מַהְפֵּכַת אֱ' Zerstörung, wie sie G. schafft *demolition as god is causing one* Am 4, 11, F בֵּית, מַטֵּה, הַר, גַּן, מוֹשַׁב, אִישׁ הָאֱלֹהִים etc.; Ex 21, 6 u. 22, 7. 8 u. Ps 45, 7 F Komm.; in Ps 42—83 steht אֱ' oft für *stands frequently for* יהוה, F Komm.; 1 S 3, 13 ist לָהֶם von den Schriftgelehrten für אֱלֹהִים eingesetzt worden *the Massora says* אֱ' *for* לָהֶם; Gn 9, 26 l אָהֳלֵי (u. בָּרֵךְ) f. אֱלֹהֵי.

III. Herkunft, Ableitung von אֱלוֹהַּ, pl. אֱלֹהִים *Derivation a. etymology of* אֱלוֹהַּ, pl. אֱלֹהִים: 1. Das semitische (hebräische) Grundwort für Gott, Gottheit ist offenbar אֵל (*ilu*). 2. Eine „erweiterte" Form davon ist אֱלוֹהַּ, pl. אֱלֹהִים. 3. אֵל hat sich in Zusammensetzungen (n.p., n.l.) behauptet, ist aber sonst weithin ausser Gebrauch gekommen, weil es Name eines bestimmten Gottes (El) geworden war. 4. An seine Stelle ist in der Regel nicht der Singular אֱלוֹהַּ, sondern der Plural אֱלֹהִים getreten, weil dieser Plural in der Regel nichtmehr eine Mehrzahl von Göttern bezeichnete, sondern der Plural schon Zusammenfassung der göttlichen Kräfte einer einzelnen Gottheit und Respektsform für die (pluralische) Bezeichnung eines einzelnen Gottes (VG 1, 60 f) geworden war. 5. Bei den Hebräern ist diese formale Entwicklung durch die theologische Tatsache unterstützt worden, dass mehr und mehr bis hin zum theoretischen Monotheismus nur noch Jahwe als wirkliche

Gottheit (אֱלֹהִים) betrachtet wurde und dann das singularische Verständnis von אֱלֹהִים auch auf andre, einzelne Gottheiten übertragen wurde *The original plain Semitic (Hebrew) word for god is* אֵל *(ilu). This remained alive in compounds (n.p., n.l.), but as* אֵל, *ilu means the chief-god of the pantheon it otherwise has been substituted by its secondary (Aramaic?) formation* אֱלוֹהַּ, *pl.* אֱלֹהִים. *Whereas the sg.* אֱלוֹהַּ *was used rather rarely, the plural* אֱלֹהִים *meaning (several) gods developed to mean a (single) god as the comprehension of divine powers. With the Hebrews this development has been promoted by the fact that monotheism gained ground and Yahve though called with the plural was in reality the only (a. thus singular) god or God in all.*

אֱלוּל: ak. (Monatsname *name of a month*) *Ulûlu*, *Elûlu*, Landsberger, D. kultische Kalender, 1915, 83^2 v. הלל, AP אלול, ܐܝܠܘܠ, أَيْلُول: (d. 6. Monat) **Elul** Ne 6, 15; Ir 14, 14 l אֱלִיל. †

I **אֵלוֹן**: II אול, אֵלֶנִי, F אֵלָה; ba. אִילָן, äg. *nrj* (EG 2, 279)?: pl. cs. אֵלוֹנֵי: nur in (Kult-) n.l. *in names of cult-places only* (kaum e. Baumart, eher allerlei durch Grösse bemerkenswerte Bäume *hardly a species of tree, rather all sorts of remarkably big trees*; cf. lat. *robur* Stärke, *strength* > ital. *rovere* Eiche *oak*): **grosser Baum** *big tree*: אֵלוֹן מוֹרֶה Gn 12, 6, אֵ׳ מְעוֹנְנִים Jd 9, 37, אֵ׳ מֻצָּב Jd 9, 6, אֵ׳ תָּבוֹר (Dalm. JBL 48, 354 ff l אֵ׳ תָּמָר) 1 S 10, 3, אֵ׳ בְּצַעֲנַנִּים Jos 19, 33 Jd 4, 11, אֵלוֹנֵי מוֹרֶה (l אֵלוֹן?) Dt 11, 30, אֵלֹנֵי מַמְרֵא Gn 13, 18 14, 13 18, 1. †
Der. II אֵלוֹן n. m.

II **אֵלוֹן**: n. m., = I: S. v. Sebulon Gn 46, 14 Nu 26, 26. †
Der. אֵלֹנִי.

I **אַלּוֹן**: II אול; ak. *allânu*; אַלּוֹן: אֵלוֹן = אֵלָה: pl. אַלּוֹנִים, cs. אַלּוֹנֵי: (an sich wie *originally like* ar. *el-elâl* (Hess ZAW 35, 124 f) jeder **kräftige Baum** *each vigorous tree*; אַלּוֹנֵי הַבָּשָׁן Js 2, 13 Sa 11, 2 Hs 27, 6 wohl *likely Quercus aegilops L.* Ziegenbarteiche (Löw 1, 621); noch *see* Js 6, 13 44, 14 Ho 4, 13 Am 2, 9, als heiliger Baum *holy tree* אַלּוֹן בָּכוּת (Dalm. JBL 48, 354 ff) Gn 35, 8. †
Der. II אַלּוֹן.

II **אַלּוֹן**: n. m., = I: 1 C 4, 37. †

I **אַלּוּף**: I אלף: sf. אַלּוּפִי, pl. אַלֻּפִים, sf. אַלּוּפֵינוּ: **vertraut, zutraulich** *familiar, confident*, כֶּבֶשׂ Ir 11, 19, Rinder *cattle* Ps 144, 14, Menschen *men*: // רֵעַ Mi 7, 5, // מְיֻדָּע Ps 55, 14, אַ׳ נְעוּרִים Jugendfreund *confident from boyhood* Ir 3, 4 Pr 2, 17; sonst *see* Ir 13, 21 Pr 16, 28 17, 9 Si 38, 25. †

II **אַלּוּף**: II אלף: ug. *ʾlp* (Albr. JPO 14, 259) **Anführer** *chief*: Moritz ZAW 44, 89^3 cf. אֶלֶף der Tausendmann *leader of thousand*: Anführer, *chief*, *leader* (Edomiter *Edomite*) Ex 15, 15 Gn 36, 15—43 1 C 1, 51—54; Sa 9, 7 l אֶלֶף, 12, 5. 6 l אַלְפֵי. †

אָלוּשׁ: n. l.; Wüstenstation *place in the desert* Nu 33, 13 f. †

אֵלוֹת: F אֵילַת.

אֶלְזָבָד: n. m.; אֵל u. זבד, ak. Iluzabbadda APN 100a: 1. 1 C 12, 13; 2. 26, 7. †

אלח: ar. *ʾitalaḫa al-labn* die Milch wird sauer *the milk turns sour* (Tāǧ 1, 251), *ʾitalaḫa ʿalaihum al-amr* die Sache wird für sie verwickelt *their affair gets complicated*:
nif: pf. נֶאֱלָחוּ, pt. נֶאֱלָח: (moralisch) **verdorben sein** *be corrupt* Ps 14, 3 53, 4 Hi 15, 16. †

אֶלְחָנָן: n. m.; אֵל u. חָנַן, Dir. 167. 188; ak. *Ilu-ḫananu* Tallq. 76; V. *Adeodatus* 2 S 21, 19: 2 S 21, 19 23, 24 1 C 11, 26 20, 5. †

אֱלִיאָב: n.m.; אֵל u. אָב; ak. *Ili-jâbi* APN 95b: 1. Führer Sebulons *leader of Seb.* Nu 1, 9 2, 7 7, 24. 29 10, 16; 2. V. v. Dathan u. Abiram Nu 16, 1. 12 Dt 11, 6; S. v. Isai 1 S 16, 6 17, 13. 28 1 C 2, 13; 4. Nachkomme v. *descendant of* גֵּרְשׁוֹם 1 C 6, 12 (1 S 1, 1 אֱלִיהוּא); 5. Levit 1 C 15, 18. 20 16, 5; 6. Gadit 1 C 12, 10. †

אֱלִיאֵל: n.m.; אֵל c. suf. u. אֵל; ak. *Elili* RA 32, 51. 53: 1.—10. 1 C 5, 24; 6, 19; 8, 20; 8, 22; 11, 46; 11, 47; 12, 12; הַשָּׂר 15, 9; Levit 15, 11; 2 C 31, 13. †

אֱלִיאָתָה: n.m.; אֵל u. אתה; > אֱלִיָּתָה 1 C 25, 27: 1 C 25, 4. †

אֱלִידָד: n.m.; אֵל u. דוד: Benjaminit Nu 34, 21. †

אֶלְיָדָע: n.m.; אֵל u. ידע; ak. *Ilu-jada'* APN 97a: 1. S. v. David 2 S 5, 16 1 C 3, 8 (statt *for* בְּעֶלְיָדָע 1 C 14, 7); 2. 1 K 11, 23; 3. Benjaminit 2 C 17, 17. †

אַלְיָה: V אלה, أَلْيَة > *lije* (AS 5, 1): **Fettschwanz** *fat tail* (d. Schafart *of the breed of sheep called Ovis laticaudatus L.*) Ex 29, 22 Lv 3, 9 7, 3 8, 25 9, 19, cj 1 S 9, 24 (wo, als später zum Opfer bestimmt wohl absichtlich beseitigt *here later on expunged intentionally because it became reserved for sacrifice*). †

אֵלִיָּה: n.m.; < אֵלִיָּהוּ: 1. Prophet F אֵלִיָּהוּ 2 K 1, 3. 4. 8. 12 Ma 3, 23; 2. 1 C 8, 27; 3. Esr 10, 21; 4. Esr 10, 26. †

אֵלִיָּהוּ: n.m.; אֵל u. י׳; > אֵלִיָּה; ak. *Ilu-jâu* APN 95b: Prophet F אֵלִיָּה 1. 1 K 17, 1—19, 21 (39×) 21, 17. 20. 28 2 K 1, 10. 13. 15. 17 2, 1—15 (12×) 3, 11 9, 36 10, 10. 17 2 C 21, 12 Si 48, 4. †

אֱלִיהוּ: n.m.; < אֱלִיהוּא: 1. 1 C 26, 7; 2. 1 C 27, 18; 3. F אֱלִיהוּא. †

אֱלִיהוּא: n.m.; אֵל u. הוא; > אֱלִיהוּ: 1. Führer *leader of* Manasse(s) 1 C 12, 21; 2. Vorfahr *ancestor of* Samuel(s) 1 S 1, 1; 3. Gegner *antagonist of* Hiob(s) Hi 32, 2. 5. 6 34, 1 36, 1; > אֱלִיהוּ 32, 4 35, 1. †

אֶלְיְהוֹעֵינַי: n.m.; (wie *like* ak. *Itti-Nabû-înija* meine Augen sind bei (dem Gott) Nabu *my eyes are with (the god) Nabu*), אֵל u. י׳ u. עֵינַיִם; > אֶלְיוֹעֵינַי u. אֶלְיוֹעֵינַי: 1. Esr 8, 4; 2. 1 C 26, 3. †

אֶלְיוֹעֵינַי: n.m.; < אֶלְיְהוֹעֵינַי: 1. Esr 10, 22 Ne 12, 41; 2. Esr 10, 27; 3. 1 C 3, 23 f; 4. 1 C 4, 36; 5. 1 C 7, 8. †

אֶלְיַחְבָּא: n.m.; churr. *Eli-Ḫepa* (B. Maisler, Untersuchungen zur alten Geschichte... Syriens, 1930, 38; Feiler ZA 45, 220 :: Albr. JPO 8, 234: אֵל u. חבא) 2 S 23, 32 1 C 11, 33. †

אֱלִיחֹרֶף: n.m.; Gressmann RTh 1916, 233 (Marquart) äg. *Urichapf*: Schreiber *scribe of* Salomo(s) 1 K 4, 3. †

אֱלִיל, **אֱלִל** Hi 13, 4 †: *אלל; ak. *ul(la)* nicht *not*, *ulâlu* schwach *weak*, ܐܠܝܠܐ elend, schwach *miserable, weak*; aber wohl verwandt mit *but rather cognate of* asa. אלאלת, *أَلْأَلَة Gott, Götter *god, gods* (Nöld., Elohim, El, SBA 54, 1882, 1191): pl. אֱלִילִים, cs. אֱלִילֵי, sf. אֱלִילֶיהָ:

1. **Götter** *gods* (immer geringschätzig *always disdainfully*) Lv 19, 4 26, 1 Js 2, 8. 18. 20 10, 10 (l הָאֱלִילִים). 11 19, 1. 3 31, 7 Ha 2, 18 Ps 97, 7, = Götzen *idols* Ps 96, 5 1 C 16, 26; 2. **nichts, nichtig** *nought, vain*, so schon *thus already* Ps 96, 5 1 C 16, 26, רֹפְאֵי אֱלִל nichtige, nichts werte Ärzte *physicians of no value* Hi 13, 4, d. Biene ein Nichts unter d. Vögeln *of no account among the winged animals is the bee* Si 11, 3, cj קֶסֶם אֱלִיל nichtige Wahrsagerei *futile divination* Ir 14, 14; Hs 30, 13 l אֵילִים, Sa 11, 17 l הָאֱוִלִי. †

אֱלִימֶלֶךְ: n.m.; אֵל u. מֶלֶךְ, ug. *ˀlmlk*, EA u. APN 98a *Ilimilku*, äg. *Arumaraka* Äg. Z. 38, 16: Ru 1, 2. 3 2, 1. 3 4, 3. 9. †

אֱלְיָסָף: n.m.; אֵל u. יסף: 1. Führer *leader of* Gad(s) Nu 1, 14 2, 14 7, 42. 47 10, 20; 2. Führer *leader of* Gerson(s) Nu 3, 24. †

אֱלִיעֶזֶר: n.m.; אֵל u. עֵזֶר, gedeutet *explained* Ex 18, 4; ak. *Ili-idri* APN 97a: 1. Sklave *servant of* Abraham(s) Gn 15, 2; 2. S. v. Mose Ex 18, 4 1 C 23, 15. 17 26, 25; 3.—10. 1 C 7, 8; Priester *priest* 1 C 15, 24 27, 16; Prophet *prophet* 2 C 20, 37; Esr 8, 16; 10, 18; 10, 23; 10, 31. †

אֱלִיעֵנַי: n. m.; < אֱלִיהוֹעֵינַי: 1 C 8, 20. †

אֱלִיעָם: n.m.; אֵל, I עַם, Dir. 168: 1. V. v. Batseba 2 S 11, 3 (= עַמִּיאֵל 1 C 3, 5); 2. 2 S 23, 34. †

אֱלִיפַז, **אֱלִיפָז**: n.m.; אֵל u. פז (Moritz, ZAW 44, 84: fawwâz asa. „er siegt" „*he is victorious*"): 1. Gn 36, 4—16 1 C 1, 35 f; 2. aus *from* תֵּימָן Hi 2, 11 4, 1 15, 1 22, 1 42, 7. 9. †

אֱלִיפַל: n.m.; אֵל u. פלל (Noth S. 187[5]): 1 C 11, 35. †

אֱלִיפְלֵהוּ: n.m.; אֵל u. *פְּלִי sf. *פְּלֵהוּ v. פלה = פלא?: 1 C 15, 18. †

אֱלִיפֶלֶט: n.m.; אֵל u. פֶּלֶט, אֱלִיפָלֶט; F אֶלְפָּלֶט: 1. S. v. David 2 S 5, 16 1 C 3, 6. 8 14, 7; 2. Held *champion of* David(s) 2 S 23, 34; 3.—5. 1 C 8, 39; Esr 8, 13; 10, 33. †

אֱלִיצוּר: n.m.; אֵל u. צוּר: Rubenit Nu 1, 5 2, 10 7, 30. 35 10, 18. †

אֱלִיצָפָן: n.m.: אֵל u. צפן: Nu 3, 30 1 C 15, 8 2 C 29, 13. †

אֱלִיקָא: n.m.; אֵל u.? KF v. אֱלִיקָם?: 2. S 23, 25. †

אֶלְיָקִים: n.m.; אֵל u. קום ZAW 36, 27 f; Siegel *seal* Albr. ZAW 50, 176, Dir. 126, asa. n.m. אלקום: 1. אֲשֶׁר עַל־הַבַּיִת Hiskias 2 K 18, 18. 26. 37 19, 2 Js 22, 20 36, 3. 11. 22 37, 2; 2. K. v. Juda (umbenannt *name changed into* יְהוֹיָקִים) 2 K 23, 34 2 C 36, 4; 3. Priester *priest* Ne 12, 41. †

אֱלִישֶׁבַע: n.f.; אֵל u. II שבע ZAW 55, 165 f: Frau *wife of* Aaron(s) Ex 6, 23. †

אֱלִישָׁה: n.l. אֱ, אִיִּי, woher Purpur kommt *wherefrom purple is exported* Hs 27, 7 u. n.m. des Eponymus Gn 10, 4 1 C 1, 7, zu יָוָן gerechnet *belonging to* יָוָן: ein griechisch sprechendes Küstengebiet d. Mittelmeers, das Purpur ausführt *a Greek speaking litoral of The Mediterranean exporting purple-wool*; Vorschläge *suggestions*: Italien *Italy* Tg zu Hs; Elis u. Peloponnes Halévy REJ 8, 14; Alaschja auf Cypern (F RLA 1, 67 f; ug. *ˀla-ši-ia* De L. 1, 25 f) Procksch; Karthago Stade, De populo Javan 8 f; Nordwestafrika *Northwest of Africa* Jensen KB VI, 1, 507; die Kanarischen Inseln *Canary Islands* von wo die Orseilleflechte (*Roccella tinctoria*) u. d. Harz d. Drachenbaums *Dracaena draca*) roten Farbstoff liefern *wherefrom the archil a. the red colouring matter gained from the resin of the dragon-tree are exported* R. Hennig, Zeitschr. d. Gesellschaft f. Erdkunde 1940, 401—06. †

אֱלִישׁוּעַ: n.m.; אֵל u. שׁוּעַ (Noth S. 154[2]), asa. אליתע Ryck. 1, 232: S. v. David 2 S 5, 15 1 C 14, 5, cj 3, 6. †

אֶלְיָשִׁיב: n.m.; אֵל u. שׁוב; Nöld. BS 100: 1.—6. 1 C 3, 24; 24, 12; Hohepriester *high priest* Esr 10, 6 Ne 3, 1. 20 f 12, 10. 22 f 13, 4. 7. 28; Esr 10, 24; 10, 27; 10, 36. †

אֱלִישָׁמָע: n.m.; אֵל u. שמע; Dir. 216. 232. 257, asa. אלשמע: 1. Nu 1, 10 2, 18 7, 48. 53 10, 22 1 C 7, 26; 2. S. Davids 2 S 5, 16 1 C 3, 8 (.6 l אֱלִישׁוּעַ); 3.—6. הַסֹּפֵר Ir 36, 12. 20 f; 2 K 25, 25 Ir 41, 1; 1 C 2, 41; 2 C 17, 8. †

אֱלִישָׁע: n.m.; אֵל u.? Noth S. 176[2] < *אֱלִישַׁע; Dir. 23. 200. 253[1]; G Ελισαιε = Ἐλισαῖος Lc 4, 27: Prophet 1 K 19, 16—2 K 9, 1 (51 ×). †

אֱלִישָׁפָט: n.m.; אֵל u. שׁפט: 2 C 23, 1. †

אֱלִיתָה: F אֱלִיאָתָה.

***אלל**: F אֱלִיל.

אֱלִל: F אֱלִיל.

אַלְלַי: Ausruf *interjection*: **wehe** *alas*! Mi 7, 1 Hi 10, 15. †

אלם: أَلْمٌ Fessel, *saddle-strap*, berberisch (Stumme ZA 27, 127) alim Stroh *straw*:

ʼpi: pt. מְאַלְּמִים (Garben) **binden** *bind* (*into sheaves*) Gn 37, 7;

nif: pf. נֶאֱלַמְתִּי, נֶאֱלַמְתָּ, נֶאֶלְמָה, impf. תֵּאָלֵם, תֵּאָלַמְנָה: **gebunden, stumm sein** *be bound, speechless* Js 53, 7 Hs 3, 26 24, 27 33, 22 Ps 31, 19 39, 3. 10 Da 10, 15. †

Der. אַלְמֹנִי, אֲלֻמָּה, אִלֵּם.

אֵלֶם: Ps 56, 1 ??, 58, 2 l אֵלִים. †

אִלֵּם: אלם nif.: pl. אִלְּמִים: **stumm** *speechless* Ex 4, 11 Js 35, 6 56, 10 Ha 2, 18 (Götter *gods*) Ps 38, 14 Pr 31, 8. †

[**אִלָּם**: Hi 17, 10 l אוּלָם. †]

[**אֵלָם**: F אֵילָם. †]

אַלְמֻגִּים: ug. ʼ*lmg* (Baumbezeichnung *kind of tree*): עֲצֵי אַלְמֻגִּים **Almuggimhölzer** *timber of almug* 1 K 10, 11. 12 † u. עֲצֵי אַלְגּוּמִּים **Algumminhölzer** *timber of algum* 2 C 9, 10. 11 u. אַלְגּוּמִּים Alg. vom Libanon *algum from Mount Libanon* 2 C 2, 7, cj Ct 3, 10: eine Holzart *kind of wood, of timber*; herkömmlich als Sandelholz (*Santalum album L.*) gedeutet, das sich aber auf d. Libanon (2 C 2, 7) nicht findet *traditionally sandal-wood, but which is not to be found on Mount Libanon*; eher *Juniperus phoenicea* (*excelsa*), ein vorzügliches Bauholz, auf d. Libanon häufig *rather wood of Juniperus phoenicea (excelsa), which is excellent timber a. abundantly to be found on Mount Libanon.* †

***אֲלֻמָּה**: אלם: sf. אֲלֻמָּתִי, pl. אֲלֻמִּים, sf. אֲלֻמֹּתָיו, אֲלֻמֹּתֵיכֶם: **Garbe** *sheaf* Gn 37, 7 Ps 126, 6. †

אַלְמוֹדָד: n.m. als *as* n.t.; in Südarabien; unbekannt *in South-Arabia*; *unknown*: Gn 10, 26 1 C 1, 20. †

אַלַּמֶּלֶךְ: n.l.; in Assur; Noth S. 113 < *אֵלַת־מֶלֶךְ?: unbekannt *unknown*: Jos 19, 26. †

אַלְמָן: künstliche Bildung zu *artificial formation to* אַלְמָנָה: c. מִן **Witwer von** *widower of* Ir 51, 5. †

אַלְמֹן: v. אַלְמָנָה, ug. ʼ*lmn*: **Witwenschaft** *widowhood* Js 47, 9. †

אַלְמָנָה: ug. ʼ*lmnt*, ph. אלמת, ak. *almattu*, pl. *almanâti*; Mari (amor.) *almânu* Witwe *widow*! Sy 19, 108; aram. ארמלה, ארמלתא, أَرْمَلَة; Ruž. KD 104 v. أَلِمَ Schmerz empfinden *feel pain*, Barth § 151a v. ar. *murmil*, *armal* hilflos *helpless, in distress*, meistens *mostly* v. אלם binden *bind*: pl. אַלְמָנוֹת; sf. אַלְמְנֹתָיו; F *אַלְמְנוּת!: **Witwe**, Ehefrau, deren Mann tot ist *widow, wife whose husband died* אִשָּׁה אַלְ׳ 2 S 14, 5 1 K 7, 14 11, 26 17, 9. 10, neben גֵּר u. יָתוֹם rechtlos *like* גֵּר *a.* יָתוֹם *deprived of rights* Dt

10, 18 14, 29 16, 11. 14 24, 17. 19—21 26, 12f 27, 19 Hs 22, 7 Sa 7, 10 Ma 3, 5 Ps 146, 9, רִיב אַלְ׳ Js 1, 17. 23, bedrückt *oppressed* Ex 22, 21 Js 10, 2 Ir 7, 6 22, 3 Ps 94, 6, Gott ist דַּיַּן אַלְ׳ Ps 68, 6, Witwentracht *garments of widowhood* Gn 38, 14, W. Priestern zur Ehe verboten *priests not allowed to marry widows* Lv 21, 14 Hs 44, 22 (aber Priesterwitwe erlaubt *but the widows of priests may be married*); noch *see* Gn 38, 11 Ex 22, 23 Lv 22, 13 Nu 30, 10 1 K 17, 20 Js 9, 16 47, 8 Ir 15, 8 18, 21 49, 11 Hs 22, 25 Ps 78, 64 Pr 15, 25 (cj 23, 10) Hi 24, 3 27, 15 29, 13 31, 16 Th 1, 1 5, 3. †
Der. אַלְמָן, אַלְמֹן, *אַלְמָנוּת.

***אַלְמָנוּת**: אַלְמָנָה, ug. *ʾlmn*, Gulk. Abstr. 36²: sf. אַלְמְנוּתָהּ: **Witwenschaft** *widowhood* Gn 38, 14. 19 Js 54, 4; 2 S 20, 3 *F* חַיּוּת. †

***אַלְמָנוּת**: sf. אַרְמְנֹתָיו > אַלְמְנוֹתָיו v. אַרְמוֹן! Js 13, 22 Hs 19, 7. †

אַלְמֹנִי: אלם: der nicht reden kann, stumm, fremd, unbekannt ist > **ein bestimmter, beliebiger** *not able to speak, speechless, strange, unknown* > *somebody, whoever*; nur *only* פְּלֹנִי אַלְמֹנִי der und der *such a. such, whosoever, whatsoever* 1 S 21, 3 2 K 6, 8 Ru 4, 1. †

אֵלֹן: *F* אֵילוֹן. †

אֵלֹנִי: gntl. v. II אֵלוֹן: Nu 26, 26. †

אֶלְנַעַם: n.m.; אֵל u. *נֹעַם = נַעַם: 1 C 11, 46. †

אֶלְנָתָן: n.m.; אֵל u. נתן: 1. 2 K 24, 8 Ir 26, 22 36, 12. 25; 2. Esr 8, 16. †

אֶלָּסָר: n.l.; d. altbabylonische Stadt *old-Babylonian town* Larsa, heute *to-day* Senkereh sö. Erech; Jaarber. 2, 723 :: Albr. JPO 1, 74: Gn 14, 1. 9. †

אֶלְעָד: n.m.; אֵל u. עוד: 1 C 7, 21. †

אֶלְעָדָה: n.m.; אֵל u. II עדה: 1 C 7, 20. †

אֶלְעוּזַי: n.m.; אֵל u.? Praetorius ZDM 57, 524: 1 C 12, 6. †

אֶלְעָזָר: n.m.; אֵל u. עזר, Ελεαζαρ > Ἐλεάζαρος > Λάζαρος: 1. S. v. Aaron Ex 6, 23—Jos 24, 33 (50 ×) Jd 20, 28 1 C 5, 29f 6, 35 9, 20 24, 1 Esr 7, 5; 2.—6. 1 S 7, 1; 2 S 23, 9 1 C 11, 12; 1 C 23, 21f 24, 28; Esr 8, 33 Ne 12, 42; Esr 10, 25. †

אֶלְעָלֵא Nu 32, 37, אֶלְעָלֵה Nu 32, 3 Js 15, 4 16, 9 Ir 48, 34: n.l.; אֵל? u. עָלָה, fem.: heute *to-day El-ʿÂl* (die Höhe), 934 m hoch gelegen, 4 km n. Hesbon (*the Height*) *altitude 934 m, 4 km N. Hesbon*; Musil AP 1, 248. 390. †

אֶלְעָשָׂה: n.m.; אֵל u. I עשׂה: 1.—4. Ir 29, 3; 1 C 2, 39f; 8, 37 9, 43; Esr 10, 22. †

I אלף: ak. *alâpu* I 2 verbunden sein *be linked with*, أَلِفَ vertraut sein *cleave to, be familiar with*, aram. אלף, ילף gewohnt sein, lernen: qal: impf. תֶּאֱלַף: c. acc. **vertraut werden mit** *get familiar with* Pr 22, 25; †
pi: impf. אֲאַלֶּפְךָ, יְאַלֵּף, pt. sf. מַלְּפֵנוּ (<*מְאַלְּפֵנוּ): **lehren, belehren** *teach, instruct* Hi 15, 5 33, 33 35, 11, cj יְאַלְּפֵנוּ* > יְלַפְּנוּ Hi 32, 13. †
Der. I אַלּוּף.

II אלף: den. v. אֶלֶף Herde, Menge *troop*: hif: pt. מַאֲלִיפוֹת: **in Menge, zu Tausenden hervorbringen** *produce in abundance, by thousands* Ps 144, 13. †

I אֶלֶף: ba. אֲלַף; ug. *ʾlp*, ak. *alpu* Rind *neat*, ph. אלף, soq. *alf* Kalbin *heifer*: v. I אלף: (d. vertraute zahme Tier *the familiar, tame animal*, oder das im Verband, in d. Herde lebende Tier *or the animal existing in company, in herds*), pl. tantum אֲלָפִים, sf. אֲלָפֶיךָ: **Rinder** *cattle*, Pr 14, 4, צֹאנֶה וַאֲ׳ (dafür oft *or* צֹאן

וּבָקָר) Ps 8, 8, שְׁגַר אֲלָפֶיךָ Dt 7, 13 28, 4. 18. 51, Rinder u. Eselhengste als Arbeitstiere *horned cattle a. male asses as working beasts* Js 30, 24; 1 הַרְרֵי אֵל Ps 50, 10. †

II **אֶלֶף**: = I; אֶלֶף, du. אַלְפַּיִם, pl. אֲלָפִים, cs. אַלְפֵי, sf. אֲלָפָו: (Rinderherde *herd of cattle* >) Menge *crowd* (Zahlwort *numeral*): **Tausend** *thousand* (wie *as*) ዐሠፍ = 10.000), ug. *ʾlp*: הַיֹּצֵאת אֶ׳ מֵאָה לְאָלֶף 100 auf *to* 1000 Jd 20, 10, die mit 1000 ausrückt *that went forth a thousand* Am 5, 3; häufig gezählte Nomina stehn in sg. u. nach *frequently counted nouns are given postponed a in the singular*: אֶ׳ כֶּסֶף 1000 [Stück *pieces of*] Silber *silver* Gn 20, 16, אֶ׳ אַמָּה Nu 35, 4, אֶ׳ דּוֹר Dt 7, 9, aber *but* אֶ׳ פְּעָמִים 1000 Mal *times* Dt 1, 11; Mehrfache von *multiples of* 1000: 600.000 Ex 12, 37, 3.000 Ex 32, 28, 15.000 Jd 8, 10, 42.000 Jd 12, 6; 22.273 Nu 3, 43, 603.550 Ex 38, 26; אַלְפֵי רְבָבָה 1000 × 10.000 = 10 Millionen *millions* Gn 24, 60; עֲשֶׂרֶת רְבָבָה (2 S 18, 3) = עֲשָׂרָה אֲלָפִים u. אֲלָפִים; לָאֲלָפִים an Tausenden *unto thousands* Ex 20, 6, לָאֲלָ׳ an den T. *for the thousands* Ex 34, 7; אלפו (אלפיו) die ihm gebührenden, gemässen Tausende *his = the thousands befitting his credit* 1 S 18, 7.

III **אֶלֶף**: sf. אֲלָפַי pl. cs. אַלְפֵי: אֶלֶף Menge *crowd* > *thousand* **Tausendschaft** (numerischer Unterteil des Stamms *numerical part of a tribe*) 1 S 10, 19 Jd 6, 15, wechselt m. *alternates with* מִשְׁפָּחָה 1 S 10, 19: 21; אַלְפֵי יִשְׂרָאֵל Nu 1, 16 10, 4. 36 Jos 22, 21. 30, cj Ps 68, 18 (1 יִשְׂרָאֵל); אַ׳ יְהוּדָה 1 S 23, 23 Mi 5, 1, cj Sa 12, 5 u. 6; הָיָה לָאֶלֶף אֶלֶף בִּיהוּדָה cj Sa 9, 7; zur Tausendschaft werden *become a (group of) thousand* Js 60, 22.

IV **אֶלֶף**: n.l.; הָאֶלֶף; in Benjamin, F II צֵלַע: Jos 18, 28. †

אֶלְפֶּלֶט: n.m.: אֵל u. פֶּלֶט, F אֱלִיפֶלֶט: 1 C 14, 5. †

אֶלְפַּעַל: n.m.; אֵל u. פַּעַל: 1 C 8, 11. 12. 18. †

אלץ: sam. אֲרַץ, ضلز, mnd. אלץ eng sein *be narrow*, ja. אַלְצָנָא Bedrängnis *trouble*: pi: impf. sf. וַתְּאַלְצֵהוּ: **setzte ihm zu, bedrängte ihn** *press hard upon* Jd 16, 16. †

אֶלְצָפָן: n.m.; אֵל u. צפן, F אֱלִיצָפָן: Ex 6, 22 Lv 10, 4. †

אַלְקוּם: מֶלֶךְ אַלְקוּם (Or. אל־קוּם) F Komm.: ungedeutet *unexplained* Pr 30, 31. †

אֶלְקָנָה: n.m.; אֵל u. קנה (schaffen *create*); ak. *Ilu-qanâ* APN 99a: 1. V. v. Samuel 1 S 1, 4. 8. 19—23 2, 11. 20; 2. Ex 6, 24; 3. 1 C 12, 7; 4. 2 C 28, 7; 5. Mehrere *different individuals* 1 C 6, 8—21 9, 16 15, 23. †

אֶלְקֹשִׁי: נַחוּם הָאֶלְקֹשִׁי Na 1, 1: v. n.l. *אֶלְקֹשׁ; d. n.l. ist unbelegt *unknown*; Epiphanius (De vitis prophetarum): in Simeon jenseits *yonder* Eleutheropolis; Hieronymus: in Galilaea, seit d. 16! Jahrhundert *since the 16th century al-Kûsch* bei *near* Mosul. †

אֶלְתּוֹלַד: F תּוֹלָד.

אֶלְתְּקֵא Jos 21, 23 u. אֶלְתְּקֵה 19, 44; n.l.; Burney JThSt 13, 83 f; Taylor-zylinder II 76 *Altaqû*; *Ch. el-Muqanna* bei Bahnstation *near the station of W. eṣ-Ṣarār*, Albr. BAS 15, 8; PJ 25, 64. †

אֶלְתְּקֹן: n.l.; ug. n.m. *3ltqnu*; Burney JThSt 13, 83 f; in Juda, n. Hebron: Jos 15, 59. †

אִם: Deutewort *demonstrative*, ug. *hm*, verwandt m. *cognate of* הֵן etc.; e. Sache, e. Satz wird dadurch herausgehoben *used to emphasize a thing, a phrase*: gesetzt *suppose*; wenn *if*: אִם אֶמְצָא da! ich finde > gesetzt (angenommen), ich finde = **wenn** ich finde *there! I find > suppose I find > if I find* Gn 18, 26 אִם זָרְחָה

Gesetzt, sie ist aufgegangen = **Wenn** sie aufgegangen ist *Suppose it has risen* > *If it be risen* Ex 22, 2; so wird die Interjektion אִם zur Konjunktion אִם *thus the interjection* אִם *becomes the conjunction* אִם, ph. אם, إِنْ, asa. הם, [illegible], jar. אין, [illegible], etc.:

1. אִם **wenn** (erfüllbare Bedingung) *if (realizable condition)*: c. impf. Ex 22, 1, c. pf. Gn 18, 3, im Wechsel v. impf. u. pf. *impf. a. pf. alternating* 1 S 12, 14f, c. יֵשׁ u. pt. Gn 43, 4; 2. אִם **jedesmal wenn** *as often as*: c. pf. Gn 38, 9 Ps 78, 34; 3. אִם **wenn** (unerfüllbare Bedingung) *if (unrealizable condition)*: c. impf. Nu 22, 18 Ir 15, 1, c. pf. Hi 9, 16 (die Unerfüllbarkeit wird nur am Sinn, nicht an der Form des Satzes erkannt *the irreality of the supposition is not expressed by formal means*); 4. אִם im Wunschsatz *in wishes* (anakoluthisch, ohne dass die Folge der Bedingung ausgesprochen ist *anacoluthic, the consequence of the condition not being expressed* אִם תִּשְׁמַע **Wenn du** hören wolltest *if thou wouldest hear!* Ps 81, 9; 5. אִם im Schwursatz *in the oath* (meist anakoluthisch *usually anacoluthic*): אִם אֶעֱשֶׂה **Wenn** ich es tue *if I do this!* 2 S 11, 11 (was dann geschieht, wird weggelassen, und der Sinn ist: Ich tue es [sicher] nicht *what consequently would happen remains unsaid, and the sentence means: I certainly shall not do this!*); darum heisst אִם in Schwursatz **„nicht"** und demzufolge die Negation davon אִם לֹא **„gewiss, sicher"** *therefore in sentences constituting an oath* אִם *means „not" a.* אִם לֹא *means „certainly"* so Js 5, 9 Hi 1, 11; manchmal ist die Folge genannt *the consequence is mentioned*: 1 S 3, 17 2 S 3, 35, nicht genannt *not mentioned* Nu 14, 28 Jos 22, 24; 6. in Fragesätzen *in questions* (أَمْ): אִם מֵאֵת אֲדֹנִי נִהְיָה kommt es von m. Herrn *Is this thing done by my lord?* 1 K 1, 27, in Doppelfrage *in double-questions*: הֲ... אִם Gehörst du?... **oder** gehörst du *Art thou..., or art thou...?* Jos 5, 13, auch *also* הֲ... וְאִם Gn 17, 17 u. הַאַף... וְאִם Hi 34, 17 (kann denn?... oder?) u. אִם... אִם Hi 6, 12; in abhängiger Frage *in dependent question*: נִרְאֶה אִם wir wollen nachsehn, **ob** *let us see whether* Ct 7, 13, אִם לֹא שָׁלַח ob er nicht ausgestreckt hat *whether he have not* Ex 22, 7, אִם לֹא.. יְבָרְכֶךָּ ob er dich nicht segnet *whether he will not* Hi 1, 11, הֲ... וְאִם־לֹא ob... **oder ob nicht** *whether... or whether not* Gn 18, 21; (elliptisch *elliptic*) מִי יוֹדֵעַ אִם wer weiss, **ob = vielleicht** *who knows if = perhaps* Est 4, 14; 7. (einräumend, zugestehend *concessive*) wenn schon, **wenn auch** *though*, lat. *etsi* وَإِنْ, κἄν: אִם צָדַקְתִּי wenn ich auch ohne Schuld wäre *though I were* Hi 9, 15, אִם יַעֲמֹד wenn er auch stände *though he stood* Ir 15, 1; 8. אִם לֹא **wenn nicht** (elliptisch, nach Negation) > **sondern** *if not (elliptic, after negation)* > *but* Gn 24, 38 Hs 3, 6; > **ausser** *save* Ex 3, 19 (cj f. וְלֹא) 2 S 23, 7 (cj f. יִמָּלֵא).

אֵם (220 ×): Lallwort *resulting from child's babbling* ZAW 55, 169—72; Sem, ak. *ummu*, ug. *ʾm*, neuaram. *emma* (Brgstr. Gl. 55) etc.: cs. אֵם, sf. אִמִּי, אִמּוֹ, אִמָּה (statt *instead of* אִמָּהּ) Hs 16, 44†, pl. sf. אִמֹּתָם, אִמֹּתֵינוּ: **Mutter** *mother* Gn 2, 24, אֵ׳ הַיֶּלֶד Ex 2, 8, אֵ׳ הַבָּנִים Ps 113, 9, אָב וָאֵם Eltern Est 2, 7, Mutter, v. Tieren *mother of animals* Ex 22, 29, Vögeln *of birds* Dt 22, 6, Eva אֵם כָּל־חָי Gn 3, 20; בַּת־אִמִּי Gn 20, 12 u. בֶּן־אִמּוֹ 43, 29 u. בְּנֵי אִמִּי Jd 8, 19 von d. gleichen Mutter geboren *born by the same mother*; אֵם = Frau des Vaters *father's wife*, Stiefmutter *stepmother* Gn 37, 10, = Grossmutter *grandmother* 1 K 15, 10, = Stammutter *ancestress* Hs 16, 3, = Zugehörige *belonging to me* Hi 17, 14; du bist בַּת־אִמֵּךְ ganz die Tochter deiner Mutter *really thy mother's daughter* Hs 16, 45; **F** בֶּטֶן, מֵעֶה, רֶחֶם, cj כְּאֵבֶל־אֵם Ps 35, 14; e. Volk als Mutter der

Volksglieder *a people the mother of its members* Ho 2, 4. 7 Js 50, 1, Babel als M. Ir 50, 12; Ehrenname, f. Frau M. in Israel *name of honour for a woman*: *mother in Israel* Jd 5, 7, f. Ortschaft *for a place* עִיר וְאֵם in Isr. 2 S 20, 19 (F בְּנוֹת f. Filialdörfer) I. Lewy HUC 18, 439 f; übertragen (*metaph.*) אֵם הַדֶּרֶךְ Ausgangspunkt v. Strassen, Scheideweg *starting-point for roads, cross-way* Hs 21, 26.

אָמָה: ak. *amtu*, ug. *ʾmt*, ph. אמת, aram. אַמְתָא, AP אמה, pl. אמן, أَمَة, asa. אמת, pl. אמה; Nöld., NB 129 f (Lallwort?): sf. אֲמָתִי, pl. אַמָהוֹת, ug. *ʾmht*, cs. אַמְהֹת, sf. אַמְהֹתָיו: **Sklavin, Magd** *handmaid* (F שִׁפְחָה), 19 × neben עֶבֶד, Sklavinnen eines Manns *maidservants of a man* Gn 20, 17 Hi 19, 15, einer Frau *of a woman* Gn 30, 3 Ex 2, 5 Na 2, 8; מָכַר לְאָ׳ als Skl. verkaufen *sell to be a maidservant* Ex 21, 7; unterwürfige Selbstbezeichnung: deine Skl. = ich *obsequious designation of oneself*: *your maidservant* = *I* 1 S 1, 11 (11 ×), herabsetzend *depreciatory* בֶּן־אָ׳ Gn 21, 10. 13 Ex 23, 12 Jd 9, 18, † בֶּן־אָ׳ Selbstbezeichnung *designation of oneself* Ps 86, 16 116, 16; Sklavinnen der Sklaven *handmaids of the servants* 2 S 6, 20; sonst *see* Gn 21, 12 Ex 20, 10. 17 21, 20. 26 f. 32 Lv 25, 6. 44 Dt 5, 14 12, 12. 18 15, 17 16, 11. 14 1 S 1, 16 25, 24 f. 28. 31. 41! 2 S 6, 22 14, 15 f! 20, 17 1 K 1, 13. 17 3, 20 Hi 31, 13 Ru 3, 9 Esr 2, 65 Ne 7, 67. †

I **אַמָּה** (245 ×): ak. *ammatu*, ug. *ʾmt*, Unterarm, Elle, *elbow*, F ba., aram. אַמָּא Unterarm, Elle, Penis *forearm*, *elbow*, *penis* (wie mischnisch *like mishnic* אַמָּה), AP אמה, pl. אמן Elle *cubit*, soq. *émeh* Unterarm *forearm*: cs. אַמַּת, pl. אַמּוֹת, du. אַמָּתַיִם, Hs 42, 16 l מֵאוֹת אַמּוֹת f. אֵמוֹת (Q): 1. cj אַמָּתוֹ sein **Unterarm** für *his forearm for* אֲמִתּוֹ Ps 91, 4 (geändert, weil אַ׳ mischnisch auch Penis, Löw brieflich *changed on account of the mishnic ambiguity, Löw by letter*); 2. **Zapfen** *pivot* (d. Türflügels *of the door-wings*; ak. *ammatu* Türpfosten *door-post* (?)) Js 6, 4 †; 3. **Elle** *cubit* (Mass *measure*, cf. soq. *dire* = זְרוֹעַ Elle *cubit*) 50 אַמָּה Gn 6, 15, 2000 אַ׳ Jos 3, 4, 5 אַמּוֹת Ex 27, 1, aber auch *but also* אַמּוֹת חָמֵשׁ 2 C 3, 11, אַמּוֹת שִׁשִּׁים 3, 3; אַמָּה וָחֵצִי 1½ Ellen Ex 25, 10, אַרְבַּע בָּאַמָּה 4 E. Ex 26, 8; Hs 42, 2 l מֵאָה; ? Gn 6, 16.

II **אַמָּה**: ungedeutet *unexplained* 2 S 8, 1. †

III **אַמָּה**: n. l.; גִּבְעַת אַמָּה: Lage unbekannt *position unknown* 2 S 2, 24. cj 25. †

אֵמָה: F אֵימָה; אֵמוֹת Hs 42, 16 F I אַמָּה.

***אֻמָּה**: אמם, mhb., F ba., أُمَّة: pl. אֻמִּים Ps 117, 1, אֻמּוֹת Nu 25, 15, sf. אֻמֹּתָם Gn 25, 16: **Sippe, Stamm** *clan, tribe*. †

I **אָמוֹן**: Pr 8, 30 חָכְמָה ist als אָ׳ an Gottes Seite חָכְמָה *is* אָ׳ *on the side of God*; a) jüdische Tradition *Jewish tradition* GVS: אָמָּן ak. *ummânu* Werkmeister *workmaster*, *foreman*, l אָמָּן wie *as* Ct 7, 2; b) Neuere v. אמן als אָמוֹן oder cj אֱמוּן gelesen: Hätschelkind, Liebling *recent interpreters propose* אָמוֹן *deriv. from* אמן *or* אֱמוּן: *fondling*, *minion*, יֶתֶר הָאָ׳ Ir 52, 15 cj 39, 9 offenbar verderbt *evidently corrupt*. †

II **אָמוֹן**: n. m.; אמן, zuverlässig, treu *thrustworthy*, *faithful*: 1. K. v. Juda 2 K 21, 18—25 2 C 33, 20—25 Ir 1, 2 25, 3 1 C 3, 14; 2. 1 K 22, 26 (אָמֹן) 2 C 18, 25; 3. Ne 7, 59, > אָמִי. †

III **אָמוֹן**: äg. n. d.; äg. *ỉmn*, *amun*, *amon*, ak. *amâna*, *amûnu*, Αμουν, Ἀμμών: **Amon**, d. Lokalgott v. Theben, später, besonders im Ausland, d. Reichsgott v. Ägypten, dem Zeus gleichgesetzt *the local god of Thebes*, *later on*, *especially* *abroad*, *the national god of Egypt*, *identified with Zeus* Ir 46, 25, F נֹא. †

*אֱמוּן: F I אָמוֹן u. אֹמֵן: אמן: pl. אֱמוּנִים, cs. אֱמוּנֵי: **Redliche** *faithful* Ps 12, 2 31, 24 2 S 20, 19; > abstr. (Gulk. Abstr. 16) אֱמֻנִים **Redlichkeit** *faithfulness* Js 26, 2; צִיר אֱ׳ redlicher, zuverlässiger Bote *faithful messenger* Pr 13, 17, עֵד אֱ׳ 14, 5, אִישׁ אֱ׳ 20, 6. †

אֱמוּנָה u. אֱמֻנָה 2 K 12, 16†, fem. *of* אֱמוּן, cs. אֱמוּנַת, sf. אֱמוּנָתָם, pl. אֱמוּנוֹת Pr 28, 20; 1. Unbeweglichkeit **Festigkeit** *immobility*, *steadiness* וַיְהִי אֱ׳ blieben unbeweglich *were steady* Ex 17, 12; 2. **Zuverlässigkeit** *faithfulness* a) v. Menschen *men* 1 S 26, 23 Ps 37, 3 119, 30 2 C 19, 9, b) v. Messias Js 11, 5, c) v. Gott *god* (meist mit Treue übersetzt) Dt 32, 4 Js 25, 1 Ps 33, 4 36, 6 40, 11 88, 12 89, 2. 3. 6. 25. 34. 50 92, 3 96, 13 98, 3 100, 5 119, 75. 138 143, 1 Th 3, 23; d) v. Geboten *commandments* Ps 119, 86, Aussagen *assertions* Pr 12, 17, Taten *actions* 12, 22; 3. **Redlichkeit** *candour*, *reliability* Js 59, 4 Ir 5, 1. 3 7, 28 9, 2 (:: שֶׁקֶר); 4. **Treue** *faithfulness* Ho 2, 22 Ha 2, 4; 5. feste Aufgabe, **Amtspflicht** *set office* 1 C 9, 22. 26. 31 2 C 31, 18? 6. עָשָׂה בֶאֱ׳ auf Treu u. Glauben handeln *act*, *deal in good faith* 2 K 12, 16 22, 7 2 C 34, 12; בֶּאֱ׳ zuverlässig, gewissenhaft *faithfully* 2 C 31, 12. 15; 7. אִישׁ אֱמוּנוֹת zuverlässiger Mann *faithful man* Pr 28, 20; l אֵימָתְךָ Ps 89, 9 u. אִמְרָתְךָ 119, 90; ? Js 33, 6. †

אָמוֹץ: n. m.; אמץ: V. v. Jesaja Js 1, 1 2, 1 13, 1 20, 2 37, 2. 21 38, 1 2 K 19, 2. 20 20, 1 2 C 26, 22 32, 20. 32. †

אָמִי: n. m.; < אָמוֹן Ne 7, 59: Esr 2, 57. †

אֵמִים: F אֵימִים.

אֲמִינוֹן: n. m.; < אַמְנוֹן: 2 S 13, 20. †

אַמִּיץ u. אַמִּץ: אמץ: **stark** *strong* קֶשֶׁר 2 S 15, 12, e. Starker J.s *a strong one* Js 28, 2, אַ׳ לִבּוֹ beherzt *courageous* Am 2, 16, J. ist אַ׳ Hi 9, 19, ist אַ׳ כֹּחַ Js 40, 26 Hi 9, 4; e. Mensch ist *a man is* cj אַ׳ כֹּחַ Pr 24, 5, cj הָאַמִּיצִים (וְהַבַּחוּרִים) Am 8, 13 u. אַמִּיצַיִךְ Js 22, 3. †

אָמִיר: II אמר: **Ast** *branch* Js 17, 6; 17, 9 l וְהָאֱמֹרִי. †

אמל: mhb. אֻמְלָל elend *wretched*; verw. *cogn.* I מלל; Schwally ZDM 53, 198 ar. *malla*, Jensen KB 6, 1, 399. 569 f vgl. ak. *ummulu* trüb, traurig sein *be grieved*:

pul.: pf. אֻמְלַל, אֻמְלָל, אֻמְלְלָה, אֻמְלָלוּ, אֻמְלָלוּ: **welken** *wither* (Pflanzen, pflanzenbedecktes Land *plants*, *vegetation-covered country*) Js 16, 8 24, 4. 7 33, 9 Jl 1, 12 Na 1, 4, l לְבָנוֹן דָּלַל Na 1, 4, [übert. *metaph.*] **hinfällig werden** *decay*, *fade* (*away*) 1 S 2, 5 Js 19, 8 24, 4 Ir 14, 2 15, 9 Ho 4, 3 Jl 1, 10 Th 2, 8. †

Der. אֻמְלַל, *אֲמֵלָל.

[אֻמְלָה Hs 16, 30: F Komm. (Bertholet[2])].

אֻמְלַל: אמל; ă vor ā!: **hinfällig** *fading away* Ps 6, 3. †

*אֲמֵלָל: אמל: pl. אֲמֵלָלִים: **hinfällig**, elend *fading*, *decaying* Ne 3, 34. †

אמם: אָמָּה.

אֲמָם: n. l.; im SW Judas Jos 15, 26. †

אמן: fest, zuverlässig, sicher sein *be steady*, *firm*, *trustworthy*; ak. in Derivaten; أَمِنَ, ph. n. p. אלאמן, asa. אמן, soq. *émon* d. Wahrheit sagen *speak the trust*, glauben *believe*, etc., äg. *ʾmn* fest an e. Stelle sein, *be fixed on a place*:

qal: nur *only* pt. אֹמֵן u. pass. אֱמוּן, F dort; †

nif.: pf. נֶאֱמַן, נֶאֶמְנוּ, נֶאֱמָנוּ, impf. יֵאָמֵן, יֵאָמֵ֫ן, יֵאָמְנוּ, תֵּאָמֵן, תֵּאָמַנָה! Js 60, 4, pt. נֶאֱמָן, cs. נֶאֱמַן, fem. נֶאֱמָנָה, נֶאֱמֶנֶת, pl. נֶאֱמָנִים, cs. נֶאֶמְנֵי, fem. נֶאֱמָנוֹת:

1. **sich als fest, zuverlässig erweisen** *prove oneself steady, faithful* Gn 42, 20 1 K 8, 26 Ir 15, 18 Ps 78, 8 (אֶת־ gegenüber *with*). 37 89, 29 (לְ gegenüber *with*) 93, 5 101, 6 111, 7 1 C 17, 23f 2 C 1, 9 6, 17 20, 20, zuverlässig, **treu sein** *be faithful* (Gott *god*) Dt 7, 9 Js 49, 7, sonst *see* 1 S 2, 35 22, 14 Js 1, 21. 27 8, 2 22, 23. 25 33, 16 Ir 42, 5 Ps 19, 8 Pr 25, 13 Hi 12, 20 Ne 9, 8 13, 13; Bestand haben, **bleiben** *last, be of long duration* Js 7, 9, dauernd, **beständig** *lasting, firmly established* 1 S 25, 28 2 S 7, 16 1 K 11, 38, andauernd *lasting* Js 55, 3, anhaltend *continuous* (Schläge, Krankheit *blows, disease*) Dt 28, 59, נֶאֱמָנָה Zuverlässiges *trustworthy words* Ho 5, 9, נֶאֱמַן־רוּחַ treu gesinnt *loyal minded* Pr 11, 13, נֶאֱמָן treu gemeint *faithful* Pr 27, 6; נֶאֱ׳ בְּ **betraut mit** *be entrusted with* Nu 12, 7, נֶאֱ׳ לְ bestellt zu *be appointed as* 1 S 3, 20; ? Ho 12, 1; 2. pass. gewartet, **betreut werden** *be minded, be in care (of)* (denom. v. אֹמֵן) Js 60, 4; †

hif.: pf. הֶאֱמִין, impf. יַאֲמִין, יַאֲמֵן, imp. הַאֲמִינוּ, pt. מַאֲמִין, *F* ba.: **1. sich sicher wissen, Glauben haben** *feel safe, believe* Js 7, 9 28, 16 Ex 4, 31; 2. c. acc.: **als zuverlässig ansehn** *consider as trustworthy*, [es] **glauben** *believe [a thing]* Ha 1, 5; c. בְּ: einem glauben *believe a p.* 1 S 27, 12 Mi 7, 5, an Gott glauben, ihm trauen *believe God, trust in God* Gn 15, 6 Ex 14, 31 (u. an Mose) Nu 14, 11 20, 12 Dt 1, 32 2 K 17, 14 Jon 3, 5 Ps 78, 22 2 C 20, 20; an e. Sache glauben *believe in a thing* Ps 78, 32 106, 12 119, 66; 3. c. לְ: einem glauben, **trauen** *trust in a p.* Gn 45, 26 Ex 4, 1. 5 (לְ fehlt *missing*). 8 Ir 40, 14, Gott vertrauen *trust in God* Dt 9, 23 Js 43, 10, einer Sache glauben *believe a thing* Ex 4, 8. 9 1 K 10, 7 Js 53, 1 Ps 106, 24 Pr 14, 15 2 C 9, 6; 4. c. inf.: **glauben, dass** *believe that* Hi 15, 22, ebenso *the same* c. לְ u. inf.: Ps 27, 13, c. כִּי: Hi 9, 16 Th 4, 12; 5. הֶאֱמִין בְּחַיָּיו fühlt sich seines Lebens sicher *be sure of one's life* Dt 28, 66 Hi 24, 22; Jd 11, 20 l וַיְמָאֵן; unklar sind *unexplained are* Ps 116, 10 Hi 15, 31 29, 24 u. 39, 24. †

Der. I, II n.m. אָמוֹן, אֱמוּנָה, אֵמֻן, אָמֵן, אֹמֶן, I אָמָנָה, I u. II אָמְנָה, אַמְנוֹן n.m., אָמְנָם, אֻמְנָם, אֱמֶת, n.m. אֲמִתַּי.

אָמָּן: ak. *ummânu*: Künstler *artisan* Ct 7, 2, *F* I אָמוֹן. †

אָמֵן: אמן: **gewiss** *surely*! solenne Formel *solemn formula*, mit der 1. der Hörer die Gültigkeit eines Fluchs (e. Beteurung) bestätigt u. ihn auf sich nimmt *with this formula the listeners confirm the validity of an oath a. declare themselves ready to bear its consequences* Nu 5, 22 Dt 27, 15—26 (12 ×) Ir 11, 5 Ne 5, 13, cj Ir 15, 11 oder 2. e. heilvolle Verfügung 1 K 1, 36 (l יַעֲשֶׂה) oder Ansage entgegennimmt (אָ׳ כֵּן יַעֲשֶׂה) Ir 28, 6 *the listeners acknowledge a fortunate order or an announcement* oder 3. sich einer Doxologie anschliesst *or they join in a doxology* אָ׳ Ps 106, 48 1 C 16, 36, אָ׳ אָ׳ Ne 8, 6, אָ׳ וְאָ׳ Ps 41, 14 72, 19 89, 53; l אֹמֶן Js 65, 16. 16. †

אֹמֵן: pt. v. אמן: pl. אֹמְנִים **Pfleger** (v. Kindern) *care-taker (of children)* Nu 11, 12 Js 49, 23, **Vormund** *trustee* 2 K 10, 1. 5 Est 2, 7; fem. אֹמֶנֶת, sf. אֹמַנְתּוֹ Amme *nurse* 2 S 4, 4 Ru 4, 16; pass. dazu *thereof*: pl. אֱמֻנִים **gepflegte**, gewartete *tenderly nursed* Th 4, 5, cj אֱמֻן Pflege-, **Hätschelkind** *fondling* Pr 8, 30 *F* I אָמוֹן; *F* אמן nif. 2 u. II אָמָנָה. †

אֹמֶן: אמן: **Zuverlässigkeit** *faithfulness* Js 25, 1. †

אֵמֻן: אמן; Bildung wie *formation like* אֵבוּס: **Treue** *faith* Dt 32, 20, cj Js 65, 16. 16. †

אֱמוּנָה, **אֱמֻנִים**: F אֱמוּנָה.

I **אֲמָנָה**: אמן: **feste Abmachung** *trustworthy arrangement* (כָּרַת א׳ f. A. treffen f. älteres *for older* כָּרַת בְּרִית) Ne 10, 1 11, 23 (עַל inbetreff *for*). †

II **אֲמָנָה**: n. l.; ak. *Umānum* (Maisler 11), *Ammana*, *Ammun*: d. **Antilibanus** RLA 1, 96, I. Lewy HUC 18, 456[146]: Ct 4, 8; א׳ n. fl. 2 K 5, 12 Q F אֲבָנָה. †

I **אָמְנָה**: אמן: Wahrheit *trust*; adv. **in Wahrheit**, wirklich *indeed* Gn 20, 12 Jos 7, 20. †

II **אָמְנָה**: אמן; F אֹמֵן: **Pflege, Wartung** *care, tending* Est 2, 20. †

*__אֹמְנָה__: pl. אֹמְנוֹת, Bauteil am Tempel *part of the building of the temple*, mit Gold überzogen *overlaid with gold*, **Türpfosten** *door-posts* ZA 45, 130 2 K 18, 16. †

אַמְנוֹן: n.m.; אמן c. -ôn; zuverlässig *trustworthy*; > אֲמִינוֹן: 1. S. v. David 2 S 3, 2 13, 1—39 1 C 3, 1 (אַמְנֹן); 2. 1 C 4, 20. †

אָמְנָם: אָמֵן u. âm, F אֻמְנָם: **wirklich** *really, truly* 2 K 19, 17 Js 37, 18 Hi 9, 2 19, 5, א׳ כִּי Hi 12, 2 Ru 3, 12, אַף א׳ **ja, wirklich** *yea, truly* Hi 19, 4 34, 12. †

אֻמְנָם: = אָמְנָם, in Fragesätzen mit הֲ *in questions beginning with* הֲ: **wirklich**? *really* Gn 18, 13 Nu 22, 37 1 K 8, 27 2 C 6, 18 Ps 58, 2. †

אַמְנֹן F אַמְנוֹן.

I **אמץ**: mhb. hart sein *be solid, hard*: qal: pf. אָמְצוּ, impf. יֶאֱמַץ, וַיֶּאֶמְצוּ, imp. אֱמַץ, אִמְצוּ: **stark sein** *be strong, prevail* 2 C 13, 18, חֲזַק וֶאֱמָץ sei mutig u. stark *be courageous a. strong* Dt 31, 7. 23 Jos 1, 6. 7. 9. 18 1 C 22, 13 28, 20, cj Da 10, 19, pl. Dt 31, 6 Jos 10, 25 2 C 32, 7; c. מִן stärker sein als *be stronger than* Gn 25, 23 2 S 22, 18 Ps 18, 18 142, 7;

pi: pf. אִמֵּץ, אִמַּצְתָּ, אִמַּצְתָּה, אִמַּצְתִּיךָ impf. תְּאַמְּצֶנּוּ, וַיְאַמְּצֵהוּ, וַיְאַמְּצוּ, תְּאַמֵּץ, וַיְאַמֶּץ־, imp. אַמְּצֵהוּ, אַמְּצוּ, אַמְּצוּ, אַאַמִּצְכֶם: 1. א׳ אֶת־ jmd, etwas **stärken** *strengthen* Dt 3, 28 Js 35, 3 41, 10 Am 2, 14 Na 2, 2 Ps 89, 22 Pr 31, 17 Hi 4, 4 16, 5 2 C 11, 17; 2. א׳ לֵבָב jmd **d. Herz verhärten** *harden somebody's mind* Dt 2, 30, sein eignes Herz *one's own mind* Dt 15, 7 2 C 36, 13; 3. א׳ **stark werden lassen** *strengthen* (e. Baum *a tree*) Js 44, 14; 4. א׳ בֵּן e. Sohn *a son* Ps 80, 16. 18; 5. **stark machen** *make firm* (Wolken *clouds*) Pr 8, 28; 6. **in Stand stellen** *get into a good state* (Haus *house*) 2 C 24, 13; Pr 24, 5 l מֵאַמִּץ;

hif: juss. יַאֲמֵץ (Barth ZDM 43, 179 f: qal) **sich stark fühlen** *feel strong* Ps 27, 14 31, 25;

hitp: pf. הִתְאַמֵּץ, impf. וַיִּתְאַמְּצוּ pt. f. מִתְאַמֶּצֶת: **sich als stark erweisen** *prove strong*; c. לְ c. inf. **dabei beharren** *persist in* (*an intention*) Ru 1, 18, **es fertig bringen**, zu ... *manage to* 1 K 12, 18 2 C 10, 18; sich stärker zeigen als, **überlegen sein über** *prove superior of* (עַל) 2 C 13, 7. †

Der. אָמוֹץ n.m., אַמִּיץ, אֹמֶץ, אַמְצָה, אֲמַצְיָה(וּ) n.m., *מַאֲמָץ.

II **אמץ**: *אָמֹץ.

*__אָמֹץ__: أَوْمَضَ schillern, *flash, gleam*: pl. אֲמֻצִּים: **gescheckt** *piebald* (Pferd *horse*) Sa 6, 3. 7. †

אֹמֶץ: אמץ: **Stärke** *strength* Hi 17, 9. †

אַמְצָה: אמץ: **Stärke** *strength* (l לְיֹשְׁבֵי) Sa 12, 5. †

אֲמַצִי: n.m.; KF, < אֲמַצְיָה?: 1. Ne 11, 12; 2. 1 C 6, 31. †

אֲמַצְיָה: n.m.; < אֲמַצְיָהוּ: 1. K. v. Juda, F אֲמַצְיָהוּ 2 K 12, 22 13, 12 14, 8 15, 1; 2. Priester *priest* in Bethel Am 7, 10. 12. 14; 3. 1 C 4, 34; 4. 6, 30. †

אֲמַצְיָהוּ: n.m.; אמץ u. י׳; > אֲמַצְיָה u. אֲמַצִי?: K. v. Juda 2 K 14, 1—15, 3 1 C 3, 12 2 C 24, 27—26, 4. †

I **אמר** (5280 ×): sem. ausser ak. u. äth. *except Acc. a. Eth.*; Del. Prol. 28[1]: Grundbedeutung für alle v. אמר ableitbaren Wörter hell sein, sichtbar machen, kund tun *original meaning of all words derived from* אמר *be bright, make visible, make known*; F ba.:

qal: pf. אָמַר, אָמַר, אָמְרָה; impf. יֹאמַר, יֹאמֶר Nu 10, 36, תֹּאמַר, תֹּאמֶר Pr 1, 21 1 K 5, 20, (f. יְמְרוּךָ, *more correct* יֹאמְרֻךָ, Ps 139, 20 1 יַמְרוּךָ), ohne *without* א 2 S 19, 14 תֹּמְרוּ, cons. וַיֹּאמֶר, וַיֹּאמַר, 1. sg. וָאֹמַר, אֹמְרָה, אמרה, 1. pl. וַנֹּאמֶר, 2. pl. תֹּ׳ מַרְנָה u. Ex 1, 19 2, 19 1 S 18, 7 וַתֹּאמַרְןָ; imp. אֱמֹר, אֱמָר־, אִמְרוּ (ZDM 43, 182); inf. abs. אָמוֹר, cs. אֱמֹר Hs 25, 8, אֱמָר־ Pr 25, 7 u. אֱמֹר, inf. sf. אָמְרִי, אָמְרְךָ, אֲמָרְךָ, אֲמָרְכֶם (f. הֶאָמֹר Hi 34, 18 1 הָאֹמֵר), inf. c. praef. בֶּאֱמֹר, כֶּאֱמֹר, aber stets *but always* לֵאמֹר (לֵאמוֹר Gn 48, 20 Ir 18, 5 33, 19); pt. אֹמֵר u. Ne 5, 12 6, 8 אוֹמֵר, f. אֹמְרָה, אֹמֶרֶת, pass. אָמוּר Mi 2, 7 (fraglich *doubtful*): 1. אמר **sagen** *say*: bedeutet das einfache Sagen, Mitteilen des Gesprächs *indicates the simple act of saying, of communicating* (:: דִּבֶּר reden *speak* Lv 1, 2); Menschen *men* Gn 2, 23 Gott 1, 3, Tier *animal* 3, 1, Bäume *trees* Jd 9, 8. אמר nach *after* דִּבֶּר Lv 18, 2, nach *after* עָנָה Hi 3, 2 u. selbst nach *a. even after* אמר Gn 22, 7 leitet die eigentliche Mitteilung ein *opens the proper communication*; dafür d. häufigen *therefore the frequent* לֵאמֹר, s. unten *see below*. Die Mitteilung folgt auf *the communication follows* אָמַר in direkter *in direct* Gn 3, 2, oder indirekter *or in indirect* Rede *speech* 12, 13. Im Botenspruch der Propheten (F כֹּה) wird sie durch *in the messages of the prophets it is introduced by* כֹּה אָמַר י׳ eingeleitet, durch *or by* הַדָּבָר הַזֶּה Ir 14, 17 u. andre Formeln *a. other formulas*. In die Rede selbst ist *Into the speech itself is inserted* אֹמְרִים לָנוּ eingeschoben Ex 5, 16. אָמַר bedeutet nie Sagen, ohne dass das Mitgeteilte angegeben wäre *never means to say unless the matter communicated is stated*, Ex 19, 25 Gn 4, 8 Jd 17, 2 fehlt etwas *something is missing*, Ho 13, 2 F Komm., Ps 71, 10 1 אָרְבוּ. **Zu jmd** etw. **sagen** *say something to a person* אֶל Gn 3, 16 u. אָ׳ לְ Gn 3, 17 (f. אָ׳ עַל 2 K 22, 8 1 אֶל). **Von jmd** etwas **sagen** *say something about a p.* אָ׳ אֶל f. עַל 2 K 19, 32 Ir 22, 18 27, 19 (Var. עַל) u. אָ׳ לְ Gn 20, 13 Jd 9, 54 Ps 3, 3; אֲשֶׁר אָמַרְתִּי von dem ich sagte *of whom (which) I said* Ex 32, 13 Nu 10, 29 14, 31 Dt 28, 68 Jd 7, 4; אָמַר, unter Weglassung des Gesagten *if the communicated is omitted*, **erwähnen**, nennen *mention, name* Gn 43, 27 Nu 14, 40 2 S 6, 22, c. אֶל Gn 22, 2 oder לְ = gegenüber *to*; אָמַר etwas (rühmend) **nennen** *speak about, praise* Ps 40, 11 Ne 6, 19; אָ׳ לְ (etwas) von jmd sagen *speak, tell about* Ps 41, 6; אָ׳ c. acc. u. לְ etwas etwas **nennen** *call something something* Js 5, 20 8, 12 Ko 2, 2, F nif.; c. שֶׁ u. אֲשֶׁר ohne *without* לְ Th 2, 15 Js 8, 12; אָ׳ sagen = **zusichern** *promise* 2 K 8, 19 1 C 27, 23 (mit Wechsel des Subjekts *subject changing*) Ne 9, 15. 23.

Anmerkung: לֵאמֹר „um zu sagen" bedeutet meistens: „indem er, sie sagte", „mit den Worten" Gn 1, 22 48, 20. Es bedeutet sehr oft nicht mehr als der Doppelpunkt, die Atempause vor der direkten Rede Ex 6, 10. Es steht deshalb auch z.B. nach דִּבְרֵי Gn 31, 1,

וַיַּגֵּד 38, 13, וַיִּשְׁאֲלוּ Jd 1, 1, וַיִּשְׁלַח 2 K 3, 7, sogar nach וַיִּשְׁמַע Js 37, 9 u. in Fällen wie Am 8, 5 1 K 1, 5; es fehlt Js 14, 16 45, 14 etc. *Remark*: לֵאמֹר *"in order to say" in most cases means "[by] saying"* Gn 1, 22 48, 20. *Very often it has no other sense than a colon or breathing before direct speech* Ex 6, 10. *Therefore it is used after* דִּבְרֵי Gn 31, 1, וַיַּגֵּד 38, 13, וַיִּשְׁאֲלוּ Jd 1, 1, וַיִּשְׁלַח 2 K 3, 7, *even after* וַיִּשְׁמַע Js 37, 9 *a. in cases as* Am 8, 5 1 K 1, 5; *it is missing* Js 14, 16 45, 14 *etc.*; 3. אָמַר leise, **zu sich selber sagen, denken** *say under one's breath, to oneself, think* אָ' בְּלִבּוֹ (ak. *qibû itti libbišu*) Gn 17, 17 Js 47, 8 Ps 10, 6 14, 1, אָ' אֶל־לִבּוֹ Gn 8, 21, אָ' לְלִ' Ho 7, 2; einfaches אָ' *simply* Gn 44, 28 mit direkter Rede *with direct speech*, c. כִּי Jd 15, 2; 3. אָמַר c. לְ u. inf. **gedenken, zu ...** *intend doing* Ex 2, 14 2 S 21, 16 1 K 5, 19 2 C 28, 10. 13; 4. אָמַר (ursprünglich, wie noch *originally, like* أمر) F n.m. אֲמַרְיָה, **befehlen** *command*: c. לְ jm. Hi 9, 7, c. inf. Est 1, 17 4, 13 9, 14 1 C 21, 17, absol. Ne 13, 9 2 C 24, 8 Ps 105, 31. 34 1 S 16, 16, c. כִּי Hi 36, 10, c. אֲשֶׁר dass *to* Ne 13, 19. 22, mit „es" als Objekt *with „it" some object* 2 S 16, 11 Ps 106, 34, אָ' עוֹלָה לְ jm. Brandopfer auftragen *commanded that all should make burnt offering* 2 C 29, 24, אָ' לֶחֶם Nahrung anweisen *assign, place food at disposal* 1 K 11, 18; Js 3, 10 l אַשְׁרֵי, Ps 4, 5 l הָמֵרוּ.

nif: pf. נֶאֱמַר, impf. יֵאָמֵר, יֵאָמֵר, יֵאָמַר: **1. gesagt werden** *be said* Ir 16, 14 Da 8, 26 (Si 15, 10); **2. man sagt**, es heisst, *it is said* Gn 10, 9 22, 14 Nu 21, 14 (בְּסֵפֶר) Ir 7, 32, c. אֶל zu *unto* Hs 13, 12, c. לְ zu *to* Ze 3, 16, c. לְ von *of* Nu 23, 23 Ir 4, 11; Ps 87, 5 l אֵם אָמַר (G, Duhm); 3. (c. לְ) er, sie **wird genannt** *be called* Gn 32, 29 (שִׁמְךָ) Js 4, 3 19, 18 32, 5 61, 6 62, 4 Ho 2, 1. 1. †

hif.: pf. הֶאֱמַרְתָּ, sf. הֶאֱמִירְךָ: **zu sagen veranlassen** *induce to say* (bei Bundschliessung; cf. mischn. עשה בה מאמר bei Verlobung, Löw; wie „versprochen sein" für verlobt sein *when a covenant is made; cf. Mishnic* ע' ב' מ' *as term of engagement, betrothal*) Dt 26, 17. 18. †

Der.: אֹמֶר, I אֵמֶר, אִמְרָה, n.m. אֲמַרְיָה(וּ), מַאֲמָר.

II אמר: Barth, Wurzeluntersuchungen 5 f: hitp.: impf. יִתְאַמָּרוּ < תִּתְיַמָּרוּ: **sich gross machen** *boast oneself* Ps 94, 4 Js 61, 6. †

Der.: אָמִיר, II *אָמִר; F II תָּמַר.

אֹמֶר: I אמר: **Ausspruch**, Kunde *saying, words* Ps 19, 3. 4 68, 12; etwas, Sache *thing, something* (wie *as* דָּבָר) Hi 22, 28; dele (dittogr.) Ps 77, 9; l יִתְרוֹ Ha 3, 9. †

I אֵמֶר: I אמר: sg. sf. אִמְרוֹ Hi 20, 29; sonst *elsewhere* pl. אֲמָרִים cs. אִמְרֵי sf. אִמְרֵיכֶם, אֲמָרַי: **Wort** *word*; אָמַר אֲמָרִים Worte sagen *utter words* Pr 1, 21, חוֹשֵׂךְ אֲמָרָיו mit s. Worten zurückhaltend *cautious in words, sparing his words* Pr 17, 27, אִמְרֵי אֵל Nu 24, 4. 16 Ps 107, 11, אָ' יהוה Jos 24, 27, אָ' שֶׁקֶר Lügenworte *lying words* Js 32, 7, לְקַח אָ' Worte annehmen *listen to words* Pr 2, 1 4, 10; sonst *see* Dt 32, 1 Jd 5, 29 Js 41, 26 Ho 6, 5 Ps 5, 2 19, 15 54, 4 78, 1 138, 4 141, 6 Pr 1, 2 2, 16 4, 5. 20 5, 7 6, 2 7, 1. 5. 24 8, 8 15, 26 16, 24 19, 7. 27 22, 21 23, 12 Hi 6, 10. 25. 26 8, 2 22, 22 23, 12 32, 12. 14 33, 3 (l אִמְרֵי דַעַת) 34, 37; Hi 20, 29 אִמְרוֹ nach *according to* Dhorme wie *like* מֵימַר λόγος = Persönlichkeit *personality*. †

II *אָמִר: II אמר; F שֶׁפֶר: Zweig *twig* אִמְרֵי שֶׁפֶר **verzweigtes Geweih** *branched antlers* (Aharoni F שֶׁפֶר) Gn 49, 21. †

אִמֵּר: n.m.; *F* ba; ug. *3mr*, ak. *immeru* Schaf, *lamb*, Nöld. BS 83: 1. Ir 20, 1; 2. Ne 3, 29; 3. (Verschiedne *several*) 1 C 9, 12 24, 14 Ne 7, 40 11, 13 Esr 2, 37 10, 20; n. l.? Esr 2, 59 Ne 7, 61. †

אִמְרָה, *אֶמְרָה: I אמר: cs. אִמְרַת, sf. אִמְרָתִי, אִמְרָתְךָ, אִמְרָתוֹ Th 2, 17 †, pl. אֲמָרוֹת cs. אִמְרוֹת, אֲמָרוֹת, sf. אִמְרֹתֶיךָ: Wort, **Ausspruch** *word*, *saying* Gn 4, 23 Dt 32, 2 33, 9 Js 28, 23 29, 4 32, 9 Ps 12, 7 17, 6 119, cj 5. 11. cj 19. 41. cj 90. 103 147, 15, אִ׳ יהוה 2 S 22, 31 Ps 18, 31 105, 19, אִ׳ אֱלוֹהַּ Pr 30, 5; Ps 138, 2 l אֲמִתֶּךָ. †

אֱמֹרִי: Ἀμορραῖος, v. *אֱמֹר; ak. *Amurru*, äg. *Amura* Albr. Voc. 33, RLA 1, 99 ff.; = von Syrien gebraucht *said from Syria*: *tâmtu ša Amurri* = Mittelmeer *Mediterranean*; Maisler, 1—54; Dhorme, Les Amorrhiens RB 1931; Noth ZAW 58, 182 ff. 1. אֱ׳: ein Amoriter, Stammvater Jerusalems *an Amorite, progenitor of Jerusalem* Hs 16, 45. cj 3, coll. die Amoriter *the Amorites* Nu 21, 29 †; 2. הָאֱ׳ der **Amoriter** *the Amorite* מַמְרֵא הָאֱ׳ Gn 14, 13, סִיחֹן הָאֱ׳ Dt 2, 24 †; 3. הָאֱ׳ coll. die Amoriter (mit plur. konstruiert) *the Amorites* (*construed with pl.*) Dt 3, 9 2 K 21, 11 † a) Volk, v. Moab durch d. Arnon getrennt *people separated from Moab by the Arnon* Nu 21, 13, wohnt *dwelling* בָּהָר Dt 1, 44, jenseits des Jordans *beyond the Jordan* Jos 24, 8, in יַעְזֵר Nu 21, 32, v. Arnon bis zum Hermon *from the river Arnon unto mount Hermon* Dt 3, 8, in Gilead Jd 10, 8, durch מָכִיר aus Gilead vertrieben *dispossessed of Gilead by Machir* Nu 32, 39, גְּבוּל הָאֱ׳ reicht v. Arnon bis zum *stretching from Arnon unto* יַבֹּק, v. d. *from* מִדְבָּר z. *unto* Jordan Jd 11, 22, hat 2 Könige *has 2 kings*: Sichon in Hesbon u. Og von *of* Basan Dt 4, 46. 47 31, 4 Jos 2, 10 9, 10 Dt 3, 8 Jos 24, 12, drängt Dan ins Gebirge *expels Dan into the hill-country* Jd 1, 34; סִיחֹן ist *is* מֶלֶךְ הָאֱ׳ Nu 21, 21 (u. 14 ×; noch *even* Ps 135, 11 136, 19 *F* סִיחֹן) b) in Völkerlisten *in lists of peoples* הָאֱ׳ neben *along with* הָעֲמָלֵקִי Gn 14, 7, neben *along with* הַכְּנַעֲנִי u. andern *a. others* Gn 15, 21 Ex 3, 8 Dt 7, 1 Jos 3, 10 11, 3 Jd 3, 5 Ne 9, 8 (u. 9 ×), als Teil der *part of* כְּנַעֲנִי Gn 10, 16 1 C 1, 14; mit *along with* הַחִתִּי וְהַיְבוּסִי auf d. Gebirge *in the hill-country* Nu 13, 29; c) הָאֱ׳ als frühere Bewohner des Westjordanlands *as anterior residents of Western Palestine*, in Sichem Gn 48, 22, in 5 Städten *in 5 towns* Jos 10, 5, in 3 Städten Jd 1, 35; d) Israel fürchtet *Isr. afraid of* הָאֱ׳ Dt 1, 27, fällt im Westjordanland in ihre Hand *delivered into their hands in Western Pal.* Jos 7, 7, Jahwe giebt sie Israel preis *Y. delivers them into Israels hands* Jos 10, 12, Israel wohnt im Land der *Isr. living in the country of* הָאֱ׳ Jos 24, 18 Jd 11, 21 Am 2, 9. 10; אֱלֹהֵי הָאֱ׳ Jos 24, 15 Jd 6, 10; 4. Einzelnes *particulars*: עֲוֹן הָאֱ׳ noch nicht voll *not yet full* Gn 15, 16, הַר הָאֱ׳ Dt 1, 7. 19. 20, Friede zwischen *peace between* Israel u. הָאֱ׳ 1 S 7, 14, יֶתֶר הָאֱ׳ zur Zeit Sauls *in the time of Saul* 2 S 21, 2, d. Volk, d. übrig ist von *the people left of* הָאֱ׳ 1 K 9, 20; הָאֱ׳ sagen *say* שְׂנִיר für *instead of* חֶרְמוֹן Dt 3, 9; sonst *see* Ex 3, 17 13, 5 23, 23 33, 2 34, 11 Nu 21, 13. 25. 31 22, 2 Dt 1, 19 20, 17 Jos 5, 1 9, 1 10, 6 12, 8 24, 11 Jd 10, 11 11, 23 1 K 21, 26 2 C 8, 7, *F* סִיחֹן; dele Jos 13, 4, הָאֱמֹרִי: וְהָאָרֶץ, l אֱדֹמִי Jd 1, 36 u. Esr 9, 1; cj וְהָאֱמֹרִי Js 17, 9. †

אִמְרִי: n. m.; KF; < *אִמְרִי < אֲמַרְיָה, Widmer, Festschr. Marti 300; Albr. BAS 86, 25 f: 1. 1 C 9, 4 *F* אֲמַרְיָה 6. 2. Ne 3, 2. †

אֲמַרְיָה: n. m.; אמר Dürr, MVG 42, 1, 50 u. יהוה; < אֲמַרְיָהוּ; Siegel v. Megiddo אלאמר

ZDP 59, 240, cf. nab. אמר אל u. أمر الله 'Αμράλλας Mann, Diener Gottes *man of god*, Mél. Sy. Dussaud 561: 1. Ze 1, 1; 2. 1 C 5, 33; 3. 5, 37 Esr 7, 3; 4. Ne 10, 4; 5. Ne 12, 2. 13; 6. 11, 4 = אִמְרִי; 7. Esr 10, 42; 8. 1 C 23, 19. †

אֲמַרְיָהוּ: n. m.; > אֲמַרְיָה u. אִמְרִי: 1. 1 C 24, 23 = אֲמַרְיָה 8. 2. 2 C 19, 11 כֹּהֵן הָרֹאשׁ; 3. 31, 15 = אֲמַרְיָה 3. †

אַמְרָפֶל: n. m.; meist *mostly* = Ḫammurabi; Albright, ASL 40, 125–33; Böhl ZAW 36, 66–69: *Amuru-âpil(i)*: K. v. Sinʿar Gn 14, 1. 9. †

אֶמֶשׁ: mhb., أَمْسِ gestern Nacht *last night*, ak. *ina amšat* (gestern) abends *in the evening* (*of yesterday*), *amšala* gestern *yesterday*, *mûšu* Nacht *night*, ምሴት Abenddämmerung (*evening-*) *twilight*; äg. *msw.t* Abendbrot *supper*; v. מֹשֶׁה?: **אֶמֶשׁ**: **gestern Abend** *yesterday* (*evening*) Gn 19, 34 31, 29. 42 2 K 9, 26; fraglich *dubious* Hi 30, 3. †

אֱמֶת: < *amint; אמן: sf. אֲמִתּוֹ, אֲמִתְּךָ, fem.: 1. Festigkeit, **Zuverlässigkeit** *firmness*, *trustworthiness*: אַנְשֵׁי אֱ' zuverlässige Leute *men to be trusted* Ex 18, 21, אִישׁ אֱ' zuverlässiger Mann *trustworthy man* Ne 7, 2, אִמְרֵי אֱ' Pr 22, 21, תּוֹרוֹת אֱ' Ne 9, 13, מִשְׁפַּט אֱ' Hs 18, 8 Sa 7, 9; דֶּרֶךְ אֱ' sichrer W. *reliable*, *right way* Gn 24, 48, אוֹת אֱ' sichres *reliable* Z. Jos 2, 12, זֶרַע אֱ' echte Art *genuine*, *unadulterated* Ir 2, 21, שָׁלוֹם וֶאֱ' Friede u. Sicherheit *peace a. safety* 2 K 20, 19 Js 39, 8 Ir 33, 6 Est 9, 30; אֱמֶת Zuverlässigkeit *trustworthiness* (gloss.) Pr 22, 21b; 2. **Beständigkeit** *stability*, *constancy*: בֶּאֱ' beständig *incessantly* Js 16, 5, שְׁלוֹם אֱ' beständiger Fr. *lasting*, *durable p.* Ir 14, 13, שֶׂכֶר אֱ' (:: שֶׁקֶר) beständiger L. *perpetual r.* Pr 11, 18, חֶסֶד וֶאֱמֶת F חֶסֶד (auch v. einander getrennt; zu d. jüngeren Stellen *also separated from each other*; *concerning the younger quotations* F Hölscher, Eucharisterion Gunkel II, 25[2]) a) Gottes *of god* Gn 24, 27 Ex 34, 6 2 S 2, 6 Ps 25, 10 40, 11. 12 57, 4. 11 61, 8 86, 15 89, 15 108, 5 115, 1 117, 2 138, 2, b) der Menschen *of men* Gn 24, 49 47, 29 Jos 2, 14 2 S 15, 20 Ho 4, 1 Mi 7, 20! Ps 85, 11 Pr 3, 3 14, 22 16, 6 20, 28, c) חֲסָדִים וֶאֱ Gottes *of god* Gn 32, 11; 3. **Treue** (v. 2. Beständigkeit u. 4. Wahrheit nicht immer sicher zu scheiden!) *faithfulness* (*not always to be safely discerned from 2. constancy a. 4. truth*): a) Treue Gottes *faithfulness of God* Js 38, 18. 19 cj Ps 22, 26 30, 10 43, 3 54, 7 71, 22 cj 138, 2, אֵל אֱ' d. treue G. *God of truth* Ps 31, 6, Gott שֹׁמֵר אֱ' hält d. Treue *keeps truth* Ps 146, 6, אֱ' יִשְׁעֶךָ deine treue H. *faithful*, *trustworthy help* Ps 69, 14, b) v. Menschen *of men* אֱ' Treue *faithfulness* Ps 85, 12, בֶּאֱ' in Treue, treu *in truth*, *truly* Jos 24, 14 Jd 9, 16. 19 1 S 12, 24 1 K 2, 4 3, 6 2 K 20, 3 Js 10, 20 38, 3 61, 8 Ir 32, 41 Sa 8, 8 Ps 111, 8 Pr 29, 14, לֶאֱ' in Treue *in truth* Js 42, 3, עִיר הָאֱ' die treue St. (Jerusalem) *the faithful city* Sa 8, 3, עָשָׂה אֱ' Treue üben *deal truly* Ne 9, 33, הָאֱמֶת was die Treue erforderte *the demands of faithfulness* 2 C 31, 20 32, 1; 4. **Wahrheit** *truth*, *reality* (F Bemerkung zu 3. *see note to 3.*): אֱ' Wahrheit *truth* 1 K 17, 24 Ps 19, 10 51, 8 cj 101, 2 119, 142. 151. 160 132, 11 Pr 8, 7 Da 8, 26 10, 1 11, 2 2 C 9, 5, אֱ' die Wahrheit *the truth* Js 59, 14 Da 8, 12, הָאֱ' die W. *the truth* Js 59, 15, אֱ' Wahrheit Gottes *truth of God* Ps 25, 5 26, 3 86, 11 Da 9, 13, אֱ' וּמִשְׁפָּט Wahrheit u. Recht *truth a. justice* Ps 111, 7, דִּבְרֵי אֱ' Worte der W. *words of truth* Ko 12, 10, כְּתָב אֱ' Buch der W. *writing of truth* Da 10, 21, דִּבֶּר אֱ' die W. sagen *speak the truth* 1 K 22, 16 Ir 9, 4 Sa 8, 16 Ps 15, 2 2 C 18, 15, דְּבַר אֱ' Sache der W. *cause of truth* Ps 45, 5, הָיָה אֱ' wahr sein *be true* Dt 22, 20 2 S 7, 28 1 K 10, 6, אֱ' adv. in Wahrheit, wirklich *truly*, *really* Dt 13, 15 17, 4 Ir 10, 10, הַאֱמֶת אִתְּכֶם ob ihr mit der Wahrheit umgeht *whether you are dealing with the truth* Gn 42, 16, בֶּאֱ׳ in Wahrheit, wirklich *truly*, *really* Jd 9, 15 Js 48, 1 Ir 4, 2 26, 15 28, 9, אֱ׳ adv. wahrhaftig *it is truth*, *truly*! Js 43, 9, אֱלֹהֵי אֱ׳ der wahre G. *the true God* 2 C 15, 3, עֵד אֱ׳ wahrhaftiger Z. *a true w.* Ir 42, 5 Pr 14, 25, תּוֹרַת אֱ׳ wahrhafte W. *law of truth* Ma 2, 6, שְׂפַת אֱ׳ wahrhaftige L. *lip of truth* Pr 12, 19; קָרָא יהוה בֶאֱ׳ aufrichtig J. anrufen *call in truth* Ps 145, 18 †; — l אֲמִתְּךָ Ps 22, 26, אֲמִתּוֹ Ps 91, 4, אֱמֶת Ps 101, 2 f. אִתָּם, אֲמִתְּךָ 138, 2, מְתֵי Hs 18, 9. † Der. אֲמִתַּי n.m.

אַמְתַּחַת: מתח: sf. אַמְתַּחְתּוֹ, pl. cs. אַמְתְּחֹת, sf. אַמְתְּחֹתֵיכֶם: **Sack** *sack* Gn 42, 27 43, 12—23 44, 1—12 (15 ×). †

אֲמִתַּי: n.m.; אֱמֶת: V. v. Jona 2 K 14, 25 Jon 1, 1. †

אָן, אָנָה, אָנָה, אַן: ug. *ʾn*; äga. ja. cp., < II אַיִן: c. -â: אָנָה; Dt 1, 28 u. Ps 139, 7 vor Gutt. *preceding gutturals* אָנָה; אָנָה וָאָנָה 1 K 2, 36. 42 2 K 5, 25: 1. bei Verben d. Bewegung *with verbs of motion*: **wohin**? *whither*, *where (to)*? Gn 16, 8 32, 18 37, 30 Dt 1, 28 Jos 2, 5 1 S 10, 14 (אָן, l אָנָה?) Js 10, 3 Hs 21, 21 Ps 139, 7 Ne 2, 16, אָנָה וָאָנָה irgendwohin *whithersoever* 1 K 2, 36. 42 2 K 5, 25; 2. wo? *where*? Ru 2, 19; 3. עַד־אָן Hi 8, 2 † u. עַד־אָנָה **bis wann**? *how long*? Ex 16, 28 Nu 14, 11 Jos 18, 3 Ir 47, 6 Ha 1, 2 Ps 13, 2. 3 62, 4 Hi 18, 2 19, 2; מֵאָן Q מֵאַיִן **von wo** *whence*? 2 K 5, 25. †

אֹן: F I u. III אוֹן.

אָנָּא > אָנָּה (ắn-nā!): < אָהּ־נָא*: **ach ... doch** *I (we) pray (beseech) thee (you!)* vor *preceding* imp. Gn 50, 17 2 K 20, 3 Js 38, 3 Ps 116, 4 118, 25. 25; vor Aufforderung *preceding request* Ne 1, 5 f. 11; als Seufzer vor Feststellung *a sigh preceding statement* Ex 32, 31 Ps 116, 16 Da 9, 4 f, vor Wunsch *wish* Jon 1, 14, vor Frage *question* Jon 4, 2. †

***אנב** fruchtbar sein, *to be fertile*: F *אבב; אַרְנֶבֶת.

I אנה: verw. *cogn.* אנח, אנן, אנק?;
qal: pf. אָנוּ: **in Trauer sein** *mourn* Js 3, 26 19, 8. †
Der. תַּאֲנִיָּה, אֲנִיָּה, אנה.

II אנה: ak. *unûtu* Hausrat *furniture*, אֻנָּת, hebr. אֳנִי, אֳנִיָּה Schiff *ship*, aram. מ(א)נא Gefäss *receptacle*, מאנא Hausrat, Schiff *furniture*, *ship* (cf. engl. *vessel*, franz. *vaisseau* Gefäss *receptacle* > Schiff *ship*), ug. *ʾny* Schiff *ship*: setzen alle eine Wurzel אני, II אנה „fassen, enthalten" voraus *they all lead to presume a root* אני, II אנה = *hold*, *comprise*.

III אנה: أَنَى seine Zeit kam *its time came*:
pi: pf. אִנָּה cj אֲנִית Ps 88, 8: c. לְ **jmdn widerfahren lassen** *cause to occur to* Ex 21, 13 cj Ps 88, 8 †;
pu: impf. יְאֻנֶּה, תְּאֻנֶּה **widerfahren** *befall* Ps 91, 10 Pr 12, 21. †
hitp.: pt. מִתְאַנֶּה **Streit suchen** לְ mit *seek a quarrel against* 2 K 5, 7. †
Der. II אֵת? *תֹּאֲנָה, תַּאֲנָה.

***אֹנֶה**: I אנה, ug. *ʾn*, *mourning*: sg. sf. אֹנִי, pl. אוֹנִים **Trauerzeit** *time of mourning* Dt 26, 14 Ho 9, 4 cj Hs 24, 17. 22. †

אֲנוּ: mhb.: = אֲנַחְנוּ **wir** *we* Ir 42, 6 K. †

אֹנוֹ n.l.: F אוֹנוֹ.

אָנוּשׁ u. Ir 17, 9 אָנֻשׁ †: I אנשׁ: f. אֲנוּשָׁה: **unheilbar, heillos** *incurable*, *desperate*: כְּאֵב

Js 17, 11, מַכְאֹב Ir 30, 15, מַכָּה Ir 15, 18 Mi 1, 9, שֶׁבֶר (1 שִׁבְרֵךְ) Ir 30, 12, יוֹם Ir 17, 16, l מַחְצִי f. חֵצִי Hi 34, 6, cj וָאָנוּשָׁה Ps 69, 21; ?Ir 17, 9 (Volz l אֱנוֹשׁ). †

I **אֱנוֹשׁ**: אנש, ba. אֱנָשׁ, ug. *ʾnš*; *F* אֲנָשִׁים, אִשָּׁה: sg. tantum, nie mit Artikel *never with article*; // אָדָם Js 13, 12 Ps 73, 5 u. כָּל־אָדָם Hi 36, 25, בְּנֵי אָדָם// Js 51, 12 56, 2 Ps 8, 5 Hi 25, 6, // בֶּן־אָדָם; בֶּן־אֱנוֹשׁ Ps 90, 3, // יְלוּד אִשָּׁה Hi 15, 14 25, 4; // אָדָם Ps 144, 3; :: אֱלוֹהַּ Hi 4, 17 33, 12, :: אֵל Hi 9, 2; אֱנוֹשׁ, im Gebrauch absterbend, nur in Ps (13 ×) u. Hi (18 ×) noch häufig *falling into disuse, frequent only in* Ps (13 ×) *a.* Hi (18 ×): **1. die Menschen** (*all*) *men* Dt 32, 26 Js 13, 12 33, 8 51, 7 56, 2 Ps 8, 5 (ThZ 1, 77 f) 9, 20 10, 18 73, 5 90, 3 103, 15 Hi 4, 17 5, 17 7, 1. 17 9, 2 10, 4. 5 13, 9 14, 19 15, 14 25, 4. 6 28, 4. 13 32, 8 33, 12. 26 36, 25 2 C 14, 10; **2. Menschen** (*some*) *men* Js 24, 6 51, 12 Ps 56, 2 66, 12; **3. Menschenart** *humankind* Ps 55, 14; 4. בֶּן־אֱנוֹשׁ der einzelne Mensch *single man* Ps 144, 3; 5. Einzelnes *particulars*: חֶרֶט א׳ unter M. üblich, gewöhnlich *in use among men, common* Js 8, 1, א׳ שְׁלוֹמִי meine Vertrauten *my intimates* Ir 20, 10, לְבַב א׳ Menschenherz *heart of man* Js 13, 7 Ps 104, 15. 15, א׳ nur Menschen :: Gott *only men* :: *God* Ps 9, 21; גּוֹיִם :א׳ Ps 9, 20. 21. † Der. II אֱנוֹשׁ n. m.

II **אֱנוֹשׁ**: n. m.; = I; Ενως: Gn 4, 26 5, 6. 7. 9. 10. 11 1 C 1, 1. †

אנח: verw. *cogn.* I אנה; ug. *ʾnḥ* Stöhnen *groan*, ak. *anāḫu* mühsam atmen, seufzen *gasp, sigh*, أَنَحَ, aram. ethp., mhb; NF II נוח:

nif.: pf. נֶאֶנְחָה, נֶאֱנָחָה, נֶאֱנַחְתִּי* > נֶאֱנַחְתְּ < נֶאֱנָחֲתִי* Ir 22, 23, נֶאֶנָחוּ, impf. יֵאָנַח, וַיֵּאָנְחוּ, imp. הֵאָנַח, pt. נֶאֱנָח f. נֶאֱנָחָה, נֶאֱנָחָה, pl. נֶאֱנָחִים: seufzen, stöhnen *sigh* Js 24, 7 Ir 22, 23 Hs 9, 4 (עַל über) 21, 11. 12 Pr 29, 2 Th 1, 4. 8. 11. 21 Ex 2, 23 (מִן wegen *on account of*); Jl 1, 18 l נַנְחָה (נוח hif.) †

Der. אֲנָחָה.

אֲנָחָה: אנח; ug. *ʾnḥ*: sf. אַנְחָתִי, אַנְחָתָהּ! Js 21, 2 † pl. sf. אַנְחֹתַי Th 1, 22 †: **Seufzen, Stöhnen** *sigh, groan* Js 21, 2 35, 10 51, 11 Ir 45, 3 Ps 6, 7 31, 11 38, 10 102, 6 Hi 3, 24 23, 2 Th 1, 22 (Si 12, 12 32, 19 41, 9 47, 20). †

אֲנַחְנוּ, נַחְנוּ: neben *besides* אֲנִי; phön. אנחן, ba. אֲנַחְנָא, [Syriac], ak. (*a*)*nînu*: **wir** *we* Gn 13, 8 19, 13 29, 4 37, 7 u. ö.; zur Betonung: gerade wir *stressing*: *just we* Dt 1, 41 2 K 10, 4 Js 20, 6.

אֲנָחֲרַת: n. l.; äg. *ʾA-nu(o)-ḫ-r-tu* Albr. JBL 65, 399, ETL 197: in Issachar, *en-Naʿûra* ZAW 44, 229 f, Saarisalo 110[8]: Jos 19, 19. †

אֲנִי: ug. *ʾn*, ar. أَنَا, aram. אֲנָא, sy. u. ba. אנה, [Syriac], VG 1, 298: אֲנִי: **ich** *I*, c. pt. עֹשֶׂה אֲנִי ich tue *I am doing* Jd 15, 3; besonders, um hervorzuheben *chiefly used for stressing*: אֶמְשֹׁל אֲנִי ich bin der, welcher herrscht *it is I who rules* Jd 8, 23; יֹעֲצָתִּי אֲנִי ich meinerseits rate *I for my part* 2 S 17, 15; später auch ohne diesen Nachdruck *later on* אֲנִי *looses the stress* Ko 2, 11—15 u. a.; אֲנִי als Antwort auf Frage: Ich bin es *answering a question*: *It is I* Gn 27, 24 Jd 13, 11 1 K 18, 8; c. הַ הָאֲנִי Js 66, 9; *F* אָנֹכִי; Vorstellungsformel *formula of introduction* אֲנִי חָכְמָה Pr 8, 12, אֲנִי בִינָה 8, 14, אֲנִי קֹהֶלֶת Ko 1, 12; כִּי אֲנִי יהוה ± 50 × bei *in* Hs; Ps 89, 48 l אֲדֹנָי; adde אֲנִי Ps 88, 9 post כָּלֻא; Statistisches *statistics* *F* W. Kletzel, OLZ 21, 1—5. Über *about* אֲנִי: אָנֹכִי *F* אָנֹכִי! l וְאֵין Ho 5, 2.

אֳנִי: II אנה, ug. *ʾny[t]*; EA *a-na-ji* (Gl. z. *elippi*): **Flotte, Schiffe** *fleet, ships* 1 K 9, 26. 27 10, 11 Js 33, 21, אֳנִי תַרְשִׁישׁ 1 K 10, 22, cj. 15 u. 2 C 9, 14 (ET 42, 439). †

אֲנִיָּה: I אנה: **Trauer** *mourning* (zusammen mit *together with* תַּאֲנִיָּה) Js 29, 2 Th 2, 5. †

אֳנִיָּה: II אנה: n. unit. zu אֳנִי, pl. אֳנִיּוֹת, אֳנִיּוֹת 2 C 8, 18 K, sf. אֳנִיּוֹתֵיהֶם: **Schiff** *ship*; חוֹף אֳנִיּוֹת Hs 27, 9, אֳנִיּוֹת הַיָּם Strand, an d. Schiffe anlegen *shore where ships disembark* Gn 49, 13, אֳנִיּוֹת אֵבֶה Kähne aus Schilf *boats of reed* Hi 9, 26, אֳנִיּוֹת סוֹחֵר Handelsschiffe *trading vessels* Pr 31, 14, אֳנִיּוֹת תַּרְשִׁישׁ 1 K 22, 49 Js 2, 16 23, 1. 14 60, 9 Hs 27, 25 Ps 48, 8, auch *also* Jon 1, 3; sonst *see* Dt 28, 68 Jd 5, 17 1 K 9, 27 22, 50 Js 43, 14 Hs 27, 29 Jon 1, 4. 5 Ps 107, 23 Pr 30, 19 Da 11, 40 2 C 8, 18 9, 21 20, 36. 37; Ps 104, 26 l אֵימוֹת. †

אֲנִיעָם: n.m.; Noth 192: 1 C 7, 19. †

אֲנָךְ: ak. *anâku* Blei *lead* (Deimel), Zinn *tin* (Zimmern 59), ܐܢܟܐ, mnd. אנכא Blei u. Zinn *lead a. tin*, آنُك, ናእክ, armen. *anag*, sanskrit *nāga*: **Zinn u. Blei** *tin a. lead* (עֹפֶרֶת), Bleilot, **Senkblei** *plummet* Am 7, 7. 8; l חוֹמַת־אֲנָךְ f. חוֹמָה 7, 7. †

אָנֹכִי, **אָנֹכִי** u. **אָנֹכִי** Hi 33, 9†, c. הֶ הָאָנֹכִי Nu 11, 12 Hi 21, 4†: **ich** *I*:

I. Sprachliches *linguistics*: ug. *ʾnk*, ak. *anâku*; phön. אנך, אנכי, *anech* Poenulus 995; mo. אֹנך; aram. אנך u. אנכי Lidz. 222, fehlt sonst im Aram. *otherwise wanting in Aram.*; fehlt auch im Ar. u. im Äth., wo aber *-ku* Affix d. 1. sg. ist *also wanting in Ar. a. Eth., but in Eth. -ku is affix of 1. sg.*: *walad-ku* = יָלַדְתִּי, EA meist *mostly anâku*, daneben *besides anuki*, äg. *ink*, ⲁⲛⲟⲕ: *anâku*, אָנֹכִי (Harris, Dev. 74 f) ist demnach *is therefore ʾanā* > אֲנִי ich *I* vermehrt um ein Suffix (demonstrativ), das selbständig in כֹּה erscheint *augmented by a suffix (demonstrative), the independent form of which is* כֹּה; *ʾ*anā-ku* „ich hier *I here*" > hebr. *ʾ*anô-ku* > ʾ*anôki*; VG 1, 298.

II. Sprachgebrauch *usage*. Vorstellungsformel *formula of introduction* אָ׳ יהוה ich bin J. *I am Y.* Ex 20, 2 Dt 5, 6 Ho 12, 10 (Poebel, D. oppositionell bestimmte Pronomen, 1932, 53 ff. anders: Ich, J., bin... *I, Y., am*...); im Gegensatz *in antithesis*: וְאָ׳...אַתֶּם Ho 1, 9; z. Betonung des Subjekts *to stress the subject* אָ׳ נָתַתִּי ich selbst gab *I myself gave* Ho 2, 10; für einfaches ich *for plain I* אֵל אָ׳ ich bin Gott *I am God* Ho 11, 9; etc.

III. Verhältnis von אָנֹכִי zu אֲנִי *relation between* אָנֹכִי *a.* אֲנִי. Statistisches *statistics* F Driver, JPh 11, 222—27, Giesebrecht ZAW 1, 251 ff. 1. ursprünglich stehen אֲנִי (einfaches) ich u. אָנֹכִי (ausdrückliches) ich nebeneinander *originally plain* אֲנִי *I a. stressing* אָנֹכִי *I occur besides each other*; Ho hat *has* 12 : 10. die Wahl entschied sich nach Nachdruck u. Klang *stress a. euphony decided which one was to be chosen*; 2. אֲנִי ist häufiger in Formeln *is more frequent in formulas*: חַי אָנִי immer ausser *always but* חַי אָנֹכִי Dt 32, 40; אִתְּךָ אֲנִי Ir 1, 8. 19 30, 11 46, 28 Js 43, 2. 5† אֲנִי יהוה Ex 6, 2. 6. 7. 8 u. immer in P *a. always in P*, אֲנִי אָמַרְתִּי Js 38, 10 49, 4 Ir 5, 4 10, 19 (3, 19 אָנֹכִי אָ׳ ich aber dachte *but I myself thought*) Ru 4, 4 Ps 30, 7 31, 23 41, 5 82, 6 u. mehr *a. more*; Ich bin 's *It is I* heisst nur *only* 2 S 2, 20 אָנֹכִי, sonst *elsewhere* אָנִי Gn 27, 24 Jd 13, 11 2 S 20, 17 1 K 13, 14 18, 8; aber „ich bin der u. der" heisst *but „I am So a. So" is* אָנֹכִי Gn 24, 34 1 S 30, 13 2 S 1, 8 11, 5 20, 17 Js 6, 5 Ir 1, 6 Jon 1, 9; הִנֵּה אָנֹכִי Gn 24, 13. 43 25, 32 Ex 3, 13 19, 9; Dt liebt *prefers* אָנֹכִי; P hat *has*

130 × אֲנִי (אָנֹכִי Gn 23,4); Ir 54 × אֲנִי, 37 × אָנֹכִי; Hs 138 × אֲנִי, nur *only* 36, 28 אָנֹכִי; Th Hg Esr Est 45 × אֲנִי, kein *no* אָנֹכִי, 1 u. 2 C אֲנִי, nur *only* 1 C 17, 1 (in übernommene Formel *in traditional formula*) אָנֹכִי. So geht אָנֹכִי später zu Gunsten v. אֲנִי zurück. *Thus later on* אָנֹכִי *lessens,* אֲנִי *increases*; cj אָנֹכִי ich aber *but I* f. כִּי Ps 141, 8; אָנֹכִי dogmatische Korrektur f. *dogmatic correction of* הוא Hi 9, 35, F I כֵּן.

אנן: verw. *cogn.* I אנה, אנה; mhb. aram., أَنَّ, قَنَّ:
hitpo: impf. יִתְאוֹנֵן pt. מִתְאוֹנְנִים: **sich in Klagen ergehen** *indulge in complaints* Nu 11, 1 Th 3, 39. †

אנס: mhb. אנס drängen, rauben *compel, rob,* F ba.:
qal: pt. אֹנֵס **nötigen** *compel* Est 1, 8 Si 34, 21. †

אנף: أَنِفَ مِنْهُ jm. verschmähen, ablehnen *be disdain*, mo. אנף ב zürnen auf *be angry with*; v. אנף kommt II אַף, אַפַּיִם (heisst es ursprünglich schnauben?) *from* אנף *derives* II אַף, אַפַּיִם (*originally wheeze?*)
qal: pf. אָנַפְתָּ impf. יֶאֱנַף: v. Gott *of god,* **zürnen** *be angry* (בְּ auf *with*) 1 K 8, 46 Js 12, 1 Ps 2, 12 60, 3 79, 5 85, 6 Esr 9, 14 2 C 6, 36;
hitp.: pf. הִתְאַנַּף impf. וַיִּתְאַנַּף: v. Gott *of god,* **Zorn empfinden** *be angry* (בְּ gegen *with*) Dt 1, 37 4, 21 9, 8. 20 1 K 11, 9 2 K 17, 18 (Si 45, 19). †
Der. II אַף, אַפַּיִם.

אֲנָפָה: ak. *anpatum*, ܐܢܦܐ: e. Vogelart *kind of bird*: z. Genuss verbotene Vogelart, Reiher? *kind of bird, the eating of which is forbidden; heron?* Lv 11, 19 Dt 14, 18. †

אנק: metath. נאק, ak. *nâqu*, ܐܢܩ stöhnen *sigh*:
qal: impf. יֶאֱנֹק, inf. אֱנֹק: **stöhnen** *sigh* (חָלָל) Ir 51, 52 Hs 26, 15 †;
nif: imp. הֵאָנֵק (דֹּם wortlos *wordless*) Hs 24, 17, pt. pl. נֶאֱנָקִים 9, 4: **stöhnen** *sigh.* †
Der. I אֲנָקָה.

I **אֲנָקָה**: אנק: cs. אַנְקַת: **Stöhnen** *sigh* Ma 2, 13 Ps 12, 6 79, 11 102, 21. †

II **אֲנָקָה**: μυγάλη; Aharoni, RB 48, 554 ff: **Gecko** *gecko fanfoot*, *Hemidactylus turcicus* und andre *a. other kinds* (Bodenheimer 194 f) Lv 11, 30. †

I **אנשׁ**: ak. *enēšu* schwach werden *grow weak*; cf. sy. *naš* geschwächt sein *be weakened*:
nif: impf. וַיֵּאָנַשׁ: **kränkeln, abnehmen** *be sickly, decrease* 2 S 12, 15. †
Der. אֱנוֹשׁ, I, II אָנוּשׁ (F II אנשׁ), אִשָּׁה, (אִישׁ pl.) אֲנָשִׁים.

II ***אנשׁ**: أَنِسَ بِهِ er schloss sich ihm an *become familiar with*, إِنْسٌ 1. enger Freund, Vertrauter *particular friend*, 2. Menschen, Menschheit *mankind*, أَلأَنِيسَةُ das (traute) Feuer *the (familiar) fire*: weil die Ableitung von אֱנוֹשׁ, אִשָּׁה (<*אִנְשָׁה) u. אֲנָשִׁים (aber *but* אֲנָשִׁים = ug. *nšm* u. אִשָּׁה = *'št*!) von I אנשׁ fraglich ist, nimmt man dieses II אנשׁ an, das aber durch das Arabische kaum erhellt wird, weil d. Verhältnis des ar. Verbums zum ar. Nomen ungeklärt bleibt *because it is doubtful to derive* אֱנוֹשׁ, אִשָּׁה, אֲנָשִׁים *from* I אנשׁ, II אנשׁ *has been suggested; but is the Arabic helpful considering the obscure relation of the Ar. verb to the Ar. noun?*

אָסָא: n. m.; ak. *asu*, ܐܣܐ Myrte *myrtle* (Löw 2, 260 f): 1. K. v. Juda 1 K 15, 8—22, 43 1 C 3, 10 2 C 13, 23—21, 12 Ir 41, 9 2. 1 C 9, 16. †

אסה: *F* אָסוֹן.

אָסוּךְ: סוך: kleiner Ölkrug, *small oil-jar* 2 K 4, 2 (Honeyman, PEF 1939, 79). †

אָסוֹן: ak. *asū* Arzt *medical man*; ja., sam., mnd. pa. אַסִּי heilen *heal*; davon *deriv.* aram. אָסְיָא Arzt *medical man*, أَسَا (ärztlich) behandeln *attend*, آسٍ Arzt *medical man*; Nöld. NB 104: (Heilung, Eufemismus f.) **tötlicher Unfall** (*healing, euphemism for*) *deathly accident* Gn 42, 4 44, 29 Ex 21, 22. 23 (Si 34, 22 38, 18 41, 9). †

אֵסוּר: אסר; Bildg. wie *formation as* אֵבוּס: pl. אֲסוּרִים sf. אֲסוּרָיו, אֱסוּרָיו: **Fessel** *fetters* Jd 15, 14 Ko 7, 26; בֵּית הָאֵסוּר **Gefängnis** *prison* Ir 37, 15. †

אָסִיף u. **אָסִף** Dir. 4 ff.: אסף: Einbringung (v. Tenne u. Kelter vor Eintritt d. Regenzeit), **Lese** *harvesting* (*from threshing-floor a. wine-press before the rainy season*) Ex 23, 16 34, 22, cj אֲסִיפֵם Ir 8, 13. †

cj ***אֹסִיר**: d. äg. Gott *the Egypt. god Wśir* Ὄσιρις Osiris; phön. אסר; aram. אוסרי, אסרי Eph 3, 103. 107: cj f. אַסִּיר Js 10, 4. †

אָסִיר: אסר; EA *aširu*, *asiru*, äg. *aṯira*, Alb. Voc. 34: pl. אֲסִירִים cs. אֲסִירֵי sf. אֲסִירָיו: **Gefangner** *prisoner* Js 14, 17 Sa 9, 11. 12 Ps 68, 7 69, 34 107, 10 Hi 3, 18 Th 3, 34; Q neben *beside* K אֲסוּרִים, אֲסוּרֵי Gn 39, 20. 22 Jd 16, 21. 25. †

I **אַסִּיר** u. 1 C 3, 17 † אַסִּר: אסר; exilische Bildung *exilian formation*: **Gefangner** *prisoner* Js 24, 22 42, 7 1 C 3, 17 (l הָא׳); Js 10, 4 l אֹסִיר.

Der. II אַסִּיר n.m.

II **אַסִּיר**: n.m.; = I, aber *but see* Noth S. 63[2]: 1. S. v. קֹרַח (l אֹסִיר äg. Osiris?) Ex 6, 24 1 C 6, 7 2. 1 C 6, 8. 22 nach d. Urgrossvater benannt *named after his great-grandfather*. †

***אסם**: ak. *isittu*, pl. *isinêti* Vorrat *store*; ug. *ʾsm* Vorratsraum *granary*; aram. אַסְנָא Vorrat *store*; ܐܣܢ anhäufen *heap up*; אסן :: אסם = שׂטן :: שׂטם: Der. *אָסָם.

***אָסָם**: pl. sf. אֲסָמֶיךָ **Vorräte** *stores* Dt 28, 8 Pr 3, 10 cj Ps 104, 13. †

אַסְנָה: n.m.; ägyptisch *Egypt.* Noth S. 63 f: Esr 2, 50. †

אָסְנַת: n.f.; Spiegelb. 18 f: *Ns-N(j)t* „der (Göttin) Neit gehörig" „*to (the goddess) Neit belonging*", v. Septuaginta Ἀσεννέθ als *G interpretes it as ʾws-n-N(j)t* „sie gehört der (Göttin) Neit" „*she belongs to (the goddess) Neit*" gedeutet: Frau v. *wife of* Josef Gn 41, 45. 50 46, 20. †

אסף (200 ×): ak. *esêpu* sammeln *gather*; ug. *ʾsp* versammeln *gather*; ph. אסף versammeln *gather*; אֲסַף aram. ernten *gather in*; *F* יסף, סוף, ספה; Joüon MFB 5, 436 ff:

qal: pf. אָסַף, וְאָסַפְתָּ, אָסַפְתִּי, sf. אֲסַפְתּוֹ impf. אֶאֶסְפָה־ Nu 11, 16, וַיֶּאֱסֹף, תֶּאֱסֹף, תַּאַסְפִי, אֶאֱסֹף, וַיַּאַסְפוּ sf. וַיַּאַסְפֵהוּ, וַיַּאַסְפָהּ, יַאַסְפֵנִי u. וַיֹּסֶף < *וַיֹּאסֶף 2 S 6, 1, תֹּסֵף < תֹּאסֵף Ps 104, 29, אֹסְפָה, אֹסִפְךָ 2 K 22, 20 (:: אֹסְפְךָ (Edd.) 1 S 15, 6), אָסֵף l אֹסֵף Ze 1, 2. 3 †, inf. אָסֹף (l. אֹסֵף Ir 8, 13), אֱסֹף, sf. אָסְפְּךָ, אָסְפְּכֶם, imp. אֱסֹף, אִסְפִי! Ir 10, 17, אִסְפוּ, pt. אֹסֵף, sf. אֹסְפָם, pl. cs. אֹסְפֵי, pss. pl. cs. אֲסֻפֵי:

1. **sammeln** *gather*: Lebensmittel *food* Gn 6, 21, Ernte *harvest* Ex 23, 10 Hi 39, 12 (וְזַרְעֲךָ לְגָרְנְךָ), Arbeitsertrag *fruit of labour*

Ex 23, 16, Geld *money* 2 K 22, 4; auflesen *collect*: Wachteln *quails* Nu 11, 32, Knochen *bones* 2 S 21, 13, Eier *eggs* Js 10, 14, אָסֹף אֲסִיף cj Ir 8, 13 Lese halten *do the vintage*; Menschen versammeln *gather people* Gn 29, 22 Ex 3, 16 Nu 11, 16 21, 16. 23; א אתו אֶל־אֲבֹתָיו versammelt ihn zu s. Vätern *gather a.p. to his fathers* 2 K 22, 20; 2. **einbringen,** heim nehmen *gather in*: v. Tenne u. Kelter *from threshing-floor a. wine-press* Dt 16, 13; abs. einführen, ernten *gather in* (:: זרע) Dt 28, 38; e. Tier heim nehmen *bring home* (*an animal*) 22, 2; א׳ אִשָּׁה אֶל־בֵּיתוֹ führt e. Frau heim *take home a woman* 2 S 11, 27, Gott nimmt d. Verwaisten auf *God takes up the orphans* אָ׳ Ps 27, 10; אָ׳ עֶבְרָתוֹ zieht s. Grimm zurück *withdraws, appeases his anger* Ps 85, 4, d. Sterne *the stars* אָ׳ נָגְהָם ziehen ihren Glanz ein, verlieren ihn *withdraw, lose their glare* Jl 2, 10 4, 15, אָ׳ חֶרְפָּתִי nimmt m. Schmach weg *take away* Gn 30, 23 Js 4, 1, אֲסֻפֵי רָעָב v. Hunger Hingeraffte *consumed by famine* Hs 34, 29, א׳ רַגְלָיו אֶל־הַמִּטָּה zieht d. Beine aufs Bett zurück *gathered his legs up into the bed* Gn 49, 33; 3. **entziehen** *take away* אָ׳ שְׁלוֹמוֹ מֵאֵת entzieht jmd s. Freundschaft Ir 16, 5, אָ׳ נַפְשׁוֹ s. Leben einbüssen *lose one's life* Jd 18, 25, אָ׳ נֶפֶשׁ jmd d. Leben wegnehmen *take away one's life* Ps 26, 9, אָ׳ אֶת jmd wegnehmen, ausrotten *take away, root out* 1 S 15, 6 Ze 1, 2f, אָ׳ רוּחוֹ nimmt s. Geist weg = lässt ihn sterben *take away one's spirit = make him die* Ps 104, 29, אָ׳ נִשְׁמָתוֹ אֵלָיו Gott zieht s. Odem an sich zurück *God withdraws one's breath unto himself* Hi 34, 14, חַוָּה (M הָיוּ) אָ׳ nimmt d. Unheil fort *removes the harm* Ze 3, 18, אָ׳ אֹתוֹ מִצָּרַעְתּוֹ befreit ihn v. Aussatz *delivers him from leprosy* 2 K 5, 3. 6. 7, אָ׳ הַמְּצֹרָע befreit d. Aussätzigen *delivers the leprous* 5, 11; אֱסֹף יָדֶךָ nimm d. Hand zurück = lass es sein *withdraw your hand = leave it off*! (?) 1 S 14, 19; Js 58, 8 l יְאַסְּפֶךָ, Ir 8, 13 l אֲסִיפָם, Mi 7, 1 l אֹסְפֵי;

nif: pf. נֶאֱסַף, נֶאֱסַפְתָּ, נֶאֶסְפוּ, נֶאֱסָפוּ impf. יֵאָסֵף, וַיֵּאָסֵף, וַיֵּאָסֶף, יֵאָסְפוּ, יֵאָסֵפוּ, יֵאָסֵפוּן, inf. הֵאָסֵף, הֵאָסֹף, imp. הֵאָסְפִי, הֵאָסְפוּ, pt. נֶאֱסָף: **versammelt werden, sich versammeln** *meet, gather*: Herden *flocks* Gn 29, 3. 7, Bürger *citizens* Jd 9, 6, Krieger *warriors* 10, 17, Kultgenossen *partakers of a sacrifice* 16, 23; c. עַל gegen *against* Gn 34, 30 Mi 4, 11, c. אֶל bei *unto* Ex 32, 26 Esr 9, 4, c. לְ auf *to* 2 C 30, 3; besonders *note* נֶא׳ אֶל־עַמָּיו (Alfrink OTS 5, 118ff) zu s. Verwandten, Volksgenossen *to one's relatives, countrymen* = sterben *die* Gn 25, 8. 17 35, 29 49, 29 (l עַמָּי). 33 Nu 20, 24 27, 13 31, 2 Dt 32, 50, אֶל־אֲבֹתָיו Jd 2, 10, אֶל־קִבְרֹתָיו 2 K 22, 20 2 C 34, 28; so blosses *ellipt.* נֶאֱסַף Nu 20, 26 Js 57, 1 Ho 4, 3 (Fische *fishes*); נֶא׳ אֶל־ sich zurückziehen in, nach *withdraw to, into* Nu 11, 30 2 S 17, 13 Lv 26, 25, v. Raubwild *beasts of prey* Ps 104, 22, (wieder) aufgenommen werden *be received* Nu 12, 14. 15, נֶא׳ מִן weggenommen werden von *be taken away from* Js 16, 10 Ir 48, 33, נֶא׳ יָרֵחַ d. Mond nimmt ab *the moon is on the wane* Js 60, 20, d. Schwert נֶא׳ אֶל־תַּעַר fährt in d. Scheide zurück *the sword is scabbarded* Ir 47, 6;

pi: impf. cj. יְאַסְּפֶךָ Js 58, 8, pt. מְאַסֵּף, sf. מְאַסִּפְכֶם, pl. sf. מְאַסְּפָיו (MSS: מְאַסְ׳!) Js 62, 9: **auflesen, nachlesen** *gather, pick up*: ins Haus aufnehmen *receive* (*hospitably*) Jd 19, 15. 18; Nachlese halten *glean* Ir 9, 21; d. Nachhut bilden *form the rear-guard* Nu 10, 25 Jos 6, 9, 13 Js 52, 12 58, 8, (Korn) lesen *garner* (*corn*) Js 62, 9;

pu: pf. אֻסַּף, pl. אֻסְּפוּ, pt. מְאֻסָּף: **eingesam-**

melt werden *be gathered* Js 24, 22 33, 4 Hs 38, 12 Ho 10, 10 Sa 14, 14; †
hitp.: inf. הִתְאַסֵּף, cj impf. וַיִּתְאַסְּפוּן Dt 33, 21: **sich versammeln** *gather* Dt 33, 5. cj 21. †
Der.: אָסִף; *אֹסֶף; (אֲסֵפָה); *אֲסֻפָּה; אֲסַפְסֻף; אָסִיף; n. m. אֶבְיָסָף.

אָסָף: n. m.; KF < אֶלְיָסָף? יוֹאָסָף? Dir. 169; Noth S. 181 f: 1. 2 K 18, 18. 37 Js 36, 3. 22 †; 2. Ne 2, 8 †; 3. Levit, Dichter *Levite, a chief musician* 1 C 6, 24 15, 17 16, 5 25, 1 ff 2 C 5, 12 29, 13. 30 (הַחֹזֶה) 35, 15 u. mehr *a. more*; Überschrift von *title of* Ps 50. 73—83 Ne 12, 46; בְּנֵי אָ׳ 1 C 25, 1. 2 2 C 29, 13 35, 15 Esr 2, 41 3, 10 (הַלְוִיִּם) Ne 7, 44 11, 22; Einzelne *individuals* 1 C 9, 15 2 C 20, 14 Ne 11, 17 12, 35; 1 C 26, 1 l אֶבְיָסָף.

אָסִף: F אָסִיף.

***אֹסֶף**: אסף: pl. אֲסֻפִּים, cs. אֲסֻפֵּי: **Vorräte** *stores* Ne 12, 25 1 C 26, 15. 17. †

אֹסֶף: אסף: **Einsammeln** *gathering*: Obst *fruits* Js 32, 10, Heuschrecken *locusts* 33, 4, Gefangne *prisoners* cj (l אֹסֶף הָאַסִּיר) 24, 22; l אֲסִפֵי Mi 7, 1. †

[אֲסֵפָה: אסף: l אֹסֶף הָאַסִּיר Js 24, 22]. †

***אֲסֻפָּה**: אסף: pl. אֲסֻפּוֹת: **Sammlung** (v. Sprüchen) *collection (of sentences)* Ko 12, 11. †

***אֲסַפְסֻף**: אסף: c. art. הָאסַפְסֻף BL 263 f. 482 l d; **die zusammengelesnen Leute** *cluster (of people)* Nu 11, 4. †

אַסְפָּתָא: n. m.; pers.; Scheft. 39: S. v. Haman Est 9. 7. †

אסר: ug. ʾsr, mo., F ba., ak. *esēru*, asa. אסר, أسر binden *bind*:
qal: pf. אָסְרָה, sf. אֲסָרָם, אֲסָרוּךָ, אֲסַרְנֻהוּ, impf. יֶאְסֹר, וַיֶּאְסֹר u. וַיֶּאְסֹר Gn 42, 24, sf. וַיַּאַסְרֵהוּ, וַיַּאַסְרֻהוּ, נֶאֱסָרְךָ, inf. אָסֹר, cs. לֶאְסֹר u. לֶאֱסוֹר, sf. לְאָסְרְךָ, imp. אֱסֹר, אִסְרוּ, pt. act. cs.! אֹסְרִי Gn 49, 11, pass. אָסוּר, אֲסוּרִים u. הָאֲסוּרִים > הַסּוּרִים Ko 4, 14, f. אֲסֻרוֹת; אֲסִירִים Jd 16, 21. 25 l K אֲסוּרִים, אֲסוּרֵי Gn 39, 20 l Q אֲסִירֵי: **1. fesseln** *bind* Gn 42, 24 Jd 15, 10. 12. 13 16, 5. 7. 8. 11. 12. 21 2 S 3, 34 2 K 25, 7 Ir 39, 7 40, 1 52, 11 Hs 3, 25 Ps 118, 27 (F חַג) 149, 8 Hi 36, 13 Ko 4, 14 2 C 33, 11 36, 6, אָסוּר gefesselt, gefangen *bound* Gn 39, 20 40, 3. 5 Js 49, 9 Ps 146, 7 Hi 36, 8 Ct 7, 6, **gefangen halten** *keep bound* 2 K 23, 33, cj אֲסוּרָה (Gl.) Js 49, 21 u. הָאֲסוּרִים Ko 4, 14; אָ׳ בֵּית כֶּלֶא ins Gefängnis legen *detain in prison* 2 K 17, 4; **2.** (Tiere *animals*) **anbinden** *tie, tether* 2 K 7, 10, אָ׳ סוּסִים Pferde anschirren *harness horses* Ir 46, 4, אָ׳ בָּעֲגָלָה an d. Wagen spannen *put to the cart* 1 S 6, 7. 10, אָ׳ רֶכֶב Ex 14, 6 2 K 9, 21 u. אָ׳ מֶרְכָּבָה Gn 46, 29 u. אָ׳ abs. 1 K 18, 44 2 K 9, 21 anspannen (lassen) *make ready (a chariot)*; אָ׳ לְ anbinden an *tie to* Gn 49, 11, אִישׁ חַרְבּוֹ אֲסוּרִים עַל־מָתְנָיו jeder s. Schwert an d. Hüfte gebunden *each his sword tied to his hip* Ne 4, 12, אָ׳ אֵזוֹר בְּמָתְנֵי jmd d. Schurz (als Erniedrigung) anlegen *tie the loin-cloth upon one's loins (to humiliate him)* Hi 12, 18, אָ׳ מִלְחָמָה d. Kampf eröffnen *begin the battle, engage the enemy* 1 K 20, 14 2 C 13, 3; **2.** (techn.) אָ׳ אִסָּר Nu 30, 4 u. אָ׳ אִסָּר עַל־נַפְשׁוֹ **sich Enthaltungsgelübde auferlegen** *bind oneself by an obligation* Nu 30, 3. 5. 6. 8. 11. 12, (ellipt.) אָ׳ עַל־נַפְשׁוֹ dasselbe *the same* Nu 30, 7. 9. 10; **3.** cj וַיֶּאְסֹר er band, hemmte *bound, checked* Ex 14, 25, l אֶאֶסְרֵם ich

binde sie an *I will bind them* Ho 7, 12; Js 61, 1 l לַסְגוּרִים, Ps 105, 22 l לְיַסֵּר; fraglich *dubious* Ho 10, 10. 10; †

nif: impf. יֵאָסֵר, תֵּאָסֵר, imp. הֵאָסְרוּ: **gefesselt werden** *be bound* Gn 42, 16. 19 Jd 16, 6. 10. 13; †

pu (pass. qal?): pf. אֻסְּרוּ, אֻסָּרוּ (l סָרוּ Procksch): **gefangen werden** *be bound* Js 22, 3. †

Der. אֵסָר, אֱסוּר, אֵסוּר, אָסִיר, אַסִּיר I, מוֹסֵר, מוֹסֵרָה I.

אֱסָר: אסר: cs. אֱסַר, aber *but* sf. אֱסָרָהּ! אֱסָרֶיהָ!: Bindung, **Enthaltungsgelübde** *binding obligation* (*forbearance*) (:: נֶדֶר) Nu 30, 3—6. 11—15. †

אַסָּר: F אַסִּיר.

אֵסַר־חַדֹּן: n. m.; ak. *Aššur-aḫa-iddin* (Assur gibt e. Bruder *Assur gives a brother*); AP אסר חאדן: Asarhaddon *Esar-haddon*, K. v. Assyrien *king of Assyria* (680—69) 2 K 19, 37 Js 37, 38 Esr 4, 2. †

אֶסְתֵּר: (47 ×): n. f.; Noth S. 11 = ak. *Ištar*; Scheft. 39: altindisch *Old Indian stri* = junge Frau *young woman*; Früher = neupersisch *earlier explanation* = *New Persian stāreh* Stern *star* Lewy HUC 14, 128 f.: Ἐσθὴρ Esther, d. jüdische Gattin des Königs *the Jewish wife of king* Ahasverus, hiess früher *formerly named* הֲדַסָּה: Est 2, 7—9, 32. †

I **אַף**: Interjektion, > Partikel, keine Etymologie *interjection*, > *particle, without etymology*: ug. *ʾp* auch *also*; ph. אף; ba. אַף, אַף u. פ = فَ: **auch, sogar, und erst!** *also, even, the more so*; nach negativen Sätzen; **um wieviel weniger!** *after negative clauses: how much less!*: 1. hinzufügend *additional*: אַף אֲנִי auch ich *I also* Gn 40, 16 Lv 26, 24 // גַּם אֲנִי, אַף הֵם auch sie *they also* Dt 2, 11, וְאַף לַאֲמָתְךָ u. auch deine Magd *also unto thy m.* Dt 15, 17, אַף עָרְכָה auch rüstet sie *she also furnishes* Pr 9, 2; 2. unterstreichend *emphasizing*: אַף אֲנִי ich meinerseits *I for my part* Ps 89, 28 Hi 32, 10. 17, וְאַף גַּם זֹאת u. selbst auch dann *a. yet for all that* Lv 26, 44; 3. steigernd *enhancing*: אַף קָדְקֹד ja, den Scheitel *yea, the crown of the head* Dt 33, 20, אַף מְרוֹמֵם ja, er erhöht *yea, he lifts* 1 S 2, 7 Js 42, 13, אַף נָעִים ja lieblich *yea, pleasant* Ct 1, 16, אַף לֹא ... הֲבִיאֹתָנוּ nein, du hast uns nicht gebracht *moreover thou hast not* Nu 16, 14 Est 5, 12, אַף תֵּיטִיבוּ ja, macht es gut *yea, do good* Js 41, 23, אַף שֹׁכְנֵי erst recht die Bewohner *how much more the* Hi 4, 19; 4. gegensätzlich *antithetic*: אַף זָנַחְתָּ doch hast du *but thou hast* Ps 44, 10, [cj אַף [כֻּלְּכֶם doch ihr alle *but all of you* Ps 58, 3; 5. Verbindungen *compounds*: אַף אָמְנָם ja, wahrlich *yea, truly* Hi 34, 12, הַאַף אֻמְנָם sollte denn tatsächlich *shall I in fact* Gn 18, 13 Hi 19, 4, הַאַף אֵין־זֹאת Sollte dies wirklich nicht sein *should this really not be*? Am 2, 11, הַאַף wirklich *really*? cj Jd 8, 6 u. 15; אַף־בַּל noch garnicht *never yet* Js 40, 24, אַף־אֵין gar keiner ist da *there is none whoever* Js 41, 26, הַאַף kann denn auch *is it conceivable that*? Hi 34, 17, הַאַף willst du wirklich *will you really*? Hi 40, 8; 6. אַף כִּי: vielfach leitet כִּי nach אַף einfach e. Bedingungssatz ein *in many cases* כִּי *following* אַף *introduces a plain conditional clause*: אַף כִּי ... שִׁלַּחְתִּי. Ja, wenn ich *yea, if I* Hs 14, 21 15, 5, oder אַף leitet elliptisch e. Frage ein, deren Inhalt d. Satz mit כִּי angibt *or*, אַף *introduces elliptically a question, the contents of which are stated in the clause beginning with* כִּי: אַף כִּי אָמַר [Ist es] wirklich [so], dass er gesagt hat [*Is it*] *really, that he said*? Gn 3, 1, oder אַף hebt e. Temporalsatz hervor *or*, אַף *stresses a clause of time*: אַף כִּי sogar als *yea, when* Ne 9, 18; in andern Fällen ist אַף כִּי zur Einheit geworden *in other cases* אַף כִּי *has become a unit*: אַף כִּי wieviel mehr, wenn *how much more, when* 2 S 4, 11, אַף כִּי ... רָחֲקוּ wieviel mehr rücken ... ab *how much more do* ... Pr 19, 7, אַף כִּי אָנֹכִי wieviel weniger kann ich *how much less shall* ... Hi 9, 14, וְאַף כִּי עַתָּה u. wieviel mehr nun *a. how much more* ... *now* 2 S 16, 11, אַף כִּי (nach Negation) wieviel weniger (*after negation*) *how much less* 1 K 8, 27 2 C 6, 18; 7. Einzelnes *particulars*: אַף ist im Gebrauch beschränkt *the use of* אַף *is restricted*; Js 40, 24—48, 15 24 ×; meist steht jetzt גַּם *mostly* גַּם *is used* (Lv 26, 24!); 2 K 2, 14 l אֵפוֹא f. אַף הוּא; Hi 36, 29 l אַף מִי wer gar *yea, who* f. אַף אִם; Ps 96, 12 l אָז f אַף; ? 2 S 20, 14 u. Ps 108, 2; Pr 22, 19 l אֹרְחֹתָיו.

II אַף: אנף; sprich: app, nicht af *pronounce*: *app, not af*!; akk. *appu*, du. *appâ*, ug. *ʾp*, أنف Nase *nose*, [Ethiopic] Nase, [Syriac], [Syriac] Gesicht *face*, n-aram. *ffōja* Bgstr. 24: sg אַף, אַף, sf. אַפּוֹ, אַפְּךָ, du. אַפַּיִם, אַפַּיִם, cs. אַפֵּי, sf. אַפֵּינוּ, אַפָּיו: 1. sg. אַף (d. Schnauber *the hard breathing*? =) **Nase** *nose*: נִזְמֵי הָאָף Js 3, 21, Gn 24, 47, cj 22, Odem *breath* בְּאַפּוֹ Js 2, 22, z. Riechen *for smelling* Ps 115, 6, Nase d. Krokodils *nose of the crocodile* Hi 40, 24, Rüssel d. Schweins *snout of the swine* Pr 11, 22, Nase wie e. Turm *nose like a tower* Ct 7, 5, Gestank steigt in d. Nase *stink comes up into the nose* Am 4, 10, bei Übelwerden kommt d. Fleisch aus d. Nase *sickly feeling brings the flesh out of the nose* Nu 11, 20, F מִיץ; גֹּבַהּ אַפּוֹ Hochnäsigkeit *superciliousness* Ps 10, 4; beim Zorn schnaubt d. Nase u. e. Feuer brennt קדח in ihr *the nose of the angry breathed hard a. a fire is burning* קדח *in it* Dt 32, 22; daher d. Nase d. Organ des Zorns, sodass *thus the nose being the organ of anger, therefore*: 2. sg. אַף **Zorn** *anger*; וַיִּחַר אַפּוֹ s. Nase wurde heiss = s. Zorn entbrannte *his nose became hot* = *his anger was kindled* Gn 30, 2 u. über *a. over* 80 ×; auch v. Jahwe *even of Y.* Ex 4, 14 Js 5, 25 u. oft *a. often*; חֲרוֹן אַפּוֹ Dt 13, 18 u. חֲרוֹן אַף יהוה Nu 25, 4 F חָרוֹן: d. Brennen d. Nase = des Zorns *the burning, glowing of the nose* = *anger*; dasselbe *the same* חֳרִי אַף Ex 11, 8 F חֳרִי; aus diesem Wendungen kommt אַף allgemein zur Bedeutung Zorn *out of these phrases* אַף *develops to mean commonly anger, wrath*: שָׁב אַפּוֹ מִן s. Zorn lässt ab von *his anger turns away from* Gn 27, 45, הֵשִׁיב אַפּוֹ s. Zorn beschwichtigen *turn away his anger* Pr 29, 8, כִּלָּה אַפּוֹ בְּ s. Zorn auslassen, erschöpfen an *accomplish, satisfy one's anger on* Hs 20, 8, עָלָה אַף בְּ Z. steigt auf gegen *anger goes up against* Ps 78, 21, רוּחַ אַפּוֹ Hauch s. Zorns *blast of his anger* Hi 4, 9; 3. אַפַּיִם du.: (d. beiden Schnauber *the two breathing hard organs* =) a.) **Nasenlöcher** *nostrils* וַיִּפַּח בְּאַפָּיו Gn 2, 7, רוּחַ אַפֵּינוּ Lebensodem *breath of life* Th 4, 20; b.) Nasengegend = **Gesicht, Anlitz** *region of the nose* = *face*: אַפַּיִם אַרְצָה mit d. Gesicht zur Erde hin *with his face to the earth* Gn 19, 1 1 S 24, 9 u. oft *a. often*; וַתִּפֹּל עַל־אַפֶּיהָ warf sich auf ihr Angesicht *fell on her face* 2 S 14, 4; זֵעַת אַפַּיִם Schweiss im Gesicht *sweat of the face* Gn 3, 19; so wird *thus becomes* לְאַפָּיו gegen s. Gesicht hin zu: vor ihm *towards his face* = *in front of him* Gn 48, 12 Nu 22, 31 1 S 20, 41, לְאַפֵּי דָוִד vor D. *before D.* 1 S 25, 23; c.) אַפַּיִם wie *as* אַף = **Zorn** *anger* Pr 30, 33 Da 11, 20 Ex 15, 8; 1 S 1, 5 l אֶפֶס כִּי f אַפָּיִם (G).

Der. II אַפַּיִם n. m., חֲרוּמַף n. m.

אפד: ohne Ableitung *without etymology*; F אֵפֹד 9: qal: pf. אָפַדְתָּ impf. וַיֶּאְפֹּד: e. **Gewand fest anliegend machen** *to make the dressing sitting close* (GVS) Ex 29, 5 Lv 8, 7. †

Der. אֵפֹד; אֲפֻדָּה.

I אֵפֹד u. אֵפוֹד†; ass. *epâttum, pl. epadātum, ug. ʾpd(?) BAS 83, 40: אפד: 1. **Ephod** *ephod*, בֶּגֶד d. Priester *of the priest* Ex 28, 4. 6 29, 5 39, 2, מְעִיל הָאֵפֹד Ex 28, 31 29, 5 39, 22, angezogen über *put upon* d. מְעִיל Lv 8, 7, versehen mit *provided with* חֵשֶׁב Ex 28, 27. 28 29, 5 39, 20. 21 Lv 8, 7, mit *with* טַבַּעַת Ex 28, 28 39, 21 u. mit *a. with* כְּתֵפוֹת Ex 28, 12. 25. 27 39, 7. 18. 20, wie *like* חֹשֶׁן mit Edelsteinen verziert *adorned with precious stones* Ex 25, 7 35, 9. 27; noch Ex 28, 26. 28 39, 19. 21; d. Ganze heisst *the whole is called* מַעֲשֵׂה אֵפֹד (l האפד) Ex 28, 15 39, 8; so die Angaben von P *thus the statements of the Priest's Code*; 2. Gideon macht aus Beutestücken e. G. *makes of the booty an* אֵפֹד Jd 8, 27; 3. אֵפֹד וּתְרָפִים als Kultgegenstände *objects of worship* Jd 17, 5 18, 14. 17. 18. 20 Ho 3, 4; 4. d. אֵפֹד wird getragen *is worn* 1 S 2, 28 14, 3. cj 18 22, 18 (85 Priester tragen es jeder *each of 85 priests are wearing it*) cj 1 K 2, 26; es wird v. כֹּהֵן herbeigebracht *brought by the priest* הִגִּישׁ 1 S 23, 9 30, 7 cj 14, 18; e. כֹּהֵן trägt es *carries it* בְּיָדוֹ 1 S 23, 6; Samuel 1 S 2, 18 u. David 2 S 6, 14 sind *are* חָגוּר אֵפוֹד בַּד, auch *also* 1 C 15, 27; 5. e. Schwert liegt hinter ihm *a sword laid down behind it* 1 S 21, 10; 6. d. אֵפֹד ist aus Linnen *made of linen* בַּד 1 S 2, 18 22, 18 2 S 6, 14 1 C 15, 27 (P nennt ausdrücklich בַּד für *P mentions* בַּד *as material for* מִכְנָס, אַבְנֵט etc., aber nicht f. *but not for* אֵפֹד); 7. Jd 8, 27 bedeutet הִצִּיג, wie 6, 37 zeigt, nicht aufstellen, sondern bereithalten Jd 8, 27 הִצִּיג *means as is evidenced by* 6, 37 *keep ready*; 8. ug.? ʾpdk̄ Baumgartner ThR 13, 168 zweifelnd, Albr. BAS 88, 40 positiv; G: ἐπωμίς 22 ×, ποδήρης 2 ×, στολή 2 ×, ἱερατία 1 ×, εφω/ουδ 14 ×; V: superhumerale 20 ×, ephod 18 ×, stola 1 ×; S: ܦܕܬܐ; 9. Lagarde, GGN 1890, 15 f: von وَافِد وَفْد Gesandter, der Beistand erbittet *messenger asking for aid*; חֵשֶׁב הָאֵפֹד gekürzt aus *shortened from* אֵפֹד wäre die Binde der Gesandtschaft für Hilfe, d. den Orakelsuchenden kennzeichnende Kleidungsstück *the sashes of the messengers asking aid, the garment characterizing those who want an oracle*; dass d. אֵפֹד beim Orakelsuchen gebraucht wird, zeigt *that* אֵפֹד *is worn by those asking oracles is shown in* 1 S 23, 9 30, 7. Später wäre d. אֵפֹד obligater Bestandteil d. Priesterkleidung geworden *later on* אֵפֹד *becomes an obligatory part of the priest's garb*; 10. Literatur: Lotz, PRE³, 5, 402—6; Moore, EB 1396—9; Foote, The Ephod, JBL 21, 1—47 (auch separat 1902); Sellin, Or Stud Nöld 1906, 699—717; Elhorst, ZAW 30, 259—76; Arnold, Harvard ThSt 3, 1—141; Budde, ZAW 39, 1—42; Gabriel, Untersuchungen über d. atl. Hohenpriestertum, 1933; Sellin, JPO 14, 1—9; Thiersch, Ependytes u. Ephod, 1936; J. Morgenstern, The Ark, the Ephod . . ., 1945.

II אֵפֹד: n.m.; = I?: Nu 34, 23. †

אֲפֻדָּה: אפד: cs. אֲפֻדַּת sf. אֲפֻדָּתוֹ: **eng anliegender Überzug** *covering fitting close* Ex 28, 8 39, 5 Js 30, 22 (// צִפּוּי). †

*אַפֶּדֶן: altpers. *Old-pers. apa-dāna*; ak. (LW) *appadân* Palast *palace*: sf. אָהֳלֵי א׳: אַפַּדְנוֹ **Prachtzelte** *state-tents* Da 11, 45. †

אפה: ug. ʾpy; aram.; ak. *epû*:

qal: pf. תֹּאפוּ ,וַיֹּאפוּ ,יֹאפוּ ,impf. ,אָפוּ ,אָפִית ,אָפָה, וַתֹּפֵהוּ, imp. אֵפוּ BL 442 g, pt. אֹפֶה, pl. אֹפִים f. אֹפוֹת: **backen** (meist v. Männern gebraucht) *bake (mostly said of men)*: Brot *bread* Js 44, 15, מַצּוֹת Gn 19, 3, d. מִנְחָה Hs 46, 20; מַצּוֹת . . אָ׳ אֶת־הַבָּצֵק d. Teig zu Mazzen ausbacken, **aus d. Teig M. backen** *bake* מַצּוֹת *of the dough* Ex 12, 39 1 S 28, 24; sonst *see* Ex 16, 23 Lv 24, 5 26, 26 Js 44, 19; †

nif.: impf. תֵּאָפֶה, תֵּאָפֶינָה: חָמֵץ תֵּאָפֶה gesäuert **gebacken werden** *be baken with leaven* Lv 6, 10 23, 17. †
Der. אֹפֶה; מַאֲפֶה.

אֹפֶה: אפה: pl. אֹפִים, f. אֹפוֹת: Bäcker *baker* Gn 40, 1, שַׂר הָאֹפִים d. Vorsteher der B. *chief of the bakers* Gn 40, 2. 16. 20. 22, Bäckerinnen *female bakers* 1 S 8, 13, חוּץ הָאֹפִים Bäckergasse *the bakers' street* Ir 37, 21; ? Ho 7, 4. 6. †

אֵפָה: F אֵיפָה.

אֵפוֹ Hi 9, 24 17, 15 19, 6. 23 24, 25 † u. אֵפוֹא: <*אִי u. פֹּה: unbetontes: **denn, also** *not stressed: then, so*; bei Frage, Wunsch, Möglichkeit oder Aufforderung *in clauses expressing question, wish, possibility, or demand*: 1. nach Fragewort *after interrogative particle*: מִי אֵ' wer denn *who then* Gn 27, 33, אַיֵּה אֵ' wo denn *where now* Jd 9, 38; so *thus* Js 19, 12 Hi 17, 15; 2. vom Fragewort getrennt אֵפוֹ *stands separated from the interrogative*: בַּמֶּה יִוָּדַע אֵ' woran denn *wherein now* Ex 33, 16; so *thus* Js 22, 1 Ho 13, 10; אַיֵּה ... אֵ' wo denn *where then* cj 2 K 2, 14; 3. vor Fragewort אֵפוֹ *precedes the interrogative*: אֵ' מָה was denn *what then* Gn 27, 37; 4. אֵפוֹ nach *following* מִי יִתֵּן: o, würde doch *oh that now* Hi 19, 23; 5. nach *following* אִם, אִם־לֹא: wenn denn *if now* Hi 9, 24 (Sebīr) 24, 25; 6. von אִם getrennt *after* אִם *a. separated from it*: Gn 43, 11; 7. in Aufforderung *exhorting*: דְּעוּ אֵ' erkennt denn *know then* 2 K 10, 10 Hi 19, 6; 8. von d. Aufforderung getrennt *separated from the exhorting imp.*: עֲשֵׂה זֹאת אֵ' tu denn dies *do this now* Pr 6, 3. †

אֵפוֹד F אֵפֹד.

אֹפֶה: אֲפִיחַ.

אֲפִיחַ: n. m.; אפח, يَافُوخ v. أَفَخَ Schädelfontanelle *fontanel*: 1 S 9, 1. †

***אָפִיל**: אפל; mhb.; ja.: pl. f. אֲפִילֹת: **spätreif** (Getreide) *late (in growing ripe)* Ex 9, 32. †

I **אַפַּיִם**: F II אַף 3.

II **אַפַּיִם**: n. m. = I; n. m. أُنَيْف Näschen *little nose* Nöld., BS 102: 1 C 2, 30 f. †

I **אָפִיק**: אפק; ug. ʾpq Strom *stream*, ʾpq thmtm die Ströme der 2 Tiefen *the streams of the 2 Deeps*: cs. אֲפִיק, pl. אֲפִיקִים, cs. אֲפִיקֵי, sf. אֲפִיקָיו: d. innere Wasserrinne e. Tals: **Bachrinne** *the innermost, deepest part of a valley flowing with water: channel, stream-bed*; אֲפִיקֵי מַיִם voll Wasser *full of water* Jl 1, 20 Ps 18, 16 42, 2 Ct 5, 12; אֲפִיקִים Hs 6, 3 32, 6 34, 13 36, 4. 6 Ps 126, 4; e. Flusses *of a river* Js 8, 7, des Meers *of the sea* 2 S 22, 16, des Lands *of the land* Hs 31, 12, deine *your* 35, 8, Judas *of Judah* Jl 4, 18, der Talgründe *of the valleys* Hi 6, 15; metaph.: **Röhren** *barrels* (der Knochen *of bones*) Hi 40, 18, **Rillen** (zwischen d. Schuppen d. Krokodils) *furrows* (*between the scales of the crocodile*) 41, 7. †

II **אָפִיק**: אפק: pl. אֲפִיקִים: **stark** *strong* Hi 12, 21. †

אֲפִיק: F אֲפֵק.

***אפל**: أَفَلَ unsichtbar sein (Gestirne) *be concealed (sun, moon, stars)*; ak. apālu spät sein *be late*;
Der. *אָפִיל, אֹפֶל, אָפֵל, אֲפֵלָה, [מַאֲפֵל, מַאְפֵּלְיָה];
F עֲרָפֶל:

אֹפֶל: אפל: **das Dunkel** *darkness* Js 29, 18 (// חֹשֶׁךְ) Ps 91, 6 Hi 3, 6 10, 22 23, 17 28, 3 30, 26 (:: אוֹר); 1 כְּמוֹ עוֹף Ps 11, 2. †

אֹפֶל: אפל: d. **Dunkel** *darkness* Am 5, 20 cj Jos 24, 7. †

אֲפֵלָה: f. v. אֹפֶל: sf. אֲפֵלָתְךָ, pl. אֲפֵלוֹת: d. **Dunkel** *darkness* Ex 10, 22 Dt 28, 29 Js 8, 22 58, 10 59, 9 Ir 23, 12 Jl 2, 2 Ze 1, 15 Pr 4, 19. †

אֶפְלָל: n.m.; פלל; Noth S. 228: 1 C 2, 37. †

אֹפֶן: F אוֹפַן.

***אֹפֶן**: pl. sf. od. du. sf. אָפְנָיו: e. Wort, geredet *a word said* עַל־א׳ Pr 25, 11; (nach d. Zusammenhang *according to the context*): **zur rechten Zeit** *in time*; mhb., ja. אֹפֶן Art und Weise *manner*, *mode*, فَنّ Art u. Weise *manner*, *mode*; man denkt auch an אוֹפַן auf s. beiden Rädern = Vershälften *or*, *in connexion with* אוֹפַן *wheel*: *on both of his wheels* = *halfs of the verse*, wie *like* مِصْرَاع Türflügel = Vershälfte *leaf of a door* = *half of a verse*; e. überzeugende Ableitung fehlt *no convincing explanation has as yet been proposed.* †

אפס: nur hebräisch *Hebrew only*; < II פסס: qal: pf. אָפֵס: **zu Ende, nicht mehr da sein** *come to an end, cease* // כָּלָה Js 16, 4 29, 20, // גָּמַר Ps 77, 9 Gn 47, 15. 16. †
Der.: אֶפֶס.

אֶפֶס: אפס, ug. ʾ*ps* Ende *top*: אֹפֶס, alter *old* cs. אַפְסִי Js 47, 8. 10 Ze 2, 15 † pl. cs. אַפְסֵי: das, was zu Ende u. nicht mehr ist *thing come to an end a. no more to be found*: 1. pl. אַפְסֵי אֶרֶץ **d. Ende** d. Erde *the ends of the earth* (ak. *apsû*, ἄβυσσος d. Rand der Welt, d. Süsswasserabgrund *the edge of the world*, *the chasm of fresh water*) Dt 33, 17 1 S 2, 10 Js 45, 22 52, 10 Ir 16, 19 Mi 5, 3 Sa 9, 10 Ps 2, 8 22, 28 59, 14 67, 8 72, 8 98, 3 Pr 30, 4 Si 36, 22; 2. sg. אֶפֶס **kein** *not any* אֶ׳ אִישׁ kein Mensch *nobody* 2 S 9, 3, מָקוֹם kein Raum *no room* Js 5, 8; so *thus* Js 45, 6. 14 46, 9 Pr 14, 28 26, 20 cj 14, 4 Da 8, 25 Hi 7, 6, אֶפֶס keiner *nobody* Am 6, 10, אַפְסִי עוֹד niemand sonst *none else* Js 47, 8. 10 Ze 2, 15; 3. הָיָה א׳ **zu Ende, nicht mehr sein** *be at an end, be nothing* Js 34, 12, הָיָה כְאֶ׳ // כְּאַיִן wie nichts sein *be as nothing* 41, 12; 4. אֶ׳ **nichts** *nothing* cj Js 41, 24 u. 29 (l אַיִן וָאֶפֶס) l כְּא׳ Js 40, 17; 5. אֶפֶס **es ist aus mit** *is at an end with* Dt 32, 36 cj אֶפֶס הֵם Dt 32, 26 2 K 14, 26; 6. אֶפֶס **nur** *only* Nu 22, 35 23, 13; 7. אֶפֶס כִּי **nur dass** *howbeit*, *notwithstanding* Nu 13, 28 Dt 15, 4 Jd 4, 9 Am 9, 8 cj 1 S 1, 5; nur weil *howbeit*, *because* 2 S 12, 14; 8. (l מֵאִתִּי) א׳ מֵאוֹתִי **nicht von mir aus** *not by me* Js 54, 15; 9. בְּאֶפֶס **um nichts** *without cause* (Torczyner ZDM 1916, 557: zu letzt *at last* :: בָּרִאשֹׁנָה) Js 52, 4; 10. א׳ **das Nichts** *the nothing* Si 41, 10. 10. †

אֶפֶס דַּמִּים: n.l.; < פַּס דַּמִּים; F אֲפָסִים: 1 S 17, 1, cj 2 S 23, 9. †

אָפְסַיִם, אָפְסָיִם dual.: **Fussknöchel** *ankles*; מֵי א׳ bis an die Knöchel reichendes W. *water reaching unto the ankles* Hs 47, 3, F *פַּס. †

[**אֶפַע** Js 41, 24: l אֶפֶס. †]

אֶפְעֶה: II פעה; Oetebisch *el-yfʿa* v. فَاعَ wütend, schäumend *raging*, *foaming* Hess ZAW 35, 126 f: **e. Schlange** *a snake*; Hess a. O. Uräusschlange *Naja haje L.*; I. Aharoni, Osiris 5, 1938, 474: *Echis colorata* (giftig *poisonous*) Js 30, 6 59, 5 Hi 20, 16. †

אפף: ak. *apâpu* binden *bind*: qal: pf. אֲפָפוּ, sf. אֲפָפוּנִי, אֲפָפֻנִי: **umgeben** *encompass* 2 S 22, 5 Jon 2, 6 Ps 18, 5 116, 3, c. עַל 40, 13. †

אפק: ak. *epêqu* u. asa. אפק massiv, stark machen / sein *make, be solid, strong*; أفق übertreffen *surpass, excel*:

hitp.: pf. הִתְאַפְּקוּ, impf. יִתְאַפַּק, אֶתְאַפַּק, אֶתְאַפְּקָ, inf. הִתְאַפֵּק: **sich zusammennehmen, bemeistern** *contain, control oneself* Gn 43, 31 45, 1 1 S 13, 12 Js 42, 14 63, 15 (l אַל־נָא תִתְאַפָּק) 64, 11 Est 5, 10. †

Der.: I, II אָפִיק, n.l. אֲפֵק, n.l. אֲפֵקָה.

אֲפֵק u. Jd 1, 31 † אֲפִיק (f. אֲפִיק?), c. -â אֲפֵקָה äg. ʾ*pqwm* Alt, ZDP 64, 32; *i-p-q* ETL 196: n.l.; אפק; Festung, Burg *stronghold*: 1.) Jos 12, 18 = *Rās el-ʿAin* = Antipatris, Alt, PJ 21, 51 ff; 1 S 4, 1 29, 1 dasselbe *the same*; 2.) Jos 19, 30 Jd 1, 31 vielleicht *probably Tell Kerdāne* bei Akko, Alt, PJ 24, 59 f; 3.) Jos 13, 4; mit 1.) oder 2.) identisch *the same as 1.) or 2.)*; 4.) weitere Nennungen eines *other mentions of a* אֲפֵק 1 K 20, 26. 30 2 K 13, 17, nicht zu bestimmen *not definable*, F Komm. †

Der.: n.l. אֲפֵקָה.

אֲפֵקָה: n.l.; f. v. אֲפֵק, Festung, Burg *stronghold*: Alt, PJ 28, 16 f *Ch. eḍ-ḍarrāme* sw. Hebron? aber *but* Noth zu Jos 15, 53. †

I ***אפר**: Wurzel v. אֵפֶר, das nur lautlich v. עָפָר verschieden ist *root of* אֵפֶר *which differs from* עָפָר *only in sounds*, F Hess ZS 2, 219—23.

Der.: I אוֹפִיר n.t. u. II n.m.

II **אפר**: אֲפֵר.

אֵפֶר: I אפר; **lockre Erde**; Erde, die zerbröckelt, Humus u. **Staub** *loose soil, which is incoherent a. crumbled to dust*: **Staub** auf d. Kopf (als Zeichen d. Trauer) *dust upon the head (as sign of mourning)* 2 S 13, 19, שַׂק וָאֵפֶר Js 58, 5 Est 4, 1. 3 Da 9, 3, im St. sitzen *sit in the dust* Jon 3, 6 Hi 2, 8 Si 40, 3, עַל־עָפָר וָאֵפֶר Hi 42, 6, s. im St. wälzen *roll in the dust* Ir 6, 26 Hs 27, 30 Th 3, 16, St. wie Brot essen *eat dust like bread* Ps 102, 10, St. unter jmds Füssen sein *be dust unter somebody's feet* Ma 3, 21, Wortspiel *play upon words* אֵפֶר : : פְּאֵר Js 61, 3, St. weiden = Nichtiges tun *feed on dust = do vain things* Js 44, 20, d. Mensch ist עָפָר וָאֵפֶר gänzlich Staub *man is thoroughly dust* Gn 18, 27 Si 10, 9 Hi 30, 19, jmd zu St. auf d. Erde machen *turn somebody to dust* Hs 28, 18, Reif wie St. ausgestreut *hoar frost scattered like dust* Ps 147, 16, מְשְׂלֵי אֵפֶר in d. Staub („in d. Wind") geschrieben *written into the dust* Hi 13, 12; א' הַפָּרָה St. = **Asche** *dust = ashes* Nu 19, 9. 10. †

אֲפֵר: ak. *aparu* e. Kopfbedeckung *head-gear*, G τελαμών: **Binde** *band* 1 K 20, 38. 41. †

***אֶפְרֹחַ**: II פרח: pl. אֶפְרֹחִים, sf. אֶפְרֹחָיו, אֶפְרֹחֶיהָ **d. Jungen**, v. Vögeln *young ones, of birds* Dt 22, 6 Ps 84, 4 Hi 39, 30. †

אַפִּרְיוֹן: mhb., ja., sy.; wahrscheinlich *probably* LW, = φορεῖον: **Tragsessel** *litter* Ct 3, 9. †

אֶפְרַיִם: n.m., n.p.; meist abgeleitet von *commonly derived from* פרה (Gn 41, 52): Fruchtland *corn-land*; (Schulthess ZAW 30, 62 f: אפר, mhb. אָפָר, j. aram. אַפְרָא Weideland *pasture-land*): 1. n.m., S. v. Josef Gn 41, 52 46, 20 48, 1—50, 23 1 C 7, 20. 22 †; 2. n.p., Stammvater = Stamm *ancestor = tribe* Nu 1, 10 26, 28 Jos 16, 4 †; 3. n.p.; Stamm *tribe* Jos 17, 17 Jd 1, 29 5, 14 u. ö. *a. often* 2 S 2, 9 Js 9, 20 Hs 48, 5. 6 Ps 60, 9 80, 3 108, 9 2 C 15, 9 etc. (23 ×); 4. n.p., n.t.: d. Nordreich *the northern kingdom* (d. Rumpfstaat *the remainder of* Israel, Alt, Rolle Samarias 1934, 8³) Js 7, 2. 5. 8. 9. 17 9, 8. 20 11, 13 17, 3 28, 1. 3 Ho 4, 17—14, 9 (37 ×) Ir 31, 9. 18. 20 Hs 37, 16. 19 Sa 9, 10. 13 10, 7 2 C 25, 10 28, 7 †; 5. אִישׁ א' **die Efraimiten** *the Ephraimites* Jd 7, 24 8, 1 12, 1 †; 6. בְּנֵי א' Nu 1, 32 2, 18 u. ö. *a. more* Jos 16, 5. 8. 9 17, 8 1 C 9, 3 etc. 2 C 25, 7 28, 12,

ו בְּנֵים פְּרָעִים Ps 78, 9 (19×); 7. אֶרֶץ אֶ' Dt 34, 2 Jd 12, 15 2 C 30, 10†; 8. מַטֵּה אֶ Nu 1, 33 13, 8 Jos 14, 4 21, 5. 20 1 C 6, 51†; 9. שֵׁבֶט אֶ' Ps 78, 67†; 10. הַר אֶ' d. Bergland *the hillcountry* Efraim Jos 17, 15 etc., Jd 2, 9 etc., 1 S 1, 1 etc., 1 K 4, 8 etc., Ir 4, 15 31, 6 50, 19 1 C 6, 52 2 C 13, 4 15, 8 19, 4 (32×); 11. שְׂדֵה אֶ' Ob 19†; 12. בֵּית אֶ' Jd 10, 9†; 13. זֶרַע אֶ' Ir 7, 15†; 14. עָרֵי אֶ' 2 C 17, 2†; 15. מַחֲנֵה אֶ' Nu 2, 18. 24 10, 22†; 16. יַעַר אֶ' 2 S 18, 6 (fraglich *dubious*)†; 17. 2 S 13, 23 (MND 17, 55) ו עֶפְרַיִן oder עֶפְרוֹן†; 18. שַׁעַר א' in d. Mauer v. *in the wall of* Jerusalem 2 K 14, 13 Ne 8, 16 12, 39 2 C 25, 23.

Der. אֶפְרָתִי.

אֶפְרָת: Ableitung wie *derivation like* אֶפְרַיִם: n. f., F. v. Kaleb 1 C 2, 19 = אֶפְרָתָה 2, 24 (ו בָּא כָלֵב אֶל־). 50. 4, 4. †

Der. אֶפְרָתִי.

אֶפְרָתָה: n. l. Ableitung wie *derivation like* אֶפְרַיִם: 1. Gn 35, 16 in d. Nähe stirbt Rachel; nicht = Bethlehem *near this place dies Rachel; not = Bethlehem* 1 S 10, 2 Ir 31, 15; = הַפָּרָה Jos 18, 23 *Tell fāra* über *on W. fâra* (PJ 10, 22 f 24, 22) Gn 35, 19 (. 19b) 48, 7b [ו אֶפְרָתָה] (falsche Glosse *erroneous gloss*) 48, 7; 2. אֶפְרָתָה = Bethlehem Ps 132, 6 Ru 4, 11; Beiname v. *epithet of* Bethlehem Mi 5, 1; 3. **F** אֶפְרָת. †

אֶפְרָתִי: gntl.; v. אֶפְרָת: pl. אֶפְרָתִים: 1. aus *from* אֶפְרָתָה = Bethlehem 1 S 17, 12 pl. Ru 1, 2; 2. Efraimit = אֶפְרַיִם Jd 12, 5 1 S 1, 1 1 K 11, 26. †

אֶצְבּוֹן: et. ?: n. m.: 1. S. des *son of* Gad Gn 46, 16; 2. Enkel des *grandson of* Benjamin 1 C 7, 7. †

אֶצְבַּע: III צבע; ug. pl. *ʾṣbʿt*, إِصْبَع, أُصْبُع, **አጽባዕት**, ja. אֶצְבְּעָא, ܨܶܒܥܳܐ, asa. אצבע (als Mass *as measure*) etc.; selbst *even* äg. *ḏbʿ*, ⲦⲎⲎⲂⲈ; v. صَبَعَ zeigen *point out*: fem., cs. אֶצְבַּע, sf. אֶצְבָּעוֹ, pl. אֶצְבָּעוֹת, cs. אֶצְבְּעֹת, sf. אֶצְבְּעֹתָיו: **Finger** *finger* אֶצְבְּעֹת יָדָיו (6!) 2 S 21, 20; des Priesters *of the priest* Ex 29, 12 Lv 4, 6. 17. 25. 30. 34 8, 15 9, 9 14, 16. 27 16, 14. 19 Nu 19, 4, 4 Finger dick *fingers thick* (1 K 7, 15 G) Ir 52, 21, sonst *see* Js 2, 8 17, 8 59, 3 Ps 144, 1 Pr 6, 13 7, 3 Ct 5, 5; שְׁלֹחַ אֶצְבַּע (Schmähgestus *gesture of vilifying, ubâna tarâṣu* Codex Hammurabi 127. 132) Js 58, 9; אֶצְבְּעֹת רַגְלָיו Fussfinger = **Zehen** (6 an d. Zahl!) *fingers of the foot = toes* (6 *in number!*) 2 S 21, 20, ohne *without* רַגְלָיו 1 C 20, 6; Finger Jahwes *fingers of Y.* Ps 8, 4; אֶצְבַּע אֱלֹהִים mit dem er schreibt *by which God is writing* Ex 31, 18 Dt 9, 10, wirkt *works* Ex 8, 15. †

I ***אָצִיל**: II אצל: pl. sf. אֲצִילֶיהָ Seite **entlegner Teil** (der Erde) *remote part (of the earth)* Js 41, 9. †

II ***אָצִיל**: I אצל: pl. cs. אֲצִילֵי: **vornehm** *distinguished, noble* Ex 24, 11. †

***אַצִּיל** u. **אַצִּילָה**: II אצל: sg. אַצִּילָה, pl. cs. אַצִּלוֹת יָדַיִם u. אַצִּילֵי: **Gelenk** *joint*; אַצִּלוֹת Schultergelenke, **Achselhöhlen** *shoulder-joints, armpits* Ir 38, 12, אַצִּילֵי יָדַיִם Handgelenke *joints of the hands* Hs 13, 18; 6 Ellen *cubits* אַצִּילָה? (Winkelmass *rule*? Galling) Hs 41, 8. †

I **אצל**: أَصُلَ festgewurzelt s. *be firmly rooted*, أَصِيل edel *noble*, nab. אצלא Grundbesitz *landed property* Nöld. ZA 12, 4:

Der. II אָצִיל; אָצַל.

II ***אצל**: ak. *eṣēlu*, وَصَلَ binden *bind*; verw. *cogn.* ܡܶܫܠܳܐ u. ph. יצלת Gelenk *joint*:

qal: pf. אָצַלְתָּ, אָצַלְתִּי, impf. וַיָּאצֶל (nicht *not* hif!, BL 371 t): **auf d. Seite tun, wegnehmen** *set aside, take away* Nu 11, 17. 25, beseitigen, entziehen *take away* Gn 27, 36, versagen מִן jmd. *refuse* Ko 2, 10; †

nif: pf. נֶאֱצַל: weggenommen w., **verkürzt, verjüngt sein** (bautechnisch) *be reduced* (*archit.*) Hs 42, 6; sich an d. Seite stellen *take a person's side* Si 13, 17, abgezogen werden *be subtracted* Si 42, 21; †

cj hif: impf. יוּכְלוּ f. יַאֲצִלוּ (Raum) **wegnehmen** *take away* [*room*] Hs 42, 5. †

Der. I אָצִיל, אֲצִיל, אָצֵל, אֲצַלְיָהוּ, בֵּית־הָאֵצֶל n. l. (?)

אַצִּל: F אָצִיל.

אֵצֶל: II אצל: cs. אֵצֶל, sf. אֶצְלוֹ: Seite *side*; > praep. c. gen. אֶצְלִי meine S. = **neben** mir *my side* = *beside me* Ne 4, 12, אֵצֶל הַמִּזְבֵּחַ an d. Seite des A. = neben dem Altar *on the side of the altar* = *beside the a.* Lv 1, 16; c. שׂוּם Lv 6, 3, הִצִּיג 1 S 5, 2, הִשְׁלִיךְ Lv 1, 16, בּוֹא Da 8, 17 etc.; מֵאֵצֶל von d. Seite jmds fort *from beside one* 1 K 3, 20 20, 36 Hs 40, 7; Hs 10, 16 l אֶצְלָם; F בֵּית הָאֵצֶל. †

אָצֵל: n. m. I אצל; أَصِيل edel *noble*: 1 C 8, 37 f 9, 43 f. †

[**אָצַל** Sa 14, 5: F *יָצַל. †]

אֲצַלְיָהוּ: n. m.; יהוה u. II אצל; J. spart auf *Y. is keeping in reserve* 2 K 22, 3 2 C 34, 8. †

אצם: אֹצֶם n. m.

אֹצֶם: n. m.; אצם; Noth S. 229 ar. *adima* jähzornig s. *be hot-tempered*: 1. 1 C 2, 15 2. 1 C 2, 25. †

אֶצְעָדָה; צעד; vgl. צְעָדָה: ursprünglich **Schrittkette** (v. Fussknöchel zu Fusknöchel) Nu 31, 50, dann: **Spange** überhaupt, Armspange 2 S 1, 10 *originally pace-chainlet* (*reaching from ankle to ankle*): *ankle chainlet Nu 31, 50, then in general*: *bracelet 2 S 1, 10* (*of the arm*). †

אצר: ja., cp.; أَصَرَ, وَصَرَ einschnüren, aufbewahren *kept close, shut up*, أَيْصَر Bündel v. gesammelten Pflanzen *parcel filled with herbage* Nöld NB 204;

qal: pf. אָצְרוּ, pt. pl. אֹצְרִים: **anhäufen** *store up* 2 K 20, 17 Js 39, 6 Am 3, 10; †

nif.: impf. יֵאָצֵר: **angehäuft werden** *be stored up* Js 23, 18;

[hif: impf. וָאוֹצְרָה l וָאֲצַוֶּה Ne 13, 13]. †

Der. אוֹצָר, אֵצֶר n. m.?

אֵצֶר: n. m.; אצר? Moritz ZAW 44, 90 f: S. v. Seir Gn 36, 21. 27. 30 1 C 1, 38. 42. †

אֶקְדָּח: קדח; قَدَّاحَة Stein, aus d. man Feuer schlägt *stone from which one strikes fire*: wohl **Beryll** im weitern Sinn *to all appearances beryl in a larger sense* Js 54, 12. †

אַקּוֹ: ak. *unîqu* (ינק) junge Ziege *young goat*; e. essbares Tier *eatable animal*; Aharoni, Osiris 5, 1938, 464 *Capra aegagros*: **Wildziege** *wildgoat* Dt 14, 5. †

אֹר: F אור.

אֲרָא: n. m.; KF; Stammname *name of tribe*?: 1 C 7, 38. †

אַרְאֵלִי: n. m.; ראל?: Gn 46, 16 Nu 26, 17: gntl. 26, 27. †

[**אֶרְאֶלָּם**: l אֲרִאֵל מִצְעָק oder *or* אֲרִיאֵלִים, F II אֲרִיאֵל Js 33, 7 †].

I ארב: *arbaku* 2. Taanak 6 = mir ist nachgestellt *they lie in wait for me* Albr. BAS 94, 21; أَرِبَ schlau, anschlägig sein *be cunning*, *skilful*, إِرْب Schlauheit *cunning*, *artifice*, AP ארב Hinterhalt *ambush*:

qal: pf. אָרַב, אָרַבְתִּי, אָרְבוּ, impf. יֶאֱרֹב, יֶאֶרְבוּ, וַיֶּאֶרְבוּ, נֶאֶרְבָה, inf. אֱרָב־, imp. אֱרֹב, pt. אוֹרֵב, אֹרֵב, אֹרְבִים: **im Hinterhalt liegen** *lie in ambush* Ps 10, 9 Th 3, 10, c. לְ **jmd auflauern** *lie in wait for* Dt 19, 11 Jos 8, 4 Jd 16, 2 Ps 59, 4 cj 71, 10 Pr 1, 11 (l לְתָם) Th 4, 19, אָ' לְדָם auf Blut lauern *lie in wait for blood* Mi 7, 2 Pr 1, 18, אָ' לְ e. Stätte belauern *lay in wait against* Pr 24, 15, אָ' עַל (im Hinterhalt liegen) gegen (*lie in ambush*) *against* Jd 9, 34, אָ' עַל־פֶּתַח an e. Tür lauern *lie in wait at a door* Hi 31, 9, abs. Jd 9, 32. 43 21, 20 Pr 7, 12 23, 28, pt. coll. אֹרֵב (e. Schar im) **Hinterhalt** (*people in*) *a m b u s h* Jos 8, 2. 7. 12. 14. 19. 21 Jd 16, 9. 12 20, 33. 36. 37. 38 1 S 22, 8. 13, cj אֹרְבוֹ Hi 25, 3, pl. אֹרְבִים Jd 20, 29 Ir 51, 12, אוֹרֵב עַל־הַדֶּרֶךְ Wegelagerer *waylayer* Esr 8, 31, אֶרְבֵי־דָם lauern auf Blut (אָ'לְדָם) *lying in wait for blood* Pr 12, 6; †

pi.: pt. מְאָרְבִים: **auflauern** *w a y l a y* Jd 9, 25, c. עַל 2 C 20, 22; †

hif.: impf. וַיָּרֶב (l וַיַּאֲרֶב oder *or* וַיֶּאֱרֹב) **e. Hinterhalt legen** *l a y a n a m b u s h* 1 S 15, 5. †

Der. מַאֲרָב. אֶרֶב*, אֹרֶב*.

II ארב: אַרְבֶּה.

אֲרָב: n.l.: in Juda; = *Ch. er-Rabīje* (PJ 31, 58 f Elliger) Jos 15, 52. †
Der. אַרְבִּי?

אֶרֶב*: ארב: אֶרֶב: Schlupfwinkel, **Hinterhalt** *a m b u s h* Hi 37, 8 38, 40. †

אֹרֶב*: ארב; sf. אָרְבּוֹ: **Hinterhalt** *a m b u s h* Ir 9, 7 cj Hi 25, 3; l בָּעֵר בָּם Ho 7, 6. †

אַרְבְאֵל: F בֵּית אַרְבְאֵל.

אַרְבֶּה: II ארב: ug. *3rby*, ak. *aribu*, *arbū*, *erbū*, *erebū*, Heuschrecken *locusts*; eigentlich: **Schwarm** *properly speaking*: *crowd*, *s w a r m*: **d. Wanderheuschrecke** *m i g r a t o r y l o c u s t Schistocerca gregaria Forskål* = *Sch. peregrina Olivier*, im ausgewachsnen, geflügelten Stadium *the fully developed*, *winged stage* (Aharoni, הָאַרְבֶּה, Jafa 1919 u. Osiris 5, 1938, 475—8): Ex 10, 4—19 Lv 11, 22 Dt 28, 38 Jd 6, 5 7, 12 1 K 8, 37 Ir 46, 23 Jl 1, 4 2, 25 Na 3, 15. 17 Ps 78, 46 105, 34 109, 23 Pr 30, 27 Hi 39, 20 2 C 6, 28 Si 43, 17. †

אָרְבָּה*: pl. אָרְבּוֹת; unerklärt *unexplained*; Js 25, 11. †

אֲרֻבָּה Ho 13, 3 † ug. *3rbt*: pl. אֲרֻבּוֹת, sf. אֲרֻבֹּתֵיהֶם: Etym?: Loch in d. Wand, durch welches d. Rauch abzieht *the hole in the wall*, *through which passes the smoke* Ho 13, 3, **Loch in d. Wand** in Taubenhäusern *h o l e i n t h e w a l l o f p i g e o n — h o u s e s* (Dalm AS 6, 96) Js 60, 8, metaph.: Augenhöhle *socket of the eye* Ko 12, 3, auf d. Himmel bezogen, die **Öffnungen** der untern Himmelsdecke, durch welche die Platzregen fallen *said of the o p e n i n g s of the lower vault of heaven*, *from which the pelting rain falls* Gn 7, 11 8, 2 2 K 7, 2. 19 Js 24, 18 Ma 3, 10. †

אֲרֻבּוֹת: n.l.; Etym?: 1 K 4, 10; z. Lage *position* F Alt PJ 28, 31 ff. †

אַרְבִּי: gntl.; אֲרָב?: 2 S 23, 35. †

אַרְבַּע: Sem; I רבע < רבץ daliegen „alle Viere von sich strecken"? *to lie full length stretching the four legs*?; ug. *rb'*: p. אַרְבָּע u. אַרְבַּע, f. אַרְבָּעָה, cs. אַרְבַּעַת, sf. אַרְבַּעְתָּם, אַרְבַּעְתָּן, dual. אַרְבַּעְתַּיִם, pl. אַרְבָּעִים: Driver JJS 1, 90 ff; sg. bedeutet **vier**, du. (Barth, O Stud Nöld. 793, Torczyner, Entstehg I, 178 ff) 2 S 12, 6 **vierfach**, pl. **vierzig** *sg. means f o u r*, *du. f o u r f o l d*, *pl. f o u r t y*. Beispiele *examples*: a) אַרְבַּע: 4 א' צֹאן

Stück Kleinvieh *four sheep* Ex 21, 37, א׳ מִשְׁפָּחוֹת Ir 15, 3, א׳ אַמּוֹת Dt 3, 11: א׳ בָּאַמָּה Ex 26, 2, א׳ רַגְלַיִם 4 Füsse (nicht Fusspaare!) *four feet* (*not: pairs of feet!*) Lv 11, 23; (nachgestellt *in postposition*) עָרִים א׳ Jos 19, 7, בִּשְׁנַת א׳ im 4. J. *in the fourth year* 1 K 22, 41 Sa 7, 1 2 C 3, 2; א׳ in Zahlenreihe *in series of numbers* Pr 30, 15, cj 18. 21, א׳ abs. Da 8, 22, הֹלֵךְ עַל־א׳ Lv 11, 20. 21. 27. 42; לוֹ אַרְבַּע רַגְלַיִם Vierfüssler *quadruped* Lv 11, 23; b) אַרְבָּעָה: א׳ רָאשִׁים Gn 2, 10, בְּנֵי שִׁמְעִי א׳ 1 C 23, 10, א׳ in Zahlenreihe *in series of numbers* Am. 1, 3. 6 etc., א׳ prädikativ nachgestellt *in predicative postposition* עַמֻּדֵיהֶם א׳ ihre Säulen, vier (an d. Zahl) *their pillars, four* (*in number*) Ex 27, 16 38, 19, בְּא׳ לַחֹדֶשׁ am 4. Tag d. Monats *in the fourth day of the month* Sa 7, 1; c) אַרְבַּעַת: א׳ יָמִים Jd 11, 40, א׳ הַבָּקָר d. 4 Stück Rinder *four oxen* Nu 7, 7, א׳ אֵלֶּה diese vier *these four* 2 S 21, 22, אַרְבַּעְתָּם d. 4 von ihnen = alle vier *the four of them = every, each of the four* Hs 1, 8 Da 1, 17; d) mit andere Zahlen verbunden *connected with other numbers*: אַרְבַּע עֶשְׂרֵה 14, אַרְבָּעָה עָשָׂר 14, אַרְבַּע מֵאוֹת 400, אַרְבַּעַת אֲלָפִים 4000, אַרְבַּע רִבּוֹא 40 000; 24 1 K 15, 33, 44760 1 C 5, 18, 22034 1 C 7, 7, 454 Esr 2, 15.
Der. II אַרְבַּע, רבע n. m.

II **אַרְבַּע**: n. m. = I אַרְבַּע: Eponym v. *of* קִרְיַת: אַרְבַּע Jos 14, 15 15, 13 21, 11. †

ארג: ja. אֲרַג: ph. ארג Weber *weaver*; qal: impf. יֶאֱרֹגוּ, תַּאַרְגִי, pt. אֹרֵג, pl. אֹרְגִים, f. אֹרְגוֹת: **weben** *weave*, c. acc. 2 K 23, 7, Spinngeweb *cobweb* Js 59, 5, c. acc. u. עִם etw. einweben in *weave something into something* Jd 16, 13; pt. **Weber** *weaver* Ex 28, 32 35, 35 39, 22. 27 1 S 17, 7 2 S 21, 19 Js 19, 9 38, 12 1 C 11, 23 20, 5 Si 45, 11. †
Der. אֶרֶג.

אֶרֶג: ארג: אֲרַג: **Weberschiffchen** *weaver's bobbin* Hi 7, 6; dele u. l. הַיָּתֵד? (AS 5, 100 ff.) Jd 16, 14. †

אַרְגֹּב: רגב: n. t.: חֶבֶל א׳ 1 K 4, 13 Dt 3, 4. 14, 3, 13: חֶבֶל הָא׳: **Argob**, Landschaft am mittlern Jarmuk, *district of Upper Yarmuk*, Dussaud, Top. 324, Abel 1, 275, Heber-Percy, Visit to Bashan a. Argob, 1895; א׳ 2 K 15, 25 Gl. zu v. 29. †

אַרְגְּוָן 2 C 2, 6: F אַרְגָּמָן.

אַרְגַּז: רגז; [Syriac], رِجَازَة: d. Satteltaschen auf beiden Seiten des Reiters *the saddle-bags on both sides of the animal*: **Satteltasche** *saddle-bag* 1 S 6, 8. 11. 15. †

אַרְגָּמָן: LW; *argaman*- heth. Abgabe *tribute* Friedrich MVAG 31, 34 f. < anatol. **argam*- = *Luyyan arkaman* Alb. BAS 50, 15, ug. *ʾrgmn*, ak. *argaman*-(*n*)*u*, ba. ארגונא, أُرْجُوَان, etc.: > אַרְגְּוָן 2 C 2, 6: **mit rotem Purpur gefärbte Wolle** *wool dyed with red purple* BRL 153, AS 5, 83; meist neben *mostly beside* תְּכֵלֶת Ex 25, 4—39, 29 (24×), בֶּגֶד א׳ Nu 4, 13, בִּגְדֵי א׳ Jd 8, 26, לְבוּשׁ aus *of* א׳ Ir 10, 9 Pr 31, 22, tyrische Ware *Tyrian goods* Hs 27, 7. 16, Schnüre *cords* Est 1, 6, Mantel *woollen cloak dyed red purple* Est 8, 15, Stoffe *woven materials* 2 C 2, 6. 13, Vorhang *veil* 2 C 3, 14; d. Haar d. Geliebten wie *the hair of the beloved one like* א׳ Ct 7, 6; l אַלְגּוּמִים Ct 3, 10. †

אֶרֶד (arde!), אַרְדְּ: n. m.; Noth S. 227 = bucklig *humpbacked*: Gn 46, 21 Nu 26, 40, cj 1 C 8, 3. †
Der. אַרְדִּי, n. m. אַרְדּוֹן; F אַדּוֹר.

אַרְדּוֹן: p. m.; = אֶרֶד u. -*ôn*?; ak. *Urdanu* Holma, APN 243: 1 C 2, 18. †

אַרְדִּי: gntl. v. אֶרֶד: Nu 26, 40. †

אֲרִדַי: n.m.; *Pers.*; Scheft. 39f.: Est 9, 9. †

I ארה: Nöld. NB 156:
Der. אֲרִיאֵל; *F* אוּר, אוֹר.

II ארה: ሐረየ ernten, einsammeln *gather (in)*: qal: pf. אָרִיתִי, sf. אָרוּהָ: **pflücken** *pluck* Ct 5, 1 Ps 80, 13. †
Der. II אוּר?

אֲרוֹד: n.m.; zu *to* אָרַד?: Nu 26, 17. †
Der. אֲרוֹדִי.

אַרְוָד: n.l.; RLA 1, 160f; d. nördlichste phönikische Stadt auf d. Insel *the most north-situated Phoenician town on the island of* Ruâd; EA *Ar-wa-da*, ass. *Ar-ma-da*, *A-ru-da*, *A-ru-a-di* etc.; **Arwad**; Hs 27, 8, 11. †
Der. אַרְוָדִי.

אֲרוֹדִי: *F* אֲרוֹד: 1. n.m. Gn 46, 16, = אֲרוֹד; 2. gntl. Nu 26, 17. †

אַרְוָדִי: gntl. zu *of* אַרְוָד; ug. *ʾrwdn* De L. 2, 276: aus *from* Arwad Gn 10, 18 1 C 1, 16. †

***אֻרְוָה**: LW; ak. *uru*, *urû* Gehege, Pferch *pen* (Deimel 122a): pl. אֻרָוֹת, cs. אֻרְיוֹת > אֻרְוֹת 2 C 9, 25 †: **Stallplatz**, Unterstand *stall* (Pferde *horses*) 1 K 5, 6 2 C 9, 25, (Vieh *cattle*) 32, 28. 28 (1 אֻרָוֹת לָעֲדָרִים). †

***אָרוּז**: أَرَزَ fest sein *be firm*: pl. אֲרֻזִים: fest, **festgedreht** (Strick) *solid, tight, solidly made (rope)* Hs 27, 24. †

אֲרוּכָה u. **אֲרֻכָה**: ארך: cs. אֲרֻכַת, sf. אֲרֻכָתְךָ: d. neue Fleisch, das sich auf e. heilenden Wunde bildet *new flesh growing on a wounded spot*: **Heilung** *healing* Js 58, 8 Ir 8, 22 30, 17 33, 6; *metaph.* (v. Mauerwerk *said of a wall*): **Ausbesserung** *repair* Ne 4, 1 2 C 24, 13. †

***אֲרוּמָה**: n.l.; בָּארוּמָה (< בָּא׳) Jd 9, 41. cj 31; = רוּמָה 2 K 23, 36? = *el-ʿÖrme* (ע < א *F* אֹפֶר) sö. Garizim; *F* n.l. רוּמָה. †

[**אֲרוֹמִים** 2 K 16, 6: 1 אֲדוֹמִים.]

אֲרוֹן (193 ×): I. Formen *forms*: c. art. הָאָרוֹן u. הָאָרֹן, cs. אֲרוֹן (fem. 1 S 4, 17 2 C 8, 11 †); II. Bedeutung *meaning*: a) **Sarg**, Totenlade *coffin* Gn 50, 26 †; b) **Geldlade**, Kasten *chest* 2 K 12, 10f 2 C 24, 8. 10. 11. 11 †; c) **Bundeslade** *Ark of the Covenant* (184 ×); Wendungen *compounds*: 1. אֲ׳ (הָ)אֱלֹהִים 1 S 3, 3 (34 ×; 1 S 10 × (1 הָאֵפוֹד 1 S 14, 18. 18) 2 S 10 × 1 C 11 × 2 C 1, 4); 2. אֲ׳ יהוה Jos 4, 5 (31 ×; Jos 7 × 1 S 13 × 2 S 7 × 1 K 8, 4 1 C 15, 3 16, 4 2 C 8, 11); 3. (Abkürzung v. *shortening of* 1 u. *and* 2) הָאָרוֹן (32 ×) u. *and* הָאָרֹן (15 ×) 47 × (Ex 10 × Lv 16, 2 Nu 3, 31 10, 35 Dt 10, 2. 5 Jos 6 × 1 S 6, 13 7, 2 2 S 6, 4 11, 11 1 K 6 × 1 C 8 × 2 C 8 ×); 4. אֲ׳ בְּרִית יהוה 27 × (Nu 10, 33 14, 44 Dt 4 × Jos 4 × 1 S 4, 3. 5 1 K 3 × Ir 3, 16 1 C 9 × 2 C 5. 2. 7) u. אֲ׳ בְּרִית הָאֱלֹהִים Jd 20, 27 1 S 4, 4 2 S 15, 24. 24 1 C 16, 6; 5. (Abkürzung v. *shortening of* 4.) אֲ׳ הַבְּרִית Jos 3, 6. 6. 8 4, 9 6, 6 †; 6. אֲ׳ הָעֵדֻת Ex 5 × Nu 4, 5 7, 89 u. הָעֵדוּת Ex 26, 33 Jos 4, 16; 7. Erweiterungen v. *enlargements of* 1.: אֲ׳ יהוה אֲ׳ י׳ 1 S 7 ×, 2.: אֲ׳ אֱלֹהֵי יִשְׂרָאֵל 1 C 15, 12. 14; andre Formen d. Zusatzes *other forms of addition*: 1 S 4, 4; 1 C 13, 6; 8. Vereinzelte Formen *isolated forms*: Ps 132, 8 2 C 6, 41; 1 S 3, 3 4, 11; 1 K 3, 15; 1 C 13, 3; 1 K 2, 26 (1 הָאֵפוֹד); Jos 3, 13; 4, 5; 3, 3; 9. Beachtenswerte Einzelformen *remarkable isolated forms*: אֲ׳ עֵץ Dt 10, 3; אֲ׳ עֲצֵי שִׁטִּים Ex 25, 10 Dt 10, 1; אֲ׳ הַקֹּדֶשׁ 2 C 35, 3; 10. Anfechtbare Formeln *dubious forms*: Jos 3, 11 3, 14 3, 17 u. 1 C 13, 5; 11. Also 4 Typen *thus four types are resulting*: a) אֲ׳ mit Gottesnamen with name of God: 1. 2. 3. 7; b) 'אֲ mit with בְּרִית 4. 5; c) 'אֲ mit Angabe des Stoffs with indication of material 9 Anfang at the beginning; d) 'אֲ mit gelegentlich gebrauchten Zusätzen with occasional additions 6. 8. 9; 12. 'אֲ f. „Bundeslade" findet sich ark of the covenant is to be found Ex 25, 10—39, 35 (18 ×) Lv 16, 2 Nu 6 × Dt 8 × Jos 3, 3—8, 33 (29 ×) Jd 20, 27 1 S 3, 3—14, 18 (40 ×) 2 S 6, 2—15, 29 (21 ×) 1 K 2, 26 3, 15 8, 1—21 (9 ×) Ir 3, 16 Ps 132, 8 1 C 6, 16—28, 18 (34 ×) 2 C 1, 4 5, 2—10 (9 ×) 6, 11. 41 8, 11 35, 3, also nur in einigen Bücher u. dort entweder deutlich gehäuft (Ex Jos 1 S 2 S 1 C 2 C) oder deutlich vereinzelt (Lv Jd Ir Ps) thus only in a few books and there either evidently accumulated (Ex Jos 1 S 2 S 1 C 2 C) or distinctly isolated (Lv Jd Ir Ps); 13. G: σορός Gn 50, 26, γλωσσόκομον 2 C 24, 8—11, ἅγιον 2 C 5, 9, sonst otherwise κιβωτός; 14. Man hält d. Bundeslade entweder für e. Kasten (Ältere) oder für e. Thron (Neuere) the ark of the covenant is thought to be a chest (all of the older a. many of the present authorities), or a throne (some recent authorities): Gressmann, Die Lade Jahves 1920, Budde (gegen Mehrheit v. Laden against a plurality of arks), ZAW 39, 12 ff, Torczyner, Die Entstehung d. BL[2] 1930, Morgenstern, The Ark 1945. III. Sprachliches linguisticals: Zu אֲרוֹן tritt ph. ארן Kasten chest, aram. ארנא Lidz. 226, ܐܪܘܢܐ, ak. arānu, arannu, erinnu (Holzart kind of wood) Kiste, Truhe chest. Also אֲרוֹן wohl LW f. e. Behälter, der nach d. edlen, beständigen Holz benannt wurde, aus dem er gemacht ist thus אֲרוֹן LW for a container named after the precious and durable wood out of which it is made.

אֲרַוְנָה: n. m.; Jebusiter Jebusite 2 S 24, 20—24; Šanda AOF 7, 288a cf. Ari-wa-na, K. v. Abina in Nordsyrien: = (הָ)אוֹרְנָה 24, 16 (= הָאוֹרְנָה K, הָאֲרַוְנָה Q) u. = אֲרַנְיָה 24, 18; F אָרְנָן; Feiler, ZA 45, 222 ff. †

ארז: F *אָרוּז.

אֶרֶז: ug. ʾrz; aram. ar. äth. Nöld. NB 43 n.-aram. arra Bgstr. Gl. 78: אָרֶז, pl. אֲרָזִים, cs. אַרְזֵי: עֵץ א' Lv 14, 4. 49, א' עֲלֵי־מָיִם Nu 24, 6, cj [אֶרֶז [רַעֲנָן Ps 37, 35, א' הַלְּבָנוֹן Jd 9, 15 Js 2, 13 14, 8 Ps 29, 5/1 K 5, 13 2 K 14, 9 / Hs 27, 5 31, 3 Ps 92, 13; e. Baumart u. ihr zu Balken Ct 1, 17, Getäfer 1 K 6, 9, Pfosten 7, 2 verwendetes Holz, vom Libanon bezogen; (**gewöhnlich**) **die Zeder**, Cedrus Libani Barrel, Löw 3, 17—26; doch ist (ZAW 55, 163—5) d. Zeder für Bauzwecke u. (besonders in Ägypten) Flaggenmasten kaum langstämmig genug; daher eher Abies Cilicica oder e. andres hochstämmiges Nadelholz a kind of tree a. its wood used for beams Ct 1, 17, wainscoting 1 K 6, 9, pillars 7, 2, brought from Lebanon; (commonly) cedar; but the trunks of the cedar are hardly of sufficient length for building purposes a. (especially in Egypt) for flagstaffs; therefore rather Abies Cilicica or other conifers of tall growth. Die Ableitung d. Wortes ist nicht bekannt etymology unknown; Jaquemin, Cèdre ou sapin? Kemi 4, 113 ff. Der. אַרְזָה.

אַרְזָה: **Getäfer** aus d. Holz von אֶרֶז wainscot of אֶרֶז-wood: Ze 2, 14 (Text?). †

ארח: ph. מארח (guide? title of Ešmun), ܐܪܚ d. Weg zeigen lead the way, ja., sy., soq. eraḥ gelangen arrive at; F ירח;

qal: pf. אָרַח, inf. sf.: אָרְחִי, pt. אֹרֵחַ, pl. אֹרְחִים: אֹרֵחַ לְ **unterwegs sein nach** be on the road to Hi 34, 8, abs. **wandern** wander Ps 139, 3, pt. **Wanderer** wanderer Jd 19, 17 2 S 12, 4 Ir 9, 1 14, 8, cj Pr 10, 17 u. Hi 31, 32 Si 42, 3. †

Der. אֹרְחָה, אֹרַח.

אָרַח: n. m.; Noth S. 230: 1. Esr 2, 5 Ne 7, 10 2. Ne 6, 18 3. 1 C 7, 39. †

אֹרַח: ארח; ak. *arḫu*, asa. ארח, aram. אוֹרְחָא, ba. אֳרַח Weg *way*: sf. אָרְחִי, pl. אֳרָחוֹת, cs. אָרְחוֹת, sf. אָרְחֹתָיו, אָרְחוֹתֵינוּ: 1. (Abgrenzung gegen 2. ff. oft fraglich *in many cases the differentiation between 1. and 2 ff. is disputable*) **Weg** *way, path* (oft *many times* //דֶּרֶךְ) Gn 49, 17 Js 30, 11 33, 8 Ps 19, 6 142, 4 Pr 9, 15 15, 10. 19 Hi 16, 22 19, 8 22, 15, pl. Jd 5, 6 Jl 2, 7 Ps 8, 9 17, 4 Hi 13, 27 33, 11; 2. Weg = **Boden** *way = ground* Js 41, 3; 3. **Damm** *dam, barrier* Hi 30, 12; 4. **Ergehen** (der Frau), **monatliche Regel** *manner (of women) menstruation* Gn 18, 11; 5. Weg, den einer gehen soll, **Verhalten** *way one should go, behaviour* cj Ir 12, 4 cj Ps 16, 4, Ps 119, 9. 101. 104. 128 Pr 2, 15. 20 3, 6 4, 14. 18 12, 28, cj 19, 20 22, 25 Hi 34, 11, א׳ חַיִּים der zum Leben führt *leading to life* Ps 16, 11 Pr 5, 6 15, 24, א׳ מִישׁוֹר Ps 27, 11 (:: א׳ שֶׁקֶר) 119, 104. 128, אָרְחוֹת יֹשֶׁר, אָרְחוֹת חַיִּים Pr 2, 13, 2, 19; 6. **Weg**, den J. fordert *way requested by J.* Ps 44, 19, pl. Js 2, 3 Mi 4, 2 Ps 25, 4 119, 15, cj Pr 22, 19, אָרְחוֹת יהוה Ps 25, 10, אֹרְחֹתֶיךָ die dir (Mensch) gegebnen **Ordnungen** *the orders given to man* Js 3, 12, א׳ לַצַּדִּיק (// מַעְגָּל) Js 26, 7; 7. **Weg**, den man einschlägt *proceeding, path of judgment* א׳ מִשְׁפָּט Js 40, 14 u. אָרְחוֹת מ׳ Pr 2, 8 17, 23 **Gang** d. Rechts *proceedings of judgement*, א׳ מִשְׁפָּטֶיךָ Gang, Verlauf *proceedings* Js 26, 8; 7. אֹרַח cj Ps 73, 24 (*F* Gunkel); Pr 1, 19 Hi 8, 13 l אַחֲרִית; Pr 10, 17 Hi 31, 32 l אֹרֵחַ; Hi 6, 18. 19 l אֹרְחוֹת. †

***אֹרְחָה**: pt. f. v. ארח: wandernde Schar, **Karavane** *travelling company, caravan*: cs. אֹרְחַת Gn 37, 25, pl. cs. אֹרְחוֹת Js 21, 13 cj Hi 6, 18 u. 19. †

אֲרֻחָה: ak. *arâḫu* verzehren *consume, eat*: cs. אֲרֻחַת, sf. אֲרֻחָתוֹ: **Zehrung**, Unterhalt *allowance, sustenance* 2 K 25, 30 Ir 52, 34 40, 5, **Gericht** *dish, portion* Pr 15, 17. †

אֲרִי: gehört mit אַרְיֵה zusammen; afrikanisches LW *belongs to* אַרְיֵה, *African LW*; ZDP 62, 122—4: pl. אֲרָיוֹת u. 1 K 10, 20 † (Nöld. BS 56[1]) אֲרָיִים: (d. afrikanische *the African*) **Löwe** *lion* Nu 23, 24 24, 9 Jd 14, 5. 18 1 S 17, 34. 36. 37 2 S 1, 23 23, 20 1 K 7, 29. 36 10, 19. 20 2 K 17, 25. 26 Js 38, 13 Ir 50, 17 51, 38 Hs 19, 2. 6 22, 25 Am 3, 12 5, 19 Na 2, 12 Ze 3, 3 Pr 22, 13 26, 13 28, 15 Ct 4, 8 Th 3, 10 1 C 11, 22 2 C 9, 18. 19 Si 13, 19 (*F* אֲרִי u. אַרְיֵה, לָבִיא u. כְּפִיר). †

אֲרִי: n. m.: = אֲרִי Nöld. BS 78: Beamter d. *official of* Salomo 1 K 4, 19. †

I **אֲרִיאֵל**: I ארה; إِرَةٌ Feuergrube (*fire-pit*) *hearth* Nöld. NB 156; mo. אראל Altarherd *altar-hearth*: Hs 43, 15, > אֲרִאֵיל 43, 16, > הַרְאֵל 43, 15, alle 3 mit Abschluss-ל wie *all 3 with added* ל *like* כַּרְמֶל :כֶּרֶם: **Opferherd** = d. Herd im Heiligtum, mit dessen ständigem Feuer man die Opfer verbrennt *the hearth of a sanctuary in the always burning fire of which the offerings are burnt*. †
Der. II u. III אֲרִיאֵל.

II **אֲרִיאֵל**: n. l.; = I: Teil von *part of* Jerusalem Js 29, 1. 2. 7; cj אֲרִיאֵל oder *or* אֲרִיאֵלִים Leute des *men of* א׳ Js 33, 7. †

III **אֲרִיאֵל**: n. m.; = I: 1. (*F* Komm.) 2 S 23, 20 1 C 11, 22; 2. Esr 8, 16. †

אֲרִידָתָא: n. m.; pers. *Pers.* Scheft. 40: Est 9, 8. †

אַרְיֵה: n. f., ba. *F* אֲרִי, *F* לָבִיא: pl. אֲרָיוֹת Jd 14, 5: (d. afrikanische) **Löwe** (*the African*) *lion* Gn 49, 9 Dt 33, 22 Jd 14, 5. 8. 9 2 S 17, 10 23, 20 K 1 K 13, 24. 25. 26. 28 20, 36 Js 11, 7 15, 9 31, 4 35, 9 65, 25 Ir 2, 30 4, 7 5, 6 12, 8 49, 19 50, 44 Hs 1, 10 10, 14 Ho 11, 10 Jl

1, 6 Am 3, 4. 8 Mi 5, 7 Ps 7, 3 10, 9 17, 12 22, 14. 22 cj 76, 5 Hi 4, 10 Th 3, 4 K Ko 9, 4 1 C 12, 9. †

[II **אַרְיֵה**: הָאַרְיֵה, n. m.? l וְאֶת־חַוֹּת יָאִיר: 2 K 15, 25. †]

אֲרָיָה: F אֲרוָֹה.

אַרְיוֹךְ: n. m.; K. v. אֶלָּסָר Gn 14, 1. 9: F ba., sum. Eri-aku ? *Arad-Sin*, 13. König d. Dynastie v. *13. king of the dynasty of* Larsa (1997—86), (RLA 1, 128; Böhl, ZAW 36, 67). †

אֲרִים: F I אוּר.

אֲרִיסַי: n. m.; pers. Scheft. 40: Est 9, 9. †

ארך: ug. ᵓ*rk*, ak. *arâku*, ph. ba. ארך lang sein *be long*; pehl. ᵓ*rjk* weit entfernt *distant* Frah. 25, 4; asa. ארכן;

qal: pf. אָרְכוּ, impf. יַאַרְכוּ, וַתֶּאֱרַכְנָה: **lang sein, werden** *become, be long*: Zweige *twigs* Hs 31, 5, Tage, Zeit *days, time* Gn 26, 8 Hs 12, 22 = lange Tage dauern *the days are prolonged*; †

hif: pf. הֶאֱרִיךְ, הֶאֱרִיכוּ, וְהַאֲרַכְתָּ, הַאֲרַכְתֶּם, impf. יַאֲרִיךְ, תַּאֲרִיכוּ, inf. cs. הַאֲרִיךְ, imp. הַאֲרִיכִי, pt. מַאֲרִיךְ: 1. **lang machen** *lengthen*: Seile *ropes* Js 54, 2, Zunge *tongue* (= d. Z. weit herausstrecken *put out one's tongue*) 57, 4, Furchen *furrows* Ps 129, 3, Lebenskraft *vital strength* (= ausharren *hold out*) Hi 6, 11, Zorn *anger* (= anhalten, verhalten *refrain, check*) Js 48, 9 Pr 19, 11 (l הַאֲרִיךְ), jmd s. Tage *one's days* (= ihn lang leben lassen *give long life to a p.* = ak. *urruku ûmê*) 1 K 3, 14, seine eignen Tage = verziehen, lang bleiben, lang leben *one's own day's = stay, live long* Nu 9, 19. 22 Dt 4, 26. 40 5, 33 11, 9 17, 20 22, 7 30, 18 32, 47 Jos 24, 31 Jd 2, 7 Js 53, 10 Pr 28, 16 Ko 8, 13 Si 30, 22; ell.: הֶאֱרִיךְ = lang leben, bestehen *prolong one's life, last* Ps 72, 5 (l וַיַּאֲרִיךְ) Ko 7, 15 8, 12; 2. sich als lang erweisen, lang sein *prove long, be long*: Stangen *poles* 1 K 8, 8 2 C 5, 9, Tage *days* Ex 20, 12 Dt 5, 16 6, 2 25, 15. †

Der. *אָרֵךְ, אֹרֶךְ, *אָרֹךְ, אֲרוּכָה.

***אָרֵךְ**: אָרֵךְ: cs. אֶרֶךְ: **lang** *long*, אֶרֶךְ אַפַּיִם lang hinsichtlich des Zorns = **langmütig** *long concerning anger = slow to anger*: Gott *God* Ex 34, 6 Nu 14, 18 Jl 2, 13 Jon 4, 2 Na 1, 3 Ps 86, 15 103, 8 145, 8 Ne 9, 17, d. Mensch *man* Pr 14, 29 15, 18 16, 32; א׳ רוּחַ geduldig *patient* Ko 7, 8 Si 5, 11, א׳ הָאֵבֶר **mit weiten Schwingen** *with long pinions* Hs 17, 3; Ir 15, 15 l לְאֹרֶךְ. †

אֹרֶךְ: (100 ×): אֹרֶךְ: sf. אָרְכּוֹ: **Länge** *length*: 1. räumlich *space*: e.s Landes *of a country* Gn 13, 17, e.s Baus *of a building* Hs 40, 11 1 K 6, 20 Gn 6, 15 1 K 7, 27 *etc.*; 2. zeitlich *time*: א׳ יָמִים (ph. Karatepe 3, 20) Lebenslänge, **langes Leben** *length of life, long life* Dt 30, 20 Ps 21, 5 23, 6 91, 16 93, 5 Pr 3, 2. 16 Hi 12, 12 Th 5, 20, א׳ אַפַּיִם **Geduld** *patience* Pr 25, 15, א׳ אַפְּךָ **Langmut** *forbearance* cj Ir 15, 15, א׳ רוּחַ **Gelassenheit** *calmness, composure* Si 5, 11; Hs 41, 22 l וְאַדְנוֹ. †

***אָרֹךְ**: אָרֹךְ: אֲרֻכָּה: 1. (räumlich *space*): **ausgedehnt** *long, extending* Hi 11, 9; 2. (zeitlich *time*): **lange während** *lasting* 2 S 3, 1 Ir 29, 28. †

אֶרֶךְ: n. l.; ak. *Arku, Urku*; Ορεχ, ᾿Ορχόη; **Erech**, heute *today* Warka, in Babylonien, am linken Ufer des *on left bank of* Euphrates (Christian, Altertumskunde d. Zweistromlandes 1, 67 ff): Gn 10, 10; F ba. אַרְכְּוָי. †

אַרְכִּי: gntl. kanaan. Geschlecht bei *Canaanite clan near* עֲטָרוֹת: Jos 16, 2, Husai הָאַרְכִּי 2 S 15, 32 16, 16 17, 5. 14 1 C 27, 33. †

אֲרָם: cs. אֲרַם: 1. Belege *quotations*: Gn 10, 22—46, 15 (14 ×) Nu 23, 7 Dt 23, 5 Jd 3, 8. 10 10, 6, cj 18, 7 u. 28, 2 S 8, 5—15, 8 (19 ×) 1 K 10, 29—22, 35 (18 ×) 2 K 5, 1—24, 2 (41 ×)

Js 7,1.2.4.5.8 9,11 17,3 cj 22,6 Ir 35,11 Ho 12,13 Am 1,5 9,7 cj Sa 9,1 Ps 60,2 1 C 1, 17–19, 19 (19 ×) 2 C 1, 17–28, 23 (12 ×); l אֱדֹם f. אֲרָם 2 S 8,12 1 K 11,25 2 K 16,6.6 Hs 16,57 27,16; 2. Bedeutung *meaning*: a) n.m.: S. v. *son of* Sem Gn 10,22 1 C 1,17, s. Söhne *his sons* Gn 10,23; b) n.m.: Enkel des *grandson* of Nahor Gn 22,21 (e. Stamm *a tribe*?); c) n.m.: aus d. Stamm *of the tribe of* Asser 1 C 7,34; d) n.t.: אֲרַם נַהֲרַיִם Gn 24,10 Dt 23,5 Jd 3,8 Ps 60,2 1 C 19,6 *F* נַהֲרַיִם, auch *also* Jd 3,10; e) n.t.: פַּדַּן אֲרָם u. פַּדֶּנָה אֲרָם *F* פַּדַּן; f) n.t.: מֶלֶךְ אֲרָם u. אֲ׳ דַּמֶּשֶׂק, d. in D. sitzt *residing in D.* u. דַּמֶּשֶׂק d. Haupt v. *the head of* Aram *F* דַּמֶּשֶׂק; g) n.t.: גְּשׁוּר אֲ׳ וַאֲרָם 1 C 2,23/2 S 15,8; h) n.t.: בֵּית רְחוֹב 2 S 10,6 *F* בֵּית רְחוֹב; i) n.t.: *F* אֲ׳ צוֹבָא 2 S 10,6.8 Ps 60,2; j) n.t.: *F* אֲ׳ מַעֲכָה 1 C 19,6; k) אֲרָם jenseits d. Stroms *beyond the River* (פְּרָת) 2 S 10,16 1 C 19,16; l) *F* חֲזָאֵל, בֶּן־הֲדַד u. רְצִין der *the* מֶלֶךְ אֲרָם; m) אֱלֹהֵי אֲרָם Jd 10,6 u. אֱלֹהֵי מַלְכֵי אֲ׳ 2 C 28,23; גְּדוּדֵי אֲ׳ 2 K 6,23 24,2, שְׁאָר אֲ׳ Js 17,3, שְׂדֵה אֲ׳ Ho 12,13, עַם אֲ׳ Am 1,5, עָרֵי אֲ׳ cj Sa 9,1; an allen übrigen Stellen steht einfach אֲרָם als n.t. oder n.p. **Aramäer** *at the rest of the quotations* אֲרָם *is* n.t. *or* n.p. *Aramaeans*; 3. Sprachliches *linguisticals*: a) ak. *Aramu, Arumu, Arimu* RLA 1,129 f. 130—9; אֲרָם (רום? Hochland *highland*?) ursprünglich Name e. kleinen Bereichs? *originally the name of a small area, later on extended to larger territories*?; b) die vom Norden Palästinas nach Norden u. besonders Osten bis zum Euphrat sich hinziehende Landschaft der Aramäer ist weder nach ihrer territorialen noch nach ihrer politischen u. geschichtlichen Gliederung aus d. erhaltnen Quellen deutlich *the country of the Aramaeans stretching from the north of Palestine towards North a. East as far as the Euphrates; our sources give no distinct insight into the territorial, political a. historical development of this region*; c) S. Schiffer, d. Aramäer 1911; E. Kraeling, Aram a. Israel 1918; Alt, Z. Geschichte d. Reiches Aram, ZDM 88,233 ff; RLA 1,129—39; Bowman, AJN 7,65—90. †
Der. אֲרַמִּי ;אֲרָמִית.

אַרְמוֹן: I רמה: pl. cs. אַרְמְנוֹת, sf. אַרְמְנוֹתֶיהָ, אַרְמְנוֹתֵינוּ; < אַלְמָנוֹת: **Wohnturm** (befestigtes Haus mit kleiner Grundfläche, mehreren Stockwerken) *dwelling-tower* (*fortified building of small square base a. several stories*) Kl L 30—32: im Königspalast *in the king's palace* 1 K 16,18 2 K 15,25, in בָּצְרָה Am 1,12, קְרִיּוֹת 2,2, Jerusalem 2,5 Ir 17,27 Ps 48,4. 14 122,7 Th 2,7, Assur u. Aegypten Am 3,9, Samaria 3,10 f, Israel 6,8; sonst *see* Js 23,13 25,2 32,14 34,13 Ir 6,5 9,20 30,18 49,27 cj Hs 19,7 Ho 8,14 Am 1,4 Pr 18,19 2 C 36,19; Mi 5,4 l אַרְמְנֹתֵינוּ. †
Der. אַרְמֹנִי, *אַלְמָנוֹת. †

אֲרָמִית: אֲרָם: f. אֲרָמִית: **in aramäischer Sprache** *in the Aramaean language* 2 K 18,26 Js 36,11 Da 2,4 Esr 4,7. †

אֲרַמִּי: אֲרָם: pl. אֲרַמִּים f. אֲרַמִּיָּה: **Aramäer** *Aramaean* Gn 25,20 28,5 31,20.24 Dt 26,5 2 K 5,20, pl. 2 K 8,28.29 9,15, הָרַמִּים (< הָאֲרַמִּים) 2 C 22,5, fem. Aramäerin *Aramaean woman* 1 C 7,14. †

אַרְמֹנִי: n.m.; אַרְמוֹן, aus d. Wohnturm stammend *born in the dwelling-tower*: S. von Saul 2 S 21,8. †

אֲרָן: n.m.; Nöld BS 83; ZAW 44,93: Gn 36,28 1 C 1,42. †

I **אֹרֶן**: Mish. אֳרָנִים, < ܥܪܢܐ ,غَارٌ: **Lorbeer** *laurel*, *Laurus nobilis* L. (Löw 2,119—121) Js 44,14. †
Der. II אֹרֶן n.m., אַרְנוֹן n. fl.?

II **אֹרֶן**: n.m.; = I: 1 C 2,25. †

אַרְנֶבֶת < *annäbät: ug. ʾnhb (= *ʾnhābu), ak. *annabu*, n. p. *Arnaba(tum)* Gemser 215, aram. אַרְנְבְתָּא, ܐܪܢܒܐ, أَرْنَب; אנב fruchtbar sein *be fertile*, d. fruchtbare Tier *the fertile animal*: **Hase** *hare Lepus syriacus / aegyptiacus* Lv 11, 6 Dt 14, 7. †

אַרְנוֹן u. אַרְנֹן: n. fl.; mo. ארנן; der mit אֹרֶן gesäumte Fluss? *the brook bordered by laurel-bushes* אֹרֶן?: **Arnon**, *W. el-Môǧib* in Moab, Glueck, AAS, vol. 18—19, Musil, AP 1, 9 ff.: Nu 21, 13—28 22, 36 Jd 11, 13. 18. 22. 26 Js 16, 2 Ir 48, 20; נַחַל אַ׳ Dt 2, 24. 36 3, 8. 12. 16 4, 48 Jos 12, 1 f 13, 9. 16 2 K 10, 33. †

אֲרַנְיָה: n. m.: 2 S 24, 18 F אֲרַוְנָה. †

אַרְנָן: n. m.; Noth S. 230: 1 C 3, 21. †

אָרְנָן: n. m. e. Jebusiters, der auch *Jebusite, also named* F אֲרַוְנָה u. אֲרַנְיָה heisst: 1 C 21, 15. 18 2 C 3, 1. †

אַרְפַּד u. אַרְפָּד: n. l.; ak. *Arpadda*; ארפד Suǧ. 1, 3 ff: **Arpad** = *T. Erfād* 3 Stunden *3 hours* n. Aleppo, RLA 1, 153: 2 K 18, 34 19, 13 Js 10, 9 36, 19 37, 13 Ir 49, 23. †

אַרְפַּכְשַׁד: n. p. (n. m.): אַרְפַּכְשַׁד Sohn d. *son of* Sem Gn 10, 22. 24 11, 10—13 1 C 1, 17. 18. 24: d. Landschaft *the country called* Ἀρραπαχῖτις (Ptol. VI, 1. 2) zwischen Urmia u. Wansee *between Urmia a. the lake of Van*, kurdisch noch *still known to the Kurd as Albak* = ארפך :: Alb. JBL 43, 388 f. †

אֶרֶץ (2400×): ohne Ableitung *no etymology known*; ug. ʾrṣ, ak. *erṣitu*, ph. mo. ארץ, ba. ארעא u. ארקא, أَرْض; אֶרֶץ, אָרֶץ, הָאָרֶץ, אַ֫רְצָה, ug. ʾrṣh, אַ֫רְצָה, sf. אַרְצִי, אַרְצְכֶם, pl. אֲרָצוֹת, sf. אַרְצוֹתָם; fem.: 1. Landfläche, **Grundstück** *ground, piece of ground* Gn 23, 15 Ex 23, 10; 2. **Gebiet, Land** *land = territory, country*: אֶ׳ מִצְרַיִם u. אֶ׳ כְּנַעַן Gn 47, 13, אֶ׳ יְהוּדָה Am 7, 12, אֶ׳ הָאֱמֹרִי Am 2, 10, אֶ׳ פְּלִשְׁתִּים Ze 2, 5, אֶ׳ גָּד וְגִלְעָד 1 S 13, 7, אֶ׳ סִיחוֹן u. אֶ׳ עוֹג Ne 9, 22, אֶ׳ חַיִּים Ps 27, 13, mein (Jahwes) Land *my (Y.s) territory* Ir 2, 7 16, 18, *etc.*; pl. עַמֵּי הָאֲרָצוֹת Esr 9, 1, גּוֹיֵי הָאֲרָצוֹת 2 C 32, 13, אֱלֹהֵי הָאָ׳ 2 K 18, 35, מַלְכֵי הָאָ׳ Esr 9, 7, מַמְלְכוֹת הָאָ׳ d. irdischen Königreiche *terrestrial kingdoms* 2 C 12, 8, l הַגּוֹיִם Js 37, 18; 3. die Gesamtheit des Landes, **die Erde** *the whole of the land, the earth*: אֶרֶץ = הַיַּבָּשָׁה Gn 1, 10, הַשָּׁמַיִם וְהָאָרֶץ die (ganze) Welt *the (whole) world* Gn 2, 1, älter *older form*: אֶרֶץ וְשָׁמַיִם 2, 4, בֵּין הָאָרֶץ וּבֵין הַשָּׁמַיִם = in d. Luft *in the air* Sa 5, 9, תַּחְתִּיּוֹת אֶרֶץ Js 44, 23 Ps 139, 15, תַּ׳ הָאָ׳ 63, 10, אֶרֶץ תַּחְתִּית Hs 26, 20 32, 18. 24, אֶרֶץ תַּחְתִּיּוֹת Hs 31, 14. 16. 18 (L. Rost, D. Bezeichnungen f. Land usw. = Festschr. Procksch, 1934, 130—7).

אַרְצָא: n. m.; Noth S. 230: 1 K 16, 9. †

ארר: ak. *arāru* binden, bannen *bind, enchant*: qal: pf. אֲרוֹתִי, sf. אֲרוֹתִיהָ, impf. אָאֹר, תָּאֹר, inf. אָרוֹר, imp. אָרָה־ (BL 435[1]) Nu 22, 6, אֹרוּ, pt. pl. cs. אֹרְרֵי, sf. אֹרְרֶיךָ, pss. אָרוּר, אֲרוּרָה, אֲרוּרִים: **mit e. Fluch belegen** *bind with a curse, curse* (:: קלל als verflucht bezeichnen *qualify as cursed*): Gott belegt mit e. Fluch *God curses* Gn 3, 14. 17 4, 11 12, 3 Ir 11, 3 17, 5 48, 10 Ma 1, 14 2, 2, d. מַלְאַךְ יהוה belegt mit Fluch *curses* Jd 5, 23, Menschen belegen mit e. Fl. *men curse* Gn 9, 25 27, 29 49, 7 Ex 22, 27 Nu 22, 6. 12 23, 7 24, 9 Dt 27, 15–26 28, 16–19 Jos 6, 26 9, 23 Jd 21, 18 1 S 14, 24. 28 26, 19 2 K 9, 34 Ir 20, 14. 15 Ps 119, 21 Hi 3, 8; אָרוּר c. מִן = fort von, getrennt von *(cursed) from (among)* Gn 3, 14 4, 11 (Pedersen, D. Eid bei d. Semiten, 1914,

68); אָרוּר mit לִפְנֵי יהוה = unter Anrufung, Aufbietung J. s, der dann für d. Durchführung d. Fluchs sorgt *by invoking Y. who is to cause the curse to work* Jos 6, 26 1 S 26, 19; †
nif: pt. pl. נֵאָרִים: **mit e. Fluch belegt** *cursed* Ma 3, 9; †
pi: pf. sf. אֵרְרָהּ, pt. pl. מְאָרְרִים: **mit e. Fluch belegen** *lay under a curse* Gn 5, 29, **e. Fluch bewirken** *bring a curse* (Wasser water) Nu 5, 18. 19. 24. 27; †
hof (oder *or* qal pass.?): impf. יוּאַר: **mit e. Fluch belegt sein** *be under a curse* Nu 22, 6. †
Der. מְאֵרָה, II אוּר?

אֲרָרָט: n. t. **Ararat**: הָרֵי אֲ׳ Gn 8, 4, אֶרֶץ אֲ׳ 2 K 19, 37 Js 37, 38, מַמְלְכוֹת אֲ׳ Ir 51, 27: ak. *Urartu*, *Urašṭu* (AP, Behistun inscription p. 254 l. 2. 4. 7; Weissbach, VAB 3, 61 bab. *Urašṭa* = S. 60 altpers. *Old Pers.* Armin[ija]); V Armenia, Armenii, G Ἀρμενία, Sy ܩܪܕܘ, dazu Nöld. Untersuch. z. Kritik d. AT, 1869, 145—55; ܩܪܕܘ = Κορδυαῖοι Berossus, Γορδυήνη Strabo, altarmenisch *Old-Armenian Korduk*ᶜ Hübschmann 257. 333.: אררט ist d. Bergland d. *the highland of Ğezîret ibn ᶜOmar* am Westufer des *westward* Tigris in 37° 20′ n. Breite *northern latitude*; seit Alters e. wichtiger Pass *important pass since antiquity*. †

אֲרָרִי: 2 S 23, 33 הָאֲרָרִי K. F הַרָרִי.

ארשׂ: ak. *êrišu* Verlobter, *fiancé*, ak. *erêšu* wünschen, begehren *wish*, *desire*, mhb., ja., cp. ארס verloben *engage*, عَرُوس Bräutigam *bridegroom* (א > ע wie *as* אֵפֶר > עָפָר); ältre Thesen *older meanings*: Lag. Sem. 1, 50, Wellh. NGG 1893, 435, Sarsowsky ZAW 32, 304 f.;
pi: pf. אֵרַשׂ, אֵרַשְׂתִּי, אֵרַשְׂתִּיךְ, impf. תְּאָרֵשׂ: c. acc. **sich** (mit e. Frau) **verloben** *become engaged to* (*a girl*), *betroth* (*a wife*) Dt 20, 7 28, 30 Ho 2, 21. 22, c. בְּ des Preises *of the price* 2 S 3, 14; †
pu: pf. אֹרָשָׂה, pt. מְאֹרָשָׂה: **verlobt sein** *be engaged, bethrothed* Ex 22, 15 Dt 22, 23. 25. 27 f. †

ארשׁ: ak. *erêšu* wünschen, begehren *wish*, *desire*. Der. אֲרֶשֶׁת, II *מוֹרָשׁ.

אֲרֶשֶׁת: ארשׁ: **Verlangen** *desire*, *longing* Ps 21, 3, cj 61, 6. †

אֹרֹת u. אוֹרֹת: pl. v. *אוֹרָה fem. v. אוֹר, ug. *ỉr* (1 Aqht 66, 73)?: **Malve**, *dwarf mallow Malva rotundifolia L.*; (sie ist a) sehr lichtempfindlich u. b) essbar u. gilt als nahrhaft; daher wohl „Licht[kraut]" genannt *this flower is a) very sensitive to light and b) its fruit is eatable; therefore it may be called „light-[herb]"* Löw 2, 228 f.); 2 K 4, 39 ܚܠܒܝܬܐ = Malven *mallows*: 2 K 4, 39 Js 26, 19. †

אַרְתַּחְשַׁסְתְּא Esr 7, 1. 7 8, 1 Ne 2, 1 5, 14 13, 6 u. אַרְתַּחְשַׁשְׂתְּא Esr 4, 7 u. אַרְתַּחְשַׁשְׂתְּא Esr 4, 7 6, 14; F ba.: n. m.; pers. *Pers. Artakhšatrâ*, *Ardakhcašca*, keilschriftl. Schreibungen *cuneiform spellings* Tallquist APN 30 b., bab. Artakšatsu, Artaḫšassu, AP ארתחשסש; Weissbach VAB 3, 139: **Artaxerxes** Longimanus (465—24). †

אֲשַׂרְאֵל: n. m.; Noth S. 183; Naor. 49, 317—21: 1 C 4, 16. †
Der. n. m. אֲשַׂרְאֵלָה, אַשְׂרִיאֵל.

אֲשַׂרְאֵלָה: n. m.; F zu אֲשַׂרְאֵל: 1 C 25, 2 (Var. אֲשַׂרְאֵלָה, v. 14 יְשַׂרְאֵלָה). †

אַשְׂרִיאֵל: n. m.; F אֲשַׂרְאֵל: Nu 26, 31 Jos 17, 2; dele 1 C 7, 14. †
Der. אַשְׂרִיאֵלִי.

אַשְׂרִיאֵלִי: gntl. zu *of* אַשְׂרִיאֵל: Nu 26, 31. †

אֵשׁ (380 ×): ug. *ỉšt*, ak. *išâtu*, aram. אֶשָּׁתָא, F ba. אֶשָּׁא, Feuer, Fieber, *fire*, *fever*, እሳት

Feuer *fire*, BL 454[1]: fem., sf. אִשּׁוֹ, אִשָּׁם, אֶשְׁכֶם: **Feuer** *fire*; c. יָצָא Ex 22, 5, בָּעַר 35, 3, יקד Lv 6, 2, נָתַן אֵשׁ בְּ 10, 1, עַל 1, 7, קָדַח Dt 32, 22, הֵרִיחַ Jd 16, 9, נָפַל 1 K 18, 38, יָרַד (v. Himmel her *from heaven*) 2 K 1, 10, כָּבָה Js 66, 24, שִׁלַּח Ho 8, 14, אָכַל Jl 1, 19, קָלָה Lv 2, 14, עָלָה Jd 6, 21, נָפַח Hs 22, 20, לַבַּת Gn 15, 17, לַפִּיד אֵשׁ 19, 24, גָּפְרִית וָאֵשׁ אֵשׁ Ex 3, 2, לַהַב אֵשׁ Js 29, 6, צְלִי אֵשׁ Ex 12, 8, גַּחֲלֵי אֵשׁ 13, 21, עַמּוּד אֵשׁ Lv 13, 24, מִכְוַת אֵשׁ 16, 12, מַרְאֵה אֵשׁ Nu 9, 15, נֹגַהּ אֵשׁ Js 4, 5, שְׁרֵפַת אֵשׁ 5, 24, לְשׁוֹן אֵשׁ 10, 16, יְקוֹד אֵשׁ 64, 10, חוֹמַת אֵשׁ 9, 4, מַאֲכֹלֶת אֵשׁ Sa 2, 9, אוּר אֵשׁ Feuerschein, *light, flare of fire* Ps 78, 14, שְׁבִיב אִשּׁוֹ Hi 41, 11, כִּידוֹדֵי אֵשׁ 18, 5, אַבְנֵי אֵשׁ Hs 28, 14. 16, רִשְׁפֵּי אֵשׁ Ct 8, 6; אֵשׁ זָרָה kultfremdes F. *inadmissable fire* Nu 3, 4; Feuer anzünden ist schwierig, deshalb trägt man F. auf Wallfahrten mit sich *the kindling of fire being difficult, it has to be carried along* Gn 22, 6; was verbrannt werden soll, muss ins Feuer getragen werden *things to be burned have to be carried into the fire* שָׂרַף בָּאֵשׁ; אֵשׁ אֱלֹהִים 2 K 1, 12 Hi 1, 16, אֵשׁ יהוה Nu 11, 1 1 K 18, 38; Zorn brennt wie Feuer *wrath burns like fire* אֵשׁ עֶבְרָתִי Hs 21, 36 22, 21. 31 38, 19; d. כְּבוֹד יהוה ist wie *is like* אֵשׁ אֹכֶלֶת Ex 24, 17: Gott ist *God is* אֵשׁ אֹכְלָה Dt 4, 24 9, 3 Js 33, 14, אֵשׁ דָּת Dt 33, 2 F דָּת; l הָאִשֶּׁה Nu 18, 9.

Der.: אִשֶּׁה?

אִשׁ: ug. *3t*: אִם־אִשׁ לְ c. inf. 2 S 14, 19 u. אִישׁ רֵעִים (Sebir u. MSS יֵשׁ) Pr 18, 24, ba. אִיתַי: deutlich *evidently* = יֵשׁ **es ist, sie sind vorhanden** *there is, there are*; ähnlich *similarly* AP 49, 2 את f. אית, Mi 6, 10 l הַאֶשָּׂא. †

אַשְׁבֵּל: n.m.; שׁבל; Noth S. 227 = أَسْبَلُ mit langer Oberlippe *having a long upper lip*: S. v. Benjamin Gn 46, 21 Nu 26, 38 1 C 8, 1. †

Der.: אַשְׁבֵּלִי.

אַשְׁבֵּלִי: gntl. אַשְׁבֵּל: Nu 26, 38. †

אֶשְׁבָּן: n.m.; ZAW 44, 91: Gn 36, 26 1 C 1, 41. †

אַשְׁבֵּעַ: n.m.; II שׂאע; Fülle *plenty*: 1 C 4, 21. †

אֶשְׁבַּעַל: n.m.; אִישׁ u. בעל: אֶשְׁבַּעַל S. v. Saul 1 C 8, 33 9, 39. †

אשר: F *אָשֵׁר, n.l. אַשְׁדּוֹד?

אֶשֶׁד*: אשד äga., [hieroglyphs] ausgiessen *pour out*: cs. אֶשֶׁד, pl. אֲשֵׁדוֹת, cs. אַשְׁדּוֹת: **Abfluss** *mouth*, v. Bachtal Nu 21, 15; Abhänge? slopes? von *of* פִּסְגָּה Jos 12, 3 13, 20 Dt 3, 17 4, 49; neben andern Geländebezeichnungen *together with other geographical terms* Jos 10, 40 12, 8; cj הָאֲשֵׁדוֹת 15, 46. †

אַשְׁדּוֹד: n.l.; c. -ā: אַשְׁדּוֹדָה; ak. Asdudu, Ἄζωτος Herod. 2, 157: die Philisterstadt **Asdod** *Ashdod, a town of the Philistines* RLA 1, 167, heute *today Esdûd*: Jos 11, 22 15, 46 (F *אָשֵׁר) 1 S 5, 1. 5—7 6, 17 Js 20, 1 Ir 25, 20 Am 1, 8 Ze 2, 4 Sa 9, 6 2 C 26, 6, cj Dt 33, 2; Am 3, 9 l אַשּׁוּר. †

Der.: אַשְׁדּוֹדִי.

אַשְׁדּוֹדִי: gntl. v. אַשְׁדּוֹד: pl. אַשְׁדּוֹדִים, f. אַשְׁדּוֹדִית, pl. אַשְׁדֳּדִיּוֹת (K אַשְׁדּוֹדִיּוֹת Q אַשְׁדֳּדִיּוֹת) Ne 13, 23: **aus Asdod** *from Ashdod* Jos 13, 3 1 S 5, 3. 6 Ne 4, 1 13, 23, אַשְׁדּוֹדִית d. asdodische Sprache *language of Ashdod* Ne 13, 24. †

[**אֵשְׁדָּת** Dt 33, 2: l אַשְׁדּוֹד (Nyberg ZDM 92, 335 l אֲשֵׁרָת). †]

אשה: F אָשִׁיָּה, n.m. (ו)יֹאשִׁיָּה.

[*אֶשָּׁה: Ir 6, 29 K מֵאֶשְׁתָּם, verderbt *corrupt*; F Komm. †]

אִשָּׁה (775 ×): ug. *ᵓtt*, akk. *aššatu*, ph. אשת, äga. אנתה u. אנתתא, sf. אנתתי, aram. אִנְתְּתָא > אִתְּתָא, [Syriac], palm. אתתא, אתתה u. אתת, איתא, nab. אתתה, sf. אנתתה, asa. אנ͡ת, [Ethiopic], أُنْثَى; v. אנש w. אֱנוֹשׁ as אֱנוֹשׁ *deriving from* אנש, F aber *but* ug. *ᵓtt*!: cs. אֵשֶׁת, auch *also* Dt 21, 11 1 S 28, 7 u. Ps 58, 9 (v. Relativsatz abhängiger proleptischer cs. *proleptic cs. depending on relative clause*), d. zu אִישׁ gehört *to* אִישׁ *belonging*; pl. נָשִׁים (Barth OS 792, Brockelm. ZDM 67, 112), phl., äga. נשיא, נשן, [Syriac], نِسْوَان, Hs 23, 44 † אִשֹּׁת! l אֵשֶׁת, sf. sg. אִשְׁתִּי, אִשְׁתְּךָ u. אֶשְׁתְּךָ Ps 128, 3 †, cs. pl. נְשֵׁי, sf. נָשֵׁי, נְשֵׁיכֶם: 1. **weiblicher Mensch** *female*, ohne Rücksicht auf Alter u. Sexualstand usw. *unconcerning about age, virginity etc.*, **Frau** *woman* Gn 2, 23 (:: אִישׁ; mit Volksetymologie *popular etymology*), Ehefrau *wife* (אֵשֶׁת אִישׁ Pr 6, 26) 26, 8, Braut *bride* 29, 21, Witfrau *widow* 1 S 30, 5, 2 S 3, 3; אֹרַח כַּנָּשִׁים wie es Frauen geht *after the manner of women* Gn 18, 11, תַּמְרוּקֵי הַנָּשִׁים bei Frauen übliche Massage (*cosmetic*) *massage used by women* Est 2, 12, בֵּית הַנָּשִׁים Harem *harem* u. שֹׁמֵר הַנָּשִׁים Haremswächter *keeper of the harem* Est 2, 3; oft mit Beifügung *frequently with addition*: אִשָּׁה אַלְמָנָה 1 K 7, 14, א׳ זוֹנָה Jos 2, 1 (aber *but* אֵשֶׁת זְנוּנִים zur Buhlschaft neigende Frau *woman inclined for illicit intercourse* Ho 1, 2 ZAW 39, 286[2]), א׳ נְבִיאָה Jd 4, 4, א׳ פִּילֶגֶשׁ 19, 1; נָתַן לְאִשָּׁה zur Ehefrau geben *give to wife* Gn 30, 4; (feige) Männer als Frauen bezeichnet (*cowardly*) *men called women* Js 19, 16 Na 3, 13; 2. **weibliches Wesen**: Tiere *female beings*: *animals* Gn 7, 2; 3. אִשָּׁה = **jede** *each* Ex 3, 22 Am 4, 3; F אָחוֹת u. רְעוּת.

אִשֶּׁה: cs. אִשֵּׁה, sf. אִשּׁוֹ, pl. cs. אִשֵּׁי, sf. אִשַּׁי: 1. Verbreitung *statistics*: Dt 18, 1 1 S 2, 28 Si 45, 21 50, 13, cj 1 K 9, 25, sonst nur in *besides only in* P: Ex 29, 18. 25 30, 20 Lv 1, 9—24, 9 (41 ×) Nu 15, 3—29, 36, cj 18, 9 (17 ×); 2. Verwendung *use*: אִשֶּׁה לַיהוה Ex 29, 18 + 27 ×, הִקְרִיב א׳ לַיהוה Lv 3, 3. 9. 14 7, 25 23, 8. 25. 27. 36. 36. 37 Nu 28, 3, עָשָׂה א׳ לַיהוה Nu 15, 3; אִשֵּׁי יהוה Lv 2, 3 + 12 × u. Si 45, 21 50, 13, אִשֵּׁה רֵיחַ נִיחֹחַ Nu 28, 19, א׳ עֹלָה לַיהוה לַיהוה Lv 1, 9. 13. 17 2, 2. 9 3, 5 23, 18 Nu 15, 10. 13. 14 28, 8. 24 29, 13. 36 (:: Lv 23, 13) רֵיחַ נִיחֹחַ א׳ Nu 18, 17, א׳ לְרֵיחַ נִיחֹחַ לַיהוה < לַיהוה Nu 28, 6. 13 29, 6; אִשַּׁי (Jahves) Lv 6, 10 Nu 28, 2; אִשֵּׁי הַחֲלָבִים Lv 10, 15; א׳ הוּא Ex 29, 25 Lv 8, 21. 28; הִקְטִיר לֶחֶם א׳ לַיהוה = לְרֵיחַ נִיחֹחַ als *wie* א׳ c. לַיהוה Lv 3, 11, c. לֶחֶם 3, 16; אִשֵּׁי יהוה לֶחֶם אֱלֹהֵיהֶם! Lv 21, 6; אִשֵּׁה רֵיחַ נִיחֹחַ לַיהוה Nu 28, 24; wichtig für d. Phraseologie sind die ältesten Stellen *the oldest quotations, phraseologically important, are*: (Salomo) הִקְטִיר אֶת־אִשּׁוֹ cj 1 K 9, 25; כָּל־אִשֵּׁי בְּנֵי יִשְׂרָאֵל gibt Gott dem Priesterhaus des Eli zum Genuss *are given to the house of Eli the priest* 1 S 2, 28; d. levitischen Priester haben keinen Grundbesitz, sie sollen [dafür] *the Levite priests own no landed property, instead they* אִשֵּׁי יהוה יֹאכֵלוּן Dt 18, 1; d. in diesen 3 Stellen erstmals auftauchende Wort wird in P viel verwendet אִשֶּׁה *first mentioned in these 3 places is richly used in P*; 3. Herkunft *origin*: a) H. Bauer, Islamica II, 1926, 6: אִשֶּׁה nomen unitatis zu אֵשׁ c. -ä *ending in* ֶ◌, um Gleichklang mit אִשָּׁה zu vermeiden *to avoid homonymy with* אִשָּׁה; BL 512 f′; b) Ehr. II, 5: zu *related to* أَثَاثٌ Güter *goods*. Die gewöhnliche Übersetzung ist: **Feueropfer** *usual rendering*: *offerings made by fire*. †

אשויה: F אָשְׁיָה.

*אֱשׁוּן: LW; ja. אִשּׁוּנָא, cp. אשון, ak. *isinnu, iššinnu* (bestimmte) Zeit (*fixed*) *time* Zimmern 63: אֱשׁוּן חֹשֶׁךְ Q אֱשׁוּן (K. אִישׁוֹן!) Pr 20, 20, cj אֱשׁוּן 7, 9: Zeit, **Anbruch** *approach*. †

אַשּׁוּר u. 1 C 5, 6† אַשֻּׁר: n.m., n.p., n.t.; ak. *Aššur*, äg. *Asura* Alb. Voc. 34; ETL 199!; ph. אשר, äga. u. syr. אָתוּר, äg. (*A*)*ssur*, später *later Ešaur* = Syrer *Syrian*, > Συρια Nöld. ZA 1, 268 ff, Hermes 5, 443 ff: אַשּׁוּרָה nach Ass. *towards As.*: 1. n.m.; Personifikation als S. v. Sem *personification as son of Shem* Gn 10, 22; 2. n.t.: d. Land **Assyrien** *land of Assyria* (d. Land Assur, nach d. Stadt A. benannt *land Asshur*, *named after the town A.* RLA 1, 195 f; d. Gott A. *god A.* ibid. 196—8) Gn 2, 14 10, 11 Ho 7, 11 9, 3, cj 9, 6 etc, אֶרֶץ א' Js 7, 18, bei den Propheten d. Reich d. Assyrer in weitern Sinn *in the writings of the prophets the Assyrian empire in a larger sense*, daher d. Eufrat sein Sinnbild *therefore the Euphrates its symbol* Js 8, 7 (F Herodot 1, 106 etc.); 3. n.p.: d. Volk der **Assyrer** *the people of the Assyrians* (RLA 1, 228 ff, Meissner, Babylonien u. Assyrien, I 1920, II 1925) m. (Nu 24, 22 Hs 32, 22 fem., aber fraglich *but dubious*) Ho 12, 2 Js 14, 25 19, 23 30, 31 u. sonst *a. more*; א' = d. König d. Assyrer *the king of the Assyrians* Js 10, 5 ff; 4. מֶלֶךְ א' v. persischen König *the Persian king* Esr 6, 22. Ob, auch von Seleuciden *if even the Seleucides* F Komm. zu *on* Js 10, 12 19, 13 Nu 24, 22. 24. Andre finden d. arabischen Stamm *others think of an Arabian tribe* אאשר in אַשּׁוּר Gn 25, 18 Ps 83, 9 Nu 24, 22. 24 (Alb. JBL 63, 222 f l אֲשֶׁר) F Komm. Hs 31, 3 l הָאַשּׁוּר; Honigmann, P-W II, 4, 1549 ff.

[אַשּׁוּרִי 2 S 2, 9; l אָשֵׁרִי. †]

אַשּׁוּרִים: n.p.; ar. Stamm *Arabian tribe*; Montg. 44: Gn 25, 3. †

אַשְׁחוּר: n.m.; cf. bab. Göttin *Babylonian goddess Išḫara*, ug. *ỉšḫr* (Ginsberg a. Maisler JPO 14, 259 Cassuto, Or. 16, 472): 1 C 2, 24 4, 5. †

*אָשְׁיָה: LW; ak. *asîtu*, آسِيَة, aram. אָשִׁיתָא Pfeiler *pillar*: pl. sf. K אָשְׁוִיֹּתֶיהָ, Q אָשְׁיוֹתֶיהָ: **Pfeiler** *pillar* Ir 50, 15. †

אֲשִׁימָא: Gottheit v. *god of* חֲמָת 2 K 17, 30; syr. Gott *Syrian god* Σέμιος Eph 2, 323 u. Göttin *a. goddess* Σίμα, Σημέα, סימי 3, 247. 260 ff; אשמביתאל AP, alle v. *all from* שֵׁם; F Vincent 654 ff: F Am 8, 14 אַשְׁמָה. †

אֲשֵׁירָה: F אֲשֵׁרָה.

אֲשִׁישָׁה: mhb, I *אשׁשׁ fest, gedrängt sein *be solid, compact*(?): pl. אֲשִׁישׁוֹת, cs. m! אֲשִׁישֵׁי: אֲשִׁישֵׁי עֲנָבִים **Kuchen aus** zusammengepressten, eingetrockneten **Weinbeeren** *raisin-cake made of dried compressed grapes*: kultisch *used in cult* Ho 3, 1, als (kostbare) Nahrung *as (valuable) nourishment* Js 16, 7 2 S 6, 19 Ct 2, 5 1 C 16, 3. †

אֶשֶׁךְ: ug. *ỉšk*, ak. *išku*, ሐሰከ·ት, ܐܫܟܐ: אֶשֶׁךְ **Hode** *testicle* Lv 21, 20; F *שׁכה. †

*אֶשְׁכּוֹן: F אֶשְׁכְּנַז.

I אֶשְׁכּוֹל u. אֶשְׁכֹּל: שׁכל; ja. אֶתְכָּלָא u. סְגוּלָא, إِثْكَال, عِثْكَال: pl. אַשְׁכֹּלוֹת u. אֶשְׁכֹּלוֹת, cs. אַשְׁכְּלוֹת, sf. אַשְׁכְּלוֹתֶיהָ: eigentlich: d. leere Gerust, an dem die Weinbeeren sitzen, d. Kamm, dann d. Gerüst mit d. Beeren: d. **Traube** (der Rebe) *originally the empty trestle on which the berries of the grape sit > the trestle studded with berries, the grape (of vines)* Gn 40, 10 Dt 32, 32 Nu 13, 23. 24 Js 65, 8 Mi 7, 1 Ct 7, 8. 9; des *of the* כֹּפֶר 1, 14. †
Der.: II u. III אֶשְׁכֹּל.

II אֶשְׁכֹּל: n.m.; = I: Gn 14, 13. 24. †

III **אֶשְׁכֹּל**: n.l.; = I: נַחַל אֶשְׁכֹּל Nu 13, 23. 24 32, 9 Dt 1, 24 Traubental *Valley of Grapes*; *Bēt Iskāhil* :: Dalm. PJ 8, 16. †

אַשְׁכְּנַז: n.p.; Gn 10, 3 1 C 1, 6 Ir 51, 27; <*אֶשְׁכּוּז, verderbt *corrupted* > אַשְׁכְּנַז. Altpersisch *old-Pers.* *Skūča, akk. *Iskuzai*, Σάκαι (E. Herzfeld, A new inscription of Darius from Hamadan, 1928, p. 4). †

אֶשְׁכָּר: LW; ak. *iškâru* regelmässige Abgaben *regular tribute*: sf. אֶשְׁכָּרֵךְ: **Abgabe,** Tribut *tribute* Hs 27, 15 Ps 72, 10. †

אשל: אֶשֶׁל.

אֶשֶׁל: ug. *3šl*, أَثْل, äg. *isr*: **Tamariske** *tamarisk tree Tamarix syriaca Boissier*, Löw 3, 398—402; Gn 21, 33 1 S 22, 6 31, 13. †

אשם: أَثِمَ wurde schuldig *became guilty*:
qal: pf. אָשֵׁם, אָשֵׁם, אָשְׁמָה, אָשַׁמְתְּ, אָשַׁמְתְּ, אָשְׁמוּ, impf. יֶאְשַׁם, תֶּאְשַׁם, יֶאְשְׁמוּ, תֶּאְשְׁמוּ, נֶאְשָׁם, inf. abs. אָשׁוֹם, אָשׁוֹם, cs. אַשְׁמַת!: 1. **sich verschulden** *do wrong, be guilty* c. לְ hinsichtlich *with regard to* Lv 4, 13. 22. 27 5, 2—5, 17. 19. 23 Nu 5, 6. 7 Jd 21, 22 Js 24, 6 Ir 2, 3 50, 7 Hs 22, 4 25, 12, cj לְדָם אָשַׁמְתְּ 35, 6 Ho 4, 15 13, 1 Sa 11, 5 2 C 19, 10 Si 9, 13; 2. **Schuld büssen** *be held guilty* Ps 34, 22. 23 Pr 30, 10; 3. l תֵּשַׁם Ho 14, 1, fraglich *dubious* Ho 5, 15 10, 2; 4. inf. cs. (*אַשְׁמָה cs.) אַשְׁמַת **Verschuldung** *guilt* Lv 4, 3; 5. l וְיָשֹׁמּוּ Hs 6, 6; l וְאָשֵׁם זוּ f. אֲשֶׁר שָׂם Ha 1, 11; †
nif: pf. l נָשַׁמּוּ נֶאְשְׁמוּ Jl 1, 18; †
hif: imp. sf. הַאֲשִׁימֵם: **büssen lassen** *hold guilty* Ps 5, 11. †
Der.: אָשָׁם, אָשֵׁם, אַשְׁמָה.

אָשָׁם: אשם: sf. אֲשָׁמוֹ, pl. sf. אֲשָׁמָיו: 1. **Verschuldung** *offence, guilt* Gn 26, 10 Ir 51, 5 pl. Ps 68, 22; 2. **Schuldbetrag** *guilt* Nu 5, 7. 8; 3. **Schuldopfer** *guilt-offering* Lv 5, 6—25 6, 10 7, 1. 2. 5. 7. 37 14, 12—28 19, 21. 22 Nu 6, 12 18, 9 2 K 12, 17 Hs 40, 39 42, 13 44, 29 46, 20 cj Esr 10, 19 Si 7, 31; 4. **Sühngabe, Entschädigung** *gift of restitution, gift of atonement* 1 S 6, 3. 4. 8. 17 Js 53, 10; 5. ?? Pr 14, 9. †

אָשֵׁם: אשם: pl. אֲשֵׁמִים: **schuldbeladen** *guilty* Gn 42, 21 2 S 14, 13; l וַאֲשֵׁמִים Esr 10, 19. †

אַשְׁמָה: inf. cs. fem. v. אשם F qal 4.: cs. אַשְׁמַת, sf. אַשְׁמָתֵנוּ, pl. אֲשָׁמוֹת, sf. אַשְׁמֹתַי: **Verschuldung, Schuld** *guiltiness, guilt* Esr 9, 6. 7. 13 10, 10. 19 1 C 21, 3 2 C 24, 18 33, 23 Lv 5, 26 22, 16, pl. Ps 69, 6, c. לְ gegenüber *against* 2 C 28, 10; אַשְׁמַת יהוה gegenüber J. *against Y.* 28, 13; Am 8, 14 אַשְׁמַת שֹׁמְרוֹן ist wohl die Gottheit אֲשִׁימָא gemeint *seems to speak about the goddess* אֲשִׁימָא. †

אַשְׁמוּרָה u. **אַשְׁמֹרֶת**: שמר Nöld. NB 141: pl. אַשְׁמֻרוֹת: **Nachtwache** *night-watch*: Jd 7, 19 d. mittlere (also 3 hier gezählt) *the middle* (*apparently 3 being counted*), Ex 14, 24 u. 1 S 11, 11 d. Morgenwache *the morning watch*; Ps 63, 7 90, 4 119, 148 Th 2, 19. †

אַשְׁמַנִּים: unerklärt *unexplained* Js 59, 10. †

אַשְׁמֹרֶת: F אַשְׁמוּרָה.

אֶשְׁנָב: <*אֶנְשָׁב, נשב; ak. *nappāšu*; مَنْفَس (Dozy 2, 702); cf. engl. *window*, span. *ventana*, franz. *ventouse*; so zuerst *thus as first author* Weissbach, D. Hohelied, 1858, 149: sf. אֶשְׁנַבִּי: **Luftloch** (in d. Wand), **Fenster** *air-hole, window* Jd 5, 28 Pr 7, 6 Si 42, 11. †

אַשְׁנָה: n.l.; Jos 15, 43 Ιανα l. Ιδνα! = *Idna* in d. שְׁפֵלָה Abel 2, 30. 90: Jos 15, 33. 43. †

אֶשְׁעָן: n.l.; in Juda ZDP 57, 130f, Abel 2, 91: Jos 15, 52. †

***אַשָּׁף**: LW; ak. *išippu*, ba. אָשַׁף, ܐܫܦܐ: pl. אַשָּׁפִים **Beschwörer** *conjurer* Da 1, 20 2, 2. †

אַשְׁפָּה: ug. *ȝšpt*, LW; ak. *išpatu* (Etym ZA 35, 46f), äg. *ʾsp3t* Alb. Voc. 10: sf. אַשְׁפָּתוֹ; **Köcher** *quiver* Js 22, 6 49, 2 Ir 5, 16 Ps 127, 5 Hi 39, 23; בְּנֵי אַשְׁפָּתוֹ = s. Pfeile *his arrows* Th 3, 13 (l בְּאַשְׁפָּה f. בְּמִשְׁפָּט Dt 32, 41 Gressm, Eschatologie 78[1] ?). †

אַשְׁפְּנַז: n.m.; phl. *aspanj* Gastfreund *guest*; neupers. *new-Pers. sipanj* Scheft. MGJ 47, 312; cf. n.m. אספנז Hilprecht, Anniversary Vol. 1909, 345, Z. 6: babylonischer Eunuch *Babylonian eunuch*: Da 1, 3. †

אֶשְׁפָּר, Var. **אֶשְׁפַּר**: II שׁפר; سُفْرَة Reisekost *food of the traveller*; ʿötebisch ʿ*Ateyba*: *és-sifar* Proviant aus Datteln u. gekochten oder rohen Cerealien *provisions consisting of dates a. cooked or raw cereals*: (ThZ 4, Heft 5): **Dattelkuchen** *date-cake*: 2 S 6, 19 1 C 16, 3. †

אַשְׁפֹּת u. **אַשְׁפּוֹת**: שׁפת: mhb. אַשְׁפָּה, ak. *šupat*(?); أُثْفِيَّة d. Stein, auf den d. Kochtopf kommt *the stone* [*which is one of the three*] *whereon the cooking-pot is placed*; ja. syr. תְּפָיָא; F שְׁפַתַּיִם: Feuerplatz > Aschengrube *fire-place* > *ash-pit*: pl. אַשְׁפַּתּוֹת Th 4, 5: **Aschengrube** *ash-pit* 1 S 2, 8 Ps 113, 7 Th 4, 5; n.l. שַׁעַר הָאַשְׁפֹּת Aschentor *gate of ash-heaps* in Jerusalem Ne 2, 13 3, 13 (הָאַשְׁפּוֹת > הַשְּׁפוֹת). 14 12, 31. †

אַשְׁקְלוֹן: n.l.; ak. *Isqaluna*, EA *Ašqaluna*, äg. Albr. Voc. 49; ph. gntl. אשקלני: **Askalon**, die Philisterstadt *Ashkelon, a city of the Philistines* = ʿ*Asqalân* RLA 1, 169, BRL 38—40; Jd 1, 18 14, 19 1 S 6, 17 2 S 1, 20 Ir 25, 20 47, 5. 7. Am 1, 8 Ze 2, 4 Sa 9, 5. †

I **אשׁר**: ug. *ʾṯr* schreiten *march*, ak. *ašru* Ort *place*, aram. אַתְרָא, أَثَر Fusspur *footstep*, F אֲשֻׁר u. n.l. אֲתָרִים:

qal: impf. cj. תְּאַשֵּׁר Pr 4, 14, imp. אִשְׁרוּ: **geradeaus gehen** *walk straight* (*ahead*) Pr 9, 6, cj 4, 14; †

pi: imp. אַשֵּׁר, אַשְּׁרוּ, pt. pl. cs. מְאַשְּׁרֵי, sf. מְאַשְּׁרֶיךָ: **geradeaus führen**, leiten *lead on*, zurechtweisen *reprove* Js 1, 17 3, 12 9, 15 (:: הִתְעָה) Pr 23, 19 Si (וְאַאַשְּׁרֵנוּ) 4, 18; Pr 4, 14 l תְּאַשֵּׁר; cj וַאֲאַשְּׁרֵנוּ leite ihn auf geradem Weg *I will lead him in the straight way* (Bruppacher) Ho 14, 9; †

pu: pt. pl. sf. מְאֻשָּׁרָיו: **geleitet werden** *be led on* Js 9, 15. †

Der. אֲשֻׁר, *אָשֻׁר.

II **אשׁר**: denom.; F *אֶשֶׁר, אַשְׁרֵי:

pi: pf. אִשְּׁרוּ, sf. אִשְּׁרוּנִי, impf. sf. יְאַשְּׁרֻהוּ, וַתְּאַשְּׁרֵנִי: **glücklich nennen, glücklich preisen** *pronounce happy, call blessed* Gn 30, 13 Ma 3, 12 Ps 72, 17 Pr 31, 28 Hi 29, 11 Ct 6, 9; †

pu: impf. יְאֻשַּׁר, pt. מְאֻשָּׁר **glücklich genannt werden** *be blessed* Ps 41, 3 Pr 3, 18; † F *אֹשֶׁר, אֹשֶׁר, אָשֵׁר, n.m. אָשֵׁר.

אָשֵׁר: (n.m.) n.p.; II אשר Volksetymologie *popular etymology* Gn 30, 13: **Asser** *Asher* 1. (n.m.) S. v. Jakob u. Silpa *Zilpah* Gn 30, 13 35, 26 46, 17 Ex 1, 4 Nu 26, 46 1 C 2, 2; 2. n.p.; d. Stamm *the tribe* אָשֵׁר Gn 49, 20 Nu 1, 13 Dt 27, 13 33, 24 Jos 17, 10. 11 19, 34 Jd 1, 31 5, 17 7, 23 1 K 4, 16 Hs 48, 2. 3 1 C 12, 37 2 C 30, 11; בְּנֵי אָשֵׁר Jos 19, 24. 31 Nu 1, 40 2, 27 7, 72 26, 44. 47 1 C 7, 30. 40; מַטֵּה אָשֵׁר Nu 1, 41 2, 27 13, 13 Jos 21, 6. 30 1 C 6, 47. 59; מַטֵּה בְנֵי אָשֵׁר Nu 10, 26 34, 27 Jos 19, 24. 31; שַׁעַר אָשֵׁר Hs 48, 34;

Jos 17, 7 מֵאָשֵׁר (G^A ἀπὸ Ασηρ; Borée 21, ETL 198: *ʾl-s-r*) ist kein *is no* n.l., sondern = vom Stammgebiet Assers an *but means: beginning at the territory of A.*†

Der.: אַשְׁרֵי.

אֲשֶׁר: I. Herkunft u. Literatur *etymology a. literature*: a) אֲשֶׁר < *אֲשַׁר st. cstr. von *אֲשַׁר Stelle *place*, ug. ʾ*s*̊*r*, ak. *ašru* etc. ⅎ I אשׁר; אשׁר = Stelle, wo *place where*(?): b) Baumann, Hebräische Relativsätze, 1894; C. Gaenssle, *The Hebrew particle* אשׁר, 1915, I. Eitan, *Hebrew a. Semitic particles*, AJS 1928, 178 ff; ⅎ Grammatiken *grammars*;

II. Grundsätzliches *principal remarks*:

A. אֲשֶׁר als Relationspartikel *governing relative clauses.* a) אֲשֶׁר stellt ursprünglich wie „wo" im ältern Deutsch die Beziehung von zwei Sätzen her *originally* אֲשֶׁר *marks the connexion of two independent clauses of which the second explains more distinctly a part of the first*; b) ursprünglich folgt d. hebr. Relativsatz dem Wort, das er erläutert, ohne Beziehungswort *originally the Hebrew relative clause follows without pointing to the connexion the word to be explained* עֵץ לֹא יִרְקַב Js 40, 20 „Holz es fault nicht" = Holz, das nicht fault *„wood it will not rot"* = *wood that will not rot; in many cases the English language has kept this kind of expression until today: the man I saw, instead of (as the French, the German etc. would have to say) the man whom I saw;* חוֹל הַיָּם אֲשֶׁר לֹא יִמַּד Ho 2, 1 „der Sand des Meers / אֲשֶׁר / er wird nicht gemessen" = d. Sand des Meers, welcher nicht gem. wird *„the sand of the sea* / אֲשֶׁר / *it cannot be measured" = the sand of the sea which cannot be meas.* Ob man in Js 40, 20 אֲשֶׁר hinzufügt oder ob man es in Ho 2, 1 streicht, ändert nichts am Sinn. *Neither adding* אֲשֶׁר in Js 40, 20, *nor omitting it in Ho 2, 1 would change the sense.* Also hat אֲשֶׁר zunächst nur die Funktion, den Relativsatz zum Beziehungswort (עֵץ, חוֹל) in Beziehung zu setzen. *The primary value of* אֲשֶׁר *is evidently no other than to show the connexion between the relative clause and the word* (עֵץ, חוֹל) *it belongs to.* c) Gn 21, 2 לַמּוֹעֵד אֲשֶׁר־דִּבֶּר אֹתוֹ „zu der Zeit / אֲשֶׁר / er hatte sie gesagt" = zu d. Zeit, welche er gesagt hatte" *„at the set time* / אֲשֶׁר / *he had spoken of it" = at the set time of which he had spoken*; auch hier könnte אֲשֶׁר fehlen, ohne das der Sinn (aber nicht die Deutlichkeit) litte. *Even in this case* אֲשֶׁר *could be omitted without changing the meaning (but not the plainness)*; הַדֶּרֶךְ אֲשֶׁר נַעֲלֶה־בָּהּ Dt 1, 22 „der Weg / אֲשֶׁר / wir steigen auf ihm hinauf" *„the way* / אֲשֶׁר / *we must go up by it".* In allen solchen und ähnlichen Fällen ist d. Relativsatz e. selbständiger Satz, dessen אֹתוֹ (welchen), בּוֹ (in dem), עָלֶיהָ (auf der), שָׁם (wo) etc. der Übersetzer mit dem verbindenden אֲשֶׁר vereinigt. *In all these and similar cases the relative clause is an independent clause the* אֹתוֹ *(whom, which),* בּוֹ *(in whom, in which),* עָלֶיהָ *(upon whom, upon which),* שָׁם *(where) etc. of which the translation combines with the connecting word* אֲשֶׁר. d) In Fällen wie אֲשֶׁר חִצָּיו שְׁנוּנִים dessen Pfeile ... Js 5, 28 für אֲ׳ שְׁנוּנִים חִצָּיו u. wie אֲשֶׁר לוֹ הַיָּם dem d. Meer gehört Ps 95, 5 ist d. bezogene Wort (לוֹ, חִצָּיו) unmittelbar an אֲ׳ herangerückt; dies ist die sprachgeschichtlich jüngere Form des Relativsatzes. *In cases as* אֲשֶׁר חִצָּיו שְׁנוּנִים *whose arrows* Js 5, 28 *instead of* אֲ׳ שְׁנוּנִים חִצָּיו *a. as* אֲ׳ לוֹ הַיָּם *to whom the sea belongs* Ps 95, 5 *the word to which* אֲ׳ *belongs is put immediately by the side of* אֲשֶׁר; *this type is younger from the historical point of view.* e) Noch jünger ist der Relativsatz, in dem das Beziehungswort ganz weggelassen wird: Gn 2, 8 הָאָדָם אֲשֶׁר יָצָר ohne אֹתוֹ, Dt 1, 39 אֲשֶׁר אֲמַרְתֶּם von denen ihr sagt, ohne אֲלֵיהֶם, Jd 8, 15 אֲשֶׁר חֵרַפְתֶּם

um derentwillen ihr höhnt ohne עֲלֵיהֶם. In dieser Weise kann jedes auf das vorherstehende (gesagte oder gedachte) Nomen bezogne Wort (elliptisch) wegfallen u. muss (für das Verständnis) aus d. Zusammenhang ergänzt werden. *From the historical point of view still younger are types like* הָאָדָם אֲשֶׁר יָצַר *the man whom* Gn 2, 8 *without* אֹתוֹ, אֲשֶׁר אֲמַרְתֶּם *about whom* Dt 1, 39 *without* אֲלֵיהֶם, אֲשֶׁר חֵרַפְתֶּם *concerning whom* Jd 8, 15 *without* עֲלֵיהֶם. *In this manner every word (pronoun, adverb etc.) relating to the preceding (said or thought) noun to which the relative clause belongs may (elliptically) be omitted.* f) So ergeben sich vier Stufen des Relativsatzes: 1. der ursprüngliche ohne אֲשֶׁר; 2. zwei selbstständige Sätze, von denen d. zweite dem ersten durch אֲשֶׁר subordiniert ist; 3. die Stellung des bezognen Wortes unmittelbar zu אֲשֶׁר; 4. d. elliptische Relativsatz mit אֲשֶׁר u. mit Weglassung des Beziehungsworts. Die erste Stufe findet sich nur in alten oder poetischen Texten; die Stufen 2—4 kommen neben einander vor. *Thus one may state four stages of the development of the relative clause. 1. the original relative clause without* אֲשֶׁר; *2. two independent clauses the second of which is introduced by* אֲשֶׁר *and thus marked as relative clause; 3. in the relative clause beginning with* אֲשֶׁר *the word in point is put by the side of* אֲשֶׁר; *4. in the relative clause the word referring to the noun to which the relative clause belongs is (elliptically) omitted. The first stage occurs in old or poetical texts only. The 2.—4. stages are used promiscuously.* g) Vor אֲשֶׁר können Präpositionen treten: בַּאֲשֶׁר da, wo Gn 21, 17, כַּאֲשֶׁר so, wie Gn 21, 1, cj Js 54, 9, מֵאֲשֶׁר von wo Ex 5, 11, עַל אֲשֶׁר wozu 1 K 18, 12, עִם אֲשֶׁר bei wem Gn 31, 32, תַּחַת אֲשֶׁר anstatt dass Dt 28, 62, etc.; אֲשֶׁר *may be preceded by prepositions:* בַּאֲשֶׁר *[there] where* Gn 21, 17, כַּאֲשֶׁר *[thus] as* Gn 21, 1, cj Js 54, 9, מֵאֲשֶׁר *[from there] where* Ex 5, 11, עַל אֲשֶׁר *whither* 1 K 18, 12, עִם אֲשֶׁר *with whom* Gn 31, 32, תַּחַת אֲשֶׁר *whereas* Dt 28, 62, etc.; h) Auch Substantiva im cs. treten vor אֲשֶׁר: מְקוֹם אֲשֶׁר da, wo Gn 39, 20 40, 3, יוֹם אֲשֶׁר an d. Tag, wo Dt 4, 10, כָּל־יְמֵי אֲשֶׁר all die Tage, wo Lv 13, 46, מֵעֵת אֲשֶׁר von d. Zeit an, wo 2 C 25, 27, תּוֹרַת אֲשֶׁר בּוֹ d. Gesetz über den, an dem Lv 14, 32. אֲשֶׁר *is even preceded by nouns in the stat. constr.:* מְקוֹם אֲשֶׁר *the place where* Gn 39, 20 40, 3, יוֹם אֲשֶׁר *the day when* Dt 4, 10, כָּל־יְמֵי אֲשֶׁר *all the days wherein* Lv 13, 46, מֵעֵת אֲשֶׁר *from the time that* 2 C 25, 27, תּוֹרַת אֲשֶׁר בּוֹ *the law of him in whom* Lv 14, 32.

B. אֲשֶׁר als Konjunktion אֲשֶׁר *used as conjunction.* Wie ὅτι u. lat. quod wird d. Relativpartikel אֲשֶׁר zur Konjunktion. *Like* ὅτι *a. Latin* quod *the relative particle* אֲשֶׁר *becomes a conjunction.* רָעָתָם אֲשֶׁר עֲזָבוּנִי Ir 1, 16 ihre Bosheit, in der sie mich verliessen > ihre B., dass sie m. verl. *their wickedness in which they left me > their w. that they l.m.*, בְּרִית עוֹלָם אֲשֶׁר לֹא אָשׁוּב Ir 32, 40 d. ew. Bund [darin bestehend], dass ich nicht... *an everl. covenant [stating], that I will not...* So wird אֲשֶׁר zur Konjunktion a) des sachlichen Inhalts = **dass:** וַיֹּאמֶר אֲשֶׁר־גַּם 2 S 1, 4; so z. B. Gn 24, 3 Lv 26, 40 Jos 2, 10 1 K 14, 19 Est 6, 2 Da 1, 8; וַאֲשֶׁר und zwar, dass; **nämlich dass** Ne 10, 31; b) des Grundes = **weil:** אֲשֶׁר פִּגְּרוּ welche = weil sie zu müde waren 1 S 30, 10; so z. B. Gn 30, 18 34, 13 Jos 4, 23 1 K 15, 5 Ko 4, 9 8, 11; c) der Folge = **sodass:** אֲשֶׁר יֵאָמֵר sodass er genannt wird Gn 22, 14; so z. B. Gn 11, 7 13, 16 Hs 36, 27 Ma 3, 19 Ps 95, 11; — die Verwendung des konjunktionellen אֲשֶׁר ist häufig u. verzweigt, aber immer durchsichtig. אֲשֶׁר vor directer Rede: 1 S 15, 20 2 S 2, 4, etc. *Thus* אֲשֶׁר *becomes the conjunction of* a) *the* *content (containing a statement)*: *t h a t*: וַיֹּאמֶר אֲשֶׁר־נָס *he told t h a t they were fled* 2 S 1, 4; *other instances* Gn 24, 3 Lv 26, 40 Jos 2, 10 1 K 14, 19 Est 6, 2 Da 1, 8, וַאֲשֶׁר *and that; namely that* Ne 10, 31; b) *the cause*: *because*: אֲשֶׁר פִּגְּרוּ *because they were faint* 1 S 30, 10; *see* Gn 30, 18 34, 13 Jos 4, 23 1 K 15, 5 Ko 4, 9 8, 11; c) *the consequence (result)*: *so that*: אֲשֶׁר יֵאָמֵר *so that it is called* Gn 22, 14; *see* Gn 11, 7 13, 16 Hs 36, 27 Ma 3, 19 Ps 95, 11; אֲשֶׁר *preceding direct speech*: 1 S 15, 20 2 S 2, 4, etc.; *the conjunctional use of* אֲשֶׁר *is frequent and variform, but always perspicuous.*

***אֶשֶׁר**: F אַשְׁרֵי.

***אשׁר**: II אשׁר; יָשַׁר angenehm, glücklich sein *was gentle, easy*; Hoffmann, Über phön. Inschriften 1889, I, 27: אֲשֻׁרַי Schritte *steps* > Leistungen *accomplishments* > Erfolg *success* (neuar. *aṯarî* reich an Kindern, Vermögen *abounding in children, wealth*; :: Lagarde, Übersicht 143: sf. אָשְׁרִי: **Glück** *happiness* Gn 30, 13. †

***אָשֻׁר** u. Hi 31, 7 *אַשֻּׁר: I אשׁר: sf. אַשֻּׁרוֹ, אֲשֻׁרַי, pl. sf. אֲשֻׁרֵינוּ, אֲשׁוּרַי, אֲשֻׁרַי, אֲשֻׁרָי: **Schritt** *step* Ps 17, 5 37, 31 40, 3 44, 19 73, 2 Pr 14, 15 Hi 23, 11 31, 7; ? Ps 17, 11, l בְּהַאֲשֻׁרִים Hs 27, 6. †

I **אָשֵׁר**: F *אָשְׁר.

II **אַשֻׁר**: F אַשּׁוּר.

אֲשַׂרְאֵלָה: F אֲשַׂרְאֵלָה.

אֲשֵׁרָה u. 2 K 17, 16 † אֲשֵׁירָה, fem.; ug. *ʾṯrt*, *ʾṯrt ṣrm Ašir(a)t of the Tyrians*: pl. אֲשֵׁרִים, אֲשֵׁרוֹת, sf. אֲשֵׁרָיו, אֲשֵׁירֶיךָ! Mi 5, 13†, אֲשֵׁירֵהֶם! MS אֲשֵׁרֵיהֶם Dt 7, 5†: 1. **Aschere**, Kultpfahl neben dem Altar *A s h e r a, sacred pole set up near the altar* Dt 16, 21; c. נָטַע 16, 21, עֲצֵי הָאֲ׳ Jd 6, 26; c. שׂרף Dt 12, 3 2 K 23, 6. 15, גִּדַּע Dt 7, 5 2 C 14, 2 31, 1, כָּרַת Ex 34, 13 (l אֲשֵׁרֵיהֶם) Jd 6, 25. 28. 30 2 K 18, 4 23, 14, נִתַּשׁ Mi 5, 13; c. הִצִּיב 2 K 17, 10 u. הֶעֱמִיד 2 C 33, 19; 1 K 14, 15. 23 Js 17, 8 (neben *along with* חַמָּן; cf. ph. אשרת אל חמן Harris 83) 27, 9 Ir 17, 2 2 C 17, 6 34, 3. 4. 7, cj 2 K 10, 26; † 2. e. Göttin *a goddess* פֶּסֶל הָאֲשֵׁרָה 2 K 21, 7, מִפְלֶצֶת לָאֲ׳ 1 K 15, 13 2 C 15, 16, neben *together with* בַּעַל 1 K 18, 19 2 K 23, 4, ihre *her* נְבִיאִים 23, 7, בָּתִּים 1 K 18, 19; pl. אֲשֵׁרוֹת sind verehrt *are worshipped* (עבד) neben *together with* בְּעָלִים Jd 3, 7 2 C 33, 3, nur *only* אֲשֵׁרוֹת 2 C 19, 3; noch *see* 1 K 16, 33 2 K 13, 6 17, 16 21, 3 2 C 24, 18; Alt RLV 1, 235 f., Albr. ARI 77 f. †

אָשֵׁרִי: gntl., אָשֵׁר: vom Stamm Asser *Asherite* Jd 1, 32. †

אַשְׁרֵי: BL 253. 255 k′; wohl *probably* pl. cs. v. *אֶשֶׁר = אשׁר; Einleitungswort der Makarismen *introductory word of blessings*, Zimmerli ZAW 51, 185[1]: **glücklich** ist, wer ... *b l e s s e d, h a p p y is who* ...: 1. mit sf. אַשְׁרֶיךָ glücklich bist du *happy art thou* Dt 33, 29 Ps 128, 2, אַשְׁרֶיךָ Ko 10, 17; 2. אַ׳ mit folgenden Nomen *with following noun*: glücklich sind, ist *blessed, happy are, is* 1 K 10, 8 Js cj 3, 10 30, 18 56, 2 Ps 1, 1 2, 12 32, 1. 2 33, 12 34, 9 40, 5 41, 2 65, 5 84, 5. 6. 13 89, 16 94, 12 106, 3 112, 1 119, 1. 2 127, 5 128, 1 144, 15 Pr 3, 13 8, 34 20, 7 28, 14 Hi 5, 17 Da 12, 12 2 C 9, 7 Si 14, 1. 2; 3. אַשְׁרֵי c. שֶׁ Ps 137, 8. 9 146, 5; 4. אַשְׁרֵי mit nacktem Relativsatz *with relative clause without* אֲשֶׁר Pr 8, 33; 5. אַשְׁרָיו Pr 14, 21 16, 20 u. אַשְׁרֵהוּ! 29, 18 nachgestellt *postponed* ... der ist glücklich ... *he is happy*. †

I **אשׁשׁ**: F אֲשִׁישָׁה.

II **אשׁשׁ**: hitpo. הִתְאֹשָׁשׁוּ Js 46, 8; zahlreiche Vorschläge (v. אֵשׁ lasst euch entflammen, Vitringa; cj הִתְאַשְּׁמוּ bekennt euch schuldig, Buhl; v. אִישׁ seid Männer, Kimchi; אשש [ak. *aš(š)išu*, Zimm. 31] werdet fest, Raschi; ak. *ašišu* = *šēmû* seid gehorsam, Driver [ZAW 49, 315]) führen nicht zu Sicherheit *of many proposals* (אֵשׁ: *be incensed*, Vitringa; cj הִתְאַשְּׁמוּ *confess your guilt*, Buhl; אִישׁ: *act like men*, Kimchi; אשש [ak. *aš(š)išu*, Zimm. 31] *be firm, strong*, Raschi; ak. *ašišu* = *šēmû be obedient*, Driver [ZAW 49, 315]) *none proves satisfactory*. †

אֵשֶׁת: F אִשָּׁה.

אֶשְׁתָּאֹל u. אֶשְׁתָּאוֹל: n.l.; Burney JThSt 1911, 83 f.: שׁאל, Ort, wo man d. Orakel befragt *place where the oracle is consulted*: n. צָרְעָה? Jos 15, 33 19, 41 Jd 13, 25 16, 31 18, 2. 8. 11. † Der.: אֶשְׁתָּאֻלִי.

אֶשְׁתָּאֻלִי: gntl. F אֶשְׁתָּאֹל: 1 C 2, 53. †

אֶשְׁתּוֹן: n.m.: 1 C 4, 11. 12. †

אֶשְׁתְּמֹה: F אֶשְׁתְּמוֹעַ.

אֶשְׁתְּמוֹעַ: n.l.; Burney F אֶשְׁתָּאֹל: שׁמע, Ort, wo man d. Orakel hört *place where the oracle is heard*; ug. *ʾIštmᶜ* De L. 2, 40!: *Es-semūᶜa* südl. *south of* Hebron Jos 15, 50 (l אֶשְׁתְּמֹעַ f. אֶשְׁתְּמֹה) 21, 14 1 S 30, 28 1 C 4, 17. 19 6, 42. †

אַתְּ: F אַתָּה.

אַתְּ: ak. *atti*, أَنْتِ; F אַתָּה: אַתְּ; K bewahrt d. ursprüngliche *conserves the original* *אַתִּי, Jd 17, 2 1 K 14, 2 2 K 4, 16. 23 8, 1 Ir 4, 30 Hs 36, 13 †, fem.: du *you* Gn 12, 11. 13 24, 23 u. oft *a. many times*; Nu 11, 15 u. Dt 5, 24 l אַתָּה, Hs 28, 14 l אֶת.

I אֵת: genannt *called* „nota objecti"; ohne selbständige Bedeutung, geht dem (bestimmten) Object (meistens) voran *without any real meaning, precedes (as a rule) the (determined) object*: ak. **attu* c. sf., ar. ijjā in إِيَّاكَ dich *you* (ac.), ph. אית (ת = fem! Harris, Dev. 43) > pu. ת (תאבן = *lapidem*), ba. יָת (particula accusativi) Lidz. 263, [Syriac] Wesen, Dasein *existence*, (יָתִי = *me*), u. [Ethiopic]; אֵת ursprünglich *originally* = Sein, Selbst *existence, self*? F יֵשׁ:

I. als Träger d. Suffixe des Personalpronomens, besonders des betonten 1 S 8, 7 *conveying the suffixa pronominis personalis, especially if they are stressed* 1 S 8, 7: אֵת, cs. אֶת־, > *אִת, *אוֹת: אוֹתִי mich *me*, אֹתְךָ u. Nu 22, 33 † אֹתְכָה u. Ex 29, 35 † אֹתְכָה, אֹתְךָ dich *you* (ac.), אֹתָךְ dich *you* fem., אֹתוֹ ihn *him*, אֹתָהּ eam, אֹתָנוּ, אוֹתָנוּ uns *us*, אֶתְכֶם u. אוֹתְכֶם, אֶתְכֶם euch *you* masc.; אֹתָם, אוֹתָם, אוֹתְהֶם u. Gn 32, 1 Ex 18, 20 Nu 21, 3 Hs 34, 12 1 C 6, 50 † אֶתְהֶם eos, אֶתְהֶן, אוֹתָהֶן, אֶתְהֶן, אֹתָנָה, אוֹתָנָה eas;

II. als Zeichen des Akkusativs *indicating the accusative*: אֵת, אֶת־ (f. אֶת־ Hi 41, 26 l אֹתוֹ); אֵת הַשָּׁמַיִם אֶת־הָאֲדָמָה Gn 2, 5, 1, 1; in d. Regel steht אֵת, אֶת־ vor dem Substantiv, das determiniert ist *as a rule* אֵת, אֶת־ *precedes a noun if it be determined*: 1. durch den Artikel *by the article*; 2. als Eigenname *being a proper name* אֶת־אַבְנֵר 2 S 3, 11; 3. durch folgenden gen. *by a following gen.* אֶת־שֶׁבַע כִּבְשֹׂת Gn 21, 30, durch *by* sf. אֶת־נְעָרָיו Ru 2, 15, aber אֵת steht auch vor e. nicht determinierten Nomen *but* אֵת *may also precede a not determined noun*: אֶת־אִישׁ Ex 21, 28 Nu 21, 9; cf. Lv 20, 14 2 S 4, 11 18, 18 23, 21. Ob אֵת steht oder nicht (so meist in Poesie), ist für den Sinn belanglos *whether* אֵת *is added or omitted (as regularly in poetry) does not affect the sense.* Alles Einzelne *about particulars* F Grammatiken *grammars.*

Statistisches *statistics*: Giesebrecht, ZAW 1, 258–61; Wilson, The particle אֵת, Hebraica 6, 139 ff.

אֶת kann jeden Akkusativ, besonders den einschränkenden, einleiten אֶת *may introduce every accusative, particularly those of limitation*: krank *diseased* אֶת־רַגְלָיו an d. Füssen *in his feet* 1 K 15, 23. Über אֶת nach Passiv *about* אֶת *connected with a passive* F K. Albrecht, ZAW 47, 274—83 :: Brockelmann, ZAW 49, 147—9. In jüngern Texten hebt אֶת eine Voranstellung hervor *in younger texts* אֶת *introduces an extraposition*: אֶת כָּל־הָרָעָה בָּאָה Was das g. Unheil anbetrifft: es kam *concerning all this evil: it came* Da 9, 13; cf. Nu 3, 46 Jd 20, 44 Ir 38, 23 (l תִּשָּׂרֵף) Hs 35, 10 etc.; aber manche solcher Stellen sind kritisch verdächtig *but some of such places are subject to criticism*; l אִתָּהּ Gn 34, 2, וְאֶל Jd 19, 18, וְאֵי 1 S 26, 16, הַתְחַנֵּן Ir 3, 9, אִתָּם הַמַּשָּׂא 23, 33, וַאֲשֶׁר 27, 8, וְאִישׁ 36, 22, זֹאת Hs 47, 17 u. 2 C 31, 17.

II **אֵת**: praep., mit, in **Gemeinschaft von** *together with*: ak. *itti* zur Seite von, mit *along with*, ph. את zusammen mit *with* (äth. **ʾənta** gegen — hin *in the direction of*); Ableitung *derivation*: III אנה Lag. GGA 1881, 376. 381, אתה Del. Prol. 115; < *idt* = יד Brock. VG 1, 421: אֵת, אֶת־, c. sf. אִתּוֹ, אִתָּהּ, אִתְּךָ, אִתָּךְ, אִתִּי, אִתָּם, אִתָּנוּ; in 1 K 2 K Ir Hs manchmal *sometimes* אֹתוֹ, אוֹתָם etc. für *instead of* אִתּוֹ, אִתָּם: **1. zusammen mit** *together with*: הָלַךְ אֵת 2 S 16, 17, רִיב אֵת Ir 2, 9, עָרַךְ מִלְחָמָה אֵת Gn 14, 8, חֶסֶד אֵת Gemeinschaft mit *communion with* 2 S 16, 17, בְּרִית אֵת Abmachung mit *covenant with* Gn 17, 4 etc.; **2. bei, an d. Seite von** *by the side of, beside*: אִתָּם in ihrer Gegenwart *in their presence* Js 30, 8, אִתְּךָ אֲנִי bei dir *with thee* 43, 5, אִתִּי neben, ausser mir *beside me* Ex 20, 23, מָקוֹם אִתִּי Platz neben mir *place on my side* 33, 21, אֶת־יִבְלְעָם bei *near* J. 2 K 9, 27, הָיָה אִתּוֹ war um ihn *was with him* Jd 14, 11, הִפְקִיד אֵת bei jmd hinterlegen *commit to* Lv 5, 23, אֵין אִתָּם (M אוֹתָם) steht nicht bei ihnen, in ihrer Macht *is not in them, is not in their power* Ir 10, 5, אִתּוֹ חֲלוֹם hat e. Traum *has a dream* 23, 28; prägnant: אִתּוֹ weil er ihn bei sich hatte *because he had him with him, by his side* Gn 39, 6; l מֵאֵת Gn 6, 13, וְאֶל 49, 25, אֶל־ 1 S 2, 13, זֵית 2 S 15, 23, אֶל־ Mi 6, 1. הַכֹּהֵן מֵאֵת

מֵאֵת < מִן אֵת: aus d. Gemeinschaft heraus *out of the communion with*: sf. מֵאִתּוֹ (2 K 3, 11 ff (מֵאוֹתוֹ), מֵאִתָּהּ, מֵאִתָּךְ, מֵאִתְּךָ 2 K 2, 10, f. מֵאִתָּךְ! Js 54, 10, etc.: von — weg *out of, from with*, nach d. Verben, die entfernen besagen *after verbs of removing*; דָּרַשׁ מֵאִתּוֹ durch ihn befragen *inquire by* 2 K 3, 11, מִקְנָה מֵאֵת Gekauftes von.... *bought of* Gn 17, 27, מִשְׁפָּט מֵאֵת Anspruch an, gegenüber *right, claim upon* Dt 18, 3, cj 1 S 2, 13, הָיְתָה מֵאֵת יהוה es ging von J. aus zu.... *it was (came) of Y. to....* Jos 11, 20, מֵאֵת הַמֶּלֶךְ von seiten d. Königs *from the king* 1 K 1, 27, מֵאִתִּי (M מֵאוֹתִי) von mir aus *by my orders* Js 54, 15; l מִי אִתִּי 44, 24 u. מְזוּזוֹת 1 K 6, 33.

Der.: אֶתְבַּעַל n.m., אִתַּי n.m.

III **אֵת**: ak. *ittû* Pflugbaum *ploughbeam*: sf. אִתּוֹ, pl. אִתִּים 1 S 13, 21†, אִתִּים, sf. אִתֵּיכֶם **Pflugschar** oder **Karst** *ploughshare or mattock* 1 S 13, 20. 21 Js 2, 4 Jl 4, 10 Mi 4, 3, cj אִתִּים Sa 2, 4; 2 K 6, 5 dele אֶת־. †

אתא: F אתה.

אֶתְבַּעַל: n.m., II אֵת u. בַּעַל; ph.; ak. *Tu-ba-ʾ-lu*, Josephus Ιθωβαλος; K. v. Sidon: 1 K 16, 31. †

אתה: ug. *ʾtw*, ba. אתא, أَتَا u. أَتَى, asa. אתו u. אתת, **ʾəta**:

qal: pf. אָתָה, אָתָא, אָתָנוּ! impf. יֶאֱתֶה, תֵּאתֶה, יֶאֱתָיוּן, יֶאֱתָיוּ, apoc. וַיֵּאת, sf. וַיֶּאֱתָיֵנִי, pl. וַיֶּאֱתָא, imp. אֵתָיוּ, pt. pl. f. אֹתִיּוֹת: **kommen** *come*.

Jahve Dt 33, 2, Morgen *morning* Js 21, 12, Länder *countries* 41, 5, Cyrus 41, 25, Tiere *animals* 56, 9, cj Ir 12, 9, Menschen *mankind* Js 56, 12 Ir 3, 22 Hi 30, 14, Herrschaft *dominion* Mi 4, 8, Schrecken *fear* Pr 1, 27 Hi 3, 25, cj 31, 23, e. Zeit *years* 16, 22, Glanz *splendour* 37, 22; הָאֹתִיּוֹת die kommenden Ereignisse *the things that are to come, the future events* Js 41, 23 44, 7; cj אָתָה עַל (kriegerisch) ziehen gegen *march against* 2 C 35, 21; fraglich *dubious* Ps 68, 32; l וַיִּתְאַסְּפוּן Dt 33, 21, l הָאֹתִם תִּשְׁאָלוּנִי Js 45, 11; †

hif: imp. הֵתָיוּ > הֵאתָיוּ: bringen *bring* Js 21, 14; l אֵתָיוּ Ir 12, 9. †

Der. II אֵת? אָתוֹן? אֱלִיאָתָה u. אֱלִיָּתָה n.m.

אַתָּה: < antā F fem. אַתְּ; ug. *ʾt*, ak. *atta*, ph. אנת, F ba. אנתה, ኣንተ, VG 1, 302; fem. אַתְּ: אַתָּה, seltner *rarely* אַתָּה; אַתְּ 1 S 24, 19 Ps 6, 4 Hi 1, 10 Ko 7, 22 Ne 9, 6: du (Mann) *thou (man)*; nach Suffix, um es zu betonen *in order to stress a preceding suffix* 1 K 21, 19; l עַתָּה Hi 11, 16; l אֲנִי אתה f. אַתָּה 2 C 35, 21; l אָרְחֹתָיו f. אַתְּ־אַתָּה Pr 22, 19.

אָתוֹן: ug. *ʾtnt*, ak. *atânu*, أَتَانٌ, ܐܬܢܐ; Nuzu-ak. *atānu* weiblich *female* (Pferd *horse*) OLZ 40, 3, sf. אֲתֹנְךָ, pl. אֲתֹנוֹת, אֲתוֹנוֹת: אֲתֹנֹת: Eselin *she-ass* Gn 12, 16 32, 16 Hi 1, 3. 14 42, 12 1 C 27, 30; 1 S 9, 3. 5. 20 10, 2. 14. 16, Lasttier *beast of burden* Gn 45, 23, Reittier *mount*: für Männer *for men* Gn 49, 11 Nu 22, 21—33 Jd 5, 10 Sa 9, 9, für Frauen *for women* 2 K 4, 22. 24; F חֲמוֹר u. עַיִר. †

***אַתּוּק**: F אַתּוּקֶיהָא K Hs 41, 15, F אַתִּיק. †

אִתִּי: F אַתְּ.

אִתַּי: n. m.; KF < *אִתִּיאֵל, *אִתְּיָהוּ?: 1. Gefährte Davids, aus Gath *companion of David, from Gath* 2 S 15, 19—22 18, 2. 5. 12; 2. Benjaminit 2 S 23, 29; = אִיתַי 1 C 11, 31. †

אַתִּיק: Driver JTh 33, 361—66: ak. LW, vgl. *mutâqu* Durchgang *passage*: pl. אַתִּיקִים sf. אתיקיהא Q Hs 41, 15: Galerie *gallery*? Böschung *sloping* (Galling)?: Hs 41, 15. 16 42, 3. 5. †

אַתֶּם: ug. *ʾtm*, ak. *attunu*, أَنْتُمْ, ba. אַנְתּוּן; VG 1, 302; pl. zu אַתָּה: pr. pers. ihr *you* (masc.); = fem. (ante מ!) Hs 13, 20; cj Js 45, 11 Ir 23, 33 Mi 2, 8; F אַתֵּנָה, אַתֵּן.

אֵתָם: n.l.; 2. Wüstenstation *place in the desert*; Lage? *position*? Mallon 165 f; Ex 13, 20 Nu 33, 6—8. †

אֶתְמוֹל u. אֶתְמוּל Js 30, 33 † u. אִתְמוֹל 1 S 10, 11 †: < תְּמוֹל F: gestern *yesterday* 1 S 4, 7 10, 11 14, 21 19, 7 2 S 5, 2 Js 30, 33 Ps 90, 4 Si 38, 22; l וְאַתֶּם לְעַמִּי Mi 2, 8; F שִׁלְשׁוֹם. †

אֵתָן: F אֵיתָן.

אַתֵּן Hs 34, 31 † u. אַתֵּנָה Gn 31, 6 Hs 13, 11? 20 34, 17 † (13, 20 vor *preceding* מ > אַתֶּם): ak. *attina*, أَنْتُنَّ, VG 1, 301 f; pron. pers. f.: ihr *you*. †

אֶתְנָה: < אֶתְנַן Ruzička KD 63: (Buhl-) Geschenk (*harlot's*) *reward* Ho 2, 14. †

אֶתְנִי: n. m., KF; Noth S. 171: 1 C 6, 26, F יְאָתְרַי. †

אֶתְנַן: < *אַנְתַּן; נתן: אֶתְנַן, sf. אֶתְנַנָּהּ u. אֶתְנַנָּה! Js 23, 17, pl. sf. אֶתְנַנֶּיהָ: Geschenk *gift*, besonders *especially* אֶתְנַן זוֹנָה Dirnenlohn *hire, reward of a harlot* Dt 23, 19 Mi 1, 7 Hs 16, 31. 34. 41 Ho 9, 1 Js 23, 17. 18; > אֶתְנָה. †

Der. אֶתְנַן n.m.

אֶתְנָן: n. m.; = אֶתְנַן: 1 C 4, 7. †

אֲתָרִים: n. l.? = أَثَرٌ Fusspur *footstep* (?) F I אשר; G κατάσκοποι, V exploratores (תָּרִים: תור?): Nu 21, 1. †

ב

ב: Name בֵּית > *βῆτα*, Driv. SW 152 ff.; d. 2. Konsonant des Alphabets, später ב Zahlzeichen für 2, ב̈ = 2000, entspricht dem b unsrer Sprachen. Die Schreibung: בְּ, wenn kein Vokal unmittelbar (auch nicht ohne Abtrennung durch einen Akzent), und ב, wenn ein Vokal unmittelbar vorhergeht, entspricht ziemlich genau den phonetischen Tatsachen, b nähert sich dann dem w; daher *käbkab > käwkab > כּוֹכָב. ב wechselt gelegentlich mit פ: נשב = נשף, בִּקְעָה = ܦܩܥܬܐ, הָפַךְ = ak. *abâku*; es wechselt auch gelegentlich mit מ: אֲבָנָה u. אֲמָנָה, דִּימוֹן u. דִּיבוֹן, בָּרִיא u. מָרִיא; über ב u. פ in LW *F* z.B. גָּבִישׁ. Über die Auflösung (Entdopplung) von bb in mb *F* Ruž. KD.

ב: *name* בֵּית > *βῆτα, later on sign for 2,* ב̈ *= 2000; pronounced like b in modern languages; the sound is often a shade softer (coming near the v. of vine) when a vowel is immediately preceding as in* כָּבֵד *and even in* וַיִּשְׂאוּ בְנֵי (Gn 46, 5); *this difference is expressed by* בְּ *compared with* ב. *Therefore *käbkab > *käwkab >* כּוֹכָב. *Sometimes* ב *alternates with* פ: הָפַךְ = ak. abâku; בִּקְעָה = ܦܩܥܬܐ; נשב = נשף; ב *alternating with* מ: אמנה = אבנה, דִּיבוֹן = דִּימוֹן, מָרִיא = בָּרִיא; ב :: פ *in loanword F* גָּבִישׁ. *For dissolution („disgeminatio") of bb into mb F* Ruž. KD.

בְּ: **an, in**; immer proclitisch d. folgenden Wort verbunden; offenbar Rest e. s st. cs. [v. בַּיִת = ja. בֵּי?]; Sem., ug. *b*. Der Vokal von בְּ wechselt je nach d. Vokal d. folgenden Silbe: בְּדָם, *בְּהַדָּם > בַּדָּם, בִּדְמוּת, בָּזֶה (Vortonsilbe mit ָ!), בַּאֲרָם, בֶּאֱדֹם, בָּחֳרִי (*bŏ-*), בַּיהוָה (< בַּאדֹנָי), בֵּאלֹהִי (< בֶּאֱלֹהִי), בַּמֶּה (< *bän-mä, *בַּן Weiterbildung v. בְּ).

בְּ: *at, in; always as proclitic compound with the following word; evidently the remainder of a st. cs. [of* בַּיִת = aram. בֵּי?]; *Sem., ug. b. The vowel of* בְּ *shifts according to the vowel of the following syllable:* בְּדָם, *בְּהַדָּם > בַּדָּם, בִּדְמוּת, בָּזֶה (בְּ *preceding the accented syllable*) בַּאֲרָם, בֶּאֱדֹם, בָּחֳרִי (*bŏ-*), בַּיהוָה (< בַּאדֹנָי), בֵּאלֹהִי (< בֶּאֱלֹהִי), בַּמֶּה (< **bän-mä*; *בַּן *evolution of* בְּ).

בְּ mit Personalsuffixe *with suffix of personal pronouns*: בִּי; בְּךָ u. Ex 7, 29 2 S 22, 30 Ps 141, 8 † בְּכָה, בָּךְ; fem. בָּךְ; בּוֹ u. Ir 17, 24 † K בֹּה; בָּהּ; בָּהֶם u. בָּם u. בָּהֵמָּה Ex 30, 4 Ha 1, 16, cj Jl 1, 18; † בָּהֵן u. בָּהֶן u. בָּהֵנָּה Lv 5, 22 Nu 13, 19 Ir 5, 17 †; בָּכֶם; [*בָּכֶן]; בָּנוּ.

בְּ bedeutet ursprünglich: [haften] **an**; daher ist „in" = בְּקֶרֶב, בְּתוֹךְ; בְּ hat aber weitgehend die Bedeutung: **in** angenommen. *The original meaning of* בְּ *is: [to abide] at; therefore „in"* = בְּקֶרֶב, בְּתוֹךְ; *but* בְּ *has to a large extent developed the meaning of: in.*

1. sich aufhalten *abide, stay* בַּבַּיִת, בָּאָרֶץ; בְּעֵינֵי in d. Augen > im Urteil *in the eyes > in the opinion* Gn 16, 4, בְּאָזְנֵי in d. Ohren > vor *in the ears, in the hearing of* Gn 20, 8, בִּפְנֵי im Angesicht > vor *in the face > in the presence*; שָׁתָה ב franz. *boire dans* trinken aus *drink from* Am 6, 6;

2. sich in e. Menge befinden *be among a multitude*: בַּגּוֹיִם unter *among* Th 1, 3, בְּכָל־בָּאֵי

in Gegenwart von *before*, *in the presence of* Gn 23, 18; יָפָה בַּנָּשִׁים d. schönste unter, von *the fairest among*, *of* Ct 1, 8; Beachte *mark*: הָיָה בְּסֹמְכֵי נַפְשִׁי er ist unter denen, die... bedeutet [ausschliessend!]: er ist d. einzige, der *he is among those who means* [*exclusively*!]: *he is the only one who* Ps 54, 6; ebenso *the same* Ps 99, 6 118, 7 Jd 11, 35. אֶחָד בָּהֶם einer unter, von ihnen *one among*, *of them* Ex 14, 28 Ps 139, 16, נִשְׁאֲרוּ בָם unter, von ihnen *among*, *of them* 1 S 11, 11; cf. Js 10, 22 Lv 5, 9; בְּאַנְשֵׁי אָוֶן unter Leuten... [üblich] [*in vogue*] *among* Hi 34, 36; בָּעוֹף an, von V. *what belongs to fowl* Gn 8, 17 9, 10 17, 23. Vor sg. drückt בְּ die Art oder Eigenschaft aus, in der der sg. erscheint. *Preceding a sg.*, בְּ *expresses the quality or manner in which the sg. shows itself*: בְּטָמֵא als Unreiner *being unclean* Dt 26, 14, בְּאֵל שַׁדָּי als El Sch. *as E. Sh.* Ex 6, 3; cf. Jos 19, 2 Js 40, 10 Ps 35, 2; dasselbe vor *the same preceding a* pl. Dt 10, 22 28, 62; vor dual. בִּשְׁנַיִם zu zweit *being two* Nu 13, 23; בֶּעָשָׁן in Gestalt von Rauch *in the appearance of smoke* Ps 37, 20 u. בְּנַחֲלָה als Erbgut *for an inheritance* sind gute Beispiele dieses, früher בְּ essentiae genannten, Gebrauchs von בְּ *are good specimens of this usage of* בְּ *which formerly was called* בְּ *essentiae*; F GK § 119 i, Reckendorf 242; Hi 23, 13 l. בָּחַר, Ps 68, 5 בְּיָהּ ist verderbt *is corrupt*.

3. בְּ bezeichnet den Bereich, innerhalb dessen etwas ist oder geschieht *designs the realm within which something exists or happens*: בִּשְׁעָרֶיךָ **innerhalb** d. T. *within th. g.* Ex 20, 10.

4. bei hohen Gegenständen heisst בְּ: **auf** *connected with high objects* בְּ *means*: *upon*: בְּחֹרֵב 1 K 8, 9, בַּפּוּסִים Js 66, 20.

5. בְּ (zeitlich, *temporally*): an, in, *at*, *in*, *on*; בַּיּוֹם an d. Tag *on the day* Gn 2, 2, בַּשָּׁנָה in d. Jahr *that year* Jd 10, 8, בְּשָׁלֹשׁ שָׁנִים in 3 J. *within 3 y.* Js 16, 14; F בְּטֶרֶם, בְּעוֹד.

6. בְּ **in** *in* gibt e. Zustand oder Umstand an בְּ *indicates a state or condition* בְּשָׁלוֹם in Frieden *in peace* 1 S 29, 7; F בְּכֹה, בְּכֵן.

7. בְּ = in, **gemäss** *in*, *according to*: בְּדֶרֶךְ nach d. Art von *after the manner of* Js 10, 24. 26, בַּעֲצַת nach d. Rat *according to the counsel* Esr 10, 3, בְּצַלְמֵנוּ entsprechend *according to* Gn 1, 26. 27; בְּמִסְפָּר F I מִסְפָּר.

8. בְּ = **in hinein**, unter *into*, *among* (nach Ausdrücken d. Bewegung *with verbs of motion*): Gn 19, 8 Lv 16, 22 Dt 4, 27; auf hin *upon* 1 K 2, 44;

9. Vom Haften, Weilen bei verstehn sich Wendungen wie *From the notion of abiding in one comes to the expressions like* יוֹם בְּיוֹם Tag für Tag *day by day* Ne 8, 18, כְּפַעַם בְּפַעַם wie Mal für Mal = wie sonst *as at the other times* Nu 24, 1, מִרְמָה בְּמִרְמָה Trug um Trug *deceit on deceit* Ir 9, 5;

10. בְּ steht bei Verben, die ergreifen, packen, berühren, anfallen, aber auch beharren bei, sich verlassen auf bedeuten. בְּ *is used with verbs of seizing*, *catching*, *touching a thing a. also with those of persevering*, *trusting in a thing*: אָחַז בְּ, הֶחֱזִיק בְּ, נָגַע בְּ, פָּגַע, דָּבַק, בָּטַח, הֶאֱמִין etc.; auch Verba, die e. mit Lust oder Unlust beim Gegenstand verharrende Wahrnehmung bedeuten, haben בְּ. *As far as the verbs of notion express the pleasure or disgust accompagnying the notion they give their object with* בְּ. רָאָה הָאִישׁ = er sah den Mann *he saw the man*; רָאָה בָאִישׁ = er sah d. Mann mit Freude *he enjoyed seing the man*; so bei *thus with* שָׂמַח, עָלַז, רָאָה, חָזָה, שָׁמַע, הֵרִיחַ etc.;

11. בְּ drückt Gemeinschaft aus: zusammen mit. בְּ *expresses the sharing of work*: *together with*: בָּנָה בְּ mitbauen an *together build in* Sa 6, 15, נָשָׂא בְּ mittragen an *bear with* Nu 11, 17, אָכַל בּוֹ davon mitessen *share the eating thereof* Ex 12, 43; daher בְּ = in Gemeinschaft, Beglei-

tung von *in society with*: בְּעַם כָּבֵד Nu 20, 20, בְּמַקְלִי mit *with* Gn 32, 11, בְּחַיִל 1 K 10, 2; so entsteht *thus originate* בְּלֹא, בְּאֵין, בְּבְלִי, בְּאֶפֶס (cf. بلا, بغير); sogar *even* עֲלֵיהֶם בַּמְּלָאכָה lag ihnen d. Dienst ob *they were employed in their work* 1 C 9, 33; dieses בְּ oft *by thus* בְּ ist *used frequently* c. בּוֹא, יָרַד, קִדֵּם, פָּקַד etc. in d. Bedeutung etwas bringen *in the sense of bringing something*;

12. בְּ führt den begleitenden Umstand ein. בְּ *introduces the particular condition*: בְּרָע in bösem Sinn *in wickedness* Ps 73, 8, בְּחִפָּזוֹן in Hast *in haste* Dt 16, 3, בִּמְצִלְתַּיִם mit Z. *with c.* 2 C 5, 12, בְּכֹחַ kräftig *powerful* Ps 29, 4; בְּכָל־זֹאת bei alledem *for all this* Js 9, 11, בְּזֹאת dabei *for [all] this* Lv 26, 27. cj 44; בְּ c. inf: בְּמוֹט beim Wanken *though [they] shake* Ps 46, 3;

13. בְּ führt d. Mittel, Werkzeug ein. בְּ *introduces the instrument, implement*: בְּשׁוֹר mit e. Rind *with an ox* Dt 22, 10, בְּרַגְלַיִם mit d. Füssen *under foot* Js 28, 3; aber *but* נִשְׁבַּע בֵּאלֹהִים Gn 21, 23, קִלֵּל בֵּאלֹהָיו 1 S 17, 43, נִבָּא בַבַּעַל Ir 2, 8 sind Ellipsen für *are elliptic for* בְּשֵׁם הַבַּעַל, בְּשֵׁם אֱלֹהִים „unter Anrufung des Namens Gottes", *„invoking the name of god"*; בְּךָ יְבָרֵךְ „indem er d. Namen nennt" *„by calling thy name"* Gn 48, 20.

14. בְּ führt d. Preis oder Wert bei Kauf, Tausch, Rache, Strafe an. בְּ *indicates the price or value of purchase, barter, fine, revenge*: בְּכֶסֶף für Silber *for silver* Gn 23, 9; בְּרָאשֵׁינוּ um d. Preis unsrer K. *[for the price] to the jeopardy of our heads* 1 C 12, 20; שֵׁן בְּשֵׁן (Ex 21, 24 תַּחַת!) Z. für Z. *t. for t.* Dt 19, 21.

15. בְּ führt d. Stoff ein, aus d. etwas besteht בְּ *indicates the material*: בְּמַרְאֹת aus Spiegeln *of the m.* Ex 38, 8; בִּנְחֹשֶׁת aus (in) Erz *in brass* 1 K 7, 14.

16. בְּ gibt den Urheber, die Ursache einer Wirkung an. בְּ *indicates who or what has caused an effect*: בַּחֲמִשָּׁה wegen fünfen *on account of five* Gn 18, 28; בְּרָעָב vor Hunger *for hunger* Th 2, 19; auch beim Passiv: צֻוָּה בַיהוה wurde durch J. geheissen *commanded by the Lord* Nu 36, 2; בְּךָ יְרֻחַם erfuhr durch dich Erbarmen *has his mercy with thee* Hos 14, 4; cf. וּבְכָל־זֹאת u. aus all diesen Gründen *a. for all these reasons* Ne 10, 1; בִּדְבַר auf Geheiss *by the word* 1 K 13, 5; בִּדְבָרֶיךָ auf. d. Worte hin *on the strenght of th. words* Da 10, 12.

17. Manchmal steht e. Verb c. בְּ statt c. אֶת, um d. Objekt in deutlicherer Verbindung mit d. Verb zu geben. *Sometimes a verb is connected with* בְּ *instead of with* אֶת־ *in order to mark stricter the connection between verb a. object.* פָּעַר בְּפֶה d. Mund aufsperren *gape with the mouth* Hi 16, 10, פֵּרַשׂ בְּיָדַיִם d. H. ausbreiten *spread the hands* Th 1, 17; so *thus* קָרָא בְשֵׁם den Namen [an =] rufen *call [upon] the name* Gn 12, 8.

18. בְּ steht häufig zur Einleitung eines Infinitiv-Satzes: = **als**. *In many cases* בְּ *introduces an infinitive-clause*: = *when*. בְּהִבָּרְאָם **als** sie geschaffen wurden *when they were created* Gn 2, 4; בְּעַנְנִי **wenn** ich bewölke *when I bring a cloud* Gn 9, 14; בִּהְיוֹתָם **während** sie sind *as long as, while they are* Lv 26, 44. Eigentlich bedeutet בְּ in all diesen Fällen: in dem, dass; die genauere Bedeutung ergibt d. Zusammenhang; dabei ist die zeitliche Bestimmtheit lockerer als bei כְּ c. inf. *In the literal sense* בְּ *in all this cases means: in that, that, the specific meaning being to be gained out of the context; the temporal determination is less strong then in sentences formed with* כְּ c. inf. (Joüon MFB, 5, 389 ff).

Literatur: Gräfenhan, D. Präposition בְּ als Bezeichnung d. hebr. Genitiv, 1870; Wandel, De particulae בּ indole, vi, usu, 1875; VG 2, 363 ff. — בְּ statt *instead of* כְּ Ps 11, 2 Ho 6, 7 Hi 34, 36 Esr 10, 3 Gn 5, 3 Js 48, 10 Ps 36, 6; — F בִּי אֲדֹנִי.

בַּאֲשֶׁר: in dem, dass = **weil** *because* Gn 39, 9. 23 Ko 7, 2 8, 4 (sonst ist אֲשֶׁר nach בְּ Relativpartikel *in other cases* אֲשֶׁר *after* בְּ *is a relative*). †

בִּאָה: בּוא: **Eingang** *entrance*: Hs 8, 5 (Text?). †

I באר: ak. *ba'ûru* Beweis *proof*, *bu''ūru* beweisen *prove*:

pi.: pf. בֵּאֵר, inf. בַּאֵר (V. בָּאֵר) Dt 27, 8, imp. בַּאֵר: **deutlich machen** *explain* Dt 1, 5 27, 8 Ha 2, 2; †

cj hitp.: imp. הִתְבָּאֵר: cj Ex 8, 5 F II פאר hitp. †

II באר: Wurzel v. *root of* בְּאֵר, בּוֹר, בֹּר: Neuere nehmen II באר = eingraben Ha 2, 2 an *recent writers suggest* II באר = *engrave* Ha 2, 2. †

I בְּאֵר: ug. *b3r*, ak. *bêru* (ph. *באר Harris 85), بئر, ja. (בֵּירָא ,בְּאֵר(א, F בּוֹר ,בֹּר, בֵּיר: fem.; sf. בְּאֵרְךָ Pr 5, 15, pl. בְּאֵרֹת, cs. =, u. בֶּאֱרֹת Gn 14, 10†: Wasserstelle, (Grundwasser-) **Brunnen**, *water-place*, *well* (of underground water) (T. Jones, Quelle, Brunnen u. Zisterne im AT, 1928), חָפַר בְּ׳ Gn 21, 30 26, 15. 18—22. 32 Nu 21, 18 u. כָּרָה בְּ׳ Gn 26, 25 Nu 21, 18 e. Br. graben *dig a well*, סִתֵּם בְּ׳ e. Br. verstopfen *stop a well* Gn 26, 15. 18, מִלֵּא עָפָר mit Erde füllen *fill with earth* 26, 15, פִּי בְּ׳ Br. — mündung *well's mouth* 29, 2. 3. 8. 10 2 S 17, 19 Ps 69, 16; בְּ׳ צָרָה enger Br. *narrow well* Pr 23, 27; בְּ׳ מַיִם wasserführender Br. *well of water* Gn 21, 19, בְּ׳ מַיִם חַיִּים Br. mit frischem Wasser *well of living water* Gn 26, 19 Ct 4, 15; בְּ׳ שַׁחַת Br. der Grube = Unterwelt *pit of grave* = *underworld* Ps 55, 24 69, 16; בֶּאֱרֹת חֵמָר Asphaltgruben *bitumen pits* Gn 14, 10; die Geliebte heisst *the beloved one is called* בְּאֵר Ct 4, 15 Pr 5, 15; בְּאֵר noch *moreover* Gn 16, 14 21, 25 24, 11. 20 26, 20 29, 2 Ex 2, 15 Nu 20, 17 21, 16. 17. 22 2 S 17, 18. 21. †

Der. n. l. c. בְּאֵר, F בְּאֵרוֹת; בְּאֵרִי n. m., בְּאֵר > *בֵּר > *בֵּר in n. m. בֵּרוֹת.

II בְּאֵר: n. l.; = I; c.-â בְּאֵרָה: 1. Nu 21, 16 am *W. Ṯamad*, Abel 1, 156 2, 217; F בְּאֵר אֵילִים; 2. Jd 9, 21; Lage? *position*? Abel 2, 17. †

בֹּאר: F בּוֹר.

בְּאֵרָה ,בְּאֵרָא u. **בְּאֵרוֹת**: F hinter *after* בְּאֵרֹת בְּנֵי־יַעֲקָן.

בְּאֵר אֵילִים: n. l.; I בְּאֵר u. II אַיִל: Musil AP 1, 318: = II בְּאֵר 1. = *al-Mdejjene* am *W. Ṯamad* Js 15, 8. †

בְּאֵר לַחַי רֹאִי: n. l.; I בְּאֵר u.? (Volksetymologie *popular etymology* Gn 16, 13 f); Lage? *position*? Gn 16, 14 24, 62 25, 11; F רֳאִי. †

בְּאֵר שֶׁבַע: n. l.; I בְּאֵר u. שֶׁבַע sieben *seven* ZAW 55, 166: Siebenbrunn *Seven Wells*, wegen d. Wasserfülle *on account of the plenty of water*; I. Lewy: Brunnen d. 7 Dämonen *Well of the 7 Demons* HCU 17, 40[178] Gn 21, 30 :: 21, 31!: בְּאֵר שָׁבַע, loc. בְּאֵרָה שֶׁ׳ Gn 46, 1: **Beerseba** *Beer-sheba* = *Bīr-es-Sabaʿ* Musil AP 2, 165 ff, Alt JPO 15, 320 f, Abel 1, 307; Zimmerli, Geschichte u. Tradition von Beerseba im AT, 1932; Gn 21, 14. 31. 32. 33 22, 19 26, 23. 33 28, 10 46, 1. 5 Jos 15, 28 19, 2 Jd 20, 1 1 S 3, 20 8, 2 2 S 3, 10 17, 11 24, 2. 7. 15 1 K 5, 5 19, 3 2 K 12, 2 23, 8 Am 5, 5 8, 14 Ne 11, 27. 30 1 C 4, 28 21, 2 2 C 19, 4 24, 1 30, 5, cj Ho 4, 15. †

בְּאֵרֹת בְּנֵי־יַעֲקָן: n.l.; I בְּאֵר u. יַעֲקָן: Wüstenstation *station in the desert*; Lage? *position*? = בְּנֵי יַעֲקָן: Dt 10, 6. †

בְּאֵרָא: n.m.; KF? I בְּאֵר u.?: 1 C 7, 37. †

בְּאֵרָה: n.m.; < בְּאֵרָא?: 1 C 5, 6. †

בְּאֵרוֹת u. **בְּאֵרֹת**: n.l.; I בְּאֵר; cf. (*alu*) *Bēruta* EA p. 1572 = *Beirut*: in Benjamin; Lage? *position*? Noth zu Jos 18, 25: Jos 9, 17 18, 25 (adde 19, 19) 2 S 4, 2 Esr 2, 25 Ne 7, 29. †
Der. בְּאֵרֹתִי u. בֵּרֹתִי.

בְּאֵרִי: n.m.; I בְּאֵר: 1. Hethite *Hithite* Gn 26, 34; 2. V. v. Hosea Ho 1, 1. †

בְּאֵרֹתִי: gntl.; aus *from* בְּאֵרוֹת; > בֵּרֹתִי 1 C 11, 39: pl. בְּאֵרֹתִים: 2 S 4, 2. 3. 5. 9 23, 37. †

באשׁ: F ba. בְּאֵשׁ; ug. *b'š*; ak. *ba'āšu*, *bi'šu* stinkend *stinking*, *fetid*, بَئِسَ widerlich *disgusting*, aram. באשׁ bös sein *be bad*, *wicked*, **ብአሰ** schädlich sein *be noxious*:

qal: pf. בָּאַשׁ, impf. וַיִּבְאַשׁ, תִּבְאַשׁ: stinkend werden, **stinken** *stink* Ex 7, 18. 21 8, 10 16, 20 Js 50, 2 Si 3, 26; †

nif: pf. נִבְאַשׁ, נִבְאֲשָׁה, נִבְאֲשׁוּ: stinkend gemacht, **widerwärtig werden** *become odious*, c. בְּ bei *with* 1 S 13, 4 2 S 10, 6, c. אֶת bei *with* 2 S 16, 21; †

hif: pf. הִבְאִישׁ, הִבְאַשְׁתֶּם, impf. יַבְאִישׁ, inf. abs. הַבְאֵשׁ, cs. sf. הַבְאִישֵׁנִי: **stinkend werden** *grow stinking* Ex 16, 24 Ps 38, 6; stinkend **ranzig machen** *cause to stink*, *to turn rancid* Ko 10, 1 (יַבְאִישׁ); הִבְאִישׁ רֵיחַ פ׳ jmd.'s Geruch stinkend, jmd. **widerwärtig machen** *make odious*, *put in bad odour* Ex 5, 21, > הִבְאִישׁ אֶת, c. בְּ bei *with* Gn 34, 30; abs. הִבְאִישׁ widerwärtig werden *become odious* Pr 13, 5, c. בְּ bei *with* 1 S 27, 12, c. עַל bei *with* Js 30, 5 K; †

hitp: pf. הִתְבָּאֲשׁוּ, c. עִם: **sich selber widerwärtig machen** bei *make oneself odious with* 1 C 19, 6. †
Der. בְּאֹשׁ, *בְּאֻשׁ, בָּאְשָׁה.

בְּאֹשׁ: באשׁ: sf. בָּאְשׁוֹ, בָּאְשָׁם: **Gestank** *stink* Js 34, 3 Am 4, 10 Jl 2, 20. †

***בְּאֻשׁ**: באשׁ: pl. בְּאֻשִׁים: Stinklinge, faulende (Trauben) **Beeren** *putrid*, *rotten berries* (*of grapes*) (:: Löw 1, 77) Js 5, 2. 4, cj בְּאֻשׁוֹ Th 2, 6 F חמס qal. †

בָּאְשָׁה: באשׁ: Stinkkraut *malodorous plant* (Pflanzen oft nach dem Geruch benannt *plants oftenly termed according to their smell*): Ringelkraut *Mercurialis annua L.* (Dhorme) :: **Taumellolch** *cockle Solium temulentum L.*, AS 1, 408 2, 311 ff: Hi 31, 40. †

בַּאֲשֶׁר: F nach *after* בְּ.

***בָּבָה**: cs. בָּבַת: ja. בָּבְתָא, בָּבִיתָא, بُؤْبُؤ kleines Kind *little child*: בָּבַת הָעַיִן **Augapfel** *eyeball* Sa 2, 12. †

בֵּבַי, **בֵּבָי**: n.m.; ak. *Bibi*, *Bibija*, *Bibbī'a* „Kind *child*" Stamm 242: Esr 2, 11 8, 11 10, 28 Ne 7, 16 10, 16. †

בָּבֶל: n.l., n.p. (256 ×): c. *ā* בָּבֶלָה: Gn 10, 10 11, 9 2 K 17, 24—25, 28 31 × Js 13, 1. 19 14, 4. 22 21, 9 39, 1. 3. 6. 7 43, 14 47, 1 48, 14. 20 Ir 20, 4—52, 34 (nicht *not* cc. 22. 23. 26. 30. 31. 33. 45. 47. 48) 168 × Hs 12, 13—32, 11 19 × Mi 4, 10 Sa 2, 11 6, 10 Ps 87, 4 137, 1. 8 Est 2, 6 Da 1, 1 Esr 1, 11 2, 1. 1 Ne 7, 6 13, 6 1 C 9, 1 2 C 32, 31—36, 20 9 ×: ak. *Bâb-ilu* Gottespforte *Gate of god*, Stadt am Euphrat *town on the Euphrates* (44° 26′ ö. Länge *in long E.*, 32° 31′ n. Breite *lat. N.*), be *near* Hillah, wo noch Trümmer *Bâbil* heissen *where still ruines are called Bâbil*: **Babel** *Babylon* u. d. Landschaft **Babylonien** *a. the country of Baby-*

lonia; Koldewey, D. wiedererstehende Babylon[4] 1925, Böhl, Jb EOL 10, 491 ff: 1. Stadt Babel *the capital of Babylon* מֶלֶךְ בָּ׳ 2 K 20, 12, אַנְשֵׁי בָּ׳ 2 K 17, 30, חוֹמוֹת בָּ׳ Ir 51, 12, בַּת בָּ׳ Ir 50, 42, בָּבֶלָה Js 43, 14, לְבָבֶל nach *towards* B. Esr 2, 1 1 C 9, 1, מִבָּבֶל Js 48, 20 u. מִבָּבֶלָה! Ir 27, 16 von *from* B.; 2. Landschaft u. Reich B. *the land a. people, empire of B.*; אֶרֶץ בָּ׳ Ir 50, 28 51, 29, בָּבֶל 2 K 17, 24, נַהֲרוֹת בָּ׳ Ps 137, 1, מֶלֶךְ בָּ׳ d. Perserkönig *the king of Persia* (Esr 5, 13) Ne 13, 6.

[בַּג: l בַּז Q Hs 25, 7. †]

בגד: mhb.; بَجَدَ überlisten *outwit* (Landberg, Dat. 365); لَبِسَ = bekleiden *dress*, لَبَّسَ *disguise*, entsprechend leitet man בֶּגֶד Kleid v. בגד ab *accordingly* בֶּגֶד *dress has been derived from* בגד; qal: pf. בָּגְדוּ, בָּגַד, בָּגַדְתִּי, בָּגְדָה, בָּגַדְתָּה, בְּגַדְתֶּם, impf. יִבְגֹּד, יִבְגְּדוּ, תִּבְגְּדוּ, Ma 2, 10 l נִבְגַּד, נִבְגֹּד f. inf. בָּגוֹד, cs. sf. בְּבִגְדוֹ Ex 21, 8, pt. בּוֹגֵד, בֹּגֵד, f. בֹּגֵדָה Ir 3, 8. 11, pl. בּוֹגְדִים, בֹּגְדִים, cs. בֹּגְדֵי: 1. בָּגַד בְּ **treulos handeln an** *deal treacherously with*: an d. Frau *with the wife* Ex 21, 8 Ma 2, 14. 15, Verbündete *allies* Jd 9, 23, Verwandte *related* Ir 12, 6, Gefährtin *(female) companion* Th 1, 2, einer am andern *one with the other* Ma 2, 10; Js 33, 1; an Gott *with God* Ir 3, 20 5, 11 Ho 5, 7 6, 7; 2. ebenso *the same* בָּגַד אֶת־ Ps 73, 15; 3. בָּגַד מִן treulos verlassen *depart treacherously from* Ir 3, 20; 4. בָּגַד abs. 1 S 14, 33 Js 21, 2 24, 16 33, 1 48, 8 Ir 9, 1 Ha 1, 13 2, 5 Ma 2, 11. 16 Ps 25, 3 78, 57 119, 158 Pr 2, 22 11. 3. 6 13, 2. 15 21, 18 22, 12 23, 28 25, 19 Hi 6, 15 Si 16, 4; 5. בֶּגֶד בָּגַד Treulosigkeit (begehn) *(commit) treachery* Js 24, 16 Ir 12, 1; 6. בָּגֹדָה יְהוּדָה d. treulose J. *J. acting treacherously* Ir 3, 8. 11; 7. בֹּגְדֵי אָוֶן frevelhaft Treulose *wicked transgressors* Ps 59, 6. †
Der. I בֶּגֶד; II בֶּגֶד?, בֹּגְדוֹת, בָּגוֹד.

I בֶּגֶד: בגד: בֶּגֶד: (בֶּגֶד בָּגַד) **Treulosigkeit** (begehen) *(commit) treachery* Js 24, 16 Ir 12, 1. †

II בֶּגֶד (200 ×): F בגד: בֶּגֶד, sf. בִּגְדוֹ! pl. בְּגָדִים, cs. בִּגְדֵי, sf. בִּגְדֵי, בְּגָדֶיהָ, בִּגְדֵיהֶם; Ps 45, 9 † בִּגְדֹתֶךָ; msc. (Lv 6, 20 עָלֶיהָ!): (jede Art v.) **Kleid, Gewand** *(any kind of) garment, covering*, בִּגְדֵי אַלְמְנוּת Witwentracht *dress of widows* Gn 38, 14, בִּגְדֵי קֹדֶשׁ Kultkleider *cult-dress* Ex 28, 2; רֵיחַ בְּגָדָיו Gn 27, 27, צָרַעַת הַבֶּגֶד Lv 14, 55, כְּנַף בִּגְדוֹ Hg 2, 12, חֲלִפֹת בְּגָדִים Jd 14, 12, עֵרֶךְ בְּגָדִים 17, 10, בִּגְדֵי אֵבֶל Trauerkleider *mourning (garb)* 2 S 14, 2, מְלֹא בִגְדוֹ e. Kleid voll *a lap full* 2 K 4, 39; Flüchtende werfen d. Kl. fort *the fleing cast away their garments* 2 K 7, 15 9, 13, בָּלָה כַּבֶּגֶד Js 50, 9; F עָטָה, כִּבֵּס, פָּשַׁט, קָרַע; Kleid als Decke *clothes as cover* 1 K 1, 1 1 S 19, 13 Nu 4, 6—9. 11—13, als Satteldecke *as saddle-cloth* Hs 27, 20; l בִּבְגָדֵיהֶם in ihrer ihnen zukommenden Kleidung *in the robes in accordance with their rank* 1 K 22, 10.

בֹּגְדוֹת: בגד: אַנְשֵׁי בֹּגְדוֹת Ze 3, 4; pl. tantum = בֹּגְדוֹת (Marti) **Treulosigkeit** *treachery* oder *or* pl. f. ptc.: **treulose** (Frauen) *treacherous (women)* (Ehr.) †

בָּגוֹד*: בגד: f. בָּגוֹדָה: **treulos** *treacherous*: Ir 3, 7. 10. †

בִּגְוַי: n. m.; Scheft. 80; E. Meyer, Entstehung des Judentums 157 f; AP בגוהי, Βαγωας: בִּגְוָי: Esr 2, 2. 14 8, 14 Ne 7, 7. 19 10, 17. †

בִּגְלַל: F III גָּלָל.

בִּגְתָא: n. m.; Scheft. 40: e. Perser *a Persian* Est 1, 10. †

בִּגְתָן Est 2, 21 † u. בִּגְתָנָא 6, 2 †: n. m.; Scheft. 40; e. Perser *a Persian.* †

I **בַּד**: בדד: בָּד, sf. בַּדּוֹ, בַּדֵּהֶן, בַּדֶּנָה Gn 21, 29, pl. בַּדִּים, cs. בַּדֵּי, sf. בַּדָּיו: 1. **Teil, Stück** *part, portion,* בַּד בְּבַד zu gleichen Teilen *the same portion of each* Ex 30, 34, בַּדָּיו s. Teile = Glieder *his parts = members* Hi 18, 13; 2. in besondrer Bedeutung: Stück > Lappen > Gewebtes, meist mit **Linnen** übersetzt *a special signification is portion > piece of cloth > (thus traditionally) linen*: אֵפוֹד בַּד 1 S 2, 18 22, 18 2 S 6, 14 1 C 15, 27, מִכְנְסֵי־בַד Ex 28, 42 39, 28 Lv 6, 3 16, 4, כְּתֹנֶת בַּד Lv 16, 4, מִדּוֹ בַד 6, 3, מִצְנֶפֶת בַּד 16, 4, אַבְנֵט בַּד 16, 4, בִּגְדֵי הַבָּד 16, 23. 32, לָבוּשׁ בַּדִּים Hs 9, 2. 3. 11 10, 2. 6. 7 Da 10, 5 12, 6 (AS 5, 167: dele שֵׁשׁ מָשְׁזָר Ex 39, 28); Foote JBL 21, 3. 43, Elhorst ZAW 30, 267 f. † 3. sg. בַּד c. praep. a) לְבַד, c. sf. לְבַדִּי, לְבַדּוֹ etc. adv.: אָנֹכִי לְבַדִּי ich **allein** *I ... alone* Nu 11, 14, הוּא לְבַדּוֹ er allein *he alone* Gn 44, 20, לָהֶם לְבַדָּם ihnen besonders *for them by themselves* 43, 32, אֹתוֹ לְבַד ihn für sich *him by himself* Jd 7, 5, שְׁנֵיהֶם לְבַדָּם die beiden waren für sich, allein *they two were alone* 1 K 11, 29, הָיָה לְבַדּוֹ er ist allein *he is alone* Gn 2, 18, לְבַדָּם für sich, gesondert *by themselves* 2 S 10, 8, לְבַד בְּךָ nur dich *by thee only* Js 26, 13, לְךָ לְבַדְּךָ an dir allein *against thee, thee only* Ps 51, 6, צִדְקָתְךָ לְבַדֶּךָ einzig deine G. *thy right. only* Ps 71, 16; cj לְבַדָּהּ (pro בָּרָה) sie allein *she only* Ct 6, 9; b) לְבַד מִן ausser, abgesehn von *beside* Ex 12, 37 Nu 29, 39 Jd 8, 26 u. mehr *a. more*; c) מִלְּבַד ausser, abgesehn von *beside* Gn 26, 1 Nu 17, 14 u. mehr *a. more*; מִלְּבַדּוֹ ausser ihm *beside him* Dt 4, 35, מִלְּבַד אֲשֶׁר ausser dem, was *beside that which* Nu 6, 21; l Q מִלִּבּוֹ 1 K 12, 33; ?? Esr 1, 6 u. 2 C 31, 16 u. Da 11, 4; 4. pl. בַּדִּים, cs. בַּדֵּי, sf. בַּדָּיו, בַּדֶּיהָ: Stücke, Teile *pieces, parts* = a) Stangen, **Tragstangen** *sticks, staves*: (Lade *ark*) Ex 25, 14 f 35, 12 37, 5 39, 35 40, 20 Nu 4, 6 1 K 8, 7 f 2 C 5, 8 f, (Altar *altar*) Ex 27, 6 f 35, 16 38, 5—7 Nu 4, 14, (Räucheraltar *altar of incense*) Ex 30, 4 f 35, 15 37, 27 f Nu 4, 11, (Schaubrottisch *table of shewbread*) Ex 25, 27 f 35, 13 37, 14 f Nu 4, 8, (a. Akazienholz *from wood of acacia*) Ex 25, 13 27, 6 37, 4; רָאשֵׁי הַבַּדִּים d. Enden der Tragstangen *the ends of the staves* 1 K 8, 8 2 C 5, 9; = b) (an Reben *on vine*) **Schosse** *shoots* Hs 19, 14, עָשָׂה בַ׳ Sch. treiben *put forth sh.* Hs 17, 6; c) l הָעֲמָדִי Hi 17, 16, l. יֵאָכֵל בְּדָוֶי Hi 18, 13a; ?? Ho 11, 6 u. Hi 41, 4. †

II ***בַּד**: בדא; > *בַּדָּא?; ja. בַּדָּאָה Erdichter, Lügner *inventor, liar,* ph. בד leeres Geschwätz *idle talk* (Harris 86): sf. בַּדֶּיךָ, בַּדָּיו: **leeres Geschwätz, unwahres Reden** *idle talk, boasting*: Js 16, 6 Ir 48, 30 Hi 11, 3, cj Js 58, 13 בַּד (דַּבֵּר), cj בַּדֵּי בֶלַע Ps 141, 6; l בָּרִים Js 44, 25 Ir 50, 36. †

בדא: mhb., ja., sy. בדא; mehri *bdú* u. soq. *béde* lügen *lie*:

qal: pf. בָּדָא, pt. sf. בּוֹדָאם < *בּוֹדְאָם: erfinden, **erdenken** *invent, devise* 1 K 12, 33 (l בְּלִבּוֹ) Ne 6, 8. †

Der. II *בַּד.

בדד: بَدَّ trennen *part*:

qal: pt. בּוֹדֵד: einzeln, **einsam sein** *be isolated, alone* Js 14, 31 Ho 8, 9 Ps 102, 8 Si 12, 9. †

Der. I בַּד, בָּדָד.

בָּדָד: בדד: einzeln, **allein** *isolated, alone*; יָשַׁב בָּ׳ Lv 13, 46 Ir 15, 17 Th 1, 1 3, 28, הוֹשִׁיב לְבָ׳ Ps 4, 9; שָׁכַן בָּ׳ Dt 33, 28 Ir 49, 31, שָׁכַן לְבָ׳ Nu 23, 9 Mi 7, 14; בָּ׳ (היה) einsam (liegen) *solitary* Js 27, 10; יהוה ב allein J., nur J. *Y. alone* Dt 32, 12. †

בְּדַד: n.m.; *ḥbdd* Sinai-Inschrift Sy 17, 391: V. v. Edomiterkönig *king of Edomites* Gn 36, 35 1 C 1, 46. †

בְּדֵי: F בְּדֵי.

בֵּדְיָה: n.m. (kaum *hardly* < *(עֲבֵדְיָה): Esr 10, 35. †

בְּדִיל: LW < sanscrit *pātīra* Zinn *tin*, aus Indien eingeführt *import from India*; *κασσίτερος*, *stannum*; ThZ 3, 155 f: **Zinn** *tin* Nu 31, 22 Hs 22, 18. 20 27, 12; הָאֶבֶן הַבְּדִיל Sa 4, 10 unerklärt *unexplained*. †

***בָּדִיל**: pl. *בְּדִילִים; sf. בְּדִילָיִךְ: בדל: Ausscheidungen, **Schlacken** (beim Schmelzen) *dross* (*of the melting-process*), ThZ 3, 155 f: Js 1, 25. †

בדל: mhb. qal, hif. trennen, scheiden *divide*, *separate*, بَدَلَ ändern, ersetzen *change*, *substitute*:

nif: pf. נִבְדְּלוּ impf. וַיִּבָּדְלוּ, יִבָּדֵל, imp. pl. הִבָּדְלוּ: 1. c. מִן **sich** absondern, **zurückziehen von** *withdraw from* Nu 16, 21 Esr 6, 21 (אֲלֵיהֶם zu ihnen hin = u. sich zu ihnen hielten *unto them* = *a. joined them*) 9, 1 10, 11 Ne 9, 2 10, 29 (אֶל F Esr 6, 21); 2. c. אֶל **übergehn zu** *go over to* (cf. Esr 6, 21 Ne 10, 29) 1 C 12, 9; 3. c. מִן **ausgeschlossen werden** *be separated* Esr 10, 8; 4. **ausgesondert werden** *be singled out* 1 C 23, 13; Esr 10, 16 l וַיַּבְדֵּל לוֹ; F מִבְדָּלוֹת; †

hif: pf. הִבְדִּילוּ, הִבְדַּלְתָּ, הִבְדִּילָה, הִבְדִּיל, sf. הִבְדַּלְתִּים, impf. וַיַּבְדֵּל, וָאַבְדִּל, וָאַבְדִּילָה, יַבְדִּיל! וַיַּבְדִּילֵם, יַבְדִּילֵנִי, inf. הַבְדִּיל, cs. הַבְדִּיל, pt. מַבְדִּיל: 1. c. בֵּין . . וּבֵין **trennen, unterscheiden von** *divide from* Gn 1, 4. 7. 14. 18 Ex 26, 33 Lv 11, 47 10, 10; 2. c. בֵּין . . . לְבֵין: **trennen von** *separate between . . . and* Js 59, 2; 3. c. בֵּין . . . לְ: **unterscheiden von** *divide from* Gn 1, 6 Lv 20, 25 Hs 42, 20; e. **Unterschied machen zwischen . . . und** *put a difference between . . . and* Hs 22, 26; 4. c. אֶת . . . מִן **etwas ausscheiden, absondern von** *separate from* Lv 20, 24. 26 Nu 8, 14 16, 9 Dt 29, 20 1 K 8, 53 Esr 8, 24 Ne 13, 3; 5. c. מֵעַל **absondern von** *separate from* Js 56, 3; 6. abtrennen, **absondern** *separate* Lv 1, 17 5, 8 Dt 4, 41 10, 8 19, 2. 7; aussondern, **abordnen** *sever out, delegate* Hs 39, 14; c. לוֹ für sich aussondern, **auswählen** *separate, elect for himself* cj וַיַּבְדֵּל לוֹ Esr 10, 16; c. לַעֲבֹדָה zum Dienst *for the service* 1 C 25, 1 2 C 25, 10. †

Der. *בָּדִיל, בָּדָל, מִבְדָּלוֹת.

***בָּדָל**: בדל: cs. בְּדַל; בְּדַל אֹזֶן **Stück vom Ohr** *piece of an ear*: Am 3, 12. †

בְּדֹלַח: *βδέλλιον*, *bdellium*; = ak. *budulḫu*: d. wohlriechende, gelbliche, durchscheinende Harz der in Südarabien heimischen: *the odoriferous, yellowish, transparent gum of the in South-Arabia indigenous*: *Commiphora mukul Engler*; **Bdellionharz** *bdellium-gum*: Gn 2, 12 Nu 11, 7. †

בְּדָן: n.m.; Noth S. 149 f; ZDP 51, 175: S. v. מָכִיר 1 C 7, 17; l בָּרָק 1 S 12, 11. †

בדק: ak. *batāqu* spalten *cleave*, soq. *bdq* zerreissen *rend* (*asunder*); ug. *bdqt* Risse (in d. Wolken) *clefts* (*in the clouds*), ja. בִּדְקָא u. sy. ܒܕܩܐ Ausbesserung *mending*:

qal: inf. בְּדוֹק **ausbessern** *mend, repair*: 2 C 34, 10. †

Der. בֶּדֶק.

בֶּדֶק: בדק: בֶּדֶק, sf. בִּדְקֵךְ: **Riss**, durchlässige Stelle *breach, permeable spot*, am Tempel *in the temple* 2 K 12, 6—13 22, 5, am Schiff *of a ship* Hs 27, 9. 27. †

בִּדְקַר: n. m.; < *בֶּן־דֶּקֶר? :: Noth S. 149[1]): 2 K 9, 25. †

*בהה: *בהו; بَهِيَ leer stehn *be empty*: Der. בֹּהוּ.

בֹּהוּ: *בהה; immer *always* // תֹּהוּ: **Leere, Öde** *emptiness, wasteness*: Gn 1, 2 Ir 4, 23 Js 34, 11. †

*בֹּהֶן: *F* בֹּהֶן: pl. בְּהֹנוֹת: **Daumen, grosse Zehe** *thumb, big toe* Jd 1, 6 f. †

בַּהַט: e. Edelstein *a precious stone*; σμαραγδίτης (nicht بَهْت Dozy 1, 121): unbestimmt *unexplained*: Est 1, 6. †

בָּהִיר: בהר: **glänzend** *brilliant* (Andre *others* = [Syriac] verfinstert *dusky*): Hi 37, 21. †

בהל: mhb. בָּהוּל überstürzt *precipitated* u. pi. beunruhigen *disturb*; *F* ba.:

nif: pf. נִבְהַל, נִבְהֲלָה, נִבְהָלְתִּי, נִבְהֲלוּ, נִבְהָלְנוּ, impf. וַיִּבָּהֵל, יִבָּהֵלוּ, יִבָּהֲלוּן, תִּבָּהַלְנָה, אֶבָּהֵל, pt. נִבְהָל, נִבְהָל! Pr 28, 22: **1. bestürzt werden, sein** *be disturbed, terrified* Ex 15, 15 Jd 20, 41 1 S 28, 21 2 S 4, 1 Js 13, 8 Ir 51, 32 Ps 6, 11 30, 8 48, 6 83, 18 90, 7 104, 29 Hi 4, 5 21, 6; Hände *hands* Hs 7, 27, Gebeine *bones* Ps 6, 3, Seele *soul* Ps 6, 4; c. מִפְּנֵי gegenüber *in front of* Gn 45, 3 Hi 23, 15, c. מִן infolge *owing to* Js 21, 3 Hs 26, 18; **2. hasten** *be hasty* Ko 8, 3, c. לְ nach *after* Pr 28, 22; l בֶּהָלָה Ze 1, 18; †

pi: impf. תְּבַהֵל, וַיְבַהֵל, יְבַהֲלֻמוֹ, sf. תְּבַהֲלֵם, יְבַהֲלֻהוּ, וִיבַהֲלֻךָ, inf. sf. לְבַהֲלֵנִי, לְבַהֲלָם, pt. (Metathesis!) מְבַלְּהִים K = מְבַהֲלִים Q Esr 4, 4: **1. in Bestürzung versetzen** *dismay, terrify* Ps 2, 5 83, 16 Hi 22, 10 Da 11, 44 Esr 4, 4 2 C 32, 18 35, 21 †; **2. hasten** *make haste* Ko 5, 1 7, 9 Est 2, 9; †

pu: pt. מְבֹהָלִים bestürzt > **eiligst** *being hastened* Est 8, 14; cj מְבֹהָל erhastet, **rasch gewonnen** *hastily gained* Pr 13, 11 u. cj מְבֹהֶלֶת 20, 21;

hif: pf. sf. הִבְהִילֻנִי, impf. וַיַּבְהִלוּ, sf. וַיַּבְהִלוּהוּ: **1. in Bestürzung versetzen** *dismay, terrify* Hi 23, 16; **2.** c. מִן **eilig** fortschaffen von *hastily remove from* 2 C 26, 20; **3.** c. לְ c. inf. **sich beeilen, zu** *hurry to* Est 6, 14. †

Der. בֶּהָלָה.

בֶּהָלָה (*bäh-hā-lā*): בהל: **jäher Schrecken** *sudden terror* Lv 26, 16 Js 65, 23 Ir 15, 8 Ps 78, 33, cj Ze 1, 18. †

בהם: أَبْهَم stumm *speechless*, [Ethiopic] verstummen *become speechless*: בְּהֵמָה.

בְּהֵמָה (185×): بَهْم junge Schafe oder Ziegen *young lambs or goats*: cs. בֶּהֱמַת, sf. בְּהֶמְתּוֹ, בְּהֶמְתֵּהּ, בְּהֶמְתְּךָ, בְּהֶמְתֶּךָ, pl. בְּהֵמֹת, cs. בַּהֲמוֹת: **Vieh, Tiere** *cattle, animals* :: אָדָם Ex 9, 9. 25 Ir 36, 29, cj 2 C 20, 25 u. oft *a. frequently*; :: Vögel u. Fische u. Gewürm *birds a. fishes a. creeping things* 1 K 5, 13; :: חַיָּה Wild *beasts* Js 46, 1 Gn 3, 14 8, 1; בְּהֶמְתָּם ihr Viehbesitz *their cattle* Gn 34, 23, מִקְנֵה הַבּ׳ 47, 18; בּ׳ = **Wild** *beasts* Ir 7, 33 19, 7 34, 20 Dt 28, 26 32, 24; verbotner Umgang mit *forbidden intercourse with* בּ׳ Ex 22, 18 Lv 18, 23 20, 15. 16 Dt 27, 21; Kreuzungen von *interbreeding of* בּ׳ Lv 19, 19; בּ׳ = צֹאן u. בָּקָר Lv 1, 2, = שֶׂה u. שׁוֹר 27, 26; Wild, בּ׳, Gewürm u. Geflügeltes *beasts,* בּ׳, *creeping things a. fowl* Ps 148, 10; Rind, Esel u. בּ׳ *ox, ass a.* בּ׳ Dt 5, 14; Unterbegriff v. *subdivision of* חַיָּה Lv 11, 2; d. Gerechte kennt *the righteous regards* נֶפֶשׁ בְּהֶמְתּוֹ Pr 12, 10; pl. בַּהֲמוֹת שָׂדֶה Jl 1, 20 2, 22 Ps 8, 8, בּ׳ יַעַר Mi 5, 7; בְּהֵמוֹת Dt 32, 24 (= Wild *beasts)* Ha 2, 17 Ps 50, 10 (auf d. Bergen *upon the hills*), l בְּהֵמָה Ps 73, 22; בְּהֵמָה Reittier *mount* Ne 2, 12. 14; Hi 12, 7 l בְּהֵמָה (-וֹת dittogr.).

בְּהֵמוֹת: Hi 40, 15; † pl. extensionis v. בְּהֵמָה?; oder *or* = äg. *p3-iḥ-mw* (Wasserochs *water-ox*, das nicht belegt ist *which nowhere is to be found*)? G θηρία V *Behemoth*: **Nilpferd** *hippopotamus, Hippopotamus amphibius* (Hölscher, Hiob, 95 f.). †

***בֹּהֶן**: ak. *ubânu* u. بِهَام, إِبْهَام, Finger, Zehe *finger, toe*, sam. בהון; F בְּהוֹן: בֹּהֶן יָדָם ihr **Daumen** *their thumb* Ex 29, 20 Lv 8, 24, בֹּהֶן יָדוֹ sein D. *his th.* Lv 8, 23 14, 14. 17. 25. 28; בֹּהֶן רַגְלָם ihre **grosse Zehe** *their big toe* Ex 29, 20, בֹּהֶן רַגְלוֹ seine gr. Z. *his gr. toe* Lv 8, 23. †

בֹּהַן: n. m.; n. l.; בהן? S. v. Ruben *Reuben* in n. l. אֶבֶן בֹּהַן zwischen Gebiet v. Juda u. Benjamin *between realms of Judah a. Benjamin* (Noth: *Ruǧm eš-Šemālīje* oder *or Ruǧm el-Qiblīje* s. Jericho; Abel 2, 48: *Haǧar el-Aṣbaḥ*): Jos 15, 6 18, 17. †

***בהק**: mhb. pe., ja. cp. sy. af. glänzen *shine*. Der. בֹּהַק.

בֹּהַק: בהק: ak. *ibqu* (Holma, Kl. Beitr. 3 f), ብህቅ! (Dillmann 1430); بَهَق, ja. בּוּהְקָא, בַּהֲקִיתָא: *Vitiligo alba*; e. gutartiger **Hautausschlag** *harmless eruption of the skin, skin-disease*: Lv 13, 39. †

***בהר**: aram. sy. בְּהַר; ብሩህ; بَهَرَ u. بَهَر glänzen, leuchten *be bright, shine*. Der. בַּהֶרֶת, בָּהִיר.

בַּהֶרֶת (bäh-härät): בהר: בַּהֶרֶת, pl. בֶּהָרֹת: ak. *bi'âru* Fleck auf d. Haut *spot, blotch on the skin*: auffallender weissrötlicher **Fleck**, der e. Hautkrankheit anzeigt oder anzuzeigen scheint *conspicuous whitishred spot, real or seeming sign of a skin-disease*: Lv 13, 2. 4. 19—39 14, 56. †

בוא (2550 ×): ug. *bw', ak. *bâ'u*, ph. בא, asa. בהא eintreten *enter*:

qal: pf. בָּא (Hs 14, 4 l בִּי f. בָּה), בָּאָה, וּבָאָה Sa 5, 4, cons. וּבָאָה Mi 4, 8, בָּאתָ u. בָּאתָה 2 S 3, 7, בָּאנוּ, בָּאוּ, בָּאת u. (1 S 25, 8) בָּנוּ (f. Ir 27, 19 l יָבֹאוּ oder *or* בָּא) sf. בָּאוּ; בָּאַתְנוּ; impf. יָבוֹא u. וַיָּבֹא, יָבֹא, וַיָּבוֹ u. 1 K 12, 12 וַיָּבוֹ, תְּבֹאֶינָה u. תְּבֹאנָה, יְבֹאוּן, יָבֹאוּ, אָבֹאָה, אָבֹא (Ir 9, 16 Ps 45, 16 1 S 10, 7 K Est 4, 4 K) u. (Gn 30, 38) תָּבֹאןָ, sf. יְבֹאֻנוּ, תְּבֹאֻנוּ, תְּבוֹאֵנִי, וִיבֹאֻנִי, תְּבוֹאֶךָּ; inf. לָבוֹא, בֹּא, בּוֹא (1 K 14, 12 l בְּבוֹא f. בְּבֹאָה), sf. בֹּאוֹ, בּוֹאוֹ, בֹּאָה, בֹּאָן, בֹּאָם, בֹּאֲנוּ, בֹּאִי, בֹּאֲךָ u. בֹּאֲכָה u. בֹּאֵךְ u. (Ir 8, 7) בֹּאָנָה; imp. בֹּא u. בּוֹא, בֹּאָה, בֹּאִי, הַבָּאָה; בָּאוֹת, בָּאִים, בָּאָה, בָּא; pt. בָּאִי, בָּאוּ (Gn 18, 21 46, 27 Hi 2, 11)!; l בּוּסִי Na 3, 14 u. וַיָּבֹס Ps 36, 12 u. תְּבוּסֵנִי Js 41, 25 u. (f. אֲבָנָה לִי Dt 33, 16 u. תְּבוֹאנָה (תְּבוֹאתָה) Ne 2, 8 u. תְּבוֹאתְךָ Hi 22, 21.

hinkommen, hineingehn *arrive, enter*. 1. **hineingehn** *enter* :: יָצָא Jos 6, 1, :: עמד בחוץ Gn 24, 31, c. בְּ Ir 7, 2, c. אֶל Js 37, 33 (Est 6, 4 l אֶל חֲצַר), c. -â Gn 12, 11, c. acc. בַּיִת ins Haus *into the house* Jd 18, 18, שְׁעָרָיו Ps 100, 4 (105, 18 l בַּבַּרְזֶל), c. אָנָה Gn 37, 30, c. שָׁמָּה Js 7, 24; **eindringen** *penetrate* c. בְּ 2 K 18, 21. 2. **heimkehren** *come home* בָּא בֵיתוֹ Pr 7, 20, בָּא von der Wache **abziehn** *come off guard* 2 K 11, 5. 3. בָּא בְמִשְׁפָּט vor Gericht gehn *enter into judgement*, עִם, אֶת mit *with* Hi 22, 4. 4. בָּא אֶל־אִשָּׁה *coire cum femina* Gn 16, 2 (بَاءَ; mhb. בִּיאָה *coitus*). 5. בוא d. Braut *the bride* (am Hochzeitstag *on the wedding-*

day) Jos 15, 18 Jd 1, 14. 6. יָצָא וּבָא d. Bauer, der morgens d. Dorf verlässt u. am Abend heimkommt *the peasant leaving the village in the morning a. coming home in the evening* Dt 28, 6 1 S 29, 6 2 K 19, 27 Ps 121, 8 (asa. וצאם או בהאם); c. לִפְנֵי der Anführer e. Volkes, Heers *the chief of an army* Nu 27, 17 1 S 18, 16 2 C 1, 10, abs. Dt 31, 2 Jos 14, 11 1 K 3, 7. 7. בּוֹא בְּ sich mit jmd einlassen *have dealings with a person* Jos 23, 7. 12 1 K 11, 2; auf etw. eingehn *agree to a thing* F אָלָה, בְּרִית; aufgenommen werden *enter into* Dt 23, 2 ff. (?Ps 69, 28; l בַּשָּׁנִים 1 S 17, 12), geraten in *get into* 1 S 25, 26 2 K 24, 10; fraglich *dubious* בָּא בִשְׂכָרוֹ Ex 22, 14. 8. בָּא בַיָּמִים = alt *old* Gn 18, 11 24, 1 Jos 13, 1; cj בָּא בַשָּׁנִים 1 S 17, 12. 9. בּוֹא c. עִם Ps 26, 4, c. אֶת Pr 22, 24: verkehren mit *go with.* 10. d. Sonne geht hinein = unter *the sun enters = is setting* Gn 15, 17 u. oft *a. often.* 11. בֹּא אֶל־אֲבוֹתָיו = sterben *die* Gn 15, 15. 12. **einkommen** *come in*: Ernte *crop* Lv 25, 22, Einkünfte *revenue* 1 K 10, 14. 13. c. אַחֲרֵי: hersein hinter *come after, follow* Ex 14, 17 1 S 26, 3 2 K 11, 15 2 S 20, 14, c. אַחַר Nu 25, 8. 14. **hinkommen** *come to* Pr 18, 3 u. oft *a. often*, c. אֶל Gn 14, 7, c. עַל Ex 18, 23 Ir 3, 18, c. עַד 2 S 16, 5 Mi 1, 15, c. לְ zu *to* 1 S 9, 12. 15. (Zeit *time*) kommen *come*: Hg 1, 2, Tage *days* Ir 7, 32 u. oft *a. often*; הַבָּאוֹת das Künftige *the things for to come, which will happen* Js 41, 22. 16. Bei geographischen Angaben *in geographical terms*: עַד בֹּאֲךָ Gn 19, 22 = bis hin nach *unto* Jd 6, 4 11, 33 1 K 18, 46; > בֹּאֲכָה Gn 10, 19. 30 13, 10; לְבֹא חֲמָת F *לְבֹא. 17. בּוֹא בְּ: mit etw. kommen = etw. bringen *come with a thing = bring a thing* 1 K 13, 1 Ps 66, 13 Pr 18, 6 (Ps 71, 16 l אַבִּיעַ גְּבֻרֹת). 18. בּוֹא c. עַד 2 S 23, 19, c. אֶל 23, 23 jmd gleichkommen *come up to.* 19. c. עַל Gn 34, 27, c. אֶל 32, 9, c. לְ Ir 50, 26, c. sf. Hi 15, 21 Hs 32, 11 an jmd, über jmd kommen, herfallen über *come upon, fall upon*; vom Unglück *said of misfortune, disaster*, c. עַל Js 47, 9 Am 4, 2 Hi 2, 11, c. אֶל Hi 4, 5, c. לְ Js 47, 9 Hi 3, 25, c. sf. Ps 44, 18 Pr 10, 24 28, 22 Hi 20, 22; v. Glücksfällen *of lucky incidents* c. עַל Jos 23, 15, c. sf. Ps 119, 41. 20. **eintreffen** *come true*: Zeichen *sign* 1 S 10, 7, Verheissung, Drohung *promise, threat* Dt 13, 3 18, 22 1 S 9, 6 Ir 17, 15 Pr 26, 2, Wunsch *wish* Pr 13, 12 Hi 6, 8. 21. הַבָּאִים בְּשֵׁמוֹת die mit Namen Vorkommenden, Genannten *the mentioned by name* 1 C 4, 38.

hif: pf. הֵבִיא, הֵבִיאָה, הֵבֵאתָ u. הֵבִיאֹתָ 2 K 9, 2 Js 43, 23, הֵבֵאתִי u. וְהֵבִיאֹתִי Nu 14, 31 u. הֲבֵאתֶם, הֵבִיאוּ Ir 25, 13, וְהֵבֵאתִי l !וְהֵבֵאיתִי u. הֱבִיאוֹתָם (1 S 16, 17); sf. הֱבִיאוֹ, הֱבִיאֲךָ, הֲבֵאתִיהָ, הֲבֵאתָנוּ · הֲבֵאתוֹ, הֲבֵאתָהּ, הֱבִיאַנִי Js 37, 26 u. הֲבִיאֹתִיהָ 2 K 19, 25, הֲבִיאֹתִיו Gn 43, 9 u. הֲבִיאֹתִיו Ct 3, 4, הֱבִיאָהוּ, הֲבֵאתִים 2 C 28, 27, הֲבִיאֹנֻם Nu 32, 17; impf. יָבִיא u. יָבִי Nu 6, 10, תָּבִיא, אָבִיא u. אָבִי 1 K 21, 29, נָבִיא u. נָבָא Ps 90, 12, וַיָּבֵא u. וַיָּבִיא Hs 40, 3, וָאָבִא u. וָאָבִא Ir 35, 4 u. !וָאָבִאָה Jos 24, 8, וַיָּבִאוּ Nu 31, 54 u. וַיָּבִיאוּ Gn 19, 10, sf. יְבִאֵהוּ, וַיְבִאֵהוּ, וַיְבִאֶהָ, יְבִאֲךָ, יְבִיאֵם, תְּבִאֵהוּ, אֲבִאֶנָּה, וַיְבִאֵהוּ; inf. הָבֵא, הָבִיא, לְהָבִיא 2 K 12, 5 > לָבִיא Ir 39, 7, sf. הֲבִיאִי; imp. הָבִיאָה, הָבֵא־נָא, הָבִיאוּ; pt. מֵבִיא u. (vor א! 2 S 5, 2 1 K 21, 21 Ir 19, 15 39, 16) מֵבִי, sf. מְבִיאֲךָ, מְבִיאָה, pl. מְבִיאִים, מְבִאִים, מְבִאֵי: 1. **hinbringen, hineinbringen** *bring (conduct, lead) in, cause to come in* c. אֶל Gn 6, 19 19, 10, c. בְּ Ps 66, 11, c. לְ Jd 19, 21 2 C 28, 27, c. -â Gn 43, 17, c. לִפְנֵי Est 1, 11, cj כִּמְבִיאֵי לָמוֹ עָלֶה Laub heimschaffen *bring in foliage* Ps 74, 5; 2. **kommen lassen** *let come* Est 5, 12, c. עַל Gn 18, 19; 3. c. לְ freien, heimführen (Frau) *bring in (as* *wife*) Jd 12, 9; 4. הֵבִיא מַיִם (Wasser) zuleiten *let in* (*water*) 2 K 20, 20; 5. הוֹצִיא u. הֵבִיא (d. Volk) ins Feld u. **heimführen** *lead* (*the men*) *into the field a. bring them in* Nu 27, 17 2 S 5, 2 1 C 11, 2; 6. הֵבִיא (d. Ernte) **einbringen** *gather in* (*the harvest*) 2 S 9, 10 Hg 1, 6; 7. c. בְּ *pretii* **erwerben** *get* Ct 8, 11 Th 5, 9, abs. Ps 90, 12; 8. הֵבִיא בְּאָלָה unter Eid stellen, schwören lassen *bring under an oath* Hs 17, 13; 9. הֵבִיא בְמִשְׁפָּט עִם vor Gericht ziehen mit *bring into judgement with* Hi 14, 3; 10. הֵבִיא דְּבָרִים אֶל e. Rechtsfall bringen vor *bring a cause unto* Ex 18, 19; 11. הֵבִיא מֵאַחַר wegholen von *take away from* Ps 78, 71; 12. הֵבִיא darbringen = opfern *bring* (*an offering*) Nu 15, 25 Ma 1, 13 Gn 4, 3; 13. הֵבִיא אָשָׁם עַל Schuld bringen auf *bring guiltiness upon* Gn 26, 10; 14. (Verheissenes) eintreten lassen *bring to pass* Js 37, 26 46, 11; 15. הֵבִיא לְבוֹ לְ s. Sinn zuwenden *apply the heart unto* Pr 23, 12; 16. הֵבִיא עַל־יְדֵי in d. Hand liefern *bring into the hands of* 2 K 10, 24; ?? Hi 12, 6 Ps 74, 5.

hof: pf. הוּבָא, הֻבָאת, הֻבָאתָה (= הֻבָאתָה oder *or* בָּאתָה? Hs 40, 4) הוּבָאוּ, impf. יוּבָא, יוּבָאוּ, pt. מוּבָא, מוּבָאִים, מוּבָאוֹת: 1. **gebracht werden** *be brought*: Gabe *gift* Gn 33, 11, Leute *men* Gn 43, 18 Lv 13, 2. 9 14, 2 Hs 30, 11 40, 4, Geld in d. Tempel *money into the temple* 2 K 12, 5. 10. 14. 17 2 C 34, 9. 14, Geräte nach Babel *be carried, vessels to Babylon* Ir 27, 22; 2. **herbeigebracht werden von** *be brought from* Ir 10, 9; 3. Opfer *offerings* Lv 6, 23, Blut *blood* (subj. c. אֵת!) Lv. 10, 18 16, 27; 4. **hineingebracht werden** *be put into* בַּמַּיִם Lv 11, 32, Stangen *staves* (subj. c. אֵת!) *into rings* in Ringe eingeführt werden Ex 27, 7; ?? Hs 23, 42 Ps 45, 15. †

Der. בִּיאָה, מָבוֹא, מוּבָא, תְּבוּאָה.

בוז: = mhb., cogn. בזה:

qal. pf. בַּז, בָּזָה, בַּזוּ; impf. יָבוּז, תָּבוּז, תָּבֻז, יָבוּזוּ, יָבֻזוּ, inf. בּוֹז, pt. בָּז: 1. c. לְ: jmd **Geringschätzung zeigen** *despise* 2 K 19, 21 Js 37, 22 Sa 4, 10 Pr 6, 30 (1 הֲלֹא) 11, 12 13, 13 14, 21 23, 9 30, 17 Ct 8, 1. 7; 2. c. acc.: **geringschätzen** *despise* Pr 1, 7; c. כִּי Pr. 23, 22. †

Der. I בּוּז, בּוּזָה.

I **בּוּז**: בוז: **Geringschätzung** *contempt*: Gn 38, 23 Ps 31, 19 107, 40 119, 22 (חֶרְפָּה וָבוּז) 123, 3. 4 (//לַעַג) Hi 12, 21 31, 34 Pr 12, 8 18, 3 (//חֶרְפָּה); Hi 12, 5. †

II **בּוּז**: n. p.; in Arabien; ak. (Asarhaddon) *Bâzu* n. l. zwischen *between* al-Ǧōf u. Teima Musil, Northern Heǧaz 1, 251 ff; RLA 1, 440 f: Ir 25, 23. †

Der. I בּוּזִי.

III **בּוּז**: n. m.; Etym. ?: 1. Gn 22, 21; 2. 1 C 5, 14. †

בּוּזָה: בוז: **Geringschätzung** *contempt*: Ne 3, 36. †

I **בּוּזִי**: gntl.; II בּוּז; Hi 32, 2. 6. †

II **בּוּזִי**: n. m.; = I? Dir. 191; V. v. Ezechiel *Ezekiel*: Hs 1, 3. †

בַּוַּי: 1 בִּנּוּי Ne 3, 18. †

בוך: بَاكَ verwirrt sein *be disturbed*:

nif.: pf. נָבֹכוּ, נְבֻכָה, pt. נְבֻכִים: **aufgeregt umherirren** *be, wander in confusion* Ex 14, 3 Jl 1, 18 Est 3, 15. †

Der מְבוּכָה.

I **בּוּל**: ak. *bulû* Dürrholz *dry wood*: **dürres Holz** *dry wood* (עֵץ von e. Baum *of a tree*) Js 44, 19, (Treibholz? *drift-wood?*) Hi 40, 20. †

II **בּוּל**: ph. בל: Name d. 8. Monats *name of the 8th month* (Oktober-November) 1 K 6, 38. †

בון: F בין.

בּוּנָה: n. m.; unerklärt *unexplained*: 1 C 2, 25. †

בּוּנִּי: n. m.; unerklärt *unexplained*: Ne 11, 15. †

בּוס: mhb. בּוּסַס:
qal: impf. אֲבוּסֶנּוּ, sf. נָבוּס, אָבוּס, תָּבוּס, יָבוּס, cj תְּבוּסֵנִי Ps 36, 12, (inf. sf. cj. בּוֹסַכֶם Am 5, 11 F בשׁס!), pt. בּוֹסִים:
1. c. acc. **zertreten** *tread down* Js 14, 25 cj 41, 25 cj Ps 36, 12 Ps 44, 6 60, 14 108, 14 Pr 27, 7; 2. בַּטִּיט in den Kot treten *tr. down in the mire* Sa 10, 5, cj Na 3, 14; Am 5, 11 F בשׁס; †
pil: pf. בּוֹסְסוּ: zertreten > (durch unerlaubtes Betreten) **entweihen** *tread down* > *desecrate* (*by illicit entering*) Js 63, 18 Ir 12, 10. †
hof: pt. מוּבָס: zerstampft *trodden down* Js 14, 19; †
hitpol: pt. מִתְבּוֹסֶסֶת strampelnd *kicking out* Hs 16. 6. 22. †
Der. תְּבוּסָה, מְבוּסָה.

בּוץ: ak. *paṣû, piṣû* weiss sein *be white*, بَاصَ, أَبْيَضُ weiss *white*.
Der. בּוּץ, *בֵּיצָה.

בּוּץ u. בֻּץ: ak. *bûṣu*, ph. בץ, βύσσος; בּוּץ; KlL 48—51: e. feines weisses wertvolles Gewebe: **Byssus** *a fine white valuable web*: *byssus*: aus Edom bezogen *imported from Edom* Hs 27, 16, in Palästina hergestellt *made in Palestine* 1 C 4, 21, nicht vor Hs genannt *not mentioned previous to* Hs: Est 1, 6 8, 15 1 C 15, 27 2 C 2, 13 3, 14 5, 12 (scheint שֵׁשׁ zu ersetzen *apparently taking the place of* שֵׁשׁ). †

בּוֹצֵץ; n. l.; בּוּץ? בצץ?: Name e. Felszacke *name of a crag* 1 S 14, 4 (PJ 7, 12). †

בּוק; cf. בקק: מְבוּקָה, בּוּקָה; עֲזָבוּק?

בּוּקָה: F מְבוּקָה: Öde, Leere *emptiness*: Na 2, 11. †

בּוֹקֵר: v. בָּקָר: **Rinderhirt** *herdsman*: Am 7, 14. †

בּוּר: F ברר.

בּוֹר u. בֹּר: < *בְּאֵר v. II באר; نُقْرَة Loch, zum Kochen in die Erde gegraben *hollow, dug in the ground, in which to cook*; 2 S 23, 15. 16. 20 l בְּאֵר oder *or* בּוֹר?, Ir 2, 13 בֹּארֹת f. בּוֹרֹת: c. -â בֹּרָה, sf. בּוֹרוֹ, בֹּרוֹ, בּוֹרְךָ, pl. בֹּרוֹת, בֹּרֹת:
Wassergrube, Zisterne, birnenförmige, manchmal mehrere Meter (Ir 38) tiefe (künstliche) Aushöhlung im Felsboden, die der Ansammlung u. Aufspeicherung des Winterregens dient *water-pit, cistern, pear-shaped, generally some metres* (Ir 38) *deep*, (*artificial*) *hollow in rocky ground, used to store the wintry rainwater*; (die Wände sind zementirt *the walls are cemented* :: נשׁברים Ir 2, 13); פתח בור Ex 21, 33, כָּרָה 21, 33 Ps 7, 16, חָצַב Dt 6, 11 Ne 9, 25 Ir 2, 13 2 C 26, 10, חָפַר Ps 7, 16; מַקֶּבֶת בּוֹר Zisternenmund *hole of the cistern* Js 51, 1; Eigentum e. s Einzelnen *owned by a single person* Ex 21, 34; mit Schöpfrad versehn *furnished with a wheel* Ko 12, 6; mehrere Z. bei einander *several c. together* Gn 37, 20; auf d. Tenne gelegen *situated at the threshing-floor* 1 S 19, 22; zur Ortschaft gehörig *belonging to the borough* 2 S 23, 15. 16 1 C 11, 17. 18, 2 K 10, 14 Ir 41, 7. 9; als Gefängnis benutzt *used as prison* Gn 37, 20. 22. 24. 28. 29 40, 15 41, 14 Js 24, 22 Ir 38, 6. 7. 9. 10. 11. 13 Sa 9, 11 Th 3, 53; בֵּית הַבּוֹר Zisternenhaus als Gefängnis *house of cistern = prison* Ex 12, 29 Ir 37, 16; Versteck *hiding-place* 1 S 13, 6; Zuflucht e. s Löwen bei Schneefall *abode of a lion in snowfall* 2 S 23, 20 1 C 11, 22; noch *moreover* 2 K 18, 31 Js 36, 16 Ir 6, 7 Lv 11, 36. Die Zisterne als Eingang zur *the cistern as entrance to the* שְׁאוֹל: יַרְכְּתֵי בוֹר Js 14, 15, daher *therefore* יוֹרְדֵי בוֹר Sterbende *dying people* (cf. ug. *yrdm ʾrṣ*) Js 38, 18 Hs 26, 20 31, 14. 16 32, 18. 24. 25. 29. 30 Ps 28, 1 30, 4 88, 5 143, 7 Pr 1, 12; בּוֹר תַּחְתִּיּוֹת Ps

88, 7 Th 3, 55, בּוֹר שָׁאוֹן Ps 40, 3, cj בּוֹר שַׁחַת Ps 55, 24; ?? Js 14, 19 Pr 28, 17. בּוֹרְךָ deine eigne Zisterne = deine Ehefrau *your own cistern = your wife* Pr 5, 15. †

בּוֹר הַפְּרָה: F סִרָה.

בּוֹר־עָשָׁן: n. l., = II עָשָׁן Jos 15, 42 19, 7 cj 21, 16 1 C 4, 32 6, 44: Ch. ʿAsan, etwa 2 km n. Bīr es-Sebaʿ (Musil, AP II 2, 66. 245): 1 S 30, 30. †

בושׁ (105 ×) ug. *bṯ*, sbst. *bṯt*; ak. *bâšu* sich schämen *be ashamed*, *baštu* Scham *shame*; بهت Nöld. ZDM 40, 157. 741, Wellhausen 67, 633; ja., sy. בְּהַת:

qal: pf. בּוֹשׁ, בֹּשׁ, בּוֹשָׁה, בֹּשְׁתְּ, בֹּשְׁתִּי, בֹּשְׁנוּ, impf. יֵבוֹשׁ, תֵּבוֹשִׁי, אֵבוֹשָׁה, תֵּבֹשׁוּ, יֵבֹשׁוּ, inf. בּוֹשׁ, imp. בּוֹשִׁי, בּוֹשׁוּ, pt. בּוֹשִׁים: בּוֹשׁ מִן **sich schämen** müssen wegen *be ashamed of* Is 1, 29 Ir 2, 36; מִן = trotz *in spite of* Mi 7, 16; בּוֹשׁ בְּ sich schämen müssen über *be ashamed through* Ps 69, 7, בּוֹשׁ beschämt sein *be ashamed* Js 19, 9, בּוֹשׁ בֹּשֶׁת sich gründlich schämen *be greatly ashamed* Js 42, 17; c. לְ c. inf. sich scheuen, zu ... *be ash. to ...* Esr 8, 22; עַד־בֹּשׁ bis zum Schämen *until (they were) ashamed* Jd 3, 25 2 K 2, 17 8, 11, הַפְּנָה עֹרֶף .. בּוֹשׁ schmachvoll *with shame* Ir 48, 39; // חפר Js 1, 29, חתת 2 K 19, 26, נכלם Js 41, 11, הִכָּלֵם Ir 14, 3, נִבְהַל Ps 6, 11; appositionell *in apposition*: תֵּבֹשׁוּ תַהְכְּרוּ ihr schämt euch weh zu tun *you are ashamed to deal ...* Hi 19, 3, l יוֹבִישׁ Ho 13, 15 u. יֵשְׁבוּ Ps 25, 3;

pil: pf. בֹּשֵׁשׁ, c. לְ c. inf.: **zaudern zu ...** *delay to ...* Ex 32, 1 Jd 5, 28. †

hif: 1. Form *first form*: pf. הֱבִישָׁתָה u. הֱבִישׁוֹתָ, impf. תָּבִישׁוּ, sf. תְּבִישֵׁנִי, pt. מֵבִישׁ, fem. מְבִישָׁה: **zu Schanden machen** *put to shame* Ps 44, 8 Pr 29, 15; zu Schanden werden lassen *put to shame* Ps 119, 31. 116; מֵבִישׁ (:: מַשְׂכִּיל) **schändlich handeln** *act shamefully* Pr 10, 5 17, 2 19, 26; 14, 35; 12, 4; ?? Ps 14, 6 53, 6. † 2. Form *second form* (BL 402 u"): pf. הֹבִישׁ, הֹבִישָׁה, הֹבַשְׁתָּ, הֹבִישׁוּ: 1. **mit Scham bedecken** *put to shame* 2 S 19, 6; 2. **sich schändlich benehmen** *act shamefully* Ho 2, 7; 3. **beschämt dastehn** *be ashamed* Ir 2, 26 6, 15 8, 9. 12 10, 14 46, 24 48, 1. 20 50, 2 Jl 1, 10. 11. 12. 17 Sa 9, 5 10, 5; Js 30, 5 l הִבְאִישׁ K. †

hitpal: impf. יִתְבֹּשָׁשׁוּ **sich mit Scham erfüllt zeigen** *appear being ashamed (earlier translation: were ash. before one another)* (Joüon Bibl. 7, 75) Gn 2, 25. †

Der. בּוֹשָׁה, בָּשְׁנָה, בֹּשֶׁת, *מְבוּשִׁים.

בּוּשָׁה: בושׁ; βωσα Brønno, Studien üb. hebr. Morphologie 115 f.: **Beschämung** *shame* Hs 7, 18 Ob 10 Mi 7, 10 Ps 89. 46. †

בַּז: בזז: p. בָּז u. בַּז, sf. בִּזָּהּ: **Plünderung, Plündergut** *spoiling, spoil* בָּז בַּז Js 10, 6 33, 23 Hs 29, 19 (בִּזָּהּ) 38, 12. 13, הָיָה לְבַז 2 K 21, 14 Hs 26, 5 36, 4, הָיָה לָבַז Nu 14, 3. 31 Dt 1, 39 Js 42, 22 Ir 2, 14 49, 32 Hs 34, 8. 22, נָתַן לָבַז Ir 15, 13 17, 3 30, 16 Hs 7, 21 23, 46 25, 7 Q, הָיָה בַז לְ Hs 34, 28; F Nu 31, 32 Js 8, 1. 3, cj 33, 4; ? Hs 36, 5. †

בזא: بَزَّ forttragen (gewaltsam) *carry away (by force)*:

qal: pf. בָּזְאוּ: **fortschwemmen** *wash away*: Js 18, 2. 7. †

בזה: aram. בסא, VG 1, 153; ak. *buzzu* beschimpfen *disgrace* (?):

qal: pf. בָּזָה, בָּזִית, בָּזִיתָ, בָּזִינוּ, sf. בְּזָתַנִי, impf. יִבְזֶה, תִּבְזֶה, וַיִּבֶז, וַתִּבֶז, וַיִּבֶז, sf. וַיִּבְזֵהוּ, וַיִּבְזֵהוּ, pt. בּוֹזֶה cs. בּוֹזֵה, pl. בּוֹזִים cs. בּוֹזֵי, sf. בּוֹזֵהוּ, pss. בָּזֶה, בְּזֹה cs. בְּזוּי, f. בְּזוּיָה: **geringschätzen** *despise*, // הֵפֵר Nu 15, 31 Hs 17, 16. 18, c. ac. Gn 25, 34 Nu 15, 31 1 S 2, 30 10, 27 17, 42 Hs 16, 59 17. 16. 18. 19 22, 8 Ma 1, 6 Ps 22, 25 51, 19 69, 34 102, 18 Pr 15, 20 19, 16 2 C 36, 16; c. לְ gering denken von *think con-*

temptuously of 2 S 6, 16 1 C 15, 29; בָּזוּי verachtet *despised* Ir 49, 15 Ob 2 Ko 9, 16 בְּזוּי עָם für d. Volk verächtlich *despicable to the people* Ps 22, 7; וַיִּבֶז בְּעֵינָיו c. לְ c. inf. es war ihm zu wenig, zu ... *he looked down upon* Est 3, 6; בָּזָה עַל verächtlich tun gegen *regard with contempt* Ne 2, 19; Gott geringschätzen *despise God* 2 S 12, 9. 10 Pr 14, 2; l נִבְזֶה Ps 73, 20, l לִנְבְזֶה Js 49, 7.†

nif: pt. נִבְזֶה: **geringgeschätzt, verachtet** *despised* Js 53, 3 Ir 22, 28 Ma 1, 7. 12 Ps 15, 4 73, 20 (l נִבְזֶה) 119, 141, Da 11, 21; cj. Js 49, 7 c. נֶפֶשׁ ganz verachtet *thoroughly despised*; cj 1 S 15, 9 verächtlich *contemptible*.†

hif: inf. הַבְזוֹת: **verächtlich machen** *to cause to despise* Est 1, 17.†

Der. בִּזָּיוֹן.

בִּזָּה: בזז: **Plünderung, Plündergut** *spoil, booty*: Est 9, 10. 15. 16 Da 11, 24. 33 Esr 9, 7 Ne 3, 36 2 C 14, 13 25, 13 (בַּז) 28, 14.†

בזז: aram. (בזז), בַּז, ϐHϖ Prätorius ZDM 64, 622: qal: pf. בַּזּוֹנוּ Dt 2, 35 u. בָּזַז, בָּזְזוּ, בַּזּוֹנוּ, נָבוֹזָה! 3, 7, sf. בְּזָזוּם, impf. תָּבֹז, יָבֹזּוּ, תָּבֹזּוּ, נָבֹזָּה! 1 S 14, 36, sf. יָבֹזּוּם, inf. בֹּז, imp. בֹּזּוּ, pt. בֹּזְזִים, בֹּזְזֵינוּ, בֹּזְזַיִךְ, pass. בָּזוּז: **plündern** *spoil, take as spoil*: Stadt *town* Gn 34, 27 2 C 14, 13, Menschen u. Vieh *mankind a. cattle* Nu 31, 9 was im Haus *contents of the house* Gn 34, 29 Gold u. Silber *gold a. silver* Na 2, 10, Waren *goods* Hs 26, 12, Heerlager *camp* 2 K 7, 16, Leute *people* Js 11, 14 Ir 20, 5 Hs 39, 10 Ze 2, 9, Rechtlose *people without rights* Js 10, 2; בַּז בַּז u. בַּז בִּזָּה F בַּז u. בִּזָּה; c. לְ Nu 31, 53 (אִישׁ לוֹ jeder für sich *each for himself*) Dt 2, 35 3, 7 20, 14 Jos 8, 2. 27 11, 14; F Nu 31, 32 1 S 14, 36 Js 17, 14 42, 22. 24 Ir 30, 16 Ps 109, 11 Est 3, 13 8, 11 2 C 20, 25 28, 8.†

nif: pf. נָבֹזּוּ, impf. תִּבּוֹז, inf. הִבּוֹז: **geplündert werden** *be spoiled* Js 24, 3 Am 3, 11.†

pu? qal pass?: בֻּזָּזוּ: **geplündert werden** *be spoiled* Ir 50, 37.†

Der. בַּז, בִּזָּה.

בִּזָּיוֹן: בזה: **Geringschätzung** *contempt* Est 1, 18.†

[**בִּזְיוֹתְיָה** Jos 15, 28: l וּבְנֹתֶיהָ].

[**בָּזָק** Hs 1, 14: l בָּרָק].

בזק: n.l. בֶּזֶק, n.p. אֲדֹנִי־בֶזֶק.

בֶּזֶק: n.l., F אֲדֹנִי־בֶזֶק: Ibziq (Abziq) nö Sichem (PJ 22, 49) Jd 1, 4. 5 1 S 11, 8.†

בזר: aram. = פזר; F ba. בדר:

qal: impf. יִבְזוֹר: **ausstreuen, austeilen** *scatter* Da 11, 24.†

pi: pf. בִּזַּר, l imp. בַּזֵּר: **zerstreuen** *scatter* Ps 68, 31.†

בִּזְּתָא: n.p.; Scheft. 41: e. Perser *a Persian* Est 1, 10.†

בָּחוֹן: בחן: **Metallprüfer** *assayer*: Ir 6, 27.†

בַּחוּן* Q, **בַּחִין*** K Js 23, 13: pl. sf. בַּחוּנָיו (בחן?, l בְּחָנָיו?) unerklärt *unexplained*.†

I בָּחוּר: I בחר: aber *but* pl. בַּחוּרִים (= baḥḥûr), cs. בַּחוּרֵי, sf. בַּחוּרָיו, בַּחוּרֵיהֶם: **der junge** (ausgewachsne, kraftvolle, noch ledige) **Mann** *the young* (*fully developed, vigorous, unmarried*) *man* :: בְּתוּלָה Dt 32, 25 Js 23, 4 62, 5 Ir 51, 22 Hs 9, 6 Am 8, 13 Sa 9, 17 (Glosse *gloss*) Ps 78, 63 148, 12 Th 1, 18 2, 21, :: זְקֵנִים Ir 31, 13 Jl 3, 1 Th 5, 14 Pr 20, 29, in s. יְלָדוֹת Ko 11, 9, סוֹד בַּחוּרִים Ir 6, 11, מִבְחַר בַּחוּרָיו 48, 15, בַּחוּרֵי חֶמֶד Hs 23, 6. 12. 23, בָּחוּר וָטוֹב jung u. schön *young a. handsome* 1 S 9, 2; F Jd 14, 10 2 K 8, 12 Js 9, 16 31, 8 40, 30 Ir 9, 20 11, 22 18, 21 49, 26 50, 30 51, 3

Hs 30, 17 Am 2, 11 4, 10 Ps 78, 31 Ru 3, 10 Th 1, 15 5, 13 2 C 36, 17; ? Ir 15, 8; l בְּנֵי בְקִרְבְּכֶם 1 S 8, 16 u. בְּחוּרִים Js 42, 22.† Der. *בְּחוּרוֹת.

II בָּחוּר: pt. pss. qal v. II בחר.

*בְּחוּרוֹת: I בָּחוּר: pl. tantum; Gulk. Abstr. 27; sf. בְּחוּרוֹתֶיךָ: Zeit, Alter, **Stand des jungen Manns** (בָּחוּר) *period, age, condition of the young man* (בָּחוּר): Ko 11, 9. †

בַּחוּרִים: n.l.; *F* בַּחֻרִים.

*בַּחִין Js 23, 13 K: *F* *בַּחוּן.

בָּחִיר: II בחר: sf. בְּחִירוֹ, בְּחִירִי, pl. sf. בְּחִירָיו, בְּחִירַי, בְּחִירֶיךָ: d. **Erwählte, Ausgelesne** (Gottes) *the chosen, elect (of God)*: Mose Ps 106, 23, David 89, 4, d. עֶבֶד יהוה Js 42, 1, d. Volk *the people* 43, 20, Israel 45, 4, die Frommen *the pious ones* Js 65, 9. 15. 22 Ps 105, 6. 43 106, 5 1 C 16, 13; Si 46, 1 †; l בְּהַר 2 S 21, 6.†

[בחל: Sa 11, 8 l גָּעֲלָה f. בָּחֲלָה; Pr 20, 21 l מְבֹהֶלֶת f. מְבֹחֶלֶת].

בחן: aram. בחן; أَمْتَحَنَ (Vocabulista in Arabico, 1874, 180) *temptare*:
qal: pf. בָּחַנְתָּ, בְּחָנוּ, בְּחַנְתֶּם, sf. בְּחַנְתָּנוּ, impf. תִּבְחַן, יִבְחֲנוּ, sf. אֶבְחָנְךָ! Ps 81, 8, תִּבְחָנֵנוּ, inf. בְּחֹן, imp. sf. בְּחָנוּנִי, בְּחָנֵנִי, pt. בֹּחֵן: **prüfen, auf die Probe stellen** *examine, try*: Gold *gold* Sa 13, 9, Herz = Sinn *heart* Ir 12, 3 Ps 17, 3 Pr 17, 3 1 C 29, 17, Nieren *veins* Ir 17, 10, Herz u. Nieren *heart a. veins* Ir 11, 20 Ps 7, 10, Worte *words* Hi 12, 11 34, 3, Wandel *way* Ir 6, 27, jmd *a person* Ir 9, 6 20, 12 Sa 13, 9 Ma 3, 10. 15 Ps 11, 4. 5? 26, 2 66, 10 81, 8 95, 9 139, 23 Hi 7, 18 23, 10; Subjekt meist Gott *subject mostly God*; Ma 3, 10 Ps 95, 9 wird Gott von Menschen auf d. Probe gestellt *God is tried by men*; בחן qal findet sich erst seit Ir *not to be found earlier than Ir*.†

nif: impf. תִּבָּחֲנוּ, יִבָּחֲנוּ, יִבָּחֵן: **geprüft, auf d. Probe gestellt werden** *be examined, tried* Gn 42, 15. 16 Hi 34, 36. †
pu? oder *or* pass. qal: בֹּחַן Hs 21, 18; verderbt *corrupt*. †
Der. בֹּחַן.

בַּחַן: LW, äg. *bḫn* (EG 1, 471) Schloss *castle*: **Wartturm** *watch-tower* (= מִגְדָּל גָּדוֹל Ne 3, 27) Js 32, 14; l בַּחֻנָיו? Js 23, 13. †

בֹּחַן: LW, äg. *bḫn* (EG 1, 471): zu Statuen etc. viel benutzter *much used for statues etc.* (Lucas, *Ancient Egyptian Materials*, 1926, 190) „präkambischer, sehr feinkörniger, massiger, dunkelgrauer u. graugrünlicher **Schiefergneiss**" (Prof. J. J. Jakob, ETH Zürich) *precambrian, highly fine-grained, massy, dark-grey a. greygreenish schist-gneiss* (ThZ 3, 390—3): Js 28, 16. †

I בחר: Der I בָּחוּר, בְּחוּרוֹת u. בַּחֻרִים; *F* ak. *baḫūlâti* Kriegsleute *fighting men*?

II בחר: beduinisch *Beduin*: *baḥar* plötzlich erblicken (Tier auf d. Jagd) *unexpected catch sight (of game)*, *baḥḥar* blicken, hinsehn *cast glances towards*; mhb., ja., cp. בחר wählen *choose* u. prüfen *examine*; ak. *bêru*:
qal: pf. בָּחַר, וּבָחַרְתָּ, בָּחַרְתָּ, בָּחַרְתִּי, בָּחֲרוּ, בְּחַרְתֶּם, בָּחָרוּ, sf. בְּחַרְתִּיךָ, impf. וַיִּבְחַר, יִבְחַר, אֶבְחַר, אֶבְחָרָה, יִבְחֲרוּ, sf. וַיִּבְחָרֶךָ, אֶבְחָרֵהוּ, inf. בְּחֹר, בָּחוֹר, cs. sf. בָּחֳרִי Hs 20, 5, imp. בְּחַר, בַּחֲרוּ, pt. בֹּחֵר, בָּחוּר, בְּחוּרֵי: scharf ins Aug fassen *view keenly* > 1. **prüfen** *examine* Js 48, 10; 2. **auswählen** *choose*: Frau *wife* Gn 6, 2, Krieger *warriors* Ex 17, 9, Vorgesetzte *officers* 18, 25, Asylort *refuge* Dt 23, 17, Schleudersteine *sling-stones* 1 S 17, 40, Worte *words* Hi 9, 14, Götter *gods* Jd 10, 14, Weg *way* Ps 25, 12 119, 30 etc.; d. Gewählte steht im ac. oder mit בְּ *the chosen person or thing is given in ac. or with* בְּ; בָּחוּר erwählt, **erlesen** *elected*,

chosen Ex 14, 7 Jd 20, 15 1 S 26, 2 2 S 10, 9; בָּחַר מִן **vorziehen vor** *prefer to* Hi 36, 21; Gott wählt *God chooses* (c. ac. oder *or* c. בְּ): Jakob Ps 135, 4, Stamm Juda *tribe of Judah* 78, 68, e. Menschen *a man* Nu 16, 7, e. Ort als Kultstätte *a place as holy place* Dt 12, 5. 11. 14. 18. 21. 26 14, 23. 24. 25 15. 20 16. 2. 6. 7. 11. 15. 16 17, 8. 10 26, 2 Jos 9, 27 2 K 21, 7 23, 27 Ne 1, 9 2 C 6, 5. 6. 34, 38 7, 12. 16 12, 13 33, 7 †; ein Stadt *a town* 1 K 8, 16. 44. 48 11, 13. 32. 36 14, 21, d. Volk *the people* 1 K 3, 8 Dt 14, 2, David Ps 78, 70, Abram Ne 9, 7, Aaron Ps 105, 26, Serubbabel Hg 2, 23, Salomo 1 C 29, 1, d. Leviten *the Levites* 1 C 15, 2 2 C 29, 11, etc.; 3. l חָבֵר 1 S 20, 30 u. יְרַהֵב Ps 47, 5 u. בחררי Ps 84, 11 u. הִתְחַר Pr 3, 31 u. בִּרְחוֹבֹתֵיהֶם 2 C 34, 6; ? Jd 5, 8 Ir 49, 19 50, 44.

nif: pf. נִבְחַר, pt. נִבְחָר: 1. **geprüft werden** *be examined* (Silber *silver*) Pr 10, 20; 2. **ausgewählt sein** *be elected*, c. מִן **begehrenswerter sein als** *be preferred to* Ir 8, 3 Pr 8, 10. 19 16, 16 21, 3 22, 1. †

pu: l יְחֻבַּר f. יְבֻחַר Ko 9, 4. †

Der. בָּחִיר, n.m. יִבְחָר, מִבְחוֹר, מִבְחָר I u. II.

***בַּחֻרִים**: I בָּחוּר: pl. tantum; Gulk. Abstr. 16. 27; sg. בְּחוּרָיו: Zeit, Alter, **Stand des jungen Manns** (בָּחוּר) *period, age, condition of the young man* (בָּחוּר): Nu 11, 28. †

בַּחֻרִים u. **בַּחוּרִים** (*băḥ-ḥurîm*): n. l.; Voigt AAS 5, 67 ff: = Râs et-Tmîn nö Ölberg *Olivet*, = Abel 2, 260: 2 S 3, 16 16, 5 17, 18 19, 17 (cj 13, 34 Caspari) 1 K 2, 8. †

Der. *בַּחֲרֻמִי.

***בַּחֲרֻמִי** cj 2 S 23, 31 u. *בַּחֲוּרְמִי cj 1 C 11, 33: gntl. v. בַּחֻרִים.

בטא u. **בטה**: mhb. unbesonnen geloben *vow thoughtlessly*; ܒܛܐ schlafen *sleep*?:

qal: pt. בּוֹטֶה (Or. בּוֹטֵא): **unbesonnen reden** *speak rashly, thoughtlessly* Pr 12, 18 †; pi.: impf. יְבַטֵּא, inf. בַּטֵּא: **unbesonnen reden** *speak rashly, thoughtlessly* Lv 5, 4 Ps 106, 33 (cj מִבְטָא). †

Der. מִבְטָא.

בָּטוּחַ u. **בָּטֵחַ**: בָּטֵחַ: **voll Vertrauen** *confident*: Js 26, 3 (G βατουν = בָּטְחוּ) Ps 112, 7. †

בטח: ar. bâṭeḥ e. trächtige Stute, deren Junges man fühlen kann = e. pralle *a pregnant mare the young of which can be felt = a taut one* (Musil AP 3, 273); بَطَحَ = prall, fest, zuverlässig, zuversichtlich sein *be taut, solid, reliable, reliant*; mhb., ja.; EA 147, 56 *ba-ti-ti* ich bin zuversichtlich *I am reliant*:

qal: pf. בָּטַח, בָּטָח, בָּטַחְתָּ, בָּטְחוּ, וַיִּבְטְחוּ, impf. יִבְטַח, יִבְטָח, אֶבְטַח, בָּטָחְנוּ, הִבְטַחְתִּי, inf. בְּטֹחַ, cs. sf. בְּטָחֲךָ! imp. בְּטַח, בִּטְחוּ, pt. בֹּטֵחַ, בּוֹטֵחַ, בֹּטְחָה, בֹּטְחִים, בֹּטְחוֹת, בֹּטֵחַ, בָּטוּחַ: sich sicher fühlen, **Vertrauen haben** *be reliant, trust*. 1. c. בְּ Dt 28, 52 Jd 9, 26 Js 30, 12 (68 ×); 2. c. עַל 2 K 18, 20 Js 31, 1 (23 ×) (oft *frequently* c. dat. ethicus לָךְ, לָכֶם); 3. c. אֶל (l עַל?) Jd 20, 36 Ir 7, 4 Ps 86, 2; 4. abs. voll Vertrauen sein *trust* Js 12, 2 (:: פָּחַד), Ir 12, 5 Ps 27, 3 Pr 28, 1 Hi 6, 20 11, 18 40, 23; 5. בֹּטֵחַ sorglos, arglos *unsuspecting, careless* Jd 18, 10 Js 32, 9. 10. 11 Am 6, 1 Pr 11, 15 14, 16; 6. שֹׁקֵט וּבֹטֵחַ still u. arglos *quiet a. unsuspecting* Jd 18, 7. 27; an vielen Stellen ist Gott d. Gegenstand des Vertrauens *frequently God is the object of the trusting*; l בּוֹרֵחַ Ir 12, 5;

hif: pf. הִבְטִיחַ, הִבְטַחְתָּ, impf. apoc. יַבְטַח, pt. sf. מַבְטִיחִי: 1. **zum Vertrauen** auf jmd **bestimmen** *cause to trust*, c אֶל 2 K 18, 30 Js 36, 15; c. עַל Ir 28, 15 29, 31; 2. Vertrauen einflössen *do make trust* Ps 22, 10. †

Der. בַּטֻּחוֹת, בִּטָּחוֹן, בִּטְחָה, I בֶּטַח, בָּטֻחַ, בָּטוּחַ; מִבְטָח, אֲבַטִּיחִים.

I בֶּטַח: בטח: בָּטַח: **Vertrauen, Sicherheit** *trust, security* Js 32, 17 Jd 8, 11; meist **adverbial: in Sicherheit, sorglos** *mostly used as adverb: securely, unsuspectingly*: הָלַךְ בֶּטַח Pr 10, 9: הָלַךְ לָבֶטַח 3, 23; שָׁכַן בֶּטַח Dt 33, 28 Pr 1, 33: שָׁכַן לָבֶטַח Dt 33, 12 Ir 23, 6 33, 16 Ps 16, 9; יָשַׁב בֶּטַח Dt 12, 10 1 S 12, 11: יָשַׁב לָבֶטַח Lv 25, 18. 19 26, 5 Jd 18, 7 1 K 5, 5 Js 47, 8 Ir 32, 37 49, 31 Hs 28, 26 34, 25. 28 38, 8. 11. 14 39, 6. 26 Ze 2, 15 Sa 14, 11 Ps 4, 9 Pr 3, 29; **ungestört** *undisturbed* בּוֹא בֶּטַח Gn 34, 25 u. עָבַר בֶּטַח Mi 2, 8; לָבֶטַח c. שָׁכַב Ho 2, 20 Hi 11, 18, c. הִנְחָה Hs 34, 27, c. רָבַץ Js 14, 30, c. הָיָה **sicher** *safely* Ps 78, 53; Hi 24, 23 l לָבֶטַח; ? Hs 30, 9. †

II בֶּטַח: n.l.: l III טֶבַח: 2 S 8, 8. †

בָּטֻחַ: F בָּטוּחַ.

בִּטְחָה: בטח: **Vertrauen** *confidence*: Js 30, 15. †

בִּטָּחוֹן: בטח: **Vertrauen** *confidence*: 2 K 18, 19 Js 36, 4 Ko 9, 4. †

בַּטֻּחוֹת: בטח: pl. tantum: **Sicherheit** *safety*: Hi 12, 6. †

בטל: ak. *baṭâlu* u. F ba. בטל **aufhören** *cease*; בَطَلَ u. ܒܛܠ **unwirksam sein** *be vain*:

qal: pf. בָּטְלוּ: **feiern, untätig sein** *cease working*: Ko 12, 3. †

בטן: F בֶּטֶן.

I בֶּטֶן: בטן; ak. *buṭnu*, EA (can. gloss.) *baṭnu* **Inneres** *interior*, بَطْن, בִּטְנָא: **Bauch, Leib** *belly, body, womb*: בִּטְנִי, בִּטְנָם, sf. בִּטְנִי, fem.: 1. **Bauch, d. Manns** *belly, of a man* Jd 3, 21. 22 Hs 3, 3 Ps 17, 14 Pr 13, 25 18, 20 Hi 15, 2 20, 15. 23; **d. Frau** *of a woman* Ct 7, 3, **der Schwangern** *one with child* Ko 11, 5; בֶּטֶן הָאֵם **Mutterleib** *mother's womb* Jd 16, 17 Ps 22, 11 139, 13 Hi 1, 21 Ko 5, 14; > בֶּטֶן Gn 25, 23. 24 38, 27 Jd 13, 5. 7 Js 44, 2. 24 46, 3 48, 8 49, 1. 5 Ir 1, 5 Ho 9, 16 12, 4 Ps 22, 10 58, 4 71, 6 Hi 3, 11 10, 19 15, 35 31, 15 38, 29; פְּרִי־בֶטֶן **Leibesfrucht** *fruit of the womb* Gn 30, 2 Dt 7, 13 28, 4. 11. 18. 53 30, 9 Js 13, 18 Mi 6, 7 Ps 127, 3 132, 11; בֶּן־בִּטְנָהּ Js 49, 15 u. בַּר הַבֶּטֶן Pr 31, 2 **leiblicher Sohn** *son of the womb, own son*, בְּנֵי בִטְנִי d. **Söhne d. Leibs, der mich getragen = meine leiblichen Brüder** *the sons of the womb which has carried me = my own brothers* Hi 19, 17, מִבֶּטֶן **ohne Mutterleib = ohne Austragen der Frucht** *without womb = without ripening of the fruit of the womb* Ho 9, 11; דַּלְתֵי־בִטְנִי Hi 3, 10 u. חַדְרֵי בָטֶן Pr 18, 8 20, 27. 30 26, 22; בִּטְנָהּ צָבָה **angeschwollener Bauch** *swelling belly* Nu 5, 21. 22. 27; **Bauch e. Tiers** *belly of an animal* Hi 40, 16; 2. **Inneres** *the innermost part*, Pr 22, 18 Hi 20, 20 32, 19; רָגְזָה בִטְנִי Ha 3, 16; בֶּטֶן :: נֶפֶשׁ Ps 31, 10 44, 26; רוּחַ בִּטְנִי Hi 32, 18; בֶּטֶן שְׁאוֹל Jon 2, 3; 3. הַבֶּטֶן arch.; **unerklärt** *unexplained* 1 K 7, 20. †

II בֶּטֶן: n.l.; NF v. בָּטְנָה?: in Asser *Asher*; Abel 2, 264: = *Abṭūn* sö עַכּוֹ: Jos 19, 25. †

***בָּטְנָה**: ak. *buṭnu* u. *buṭnatu*, بُطْم, ja. בּוּטְמָא, sy. בֻּטְמְתָא: pl. בָּטְנִים: **Pistazie** *pistachio* **d. eiförmige Nuss** *the oval nut of Pistacia terebinthus L.* (Löw 1, 192): Gn 43, 11. †

בְּטֹנִים: n.l.; *בָּטְנָה? in Gad; *Ch. Baṭne* 10 km sw. *es-Salṭ* (Noth PJ 34, 24; Abel 2, 285): Jos 13, 26. †

בִּי אֲדֹנִי u. **בִּי אֲדֹנָי**: Formel der Gesprächseröffnung *formula for starting a conversation* (ZAW 36, 26 f. 246); elliptisch: „auf mich, mein Herr (komme, was unser Gespräch Unangenehmes, Nachteiliges bringen könnte!)" *elliptic*: *„upon me, my lord (shall come the harm our conversation could do)"*: cf. 1 S 25, 24 2 S 14, 9: c. אֲדֹנִי Gn 43, 20 44, 18 Nu 12, 11 Jd 6, 13 1 S 1, 26 1 K 3, 17. 26, c. אֲדֹנָי (gegenüber Gott *speaking to God*) Ex 4, 10. 13 Jos 7, 8 Jd 6, 15 13, 8. †

בין: ug. *bn*; بَانَ unterschieden sein *be distinct*, [illegible] unterscheiden *discern*, asa. בן, בון unterschieden, getrennt halten *keep distinct*, *remoted*; ja., sy. pa. klar machen *make clear*; ak. *barū* entscheiden *decide* (?):

qal: pf. בִּין Da 10, 1, בַּנְתָּה Ps 139, 2 u. cj בִּינֹתָה Hi 34, 16, בִּינֹתִי Da 9, 2, impf. (oder *or* impf. hif! †) אָבִין, וַתָּבֶן, תָּבִין, וַיָּבֶן, יָבֵן, יָבִין, תָּבִינוּ, יָבִינוּ, וְאָבִינָה, inf. בִּין Pr 23, 1, imp. בִּין Da 9, 23, בִּינָה, בִּינוּ: 1. c. acc. **verstehn, einsehn** *understand* Ir 9, 11 Ho 14, 10 Ps 50, 22 92, 7 Pr 2, 5. 9 19, 25 20, 24 23, 1 28, 5 29, 7 Hi 23, 5 42, 3 Da 10, 1; abs. Js 6, 9. 10 Ho 4, 14 Pr 24, 12 29, 19 Da 12, 8. 10; Js 44, 18 Ps 49, 21. cj 13 82, 5 Hi 18, 2, cj 34, 16; c. לְ c. inf. fähig sein, können *be able* Js 32, 4, cj Jd 12, 6; abs. klug handeln *deal wisely* 2 C 11, 23; 2. c. acc. beachten, bedenken *consider* Dt 32, 7 Ps 5, 2 19, 13; c. עַל aufmerken auf *pay attention to* Da 11, 30. 37, c. אֶל achten auf *regard* Ps 28, 5; c. בְּ bemerken *notice* Esr 8, 15; aufmerken auf *pay attention to* Da 9, 23 Ne 8, 8 13, 7; c. acc. merken *discern* Hi 6, 30 15, 9; c. לְ achtgeben auf, bedenken *consider* Dt 32, 29 Ps 73, 17 139, 2 Pr 14, 15 Hi 9, 11 13, 1 14, 21 23, 8; c. כִּי merken, dass *understand that* 1 S 3, 8 2 S 12, 19 Js 43, 10; abs. יָבִין er merkt es *he perceives it* Ps 94, 7. 8; c. acc. u. בְּ jmd bemerken unter *discern a p. among* Pr 7, 7; יָבִין מִשְׁפָּט weiss, was recht ist *knows what is right* Hi 32, 9; 3. abs. erforschen *inquire* Da 9, 2; 4. l מִתְבֹּנְנִים Ir 49, 7, יָנוּבוּ Ps 58, 10, יָכִין Hi 36, 29, תְּבִיאֶנּוּ Hi 38, 20 u. וַיָּבֹא Da 9, 22; †

nif: pf. נְבֻנוֹתִי Js 10, 13; pt. נָבוֹן, cs. נְבוֹן, pl. נְבֹנִים u. נְבוֹנִים, sf. נְבֹנָיו: **einsichtig sein** *be discerning, have understanding* Js 10, 13; נָבוֹן = חֲכַם לֵב Pr 16, 21; // חָכָם Gn 41, 33. 39 u. oft *a. more*, :: חֲסַר לֵב Pr 10, 13, Dt 1, 13 4, 6 1 K 3, 12 Js 5, 21 29, 14 Ir 4, 22, cj 49, 7 Ho 14, 10 Pr 1, 5 14, 6. 33 15, 14 17, 28 18, 15 19, 25 Ko 9, 11 Si 9, 15; נְבוֹן דָּבָר redekundig *able speaker* 1 S 16, 18, נְבוֹן לַחַשׁ zauberkundig *skilled charmer* Js 3, 3; †

pil: impf. sf. יְבוֹנְנֵהוּ: c. acc. achthaben auf *take care of* Dt 32, 10, cj imp. בּוֹנֵן c. לְ Hi 8, 8;

hif: pf. הֵבִין, הֵבִינוּ, הֲבִינוֹתֶם; impf. יָבִין, sf. וַיְבִינֵהוּ (*F* impf. qal!); inf. הָבִין, sf. הֲבִינְךָ; imp. הָבֵן, הָבִינוּ; pt. מֵבִין, pl. מְבִינִים (מְבוֹנִים 2 C 35, 3 = נְבוֹנִים × מְבִינִים) cs. מְבִינֵי: 1. **unterscheiden können, Einsicht haben** *be able to discern, be judicious, intelligent*: a) c. בֵּין . . . לְ unterscheiden zwischen . . . und *discern between . . . and* 1 K 3, 9; b) Gott *God*: wissen *understand* Hi 28, 23 1 C 28, 9; c) c. בְּ: d. Unterschied kennen von *have understanding in* Da 1, 17; Einsicht gewinnen in *understand* Ne 8, 12; d) Einsicht haben *have understanding* Js 29, 16 Ne 8, 2; e) inf. הָבִין Einsicht *understanding* 1 K 3, 11 Ps 32, 9; f) c. acc. begreifen *understand* Mi 4, 12 Pr 1, 2. 6 8, 5a 14, 8 28, 5 Da 10, 14; g) abs. = f Js 40, 21 56, 11 Da 8, 27 10, 12; h) c. אֶל achthaben auf *consider* Ps 33, 15; i) c. בְּ achten auf *consider* Da 9, 23 10, 11; j) abs. aufmerken *give heed* Da 8, 5. 17; k) מֵבִין verständig *intelligent*, *sensible* Pr 8, 9 17, 10. 24 28, 2. 7. 11 Ne 8, 3 (Kinder *children*) 10, 29 (l וּמֵבִין) 1 C 27, 32; l) מֵבִין sachkundig *expert* 1 C 15, 22

25,7 2 C 34,12 (בְּ in); m) מְבִינֵי מַדָּע mit gutem Unterscheidungsvermögen *with judicious discernement* Da 1,4; n) מֵבִין erfahren in *experienced in* Da 8,23; **2. zur Unterscheidung, Einsicht bringen** *make understand*: a) c. 2 ac. jmd etw. einsehn lassen *make somebody to understand something* Js 28,9.19 Ps 119, 27; b) c. ac. jmd Einsicht geben *show the way of understanding to* Js 40,14; c) c. ac. jmd einsichtig machen *give underst. to a person* Ps 119,34.73.125.130.144.169; d) c. לְ jmd den Unterschied zeigen *show the distinction* Hi 6,24; e) c. ac. u. לְ (jmd etw.) erklären *explain, interpret* Da 8,16 Ne 8,7.9; f) c. לְ jmd unterweisen *instruct* 2 C 35,3 (l הַמְּבִינִים); z. Einsicht bringen *instruct* Da 11,33; g) מֵבִין Lehrer *teacher* Esr 8,16 1 C 25,8 (:: תַּלְמִיד); h) c. בְּ unterweisen in *teach* 2 C 26,5 (l בְּיִרְאַת); l הֲכִינוּ Pr 8,5b; †

hitpol: pf. הִתְבּוֹנַנְתָּ, הִתְבּוֹנְנוּ, הִתְבּוֹנָן; impf. הִתְבּוֹנְנוּ .imp; הִתְבּוֹנֶן־, אֶתְבּוֹנָן, וְאֶתְבּוֹנֵן, יִתְבּוֹנָן: **1. sich einsichtig verhalten** *behave intelligent* Js 1,3 Ir 9,16 Ps 119,100 (מִן mehr als *more than*). 104 (מִן wegen *regarding*) Si 7,5; 2. c. ac. seine Aufmerksamkeit zuwenden *turn one's attention to* Js 43,18 52,15 Ir 2, 10 Ps 107,43 119,95 Hi 11,11 23,15 26,14 (11,11 u. 26,14 *F* ZAW 32,285) 37,14; 3. c. בְּ: dasselbe *the same* Ir 23,20 30,24 Hi 30, 20 Si 3,22 9,5; 4. c. עַד: dasselbe *the same* Hi 32,12 38,18; 5. c. אֶל: sich genau ansehn *examine closely* 1 K 3,21 Js 14,16; 6. c. עַל: sich umsehn nach *look out for* Ps 37,10 Hi 31,1 (l מֵהִתְבּ׳). †

Der. *בַּיִן, בִּינָה, בֵּנַיִם; יָבִין n.m.; תְּבוּנָה.

***בַּיִן**: בין: *F* ba.; ܒܝܢ Zwischenraum *interval*: cs. בֵּין: **1. Zwischenraum, Abstand** *interval, distance*: Ne 5,18; 2. cs. als praep. gebraucht *used as preposition*: ug. *bn* u. *bnt* wie בֵּין u. בֵּינוֹת, ܒܝܢ, ja. בֵּין, sy. בֵּינֵי, בֵּינַת, asa. ቤነ, soq. (*mē-*)*bīn* zwischen *between*: בֵּין u. בֵּינוֹת Hs 10,2.2.6.6.7.7 u. cj 1,13, sf. בֵּינוֹתֵינוּ Gn 26,28 Jos 22,34 Jd 11,10 u. בֵּינֹתָם Gn 42,23 2 S 21,7 Ir 25,16†; בֵּין c. sff. בֵּינִי, (Gn 16,5 l בֵּינֶךָ f. בֵּינֶיךָ) בֵּינוֹ (l בֵּין יהוה), בֵּינֵנוּ Jos 3,4 8,11†, בֵּינֵינוּ, בֵּינֵיכֶם, 2 C 23,16), בֵּינֵיהֶם: **zwischen** *between*: בֵּין הַגְּזָרִים Gn 15,17, בֵּין הַחוֹחִים Ct 2,2; l מִבֵּין Da 8,16; meistens *mostly* בֵּין.... וּבֵין Gn 1,4 9,16 Ex 11,7 u. בֵּין.... לְבֵין Js 59,2 u. בֵּין.... לְ (ar. *bajna ... uaʾilā*) Gn 1,6 Hs 44,23 Ma 3,18 Jl 2,17 Hi 16,21 (l וּבֵין f. וּבֶן־) **zwischen.... und** *between ... and*; sachgemäss meist nach Verben der Unterscheidung *appropriate used after expressions of discerning*: שָׁפַט, הִבְדִּיל, הוֹכִיחַ, הוֹרָה, הֵבִין, יָדַע, הִפְלָה etc.; 3. אֶל־בֵּין bis zwischen (*until*) *among* Hs 31,10.14; אֶל־בֵּינוֹת לְ mitten zwischen.... hinein *in between* Hs 10,2; l כְּבֵין f. בְּבֵין Js 44,4; מִבֵּין: מִבֵּין רַגְלָיו zwischen s. Füssen fort *from between his legs* Gn 49,10, מִבֵּין הַשְּׂרֵפָה aus... heraus *out of* Nu 17,2, מִבֵּין הַגּוֹיִם aus d. Mitte... fort *from among* Hs 37,21; Hs 47,18 l בֵּין f. מִבֵּין (4 ×!); מִבֵּינוֹת לְ zwischen.... hervor *from between* Hs 10,2.6.7; עַל־בֵּין bis zwischen .... hinauf (*up until*) *among* Hs 19,11.

Der. בֵּנַיִם.

בִּינָה: בין: = ba.; cs. בִּינַת, sf. בִּינָתִי, בִּינָתְךָ, בִּינַתְכֶם, pl. בִּינוֹת Js 27,11†: **Einsicht** *understanding*: Dt 4,6 Js 11,2 29,14 Pr 2,3 3,5 7,4 8,14 9,10 23,4.23 Hi 20,3 28,12.20.28 39, 17.26 Da 8,15 1 C 22,12; יָדַע בּ׳ Js 29,24 Pr 4,1 Hi 38,4 2 C 2,11.12; קָנָה בּ׳ Pr 4, 5.7 16,16; בִּינַת אָדָם menschliche E. *und. of a man* Pr 30,2; דֶּרֶךְ בּ׳ Pr 9,6; אִמְרֵי בּ׳ einsichtige W. *words of underst.* Pr 1,2; חָכְמַת בּ׳

Da 1, 20 u. מְשַׁל בִּ׳ Si 6, 35 einsichtig *understanding*; עַם בִּינוֹת einsichtiges V. *people of underst.* Js 27, 11; אֵין בִּ׳ unverständlich *not to be understood* 33, 19; הִתְבּוֹנֵן בִּ׳ recht verstehn *understand perfectly* Ir 23, 20; בִּינָה Verständnis *understanding* Da 9, 22 10, 1 1 C 12, 33; l בִּינָתָה Hi 34, 16.†

בֵּיצָה*: = mhb.; בִּיץ; ak. *bêṣu?* ܒܺܝܥܬܳܐ, aram. בֵּיעֲתָא: pl. fem.! בֵּיצִים, cs. בֵּיצֵי, sf. בֵּיצֶיהָ: Ei *egg* Dt 22, 6 Js 10, 14 59, 5 Hi 39, 14.†

בִּוֹר: Ir 6, 7: Q בַּיִר = בְּאֵר, K בּוֹר; l בְּאֵר.†

בִּירָה: F ba.; LW; ak. *bîrtu* feste Stadt, Burg *fortified town, citadel*, ja. sy. nab. בִּירְתָא: pl. F בִּירָנִיָּה*: Zitadelle *citadel* (v. Susa, neben *together with* הָעִיר d. Stadt *the town* Est 3, 15 8, 15), Schloss *castle*: Est 1, 2. 5 2, 3. 5. 8 3, 15 8, 14 9, 6. 11. 12 Da 8, 2 Ne 1, 1; in Jerusalem Ne 2, 8 7, 2; (wie *like* nab. = ἱερόν CIS II, 164) Tempel *temple* 1 C 29, 1. 19.†

בִּירָנִיָּה* oder *or* **בִּירָנִית***: בִּיר[תָה] plus — *ānijja*, — *ānît*: pl. בִּירָנִיּוֹת: feste Plätze *fortified places* (in Juda) 2 C 17, 12 27, 4.†

בַּיִת (2000 ×): Sem; [ܒܳܬ übernachten *get a night's shelter*; ?]; ug. *bt*, pl. *bhtm*, ak. *bîtu*, ph. בת, pl. בתם; ܒܰܝܬܳܐ, ܒܰܝܬ, abs. ܒܰܝ, pl. ܒܳܬܶܐ Haus *house*, soq. *beyt* Steinhaus *stone house*; etc.: cs. בֵּית, sf. בֵּיתִי, בֵּיתְךָ, pl. בָּתִּים bâttim!, cs. בָּתֵּי, sf. בָּתָּיו; c. -â בַּ֫יְתָה u. [בְּתוּאֵל] בֵּיתָה Gn 28, 2; msc, Pr 2, 18 l נְתִיבָהּ: **Haus** aus Lehm, Ziegeln, Steinen *house made of clay, bricks, stones*: 1. (Wohn-)haus (*dwelling-*)*house*; oft mit nur e. einzigen Raum *frequently consisting of a single room* Gn 19, 2 33, 17 (בַּיִת f. Menschen *for mankind*, סֻכֹּת f. Vieh *for cattle*); בַּיִת > בְּבַיִת Gn 24, 27; בַּ֫יְתָה in das Haus des *into the house of* Gn 43, 17; a) בֵּית הַמֶּלֶךְ Königsschloss *house, palace of the king* u. בָּתֵּי הָעָם (sic) die Häuser der Leute *the houses of the people* Ir 39, 8; בֵּית פַּרְעֹה d. Palast des Ph. *the palace of Ph.* Gn 12, 15; (אֲשֶׁר) עַל הַבַּיִת Schlossverwalter *keeper of the palace* 1 K 4, 6 16, 9 2 K 18, 18 19, 2 Js 22, 15 36, 3 (auf Siegel *on seal* RES 1936, XIII), Gn 44, 1; b) בֵּית Haus, Tempel e.s Gottes *house, temple of a god*: Dagon 1 S 5, 2; בֵּית יהוה Ex 23, 19 34, 26, in Silo Jd 18, 31 1 S 1, 7 (dele בֵּית Jos 6, 24), in Jerusalem 1 K 6, 5 Js 2, 2 (dele ?בֵּית); בֵּית הָאֱלֹהִים Jd 18, 31 Da 1, 2; > הַבַּיִת d. Tempelhaus *the house* (*of the temple*) Hs 41, 7 ff, d. Tempel *the temple* Mi 3, 12 Hg 1, 8; בֵּית מַמְלָכָה Am 7, 13; בֵּית הָאֹהֶל 1 C 9, 23; בָּתֵּי הַבָּמוֹת 1 K 13, 32; c) Teile e.s mehrräumigen Hauses *parts of a house of different rooms* (*wings*): בֵּית הַחֹרֶף u. בֵּית הַקַּיִץ Am 3, 15; בֵּית הַנָּשִׁים Frauenhaus, Harem *house of the women, harem* Est 2, 3; בֵּית מִשְׁתֵּה הַיַּיִן Est 7, 8 (Da 5, 10); בֵּית עֲבָדִים Sklavenzwinger *slaves-kennel* Dt 5, 6; F מַהְפֶּכֶת, בּוֹר, כֶּלֶא, אסור, מוֹשָׁב, מִשְׁמָר, מוֹעֵד, מַרְזֵחַ, חָפְשִׁית, סֹהַר etc. 2. Aufenthaltsort *dwelling-place* שְׁאוֹל Hi 17, 13 30, 23, עֲרָבָה 39, 6; Hof *halo* (e.s Feuers *of a fire*) Hs 1, 27; Spinngeweb *spider's web* Hi 8, 14, cj 27, 18; בֵּית עוֹלָם (= pun. Lidz. 235, Nöld., Glotta 3, 279) = Grab *grave* Ko 12, 5 (Ps 49, 12); בָּתֵּי חֹמֶר = Menschenleiber *human bodies* Hi 4, 19. בַּיִת = Behälter *receptacle*: בָּתֵּי נֶפֶשׁ Riechfläschchen *scent-bottles* Js 3, 20; בָּתִּים לַבְּרִיחִם Riegelhalter *supports* Ex 26, 29 36, 34, בָּ׳ לַבַּדִּים 37, 14 38, 5; בֵּית סָאתַיִם e. Fläche, die mit 2 סְאָה besät werden kann *an area covered by two* סְאָה *seed* 1 K 18, 32; בֵּית קִבְרוֹת אֲבֹתַי wo m. V. begraben sind *where m.f. are buried* Ne 2, 3; l בֵּין f. בֵּית Hs 41, 9; בֵּית נְתִיבוֹת Ausgangspunkt, Schnittpunkt der Wege *crossing of the roads* Pr 8, 2 (*διέξοδοι* Mt 22, 9).

3. **das Innere** *the interior* (:: חוּץ): בַּיְתָה nach innen *inward* Ex 28, 26 39, 19 1 K 7, 25 2 C 4, 4; מִבַּיִת inwendig *within* Gn 6, 14 1 K 6, 16 2 K 6, 30; מִבַּיְתָה inwendig *within* 1 K 6, 15; לְ מִבֵּית innerhalb von *within* Nu 18, 7; לְ אֶל־מִבֵּית in .... hinein *forth between* (?) 2 K 11, 15.

4. בַּיִת **Hausgemeinschaft, Familie** *inmates of a house, family*: בֵּיתִי Jos 24, 15; בֵּיתְךָ = d. Frau(en), Kinder u. Gesinde *th. wife(s), children a. servants* Gn 7, 1; בַּיִת Unterteil v. *subdivision of* מִשְׁפָּחָה Jos 7, 14; בֵּית פַּרְעֹה *house = court* Gn 50, 4 Est 4, 13; יְלִיד בַּיִת in d. Hausgemeinschaft geboren *born in the family* Gn 17, 27; בֵּית לֵוִי Nachkommen *offspring* Ex 2, 1; בֵּית c. אֶפְרַיִם, יְהוּדָה, יִשְׂרָאֵל etc. Volksgemeinschaft *congregation* (*of the people*) *the whole people of* (ak. *bît ḫumrî* = עָמְרִי, bît ammânu = *the Ammonites*); בֵּית הָרֵכָבִים d. Gemeinschaft d. Rekabiten *the communion of the descendants of R.* Ir 35, 2; בֵּית דָּוִד 1 S 20, 16 1 K 12, 16 13, 2 Js 7, 2. 13 d. Dynastie D.s *the dynasty of D.* (AP 30, 3: בני ביתא d. königlichen Prinzen *the royal princes*). בָּנָה בַיִת e. Hausstand gründen *set up a household* Pr 24, 27; c. לְ Nachkommen erzeugen für *procreate issue for* Dt 25, 9, von Frauen gesagt *said of women* Ru 4, 11, (Gott *God*) gibt Nachkommen *presents offspring* 2 S 7, 27 1 K 11, 38; עָשָׂה בַּיִת 2 S 7, 11 1 K 2, 24, עָשָׂה לְ בָּתִּים Ex 1, 21 Familie, Kindersegen geben *present family, offspring*; בֵּית מְרִי widerspänstiges Volk *rebellious people* Hs 2, 5.

5. בֵּית אָב Haus e.s Vaters, **väterliche Familie, Blutsverwandte vom Vater her** *house, family of a father, consanguineous ones in the father's line* Gn 24, 38 46, 31 47, 12; wie *like* ak. *bît abi* Familie als Unterteil v. *family the subdivision of* מִשְׁפָּחָה Nu 1, 2, אֶלֶף Jd 6, 15, מַטֶּה Nu 17, 17; בֵּית־אֲבֹתָם ihre Familien (über d. Vaterlinie) *their families* (*in the father's line*) Ex 6, 14 1 C 5, 24, > (ellipt.) אָבוֹת Ex 6, 25 Nu 31, 26 Jos 14, 1 Esr 1, 5 1 C 8, 6 26, 32 29, 6 1 K 8, 1 2 C 5, 2.

6. בֵּית יהוה Haus = Land J.s *house = country of Y.* Ho 8, 1 9, 15 Ir 12, 7 Sa 9, 8.

7. בֵּית in *nominibus loci*: (ursprünglich = **Siedelung** von Blutsverwandten *originally = settlement of consanguineous people*) בְּעֶשְׁתְּרָה > בֵּית עֶשְׁ׳; Js 10, 32 l בַּת f. בֵּית; in Zusammensetzungen mit Gottesnamen *in compounds with the name of a god* (אֵל, בַּעַל מְעוֹן, דָּגוֹן, הָרָם? etc.) bedeutet בֵּית d. Heiligtum, um das sich die Siedelung lagerte בֵּית *designs the sanctuary round which the settlement grew.*

1. בֵּית אָוֶן: verunstaltender Ersatz von *defacing substitute of* בֵּית אֵל Jos 7, 2 18, 12 1 S 13, 5 14, 23 Ho 4, 15 5, 8 10, 5. †

2. בֵּית־אֵל (Gn 28, 17. 22 = בֵּית אֱלֹהִים) Bethel *Beth-el*, = *Bētīn*, 17 km n. Jerusalem, 880 m; früher *formerly* לוּז Jd 1, 23; *F* ZDP 38, 1—40, 57, 186 ff, PJ 31, 13 f, BRL 98 f; Gn 12, 8 13, 3 28, 19 31, 13 35, 1. 3. 6. 8. 15 Jos 7, 2 8, 9 12, 9 16, 1 18, 13. 22 Jd 1, 22 f 4, 5 20, 18. 26. 31, cj 23 21, 2. 19 1 S 7, 16 10, 3 13, 2 1 K 12, 29. 32 f 13, 1. 4. 10. 11. 32 2 K 2, 2. f 23 10, 29 17, 28 23, 4. 15. 17. 19 Ir 48, 13 Ho 12, 5 Am 3, 14 4, 4 5, 5 f 7, 10. 13 Sa 7, 2 Esr 2, 28 Ne 7, 32 1 C 7, 28 2 C 13, 19 (Ho 10, 15 l בֵּית־יִשְׂרָאֵל) †; בֵּית־אֵל 1 S 30, 27 *F* בְּתוּאֵל; בֵּית־אֵל Name e. Gotts *name of a god* Gn 31, 13 35, 7 Ir 48, 13 *F* Eissfeldt, ARW 28, 1 ff, Vincent, Religion des Judéo-Araméens, 1937, 562 ff; בֵּית־אֵל־שַׂר־אֶצֶר Sa 7, 2 *F* שַׂר־אֶצֶר.

Der. בֵּית הָאֱלִי: 1 K 16, 34. †

3. בֵּית הָאֵצֶל: n.l.: in Juda: Mi 1, 11. †

4. בֵּית אַרְבֵּאל: n.l.; < בֵּית אַרְבְּאֵל (?) = *Irbid* in Gilead? in Galiläa? BAS 35, 10; l יָרָבְעָם G?: Ho 10, 14. †

5. בֵּית בַּעַל מְעוֹן: n.l., = Mâ‘în 8 km sw. Madeba; erst zu Ruben, dann zu Moab (mo. בת בעלמען) gehörig *first belonging to Reuben, later to Moab*; n.m. בעלמני Ostrakon v. Samaria: Jos 13, 17; > בַּעַל מְעוֹן Nu 32, 38 Hs 25, 9 1 C 5, 8, > בֵּית מְעוֹן Ir 48, 23, > בְּעֹן Nu 32, 3. †

6. בֵּית בִּרְאִי: n.l., 1 C 4, 31, F בֵּית לְבָאוֹת Jos 19, 6. †

7. בֵּית בָּרָה: n.l.; Jd 7, 24. †

8. בֵּית גָּדֵר: n.l.; = גֶּדֶר Jos 12, 13? in Juda: 1 C 2, 51. †
Der. גְּדֵרִי.

9. בֵּית הַגִּלְגָּל: n.l.; bei *near* Jerusalem Ne 12, 29. †

10. בֵּית גָּמוּל: n.l.; in Moab? *Ch. ed-Ǧumil* ö. עֲרֹעֵר (Volz): Ir 48, 23. †

11. בֵּית הַגָּן: n.l.; *Ǧenîn*?; = עֵין גַּנִּים? 2 K 9, 27. †

12. בֵּית דִּבְלָתַיִם: n.l.; mo. בת דבלתן; in Moab; Musil AP 1, 251 = *ed-dlêlet el-ġarbijje*; F עַלְמֹן: Ir 48, 22. †

13. בֵּית דָּגוֹן: n.l.; äg. *b(y)t dqn* ETL 204; keilschr. *Bît-dagauna* F דָּגוֹן; a) in Juda, bei *near* לָכִישׁ: Jos 15, 41 †; b) in Asser *Asher*: Jos 19, 27. †

14. בֵּית הָרָם: n.l.; in Gad: Jos 13, 27 † u.

15. בֵּית הָרָן: n.l.; in Gad; Talmud בית רמתה = *T. er-Râme* (Neubauer 247); = *T. Iktanū* (BAS 91, 21 f s. *W. Rāmeh* (ZDP 2, 2 f 13, 218 Musil AP 1, 344. 347): Nu 32, 36. †

16. בֵּית חָגְלָה: n.l.; ‘*ên Ḥaǧla* ö. Jericho, Abel 2, 48. 92: Jos 15, 6 18, 19. 21. †

17. בֵּית חָנָן: n.l.; 1 K 4, 9. †

18. בֵּית חֹרוֹן: n.l., 2 Ortschaften *2 places*; äg. *bt ḥ(w)rn* ETL 204: a) ב׳ ח׳ תַּחְתּוֹן = *Bēt‘ur et-taḥta* 18 km nw. Jerusalem Jos 16, 3 18, 13 1 K 9, 17 2 C 8, 5; b) ב׳ ח׳ עֶלְיוֹן = *Bēt‘ur el-fōqa* 16 km nw. Jerusalem Jos 16, 5 21, 22 2 C 8, 5; מַעֲלֵה ב׳ ח׳ Jos 10, 10, מוֹרַד ב׳ ח׳ 10, 11; F חוֹרוֹן. †
Der. חֹרֹנִי.

19. בֵּית הַיְשִׁמוֹת: n.l.; *T. el-‘Aẓeimeh* s. *W. el-‘Aẓeimeh* BAS 91, 25: Nu 33, 49 Jos 12, 3 13, 20 Hs 25, 9. †

20. בֵּית כָּר: n.l.; in Juda: 1 S 7, 11. †

21. בֵּית הַכֶּרֶם: n.l.; in Juda; = *Ǧ. el-Furēdīs* 12 km s. Jerusalem? ZDP 37, 187. 351: Ir 6, 1 Ne 3, 14. †

22. בֵּית לְבָאוֹת: n.l.; F בֵּית בִּרְאִי u. לְבָאוֹת: Jos 19, 6. †

23. בֵּית לֶחֶם: Bethlehem *Beth-lehem* a) n.l. בֵּ׳ לֶ׳ יְהוּדָה Jd 17, 7—9 19, 1. 2. 18 1 S 17, 12 Ru 1, 1 f, ohne *without* יְ׳ Gn 35, 19 48, 7 Jd 12, 8. 10 1 S 16, 4 17, 15 20, 6. 28 2 S 2, 32 23, 14—16. 24 Ir 41, 17 Mi 5, 1 Ru 1, 19. 22 2, 4 4, 11 1 C 4, cj 22 11, 16—18 Esr 2, 21 Ne 7, 26 † (Schroeder, OLZ 18, 294 f vermutet e. Gott *suggests a god Laḥmu* :: Albright, AJS 53, 7[20]), = *Bēt laḥm* 7 km. s. Jerusalem; Galling, BRL 100 f; b) in Sebulon, = *Bēt laḥm* 15 km w. Nazareth: Jos 19, 15; † c) n. m. = n.l.: 1 C 2, 51. 54 4, 4. †
Der. בֵּית הַלַּחְמִי (zu *of* a)).

24. בֵּית לְעַפְרָה: n.l.; l בֵּית עַפְרָה? Mi 1, 10. †

25. בֵּית מְעוֹן: n.l.; = בֵּית בַּעַל מְעוֹן: Ir 48, 23; F בְּעֹן. †

26. בֵּית מַעֲכָה: = אָבֵל בֵּ׳ מַ׳.

27. בֵּית הַמַּרְכָּבוֹת: Jos 19, 5 u. בֵּית מַ׳ 1 C 4, 31: n.l.; in Simeon = Süd-Juda *South-Judah*. †

28. בֵּית נִמְרָה: n.l.; = נִמְרָה Nu 32, 3; = *T. Bleibil* Ausgang *end of* W. Scha'ib, BAS 91, 12: Nu 32, 36 Jos 13, 27. †

29. בֵּית עֶדֶן: n.l.; kaum ak. *Bīt-Adini* Landschaft im nördlichen Aram, rittlings d. Eufrats *country of North-Aram, on both sides of the Euphrates*: Am 1, 5. †

30. בֵּית עַזְמָוֶת Ne 7, 28 = עַזְמָוֶת Ne 12, 29 Esr 2, 24: n.l., = *el-Hisme* 7 km n. Jerusalem. †

31. בֵּית הָעֵמֶק: n.l.; in Asser *Asher*; הָעֵמֶק = Sahl el-Baṭṭōf, d. Ebene w. Ğ. Tūrān in Galiläa; T. *Mīmās*, Saarisalo JPO 9, 6: Jos 19, 27. †

32. בֵּית עֲנוֹת: n.l.; äg. *bt* ʿ*nt* ETL 204; in Juda; = *Ch. bēt* ʿ*ēnūn* sö. Ḥalḥul PJ 21, 20(?); F בֵּית עֲנָת: Jos 15, 59. †

33. בֵּית עֲנָת: n.l.; äg. *bt* ʿ*nt* ETL 204; in Naphtali; wohl *probably el-El*ʿ*ēne* Alt PJ 22, 55—9: Jos 19, 38 Jd 1, 33. †

34. בֵּית עֵקֶד הָרֹעִים 2 K 10, 12 = בֵּית עֵקֶד 10, 14: n.l.; = *Bēt Qād* ö. Ğenīn (Abel 2, 271). †

35. בֵּית הָעֲרָבָה: Jos 15, 6. 61 18, 18 (l בֵּית f. מוּל). 22 u. הָעֲרָבָתָה 18, 18: n.l.; Dalm. PJ 21, 26 f: ʿ*ēn el-Garabe* n. *W. Qelt*. † Der. עַרְבָתִי.

36. בֵּית פֶּלֶט: n.l.; im נֶגֶב; Flinders Petrie, Beth Pelet (*T. Fār*ʿ*a*), London 1930:: Galling BRL 57 u. Abel 2, 278 = *el Mešaš*: Jos 15, 27 Ne 11, 26. † Der. II פַּלְטִי.

37. בֵּית פְּעוֹר: n.l.; = *Ch. eš-Šeš Ğājil* 10 km w. *Ḥesbān*: Dt 3, 29 4, 46 Jos 13, 20. †

38. בֵּית פַּצֵּץ: n.l.; in Issaschar; Jos 19, 21. †

39. בֵּית צוּר, F IV *צוּר: n.l.; = *Ch. eṭ-Ṭubēka* 7 km n. Hebron, O. R. Sellers, The citadel of Beth Zur, 1933: Jos 15, 58 Ne 3, 16 1 C 2, 45 2 C 11, 7. †

40. בֵּית רְחֹב: n.l.: a) bei *near* Dan Jd 18, 28, = רְחֹב Nu 13, 21†; b) אֲרַם בֵּית רְחוֹב 2 S 10, 6 1 S 14, 47 (G) = *Riḥāb* 27 km ö. *Ğaraš*, südlichster Bereich d. Aramäer *southern border of the Aramaeans*. †

41. בֵּית שְׁאָן > בֵּית שָׁן 1 S 31, 10. 12 u. בֵּית שַׁן 2 S 21, 12, n.l.; = *T. el Ḥösn* bei *near Bēsān*, Σκυθῶν πόλις, Σκυθόπολις; später *later Hebrew* בֵּישָׁן; ak. *Bīt Sāni* EA 289, 20; äg. *bt šr* ETL 204; *A. Rowe*, Topography a. History of Bethshan, Philadelphia, 1930; BRL 101—3: Jos 17, 11. 16 Jd 1, 27 1 K 4, 12 1 C 7, 29. †

42. בֵּית הַשִּׁטָּה: n.l.; bei *near* אָבֵל מְחוֹלָה: Jd 7, 22. †

43. בֵּית שֶׁמֶשׁ: n.l.; a) in Naphtali, bei *near* בֵּית עֲנָת: Jos 19, 38 Jd 1, 33†; b) *T. er-Rumēle* bei *near* ʿ*ēn Šems* im *W. Ṣarār*, 24 km w. Jerusalem; BRL 103—5 (Literatur!) F עִיר שֶׁמֶשׁ u. הַר חֶרֶס: Jos 15, 10 21, 16 1 S 6, 9. 12 f. 15. 19 f 1 K 4, 9 2 K 14, 11. 13 1 C 6, 44 2 C 25, 21. 23 28, 18†; Der. בֵּית הַשִּׁמְשִׁי; c) *el-*ʿ*Abēdīje* am *on the* Jordan, bei *near* בֵּית שְׁאָן Saarisalo 119 f: Jos 19, 22†; d) = אוֹן Heliopolis in Ägypten *in Egypt*: Ir 43, 13. †

44. בֵּית תַּפּוּחַ: n.l.; äg. *bt tp(w)-(ḥ?)* ETL 204; *Taffūḥ* w. Hebron: Jos 15, 53. †

בֵּית הָאֱלִי: gntl. v. בֵּית־אֵל: 1 K 16, 34. †

בֵּית הַלַּחְמִי: gntl. v. בֵּית לֶחֶם a): Isai *Jesse* 1 S 16, 1. 18 17, 58; Elhanan 2 S 21, 19, cj 1 C 20, 5. †

בֵּית הַשִּׁמְשִׁי: gntl. v. בֵּית שֶׁמֶשׁ b): 1 S 6, 14. 18. †

בִּיתָן: (בַּיִת) ak. *bitānu*, LW: cs. בִּיתַן Palast *palace*: Est 1, 5 7, 7 f. †

בכא: בָּכָא.

בָּכָא: בכא = בכה tränen (Pflanzen), tropfen *drip* (*plants*); ar. *al-bakā* Lisān 18, 90, 1—2: Holzpflanze wie *al-bašāma* F בָּשָׂם; geschnitten lässt sie weisse Milch ausfliessen *a shrub or tree like al-bašāma* F בָּשָׂם; *when cut, it drips a milky sap*; Dalm AS 1, 541: Mastixterebinthe *mastic-tree Pistacia lentiscus*; G ἄπιος (Birne *pear*), = *Euphorbia apios* (Birnenwolfsmilch) deren Wurzelknollen birnförmig sind *the bulbs of which are pear-shaped*: pl. בְּכָאִים **Bakasträucher** *baka-shrubs* 2 S 5, 23 f 1 C 14, 14 f; n.l. עֵמֶק הַבָּכָא Yellin JPO 3, 191 f Ps 84, 7. †

בכה (113 ×); ug. *bky*, ak. *bakū*, بكى, aram. בכא, ብከየ tränen, weinen *tear, drip, weep*; F בָּכָא:

qal: pf. בָּכָה, בָּכְתָה, בָּכִיתִי, בְּכִיתֶם, בָּכִינוּ, impf. וַיֵּבְךְּ, תִּבְכֶּה, וַתִּבְכֶּה, תִּבְכִּי, אֶבְכֶּה, וָאֶבְכֶּה, יִבְכּוּ, וַיִּבְכּוּ, יִבְכָּיוּן, תִּבְכֶּינָה, inf. בָּכֹה u. בָּכוֹ, לִבְכּוֹת, לִבְכֹּתָהּ, imp. בְּכוּ, בְּכֶינָה, pt. בֹּכֶה u. בּוֹכֶה, בּוֹכִיָּה, בֹּכִים u. בּוֹכִים: 1. abs. **weinen** *weep* Gn 33, 4 u. oft *a. frequently*; 2. בָּ׳ אֶת (e. Toten) beweinen *weep for* (*a dead*) Gn 23, 2 37, 35 50, 3 Nu 20, 29 Dt 21, 13 34, 8 Ir 8, 23; 3. בָּ׳ עַל an jmds Brust weinen *weep embracing a person* Gn 45, 15 50, 1 Jd 14, 16; 4. בָּ׳ אֶת beweinen *bewail* Lv 10, 6; 5. בָּ׳ לִפְנֵי יהוה Dt 1, 45 Jd 20, 23 2 C 34, 27; 6. בָּ׳ עַל weinen wegen *weep over* 2 S 1, 12. cj 24 3, 34 Hs 27, 31 Jd 11, 37 f Th 1, 16; 7. בָּ׳ עַל־פָּנָיו vor seinen Augen weinen *weep in his face* 2 K 13, 14; 8. בָּ׳ בְּכִי גָדוֹל sehr heftig weinen *weep grievously* Jd 21, 2 2 K 20, 3 Js 38, 3; 9. בָּ׳ בִּבְכִי יַעְזֵר weint, wie J. weint *weeps as Y. weeps* Js 16, 9; 10. בָּ׳ קוֹל גָּדוֹל 2 S 15, 23 u. בָּ׳ בְּקוֹל ג׳ Esr 3, 12 laut weinen *weep with a loud voice*; 11. בָּ׳ מַר bitterlich weinen *weep bitterly* Js 33, 7; 12. בָּ׳ לְ weinen um *weep for* Ir 22, 10 48, 32 Hi 30, 25; Ps 69, 11 l וָאֲמַכָּה (מכך).

pi: pt. f. מְבַכָּה, מְבַכּוֹת: c. acc. Hs 8, 14, c. עַל Ir 31, 15 jmd **beweinen** *weep for*. †

Der. בֶּכֶה, בָּכוּת, בְּכִי; n.l. בֹּכִים; בְּכִית, מִבְּכִי; F בָּכָא.

בֶּכֶה: בכה: Weinen *weeping* Esr 10, 1. †

בְּכוֹר: F בְּכֹר.

בִּכּוּרָה: בכר: pl. בִּכֻּרוֹת: Frühfrucht *first ripe fruit*, im AT (zufällig immer) **Frühfeige** (die vom Juni an am Trieb des Vorjahrs gebildeten saftreichen Früchte; die am Trieb des laufenden Jahrs gebildeten Feigen תְּאֵנָה reifen erst Ende August; AS 1, 379. 561) *in the OT* (*incidentally always*) *early fig* (*the succulent fruit ripening from June on the shoots of the precedent year; the figs* תְּאֵנָה *growing on the shoots of the current year do not ripen before the end of August*; AS 1, 379. 561): Js 28, 4 (l ־רָה) Ir 24, 2 Ho 9, 10 Mi 7, 1. †

בִּכּוּרִים u. **בִּכֻּרִים**: בכר: cs. בִּכּוּרֵי: Frühfrüchte, **Erstlinge** *first-fruits* (AS 1, 464 f): Trauben *grapes* Nu 13, 20, Saaten *seed* Ex 23, 16, Acker *field* 23, 19 34, 26 Ne 10, 36, Bäume *trees* 10, 36, Weizen *wheat* Ex 34, 22, allgemein *generally* Nu 18, 13 Hs 44, 30 Ne 13, 31, Feigen *figs* Na 3, 12; f. J. bestimmt *stipulated for Y.* Lv 23, 17, מִנְחָה 2, 14, Tag ihrer Darbringung *day of their offering* Nu 28, 26, Opferbrot aus frühreifem Getreide *bread of offering made of early cereals* Lv 23, 20 2 K 4, 42. †

בְּכוֹרַת: בכר: n.m.; „Erstling *first-born*": 1 S 9, 1. †

בָּכוּת: בכה: Weinen *weeping*: Gn 35, 8 (Dalm JBL 48, 354 ff). †

בְּכִי: בכה: בְּכִי: sf. בִּכְיִי: **Weinen** *weeping* Gn 45, 2 Dt 34, 8 Jd 21, 2 2 S 13, 36 2 K 20, 3 Js 15, 2. f. 5 16, 9 22, 12 38, 3 65, 19 Ir 3, 21 9, 9 31, 9. 15 f 48, 5 (l בּוֹ f. בְּכִי). 33 (l בִּבְכִי) Jl 2, 12 Ma 2, 13 Ps 6, 9 30, 6 (:: רִנָּה) 102, 10 Hi 16, 16 Est 4, 3 Esr 3, 13 (:: שִׂמְחָה); אֲמָרֵר בַּבֶּכִי weine bitterlich *weep bitterly* Js 22, 4; l מִבְּכִי (Peters) Hi 28, 11. †

בֹּכִים: n.l.; = בָּכָא? Dalm JBL 48, 354 ff: Jd 2, 1. 5 (Volksetymologie *popular etymology*). †

בְּכִירָה: בכר; soq. *békir*; fem.: eine **zuerst geborne, ältere** *a first born, older woman* (:: קְטַנָּה, צְעִירָה) Gn 19, 31. 33 f. 37 29, 26 1 S 14, 49. †

בְּכִית*: בכה: sf. בְּכִיתוֹ: **Beweinung** *weeping (for)* Gn 50, 4. †

בכר: Sem.; ug. *bkr*, ak. *bukru*, بِكْر, asa. erst geboren (sein) *(be) first born*, früh (sein) *(be) early*: pi: impf. יְבַכֵּר, inf. בַּכֵּר: **erste**, frische **Früchte tragen** *bear early, new fruit* Hs 47, 12; **als Erstgebornen behandeln** *constitute as first-born* (עַל־פְּנֵי auf Kosten von *at the cost, loss of*) Dt 21, 16. cj 17; †

pu: יְבֻכַּר: **als erstgeboren bestimmt sein**, c. לְ für *be made a first-born* c. לְ *for* Lv 27, 26; †

hif: pt. מַבְכִּירָה: **Erstgebärende** *one bearing her first child* Ir 4, 31. †

Der. בְּכִירָה, בְּכוֹרַת, n.m. בִּכּוּרִים, בְּכוּרָה, בֶּכֶר*, n.m. בְּכֹרוֹ, בְּכֹרָה, n.m. בְּכוֹר, בֶּכֶר, n.m. בִּכְרִי, בַּכְרִי I u. II.

בֵּכֶר*: בכר, بَكْر: pl. cs. בִּכְרֵי: **junge Kamelhengste** *young male camels* Js 60, 6. † F בֶּכֶר.

בֶּכֶר: n.m.; = בֵּכֶר*: 1. S. v. Ephraim Nu 26, 35; 2. S. v. Benjamin Gn 46, 21 1 C 7, 6. 8 (בֶּכֶר). † F בַּכְרִי.

בְּכֹר u. **בְּכוֹר**: בכר: sf. בְּכוֹרוֹ, בְּכֹרִי, pl. cs. בְּכוֹרֵי, sf. בְּכוֹרֵיהֶם, f. בְּכֹרוֹת, בְּכוֹרוֹת: **erstgeboren** *first-born*: Vieh *cattle* Gn 4, 4 Ex 13, 15 Nu 3, 41 18, 17 Dt 12, 6 Ne 10, 37, Menschen *men, women* Gn 25, 13 Ex 11, 5 13, 13. 15 Nu 3, 41 Ne 10, 37; בְּכוֹר זָכָר männliche Erstgeburt *firstborn male* Nu 3, 40; Erstgeborne sind *first-born are* Nebajoth Gn 25, 13, Jakob 35, 23, עֵר 38, 6, רְאוּבֵן 49, 3, יִשְׂרָאֵל (Erstgeborner J.s *first-born of Y.*) Ex 4, 22, אֶפְרַיִם Ir 31, 9, David Ps 89, 28; בְּכוֹר מָוֶת Hiobs Krankheit *Job's disease* Hi 18, 13; l בְּכָרִים (I כַּר) Js 14, 30; cj בְּכֹר 2 S 19, 44. †

בְּכֹרָה: בכר: sf. בְּכֹרָתוֹ: **Stellung als Erstgeborner** *right of first-born* Gn 25, 31—34 27, 36 43, 33 1 C 5, 1. 2; מִשְׁפַּט הַבְּ׳ Erstgeburtsrecht *right of the first-born* Dt 21, 17. †

בִּכְרָה: בכר; beduinisch *Beduin el bitsir*, pl. *el-abkār* Kamelstute, wenn sie am Ende ihres 4. Jahrs ihr erstes Kalb geworfen hat *a she-camel having given birth to her first calf at the end of her fourth year*: **junge Kamelstute**, die schon einmal geworfen hat *young she-camel having given birth to her first calf*: Ir 2, 23. †

בְּכֹרַת: n.m.; בכר; G בְּכוֹרוֹ: 1 C 8, 38 9, 44. †

בַּכְרִי: gntl. v. בֶּכֶר: Nu 26, 35. †

I בִּכְרִי: n.m.; בֶּכֶר: 2 S 20, 1—13, 21. f; † F II בִּכְרִי*.

cj II *בִּכְרִי: gntl. v. I; pl. הַבִּכְרִים: cj 2 S 20, 14. †

בַּל: בלה; ug. *bl*; ph. בל; بَل „*denoting digression from that which precedes*" Lane 243; F אֲבָל:
subst. Abnutzung, Nichtsein *detrition, non-existence* > Negation: auffallende Verbreitung: nur in wenigen Texten, aber dort gehäuft *odd spread: to be found in only a few texts, but there frequent*: Js 14, 21 26, 10—18 (7 ×) 33, 20—24 (7 ×) 35, 9 40, 24 (3 ×) 43, 17 44, 9 (3 ×) Ho 7, 2 9, 16 Q Ps 10, 4—18 (5 ×) 16, 2. 4. 4. 8 17, 3. 3. 5 21, 3. 8. 12 30, 7 32, 9 46, 6 49, 13 58, 9 78, 44 93, 1 96, 10 104, 5. 9 119, 121 140, 11 f 141, 4 147, 20 Pr 9, 13 10, 30 12, 3 14, 7 19, 23 22, 29 23, 7. 35. 35 24, 23 Hi 41, 15 1 C 16, 30 = Js (23 × u. cj בַּל יָחֹן 26, 10; 44, 8 l מִבַּלְעָדַי) Ps (30 ×) Pr (10 ×); 16 × c. מוט: nicht *not*: a) c. pf. בַּל פֹּרָשׂוּ Js 33, 23; b) c. impf. בַּל אֶמּוֹט Ps 30, 7 (52 ×); c) אַל . . . . וּבַל Ps 141, 4 F Js 14, 21 Ps 140, 11 f; l יִרְקַב Ps 32, 9 ?? Ps 16, 2 u. Pr 14, 7. †
Der. בִּלְעֲדֵי, אֲבָל.

בֵּל: e. Gott *a god*: ak. *be-lum*, *Bêl = bêlu* Herr *lord*, ug. *bl*, fem. *blt*; RLA 2, 382 ff, Nötscher, Ellil in Sumer u. Akkad (1927): Bel: Js 46, 1 Ir 50, 2 51, 44. †

בַּלְאֲדָן: n.m.; ak. *apla-iddin* (Gott gibt e. Sohn *god gives a son*): 2 K 20, 12 Js 39, 1. †

בֵּלְאשַׁצַּר: F בֵּלְשַׁאצַּר.

בלג: بَلَجَ: klar, heiter sein *gleam, smile*, > äg. LW *brg* EG 1, 466:
hif: impf. אַבְלִיגָה, pt. מַבְלִיג: heiter werden *brighten up* Ps 39, 14 Hi 9, 27 10, 20; ? Am 5, 9. †
Der. מַבְלִיגִית; n.m. בִּלְגָּה u. בִּלְגַּי.

בִּלְגָּה: n.m.; בלג: 1. Ne 12, 5. 18; 2. 1 C 24, 14. †

בִּלְגַּי: n.m.; בלג = בִּלְגָּה: Ne 10, 9. †

בִּלְדַּד: n.m.; cf. *Dādi-ilu* APN 67 f u. אֶלְדָּד; Albr. **Jabil-dada* JBL 54, 174[3]; דַּד u. בַּל?: Hi 2, 11 8, 1 18, 1 25, 1 42, 9. †

בלה: ak. *balū*, ba. בלא, ባልየ, بَلِيَ verbraucht sein, verfallen *be worn out, decay*:
qal: pf. בָּלְתָה, בָּלוּ, impf. יִבְלֶה, יִבְלוּ, inf. cs. sf. בְּלֹתִי: verfallen, verbraucht sein *be worn out*: Kleider *garments* Jos 9, 13 Ne 9, 21, c. מֵעַל auf *upon* Dt 8, 4 29, 4, wie e. Kl. *like a garment* Js 50, 9 51, 6 Ps 102, 27 Si 14, 17, Schlauch *skin* Hi 13, 28 (l רֹקֶב) e. alte Frau *an old woman* Gn 18, 12, d. Himmel *the sky* (l בְּלֹת) Hi 14, 12; Knochen werden morsch *bones become brittle* Ps 32, 3; cj לְבַלּוֹת Ps 49, 15; †
pi: pf. בִּלָּה, impf. יְבַלּוּ, inf. c. sf. בַּלֹּתוֹ: 1. verbrauchen, geniessen *use to the full, enjoy* Js 65, 22 Hi 21, 13 (l לְבַלּוֹת Ps 49, 15); 2. schwinden lassen *consume away* Th 3, 4, unterdrücken *oppress* 1 C 17, 9. †
Der. בַּל, *בָּלֶה, *בְּלוֹי, בְּלִי, בְּלִימָה, בְּלִיַּעַל, בִּלְתִּי, תַּבְלִית.

*בָּלֶה: בלה: pl. בָּלִים, בָּלוֹת: verbraucht *worn out* (Sack, Schlauch, Sandalen, Mantel *sac, skin, sandales, cloak*): Jos 9, 4 f; l בָּאֵלֶּה Hs 23, 43. †

בָּלָה: n.l.; Jos 19, 3: F II בִּלְהָה.

בלה: Metathesis < בהל:
pi: pt. pl. מְבַלֲהִים (Q מְבַהֲלִים): abschrecken *dishearten* Esr 4, 4. †
Der. בַּלָּהָה; n.f. I בִּלְהָה? n.m. בִּלְהָן?

בַּלָּהָה: בלה: pl. בַּלָּהוֹת, cs. בַּלְהוֹת!: **jäher Schrecken** *sudden terror* Js 17, 14, pl. Hs 26, 21 27, 36 28, 19 Ps 73, 19 Hi 18, 11 27, 20 30, 15; מֶלֶךְ בַּלָּהוֹת = Tod *death* Hi 18, 14, 24, 17; cj בַּלָּהָה f. חֲבֵל Pr 23, 34. †
בַּלָּהוֹת צַלְמָוֶת

I **בִּלְהָה**: n. f.; בלה?; Βαλλα; Noth S. 10: Rahels Magd *maid of Rachel*, Mutter v. *mother of* Dan u. Naphtali Gn 29, 29 30, 3—7 35, 22. 25 37, 2 46, 25 1 C 7, 13. †

II **בִּלְהָה**: n. l.; = בַּעֲלָה Jos 15, 29 u. = בָּלָה 19, 3; im sw. Judas; 1 C 4, 29. †

בִּלְהָן: n. m.; Bildung wie זַעֲוָן, זַעֲקָן im gleichen Vers 1 C 1, 42 *formation like* זַעֲוָן, זַעֲקָן *in the same verse* 1 C 1, 42; n. p. *Blēhī* Hess, Beduinennamen 1912, 13; בלה?: a) Gn 36, 27 1 C 1, 42; b) 1 C 7, 10. †

בלוא: F *בְּלוֹי.

בְּלוֹי*: בלה: pl. cs. בְּלוֹאֵי > בְּלוֹיֵ: **Abgenutztes, Reste** *worn out things, waste*: Ir 38, 11 f. †

בֵּלְטְאשַׁצַּר (mit heimatlos gewordnem א; *the* א *having lost its settled place*): Da 10, 1: F בֵּלְטְשַׁאצַּר. †

בֵּלְטְשַׁאצַּר: n. m.; F ba.; Βαλτασαρ, *Baltassar*: babylonischer Name f. *Babylonian name of* Daniel: Da 1, 7 2, 26 4, 5. 15 f 5, 12 10, 1. †

בְּלִי: בלה: 1. **Abnutzung, Vernichtung** *detrition, destruction* Js 38, 17; † 2. בְּלִי c. subst. oder pt. pass.: **un-, -los, ohne** *un-, -less, without* בְּלִי־שֵׁם namenlos *of no name* Hi 30, 8, בְּלִי כֶסֶף unbezahlt *without money* Hi 31, 39, בְּלִי־מַיִם wasserlos *waterless* Ps 63, 2, בְּלִי נִשְׁמָע ungehört *unheard* Ps 19, 4, בְּלִי מָקוֹם sodass kein Platz mehr ist = bis auf d. letzten Platz *so that there is no place left (clean)* Js 28, 8, 2 S 1, 21 Ho 7, 8 Hi 39, 16 Ps 59, 5 Hi 8, 11 24, 10 33, 9 34, 6; 3. בִּבְלִי c. subst.: **ohne** *without*: בִּבְלִי דַעַת ohne Vorsatz *unawares* Dt 4, 42 19, 4 Jos 20, 3. 5, ohne Einsicht *for lack of knowledge* Js 5, 13 Ho 4, 6 Hi 35, 16 36, 12 38, 2 42, 3; 4. מִבְּלִי (מִן) = infolge von *owing to*) c. subst. **ohne** [dass] *because.... not* Dt 9, 28, *without* Ir 2, 15 9, 10 Th 1, 4, cj מִבְּלִי גֵהָה ohne Heilung *past recovery* Ir 8, 18; Ir 9, 9. 11 Hs 14, 15 Ze 3, 6 Hs 34, 5 Hi 4, 11. 20 6, 6 24, 7 31, 19 24, 8; 5. מִבְּלִי אֵין ohne; weil nicht da ist (sind) *because there is (are) no* Ex 14, 11 2 K 1, 3. 6. 16; 6. לִבְלִי c. subst.: **ohne** *without* Js 5, 14 Hi 38, 41 41, 25 (l חַתַּת?); 7. עַד־בְּלִי c. subst.: **bis ohne** *until there is not* עַד־בְּלִי דָי bis zum Übermass *until to excess* Ma 3, 10 = cj Ps 72, 7 (l יְרֵחַ f. דָי?); 8. מִבְּלִי אֲשֶׁר ohne dass = **nur, dass nicht** *yet so that* Ko 3, 11; 9. בְּלִי c. impf. (l בַּל?) Js 32, 10 Ho 8, 7 9, 16 (Q l בַּל!) Hi 41, 18; 10. בְּלִי c. pf. (fraglich! *doubtful*! l inf.?) Js 14, 6 (l חֲשׂךְ?); מִבְּלִי c. pf. (l inf.?) Dt 28, 55 (l הַשְׁאִיר?); עַל־בְּלִי weil nicht *because not* Gn 31, 20 (l הַגִּיד?); unerklärt *unexplained* Hi 18, 15. †
Der. בְּלִימָה; בְּלִיַּעַל?

בְּלִיל: בלל: ak. *ballu* u. *bulilu* (Iraq 5, 25) Futter (f. Pflugstiere) *fodder (for plough-oxen)*: durch Einweichen zur Gärung gebrachtes Futter: **Mengfutter** *forage brought to fermentation by soakening: mash* (ZAW 40, 15—17, AS 1, 341): Hi 6, 5 (24, 6 verderbt *corrupt*) Js 30, 24. †
Der. בלל qal 3.

בְּלִימָה: בְּלִי u. מָה etwas *something*: **nichts** *nothing* Hi 26, 7. †

בְּלִיַּעַל, **בְּלִיַּעַל**: König (Lehrgebäude II, 1, 418) בְּלִי u. *יַעַל (יעל) ohne Nutzen *without usefulness*; Hupfeld (*יַעַל v. עלה) ohne Aufkommen, Gedeihen *without rise*, *prosperity*; Driver (ZAW 52, 52 f) *בְּלִיעַ (III בלע) u. Endung *ending* ל (cf. כֶּרֶם : כַּרְמֶל, עֲרָפֶל : ערף) = Verwirrung *disorder*; > ܒܠܝܥܠ Βελιαρ: **Nichtsnutzigkeit, Heilloses** *wickedness*; **nichtsnutzig** *wicked*: יָעַץ בְּ׳ Na 1, 11; אִישׁ בְּ׳ 2 S 20, 1 Pr 16, 27 Si 11, 32; 1 S 25, 25 30, 22 2 S 16, 7; אָדָם בְּ׳ Pr 6, 12; בְּנֵי בְּ׳ Dt 13, 14 Jd 20, 13 1 S 2, 12 10, 27 1 K 21, 10. 13 2 C 13, 7; Jd 19, 22 (אַנְשֵׁי בְּנֵי בְּ׳) 2 S 23, 6 (וּבְנֵי בְּ׳ l); בְּקַד בְּ׳ 1 S 25, 17, בַּת בְּ׳ 1 S 1, 16; עֵד בְּ׳ Pr 19, 28; דְּבַר בְּ׳ Ps 41, 9 101, 3, cj Dt 15, 9 u. 1 S 29, 10; נַחֲלֵי בְ׳ **Verderben** *destruction* 2 S 22, 5 Ps 18, 5; בְּלִיַּעַל **d. Heillose, Nichtswürdige** *the wicked one* Na 2, 1 Hi 34, 18, cj Ps 16, 2. †

בלל: ak. *balâlu* besprengen, mischen *sprinkle with, mix*; ph. בלל *mixed-offering* (?); بَلَّ anfeuchten *moisten*; ܒܠ, ܒܠܠ mischen, befeuchten *mix, moisten*:

qal: בָּלַל, בַּלֹּתִי l בַּלֹּתַנִי Ps 92, 11; impf. וַיָּבָל (K ויבול) Jd 19, 21, נָבְלָה Gn 11, 7; pt. pss. בָּלוּל, בְּלוּלָה, בְּלוּלֹת: 1. **anfeuchten** *moisten* (mit Öl *with oil*): מַצּוֹת Ex 29, 2 Lv 2, 4 7, 12, סֹלֶת Ex 29, 40 Lv 14, 21 2, 5 23, 13 Nu 7, 13—79 (12 ×) 8, 8 15, 6. 9 28, 5—28 (7 ×) 29, 3. 9. 14, מִנְחָה Lv 7, 10 9, 4 14, 10, חַלּוֹת Lv 7, 12 Nu 6, 15 15, 4; jmd (mit Öl übergiessen *anoint* (*with oil*) *a person* Ps 92, 11; 2. vermengen, **verwirren** (Sprachen) *confound* (*languages*) Gn 11, 7. 9; 3. den. v. בְּלִיל: (Mengfutter) vorschütten *throw* (*mash*) *before* Jd 19, 21; †

hitpo: יִתְבּוֹלָל: hin u. her geschüttelt werden *be thrown about* Ho 7, 8. †

Js 64, 5 וַנָּבֶל F I נבל.

Der. בְּלִיל, שַׁבְּלוּל, תֶּבֶל, תֶּבֶל.

בלם: aram.; ܒܠܡ *praeligavit os*:

qal: inf. בְּלוֹם: zäumen? *curb*? Ps 32, 9 (Text?). †

בלס: بَلَس, nbś Feige *fig*; äg. *nbś* Maulbeerfeige *sycamore-fig* (?):

qal: pt. בּוֹלֵס: Maulbeerfeigen (mit Nagel oder Eisen) ritzen, um die Reife zu fördern *nip the unripe sykamore-fig* (*with nail or iron*) *in order to promote the ripening* (Dioscurides, materia medica 1, 127; Kelmer, Bibl. 8, 441—4): **Sykomorenritzer** *nipper of sykamore-figs* Am 7, 14. †

I **בלע**: بَلَعَ, ܒܠܥ, aram. בְּלַע verschlingen *swallow*, مَبْلَع Speiseröhre *aesophagus*:

qal: pf. בָּלַע, בְּלָעָה, sf. בְּלָעוּנוּ, בְּלָעָנִי, impf. יִבְלַע, וַיִּבְלַע, וַתִּבְלַעְנָה u. (Gn 41, 24) וַתִּבְלַעְןָ, sf. יְבַלְעֶנָּה, יִבְלָעֵהוּ, תִּבְלָעֵמוֹ, תִּבְלָעֵנוּ, וַתִּבְלָעֵם, תִּבְלָעֵנִי, נִבְלָעֵם, inf. לִבְלֹעַ, sf. בִּלְעִי: **verschlingen, hinunterschlucken** *swallow down, engulf*: Menschen *mankind* Js 28, 4 Ho 8, 7 Ps 124, 3 Pr 1, 12 (wie *like* שְׁאוֹל) Hi 20, 15. 18, Fisch *fish* Jon 2, 1, תַּנִּין Ir 51, 34, Feuer *fire* cj Nu 21, 28 (l בָּלְעָה), Erde *earth* (F Pr 1, 12) Ex 15, 12 Nu 16, 30. 32. 34 26, 10 Dt 11, 6 Ps 106, 17, מְצוּלָה Ps 69, 16, Ähren *ears* Gn 41, 7. 24, Stab *rod* Ex 7, 12; Redensart *idiomatic phrase*: עַד־בִּלְעִי רֻקִּי Hi 7, 19 bis ich meinen Speichel heruntergeschluckt habe = nur ganz kurz *until I have swallowed down my spittle* = *for the briefest time* (auch arabisch *the same in Arabic*); †

nif: pf. נִבְלַע: **verschlungen werden** *be swallowed up* Ho 8, 8; †

pi: pf. בִּלַּע, בִּלְּעָנוּ, sf. בִּלְּעָנוּהוּ, impf. תְּבַלַּע, sf. יְבַלְּעֵם, יְבַלְּעֶנּוּ, וַתְּבַלְּעֵנִי, אֲבַלַּע, inf. בַּלַּע, בַּלַּע, sf. בַּלְּעוֹ, pt. sf. מְבַלְּעָיִךְ: **verschlingen** *engulf*: Land *country* 2 S 20, 19 f, Leute *people* Js 49, 19 Ha 1, 13 Ps 35, 25 Th 2, 16 Ko 10, 12; > **vertilgen** *destroy* Js 25, 7 f Ps 21, 10

Pr 21, 20 Hi 2, 3 8, 18 10, 8; כְּבַלַּע Nu 4, 20 *F* qal Hi 7, 19; l. יִבְיַע Pr 19, 28. †

Der. I *בֶּלַע.

II בלע: بَلَّغَ (Nachricht) übermitteln *convey (message)* ZAW 32, 287:

pu: impf. יְבֻלַּע, יְבֻלָּע: **mitgeteilt werden** *be communicated, broken (to a person)* 2 S 17, 16 Hi 37, 20. †

Der. III בֶּלַע.

III בלע: Barth, Beiträge zu ... Jesaja, 1885, 4 f: verwandt mit *related to* בלל (?):

nif: pf. נִבְלְעוּ: **verwirrt werden** *be confused* Js 28, 7; †

pi: pf. בִּלְּעוּ, impf. אֲבַלַּע: **verwirren** *confuse* Js 3, 12 19, 3, l בַּלַּע Ps 55, 10, †

pu: pt. pl. מְבֻלָּעִים **Verwirrte** *confused ones* Js 9, 15; †

hitp: impf. תִּתְבַּלָּע: **sich verwirrt zeigen** *prove confused* Ps 107, 27. †

Der. II *בֶּלַע; *F* בְּלִיַּעַל.

I *בֶּלַע: I בלע: sf. בִּלְעוֹ: **Verschlungenes** *thing swallowed* Ir 51, 44. †

II *בֶּלַע: III בלע: בָּלַע: **Verwirrung** *confusion* Ps 52, 6, cj 141, 6 (בִּדֵי בֶלַע). †

cj III *בֶּלַע: II בלע: **Verleumdung** *calumny* (Driver ZAW 50, 176) cj Ps 55, 10. †

IV בֶּלַע: n. m.; Dir. 297 f; Noth S. 229; בָּלַע: 1. K. v. Edom Gn 36, 32 f 1 C 1, 43 f; † 2. Rubenit 1 C 5, 8; † 3. S. v. Benjamin Gn 46, 21 Nu 26, 38. 40 1 C 7, 6 f 8, 1. 3. †

Der. בַּלְעִי.

V בֶּלַע: n. l.; *F* צֹעַר: Gn 14, 2. 8. †

*בִּלְעֲדֵי u. בִּלְעֲדֵי; nab. בלעד: בַּל u. עֲדֵי *F* עַד = ohne bis zu, **abgesehn von** *without until, apart from* (Eitan, AJS 46, 33 f: בַּל u. ﻋﺪ noch *yet*); aram. בלעד: präp., sf. בִּלְעָדַי, בִּלְעָדַי, בִּלְעָדֶיךָ:

1. Redensart *idiomatic phrase*: בִּלְעָדַי ich komme nicht in Betracht *I need not be considered* Gn 14, 24 41, 16; 2. בִּלְעָדַי ausser mir *beside me* Js 45, 6: 3. בִּלְעָדֶיךָ ohne Rücksicht auf dich *without (considering) thee* Gn 41, 44; 4. c. מִן: מִבַּלְעֲדֵי abgesehn von, **ausser** *besides* Nu 5, 20 Jos 22, 19 2 S 22, 32 Ps 18, 32 Js 43, 11 44, 6. 8 45, 21; 5. מִבַּלְעֲדֵי ohne Rücksicht auf, ohne den Willen von *without caring for, without asking* 2 K 18, 25 Js 36, 10 Ir 44, 19; l חָטָאתִי: עוֹד Hi 34, 31—32. †

בַּלְעִי: gntl. IV בֶּלַע: Nu 26, 38. †

I בִּלְעָם: n. m.; Βαλααμ; palm? RÉS 1938, 148; בלע u. -*ām*? بَلْعَم Vielfrass *glutton*; Albr. JBL 63, 232: < *Yabil-ʿammu* (amor. n. p. 13. saecl.): **Bileam** *Balaam*: Nu 22, 5—24, 25 (50 ×) 31, 8. 16 Dt 23, 5 f Jos 13, 22 24, 9 f Mi 6, 5 Ne 13, 2. †

II בִּלְעָם: n. l.; < יִבְלְעָם: 1 C 6, 55. †

בלק: ak. *palâku*? absondern *separate*:

qal: pt. sf. בּוֹלְקָהּ: **verheeren**? *make waste*? Js 24, 1; †

pu: pt. f. מְבֻלָּקָה: **verheert**? *made waste*? Na 2, 11. †

בָּלָק: n. m.; Βαλακ: K. v. Moab: Nu 22, 2—24, 25 (40 ×) Jos 24, 9 Jd 11, 25 Mi 6, 5. †

בֵּלְשַׁאצַּר: n. m.; *F* aram.: Da 8, 1. †

בִּלְשָׁן: n. m.; בלשן CIS 2, 59; ak. *Be-el-šu-nu* „Ihr Herr *their lord*" Stamm 244: Esr 2, 2 Ne 7, 7. †

בִּלְתִּי: בלה; cs.-form! *בֶּלֶת: c. -i genet.; ph. בלת אנך nur ich *I only*: sf. בִּלְתִּי Ho 13, 4 †, בִּלְתֶּךָ 1 S 2, 2 †: 1. subst. Nichtsein, **Nicht-**

mehrsein *the existing no more* Hi 14, 12†; > Negation *negative*: 2. un-, *un*: בְּ׳ טָהוֹר unrein *unclean* 1 S 20, 26; † 3. (ausschliessend *excluding*) בְּ׳ כָלֵב **ausser** K. *save C.* Nu 32, 12, בְּ׳ הַיּוֹם ausser heute *but today* Gn 21, 26; Ex 22, 19 Nu 11, 6 Jos 11, 19; c. sf. בִּלְתִּי **ausser** mir *beside me* Ho 13, 4; בִּלְתֶּךָ ausser dir *beside thee* 1 S 2, 2, בְּ׳ אֲחִיכֶם אִתְּכֶם **ausser** euer Br. sei mit euch *except your br. be with you* Gn 43, 3. 5; 4. בִּלְתִּי אִם **ausser wenn** *except* (c. clause) Am 3, 3 f, **ausser** *but* Gn 47, 18, *save* Jd 7, 14; 5. בִּלְתִּי **ohne** *without* Js 14, 6; l בִּלְתִּי Js 10, 4; ? Da 11, 18; † 6. לְבִלְתִּי (86 ×): c. inf.: לְבִ׳ אֲכָל־ **nicht zu** essen *that . . . not* Gn 3, 11 Lv 18, 30 2 K 17, 15 Ir 35, 8 f. 14 36, 25 Ru 2, 9 Gn 19, 21 38, 9 Ex 8, 25 9, 17 Dt 17, 12 Hs 13, 3 (l רְאוֹ) Ir 23, 14 (l שׁוּב) u. 27, 18 (l בֹּא) u. 33, 20 (l לְבִ׳); etc.; c. inf. nach *following* נִשְׁבַּע **dass nicht** *that . . . . not* Dt 4, 21 Jos 5, 6 Jd 21, 7; c. inf. **sodass nicht** *lest* Gn 4, 15 Ex 8, 18 Lv 26, 15 Nu 9, 7 32, 9 Dt 8, 11 etc.; 7. לְבִ׳ c. impf. **dass nicht, damit nicht** *that . . . . not, lest* Ex 20, 20 2 S 14, 14; 8. לְבִלְתִּי לְ c. inf.: **damit nicht** *that . . . . not* 2 K 23, 10; † 9. עַד־בִּלְתִּי הִשְׁאִיר **sodass** er **nicht** übrig liess *until there was none left him remaining* Nu 21, 35 Dt 3, 3 Jos 8, 22 10, 33 11, 8 2 K 10, 11. †

cj בֵּלְתִּי: Name e. Göttin *name of a goddess*; ak. *Bēlti* „meine Herrin *my lady*" Titel, dann Name für *title, later on name of* Ṣarpanītum, d. Stadtgöttin von *the goddess of* Babylon (Zimmern, Oriental studies . . . P. Haupt, 1926, 281—92) **Beltis**: cj Js 10, 4. †

בָּמָה: ug. *bmt* Rücken (Tier, Mensch) *back* (*of an animal or person*); ak. *bâmtu*, pl. *bamâti* Höhe *elevation*, Holma, Namen d. Körperteile, 1911, 55 ff; mo. במת Kulthöhe *high-place*; بَهْوٌ übertreffen *overcome*; Hs 20, 29: c. -â הַבָּמָתָה 1 S 9, 13, pl. בָּמוֹת, cs. בָּמוֹת (Nu 22, 41) u. בָּמוֹתֵי K Dt 32, 13 Js 58, 14 Mi 1, 3† u. בָּמֳתֵי (? בֹּמֶת*) BL 597 h' Js 14, 14 Am 4, 13 Hi 9, 8 u. Q Dt 32, 13 Js 58, 14 Mi 1, 3; sf. בָּמֳתַי, בָּמוֹתֶיךָ, בָּמוֹתֵימוֹ, בָּמֹתָיו: 1. pl. **Anhöhen** *hills* 2 S 1, 19. 25 22, 34 Ps 18, 34 Dt 33, 29 32, 13 Js 58, 14 Ha 3, 19; Gott schreitet auf d. Anhöhen *God is treading upon the hills* Am 4, 13 Mi 1, 3, עַל־בָּמֳתֵי יָם d. Wellenberge d. Meers *the montainous waves of the sea* Hi 9, 8; בְּ׳ עָב Wolkenhöhen *heights of the clouds* Js 14, 14; בְּ׳ אַרְנֹן Höhen am A. *hills along the A.* Nu 21, 28; †

2. sg. u. pl. (an allen andern (91) Stellen *in all (91) places*) 1 K 14 × 2 K 27 × 2 C 17 ×: **Kulthöhe, Opferhöhe** *high place, place of worship*: בָּמוֹת הַבַּעַל, 1 K 11, 7 בָּמָה לִכְמוֹשׁ Ir 19, 5 32, 35, הַשְּׁעָרִים (sic!) בְּ׳ 2 K 23, 8, כֹּהֲנֵי בָּמוֹת 1 K 12, 32 2 K 23, 20; // מַצֵּבוֹת u. בָּנָה 2 K 16, 4; עֵץ רַעֲנָן // 1 K 14, 23, אֲשֵׁרִים בָּמָה 1 K 11, 7, verfällt dem Buschwald *decay to a copse* בָּמוֹת יַעַר Ir 26, 18 Mi 3, 12; בָּמָה in גִּבְעוֹן, dort *there* הַבָּ׳ הַגְּדוֹלָה 1 K 3, 4, in Jerusalem Mi 1, 5, bei *near* Jer. 2 K 23, 13, בְּעָרֵי שֹׁמְרוֹן 23, 19, in allen Städten *in all cities* 17, 9; בָּמוֹת הַתֹּפֶת Ir 7, 31; בֵּית בָּמוֹת 1 K 12, 31 u. בֵּית הַבָּ׳ 2 K 17, 29. 32 u. בָּתֵּי הַבָּ׳ Kultbauten *buildings for worship*; **F** Lv 26, 30 Nu 33, 52 Js 15, 2 16, 12 36, 7 Ir 48, 35 Hs 6, 3. 6 16, 16 20, 29 Ho 10, 8 Am 7, 9 Ps 78, 58; ? Ir 17, 3; l וְשִׁמְמַת Hs 36, 2; ? Hs 43, 7.

Der.: n. l. בָּמוֹת.

בִּמְהָל: n. m.; Noth 267; Winnet, Study of the Lihyanite . . . . inscriptions, 1937, 21: בֵּן = ב:

1 C 7, 33. †

בָּמוֹת: n. l.; בָּמָה; = mo. בת במת ? > בָּמוֹת בַּעַל Nu 22, 41 Jos 13, 17: *el-Qwēzīje* ZDP 37, 191 ?: Nu 21, 19 f. †

בֵּן (4850 ×): ug., mo. ph. asa. *bn*, اِبْن, ak. *binu*, aram. pl. בנין, sg. > בַּר; Del. Prol. v. בנה; VG 1, 332; Nöld. NB 135—40: abs. בֵּן u. בֶּן־ Hs 18, 10; cs. בֶּן (בִּן?) Gn 49, 22) u. בִּן Dt 25, 2 Jon 4, 10 Pr 30, 1 u. 29 × בִּן־נוּן † u. בְּנִי Gn 49, 11 † u. בְּנוֹ Nu 23, 18 24, 3. 15 †; sf. בְּנוֹ, בִּנְךָ, בְּנִי; pl. בָּנִים, cs. בְּנֵי, sf. בָּנָיו, בְּנֵיכֶם:

1. **Sohn** *son*: בָּנִים וּבָנוֹת Gn 5, 4; בֶּן־זְקֻנִים im Alter gezeugter S. *son begotten by an old father* Gn 37, 3, בֶּן־אֲמָתוֹ sein von e. Sklavin geborner S. *his son born by a maid* Jd 9, 18, בֵּן זָכָר männliches Kind *male child* Ir 20, 15, בְּנֵי נְעוּרִים von e. jungen Vater erzeugte S. *sons begotten by a young father* Ps 127, 4, בְּנֵי אָבִיךָ deine leiblichen Brüder *thy brothers the sons of thy own father* Gn 49, 8; von Tieren *said of animals*: בְּנִי אֲתֹנוֹ s. selbst gezognen Esel *descendant of his own she-ass* 49, 11, בָּנִים Junge e. Vogels *young ones of a bird* Dt 22, 6; בֶּן־מֶלֶךְ Königssohn *king's son* Ps 72, 1; בֶּן־שְׁנָתוֹ mit ihm im gleichen Jahr geboren *born in the same year as himself* Lv 12, 6; בֶּן־בֵּיתִי in meinem H. geboren *in my own house born* Gn 15, 3; pl. בְּנֵי בַיִת Ko 2, 7; 2. **Enkel** *grandson*: בְּנֵי בָנִים Kindeskinder *children's children* Ex 34, 7 Pr 13, 22; בָּנָיו s. Enkel *his grandsons* Gn 32, 1; 3. (vertrauliche Anrede *familiar address*) בְּנִי m. S. *my son* (zum jüngern Gefährten, Schüler, Hörer, Leser *to a younger fellow, disciple, listener, reader*) 1 S 26, 17. 21. 25 Pr 2, 1 3, 1. 21 4, 10. 20 5, 1 6, 1 7, 1; בְּנִי אַתָּה Adoptionsformel *formula of adoption* Ps 2, 7 (Ru 4, 17); Unterwürfigkeitsformel *formula of submissiveness* בִּנְךָ dein S. = ich *thy son = I* 2 K 8, 9 16, 7; בָּנִים junge Männer *young men* Pr 7, 7 Ct 2, 3; 4. בֶּן c. collectivis: **Einzelner** *a single, individual*: בֶּן־בָּקָר ein (Stück) Rind *a head of cattle* Gn 18, 7, בֶּן־אָדָם ein Einzelner *an individual* (ThZ 1, 78) Ps 8, 5 (109 ×), pl. בְּנֵי אָדָם die (einzelnen) Menschen *the individuals* Dt 32, 8, בְּנֵי אֶבְיוֹן die (einzelnen) Armen *the poor individuals* Ps 72, 4, בֶּן־יוֹנָה e. (einzelne, nicht „junge"!) männliche Taube *a (single, not „young"!) male pigeon* Lv 12, 6, בְּנֵי הַיּוֹנָה die männlichen Tauben *the male (not „young"!) pigeons* Lv 1, 14; 5. בֵּן **Glied** e. Volks, Stamms *member of a people, tribe*: בְּנֵי צִיּוֹן d. (einzelnen) Männer Zions *the (individual) men of Z.* Ps 149, 2, בְּנֵי לֵוִי die Leviten *the Levites* Ne 12, 23, בְּנֵי יִשְׂרָאֵל (nie *never* בֶּן־יִשׂ'!), בְּנֵי יְהוּדָה u. בְּנֵי יְרוּשָׁלַםִ Jl 4, 6, cj בְּנֵי יְהוּדָה die Juden *the Jews* Ne 13, 15, בְּנֵי בָבֶל Ps 137, 7, בְּנֵי אֱדוֹם *the Babylonians* Hs 23, 15, בְּנֵי הַיְּוָנִים d. Jonier *the Jonians* Jl 4, 6; 6. בֵּן **Angehöriger** von Gruppe, Klasse, Gewerbe usw. *member, fellow of group, class, profession etc.* (ak. *māru*, *aplu*): בֶּן־נָבִיא Glied e. Prophetengruppe *fellow of a band of prophets* (1 S 10, 5) Am 7, 14, pl. בְּנֵי הַנְּבִיאִים 1 K 20, 35, בֶּן־חֲכָמִים einer von den Weisen *one of the wise men* Js 19, 11, בֶּן־חוֹרִים Ko 10, 17, בֶּן־הָרַקָּחִים Ne 3, 8; 7. בֵּן **Zugehöriger** z. einer Art, e. Schicksal *one appertaining to a mood, fate*: בְּנֵי־מֶרִי Widerspänstige *rebellious men* Nu 17, 25, בִּן הַכּוֹת e., der Schläge verdient *one deserving to be beaten* Dt 25, 2, בֶּן־מָוֶת 1 S 20, 31 2 S 12, 5 u. בְּנֵי מָוֶת 1 S 26, 16 u. בְּנֵי תְמוּתָה Ps 79, 11 102, 21 d. Tod verfallen *worthy to die*; בְּנֵי עַוְלָה 2 S 3, 34 7, 10 Ho 10, 9 1 C 17, 9 † u. בֶּן־עַוְלָה Ps 89, 23 † Bösewicht *wicked men (man)*; 8. בֵּן Zugehörig zu e. bestimmten Altersstufe: .... alt *belonging to a given stage of life*: .... *old*: בֶּן־שְׁמֹנַת יָמִים 8 Tage alt *8 days old* Gn 17, 12, בֶּן־שָׁנָה ein J. alt *one y. old* Ex 12, 5, בֶּן־ 500 שָׁנָה Gn 5,

22, בֶּן־לַיְלָה eine Nacht alt = in einer N. gewachsen *one night old = grown up in one n.* Jon 4, 10; 9. geringschätzig *disdainfully*: „Sohn des . . . ." statt des eignen Namens „*son of* . . . ." *instead of the personal name*: בֶּן־יִשַׁי 1 S 20, 30 f; 10. metaph.: בְּנֵי אַשְׁפָּתוֹ = s. Pfeile *his arrows* Th 3, 13, בֶּן־קֶשֶׁת = Pfeil *arrow* Hi 41, 20; בֶּן־שֶׁמֶן Js 5, 1 **F** שֶׁמֶן; 11. Gott *God*: Salomo wird für Gott לְבֵן *S. shall be* לְבֵן *for God* 2 S 7, 14; ihr seid *you are* בָּנִים לַיהוה Dt 14, 1, Ho 11, 1 (l לְבָנָיו) (**F** Dürr, Heilige Vaterschaft, 1938, 9 ff); בְּנֵי אֱלֹהִים (einzelne) Gottwesen, Götter (*individual*) *divine beings*, *gods* (**F** 5.) **F** אֱלֹהִים; Ps 2, 7 **F** 3.

Der: II בֵּן u. nomina m. c. בֶּן־.

II בֵּן: n. m.; = I: 1 C 15, 18. †

בֶּן־אוֹנִי: n. m.; **F** אָוֶן; = Benjamin: Gn 35, 18. †

בֶּן־הֲדַד: n. m.; **F** הֲדַד: 1. S. v. טַבְרִמֹּן, K. v. אֲרָם, 1 K 15, 18. 20 2 C 16, 2. 4; 2. K. v. אֲרָם 1 K 20, 1—33 (13 ×) 2 K 6, 24 8, 7. 9; 3. S. v. חֲזָאֵל 2 K 13, 3. 24 f; אַרְמְנוֹת בֶּן־הֲדָד Am 1, 4 Ir 49, 27; G: υἱὸς Αδερ! in Dura (Preliminary Rep. 1, p. 46) Βαραδάδης; ak. *Bir-ʾidri* RLA 1, 482 f; ברהדד/ר Zkr a 4, **F** Eph 3, 7, Inschr. v. Damaskus, BAS 90, 30 ff. †

בֶּן־זוֹחֵת: n. m.? Text?: 1 C 4, 20. †

בֶּן־חַיִל: n. m.? l לִבְנֵי חַיִל: 2 C 17, 7. †

בֶּן־חָנָן: n. m.? Text?: 1 C 4, 20. †

בנה (370 ×): < *בני; ug. *bny*, Sem. (ohne *without* äth.); bauen *build*:

qal: pf. בָּנָה, בָּנְתָה, בָּנִיתָ, בָּנִיתִי, בָּנוּ (בָּנוּ לָךְ Hs 27, 5), בְּנִיתֶם, impf. יִבְנֶה, וַיִּבֶן, תִּבְנֶה, וַיִּבְנוּ, נִבְנֶה, sf. יִבְנֵהוּ, יִבְנֵם, אֶבְנֵךְ, inf. בְּנוֹת, בָּנֹה, pt. בֹּנֶה u. בּוֹנֶה, בּוֹנִים, בָּנוּי:

1. **bauen, erbauen** *build*: Stadt *town* Gn 4, 17, Altar *altar* Gn 8, 20, Turm *tower* 11, 4, Haus u. Hütten *house a. booths* 33, 17, etc.; 2. c. ac. des Stoffs *of material*: בָּ׳ גָּזִית mit Quadern b. *b. with hewn stone* Js 9, 9, c. ac. objecti u. c. ac. des Stoffs *of material*: בָּנָה אֲבָנִים מזבח aus St. e. Altar b. *b. a altar with st.* 1 K 18, 32, 1 K 6, 15 f Dt 27, 6, בָּ׳ בְּרוֹשִׁים לֻחֹת aus Zipr. Schiffsplanken machen *make planks of cypress tree* Hs 27, 5; 3. **ausbauen** צֵלָע לְאִשָּׁה *made the rib a woman* Gn 2, 22, עָרִים לְמָצוֹר Städte zu Festungen *cities for defence* 2 C 11, 5, > **befestigen** *fortify* 1 K 15, 22 16, 24, 4. **wieder aufbauen** *rebuild* Jos 6, 26 Am 9, 14 Ps 28, 5 69, 36 102, 17 147, 2 Js 49, 17 (cj בּוֹנַיִךְ); 5. בָּנָה בְּ **an etw. bauen** *build in* Sa 6, 15 Ne 4, 4. 11; 6. metaph.: בָּנָה בַיִת לְ e. Familie bauen für, jmd Nachwuchs verschaffen *build a house* (*family*) *for* Dt 25, 9, Subjekt Gott *God* 2 S 7, 27 1 K 11, 38; 7. בָּנָה = Menschen (in d. Kindern) weiterleben lassen *continue their existence* (*in their children*): : הָרַס Ir 24, 6 31, 4 33, 7 42, 10;

nif: pf. נִבְנָה, נִבְנְתָה, נִבְנֵית Ir 31, 4, נִבְנוּ, impf. יִבָּנֶה, אִבָּנֶה! Gn 16, 2, תִּבָּנֶינָה, inf. הִבָּנוֹת, sf. הִבָּנֹתוֹ, pt. נִבְנֶה:

1. **gebaut werden** *be built* Stadt *town* Nu 13, 22 21, 27 Dt 13, 17 Js 44, 26. 28 Ir 30, 18 31, 38 Hs 26, 14 Da 9, 25, Tempel *temple* 1 K 3, 2 6, 7 Hg 1, 2 Sa 1, 16 8, 9 1 C 22, 19, Mauer *wall* Ne 7, 1, Haus *house* Pr 24, 3, אַרְמוֹן Js 25, 2, Trümmer *ruins* Hs 36, 10. 33; abs. Hi 12, 14; 2. Menschen werden gebaut = **leben** (in d. Kindern) **weiter** *human beings are built = live on* (*in their children*) Ir 12, 16 31, 4 Ma 3, 15; c. מִן e. Frau **kommt zu e. Kind** von *a woman becomes mother of a child by* Gn 16, 2 30, 3; 3. חֶסֶד יִבָּנֶה? Ps 89, 3; l וְתֵעָנֶה Hi 22, 23. †

Der. בֵּן, בַּת; בִּנּוּי, בָּנִי, בֻּנִּי (nn. m.); בִּנְיָה, תַּבְנִית, מִבְנֶה* (nn. l.); יַבְנֵה, יַבְנְאֵל; בִּנְיָן; בְּנָיָה(וּ), יִבְנְיָה, יִבְנִיָּה (nn. m.).

בִּנּוּי: n.m.; בנה: 1. Esr 8, 33; 2. 10, 30; 3. 10, 38; 4. Ne 3, 24. cj 18 10, 10 12, 8; 5. 7, 15 (= בָּנִי Esr 2, 10). †

בָּנִי: n.m.; KF; בנה; ak. *Bānī*, *Banini*, *Bania* APN 51f: 2 S 23, 36; 1 C 6, 31; Esr 2, 10 (= בִּנּוּי Ne 7, 15) 10, 29. 34 (l וּמִבְּנֵי 38) Ne 3, 17 8, 7 9, 4f 10, 14f 11, 22, cj 1 C 9, 4. †

בֻּנִּי: n.m.; KF; בנה: 1. Ne 9, 4; 2. 10, 16. †

בְּנֵי בְרַק: ak. *Banai Barqa* Taylor-Cylinder II, 66: = *Ibn Ibraq* (Abel 2, 263) 8 km sö. יָפוֹ: Jos 19, 45. †

בְּנֵי יַעֲקָן: F בְּאֵרוֹת בְּנֵי יַעֲקָן.

בִּנְיָה: בנה; l בִּנְיָן?: **Gebäude** *building* Hs 41, 13. †

בְּנָיָה: n.m.; < בְּנָיָהוּ F: 1. Esr 10, 25; 2. 10, 30; 3. 10, 35; 4. 10, 43; 5. 1 C 4, 36; 6. 2 C 20, 14. †

בְּנָיָהוּ: n.m.; בנה u. יהוה; > בְּנָיָה; Dir. 177: 1. Heerführer *champion* v. David: 2 S 8, 18 23, 20. 22 1 K 1, 8—44 2, 25. 29f. 34f. 46 4, 4 1 C 11, 24 18, 17 = בְּנָיָה 2 S 20, 23 1 C 11, 22; 2. 2 S 23, 30, = בְּנָיָה 1 C 11, 31 27, 14; 3. Hs 11, 1, = בְּנָיָה 11, 13; 4. 1 C 15, 18. 20 16, 5; 5. 1 C 15, 24 16, 6; 6. 1 C 27, 34 Vater *father* :: 27, 5f Sohn *son* v. יְהוֹיָדָע; 7. 2 C 31, 13. †

בֵּנַיִם: du. v. *בַּיִן: אִישׁ הַבֵּנַיִם: **Vorkämpfer, Einzelkämpfer** (der mit einem einzelnen Gegner im Zwischenraum der beiden Schlachtreihen den Kampf austrägt) *champion, single-fighter* (*who against a single opponent in the space between the two battle-arrays has to fight out the battle*): 1 S 17, 4. 23. †

בִּנְיָמִין: n.m., n.p.; בֵּן u. יָמִין „Südländer *Southerner*"; F מִנְיָמִין; Mari: Dossin, Mél. Syr. 981ff: **Benjamin**: S. v. Jakob: 1. Gn 35, 18! 24 42, 4. 36 43, 15. 29. 34 45, 12 46, 21; 2. Urenkel *great-grandson* v. 1.: 1 C 7, 10; 3. Esr 10, 32 Ne 3, 23 12, 24; 4. d. Stamm *the tribe* (F 1.): Gn 49, 27 Nu 1, 11 Dt 27, 12 33, 12 Jd 5, 14 2 S 3, 19 4, 2 Hs 48, 32 Ho 5, 8 Ps 68, 28 80, 3; c. שֵׁבֶט Jd 20, 12 1 S 9, 21 10, 20f 1 K 12, 21; c. מַטֶּה Nu 1, 37 2, 22 13, 9 34, 21 Jos 21, 4. 17 1 C 6, 45; בְּנֵי ב׳ d. Benjaminiten *the Benjaminites* Nu 1, 36 2, 22 7, 60 26, 38. 41 Jd 1, 21 20, 3—48 21, 13 2 S 2, 25 Ir 6, 1 Ne 11, 4. 7. 31 1 C 8, 40 9, 3. 7 12, 17. 30; מַטֵּה בְּנֵי ב Nu 10, 24 Jos 18, 11. 21 1 C 6, 50; אִישׁ בִּ׳ e. Benjaminit *a Benjaminite* 1 S 4, 12 9, 1?, die Benjaminiten *the Benjaminites* Jd 20, 41; אֶרֶץ בִּ׳ Jd 21, 21 1 S 9, 16. cj 4 2 S 21, 14 Ir 1, 1 17, 26 32, 8. 44 37, 12; גְּבוּל בִּ׳ 1 S 10, 2 Hs 48, 22. 24; נַחֲלַת בְּנֵי ב׳ Jos 18, 20. 28; גִּבְעַת בְּנֵי ב׳ 2 S 23, 29 1 C 11, 31; יְהוּדָה וּב׳ 1 K 12, 23 2 C 11, 1; שַׁעַר בִּ׳ Ir 20, 2 37, 13 38, 7 Hs 48, 32 Sa 14, 10; l בֶּן־בָּנִי 1 C 9, 4. † Der. יְמִינִי, בֶּן־יְמִינִי.

בֶּן־יְמִינִי: gntl.; zu Benjamin gehörig *belonging to Benjamin*: 1 S 9, 21 Ps 7, 1, cj 1 C 27, 12; בֶּן־הַיְמִינִי Jd 3, 15 2 S 16, 11 19, 17 1 K 2, 8; pl. בְּנֵי־יְמִינִי Jd 19, 16 1 S 22, 7. †

בִּנְיָן: בנה; F ba.: **Gebäude** *building* Hs 40, 5 41, 12. 15. cj 13 42, 1. 5. 10. †

בְּנִינוּ: n.m.; Text?: Ne 10, 14. †

בִּנְעָא: n.m.; KF; בֵּן u.?: 1 C 8, 37 9, 43. †

בְּסוֹדְיָה: n.m.; בְּ u. סוֹד u. יהוה: Ne 3, 6. †

בֵּסַי: n.m.; בֵּסָי, KF; < בְּסוֹדְיָה?: Esr 2, 49 Ne 7, 52. †

בסר: בֹּסֶר.

בֹּסֶר: בסר, بسر vorzeitig, noch nicht reif sein

be before the proper time, بسر reifende Datteln *dates beginning to ripen*, ܒܣܪܐ noch nicht reife Trauben *grapes not yet ripened*: sf. בִּסְרוֹ (Or. בְּסְרוֹ): **noch nicht reife Trauben** *grapes beginning to ripen* (im Orient e. Delikatesse *a dainty bit in the East*, Löw 1, 77): Js 18, 5 Ir 31, 29 f Hs 18, 2 Hi 15, 33. †

בער: sy. af. entfernen *remove*, palm. pa. veräussern *dispose of*: בַּעַד.

בַּעַד (100 ×): בעה; ug. *b'd* hinter *behind*; بَعُدَ entfernt, weitab sein *be distant, aloof*, بَعْدَ (temp.) nach *after*; asa. בעד praep. nach *after*; **በዐድ** e. andrer *an other*:

abs. בַּעַד in מִבַּעַד לְ, cs. בְּעַד, sf. בַּעֲדוֹ, בַּעֲדָהּ, בַּעֲדְךָ, בַּעֲדֵךְ, בַּעֲדִי u. בַּעֲדֵנִי Ps 139, 11 †, בַּעֲדֵנוּ (l עֲדֵינוּ) Am 9, 10; בַּעֲדָם, בַּעַדְכֶם; J. E. de Long, Die hebräische Präposition בעד, 1905: 1. **Abstand** *distance*; מִבַּעַד לְ vom Abstand von .... aus = hinter .... hervor *from out of the distance of* = *(from) behind* Ct 4, 1. 3 6, 7 †; 2. praep.: im Abstand von = **durch .... hindurch, aus .... heraus** *at the distance of* = *through* Hi 22, 13 Gn 26, 8 2 K 9, 30 Si 14, 23 Jos 2, 15 1 S 19, 12 Jd 5, 28 2 S 6, 16 1 C 15, 29 Pr 7, 6; 2 K 1, 2 Jl 2, 9: בְּעַד הַחוֹמָה über d. M. hin *over the wall*; > zwischen ... hindurch *through (between)* Jl 2, 8; 3. im Abstand von = hinter *at the distance of* = *behind*: c. סָגַר F Gn 20, 18 1 S 1, 6, בַּעֲדִי um mich *upon me* Jon 2, 7; 4. hinter > **um .... her** *behind* > *round about, on all sides*: Sa 12, 8 Th 3, 7 Ps 3, 4 Hi 1, 10 3, 23 9, 7, cj 37, 7, Ps 139, 11; 5. schützend um .... her > **zu Gunsten von** *protecting on all sides* > *for the benefit of, for*: c. הִתְפַּלֵּל Gn 20, 7 (12 ×), c. הֶעְתִּיר Ex 8, 24, c. כִּפֶּר Ex 32, 30 (14 ×), c. זָעַק 1 S 7, 9, c. הִתְחַזֵּק mannhaft einstehn für *stand up manly for* 2 S 10, 12 1 C 19, 13, c. דָּרַשׁ Js 8, 19 u. דָּרַשׁ יהוה 2 K 22, 13 Ir 21, 2, c. בִּקֵּשׁ אֱלֹהִים 2 S 12, 16, c. נָשָׂא תְפִלָּה 2 K 19, 4 Js 37, 4 Ir 7, 16 11, 14, c. עָשָׂה opfern *prepare offering* Hs 45, 22, c. הֶעֱלָה עֹלָה Hi 42, 8, c. גָּמַר Ps 138, 8, c. חָבַל Pr 20, 16 27, 13, c. נָתַן Hi 2, 4, c. שָׁחַד 6, 22; בְּעַד הָאָרֶץ für d. L. *for the land* Hs 22, 30 u. cj 25, 14; Redensart *idiomatic phrase* עוֹר בְּעַד עוֹר eine Haut für die andre *skin for skin* Hi 2, 4; l הָיָה מְעָרוֹת Js 32, 14 u. בְּעֵת Ir 11, 14; ?? 1 S 4, 18 u. Pr 6, 26.

בעה: ak. *bu'û*, aram. בְּעָא suchen *seek*, بغى suchen, vordrängen, schwellen (Wunde) *seek, suppurate, swell (wound)*:

qal: impf. תִּבְעָה, תִּבְעָיוּן, imp. בְּעָיוּ:

1. **fragen** *inquire* Js 21, 12; 2. (Feuer) **bringt** (Wasser) **zum Wallen** *(fire) causes (water) to swell* 64, 1; †

nif: pf. נִבְעוּ, pt. נִבְעֶה:

1. **durchstöbert werden** *be searched out* // נֶחְפְּשׂוּ Ob 6; 2. **heraustreten** (einfalldrohendes Mauerstück) *swell out (decaying wall)* Js 30, 13. †

בְּעוֹר: n.m.; aram?: 1. Gn 36, 32 1 C 1, 43; 2. V. v. בִּלְעָם Nu 22, 5 24, 3. 15 31, 8 Dt 23, 5 Jos 13, 22 24, 9 Mi 6, 5. †

***בִּעוּת**: בעת (Typus בִּכּוּר: *bi''ût*): sf. cj בִּעוּתָם, pl. cs. בִּעוּתֵי Hi 6, 4, sf. בִּעוּתֶיךָ Ps 88, 17; **Schrecknisse** *terrors* Ps 88, 17 Hi 6, 4, cj בִּעוּתָם Ps 81, 16. †

I **בֹּעַז**: n.m.; Noth S. 228; n.m. im Hauran Baumgartner Schweiz. Theol. Umschau 1941, 48: Ru 2, 1—4, 21 (20 ×). †

II **בֹּעַז**: Name einer Säule *name of a pillar* (Scott, JBL 58, 143 f): 1 K 7, 21 2 C 3, 17. †

בעט: mhb., aram. בְּעַט stampfen, stossen *stamp, kick*:

qal: impf. וַיִּבְעַט: **ausschlagen** *kick* Dt 32, 15; l הַבִּטָּה (נבט) 1 S 2, 29. †

בְּעִי Hi 30, 24: F עִי.

בְּעָיִם Js 11, 15: l בְּעָצְם.

***בְּעִיר**: II בער: sf. בְּעִירֹה, בְּעִירָם: **Viehbesitz** *beasts, cattle* Gn 45, 17 (Lasttiere *beasts of burden*) Ex 22, 4 Nu 20, 4. 8. 11 Ps 78, 48. † Der. III בער.

בעל: ak. *bêlu* besitzen *own*, herrschen *rule*; بَعَلَ; ja. בְּעַל e. Frau nehmen *take possession of a wife*; äth. u. soq. *baʿal* heiraten *marry*:

qal: pf. בָּעַל, sf. בְּעָלָהּ, בְּעָלְתָהּ, בְּעָלוּנוּ, impf. יִבְעַל, sf. יִבְעָלוּךְ, pt. בֹּעֲלַיִךְ pss. בְּעוּלָה, cs. בְּעֻלַת:

1. **besitzen** *own, rule over* (Götter e. Volk *gods a people*) Js 26, 13; 2. jmd **als Frau (oder Verlobte) in Besitz nehmen** *take possession of a woman as bride or wife*, **heiraten** *marry* Dt 21, 13 24, 1 Js 62, 5 Ma 2, 11 1 C 4, 22 (לְמוֹאָב nach M. *a woman of M.*); בְּעֻלַת בַּעַל eine, die einem Mann (als Frau oder Verlobte) gehört *a woman owned by a man (as his wife or bride)* Gn 20, 3 Dt 22, 22, cj Lv 21, 4, Si 9, 9; cj בְּעֻלַת בְּתוּאֵל Gn 24, 50, בְּעוּלָה (:: שׁוֹמֵמָה) Verheiratete *married woman* Js 54, 1, בֹּעֲלַיִךְ pl! dein Hochzeiter *bridegroom (husband)* (Jahwe) Js 54, 5; metaph. v. אֶרֶץ (*like* مَلَكَ, ak. *aḫâzu* in Besitz nehmen, heiraten *take possession of, marry*; ZAW 32, 303f 33, 81f) Js 62, 4; 3. בָּעַל בְּ **in Besitz nehmen** *take possession of* Ir 3, 14 (κατακυριεύσω) 31, 32 (Aquila: ἐκυρίευσα; einige *some* l גָּעַלְתִּי). †

I בַּעַל: בעל; Sem; ug. *bʿl*; äg. (seit *since* XIX. Dynastie) *bʿr* (Gott *god*, EG 1, 447); ak. *bêlu* Besitzer *owner* u. (Gott *god*) *Bêlu*; arab. Nöld. ZDM 40, 174, Wellhausen, Reste 146, W. Robertson Smith, Religion of Semites 1, 92—105; > Formwort *formal word* VG 2, 240f: בָּעַל (cs. *בְּעַל u. *בְּעֶל בְּעָלִיהָ F בְּעָלֶיהָ u. בְּעָלִידַע), sf. בַּעְלִי, בַּעְלָהּ, pl. בְּעָלִים, cs. בַּעֲלֵי, sf. בַּעֲלֵיהֶן u. (auch als sg. gebraucht *used also as sg*! Ex 21, 29 Hi 31, 39 etc.) בְּעָלָיו, בְּעָלֶיהָ:

I†: **Besitzer** *owner*: 1. **Eheherr** *husband* Gn 20, 3 Dt 22, 22, cj Lv 21, 4; Ex 21, 3. 22; Dt 24, 4 2 S 11, 26 Pr 12, 4 31, 11. 23. 28; Ho 2, 18 (Mél. Syr. 1, 422 Arslan Tash-Text); Jl 1, 8; Est 1, 17. 20; 2. **Grundbesitzer, Bürger** *landowner, inhabitant*: בַּעֲלֵי יְרִיחוֹ Jos 24, 11; שְׁכֶם Jd 9, 2, מִגְדַּל שְׁכֶם 9, 46f, הַגִּבְעָה 20, 5, קְעִילָה 1 S 23, 11f, יָבִישׁ 2 S 21, 12, הָעִיר Jd 9, 51; l בַּעַל n.l. 2 S 6, 2; 3. בַּעֲלֵי גוֹיִם Js 16, 8 u. cj בַּעֲלֵי עַמִּים Ps 68, 31 **Herren** über d. Völker *lords of the peoples*; 4. **Teilhaber** einer Gemeinschaft *partner of a community, fellowship*: בַּעֲלֵי בְרִית Bundesgenossen *confederate* Gn 14, 13, בַּ׳ שְׁבוּעָה eidlich Verbundne *sworn unto (him)* Ne 6, 18; 5. **Besitzer** einer Sache *owner of an object*: שׁוֹר Ex 21, 28, בּוֹר 21, 34, בַּיִת (ug. *bʿl bt*) 22, 7 Jd 19, 22f, שֵׂעָר 2 K 1, 8; Ex 21, 29. 34. 36 22, 10f. 13f Js 1, 3 Pr 1, 19 3, 27 16, 22 17, 8 Hi 31, 39 Ko 5, 10. 12 7, 12 8, 8; 6. Besitzer einer Sache, welche die Art oder Tätigkeit des Besitzers kennzeichnet *owner of an object which characterizes the manner, or occupation, or profession of its owner*: בַּ׳ חֲלֹמוֹת Träumer *dreamer* Gn 37, 19, בַּ׳ חִצִּים Pfeilschütze *archer* Gn 49, 23, cj בַּעֲלֵי רֶכֶב Wagenmannschaft *men of the chariots* 2 S 1, 6, cj בַּ׳ מַשֶּׁה Schuldherr *creditor* Dt 15, 2, בַּ׳ דְּבָרִים wer e. Rechtssache hat *who has a cause* Ex 24, 14, בַּעֲלֵי פָרָשִׁים Berittene *horsemen, mounted men* 2 S 1, 6, בַּ׳ פִּיפִיּוֹת mit doppelten Schneiden *two-edged* Js 41, 15, בַּ׳ מִשְׁפָּטִי m. Rechtsgegner *my adversary* Js 50, 8, בַּ׳ פְקֻדַּת

Wachthabender *officer of the guard* Ir 37, 13, בַּ׳ חֵמָה grimmig *full of wrath* Na 1, 2 Pr 29, 22, בַּ׳ אַף zornmütig *given to anger* Pr 22, 24, בַּ׳ נֶפֶשׁ gierig *given to greed* 23, 2, בַּ׳ מְזִמּוֹת Ränkeschmied *given to intrigues* 24, 8, בַּ׳ מַשְׁחִית Verderber *destroyer* 18, 9, בַּ׳ כָּנָף geflügelt *winged* 1, 17, בַּ׳ כְּנָפַיִם was Flügel hat *which has wings* Ko 10, 20, בַּ׳ אֲסֻפּוֹת 12, 11, בַּ׳ קְרָנַיִם mit 2 Hörnern *with 2 horns* Da 8, 6. 20, בַּ׳ לָשׁוֹן Beschwörer *charmer* Ko 10, 11; †

II. † בַּעַל nennt man die namenlosen Numina, die sich an Quellen, Bäumen, fruchtbaren Stellen und sonst als Besitzer der Stelle bekunden und meist nur lokale Geltung haben, weshalb sie vielfach im Plural בְּעָלִים zusammengefasst werden. בַּעַל *designates those anonymous numinous beings who manifest themselves (according to popular belief) at wells, fertile places, in trees and otherwise as the owners of the place; in most cases their credit is limited to the place itself; therefore they are usually mentioned in the plural.* 1. הַבְּעָלִים **die Baale** *the Baalim* Jd 2, 11 3, 7 8, 33 10, 6. 10 1 S 7, 4 12, 10 1 K 18, 18 Ir 2, 23 9, 13 Ho 2, 15. 19 11, 2 2 C 17, 3 24, 7 28, 2 33, 3 34, 4; 2. הַבַּעַל d. (einzelne) **Baal** *the (individual) Baal* Jd 2, 13 6, 31 f 1 K 18, 21. 26 2 K 21, 3 23, 4 f Ir 2, 8 7, 9 11, 13. 17 12, 16 19, 5 23, 13. 27 32, 29 Ho 2, 10 13, 1 Ze 1, 4, cj Ir 3, 24;

III. 1. d. einzelne בַּעַל mit höherer Bedeutung *the individual* בַּעַל *with greater significance*: a) בַּעַל פְּעוֹר d. in פְּעוֹר verehrte B. *the B. worshipped at* פְּעוֹר Nu 25, 3. 5 Dt 4, 3 Ho 9, 10; b) בַּעַל בְּרִית d. über Abmachungen wachende B. *the Baal who watches the keeping of covenants,* in שְׁכֶם Jd 8, 33 9, 4; c) בַּעַל זְבוּב אֱלֹהֵי עֶקְרוֹן 2 K 1, 2. 3. 6. 16; d) F nn. l. c. בַּעַל; e) הַבַּעַל, d. Stadtgott v. Tyrus *the town-god of Tyre* (ph. מלקרת בעל צר Cooke 36, 1) 1 K 16, 31 f 19, 18 22, 54 2 K 10, 18—20. 28 17, 16; † 2. zum Kult v. בַּעַל Gehöriges *expressions belonging to the worship of* בַּעַל: שֵׁם הַבַּ׳ 1 K 18, 26, בֵּית הַבַּ׳ 1 K 16, 32 2 K 10, 21. 23. 25. 27 11, 18 2 C 23, 17, בָּמוֹת בַּ׳ Nu 22, 41 u. בָּמוֹת הַבַּ׳ Ir 19, 5 32, 35, מִזְבַּח הַבַּ׳ Jd 6, 25. 28. 30, מַצֵּבַת הַבַּ׳ 2 K 3, 2 10, 27. cj 26, עֹבְדֵי הַבַּ׳ 2 K 10, 19. 21—23, כֹּהֵן הַבַּ׳ 2 K 11, 18 2 C 23, 17, נְבִיאֵי הַבַּ׳ 1 K 18, 19. 22. 25. 40 2 K 10, 19 †; l בַּעֲלָה Nu 21, 28 †;

IV. בַּעַל alte Bezeichnung Jahves בַּעַל *originally used for* יהוה, Ho 2, 18!: n. n. m. אֶשְׁבַּעַל, בְּעֶלְיָדָע, בַּעַלְיָה, יְרֻבַּעַל, מְרִיב בַּעַל; בַּעַל ersetzt durch *substituted by* בֹּשֶׁת F u. אֲבִי־עַלְבוֹן F. Der. גּוּר־בַּעַל, בַּעְשָׁא, בְּעֶלְיָדָע, אֶתְבַּעַל, אֶשְׁבַּעַל, יְרֻבַּעַל, יִשְׁבַּעַל;

V. n. n. l. c. בַּעַל:

1. בַּעַל 1 C 4, 33: F II בַּעֲלָה; 2. בַּעַל־גָּד: = *Baʿalbek* Eissfeldt, FF 12, 51 ff :: Elliger, PJ 32, 41[1]: Jos 11, 17 12, 7 13, 5; † 3. בַּעַל הָמוֹן: Ct 8, 11; † 4. בַּעַל חָצוֹר: *el-ʿAṣūr*, 23 km. n. Jerusalem, 1011 m, PJ 8, 25 f, Abel, 1, 372; = חָצוֹר 2: 2 S 13, 23; † 5. בַּעַל חֶרְמוֹן: Jd 3, 3 1 C 5, 23; † 6. cj בַּעַל יְהוּדָה: 2 S 6, 2 F II בַּעֲלָה; † 7. בַּעַל מְעוֹן: < בֵּית בַּ׳ מְ׳: Albr. Atl. = *Maʿīn*; Nu 32, 38 Hs 25, 9 1 C 5, 8; † 8. בַּעַל פְּרָצִים: 2 S 5, 20 (Volksetymologie *popular etymology*) 1 C 14, 11; † 9. בַּעַל צְפֹן: Eissfeldt, Baal Zaphon, 1932, 9 ff: = F תַּחְפַּנְחֵס BAS 109, 16; ph. (Gott *god*) בעל צפון auf Inschrift *on inscription* v. Tanis = צֹעַן BAS 109, 15 f: Ex 14, 2. 9 Nu 33, 7; † 10. בַּעַל שָׁלִשָׁה: *Kafr Ṯilṯ* bei *near* Gilgal?: 2 K 4, 42; † 11. בַּעַל תָּמָר: Dalm, JBL 48, 354 ff: = *Ch. Erḥa* oder *or Erzūje* n. Jerusalem (?): Jd 20, 33; † F קִרְיַת־בַּעַל.

II בַּעַל: n. m.; ph. n. m. בעל, ak. *Baʾlu* u. *Ba-a-lu*, Βααλ Jos. Ap. 1, 156; = I בַּעַל: 1. 1 C 5, 5; 2. 8, 30 9, 36. †

בָּעָל: 1 C 4, 33 F II בַּעֲלָה.

בַּעַל־גָּד: n.l. F I בַּעַל V, 2.

I *בַּעֲלָה: fem. v. I בַּעַל, ug. *bʿlt*: cs. בַּעֲלַת: ב׳ הַבַּיִת **Hausbesitzerin** *mistress of the house* 1 K 17, 17; ב׳ אוֹב **Totenbeschwörerin** *female necromancer* (γυνὴ ἐγγαστρίμυθος) 1 S 28, 7; ב׳ כְּשָׁפִים **Beschwörerin** *female charmer* Na 3, 4. †

II בַּעֲלָה: n.l.; = I?: 1. = קִרְיַת יְעָרִים Jos 15, 9f (Noth, Josua 62!); הַר הַבּ׳ Jos 15, 11; בַּעֲלָתָה 1 C 13, 6; † = *T. el-Azhar* 13, 5 km w. Jerusalem, Abel 2, 419f; 2. im נֶגֶב: Jos 15, 29, = בָּלָה 19, 3 u. = בִּלְהָה 1 C 4, 29? :: Albr. JOS 4, 150[4]; 3. בַּעַל יְהוּדָה (cj f. בַּעֲלֵי יְהוּדָה) = בַּעֲלָה I?: 2 S 6, 2. †

בַּעַל הָמוֹן: n.l. F I בַּעַל V, 3.

בְּעָלוֹת: n.l.; pl. v. בַּעֲלָה: im נֶגֶב: Jos 15, 24 1 K 4, 16 (Text? Alt, Alttestam. Studien Kittel, 1913, 13f). †

בַּעַל חָנָן: n.m.; בַּעַל u. חָנָן; ph. חנבעל Hannibal; keilschr. Baʾalḫanūnu (Arwad), Dir. 195ff: 1. K. v. Edom Gn 36, 38f 1 C 1, 49f; 2. 1 C 27, 28. †

בַּעַל חָצוֹר: n.l. F I בַּעַל V, 4.

בַּעַל חֶרְמוֹן: n.l. F I בַּעַל V, 5.

בְּעֶלְיָדָע: n.m.; בַּעַל (*בְּעַל F בְּעַר cs. בְּעַר < בַּעַל) u. ידע; ידבעל Sy 18, 191: > אֶלְיָדָע! 2 S 5, 16: 1 C 14, 7. †

בְּעַלְיָה: n.m.; בַּעַל (F בְּעֶלְיָדָע) u. י׳: 1 C 12, 6. †

בַּעֲלֵי יְהוּדָה: n.l. 2 S 6, 2 F בַּעַל V, 6.

בְּעָלִים: n.m.; Winnet F בְּמַהְל; ב = בֶּן u. עֲלִים?: K. v. Ammon Ir 40, 14. †

בַּעַל מְעוֹן: n.l.; F I בַּעַל V, 7; Dir. 43 n.m. בעלמעני.

בַּעַל פְּרָצִים: n.l. F I בַּעַל V, 8.

בַּעַל צְפֹן: n.l. F I בַּעַל V, 9.

בַּעַל שָׁלִשָׁה: n.l. F I בַּעַל V, 10.

בַּעֲלָת: n.l.; fem. v. I בַּעַל; בַּעֲלַת: in Dan, v. Salomo befestigt *fortified by Solomon*; = *el Qubēbe*? *el-Muġār*? Abel 2, 53; PJ 29, 35: Jos 19, 44 1 K 9, 18 2 C 8, 6. †

בַּעֲלַת בְּאֵר: n.l.; in Simeon: Jos 19, 8. †

בַּעַל תָּמָר: n.l. F I בַּעַל V, 11.

בְּעֹן: n.l.; < *בְּעֹן = בֵּית עֹן* = בֵּית מְעוֹן: Nu 32, 3. †

בַּעְנָא: n.m.; = בַּעֲנָה: 1. 1 K 4, 12; 2. 4, 16; 3. Ne 3, 4 (בַּעֲנָה 3?). †

בַּעֲנָה: n.m.; > בַּעְנָא; mo. n.m. בענו Dhorme zu 2 S 4, 2 u. Albr. AJS 1925, 85 < בֶּן u. עֲנָה F: 1. 2 S 4, 2. 5f. 9; 2. 2 S 23, 29 1 C 11, 30; 3. Esr 2, 2 Ne 7, 7 10, 28 (F בַּעְנָא 3). †

I בער: ug. führen, leuchten *lead, shine*(?); mhb., ja., cp. anzünden *light, burn*:

qal: pf. בָּעֲרָה, בָּעֲרוּ, בָּעֲרָה, impf. יִבְעַר, יִבְעָר, וַיִּבְעַר, pt. בֹּעֵר, בֹּעֵרָה, בֹּעֶרֶת, בֹּעֵרָה, pl. בֹּעֲרוֹת:

1. בָּעַר בָּאֵשׁ: **in Brand stehn, brennen** *burn with fire* Ex 3, 2 Dt 4, 11 5, 20 9, 15 Jd 15, 14; 2. בָּעַר **brennen** *burn*: Kohlen *coals* 2 S 22, 9 Ps 18, 9 Hs 1, 13, Pech *pitch* Js 34, 9, Feuer *fire* Ir 20, 9 Ps 39, 4 106, 18, cj 118, 12,

Flammen *flame* Js 10, 17, Fackel *torch* Js 62, 1, Ofen *oven* Ho 7, 4 (l בֹּעֵר הֵם) Ma 3, 19, Werg u. Funken *tow a. spark* Js 1, 31; metaph. Schlechtigkeit *wickedness* Js 9, 17, Grimm *anger* Est 1, 12, J.s Zorn *anger* Js 30, 27 Ps 2, 12, J.s Grimm *fury* Ir 4, 4 7, 20 21, 12 Ps 89, 47; **verbrennen** *be consumed*: Busch *bush* Ex 3, 3; 3. בָּעַר בְּ **entbrennen** gegen *blaze up, burn*: Feuer *fire* Ps 106, 18 Hi 1, 16, J.s Feuer *fire* Nu 11, 1. 3, J.s Odem *breath* Js 30, 33, J.s Zorn *anger* Ir 44, 6 Th 2, 3; 4. בָּעַר בְּ **versengen** *scorch* Js 42, 25 43, 2, cj Ho 7, 6 (l בֹּעֵר בָּם); l עָבְרוּ 2 S 22, 13 (Ps 18, 13) u. תַּבְעִיר Ps 83, 15; †

pi: pf. בִּעֵר, בִּעֲרָתֶם, בִּעֲרוּ, sf. בִּעַרְתִּיהָ, impf. יְבַעֲרוּ, inf. בַּעֵר u. בָּעֵר, לְבַעֲרָם;

I. **anzünden** *kindle* 1. c. ac.: Feuer *fire* Ex 35, 3 Ir 7, 18 Hs 21, 4 39, 9f, Lichter *lamps* 2 C 4, 20 13, 11, Holz *wood* Lv 6, 5, Brandpfeile *fiery arrows* Js 50, 11; 2. abs. **Feuer unterhalten** *keep a fire burning* Js 40, 16 44, 15 Ne 10, 35; 3. בִּעֵר (כֶּרֶם) **niederbrennen** *burn down* Js 3, 14 5, 5 6, 13, cj וְלֹא אֲבַעֵר Ho 11, 9; רוּחַ בָּעֵר Geist des Niederbrennens *spirit of burning down* Js 4, 4; †

II. Mit Feuer säubern, roden > **säubern, fegen, wegschaffen.** *To burn down, clear (land)* > *clean, sweep, remove.* 1. בִּעֵר גָּלָל 1 K 14, 10, בִּעֵר־אַחֲרֵי hinter jmd her **fegen** *sweep behind* 1 K 14, 10, cj 16, 3 21, 21; 2. **wegschaffen** *remove* 2 K 23, 24 2 C 19, 3, c. הָרַע das Böse *the evil* Dt 13, 6 17, 7. 12 19, 19 21, 21 22, 21 f. 24 24, 7 Jd 20, 13 (רָעָה), 1 K 22, 47; בִּעֵר דָּם (unschuldig vergossnes Blut *innocent blood*) Dt 19, 13 21, 9; sonst *moreover* Dt 26, 13f 2 S 4, 11; ? Nu 24, 22. †

pu: pt. מְבֹעֶרֶת: angezündet sein *be burning* Ir 36, 22; †

hif: pf. הִבְעַרְתִּי, impf. תַּבְעִיר, יַבְעֶר־, וַיַּבְעֵר, וַיַּבְעֶר־, pt. מַבְעִיר, מַבְעֵר:

1. **in Brand setzen** *kindle, burn up, set on fire* (Feld, Reben, Ähren, Ölbäume *cornfield, vines, ears, olive-trees*) Ex 22, 4f (Komm.!) Jd 15, 5, Wald *wood* cj Ps 83, 15 (תַּבְעֵר), Fackeln *torchs* Jd 15, 5; c. בָּאֵשׁ cj Hs 5, 2; 2. c. בֶּעָשָׁן **einäschern** *reduce to cinders* Na 2, 14; l מְבַעֵר 1 K 16, 3 u. וַיַּעֲבֵר 2 C 28, 3. †

Der. בְּעֵרָה u. (Volksetymologie *popular etymology*) n.l. תַּבְעֵרָה.

II בער: بَعَرَ stallen, d. Darm leeren *void dung*: Der. בְּעִיר die Tiere (Kamele, Schafe, Ziegen usw.) deren Mist zur Feuerung dient *the animals (camels, sheep, goats etc.) the droppings of which are used for fuel.*

Den. III בער u. בַּעַר.

III בער: den. v. בְּעִיר:

qal: impf. יִבְעֲרוּ, pt. בֹּעֲרִים:

viehisch, dumm sein *be brutish, stupid* Ir 10, 8 Hs 21, 36 Ps 94, 8; †

nif: pf. נִבְעַר, נִבְעֲרוּ, pt. נִבְעָרָה: **sich als viehisch, dumm erweisen** *to behave as a brutish, stupid one* Js 19, 11 Ir 10, 14. 21 51, 17. †

בַּעַר: den. v. בְּעִיר; בַּעַר: **viehisch, dumm** *brutish, stupid* Ps 49, 11 73, 22 92, 7 Pr 12, 1 30, 2. †

בַּעֲרָא: n.f.; Dir. 63; א f. ה aram.: 1 C 8, 8. †

בְּעֵרָה: I בער: **Brand** *burning* Ex 22, 5. †

בַּעְשָׁא, Var. בַּעְשָׁא: n.m.; Eph. 2, 7: < בעלשמע, Cooke 267 < בעלשמשא, cf. בעלשמם > לעשמם CIS 1, 139, 1; Noth S. 40; keilschr. *Ba'sa*, K. v. Ammon, KAT 42; Βαασα: **Baesa** *Baasha*, K. v. Israel: 1 K 15, 16—33 16, 1—8 21, 22 2 K 9, 9 Ir 41, 9 2 C 16, 1. 3. 5f. †

בַּעֲשֵׂיָה 1 C 6, 25: l מַעֲשֵׂיָה MSS. †

בְּעֶשְׁתְּרָה: n.l.; = עַשְׁתָּרוֹת 1 C 6, 56; tham. u.

asa. n.m. בעתהר; < בֶּן־עֶשׁ Winnett F בְּמָהֳל; Abel 2, 255: Jos 21, 27. †

בעת: aram. בְּעַת, ja. ängstlich sein *be timid*, sy. überfallen *fall upon*; بَغَتَ überraschen *surprise*, Nöld. ZDM 54, 156:

nif: pf. נִבְעַתִּי, נִבְעַת: **mit Schrecken erfüllt werden** *be terrified* Est 7, 6 1 C 21, 30 Da 8, 17; †

pi: pf. sf. בִּעֲתַתּוּ, בִּעֲתַתְנִי, בִּעֲתַתְהוּ, impf. תְּבַעֲתַנִּי, יְבַעֲתֻהוּ, יְבַעֲתֻנִי, תְּבַעֵת, pt. sf. מְבַעֶתְךָ:

1. jmd **erschrecken** *terrify*: böser Geist *evil spirit* 1 S 16, 14 f, Beben *shivering* Js 21, 4, Fluten *floods* 2 S 22, 5 Ps 18, 5, (Sonnenfinsternis *solar eclipse?*) Hi 3, 5; 2. jmd **aufschrecken** *start a. person with fright* Hi 7, 14 9, 34 13, 11. 21 15, 24 18, 11 33, 7. †

Der. בְּעָתָה, בִּעוּת.

בְּעָתָה: בעת: **Schrecken** *terror, dismay* Ir 8, 15 14, 19. †

בֹּץ: בצץ, F בִּצָּה; ak. *baṣṣu* Schlammsand *silt* ZA 1926, 75; ar. *baṣṣ* (بص) sumpfige Stelle *oozy place* (L. Bauer, Wörterbuch des paläst. Arabisch, 1933, 215):

Schlammsand *silt* Ir 38, 22. †

בצא: F בִּצָּה.

בִּצָּה: בֹּץ: pl. sf. בִּצֹּאתָו: **sumpfige Stelle** *oozy place* Hi 8, 11 40, 21 Hs 47, 11, cj וּבִצָּה (ET 37, 236) Js 35, 7. †

בָּצוּר: III בצר: f. בְּצוּרָה, pl. בְּצֻרוֹת u. בְּצֻרֹת: **fest, unzugänglich** *fortified, inaccessible*: Stadt *town* Nu 13, 28 Hs 36, 35 Dt 1, 28 9, 1 Jos 14, 12 Dt 3, 5 2 S 20, 6 2 K 19, 25 Js 37, 26 Ho 8, 14 2 K 18, 13 Js 36, 1 2 C 17, 2 19, 5 Js 25, 2 27, 10 Ze 1, 16 2 C 32, 1 33, 14, Mauer *wall* Dt 28, 52 Js 2, 15 Ir 15, 20; בְּצֻרוֹת **unfassbare** Dinge *incomprehensible things* Ir 33, 3; 1 בְּחוֹבָה Hs 21, 25; 1 בָּצִיר Q Sa 11, 2. †

בֵּצָי: n.m., KF, < בְּצַלְאֵל Eph 2, 14: Esr 2, 17 Ne 7, 23 10, 19. †

I בָּצִיר: I בצר: cs. בְּצִיר, sf. בְּצִירֵךְ: **Weinlese** *vintage* Lv 26, 5 Jd 8, 2 Js 24, 13 32, 10 Ir 48, 32 Mi 7, 1. †

II בָּצִיר: III בצר: unzugänglich *inaccessible*; יַעַר הַבָּצִיר **Bannwald** *interdicted forest* Sa 11, 2 Q. †

***בָּצָל**: Sem; ak. *biṣru*, ja. בּוּצְלָא u. בְּצָלָא, sy. בְּצָלָא, بَصَل, soq. *bišle*, etc.: pl. בְּצָלִים: (Küchen-)**Zwiebel** *onion, Allium cepa L.* (Löw 2, 125—31): Nu 11, 5. †

בְּצַלְאֵל: n.m.; בְּ u. צֵל u. אֵל; ak. *Ina-silli-nabū* „Im Schatten (Schutz) Nabus *In the shade (protection) of Nabu*" Stamm 276; > בֵּצַי: 1. Ex 31, 2 35, 30 36, 1 f 37, 1 38, 22 1 C 2, 20 2 C 1, 5; 2. Esr 10, 30. †

בַּצְלוּת: n.m.; בָּצָל?; > בַּצְלִית Ne 7, 54: Esr 2, 52. †

בַּצְלִית: F בַּצְלוּת.

בצע: بَضَعَ in Stücke hauen *cut in pieces*, asa. בצע Gebiet *area*; mhb. ja. (Brot) brechen *break (bread)*:

qal: impf. (יִבְצַע) יִבְצָעוּ, inf. בְּצֹעַ, sf. בִּצְעֵךְ, בְּצָעָם ? Am 9, 1, pt. בֹּצֵעַ u. בּוֹצֵעַ: Fachwort d. Webers *technical expression of the weaver*: vom Gewobnen (Trumm) **abschneiden** *cut off from the woof*: 1. אַמַּת בִּצְעֵךְ die Elle, wo du abgeschnitten wirst = d. E. deines Endes *the cubit (limit) at which thou shalt be cut off = the measure of thy end* Ir 51, 13; 2. בָּצַע בֶּצַע („seinen Schnitt machen") **Gewinn machen** *make* (*a large*) *profit* Ir 6, 13 8, 10 Hs 22, 27 Ha 2, 9 Pr 1, 19 15, 27; 3. d. Zug **unterbrechen** *break off the course* Jl 2, 8; l וּבֶצַע Ps 10, 3 u. יִבֶצַע Hi 27, 8; ? Am 9, 1; †

pi: pf. בִּצַּע, impf. יְבַצַּע, וַתְּבַצְּעִי, תְּבַצַּעְנָה, sf. יְבַצְּעֵנִי:

1. [מִדַּלָּה] בִּצַּע **abschneiden** *cut off* Js 38, 12 (l תְּבַצְּעֵנִי) Hi 6, 9; 2. [מַעֲשֶׂה] בִּ׳ **beendigen** *finish* Js 10, 12 Sa 4, 9; 3. cj [נַפְשׁוֹ] יְבַצַּע (ak. *purrû napišta*) [s. Leben] **beenden** *finish* (*one's life*) cj Hi 27, 8; 4. בִּ׳ אֶמְרָתוֹ s. Wort **erfüllen** *fulfill his word* Th 2, 17; 5. c. ac. jmd **Abbruch tun** *injure*, *damage a p.* Hs 22, 12. †

Der. בֶּצַע.

בֶּצַע: בצע: בֶּצַע, sf. בִּצְעוֹ, בִּצְעֵךְ, בִּצְעָם: Abschnitt v. Webtuch > **Gewinn** *cutting of the woof* > *gain*, *profit*: 1. בצע בֶּצַע F qal 2; 2. Gn 37, 26 Ex 18, 21 Jd 5, 19 1 S 8, 3 Js 33, 15 56, 11 57, 17 Ir 22, 17 Hs 33, 31 Mi 4, 13 Ma 3, 14 Ps cj 10, 3 30, 10 119, 36 Pr 28, 16 Hi 22, 3. †

בְּצַעֲנַנִּים Jd 4, 11: F צַעֲנַנִּים.

בצץ: Der. בֹּץ, בִּצָּה.

בצק: بَصْقَة Erhöhung *elevated spot*; mhb. בָּצֵק aufgehender Teig *swelling dough*:

qal: pf. בָּצֵקָה, בָּצֵקוּ: **geschwollen werden** (überanstrengte Füsse) *become swollen* (*overstrained feet*) Dt 8, 4 Ne 9, 21. †

Der. בָּצֵק, n.l. בָּצְקַת.

בָּצֵק: בצק: sf. בְּצֵקוֹ: **Mehlteig** (auch vor der Säuerung) *dough of flour* (*even before leavening*) Ex 12, 34. 39 2 S 13, 8 Ir 7, 18 Ho 7, 4. †

בָּצְקַת: n.l.; בצק: „Anhöhe *elevated spot*", bei *near* לָכִישׁ; Abel 2, 261: Jos 15, 39 2 K 22, 1. †

I בצר: ak. *baṣâru* zerschneiden *cut in pieces*, n.m. *Buṣṣuru* Krüppel *cripple* Holma, ABP 36; soq. *bḏr* zerreissen *rend asunder*; aram. בצר abschneiden *cut off*:

qal: impf. תִּבְצֹר, תִּבְצְרוּ, pt. בּוֹצֵר, בֹּצְרִים: Weinlese halten *do the vintage*, *gather grapes* Lv 25, 5. 11 Dt 24, 21 Jd 9, 27, cj Js 63, 1 Ir 6, 9 49, 9 Ob 5; †

cj pi: pt. מְבַצֵּר absuchen, durchsuchen *search through*: cj Ir 6, 27. †

Der. I בָּצִיר.

II בצר: aram. wenig sein *be few*:

qal: impf. יִבְצֹר: demütigen, ducken *humble* Ps 76, 13. †

Der. בַּצֹּרֶת.

III בצר: بَظُرَ unzugänglich sein *be inaccessible*, *unspeakable*:

nif: impf. יִבָּצֵר: unzugänglich, **unmöglich sein** *be impossible* (מִן für *for*) Gn 11, 6 Hi 42, 2; †

pi: impf. תְּבַצֵּר, inf. בַּצֵּר: **unzugänglich machen** (Mauer, Höhe) *make unapprochable* (*wall*, *height*) Js 22, 10 Ir 51, 53. †

Der. בָּצוּר, II בָּצִיר, n.l. III בֶּצֶר, n.l. בָּצְרָה, I מִבְצָר.

I *בֶּצֶר: בֶּצֶר, pl. sf. בְּצָרֶיךָ; Et? FW?: **Golderz** *ore* Hi 22, 24 f, cj Ps 68, 31 (Nestle). †

II בֶּצֶר: n.m.; = I? Noth S. 223: 1 C 7, 37. †

III בֶּצֶר: n.l.; III בצר; mo. בצר; Asylstadt f. Ruben im Ostjordanland *place of refuge for the Reubenites in Tranjordania*; Abel 2, 74: *Umm el ʿAmad* nö. Madaba: Dt 4, 43 Jos 20, 8 21, 36 1 C 6, 63. †

בָּצְרָה Mi 2, 12: l בַּצִּרָה.

בָּצְרָה: n.l.; III בצר: 1. **Bozra**(h) G Βοσορα,

später *later* Βοστρα (Alb. Atl. 108!), Hauptort *capital* v. Edom; = *Buṣeira*, 1122 m, 40 km n. Petra, Musil, AP 2, 1, 320: Gn 36, 33 Js 34, 6 (63, 1 l מִבֻּצְר) Ir 49, 13. 22 Am 1, 12 1 C 1, 44; † 2. in Moab Ir 48, 24. †

בִּצָּרוֹן: f. לְבִצָּרוֹן l לְבִצָּרוֹן (Festschr. Marti 1925, 174) Sa 9, 12. †

בַּצֹּרֶת: II בצר: **Regenmangel** *drought* (ZDP 37, 244 ff): Ir 14, 1 17, 8. †

בַּקְבּוּק: n. m., F בַּקְבֻּק: Esr 2, 51 Ne 7, 53; Der. בַּקְבֻּקְיָה. †

בַּקְבֻּק: Schallwort wie glucksen *sound-imitation as gurgle*: sy. בַּגְבּוּגָא Flasche *bottle* u. בּוּגְבָּגָא *cooing* Gurren d. Tauben: **Flasche f. Wasser**, Honig etc. *water-(honey-)decanter* (Honeyman PEF 1939, 79 f): 1 K 14, 3 Ir 19, 1. 10. † Der. בַּקְבּוּק.

בַּקְבֻּקְיָה: n. m.; בַּקְבּוּק u. (inhaltslose Endung *ending without meaning*) -jā; Noth S. 105. 226: Ne 11, 17 12, 9. 25. †

בַּקְבַּקַּר: n. m.: 1 C 9, 15. †

בֻּקִּי: n. m.; KF; < בֻּקִּיָּהוּ: 1. Nu 34, 22; 2. Esr 7, 4 1 C 5, 31 6, 36. †

בֻּקִּיָּהוּ: n. m.; ׳י u.?; > בֻּקִּי: 1 C 25, 4. 13. †

***בָּקִיעַ**: בקע: pl. בְּקִעִים, cs. בְּקִיעֵי **Mauerrisse** *breaches* Js 22, 9; **Bruchstücke** *breaches, debris* Am 6, 11; sg. cj. Ps 141, 7 (כְּמַפָּלָה וּבָקִיעַ). †

בקע: ug. *bqʿ* spalten *split*; ja. בקע; ja. cp. sy. פקע; فقأ spalten *split*, بقع sich abheben, unterscheiden *be differing (from)*, بعج spalten *cleave, furrow*; mo. מבקע Anbruch (Tag) *break (day)*:

qal: pf. בָּקַע, בְּקָעָהּ, בָּקַעְתָּ, impf. וַיִּבְקַע, וַיִּבְקְעוּ, sf. וַיְבַקְּעוּהָ, inf. sf. בִּקְעָם, imp. sf. בְּקָעֵהוּ, pt. בּוֹקֵעַ:

1. **spalten, teilen** *split, cleave*: Holz *wood* Ko 10, 9, Knochen *bones* Jd 15, 19, Hand *hand* (l כַּף) Hs 29, 7, Felsen *rock* Js 48, 21, Meer *sea* Ex 14, 16 Ps 78, 13 Ne 9, 11, Wasser *water* Js 63, 12; 2. (Eier) **ausbrüten** *hatch (eggs)* Js 34, 15; (Quell) aufbrechen, **erschliessen** *cleave (fountain)* Ps 74, 15; (Schwangern den Leib) **aufschlitzen** *rip (women with child)* Am 1, 13; d. **Eintritt** (in e. Land) **erzwingen** *force open (a country)* 2 C 21, 17; 3. בָּקַע בְּ: **eindringen** in *enter by force* 2 S 23, 16 1 C 11, 18; 4. בְּ׳ עָרִים אֵלָיו **bringt** Städte **durch Breschelegen an sich** *becomes lord of towns by breaching their walls* 2 C 32, 1; l וּבָקִיעַ Ps 141, 7; †

nif: pf. נִבְקַע, נִבְקְעוּ, impf. יִבָּקַע, וַתִּבָּקַע, וַיִּבָּקְעוּ, inf. הִבָּקַע:

1. **sich spalten, aufbrechen** *split, burst open*: Berg *mountain* Sa 14, 4, Wolke *cloud* Hi 26, 8, Erde *earth* Nu 16, 31 1 K 1, 40, Quelle *fountain* Gn 7, 11, Wasser *waters (divide)* Ex 14, 21 Js 35, 6 Pr 3, 20, Stadt *town* 2 K 25, 4 Ir 52, 7; 2. **bersten** *burst*: Weinschlauch *wine-skin* Hi 32, 19, Leiche *corpse* 2 C 25, 12; 3. **hervorbrechen** *break forth*, Licht *light* Js 58, 8, cj. Hs 13, 11; 4. **ausgebrütet werden** *be hatched* (F qal 2)? Js 59, 5; 5. הָיָה לְהִבָּקַע **d. Eroberung durch Breschen verfallen** *be taken by breaches* Hs 30, 16; †

pi: pf. בִּקַּע, בִּקְּעוּ, בִּקַּעְתִּי, impf. יְבַקַּע, תְּבַקַּע, וַיְבַקְּעוּ, וַתְּבַקַּעְנָה, sf. תְּבַקְּעֵם:

1. **spalten** *cleave*: Holz *wood* Gn 22, 3 1 S 6, 14, Felsen *rocks* Ps 78, 15; 2. **aufschlitzen** *rip* 2 K 8, 12 15, 16; 3. hervorbrechen lassen *cause to break forth*, Wind *wind* Hs 13, 13, Strom *river* Ha 3, 9; 4. **in Stücke reissen** *tear to pieces* 2 K 2, 24 Ho 13, 8; 5. ausbrüten *hatch* Js 59, 5; 6. techn. יְאֹרִים בִּקֵּעַ höhlt Gänge aus *cut out channels* Hi 28, 10; l תִּבָּקַע Hs 13, 11; †

pu. impf. יְבֻקָּעוּ, pt. מְבֻקָּעִים, מְבֻקָּעָה: 1. (Schlauch *skin*) **geborsten sein** *be burst, rent* Jos 9, 4; 2. **aufgeschlitzt werden** *be ripped* (l תְּבֻקַּעְנָה) Hos 14, 1; 3. (Stadt *town*) **in Breschen gelegt sein** *be opened by breaches* Hs 26, 10; †
hif: impf. נַבְקִעֶנָּה, inf. הַבְקִיעַ: הב׳ עִיר אֵלָיו (e. Stadt) **durch Breschenlegen an sich bringen** *take (a town) by breaches* Js 7, 6; 2. הב׳ אֶל **durchbrechen zu** *break through unto* 2 K 3, 26; †
hof: pf. הָבְקְעָה: **durch Breschen erobert werden** *be taken by breaches* Ir 39, 2; †
hitp: pf. הִתְבַּקָּעוּ, impf. יִתְבַּקָּעוּ: **sich als geborsten erweisen** *be burst, rent* Jos 9, 13 Mi 1, 4. †
Der. *בָּקִיעַ, בֶּקַע, בִּקְעָה.

בֶּקַע: בקע, Teil, Stück *part, piece*: Gewicht als Metallwert = ½ שֶׁקֶל, *weight of* ½ שֶׁקֶל; e. Gewicht mit d. Aufschrift בקע, 5, 8 Gramm schwer, in בֵּית צוּר gefunden *a weight of 5, 8 grammes, inscripted* בקע, *has been found at* בֵּית צוּר (BAS 43, 2—13); Dir. 277 ff; auf jüd. Münze *on Jewish coin* BAS 93, 26: **Halbschekel** *halfshekel* Gn 24, 22 Ex 38, 26. †

בִּקְעָה: בקע, F ba.: cs. בִּקְעַת, pl. בְּקָעוֹת: I. **Talebene** (breites Trogtal mit flachen Wänden) *valley-plain (broad through with flat walls)* Gn 11, 2 Dt 8, 7 11, 11 Js 40, 4 41, 18 63, 14 Hs 3, 22 f 8, 4 37, 1 f Ps 104, 8 †
II. n. n. l. c. בִּקְעַת:

בִּקְעַת אָוֶן: Eissfeldt, FF 12, 51—3 denkt an *suggests* Baalbek: Am 1, 5. †

בִּקְעַת אונו: F אונו; Ne 6, 2. †

בִּקְעַת הַלְּבָנוֹן: *el-Beqā* d. Talebne d. Litani, *the valley-plain of River Litani*, w. Libanon: Jos 11, 17 12, 7. †

בִּקְעַת יְרִיחוֹ: Dt 34, 3. †

בִּקְעַת מְגִדּוֹן: s. Megiddo: Sa 12, 11 2 C 35, 22. †

בִּקְעַת מִצְפֶּה: w. חֶרְמוֹן: Jos 11, 8. †

בקק: sy. morsch sein *be rotten*, ja. sy. בְּקִיק; بَاقَ Unheil stiften *effect evil*:
qal: pf. בַּקֹּתִי, sf. בְּקָקוּם, pt. בּוֹקֵק, בֹּקְקִים: **verheeren** *lay waste*: Land *country* Js 24, 1, Weinstock *vine* Na 2, 3, Plan *design* Ir 19, 7; גֶּפֶן בּוֹקֵק verkommend, **verwildernd** *degenerating* Ho 10, 1; †
nif: pf. נָבְקָה, impf. תִּבּוֹק, inf. הִבּוֹק: **verheert werden** *be wasted* (Land *country*) Js 24, 3, verwirrt, **verstört werden** (Geist) *be bewildered (spirit)* Js 19, 3; †
po: impf. יְבֹקְקוּ: **verheeren** *lay waste* Ir 51, 2. †

בקר: بَقَرَ spalten *slit*; mhb., ba. untersuchen *scrutinize*; nab. מבקרא Priestertitel *title of priest*):
pi: pf. sf. בִּקַּרְתִּים, impf. יְבַקֵּר, inf. בַּקֵּר: **sich kümmern, sich Gedanken machen** *attend to, bestow care on*: 1. c. ac. Hs 34, 11 f, cj. pt. מְבַקְּרִים 39, 14; c. לְ Lv 13, 36, c. בֵּין . . . . לְ ob . . . . oder *whether . . . . or* Lv 27, 33; abs. 2 K 16, 15 Pr 20, 25; 2. c. בְּ der Gemütsbeteiligung *of sympathy*: **seine Freude haben an** *see with pleasure, delight* Ps 27, 4. †
Der. בָּקָר, בֹּקֶר, *בַּקָּרָה, בִּקֹּרֶת.

בָּקָר (180 ×): بَقَرٌ, aram. בַּקְרָא, בַּקְרְתָא: בקר spalten, pflügen *split, plough* Lagarde, Übersicht 507: cj 1 S 8, 16 Ps 49, 13. 21: cs. בְּקַר, sf. בְּקָרוֹ, בְּקָרְךָ, בְּקָרֵנוּ; pl. בְּקָרֵינוּ unsre Rinderherden *our herds of cattle* nur *only* Ne 10, 37; † f. בְּקָרִים Am 6, 12 l בְּקָר יָם; f. בְּקָרִים u. בָּקָר 2 C 4, 3 l פְּקָעִים. בָּקָר immer *always* collectiv: 1. fem. = **Kühe** *cows* הַבָּקָר עָלוֹת Gn 33, 13 Hi 1, 14 :: masc.

בָּ׳ בְּרִיאִים 1 K 5, 3; 2. **Rinderherde, Rinder** (beide Geschlechter) *herd, cattle* (*both sexes*); Bodenheimer 118 ff: חֲמִשָּׁה בָקָר 5 Rinder *five oxen* Ex 21, 37, 4 Nu 7, 7, בָּ׳ שְׁנַיִם 2 Nu 7, 17, 70 2 C 29, 32; **einzelnes Rind** *single ox* = שׁוֹר Ex 21, 37 oder *or* בֶּן־בָּקָר Gn 18, 7 Ex 29, 1 Nu 7, 15, pl. בְּנֵי בָקָר Nu 28, 11 29, 13; 1 S 14, 32 ?? בָּקָר וּבְנֵי בָקָר 3. בָּקָר Zugtiere *beasts of draught* 2 S 6, 6, z. Pflügen *for ploughing* Hi 1, 14 Am 6, 12, Lasttiere *beasts of burden* 1 C 12, 41, z. Mast *for fattening* 1 K 5, 3, als Opfer *for offering* 2 C 7, 5 Nu 7, 88 Ps 66, 15; צֹאן וּבָקָר Gn 13, 5, בָּקָר וָצֹאן Nu 22, 40 Ko 2, 7; als arabische Beute *booty from Arabia* (Buckelrinder — *Bubalus bubalus*? Bodenheimer 122 — Moritz, Arabien, 46) 2 C 15, 11; 4. künstliche Rinder *artificial oxen* 1 K 7, 25. 29 Ir 52, 20; 5. Ausdrücke, die zu בָּקָר gehören *words a. expressions belonging to* בָּקָר: עֵגֶל, שׁוֹר, פָּרָה, פַּר, מִקְנֶה, רֵבֶץ, רְפָתִים, רְעִי, שְׁפוֹת, עֵדֶר, צֶמֶד, מַלְמַד, חֶמְאָה, עֶגְלָה, חָצִיר, תֶּבֶן, כְּלִי etc.
Der. בּוֹקֵר.

בֹּקֶר (120 ×): בקר, eigentlich: Durchbruch (d. Tageslichts) *originally the breaking through* (*of the day-light*); pl. בְּקָרִים: d. **Morgen** *the morning*: 1. אוֹר הַבֹּקֶר Licht des Durchbruchs, **Tagesanbruchs** *light of the daybreak* Jd 16, 2 1 S 14, 36 25, 34. 36 2 S 17, 22 Mi 2, 1, cj Ru 2, 7, אוֹר בֹּקֶר 2 S 23, 4; הַבֹּקֶר אוֹר als d. Tag licht wurde *as the dawn became light* Gn 44, 3; 2. בַּבֹּקֶר am Morgen *in the morning* Gn 19, 27 (88 ×); עַד־בֹּ׳ Ex 12, 10 (12 ×) u. עַד־הַבֹּ׳ Ex 16, 23 (12 ×) bis zum Morgen *until the morning*; בַּבֹּ׳ בַּבֹּ׳ Morgen um Morgen *every morning* Ex 30, 7 (10 ×); לַבְּקָרִים dasselbe *the same* Js 33, 2 Ps 73, 14 101, 8 Hi 7, 18 Th 3, 23; † לַבֹּ׳ am M. *in the m.* Ex 34, 2 Ir 21, 12 Am 4, 4 Ze 3, 3 Ps 30, 6 59, 17; † לַבֹּ׳ bis zum (andern) Morgen *unto the* (*next*) *morning* Ex 34, 25 Dt 16, 4; † לַבֹּ׳ לַבֹּ׳ jeden M. *every m.* 1 C 9, 27; † וַיְהִי בֹקֶר es wird Morgen *morning is there* Gn 1, 5. 8. 13. 19. 23. 31 Ex 19, 16 10, 13; † לִפְנוֹת בֹּ׳ gegen M. *when the m. appeared* Ex 14, 27 Jd 19, 26 Ps 46, 6; † בֹּקֶר am M. *in the m.* Ex 16, 7, † morgens Ho 7, 6 Ps 5, 4 † morgen *to-morrow* Nu 16, 5; † בַּבֹּקֶר מִמָּחֳרָת am andern M. *on the morrow m.* 1 S 5, 4 †, מֵהַבֹּקֶר erst am Morgen *not before the morning* 2 S 2, 27; † בְּטֶרֶם בֹּקֶר ehe es tagt *before dawn* Js 17, 14; † 3. בֹּקֶר :: עֶרֶב Gn 1, 5 Dt 28, 67 מִן־בֹּ׳ עַד־עֶ׳ (17 ×); מִן־הַבֹּ׳ עַד־הָעֶ׳ Ex 18, 13, Ex 18, 14; מֵעֶ׳ עַד־בֹּ׳ Ex 27, 21 Lv 24, 3 Nu 9, 21; † מִבֹּ׳ לָעֶ׳ Hi 4, 20; † 2300 עַד עֶרֶב בֹּ׳ Da 8, 14; † לַבֹּ׳ וְלָעֶ׳ 1 C 16, 40 2 C 2, 3; † עֶרֶב וָבֹ׳ וְצָהֳרַיִם Ps 55, 18; † בַּבֹּקֶר :: בַּלֵּילוֹת Ps 92, 3; † בַּבֹּ׳ .... בֵּין הָעַרְבַּיִם Nu 28, 4. 8; † מֵהַבֹּ׳ וְעַד־ 2 S 24, 15; † מֵהַבֹּ׳ וְעַד־עֵת מוֹעֵד 1 K 18, 26; בֹּ׳ :: עֵת צָהֳרַיִם Ir 20, 16; הַצָּהֳרָיִם Js 21, 12; † 4. בַּבֹּקֶר כִּזְרֹחַ הַשֶּׁמֶשׁ :: לַיְלָה :: בֹּ׳ Jd 9, 33; בֹּקֶר לֹא עָבוֹת wolkenloser M. *cloudless m.* 2 S 23, 4; † עֲנַן בֹּ׳ Ho 6, 4 13, 3; † אַשְׁמֹרֶת הַבֹּ׳ Ex 14, 24 1 S 11, 11; † שֹׁמְרִים לַבֹּ׳ Ps 130, 6; † בֹּ׳ :: צַלְמָוֶת Hi 38, 7; † כּוֹכְבֵי בֹ׳ Am 5, 8 Hi 24, 17; † כַּבֹּ׳ כַּעֲלוֹת הַמִּנְחָה 2 K 3, 20; † עֹלַת הַבֹּ׳ Ex 29, 41 Nu 28, 8; † מִנְחַת הַבֹּ׳ Nu 28, 23 Lv 9, 17 2 K 16, 15, † cf. Esr 3, 3 2 C 13, 11 31, 3; † שַׁחַר // בֹּ׳ Hi 38, 12; hell wie *bright as* בֹּ׳ Hi 11, 17; F Ps 65, 9 u. Da 8, 26.

***בַּקָּרָה**: בקר: aram. inf., cs. בַּקָּרַת (inf. c. ac.) **Fürsorge** *care* Hs 34, 12. †

בִּקֹּרֶת: בקר; ቡቀለ *poena, ultio*: **Bestrafung** *punishment* Lv 19, 20. †

בקשׁ: ug. *bqš*; ph. mhb. בקשׁ:
pi (220 ×): pf. בִּקֵּשׁ, בִּקֶּשׁ־, בִּקַּשְׁתִּי, בִּקְשׁוּ!

בִּקַּשְׁתֶּם, sf. בִּקְשָׁתַם!, בִּקַּשְׁתִּיהוּ, בִּקַּשְׁתִּיו,
בִּקְשֵׁהוּ! בִּקְשָׁנִי; impf. יְבַקֵּשׁ, יְבַקֶּשׁ־, תְּבַקְשִׁי!
אֲבַקֵּשׁ, אֲבַקְשָׁה, יְבַקְשׁוּ! יְבַקְשׁוּ, תְּבַקְשׁוּ!
תְּבַקֵּשׁוּן; וַיְבַקֵּשׁ, וַיְבַקֵּשׁ! וַיְבַקְשׁוּ, וָאֲבַקֵּשׁ; sf.
וַיְבַקְשֵׁהוּ! תְּבַקְשֵׁם, תְּבַקְשֶׁנָּה! תְּבַקְשֶׁנּוּ! אֲבַקְשֶׁנּוּ,
וַיְבַקְשֵׁהוּ, נְבַקְשֶׁנּוּ; inf. בַּקֵּשׁ, sf. בַּקְשׁוֹ! בַּקֶּשְׁךָ,
בַּקְשֵׁנִי; imp. בַּקֵּשׁ, בַּקְשׁוּ, sf. בַּקְשׁוּנִי; pt.
מְבַקֵּשׁ, מְבַקְשִׁים, מְבַקְשֵׁי, מְבַקְשֶׁיךָ!:

1. **suchen** *seek to find* Gn 31, 39 37, 16; ausfindig machen *find* 1 S 13, 14 16, 16 28, 7 1 K 1, 2 f Js 40, 20 Hs 22, 30 Est 2, 2; † c. נֶפֶשׁ nach d. Leben trachten *seek one's life* Ex 4, 19; c. תֹּאֲנָה מִן Anlass zum Streit mit *an occasion against* Jd 14, 4, cj Pr 18, 1; c. לְ suchen nach *search after* Hi 10, 6 Pr 18, 1, cj Ps 109, 11; † c. inf. Ex 4, 24 u. c. לְ c. inf. Ex 2, 15 suchen zu *try to*; 2. **sich zu verschaffen suchen** *seek to secure*: Nu 16, 10, fordern *require* Js 1, 12 Hs 7, 26 2 S 4, 11 Ex 10, 11, bitten *ask* Ps 27, 4 Est 2, 15 1 C 21, 3 Ne 5, 12 (מִן von *of*); Ne 2, 4 Est 4, 8 7, 7 Esr 8, 21. 23; בִּ׳ רָעָתוֹ jmd Böses zufügen wollen *seek one's harm* Nu 35, 23; בִּ׳ רָעָה אֶל Böses suchen für *seek evil to* 1 S 25, 26; trachten nach *aim at* 1 K 20, 7 Ps 71, 13. 24 Ze 2, 3 Ps 4, 3; בִּ׳ אֲשֶׁר sich ausbitten, dass *request that*... Da 1, 8; 3. **aufsuchen, befragen** *search for, call on, consult*: c. פְּנֵי 1 K 10, 24; c. פְּנֵי י׳ 2 S 21, 1 Ho 5, 15 Ps 24, 6 27, 8 105, 4 1 C 16, 11 2 C 7, 14; c. י׳ Ex 33, 7; c. דְּבַר י׳ Am 8, 12; † c. שֵׁם י׳ Ps 83, 17; Totengeist *spirit* Lv 19, 31; בִּ׳ דְּבַר מִן jmd in e. Sache um Rat fragen *inquire of a person concerning a thing* Da 1, 20; 4. בִּ׳ תְּפִלָּה betend suchen *seek by prayer* Da 9, 3; l וּמוֹקְשֵׁי f. מְבַקְשֵׁי Pr 21, 6; בִּ׳ c. inf. nahe daran sein zu ... *come near to* ... Gn 43, 30;

pu: impf. וּתְבֻקְשִׁי (Edd. וּתְבַ׳), וַיְבֻקַּשׁ: **gesucht werden** *be sought* Hs 26, 21 Est 2, 23; l יְבַקְשׁוּ Ir 50, 20. †

Der. *בַּקָּשָׁה.

*בַּקָּשָׁה: בקשׁ: aram. inf., sf. בַּקָּשָׁתוֹ, בַּקָּשָׁתֵךְ: **Verlangen, Begehren** *request* Est 5, 3. 6—8 7, 2 f. 9, 12 Esr 7, 6. †

*בֵּר: f. הַבֵּרִים l הַבִּכְרִים 2 S 20, 14. †

I בַּר: **F** ba. = hebr. בֵּן: sf. בְּרִי: **Sohn** *son* Pr 31, 2; l בְּרַגְלָיו (ZAW 28, 58 f) oder *or* תְּנוּ לִשְׁמוֹ כָבוֹד (Morgenstern, JQR 32, 384) Ps 2, 12. †

II בַּר: ברר: f. בָּרָה, pl. cs. בָּרֵי: **lauter, ungetrübt** *pure*: Gebot *commandement* Ps 19, 9, Herz *heart* Ps 24, 4 73, 1, Zunge *tongue* Si 40, 21, Mensch *man* Hi 11, 4, Geliebte *the beloved one* Ct 6, 10; l לְבַדָּהּ 6, 9. †

III בַּר: ברר; بُرّ, asa. בר, soq. *bor*; בָּר: (gereinigtes) Getreide, **Weizen** (*cleansed*) *grain, wheat* Gn 41, 35. 49 42, 3. 25 45, 23 Ir 23, 28 Jl 2, 24 Am 5, 11 8, 5 f Ps 65, 14 72, 16 Pr 11, 26 14, 4. †

IV בַּר: بَرّ Flachland *flat country*, **F** ba. בַּר freies Feld *open field*, soq. *bar* Abstand *distance*: בָּר: בַּבָּר **auf d. freien Feld** *in the open field* Hi 39, 4. †

V cj V *בָּר: ak. *bāru* Wahrsager, Seher *seer, soothsayer*: pl. בָּרִים **Wahrsager** *soothsayer* cj Js 44, 25 u. cj Ir 50, 36. †

I בֹּר: ברר: **Reinheit** *cleanness* 2 S 22, 21. 25 (l כְּבֹר יָדַי) Ps 18, 21. 25 Hi 22, 30. †

II בֹּר: ברר; = I: **Pottasche, Lauge** *potash, lye* (K_2CO_3, durch Auslaugen von Holz- u. Pflanzenasche gewonnen *gained by leaching the ashes of special plants*) Js 1, 25 **F** I סִיג, Hi 9, 30. †

I ברא: asa. ברא bauen *build*, soq. *bére* gebären *bear*; im AT ist I ברא theologischer Terminus, dessen ausschliessliches Subjekt Gott ist *in the OT* I ברא *is a theological term the subject of which is God exclusively*; Jean, Mél. Syr. 706 f; J. v. d. Ploeg, Mus. 59, 143—57; Humbert, ThZ 3, 401—22:

qal: pf. בָּרָא, בָּרָאתִי, sf. בְּרָאָהּ, בְּרָאָם, בְּרָאתָם, בְּרָאתִיו, impf. וַיִּבְרָא, inf. בְּרֹא, imp. בְּרָא, pt. בּוֹרֵא, sf. בֹּרַאֲךָ, l בּוֹרַאֲךָ f. בּוֹרְאֶיךָ Ko 12, 1: **Gott schafft** *God creates*; Belege *statistics*: cj Ex 15, 11 u. Ir 33, 25, Dt 1 ×, P (Gn 9, Nu 1) 10 ×, Js 40—66 17 ×, l בָּא Js 4, 5, Ir (spät *late*) 1 ×, Am (Hymnus) 1 ×, Ps 3 ×, Ma 1 ×, Ko 1 ×: **Gott schafft** *God creates*: d. Himmel u. die Erde *the heaven a. the earth* Gn 1, 1, d. Enden der Erde *the ends of the earth* Js 40, 28, d. Himmel *the heavens* Js 42, 5 45, 18, e. neuen Himmel u. e. neue Erde *new heavens a. a new earth* Js 65, 17, Norden u. Süden *the north a. the south* Ps 89, 13, d. Sterne *the stars* Js 40, 26, d. Wind *the wind* Am 4, 13, d. Finsternis *the darkness* Js 45, 7, d. Unheil *evil* Js 45, 7, es (d. Kommen des Heils) *it (the coming of salvation)* Js 45, 8, Neues *a new thing* Ir 31, 22, d. Menschen, männlich u. weiblich *man, male a. female* Gn 1, 27 5, 1 f 6, 7 Dt 4, 32 Js 45, 12, uns *us* Ma 2, 10 Ps 89, 48 Si 15, 14, Jakob Js 43, 1, Israel 43, 15, Jerusalem als *a* גִּילָה u. sein Volk als *a. his people a* מָשׂוֹשׂ 65, 18, d. einzelnen Juden zu seiner (Gottes) Ehre *the single Jew in his (Gods) glory* 43, 7, d. Schmied *the smith* 54, 16, d. einzelnen Menschen *the individual man* Ko 12, 1, d. Wassertiere *the sea-monsters* Gn 1, 21, cj Tag u. Nacht *day a. night* (l בָּרָאתִי יוֹם) cj Ir 33, 25, d. Frucht d. Lippen *the fruit of the lips* Js 57, 19, e. reines Herz *a clean heart* Ps 51, 12, d. Umwandlung der Natur *the transformation of nature* Js 41, 20, all s. Werk *all his work* Gn 2, 3, cj תְּהִלּוֹת Ex 15, 11, e. Schöpfungstat *a creation* Nu 16, 30; abs. Js 65, 18; בּוֹרְאוֹ s. Schöpfer *his creator* Si 3, 16; בָּרָא // יָצַר Js 43, 1. 7; †

nif: pf. נִבְרֵאת, נִבְרְאוּ, נִבְרָאוּ, impf. יִבָּרֵאוּן, inf. sf. הִבָּרְאָם, pt. נִבְרָא; l נִרְאוּ Ex 34, 10: **geschaffen werden** *be created*: Neues *new things* Js 48, 7, d. Ammoniter *the Ammonites* Hs 21, 35, d. K. v. Tyrus *the king of Tyre* Hs 28, 13. 15, Himmel u. Erde *heaven a. earth* Gn 2, 4, d. Menschen *mankind* 5, 2, d. Wesen der Erde *the beings of the earth* Ps 104, 30, Engel, Gestirne, Wasser *angels, stars, water* 148, 5; עַם נִבְרָא e. neu geschaffnes Volk *a newly created people* Ps 102, 19. †

Der. בְּרִיאָה; n. m. בְּרָאיָה.

II ברא: = III מרא; بَرِيَ sehr fett sein *be extraordinarily fat*:

hif: inf. sf. לְהַבְרִיאֲכֶם: **damit ihr euch mästet** *to make yourselves fat* 1 S 2, 29. †

Der. בָּרִיא.

III ברא: بَرَو schnitzen *form by cutting*:

pi: pf. בֵּרֵאתָ, sf. בֵּרֵאתוֹ: **abholzen, roden** *cut down (forest)*: Jos 17, 15. 18; l וְיָד בְּרֹאשׁ־דֶּרֶךְ עִיר: בְּרֹאשׁ דֶּרֶךְ Hs 21, 24—25; l כָּרֹת Hs 23, 47. †

בָּרָא 2 S 12, 17: F I ברה.

בְּרָא: F בָּרִיא.

בְּרֹאדַךְ 2 K 20, 12: l מְרֹדַךְ.

בִּרְאִי: F בֵּית בִּרְאִי.

בְּרָאיָה: n. m.; < בְּרָאיָה*; I ברא u. יה: 1 C 8, 21. †

*בַּרְבֻּר: ar. *abu burbur*; Heuglin, Reise in Nordostafrika, 1877, II, 230: *abu burbur* = *Centropus monachus*; **Spornkuckuck** *Lark-heeled Cuckoo*, *Centropus aegyptius Shelley*; d. Kuckuck noch heute in Italien u. Griechenland ein Leckerbissen *the cuckoo until today a dainty morsel in Italy a. Greece*; Plin. X, 9 (27); Kl L 27—30; Schallwort *sound-imitating word*: pl. בַּרְבֻּרִים: 1 K 5, 3. †

I ברד: ak. (*barâdu*) widerwärtig sein *be vexatious*; بَرَدَ kalt sein *be chill*:

qal: pf. בָּרַד: es hagelt *it hails*: Js 32, 19 (l יָרַד?). †
Der. בָּרָד.

II ברד: F *בָּרֹד.

בָּרָד: I ברד; aram. בַּרְדָא; بَرَدٌ; asa. ברד: Hagel *hail*: Ex 9, 18—34 (14 ×) 10, 5. 12. 15 Jos 10, 11 Js 28, 2. 17 30, 30 Hg 2, 17 Ps 18, 13 f 78, 47 105, 32 148, 8 Hi 38, 22, cj Esr 10, 9 (l לַדָּבָר Ps 78, 48). †

*בָּרֹד: II ברד; أَرْبَدُ, gefleckt *speckled*: pl. בְּרֻדִּים: gefleckt *speckled*: Böcke *he-goats* Gn 31, 10. 12, Pferde *horses* Sa 6, 3. 6. †

I *בֶּרֶד: n. l.; *W. Umm el Bâred*(?), Jaussen RB 1906, 595 ff, Musil, AP 2, 2, 151: בֶּרֶד Gn 16, 14. †

בֶּרֶד: n. m.; Noth 307 l בֶּכֶר (Nu 26, 35): 1 C 7, 20. †

I ברה: بَرِئَ er wurde (die Krankheit) los *he became free from the disease*:
qal: pf. בָּרָא! (Var. בָּרָה), impf. אֶבְרֶה:
1. בָּרָא לֶחֶם אֶת Speise nehmen mit, Essgemeinschaft halten mit *eat bread with, keep the community of meal with* 2 S 12, 17; 2. בָּרָה מִיַּד Krankenkost entgegennehmen von *take a patient's diet from* 2 S 13, 6. 10; †
hif: impf. sf. תַּבְרֵנִי, inf. הַבְרוֹת: 1. c. לֶחֶם u. c. ac. pers.: jmd **Speise als Trost** (im Unglück) **geben** *give bread for consolation to somebody (in calamity)* 2 S 3, 35; 2. c. לֶחֶם u. c. ac. pers.: jmd **Krankenkost geben** *give a patient's diet to a p.* 2 S 13, 5. †
Der. בְּרִית, בִּרְיָה, בָּרוּת, *בְּרוּת.

II ברה: imp. qal בְּרוּ 1 S 17, 8, l בַּחֲרוּ (:: Pedersen, Eid bei den Semiten, 1914, S. 44 f!).

בָּרוּךְ: II ברך; n. m. 1. Jer 32, 12. 13. 16 36 (14 ×) 43, 3. 6 45, 1. 2 2. Neh 3, 20 10, 7 3. Neh 11, 5.

בָּרוּר: ברר: f. בְּרוּרָה: rein, deutlich *pure, plain*: Sprache *language* Ze 3, 9 (ZAW 43, 59), adv. lauter *sincerely* Hi 33, 3. †

בְּרוֹשׁ: ak. *burâšu*, aram. בְּרוֹתָא F *בְּרוֹת; Dioscurides I, 76: βραθυ ὃ ἔνιοι βόρατον καλοῦσι, Ῥωμαῖοι ἕρβα σαβίνα (= *Juniperus Sabinus* Sadebaum *savin*); Plin. XII, 78: *arbor bratus cupresso similis* (also nicht *therefore not* = *Cupressus sempervirens L.*, Löw 3, 26—33); d. Zipresse am ähnlichsten ist: *the tree much looking like cypress is*: *Juniperus phoenicea L.* = عَرْعَر (عَرْعَر-*wood used for the carpenters work of the mosque at Damaskus A.D. 1400*); ΒΡΑΘΥ in Scala Magna (ed. Loret 1899, 12) = أَبْهَل = (Lisân XIII, 77, 3 f) عَرْعَر: pl. בְּרוֹשִׁים, sf. בְּרֹשָׁיו, בְּרוֹשָׁיו: **phönikischer Wacholder** *Phoenician juniper* (Baum u. Bauholz *tree a. timber*): 1 K 5, 22. 24 6, 15. 34 9, 11 2 K 19, 23 Js 14, 8 37, 24 41, 19 55, 13 60, 13 Hs 27, 5 31, 8 Ho 14, 9 Sa 11, 2 Ps 104, 17 2 C 2, 7 3, 5; l וּבְשִׁירִים 2 S 6, 5 u. וְהַפְּרָשִׁים Na 2, 4. †

*בְּרוֹת: aram., F בְּרוֹשׁ: pl. בְּרוֹתִים phönikischer Wacholder *Phoenician juniper* Ct 1, 17. †

*בָּרוּת u. בְּרוּת: I ברה: sf. בָּרוּתִי: **Heilbrot, Trostbrot** (d. man Kranken u. Unglücklichen gibt) *bread of consolation (given to sick a. ill-fated people)* Ps 69, 22 Th 4, 10. †

בֵּרוֹתָה: n. l.; *Bereithan* 12 km s. Baalbek, Abel 1, 248: Hs 47, 16. †

בִּרְזוֹת: l בִּרְזַיִת; n. m. pro n. l.; בְּאֵר > בִּר u. זַיִת; *Birzeit* n. Ramalla, Abel 2, 55: 1 C 7, 31. †

בַּרְזֶל: LW; hethitisch *Hittite barzillu*, ug. *bršl*, ak. *parzillu*, mo. u. ph. ברזל, ba. פרזל > פרזלא, فُرْزُل eiserne Pferdefessel *iron horse-*

fetters, asa. פרזנם, > *fersil > lat. *ferrum*; BRL 95—98. 379—81: **Eisen** *iron*: 1. in Metallreihen *in enumerations of metals*: Nu 31, 22 Jos 22, 8 Hs 22, 18. 20 27, 12 1 C 22, 14. 16 29, 2. 7 2 C 2, 6. 13; נְחֹשֶׁת וּבַ׳ Gn 4, 22 Dt 33, 25 Jos 6, 19. 24 22, 8 Ir 6, 28; נְחֹשֶׁת // בַ׳ Lv 26, 19 Dt 8, 9 28, 23 Js 45, 2 60, 17 Ir 1, 18 Mi 4, 13 Ps 107, 16 Hi 20, 24 28, 2 41, 19 1 C 22, 3; 2. Bereitung *working* חָרָשׁ Gn 4, 22 Js 44, 12 2 C 24, 12, כּוּר Dt 4, 20 1 K 8, 51 Ir 11, 4, Hi 28, 2 40, 18; 3. Geräte aus Eisen *iron tools a. furniture*: כְּלִי Nu 35, 16 Jos 6, 19. 24 1 K 6, 7, גַּרְזֶן Dt 3, 11, עֶרֶשׂ 19, 5, עֹל 28, 48 Ir 28, 14, מִנְעָל Dt 33, 25, רֶכֶב Jos 17, 16. 18 Jd 1, 19 4, 3. 13, לַהֶבֶת חֲנִית 1 S 17, 7, 2 S 12, 31 1 C 20, 3, מְגֵרָה 2 S 12, 31, חָרִיץ בְּרִיחַ 1 K 22, 11 Mi 4, 13 2 C 18, 10, קֶרֶן Js 45, 2 Ps 107, 16, עַמּוּד Ir 1, 18, עֵט 17, 1 Hi 19, 24, מֹטוֹת Ir 28, 13, מַחֲבַת Hs 4, 3, קִיר 4. 3, חֲרֻצוֹת Am 1, 3, שֵׁבֶט Ps 2, 9, Fesseln *fetters* Ps 105, 18 107, 10, כֶּבֶל 149, 8, נֶשֶׁק Hi 20, 24, מְחַבְּרוֹת u. מַסְמְרִים Ko 10, 10, קֵהָה 40, 18, מְטִיל 1 C 22, 3; בַּ׳ eisernes Werkzeug *iron tool* Dt 27, 5 Jos 8, 31, Axteisen *axehead* 2 K 6, 5 f Js 10, 34; 4. Sehne wie Eisen *iron sinew* Js 48, 4, Eisen in der Erde *iron to be found* Dt 8, 9; *F* Dt 28, 23 2 S 23, 7 Ir 15, 12 Hs 27, 19 Pr 27, 17. †

Der. n. m. בַּרְזִלַּי.

בַּרְזִלַּי: n. m.; בַּרְזֶל: 1. Freund *friend of* David(s) aus *from* Gilead: 2 S 17, 27 19, 32—35. 40 1 K 2, 7 Esr 2, 61 Ne 7, 63; † 2. aus *from* מְחֹלָה 2 S 21, 8; 3. (Schwiegersohn *son-in-law* v. 1.) Esr 2, 61 Ne 7, 63. †

ברח: ug. *brḥ* fliehen *flee*, ph. ברח, ܒܪܚ weggehn *go away*:

qal: pf. בָּרַח, בָּרְחוּ, impf. וַיִּבְרַח, וַיִּבְרְחוּ, בָּרְחִי, נִבְרְחָה, אֶבְרְחָה, inf. בְּרֹחַ, בְּרֹחוֹ, sf. לִבְרֹחַ, בָּרְחֲךָ, imp. בְּרַח, pt. בֹּרֵחַ, בֹּרַחַת: 1. **entlaufen** *run away*, c. מֵאֵת vor *from* 1 K 11, 23, c. מִפְּנֵי Gn 16, 6. 8 35, 1. 7 Ex 2, 15 Jd 11, 3 1 S 21, 11 22, 17 1 K 2, 7 Ps 3, 1 57, 1 139, 7 2 C 10, 2, c. מִלִּפְנֵי Jon 1, 10; c. מִן aus *from* 1 S 20, 1 2 S 19, 10 Js 48, 20, vor Hi 20, 24 27, 22; c. אַחֲרֵי mit *in company of* 1 S 22, 20; c. אֶל zu *to* Gn 27, 43 Nu 24, 11 1 S 23, 6 1 K 2, 39 11, 40 Am 7, 12; c. לְ nach *to* Ne 13, 10; abs. Gn 31, 20—22. 27 Ex 14, 5 Jd 9, 21 1 S 19, 12. 18 27, 4 2 S 4, 3 13, 34. 37 f 15, 14 1 K 11, 17 Js 22, 3 Ir 4, 29 26, 21 39, 4 52, 7, cj. בֹּרֵחַ 12, 5 Ho 12, 13 Jon 1, 3 4, 2 Ct 8, 14 Da 10, 7 Ne 6, 11; 2. **vergehen, schwinden** *flee away*: Tage *days* Hi 9, 25, Schatten *shadow* 14, 2; 3. **durchgehen, gleiten** *pass through*: Riegel *bar* Ex 36, 33, cj. 26, 28; †

hif: pf. הִבְרִיחוּ, impf. יַבְרִיחַ, וַיַּבְרִיחוּ, sf. יַבְרִיחֶנּוּ, וָאַבְרִיחֵהוּ, pt. מַבְרִיחַ 1 בֹּרֵחַ Ex 26, 28: vertreiben *chase away* Pr 19, 26 Hi 41, 20 Ne 13, 28 1 C 8, 13 12, 16 †

Der. בָּרִיחַ, בְּרִחַ.

בָּרִחַ: ברח: לִוְיָתָן נָחָשׁ בָּרִחַ = ug. *ltn bṯn brḥ* Js 27, 1 u. נָחָשׁ בָּרִחַ Hi 26, 13: **gleitend, flüchtig** *gliding, fleeing*; 1 בְּרִיחֵי כַּלְאִים Js 43, 14; cj בְּרִיחָהּ sein(e) Flüchtling(e) *her fugitive(s)* Js 15, 5. †

בַּרְחֻמִי: *F* בַּחֻרִים.

בֵּרִי: n. m.; KF: 1 C 7, 36. †

בָּרִיא u. **בָּרָא**: II ברא: f. בְּרִיאָה < *בְּרִיאָה* < בְּרִיאַת, f. בְּרִיאָה Hs 34, 20, pl. בְּרִאִים, cs. בְּרִיאֵי: **fett** *fat*; Kühe *kine* Gn 41, 4. 20, Rinder *oxen* 1 K 5, 3, Tiere *animals* Hs 34, 3, Schafe *sheep* 34, 20, Mann *man* Jd 3, 17, Ähren *ears* Gn 41, 5. 7, Leib *body* (?) Ps 73, 4; בְּרִיאֹת בָּשָׂר u. בְּרִיאֵי בָשָׂר fett am Fleisch *fatfleshed, fat in flesh*: Kühe *kine* Gn 41, 2. 18, Knaben *boys*

Da 1, 15; הַבְּרִיאָה d. fette Tier *the fat animal* Sa 11, 16, d. fette Speise *the fat portion* (l בָּרָא) Ha 1, 16; cj בְּרִיוֹת Ne 5, 18 (Joüon). †

בְּרִיאָה: I ברא: **Schöpfungstat** *thing created* Nu 16, 30; pl. בריות > בריאות Geschöpfe *creatures* Si 16, 16. †

בִּרְיָה: I ברה; aram. בִּרְיְתָא Trauermahl *funeral repast*: **Trostspeise** *bread of consolation* (für Kranke *for sick people*) 2 S 13, 5. 7. 10. †

בָּרִיחַ: n. m.; ak. *biriḫu* Nachkomme *descendant*: 1 C 3, 22. †

בְּרִיחַ: ברח; palm. ברח u. ak. *buruḫu* RÉS 1938, 147 (e. Amt *an official duty*): pl. בְּרִיחִים, בְּרִיחִיהָ, cs. בְּרִיחֵי, sf. בְּרִיחוֹ, בְּרִיחָיו, בְּרִיחֵהֶם: **Riegel** *bar*: an Türen *on doors* Dt 3, 5 1 S 23, 7 2 C 8, 5 14, 6 Si 49, 13 Ir 49, 31, an Toren *on gates* Jd 16, 3 Ps 147. 13 Ne 3, 3. 6. 13—15, בְּרִיחַ דַּמֶּשֶׂק אַרְמוֹן Pr 18, 19, Am 1, 5, בְּרִיחֵי בַרְזֶל 1 K 4, 13, בְּ׳ נְחֹשֶׁת u. חוֹמָה וּבְרִיחַ Js 45, 2 Ps 107, 16; hölzerne R., um Bretterwände zusammenzuhalten *bars of wood joining boards* Ex 26, 26—29 35, 11 36, 31—34 40, 18 Nu 3, 36 4, 31; *F* Ir 51, 30 Hs 38, 11 Jon 2, 7 Na 3, 13 Th 2, 9; l בְּרִיחָהּ (בָּרִחַ) Js 15, 5; l בְּרִיחֵי כְלָאִים Js 43, 14. †

בֵּרִים 2 S 20, 14: l הַבִּכְרִים?

בְּרִיעָה: n. m.; ak. *Barḫu*, *Buraḫu*? Stamm 265; Noth S. 224: 1. aus Asser *Asherite* Gn 46, 17 Nu 26, 44 f 1 C 7, 30 f; 2. aus Ephraim *Ephraimite* (בְּרָעָה!) 1 C 7, 23; 3. aus Benjamin *Benjaminite* (אַיָּלוֹן) 1 C 8, 13. בְּרִיעָה 16; 4. Levit 1 C 23, 10 f. †

בְּרִיעִי: gntl. *F* בְּרִיעָה: Nu 26, 44. †

בְּרִית: I. Formen *forms*: abs. u. cs. בְּרִית, sf. בְּרִיתִי, בְּרִיתְךָ, בְּרִיתֵךְ, בְּרִיתוֹ; fem.; II. Verbreitung *statistics*: 1. בְּרִית 286 × u. cj 1 K 8, 9 u. cj 2 C 5, 10; l בְּרָאתִי Ir 33, 25, l הַכְּרֵתִי Hs 30, 5; dele הַבְּרִית Hs 20, 37; fraglich *dubious* Jos 3, 11 u. Ps 74, 20; G 275 × διαθήκη; 2. בְּרִית fehlt in *not in* Jl, Jon, Mi, Na, Ha, Ze, Hg, Megillot; 3. בְּרִית häufig *frequent*: Gn 27, Ex 13, Lv 10, Dt 27, Jos 22, 1 K 15 × u. cj 8, 9, 2 K 12, Js 42, 6—61, 8 8 (Js 1—39 nur *only* 24, 5 28, 15. 18 33, 8), Ir 23 × (31, 31—34, 18 14 ×), Hs 18, Ps 21, 1 C 12, 2 C 17 × u. cj 5, 10; 4. Vereinzelt *sporadically*: Am 1, 9 Ob 7 Sa 9, 11 11, 10 Pr 2, 17 Hi 5, 23 31, 1 40, 28 Esr 10, 3; 5. Etwas zahlreicher *more frequently*: Nu 5, Jd 7, 1 S 8, 2 S 6, Ho 5, Ma 6, Da 7, Ne 4. III. בְּרִית = **Abmachung, Vereinbarung, Bund** (Köhler, Theologie des AT § 20 f) **zwischen Menschen.** בְּרִית = *agreement, arrangement, covenant between human individuals.* 1. כָּרְתוּ בְרִית **sie trafen eine Vereinbarung** *they came to an arrangement* Gn 21, 27. 32 31, 44 1 S 23, 18 (לִפְנֵי י׳) 1 K 5, 26; כָּרַת בְּ׳ אֶת־ er trifft e. Vereinbarung mit *he comes to an arrangement with* 2 S 3, 13. 21 Ir 34, 8; = כָּרַת בְּ׳ עִם Gn 26, 28 Ho 12, 2 Hi 40, 28 2 C 23, 3; = כָּרַת בְּרִיתוֹ אֶת־ 2 S 3, 12; abs. כָּרַת בְּ׳ e. Vereinbarung treffen *come to an arrangement* Ho 10, 4 Ps 83, 6 (עַל gegen *against*) c. לִפְנֵי י׳ Ir 34, 15. 18 2 C 34, 31, c. לֵאלֹהֵינוּ vor uns. G. *in the presence of our God* Esr 10, 3; 2. כָּרַת בְּרִית לְ **jmd e. Vereinbarung gewähren** *grant a person an arrangement* Ex 23, 32 34, 12. 15 Dt 7, 2 Jos 9, 6 f. 11. 15 f Jd 2, 2 1 S 11, 1 1 K 20, 34 2 K 11, 4 1 C 11, 3, c. לִפְנֵי י׳ 2 S 5, 3; 3. בּוֹא בַבְּרִית **e. Vereinbarung eingehn** *enter into an arrangement* Ir 34, 10; 4. לָקַח אֶת־ עִמּוֹ בַּבְּרִית **nahm ihn** (mit sich) **in d. Vereinbarung auf,** verbündete ihn mit sich *take a person* *into an arrangement* 2 C 23, 1; 5. וּבֵין .... בְּרִית בֵּין **Vereinbarung** zwischen .... und *arrangement between .... and* 1 K 15, 19 2 C 16, 3; 6. בַּעֲלֵי בְרִית Gn 14, 13 u. אַנְשֵׁי בְרִית Ob 7 **Genossen e. Vereinbarung, Verbündete** *partners of an arrang., confederated ones*; 7. בְּרִית אַחִים **Pflicht** gegen Brüder *brotherly liability* Am 1, 9; 8. בְּרִית c. שָׁמַר halten *keep* Hs 17, 14; c. זָכַר im Gedächtnis behalten *remember* Am 1, 9; c. הֵפֵר auflösen, brechen *break* 1 K 15, 19 Hs 17, 15 f. 18 f.; †

IV. בְּרִית = **Abmachung, Bündnis** mit Sachen *arrangement, covenant with things*: mit d. Augen *with the eyes* Hi 31, 1, d. Steinen d. Feldes *the stones of the field* 5, 23, d. Tod *death* Js 28, 15. 18;

V. בְּרִית = **Bund zwischen Gott und Menschen** *covenant between God and mankind*.

a. der Bund wird errichtet *the covenant is made*. 1. כָּרַת בְּרִית אֶת־ Gott schliesst den Bund mit *God makes a covenant with* Gn 15, 18 Ex 34, 27 (עַל־פִּי auf Grund *after the tenor of*) Dt 5, 3 28, 69 (Mose für Gott *Mose at God's order*). 69 29, 13 (// אָלָה) 31, 16 2 K 17, 15. 35. 38 Ir 11, 10 31, 31—33 34, 13 Sa 11, 10 Ps 105, 8 1 C 16, 15; c. עִם mit *with* Ex 24, 8 Dt 4, 23 5, 2 9, 9 29, 24 1 K 8, 21. cj 9 Ne 9, 8 2 C 6, 11, cj 5, 10; abs. Ex 34, 10; 2. כָּרַת בְּרִית לְ Gott schliesst e. Bund zu Gunsten von *God makes a covenant for the benefit of* Js 55, 3 61, 8 Ir 32, 40 Hs 34, 25 37, 26 Ps 89, 4 2 C 21, 7; Ho 2, 20 (עִם mit den Tieren *with the beasts*); 3. Gott *God* הֵקִים בְּרִיתוֹ אֶת־ errichtet seinen Bund mit *establishes his covenant with* Gn 6, 18 9, 9. 11 17, 19. 21 Ex 6, 4 Lv 26, 9 Hs 16, 62; c. וּבֵין .... בֵּין zwischen .... und *between .... and* Gn 9, 17 17, 7; c. לְ zu Gunsten von *for the benefit of* Hs 16, 60; 4. Gott *God* נָתַן בְּרִיתוֹ Gn 17, 2 Nu 25, 12; הִגִּיד בְּרִיתוֹ Dt 4, 13; נִשְׁבַּע בְּרִית לְ Dt 4, 31 8, 18; בָּא בִבְרִית אֶת־ tritt in e. Bund mit *enters into a covenant with* Hs 16, 8; die Juden treten in d. Bund (mit Gott) *the Jews enter into the covenant (with God)* 2 C 15, 12; Gott *God* הֶעֱמִיד בְּרִית לְ Ps 105, 10; צִוָּה בְרִיתוֹ Dt 4, 13 Ps 111, 9; 5. Gott gibt e. immer gültige **Zusage** *God gives a for ever valid promise* שָׂם בְּרִית עוֹלָם 2 S 23, 5; 6. ein Mensch schliesst für die Gemeinschaft d. Bund mit Gott *as representative of the community a human individual makes the covenant with God*: כָּרַת בְּרִית Jos 24, 25 2 K 11, 17 2 C 23, 16 2 K 23, 3 (לִפְנֵי י׳) כָּרַת בְּ׳ לַיהוה mit J. *with Y.*! 2 C 29, 10; 7. עָמַד בַּבְּרִית dem Bund beitreten *join the covenant* 2 K 23, 3; עָבַר בִּבְ׳ sich dem Bund unterziehn *submit to a covenant* Dt 29, 11; הָיְתָה בְ׳ אֶת־ d. B. besteht mit *the cov. is with* Hs 37, 26 Ma 2, 4 f; Gn 17, 13; זֹאת בְּרִיתִי אֶת־ Js 59, 21;

b. mit בְּרִית verbundne Ausdrücke *phrases connected with* בְּרִית:

1. אוֹת הַבְּרִית Gn 9, 12. 17, בְּ׳ 9, 13 17, 11; 2. דִּבְרֵי הַבְּ׳ Ex 34, 28 Dt 28, 69 29, 8 2 K 23, 3 Ir 11, 2 f. 6. 8 34, 18 2 C 34, 31; 3. סֵפֶר הַבְּ׳ Ex 24, 7 2 K 23, 2. 21 2 C 34, 30; לוּחֹת הַבְּ׳ Dt 9, 9. 11. 15 (1 K 8, 9, cj 2 C 5, 10); 4. אֲרוֹן בְּ׳ יהוה Nu 10, 33 14, 44 Dt 10, 8 31, 9. 25 f Jos 3, 3. 17! 4, 7. 18 6, 8 8, 33 1 S 4, 3—5 1 K 6, 19 8, 1. 6 Ir 3, 16 1 C 15, 25 f. 28 f 17, 1 22, 19 28, 2. 18 2 C 5, 2. 7; אֲרוֹן בְּ׳ הָאֱלֹהִים Jd 20, 27 1 S 4, 4 2 S 15, 24 1 C 16, 6; אֲ׳ בְּ׳ אֲדוֹנָי 1 K 3, 15; אֲ׳ הַבְּ׳ Jos 3, 6. 8. 11! 14! 4, 9 6, 6; 5. דַּם הַבְּ׳ Ex 24, 8, דַּם בְּרִיתֵךְ (Zion) Sa 9, 11; 6. נְקַם בְּ׳ Lv 26, 25; 7. בְּ׳ עוֹלָם Gn 9, 16 17, 7. 13. 19 Ex 31, 16 Lv 24, 8 2 S 23, 5 Js 24, 5 55, 3 61, 8 Ir 32, 40 50, 5 Hs 16, 60 37, 26 Ps 105, 10 1 C 16, 17; 8. בְּ׳ אֱלֹהֶיךָ Lv 2, 13; בְּ׳ יהוה Dt 4, 23 10, 8 29, 11. 24 Jos 23, 16 1 S 20, 8 1 K

8,21 2C 6,11!; 9. בְּ׳ רִאשֹׁנִים Lv 26,45; בְּ׳ אֲבוֹתֶיךָ Dt 4,31; בְּ׳ אֲבֹתֵינוּ Ma 2,10; בְּ׳ אֱלֹהִים 2C 34,32; בְּ׳ קֹדֶשׁ Da 11,28.30; בְּ׳ הַלֵּוִי Ma 2,8; בְּ׳ הַכְּהֻנָּה וְהַלְוִיִּם Ne 13,29; 10. אֵשֶׁת בְּרִיתֶךָ d. Frau, die mit dir im gleichen Bund steht *the wife who entered into the same covenant as thou* (Dt 29,11!) Ma 2,14; 11. מַלְאַךְ הַבְּ׳ Ma 3,1; נְגִיד בְּ׳ Da 11,22; 12. בְּרִיתִי יַעֲקֹב, בְּרִיתִי יִצְחָק, בְּרִיתִי אַבְרָהָם mein Bund hinsichtlich des J., I., A. *my covenant concerning J., I., A.* Lv 26,42 (Ex 2,24 2K 13,23); ebenso *the same* בְּרִיתִי הַיּוֹם u. בְּרִיתִי הַלָּיְלָה Ir 33,20; בְּרִיתִי שָׁלוֹם m. Bund, d. Heil bedeutet *m. cov. which means peace* Nu 25,12; בְּ׳ שָׁלוֹם Hs 34,25 37,26, בְּ׳ שְׁלוֹמִי Js 54,10; 13. בְּ׳ מֶלַח Nu 18,19 2C 13,5 u. מֶלַח בְּ׳ Lv 2,13; 14. בַּעַל בְּ׳ Jd 8,33 9,4 u. אֵל בְּ׳ 9,46; 15. בְּ׳ כְּהֻנַּת עוֹלָם **Recht** auf dauerndes Priestertum *claims for everl. priesth.* Nu 25,13;

c. die Wahrung des Bunds *the preserving of the covenant.*

1. Gott *God* זָכַר בְּרִיתוֹ Gn 9,15f Ex 2,24 6,5 Lv 26,42.45 Hs 16,60 Ps 105,8 106,45 111,5; 2. שָׁמַר בְּרִית: Gott *God* Dt 7,9.12 1K 8,23 Da 9,4 Ne 1,5 9,32 2C 6,14; Menschen *mankind* Gn 17,9f Ex 19,5 1K (8,23) 11,11 Ps 78,10 103,18 132,12; שָׁמַר דִּבְרֵי הַבְּ׳ Dt 29,8 Hs 17,14; 3. עָשָׂה כַבְּ׳ 2C 34,32; 4. הֶחֱזִיק בַּבְּ׳ Js 56,4.6; 5. הֵקִים aufrechterhalten *maintain* Dt 8,18; c. דִּבְרֵי הַבְּ׳ 2K 23,3 Ir 34,18; נֶאֱמָן בַּבְּ׳ treu am *faithful in* Ps 78,37; נָצַר בְּרִית Dt 33,9 Ps 25,10;

d. Missachtung, Auflösung des Bunds *neglecting, dissolving the covenant*:

1. הֵפֵר 1K 15,19 Js 24,5 33,8 Ir 33,20 Hs 17,15f.18f; Gn 17,14 Lv 26,15.44 Dt 31,16.20 Ir 11,10 31,32 Hs 16,59 44,7, pass. Ir 33,21; subj. Gott *God* Jd 2,1 Ir 14,21 Sa 11,10; 2. שָׁכַח Dt 4,23 Pr 2,17! Dt 4,31 (Gott *God*); 3. עָזַב Dt 29,24 1K 19,10.14 Ir 22,9 Da 11,30; 4. עָבַר Dt 17,2 Jos 7,11.15 23,16 Jd 2,20 2K 18,12 Ir 34,18 Ho 6,7 8,1; 5. מָאַס בְּ׳ 2K 17,15; שִׁחֵת בְּ׳ Ma 2,8; חִלֵּל בְּ׳ Ma 2,10 Ps 55,21 89,35; שִׁקֵּר בְּ׳ Ps 44,18; Gott *God* נֵאַר בְּ׳ Ps 89,40; הִרְשִׁיעַ בְּ׳ Da 11,32;

e. Varia: מִבְּרִיתֵךְ wegen d. Bunds mit dir *on account of the covenant with thee* Hs 16,61; כָּרַת בְּ׳ עֲלֵי־זֶבַח beim Gemeinschaftsopfer e. B. schl. *make a cov. at the offering of community* (cf. בְּרִית מֶלַח u. Ir 34,18) Ps 50,5; נָשָׂא בְ׳ עֲלֵי־פֶה d. B. (bloss) im Mund führen *carry the cov. in the mouth* (*sayings*) Ps 50,16; בְּרִית עָם Js 42,6 49,8; 1S 18,3 **Blutsbrüderschaft** *blood-brotherhood* (cf. T. E. Lawrence, Seven Pillars of Wisdom, p. 449); fraglich *doubtful* Da 9,27;

VI. Ableitung *etymology*: בְּרִית u. בָּרוּת: ברה I; בכה: בָּכוּת u. בְּכִית = ברה I; בְּרִית = Essgemeinschaft, > (durch die Essgemeinschaft bewirkte) Zusammengehörigkeit, > Verbundenheit, **gegenseitige Verpflichtung, Vereinbarung, Bund.** בְּרִית = *sharing of meal > relation, connexion (effected by sharing of meal), > alliance, mutual obligaiion, arrangement, covenant.* Frühere Ableitungen *earlier etymologies*: ברה = schneiden *cut* Gesenius; ak. *barū* schauen *see* (*visions*) Zimmern KAT 106; ברה binden *bind* Kraetzschmar; ברה essen *eat* Ed. Meyer, D. Israeliten 558; etc.; R. Kraetzschmar, D. Bundesvorstellung im AT, 1896; Pedersen, D. Eid bei den Semiten, 1914, 31—51; J. Begrich, ZAW 60, 1—10. †

בֹּרִית: ברר: **Laugensalz** *alkaline salt, lye* (aus Seifenpflanzen gewonnen *extracted from soap-plants*: *Mesembrianthemum cristallinum L., Salicornia solacea* etc. Löw 1,637) Ir 2,22 Ma 3,2. †

I בָּרַךְ: בֶּרֶךְ; *F* ba.:

qal: impf. וַיִּבְרַךְ, נִבְרְכָה: **niederknien** *kneel down* Ps 95,6 2 C 6,13; †

hif: impf. וַיַּבְרֵךְ: **niederknien lassen** *cause to kneel* Gn 24,11. †

II בָּרַךְ: ug. *brk*, ph. ברך; aram. בְּרִיךְ; بَارَكَ = äth.; äg. LW *brk* beten *pray*; ak. *karâbu* Landsberger MAO 4, 294 ff, (asa. כרב, sbst. כרב u. מכרב Prätorius ZDM 61, 622. 951, VG 1, 226):

qal: nur *only* pt. pass. בָּרוּךְ (*F* n.m. בָּרוּךְ), cs. בְּרוּךְ, בְּרוּכָה, בְּרֻכִים, בְּרוּכֵי: **gepriesen, gelobt** *praised* (*F* pi. 1 u. 3!): 1. יְהִי יהוה בָּרוּךְ 2 C 9,8; † > בָּרוּךְ יהוה אֲשֶׁר Gn 24,27 Ex 18,10 1 S 25,32.39 2 S 18,28 1 K 1,48 5,21 8,15.56 Ru 4,14 Esr 7,27 2 C 2,11 6,4; † בָּ' י' שֶׁ Ps 124,6; † בָּ' אֱלֹהִים אֲשֶׁר Ps 66,20; † בָּ' אֵל עֶלְיוֹן אֲשֶׁר Gn 14,20; † בָּ' י' כִּי Ps 28,6 31,22; † 2. בָּרוּךְ יהוה Sa 11,5 Ps 41,14 89,53 106,48 119,12 135,21 1 C 16,36 29,10; † בָּ' אֲדֹנָי Ps 68,20; † בָּ' אֱלֹהִים Ps 68,36; † בָּרוּךְ י' c. pt. Ps 72,18 144,1; † 3. בָּרוּךְ פְּלֹנִי לְאֵל er ist (sei) **gesegnet** von Gott *he is (shall be) blessed by (of) God* Gn 14,19 Jd 17,2 1 S 15,13 23,21 2 S 2,5 Ps 115,15 Ru 2,20; † 4. בְּרוּךְ יהוה Gn 24,31 26,29 u. בְּרוּכֵי יהוה Js 65,23; † 5. בָּרוּךְ Er ist (sei) **gesegnet** *he is (shall be) blessed* Gn 27,29.33 Nu 22,12 24,9 u. du bist (seist) *thou art (shalt be)* בָּרוּךְ Dt 7,14 28,3.6 1 S 25,33 26,25 Ru 3,10; † 6. Besondre Subjekte *remarkable subjects*: Dt 28,4 f 33,20.24 1 S 25,33 2 S 22,47 Ps 18,47 1 K 2,45 Js 19,25 Ir 17,7 20,14 Ps 72,19 118,26 Pr 5,18 Ru 2,19; † l בָּרֵךְ Gn 9,26 u. ברום Hs 3,12; †

nif: pf. נִבְרְכוּ: sich Segen wünschen, c. בְּ unter Nennung von (*F* Gn 48,20) *wish oneself a blessing*, c. בְּ *by naming of* (*F* Gn 48,20): Gn 12,3 18,18 28,14; †

pi (235 ×): pf. בֵּרַךְ, בֵּרַכְתִּי, וּבֵרַכְתִּי Gn 17,16, sf. בֵּרֲכוֹ, בֵּרַכְךָ, בֵּרֲכַנִי, בֵּרַכְתַּנִי, בֵּרַכְתִּיךָ, בֵּרַכְנוּכֶם, impf. יְבָרֵךְ, וַיְבָרֶךְ, תְּבָרֵךְ, תְּבָרְכוּ, וַיְבָרֵךְ, וָאֲבָרֵךְ, וַיְבָרְכוּ, וַאֲבָרְכָה; sf. וַיְבָרְכֵהוּ, יְבָרֶכְךָ, אֲבָרֶכְךָ, אֲבָרֶכְךָ, תְּבָרֲכֵנִי, וַיְבָרְכֵם, יְבָרְכֶנְהוּ, יְבָרְכוּכָה, תְּבָרְכֵנוּ, אֲבָרְכֵם, inf. בָּרֵךְ, בָּרוֹךְ; imp. בָּרְכִי, בָּרְכוּ, sf. בָּרֲכֵנִי, בָּרְכוֹ, pt. מְבָרְכֶיךָ:

1. Subjekt Gott *subject God*: **segnen** = mit heilvoller Kraft begaben *bless = gift somebody, something with fortunate power*: Tiere *animals* Gn 1,22, Menschen *mankind* 1,28, d. 7. Tag *the 7th day* 2,3 Ex 20,11, Frau *woman* Gn 17,16, Feld *field* 27,27, Brot u. Wasser *bread a. water* Ex 23,25, d. Frucht des Leibes u. des Ackers *the fruit of the body a. of the ground* Dt 7,13, d. Werk d. Hände *the work of the hands* 28,12, Volk u. Land *people a. ground* 26,15, d. Gerechten *the righteous* Ps 5,13, d. Nahrung *the nourishment* Ps 132,15; — d. Engel segnet Jakob *the angel blesses Jacob* Gn 32,27.30 48,16;

2. **segnen** = als mit heilvoller Kraft begabt bezeichnen *bless = declare that a person is gifted with fortunate power*: Gott *God* — Abraham Gn 12,2 22,17 24,1.35; Menschen *people* — Jakob Gn 27,29; Melchisedek — Abraham 14,19, Vater s. Sohn *father his son* 27,4.7.10, d. Kinder *his children* 32,1, d. Enkel *his grandson* 48,9, Israel — Pharao Ex 12,32, d. Opfer *the offering* 1 S 9,13, e. Menschen *a man* Gn 48,15, e. Gemeinde *a community* Lv 9,23 2 C 30,27;

3. Gott segnen = Gott als den Ursprung heilvoller Kraft bezeichnen = **Gott loben, preisen** *bless God = declare God the origin of fortunate power = praise God*: Gn 24,48 Dt 8,10 Jos 22,33 Jd 5,2.9 Ps 66,8 68,27 103,1 f. 20—22 104,1.35 135,19 f 16,7 26,12 34,2 63,5 145,2, שְׁמוֹ 96,2 100,4 Ne 9,5 1 C 29,20 Ne 8,6 (c. אָמֵן) 1 C 29,20 (c. formula) 2 C 20,26 (n.l. עֵמֶק בְּרָכָה);

4. **segnen** = heilvolle Kraft anwünschen *bless = wish a person to be gifted with fortunate power*: Gn 24,60 Nu 6,23 22,6 Dt 27,12

Jos 8, 33 1 S 13, 10 (Gruss u. Willkommen *greeting a. welcome*) 1 S 25, 14 2 S 7, 29 (Gebetswunsch *wish of prayer*) 2 S 8, 10 (Glückwunsch *congratulation*) Hi 31, 20 (Dank *thanks*) Ru 2, 4 2 K 4, 29 u. 10, 15 Pr 27, 14 (Morgenwunsch *morningwish*);

5. Formeln u. Bräuche v. בֵּרַךְ *formulas a. usages of* בֵּרַךְ: בֵּ׳ לִפְנֵי יהוה Gn 27, 7, בֵּ׳ בְּ׳ unter Nennung e. Namens *by naming of* Gn 48, 20; mit erhobnen Händen *lifting his hands* Lv 9, 22, בְּשֵׁם יהוה Dt 21, 5 1 S 23, 21 2 S 6, 18 Ps 129, 8, Segensformel *formula of blessing* Nu 6, 23—27 1 S 2, 20 1 K 1, 47 1 C 29, 10 Ps 118, 26 129, 8; בֵּ׳ לְ d. Segen sprechen über *bless* Ne 11, 2, בֵּ׳ b. Opferfest *at the offering* 1 C 16, 2; Aufgabe der Aaroniden *task of the sons of Aaron* לְבָרֵךְ בִּשְׁמוֹ 1 C 23, 13; בֵּ׳ לִיהוה J. preisen *praise Y.* 29, 20; Segen endet e. Hungersnot *blessing will stop a famine* 2 S 21, 3; d. Gesegnete steht aufrecht *who is blessed stands erect* 1 K 8, 14. 55 2 C 6, 3;

6. בֵּרַךְ :: קִלֵּל Ps 62, 5 109, 28 Pr 30, 11; בֵּרַךְ euphemistisch für *used euphemistically for* ארר, קִלֵּל 1 K 21, 10. 13 Hi 1, 5. 11; † Hempel, ZDM 79, 20 ff u. 91 f;

pu: impf. יְבֹרַךְ, יְבֹרָךְ, תְּבֹרַךְ, pt. מְבֹרָךְ, מְבֹרֶכֶת, pl. sf. מְבֹרָכָיו: **gesegnet werden, sein** *be blessed* Nu 22, 6 2 S 7, 29 Ps 37, 22 112, 2 128, 4 Pr 20, 21 22, 9 1 C 17, 27; מְבֹרֶכֶת יהוה v. J. gesegnet *blessed of Y.* Dt 33, 13, תְּבֹרַךְ מִן gesegnet unter *blessed among* Jd 5, 24; **gepriesen sein** *be praised* Ps 113, 2 Hi 1, 21; †

hitp: pf. הִתְבָּרֵךְ ,הִתְבָּרְכוּ, impf. יִתְבָּרֵךְ, pt. מִתְבָּרֵךְ: **einander als gesegnet bezeichnen** *bless each other* Gn 22, 18 26, 4 Jr 4, 2 Ps 72, 17; **sich als gesegnet bezeichnen** *bless oneself* (c. formula) Dt 29, 18 Js 65, 16. †

Der. I בְּרָכָה u. nn. m. בָּרַכְאֵל, II בְּרֵכָה, בֶּרֶכְיָה(וּ), יְבֶרֶכְיָהוּ, בָּרוּךְ.

בֶּרֶךְ: ug. du. *brkm*, ak. *birku*, *burku*, F ba. *בְּרַךְ, ብርክ, رُكْبَة: du. בִּרְכַּיִם, cs. בִּרְכֵּי, sf. בִּרְכָּיו, בִּרְכֶּיהָ, בִּרְכַּי, בִּרְכֵיהֶם! Jd 7, 6; fem.: **Knie** *knee*: תִּכְרַע בֶּרֶךְ Js 45, 23, cf. 1 K 19, 18 Hi 4, 4, כָּרַע עַל־בִּרְכָּיו Jd 7, 5 f 1 K 8, 54 2 K 1, 13 Esr 9, 5; בָּרַךְ עַל־בִּרְכָּיו 2 C 6, 13; כֹּשְׁלוֹ בִּ׳ Js 35, 3 Ps 109, 24; תֵּלַכְנָה בִּ׳ מַיִם v. Wasser (Urin) triefen *drip with wet* Hs 7, 17 21, 12; פִּק בִּ Na 2, 11; בִּרְכָּיִם knietief *to the knees* Hs 47, 4; Geschwür auf d. Knie *boil upon the knee* Dt 28, 35; עַל־בִּרְכַּי gestützt *tottering upon my knees* Da 10, 10; עַל־בִּרְכֶּיהָ auf d. Knien, im Schoos e. Frau schlafen *sleep upon the knees of a woman* Jd 16, 19; Kind sitzt auf d. Knien d. Mutter *child sitting upon the knees of the mother* 2 K 4, 20, d. Grossvaters *of the grandfather* Gn 48, 12; Gesicht versteckt *face hidden* בֵּין בִּרְכָּו 1 K 18, 42; Kinder geschaukelt *children dandled* עַל־בִּ׳ Js 66, 12; cj [וְהִפְזִרִי אֶת־]בִּרְכַּיִךְ Jr 3, 13; d. Ehemann nimmt d. Neugeborne עַל־בִּרְכָּיו, um es als sein Kind anzuerkennen *the husband takes the new-born* עַל־בִּרְכָּיו *in order to own him* (Musil AP 3, 214) Hi 3, 12 Gn 50, 23, ebenso die Herrin d. Neugeborne der Sklavin *the same does the mistress to the new-born of the maid-servant* Gn 30, 3. †

בָּרַכְאֵל: n. m.; II ברך u. אֵל: ak. *Barik-ilu*, Tallq. 22; asa. ברכגבל u. ברכתעת Ryck. 2, 41: Hi 32, 2. 6. †

I **בְּרָכָה**: II ברך; npu. ברכת Eph. 1, 51; äg. *brk* Geschenk *gift*; بَرَكَة ET 39, 381—3: cs. בִּרְכַּת, sf. בִּרְכָתִי, בִּרְכָתְךָ, בִּרְכָתֶךָ, pl. בְּרָכוֹת, cs. בִּרְכֹת, sf. בִּרְכוֹתֵיכֶם:

1. (sich auswirkender) **Segen** (*effective*) *blessing*: Gn 28, 4 39, 5 49, 25 f, Dt 12, 15 16, 17 28, 8 33, 23 Js 65, 8 Hs 34, 26 44, 30 Jl 2, 14 Ma 3, 10 Ps 129, 8 133, 3 Pr 10, 22, Lv 25, 21 pl. Pr 28, 20; †

2. Segensspruch, **Segenswunsch** (*wish of*) *blessing*: Gn 27, 12. 35 f. 38. 41 Ex 32, 29 Dt 11, 26 f. 29 23, 6 28, 2 30, 1. 19 33, 1 Jos 8, 34 2 S 7, 29 Js 44, 3 Ps 3, 9 24, 5 109, 17 Pr 11, 11. 25 f 24, 25 Hi 29, 13 Ne 13, 2, pl. Ma 2, 2 Pr 10, 6; †

3. Segensformel *formula of blessing*: Gn 12, 2 49, 28 Js 19, 24 Sa 8, 13 Ps 37, 26 Pr 10, 7 Ne 9, 5, pl. Ps 21, 7; †

4. mit Segenswunsch verbundnes Geschenk *gift connected with* (*wish of*) *blessing*: Gn 33, 11 Jos 15, 19 Jd 1, 15 1 S 25, 27 30, 26 2 K 5, 15, pl. Ps 21, 4; †

5. **Kapitulation**, Unterwerfungsvertrag *capitulation*, *surrender*: 2 K 18, 31 Js 36, 16; ? Ps 84, 7. †

II **בְּרָכָה**: n.m.; = I (F Gn 12, 2 f): 1 C 12, 3. †

בְּרֵכָה: بِرْكَة, äg. *brkt*, Siloa-Inschr. 5 ברכה; asa. ברכת, ברכן, מברך: cs. בְּרֵכַת, pl. cs. בְּרֵכוֹת: **Teich** *pool*, *pond* κολυμβήθρα, *piscina*: בְּרֵכַת מַיִם Na 2, 9, pl. Ko 2, 6; in גִּבְעוֹן 2 S 2, 13, חֶבְרוֹן 4, 12, שֹׁמְרוֹן 1 K 22, 38, חֶשְׁבּוֹן Ct 7, 5; in Jerusalem: הַבְּ׳ הָעֶלְיוֹנָה 2 K 18, 17 Js 7, 3 36, 2, הַבְּ׳ הַתַּחְתּוֹנָה Js 22, 9, הַבְּ׳ הַיְשָׁנָה (Lods ZAW 51, 262), v. Hiskia erstellt *built by Hezekiah* 2 K 20, 20; בְּ׳ הַמֶּלֶךְ Ne 2, 14, בְּ׳ הַשֶּׁלַח 3, 15, d. künstliche *the artificial* 3, 16. †

בֶּרֶכְיָה: n.m.; < בֶּרֶכְיָהוּ: 1. S. v. Serubabel *Zerubbabel* 1 C 3, 20; 2. Levit 1 C 9, 16 15, 23; 3. Ne 3, 4. 30 6, 18; 4. Sa 1, 1 = בֶּרֶכְיָהוּ 1, 7. †

בֶּרֶכְיָהוּ: n.m.; בֶּרֶךְ < בֵּרֵךְ u. ־יָה; < בֶּרֶכְיָה: 1. Sa 1, 7 F בֶּרֶכְיָה 4.; 2. Levit 1 C 6, 24 15, 17; 3. Ephraimit 2 C 28, 12. †

ברם: בְּרֹמִים.

בְּרֹמִים: ak. *barmu* bunte Maus *many-coloured mouse*, *burrumu* bunter (?) Stoff *many-coloured* (?) *stuff*; أَبْرَمُ [der Strick] besteht aus 2 verschiednen Fäden [*the rope*] *was made of two strands*, بَرِيم *string twisted of white a. black yarns* Schnur aus weissem u. schwarzem Garn: **zweifarbiges Gewebe** *two-coloured stuff*: Hs 27, 24. †

בַּרְנֵעַ: F קָדֵשׁ בַּרְנֵעַ.

בֶּרַע: n.m.; Pilter PSB 1913, 205 ff, K. v. סְדֹם: Gn 14, 2. †

בְּרָעָה: F בְּרִיעָה.

ברק: ak. *barâqu*, בְּרַק, بَرَقَ, ብረቀ, soq. *brq* blitzen *it lightens*; äg. *brq* glitzern (Wasser) *glitter* (*water*), ⲉⲃⲣⲏϭⲉ Blitz *lightning*: qal: impf. cj וַיִּבְרֹק, imp. בְּרוֹק, inf. cj בְּרֹק: **blitzen** *lighten* Ps 144, 6, cj וַיִּבְרֹק 2 S 22, 15 u. Ps 18, 15, cj בְּרֹק (Schwert *sword*) Hs 21, 33. † Der. I. u. II בָּרָק n.m., בַּרְקֳנִים.

I **בָּרָק**: ברק, ug. *brq* Blitz *lightning*: cs. בְּרַק, pl. בְּרָקִים, sf. בְּרָקָיו: Blitz *lightning*; Donner u. Blitz *thunder a. lightning* Ex 19, 16; בְּרָקִים geben Regen *cause raining* Ir 10, 13 51, 16 Ps 135, 7; erhellen d. Welt *lighten the world* Ps 77, 19 97, 4; Gott lässt Blitze blitzen *God causes lightnings to lighten* Ps 144, 6, cj 2 S 22, 15 u. Ps 18, 15, Gott sendet Blitze *God sends forth l.* Hi 38, 35, Blitze fahren hin u. her *l.s run* Na 2, 5, Bl. kommt aus Feuer *l. originating in fire* Hs 1, 13; Erscheinung e. Blitzes *appearance of a l.* Da 10, 6, cj Hs 1, 14; metaph.: Dt 32, 41 Hs 21, 15. 20, l בְּרֹק 33 Na 3, 3 Ha 3, 11 Sa 9, 14 Hi 20, 25. †

II **בָּרָק**: n.m.; = I; amor. *Jabruq-ilu* BAS 95, 19; palm. n.m. Cooke 299: Richter *leader* Israels: Jd 4, 6—22 5, 1. 12. 15, cj 1 S 12, 11. †

בְּרַק: F בְּנֵי בְרַק.

בַּרְקוֹס: n.m.; ak. *Barqûsu* KAT 473, Noth S. 63; בַּר u. Gottesname *name of a god* קוֹס; aram. Ostracon v. Elath VI. saec.: *Qaus-ʿanal* BAS 79, 13, *Qwsny*, *Pgʿqws* BAS 82, 13: Esr 2, 53 Ne 7, 55. †

בַּרְקָנִים: I בָּרָק u. *-ôn*: etwas Stechendes, Dornen? Dreschschlitten? *something pricking, proding, thorns? threshing-sledges?* Jd 8, 7. 16. †

בָּרֶקֶת: sanskrit *marakata* (Laufer, Sino-Iranica, Chicago 1918, 518) > chinesisch *mo-lo-kʿa-ta* (*dialect of Canton*); ak. *barâktu* > σμαραγδος (c. σ = σμερδις < *baradja* u. σμυρνη < μυρρα מֹר): **dunkelgrüner Beryll** *dark-green beryl* (Max Bauer, Edelsteinkunde³, 529 ff; Fundstätte *habitat* Σμάραγδος ὄρος = *Ġezîret Sekēt*, *Ġebel Zabarah*, Guthe, Bibelatlas 1, D 7): Ex 28, 17 39, 10; F בָּרְקַת. †

בָּרְקַת: = בָּרֶקֶת: **dunkelgrüner Beryll** *dark-green beryl* Hs 28, 13. †

ברר: ak. *barru* geläutert *purified*, mh., ja. aussondern *separate*; asa. caus. reinigen *cleanse*:

qal: pf. בָּרוֹתִי, inf. sf. לְבָרָם (*bŏr*), pt. pass. pl. בְּרוּרִים: 1. **ausscheiden** *purge out* Hs 20, 38; 2. **auslesen** *select, chose* Ko 3, 18 1 C 7, 40 9, 22 16, 41; l וְלִבִּי רָאָה Ko 9, 1 f. וְלָבוּר u. l. בְּרִיּוֹת (F בָּרִיא) f. בְּרֻרוֹת Ne 5, 18; glatt reiben, **spitzen** (Pfeil) *polish, point* (*arrow*) Js 49, 2;

nif: imp. הִבָּרוּ, pt. נָבָר: **sich rein halten** *keep clean* Js 52, 11; **rein, lauter sein** *be pure* 2 S 22, 27 Ps 18, 27; †

pi: inf. בָּרֵר: **reinigen** *purify* Da 11, 35; †

hitp: impf. יִתְבָּרְרוּ, תִּתְבָּרָר, **sich als rein erweisen** *to show oneself pure* Da 12, 10 Ps 18, 27, cj 2 S 22, 27; †

hif: inf. הָבַר, imp. הָבֵרוּ: **läutern** *cleanse* Ir 4, 11; **zuspitzen** (Pfeil) *point* (*arrow*) Ir 51, 11. †

Der. בַּר II—IV, בָּרוּר, בֹּר, בֹּרִית.

בִּרְשַׁע: n.m.; < *בְּרֶשַׁע בְּשַׁע hässlich *ugly*, بَشِعَ widerlich schmecken *be disagreeable in taste*; Holma ABP 37 f: Gn 14, 2. †

בֵּרֹתִי 1 C 11, 39: F בְּאֵרֹתִי. †

בֵּרֹתַי: n.l.; *Bereitān* (Furrer, ZDP 8, 34) Westfuss des Antilibanus *western foot of Antilibanos*: 2 S 8, 8. †

בְּשׂוֹר: n. fl.; נַחַל הַבְּשׂוֹר: 1 S 30, 9. 10. 21. †

בְּשׂוֹרָה: F בְּשֹׂרָה.

בשׂם: aram. süss sein, duften *be sweet, odorous*: Der. בֶּשֶׂם, n.f. בָּשְׂמַת.

בֶּשֶׂם (6 ×), בֶּשֶׂם Ex 30, 23 † u. (בְּשָׂמִי Ct 5, 1 †) *בֶּשֶׂם: בשׂם; بَشِمَ angewidert sein *be affected with disgust*; ja. בּוּסְמָא, ܒܣܡܐ, بَشَام < *βασσαμον > βάλσαμον: pl. בְּשָׂמִים, sf. בְּשָׂמָיו: 1. **Balsamstrauch** *balsam-tree Balsamodendron Opolbalsamum* Kth (Löw 1, 299 ff): Ct 5, 1. 13 6, 2 8, 14; † 2. d. (leicht fest werdende) **Balsamöl** *balsam-oil* (*easily coagulating*) sg. Ex 35, 28 Js 3, 24 Hs 27, 22, pl. Ex 25, 6 30, 23 35, 8 1 K 10, 2. 10. 25 2 K 20, 13 Js 39, 2 Ct 4, 10. 14. 16 Est 2, 12 1 C 9, 29 f 2 C 9, 1. 9. 24 16, 14 32, 27; † 3. (allgemein) **Wohlgeruch** *perfume* (*in general*): קִנְּמָן־בֶּשֶׂם wohlriechender Zimt *sweet cinnamon* Ex 30, 23; † 4. קְנֵה בֹשֶׂם **Kahnbartgras** (*Cymbopogon* Martini Stapf., Löw 1, 692 f) Ex 30, 23. †

בָּשְׂמַת: n.f.; בשׂם; ZAW 44, 86: 1. Gn 26, 34; 2. Gn 36, 3 f. 10. 13. 17; 3. 1 K 4, 15. †

בשׂר: ug. *bšr*, aram., بَشَّرَ, asa. *bsr*, soq. *ʾibšir*, ak. *b/pussuru*, በሰረ:

pi: pf. בִּשַּׂר, בִּשַּׂרְתִּי, impf. יְבַשֵּׂר, תְּבַשֵּׂרוּ, אֲבַשְּׂרָה, תְּבַשְּׂרוּ, inf. בַּשֵּׂר, imp. בַּשְּׂרוּ, pt.

מְבַשְּׂרוֹת, מְבַשֶּׂרֶת, מְבַשֵּׂר: e. (gute oder schlechte) **Meldung erstatten** *announce a (good or evil) event*: 1 S 4, 17 2 S 4, 10 18, 20 Js 41, 27 52, 7 Na 2, 1; בִּשַּׂר טוֹב **Gutes melden** *bring good news* 1 K 1, 42 Js 52, 7; בִּשַּׂר אֶת jmd **benachrichtigen** *inform a person (of)* 1 S 31, 9 2 S 18, 19 Js 61, 1 Ir 20, 15 1 C 10, 9; מְבַשֶּׂרֶת צִיּוֹן **Botin für** Z. *messenger for Z.* Js 40, 9 // מְבַ׳ (יְרוּשָׁלִַם) Ps 68, 12; בִּ׳ **bekannt machen** *tell, publish* 2 S 1, 20 Js 60, 6 Ps 40, 10 96, 2 1 C 16, 23; †

hitp: impf. יִתְבַּשֵּׂר: **sich melden lassen** *receive, accept news* 2 S 18, 31. †

Der. בְּשׂרָה.

בָּשָׂר (266 ×): ug. *bšr* Fleisch *flesh*, بَشَر Haut *skin*, aram. בִּסְרָא Fleisch *flesh* = asa. *bsr*: cs. בְּשַׂר, sf. בְּשָׂרִי, pl. בְּשָׂרִים Pr 14, 30. †: 1. **Fleisch** *flesh*; v. lebenden Menschen *of living individuals* Gn 2, 21 2 K 5, 14, v. toten Menschen *of dead ones* 1 S 17, 44, v. Tieren *of animals* Dt 14, 8, v. Kühen *cows* Gn 41, 2, Schweinen *swines* Js 65, 4 66, 17, Wachteln *quails* Nu 11, 33; 2. **Fleisch** als Nahrung *flesh as nourishment* 1 S 2, 13. 15; בָּ׳ חַי rohes Fleisch *raw flesh* 2, 15, verbotnes Fl. *fl. not to be eaten* Ex 21, 28; אָכַל בָּ׳ Dt 12, 15, לֶחֶם וּבָ׳ 1 K 17, 6, בָּ׳ וָיַיִן Da 10, 3; 3. **Fleisch** als Teil des Körpers *flesh as part of the body*: עֶצֶם F u. בָּ׳ Gn 2, 23, בְּשַׂר עָרְלָה F 17, 11, בְּ׳ עֶרְוָה F Ex 28, 42; בָּשָׂר a. männliche Glied *membrum virile* Lv 15, 2 f Hs 16, 26 23, 20: Reihe *series*: גִּדִים, בָּ׳, עוֹר, רוּחַ Hs 37, 6. 8, עוֹר, בָּ׳, עֲצָמוֹת, גִּידִים Hi 10, 11; מִשְׁמַן בְּשָׂרוֹ Js 17, 4; בָּ׳ = **Leib** *body* Hs 11, 19 36, 26 Ps 63, 2 Pr 5, 11 Hi 4, 15 Ko 12, 12; faulendes Fl. *rotting, putrescent fl.* Sa 14, 12; נֶפֶשׁ הַבָּ׳ Lv 17, 11; Jünglinge בְּרִיאֵי בָ׳ gut am Fleisch *youths fat in flesh* Da 1, 15; 4. Fleisch = **Verwandtschaft** *flesh = the relatives*: בָּ׳ מִבְּשָׂרִי Gn 2, 23; בָּ׳ אֶחָד 2, 24; אָחִינוּ בְשָׂרֵנוּ (l. וּבְ׳?) unser leiblicher Br. *our own br.* 37, 27; שְׁאֵר בְּשָׂרוֹ s. leiblicher Verwandter *his own (somatic) relative* Lv 18, 6; בְּשָׂרְךָ deine Angehörigen *thine relatives* Js 58, 7; 5. בָּשָׂר Fleisch = das Hinfällige, Vergängliche *flesh = the frail, decaying, transient*: מִנֶּפֶשׁ וְעַד בָּ׳ Js 10, 18; בָּ׳ :: רוּחַ 31, 3; עַרְלֵי בָ׳ Hs 44, 7; בָּ׳ bloss Menschen *(mere) flesh* Ps 56, 5 78, 39; עֵינֵי בָ׳ Hi 10, 4; זְרוֹעַ בָּ׳ :: יהוה 2 C 32, 8; 6. כָּל־בָּשָׂר (häufig *frequent*): a) Alles, was Fleisch ist, Menschen u. Tiere *all flesh, mankind a. animals* Gn 6, 12. 17 u. oft *a. frequently*; b) die Menschenwelt *mankind* Nu 16, 22 27, 16 Js 40, 5; c) die Tierwelt *the animals* Gn 6, 19 7, 21 8, 17; d) irgendein Mensch *any human being* Dt 5, 23; e) כָּל־הַבָּ׳ ist Gras *is grass* Js 40, 6; אֱלֹהֵי כָל־בָּ׳ Ir 32, 27; 7. Besondres *particulars*: אֶבֶן :: בָּשָׂר Hs 11, 19 36, 26; ב׳ ודם Si 14, 13; בְּ׳ קֹדֶשׁ Ir 11, 15 Hg 2, 12; בְּ׳ פִּגּוּל Hs 4, 14; בָּ׳ = بَشَر Haut *skin* Ps 102, 6 119, 120; pl. בְּשָׂרִים Leib *body* Pr 14, 30 †; בָּ׳ מִזֶּבַח Lv 7, 20.

בְּשֹׂרָה u. בְּשׂוֹרָה: בשר; ug. *bšrt*: 1. **Meldung, Nachricht** *report, news* 2 S 18, 20. 25. 27 2 K 7, 9; 2. **Botenlohn** *reward, messenger's fee* 2 S 4, 10 18, 22. †

בשל: ak. *bašālu* kochen *boil*, *bašlu* gar *thoroughly cooked*, በሰለ kochen *cook*, soq. *béhel* gekocht sein *be cooked*, oman. *mebsli* Kochdatteln *cooking-dates*; ܒܫܠ reifen *grow ripe*; aram., asa. opfern *sacrifice*:

qal: pf. בָּשַׁל, בָּשְׁלוּ: 1. **reifen** *grow ripe* Jl 4, 13; 2. **kochen** *boil* Hs 24, 5; †

pi: pf. בִּשַּׁלְתָּ, בִּשְּׁלוּ, sf. בִּשְּׁלָם, impf. תְּבַשֵּׁל, יְבַשְּׁלוּ, וַנְּבַשֵּׁל, inf. בַּשֵּׁל, imp. בַּשְּׁלוּ, בַּשֵּׁלוּ, pt. מְבַשְּׁלִים:

1. **kochen, sieden** *boil* Ex 16, 23 Dt 16, 7 Hs 46, 24 Sa 14, 21; 2. בְּ׳ בָּשָׂר Ex 29, 31

Lv 8, 31 1 S 2, 13 1 K 19, 21; 3. בָּ׳ בְּחָלָב in Milch kochen *seethe in milk* Ex 23, 19 34, 26 Dt 14, 21; 4. kochen *boil*: Manna *manna* Nu 11, 8, Kuchen (backen) (*bake*) *cakes* 2 S 13, 8, e. Gericht *a dish* 2 K 4, 38, e. Kind *a child* 2 K 6, 29 Th 4, 10, Opferfleisch *meal offering* Hs 46, 20, בָּ׳ הַפֶּסַח בָּאֵשׁ 2 C 35, 13 (sonst *otherwise* צלה F); †

pu: pf. בֻּשְּׁלָה, impf. יְבֻשַּׁל, pt. מְבֻשָּׁל: **gesotten werden** *be sodden* Ex 12, 9 Lv 6, 21 1 S 2, 15; †

hif: pf. הִבְשִׁילוּ: **zur Reife bringen** *ripen* Gn 40, 10. †

Der. מְבַשְּׁלוֹת, בָּשֵׁל.

בָּשֵׁל: בשל: f. בְּשֵׁלָה: **gesotten,** gekocht *cooked, boiled* Ex 12, 9 Nu 6, 19. †

בִּשְׁלָם: n. m.; Scheft. 81, Torrey AJSL 24, 244: e. Perser *a Persian* Esr 4, 7; ! F שְׁלָם. †

בָּשָׁן: n. t.; בשן; بَثْنَة fruchtbare steinlose Ebene *fertile stoneless plain*; EA 201, 4: (*alu*) *Ziribašani*, G: Βασαν u. ἡ Βασανῖτις; Βατανaία: **Basan** *Bashan* (A. Heber-Percy, *A visit to Bashan*, 1895; Wetzstein, D. batanäische Giebelgebirge, 1884; Maisler, JPO 9, 80ff; Dussaud, Top. 516) = d. Landschaft ö. Jordan zwischen Hermon im Norden, Salcha im Osten, Gilead im Süden, Geschur u. Maʿaka im Westen, etwa d. heutige Nuqra = *the fertile tract of country on the East of Jordan between Hermon in the North, Salchah in the East, Gilead in the South, Geshur a. Maʿacah in the West; roughly the Nuqrah of today* (Guthe, ZDP 1890, 231—4): בָּשָׁן Dt 32, 14 Js 33, 9 Hs 27, 6 39, 18 Mi 7, 14 Na 1, 4 Sa 11, 2 Ps 22, 13 68, 16 (הַר) 1 C 5, 23?; u. הַבָּשָׁן: 1. עוֹג מֶלֶךְ הַבָּ׳ u. מַמְלֶכֶת עוֹג F עוֹג בַּבָּ׳; 2. גִּלְעָד neben *together with* בָּ׳ Dt 3, 10. 13 Jos 17, 1. 5 2 K 10, 33 1 C 5, 16 Mi 7, 14; 3. in חַוּוֹת יָאִיר בָּ׳ Jos 13, 30, Manasse 21, 6 22, 7, אַרְגֹּב 1 K 4, 13, גּוֹלָן Dt 4, 43 Jos 20, 8 21, 27 1 C 6, 56, הַבָּ׳ u. Dan Dt 33, 22; 4. אֶרֶץ הַבָּ׳ 1 C 5, 11; דֶּרֶךְ הַבָּ׳ Nu 21, 33 Dt 3, 1; הַר בָּ׳ Ps 68, 16; בָּ׳ וְכַרְמֶל Js 33, 9 Na 1, 4, הַכַּרְמֶל וְהַבָּ׳ Ir 50, 19; הַבָּ׳ // לְבָנוֹן 22, 20; 5. בָּשָׁן bemerkenswert durch *famous by* אַלּוֹנִים Js 2, 13 Hs 27, 6 Sa 11, 2, אֵילִים Dt 32, 14, מְרִיאִים Hs 39, 18, פָּרוֹת Am 4, 1, אַבִּירִים Ps 22, 13; 6. הַבָּ׳ noch *moreover* Dt 3, 13 Jos 12, 5 13, 11. 30; Dt 3, 14 1 C 5, 12. 23? 6, 47; l מִבָּשָׁן Ps 68, 23. † מִכִּבְשַׁן אֵשׁ f.

בָּשְׁנָה: בוש? Barth § 210c: **Scham** *shame*: Ho 10, 6. †

בשׁם: ak. *šabāšu* Torcz. JPO 16, 6f: inf. sf. בּוֹשַׁסְכֶם (meist *usually* l בּוּסְכֶם): **Pachtgeld erheben** *draw farm-rent*: Am 5, 11. †

בשע: F בְּרָשַׁע.

בֹּשֶׁת: בוש; ug. *bšt*: sf. בָּשְׁתְּכֶם, בָּשְׁתִּי; fem.: 1. (d. Gefühl der) Schande, **Scham** (*the feeling of*) *shame* 1 S 20, 30 Js 30, 3. 5 54, 4 61, 7 Ir 2, 26 20, 18 Ha 2, 10 Ze 3, 5. 19 (l אֶרֶץ בָּשְׁתָּם Ehrl. „Land, wo sie sich schämen mussten" „*country where they must feel ashamed*") Ps 40, 16 69, 20 70, 4; בָּ׳ פָּנִים Gesicht voll Scham *sh. of the face* Ir 7, 19 Ps 44, 16 Da 9, 7f Esr 9, 7 2 C 32, 21; בּוֹשׁ בָּ׳ sich tief schämen *be greatly ash.* Js 42, 17; לָבֵשׁ בָּ׳ s. in Sch. kleiden *clothed with sh.* Ps 35, 26 Hi 8, 22, הִלְבִּישׁ בָּ׳ jmd in Scham kleiden *clothe with shame* Ps 132, 18, עָטָה בָּ׳ s. in Scham hüllen *envelop oneself in sh.* 109, 29; שָׁכַב בְּבָשְׁתּוֹ sich in s. Schande betten *lie down in one's sh.* Ir 3, 25; † 2. בֹּשֶׁת **Schändlichkeit** *shameful thing* Ersatzwort für *substitute of* בַּעַל (cf. יְרֻבֶּשֶׁת 2 S 11, 21 = יְרֻבַּעַל Jd 6, 32 u. אִישׁ בֹּשֶׁת 2 S 2, 8 = אֶשְׁבַּעַל 1 C 8, 33) Ir 3, 24 (l אָכַל) 11, 13 Ho 9, 10, Baudissin, Kyrios 2, 63 3, 90f; Mi 1, 11 l עִירָהּ יֹשֶׁבֶת. †

I **בַּת** (585 ×): < *bant, בנה, f. v. בֵּן, ug. *bt*, pl. *bnt*; ak. *bintu* (*bittu* in n. p.); aram. ברה, cs. ברת, ja. determ. בְּרַתָּא, sy. בְּרַתָּא, cs.

בָּרֶת, VG 1, 332; etc.: cs. בַּת, sf. בִּתִּי, pl. בָּנוֹת, cs. בְּנוֹת, sf. בְּנֹתַי: 1. Verwandtschaftsbegriff *notion of kinship*: **Tochter** *daughter* בַּת אָבִי מִלְכָּה בַת הָרָן Gn 11, 29, בָּנִים וּבָנוֹת 5, 4; Halbschwester *half-sister* (Mütter verschieden *two mothers*) u. בַּת אִמִּי Vollschwester *full sister* (gleiche Mutter *the same mother*) Gn 20, 12; בְּנוֹת בָּנָיו Enkelinnen *granddaughters* 46, 7; בַּת בְּנוֹ, בַּת בִּתּוֹ Lv 18, 10; בַּת עָמְרִי Enkelin *granddaughter* 2 K 8, 26; בַּת אֵשֶׁת אָבִיךָ Lv 18, 11; בְּנוֹת אָחִיךָ Basen (*female*) *cousins* Jd 14, 3; בָּנוֹת Schwiegertöchter *daughters-in-law* Jd 12, 9, בְּנֹתַי Sohnsfrauen *wifes of sons* Ru 1, 11; בַּת דֹּדוֹ Est 2, 7; בְּנוֹת אַנְשֵׁי הָעִיר Gn 24, 13, daher *therefore* בִּתְּכֶם zu den Bürgern einer Stadt *to the citizens of a town* 34, 8; בְּנוֹת עַמְּךָ Hs 13, 17; בַּת מֶלֶךְ Königstochter *daughter of a (the) king* 2 K 9, 34, pl. בְּנוֹת מְלָכִים Ps 45, 10 oder *or* (bei gleichem Vater *if of the same father*) בְּנוֹת הַמֶּלֶךְ Ir 41, 10; בַּת נָדִיב Ct 7, 2; Redensart *proverb* כְּאִמָּה בִּתָּהּ Hs 16, 44; 2. Tochter, zur Bezeichnung der Zugehörigkeit *daughter, designing the belonging to a group etc.*: בְּנוֹת חֵת Gn 27, 46, בְּנוֹת מוֹאָב Js 16, 2; בְּנוֹת שִׁילוֹ Jd 21, 21, בְּנוֹת עִירִי Th 3, 51; חֶשְׁבּוֹן וְכָל־בְּנֹתֶיהָ H. u. alle seine Nebenorte, Filialdörfer, von ihm aus gegründete Ortschaften *a. all its by-places, the settlements of the emigrants of the mother-town* Nu 21, 25; בַּת צִיּוֹן die Bevölkerung von Zion als Einheit *the people of Zion as unit* Js 1, 8 (u. ± 20 ×); בַּת עַמִּי Js 22, 4 Ir 4, 11 (u. ± 10 ×); בַּת אֱדוֹם Th 4, 21 f †; בַּת מִצְרַיִם Ir 46, 24 u. יֹשֶׁבֶת בַּת מִצְרַיִם 46, 19 die ansässige Bevölkerung Ä.s *the resident population of Egypt*; בַּת אֵל נֵכָר Anhängerin e.s ausländischen Gottes *worshipper of a foreign god* Ma 2, 11; בַּת בְּלִיַּעַל 1 S 1, 16; בְּנוֹת הַשִּׁיר Lieder? *songs*? Ko 12, 4; 3. Altersstufe *stage of life*: בְּנוֹת הָאָדָם die jungen Frauen *the young women* Gn 6, 2. 4; בַּת שְׁנָתָהּ im gleichen Jahr mit ihr geboren *borne in the same year as she* Lv 14, 10 Nu 6, 14 15, 27; בַּת תִּשְׁעִים שָׁנָה neunzigjährig *ninety years old* Gn 17, 17; בַּת הַנָּשִׁים die junge Frau? *the young woman*? Da 11, 17; 4. Mädchen, junge Frauen *girls, young women*: Gn 30, 13 Ct 2, 2 6, 9 Jos 17, 6; בָּנוֹת // נָשִׁים Js 32, 9; בִּתִּי Boas zu Ruth Ru 2, 8, d. Psalmist zur Königsfrau *the psalmist to the king's wife* Ps 45, 11; בַּת הַשּׁוֹבֵבָה Ir 31, 22 49, 4; 5. Varia: Mi 4, 14 l הִתְגּוֹדֵד; בַּת עַיִן **Augapfel** *eyeball* (Träne *tear* Eitan AJS 46, 36) Ps 17, 8 (כְּבַת) Thr 2, 18; F בַּת הַיַּעֲנָה; ? בָּנוֹת Gn 49, 22; בַּת רַבִּים Tochter der Vielen *Daughter of the Many* = Name e.s Tors *name of a gate* Ct 7, 5; l מִן f. בַּת Gn 36, 39; l בִּתְאַשֻּׁרִים Hs 27, 6; F בַּת־שֶׁבַע u. בַּת־שׁוּעַ.

II בַּת: Dir. 290; ja. pl. בַּתִּין; Lag. Orientalia 2, 10: pl. בַּתִּים: **Bat** *bath*; Flüssigkeitsmass *liquid measure* = 1 אֵיפָה Hs 45, 11, = 72 ξέσται (Antt. 8, 57) = ± 40 Liter *litre*, Βάτος: 1 K 7, 26. 38 Js 5, 10 Hs 45, 10 f. 14 2 C 2, 9 4, 5. †

בָּתָה: unerklärt *unexplained*: Js 5, 6. †

*בַּתָּה: l בְּרַחְבֹתֵיהֶם f. בְּחַר בָּתֵּיהֶם 2 C 34, 6. †

*בַּתָּה: בתת: pl. בַּתּוֹת: Absturz, **Schlucht**? *gully*? Js 7, 19. †

I בְּתוּאֵל: n. m.; < *מְתוּאֵל (Bauer, ZAW 48, 79), *מְתוּ u. אֵל, *Muti-ilu*, *Mutum-il* Stamm 298: V. v. לָבָן Gn 22, 22—28, 5. †

II בְּתוּאֵל: n. l.; = I? in Simeon 1 C 4, 30; >

? בְּתוּל Jos 19, 4, cj. 15, 30, = בֵּית־אֵל 1 S 30, 27 (ZDP 49, 240). †

בתול: F II בְּתוּאֵל.

בְּתוּלָה: בתל; die dem Eheleben noch Entzogene *the from married life withholden*; ug. *btlt*, ak. *batûlu* Junggesell *bachelor*, *batultu* Jungfrau *virgin*; Sem.: cs. בְּתוּלַת, pl. בְּתוּלוֹת, בְּתֻלֹת, בְּתֻלַת: **Jungfrau** *virgin*, erwachsnes Mädchen, das vom Mann nichts weiss *grown-up girl whom no man has known* Gn 24, 16, die keinem Mann gehört *who has had no husband* Lv 21, 3 Jd 21, 12; :: Witwe u. Verstossne *widow a. a wife put away* Lv 21, 14 Hs 44, 22; נַעֲרָ בְתוּלָה Dt 22, 23. 28 1 K 1, 2 Est 2, 3, pl. 2, 2; בָּחוּר :בְּתוּלָה Dt 32, 25 Ir 51, 22 Hs 9, 6 2 C 36, 17, pl. Js 23, 4 Am 8, 13 Sa 9, 17 (Gl.) Ps 78, 63 148, 12 Th 1, 18 2, 21; פִּתָּה בְתוּלָה Ex 22, 15, בַּעַל בְּתוּלָה 22, 16, מֹהַר הַבְּתוּלֹת Js 62, 5, :בְּ׳ בַּעַל נְעוּרֶיהָ Jl 1, 8; בְּתוּלַת יִשְׂרָאֵל die (Gesamtheit der = eine) Jungfrau Israels *the* (*whole of* = *a*) *virgin of Isr.* Dt 22, 19; = d. Volk Isr. *the people of Isr.* Ir 18, 13 31, 4. 21 Am 5, 2; בִּתִּי הַבְּתוּלָה m. jungfräuliche Tochter *my daughter a virgin* Jd 19, 24; בְּתוּלַת בַּת צִיּוֹן d. Jungfrau, die T. Z. *the virgin, the daughter of Z.* 2 K 19, 21 Js 37, 22 Th 2, 13, c. צִידוֹן Js 23, 12, c. בָּבֶל 47, 1, c. מִצְרַיִם Ir 46, 11, c. יְהוּדָה Th 1, 15, c. עַמִּי Ir 14, 17; *F* 2 S 13, 2. 18 Ir 2, 32 Ps 45, 15 (Jungfrauen als Brautgeleit *virgins as bride's companions*) Hi 31, 1 Th 1, 4 2, 10 5, 11 Est 2, 17. 19. † Der. בְּתוּלִים.

בְּתוּלִים: בְּתוּלָה: cs. בְּתוּלֵי, sf. בְּתוּלַי, בְּתוּלֶיהָ, בְּתוּלֵיהֶן: Zeit, Stand der **Jungfräulichkeit** *age, stage of virginity* Lv 21, 13 Dt 22, 14 f. 17. 20 Jd 11, 37 Hs 23, 3. 8. †

cj **בִּתּוּק**: בתק: cj וְעָשׂוּ בִתּוּק: **Gemetzel** *slaughter*: cj Hs 7, 23. †

בִּתְיָה: n. f.; äg. *Bj.tj.t* „Königin *queen*" (Beiname f. *epithet of* Isis, Hathor, Buto) EG 1, 435: Tochter des *daughter of* Pharao: 1 C 4, 18. †

בָּתִּים: F בַּיִת.

בתל*: בָּתַל absondern *separate*: Der. בְּתוּלָה.

בתק: ak. *batāqu* abschneiden *cut off*; F בדק: pi: pf. sf. בִּתְּקוּךְ: **niedermetzeln** *slaughter* Hs 16, 40. † Der. בִּתּוּק cj.

בתר: בָּתַר abschneiden *cut off*: qal: pf. בָּתַר: **zerschneiden** *cut in pieces* Gn 15, 10; † pi: impf. וַיְבַתֵּר: **zerschneiden** *cut in pieces* Gn 15, 10. † Der. I בֶּתֶר, II בֶּתֶר* ? בִּתְרוֹן.

I **בֶּתֶר**: בתר: sf. בִּתְרוֹ; pl. cs. בִּתְרֵי, sf. בְּתָרָיו: **Stück, Teil** *piece, part*: Gn 15, 10 Ir 34, 18 f. †

II **בֶּתֶר***: הָרֵי בָתֶר; ὄρη κοιλωμάτων; *montes Bether*; ܛܘܪܐ ܕܒܘܣܡܐ; unerklärt *unexplained*: Ct 2, 17. †

בִּתְרוֹן: בתר; meist: **Schlucht** *commonly*: *gully*; Arnold AJS 28, 274 ff Vormittag *forenoon*: 2 S 2, 29. †

בַּת־שֶׁבַע: n. f.; בַּת u. II שֶׁבַע; ZAW 55, 165 f: בַּת־שָׁבַע; Mutter Salomos *mother of Solomon*: 2 S 11, 3 12, 24 1 K 1, 11. 15 f. 28. 31 2, 13. 18 f; *F* בַּת־שׁוּעַ.

בַּת־שׁוּעַ: n. f.; שׁוּעַ < שֶׁבַע ?: = בַּת־שֶׁבַע 1 C 3, 5. †

בתת: בַּתַּת abschneiden *cut off*: Der. בַּתָּה*.

ג

ג, **גָּמֶל**, (Driv. SW 159. 163f) g, γ(ἄμμα) und ק, קוֹף, q, κ(ἄππα) sind die weichere (*media*) und härtere (*tenuis*) Spielart des nämlichen K-lautes. Beide sind ohne Aspiration u. unterscheiden sich dadurch deutlich von ךּ = χ(ῑ). ךּ ist immer aspiriert und wie K in Kater („K-hater") zu sprechen: כָּלֵב = Χαλεβ (sprich K-haleb), מַלְכִּי־צֶדֶק = Μελχισεδεκ (sprich Mal-k-hisedeq). ק kommt unter den deutschen Lauten (kaum) nicht vor, wohl aber unter den romanischen: *le camarade* :: der Kamerad. Sprich ג wie g in geht, gibt, Gott, gut usw., und sprich ק als möglichst hartes g. In Lehn- und Fremdwörtern wechselt ג mit ק (seltener sogar mit ךּ): F גָּבִיעַ, גּוּמָּץ, גָּפְרִית, זְכוּכִית u. andre; גָּמָל: κάμηλος. ג findet sich gleich in den andern semitischen Sprachen, im klassischen Arabisch palatalisiert zu ج, ǧ = dj, dsch (ganz weich wie gi in italienisch *giorno*). Im Ägyptischen entspricht g und q und (F גַּג) d. Später wird ג Zahlzeichen für 3.

ג, **גָּמֶל**, *g*, γ(ἄμμα) *and* ק, קוֹף, *q*, κ(ἄππα) *are the soft (media) and the hard (tenuis) variety of the same k-sound. Boths of them are without aspiration and are thus distinctly different from* ךּ = χ(ῑ). ךּ *always is followed by an h-sound like coat (pronounced „c-hoat")*: כָּלֵב = Χαλεβ („*C-haleb*"), מַלְכִּי־צֶדֶק = Μελχισεδεκ („*Mel-c-hizedek*"). ק *does not occur among the English sounds, but is frequently to be found among the French, Italian etc.; compare „le camarade" to „the comrade"*. ג *is pronounced like g in „gate, get, give, good, gun"*. ג *occurs in all Semitic languages; in classic Arabic it has been palatalisized*: ج = *g in „gin". In loan- and foreign words* ג *may correspond to* ק *(even to* ךּ*)*: F גָּבִיעַ, גּוּמָּץ, גָּפְרִית, זְכוּכִית; גָּמָל = κάμηλος. ג *corresponds to Egyptian g and q a. even* (F גַּג) *d*.

Later on ג *becomes the sign for 3*.

גֵּא: גאה: **hochfahrend** *haughty*, l גֵּאֶה (Ir 48, 29) Js 16, 6; F גְּאוּאֵל. †

גאה: aram. גְּאָה, ܓܐܐ; äg. *q3j* hoch sein *be high* EG 5, 1 ff: — qal: pf. גָּאָה, גָּאוּ, impf. יִגְאֶה, inf. גְּאֹה: **hoch sein, werden** *grow up, be high*: Pflanzen *plants* Hi 8, 11, Fluten *waters* Hs 47, 5, *be exalted* Gott *God* Ex 15, 1. 21; ?Hi 10, 16; **sich überheben** *be haughty*: Erde *ground* Si 10, 9. †

Der. גֵּא, גֵּאֶה, גַּאֲוָה, גְּאוּאֵל n. m., גַּאֲוָה, גָּאוֹן, גֵּאוּת, *גַּאֲיוֹן, II גֵּוָה.

גֵּאָה: גאה: **Hochmut** *arrogance*: Pr 8, 13. †

גֵּאֶה: גאה: pl. גֵּאִים, cs. גֵּאֵי: **hochmütig** *haughty* Js 2, 12, cj 16, 6 Ir 48, 29 Ps 94, 2 140, 6 Pr 15, 25 16, 19 Hi 40, 11 f Si 10, 14; l גַּאֲיוֹנִים K Ps 123, 4; H. Steiner, Die Gēʾîm in d. Psalmen, Lausanne, 1925. †

גְּאוּאֵל: n. m.; גְּאוּ (: גֵּא = מְתוּ : מַת) u. אֵל: Nu 13, 15. †

גַּאֲוָה: גאה: cs. גַּאֲוַת, sf. גַּאֲוָתִי: 1. **Aufwallen** (des Meers) *uproar* (*of the sea*) Ps 46, 4; 2. **Hoheit** (Gottes) (*God's*) *eminence* Dt 33, 26 Ps 68, 35, עַלִּיזֵי גַּאֲוָתִי die sich meiner Hoheit rühmen *those boasting of my em.* Js 13, 3, (Israels) Dt 33, 29; 3. **Hochmut** *haughtiness* Js 9, 8 13, 11 16, 6 25, 11 Ir 48, 29 Ps 31, 19 73, 6 Pr 29, 23 Si 10, 6, עָשָׂה גַּ׳ H. üben *show, practise h.* Ps 31, 24; עַלִּיזֵי גַּ׳ hochmütige Prahler *arrogant boasters* Ze 3, 11; l גֵּוָה Pr 14, 3 u. Hi 41, 7, l בְּגֵאוּת Ps 10, 2. †

גְּאוּלִים: I גאל: Zeit, Zustand des גֹּאֵל **Bluträchers** *time, stage of the* גֹּאֵל *avenger of bloodshed* (ZAW 39, 316): Js 63, 4. †

גָּאוֹן: גאה; ug. *gn* Stolz *pride*: cs. גְּאוֹן, sf. גְּאוֹנֵךְ, גְּאוֹנוֹ (l גְּאוֹנֵךְ MSS) Hs 16, 56 †: 1. **Höhe** *hight*: Wellen *waves* Hi 38, 11, Stimme *voice* Hi 37, 4; גְּאוֹן הַיַּרְדֵּן **Hochwald** am J. *high trees of J.* Ir 12, 5 49, 19 50, 44 Sa 11, 3; 2. **Hoheit** *eminence*: Gottes *of God* Ex 15, 7 Js 24, 14 Mi 5, 3, הדר גְּאֹנוֹ s. herrliche Hoheit *his glorious em.* Js 2, 10. 19. 21; 3. **Stolz** *pride*: Jakobs Am 8, 7 Ps 47, 5 (Palästina), הָיָה לְגָ׳ z. Stolz gereichen *be one's pride* Js 4, 2; Stolz > **Anmassung** *pride > presumption* Ir 13, 9 Hs 16, 56, *of Judah* Ir 13, 9, Israel Ho 5, 5 7, 10 Na 2, 3, Jakob Am 6, 8 Na 2, 3, *Asshur* Sa 10, 11, Moab Js 16, 6 Ir 48, 29. 29, *Egypt* Hs 32, 12, Philister Sa 9, 6, K. v. בָּבֶל Js 14, 11, d. Frechen *the wicked* 13, 11, d. Schlechten *evil men* Hi 35, 12; *F* Ze 2, 10 Ps 59, 13 Js 23, 9 Hs 16, 49 Pr 8, 13 16, 18 Hi 40, 10; גְּאוֹן עֻזְּכֶם stolze Kraft *the pride of your power* Lv 26, 19 Hs 7, 24 (l עֻזָּם) 24, 21 30, 6. 18 33, 28; תִּפְאֶרֶת גְ׳ stolze Pracht *proud splendour* Js 13, 19; שִׂים לִגְאוֹן עוֹלָם z. ew. Stolz setzen *make an eternal pride* Js 60, 15 Hs 7, 20. †

גֵּאוּת: גאה; cs. =; Gulk. Abstr. 52: 1. **Aufsteigen** *rise*: Rauch *smoke* Js 9, 17, Meer *sea* Ps 89, 10; 2. **Erhabenheit** *eminence* (Gottes *of God*) Js 26, 10 Ps 93, 1; עָשָׂה גֵ׳ Erhabnes bewirken *do excellent things* Js 12, 5; 3. **Anmassung** *presumption* Ps 17, 10, cj בְּגֵאוּת Ps 10, 2; 4. עֲטֶרֶת גֵ׳ **prunkvoller** Kr. *splendid cr.* Js 28, 1. 3. †

***גַּאֲיוֹן**: גאה: pl. גַּאֲיוֹנִים K: **hochmütig** *arrogant*: Ps 123, 4. †

גֵּאָיוֹת: *F* I גַּיְא.

I גאל: גאליהו Dir. 127. 341; גאל mhb.; ja. u. sam. als Hebraismus:
qal: pf. גָּאַל, גָּאַלְתָּ, sf. גְּאָלוֹ, גְּאַלְתִּיךָ, impf. יִגְאַל, יִגְאָל, sf. יִגְאָלֵנוּ, יִגְאָלֵךְ, יִגְאָלֵהוּ, imp. גְּאַל, גְּאָל, sf. גְּאָלָהּ; inf. גָּאוֹל, לִגְאוֹל, sf. לְגָאֳלֵךְ; pt. גֹּאֵל, גּוֹאֵל, sf. גֹּאֲלוֹ, גֹּאַלְךָ, גֹּאֲלֵךְ, גֹּאַלְכֶם, גֹּאֲלֵנוּ, pass. pl. גְּאוּלִים (aber *but* **F** גְּאוּלִים!): (familienrechtlicher Begriff *term of (civil-)family-law*; J. J. Stamm, Erlösen u. Vergeben im AT, 1940, 27 ff): **auf einen Menschen, eine Sache Anspruch machen** > ihn, sie zurückfordern, aus fremder Verfügung in die eigne zurückfordern, **auslösen** *lay claim to a person, a thing > claim back from an other's authority, redeem*: 1. Besitzrecht *legal possession*: e. (verkauftes) Haus auslösen, zurückerwerben *buy back, recover a (sold) house* Lv 25, 33, e. (in Schuldsklaverei geratnen) Menschen freikaufen *redeem a person from bondage* Lv 25, 48 f, Geweihtes (Opfertier, Haus, Acker) *things vowed to God (beast, house, field)* Lv 27, 13. 15. 19 f, (verkauften) Grundbesitz *(sold) landed property* Lv 25, 25 f, Zehnten(-ertrag) *tithe* Lv 27, 31; 2. (von den männlichen Verwandten eines Verstorbnen, der e. kinderlose Witwe hinterlässt; diese Witwe durch Heirat von der Kinderlosigkeit) **befreien, erlösen** *(said of the male relatives of a died man, who leaves behind him a childless widow); deliver, redeem (these widow from her childlessness*; Gn 30, 1 1 Tim 2, 15) Ru 3, 9. 12 4, 1. 3. 6 (לִי zu meinen eignen Gunsten *for my own benefit*). 8. 14; גֹּאֵל Empfänger von Sühngeld (zur Ablösung einer Schuld *who receives restitution (for guilt)* Nu 5, 8; 3. גֹּאֵל הַדָּם < גֹּאֵל **Bluträcher** (der durch Tötung des Töters seines Verwandten die Schuld der Tötung einlöst) *avenger of blood (who by killing the manslayer of his relative redeems the guilt of*

the manslaughter), E. Merz, Die Blutrache bei den Israeliten, 1916: Nu 35, 12. 19—27 Dt 19, 6. 12 Jos 20, 3. 5. 9 2 S 14, 11 1 K 16, 11; 4. **beanspruchen, für sich fordern** *claim for one's own* Hi 3, 5; 5. v. Gott *God*: **für sich in Anspruch nehmen, erlösen** *claim for one's own, redeem*: Israel Ex 6, 6 15, 13 Js 41, 14 43, 1. 14 44, 6. 22—24 47, 4 48, 17. 20 49, 7. 26 54, 5. 8 60, 16 63, 9. 16 Ir 31, 11 50, 34 Mi 4, 10 Ps 74, 2 77, 16 78, 35 106, 10 107, 2, Jerusalem Js 52, 9, Zion 59, 20, d. Frommen *the pious* Ps 19, 15 69, 19 72, 14 103, 4 (משחת) 119, 154 Th 3, 58 (חיי), Witwen u. Waisen *widows a. orphans* Pr 23, 11, מִכָּל־רָע Gn 48, 16, גְּאוּלֵי יהוה Js 62, 12 Ps 107, 2, גְּאוּלִים Js 35, 9 51, 10; unklar (Comm.!) Hi 19, 25; †

nif: pf. נִגְאַל, impf. יִגָּאֵל, יִגָּאֲלוּ: **zurückgekauft, eingelöst werden** *be bought back, redeemed* Lv 25, 30. 49. 54 27, 20. 27. 28. 33 Js 52, 3. †

Der. גְּאֻלָּה, גְּאוּלִים; n.m. יִגְאָל.

II גאל: געל:

nif: pf. *נְגֹאֲלוּ (= נִגְאֲלוּ) Js 59, 3 Th 4, 14; † impf. cj אֶגָּאֵל Js 63, 3; pt. f. נְגֹאָלָה: (kultisch) **unrein gemacht werden** *be defiled, polluted* Js 59, 3 63, 3 Ze 3, 1 Th 4, 14; †

pi: pf. sf. גֵּאַלְנוּךָ: (kultisch) **unrein machen** *pollute, desecrate* Ma 1, 7; †

pu: impf. וַיְגֹאֲלוּ, pt. מְגֹאָל: (kultisch) **unrein gemacht werden** *be polluted, desecrated* Ma 1, 7. 12 Esr 2, 62 Ne 7, 64 u. (l יְגֹאֲלוּ) Js 59, 3 u. Th 4, 14 (?); †

af: pf. אֶגְאָלְתִּי (l אֶגָּאֵל F nif) Js 63, 3; †

hitp: impf. יִתְגָּאַל, יִתְגָּאֵל: **sich (kultisch) unrein machen** *defile oneself* Da 1, 8. 8. †

Der. *גֹּאָלִים.

*גֹּאָלִים: II גאל: cs. גָּאֳלֵי: (kultische) **Verunreinigung** *defilement* Ne 13, 29. †

גְּאֻלָּה: I גאל: cs. גְּאֻלַּת, גְּאֻלָּתוֹ: **Recht auf Rückkauf** *right of buying back* Lv 25, 24. 29. 31. 32. 48 Ir 32, 7. 8 Ru 4, 6. 7; **Rückkauf** *buying back* Lv 25, 26. 51. 52; אַנְשֵׁי גְאֻלָּתֶךָ **die, auf welche sich dein Anspruch auf Loskauf erstreckt** *those concerned by thy claim for redemption* Hs 11, 15. †

גַּב: *גבב; F ba.; جُبَّةٌ Knochenwülste der Augenhöhle, *bone surrounding the cavity of the eye* حُبُوبٌ Lehmkloss *clod of clay*: גַּב, sf. גַּבִּי, cs. pl. גַּבֵּי, sf. גַּבֵּיכֶם, pl. f. גַּבּוֹת, sf. גַּבֹּתָם: 1. גַּבֹּת עֵינָיו **Augenbrauen** *eyebrows* Lv 14, 9; 2. **Wulst, Felge** e. Rads *rim, felloe of a wheel* 1 K 7, 33 Hs 1, 18; 3. **Wülste** d. Altarsockels *torus on the foot of the altar* (*πορνεῖον* lupanar; zur Begehung d. sakralen Begattung *for ritual sexual intercourse* Eissfeldt JOP 16, 286 ff) Hs 16, 24. 31. 39; 4. **Schildbuckel** *bosses of a shield* (جُوبٌ Schild *shield*) Hi 13, 12 15, 26; 5. vulgär *vulgar language*: **Rücken** *back* Hs 10, 12 Ps 129, 3; l גַּבָּהּ Hs 43, 13. †

I *גֵּב: ak. *gubbu* Zisterne *cistern*; جُبٌّ, 𐤂𐤁, F ba. גֹּב: pl. גֵּבִים: Wassergrube, **Tümpel** *pit, ditch* Ir 14, 3 2 K 3, 16, cj 25, 12; arch. unerklärt *unexplained* 1 K 6, 9; F גֶּבֶא u. גֵּבִים. †

II *גֵּב: F *גֵּבָה.

גֹּב: F II גוב.

גבא: גֶּבֶא.

גֶּבֶא: גבא; ak. *gubbu* < *gub'u* Zimmern F I *גֵּב: pl. sf. גְּבָאָיו: Wassergrube, **Tümpel** *ditch* Js 30, 14 Hs 47, 11 (z. Salzgewinnung *to obtain salt*). †

*גבב: גַּב.

***גבה**: جَبَى sammeln *collect*:
Der. *גְּבֶה, גֵּבִי.

***גֵּבֶה**: *גבה: pl. גֵּבִים, ThZ 4, 317: (Heuschrecken-) **Schwarm** *swarm* (*of locusts*) Js 33, 4. †

גבה: ak. *gab'u*; mhb., ja., äga., جَبْهَة Stirn *forehead*:
qal: pf. גָּבַהּ, גָּבְהָא! Hs 31, 5, גָּבְהָה, גָּבְהוּ, impf. יִגְבַּהּ, וַתִּגְבַּהּ, וַתִּגְבְּהֶינָה Hs 16, 50, inf. גָּבְהָה Ze 3, 11, גְּבֹהַּ: 1. **hoch sein** *be high*, *tall* Hs 19, 11 31, 10. 14 Ps 103, 11, גָּ׳ מִן höher sein als *be higher than* 1 S 10, 23 Js 55, 9 (l כִּגְבֹהַּ) Hs 31, 5 Hi 35, 5; 2. **erhaben sein** *be exalted* Js 5, 16 52, 13 Hi 36, 7; 3. **hochfahrend sein** *be haughty* Js 3, 16 Ir 13, 15 Hs 16, 50 Ze 3, 11, גָּ׳ לֵב d. Sinn will hoch hinaus *he is haughty* Hs 28, 2. 5. 17 Ps 131, 1 Pr 18, 12 2 C 26, 16 32, 25, ist hochgemut *is daring* 2 C 17, 6;
hif: pf. הִגְבַּהְתִּי, impf יַגְבִּיהַּ, יַגְבִּיהוּ, sf. וַיַּגְבִּיהֶהָ, pt. מַגְבִּיהַּ, הַמַּגְבִּיהִי! Ps 113, 5, inf. הַגְבֵּהַּ: **hoch machen** *make high*: Eingang *entrance* Pr 17, 19, Mauer *wall* 2 C 33, 14, hoch wachsen lassen *exalt* Hs 17, 24, הַגְ׳ קֵן in d. Höhe bauen *build in the hight* Ir 49, 16, ohne *without* קֵן Ob 4, הַגְ׳ עוּף hoch fliegen *fly upward* Hi 5, 7, ohne *without* עוּף 39, 27; הַגְ׳ לָשֶׁבֶת hoch wohnen *dwell on high* Ps 113, 5; in die Höhe bringen *exalt* Hs 21, 31; (s. Ansinnen) hoch reichen lassen *ask something high-reacking* Js 7, 11. †
Der. *גָּבֵהַּ, גֹּבַהּ, גָּבֹהַּ, גַּבְהוּת; n.l. יָגְבְּהָה.

***גָּבֵהַּ**: גבה: cs. גְּבַהּ: hoch *tall* Hs 31, 3; גְּבַהּ עֵינַיִם **hochfahrend, herablassend** *haughty* Ps 101, 5, גְּ׳ לֵב **hochmütig** *proud* Pr 16, 5, גְּ׳ רוּחַ **hochfahrend** *arrogant* Ko 7, 8. †

גָּבֹהַּ: גבה: cs. גְּבֹהַּ; f. גְּבֹהָה, pl. גְּבֹהִים, גְּבֹה(ו)ת: hoch *high*: Berg *mountain* Gn 7, 19 Js 30, 25 40, 9 57, 7 Ir 3, 6 Hs 17, 22 40, 2 Ps 104, 18, Hügel *hill* 1 K 14, 23 2 K 17, 10 Ir 2, 20 17, 2, Baum *tree* Hs 17, 24, הַגְּבֹהִים die hohen Bäume *the high trees* Js 10, 33, Widderhörner *horns of a ram* Da 8, 3, Mauer *wall* Dt 3, 5 28, 52, Turm *tower* Js 2, 15, Zinnen *battlements* Ze 1, 16, Tor *gate* Ir 51, 58, Galgen *gallows* Est 5, 14 7, 9; גְּבֹהַּ קוֹמָתוֹ s. hoher Wuchs *height of his stature* 1 S 16, 7, hochgewachsen *tall* 9, 2; was hoch ist *which is high* Hs 21, 31 Hi 41, 46 Ko 12, 5 cj Js 2, 12; דַּבֵּר גְּבֹהָה hochfahrend reden *talk proudly* 1 S 2, 3; גְּבֹהִים Hochmütige *haughty ones* Js 5, 15, Hochgestellte *the high ones* Ko 5, 7; Gott *God*: **erhaben** *exalted* Ps 138, 6; cj גְּבֹהָה מִשָּׁמַיִם höher als *higher than* Hi 11, 8; l גָּבְהוּ Hs 41, 22. †

גֹּבַהּ: גבה: sf. גָּבְהוֹ, גָּבְהָם: **Höhe** *height*, e. Manns *of a man* 1 S 17, 4 Ir 48, 29 Am 2, 9, e. Baums *of a tree* Hs 19, 11 31, 10. 14 Am 2, 9, e. Tischs *of a table* Hs 40, 42, e. Altars *of an altar* cj Hs 41, 22 u. 43, 13, e. r Halle *of a porch* 2 C 3, 4; גֹּבַהּ שָׁמַיִם (Var. גְּבַהּ) Himmelshöhe *the height of heaven* Hi 22, 12; Erhabenheit *eminence* Hi 40, 10; גֹּבַהּ אַף Hochnäsigkeit *superciliousness* Ps 10, 4, גֹּבַהּ רוּחַ Hochmut *haughty spirit* Pr 16, 18, גֹּבַהּ לֵב Hochmut *pride of the heart* 2 C 32, 26; l גְּבֹהָה Hi 11, 8; ?? Hs 1, 18 u. 41, 8. †

גַּבְהוּת: גבה: **Hochmut** *haughtiness* Js 2, 11. 17. †

גָּבוֹל: l גָּדוֹל Jos 15, 47. †

גְּבוּל u. **גְּבֻל** (240 ×): I גבל, ph. גבל, asa. גבלת, 1 S 10, 2 ὅρος! Grenze *limit* Pan. 15; جَبَل Bergrücken *mountain-ridge* > Grenze *boundary* zwischen 2 Ebenen mit Siedlungen *between two plains with settlements*: Saarisalo 131 f: sf. גְּבֻלוֹ, גְּבוּלוֹ: 1. **Grenze** *boundary*: גְּ׳ אַרְנֹן Nu 22, 36, גְּ׳ יָם Westgrenze *west border*

Nu 34, 6, גְ׳ רֵעֲךָ Grenze deines Nächsten *border, landmark of thy fellow* Dt 19, 14; so oft *thus often*; **2. Gebiet** *territory* גְ׳ עֶקְרוֹן Jos 13, 3, גְ׳ אַרְצְךָ Dt 19, 3, גְ׳ עִיר Weichbild e. r Stadt *precincts of a town* Nu 35, 27; וּגְבוּל (immer bei Flüssen u. Meeren *always with rivers a. seas*) u. das Ufergebiet *a. the shoreland* (Ehrl. 2, 237) Nu 34, 6 Dt 3, 16 f Jos 13, 23. 27 15, 12. 47 †; **3. Sperrgebiet** (d. Tempels) *closed area (of the temple)*, ZDP 59, 239, Hs 40, 12 43, 12; **4. Sims** (der Blutrinne) *listel (of the conduit of blood)* MAO 4, 171, Hs 43, 13; l מִגְּבִיל Hs 47, 18 u. 20; l הַגֶּבַע 1 S 13, 18. Der. *גְּבוּלָה.

***גְּבוּלָה**: f. v. גְּבוּל: sf. גְּבוּלָתוֹ, pl. גְּבוּלוֹת, גְּבֻלֹת, sf. גְּבֻלֹתֶיהָ: **1. Grenze** *boundary* Js 10, 13 Ps 74, 17 Hi 24, 2; † **2. Gebiet** *territory* Nu 32, 33 Dt 32, 8, לִגְ׳ nach s. Gebietsteilen *according to its territories* Nu 34, 2. 12 Jos 18, 20 19, 49; † **3. Einfassung, Randstreifen** (e. Felds) *bordering (of a field)* Js 28, 25. †

גִּבּוֹר, גִּבֹּר (159 ×): גבר; Intensiv v. *of* I גֶּבֶר; جَبَّار Tyrann *tyrant*, **F** ba. *גִּבָּר: sf. גִּבֹּרָם, pl. גִּבּוֹרִים, גִּבֹּרִים, cs. גִּבּוֹרֵי, sf. גִּבֹּרֵיהוּ! Na 2, 4 BL 253 v: **1. mannhaft, kraftvoll** *manly, vigorous*: אִישׁ גִּ׳ 1 S 14, 52, d. Löwe ist kraftvoll *the lion is vigorous* בַּבְּהֵמָה Pr 30, 30, Nimrod גִּ׳ Gewaltherrscher *a mighty one* בָּאָרֶץ Gn 10, 8 1 C 1, 10, גִּ׳ צַיִד gewaltiger Jäger *mighty hunter* Gn 10, 9; הַגִּבֹּרִים d. Kraftvollen d. Urzeit *the mighty ones of old* Gn 6, 4; von Gott *about God*: אֵל גִּ׳ Js 9, 5 10, 21, הָאֵל הַגִּ׳ Ir 32, 18, גִּ׳ Ps 24, 8, הַגִּ׳ Dt 10, 17 Ne 9, 32, גִּ׳ יוֹשִׁיעַ Ze 3, 17, גִּ׳ מִלְחָמָה (**F** 2.) Ps 24, 8; die Engel *the angels* גִּבֹּרֵי כֹחַ Ps 103, 20; **2. Held** (im Kampf) *fighter* a) Vorkämpfer *champion* 1 S 17, 51, מֶלֶךְ גִּ׳ Da 11, 3, גִּבּוֹר חַיִל **F** חַיִל; גִּ׳ // אִישׁ מִלְחָמָה Hs 39, 20 Jl 2, 7 4, 9, גִּבּוֹרִים Krieger *warriors* Js 21, 17, v. Moab Ir 48, 41, גִּ׳ עֹשֵׂי מִלְחָמָה Kampfkundige Krieger *fighters apt for war* 2 K 24, 16; גִּבֹּרִים Leibwache *body guard* 2 S 20, 7 23, 9 Ir 26, 21 1 C 11, 12, c. שָׂרִים 1 C 29, 24, 128 גִּבּוֹרֵי חַיִל c. פָּקִיד c. Ne 11, 14, בֵּית הַגִּבֹּרִים Ne 3, 16; 3 גִּבּוֹרִים Davids *of David* 2 S 23, 9. 16. 17. 22 1 C 11, 12. 19. 24; 30 גִּ׳ 1 C 12, 4 27, 6; 60 גִּ׳ Ct 3, 7; 3. גִּבּוֹרִים im Weintrinken *to drink wine* Js 5, 22 (Ps 78, 65); גִּבּוֹרֵי הַשְּׁעָרִים oberste T. *chief porters* 1 C 9, 26; Ps 112, 2 = einflussreich *influential*?

גְּבוּרָה: גבר: sf. גְּבֻרָתוֹ, גְּבוּרָתוֹ, pl. גְּבוּרוֹת, גְּבוּרֹת, גְּבֻרוֹת: **1. Kraft** *strength*: Pferd *horse* Ps 147, 10 Hi 39, 19, Krokodil *crocodile* Hi 41, 4 (l גְּבוּרָתוֹ), Mensch *man* Jd 8, 21 Js 28, 6 30, 15 33, 13 Ir 9, 22 10, 6 16, 21 23, 10 49, 35 51, 30 Hs 32, 29? 30 Mi 3, 8 7, 16, e. s Angesehnen *of a distinguished one* Est 10, 2, e. s Königs *of a king* Js 3, 25 (s. jungen Männer *his young men*) 1 C 29, 30, Israel cj Sa 10, 12, Weisheit *wisdom* Pr 8, 14; Ko 9, 16; v. Gott *of God*: Ps 21, 14 54, 3 65, 7 66, 7 71, 18 80, 3 89, 14 106, 8 145, 11, Hi 12, 13 1 C 29, 11 f 2 C 20, 6; Kraftvolle Erscheinung (der Sonne) *mighty appearence (of the sun)* Jd 5, 31; גְּ׳ יָד Wucht der Hand *weight of the hand* cj Ps 39, 11, גְּ׳ לַמִּלְחָמָה Kraft zum Kampf *strength for the war* 2 K 18, 20 Js 36, 5, עֵצָה וּגְ׳ Kraftvoller Entschluss *strong determination* 2 K 18, 20 Js 11, 2 36, 5: Sieg *victory* Ex 32, 18; Erfolg *success* 1 K 15, 23 16, 5. 27 22, 46 2 K 10, 34 13, 8. 12 14, 15. 28 20, 20; Kraft = Selbstbeherrschung *self-control* Ko 10, 17; 2. גְּבוּרָה ἀρεταί Gottes **kraftvolle Taten** *the strong performances of God* Dt 3, 24 Ps 20, 7 71, 16 106, 2 145, 4. 12 150, 2 Hi 26, 14, l גְּבוּרָתְךָ Js 63, 15; בִּגְבוּרֹת in Kraft = wenn es hoch kommt *in strength = if it comes high* Ps 90, 10 (I. Löw OLZ 21, 187: durch e. Wunder *by a miracle*). †

גבה: גָּבַהּ, גָּבְהָה.

גִּבֵּחַ: גבח; ak. n. m. *Gubbuḫu* Holma ABP 38 f; palm. n. m. גביחתא: stirnglatzig, kahl am Vorderkopf *bald on the forehead* (:: קֵרֵחַ) Lv 13, 41.†

גַּבַּחַת: גבח: sf. גַּבַּחְתּוֹ: **Stirnglatze** *baldness of the forehead* Lv 13, 42 f; **Kahlheit** (vorn auf e. Tuch) *bareness* (*in the front of a garment*) Lv 13, 55.†

גֹּבַי, גּוֹבַי: *גבה; BL 512d', ZDP 49, 331; ja. גּוֹבָא Heuschrecke *locust*: (Heuschrecken-) **Schwarm** *swarm* (*of locusts*) Am 7, 1 Na 3, 17 (dele גּוֹב).†

גַּבַּי: l גִּבֹּרֵי חַיִל pro גַּבַּי סַלָּי Ne 11, 8.†

גֵּבִים: n. l.: I *גֵּב: Js 10, 31.†

גְּבִינָה: F גְּבִנָה.

גָּבִיעַ: = קֻבַּעַת, äg. LW *qbhw* (Koehler, JBL 59, 36): cs. גְּבִיעַ, pl. גְּבִעִים: 1. **Becher** *cup* Gn 44, 2. 12. 16 Ir 35, 5 (:: כּוֹס); 2. (goldner) **Kelch** (am Leuchter) *cup* (*of gold on the candlestick*) Ex 25, 31—34 37, 17—20.†
Der. גִּבְעֹל.

גְּבִיר: גבר; BL 471 sα: **Herr, Gebieter** *lord, master* (:: עֶבֶד) Gn 27, 29. 37.†

גְּבִירָה: f. v. גְּבִיר: sf. גְּבִרְתָּהּ, F גְּבֶרֶת: 1. **Herrin** *mistress* (:: שִׁפְחָה) Gn 16, 4. 8 f 2 K 5, 3 Js 24, 2 Ps 123, 2 Pr 30, 23; 2. Titel der Königsfrau, die den (nachfolgenden) König geboren hat *title of the wife of the king who has born the* (*next*) *king*: **Herrin** *lady* 2 K 10, 13 Ir 13, 18 29, 2, l הַגְּדוֹלָה pro הַגְּבִירָה 1 K 11, 19; הסיר מג׳ die Stellung als (Königsmutter) Herrin nehmen *remove from being lady* 1 K 15, 13 2 C 15, 16; בְּנֵי הַגְּבִירָה (Vollbrüder des Königs *brothers of the king born by the same mother*) 2 K 10, 13.†

גָּבִישׁ: F אֶלְגָּבִישׁ u. כֵּפִים; جبسين Gipskristall *crystal of gypsum* Euting, Tagebuch 1, 117: **Bergkristall** *rock-crystal* Hi 28, 18.†

I גבל: denom. v. גְּבוּל:
qal: pf. גָּבְלוּ, impf. יִגְבֹּל, תִּגְבֹּל־:
1. e. **Grenze festsetzen** *set a border* (*landmark*) Dt 19, 14; 2. גָּ׳ אֶת **begrenzen** *be the border* Jos 18, 20; 3. גָּ׳ בְּ **grenzen an** *border upon* Sa 9, 2, cj Jos 13, 5 (l הַגְּבֻלָה);†
hif: pf. הִגְבַּלְתָּ, imp. הַגְבֵּל: e. **Grenze ziehn um** *set bounds for* Ex 19, 12. 23; cj Hs 47, 18 u. 20 (l. מַגְבִּיל) **d. Grenze bilden** *set bounds*; arch. **mit Rändern versehn** *rim* (Quadern *ashlar*; l וַיַּגְבִּילוּם) cj. 1 K 5, 32.†

II גבל:
qal: pt. pass. cj גְּבֻלֹת: **gedreht** (Schnur) *twisted* (*cord*) cj Ex 28, 22 u. 39, 15.†
Der. מִגְבָּלֹת.

גְּבַל: ug. *Gbl*; äg. *Kubni* Albr. Voc. 60, *Kpn* ETL 217; ak. *Gubla* EA 1574; ph. גבל; „Hügel *hill*" cf. n. l. Le Mont, Montana, Bergen etc.: n. l.; Βύβλος < *Γυβλος, = *Ǧebeil* (P. Montet, Byblos et l'Égypte, 1928 f u. Syria XI ff) Hs 27, 9.†
Der. [גִּבְלִי].

גְּבָל: n. t.; *Ǧibâl*, Landschaft *territory of* Gebalene Γεβαλήνη um *round* Petra: Ps 83, 8.†

[גִּבְלִי]: gtl. v. גְּבַל, l הַגְּבֻלָה Js 13, 5 u. l. וַיַּגְבִּילוּם 1 K 5, 32.†

[גַּבְלֻת]: l גְּבֻלֹת Ex 28, 22 u. 39, 15.†

גבן: den. sy. käsen *curd*, ja. מְגַבֵּן Käser *cheese-maker*: גִּבֵּן, גְּבִנָה, *גִּבְנֹן.

גִּבֵּן: גבן; ja. גְּבִינָא Braue *brow*, גְּבִין bucklig *hunched*; جُبَيْنِين Augenwulst *torus* (*on the forehead*, جُبْن Käse *cheese* nach d. Form — it. *formaggio*, fr. *fromage* — *as to the form*: Höcker *hump*): **bucklig** *hunched* Lv 21, 20.†

גְּבִינָה, **גְּבִנָּה**: F גִּבֵּן; ak. *gubnatu*, ja. גְּבִנָּא, phl. גבנתא: Käse *cheese* Hi 10, 10.†

***גַּבְנֹן**: גבן: pl. גַּבְנֻנִּים: Bergkuppe *knoll* (im kraterreichen *in the volcanic* Hauran): Ps 68, 16 f.†

***גבע**: גֶּבַע, I en II גִּבְעָה, גִּבְעוֹן, גִּלְבּוֹעַ; n.m. גִּבְעָא?

גֶּבַע: *גבע; גָּבַע: ug. gb^c Hügel *hill*; äg. Qb^c ETL 215: in Benjamin, *Ǧebaᶜ*, **Geba**, 677 m, 8—9 km n. Jerusalem: Jos 18, 24 21, 17 Jd 20, 33 1 S 13, 16. cj. 18 (הַגֶּבַע) 14, 5 1 K 15, 22 2 K 23, 8 Js 10, 29 Sa 14, 10 Esr 2, 26 Ne 7, 30 11, 31 12, 29 1 C 6, 45 8, 6 2 C 16, 6 (Zuweisung ungleich sicher *decision not always certain*); l גִּבְעַת Jd 20, 10; 1 S 13, 3 = גִּבְעַת אֱלֹהִים; 2 S 5, 25 l גִּבְעוֹן; F II גִּבְעָה 3.†

גָּבָע: F גָּבִיעַ.

גִּבְעָא: n.m. *גבע? n.l. = גִּבְעָה Jos 15, 57?: 1 C 2, 49.†

I גִּבְעָה: *גבע: cs. גִּבְעַת, c. -ā גִּבְעָתָה, pl. גְּבָעוֹת, cs. גִּבְעוֹת, גִּבְעֹת: **Hügel** *hill* // הר Dt 12, 2 Js 30, 17; häufig, Abgrenzung von II unsicher; *frequent a. difficult to discern from II*.

II גִּבְעָה u. **גִּבְעַת** Jos 18, 28†: = I: n.l. 1. in Benjamin, **Gibea(h)**, *T. el Fûl*, 900 m, AAS IV, 1924: Jos 18, 28 Jd 19, 12—16 20, 4—37. cj. 10 Ho 5, 8 9, 9 10, 9, = גִּבְעַת בִּנְיָמִן 1 S 13, 2. 15 14, 16, cj Jd 20, 10, גִּבְעַת בְּנֵי בִנְיָמִן 2 S 23, 29 1 C 11, 31, = גִּבְעַת שָׁאוּל (Linder, Sauls Gibea, Uppsala, 1922) 1 S 11, 4 15, 34 (Js 10, 29), F 1 S 10, 26 22, 6 23, 19 26, 1; 2. in Juda Jos 15, 57; 3. הַגִּבְעָה = הַגֶּבַע? Jd 20, 43 1 S 14, 2; 4. l גִּבְעֹנָה Jd 20, 31 u. l בְּגִבְעוֹן 2 S 21, 6; גִּבְעַת c. אַמָּה, הָאֱלֹהִים, הָעֲרָלוֹת, הַמּוֹרֶה, הַלְּבֹנָה, יְרוּשָׁלַם, הַחֲכִילָה, גָּרֵב, פִּינְחָס F d. 2. Wort, F *the second word of the compound*.

Der. גִּבְעָתִי.

גִּבְעוֹן: *גבע; äg. Qb^cn ETL 215: n.l., in Benjamin, **Gibeon**, *ed-Ǧîb* oder *or T. en-Naṣbe* (RB 43, 352 ff :: PJ 22, 11 ff; Badé, Excavations at Tell en-Nasbeh, 1926—8): Jos 9, 3. 17 10, 1—41 11, 19 18, 25 21, 17, cj Jd 20, 31, 2 S 2, 12. 13. 16. 24 3, 30, cj 5, 25, 20, 8, cj 21, 6, 1 K 3, 4 f 9, 2 Js 28, 21 Ir 28, 1 41, 12. 16 Ne 3, 7 (l גֶּבֶר 7, 25) 1 C 8, 29 9, 35 14, 16 16, 39 21, 29 2 C 1, 3. 13.†

Der. גִּבְעֹנִי.

גִּבְע(וֹ)נִי: gntl. v. גִּבְעוֹן: 2 S 21, 1—4. 9 Ne 3, 7 1 C 12, 4.†

גִּבְעֹל: גָּבִיעַ u. *-l*; VG 1, 402: **Blütenknospe** oder **Samenkapsel** *flower-bud or seed-pod* (Löw 2, 215) des Flachses *of flax* Ex 9, 31.†

גִּבְעַת Jos 18, 28: F II גִּבְעָה.

גִּבְעָתִי: gntl. v. II גִּבְעָה: 1 C 12, 3.†

גבר: aram; ak. *gapru* stark *strong*, 7ብ4 handeln *act*; Gulk. Abstr. 94:

qal: pf. גָּבַר, גָּבְרוּ, גָּבֵרוּ, impf. יִגְבַּר, וַיִּגְבְּרוּ: 1. **überlegen sein, werden** *be superior* Gn 49, 26 Ps 103, 11 117, 2 Th 1, 16 1 C 5, 2 Hi 21, 7 (c. חַיִל), c. מִן über *over* 2 S 1, 23 11, 23, cj Pr 24, 5, **übermächtig sein** *prevail* Ps 65, 4; 2. etwas **ausrichten (können)** *succeed* 1 S 2, 9 Ir 9, 2 (l גְבוּרָה); 3. מַיִם: **zunehmen** *increase* Gn 7, 18 f. 20. 24; †

pi: pf. גִּבַּרְתִּי, impf. יְגַבֵּר: **überlegen machen** *cause to be superior* Sa 10, 6 (l וְגִבַּרְתִּים

Sa 10, 12); c. חֲיָלִים: **s. Kräfte anstrengen** *enforce his strength* Ko 10, 10; †

hif: pf. הִגְבִּיר, impf. נַגְבִּיר: **sich überlegen zeigen** *prevail* Ps 12, 5; cj 20, 8;? Da 9, 27; †

hitp.: impf. יִתְגַּבָּר, יִתְגַּבָּרוּ: **sich als überlegen zeigen, gebaren** *show one's prevalence* Js 42, 13 Hi 15, 25 36, 9. †

Der. I u. II גֶּבֶר, גִּבּוֹר, גְּבוּרָה, גְּבִיר, גְּבִירָה, גְּבֶרֶת, n. l. גִּבָּר, n. m. גַּבְרִיאֵל.

I גֶּבֶר: גבר; *F* ba.: גְּבַר, pl. גְּבָרִים (cs. גְּבַר dele Ps 18, 26): 1. d. junge, kräftige **Mann**, zu allem Männlichen fähig Pr 30, 19 Hi 3, 3 *the young vigorous man apt for all what is virile* Pr 30, 19 Hi 3, 3; // זָכָר Ir 30, 6, // אִישׁ Ir 22, 30 23, 9, // אֱנוֹשׁ Hi 4, 17 10, 5, // אָדָם Hi 14, 10 16, 21 33, 17 Th 3, 39, :: נְקֵבָה Ir 31, 22, :: אִשָּׁה Dt 22, 5. 5, :: טַף Ex 10, 11 12, 37 Ir 41, 16 43, 6 (44, 20); bei Zählungen *for census*: לַגְּבָרִים an Männern *man by man* 1 C 23, 3 לְרָאשֵׁי הַגְּבָרִים nach d. Kopfzahl der M. *number of men* 1 C 24, 4 26, 12, לְרֹאשׁ גֶּבֶר auf d. einzelnen Mann *to every man* Jd 5, 30; שֵׁבֶט u. מִשְׁפָּחָה u. בַּיִת u. גְּבָרִים Einzelne *individuals* Jos 7, 14. 17 f, cj 1 S 10, 21; גֶּבֶר וּבֵיתוֹ Mi 2, 2; גֶּבֶר :: אֱלוֹהַּ Hi 16, 21 34, 9 :: אֵל 22, 2 33, 29; 2. גֶּבֶר 62 × u. cj. 1 S 10, 21, (Ps 18, 26 dele גְּבַר, l גִּבּוֹר Pr 24, 5, l גֶּבֶר Hi 38, 3); mit Vorliebe in Weisheitssprüchen *with preference in sayings of wisdom*: Ir 9 ×, Pr 7 ×: אָרוּר הַגֶּבֶר אֲשֶׁר Ir 17, 5, בָּרוּךְ הַגּ׳ א׳ 17, 7, אַשְׁרֵי הַגּ׳ Ps 34, 9 40, 5 94, 12 127, 5; *F* Ir 30, 6 Ps 37, 23 Pr 20, 24 Ps 52, 9 88, 5 89, 49 Pr 6, 34 Hi 3, 23; גֶּבֶר > **jeder** *every one* Jl 2, 8 Mi 2, 2, > **einer, der** *somebody who* Ha 2, 5 Ps 128, 4 Pr 28, 3 29, 5 Hi 34, 34 Th 3, 27, > **derjenige, der** *he who* Th 3, 1, > jemand, **einer** *some one* Pr 28, 21. 3. Varia: הַגּ׳ du Mann *thou man* Js 22, 17; גֶּבֶר עֲמִיתִי m. Gefährte *my fellow* Sa 13, 7; = Mensch *man* Hi 14, 14; *F* Hi 34, 7 Th 3, 35 Da 8, 15; formula נְאֻם הַגֶּבֶר Nu 24, 3. 15 2 S 23, 1 Pr 30, 1. †

Der. II גֶּבֶר, גַּבְרִיאֵל, גְּבֶרֶת.

II גֶּבֶר: = I; n. m. جَبْر *Tāǧ* 3, 81, 3 v. unten u. 86, 8 f: 1 K 4, 19 u. in עֶצְיוֹן גֶּבֶר. †

גִּבָּר: n. l.; גבר: Esr 2, 20, cj Ne 7, 25. †

גַּבְרִיאֵל: I גֶּבֶר u. אֵל: Name e. Engels *name of an angel* Da 8, 16 9, 21. †

גְּבֶרֶת: גבר; cs. = : **Herrin** *lady* (Babel) Js 47, 5. 7. †

גִּבְּתוֹן: n. l.; גַּב, f. *גבה u. -ōn? = *T. el-Melāt* PJ 29, 37 ff: gehört Dan *belongs to Dan* Jos 19, 44 21, 23, den Philistern *to the Philistines* 1 K 15, 27 16, 15. 17. †

גָּג: ug. *gg*, pl. *ggt*; äg. LW *d̲3d̲3* Dach *roof* EG 5, 531, (Koehler, JBL 59, 37 f): cs. גַּג, sf. גַּגּוֹ, גַּגְּךָ, c. -*ā* גָּגָה, pl. גַּגּוֹת, sf. גַּגּוֹתֶיהָ: 1. **Flachdach** (d. feste, tragfähige, auf d. Menschen sich aufhalten können) *the solid flat roof upon which people may stay a. move*: v. Haus *of houses* Dt 22, 8 Jos 2, 6. 8 1 S 9, 25 f, v. Schloss *of palaces* 2 S 11, 2 16, 22, v. Tempel *of the temple* Jd 16, 27 Hs 40, 13, v. Turm *of a tower* Jd 9, 51, v. Tor *of a gate* 2 S 18, 24; Ort für Kult *place for worship* 2 K 23, 12 Ir 19, 13 32, 29 Ze 1, 5 Ne 8, 16, für Klage *for weeping* Js 15, 3 22, 1 Ir 48, 38; פִּנַּת גָּג *F* Pr 21, 9 25, 24; Gras auf d. Dach *grass on the roof* 2 K 19, 26 Js 37, 27 Ps 129, 6; Vogel auf d. D. *bird on the roof* Ps 102, 8; † 2. **Deckplatte** (d. Räucheraltars) *top slab* (*of the altar for incense burning*) Ex 30, 3 37, 26. †

I גַּד: pu. γοιδ (Dioscurides 3, 63 = ed. Wellmann, 2, 74): **Koriander** *coriander* (*Coriandrum sativum L.*; Löw 3, 441—7): Ex 16, 31. cj 14 (G) Nu 11, 7. †

II גַּד : ph. גד Gott des Glücks *god of Fortune* in nn.m. נעמגדא, נעמתגדא etc., Harris 93; palm. גדעתא u. גד(א) Sy 17, 271, 2; safat. גדעוד, phl. גדה; äth. OLZ 38, 470; asa. n. m. מגדנע u. גדנעם; zu جَدّ u. ܓܕܐ Nöld. BS 94 f; Noth S. 126 f: גַּד Glück, günstige Fügung *fortune* Gn 30, 11 (l בָּגָד vel בָּא גָד) Js 65, 11. †
Der. גָּד, גָּדִי, גַּדִּי, גַּדִּיאֵל, עַזְגָּד, n.l. בַּעַל גָּד.

גָּד : II גַּד; Noth 126 f: 1. n.m. Gn 30, 11! 35, 26 46, 16 Ex 1, 4 1 C 2, 2; 2. Stamm *tribe* Gn 49, 19 Nu 1, 14. 25 f 2, 14 7, 42 10, 20 13, 15 26, 15. 18 32, 1. 2. 6. 25. 29. 31. 33 f Dt 27, 13 33, 20 Jos 4, 12—22, 34 (20 ×) 1 S 13, 7, cj 1 K 4, 19, Ir 49, 1 Hs 48, 27 f. 34 1 C 5, 11. cj. 18 6, 48. 65 12, 14 (l גָּדִי 2 S 24, 5). † 3. n.m. e. Propheten *of a prophet* 1 S 22, 5 2 S 24, 11. 13 f. 18 f 1 C 21, 9. 11. 13. 18 f 29, 29 2 C 29, 25; F בַּעַל גָּד. †
Der. גָּדִי.

גִּדְגָּד : n.l.; F חֹר הַגִּדְגָּד.

גֻּדְגֹּדָה : n.l.; הַגֻּדְגֹּדָה nach *towards* הַגֻּ׳ Dt 10, 7; F חֹר הַגִּדְגָּד.

גדד : F ba.; ak. *gudūdu* (= גְּדוּד) Meissner Btr 1, 21 f; ܓܕ, جَدَّ abschneiden *cut off*:
qal: impf. יָגוֹדּוּ: c. עַל **sich zusammenrotten** gegen *gather together against* Ps 94, 21, cj 56, 7; †
hitpo: impf. תִּתְגֹּדְדִי, יִתְגֹּדָדוּ, יִתְגּוֹדְדוּ, יִתְגֹּדָד, inf. cj הִתְגּוֹדֵד, pt. מִתְגֹּדְדִים: **sich Schnittwunden beibringen** *administer incisions to oneself* Dt 14, 1 1 K 18, 28 Ir 16, 6 41, 5 Mi 4, 14, cj Ho 7, 14: l יִתְגּוֹרָרוּ Ir 5, 7; cj מִתְגּוֹדֵד **hin und her fahren** *roam about* (II גְּדוּד) Ir 30, 23. †
Der. I* u. II גְּדוּד, *גְּדוּדָה; F גּד.

I *גְּדוּד : גדד : pl. sf. גְּדוּדֶיהָ: **Ackerscholle** *clod* Ps 65, 11. †

II גְּדוּד : גדד ja., mnd. גונדא جُنْد : pl. גְּדוּדִים, cs. גְּדוּדֵי, sf. גְּדוּדָיו: (Abschnitt >) **Streifschar, Raubzug** (*detachment* >) *band, raid* 1 S 30, 8. 15. 23 2 S 3, 22 2 K 6, 23 13, 20 f 24, 2 Ir 18, 22 Ho 7, 1 1 C 12, 19. 22 2 C 22, 1; שַׂר גְּדוּד 1 K 11, 24, pl. 2 S 4, 2; אִישׁ גְּדוּדִים Räuber *raider* Ho 6, 9; יָצְאוּ גְדוּדִים auf Raub ziehn *raid* 2 K 5, 2; גְּדוּד Räuberschar *band of raiders* Gn 49, 19; > **Kriegsschar** *troop of warriors* Hi 29, 25 1 C 7, 4 2 C 25, 9. 10. 13; Gottes **Scharen** *God's troops* Hi 19, 12 25, 3; לִגְדוּדִים in **Abteilungen** *in detachments* 2 C 26, 11; l גְּדֵר 2 S 22, 30 u. Ps 18, 30; l הִתְגּוֹדֵד Mi 4, 14. †

*גְּדוּדָה : גדד : pl. גְּדֻדֹת Ir 48, 37 u. cj גְּדוּדוֹת: **Einschnitte** *incisions*. †

גדה: גָּדָה, גְּדִיָּה, גְּדִי.

גָּדָה : F חֲצַר גַּדָּה.

גָּדוֹל, גָּדֹל (± 520 ×): גדל: cs. גְּדֹל־, גְּדוֹל, גְּדָל־ (Pr 19, 19), גְּדָול־ (Na 1, 3), pl. גְּדֹלִים, גְּדוֹלִים, cs. גְּדֹלֵי, sf. גְּדוֹלָיו, גְּדֹלֶיהָ, f. גְּדוֹלָה, pl. גְּדוֹלוֹת, גְּדֹלוֹת: **gross** *great*: 1. Gestalt *shape*: Menschen *mankind* Jos 14, 15, *animals* Gn 1, 21 Hs 17, 3 Jon 2, 1, Sachen *things* Js 8, 1 Jos 22, 10 etc.; 2. Höhe *height*: Berg *mountain* Sa 4, 7, Turm *tower* Ne 3, 27, Horn *horn* Da 8, 8, etc.; 3. Ausdehnung *extension*: Stadt *town* Gn 10, 12, Fluss *river* Dt 1, 7, Meer *sea* Nu 34, 6, Feuer *fire* Dt 4, 36, etc.; 4. Zahl *number*: Heer *army* Da 10, 1, Volk *people* Gn 12, 2, Gemeinde *assembly* Ne 5, 7, Reich *kingdom* Ir 28, 8, etc.; 5. Wucht *weight*: Kraft *power* Dt 4, 37, Rache *vengeance* Hs 25, 17, Furcht *fear* Dt 26, 8, Regen *rain* 1 K 18, 45, Hunger *famine* 2 K 6, 25, etc.; 6. Bedeutung *importance*: Schuld *offence* Gn 4, 13, Erscheinung *sight* Ex 3, 3, Sache *matter* Ex 18, 22, Gelage *feast* Gn 21, 8, etc.; 7. Entfaltung *expansion*: Stimme *voice* Gn 39, 14, Geschrei *cry* Gn 27,

34, etc.; 8. Alter *age*; alt, älter *old, older* Gn 27, 1 29, 16 (:: הַקְּטַנָּה); 9. Geltung *value*: גָּ׳ בֵּית־גָּ׳, mächtig *great* Gn 39, 9 Est 9, 4, בָּבַּיִת Häuser d. Vornehmen *houses of the great* 2 K 25, 9, mächtige Könige *great kings* Ir 27, 7, אִשָּׁה גְ׳ angesehne Frau *distinguished woman* 2 K 4, 8, גְּדֹלֵי הָעִיר d. Angesehnen der St. *the distinguished people of the town* 2 K 10, 6, הַמֶּלֶךְ וּגְדֹלָיו u. s. Angesehnen *a. his nobles* Jon 3, 7, etc.; 10. in Verbindungen *in compounds*: גְּדֹל הָעֵצָה gross an Rat *great in counsel* Ir 32, 19, גְ׳ כְּנָפַיִם mit grossen Fl. *with great wings* Hs 17, 3. 7, etc.; 11. feste Wendungen *fixed expressions*: הַמֶּלֶךְ הַגָּדוֹל (ak. *šarru rabû*) d. Grosskönig *the great king* 2 K 18, 19, הַכֹּהֵן הַגָּ׳ d. Hohepriester *the high priest* Lv 21, 10, הַיָּם הַגָּ׳ = d. Mittelmeer *the Mediterranean* Nu 34, 6, הַנָּהָר הַגָּ׳ = d. Eufrat *the river Euphrates* Dt 1, 7; etc.; 12. Varia: הַיּוֹם גָּדוֹל hoch am Tag *high day* Gn 29, 7; כַּקָּטֹן כַּגָּ׳ Hi 3, 19, קָטֹן וְגָ׳ Dt 1, 17, מִקָּטֹן וְעַד־גָּ׳ Gn 19, 11, etc.; 13. גָּדוֹל = substant.: גְּדֹלוֹת grosse Dinge *great matters* Ps 131, 1, Wichtiges *important things* Ir 33, 3 45, 5, grosse Taten Dt 10, 21 2 K 8, 4 Ps 71, 19; דִּבֶּר גְ׳ grosssprecherisch sein *be boastful* Ps 12, 4; etc.; 14. Gott ist gross *God is great*: אֵל Dt 7, 21 Ps 77, 14 95, 3, הָאֵל Dt 10, 17 Ir 32, 18 Da 9, 4 Ne 1, 5 9, 32, הָאֱלֹהִים Ne 8, 6, יהוה Ir 10, 6 Ps 48, 2 86, 10 96, 4 99, 2 135, 5 145, 3, קְדוֹשׁ יִשְׂרָאֵל Js 12, 6, אֲדֹנָי Ne 4, 8, אֲדֹנֵינוּ Ps 147, 5; גְ׳ מִן ist יהוה Ex 18, 11, כְּגָדֵל 1 אֱלֹהֵינוּ 2 C 2, 4; 1 הַגֹּרֶן 1 S 19, 22, 1 Ex 15, 16; ?Ne 11, 14.

גְּדוּלָה, גְּדֻלָּה: גדל: sf. גְּדֻלָּתִי, pl. גְּדֻלּוֹת (1 גְּדוּלָּתְךָ Ps 145, 6): **Grösse** *greatness* Ps 71, 21 Est 1, 4 10, 2 1 C 29, 11; עָשָׂה גְ׳ לְ mit Grösse ausstatten *give greatness (dignity) to* Est 6, 3; Grosses (an Taten) *great things* 2 S 7, 21. 23 Ps 145, 3. 6 1 C 17, 19; pl. **Grosstaten** (Gottes) *great achievements* (*God's*) 1 C 17, 19.†

גִּדּוּף*: גדף: pl. גִּדּוּפִים, cs. גִּדּוּפֵי: **Lästerworte** *reviling words* Js 43, 28 Ze 2, 8.†

גְּדוּפָה*: גדף: pl. sf. גִּדֻּפֹתָם: **Lästerworte** *reviling words* Js 51, 7, cj Hs 5, 15.†

גָּדוֹר: n.m.; גדר; Noth 228 جدر pockennarbig *pock-marked*: 1 C 8, 31 9, 37.†

גְּדוֹת: Js 8, 7: F גִּדְיָה*.

גְּדִי: גדה*; ug. *gd* Zicklein *kid*; ak. *gadû*, جَدْي, aram. גַּדְיָא, ph. גדא: pl. גְּדָיִים, cs. גְּדָיֵי (VG 1, 428, Nöld. BS 55), sf. גְּדִיֹּתַיִךְ (גְּדִי) in n. l. (עֵין גֶּדִי) d. Junge, **Zicklein** von Ziege u. Schaf *kid of goat a. sheep*: Gn 27, 9. 16 38, 17. 20. 23 Ex 23, 19 34, 26 Dt 14, 21 Jd 6, 19 13, 15. 19 14, 6 15, 1 1 S 10, 3 16, 20 Js 11, 6, cj 5, 17, Ct 1, 8.†

גָּדִי: גָּד: zum Stamm Gad gehörig *Gadite*: 1. gntl. Nu 34, 14 Dt 3, 12. 16 4, 43 29, 7 Jos 1, 12 12, 6 13, 8 22, 1 2 K 10, 33 1 C 5, 26 12, 9. 38 26, 32; 2 S 23, 36, cj 1 C 11, 38 (1 וְגָד 1 C 5, 18); cj אֶל־הַגָּדִי 2 S 24, 5 nach (d. Gebiet von) Gad hin *towards* (*the territory of*) *Gad*; 2. n.m. 2 K 15, 14. 17.†

גַּדִּי: n.m.; II גַּד; KF; Noth 329; Γαδδαῖος Wuthnow, D. semitischen Menschennamen, 1930, 38): Nu 13, 11.†

גַּדִּיאֵל: n.m.; II גַּד u. אֵל; ak. *Gadi-ilu* Mél. Syr. 927: Nu 13, 10.†

גִּדְיָה*: גדה, جَدَّ abschneiden *cut off*: pl. sf. גִּדְיוֹתָיו K: גִּדְיֹתָיו 1 C 12, 16 = גְּדוֹתָיו Q u. גְּדֹתָיו, **Ufer** *bank (of river)* Jos 3, 15 4, 18 Js 8, 7 1 C 12, 16.†

גָּרִישׁ: גרשׁ; ja. גְּרַשׁ anhäufen *heap up*; ja., sy. גְּרִישָׁא: **Haufe** *heap*: 1. Garben *sheaves* Ex 22, 5 Jd 15, 5 Hi 5, 26; 2. **Grabhügel** *tomb* Hi 21, 32.†

I גדל جَدَلَ kräftig sein *be strong*; ug. *gdl* gross *great*:

qal (58 ×): pf. גָּדַל, גָּדְלָה, גָּדַלְתִּי, impf. יִגְדַּל, יִגְדָּל, יִגְדְּלוּ, יִגְדָּלוּ, inf. גָּדוֹל 2 S 5, 10: 1. **kräftig, gross werden** *be, become strong* Gn 21, 8. 20 Ex 2, 10 Jd 13, 24 Ru 1, 13 Da 8, 9 f 2 C 10, 8. 10; 2. **gross sein** *be great (magnified)* 2 S 7, 26 Sa 12, 7 Hi 2, 13, cj Ko 1, 16; Gott *God* 2 S 7, 22 Ma 1, 5 Ps 35, 27 40, 17 70, 5 104, 1; 3. **gross, wohlhabend werden** *become great, wealthy* Gn 24, 35 26, 13 Ir 5, 27 Ko 2, 9; 4. **gross, bedeutend sein** *be great, important* Gn 41, 40 48, 19; גָּ׳ בְּעֵינֵי ist **wertvoll für** *is precious for* 1 S 26, 24; l. גִּדְּלַנִי Hi 31, 18;

pi: pf. גִּדֵּל, גִּדַּל, גִּדְּלָה, גִּדַּלְתִּי, sf. גִּדְּלוֹ, impf. יְגַדֵּל, יְגַדְּלוּ, וָאֲגַדְּלָה, sf. וַיְגַדְּלֵהוּ, תְּגַדְּלֶנּוּ, וָאֲגַדְּלֶנּוּ, inf. u. imp. גַּדֵּל, גַּדְּלוּ, גַּדֶּלְךָ, גַּדְּלָם, pt. מְגַדְּלִים:

1. **gross bringen,** (vor d. Kindersterblichkeit) **davonbringen** *bring up, save (from infant mortality)* Js 1, 2 23, 4 49, 21 51, 18 Ho 9, 12 Hi 7, 17, cj 31, 18 u. 1 K 11, 20; (Pflanze *plant*) Jon 4, 10; 2. **wachsen lassen** *let grow*: Haare *hair* Nu 6, 5, cj (Gewürze *spices*) Ct 5, 13 3. **fördern** *nourish* (Regen das Wachstum *rain the growing*) Js 44, 14 Hs 31, 4; 4. **aufziehn** *bring up* 2 K 10, 6; 5. **mit Unterhalt ausstatten** *nourish* Da 1, 5; 6. גָּ׳ מִן **grösser machen** als *make greater than* 1 K 1, 37. 47; 7. **erheben, preisen** *make great* Gn 12, 2, **auszeichnen** *magnify* Est 3, 1 5, 11 10, 2 1 C 29, 12. 25 2 C 1, 1, בְּעֵינֵי vor *in the presence of* Jos 3, 7 4, 14; Jahwe preisen *magnify Yahveh* Ps 69, 31 Si 43, 28. 30; 8. גָּ׳ לַיהוה (<שֵׁם לִי?) preisen *magnify* Ps 34, 4;

pu: pt. מְגֻדָּלִים: **grossgezogen** (Pflanzen) *grown up (plants)* Ps 144, 12;†

hif: pf. הִגְדִּיל, הִגְדִּל, הִגְדַּלְתָּ, הִגְדִּילוּ, impf. יַגְדִּיל, אַגְדִּיל, וַתַּגְדֵּל, וַתַּגְדִּילוּ, inf. הַגְדִּיל, pt. מַגְדִּיל: 1. **etwas gross machen** *make great a thing*: חֶסֶד Gn 19, 19, יְשׁוּעוֹת Ps 18, 51, K (מַגְדִּיל) 2 S 22, 51, שִׂמְחָה Js 9, 2, תּוּשִׁיָּה Js 28, 29, מְדוּרָה Hs 24, 9, שֶׁקֶל Am 8, 5, שֵׁם Ps 138, 2, מַעֲשִׂים Ko 2, 4, e. Menschen *a person* cj 2 S 7, 11 (l וְהִגְדִּילְךָ), טוֹבָה cj 1 S 24, 19 (l וְהִגְדַּלְתָּ); 2. הִגְ׳ תּוֹרָה **gibt** der Weisung **Grösse** *makes the teaching great* Js 42, 21; abs. **Grosses bedeuten** *be magnifical* 1 C 22, 5; c. עִם **Grosses tun** an *do great things for* 1 S 12, 24; הִגְ׳ לַעֲשׂוֹת Grosses leisten *do great things* Jl 2, 20 f Ps 126, 2 f; הִגְ׳ am meisten tun *do the most* 1 S 20, 41 (l וְדָוִד); 3. הִגְדִּיל **sich gross machen** *assume great airs* Th 1, 9 Da 8, 4. 8. 11. 25, c. עַל gegenüber *against* Ir 48, 26. 42 Ze 2, 8. 10 Ps 35, 26 38, 17 41, 10 (pone עָקֵב pro עָקֵב post לָהֶם in 11) 55, 13 Hi 19, 5; c. בְּפֶה עַל d. Grossmaul führen gegen *have a large mouth against* Hs 35, 13, c. פֶּה das gleiche *the same* Ob 12; l גָּדַלְתִּי Ko 1, 16;†

hitp: pf. הִתְגַּדִּלְתִּי! Hs 38, 23, impf. יִתְגַּדֵּל, יִתְגַּדָּל: sich gross machen *boast* Js 10, 15, c. עַל gegen *against* Da 11, 36 f; sich als gross erweisen *magnify oneself* Hs 38, 23.†

Der. גָּדוֹל, גְּדוּלָּה, גֹּדֶל, גָּדֵל, I u. II מִגְדָּל, מִגְדֹּל; n.m. גִּדֵּל, גְּדַלְיָה, גְּדַלְיָהוּ, גִּדַּלְתִּי, יִגְדַּלְיָהוּ.

II גדל: גָּדִל*.

גֹּדֶל: I גדל; sf. גָּדְלוֹ, גֻּדְלוֹ Ps 150, 2 †, גָּדְלְךָ: **Grösse** *greatness*: Baum *tree* Hs 31, 7, Mensch *man* 31, 2. 18, Gott *God* Dt 3, 24 5, 21 9, 26 11, 2 Ps 150, 2, Gottes Gnade *mercy of God* Nu 14, 19, G.s Arm *arm of G.* Ps 79, 11, cj Ex 15, 16; הָבוּ גֹ׳ לְ gebt Ehre, Preis *ascribe greatn.* Dt 32, 3; גֹּדֶל לֵבָב **Übermut** *insolence* Js 9, 8 10, 12.†

גָּדֵל: I גדל; cs. pl. גְּדֵלֵי; **gross werdend** *becoming great, growing up* Gn 26, 13 1 S 2, 26 2 C 17, 12; גְּדֵלֵי בָשָׂר mit grossem Glied *great of flesh* (penis) Hs 16, 26.†

***גָּדִל**: II גדל; جَدَلَ fest drehen *twist firmly*; ak. *gidlu* Gebinde (Zwiebeln) *string (of onions)*; ja., sy. גְּדִילְתָא: pl. גְּדִלִים: **Quaste** *tassel* Dt 22, 12; **gedrehte Verzierungen** *twisted adornements*(?) 1 K 7, 17.†

גִּדֵּל: I גדל: n.m.: Esr 2, 47. 56 Ne 7, 49. 58.†

גְּדַלְיָה: n.m.; < גְּדַלְיָהוּ; AP 181; Siegel v. *seal of* ed-Duwēr RÉS 1, 13, RB 45, 96–102: 1. Esr 10, 18; 2. Ze 1, 1; 3. Ir 40, 5. 6. 8 41, 16 = גְּדַלְיָהוּ 1.†

גְּדַלְיָהוּ: n.m.; I גדל u. יו; > גְּדַלְיָה; Dir. 257; keilschr. *Gadaliama*: 1. Statthalter *governor* 2 K 25, 22—25 Ir 39, 14 40, 7—41, 18 43, 6, = גְּדַלְיָה 3.; 1 גָּדוֹל 41, 9; 2. Ir 38, 1; 3 1 C 25, 3. 9.†

גִּדַּלְתִּי: I גדל; „Ich brachte davon *I reared up*": 1 C 25, 4. 29.†

גדע: mhb.; aram. גְּדַע; جَدَعَ abhauen *cut off, mutilate*:

qal: pf. גָּדַע, גָּדַעְתִּי, impf. וָאֶגְדַּע, pt. גֹּדְעִים: **abhauen** *cut off*: Arm *arm* 1 S 2, 31, cj Ma 2, 3, Horn *horn* Th 2, 3, Bäume *trees* Js 10, 33, cj Ps 74, 5 (1 יְגַדְּעוּ), Haare *hair* Js 15, 2 (Var. G); **in Stücke brechen** *cut asunder, break to pieces*: Stab *staff* Sa 11, 10. 14, Völker *peoples* cj Ps 44, 3 (1 תְּגַדַּע);†

nif: pf. נִגְדַּע, נִגְדְּעָה, נִגְדַּעַתְּ, נִגְדְּעוּ: **abgehauen werden** *be hewn off*: Pflock *peg* Js 22, 25, Altarhörner *horns of altar* Am 3, 14, Stamm *tribe* Jd 21, 6; **in Stücke geschlagen werden** *be broken to pieces*: חַמָּנִים Hs 6, 6, Stern *star* Js 14, 12, Hammer *hammer* Ir 50, 23;†

pi: pf. גִּדַּע, גִּדֵּעַ, impf. אֲגַדֵּעַ, תְּגַדֵּעוּן: **abschlagen** *cut down, off*: Riegel, *bars* Js 45, 2 Ps 107, 16, Hörner *horns* Ps 75, 11; **in Stücke schlagen** *break to pieces*; אֲשֵׁרִים Dt 7, 5 2 C 14, 2 31, 1, חַמָּנִים 2 C 34, 4. 7, פְּסִילִים Dt 12, 3;

pu: pf. גֻּדְּעוּ: **umgehauen werden** (Bäume) *be cut down (trees)* Js 9, 9.†

Der.: n.m. גִּדְעוֹן, n.l. גִּדְעֹם.

גִּדְעוֹן: n.m.; גדע; Γεδεων; Noth 227, Nöld. BS 95: **Gideon** Jd 6, 11—8, 35 (39 ×), cj 7, 3; F גִּדְעֹנִי.†

גִּדְעֹם: n.l.; Γαδααμ; גדע: in Benjamin Jd 20, 45.†

גִּדְעֹנִי: n.m.; גִּדְעוֹן: Benjaminit Nu 1, 11 2, 22 7, 60. 65 10, 24.†

גדף: قَذَفَ, ܓܕܦ (Steine, Anklagen) werfen *threw (stones, cast an accusation)* cf. διαβάλλω; ja. *paʿel* u. asa. גַּדֵּף schmähen *revile*:

pi: pf. גִּדַּפְתָּ, גִּדְּפוּ, pt. מְגַדֵּף: **lästern, schmähen** *revile, blaspheme* Ps 44, 17, obj. Gott *God* Nu 15, 30 2 K 19, 6. 22 Js 37, 6. 23 Hs 20, 27 (5, 15 1 וּגְדוּפָה).†

Der.: *גִּדּוּף, *גְּדוּפָה.

גדר: mhb. u. ja. umzäunen *fence in, hedge in*; F גָּדֵר:

qal: pf. גָּדַר, גָּדַרְתִּי, גָּדְרוּ, pt. גֹּדֵר: **e. Wall aus Steinen aufrichten, ummauern** *heap stones for a wall, build a wall* 2 K 12, 13 22, 6 Js 58, 12 Hs 13, 5 22, 30 Ho 2, 8 Am 9, 11 Th 3, 7, (e. Weg) **durch e. Steinwall sperren** *block (a road) by a wall of stones* Hi 19, 8 Th 3, 9.†

Der.: n.l. גֶּדֶר; גָּדֵר, גְּדֶרֶת, I גְּדֵרָה; nn.l. גְּדֹר, גְּדֵרָה, גְּדֵרוֹת, גְּדֵרֹתַיִם; גְּדֵרִי, גְּדֵרָתִי · II.

גֶּדֶר: n.l.; = בֵּית גָּדֵר 1 C 2, 51?: Jos 12, 13; F גְּדֵרִי.†

גָּדֵר: גדר; mhb., ja. גְּדִיר; nab., cp. גדרא Steinhaufe *heap of stones*, جَدْر Steinwall *wall of enclosure*, جَدِير umwallter Ort *walled place*; ph. n.l. הגדר u. אגדר = Γαδειρα, Gades, Cadix: cs. גְּדֶר Hs 42, 10 Pr 24, 31, sf. גְּדֵרוֹ, גְּדֵרֶיךָ: **Steinwall, Mauer** *wall of stones* (*without mortar*): גָּדַר גּ׳ Hs 13, 5 22, 30 Ho 2, 8, פָּרַץ גּ׳ ,בָּנָה גּ׳ Mi 7, 11, Js 5, 5 Ps 80, 13 Ko 10, 8, גּ׳ אֲבָנִים Pr 24, 31; Nu 22, 24 Hs 42, 7. 10 Esr 9, 9, cj 2 S 22, 30 = Ps 18, 30; l גְּדֵרָה Ps 62, 4. †

גְּדוֹר = גְּדֹר: n.l. 1. *Ch. Gedūr* (n. Hebron PJ 30, 42) Jos 15, 58; 2. 1 C 4, 4. 18 (l גְּדֹר 4, 39) in Juda; 3. 1 C 12, 8. †

I גְּדֵרָה: גדר; mhb.; ja. גּוּדְרִיתָא Steinpferch *penfold of stones*: pl. גְּדֵרוֹת, cs. גִּדְרֹת, sf. גְּדֵרֹתָיו: **Steinpferch** (f. Kleinvieh) *penfold of stones* (*for sheep a. goats*); = mhb. גְּדֵרוֹת: Nu 32, 16. 24. 36 1 S 24, 4 Na 3, 17 Ze 2, 6 Ps 89, 41, cj 62, 4; l בִּגְדוּדוֹת Ir 49, 3; F II. †

II גְּדֵרָה: n.l.; = I: בַּשְּׁפֵלָה; *Ǧedīre* Jos 15, 36 1 C 4, 23. †

גְּדֵרוֹת: n.l.; pl. v. I גְּדֵרָה: bei *near* לָכִישׁ, *Qaṭra* (Abel 2, 89) Jos 15, 41 2 C 28, 18. †

גְּדֵרִי: gntl. v. גֶּדֶר vel בֵּית גָּדֵר: 1 C 27, 28. †

גְּדֶרֶת: גדר: **Steinwall** *wall of stones*: Hs 42, 12. †

גְּדֵרָתִי: gntl. v. גְּדֵרָה (= *Ǧedīre* bei *near* גִּבְעוֹן): 1 C 12, 5. †

גְּדֵרֹתַיִם: n.l.; dual. v. גְּדֵרָה: in Juda (PJ 30, 12 f) Jos 15, 36. †

גדשׁ: F גָּדִישׁ.

גֹּה: Hs 47, 13 l זֶה. †

גהה: ܓܗܐ befreit werden *be freed*, تَجَهْجَهَ *recessit, abstinuit*, ገሐገሐ aufhören machen *stop*:

qal: impf. יִגְהֶה: **heilen** *heal* Ho 5, 13, cj inf. **מִבְּלִי גְּהֹת unheilbar** *past recovery* Ir 8, 18. †

Der: גֵּהָה.

גֵּהָה: גהה: Heilung *healing*, aber *but* l גְּוִיָּה Pr 17, 22. †

גהר: äga. גהן; sy., mnd. (Nöld. MG 219) גהין; *κύπτω, διακάμπτω*; *se incurvat*: qal: impf. וַיִּגְהַר: **niederkauern** *crouch* 1 K 18, 42 2 K 4, 34 f. †

גֵּו*: גוה*? : sf. גֵּוְךָ, גַּוָּם: **Rücken** *back*: Redensart *common saying* הִשְׁלִיךְ אַחֲרֵי גַוּוֹ **wirft hinter sich, verschmäht** *casts behind his back, rejects* 1 K 14, 9 Hs 23, 35 Ne 9, 26. †

I גֵּו*: גוה*? : cs. גֵּו, sf. גֵּוִי, גֵּוְךָ, גֵּוֶךָ: **Rücken** *back* Js 50, 6 51, 23 Pr 10, 13 19, 29 26, 3, cj גֵּוֹ Pr 14, 3 u. Hi 20, 25 u. 41, 7, cj גֵּוֹה 1 S 5, 4; Redensart *common saying* י׳ הִשְׁלִיךְ אַחֲרֵי גֵוֹה J. **wirft hinter sich, beachtet nicht** *Y. casts behind his back, neglects* Js 38, 17. †

Der. גְּוִיָּה?

II גֵּו: *גוה? F גוי; ph. (= τὸ κοινόν Cooke 33, 2) u. asa. גו; F ba; ܓܘܐ; جو d. Innere *the inside* (*of house or tent*); **Gemeinschaft** *community* Hi 30, 5. †

I גּוֹב: Nah 3, 17; dittographia, l כְּגֹבַי. †

II גֹּב, גּוֹב: n.l.; *Gub-bu* EA 205, 3?: Philisterstadt *Philistine town* (1 C 20, 4 גֶּזֶר!): 2 S 21, 18 f, cj 16. †

גּוֹג: n. m.: 1. 1 C 5, 4 (Noth 223); 2. Hs 38, 2—39, 15 (10 ×) F אֲגַג 2: Deutungsversuche *proposed identifications*: a) ak. *Gugu*, K. v. Lydien *Lydia*, Γύγης (Herodot 1, 8 ff); b) babylonischer Gott *Babylonian God Gaga* (Deimel, Pantheon Bab., 1914, Nr. 424; ZA 15, 321); c) *Gagi* (Assurbanipal-Cylinder B IV, 2; ZA 15, 320 f) Stadtfürst d. (medischen) Saḫi, VAB 7, 103⁹; d) < *Gašga* (Melitene), Albr. JBL 43, 378 ff; F מָגוֹג. †

I **גּוּד**: NF von *of* גדד?:

qal: impf. יָגֻד, יְגוּדֶנּוּ: c. ac. **Raubzug unternehmen gegen, angreifen** *raid, attack* Gn 49, 19. 19 Ha 3, 16. †

II ***גּוּד**?: Der.? גִּיד.

***גּוה**: Der.? *גֵּו, I* u. II גַּו, גֵּוִי, גְּוִיָּה? F ba. גַּו.

I [**גֵּוָה** Hi 20, 25: 1 גֵּוֹה F I *גֵּו. †]

II **גֵּוָה**: < *גַּאֲוָה, גאה: **Hochmut, Stolz** *pride* Ir 13, 17 Hi 33, 17; אָמַר גֵּ׳ **hochmütig reden**? *speak arrogantly*? Hi 22, 29 (Text?). †

גּוּז: mhb.; aram.; جَازَ vorübergehn *pass along*: qal: pf. גָּז, impf. וַיָּגָז: **vorbei kommen** *pass along* Nu 11, 31 (l. hiph. וַיָּגֶז?), **vorübergehn** *pass away* Ps 90, 10. †

גּוֹזָל: גזל; ja., cp. *גוזל, phl. (Frah. 31, 7) גוזל u. גחל; ܦܪܘܓܠܐ!, جَوْزَل junge Taube *young pigeon*, VG 1, 344; جَزْل ausgiebig *large*: pl. sf. גוֹזָלָיו: **ausgewachsen, flügge** (Vögel) *full-grown, fledged (birds)*: (Turteltaube *turtledove*) Gn 15, 9, (Adler *eagle*) Dt 32, 11. †

גּוֹזָן: n. t.; ak. *Guzana*; d. obere Chabortal *the upper valley of Chabor* (Hauptstadt *capital* Tell Ḥalaf, Oppenheim, T. H. 1931; J. Friedrich, D. Inschriften von T. H., 1940); Ptolemaeus: Γαυζανῖτις: 2 K 17, 6 18, 11 19, 12 Js 37, 12 1 C 5, 26. †

גּוֹי (555 ×): *גוה; II גֵּו: sf. גּוֹי Ze 2, 9, גּוֹיְךָ, גּוֹיֶךָ, cj גּוֹיוֹ Da 8, 22, pl. גּוֹיִם, גֹּיִם K Gn 25, 23, cs. גּוֹיֵי, sf. גּוֹיַיִךְ Q Hs 36, 13—15, גּוֹיֵהֶם; masc.; F גּוֹיִם Täubler; L. Rost, Die Bezeichnungen für Land u. Volk im AT = Festschr. Procksch, 1934, 125—48:

1. **Schar, Volk** („Bienenvolk") *swarm, people*: Heuschrecken *locusts* Jl 1, 6; Ze 2, 14? 2. **Volk** *people, nation* (Rost 147: die Gesamtbevölkerung e. Gebiets *the whole population of a territory*; v. עַם nicht deutlich verschieden *not distinctly different from* עַם): עָשָׂה לְגוֹי (einen Einzelnen *a single man*) Gn 12, 2 Nu 14, 12; נָתַן לְגוֹיִם Gn 17, 6. 16 u. mehr *a. more*; Ägypten *Egypt* הָיְתָה לְגוֹי Ex 9, 24; גּוֹי גָּדוֹל Gn 12, 2; כָּל־גּוֹיֵי הָאָרֶץ Gn 18, 18 Dt 28, 1 Sa 12, 3; אֱלֹהֵי הַגּוֹיִם die Götter der Völker *the gods of the nations* Dt 29, 17 2 K 18, 33, אֱלֹהֵי גּוֹיֵי הָאֲרָצוֹת 2 C 32, 13. 17, כָּל־אֱלוֹהַּ כָּל־גּוֹי 2 C 32, 15; גּוֹי u. מַמְלָכָה Ir 18, 7—9 27, 8; גּוֹי u. עַם Ex 33, 13 Dt 4, 6; גּוֹיִם רַבִּים werden *shall be* לְעָם für *for* יהוה Sa 2, 15 (גּוֹי יהוה findet sich nie *is never to be found*); קְהַל גּוֹיִם Gn 35, 11, אִיֵּי הַגּוֹיִם Gn 10, 5 Ze 2, 11; יִשְׂרָאֵל ist *is* גּוֹי Gn 18, 18 Js 60, 22 Hs 35, 10 Ps 106, 5, כְּנַעַן שִׁבְעָה גוֹיִם von *of* Dt 7, 1; גּוֹיִם רַבִּים וַעֲצוּמִים Dt 7, 1; oft sind גּוֹיִם die andern, heidnischen Völker im Unterschied zu Israel; *frequently* גּוֹיִם *means the other heathen nations in contrast to Israel*; d. spätre *the later* גּוֹי = (einzelner) Heide (*individual*) *gentile* findet sich nicht im AT *does not occur in the OT*; 1 לְגוֹי Js 5, 26, 1 הַגּוֹלָה Js 9, 2, 1 הֲגַם Gn 20, 4; F גּוֹיִם n. p.

גְּוִיָּה: *גוה; I *גֵּו?: sf. גְּוִיָּתוֹ, pl. גְּוִיּוֹת, sf. גְּוִיֹּתֵיהֶם, גְּוִיֹּתֵיהֶנָה! Hs 1, 11: 1. **Leib** *body* Gn 47, 18 Hs 1, 11. 23 Da 10, 6 Ne 9, 37, cj Pr 17, 22; 2. **Leichnam** *dead body, corpse* Jd 14,

8f 1 S 31, 10. 12 (F גּוּפָה) Na 3, 3 (l בַּגְּוִיֹּת) Ps 110, 6; 3. גְּוִיָּתֵנוּ **unser Leib = wir selber** *our body = we ourselves* Gn 47, 18 Ne 9, 37. †

גּוֹיִם n.p.: מֶלֶךְ גּוֹיִם Jos 12, 23 Gn 14, 1. 9, גְּלִיל הַגּוֹיִם Js 8, 23, הַגּוֹיִם Jd 4, 2. 13. 16: E. Täubler, D. Land Kde u. d. Volk Gojim, Jerusalem, 1923: d. Volk *the people of Gu-ai* (Monolith Salmanassars 92. 854) = e. voramoritische Bevölkerung Galiläas *pro-Amorean population of Galilee*; Albr. BAS 11, 8: Nomadenhorden *nomadic tribes.* †

***גול**: F גּוֹלָן n.l. u. גִּיל.

גֹּלָה, גּוֹלָה: pt. f. act. qal v. גלה = die auswandernde (Schar) *the emigrating (troop)* Ir 29, 4 Esr 2, 1 Ne 7, 6; Est 2, 6: 1. die (ins Exil) **Weggeführten** *the deported ones, the exiled people* 2 K 24, 15. 16. cj. 14 Ir 28, 6 29, 4. 20. 31 Hs 1, 1 3, 11. 15 11, 24f Sa 6, 10 Est 2, 6 Esr 1, 11 2, 1 9, 4 10, 6 Ne 7, 6, זִקְנֵי הַגּ׳ Ir 29, 1, בְּנֵי הַגּ׳ Esr 4, 1 6, 19f 8, 35 10, 7. 16, קְהַל הַגּ׳ Esr 10, 8; 2. **Wegführung, Verbannung** *deportation, exile*: יָצָא בַגּ׳ Ir 29, 16 48, 7 Sa 14, 2, מוֹצָאֵי ג׳ Hs 12, 4, הָלַךְ בַּגּ׳ Ir 48, 11 49, 3 Hs 12, 11 25, 3 Am 1, 15, לַגּוֹלָה der Verbannung verfallen *destined for deportation* Na 3, 10, כְּלֵי ג׳ Wandergerät *luggage (for deportation)* Ir 46, 19 Hs 12, 3 f. 7; עַד־הַגֹּלָה bis zur [Zeit dei] Verb. *until [the day of] deport.* 1 C 5, 22. †

גּוֹלָן: n.l.; *גול; جَالَ im Kreis gehn *go around*: in בָּשָׁן, Freistadt *city of refuge*, für Manasse Dt 4, 43 Jos 20, 8 u. 21, 27 (l גּוֹלָן pro גָּלוֹן), den Leviten zugewiesen *given to the Levites* 1 C 6, 56; Josephus: (Landschaft *country*) Γαυλάνη, *Gaulanitis = el-Ǧōlān* (Schuhmacher ZDP 9, 165—96) mit *with* n.l. *Saḥem el-Ǧōlān.* †

גּוּמָּץ: aram. LW; ja. auch כּוּמָּצָא u. קוּמָּצָא; mnd. כומאצא: **Grube** *pit* Ko 10, 8 (Pr 26, 27 Tg u. Sy גּו׳ für שַׁחַת). †

גּוּנִי: n.m. u. gntl.; *el-ǧūnī = Pterocles senegallus* (*Spotted Sandgrouse*, Bodenheimer 172) Dalman ZDP 36, 174: 1. S. v. Naftali Gn 46, 24 Nu 26, 48 1 C 7, 13; 2. 1 C 5, 15; 3. gntl. Nu 26, 48. †

גוע: جَاعَ leer, hungrig sein *be empty, hungry*; גוע Toter *dead person* Si 8, 7 48, 5; mhb. גְּוִיעָה Sterben *death*:
qal: pf. גָּוַע, גָּוַעְנוּ, גָּוְעוּ, impf. אֶגְוָע, יִגְוַע, יִגְוְעוּ, יִגְוָעוּ, inf. לִגְוֹעַ Nu 17, 28, בִּגְוַע Nu 20, 3: 1. **umkommen** *expire, perish* Nu 17, 27f 20, 3 Ps 104, 29 Sa 13, 8 Th 1, 19, cj Hi 34, 20; 2. **verscheiden** *expire, die* Gn 25, 8. 17 35, 29 Hi 3, 11 10, 18 13, 19 27, 5 29, 18 34, 15 36, 12; l וָיִגְוַע Ps 88, 16. †

I גוף: mhb., ja., أَجَافَ verschliessen *shut*; ܐܬܓܘܦ verschlossen sein *be shut*; F גפף: hif (qal?): impf. יָגִיפוּ **schliessen** (Tür) *shut (door)* Ne 7, 3. †

II *גוף: جَافَ hohl sein *be hollow within*, جَوْف Bauch *belly*, جِيفَة Leichnam *corpse*; mhb. ja. גּוּף Körper, Person *body, person.*
Der: *גּוּפָה.

***גּוּפָה**: II *גוף: cs. גּוּפַת, pl. גּוּפֹת: **Leichnam** *corpse* 1 C 10, 12. 12 (= גְּוִיָּה 1 S 31, 12). †

I גור: äg. *ḏrḏr* EG 5, 604; ph. גר, جور, asa. גר fremd sein *be a foreigner, client*; ug. *gr*, ph. גר Fremdling *foreign resident*:
qal: pf. גָּר, גַּרְתָּה, גַּרְתִּי, גָּרוּ, impf. יָגוּר, תָּגוּרִי, אָגוּרָה, וַיָּגָר, יְגֻרְךָ Ps 5, 5, inf. גּוּר, imp. גּוּרִי, pt. גָּר, גָּרֶת, גָּרִים, גָּרֵי:
F גֵּר; **als Schutzbürger weilen** *dwell as client*, (*as a new-comer without original rights*)

2 S 4, 3 Jd 19, 1 Js 16, 4, c. בְּ in e. Land *in a country* Gn 21, 23. 34 26, 3 47, 4 Ex 6, 4 2 K 8, 2 Ir 43, 5 49, 18 50, 40 Ps 105, 12. 23 Ru 1, 1 1 C 16, 19, an e. Ort *at a place* Gn 20, 1 Jd 19, 16 2 K 8, 1 Ir 49, 33; c. ac. אֳנִיּוֹת (als Ruderknechte *as rowers*) Jd 5, 17, אֵשׁ am Feuer(brand) *with the burning fire* Js 33, 14. 14, מֶשֶׁךְ Ps 120, 5; לֹא יְגֻרְךָ רָע kein Böses darf bei dir weilen *no evil dares dwell with thee* Ps 5, 5; c. שָׁם Gn 12, 10 35, 27 Jd 17, 7 Js 52, 4 Ir 42, 15. 17. 22 43, 2 44, 8. 12. 14. 28 Esr 1, 4; c. עִם bei *with* Gn 32, 5 Lv 25, 6. 45 2 C 15, 9; c. אֵת bei *with* Ex 12, 48 Lv 19, 33 f. Nu 9, 14 15, 14—16; c. בְּתוֹךְ unter *among* Ex 12, 49 Lv 16, 29 17, 8. 10. 12 f 18, 26 Nu 15, 26. 29 19, 10 Jos 20, 9 Hs 47, 22; c. בְּ in e. Volk *among a people* Lv 20, 2 Hs 14, 7, e. Stamm *a tribe* Hs 47, 23, im Heiligtum *at the sanctuary* Ps 15, 1 61, 5; גּוּר abs. Gn 19, 9 Dt 26, 5 Js 23, 7 Th 4, 15; Leviten *Levites* Dt 18, 6, הָרֵכָבִים Ir 35, 7, Wolf *wolf* Js 11, 6; גָּרַת בֵּיתָהּ ihre schutzbedürftige Hausgenossin *who dwells as client in her house* Ex 3, 22, גָּרֵי בֵיתִי meine schutzbed. Hausgenossen *who dwell as clients in my house* Hi 19, 15, גָּר (עָם) Hi 28, 4; l גֵּרִים Js 5, 17; †

hitpol: impf. יִתְגּוֹרָרוּ, pt. מִתְגּוֹרֵר **sich als Schutzbürger aufhalten** *stay as client* 1 K 17, 20; **sich umhertreiben** *loaf about* cj Ir 5, 7; l מִתְגּוֹדֵד Ir 30, 23, l יִתְגּוֹדָדוּ Ho 7, 14. †

Der.: מְגוּרִים*, גֵּרוּת, גֵּר.

II **גור**: F גרה; جَارَ عَلَى unrecht handeln an *act wrongfully against*: impf. יָגוּר, inf. גּוּר, pt. גָּר: **angreifen** *attack, assail*, abs. Js 54, 15, c. ac. Js 54, 15 (l אִתָּךְ), c. עַל Ps 59, 4; l יָגֹדּוּ Ps 56, 7, l יָגֹרוּ (גרה pi.) Ps 140, 3. †

III **גור**: NF v. יגר:

qal: impf. וַיָּגָר, יָגוּרוּ, אָגוּר, תָּגוּר, imp. גּוּרוּ: **zurückschrecken** *be afraid of*, c. מִן Dt 18, 22 Ps 22, 24 33, 8 Hi 41, 17 Si 11, 33, c. מִפְּנֵי Nu 22, 3 Dt 1, 17 1 S 18, 15 Hi 19, 29 Si 7, 6; abs. Dt 32, 27; c. לְ für, wegen *for* Ho 10, 5. †

Der.: מָגוֹר, מְגוֹרָה*.

***גּוֹר**: F I גּוּר: pl. cs. גּוֹרֵי, sf. גֹּרֹתָיו: **Löwenjunges** *lion's whelp* Ir 51, 38 Na 2, 13. †

I **גּוּר**: F *גּוֹר; ja., cp., sy. גּוּרְיָא; ak. *gūratum* junges Lamm *young lamb*, جِرْو (Muhaṣṣas 8, 64, 9): Löwenjunges *whelp of a lion*; ܓܘܪܝܐ; VG 1, 251: pl. sf. גּוּרֶיהָ, גּוּרֵיהֶן: d. (noch saugende) **Junge** (*still sucking*) *cub*: Löwe *lion* Gn 49, 9 Dt 33, 22 Hs 19, 2. 3. 5 Na 2, 12, Schakal *jackal* Th 4, 3. †

II **גּוּר**: n. l., bei *near* יִבְלְעָם = *Gurra* (Taanachbr. 2, 6) Albr. BAS 94, 21: 2 K 9, 27. †

גּוּר־בַּעַל: n. l.; äg. n. p. *Kr-bʿr* Ranke 346 b: F יָגוּר, ZDM 83, 89[1], 2 C 26, 7. †

***גּוֹרָה**: F *גּוֹר.

גּוֹרָל: mhb. גּוֹרָל u. הִגְרִיל Los werfen *cast lots*; جَرْوَل Steinchen *pebble* BiZ 1917, 305—16: cs. גּוֹרַל; pl. גּוֹרָלוֹת, גֹּרָלוֹת, masc.: **Los** (= Steine, die man wirft, um e. Entscheidung zu finden) (*stones of*) *lot* (*which are cast to get a decision*): bei Verteilung von Land *for dividing land* Nu 26, 55 u. oft *a. frequently*, von Kleidern *garments* Ps 22, 19, Vortritt beim Angriff *who will be the first to assail* Jd 20, 9, Verteilung v. Kriegsgefangnen *allotting prisoners of war* Jl 4, 3 Ob 11 Na 3, 10, zur Ermittlung von Schuldigen *to detect the guilty ones* Jon 1, 7, wer in Jerusalem wohnen soll *who shall dwell in Jerusalem* Ne 11, 1, wer Holz für d. Kult liefern soll *who has to supply wood for the altar-fire* Ne 10, 35, bei Feststellung der Familienzugehörigkeit *to determine the family-relations* 1 C 24, 5. 7. 31, wer Kultdienst hat *for assigning to service* 1 C 25, 8, die Böcke am Versöhnungstag *concerning the goats on day of atonement* Lv 16, 8, etc.; גּוֹרָל 71 × (l גֹּרָל־ Pr 19, 19): Lv 16, 8—10 Nu 26, 55 f 33, 54 34, 13 36, 2 f Jos 14, 2 15, 1 16, 1 17, 1—21, 20 (22 ×) Jd 1, 3 20, 9 Js 17, 14 34, 17 57, 6 Ir 13, 25 Hs 24, 6 Jl 4, 3 Ob 11 Jon 1, 7 Mi 2, 5 Na 3, 10 Ps 16, 5 22, 19 125, 3 Pr 1, 14 16, 33 18, 18 Est 3, 7. cj 7 9, 24 Da 12, 13 Ne 10, 35 11, 1 1 C 6, 39—26, 14 (13 ×), meist in späten Schriften *mostly in young texts*; Terminologie *terminology*: גּוֹרָל c. עָלָה Lv 16, 9, c. יָצָא Nu 33, 54, c. וַיְהִי לְ fällt auf, trifft *falls upon* Jos 15, 1, c. נָפַל עַל Jon 1, 7, c. נָפַל לְ 1 C 26, 14; נָתַן גּוֹ׳ עַל d. Los werfen über *cast lots upon* Lv 16, 8; יָרָה גּוֹ׳ לְ Jos 18, 6, הִשְׁלִיךְ גּוֹ׳ לְ Jos 18, 8, הִפִּיל גּוֹ׳ לְ Js 34, 17, c. יָדַד גּוֹ׳ עַל Ps 22, 19, עַל Ob 11 Na 3, 10; גּוֹרַל נַחֲלָתֵנוּ unser erloster Erbbesitz *lot of our inheritance* Nu 36, 3, גּוֹרָלָם ihre erlosten Städte *the cities of their lot* Jos 21, 20, גְּבוּל גּוֹ׳ ihr erlostes Gebiet *the territory of their lot* Jos 18, 11; גּוֹרָל Losteil, erloster Anteil *lot* Jos 15, 1 17, 1. 14. 17 Jd 1, 3 Js 17, 14 Ir 13, 25 Ps 125, 3 Mi 2, 5; תָּמִיךְ גּוֹ׳ Ps 16, 5; גּוֹ׳ Los, Geschick *lot, destiny* Ps 16, 5 Da 12, 13; Los erledigt Streit *lot finishes contentions* Pr 18, 18; Gott befiehlt durch d. Los *God commands by lots* Jos 21, 8. †

***גּוּשׁ** Q, ***גִּישׁ** K Hi 7, 5: mhb., ja. גּוּשָׁא, جَسٌّ; harte Erdknollen *hard ground, resembling pebbles*; Mischna: גּוּשׁ אֶרֶץ Erdscholle *clod (of earth)*, גּוּשׁ שֶׁל זֵתִים (Tehorot 3, 2 5, 1) Teig v. Oliven *paste of olives*: **Kruste, Schorf** *crust, scarf* Hi 7, 5 (dele עָפָר). †

גֵּז: גזז: pl. cs. גִּזֵּי: Schur (der Schafe) *fleece (of sheep)* Dt 18, 4 Hi 31, 20, (d. Grases) *mown grass* Am 7, 1 (Sellin!) Ps 72, 6. †

גִּזְבָּר: F ba.; pers. LW *ganzabara*: **Schatzmeister** *treasurer* Esr 1, 8. †

גזה: ja. גזא abschneiden *cut off*, NF v. גזז: qal: pt. act. sf. גּוֹזִי, l עֻזִּי Ps 71, 6. † Der.: גָּזִית.

גִּזָּה: גזז: cs. גִּזַּת: **Schur**, Wolle *fleece* Jd 6, 37—40, גִּזַּת הַצֶּמֶר (frisch) geschorene Wolle *(recent) fleece of wool* Jd 6, 37. †

גִּזּוֹנִי: gntl.; von *derived from* *גִּזָּה oder *or* גִּזּוֹן: 1 C 11, 34 (Text?). †

גזז: ak. *gizzu* Schur *shearing*, aram. גזז, جَزَّ: qal: impf. וַיָּגָז, תָּגֹז, inf. לָגֹז, לִגְזֹז, imp. גֹּזִּי, pt. גֹּזֵז, גֹּזְזִים, גֹּזֲזֵי, גֹּזְזֶיהָ, וְגֹזְזָיו: **scheeren** (Schafe) *shear (sheep)* Gn 31, 19 38, 12 f Dt 15, 19 1 S 25, 2. 4. 7. 11 2 S 13, 23 f Js 53, 7; (Haare) **schneiden** *cut (hair)* Ir 7, 29 Mi 1, 16 Hi 1, 20; †

nif: pf. נָגֹזּוּ: geschoren, **beseitigt werden** *be cut down* Na 1, 12. †

Der.: גֵּז, גִּזָּה; n. m. גָּזֵז?

גָּזֵז: n. m.; גזז; z. Zeit d. Schur geboren *born in the days of shearing*?: 1 C 2, 46. 46. †

גָּזִית: גזה; asa. גזות (:: לְבֵנִים Ziegel *bricks* Js 9, 9): Behauen *hewing*; אַבְנֵי גָ׳ **Quadern** *ashlar* 1 K 5, 31 Hs 40, 42 1 C 22, 2, > גָּזִית **Quadern** *ashlar* Ex 20, 25 1 K 6, 36 7, 9. 11 f Js 9, 9 Am 5, 11 Th 3, 9. †

I גזל: ja. mnd. גזל > جل VG 1, 277; ph. נגזלת gepackt werden *be seized*; جزل abschneiden *cut*: qal: pf. גָּזַל, גָּזָל, גָּזַלְתִּי, גָּזְלוּ, impf. וַיִּגְזֹל, תִּגְזֹל, תִּגְזָל־, יִגְזֹלוּ, inf. לִגְזֹל, pt. גֹּזֵל, גְּזוּל, גְּזֻלֵי, גְּזֻלוֹ: **wegnehmen** *tear away, seize* Lv 5, 23 Dt 28, 31 Jd 21, 23 Ir 21, 12 22, 3 Hs 18, 7. 12. 16. 18 22, 29, Quellen *wells* Gn 21, 25, Frauen *women* מֵעַם 31, 31, Felder *fields* Mi 2, 2, *house* Hi 20, 19; גָ׳ מִשְׁפַּט פְּלֹנִי jmd um seinen Anspruch bringen *wrest away the right of a person* Js 10, 2, גָ׳ עוֹר מֵעַל jmd d. Haut abziehn *skin a person* Mi 3, 2, גָ׳ מִן wegnehmen von *take away from* Hi 24, 9; Schneewasser fortnehmen *consume the snow waters* Hi 24, 19; **berauben** *rob* Lv 19, 13 Jd 9, 25 Ps 35, 10 69, 5 Pr 22, 22 28, 24; beraubt, ausgesogen *robbed, bereaft* Dt 28, 29; e. Herde stehlen *take away a flock* Hi 24, 2; c. מִיַּד 2 S 23, 21 1 C 11, 23; 1 אֶת־הָעִוֵּר f. גָּזוֹל Ma 1, 13; †

nif: pf. נִגְזְלָה: (Schlaf) **wird weggenommen** (*sleep*) *is t. away* Pr 4, 16 (*Eshmunʿazar* 2, Cooke 30: נגזלת ich wurde weggerafft *I have been seized*). †

Der.: גָּזֵל, גֵּזֶל, גְּזֵלָה.

II *גזל: גּוֹזָל.

גֵּזֶל: I גזל: **Raub** *robbing, wresting* (*of justice*) Ko 5, 7; 1 גְּזֵלָה f. גְּזֵל אָח Hs 18, 18. †

גָּזֵל: I גזל: widerrechtliche Wegnahme, **Raub** *violent taking away, robbery* Lv 5, 21 Js 61, 8 Hs 22, 29 Si 16, 13; 1 בְּגָלוּת Ps 62, 11. †

גְּזֵלָה: f. v. גָּזֵל; cs. גְּזֵלַת: Raubgut, **Geraubtes, widerrechtlich Weggenommenes** *robbed things, things violently taken away* Lv 5, 23 Hs 18, 7. 12. 16 33, 15, cj 18, 18, גְּזֵלַת הֶעָנִי **das** den Armen **Geraubte** *spoil of the poor* Js 3, 14. †

*גזם: mhb., ja. u. sy. גזם, גרם; جَزَمَ, جَلَمَ, جَلَمَ Ruž. KD 161; **F** כסם: abschneiden *cut*. Der.: גָּזָם, גַּזָּם, גַּרְזֶן.

גָּזָם: *גזם: Tradition: Heuschrecke, eher: **Raupe** *tradition: locust, rather: caterpillar*, ZDP 49, 331: Am 4, 9 Jl 1, 4 2, 25. †

גַּזָּם: n.m.; *גזם: Esr 2, 48 Ne 7, 51. †

*גזע: جَزَعَ abschneiden *cut off*, ገዘዐ durchsägen *saw across*; asa. גזע; = גרע? Der.: גֶּזַע.

גֶּזַע: mhb.; جِذْع, ܓܘܙܥܐ: sf. גִּזְעָם, גִּזְעוֹ: **Baumstumpf, Wurzelstock** *stump, rootstock* Js 40, 24 Hi 14, 8; **d. Reis**, d. auf e. Wurzelstock schosst *the shoot out of a rootstock* Js 11, 1. †

I גזר: > גרז; **F** ba. schneiden, entscheiden *cut, decide*; جَزَرَ schneiden, schlachten *cut, slaughter*, ገዘረ beschneiden *circumcise*:

qal: impf. תִּגְזַר Hi 22, 28, imp. גִּזְרוּ, גְּזֹרוּ, pt. גֹּזֵר: 1. **schneiden** *cut* 1 K 3, 26, גָ׳ לִשְׁנַיִם entzweischneiden *cut in two* 3, 25, גָ׳ לִגְזָרִים in Stücke schneiden *cut in pieces, asunder* Ps 136, 13; **abschneiden** *cut down* 2 K 6, 4, Ha 3, 17 1 נִגְזַר; 2. **entscheiden** *decide* Hi 22, 28; †

nif: pf. נִגְזָרוּ, נִגְזַרְתִּי, נִגְזַר: **abgeschnitten sein** *be cut off*, v. Leben *from life* Js 53, 8, v. Kult *from worship* 2 C 26, 21, v. Gottes Hand *from God's help* Ps 88, 6; = **verloren sein** *be lost* Th 3, 54; cj נִגְזַר **verschwinden** *disappear* Ha 3, 17; Hs 37, 11 **F** *נזל; נִגְזַר es **ist beschlossen** *it has been decided* (**F** qal 2) Est 2, 1. †

Der.: I *גֶּזֶר, גְּזֵרָה, גִּזְרָה, מַגְזֵרָה; n.l. II גֶּזֶר? **F** גרז.

II גזר: جَزُرَ verschlingen *eat much*, جَزُورٌ schlachtreif *ready for slaughtering*:

qal: impf. וַיִּגְזֹר: **fressen** *eat* Js 9, 19. †

I *גֶּזֶר: I גזר: pl. גְּזָרִים: Abschnitte, **Stücke** *pieces* Gn 15, 17 Ps 136, 13. †

II גֶּזֶר: n.l.; I גזר? גֶּזֶר, c. -ā גֶּזְרָה; EA *Gazri*, Macalister, Excavation of Gezer, I—III, 1912; Galling, PJ 31, 75 ff: **Geser** *Gezer*, 1 Mk 7, 45 Γαζηρα, Josephus Γαζαρα, Bild d. Stadt mit Beischrift *reproduction of the town with inscription*: *Gazru* v. Jahr *dated* 734 B. C. **F** ZDP 39,

263 u. Tafel III A :: Albr. BAS 92, 17: = *T. Ǧezer* 25 km nw. Jerusalem: Jos 10, 33 12, 12 16, 3(. 5 G). 10 Jd 1. 29, Pharao gibt sie Salomo *Pharao gifts Solomon with G.*, Salomo baut sie neu *rebuilt by Solomon* 1 K 9, 15—17; efraimitisch *belonging to Ephraim* 1 C 7, 28, Freistadt *town of refuge* Jos 21, 21; *F* 2 S 5, 25 1 C 6, 52 14, 16 20, 4.†

גִּזְרָה: I גזר: sf. גִּזְרָתָם: **abgetrennter Raum** *separated room* Hs 41, 12—15 42, 1. 10. 13; 2. unerklärt *unexplained* Th 4, 7.†

גְּזֵרָה: I גזר: אֶרֶץ גְּ׳ (= أرض جرز) (vom Wasser) abgeschnittnes, **unfruchtbares Land** *land from which water is cut off and which is without herbage* Lv 16, 22.†

גִּזְרִי: gntl. v. II גֶּזֶר: 1 S 27, 8 (K גִּרְזִי).†

*__גֹּחַ__: Ps 22, 10: *F* גחה u. גיח.

[**גֹּחָה**: pt. qal. sf. גֹּחִי: l נֹחִי (נוּחַ) Ps 22, 10.†]

גָּחוֹן: *גחן: sf. גְּחֹנְךָ: **Bauch** (v. Schlangen u. Kriechtieren) *belly (of serpents a. reptiles)* Gn 3, 14 Lv 11, 42.†

גִּחוֹן: *F* גִּיחוֹן.

גֵּחֲזִי: *F* גֵּיחֲזִי.

גחל: جحم brennen *burn*.
Der.: *גַּחַל, *גֶּחָל, גַּחֶלֶת.

*__גַּחַל__: (*gaḥhal?*): pl. cs. גַּחֲלֵי: גַּחֲלֵי אֵשׁ **Glühkohlen** *burning charcoals* Lv 16, 12 2 S 22, 13 Hs. 1, 13 10, 2 Ps 18, 13 f, cj 140, 11; גַּ׳ רְתָמִים Glühkohlen aus Retemholz (in deren sehr beständiger Glut man Pfeilspitzen hämmert) *burning coals of* רתם*-wood (in the very constant red-heat of which arrow-heads are hammered)* Ps 120, 4.†

*__גֶּחָל__: (*gäḥhāl*): גחל: pl. גֶּחָלִים, sf. גֶּחָלָיו, גֶּחָלֶיהָ: (Holz-) **Kohlen** *charcoals* 2 S 22, 9 Js 44, 19. cj 16 (גֶּחָלָיו) Hs 24, 11 Ps 18, 9 (l גֶּחָלֵי אֵשׁ 140, 11) Pr 6, 28 25, 22 26, 21 Hi 41, 13.†

גַּחֶלֶת (*gaḥhälät*): גחל: sf. גַּחַלְתִּי: **Kohlenglut** *glow of charcoals* 2 S 14, 7 Js 47, 14; *F* פֶּחָם.†

גחם: Der. גַּחַם.

גַּחַם: n. m.; גחם; جاحمة heller Brand *burning brightly*: Gn 22, 24.†

*__גחן__: ja. u. جنح, sy. גחן sich beugen *bend*: Der.: גָּחוֹן.

*__גחר__: Der.: גַּחַר.

גַּחַר: n. m.; *גחר; جاحرة; [der im] regenarmen Jahr [Geborne] *[born in the] year of little rain*; JBL 59, 37: Esr 2, 47 Ne 7, 49.†

גַּיְא: Et. ?: גַּיְא; > גֵּיא Js 40, 4, > גֵּיא Sa 14, 4 u. גֵּי: masc., fem. Sa 14, 4; cs. גֵּיא u. גֵּי, pl. גֵּאָיוֹת Hs 36, 4 u. גֵּאָוֹת Hs 6, 3, sf. גֵּיאוֹתֶיךָ: **Tal** *valley*, :: הַר, גִּבְעָה 2 K 2, 16 Hs 31, 12 32, 5 Js 40, 4 Hs 6, 3 36, 4. 6 35, 8; הַגַּיְא אֲשֶׁר בִּשְׂדֵה מוֹאָב Nu 21, 20, = הַגַּיְא מוּל בֵּית פְּעוֹר Dt 3, 29 4, 46; 34, 6 (= *ʿUjûn Mûsa*, Musil, AP 1, 345. 348); גַּיְא n. עַי Jos 8, 11; גַּיְא bei *near* שׂכֹה 1 S 17, 3; אַחַת הַגֵּאָיוֹת 2 K 2, 16; irgendein Tal *a valley whatsoever* Ir 2, 23 Mi 1, 6 1 C 4, 39; גֵּיא גְדוֹלָה Sa 14, 4; גֵּיא צַלְמָוֶת Ps 23, 4; l גַּת 1 S 17, 52; † גַּיְא in n. l.:

a) גֵּי בֶן־הִנֹּם Jos 15, 8 18, 16 2 K 23, 10 Ir 7, 31 f 19, 2. 6 32, 35 2 C 28, 3 33, 6, = גֵּי בְנֵי הִנֹּם 2 K 23, 10 (K) u. גֵּי הִנֹּם Jos 15, 8 18, 16 Ne 11, 30 u. הַגַּיְא Ir 2, 23 (später *later on* Γεεννα Gehenna Theologisches Wörterbuch z. NT 1, 655 f) = *W. er-Rabâbe*, **Hinnomtal** *Valley of Hinnom* bei *near* Jerusalem.†

b) גֵּיא הֲמוֹן גּוֹג Hs 39, 11. 15;†

c) גֵּיא הַהֲרֵגָה Ir 7, 32 19, 6;†

d) גֵּיא־הָרִים (sic f. הָרֵי) u. גֵּי־הָרִים Sa 14, 5 = Tg. חילא טוריא = Ḫallet eṭ-Ṭūri ö. Bir Ajjūb n. Kidron (RB 45, 398 f); †

e) גֵּיא חִזָּיוֹן Js 22, 1. 5; †

f) גֵּיא חֲרָשִׁים 1. 1 C 4, 14; Glueck, The other side of the Jordan, 1945, 83: *the Wādi Arabah, with its many copper and iron mining and smelting sites*; 2. 'גֵּ' הַחֲ Ne 11, 35 in Benjamin; †

g) גֵּי יִפְתַּח־אֵל = *W. el-Mālik* (PJ 22, 62 ff) Jos 19, 14. 27; †

h) גֵּיא־(הַ)מֶּלַח = *W. el-Milḥ* ö. Beerseba 2 S 8, 13 2 K 14, 7 Ps 60, 2 1 C 18, 12 2 C 25, 11; †

i) גֵּי הָעֹבְרִים (l הָעֲבָרִים?) Hs 39, 11; †

j) גֵּי הַצְּבֹעִים = *W. Abu Ḍabaʿ* Seitental des *lateral valley of W. el-Qelt* 1 S 13, 18; †

k) גֵּיא צְפָתָה 2 C 14, 9; †

l) גֵּיא שְׁמָנִים Js 28, 1. 4, die muldenartige Ebene rings um *the depression round* Samaria?†

m) שַׁעַר הַגַּיְא Ne 2, 13. 15 3, 13 2 C 26, 9. †

גִּיד: גוד? ak. *gīdu*, ja. גִּידָא, sy. גִּידָא: pl. גִּידִים, גִּדִים, cs. גִּידֵי: **Sehne** *sinew* Gn 32, 33. 33 Js 48, 4 Hs 37, 6. 8 Hi 10, 11 40, 17. †

גוח, גיח: F ba.; ak. *gaḫḫu* Husten, Auswurf *cough, expectoration*, جاح hervorquellen *gush*: qal: impf. יָגִיחַ, inf. sf. גִּיחוֹ: **hervorbrechen** *burst forth*: Meer *sea* Hi 38, 8, Fluss *river* 40, 23; l וָחוּשִׁי Mi 4, 10, l גֹּחִי (גֹּחִי) Ps 22, 10; † hif: impf. וַתָּגַח, pt. מֵגִיחַ: **hervorbrechen lassen** *cause to burst forth* cj 2 S 23, 4 (מֵגִיחַ), **losbrechen** (Angriff) *charge* Jd 20, 33, **sprühen, sprudeln** *sparkle, gush* Hs 32, 2 (l בְּנַחֲרֹתֶךָ). †
Der.: גִּיחוֹן, גִּיחַ.

גִּיחַ: גיח: Sprudel *bubbling spring*: n. l. bei *near* גִּבְעוֹן 2 S 2, 24 (Text?). †

גִּחוֹן, גִּיחוֹן: גיח: 1. n.l.; Quelle *spring* = *ʿAin Sittī Maryām* in *at* Jerusalem 1 K 1, 33. 38. 45 2 C 32, 30 33, 14; † 2. n. fl. e. Paradiesfluss *a river of Eden* Gn 2, 13, F Komm. †

גֵּחֲזִי, גֵּיחֲזִי: n. m.; Bauer, ZAW 48, 78: *גחז u. -*i*; *גָּחֵז = جاحظ glotzäugig *goggled*: Diener Elisas *servant of Elisha* 2 K 4, 12—31 5, 20—25 8, 4 f. †

גיל: ug. *gyl*; جال sich umdrehen *go round*; Nöld. BS 43: qal: pf. גַּלְתִּי, impf. יָגוּל, יָגִיל Pr 23, 24, יָגִיל Ps 21, 2, יָגֵל, וַיָּגֶל, תָּגֵלְנָה, יְגִילוּן, inf. גּוֹל (= K גּוֹל, Q גִּיל) Pr 23, 24, imp. גִּילִי, גִּילוּ: **jauchzen** *shout exultingly, rejoice* Js 9, 2 Jl 2, 21, c. בְּ über *in* Js 25, 9, // שׂמח Ha 1, 15 Sa 10, 7, // שׂוּשׂ Ze 3, 17 Ps 35, 9, // הִתְהַלֵּל Js 41, 16, // רנן Js 49, 13, // עלז Ha 3, 18, // הָרִיעַ Sa 9, 9; גִּיל לֵב בְּרִנָּה Ze 3, 17, Sa 10, 7 Ps 13, 6, cj 43, 4 (l אָגִילָה) Pr 24, 17; (feindlich) **frohlocken** *triumph over* Ps 13, 5; cj Ho 9, 1 u. Mi 1, 10 u. Ps 20, 6 (גִּיל בְּשֵׁם אֱלֹהִים) u. 75, 10; l יְיֵלִילוּ Ho 10, 5 u. בִּרְגָלָיו Ps 2, 11; F Js 29, 19 35, 1 f 61, 10 65, 18 f 66, 10 Ps 9, 15 14, 7 16, 9 31, 8 32, 11 48, 12 51, 10 53, 7 89, 17 96, 11 97, 1. 8 118, 24 149, 2 Pr 2, 14 23, 25 Ct 1, 4 1 C 16, 31. †
Der.: I* u. II גִּיל, גִּילָה; n. f. אֲבִיגַיִל u. אֲבִיגַל?

I *גִּיל: גיל; mhb., sam., جيل: sf. גִּילְכֶם: **Kreis, Alter(sstufe)** *circle, age* Da 1, 10. †

II גִּיל: גיל: sf. גִּילִי: **Jauchzen** *shouting exultingly, rejoicing* Js 16, 10 Jr 48, 33

Jl 1, 16 Ps 45, 16 65, 13 Si 30, 22; 1 אַל תָּגֶל Ho 9, 1 u. גַּל Hi 3, 22 u. אֲגִילָה Ps 43, 4. †

*גַּיִל: F אֲבִיגַיִל.

גִּילָה: גיל: cs. גִּילַת: **Jauchzen** *rejoicing* Js 65, 18 35, 2 (inf. fem.), cj Js 9, 2. †

גִּילֹנִי u. גִּלֹנִי: gntl. v. גִּלֹה 2 S 15, 12 23, 34, cj 1 C 11, 36. †

גִּינַת: n.m.; unerklärt *unexplained*: 1 K 16, 21 f. †

גִּיר: F גִּר.

גֵּירִים: F גֵּר.

גַּיִשׁ: F *גּוּשׁ.

גֵּישָׁן: n.m.; unerklärt *unexplained*: 1 C 2, 47. †

I גַּל: גלל; F ba.: גְּלָל, pl. גַּלִּים: גַּל אֲבָנִים **Steinhaufe** *heap of stones* Jos 7, 26 8, 29 2 S 18, 17, גַּל // אֲבָנִים Hi 8, 17 Gn 31, 46. 48. 51 f Js 25, 2, cj Hi 3, 22; pl. 2 K 19, 25 Js 37, 26 Ir 9, 10 51, 37 Ho 12, 12 Hi 15, 28 (G F ZAW 31, 154 ff) F גִּלְעָד.

Der. nn.l. גַּלִּים u. גִּלְעָד.

II *גַּל: גלל; ak. *gillu*: pl. (tantum) גַּלִּים, cs. גַּלֵּי, sf. גַּלָּיו, גַּלַּיִךְ, גַּלֵּיהֶם: **Wellen** (des Meers) *waves (of sea)* Js 48, 18 51, 15 Ir 5, 22 31, 35 51, 42. 55 Hs 26, 3 Jon 2, 4 Sa 10, 11 Ps 42, 8 65, 8 89, 10 107, 25. 29 (1 גַּלֵּי הַיָּם) Hi 38, 11, 1 גַּן Ct 4, 12. †

*גֵּל: גלל; جِلَّة getrockneter, mit Stoppeln gemischter (Kuh-, Schaf-, Ziegen-, Kamel-) Mist als Brennstoff *dung (of camels, sheep, goats) kneaded with chopped straw a. formed into round flat cakes, which are dried in the sun, for fuel*: sf. גֶּלְלוֹ, pl. cs. גֶּלְלֵי: **Mistfladen** *dung-cakes* Hs 4, 12. 15; Hi 20, 7. †

גֹּל: F I *גִּיל.

*גֹּל: F II גָּלָה.

*גַּלָּב: LW, ak. *gallâbu*; ph., ja.; pl. גַּלָּבִים: **Barbier** *barber* Hs 5, 1. †

גִּלְבֹּעַ: < *גִּבְעַ: גֶּבַע = גִּבּוֹר: גֶּבֶר Ruž. KD 124: Hügelland *hill-country*: הַגִּלְבֹּעַ 1 S 28, 4 2 S 21, 12, הַר הַגּ׳ 1 S 31, 1. 8 2 S 1, 6, הַר גּ׳ 1 C 10, 1. 8, הָרֵי בַגּ׳ 2 S 1, 21: = *Ǧebel Fuqûʿa* sö. Ebene Jesreel. †

I גַּלְגַּל: גלל: pl. sf. גַּלְגִּלָּיו: 1. **Rad** (am Kriegswagen) *wheel (of war-charriot)* Js 5, 28 Ir 47, 3 Hs 23, 24 26, 10 Ps 77, 19; Räderwerk *wheelwork* Hs 10, 2. 6. 13; 2. **Schöpfrad** (am Brunnen) *waterwheel* Ko 12, 6. †

II גַּלְגַּל: = I metaph.: **Rad** *wheel* (d. radförmigen Reste der Distel Gundelia Tournefortii, welche d. Wind zum Schrecken d. Pferde dahin trägt *the wheel-shaped dryed calix of the thistle Gundelia Tournefortii which borne by the wind causes the shying of horses*; PJ 7, 127) Js 17, 13 Ps 83, 14. †

I *גִּלְגָּל: גלל: cs. גִּלְגַּל: (Wagen-) **Rad**, Scheibe *wheel* Js 28, 28. †

II הַגִּלְגָּל: n. l.; גלל; Steinkreis *stone circle*; Dalm. PJ 15, 5—26!: הַגִּלְגָּלָה Jos 10, 6: a) הַגּ׳ אֵצֶל אֵלוֹנֵי מֹרֶה Dt 11, 30 Ho 4, 15 9, 15 12, 12 Am 4, 4 Mi 6, 5 bei Sichem *near Shechem* E. Sellin, Gilgal 1917 :: Galling BRL 197; b) הַגּ׳ בִּקְצֵה מִזְרַח יְרִיחוֹ Jos 4, 19 f 5, 9 (Etymologie !). 10 9, 6 10, 6 f. 9 14, 6 Jd 3, 19 2 S 19, 16. 41 = *Ch. en-Netheleh (el-Etheleh?)* ö. Jericho (ZDP 54, 50—9 *Ch. Mefǧiz*); c) Jos 12, 23 = *Ǧilgu-*

lieh (n)w גֶּבַע; d) unsicher, welches *uncertain which Gilgal*: Jd 2, 1 1 S 7, 16 10, 8 11, 14 f. 13, 4. 7 f. 12. 15 15, 12. 21. 33 2 K 2, 1 4, 38; e) בֵּית הַגּ׳ Ne 12, 29, zu b? *to* b?; l גְּלִילוֹת Jos 15, 7. †

גֻּלְגֹּלֶת: גלל; ja. גּוּלְגָּלְתָּא u. גולגולתא, ak. *gulgullatu, gulgullu*: sf. גֻּלְגָּלְתּוֹ, pl. sf. גֻּלְגְּלֹתָם: **Schädel** *skull* Jd 9, 53 2 K 9, 35 1 C 10, 10; לַגֻּלְ׳ auf den einzelnen **Kopf** *a head, poll = for every man* Ex 16, 16 38, 26 Nu 3, 47; לְגֻלְגְּלֹתָם nach ihrer Kopfzahl *by their polls* Nu 1, 2. 18. 20. 22 1 C 23, 3. 24. †

***גלד**: *גֶּלֶד.

***גֶּלֶד**: *גלד; ja. גִּלְדָּא, جِلْد Haut *skin*: sf. גִּלְדִּי: **Haut** *skin* Hi 16, 15. †

גלה: mhb.; aram. גלא; جَلَا deutlich sein *be apparent* 1. aufgedeckt werden, enthüllt werden, 2. fortgehn, auswandern 1. *become uncovered, revealed,* 2. *go away, emigrate*; ph. גלי aufdecken *uncover*, ተገለጠ in die Verbannung geführt werden *be taken into exile*:

qal: pf. גָּלָה, גָּלְתָה, גָּלִיתָ, גָּלוּ, impf. יִגְלֶה, יִגֶל, וַיִּגֶל, אֶגְלֶה, יִגְלוּ, inf. גְּלוֹת, גָּלֹה, imp. גְּלֵה, pt. גֹּלֶה, גּוֹלָה, גֹּלָה, גֹּלִים, גָּלוּי, גְּלוּי:

1. **entblössen, aufdecken** *uncover, reveal*: Geheimnis *secret* Am 3, 7, e. G. verraten *disclose a. secr.* Pr 20, 19, e. Schreiben bekannt geben *publish a decree* Est 3, 14 8, 13, e. Kaufbrief nicht versiegeln, offen lassen *not seal, let open a deed* Ir 32, 11. 14; גָּלָה אֹזֶן (ak. *uzna puttû*) jmds Ohr entblössen = jmd mitteilen *uncover somebody's ear = tell somebody* 1 S 9, 15 20, 2. 12 f 22, 8. 17 2 S 7, 27 Hi 33, 16 36, 10. 15 Ru 4, 4 1 C 17, 25; גְּלוּי עֵינַיִם mit aufgetanen Augen *having his eyes opened* Nu 24, 4. 16, cj גָּלִי enthüllt *revealed* Ps 139, 17 (f. וְלִי Gunkel);

2. **fortgehn** [müssen] [*have to*] *depart*: Freude *joy* Js 24, 11, Gras *grass* Pr 27, 25, c. מִן 1 S 4, 21 f Hs 12, 3 Ho 10, 5 Mi 1, 16; c. מֵעַל 2 K 17, 23 25, 21 Ir 52, 27 Am 7, 11. 17; abs. Hs 12, 3, c. לְ 2 S 15, 19; in die Verbannung gehn [müssen] [*have to*] *go into exile* Js 5, 13 Ir 1, 3 Hs 39, 23 Am 1, 5 5, 5 6, 7 Th 1, 3, cj Na 2, 8; Js 49, 21; גְּלוֹת הָאָרֶץ d. Land muss in d. Verb. *the country is taken into exile* Jd 18, 30; l גּוֹלָה 2 K 24, 14 u. l יִגֶּל Hi 20, 28; †

nif: pf. נִגְלָה, נִגְלְתָה, נִגְלֵיתִי, נִגְלֵינוּ, impf. יִגָּלֶה, תִּגָּל, יִגָּלוּ, inf. נִגְלֹה, נִגְלוֹת (? 2 S 6, 20†), הִגָּלוֹת, pt. pl. f. נִגְלֹת: 1. **aufdecken** *uncover*: Fundament *foundation* Hs 13, 14; 2 S 22, 16 Ps 18, 16; Schleppe *skirts* Ir 13, 22, Blösse *nakedness* Ex 20, 26 Js 47, 3 Hs 16, 36. 57 23, 29 (l וְנִגְלְתָה), פֶּשַׁע Hs 21, 29, עָוֹן Ho 7, 1, רָעָה Pr 26, 26, שַׁעֲרֵי מָוֶת Hi 38, 17, l וְנִגַּל Js 38, 12; sich selber entblössen *uncover oneself* 2 S 6, 20; 2. sich aufdecken, **sich zu erkennen geben** *uncover oneself, make oneself known* 1 S 14, 8. 11 (אֶל gegenüber *for*), כְּבוֹד יהוה lässt sich sehn *makes himself visible* Js 40, 5; Gott offenbart sich *God reveals himself* Gn 35, 7 1 S 2, 27 3, 21 Js 22, 14; etwas wird kundgemacht, offenbart *something is published, revealed* 1 S 3, 7 Js 23, 1 (לְ) 53, 1 56, 1 Da 10, 1; נִסְתָּרוֹת :: נִגְלֹת Enthülltes, Offenbartes *things revealed* Dt 29, 28; הִגָּלוּ lasst euch aufdecken! = habt hell! *be uncovered! = be full of light!* Js 49, 9; †

pi: pf. גִּלָּה, גִּלְּתָה, גִּלִּית, גִּלֵּיתִי Ir 11, 20, 33, 6, גִּלּוּ, impf. יְגַלֶּה, תְּגַלֶּה, תְּגַלֶּה Lv 18, 7 (BL 422), וַיְגַל, תְּגַל, תְּגַל, תְּגַלֵּי, inf. גַּלּוֹת, imp. גַּל (l גֹּל Ps 119, 22), גַּלֵּי, pt. מְגַלֶּה:

1. **aufdecken, enthüllen** *uncover, reveal*: מִסְתָּרָיו Ir 49, 10, נַבְלֻת Ho 2, 12, יְסֹד Mi, 1, 6, שׁוּלִים Na 3, 5, סוֹד Pr 11, 13 25, 9, עָוֹן Hi 20, 27, עֶרְוָה Hs 16, 37 23, 10. 18, מָסָךְ Js 22, 8 26, 21, 47, 2 57, 8; גִּ׳ רִיבוֹ אֶל deckt jmd gegenüber s. Rechtsstreit auf *reveals his cause unto* Ir 11, 20, 12; F Lv 20, 18 Ps 98, 2 Hi 12, 22

41, 5 Ru 3, 4. 7; גּ׳ עֵינֵי öffnet d. Augen *opens the eyes* Nu 22, 31 Ps 119, 18, גּ׳ אֶת־ jmd verraten *betray a person* Js 16, 3; וַתְּגַל תַּזְנוּתֶיהָ sie trieb offen ihre Unzucht *she led openly a lecherous life* Hs 23, 18; גּ׳ עַל etw. aufdecken *uncover a thing* Th 2, 14 4, 22; מגלה ראי der den Spiegel putzt *wiping the mirror* Si 12, 11; 2. spezifisch *specifically*: גִּלָּה עֶרְוַת אָבִיו = beschläft eine Frau s. Vaters *lies with a wife of his father's* Lv 18, 7 (*F* 18, 8!) Hs 22, 10, e. Frau des Vaterbruders *a wife of his uncle's* Lv 20, 20, s. Bruders *of his brother's* 20, 21; = **beschlafen** *lie with* Lv 18, 6—19 20, 11. 17—19; גִּלָּה כְּנַף אָבִיו dasselbe *the same* Dt 23, 1 27, 20; ? Ir 33, 6; †

pu: pf. גֻּלְּתָה Na 2, 8 l גֻּלְּתָה geht in d. Verbannung *goes into exile*, pt. f. מְגֻלָּה **unverhüllt, offen** *uncovered, open* Pr 27, 5;

hif: pf. הִגְלָה 2 K 24, 14 u. הִגְלָה 17, 11, הִגְלִיתָ, הִגְלֵיתִי, הִגְלוּ, הִגְלִיתֶם, sf. הִגְלָם Ir 20, 4 u. הֶגְלָם 1 C 8, 7, impf. וַיִּגֶל, וַיַּגְלֵה, וַיַּגְלוּם, inf. הַגְלוֹת, הַגְלוֹתִי, בַּגְלוֹתוֹ > בְּהַגְלוֹתוֹ Ir 27, 20: **in d. Verbannung führen** *take into exile* 2 K 15, 29 16, 9 17, 6. 11. 26—28. 33 18, 11 24, 14f 25, 11 Ir 20, 4 22, 12 24, 1 27, 20 29, 1. 4. 7. 14 39, 9 43, 3 52, 15. 28—30 Hs 39, 28 Am 1, 6 5, 27 Th 4, 22 Est 2, 6 Esr 2, 1 Ne 7, 6 1 C 8, 6f 5, 6. 26. 41; †

hof: pf. הָגְלָה (הָגְלַת Ir 13, 19 l גָּלוּת), הָגְלוּ, pt. מָגְלִים: **in d. Verbannung geführt werden** *be taken into exile* Ir 40, 1. 7 Est 2, 6 1 C 9, 1; †

hitp: impf. וַיִּתְגַּל er **entblösste sich** *he uncovered himself* Gn 9, 21, בְּהִתְגַּלּוֹת לִבּוֹ **sich** in s. Sinn zu **enthüllen** *uncovering himself in his thoughts* Pr 18, 2. †

Der.: גּוֹלָה, גָּלוּת, גִּלָּיוֹן; n. m. יִגְלִי?

גִּלֹה: n. m.; BAS 15, 10 < גִּלָּה* = *Ch. Gâlâ* in Juda: Jos 15, 51 2 S 15, 12, cj Mi 1, 10 (Sellin). †

Der.: גִּלֹנִי, גִּילֹנִי.

גִּלֹנִי: *F* גִּילֹנִי.

I גֻּלָּה: *F* גֻּלַּת.

II גֻּלָּה: ug. *gl* Schale *bowl*; ak. *gullatu* Wulst, Knauf e. Säulenkapitells *torus, capital of a column*; גלל: cs. גֻּלַּת, pl. גֻּלֹּת, גֻּלּוֹת: **1. Becken** (für Öl) *basin* (*for oil*) Sa 4, 3, cj 2 (l גֻּלָּהּ) (Möhlenbrink ZDP 52, 276—82), aus Gold *of gold* Ko 12, 6; **2. wagrechte Scheiben** (Becken) an Säulen *horizontal projections* (*basins*) *on pillars*, BAS 85, 18 ff: 1 K 7, 41 f 2 C 4, 12 f. †

גִּלֻּלִים u. **גִּלּוּלִים** 1 K 15, 12: גלל, Vokalisation von שִׁקּוּץ?: pl. tantum, cs. גִּלּוּלֵי, sf. גִּלּוּלָיו, גִּלּוּלֵיהֶם: Zusammenhang mit גֵּל*? *connected with* גֵּל*? eigentlich Mistkugeln *originally dung pellets*; immer verächtlich gebraucht *always used disdainfully*: **Götzen** *idols* Lv 26, 30 Dt 29, 16 1 K 15, 12 21, 26 2 K 17, 12 21, 11. 21 23, 24 Ir 50, 2 Hs 6, 4—44, 12 (38 ×!); Amulet mit Götterbild zum Anhängen *talisman with image of an idol* Hs 14, 3 f. 7 Mél. Dussaud 421 ff. †

גֹּלֶם*: *F* גְּלוֹם*.

גְּלוֹם*: גֹּלֶם*; ja., sy. גְּלִימָא, pers. گلیم: pl. cs. גְּלוֹמֵי: **Mantel, Überwurf** *wrapping, garment* Hs 27, 24. †

גֹּלָן Jos 20, 8 u. 21, 27: *F* גּוֹלָן. †

גָּלוּת: גלה; *F* ba.: cs. גָּלוּת, גָּלֻת, sf. גָּלוּתֵנוּ: **Wegführung** *exile* 2 K 25, 27 Ir 52, 31 Hs 1, 2 33, 21 40, 1; **Weggeführte** *exiles* Js 20, 4 45, 13 (meine = Gottes *my* = *God's*) Ir 24, 5 28, 4 29, 22 40, 1 Ob 20; גּ׳ שְׁלֵמָה umfassende W. *extensive exile* Am 1, 6. 9; cj Ir 13, 19. †

גלח: ja.; جَلِحَ kahl sein, werden *be, become bald*:

pi: pf. גִּלַּח, גִּלְּחָה, sf. גִּלְּחוֹ, impf. יְגַלַּח, יְגַלְּחוּ, יְגַלֵּחַ, sf. יְגַלְּחֶנּוּ, יְגַלְּחֵם: **scheeren** *shave*: Kopf *head* Nu 6, 9. 18 Dt 21, 12 2 S 14, 26 Hs 44, 20, Haar *hair* Lv 14, 8 f, Kopf, Bart, Brauen *head, beard, brows* 14, 9, Bartecke *corner of the beard* 21, 5, Zöpfe *plaits* Jd 16, 19, Bart *beard* 2 S 10, 4, Kopf, Schamhaare *head, hair of the pubes* Js 7, 20, Stelle voll Grind *scabby spot* Lv 13, 33, Leute *people* 1 C 19, 4; l וַיִּתְגַּלַּח Gn 41, 14; †

pu: pf. גֻּלַּח, גֻּלָּחְתִּי, pt. מְגֻלְּחֵי: **geschoren werden** *be shaven* Jd 16, 17. 22 Ir 41, 5; †

hitp: pf. הִתְגַּלָּח, impf. יִתְגַּלָּח, inf. sf. הִתְגַּלְּחוֹ: **sich scheeren lassen** *have oneself shaven* Lv 13, 33 Nu 6, 19, cj Gn 41, 14. †

גִּלָּיוֹן: גלה: pl. גִּלְיֹנִים: sg. Js 8, 1: **Schreibtafel** *tablet* (cf. גִּלָּה e. Spiegel blank machen *polish a mirror*); Js 3, 23 גִּלְיֹנִים gewöhnlich: **Spiegelchen** (glitzernde Metallplättchen?) *usually*: *hand mirrors* (*glittering little plates of metal?*).

I ***גָּלִיל**: גלל: pl.: גְּלִילִים: 1. **Walzen**: **Zapfen**, in denen die Tür sich dreht *cylinders*: *pivots of the door* 1 K 6, 34. 34; metaph. Ct 5, 14; 2. **Ringe** *rings* Est 1, 6. †

II **גָּלִיל**: גלל; = Kreis *circle, district*: cs. גְּלִיל, c. -*ā*: הַגָּלִילָה: n. t. die später **Galiläa** genannte Landschaft *the country which later on is called Galilee*; Alt, PJ 33, 52 ff: Jos 20, 7 21, 32 2 K 15, 29 1 C 6, 61, אֶרֶץ הַגָּלִיל 1 K 9, 11; גְּלִיל הַגּוֹיִם Js 8, 23 u. cj גּוֹיִם לַגָּלִיל F גּוֹיִם. †

גְּלִילָה: f. v. II גָּלִיל: pl. גְּלִילוֹת: Kreis, **Bezirk** *district* Hs 47, 8, der Philister *of the Philistines* Jos 13, 2 Jl 4, 4, F n.l. גְּלִילוֹת; גְּלִילוֹת הַיַּרְדֵּן d. fruchtbare Bezirk östlich vom obern Jordan *the fertile districts east upper Jordan* (BAS 90, 21[79a]) Jos 22, 10 f. †

גְּלִילוֹת: pl. v. גְּלִילָה: n.l., Jos 18, 17 (Abel 2, 46 l גִּלְגָּל!), cj 15, 7. †

גַּלִּים: I גַּל: n.l., in Benjamin, = *Ch. Kaʿkul* bei *near* Anathot (ZDP 28, 172): 1 S 25, 44 Js 10, 30. †

גָּלְיָת: n. m., **Goliath**; Et. F OLZ 30, 652; BL 510³; Γωλωτ F ZAW 45, 224; Vorkämpfer] der Philister *champion of the Philistines*: הַגִּתִּי 2 S 21, 19 1 C 20, 5, מִגַּת 1 S 17, 4, הַפְּלִשְׁתִּי 1 S 17, 23 21, 10 22, 10. †

גלל: mhb., ja., sam. (äth.):

qal: pf. *גַּל cj Ps 22, 9, גָּלוֹתִי, גָּלְלוּ, impf. וַיָּגֶל (BL 428e), imp. גֹּל, גּוֹל, גֹּלּוּ, pt. גּוֹלֵל: **rollen, hinwälzen, fortwälzen** *roll unto, roll away*: Stein *stone* Gn 29, 3. 8. 10 Jos 10, 18 1 S 14, 33 Pr 26, 27; metaph. e. Sache **abwälzen** *roll away*, c. מֵעַל von *from*, c. אֶל auf *upon*: חֶרְפָּה Jos 5, 9 Ps 119, 22 (l גֹּל), e. Not, e. Anliegen *a grief, a desire* Ps 22, 9 (l גַּל pf!) 37, 5 Pr 16, 3, cj יָגֵל Hi 20, 28; †

nif: pf. נָגֹלּוּ, impf. יִגַּל: **zusammengerollt werden** *be rolled together* Js 34, 4, cj וְנִגַּל Js 38, 12; **sich wälzen, ergiessen** (Flut) *roll, flow forth* (*flood*) Am 5, 24; †

poal: pt. מְגוֹלָלָה: **gewälzt, geschleift** *rolled, trailed* Js 9, 4; †

hitpoel: inf. הִתְגֹּלֵל, pt. מִתְגֹּלֵל: c. עַל **sich stürzen auf** *fall upon* Gn 43, 18, c. בְּ **sich wälzen in** *wallow in* 2 S 20, 12; †

hitpalpel: הִתְגַּלְגָּלוּ **sich einherwälzen** *roll oneself* [*upon*] Hi 30, 14; †

pilpel: pf. sf. גִּלְגַּלְתִּיךָ מִן **wälzen von** *roll away from* Ir 51, 25;

hif: cj וְהִגְלוֹתִי לְ **wälzen nach, in** *roll into* cj Mi 1, 6; וַיָּגֶל F qal. †

Der.: I u. II *גַּל, *גֵּל, I u. II גַּלְגַּל, I* u. II

גָּלִיל, I* u. II גְּלוּלִים, גֻּלָּה, I u. II גֻּלְגֹּלֶת, גִּלְגַּל, גַּלִּים u. גְּלִילוֹת, n.l. ?מַגָּל, מְגִלָּה, גָּלָל I, גְּלִילָה, n. m. II גָּלָל.

I גָּלָל: גלל; جَلَّة: pl. גְּלָלִים: **Kot** *dung* 1 K 14, 10 Ze 1, 17. †

II גָּלָל: גלל; ak. *Galalānu*; Noth 230: n. m.: a) Ne 11, 17 1 C 9, 16; b) 1 C 9, 15. †

III *גָּלָל: nur *only* בִּגְלַל, בִּגְלָלְךָ, בִּגְלָלֵךְ; בִּגְלַלְכֶם; ja. בִּגְלַל, cp. [Syriac]; مِن جَلَالِك, مِن جَلَلِك, مِن أَجْلِك (Nöld. NB 94: جَلَل Sache *matter*): בִּגְלַל **wegen** *on account of, for the sake of*: Gn 12, 13 30, 27 39, 5 Dt 1, 37 15, 10 18, 12 1 K 14, 16 Ir 11, 17 15, 4 Mi 3, 12 Si 10, 8. †

גִּלֲלוֹ: F *גַּל.

גִּלְלַי: F n. m. גָּלָל: n. m. Ne 12, 36; Γιλλις, Γυλλις b. Fick, Griechische Personennamen 31. 88. †

גלם: mhb. גּוֹלֶם ungestaltet *shapeless*, גֹּלֶם formlose Masse *shapeless bulk*; ja. גּוֹלְמָא; [Syriac]: qal: impf. וַיִּגְלֹם: **zusammenwickeln** (Mantel) *wrap* (*mantle*) 2 K 2, 8. †

Der.: *גֹּלֶם, *גְּלוֹם?

*גֹּלֶם: *גלם: sf. גָּלְמִי: **Formloses, Embryo** *shapeless thing, embryo* (1 ?גְּמֻלַי 1 ?כָּל־יָמַי) Ps 139, 16. †

גַּלְמוּד: *גמד; mhb. גַּלְמוּדָה u. ja. גַּלְמוּדְתָא menstruirend *menstruating*; جُلْمُود, جَلْمَد, harter Stein *hard stone*, جَمَد hart sein *be solid*: < *גַּמּוּד Ruž. KD 86; f. גַּלְמוּדָה: hart, zur Erzeugung oder Empfängnis unfähig, **unfruchtbar** *incapable of begetting or conceiving, barren, sterile* Js 49, 21 Hi 3, 7 15, 34 30, 3. †

גלע: mhb. נתגלע aufbrechen (Wunde) *burst open* (*wound*) Nidda 8, 2 (Grätz, MGW 1884, 42): hitp: pf. הִתְגַּלַּע, impf. יִתְגַּלָּע: **losbrechen** (Streit) *burst out* (*in contention*) Pr 17, 14 18, 1 20, 3. †

גִּלְעָד: n. t.; Γαλααδ; Volksetymologie *popular etymology* Gn 31, 47; *גער, جَعْد rauh sein (Wange) *be rough* (*cheek*); < *גַּעַר, ThZ 2, 314 f; *Ǧalʿād Ǧalʿūd* noch heute nn. l. *still today* nn. l. s. יַבֹּק; **Gilead**; 1. n. t.: ursprünglich Name e. kleinen Gebiets bezeichnet Gilead später das Ostjordanland vom Arnon an nordwärts *originally the name of a small area Gilead develops to the name of the whole country east Jordan and north Arnon*; G. vom יַבֹּק i 2 Teile geteilt *G. is divided by the river* יַבֹּק *into two parts*: חֲצִי הַגּ' Jos 12, 2 :: 5; d. nördliche davon heisst vorzugsweise Gilead *the northern of those two parts is chiefly called Gilead*; oft *often* הַגִּלְעָד, c.-*ā* גִּלְעָדָה; 1 גָּד 1 K 4, 19, 1 וַיִּצְרְפֵם גִּדְעוֹן Jd 7, 3; הַר הַגּ' Gn 31, 21. 23. 25, גּ' Gn 37, 25 Dt 3, 12 Sa 10, 10 Ps 60, 9 108, 9; הַגּ' Dt 4, 43 Jos 20, 8 21, 38 Am 1, 13; Jos 13, 11 Jd 10, 8 11, 29; אֶרֶץ הַגּ' Jos. 22, 9. 13. 15. 32 Jd 10, 4 20, 1 2 S 2, 9! 17, 26 2 K 10, 33 1 C 2, 22; אֶרֶץ גּ' // אֶרֶץ יַעְזֵר Nu 32, 1 1 C 5, 9, מִזְרַח לַגּ' 1 C 5, 10, הַגּ' וְהַבָּשָׁן Dt 3, 10 2 K 10, 33 Mi 7, 14! 1 C 5, 16, אֶרֶץ גָּד וְגּ' 1 S 13, 7; גִּלְעָד für Jahwe gleichgiltig *of no regard for Yahve* Ir 22, 6; F Nu 32, 39 1 C 27, 21; Nu 32, 40 Dt 2, 36 3, 15 f 34, 1 Jos 17, 1 Am 1, 3; Dt 3, 13; Jos 12, 2; 12, 5 13, 31; 2 S 24, 6; 2 K 15, 29 Ir 50, 19 Hs 47, 18 Ob 19 Ct 6, 5; Balsam aus Gilead *balm from Gilead* Ir 8, 22 46, 11; Ct 4, 1; 1 C 26, 31; עָרֵי הַגּ' Nu 32, 26 Jos 13, 25 (Jd 12, 7 1 בְּעִירוֹ

= (מִצְפֵּה גִּ'); *F* nn. l. 1 רָאמוֹת, מִצְפֶּה, יָבֵשׁ u. תִּשְׁבֵּי, רָמֹת; † 2. n. p. גִּ' בְּנֵי גִּ' Nu 36, 1, גִּ' Jd 5, 17 12, 4 f; גִּ' בְּתוֹךְ אֶפְרַיִם Jd 12, 4; † 3. n. l. הַגִּ' Jd 10, 17, = גִּ' Ho 6, 8 (Sellin: = מִצְפֵּה גִּ') 12, 12?, שָׂרֵי גִּ' Jd 10, 18, יֹשְׁבֵי גִּ' Jd 10, 18 11, 8, אַנְשֵׁי גִּ' 11, 5. 7—11, זִקְנֵי גִּ' 12, 4 f; † 4. n. m. a) S. v. מָכִיר Nu 26, 29 f 27, 1 Jos 17, 3 Jd 11, 1 f 1 C 2, 21. 23 7, 14. 17 b) S. v. מִיכָאֵל 1 C 5, 14 †; *F* גִּלְעָדִי.

גִּלְעֵד: n. l., = „Steinhaufe des Zeugens *heap of stones of the witness*" Volksetymologie *popular etymology*: Gn 31, 47 f. †

גִּלְעָדִי: gntl. v. גִּלְעָד: **Gileadit** *Gileadite*: a) Nu 26, 29 b) Jd 10, 3 c) Jd 11, 1. 40 12, 7 d) 2 S 17, 27 19, 32 1 K 2, 7 Esr 2, 61 Ne 7, 63 e) בְּנֵי גִלְעָדִים 2 K 15, 25. †

גלשׁ: mhb., ja. wallen *boil*; äg. *k3-r3-św* (Determinativ hüpfender Mann *jumping man*) = hüpfen (Erman, OLZ 28, 5); جَلَسَ aufsteigen, absteigen *go up, go down* (Nöld. NB 92[4]):
qal: pf. גָּלְשׁוּ: **heruntersteigen** (Ziegen) *go down (goats)* Ct 4, 1 6, 5. †

גֻּלֹּת: II גֻּלָּה: n. l., גֻּלֹּת מַיִם (גִּ' עִלִּיּוֹת u. גִּ' תַּחְתִּיּוֹת) Jos 15, 19 (*F* Noth!) u. Jd 1, 15 (גִּ' עִלִּית u. גִּ' תַּחְתִּית): im *Sēl ed-Dilbe* sw. Hebron (Noth JPO 15, 48 f)? †

גַּם (± 765 ×): גמם; ug. *gm*; Partikel d. Beigesellung u. d. Heraushebung *particle of associating a. emphasizing*: 1. beigesellend *associating*: חֲדָשִׁים גַּם יְשָׁנִים die neuen **samt** den alten *new together with old* Ct 7, 14, גַּם שְׁנֵיכֶם euch alle beide *both of you together* Gn 27, 45, בָּם גַּם הֵמָּה über sie miteinander *of them together* Ir 25, 14; 2. hinzufügend *adding*: גַּם לְאִישָׁהּ **auch** ihrem Mann *also unto h. husband* Gn 3, 6, גַּם יֹדֵעַ אָנִי auch weiss ich *I also know* Ko 8, 12; 3. betonend *emphasizing* (Jacob, ZAW 32, 279—82) גַּם לַדָּבָר הַזֶּה **auch** in dieser Sache *this thing also* Gn 19, 21, גַּם אָנִי auch mich *even me also* Gn 27, 34, דָּמְךָ גַּם־אָתָּה **auch** dein Blut *even thy blood* 1 K 21, 19; 4. Die Beigesellung tritt hinter die Betonung zurück *emphasizing prevails over associating*: גַּם הוּא er selber, **er seinerseits** *he himself, he for his part* Gn 32, 19, גַּם בּוֹשׁ selbst das Schämen (*not*) *even ashamed* Ir 8, 12, גַּם אֶת־הַטּוֹב das Gute *the good* Hi 2, 10, גַּם־אֵל Gott aber *but God* Ps 52, 7; 5. steigernd *stressing*: גַּם צַדִּיק **sogar** e. Schuldlosen *even a righteous* Gn 20, 4, גַּם אֶת־הַכֹּל sogar das Ganze *even all* 2 S 19, 31, גַּם עֲנוֹשׁ schon dass man büsst *even to fine* Pr 17, 26, גַּם הוּא schon das *even this* Hi 13, 16; 6. in der Kunstform der (eigentlichen oder umschriebenen) Wiederholung (*proper or figurative*) *repetition as figure of speech*: וְהִיא־גַם־הִיא u. **sogar** sie selber *even she herself* Gn 20, 5, תִשְׂתָּרֵר . . . . גַּם הִשְׂתָּרֵר machst dich sogar zum Herrscher *thou even must make thyself a prince* Nu 16, 13, וַיֹּאכַל גַּם אָכוֹל er verzehrte sogar *he even has devoured* Gn 31, 15, גַּם בָּכִינוּ **ja**, (wir) weinten *yea, we wept* Ps 137, 1; 7. גַּם c. Negation: לֹא . . . . גַּם **auch nicht** *nor* 1 S 28, 20, גַּם לֹא auch nicht *yea, and none* Ct 8, 1, גַּם אֵין auch gibt es nicht *yet is there no* Ko 4, 8, לֹא . . . . גַּם אֶחָד **auch nicht Einer** *not so much as one* 2 S 17, 12, גַּם עַד־הָעֵת הַהִיא לֹא **auch** damals **noch nicht** *even unto that time not* Ne 6, 1; 8. גַּם verbindet Sätze *combining whole phrases*: וְגַם בָּרוּךְ יִהְיֶה er bleibt **auch** gesegnet *yea, [and] he shall be blessed* Gn 27, 33, גַּם יָכֹלְתִּי ich habe **sogar** gesiegt *I have even prevailed* Gn 30, 8; in solchen Reihungen gleichwertiger Nota bleibt גַּם am besten unübersetzt *in a series of parallel phrases stressed in the same way* גַּם *is not to be translated* Jd 5,4; גַּם רָאוּ sie haben [**denn**] **auch** zu sehen bekommen *and they saw* Ps 95,9, גַּם לֹא יָכְלוּ לִי u. sie haben **doch nicht** *yet they have not* Ps 129,2; 9. גַּם in Verbindungen *in compounds*: כִּי גַּם **wenn schon** *although* Ko 4,14; גַּם אֲשֶׁר **was auch** *even that which* Ne 3,35; גַּם כִּי **selbst wenn** *yea, though* Js 1,15 Ho 8,10; cj גַּם עַתָּה **auch jetzt noch** *even now* Da 10,17; גַּם עַתָּה Formel der Weiterführung: **nun also** *formula of continuation*: *now also* Gn 44,10 1 S 12,16 Hi 16,19; 10. גַּם steht oft nicht da, wo es logisch hingehört, sondern in Fernstellung *in many cases* גַּם *has its place not according to logic, but is put at a distant place*: גַּם אוֹי לָהֶם auch über sie wehe! *woe also to them*! Ho 9,12, גַּם אַתְּ בְּדַם־בְּרִיתֵךְ wegen ... des Bundes auch mit dir *because of ... of the covenant also with thee* Sa 9,11; 11. Pr 20,11 u. Hi 18,5 dele גַּם (dittogr.); Hi 41,1 dele הֲ (dittogr.); 12. וְגַם wird wie גַּם gebraucht, וְגַם *is used in the same manner as* גַּם: hinzufügend *adding*: וְגַם אַחֲרֵי־כֵן **und auch** später *and also afterwards* Gn 6,4; וְגַם אָמַרְתִּי **u. weiter** sage ich *a. further I say* Jd 2,3; betonend *emphasizing*: וְגַם עַתָּה u. **auch jetzt** noch *yet even now* Jl 2,12; nur noch betonend *exclusively stressing*: וְגַם אַתֶּם ihr **dagegen** *you on the contrary* Ne 5,8; וְגַם אֲנִי ich **meinerseits** *I for my part* Am 4,6 Mi 6,13, l וְגָמַל Js 21,12; 13. wenn וְגַם zwei Sätze verknüpft, wird der betonte Satzteil vorangestellt *if* וְגַם *connects two phrases the stressed part of the phrase is put at the beginning*: וְגַם אֶת־לוֹט הֵשִׁיב u. auch Lot *a. also Lot* Gn 14,16; וְגַם ... הָיְתָה u. es kam auch zu .... *there has been also* ... 1 S 4 17; וְגַם c. Negation: וְגַם לֹא u. doch nicht *a. yet ... not* Hs 16,28; וְגַם אֶת ... לֹא יָדְעוּ u. auch nicht *nor yet* Jd 2,10; 14. וְגַם in Fernstellung *put at distance*: וְגַם נָתַתִּי מִמֶּנָּה u. auch von ihr *a. also from her* Gn 17,16; גַּם ... גַּם: גַּם תֶּבֶן מִסְפּוֹא **sowohl ... als auch** *straw and provender as well* Gn 24,25, וְגַם ... גַּם **sowohl ... als auch** *both [with ...] and [with]* 1 S 2,26 (5-gliedrige Reihe *series of* 5 גַּם Jos 7,11); גַּם הֵמָּה ... גַּם אֲנִי (betont gegensätzlich *stressing the contrast*) **diese ... ich** *[yea,] they ... [but] I* Js 66,3 f; גַּם לֹא ... גַּם **weder ... noch** *neither ... nor* Ze 1,18; גַּם ... גַּם ... לֹא **weder ... noch** *neither ... nor* 1 S 21,9; גַּם אַתָּה לֹא ... וְגַם אָנֹכִי לֹא **weder** *ich* ... ... **noch du** *neither I ... nor thou* Gn 21,26; גַּם ... לֹא ... גַּם ... לֹא **weder ... noch** *neither ... nor* Nu 23,25; .... לֹא גַּם .... גַּם ... גַּם **weder .... noch .... noch** *neither ... nor ... nor* Ex 4,10 1 S 28,15.

גמא: aram. גְּמָא, גְּמַע schlürfen *sip*; *ǧumʿa* Schluck *swallow* (v. Socin bei Mosul gehört *heard by Socin near Mosul*); F גֹּמֶא:

pi: impf. יְגַמֶּא־ **in sich schlürfen** (sprengendes Pferd den Boden) *swallow (running horse the ground)* cf. إِلْتَهَمَ الأَرْضَ: Hi 39,24, cj תגמאי Hs 23,34;†

hif: impf. sf. הַגְמִיאִינִי: **schlürfen lassen** *give to sip* Gn 24,17.†

גֹּמֶא: mhb. גֶּמִי, ja. גֻּמְיָא (für hebr. Sprachgefühl wohl v. גמא abgeleitet *the Hebrew might consider* גֹּמֶא *as belonging to* גמא); äg. LW *km3* (EG 5,37), **ⲕⲁⲙ**: **Papyrus** *papyrus Cyperus Papyrus L.* (Löw, 1,559 ff): Ex 2,3 Js 18,2 35,7 Hi 8,11; cj גֹּמָאִים **Papyruskähne** *papyrus boats* (Salonen, D. Wasserfahrzeuge in Bab., 1939, 5 f; Wiedemann, D. alte Äg., 1920, 214 u. Abb. 37) cj Ir 51,32.†

*גמר: F גַּלְמוּד.

גֹּמֶר: ja. גַּרְמִידָא, [Syriac], mnd. גורמיזא; äth. g^w end Stock *stick* (VG 1, 163): Längenmass *linear measure*: **Spanne? Elle?** *cubit?* Jd 3, 16.†

גַּמָּדִים: n. p., GS Φύλακες, V Pygmaei (v. גֹּמֶד?); EA 116, 75: (*alu*) *Kumidi*, Küstenstadt bei *sea-side town near* Arwad? Maisler 8[2], Noth ZDP 60, 221 f: Hs 27, 11.†

גָּמוּל: n. m.; גמל, Noth 182: 1 C 24, 17; F בֵּית גָּמוּל.†

גְּמוּל: גְּמֻל: גמל: sf. גְּמוּלְךָ, גְּמֻלְךָ, גְּמֻלוֹ, pl. גְּמוּלִים, sf. גְּמוּלָיו: Tat *act*, *doing*, der Hände *of the hands* Jd 9, 16 Js 3, 11 Pr 12, 14, גְּ' אֱלֹהִים Js 35, 4, גְּמוּל לְ Tat an *doing unto* Js 59, 18; pl. **Wohltaten** *benefits* Ps 103, 2, cj 139, 16; שִׁלֵּם גְּ' לְ jmd e. Tat vergelten, **Vergeltung üben an** *render recompence to* Js 59, 18 66, 6 Ir 51, 6 Ps 137, 8 Pr 19, 17, c. עַל an *to* Jl 4, 4; הֵשִׁיב גְּ' בְּרֹאשׁ jmd s. Tun aufs Haupt zurückfallen lassen, heimzahlen *return his doing upon his head* Jl. 4, 4. 7; שׁוּב גְּ' בְּרֹאשׁוֹ Ob 15, הֵשִׁיב גְּ' לוֹ Ps 28, 4 Th 3, 64, c. עַל Ps 94, 2 2 C 32, 25; cj כִּגְמֻל (מַעֲשֵׂינוּ) Js 26, 12.†

גְּמוּלָה: גמל: pl. גְּמֻלוֹת: **Vergeltung** *recompence* 2 S 19, 37, אֵל גְּמֻלוֹת Ir 51, 56; גְּמֻלוֹת **Taten** *dealings* Js 59, 18.†

גִּמְזוֹ: n. l.: = *Ǧimzu* 5 km sö. לֹד: 2 C 28, 18.†

גמל: ak. *gamâlu* schonen, verzeihen, schenken *spare*, *forgive*, *give*, *turru gimilli* vergelten *repay*; ja. גמל jmd etw. antun *do a person something*, nab. n. f. גמלת; جَمَلَ sammeln *collect*:

qal: pf. גָּמַל, גָּמַלְתְּ, גָּמַלְנוּ, sf. גְּמָלָם, גְּמָלַתְהוּ, גְּמָלַתְהוּ, גְּמָלוּךְ, impf. תִּגְמֹל, sf. יִגְמְלֵנִי, inf. sf. גָּמְלָהּ, imp. גְּמֹל, pt. גֹּמֵל, גָּמוּל, גְּמֹל:

1. **vollenden** *deal fully*, *finish*: גָּ' שְׁקֵדִים **reife** Mandeln **hervorbringen** *bear ripe almonds* Nu 17, 23, בֹּסֶר גֹּמֵל gereift (weich u. süss geworden) *ripened* (*grown mellow a. sweet*) Js 18, 5, גָּ' **heranwachsen** *grow up* Si 14, 18, לַיְלָה vollendet, **vergangen sein** *have passed* Js 21, 12 (l וְגָמַל); **entwöhnen** *wean* 1 S 1, 23 f Ho 1, 8 (l וַתִּגְדְּלֵהוּ 1 K 11, 20), גְּמוּלֵי מֵחָלָב Js 28, 9, גָּמוּל Js 11, 8 Ps 131, 2 (f. כַּגָּמֻל l תִּגָּמֵל); 2. **antun, erweisen** *render*, *do* (*good*, *evil*) *to*: c. אֶת jmd *a person*: רָעָה Gn 50, 15. 17 1 S 24, 18 Pr 3, 30 Ps 7, 5 (רַע), טוֹבָה 1 S 24, 18, טוֹב Pr 31, 12, גְּמוּלָה 2 S 19, 37, כֹּל Js 63, 7; גָּ' לְ jmd *a person* Dt 32, 6 Js 3, 9 Ps 137, 8, c. עַל Jl 4, 4 Ps 13, 6 103, 10 116, 7 119, 17 2 C 20, 11; גָּ' נַפְשׁוֹ sich selber antun *do to oneself* Pr 11, 17; גָּ' כְּ gemäss ... behandeln *reward according to* 2 S 22, 21 Ps 18, 21; גָּמַל עַל sich jmds annehmen *deal with* Ps 142, 8;†

nif: impf. יִגָּמֵל, יִגָּמֵל, inf. הִגָּמֵל: entwöhnt werden *be weaned* Gn 21, 8. 8 1 S 1, 22, cj Ps 131, 2 (תִּגָּמֵל).†

Der.: גְּמוּל, גְּמוּלָה, תַּגְמוּל; n. m. גְּמַלִּיאֵל, גְּמַלִּי, גָּמוּל; n. l. בֵּית גָּמוּל.

גָּמָל: ak. *gammallu*, *gâmâlu*, aram. גַּמְלָא, جَمَل, aber *but* καμηλος; g : κ zeigt d. fremden Ursprung des Namens, der mit d. Tier einwanderte; g : κ *shows the foreign origin of the word immigrated together with the animal*: pl. גְּמַלִּים; גְּמַלָּיו, גְּמַלֵּי: **Kamel** *camel Camelus Dromedarius*, einhöckerig *one-hunched*: Fleisch unrein *meat forbidden* Lv 11, 4 Dt 14, 7: in Aufzählungen *enumerated together with other animals*: Gn 12, 16 24, 35 30, 43 32, 8 Ex 9, 3 1 S 15, 3 27, 9 Js 21, 7 30, 6 Sa 14, 15 Hi 1, 3 42, 12

Esr 2, 67 Ne 7, 68 1 C 5, 21 12, 41 27, 30 2 C 14, 14; mit Ausdrücken d. Pflege u. Nutzung *attending a. using of camels*: Gn 24, 11—64 31, 17. 34 32, 16 37, 25 1 K 10, 2 2 C 9, 1 2 K 8, 9 Js 60, 6 Hs 25, 5; F Gn 24, 10 Jd 6, 5 7, 12 8, 21. 26 1 S 30, 17 Ir 49, 29. 32. †

גְּמַלִּי: n. m.; גמל; KF; Noth 182: Nu 13, 12. †

גַּמְלִיאֵל: n. m.; גמל u. אֵל; Γαμαλιηλ: Nu 1, 10 2, 20 7, 54. 59 10, 23. †

***גמם**: جَمَّ Überfluss haben, sammeln *be abundant, collect*: גַּם.

גמר: ak. *gamāru* fertig sein, vollenden *complete*; mhb., F ba., جَمَرَ sammeln *assemble*, አገመረ vollenden *complete*:

qal: pf. גָּמַר, impf. יִגְמֹר, יִגְמָר־, pt. גֹּמֵר: 1. **zu Ende sein** *come to an end* Ps 7, 10 12, 2 (l. חָסֵד) 77, 9 (dele אֹמֶר); 2. **zu Ende bringen** *bring to an end* Ps 57, 3 (עַל zu Gunsten *for the benefit of*) 138, 8 (בַּעַד zum Schutz *to the support of*). †

Der.: n. f. II גֹּמֶר? n. m. גְּמַרְיָה, גְּמַרְיָהוּ.

I **גֹּמֶר**: n. p.; S. v. יֶפֶת Gn 10, 2, seine Söhne *his sons* Gn 10, 3 1 C 1, 5 f: ak. *Gimirrai*, Kimmerier (in Kappadocien, die zur Zeit des Sargon u. später in Armenien eindringen *intruding into Armenia since the days of Sargon*) Streck, VAB VII, p. CCCXXI ff: Gn 10, 2 f 1 C 1, 5 f Hs 38, 6. †

II **גֹּמֶר**: n. f.; v. גמר = Vollendung *perfection* ZAW 32, 8? oder *or* جَمْرَة brennende Kohle *burning coal* (cf. רִצְפָּה)?: Frau d. Hosea: Ho 1, 3. †

גְּמַרְיָה: n. m.; < גְּמַרְיָהוּ: Ir 29, 3. †

גְּמַרְיָהוּ: n. m.; גמר u. יה; Lkš 1, 1; > גְּמַרְיָה: Ir 36, 10—12. 25. †

גַּן: גנן; ug. *gn*; aram. גִּנְתָא, גִּנָּא, ph. Harris 94; Einfriedigung > Garten *fencing in* > *garden*: גָּן, sf. גַּנִּי, גַּנּוֹ, pl. גַּנִּים; masc.; **Garten** *garden*: גַּן יָרָק Gemüsegarten *garden of herbs* Dt 11, 10 1 K 21, 2, גַּן רָוֶה gut bewässerter G. *watered g.* Js 58, 11 Ir 31, 12, גַּן הַמֶּלֶךְ 2 K 25, 4 Ir 39, 4 52, 7 Ne 3, 15, גַּן עֻזָּא 2 K 21, 18. 26, cj 2 C 36, 8, גַּן בֵּיתוֹ 2 K 21, 18, גַּן נָעוּל verschlossner G. *barred g.* Ct 4, 12, מַעְיַן גַּנִּים G. quell *fountain of g.* Ct 4, 15; F Ct 4, 16 5, 1 6, 2 8, 13; l כַּגֶּפֶן Th 2, 6, l בַּגְּפָנִים Ct 6, 2; **Gottesgarten** *garden of God*: גַּן־אֱלֹהִים Hs 28, 13 31, 8, גַּן הָאֱלֹהִים 31, 9, גַּן יהוה Gn 13, 10 Js 51, 3, גַּן בְּעֵדֶן d. Garten (= Oase) in (d. Landschaft) Eden *the garden (= oasis) in (the country of) Eden* Gn Gn 2, 8, > גַּן עֵדֶן = Garten von! Eden *garden of! Eden* Gn 2, 15 (גַּן fem.?) 3, 23 f IIs 36, 35 Jl 2, 3, F Gn 2, 9 f. 16 3, 1—3. 8. 10. †

Der. גַּנָּה, n. l. בֵּית הַגָּן u. עֵין גַּנִּים.

גנב: mhb., ph.; aram.; جَنَبَ beseitigen *put aside*:

qal: pf. גְּנַבְתּוֹ, גְּנַבְתֶּם, sf. גָּנְבוּ, גָּנַבְתִּי, גָּנַבְתְּ, impf. תִּגְנְבוּ, יִגְנְבוּ, יִגְנוֹב, יִגְנֹב, inf. גְּנָבְךָ, גָּנֹב, pt. גֹּנֵב, גְּנוּב, גְּנוּבִים, f. cs.! גְּנֻבְתִי (BL 526 k): **stehlen** *steal*: Sachen *things* Gn 31, 19. 30. 32 44, 8 (מִן) Ex 20, 15 Lv 19, 11 Dt 5, 19 Jos 7, 11 2 S 21, 12 Ir 7, 9 Ho 4, 2 Ob 5 Sa 5, 3 Pr 6, 30 30, 9, Vieh *cattle* Gn 30, 33 Ex 21, 37 22, 11; גָּנוּב אִתִּי bei mir gestohlen *stolen out of my responsibility* Gn 30, 33, גְּנֻבְתִי יוֹם was tagsüber gestohlen wird *stolen by day* Gn 31, 39, לַיְלָה nachtsüber *by night* 39; ג׳ לֵבוֹ **überlisten, täuschen** *deceive, dupe* Gn 31, 20. 26 f; מַיִם גְּנוּבִים Pr 9, 17; v. Sturm: **forttragen** *storm*: *carry away* Hi 21, 18 27, 20; †

nif: impf. יִגָּנֵב **gestohlen werden** *be stolen* Ex 22, 11; †

pi: impf. וַיְגַנֵּב, pt. מְגַנְּבֵי **sich durch Diebstahl aneignen** *steal away* 2 S 15, 6 Ir 23, 30; †
pu: pf. גֻּנַּבְתִּי, גֻּנַּב, impf. יְגֻנַּב, inf. גֻּנֹּב: **1. weggestohlen werden** *be stolen away* Gn 40, 15 Ex 22, 6; **2. c.** אֶל **sich zu jmd hinstehlen** *bring oneself like a thief to* Hi 4, 12;
hitp: impf. וַיִּתְגַּנֵּב: **sich auf die Seite stehlen** *steal oneself away* 2 S 19, 4. †
Der.: גַּנָּב, גְּנֵבָה; n.m. גְּנֻבַת.

גַּנָּב: גנב: גַּנָּב der stiehlt *who has stolen* > גַּנָּב Dieb *thief* Dt 24, 7: pl. גַּנָּבִים: **Dieb** *thief* Ex 22, 1. 6 f Dt 24, 7 Js 1, 23 Ir 2, 26 48, 27 49, 9 Ho 7, 1 Jl 2, 9 Ob 5 Sa 5, 4 Ps 50, 18 Pr 6, 30 29, 24 Hi 24, 14 30, 5. †

גְּנֵבָה: גנב: sf. גְּנֵבָתוֹ: **Diebssache, Gestohlenes** *thing stolen* Ex 22, 2 f. †

גְּנֻבַת: n. m.; גנב?: 1 K 11, 20. †

גַּנָּה, *גִּנָּה: f. v. גַּן: cs. גַּנַּת, sf. גַּנָּתוֹ, pl. גַּנּוֹת, גַּנּוֹת, sf. גַּנּוֹתֵיכֶם; **Garten** *garden* Nu 24, 6 Js 1, 30 61, 11 Ir 29. 5. 28 Am 4, 9 9, 14 Hi 8, 16 Ct 6, 11 (mit Nussbäumen *nut-garden*) Ko 2, 5 (// פַּרְדֵּס), Palastgarten *garden of palace* Est 1, 5 7, 7; kultische Stätte *place of worship* Js 1, 29 65, 3 66, 17; cj Ps 80, 16. †

I גְּנָזִים: *F* ba., *גְּנַז, pl. cs. גִּנְזֵי: גִּנְזֵי הַמֶּלֶךְ **königliche Schatzkammer** *royal treasury* Est 3, 9 4, 7. †

II *גְּנָזִים: Est 1, 3 Tg. גנזי: **Teppiche** ? *carpets* ? Hs 27, 24. †

***גַּנְזַךְ**: Lagarde, Gesammelte Abhandlungen 28: pers. گنجک u. -ak), pl. sf. גַּנְזַכָּיו: **Schatzkammer, Vorratskammer** *treasury, storeroom* 1 C 28, 11. †

גנן: ak. *gannu* Deckel *cover*, aram. אַגֵּן schützen *protect*, جَنَّ decken, schützen *cover, protect*; ph. n. m. אסרגן (Osiris schützt *protects*):
qal: pf. גַּנּוֹתִי, impf. יָגֵן, inf. גָּנוֹן: **einfriedigen, umhegen** *enclose, fence*, **schützen** *defend*: c. עַל 2 K 20, 6 Js 31, 5 37, 35 38, 6 Sa 9, 15, c. אֶל (l עַל?) 2 K 19, 34, c. בְּעַד Sa 12, 8, abs. Js 31, 5. †
Der. גַּן, גַּנָּה, I גַּת?, I מָגֵן.

גִּנְּתוֹן: n.m.: Ne 10, 7 12, 16, cj 12, 4. †

***געד**: n.l. גַּלְעֵד.

געה: ug. $g^{c}y$ brüllen *low*; mhb., aram. גְּעָא:
qal: impf. יִגְעֶה, inf. גְּעוֹ: **brüllen, muhen** *low (cattle)* 1 S 6, 12 Hi 6, 5. †

***גֹּעָה**: c. -ā גֹּעָתָה nach *unto* G: n.l.; im Kidrontal *in the Valley of Kidron* Ir 31, 39; cj (Abel, RB 45, 392) מִגֹּעָה f. כִּי יַגִּיעַ Sa 14, 5. †

געל: mhb. נתגעל besudelt sein *be fouled*, הגעיל spühlen *rinse*; ja. געל pa. besudeln *foul*; NF II גאע:
qal: pf. גָּעֲלָה, גָּעֲלוּ, sf. גְּעָלָתַם; impf. תִּגְעַל. pt. גֹּעֶלֶת: **verabscheuen, Widerwillen empfinden gegen** *abhor, loathe*, c. ac. Lv 26, 11. 15. 30. 43 f Hs 16, 45, c. בְּ Ir 14, 19, cj Sa 11, 8; †
nif: pf. נִגְעַל: **besudelt werden** *be fouled* 2 S 1, 21, **widerwärtig sein** *be unpleasant* Si 34, 16; †
hif: impf. יַגְעִל: (Stier) beflecken = **verfehlen** (die Befruchtung) *foul = cast away (semen)* Hi 21, 10. †
Der.: *גֹּעַל; n. m. גַּעַל.

גַּעַל: n.m.; געל; asa. Ryck. 1, 62: جعل [ḥadramout.] Mistkäfer *scarab*: Jd 9, 26—41. †

***גֹּעַל**: געל: בְּגֹעַל נַפְשֵׁךְ aus **Ekel** vor deinem Leben *by loathing of thy life* Hs 16, 5. †

גער: ug. $g^{c}r$ schelten *rebuke*, brüllen (Pferd) *roar* (*horse*); aram. גְּעַר, ܓܥܪ schreien *cry out*; asa. גער n.m.; جعر (Dozy, Berggren) brüllen *roar*; Pedersen, Eid 82, Joüon Bibl. 6, 311—21: qal: pf. גָּעַר, גָּעַרְתָּ, impf. יִגְעַר, תִּגְעֲרוּ, inf. גְּעָר־ Js 54, 9, pt. גּוֹעֵר: **schelten** *rebuke*: c. בְּ Gn 37, 10 Ir 29, 27 Ru 2, 16; Gott d. Meer *God the sea* Js 17, 13 Na 1, 4 Ps 106, 9, Gott Israel *God Israel* Js 54, 9, d. Satan *Satan* Sa 3, 2, Heuschrecken *locusts* Ma 3, 11; c. ac. Gott die Völker *God the nations* Ps 9, 6, חַיַּת קָנֶה Ps 68, 31, זֵדִים 119, 21; l גֹּרֵעַ Ma 2, 3. †
Der. גְּעָרָה, מִגְעֶרֶת.

גְּעָרָה: גער: cs. גַּעֲרַת, sf. גַּעֲרָתִי: **Schelten**, *rebuke* Pr 13, 1. 8 17, 10 Ko 7, 5; **Drohung** *menace* Js 30, 17; d. **drohende Schelten** Gottes *the menacing rebuke of God* 2 S 22, 16 Js 50, 2 51, 20 66, 15 Ps 18, 16 76, 7 104, 7 Hi 26, 11; פָּנֶיךָ Ps 80, 17. †

געשׁ: mhb. dröhnen *rumble, quake*; أَزْعَجَ stören *disturb*:
qal: impf. תִּגְעַשׁ **schwanken** (Erde) *shake* (*earth*) Ps 18, 8, cj 2 S 22, 8; †
[pu: יְגֹעֲשׁוּ עָם Hi 34, 20, l יִגְוְעוּ שֹׁעִים; †]
hitp: impf. תִּתְגָּעַשׁ, יִתְגָּעֲשׁוּ: **hin u. her schwanken** *shake back a. forth* 2 S 22, 8 Ps 18, 8, **tosen** (Wellen) *toss themselves* (*waves*) Ir 5, 22 46, 7; †
hitpol: pf. הִתְגֹּעֲשׁוּ, impf. יִתְגֹּעֲשׁוּ: **hin u. her schwanken** *shake back a. forth* Ir 25, 16 46, 8. †

גַּעַשׁ, **גָּעַשׁ**: n.l.; הַר גָּ׳ (ZDP 41, 65:: PJ 31, 48; sw. הַר אֶפְרָיִם: Jos 24, 30 Jd 2, 9; נַחֲלֵי גָ׳ die Täler, die von הַר גָּ׳ ausgehn *the wadis coming down from* הַר גָּ׳ 2 S 23, 30 1 C 11, 32. †

גַּעְתָּם: n.m.; Edomiter *Edomite* (ZAW 44, 85: G Γοθομ = جعثمة): Gn 36, 11. 16 1 C 1, 36. †

I *גַּף: גפף; *F* ba.: pl. cs. גַּפֵּי; ܓܦܦܐ Wölbung, Rücken *convexity, back*: עַל־גַּפֵּי **oben auf?** *at the top of?* (= ἐπὶ τὰς διεξόδους Mt 22, 9?) Pr 9, 3. †

II *גַּף: II גוף: sf. גַּפּוֹ: **Körper** *body*, בְּגַפּוֹ er allein *he by himself* Ex 21, 3 f; *F* *אַגַּף. †

***גפן**: גֶּפֶן.

גֶּפֶן: *גפן: ug. *gpn* Rebe *vine*; ak. *gapnu* Strauch, Rankengewächs *shrub, plant with tendrils* (AJS 47, 171 f Meissner); ja. גּוּפְנָא, جَفْن: גֶּפֶן, sf. גַּפְנִי, pl. גְּפָנִים; fem.: **Ranken** *tendrils* Ir 2, 21, גֶּפֶן הַשָּׂדֶה 2 K 4, 39; גֶּפֶן הַיַּיִן **Rebe** *vine* (*Vitis vinifera L.*, Löw 1, 48—189; Henry F. Lutz, *Viticulture .... in the Ancient Orient*, 1922) Nu 6, 4 Jd 13, 14; > גֶּפֶן **Rebe** *vine* Gn 40, 9 f 49, 11 Hs 17, 6, in Aufzählungen *enumerated together with other plants* Nu 20, 5 Dt 8, 8 Hg 2, 19 Ha 3, 17, Rebe u. Feige *vine a. fig-tree* Sa 3, 10 1 K 5, 5 Mi 4, 4 2 K 18, 31 Js 36, 16 34, 4 Jl 1, 7. 12 Ct 2, 13! Ir 5, 17 Ho 2, 14 Jl 2, 22 (schon Grabschrift des Weni *already epitaph of Weni*, AOT 234) Ps 105, 33, Rebe u. Granate *vine a. pome-granate* Ct 6, 11 7, 13, Rebe u. Maulbeerfeige *vine a. sycamore* Ps 78, 47, Rebe u. Olive *vine a. olive* Hi 15, 33; גֶ׳ סְדֹם Dt 32, 32, גֶ׳ שִׂבְמָה Js 16, 8 f Ir 48, 32, גֶ׳ מִמִּצְרַיִם Ps 80, 9; אֱלֹהּ גֶ׳ Js 7, 23, עֵץ הַגֶּ׳ Hs 15, 2. 6, Hagelschaden *damaged by hail* Ps 78, 47; *F* Js 7, 23 24, 7 32, 12 Ho 10, 1 Hg 2, 19 Ma 3, 11 Ps 128, 3; cj Ct 6, 2 u. כַּגֶּפֶן Th 2, 6. †

גפף: *F* I u. II *גַּף u. גוף.

גֹּפֶר: עֲצֵי גֹפֶר: Gn 6, 14 d. Holz d. Arche *the wood of which the Ark was made*. †

גָּפְרִית: ak. *kuprītu*, mhb., cp. גופרי, ja. גּוּפְרִיתָא u. כִּבְרִיתָא, AP כברי u. כבריתא, sy. כֶּבְרִיתָא كِبْرِيت (nichtsemitisch wegen des Wechsels von ג u. כ? *the alternation of* ג *a.* כ *suggests non-semitic origin*): **Schwefel** *brimstone, sulphur* Gn 19, 24 Dt 29, 22 Js 30, 33 34, 9 Hs 38, 22 Ps 11, 6 Hi 18, 15.†

גֵּר (92 ×): pt. v. I גור: sf. גֵּרְךָ, גֵּרוֹ, pl. גֵּרִים u. גֵּירִים 2 C 2, 16†: die Leute v. בְּאֵרוֹת fliehen nach גִּתַּיִם u. bleiben dort als גֵּרִים *the people of* בְּאֵרוֹת *fled to* גִּתַּיִם *a. dwell there as* גֵּרִים 2 S 4, 3; e. Hungersnot lässt e. Mann mit Frau u. Söhnen von Bethlehem nach Moab ziehen u. dort als גֵּר bleiben *a famine causes a man with his wife a. sons to leave Bethlehem a. to dwell in Moab as* גֵּר Ru 1, 1; die aus e. Land Versprengten נִדָּחִים werden anderwärts גֵּרִים *the driven away* נִדָּחִים *from a place sojourn at another place as* גֵּרִים Js 16, 4. גֵּר ist e. Mann, der allein (oder mit seinen Leuten) wegen Krieg, Unruhen, Hungersnot, Seuche, Blutschuld, e. Unglück Dorf u. Stamm, zu denen er gehört, verlässt u. anderwärts Zuflucht u. Aufenthalt sucht, wo er in seinem Recht auf Grundbesitz, Ehe u. Teilnahme an Rechtsprechung, Kult u. Krieg verkürzt ist *a* גֵּר *is a man who (for himself or with his people) on account of war, troubles, famine, plague, blood-guiltiness, or other misfortune has been constrained to leave his original place or tribe a. seeks shelter a. dwelling at another place where he is shortened in the civic rights of real property, marriage a. partaking in worship, war a. administration of justice.* גֵּר, :: אֶזְרָח Ex 12, 19 Dt 23, 8, **Schutzbürger, Fremdling** *sojourner, new-comer* Gn 15, 13 Ex 20, 10 Dt 5, 14, גֵּר וְתוֹשָׁב Gn 23, 4, גֵּר im Ausland *in foreign country* Ex 2, 22 18, 3; נֶפֶשׁ הַגֵּר wie es e. גֵּר zu Mut ist *how a sojourner feels* Ex 23, 9, מִשְׁפַּחַת גֵּר Lv 25, 47; גֵּר schutzbedürftig *needing protection* Dt 10, 18 14, 29 16, 11. 14 24, 17. 19—21 26, 12 f 27, 19 Ir 7, 6 22, 3 Hs 22, 7 Sa 7, 10 Ma 3, 5 Ps 94, 6 146, 9; גֵּרִים in Israel haben Söhne *have sons* Hs 47, 22; גֵּר unterwegs, Unterkunft suchend *on the road looking for shelter* Ir 14, 8 Hi 31, 32. Der. גֵּרוּת.

גֵּר: F ba. *גִּיר; جِير, asa. גיר: **Kalk** *chalk, lime* אַבְנֵי גִר Js 27, 9.†

גֵּר: F גור.

גֵּרָא: n. m.; Noth Nr. 360; KF < *גֵּרְבַּעַל Alb. Voc. 14 (?): 1. S. v. Benjamin Gn 46, 21, = Enkel *grandson* 1 C 8, 3. 5. 7; 2. Jd 3, 15; 3. V. v. שִׁמְעִי 2 S 16, 5 19, 17. 19 1 K 2, 8.†

***גרב**: גָּרָב, גָּרֵב.

גָּרָב (= *gar-rāb*): *גרב; ak. *garābu* Krätze *psora*, Meissner, MAO 11, 20; aram. גַּרְבָּא, جَرَب = *Dermatitis*, Ekzem mit Schwellung d. Haut *eczema a. swell of the skin*, = ψώρα (Galenus), F Ḥunain ibn Isḥâq (809—77), Book of the Ten treatises, ed. Meyerhof, 1928, text 172, transl. 101): **schwärender Ausschlag** *mange, scab*: Lv 21, 20 22, 22 Dt 28, 27.†

גָּרֵב: n. m.; *גרב; ak. *Gurrubu* Holma ABP 42; palm. גרבא; asa. n. l. *גרב Ryck. 1, 328: 2 S 23, 38 1 C 11, 40; גִּבְעַת גָּרֵב sw. Jerusalem (Dalm., Jerus., 1930, 107 f) Ir 31, 39.†

***גַּרְגַּר**: mhb., ja.; جَرْجَر, جِرْجِر ganz reife Oliven *thoroughly ripe olives*; ak. *gurgurru* Pflanzenname *name of plant*: pl. גַּרְגְּרִים: **reife Oliven** *ripe olives* Js 17, 6.†

גַּרְגְּרֹת: mhb. גַּרְגֶּרֶת, ܓܓܪܬܐ, mnd. Schlund, *gullet*; ak. *gangurītu* Holma, Namen d. Körperteile 42; جَرْجَرَة Schluckgeräusch *sound of gulping*; cf. גָּרוֹן; *gurges*, γαργαρεών; Schallwort *sound-imitating*?: sf. גַּרְגְּרֹתֶיךָ: **Gurgel** *gullet* > **Hals** *throat* Pr 1, 9 3, 3. 22 6, 21.†

גִּרְגָּשִׁי: n.p.; kanaan. Stamm *tribe in Canaan* Gn 10, 16 15, 21 Dt 7, 1 Jos 3, 10 24, 11 Ne 9, 8 1 C 1, 14†: ug. n.m. *grgs* (Maisler JPO 16, 154); ph. גרגש u. גרגשי u. גרגשם (Maisler ZAW 50, 87: גר u. Gottesname *name of god* גש = ak. *Giš*?); Eisler, Antiquity 1939, 451 f: zu *krk* Stadt *town*. †

גרד: mhb.; aram. גְּרַד; ph. מגרד (Fleisch-)Schaber (*flesh-*)*scraper*; جَرَدَ schaben *scrap*:
hitp: inf. הִתְגָּרֵד: **sich schaben** *scrap oneself* Hi 2, 8. †

גרה: mhb., aram. pa. reizen *incite*; ak. *garû* angreifen *attack*, *gārû* Feind *enemy*, جَرُؤَ kühn sein *be bold*:
pi: impf. יְגָרֶה, cj יְגָרוּ Ps 140, 3: erregen *stir up* מָדוֹן Pr 15, 18 28, 25 29, 22, מִלְחָמָה cj Ps 140, 3; †
hitp: pf. הִתְגָּרִית, impf. תִּתְגָּר, יִתְגָּרוּ, יִתְגָּרֶה, Da 11, 10 l. וְיִתְגָּרוּ oder *or* וְיִתְגָּרֶה, imp. הִתְגָּר: **sich erregen** *excite oneself* (בְּ gegen *against*), c. מִלְחָמָה Pr 28, 4 sodass es Kampf gibt *in battle*; **sich in Streit, Kampf einlassen** *engage in strife* (בְּ mit *with*) Dt 2, 5. 9. 19. 24, c. בְּרָעָה unter ungünstigen Bedingungen *in an inauspicious condition* 2 K 14, 10 2 C 25, 19; הִתְגָ׳ ביהוה sich mit J. in Kampf einlassen *engage in strife with Y.* Ir 50, 24; abs. **sich** [zum Kampf] **rüsten** *prepare* [*for war*] Da 11, 10. 10, c. לַמִּלְחָמָה 11, 25. †
Der. תִּגְרָה.

I גֵּרָה: גרר, *F* גָּרוֹן: **Gekautes** *cud*: הֶעֱלָה גרה, גָּרַר גֵּרָה **wiederkäuen** *chew the cud* Lv 11, 3—7. 26 Dt 14, 6—8. †

II גֵּרָה: LW, ak. *girû*: d. kleinste Gewicht *the smallest weight* $\frac{1}{20}$ שֶׁקֶל (BR 185—8) Ex 30, 13 Lv 27, 25 Nu 3, 47 18, 16 Hs 45, 12. †

גָּרוֹן: sf. גְּרוֹנָם, גְּרוֹנִי: גרר; mhb., ja. גְּרוֹנָא, ak. *girānu* Holma, NKt 42, جِرَان Vorderhals *front part of neck*; cf. mhb. גֵּרָה, ጕርዔ Schlund *swallow* (wo Speise heruntergezogen wird? *where food is dragged down*?) *F* I גֵּרָה: **Kehle** *throat*, Sitz des *place of* Durstes *thirst* Ir 2, 25, d. Stimme *voice* Js 58, 1 Ps 5, 10 69, 4 115, 7 149, 6, Schmucks *adornement* Hs 16, 11, Dünkels *conceit* Js 3, 16; cj אֲדֹנָי f גְּרוֹנָם Ps 55, 10. †

גֵּרוּת: גֵּר; S l גִּרְנֹת: **Herberge** *lodging-place* Ir 41, 17. †

גרז: = I גזר; جَزَّ:
nif: pf. נִגְרַזְתִּי; **weggenommen werden** *be exterminated* Ps 31, 23. †

[גִּרְזִי: l גִּזְרִי Q 1 S 27, 8. †]

גְּרִזִּים: n. l.; הַר גְ׳, Γαριζιν: d. Berg **Garizim** *Mt. Gerizim* = *Ğebel eṭ-Ṭōr* bei *near* שְׁכֶם, BRL 169 f: Dt 11, 29 27, 12. cj 4 Jos 8, 33 Jd 9, 7. †

גַּרְזֶן: wenn hebräisch, dann גַּזָּם (גזז, „Schneider") > *גַּרְזָם > *גַּרְזֶן > (Einfluss v. בַּרְזֶל) גַּרְזֶן *if Hebrew*, גַּזָּם (גזז, „*cutter*") > *גַּרְזָם > *גַּרְזֶן > (*influenced by* בַּרְזֶל) גַּרְזֶן; äg. *grdn*, ak. *ḫaṣinu* (l *ḫaṣṣinu*?), كَرْزِن, كَرْزَم, كَرْزِيم, berberisch *Berber* (*ta*) *gelzimt*, die alle „Beil, Haue" bedeuten *all of which mean „axe, hoe"*, führt auf gemeinsame fremde Herkunft *suggests common foreign origin*: **Beil** *axe* Js 10, 15 Dt 19, 5 20, 19, **Steinhaue** *pick* 1 K 6, 7 u. (3 ×) Siloa-Inschrift. †

גרל: *F* גּוֹרָל; l גְּדָל f. גְּרָל Pr 19, 19. †

גֹּרָל: *F* גּוֹרָל.

גרם: targ. pa. = hebr. pi; denom. v. גֶּרֶם:
qal: pf. גָּרְמוּ: ?? Duhm (ZAW 31, 97 l מְגָרְמֵי f. לֹא גָרְמוּ) *F* Gerleman, Zephanja 1942, 49 Ze 3, 3; †

pi: impf. תְּגָרְמִי, יְגָרֵם Hs 23, 34 (l תְּגַמְּאִי): (Knochen) **abnagen** *gnaw* (*bones*) Nu 24, 8, cj (F qal) Ze 3, 3.†

גֶּרֶם: ug. *grm*, F ba. גַּרְמָא, جرم Knochen, Wesen *bone*, *self*: גָּרֶם, pl. sf. גְּרָמָיו: **Knochen** *bone* Pr 17, 22 25, 15 Hi 40, 18; חֲמוֹר גָּרֶם (= جمار جرم) knochiger Esel *bony ass* Gn 49, 14; גֶּרֶם הַמַּעֲלוֹת die Stufen selbst, die blossen Stufen *the bare steps* 2 K 9, 13.†

Denom. גרם; Der. גַּרְמִי?

גַּרְמִי: הַגַּרְמִי; n. m.; גֶּרֶם? גרם asa. n. m., Γάρμος Ryck. 1, 63: 1 C 4, 19.†

***גרן**: ak. *garanu* kleines Gefäss *little vessel*; F גֹּרֶן.

גֹּרֶן: *גרן; ug. *grn*, pl. *grnt* u. *grnm*; جرن Tenne, *threshing-floor*, vulg. ar. Steinschale, Trog, Mörser *stone-basin*, *trough*, *mortar*; ገርን; mhb., ja. גּוּרְנָא (γοῦρνα) Bassin, Trog *basin*, *trough*: c. -*ā* גֹּרְנָה, sf. גָּרְנִי, pl. גֳּרָנוֹת, cs. גָּרְנוֹת, fem.: **Dreschplatz, Tenne** *threshing-floor*: מְקוֹם הַגֹּ׳ 1 C 21, 22, am Stadttor *at the gate of a town* 1 K 22, 10 2 C 18, 9, Besitz Einzelner *owned by individuals* 2 S 24, 16. 18 1 C 21, 15. 18. 28 2 C 3, 1; הִדְרִיךְ גֹּ׳ Ir 51, 33, זֹרֶה אֶת־גֹּ׳ Ru 3, 2, // יֶקֶב Nu 18, 30 Dt 15, 14 16, 13 2 K 6, 27 Ho 9, 2, תְּבוּאַת גֹּ׳ Nu 18, 30, תְּרוּמַת גֹּ׳ Nu 15, 20, גָּרְנוֹת דָּגָן Ho 9, 1; בֶּן־גָּרְנִי = mein Zerdroschener *my thrashed one* Js 21, 10; F Nu 18, 27 Jd 6, 37, cj 1 S 19, 22 (l בּוֹר הַגֹּרֶן) 23, 1 2 S 24, 21. 24 Ho 13, 3 Jl 2, 24 Mi 4, 12 Hi 39, 12 Ru 3, 3. 6. 14 1 C 21, 21; l גּוֹרְנֵךְ Ir 2, 25; F גֵּרוּת.†

Der. גֹּרֶן c. הָאָטָד, c. כִּידוֹן, c. נָכוֹן.

גֹּרֶן הָאָטָד: n. l. Gn 50, 10 f.†

[**גֹּרֶן כִּידוֹן**: n. l.; l נָכוֹן 1 C 13, 9.†]

גֹּרֶן נָכוֹן: n. l. 2 S 6, 6, cj 1 C 13, 9.†

גרם: mhb. pi., ja. pa. = *גרשׁ; ጎረሰ verderben *be destroyed*:

qal: pf. גָּרְסָה: c. נַפְשִׁי **zermürbt sich** *be crushed*, *bruised*, Ps 119, 20;†

hif: impf. וַיַּגְרֵס: **sich zerreiben lassen** (Zähne) *cause to be broken* (*teeth*) Th 3, 16.†

גרע: mhb.; aram. (Haare) scheeren *shave* (*head*); جرع schlucken *swallow*:

qal: impf. תִּגְרְעוּ, יִגְרַע, יִגְרַע, pt. גְּרוּעָה (Var. גְּדוּעָה Js 15, 2 Ir 48, 37), inf. גְּרֹעַ:

1. scheeren, **stutzen** (Bart) *clip* (*beard*) Js 15, 2 Ir 48, 37 Hs 5, 11; 2. **verkürzen** *diminish* Ex 21, 10 Hs 16, 27 (חֹק Anrecht *allowance*) Hi 15, 4; e. **Abzug machen** *deduct* Ex 5, 8. 19; 3. **wegnehmen** *diminish* (:: יָסַף) Dt 4, 2 13, 1 Ir 26, 2 Hi 36, 27 Ko 3, 14; גָּרַע אֵלָיו **bringt an sich** *takes off for himself* Hi 15, 8;†

nif: pf. נִגְרַע, נִגְרְעָה, impf. יִגָּרַע, יִגָּרַע, נִגָּרַע, pt. נִגְרָע: **abgezogen werden** *be deducted* Ex 5, 11 Lv 27, 18; **weggenommen werden** *be withdrawn* Nu 36, 3 f (מִן) 27, 4 (מִתּוֹךְ); נִגָּרַע מִבִּלְתִּי wir werden verkürzt, sodass wir nicht *we are restraint that we not* Nu 9, 7;†

pi: impf. יְגָרַע: **zieht ab** *draws up* (l נִטְפֵּי מַיִם) Hi 36, 27.†

Der. מִגְרָעוֹת.

גרף: mhb., aram.; جرف fortschwemmen *wash away*:

qal: pf. sf. גְּרָפָם: (Strom) **schwemmt fort** (*river*) *washes away* Jd 5, 21.†

Der. *מַגְרֵפָה.

גרר: F נגר; ak. *garâru* fliessen, rinnen *flow*, *run*; mhb., aram.; جرّ ziehn, schleifen *drag along*, اجترّ wiederkäuen *chew the cud*:

qal: I. impf. (*יָגוֹר) יְגֹרֵהוּ, יְגֹרֵם: **ziehen, mit fortreissen** *drag away* Ha 1, 15 Pr 21, 7; †
II. impf. (*יָגַר) יָגֹר: c. גֵּרָה **wiederkäuen** *chew the cud* Lv 11, 7, cj Dt 14, 8 (l וְלֹא יָגֹר גֵּרָה); †
poʿal: pt. מְגוֹרָרוֹת: **zersägt** (Steine) *sawn* (*stones*) 1 K 7, 9. †
Der. I גֵּרָה, גָּרוֹן, מְגֵרָה.

גְּרָר, c. -ā גְּרָרָה: n. l., *T. eš-Šerīʿa* 23 km sö. עַזָּה; Flinders Petrie, Gerar, 1928; BRL 179 f: Gn 10, 19 20, 1 f 26, 1. 6. 17 (נַחַל ג׳). 20. 26 1 C cj 4, 39 2 C 14, 12 f. †

***גרשׁ**: = גרם; جَرَش zerreiben, zerstossen *grind, pound.*
Der.: גֶּרֶשׂ.

גֶּרֶשׂ: *גרשׁ; mhb. גְּרִיס, aram. גְּרִיס, גְּרִישׁ; גְּרוּסָא; جَرِيش: sf. גִּרְשָׂהּ zerstossene Weizenkörner, **Grütze** *groats, grits* (Dalm. AS 3, 266 ff) Lv 2, 14. 16. †

גרשׁ: ug. *grš*; mo., sy. vertreiben *drive out*; mhb., ja. (e. Frau) verstossen *cast out (a wife)*; جَشَرَ Tiere auf die Weide schicken *send beasts to pasture* (Barth ES 47 :: Fränkel, BAss. 3, 80) :: Alb. JBL 39, 167: < شَجَرَ aufschrecken *stir*:
qal: impf. יִגְרְשׁוּ, pt. גֹּרֵשׁ, pss. גְּרוּשָׁה: **vertreiben** (Volk) *drive out (people)* Ex 34, 11; **verstossen** (Frau) *put away, cast out (wife)* Lv 21, 7. 14 22, 13 Nu 30, 10 Hs 44, 22; ausstossen, **aus Land werfen** (d. Meer Schlamm) *cast up (the sea mire)* Js 57, 20; †
nif: pf. נִגְרַשְׁתִּי, נִגְרְשָׁה, pt. נִגְרָשׁ: **verstossen werden** *be driven away* Jon 2, 5, **aufgewühlt sein** (Meer) *be tossed (sea)* Js 57, 20, (Nil) Am 8, 8; †
pi: pf. גֵּרַשׁ, גֵּרַשְׁתְּ, גֵּרְשָׁה, sf. גֵּרְשָׁתִּיו, גֵּרַשְׁתְּמוֹ, גֵּרְשׁוּנִי, impf. יְגָרֵשׁ, וַיְגָרֶשׁ, תְּגָרְשׁוּן, sf. וַיְגָרְשֵׁהוּ, יְגָרְשֵׁם, וַתְּגָרְשׁוּנִי, אֲגָרְשֶׁנּוּ, imp. גָּרֵשׁ, inf. sf. גָּרְשׁוֹ: vertreiben *drive out, drive away* Gn 3, 24 21, 10 Ex 2, 17 33, 2 Nu 22, 11 Jd 9, 41 11, 2 1 K 2, 27 Ze 2, 4 Ps 34, 1 80, 9 Pr 22, 10; c. מֵעַל Gn 4, 14, c. מִן Ex 6, 1 11, 1 Nu 22, 6 Jd 11, 7 1 S 26, 19 Ho 9, 15 Mi 2, 9 2 C 20, 11, c. מֵאֵת Ex 10, 11, c. מִלִּפְנֵי Ex 23, 28, c. מִפְּנֵי Ex 23, 29—31 Dt 33, 27 Jos 24, 12. 18 Jd 2, 3 6, 9 Ps 78, 55 1 C 17, 21, cj 2 S 7, 23; ? Hs 31, 11; †
pu: pf. גֹּרָשׁוּ, impf. יְגֹרָשׁוּ: **vertrieben werden** *be driven away* Ex 12, 39 Hi 30, 5, cj יְגֹרְשׁוּ Ps 109, 10. †
Der. *מִגְרָשׁ, גְּרֻשָׁה.

גֶּרֶשׁ: גֶּרֶשׁ יְרָחִים: „was d. Monate abwerfen"? „*the yield, produce of the months*"? Dt 33, 14. †

***גְּרֻשָׁה**: גרשׁ: pf. sf. גְּרֻשֹׁתֵיכֶם: **Enteignung** *expropriation* Hs 45, 9. †

גֵּרְשׁוֹן: n. m.; *F* גֵּרְשֹׁם: S. v. Levi Gn 46, 11 Ex 6, 16 f Nu 3, 17 f 21. 25 4, 22. 38. 41 7, 7 10, 17 26, 57 Jos 21, 6. 27 1 C 5, 27 23, 6; †
Der. גֵּרְשֻׁנִּי.

גֵּרְשֹׁם, גֵּרְשׁוֹם 1 C 6, 2. 5. 47, 56: † < גֵּרְשׁוֹן? asa. (tham.), Γαρασον Ryck. 1, 63: 1. S. v. מֹשֶׁה Ex 2, 22 (Volksetymologie *popular etymology*) 18, 3 Jd 18, 30 1 C 23, 15 f 26, 24; 2. S. v. פִּינְחָס Esr 8, 2; 3. S. v. Levi *F* גֵּרְשׁוֹן 1 C 6, 1 f. 5. 28. 47. 56 15, 7. †

גֵּרְשֻׁנִּי: gntl. *F* גֵּרְשׁוֹן: Nu 3, 21. 23 f 4, 24 27 f 26, 57 Jos 21, 33 1 C 23, 7 26, 21 2 C 29, 12; הַג׳ 1 C 26, 21 29, 8. †

גְּשׁוּר: c. -ā גְּשׁוּרָה: n. t., n. p.; *Geshur*: מֶלֶךְ ג׳ 2 S 3, 3 13, 37 1 C 3, 2; Jos 13, 13 2 S 13, 38 14, 23. 32; ג׳ וַאֲרָם 1 C 2, 23, בַּאֲרָם 2 S 15, 8, ö. vom obern Jordan *east of the upper Jordan.* †
Der. גְּשׁוּרִי.

גְּשׁוּרִי: n. p., v. גְּשׁוּר: 1. zu גְּשׁוּר gehörig *belonging to* גְּשׁוּר Dt 3, 14 Jos 12, 5 13, 11. 13; † 2. im Süden Palästinas *on southern border of Palestine* Jos 13, 2 1 S 27, 8. †

גשם: mhb.; Barth ES 2 سَاجَمَ fliessen *flow*, sy. [Syriac] Regengüsse *heavy showers*:

hif: pt. מַגְשִׁמִים: Regen fliessen lassen *send rain* Ir 14, 22; †

pu: pf. גֻּשָּׁמָה (*sic*!): m. Regen begossen werden *be rained upon* Hs 22, 24. †

Der. I גֶּשֶׁם [*גֹּשֶׁם].

I **גֶּשֶׁם**: גשם: גֶּשֶׁם, pl. גְּשָׁמִים, cs. גִּשְׁמֵי, sf. גִּשְׁמֵיכֶם: **Regenguss, Regen** *shower, rain*; הָיָה ג׳ es fällt Regen, es regnet *it rains* Gn 7, 12 1 K 17, 7 Ir 14, 4 Sa 14, 17; בּוֹא ג׳ Ho 6, 3, יָרַד ג׳ Js 55, 10, חָלַף ג׳ d. R. zieht ab *the rain goes* Ct 2, 11; ג׳ c. נִכְלָא Gn 8, 2, c. עזז (1 עֻזּוֹ u. לַגֶּשֶׁם וּמָטָר u. dele ג׳ מִטְרוֹת) Hi 37, 6; ג׳ u. עָבִים Ko 11, 3, ג׳ u. רוּחַ צָפוֹן Pr 25, 23; ג׳ גָּדוֹל 1 K 18, 45, ג׳ שׁוֹטֵף Hs 13, 11. 13 38, 22, ג׳ נְדָבוֹת ausgiebiger R. *plentiful rain* Ps 68, 10, מְטַר גֶּשֶׁם Gussregen *torrent of rain* Sa 10, 1; הֲמוֹן הַגּ׳ Rauschen ds R. *rushing of r.* 1 K 18, 41, יוֹם הַגּ׳ Hs 1, 28; גִּדֵּל ג׳ R. fördert d. Wachstum *increases the growth* Js 44, 14; Gott *God* נתן ג׳ 1 K 17, 14 Ir 5, 24, הוֹרִיד Hs 34, 26, מָנַע Am 4, 7, macht Regen zu Hagel *gives hail for rain* Ps 105, 32; גְּשָׁמִים **Regengüsse, Regenzeit** *showers of rain, rainy season* Lv 26, 4 Esr 10, 9. 13, cj Ir 14, 22; גִּשְׁמֵי בְרָכָה segensreiche R.g. *sh. full of blessing* Hs 34, 26; *F* 2 K 3, 17 Jl 2, 23 Pr 25, 14 Ko 12, 2; *F* מוֹרֶה, מָטָר, מַלְקוֹשׁ. †

II **גֶּשֶׁם**: n. m.; = I, *F* גַּשְׁמוּ; zur Regenzeit geboren *born in the rainy season*; auch *also* sin. u. ar. (Moritz, Sinaikult 15) u. liḥjan. (Winett, Lihjanite . . . Inscriptions 51) u. nab. (wie *like* aram. שׁיטא Eph. 3, 13) u. Γόσαμος Mél. Syr. 563: הָעַרְבִי Gegner v. *opponent of* Nehemia: Ne 2, 19 6, 1 f. †

[***גֹּשֶׁם**: sf. גֻּשְׁמָהּ: Hs 22, 24; *F* גשם pu. †]

גַּשְׁמוּ: n. m.; = II גֶּשֶׁם: Ne 6, 6. †

גֹּשֶׁן: I. n. l. Γοσομ, bei *near* עָנִים, unbekannt *unknown* Jos 15, 51; † II. n. t. אֶרֶץ גֹּשֶׁן Jos 10, 41, אֶרֶץ הַגֹּשֶׁן Jos 11, 16, Γοσομ, in Südpalästina *in southern Palestine*; †

III. n. t., **Gosen** *Goshen*, Γεσεμ: אֶרֶץ גֹּשֶׁן Gn 45, 10 46, 34 47, 1. 4. 6. 27 50, 8 Ex 8, 18 9, 26, ארצה גשן Gn 46, 28, גֹּשְׁנָה 46, 28 f: östlich v. Nildelta *e. of lower Nile*; kein äg. Name bekannt *no egypt. name known* (Mallon, Les Hébreux en Egypte, 93 ff). †

גִּשְׁפָּא: n. m.; Vorsteher der *officer of* נְתִינִם Ne 11, 21. †

***גשר**: גְּשׁוּר, גְּשׁוּרִי.

גשש: mhb., äga., cp., ja., sy., äth., جَسَّ betasten, ausspähen *feel with hand, spy out*:

pi: impf. נְגַשְׁשָׁה **tasten** (Blinde) *grope* (*the blind*) Js 59, 10. †

I **גַּת**: ug. *gt*; mhb.; BBD: *יגן = وَجَنَ Kleider walken *full, beat cloth*, *גַּנְתְּ < *יַגְנְתְּ: pl. גִּתּוֹת, fem.: **Kelter**, wo Trauben durch Treten ausgepresst werden, *wine-press, where the juice of grapes is pressed out by treading*: דָּרַךְ גַּת Ne 13, 15 Th 1, 15, דָּרַךְ בְּגַת Js 63, 2; Weizenversteck *hiding-place for wheat* Jd 6, 11; Jl 4, 13. † Der.: nn. l. II גַּת הַחֵפֶר, גַּת־רִמּוֹן, גַּת, *גִּתַּיִם.

II **גַּת**: n. l.; = I; גַּתָּה (BL 563 x) 1 K 2, 40; † EA 290, 9 *Gi-im-ti* (?): Philisterstadt *Philistine city*, **Gath** = ʿ*Arâq el-Menshîyeh* ZDP 54, 134 ff: Jos 11, 22 1 S 5, 8 6, 17 7, 14 17, 4. 23. 52 cj 52 21, 11. 13 27, 2—4. 11 2 S 1, 20

15, 18, 21, 20. 22 1 K 2, 39–41 2 K 12, 18 Am 6, 2 Mi 1, 10. 14 Ps 56, 1 1 C 7, 21 8, 13 18, 1 20, 6. 8 2 C 11, 8 26, 6. †
Der. גִּתִּי.

גַּת הַחֵפֶר: n. l.; I גַּת u. חֵפֶר; c. -*ā* גִּתָּה הַח׳ Jos 19, 13 †: in Sebulon, = *Ch. ez-Zurrā*ᶜ PJ 27, 40[1], Heimat v. *home of* יוֹנָה בֶן־אֲמִתַּי 2 K 14, 25. †

גִּתִּי: II גַּת; gntl., pl. גִּתִּים: **aus Gath** *Gittite* Jos 13, 3 2 S 6, 10 f 15, 18 f. 22 18, 2 21, 19 1 C 13, 13 20, 5. †

גִּתַּיִם*: n. l.; du. v. I גַּת; גִּתַּיִם, גִּתַּיְמָה: in Benjamin 2 S 4, 3 Ne 11, 33. †

גִּתִּית: II גַּת; musikalischer Ausdruck? *musical term*? ungedeutet *unexplained* Ps 8, 1 81, 1 84, 1. †

גֶּתֶר: n. m., n. p., aramäischer Stamm *Aramaean tribe* Gn 10, 23 1 C 1, 17. †

גַּת־רִמּוֹן: n. l.; I גַּת u. רִמּוֹן: in Dan; = *Rummāneh* Jos 19, 45 21, 24. 25 (l יִבְלְעָם?) 1 C 6, 54. †

ד

ד: דָּלֶת, δελτα (später *later* ד = 4, ד̈ = 4000), Driv. SW 152: der weiche Dentallaut wie in da, die, du, Wade; *the weak dental-sound as in dare, dear, door, mad, made*; F ת u. ט; = ar. د u. ذ; F ז.

דאב: mhb. הִדְאִיב zerfliessen *become faint*; ja. = u. sich ängstigen *feel anxious*; ذَأَبَ sich abmühen *toil*:
qal: pf. דָּאֲבָה, inf. fem. דַּאֲבָה: **schmachten** *languish*: Mensch *man* Ir 31, 12, Seele *soul* (l דָּאֲבָה?) 31, 25, Auge *eye* Ps 88, 10. †
Der. דְּאָבָה, *דְּאָבוֹן.

דְּאָבָה: דאב: Schmachten, **Verzagen** *dismay, despair* Hi 41, 14. †

דְּאָבוֹן*: דאב: cs. דַּאֲבוֹן: **Verzagen** *despair* Dt 28, 65. †

דָּאג: F דָּג.

דאג: mhb., ja.; ذَأَبَ u. asa. sich abmühen *become wearied*:
qal: pf. דָּאַג, דָּאַגְתִּ, impf. יִדְאַג, אֶדְאַג, pt. דֹּאֵג, דֹּאֲגִים: c. ac. **jmd scheuen** *be afraid of* Js 57, 11 Ir 38, 19; c. מִן **in Sorge sein wegen** *be anxious in behalf of* Ir 42, 16 Ps 38, 19, c. לְ in Sorge sein um *be anxious in behalf of* 1 S 9, 5 10, 2, **sorgen für** *take care for* Si 50, 4 35, 1; abs. **bangen** *be anxious* Ir 17, 8. †
Der. דְּאָגָה; n. m. דּוֹאֵג > דּוֹיֵג.

דְּאָגָה: דאג: **Besorgtheit** *anxious care* Ir 49, 23 Hs 4, 16 12, 18 f Pr 12, 25 Si 30, 24; c. מִן um, vor *in reference to* Jos 22, 24; sf. דאגתה um sie *for her* Si 42, 9. †

דאה: ug. *d'y*; دَأَى v. Wolf, der d. Gazelle beschleicht *wolf sneaking up to the gazelle*:
qal: יִדְאֶה, וַיֵּדֶא: **stossen** (Adler auf Beute) *pounce (eagle on prey)* Dt 28, 49 Ir 48, 40 49, 22, cj דּוֹתָה < *דָּיְתָה < *דָּאֲתָה Js 34, 5, Gott *God* Ps 18, 11, cj 2 S 22, 11; וַיַּדַּא 2 K 17, 21 F נדא. †

דָּאָה: ug. *d3y*; mhb.; דאה; γύψ: e. Art נֶשֶׁר, v. Anflug benannt *a species of* נֶשֶׁר, *name pointing at its pouncing*; Aharoni, Osiris 5, 472 *Milvus milvus milvus* **roter Milan** *red kite* (Nicoll 411): Lv 11, 14 Dt 14, 13 (MSS). †

דֹּאר: n.l.; ph. דאר; ak. *Duʾ-ri*: *el-Burğ* n. *eṭ-Ṭanṭūra*, s. Karmel (RLA 2, 230; BRL 136–8) Jos 17, 11 1 K 4, 11; = III דּוֹר; *F* II *נָפָה u. חַמַּת. †

דֹּב u. **דּוֹב** 1 S 17, 34. 36 †: Sem.; דבב; d. leise Gehende *the softly walking*: pl. דֻּבִּים: **Bär** *bear* u. **Bärin** *female bear Ursus syriacus* (Bodenheimer 37. 114 f): 1 S 17, 34—37 2 K 2, 24 Js 11, 7 59, 11 Am 5, 19 Si 25, 17; דֹּב שַׁכּוּל der Jungen beraubt *robbed of her whelps* 2 S 17, 8 Ho 13, 8 Pr 17, 12; שׁוֹקֵק hervorbrechend *rushing forth* 28, 15; אֹרֵב lauernd *lying in wait* Th 3, 10. †

דבא: *F* *דֹּבֶא; דבב.

***דֹּבֶא**: ἰσχύς, Sy. עוּשְׁנָא; دبى behaglich gehn *walk gently*: sf. דָּבְאֶךָ: **behaglicher Gang** *leisurely walk, gait* Dt 33, 25. †

דבב: دبّ leise gehn *walk softly*: mh. u. ja. tropfen *trickle*:
qal: pt. דּוֹבֵב **sanft überfliessen** *flow over softly* Ct 7, 10. †
Der. דֹּב; *דִּב in דִּבְיוֹנִים(?).

דִּבָּה: ak. *dabābu* sprechen, anklagen *speak, charge*, *bēl dabābi* u. aram. בַּעַל דְּבָבָא Verleumder *slanderer*; äga. דבב Anklage *law-suit*: cs. דִּבַּת, sf. דִּבָּתְךָ, דִּבָּתָם: **Tuscheln, Gerede, Nachrede** *whispering, evil report* Nu 13, 32 14, 36 Hs 36, 3 Ir 20, 10 Ps 31, 14 Pr 10, 18 25, 10; דִּבָּה רָעָה Gn 37, 2 Nu 14, 37. †

I **דְּבוֹרָה**: II דבר? summen *buzz*(?); زُنْبور (< **zubbūr*) Hornis *hornet*, sy. ܙܒܘܪܐ Wespe *wasp*: pl. דְּבוֹרִים: (wilde) **Honigbiene** (*wild*) *honey-bee Apis mellifica* Js 7, 18 Dt 1, 44 Ps 118, 12 Si 11, 3; עֲדַת דְּבוֹרִים Bienenvolk *swarm of bees* Jd 14, 8. †
Der. n.f. II דְּבוֹרָה.

II **דְּבוֹרָה**: n.f.; = I: 1. Amme v. *wet-nurse of* Rebekka Gn 35, 8; † 2. Richterin *judge* Jd 4, 4—5, 15. †

דִּבְיוֹנִים: Q 2 K 6, 25 (חֲרֵי יוֹנִים K): sy. ܙܒܘܒܝܐ *exfluxus*: יוֹנִים u. *דִּב Ausscheidung *excretion* (für anständiger gehalten *thought more decent*). †

I **דְּבִיר**: I דבר; دُبُر Hinterteil *back*; > äg. *dbr* ⲧⲁⲃⲓⲣ Götterschrein *shrine*; cf. asa. אחר *nomen templi*: **Hinterraum** (d. Tempels) *back-room (of the temple)* = später *later* קֹדֶשׁ הַקֳּדָשִׁים: 1 K 6, 5. 16. 19—23. 31. cj 17 7, 49 8, 6. 8 Ps 28, 2 (דְּבִיר קָדְשֶׁךָ) 2 C 4, 20 5, 7. 9 3, 16? Si 45, 9. †
Der. II דְּבִיר?

II **דְּבִיר**: n. m.; = I? K. v. Eglon Jos 10, 3. †

דְּבִר n.l.: *F* דְּבִר.

***דבל**: דְּבֵלָה, n. m. דִּבְלַיִם.

דְּבֵלָה: ug. *dblt*; دَبَلَ zusammendrücken *press together*, دُبْلَة Klumpen *lump*: cs. דְּבֶלֶת, pl. דְּבֵלִים: **Feigenkuchen** (in Kuchenform gepresste Feigen) *cake of pressed dried figs* (Terūmoth 4, 8: דְּבֵלִים עֲגוּלִים runde *round* u. דְּ׳ מַלְבֵּנִים ziegelförmige *brick-shaped*; παλάθη; Martial 13, 28; *F* אֲשִׁישָׁה): 1 S 25, 18 30, 12 2 K 20, 7 Js 38, 21 (דְּ׳ תְּאֵנִים) 1 C 12, 41. †
Der. דִּבְלַיִם; n.l. דִּבְלָתַיִם.

דִּבְלַיִם: n. m.? n. f.?; du. v. דְּבֵלָה? Nestle ZAW 29, 233 f, Baumgartner 33, 78; falls *if* n. f. cf.

'Ισχύς Getrocknete Feige *Dried Fig* Hetärenname *name of courtesan*: Ho 1, 3.†

דִּבְלָתָה: Hs 6, 14: l רִבְלָתָה.

דבק: mhb., **F** ba., ja., äga., cp., sy; دَبِقَ:
qal: pf. דָּבַקְתִּי, דָּבְקָה, דָּבְקָה, דָּבֵק, דָּבַק, דָּבֵק, דָּבְקוּ, דְּבַקְתֶּם, דָּבְקוּ, impf. יִדְבַּק, תִּדְבַּק, תִּדְבָּקְןָ, יִדְבְּקוּ, תִּדְבְּקוּ, תִּדְבָּקְןָ, sf. תִּדְבָּקֵנִי, inf. (לְ)דָבְקָה):
1. c. בְּ **haften, hängen** an *cling, cleave to* Gn 2, 24 34, 3 (an s. Frau *to his wife*) Dt 13, 18 28, 60 2 K 5, 27 Ps 44, 26, 101, 3 (לְ) Hi 31, 7 41, 15; **sich an jmd halten** *keep close to* Jos 23, 12 2 S 20, 2 Ru 1, 14 2, 23, (an Götter *to gods*) 1 K 11, 2, an J. *to Y.* Dt 10, 20 11, 22 13, 5 30, 20 Jos 22, 5 23, 8 2 K 18, 6. **an etw. festhalten** *cleave to a thing* Nu 36, 7. 9 2 K 3, 3 (:: סור) Hs 29, 4 Ps 119, 31; an etw. **kleben** *cleave to* Hi 19, 20; 2. דָּבַק לְ haften, kleben an *cleave to* Ps 102, 6 119, 25 137, 6 Hi 29, 10; 3. c. אֶל haften bleiben *cleave to* 2 S 23, 10 (im Krampf *in cramp*) Ir 13, 11 Th 4, 4; 4. c. עִם sich anschliessen an *keep by* Ru 2, 8. 21; 5. c. אַחֲרֵי mitfolgen mit *follow after* Ir 42, 16 Ps 63, 9; 6. c. ac. sich anheften an *keep close to* Gn 19, 19;†
pu: impf. יְדֻבָּקוּ: **an einander geklebt werden** (Erdschollen v. Regen) *be joined together* (*earth-clods by rain*) Hi 38, 38, fest zusammengefügt sein (Schuppen d. Krokodils *scales of crocodile*) 41, 9;†
hif: pf. הִדְבַּקְתִּי, sf. הִדְבַּקְתִּיהוּ, הִדְבִּיקַתְהוּ, impf. אַדְבִּיק, יַדְבֵּק, וַיַּדְבִּיקוּ; וַיַּדְבְּקוּ! 1 S 31, 2 1 C 10, 2 BL 333 c':
1. c. ac. zu fassen bekommen, **einholen** *overtake* Gn 31, 23 Jd 18, 22 1 S 31, 2 2 S 1, 6; Jd 20, 42; 2. c. בְּ **haften lassen** an *cause to cleave to* Hs 29, 4; c. ac. u. בְּ Dt 28, 21; 3. c. ac. u. אֶל = 2. Ir 13, 11 Hs 3, 26; 4. c. אַחֲרֵי **hinter** jmd **herbleiben** *pursue closely* Jd 20, 45 1 S 14, 22 1 C 10, 2;†
hof: pt. מֻדְבָּק: **angeklebt** an *made to cleave to* (l בְּמַלְקוֹחָי) Ps 22, 16.†
Der. דֶּבֶק, דָּבֵק.

דָּבֵק: דבק: f. דְּבֵקָה: **anhänglich** *cleaving* Pr 18, 24, בְּ an *to* Dt 4, 4; c. לְ **in Berührung mit** *clinging to* 2 C 3, 12.†

דֶּבֶק: דבק; mhb. Bindemittel, Leim *binding substance, glue*; sy. ܕܒܩܐ u. دِبْق Vogelleim *bird-lime*: pl. דְּבָקִים: 1. **Lötung**, Schweissung *soldering* Js 41, 7; 2. pl. **Tragbänder**? *joints? appendages?* (des Panzers *of the scaly mail*) 1 K 22, 34 2 C 18, 33.†

I **דבר**: دَبَرَهُ ging hinter ihm *followed behind his back*; ak. *dabāru* zurückstossen *push back*, *dabru* Gewalttat *outrage* (Driv. JTS 1926, 159 f); äga., ja. u. cp. דבר treiben *lead*:
pi: דִּבְּרוּ, וַיְדַבְּרוּ, וַתְּדַבֵּר, inf. דַּבְּרוֹ: 1. d. Rücken weisen, **sich abwenden** *turn aside* Ct 5, 6, c. בְּ von *from* Hi 19, 18; 2. **ausrotten** *destroy* 2 C 22, 10;†
hif: impf. יַדְבֵּר, וַיַּדְבֵּר; c. תַּחַת **zurücktreiben** *drive back* Ps 18, 48 47, 4.†
Der.: I מִדְבָּר, דָּבְרַת, דֹּבְרוֹת, דֹּבֶר*, II דֶּבֶר, דְּבִיר.

II **דבר**: summen *buzz*? **F** דְּבוֹרָה; ph. sprechen *speak*, Wort Sache *word, thing*; äga. דבר Wort *word*; mhb. דִּבּוּר; **F** ba. דִּבְרָה, ja. דִּבּוּרָא u. דִּבִּירָא Wort *word*:
qal: inf. sf. דָּבְרֶךָ Ps 51, 6†, pt. דֹּבֵר, דֹּבְרִים, דֹּבֶרֶת, דֹּבְרוֹת, דֹּבְרֵי, pss. דָּבֻר Pr 25, 11: **reden** *speak* Gn 16, 13 Ex 6, 29 Nu 27, 7 Dt 5, 1 Sa 1, 9. 13 f 2, 2. 7 4, 1. 4 f 5, 5. 10 6, 4 u. 16×; cj 1 S 14, 19;
nif: pf. נִדְבְּרוּ, נִדְבַּרְנוּ, נִדְבָּרוּ, pt. נִדְבָּרִים: **sich besprechen** *speak with one another* Ma 3, 16, c. עַל über *concerning* Ma 3, 13, c. בְּ über *concerning* Hs 33, 30 Ps 119, 23;
pi (1100×): pf. דִּבֵּר, דִּבֶּר, דִּבַּרְתָּ, דִּבַּרְתִּי 2. f. Ir 3, 5, דִּבְּרוּ, דִּבְּרוּ, דִּבַּרְנוּ, sf. דִּבְּרוֹ, impf. יְדַבֵּר,

יְדַבְּרוּ, אֲדַבְּרָה, אֲדַבֶּר־, אֲדַבֵּר, תְּדַבֶּר־, תְּדַבֵּרוּן, תְּדַבְּרוּן, תְּדַבֵּרְנָה, וַיְדַבְּרוּ, יְדַבֵּרוּ, sf. וַיְדַבְּרֵם, inf. דַּבֵּר, דַּבֶּר־, sf. דַּבְּרוֹ, דַּבֶּרְךָ, imp. דַּבֵּר, דַּבְּרִי, דַּבֵּרִי, דַּבְּרוּ, pt. מְדַבֵּר, מְדַבְּרוֹת: דִּבֶּר **sprechen, reden** *speak* :: אָמַר sagen *say* Gn 21, 1 2 K 18, 28 Hi 1, 16. 17. 18; das Gesagte wird nach דִּבֶּר oft durch לֵאמֹר eingeführt *after* דִּבֶּר *the words said are frequently introduced by* לֵאמֹר.

1. abs. **sprechen** *speak* Ex 4, 14 Js 1, 2 Hi 11, 5;

2. **zu** jmd sprechen *speak to a person*: דִּבֶּר c. אֶל Gn 8, 15, c. לְ 1 K 2, 19, c. אֵת Gn 23, 8, c. עִם 31, 29, c. בְּ Nu 12, 2, c. עַל (d. Sprechende steht vor d. Angeredeten *the speaker stands before the addressed one*) Ir 6, 10;

3. **etwas sprechen** *speak something*: דִּבֶּר c. ac. Ex 6, 29 Da 10, 11; so *thus* ד׳ שָׁוְא Hs 13, 8, ד׳ שֶׁקֶר Js 59, 3, ד׳ כָּזָב Da 11, 27, ד׳ אֱמֶת Ir 9, 4, etc.; **befehlen** *command* 2 K 1, 9;

4. **sprechen über** jmd oder etwas *speak concerning somebody or something*: ד׳ עַל Gn 18, 19, ד׳ בְּ Ps 119, 46; in אֲשֶׁר-Sätzen bleibt עַל weg *in* אֲשֶׁר-*clauses* עַל *is omitted* Gn 19, 21 Ru 4, 1;

5. ד׳ עַל **reden gegen** *speak against* Ho 7, 13; c. רָעָה androhen *threaten with* Ir 18, 8, c. טוֹב Nu 10, 29 u. טוֹבָה Ir 18, 20 verheissen *promise*;

6. ד׳ אֶל auftragen *commission* Ex 1, 17, ansagen *announce* Ir 36, 31;

7. ד׳ בְּ reden gegen *speak against* Nu 12, 1 Ps 50, 20; (Gott) redet durch *(God) speaks by* 1 K 22, 28; ד׳ בְּאִשָּׁה werben um *propose to* 1 S 25, 39;

8. ד׳ לְ versprechen *promise* Dt 6, 3, c. inf. 19, 8, androhen *menace* Ex 32, 14, befehlen *order* Dt 1, 14; Abrede treffen mit *arrange with* Jd 14, 7;

9. ד׳ דָּבָר Dt 18, 20 u. ד׳ דְּבָרִים 2 K 1, 7 reden *speak*; ד׳ דְּבָרָיו s. Sache sagen *tell one's errand* Gn 24, 33; ד׳ דְּבָרִים Worte machen *speak one's matters* 2 S 19, 30, e. Verabredung treffen *make an appointment* Js 8, 10 Ho 10, 4;

10. ד׳ שִׁיר e. Lied vortragen *utter a song* Jd 5, 12, ד׳ מָשָׁל Sprüche dichten *speak proverbs* 1 K 5, 12;

11. ד׳ שְׂפַת (כְּנַעַן) e. Sprache reden *sp. a language* Js 19, 18, ד׳ יְהוּדִית jüdisch reden *sp. Jewish* Ne 13, 24;

12. ד׳ קָשׁוֹת אֵת streng reden mit *sp. severely with* Gn 42, 30;

13. ד׳ בַּתְּפִלָּה e. Gebet spr. *say a prayer* Da 9, 21, ד׳ בְּגֵאוּת anmassend reden *sp. arrogantly* Ps 17, 10;

14. ד׳ בְּלִבּוֹ Ko 2, 15 u. ד׳ עַל־לִבּוֹ 1 S 1, 13 u. ד׳ עִם לִבּוֹ Ko 1, 16 redet vor sich hin, mit sich selbst *sp. to oneself*; ד׳ אֶל־לִבּוֹ bei sich selbst denken Gn 24, 45;

15. ד׳ עַל־לֵב freundlich zusprechen *sp. kindly to* Gn 34, 3 Js 40, 2; ד׳ לְשָׁלוֹם unbefangen reden *sp. unaffectedly* Gn 37, 4;

16. ד׳ טוֹב עַל jmd zum Nutzen reden *sp. good for* Est 7, 9; ד׳ טוֹבָה עַל Gutes verheissen für *promise good things for* 1 S 25, 30, z. Besten reden für *sp. good for* Ir 18, 20; l. דַּבֵּר יְדַבֵּר 1 K 20, 11; l. וַיִּרְבְּדוּ לְשָׁאוּל 1 S 9, 25; l. דְּבַר Ir 23, 17 u. הַדָּבָר 9, 7; l. רוֹדֵד Ps 18, 48; ? Nu 26, 3;

pu: impf. יְדֻבַּר, pt. מְדֻבָּר: geredet werden *be spoken* Ps 87, 3, cj 1 K 13, 17, c. בְּ von *of* Ct 8, 8 (*F* pi 7); †

hitp: pt. מִדַּבֵּר (מִתְדַּבֵּר* <): c. אֶל **sich besprechen mit** *converse with* Nu 7, 89 Hs 2, 2 43, 6; l. וּמְדַבֵּר 2 S 14, 13. †

Der.: דָּבָר, דִּבְרָה*, דַּבֶּרֶת*; I u. II דְּבוֹרָה; II מִדְבָּר*.

דָּבָר (1430 ×): II דבר: cs. דְּבַר, sf. דְּבָרוֹ. דְּבָרְךָ (דְּבָרֶיךָ Jd 13, 17 1 K 8, 26), דְּבָרֵךְ, דְּבָרֵךְ, דְּבָרֶיהָ, דְּבָרָיו, sf. דִּבְרֵי, cs. דְּבָרִים, pl. דְּבָרֵנוּ, דִּבְרֵיהֶם, דִּבְרֵיכֶם, דְּבָרַי, דְּבָרַי, דְּבָרֶיךָ, דְּבָרֶיךָ:

1. **Wort** *word*: ד׳ טוֹב schönes W. *good w.* Ps 45, 2; דְּבַר יהוה (F 5!) d. Wort J.s *the word of Y.* Gn 15, 1; דְּבָרִים אֲחָדִים dieselben Worte *the same words* Gn 11, 1; נְבוֹן ד׳ d. Wortes kundig *skilled in words, able speaker* 1 S 16, 18, אִישׁ דְּבָרִים redegewandt *eloquent* Ex 4, 10; הֵשִׁיב ד׳ Bericht bringen *report* Nu 13, 26; דִּבְרֵי הַבְּרִית Wortlaut d. B. *wording of the cov.* Ex 34, 28, דִּבְרֵי הַסֵּפֶר Inhalt d. B. *contents of the l.* 2 K 22, 13; הֵקִים דְּבָרוֹ führt s. Wort aus *establishes his word* 1 K 2, 4; נָפַל ד׳ bleibt unerfüllt *fails* Jos 23, 14; דְּבַר בִּלְעָם Rat B.s *counsel of B.* Nu 31, 16; ד׳ סֵתֶר W. im Geheimen *w. in secrecy* Jd 3, 19; ד׳ הוּא es ist bloss so ein Wort *it is but a word* 1 S 17, 29; ד׳ שְׂפָתַיִם e. blosses Wort *a vain w.* 2 K 18, 20; עָשָׂה דְבָרוֹ befolgte s. Rat *did after his advice* 2 S 17, 6; וַיִּהְיוּ דְבָרָיו עִם pflog Verhandlungen mit *conferred with* 1 K 1, 7; דְּבַר הַמֶּלֶךְ Befehl d. K. *order of the k.* Est 1, 12, ד׳ מַלְכוּת 1, 19; דִּבְרֵי הַצּוֹמוֹת Vorschriften über d. Fasten *regulations concerning the fasting* 9, 31; דְּבָרִים Aussprüche *sayings* 1 K 10, 6 Ir 1, 1;

2. **Angelegenheit, Sache** *matter, affair*: דְּבָרֵינוּ uns. Angelegenheit *our business* Jos 2, 14; דִּבְרֵי שְׁלֹמֹה Angelegenheiten S.s *matters of S.* 1 K 11, 41; דְּבַר אוּרִיָּה d. Sache mit U. *the matter of U.* 1 K 15, 5, דְּבַר הַמַּלְכָּה d. Sache mit d. K. *the matter of the queen* Est 1, 17; הַדְּבָרִים הָאֵלֶּה diese Worte, diese Dinge, diese Sache, dies *those words, those matters, this business, this* Gn 15, 1 20, 8; הַד׳ הַזֶּה dies *this* Gn 20, 10; דִּבֶּר דְּבָרָיו richtete s. Sache aus *told his business* Gn 24, 33; דִּבְרֵי הָאֲתֹנוֹת d. Sache mit d. E. *the matter of the asses* 1 S 10, 2; עָשָׂה דְבַר אֲמָתוֹ führt die Sache s.r Skl. *conducts his servant's cause* 2 S 14, 15; כָּל־דְּבַר־ לָהֶם דָּבָר *they have a cause* Ex 18, 16; jeder Fall von *every matter of* u. דְּבַר שְׁנֵיהֶם d. Fall der beiden *the cause of both parties* Ex 22, 8; בַּעַל דְּבָרִים d. e. Rechtsfall hat *who has a cause* Ex 24, 14, דְּבַר מִשְׁפָּט Rechtspflege *administration of justice* 2 C 19, 6; וְזֶה דְּבַר־ u. was betrifft *a. concerning* Dt 15, 2; כָּל־דְּבַר־ alle Angelegenheiten der *any matter of* 1 C 27, 1; > עַל־דִּבְרֵי Dt 4, 21 u. עַל־דְּבַר Gn 12, 17 wegen *on account of, regarding* u. עַל־דְּבַר אֲשֶׁר deshalb, weil *because* Dt 22, 24; הַד׳ אֲשֶׁר d. Grund, weshalb *the cause that* 1 K 11, 27; ד׳ אֵין לָהֶם עִם hatten nichts zu tun mit *had no dealings with* Jd 18, 7; דְּבַר־אַבְנֵר הָיָה עִם A. hat zu tun mit *A. had to deal with* 2 S 3, 17;

3. דָּבָר Wort, Sache > **etwas** *word, matter* > *something*: דְּבָרִים טוֹבִים Gutes *good things* 2 C 19, 3, c. הָיָה es stand gut *it was well* 12, 12; דָּבָר etwas *something* Am 3, 7; דָּבָר רָע etwas Böses *something evil* Dt 17, 1, ד׳ גָּדוֹל etw. Grosses *someth. great* 1 S 20, 2; דְּבַר־מָה was immer *whatsoever* Nu 23, 3; כָּל־הַדְּבָרִים Alles *everything* Gn 24, 66; לֹא . . . דָּבָר garnichts *nothing at all* Ex 9, 4; כַּדָּבָר הַזֶּה Gn 18, 25 u. כַּדְּבָרִים הָאֵלֶּה 44, 7 so *thus*; כַּדָּבָר הַזֶּה ebenso *after the same manner* 1 S 17, 30; אֵין דָּבָר irgendetwas *anything* Lv 5, 2; כָּל־דָּבָר es ist weiter nichts *there is nothing* u. es liegt nichts vor 1 S 20, 21; כַּדָּבָר הָרָע הַזֶּה etwas so Böses *any such evil thing* Dt 13, 12; עֶרְוַת ד׳ irgendetwas Schändliches *any improper behaviour* Dt 23, 15; שִׂים ד׳ בְּ etwas haben gegen *impute anything unto* 1 S 22, 15;

4. דְּבַר יוֹם בְּיוֹמוֹ die tägliche Sache an ihrem Tag = Tag um Tag seine Sache *the thing (work) of a day on his day = his work day*

for day Ex 5, 13 (u. 12 ×); דְּבַר שָׁנָה בְשָׁנָה Jahr um Jahr *year for year* 1 K 10, 25; דִּבְרֵיכֶם רָעִים euer Ruf ist schlecht (?) *your fame is bad* (?) 1 S 2, 23;

5. **Wort Gottes** *word of God* (Grether, Name u. Wort Gottes im AT, 1934; L. Dürr, D. Wertung d. göttlichen Wortes im AT u. im antiken Orient, 1938): a) דְּבַר אֱלֹהִים Jd 3, 20 1 S 9, 27 1 C 17, 3; † b) ד׳ הָאֱלֹהִים 2 S 16, 23 1 K 12, 22 †; = Gottes Angelegenheiten *matters pertaining to God* 1 C 26, 32 †; c) ד׳ אֱלֹהֵינוּ Js 40, 8; d) ד׳ יהוה (2 C 19, 11 Angelegenheiten *matters*) Gn 15, 1. 4 Ex 9, 20 f Nu 15, 31 (Dt 5, 5 l דִּבְרֵי) Jos 8, 27 (l כְּד׳ הַזֶּה 8, 8) 1 S (7 ×) 2 S 7, 4 12, 9 24, 11 1 K (33 ×) 2 K (16 ×) Js 1—39 (7 ×) Js 66, 5 Ir (52 ×) Hs (60 ×) Ho 1, 1 4, 1 Jl 1, 1 Am 7, 16 8, 12 Jon 1, 1 3, 1. 3 Mi 1, 1 4, 2 Ze 1, 1 2, 5 Hg (5 ×) Sa 1—8 (10 ×) Sa 9, 1 11, 11 12, 1 Ma 1, 1 Ps 33, 4. 6 Da 9, 2 Esr 1, 1 1 C (4 ×) 2 C (9 ×) = 233 × (112 × הָיָה ד׳־י׳ אֶל); † e) דִּבְרֵי יהוה Ex 4, 28 24, 3 f Nu 11, 24 Jos 3, 9 1 S 8, 10 15, 1 Ir 36, 4. 6. 8. 11 37, 2 43, 1 Hs 11, 25 Am 8, 11 2 C 11, 4 29, 15, cj Dt 5, 5; f) ד׳ אֱלֹהִים Ir 23, 36; † g) ד׳ הָאֵ׳ 1 C 25, 5; † l הַדֶּבֶר Ir 5, 13 9, 7; l הַבָּרָד Esr 10, 9.

Der. *דִּבְרָה.

I דֶּבֶר: I דבר; دَبْرَة Wunde (Reittier) *running sore* (*mount*), Lisān; *durbe* Geschwulst *ulcer* (Latham): דֶּבֶר: **Beulenpest** *bubo-pest, plague* Ex 5, 3 9, 3. 15 Lv 26, 25 Nu 14, 12 Dt 28, 21 2 S 24, 13. 15 1 K 8, 37 Ir 21, 6, cj 9, 20 [בָּא] דֶבֶר (f. דַּבֵּר 9, 21) Hs 14, 19 28, 23 Am 4, 10 cj 10 Ha 3, 5 (// רֶשֶׁף) Ps 78, 50 1 C 21, 12. 14 2 C 6, 28 7, 13; רָעָב וָדֶבֶר Hs 7, 15, ד׳ וָדָם 5, 17, ד׳ u. דָּם 38, 22; in Reihen *in enumerations*: Ir 14, 12 21, 9 27, 8. 13 29, 18 32, 36 38, 2 42, 17. 22 44, 13; 21, 7 32, 24 34, 17; 24, 10 29, 17; Hs 5, 12 6, 11. 12 12, 16 14, 21 7, 15, 33, 27; Ir 28, 8; cj לַדֶּבֶר Ps 78, 48. †

II דֶּבֶר: I דבר; F דָּרְבָן: pl. sf. דְּבָרֶיךָ: **Stachel, Dorn** *sting, thorn* (Löw 3, 513) Ho 13, 14 Ps 91, 3. 6. †

*דֹּבֶר: I דבר; ug. *dbr*: sf. דָּבְרָם: hinten, abgelegen) Trift (*remote place*) *pasture* Js 5, 17 Mi 2, 12 (l הַדֹּבֶר ו). †

דְּבִר u. F דְּבִיר 1 C 6, 43 †: n. l.; = דְּבִיר Hinterdorf *remote village*: c. -*ā* דְּבִרָה: 1. (Albr., AAS XXI f; Noth, JPO 15, 44 ff; Elliger, PJ 30, 63 ff) = *T. bet Mirsim* 20 km sw. Hebron Jos 10, 38 f 11, 21 12, 13 15, 15 (= קִרְיַת סֵפֶר). 49 (= קִרְיַת סַנָּה) 21, 15 Jd 1, 11 1 C 6, 43; 2. = *Toghret ed-Debr* (?) Jos 15, 7. †

דִּבֵּר: l הַדָּבָר Ir 5, 13 9, 7. †

*דִּבְרָה: דָּבָר 3 Angelegenheit *matter*; F ba.: cs. דִּבְרַת u. דִּבְרָתִי (BL 526 k) Ps 110, 4 †, sf. דִּבְרָתִי: 1. (Rechts-) **Sache** *cause* Hi 5, 8; † 2. **Weise** *manner* Ps 110, 4; † 3. עַל־דִּבְרַת **wegen** *because of, in regard of* Ko 3, 18 8, 2; c. שֶׁלֹּא **darum dass nicht** *therefore that not* 7, 14. †

דֹּבְרוֹת: I דבר: d. hinten [am Schiff] befindlichen [nachgeschleppten Stämme], **Floss** *the behind* [*the ship*] *being* [*dragged trunks*], *raft* (ThZ 5, 74 f) 1 K 5, 23. †

דִּבְרִי: n. m.; KF: Lv 24, 11. †

דָּבְרַת u. הַדָּ׳ Jos 19, 12: n. l.; I דבר: = *Dabu-riyah* am nw-Fuss d. Tabors *at the nw-foot of Mt. Tabor*, Alt PJ 22, 60, Albr. JBL 65, 398 f; in Sebulon Jos 19, 12, in Issachar 21, 28 1 C 6, 57, cj f. הָרַבִּית Jos 19, 20 (Abel 2, 61). †

*דַּבֶּרֶת: II דבר: pl. sf. דַּבְּרֹתֶיךָ: **Wort** *word* Dt 33, 3. †

*דבשׁ: דְּבַשׁ, n. m. יִדְבָּשׁ.

דְּבַשׁ: ak. *dašāpu* süss sein *be sweet*, *dišpu* Honig, Dattelsirup *honey*, *syrup of dates*, أَدْبَسَ honigfarbig (zwischen schwarz u. rot) sein *became of a colour between black a. red*; دِبْس, ja. דּוּבְשָׁא, sy. ܕܒܫܐ Honig u. Sirup *honey a. syrup*: דְּבָשׁ, sf. דִּבְשִׁי: **Honig** *honey* (Guidi, Note ebraiche 1927, 9—11: = μελίκρητον Milch, mit Honig gesüsst *milk sweetened with honey*): *F* זוב; דְּבַשׁ u. זֵית שֶׁמֶן Dt 8, 8, ד׳ u. זֵית יִצְהָר 2 K 18, 32, u. שֶׁמֶן Dt 32, 13 Ir 41, 8 Hs 16, 13. 19 27, 17 (u. צֳרִי), u. חֶמְאָה Js 7, 15. 22 Hi 20, 17, u. חָלָב Ct 4, 11; u. שְׂאֹר zum Garmachen d. Teigs *for fermenting dough* Lv 2, 11; Geschmack wie *taste like* מָן Ex 16, 31; *F* 2 S 17, 29 2 C 31, 5 Gn 43, 11 Jd 14, 8 1 S 14, 25. 29. 43 Ps 81, 17 Pr 24, 13; *F* בַּקְבֻּק, הֵלֶךְ, II יַעַר, יַעְרָה, נֹפֶת, צוּף, רָדָה. †

I **דַּבֶּשֶׁת**: دَبْش (š!) Reisegepäck *luggage* Stace 10. 102: (traditionell) **Höcker** *hump* (ak. *gupšu*, ug. *gbṯt*!) Js 30, 6. †

II **דַּבֶּשֶׁת**: n.l., = I? in Sebulon: Jos 19, 11. †

דָּג u. **דָּאג** Ne 13, 16: ug. *dg*; mhbr.: pl. דָּגִים, cs. דְּגֵי, *F* דגה: **Fisch** *fish* Jon 2, 1. cj 2. 11, coll. Ne 13, 16; pl. 1 K 5, 13 Hi 40, 31 Ko 9, 12, דְּגֵי הַיָּם Gn 9, 2 Nu 11, 22 Hs 38, 20 Ho 4, 3 Ha 1, 14 Ze 1, 3 Ps 8, 9 Hi 12, 8; *F* צִלְצַל; שַׁעַר הַדָּגִים *F* שַׁעַר. †

Der. דָּגָה, *דַּוָּג, *דַּיָּג, דּוּגָה, דיג.

דָּגָה: f. v. דָּג; Nöld. NB 122: cs. דְּגַת, sf. דְּגָתָם: coll. **Fische** *fish* Gn 1, 26. 28 Hs 47, 10 29, 4 f; Ex 7, 18. 21 Nu 11, 5 Dt 4, 18 Hs 47, 9; Js 50, 2 Hs 47, 10 Ps 105, 29; l הַדָּג Jon 2, 2. †

דגה: nur hebr. *only Hebr*; zu דָּג, דָּגָה?: qal: impf. יִדְגּוּ: zahlreich werden, wimmeln *multiply* Gn 48, 16. †

דָּגוֹן: n.d.; ug. *Dgn*; ak. *Dagān*, *Dagūna* (Schmökel, D. Gott Dagan, 1928; ph. Harris 95; Albr. ARI 220; RLA 2, 99—101): **Dagon**, Gott *god* in Gasa *Gaza* Jd 16, 23, in Asdod 1 S 5, 2—7, בֵּיתוֹ 5, 2. 4, כֹּהֲנֵי דָגוֹן 5, 5; 1 C 10, 10 (גֵּווֹ 1 S 5, 4). †

Der. n.l. בֵּית דָּגוֹן.

דגל: den. v. דֶּגֶל; sy. prüfen *examine*; Zimm. 12 f: qal: impf. נִדְגֹּל, pt. pss. דָּגוּל: **d. Feldzeichen hoch heben** *lift the banner* Ps 20, 6; sichtbar gemacht, **ausgezeichnet** *conspicuous* Ct 5, 10; †

nif: pt. pl. f. נִדְגָּלוֹת um Banner Gescharte? *gathered around the banners*? Ct 6, 4. †

דֶּגֶל: ak. *dagālu* sehen *see*; davon דֶּגֶל Fahne *banner* wie *like* رَايَة, Fahne *banner* v. رَأَى sehen *see*; äga.; tigre *dagal* Heerhaufen *army*: sf. דִּגְלוֹ, דִּגְלֵיהֶם: **Feldzeichen** *banner* (BRL 160 f) > **Abteilung** *division* (*of tribe*) Nu 1, 52 2, 2 f. 10. 17 f. 25. 31. 34 10, 14. 18. 22. 25 Ct 2, 4. †

דָּגָן: *F* דָּגוֹן; ug. *dgn*, ph. דגן, mhb.: cs. דְּגַן, sf. דְּגָנֵם: **Korn, Getreide** *corn*, *grain* (archaist. f. לֶחֶם ZAW 46, 218—20): 1. Korn, Brotfrucht *corn*, *bread-stuffs* Nu 18, 27 Hs 36, 29 Ho 14, 8 Jl 1, 17 Ps 65, 10 Ne 5, 2 f. 10, מָן = דְּגַן שָׁמַיִם Ps 78, 24, דָּגָן וְיַיִן Th 2, 12; 2. דָּגָן, תִּירוֹשׁ, יִצְהָר *F* יִצְהָר; תִּירוֹשׁ דָּגָן *F* תִּירוֹשׁ. †

דגר: ja. u. mnd. דְּגַר anhäufen *heap together* (?); دَرَجَ *sortir du nid* (Dozy)?: qal: pf. דָּגַר, דָּגְרָה: d. Nest verlassen? *quit the nest*?; sammeln? *gather together*?; brüten? brüten? *hatch*? Js 34, 15 Ir 17, 11. †

***דד**: n.m. *F* אֶלְדָּד, אֱלִידָד.

***דַּד**: Lallwort *word originating in infant's babble*; ak. *dīdā* Frauenbrüste *breasts of a* *woman*, Nöld. NB 121; mhb. דַּד, ja. דַּדָּא; ar. *dīd*, *daid* (Landberg, Ḥaḍramout 579) Zitze *teat* = τιτθός; *F* זִיז: du. cs. דַּדֵּי, sf. דַּדַּיִךְ, דַּדֶּיהָ: **Brüste** *breasts* Hs 23, 3 (Cornill!). 8. 21 Pr 5, 19.†

דַּד: *F* דּוֹד.

[*דדה: hitp. אֶדַּדֶּה (<*אֶתְדַּדֶּה) l נֵדְדָה Js 38, 15 u. אֶדַּדֵּם (<*אֶתְדַּדֵּם) l אַדִּירִים Ps 42, 5.†]

דֹּדִי: *F* דּוֹדוֹ.

דְּדָן: n. t., n. p.; Δαδαν, Δαιδαν; Nöld. NB 122; דדן alter Name *old name* v. *el-ʿÖla* Eph 3, 273; Jaussen-Sav., Miss. archéol. 2, 74 ff; Grimme, Mus. 50, 269 ff; in W-Arabien; // שְׁבָא Gn 10, 7 25, 3 Hs 38, 13 1 C 1, 9. 32; // תֵּימָא Ir 25, 23; יֹשְׁבֵי דְדָן *Edomites* Ir 49, 8; l וְעַד־דְּדָן Hs 25, 13; l רֹדָן (υἱοὶ Ροδίων)? 27, 20; Söhne = Unterteile *sons* = *divisions* v. דְּדָן Gn 25, 3 1 C 1, 32 (Täubler, Kharu, Horim, Dedanim HUC 1, 97 ff).†
Der. *דְּדָנִי.

***דְּדָנִי**: gntl.; דְּדָן: pl. דְּדָנִים: Js 21, 13.†

[**דֹּדָנִים**: l רֹדָנִים Gn 10, 4.†]

דהם: ak. *daʾāmu* dunkel sein *be dark*; دَهَمَ unversehens befallen (Missgeschick) *come upon unexpectedly* (*misfortune*);
nif: pt. נִדְהָם: **überfallen, überrascht** *astounded* Ir 14, 9.†

דהר: إِنْدَهَرَ sich beeilen *hurry* (Landberg, Le Datinois 1, 859); omanisch *t-dehdar* VG 1, 516:
qal: pt. דֹּהֵר **stieben** (Pferd) *dash* (*horse*) Na 3, 2.†
Der. *דַּהֲרָה.

***דַּהֲרָה**: דהר: pl. דַּהֲרוֹת: **Stieben** *dashing* Jd 5, 22.†

דֹּאֵג: n. m.; דאג; > דּוֹיֵג 1 S 22, 18. 22 K: Edomiter 1 S 21, 8 22, 18. 22 Ps 52, 2.†

דוב: *F* זוב.
hif: inf. cj הָדִיב, pt. pl. f. מְדִיבוֹת: c. נֶפֶשׁ **an d. Seele, am Leben zehren** *cause to pine away* (*soul, life*) Lv 26, 16, cj 1 S 2, 33.†
Der. cj *דּוּב.

cj ***דּוּב**: דוב; ܕܘܒܐ: **Schwund** (der Knochen) *withering* (*of the bones*), *atrophy*, cj Hölscher Hi 33, 19.†

***דַּוָּג**: דָּג: pl. דַּוָּגִים (Q דַּיָּגִים): **Fischer** *fisher* Ir 16, 16 Hs 47, 10.†

דּוּגָה: דָּג: **Fischerei** *fishery*: סִירוֹת ד׳ Fischangeln *fish hooks* Am 4, 2.†

דוד u. **דֹּד**: Lallwort *word originating in infant's babble*, Nöld. NB 121: ak. *dādu* Geliebter, Lust, *beloved one, love*; ug. *F* 3; asa. דד, ܕܕܐ Vatersbruder *father's brother*, دَادٌ Pflegevater *foster-father*; asa. דד in nn. m.: sf. דֹּדוֹ, דּוֹדֵךְ, דּוֹדִי, pl. דֹּדִים, sf. דֹּדַיִךְ, דֹּדֶיךָ:

1. **Liebhaber, Geliebter** (Sohn d. Vatersbruders als d. übliche Gatte) *beloved one* (*son of father's brother as costumary husband*) Js 5, 1 Ct 1, 13 f. 16 2, 3. 8—10. 16 f 4, 16 5, 2. 4—10. 16 6, 1—3 7, 10—12. 14 8, 5. 14;† 2. **Vatersbruder** *father's brother* Lv 10, 4 20, 20 25, 49 1 S 10, 14—16 14, 50 2 K 24, 17 Ir 32, 7 Am 6, 10 (hat die Bestattungspflicht *has to perform the burial*) 1 C 27, 32 Est 2, 15; בֶּן־דּוֹד **Vetter** *cousin* Lv 25, 49 Ir 32, 8 f. cj 12, pl. Nu 36, 11; בַּת דֹּד **Base** *girl cousin* Est 2, 7;† 3. pl. דֹּדִים, ug. *dd*: **Liebe**(sgenuss) *love* (*lust*) Hs 16, 8 23, 17 Pr 7, 18 Ct 1, 2. 4 4, 10 5, 1 6, 1 7, 13 Si 42, 20;† 4. *דֹּד: Liebling als Bezeichnung e. Gottes *beloved one as name of a god*: דודה mo. Meša 12; cj Am 8, 14 דֹּדְךָ f. דֶּרֶךְ (Winckler); auch *also* Js 5, 1?†

דּוּד: ak. *dūdu*, Topf, Kupferkessel *pot, copperkettle*; ug. *dd* „*broad-shouldered amphorae*" Honeyman PEFQ 1939, 81; äg. *dd.t* Schale,

Topf *bowl, pot*; palm. בת דודא u. ja. בֵּי דּוּדֵי u. sy. ܕܘܕܐ Kochgeschirr *cooking-vessel*: pl. דּוּדִים u. דְּוָדִים, cs. cj דּוּדֵי: 1. tiefer, runder **Kochtopf** mit 1 Henkel *deep round-bottomed single-handed cooking-pot* (Honeyman l.c.) 1 S 2, 14 2 C 35, 13; 2. **Korb** *basket* 2 K 10, 7 Ir 24, 2 Ps 81, 7, l דּוּדֵי Ir 24, 1; l כִּכּוֹר Hi 41, 12. †

דָּוִד u. **דָּוִיד**: n.m.; **David**: דָּוִד 790×: 1 S 2 S (l בִּכְרִי 19, 44) 1 K (ausser *except* 3, 14 11, 4. 36) 2 K Js Ir Hs 34, 24 37, 24f Ps Pr Ru Ko :: דָּוִיד Am 6, 5 9, 11 Ho 3, 5 Hs 34, 23 Sa 1 K 3, 14 11, 4. 36 1 C 2 C Esr Ne; erste Erwähnung *first mention* 1 S 16, 13; c. אֱלֹהֵי 2 K 20, 5, c. אֹהֶל Js 16, 5, c. בֵּית 2 S 3, 1. 6, c. חַסְדֵי Js 55, 3 2 C 6, 42, c. כִּסֵּא 2 S 3, 10, c. מִגְדַּל Ct 4, 4, c. סֻכַּת Am 9, 11, c. עִיר 2 S 5, 7. 9, c. קִבְרֵי Ne 3, 16; דָּוִיד אִישׁ הָאֱלֹהִים Ne 12, 36; Etymologie? דּוֹד? amor. (Mari) *dawidum* e. Würde *a dignity* Sy 19, 109f.

דּוּדָאִי: Ir 24, 1 F דּוּד, 2.

דּוּדָאִים: cs. דּוּדָאֵי; דּוֹד?: **Alraune** *mandrake Atropa Mandragora L.* (Löw 3, 363—8) Gn 30, 14—16 Ct 7, 14. †

***דּוֹדָה**: fem. v. דּוֹד: sf. דֹּדָתוֹ, דֹּדָתְךָ: 1. **Vaterschwester** *father's sister* Ex 6, 20; 2. **Frau d. Vatersbruders** *wife of father's brother* Lv 18, 14 20, 20. †

דּוֹדוֹ u. **דּוֹדוֹ**: n.m.; דּוֹד? ak. n.m. *Dudū*, Tallq. APN: 1. Jd 10, 1; 2. 2 S 23, 24 1 C 11, 26; 3. 1 C 11, 12, = דֹּדַי 2 S 23, 9. †

דּוֹדָוָהוּ: n.m.; l דּוֹדִיָהוּ?: 2 C 20, 37. †

דוה: ug. *dw*; aram., دوى u. ܕܘܐ krank sein *be sick*, ܕܘܐ schwach sein *be sad*:

qal: inf. sf. דְּוֺתָהּ: **unwohl sein**, menstruieren *be poorly, menstruate* Lv 12, 2; cj דְּוֺתָהּ < *הָאַתָּה Js 34, 5 F דאה. †

Der. דָּוֶה, *דְּוַי, דַּוָּי, II *מַדְוֶה.

דָּוֶה: דוה; ug. *dw*; Lkš 3, 7: f. דָּוָה: unwohl, **menstrua** *unwell* Lv 15, 33 20, 18 Js 30, 22, **krank** *faint* Th 1, 13 5, 17. †

דוח: mhb., ja.; F נדח:

hif: impf. יָדִיחַ, יְדִיחוּ: **abspülen** *rinse, cleanse away by rinsing* Js 4, 4 Hs 40, 38 2 C 4, 6; f. הֱדִיחָנוּ, l הִדִּיחָנִי (נדח) Ir 51, 34. †

***דְּוַי**: דוה: דְּוָי: **Krankheit** *illness* Ps 41, 4, cj Hi 18, 13 יֶאֱכַל בִּדְוַי; דְּוֵי לַחְמִי? Hi 6, 7. †

דַּוָּי: דוה: **krank, siech** *faint* Js 1, 5 Ir 8, 18 Th 1, 22. †

דָּוִיד: F דָּוִד.

דוך: Schallwort *sound-imitating* F דקק; ug. *dk*, داك zerstampfen *pound*; mhb., ja.; F דרך, דכה, דכא:

qal: pf. דָּכוּ: **zerstampfen** (im Mörser) *pound (in mortar)* Nu 11, 8. †

Der. מְדֹכָה.

דּוּכִיפַת: wie *like* ἔποψ, *upupa*, κουκουφατ, *hoopoe* Nachahmung des Rufs v. *imitating the cry of*: *Upupa Epops* **Wiedehopf** *hoopoe* (Nicoll 330ff), unrein *unclean*: Lv 11, 19 Dt 14, 18. †

דום: F דמם: I דּוּמָה, דּוּמִיָּה, דּוּמָם.

I **דּוּמָה**: דמם: **Schweigen** (Name d. Unterwelt) *silence (name of Underworld)* Ps 94, 17 115, 17. †

II **דּוּמָה**: n.l.; EA 256, 24: *Udumu* (Albr. JBL 58, 181f): = *ed-Dōme* 15 km sw. Hebron Jos 15, 52. †

III דּוּמָה: n. t., n. p.: Oase el-Ǧōf in Nord-Arabien (Euting, Tagebuch 1, 123–40) = *Dūma* u. *Dūmat el-Ǧendel*: 1. S. v. Ismael Gn 25, 14 1 C 1, 30; 2 n. t. Js 21, 11 (*Adumm(a)tu* RLA 1, 39 f). †

דּוּמִיָּה: < דּוּמָה u. דמה = דמי?: **Schweigen** *silence* Ps 22, 3 39, 3; l דֻּמִיָּה (דמה) Ps 62, 2 65, 2. †

דּוּמָם: דום u. -*ām*: adv. **still** *silently* Js 47, 5 Th 3, 26 (l וְיָחִלוּ דוּמָם); אֶבֶן דּ׳ **still daliegender** Stein *dumb stone* Ha 2, 19. †

דּוּמֶּשֶׂק: n. l.; = דַּמֶּשֶׂק; EA 107, 28 *Dumaška*: 2 K 16, 10. †

דון: qal: impf. יָדוֹן: unerklärt *unexplained*: Gn 6, 3. †

דּוּן: Hi 19, 29 Q שַׁדּוּן; l יֵשׁ דַּיָּן. †

דּוֹנַג: דּוֹנָג; < ak. *dumqu* hell *clear* (Perles, AOF 4, 218 f)?: **Wachs** *wax* Mi 1, 4 Ps 22, 15 68, 3 97, 5. †

דוץ: داص beweglich sein *slip about*, [Arabic] sprin-gen, jauchzen *bound*, *exult*:
qal: impf. תָּדוּץ: **hüpfen** *leap* Hi 41, 14. †

cj דוק: hif. cj וַיָּדֶק ἠρίθμησεν f. וַיָּרֶק: ذاق kosten *taste*, דוק ja., sy., cp. sam. mnd. genau betrachten *carefully inspect*: **mustern** *review* cj Gn 14, 14. †
Der. דָּיֵק.

דור: ug. *dr* Generation; ak. *dūru* Ringmauer *wall enclosing a town*, *dūru* Dauer *perpetuity*; F ba., äga. דּוּרָא Umkreis, Umfang *circuit*; دار um-kreisen *circle*, دور Umkreis *circumference*, kreis-förmiges Gehöft, Periode *circular farmyard*, etc.: qal: inf. דּוּר, imp. דּוּר: **im Kreis schichten** *stack in circles* (Scheiter *logs of wood*, l הָעֵצִים) Hs 24, 5; (im Kreis) **herumgehn, sich aufhalten** *circulate*, *dwell* Ps 84, 11 Si 50, 26. †
Der. דּוּר, I u. II דּוֹר, מְדוּרָה.

דּוּר: דור: 1. כַּדּוּר wie e. Kreis, **ringsum** *like a circle, on all sides* Js 29, 3 (G: ὡς Δαυιδ!); 2. **Ball** *ball* (F כַּדּוּר) Js 22, 18. †

I דּוֹר: דור: sf. דּוֹרִי: (kreisförmiges) **Zeltlager** (*circular*) *tent-camp* Js 38, 12. †

II דּוֹר u. דֹּר: F דור: sf. דּוֹרוֹ, pl. דּוֹרוֹת, דֹּרוֹת u. Js 51, 8 Ps 72, 5 102, 25 † דּוֹרִים, sf. דֹּרֹתָיו, דּוֹרוֹתֵינוּ, דֹּרֹתָם: 1. sg. **Kreislauf, Lebenszeit** (v. d. Geburt e. Manns bis zur Geburt seines 1. Sohns), **Menschenalter, Generation** *period*, *age* (*of a man from his own to his first son's birth*), *generation*: הַדּוֹר הַזֶּה Gn 7, 1, דּוֹר רְבִעִי 15, 16, דֹּר דֹּר Ex 3, 15 u. דֹּר וָדֹר Dt 32, 7 (29 ×) Geschlecht um Geschlecht *generation after generation*; לְאֶלֶף דֹּר 1 000 Generationen Dt 7, 9, הַדֹּר הָאַחֲרוֹן 29, 21; דֹּר c. הָעֹשֶׂה הָרָע Nu 32, 13, c. עִקֵּשׁ Dt 32, 5, c. תַּהְפֻּכֹת 32, 20, c. דֹּרְשָׁו Ps 24, 6, c. אֲבֹתָיו 49, 20, c. בָּנֶיךָ 73, 15, c. צַדִּיק 14, 5, c. עֶבְרָתוֹ Ir 7, 29, etc.; דּוֹר דּוֹרִים Js 34, 10, מִדּוֹר לָדוֹר alle G. *all g.* Js 51, 8, דּוֹר לְדוֹר eine G. um die andre *one g. after the other* Ps 145, 4; Ps 71, 18 l לְכָל־דּוֹר יָבוֹא; Js 53, 8 Ps 24, 6 = ak. *dūru* Dauer, Stand *permanent condition* u. دور Veränderung *change of fortune*: **Geschick** *fate* Driver JTS 36, 403; ? Ir 2, 31; 2. pl. **Generationen** *generations*: אַרְבָּעָה דֹרוֹת Hi 42, 16, דּ׳ בְּנֵי יִשְׂרָאֵל Jd 3, 2, דֹּרוֹתֵינוּ אַחֲרֵינוּ die von uns stammenden G. nach uns *our gen. after us* Jos 22, 27 f; Gott *God* קֹרֵא הַדּ׳ Js 41, 4; דּ׳ עוֹלָמִים d. Gen. von ehedem *the gen. of the former days* Js 51, 9; לְדֹרֹתָם nach ihren G. *in their gen.* Gn 17, 7. 9; לְדֹרֹתָם G. um G. von ihnen *gen. after gen. of them* Gn 17, 12 (27 ×), לְדֹרֹתָיו G. um G. von ihm *gen. after gen. of him* Lv 25, 30; בְּדֹרֹתָיו unter s. Zeitgenossen *in his gen.*, *among his contemporaries* Gen. 6, 9.

III דוֹר: n. l.; F דאר u. נָפַת דּוֹר u. חַמַּת דּוֹר.

דושׁ: F ba.; ug. ? *dṯ*; ak. *dāšu* niedertreten *tread on* (Dreschochsen *threshing oxen*), دَاسَ; aram. דְּשׁ:
qal: דַּשְׁתִּי, impf. תָּדוּשׁ, sf. יְדוּשֶׁנּוּ, תְּדוּשֶׁה, inf. דּוּשׁ, דּוֹשׁ, דִּשׁ, דוּשׁ cj Js 28, 28, sf. דִּישׁוֹ! דּוּשָׁם, imp. דּוֹשִׁי, pt. דָּשׁ: 1. **niedertreten** *tread on, trample on* Hi 39, 15; 2. **dreschen** *thresh* Dt 25, 4 2 K 13, 7 Js 28, 28 (l דּוֹשׁ f. אָדוֹשׁ) 41, 15 Ho 10, 11 Mi 4, 13 1 C 21, 20; 3. dreschen = **misshandeln** *thresh = treat badly* Am 1, 3 Ha 3, 12 Jd 8, 7; l כְּעֶגֶל בַּדֶּשֶׁא Ir 50, 11; †
nif: pf. נָדוֹשׁ, inf. הִדּוּשׁ ! **niedergetreten werden** *be trampled down* Js 25, 10; †
hof. (pass. qal?): impf. יוּדַשׁ **gedroschen werden** *be threshed* Js 28, 27. †
Der. מְדֻשָׁה, דַּיִשׁ.

דחה: mhb., aram.; دَحَى treiben *drive*; F דחח u. נדח:
qal: pf. sf. דְּחִיתַנִי, inf. דָּחֹה, דְּחוֹת, pt. דּוֹחֶה, pss. f. דְּחוּיָה: **stossen** *push* Ps 35, 5 118, 13 140, 5; (Steinwall) **einstossen** *push in (wall)* 62, 4;
nif: impf. יִדַּחֶה **umgestossen werden** *be cast down* Pr 14, 32 Si 13, 21 (Var. יִדָּחוּ Ir 23, 12); †
pu: pf. דֹּחוּ: **umgestossen werden** *be thrust down* Ps 36, 13. †
Der. מִדְחֶה, דְּחִי.

דחח: = דחה:
nif: impf. יִדַּח, יִדַּחוּ, pt. נִדָּח: **gestossen werden** *be thrust down* Ir 23, 12, **verstossen werden** *be cast out* 2 S 14, 14. †

דְּחִי: דחה; דֶּחִי: **Anstoss, Straucheln** *stumbling* Ps 56, 14 116, 8. †

***דחן**: دَخِنَ wurde dunkel, schwärzlich *became of a dusky colour, inclining to black*.
Der. דֹּחַן.

דֹּחַן: ak. *duḫnu*; دُخْن; aram. דּוּחְנָא, דּוֹחִינָא; *דחן (wie *like* חִטָּה nach d. Farbe benannt *named after its colour*: rauchfarben *of a smoky colour*; cf. μελίνη): **Hirse** *millet Sorghum vulgare* (Löw 1, 738 f; AS 2, 258 f) Hs 4, 9. †

דחף: mhb., ja. antreiben *drive*:
qal: pt. pss. דְּחוּפִים: **eilige** *in haste* Est 3, 15 8, 14; †
nif: pf. נִדְחָף: **sich beeilen** *hurry* Est 6, 12 2 C 26, 20. †
Der. מַדְחֵפֹה.

דחק: mhb., ja., sy.; دَحَقَ forttreiben *drive away*:
qal: impf. יִדְחָקוּן, cj יִדְחַק, pt. דֹּחֲקֵיהֶם: **drängen** *urge* cj (חֹק = die Zeit *the time*: Gunkel ZS 2, 158) Mi 7, 11; **bedrängen** *thrust* Jl 2, 8 Jd 2, 18;
cj nif: לֹא תִדָּחֵק: **sich drängen** müssen *be crowded* (Festschr. Marti 176) cj Ze 2, 2. †

דַּי: mhb. כְּדֵי würdig *deserving*, כְּדֵי gemäss *in agreement with*; ja. u. sy. כַּדּוֹ genug *enough*; ph. מד (מִדֵּי) so oft als *as often as*: דַּי, cs. דֵּי, sf. דַּיֶּךָ, דַּיָּם (*daj* u. *-ān*): **das Ausreichende, d. Bedarf, genug** *sufficiency, the required, enough*: 1. דַּיָּם was für sie erforderlich ist *what they want, enough (for them)* Ex 36, 7 Ir 49, 9 Ob 5 Na 2, 13; דַּיֶּךָּ soviel du nötig hast *as is sufficient for thee* Pr 25, 16, דֵּי שֶׂה genug für, die Kosten für e. Schaf *enough for, outlay for a sheep* Lv 5, 7 12, 8; דֵּי גְאֻלָּתוֹ erforderlich für *sufficient to* 25, 26, דֵּי מַחְסֹרוֹ soviel er bedarf *as much as he needs* Dt 15, 8, דֵּי הָשִׁיב לוֹ genug, um es wieder an sich zu bringen *enough for repurchase* Lv 25, 26; genug *enough* Js 40, 16. 16 Pr 27, 27, דֵּי אֵשׁ u. דֵּי רִיק was genug ist für = nur für *enough for = only for* Ir 51, 58 Ha 2, 13, עַד בְּלִי־דָי bis kein Bedarf mehr ist, übers Mass

until there is no more want, boundless Ma 3, 10, cj Ps 72, 7 (KlL 57—9); מִדֵּי mehr als erforderlich *more than needed* Ex 36, 5; †
2. a) בְּדֵי: בְּדֵי שֹׁופָר **sooft** d. Horn ertönt *as often as ... sounds* Hi 39, 25; b) כְּדֵי **wie es entspricht** *according to* Dt 25, 2, כְּדֵי ... לָרֹב so massenhaft wie *as numerous as* Jd 6, 5, כְּדֵי בָנוּ soviel an uns lag *as far as we were able* Ne 5, 8; c) מִדֵּי vom Bedarf aus *regarding the need*: מִדֵּי שָׁנָה בְשָׁנָה Jahr für Jahr *from year to year* 1 S 7, 16 Sa 14, 16 2 C 24, 5, מִדֵּי חֹדֶשׁ בְּחָדְשׁוֹ u. מִדֵּי שַׁבָּת בְּשַׁבַּתּוֹ M. für M., S. für S. *from m. (sab.) to m. (sab.)* Js 66, 23; d) מִדֵּי > conjunct.: **so oft** *as often as*: c. inf. מִדֵּי צֵאתָם 1 S 18, 30, *F* 1 S 1, 7 1 K 14, 28 2 C 12, 11 2 K 4, 8 Js 28, 19 Ir 48, 27 (l דַּבֶּרְךָ) 31, 20, c. impf. מִדֵּי אֲדַבֵּר 20, 8; e) לְמַדַּי > לְמִן־דַּי* (מָה = מִן) **genug** *enough* 2 C 30, 3; f) l וְכֵן דַּי u. so wird es genug geben *a. thus there will be enough* Est 1, 18. †

דִּיבֹן u. **דִּיבוֹן**: n.l.; > דִּימוֹן Js 15, 9 u. cj Ir 48, 2; mo. דיבן; Δαιβων; äg. *Tbn* ETL 219: 1. *Dībān* 20 km ö. Totes Meer, n. Arnon (Fundort d. Mesa-Stele *where the Meshaᶜ-Stone has been discovered in 1868*), moabitisch *town of the Moabites* Nu 21, 30, v. Gad neu gebaut *rebuilt by Gad* 32, 34, ד׳ גָּד 33, 45 f, an Ruben gegeben *given to Reuben* 32, 3 Jos 13, 9. 17, später zu Moab gehörig *later on Moabite town* Ir 48, 22; בַּת דִּי׳ Ir 48, 18 u. cj Js 15, 2, מֵי דִימוֹן 15, 9; Mackenzie PEPQ 1913, 59 ff, Thiersch ZDP 37, 63 ff, BRL 128 f, Glueck, AAS XVIII/XIX; *F* מַדְמֵן; 2. in Juda Ne 11, 25, = דִּימוֹנָה Jos 15, 22. †

דיג: דָּג:
qal: pf. sf. וְדִיגוּם (l וְדִיגוּם? Nöld. NB 123): **herausfischen** *fish, catch* Ir 16, 16. †

דַּיָּג*: דיג, דָּג: pl. דַּיָּגִים **Fischer** *fisher* Js 19, 8 Q Ir 16, 16. †

דַּיָּה: *F* דָּאָה: pl. דַּיּוֹת: unbestimmter, unreiner Vogel *undefinable, forbidden bird* Dt 14, 13 Js 34, 15. †

דְּיוֹ: ja., sy., mnd. דְּיוֹתָא Tinte *ink*, دَوَاة Tintenfass *inkhorn*: **Tinte** (aus Galläpfeln u. Russ) *ink (of gallnut a. soot)* Ir 36, 18. †

דִּי זָהָב: n.l.; cf. מֵי זָהָב; Musil AP 1, 211 = *ed-Dheibe*, O-Grenze Moabs: Dt 1, 1. †

דִּימוֹן: *F* דִּיבֹן.

דִּימוֹנָה: *F* דִּיבֹן 2.

דין: ug. *dn*; ak. *daiānu, dānu*; *F* ba., äth., asa.; Nöld. BS 40 f, NB 39; Zimm. 23 f:
qal: pf. דָּן, דָּנוּ, sf. דָּנַנִּי, impf. יָדִין, תָּדִין, sf. תְּדִינֵנִי, inf. דִּין, imp. דִּין, דִּינוּ, pt. דָּן: 1. c. ac. jmd **Recht schaffen** *plead one's cause* Gn 49, 16 Js 3, 13 Sa 3, 7 Ps 72, 2 Pr 31, 9, Gott *God*: Gn 30, 6 Dt 32, 36 Ps 54, 3 96, 10 135, 14; 2. דָּן דִּין (jmd's) **Recht durchsetzen** *plead one's cause* Ir 5, 28 22, 16 30, 13; 3. דָּן מִשְׁפָּט e. **Rechtsanspruch durchsetzen** *pass through a claim* Ir 21, 12; 4. דָּן עִם **rechten mit** *contend with* Ko 6, 10; 5. c. ac. **Gericht halten über, zur Verantwortung ziehn** *execute judgement, vindicate*, Gott *God*: Gn 15, 14 1 S 2, 10 Js 3, 13 Ps 50, 4; 6. l. יָזוּן Hi 36, 31; ? Ps 110, 6; †
nif: pt. נָדוֹן: **sich zanken** *dispute* 2 S 19, 10. †
Der. דִּין, דַּיָּן, מָדוֹן, I מְדָיָן, מְדִינָה; n. propria דָּן, אֲבִידָן, דִּינָה, דָּנִיֵּאל.

דִּין: דין: דִּינָהּ: 1. **Rechtsanspruch** *(legal) claim* Dt 17, 8 Js 10, 2 Ir 5, 28 22, 16 30, 13 Ps 9, 5 140, 13 Pr 29, 7 31, 5. 8; 2. **Rechtsstreit, Rechtsfrage** *legal case, legal contest* Pr 22, 10 Hi 35, 14 36, 17 Est 1, 13; 3. **Rechtsspruch, Urteil** *judgement* Ps 76, 9 Hi 36, 17 (?); 4. כִּסֵּא דִין Richterstuhl *throne of judgement* Pr 20, 8; l יֵשׁ דַּיָּן f. שַׁדִּין Hi 19, 29. †

דַּיָּן: דין; *F* ba.; ak. *dajānu*: cs. דַּיַּן: **Richter** *judge* 1 S 24, 16 Ps 68, 6, cj Hi 19, 29.†

דִּינָה: n. f.; דין; Noth S. 10; ak. *Dinā* Tallq. APN 70b: T. v. Jakob u. Lea; Gn 30, 21 34, 1. 3. 5. 13. 25 f 46, 15.†

דִּיפַת: l רִיפַת 1 C 1, 6.†

דָּיֵק: דוק, sy. [Syriac] **Beobachtungsposten** *lookout*, Nöld. ZDM 54, 159; ak. *dājiqu*: coll. **Belagerungswerke** *bulwark, siege-wall* 2 K 25, 1 Ir 52, 4 Hs 4, 2 17, 17 21, 27, c. נָתַן עַל 26, 8.†

דַּיִשׁ: דושׁ: **Dreschzeit** (*season of*) *threshing* Lv 26, 5.†

I **דִּישׁוֹן**: דושׁ ? πύγαργος; = تَيْتَل, تَيْتَل: Ibn Sīda: ähnlich d. *resembling the* إِيَّل: essbares, nicht bestimmtes Tier *eatable, not definable animal* Dt 14, 5.†

II **דִּישׁוֹן** u. **דִּישֹׁן** u. **דִּשֹׁן**: n. m.; = I? Nöld. BS 84; ZAW 44, 90: 1. חֹרִי Gn 36, 21. 30 1 C 1, 38; 2. Enkel v. *grandson of* Esau Gn 36, 25. cj 26 1 C 1, 41.†

דִּישָׁן: n. m.; = דִּישׁוֹן ? (BL 498 ff): חֹרִי Gn 36, 21. 28 1 C 1, 38. 42; Gn 36, 26 l דִּישׁוֹן.†

דַּךְ: *דכךְ; mhb. דַּךְ: דָּךְ [pl. sf. דַּכָּיו]: **unterdrückt** *oppressed* Ps 9, 10 10, 18 74, 21, cj 10, 12; l נִכְחָה f. דַּכָּיו Pr 26, 28.†

דכא: ak. *F* דוךְ; mhb. דָּכָא; = דוךְ, דכה, *דכךְ:

nif: pt. pl. נִדְכָּאִים: **unterdrückt** *oppressed* Js 57, 15 Si 11, 5;†

pi: pf. דִּכָּא, דִּכְּאת, impf. יְדַכֵּא, תְּדַכְּאוּ, sf. יְדַכְּאֵנִי, תְּדַכְּאוּנַנִי (Var. תְּדַכְּאוּנְנִי; BL 375) Hi 19, 2, cj יְדַכְּאֵם Hi 4, 19, inf. דַּכֵּא, sf. דַּכְּאוֹ: **zerschlagen, zermalmen** *crush* Js 3, 15, Ps 72, 4 89, 11 94, 5 143, 3 Pr 22, 22 Hi 4, 19 6, 9 19, 2, cj 22, 9, Th 3, 34, l דַּכָּאוֹ Js 53, 10;†

pu: pf. דֻּכְּאוּ, pt. מְדֻכָּא, מְדֻכָּאִים: **zerschlagen sein** *be crushed* Js 19, 10 53, 5 Ir 44, 10, l תְּדַכֵּא Hi 22, 9;

hitp: impf. (*יִתְדַּכְּאוּ <) יִדַּכְּאוּ, יִדַּכָּאוּ: **zermalmt daliegen** *lie crushed about* Hi 5, 4 34, 25.†

Der. דַּכָּא.

דַּכָּא: דכא: pl. sf. דַּכָּאֵי: 1. **zerschlagen, gedemütigt** *crushed, humiliated* Js 57, 15 (cj דַּכָּאוֹ Js 53, 10 Begrich), דַּכְּאֵי רוּחַ Ps 34, 19; 2. Zermalmtes = **Staub** *crushed matter = dust* Ps 90, 3.†

דכה: = דכא, דוךְ, *דכךְ; nur *only* Ps: [qal: impf. יִדְכֶּה Ps 10, 10 Q, l יִדְכֶּה; †]

nif: pf. נִדְכֵּיתִי (MSS נִדְכֵּאתִי), impf. cj יִדְּכֶה, pt. נִדְכֶּה: zerschlagen werden, sein *be crushed* Ps 38, 9 51, 19, cj 10, 10;†

pi: pf. דִּכִּיתָ, sf. דִּכִּיתָנוּ **zerschlagen** *crush* Ps 44, 20 51, 10.†

Der. *דֳּכִי.

דַּכָּה (Var. דַּכָּא): *דכךְ **Zerschlagung** *crushing*; פְּצוּעַ־דַּכָּה durch Zerquetschung (der Hoden) entmannt *castrated by crushing* (*of the testicles*) Dt 23, 2.†

***דֳּכִי**: דכה: sf. דָּכְיָם: **Klatschen** (der Wellen) *dashing* (*of waves*) Ps 93, 3.†

***דכךְ**: ug. *dk*, دَكَّ, aram. דְּכַךְ; = דוךְ, דכה, דכא: Der. דַּךְ, דַּכָּה.

I **דַּל**: *F* דֶּלֶת: **Tür** *door* Ps 141, 3.†

II **דַּל**: דלל; ug. *dl* arm *poor*: דָּל Ps 82, 3, דָּל, pl. דַּלִּים, דַּלּוֹת:

1. **gering, unansehnlich** *low, poor* Gn 41, 19 (Kühe *kine*) Jd 6, 15 (Verwandtschaft *family*); 2. **gering, hilflos** *low, helpless* Ex 30, 15 Lv 14, 21 19, 15 1 S 2, 8 Js 10, 2 11, 4 14, 30 25, 4 26, 6 Am 2, 7 4, 1 5, 11 8, 6 Ps 41, 2 72, 13 82, 3 f 113, 7 Pr 10, 15 14, 31 19, 4. 17

21, 13 22, 9. 16. 22 28, 3. 8. 11. 15 29, 7. 14 Hi 5, 16 20, 10. 19 31, 16 34, 19. 28 Ru 3, 10; 3. **gering, ohne Macht** *low, poor* Ex 23, 3 (1 וְדַל ,וְגָדוֹל) 2 S 3, 1; 4. **gedrückt, kleinlaut** *reduced, downcast* 2 S 13, 4; 5. **gering, unwissend** *low, ignorant* Ir 5, 4; 6. אֵין לָהֶם מְאוּמָה **arm** *poor* Ir 39, 10; // אֶבְיוֹן 1 S 2, 8 etc.; // עָנִי Js 26, 6 Pr 22, 22 Hi 34, 28; // אַלְמָנָה Hi 31, 16; עָנִי וָדַל Ze 3, 12; F II *דַּלָּה. †

דלג: mhb., ja; دَرَجَ:

qal: pt. דּוֹלֵג **hinaufsteigen** *ascend* Ze 1, 9; pi: impf. יְדַלֵּג, אֲדַלֶּג־, pt. מְדַלֵּג: **ersteigen, erklettern** *ascend, climb up* Js 35, 6 Ct 2, 8 2 S 22, 30 Ps 18, 30 Si 36, 31. †

דלה: ak. *dalū* Wasser schöpfen *draw water*, دَلْو, دَلَا Schöpfeimer *bucket*, aram. דַּלְיָא; ܕܠܐ wägen *weigh*:

qal: pf. דָּלָה, impf. sf. יִדְלֶנָּה, וַתִּדְלֶנָה, inf. דְּלֹה: (Wasser) **schöpfen** *draw water* Ex 2, 16. 19 Pr 20, 5; Pr 26, 7 l דַּלְיוּ; †

pi: pf. sf. דִּלִּיתָנִי: **heraufziehn** *draw up* Ps 30, 2. †

Der. דְּלִי, *דָּלִית, n. m. דְּלָיָה, דְּלָיָהוּ.

I **דַּלָּה**: דלל: cs. דַּלַּת: 1. Fadenrest (e.s Gewebes; AS 5, 335), **Kette** *thrum* (*threads of warp*) Js 38, 12; 2. hängende, **offene Haare** *dishevelled hair* (AS 5, 335) Ct 7, 6 †

II ***דַּלָּה**: f. v. II דַּל: cs. דַּלַּת; pl. דַּלּוֹת: coll. **die Geringen** *the low, poor people* 2 K 24, 14 25, 12 Ir 40, 7, pl. 52, 15 f. †

דלח: ak. *dalāḫu* (Wasser) trüben *make turbid*; aram. דְּלַח aufstören *disturb*:

qal: impf. וַתִּדְלַח, sf. תִּדְלָחֵם: (Wasser) **trüben** *make turbid (water)* Hs 32, 2. 13. †

דְּלִי: דלה; mh. pl. דְּלָיִים, דְּלָיוֹת; دَلْو Schöpfeimer *bucket*: du. sf. דָּלְיָו (BL 583x'): [Schöpf-]**Eimer** *bucket* (ledern, Mündung durch Holzkreuz offen gehalten *leathern, mouth kept open by crossed sticks*; AS 5, 189) Js 40, 15 Nu 24, 7. †

דְּלָיָה: n. m.; < דְּלָיָהוּ: 1. Ne 6, 10; 2. Ne 7, 62 Esr 2, 60; 3. 1 C 3, 24. †

דְּלָיָהוּ: n. m.; > דְּלָיָה; דלה u. יי (J. zieht empor *Y. lifts up*): 1. Ir 36, 12; 2. 1 C 24, 18. †

דְּלִילָה: n. f.; asa. n. f. דללת; דלל; دَلّ Gefallsucht *amorous behaviour*; äg.-arab. *tedellel* schätzeln *flirt*: Jd 16, 4. 6. 10. 12 f. 18. †

***דָּלִית**: דלה; mhb., ܕܠܝܬܐ; دَالِيَة: pl. sf. דָּלִיּוֹתָיו: **Laubbehang** *foliage*: Ölbaum *olive-tree* Ir 11, 16, Rebe *vine* Hs 17, 6 f, 19, 11, Zeder *cedar* Hs 17, 23 31, 7. 9. 12. †

דלל: verw. *cognate* דלה; تَدَلْدَلَ herabbaumeln *hang down, dangle*, قَوْم دَلْدَل unschlüssige Leute *people hanging in suspense*; ܕܠܕܠ herabhängende, baumelnde Locken *dangling curls*; ak. *dalālu* unterwürfig sein *be humble*, *dallu* gering, *poor, weak*; mhb. דלל, hif. הֵידַל dünn machen (Pflanzensaat) *thin (sown plants)*, ja. דְּלַל arm sein *be poor*; sy. דַּלִּילָא wenig *few*:

qal: 1. pf. דַּלּוּ: **baumeln** (Bergleute) *dangle (miners)* Hi 28, 4, cj דַּלּוּ (Schenkel des Lahmen *thighs of the lame*) cj Pr 26, 7; 2. pf. דַּלּוֹתִי, דַּלּוּ, דַּלּוֹנוּ, impf. יַדַּל (BL 428 d) **klein, gering sein, werden** *be little, low* Jd 6, 6 Js 17, 4 19, 6 (Wasser *water*) Ps 79, 8 116, 6 142, 7, cj Na 1, 4 (אֻמְלַל f. דָּלַל); l. כָּלוּ Js 38, 14. †

Der. II דַּל, I u. II דַּלָּה; n. f. דְּלִילָה.

***דלע**: n. l. דִּלְעָן.

דִּלְעָן: n.l.; *דלע دَلَعَ hervorragen *protrude*; ThZ 5, 151 f: bei *near* לָכִישׁ (Abel 2, 90: *T. en-Neğile*) Jos 15, 38. †

I **דלף**: mhb., ja., sy.; دَلَف (Berggren 348), دَلَف undichtes Dach *roof letting in water* (Dozy 1, 457): **durchlässig sein** *let in water, drip*: Ko 10, 18. †

Der. דֶּלֶף.

II **דלף**: ak. *dalāpu*:

qal: דָּלְפָה **schlaflos sein** *be sleepless* Ps 119, 28 Hi 16, 20. †

Der. n. m. יִדְלָף, דַּלְפוֹן.

דֶּלֶף: I דלף: **durchlässiges Dach** *roof letting in water* Pr 19, 13 27, 15. †

דַּלְפוֹן: n. m.; II דלף; ak. *Dullupu* schlaflos *sleepless* Stamm 265; F n. m. יִדְלָף: Est 9, 7. †

דלק: aram. brennen *burn*, F ba.; دَلَق scharf sein *be sharp*:

qal: pf. דָּלְקוּ, דָּלַקְתָּ, sf. דְּלָקֻנוּ, impf. יִדְלַק, inf. דְּלֹק, pt. דֹּלְקִים:

1. c. בְּ **in Brand setzen** *set ablaze* Ob 18; abs. Ps 7, 14; 2. דָּלַק אַחֲרֵי **hitzig hinter jmd her sein** *hotly pursue* Gn 31, 36 1 S 17, 53; = דָּלַק c. ac. Ps 10, 2 (l בְּגֵאוּת) Th 4, 19; l חֲלָקִים Pr 26, 23; †

hif: impf. sf. יַדְלִיקֵם, imp. הַדְלֵק: **erhitzen, in Glut bringen** *inflame, kindle* Js 5, 11 Hs 24, 10 Si 43, 4. †

Der. דַּלֶּקֶת.

דַּלֶּקֶת: דלק: **Fieberglut** *inflammation* Dt 28, 22. †

דֶּלֶת: F I דל; ug. *dlt*; ak. *daltu* Tür, Türflügel, Deckel (e. r Lade) *door, leaf of a door, lid (of chest)*, mhb., ja. דַּלְתָּא, δελτα Driv. SW 155. 180; דלה? ursprünglich *originally* Vorhang? *curtain*?; Nöld. NB 123 f, VG 1, 179. 334; F Zimm. 30: דֶּלֶת; sf. דַּלְתּוֹ, du. דְּלָתַיִם, cs. דַּלְתֵי, sf. דְּלָתֶיךָ, דְּלָתַי, pl. דְּלָתוֹת, cs. דַּלְתוֹת, sf. דַּלְתֹתָיו, דַּלְתֹתַי, דַּלְתוֹתֵיהֶם, Js 26, 20 דְּלָתְיךָ = דְּלָתֶיךָ K u. דְּלָתְךָ Q; fem. (Ne 13, 19!):

I. sg. 1. **Tür** *door*: Haus *house* Gn 19, 6. 9 f Ex 21, 6 Dt 15, 17 Jd 19, 22 1 K 7, 50, Zimmer *room* 2 S 13, 17 f (c. נעל) Js 26, 20 57, 8; 2. **Türflügel** *leaf of door* 1 K 6, 34 Hs 41, 24; 3. **Deckel** *lid* 2 K 12, 10, 4. Geliebte *beloved one* = Tür *door* Ct 8, 9; 5. סָגַר דֶּלֶת c. schliessen *shut* 2 K 4, 4 f. 33 6, 32 Ko 12, 4 etc.; c. פָּתַח öffnen *open* 2 K 9, 3. 10, c. נָעַל verriegeln *bolt* 2 S 13, 17 etc., c. סבב Pr 26, 14, c. שָׁבַר Gn 19, 9;

II. pl. u. du. 6. **Tür** *door* דְּלָתַיִם וּבְרִיחַ e. r Stadt *of a city* Dt 3, 5 1 S 23, 7 2 C 8, 5 14, 6 Si 49, 13; בְּרִיחַ וּדְלָתָיִם Ir 49, 31 Hs 38, 11 Hi 38, 10; דְּלָתֶיהָ Jos 6, 26 1 K 16, 34 Js 45, 1; דַּלְתֵי e. s Hauses *of a house* Jos 2, 19 Jd 11, 31 1 K 7, 50 2 C 4, 22, v. *of* Hiob Hi 31, 32; דַּלְתֹת Jd 19, 27, e. s Tors *of a gate* Jd 16, 3 1 S 21, 14 1 C 22, 3 Ne 6, 1, des *of* בית יהוה 1 S 3, 15 2 C 28, 24 29, 3, des *of* הֵיכָל 2 K 18, 16 Hs 41, 23. 25 Ne 6, 10, des *of* פֶּתַח הַדְּבִיר 1 K 6, 31, des *of* אוּלָם 2 C 29, 7; דַּלְתוֹתָיו דַּלְתוֹת הָעֲלִיָּה, 2 C 4, 22, הַפְּנִימִיּוֹת Jd 3, 23—25, דְּלָתַיִם בַּשּׁוּק 2 C 4, 9, דְּלָתוֹת לָעֲזָרָה Ko 12, 4; aus Holz *of wood* 1 K 6, 31 f. 34, aus Erz *of brass* Js 45, 2 Ps 107, 16, goldüberzogen *overlaid with gold* 2 C 3, 7, erzüberz. *overl. with brass* 4, 9; ד׳ c. הִצִּיב Jos 6, 26 1 K 16, 34 Si 49, 13, c. הֶעֱמִיד Ne 3, 1. 3. 6. 13—15 7, 1, c. סָגַר Ma 1, 10 Ne 13, 19, c. גּוּף Ne 7, 3, c. שִׁבֵּר Js 45, 2; דְּלָתוֹת Türflügel *leaves of door* Hs 41, 24; l רֹכֶלֶת (= 27, 3) Hs 26, 2; 7. דַּלְתֵי שָׁמַיִם Ps 78, 23, ד׳ יָם Hi 38, 8, ד׳ לְבָנוֹן Sa 11, 1,

ד׳ בִּטְנִי Hi 3, 10, ד׳ פָּנָיו (Tier *beast*) Hi 41, 6, ד׳ d. Weisheit *of wisdom* Pr 8, 34; 8. **Spalten** (e.r Schriftrolle) *columns* (*of a roll*) Ir 36, 23 (cf. Lkš 4, 3). †

דָּם (360 ×): Sem., ug. *dm*, Nöld. NB 117—9: cs. דַּם, sf. דָּמִי, דָּמְךָ, דָּמֵךְ, דָּמוֹ, דָּמָהּ, דָּמָם, דִּמְכֶם! pl. דָּמִים, cs. דְּמֵי, sf. דָּמַיִךְ, דָּמִיךְ, דָּמָיו, דָּמֶיהָ, דְּמֵיהֶם:

1. **Blut** (v. Mensch u. Tier) *blood* (*of man a. animal*) Gn 9, 6 37, 31 1 K 21, 19 Js 66, 3; Nasenbluten *bleeding at the nose* Pr 30, 33, Regelblut *bloody issue of a woman* Lv 15, 19; Blut als Sitz d. Lebens *blood = life* Gn 9, 4 Lv 17, 11; Blutgenuss verboten *blood not to be eaten* Lv 3, 17 7, 26 17, 10. 12 Dt 12, 16. 23 15, 23; אָכַל עַל־הַדָּם mitsamt d. Blut essen *eat with the blood* Lv 19, 26 1 S 14, 32—4 (l עַל 34) Hs 33, 25; שָׁתָה דָּם (Vögel *birds*) Hs 39, 17; blutrot *blood-red* 2 K 3, 22 Jl 3, 4; דָּם וָאֵשׁ (Zeichen *sign*) Jl 3, 3;

2. metaph. דַּם־עֲנָבִים Gn 49, 11, דַּם עֵנָב Dt 32, 14 Si 39, 26 Wein *wine*, cf. ug. *dm ʿṣm*;

3. **Opferblut** *blood of victims* דַּם זֶבַח Ex 23, 18, דַּם עֹלָה 2 K 16, 15, דַּם חַטָּאת Lv 4, 25, דַּם אָשָׁם 14, 14, דַּם שְׁלָמִים 7, 14, נָתַן דָּם עַל Ex 12, 7 Hs 43, 20, טָבַל בַּדָּם u. הִגִּיעַ מִן־הַדָּם עַל Ex 12, 22, זָרַק עַל 24, 6, שָׁפַךְ אֶל 29, 12, הִזָּה עַל 29, 21, הִקְרִיב Lv 1, 5, הֵבִיא 4, 5, לָקַח בְּאֶצְבָּעוֹ 4, 25, יָצַק אֶל 9, 9, הִמְצִיא אֶל 9, 12; חֵלֶב וָדָם Hs 44, 7. 15; שָׁתָה דָּם (von Böcken, Gott *of goats, God*) Ps 50, 13;

4. דָּם **gewaltsam vergossnes Blut** *blood shed by violence* Nu 35, 33: c. שָׁפַךְ Gn 9, 6, אָרַב לְדָם Pr 1, 18 (l לְתָם 1, 11), c. דָּרַשׁ Gn 9, 5 Ps 9, 13 (l דָּמָם), c. כִּסָּה Gn 37, 26, דָּם נָקִי ohne Schuld vergossnes Blut *blood shed free from guilt* F נָקִי, דָּם יֵחָשֵׁב wird als Blutschuld gerechnet *is imputed as blood-guiltiness* Lv 17, 4; c. עָמַד עַל Lv 19, 16; גֹּאֵל הַדָּם F גאל; בֵּין־דָּם לְדָם (Rechtsfall) bei dem Blut vergossen wurde (*case*) *in which blood has been shed* Dt 17, 8 2 C 19, 10; הַדָּם d. Blutschuld *the blood-guilt* Dt 21, 8; נָקַם דָּם Dt 32, 43; דָּמוֹ בְרֹאשׁוֹ s. Blut komme auf s. Haupt *his blood shall be upon his head* Jos 2, 19 Hs 33, 4, דָּמְךָ עַל־רֹאשֶׁךָ 2 S 1, 16; בִּקֵּשׁ דָּם מִיַּד 2 S 4, 11; בְּדָם blutbefleckt *bloodstained* 1 K 2, 9; בְּדָם unter Blutvergiessen *by shedding blood* Hs 14, 19, דֶּבֶר וָדָם Hs 5, 17 28, 23 38, 22;

5. pl. דָּמִים a) (vergossnes) **Blut** *blood* (*which has been shed*) Gn 4, 10; דְּמֵי טָהֳרָה Lv 12, 4 f; מְקוֹר דָּמֶיהָ 12, 7; חֲתַן דָּמִים Ex 4, 25 f; b) **Bluttat, Blutschuld** *deed of blood, blood-guilt* Ex 22, 1 Nu 35, 27 2 S 21, 1; שָׂם ד׳ בְּ Dt 19, 10; עָלֶיךָ ד׳ Lv 20, 9; דָּמָיו בּוֹ 22, 8, c. עַל Jd 9, 24; בָּא בְדָמִים in Blutschuld geraten *come into blood-guiltiness* 1 S 25, 26. 33; אִישׁ דָּמִים Blutmensch, Mörder *man of blood, murderer* 2 S 16, 7 f Ps 5, 7, אַנְשֵׁי ד׳ Ps 26, 10 55, 24 59, 3 139, 19 Pr 29, 10, הֵשִׁיב ד׳ עַל 2 S 16, 8; עִיר הַדָּמִים Stadt voll Blutschuld *city full of blood-guilt* Hs 22, 2; c) דְּמֵי מִלְחָמָה im Krieg vergossnes Blut *blood shed in war* 1 K 2, 5; דְּמֵי חִנָּם unnötig vergossnes Bl. *bl. shed without cause* 2, 31; דָּמַיִךְ Bl. (d. Neugebornen) *bl.* (*of a new-born*) Hs 16, 6. 9; l. כַּרְמְךָ Hs 19, 10.

I דמה: F ba.; ak. *damtu*, *dūtu* (Torczyner, ZDM 66, 769) Gestalt *shape*; mhb. דמה, aram. דְּמָא, ܕܡܘܬܐ, > ܕܡܝܐ:

qal: pf. דָּמָה, דָּמְתָה; דָּמִיתָ, דָּמִיתִי, דָּמוּ, דָּמִינוּ, impf. יִדְמֶה, נִדְמֶה, imp. דְּמֵה, pt. דֹּמֶה, fem. cj דֹּמִיָּה Ps 65, 2: **gleichen** *be like, resemble*: a) abs. Js 46, 5; b) c. לְ jmd Js 1, 9 Ir 6, 2 (2. sg. fem.!) Ps 89, 7 102, 7 144, 4 Ct 2, 9 7, 8 Si 13, 15; c) c. אֶל Hs

31, 2. 18; d) c. אֶל inbetreff *concerning* Hs 31, 8; e) דָּמָה לְךָ לְ tu wie *be, act like* Ct 2, 17 8, 14; Ps 65, 2 cj דֻּמִיָּה לְ entspricht, geziemt sich für *is due to*; †

pi: דִּמִּיתִיךָ, sf. דִּמִּינוּ, דִּמִּיתִי, דִּמִּיתָ, דִּמָּה, impf. תְּדַמְּיוּנִי, sf. תְּדַמְּיוּן, אֲדַמֶּה, תְּדַמֶּה, תְּדַמִּי, יְדַמֶּה: 1. c. acc. u. לְ: **vergleichen, gleichstellen** *liken, compare* Js 46, 5 Ct 1, 9 Th 2, 13, = c. אֶל Js 40, 18. 25; 2. f. gleich, angemessen halten = **planen** *liken > devise* (לְ gegen *against*) 2 S 21, 5, cj (1 דָּמוּ לִי) Ps 17, 12, c. לְ u. inf. Nu 33, 56 Jd 20, 5 2 S 21, 5 (1 לְהַשְׁמִידֵנוּ) Est 4, 13, cj Ps 17, 12 (דָּמוּ לִי); c. כַּאֲשֶׁר u. כֵּן **gesonnen sein** *feel inclined* Js 10, 7 14, 24; 3. c. acc. **erwägen** *balance, ponder over* Ps 48, 10; 1 מַרְאֶה Ho 12, 11; †

hitp: impf. אֶדַּמֶּה > אֶתְדַּמֶּה*: c. לְ **sich** jmd **gleich wissen, fühlen** *consider oneself like somebody* Js 14, 14. †

Der. דְּמוּת, דְּמִי, [דִּמְיוֹן*].

II דמה: = F דמם:

qal: impf. תִּדְמֶה, תִּדְמֶינָה, pt. fem. cj דֹּמִיָּה: 1. **still sein** *be silent, still*: נֶפֶשׁ cj (דֹּמִיָּה) Ps 62, 2. 6; still werden, **zur Ruhe kommen** (Tränen) *cease, come at rest* (*tears*) Ir 14, 17 Th 3, 49; Ho 4, 5 F pi; †

nif: pf. נִדְמָה, נִדְמְתָה, נִדְמֵיתָ, נִדְמֵיתָה, נִדְמֵיתִי, נִדְמוּ, inf. נִדְמֹה, pt. נִדְמֶה: zur Ruhe gebracht sein, **stumm sein** *be silenced, be dumb* Ps 49, 13. 21; 2. zum Schweigen gebracht sein, **schweigen müssen** *be silenced*: Menschen *men* Js 6, 5 (Kl L 32—34) Hs 32, 2, Volk *people* Ho 4, 6 10, 15 Ob 5 Ze 1, 11, Stadt *city* Js 15, 1 Ir 47, 5 Ho 10, 7, cj Hs 27, 32 (1 נִדְמָה); †

cj pi: pf. דִּמֵּיתִי: **zum Schweigen bringen** *cause to be silent* cj Ho 4, 5. †

Der. דֳּמִי.

דֻּמָה: 1 נִדְמָה f. כְּדֻמָה Hs 27, 32. †

דְּמוּת: I דמה; ὁμοίωμα 14 ×, ὁμοίωσις 5 ×; *similitudo* 19 ×, *imago* Gn 5, 3 Js 40, 18: sf. דְּמוּתֵנוּ, דְּמוּתוֹ: Gleichheit, Gestalt *likeness, shape* (Th Z 4, 20f): 1. **Nachbildung** *pattern* 2 K 16, 10; 2. **Gestalt** *shape* Hs 1, 22, von Tieren *of animals* Hs 1, 5, Menschen *men* 1, 5, Gesichtern *faces* 1, 10 10, 22, Rindern *oxen* 2 C 4, 3, כְּבוֹד יהוה Hs 1, 28; דְּמוּת (אֶחָד .f) אַחַת, dieselbe Gestalt *the same shape* Hs 1, 16 u. 10, 10; דְּמוּת **etwas wie** *something like*: יְדֵי אָדָם Hs 1, 26 10, 1, אִישׁ (sic!) 8, 2, כִּסֵּא 10, 21, 1 יַד אָדָם Da 10, 16; 3. **Abbild** (Gottes) *likeness* (*of God*) Js 40, 18, (von Menschen *of men*) Hs 23, 15; כִּדְמוּת wie e. Abbild *after the likeness* Gn 1, 26, = בִּדְמוּת 5, 1, v. Menschen *of men* 5, 3; 4. 1 כִּדְמוּת נָחָשׁ wie von Schl. *like of serp.* Ps 58, 5; 1 הֲמוֹת Js 13, 4, 1 וּבִינוֹת Hs 1, 13. †

דֳּמִי: I דמה: Gleichheit, **Hälfte** *likeness, half, midst* (cf. ak. *mišlu* Hälfte *half* v. משל) Js 38, 10. †

דֳּמִי: II דמה; soq. *demi* Schlaf *sleep*: נָתַן דֳּמִי לוֹ lässt ihm **Ruhe** *gives him rest* Js 62, 7; אַל דֳּמִי לָכֶם habt keine Ruhe, bleibt nicht **still**! *keep not silence*! 62, 6; Ps 83, 2. †

דַּמִים: F אֶפֶס דַּמִים.

דִּמְיוֹן*: I דמה: sf. דִּמְיֹנוֹ: **Ähnlichkeit** *likeness* (ja. דִּמְיוֹנָא): 1 דָּמוּ לִי (I דמה; = 2 S 21, 5) Ps 17, 12. †

דמם: NF II דמה; ug. *dmm* schweigen *keep silence*; mhb. דִּמְדֵם u. ja. דִּמְדֵם bewusstlos *unconscious*, دَامَ andauern, bewegungslos sein (Wasser) *last, be motionless* (*water*), ⲧⲱⲙ betäubt sein *be stupefied*:

qal: pf. דָּמוּ, impf. וַאֶדֹּם, תִּדֹּמִּי, וַיִּדֹּם, תִּדֹּם, יִדְּמוּ, imp. דֹּם, דֹּמִּי, דֹּמּוּ, נִדְּמָה! > נִדֹּמָּה*!:

1. bewegungslos sein, stillstehn *be motionless, stand still* Jos 10, 12f 1 S 14, 9, cj Js 30, 18 (יִדֹּם) Ir 8, 14 47, 6, Ruhe haben *rest* Hi 30, 27 Th 2, 18; 2. sich still halten *be silent* Lv 10, 3 Js 23, 2 Ir 48, 2 Hs 24, 17 Hi 31, 34 Am 5, 13 Ps 4, 5 30, 13 31, 18 35, 15 37, 7 (לְ gegenüber *before*) Hi 29, 21 Th 2, 10 3, 28; 3. bewegungslos, starr sein *be motionless* Ex 15, 16; l דֻּמִיָּה Ps 62, 6; †

nif: pf. נָדַמּוּ, impf. תִּדַּמּוּ, יִדְּמוּ, יִדַּמּוּ: zum Stillstehn gebracht werden, sich stillhalten müssen *be made motionless, silent* 1 S 2, 9 Ir 49, 26 50, 30 51, 6, leblos *lifeless* Ir 25, 37; †

po: pf. דּוֹמַמְתִּי: beruhigen *quiet* (נַפְשִׁי) Ps 131, 2; †

hif: pf. sf. הֲדִמָּנוּ: zum Stillstehn bringen *cause to stand still* Ir 8, 14. †

Der. דְּמָמָה.

דְּמָמָה: דמם: Regungslosigkeit, Windstille (Aufhören aller starken Luftbewegung) *motionlessness, calm (cessation of any strong movement of the air)* 1 K 19, 12 Hi 4, 16 Ps 107, 29. †

***דמן**: דֹּמֶן I, מַדְמֵנָה.

דֹּמֶן: *דמן; دمن (denom.) düngen *manure*: Dünger (Leichen) *dung (corpses)* 2 K 9, 37 Ir 8, 2 9, 21 16, 4 25, 33 Ps 83, 11. †

דִּמְנָה: n.l.; Jos 21, 35: l. רִמֹּנָה. †

דמע: ug. *dm*ᶜ; mhb., ja., sy. (pa.) tränen *shed tears*; دمع überfliessen von *overflow with*:

qal: impf. תִּדְמַע, inf. דָּמֹעַ: Tränen vergiessen *shed tears* Ir 13, 17 Si 12, 16. †

Der. *דֶּמַע, דִּמְעָה.

***דֶּמַע**: דמע: sf. דִּמְעֲךָ: Überfluss (an Öl) *the overflowing part, abundance (of oil)* Ex 22, 28; cf. δάκρυον τ. δένδρων Theophr., *arborum lacrimae* Plin. †

דִּמְעָה: דמע; ug. *ʾdm*ᶜ*t*, ak. *dīmtu*; ja. דִּמְעָא, sy. ܕܡܥܬܐ: cs. דִּמְעַת, sf. דִּמְעָתָהּ, דִּמְעָתְךָ, דִּמְעָתִי; pl. דִּמְעוֹת: coll. Tränen *tears* 2 K 20, 5 Js 16, 9 25, 8 38, 5 Ir 9, 17 13, 17 14, 17 31, 16 Hs 24, 16 Ma 2, 13 Ps 6, 7 39, 13 42, 4 56, 9 116, 8 126, 5 Th 1, 2 2, 18 Ko 4, 1, מְקוֹר ד׳ Ir 8, 23, לֶחֶם ד׳ Ps 80, 6; דְּמָעוֹת Ps 80, 6 Th 2, 11, cj כָּל־דִּמְעָתִי (pro לֹא יָדַעְתִּי) Ps 71, 15. †

דַּמֶּשֶׂק: n.l.; דַּמֶּשֶׂק > דּוּמֶּשֶׂק u. דַּרְמֶשֶׂק: ak. *Dimašqa*, EA *Dum.* äg. *Tmśq* (ETL 219), *Tamsqu* (Albr. Voc. 62), Δαμασκος, دِمَشْق, دِمِشْق, ja. דורמסקית, דרמסקינא, דרמסקוס (Ruž. KD 78), Rosenth. AF 15–18: דַּמֶּשֶׂק: Damaskus, Hauptstadt v. *capital of* אֲרָם Js 7, 8, אֲרַם דּמ׳ 2 S 8, 5 f, גְּבוּל דּמ׳ Hs 47, 16 f 48, 1, מִדְבַּר דּמ׳ 1 K 19, 15, נַהֲרוֹת דּמ׳ 2 K 5, 12; F Gn 14, 15 1 K 11, 24 15, 18 20, 34 2 K 8, 7. 9 14, 28 16, 9—12 Js 8, 4 10, 9 17, 1. 3 Ir 49, 23 f. 27 Hs 27, 18 47, 16 Am 1, 3. 5 5, 27, cj 3, 12 Sa 9, 1 Ct 7, 5; ? Gn 15, 2; Benzinger, PW IV, 2042 ff; Watzinger u. Wulzinger, Damaskus, die antike Stadt, 1921; BRL 124 f; RLA 2, 104. †

דְּמֶשֶׁק: l (עֶרֶשׂ) דַּמֶּשֶׂק (die Elfenbeinbetten von *the ivory beds of*) Damaskus Am 3, 12. †

דָּן: n. m.; n. p.; n. l.; דין: loc. דָּנָה: 1. n. m.: S. v. יַעֲקֹב Gn 30, 6 35, 25 Ex 1, 4 Jos 19, 47 Jd 18, 29 1 C 2, 2; 2. n. p., d. Stamm Dan *the tribe of the Danites* Nu 1, 12 Dt 27, 13 33, 22 Jd 5, 17 Hs 48, 1 f 1 C 27, 22, בְּנֵי דָן Gn 46, 23 49, 16 f Nu 1, 38 2, 25 7, 66 26, 42 Jos 19, 47 Jd 1, 34 18, 2. 16. 22 f. 25 f. 30; בְּנוֹת דָּן 2 C 2, 13; מַטֵּה בְנֵי דָן Nu 34, 22 Jos 19, 40. 48, גְּבוּל בְּנֵי דָן Jos 19, 47; מַחֲנֵה בְנֵי דָן Nu 10, 25; מַטֵּה דָן Ex 31, 6 35, 34 38, 23 Lv 24, 11 Nu 1, 39 13, 12 Jos 21, 5. 23; מִשְׁפַּחַת הַדָּנִי Nu 26, 42; מַחֲנֵה דָן Nu 2, 25. 31 Jd 13, 25; 3. n. l.: a) מַחֲנֵה דָן Jd 18, 12; b) *T. el-Qāḍi*

40 km n. Einfluss d. Jordans in d. See Genesareth *n. influx of Jordan into Sea of Galilee* Gn 14, 14 Dt 34, 1 Jos 19, 47 (= לֶשֶׁם) Jd 18, 29 (= לַיִשׁ), cj 2 S 20, 18 1 K 12, 30 15, 20 Ir 4, 15 8, 16 Hs 27, 19? 2 C 16, 4, דָּנָה 2 S 24, 6; // בֵּית־אֵל 1 K 12, 29 2 K 10, 29, שַׁעַר דָּן Hs 48, 32, אֱלֹהֶיךָ דָּן Am 8, 14, מִבְּאֵר שֶׁבַע וְעַד־דָּן 1 C 21, 2 2 C 30, 5, מִדָּן וְעַד־בְּאֵר שֶׁבַע Jd 20, 1 1 S 3, 20 2 S 3, 10 17, 11 24, 2. 15 1 K 5, 5. † Der. דָּנִי.

דָּנִאֵל: F דָּנִיֵּאל.

***דנג**: F דּוֹנַג.

דַּנָּה: n. l.; *דנן; ak. *Dannatu* n. l. = Festung *stronghold*: in Juda Jos 15, 49. †

דִּנְהָבָה: n. l.; דִּי u. *נהב = נוב?: in Edom Gn 36, 32 1 C 1, 43. †

דָּנִי: gntl. v. דָּן: הַדָּנִי die Daniten *the Danites* Jd 13, 2 18, 1. 11. 30 1 C 12, 36; שֵׁבֶט הַדָּנִי Jd 18, 1. 30; מִשְׁפַּחַת הַדָּנִי Jd 13, 2 18, 11. †

דָּנִיֵּאל: n. m.; < דָּנִיאֵל; דין u. אֵל > דָּנִאֵל Hs 14, 14. 20 28, 3 †, cf. ug. *Dn3l*: **Daniel**; ak. *Dānilu*; palm. דניאל, nab. דנאל: 1. S. v. דָּוִד 1 C 3, 1 = כִּלְאָב 2 S 3, 3; 2. Priester *priest* Esr 8, 2 Ne 10, 7; 3. Da 1, 6—12, 9 (23 ×) Hs 14, 14. 20 28, 3; F 1 Hen. 6, 7 9, 2, Jub. 4, 20. †

***דנן**: n. l. דַּנָּה, n. m. מְדָן.

דֵּעַ: < inf. v. ידע; F דֵּעָה: sf. דֵּעִי, pl. דֵּעִים: **Wissen** *knowledge* (*opinion*) Hi 32, 6. 10. 17 36, 3; תְּמִים דֵּעִים im Wissen vollkommen, allwissend (Gott) *perfect in knowledge* (*God*) 37, 16. †

***דעה**: in n. m. אֶלְדָּעָה; دَعَا wünschen *desire*.

דֵּעָה: fem. v. דֵּעַ: pl. דֵּעוֹת: **Wissen** *knowledge* Js 28, 9 Ir 3, 15 Ps 73, 11, c. acc. objecti Wissen von *knowledge of* Js 11, 9; אֵל דֵּעוֹת Gott, der das Wissen besitzt *God of knowl.* 1 S 2, 3, תְּמִים דֵּעוֹת allwissend (Gott) *perfect in knowledge* (*God*) (F דֵּעַ) Hi 36, 4. †

דְּעוּאֵל: n. m.; ידע u. אֵל; G Ραγουηλ = Nu 2, 14!: Nu 1, 14 7, 42. 47 10, 20. †

דעך: F זעך; mh., ja., sy.; mnd. דאך, דהך: qal: pf. דָּעֲכוּ, impf. יִדְעָךְ, יִדְעָךְ: **erlöschen** *be extinguished* Js 43, 17 Pr 13, 9 20, 20 24, 20, cj 28, 2 (l יִדְעָכוּן) Hi 18, 5 f 21, 17; † nif: pf. נִדְעֲכוּ: **ausgelöscht sein** (Wasserläufe) *be dried up* (*brooks*) Hi 6, 17 Si 40, 16. † pu: pf. דֹּעֲכוּ, l בָּעֲרוּ Ps 118, 12. †

דַּעַת (85 ×, Pr 37 ×, l אִמְרֵי־דַעַת Hi 33, 3): inf. v. ידע; soq. *doʿoh* Wissen *knowledge*: דָּעַת, sf. דַּעְתּוֹ, דַּעְתָּם, דַּעְתְּךָ, דַּעְתֵּךְ, noch verbal gebraucht *still used as verb* Ir 22, 16: 1. a) allgemeines **Wissen** *knowledge in general* Pr 24, 4, b) technisches Wissen, **Können** *technical knowledge, ability* Ex 31, 3 35, 31 1 K 7, 14; 2. **Wissen** um e. Sache *knowledge about a matter*: בִּבְלִי דַעַת unwissentlich *unawares* Dt 4, 42 19, 4 Jos 20, 3. 5; עַל־דַּעְתְּךָ trotzdem du weisst *although you know* Hi 10, 7; כְּדַעְתְּכֶם so, wie ihr wisst *as far you are knowing* Hi 13, 2, דַּעַת רוּחַ windiges, vergebliches W. *vain knowledge* Hi 15, 2, erlernbar *to be learned* Pr 21, 11; 3. **Erkenntnis** *knowledge, cognition* a) Gottes *of God*: דַּעַת עֶלְיוֹן Nu 24, 16, דַּעְתּוֹ seine *his* (יהוה ist Objekt *is the object*) Js 53, 11, הַדַּעַת אֹתִי (mich *me* = יהוה) Ir 22, 16, דַּעַת אֱלֹהִים Ho 4, 1 6, 6 Pr 2, 5, דַּעַת קְדֹשִׁים Pr 9, 10 30, 3, דַּעַת דְּרָכַי Js 58, 2, דַּעַת דְּרָכֶיךָ Hi 21, 14 (Hänel, D. Erkennen Gottes bei d. Schriftpropheten, 1923); † b) von gut u. böse *of good a. evil* Gn 2, 9. 17; † c) Erkenntnis allgemein *knowledge in general* Js 11, 2, יָבִין לָדַעַת ist fähig zu erkennen *is able to know* Js 32, 4 40, 14 44, 19 Ps 19, 3 u. oft *a. often*, חָכְמָה וָדַעַת Js 33, 6 Ko 1, 16; 4. **Einsicht** *discernement, understanding*; טַעַם וָדַעַת Ps 119, 66; מִבְּלִי דַעַת Js 5, 13, בְּלִי דַעַת Hi 38, 2 42, 3, בִּבְלִי דַעַת 35, 16 36, 12 verständnislos *without discernement*; דִּבֶּר בְּדַעַת einsichtig r. *sp. judiciously* Hi 34, 35; Ps 139, 6 l הַדַּעַת; Da 12, 4 l הָרָעוֹת.

***דפה**: *דֳּפִי.

***דֳּפִי**: *דפה; ja. דּוֹפְיָא Makel *fault*; أَدْفَى höckerig *humpbacked*: דֳּפִי **Makel** *blemish, fault* Ps 50, 20 (ThZ 5, 75). †

דפק: ja. pa. anklopfen *rap (at the door)*, דִּפְקָא Puls *pulse*, دَفَقَ (e. Tier) antreiben *make to hasten (a beast)*:
qal: pf. sf. דְּפָקוּם, pt. דּוֹפֵק: c. ac. (Kleinvieh) übertreiben, **zu rasch treiben** *drive (sheep) with vehemence, too quickly* Gn 33, 13; abs. **anklopfen**, drängen *rap (at the door), worry* Ct 5, 2; †
hitp: pt. מִתְדַּפְּקִים **einander drängen** *push one another* Jd 19, 22. †
Der. n.l. דָּפְקָה.

דָּפְקָה: n.l.; דפק; Ραφακα!: Wüstenstation *place in the desert* (s. Eziongeber? PJ 36, 22—4) Nu 33, 12 f. †

דַּק: דקק: דַּק, f. דַּקָּה, pl. דַּקּוֹת: 1. **dünn, spärlich** *thin, scarce*: Haar *hair* Lv 13, 30, Grannen (d. Ähre) *awn (of ear of corn)* Gn 41, 6 f. 23 f; 2. **dünn, fein** *thin, fine*: Reif *hoar frost* Ex 16, 14, Staub *dust* Js 29, 5; dünner Belag *thin foil* Ex 16, 14 Js 40, 15; 3. **dünn, schwindsüchtig**? *thin, consumptive*? Lv 21, 20; 4. **dünn, leise** *thin, low* דְּמָמָה 1 K 19, 12; l רַקּוֹת Gn 41, 3 f. †

דֹּק: דקק: etwas Dünnes: **Schleier**? **Flor**? *something thin: veil? gauze?* Js 40, 22. †

***דקל**: דִּקְלָה n.m.

דִּקְלָה: n.m.; Repräsentant e.r südarabischen Oase *representative of a South-Arabian oasis*; دَقَل, mhb. דֶּקֶל, aram. דִּקְלָא, דֶּקְלָא Dattelpalme *date-palm*: S. v. יָקְטָן Gn 10, 27 1 C 1, 21. †

דקק: F ba.; ug. *dq* klein *small*, ph. דק dünn, fein *thin, fine*, ak. *daqāqu*, mhb., ja., sy. דקק, دَقَّ, ܕܩܩ zerstossen, zerkleinern *crush, break in pieces*, asa. דקק Mehl *flour*; F דוק:
qal: pf. דַּק, דָּק, impf. תָּדֹק, sf. יְדוּקֶנּוּ: **zermalmen** *crush*: Korn *bread-stuff* Js 28, 28, Berge *mountains* 41, 15; abs. **fein gemahlen sein** *be fine by grinding* Ex 32, 20 Dt 9, 21; †
hif: pf. הֵדַק, הֵדַקּוֹת, impf. וַיָּדֶק, sf. אֲדִקֵּם, inf. הָדֵק: **fein zermahlen** *pulverize* 2 S 22, 43 2 K 23, 6. 15 Mi 4, 13 2 C 15, 16 34, 4, cj Ps 18, 43; הָדֵק Ex 30, 36 u. לְהָדֵק (*sic*) 2 C 34, 7 sodass es fein zermahlen ist *into fine powder*; †
hof: impf. יוּדָק: wird fein zermahlen *be crushea* Js 28, 28. †
Der. דַּק, דֹּק.

דקר: mhb., ja., sy., دَقَرَ Landb. Ḏat. Gl. 819:
qal: pf. דְּקָרוּ, sf. דְּקָרֻהוּ, דְּקָרֻנִי, impf. וַיִּדְקֹר, sf. וַיִּדְקְרֵהוּ, imp. sf. דָּקְרֵנִי: **durchbohren** (mit Waffe) *pierce through (with weapon)* Nu 25, 8 Jd 9, 54 1 S 31, 4 Sa 12, 10 13, 3 1 C 10, 4; †
nif: impf. יִדָּקֵר: **durchbohrt werden** *be pierced through* Js 13, 15; †
pu: pt. pl. מְדֻקָּרִים: durchbohrt sein *be pierced* Ir 37, 10 51, 4 Th 4, 9? †
Der. n.m. דֶּקֶר; מַדְקְרוֹת.

דֶּקֶר: n.m.; דקר; Noth S. 241a; F בֶּן־דֶּקֶר; ak. n.m. *Daqirum*, ug. n.m. *Dqry*: 1 K 4, 9. †

דַּר: πίννινος λίϑος; دُرّ Perlen *pearls*; Scheft. 42: e. kostbarer Bodenbelag *a precious pavement* Est 1, 6.†

*דרא: دَرَأَ abstossen (Übel) *repel (evil)*: Der. דֵּרָאוֹן.

דֵּרָאוֹן (Or. דְּרָאוֹן): *דרא: cs. דִּרְאוֹן: **Abscheu** *abhorrence* Js 66, 24 Da 12, 2.†

*דרב: دَرِبَ abgerichtet werden *become accustomed, trained*: Der. דָּרְבָן u. *דָּרְבֹן.

דָּרְבָן: *דרב: d. (eiserne) **Spitze d. Lenkstocks** (mit dem von hinten her Rinder gelenkt werden) *the (iron) point of the stick (by which cattle is driven by the man going behind)* 1 S 13, 21 (Albr., AAS XXIf, 33).†

*דָּרְבֹן: = דָּרְבָן; pl. דָּרְבֹנוֹת: Ko 12, 11.†

*דרג: F מַדְרֵגָה.

דַּרְדַּע: n. m.; Ruž. KD 17: < דַּרְדַּר: berühmter Weiser *famous wise man* 1 K 5, 11, cj 1 C 2, 6.†

דַּרְדַּר: דרר? mhb., ja., sy. ܕܪܕܪܐ, دَرْدَار, > ደንደር; ak. n.m. *Dandaru*, Tallq. APN 69: *Centaurea pallescens* AS 2, 315 f, u. andre *a. other kinds of Centaurea* Löw 1, 405; **Dorngestrüpp** *thistles* Gn 3, 18 Ho 10, 8.†

דָּרוֹם: דרר? דור Montg. JAO 58, 130 f; mhb., ja. u. cp. דָּרוֹמָא Süden, Süd judäa *south, South-Judaea* > Δαρῶμας; Eissfeldt, Baal Zaphon, 1932, 17[1]: 1. **Süden** *south* Dt 33, 23 Hs 21, 2 40, 24. 27 f. 44 f 41, 11 42, 12 f Ko 1, 6 11, 3; 2. **Südwind** *south wind* Hi 37, 17.†

I דְּרוֹר: דרר; // צִפּוֹר; mhb.: Vogelart, **Schwalbe**? *kind of bird, swallow*? Ps 84, 4 Pr 26, 2.†

II דְּרוֹר: דרר; מָר־דְּרוֹר erstarrte Tropfenmyrrhe, **Stakte**, rötlichgelbe, weiss gesprenkelte Körner, Tropfen der Myrrhe *congealed drops of myrrh, reddish-yellow grains with white speckles, stacte*, σταχτή, F מֹר (Löw 1, 307) Ex 30, 23.†

III דְּרוֹר: ak. *durāru*: **Freilassung** (v. Sklaven) *release, manumission (of slaves)*, David, OTS 5, 63 ff: Lv 25, 10 Ir 34, 8. 15. 17 Hs 46, 17 Js 61, 1.†

דָּרְיָוֶשׁ: n. m.; F ba.; Δαρεῖος, **Darius**; aram. דריוש u. דריוהש, דריהוש; altpers. *Dārajauauš*, äg. *Drjwš*: 1. Darius I (522—486) Hg 1, 1 2, 10 Sa 1, 1 7, 1 Esr 4, 5. 24 5, 5—7 6, 1. 12—15; 2. Darius der Meder *the Mede* Da 6, 1 9, 1 11, 1; 3. Darius der Perser *the Persian* Ne 12, 22.†

דָּרְיוֹשׁ Esr 10, 16: l דְּרוֹשׁ.

דרך: mhb., äga., ja., cp., sy.; أَدْرَكَ, asa. הדרך; ደረከ rauh sein *be rough*, መድረክ Schwelle *threshold*; F *דרג:

qal: pf. דָּרַךְ, דָּרְכָה, דָּרַכְתָּ, impf. יִדְרֹךְ, תִּדְרְכִי, יִדְרְכוּן, pt. דֹּרֵךְ, דֹּרְכִים, דֹּרְכֵי, pss. דְּרוּכָה, דְּרֻכוֹת: 1. **treten** *tread*, c. בְּ auf *upon* Dt 1, 36 11, 24 f Jos 1, 3 14, 9 Js 59, 8 Mi 5, 4 f, c. עַל auf *upon* Dt 33, 29 1 S 5, 5 Am 4, 13 Mi 1, 3 Ps 91, 13 Hi 9, 8; 2. abs. auftreten, **einhertreten** *march* Jd 5, 21; 3. ד׳ אֹרַח e. Pfad **betreten** *tread a way* Hi 22, 15; 4. ד׳ קֶשֶׁת d. Bogen (durch Aufstemmen e. Fusses auf seine Mitte) **spannen** *bend the bow (by planting firmly the foot against its midst)* Js 5, 28 21, 15 Ir 46, 9 50, 14. 29 51, 3 Sa 9, 13 Ps 7, 13 11, 2 37, 14 Th 2, 4 3, 12 1 C 5, 18 8, 40 2 C 14, 7; 5. דָּרַךְ (durch Stampfen) **keltern** *press (the juice by stamping, pawing)*, c. עֲנָבִים Am 9, 13, c. זַיִת Mi 6, 15, c. יַיִן Js 16, 10; die Kelter **treten** *tread*, c. גַּת Th 1, 15 Ne 13, 15, c. יֶקֶב Hi 24, 11, c. פּוּרָה Js 63, 3; > abs. **keltern** *press* Jd 9, 27 Js 16, 10 63, 2 Ir 25, 30 48, 33, cj Hi 24, 18; 6. cj ד׳ לָשׁוֹן d. Zunge (als Bogen) **spannen** *bend the tongue (like a bow)* Ir 9, 2;

l זָרַח Nu 24, 17 (:: Albr. JBL 63, 219), l רַכַּבְתָּ Ha 3, 15, l בַּדֶּרֶךְ Ps 58, 8; ? 64, 4; †
hif: pf. הִדְרַכְתִּיךָ, הִדְרִיכָהּ, הִדְרִיךְ, sf. הִדְרִיכֻהוּ, impf. יַדְרֵךְ, sf. וַיַּדְרִיכֵם, אַדְרִיכֵם, imp. sf. הַדְרִיכֵנִי, pt. sf. מַדְרִיכְךָ; Ir 9, 2 l וַיִּדְרְכוּ: 1. c. ac. durch Treten **fest** (zum דֶּרֶךְ) **machen** *make solid* (*by treading*; דֶּרֶךְ): גֹּרֶן Ir 51, 33, נְתִיבָה Hi 28, 8; 2. c. ac. u. בְּ jmd auf etw. **treten lassen** *cause a person to tread upon* Js 42, 16 48, 17 Ps 107, 7 119, 35 Pr 4, 11; **wandeln lassen** in *lead in the path of* Ps 25, 5. 9; c. ac. u. עַל **gehn lassen** auf *cause to walk upon* Ha 3, 19; 4. הִדְרִיךְ בַּנְּעָלִים in Sand. **betreten lassen** *cause to march in sand.* Js 11, 15; ? Jd 20, 43. †
Der. דֶּרֶךְ, *מִדְרָךְ.

דֶּרֶךְ (710 ×): דרך: דַּרְךָ, cs. דֶּרֶךְ, sf. דַּרְכּוֹ etc., du. דְּרָכַיִם Pr 28, 6. 18 (l דְּרָכִים?) †, pl. דְּרָכִים, cs. דַּרְכֵי (Ir 12, 16 l דֶּרֶךְ), sf. דְּרָכָיו, דְּרָכֶיךָ u. דְּרָכְךָ, דַּרְכֵיהֶם; sg. m. Dt 17, 16 u. fem. Ex 18, 20, pl. m.: die Strecke Land, die durch Betreten hart u. so zum Weg geworden ist *a stretch of ground trodden solid a. therefore used as way* :: מְסִלָּה: 1. **Weg** *way, road*: ד׳ עֵץ Weg zum B. *way of = to the tree* Gn 3, 24, ד׳ שׁוּר Weg nach S. *way to Sh.* 16, 7; בַּדֶּרֶךְ unterwegs *on the way* Ex 4, 24, עַל־הד׳ am Weg *by the wayside* Gn 38, 21; הָלַךְ ד׳ e. Weg gehn *go a way* Gn 28, 20, עָשָׂה דַרְכּוֹ ging sein. W. *went his w.* Jd 17, 8, הָלַךְ לְדַרְכּוֹ ging seines W.s *went on his w.* Gn 19, 2; ד׳ הָעִיר in d. Richtung auf die Stadt *in the direction of, toward the city* 1 K 8, 44, ד׳־יָם gegen d. Meer (Westen) hin *toward the sea* (*west*) 18, 43, ד׳ צָפוֹנָה nach Norden hin *toward north* Hs 8, 5; ד׳ הַמֶּלֶךְ d. Königs (Reichs)-Strasse *the king's highway* Nu 20, 17; ד׳ הַיָּם (v. Damaskus nach Gaza, Via maris d. Mittelalters) d. Strasse am Meer *the way of the sea* Js 8, 23 **F** Glueck AAS XVIII f, 60 ff; 2. **Weg = Wegstrecke** *way = distance, journey*: ד׳ שׁ׳ יָמִים Weg von 3 Tagen *three days' journey* Gn 30, 36, רֹב הד׳ Länge, Weite d. W.s *very long journey* Jos 9, 13, שָׂם ד׳ בֵּינוֹ ... וּבֵין bringt e. Abstand zw. sich u.... *sets a distance between himself a....* Gn 30, 36; 3. Weg, den man zurücklegt, **Reise** *way — journey*: ד׳ רְחֹקָה Nu 9, 10, לַד׳ für d. Reise *for the journey* Gn 45, 23, ד׳ לוֹ ist unterwegs, auf Reisen *is on a journey* 1 K 18, 27; ד׳ חֹל Gang, der keine Riten erfordert *journey not requiring any rites* 1 S 21, 6; דְּרָכֶיךָ d. Gänge *commissions* Js 58, 13; דְּרָכָיו s. Unternehmungen *h. enterprises* 2 C 13, 22; הִצְלִיחַ דַּרְכּוֹ liess s. Unternehmen gelingen *made prosperous h. enterprise* Gn 24, 21; תַּצְלִיחַ דְּרָכֶיךָ gehst d. Wege mit Erfolg *prosper in one's ways* Dt 28, 29; דְּרָכָיו (Gottes) Massnahmen (*God's*) *arrangements* Dt 32, 4; 4. Weg = **Art, Brauch, Verhalten, Wandel** *way = manner, custom, behaviour, mode of live*: ד׳ כָּל־הָאָרֶץ wie es auf d. g. Erde Brauch ist *after the manner of* Gn 19, 31, ד׳ נָשִׁים לִי es geht mir, wie es Frauen geht *the manner of women is upon me* Gn 31, 35; ד׳ הַטּוֹבָה d. Weg des Guten *way of the good* 1 S 12, 23; שָׁמַר דַּרְכּוֹ auf s. Verhalten achten *take heed to one's conduct* 1 K 2, 4, ד׳ יָרָבְעָם J.s Verhalten *attitude of J.* 16, 26; עָזַב דַּרְכּוֹ *forsake one's conduct* Js 55, 7; ד׳ שָׁלוֹם Js 59, 8, ד׳ רְשָׁעִים Ir 12, 1 Ps 1, 6, הִשְׁחִית דַּרְכּוֹ führt verderbten Wandel *corrupts his way, conduct* Gn 6, 12; ד׳ יהוה d. von J. geforderte Wandel *the conduct required by Y.* Gn 18, 19 Ir 5, 4; צִוָּה ד׳ e. Verhalten gebieten *command a conduct* Dt 9, 16; דְּרָכָיו d. von ihm (Gott) geforderte Verhalten *the conduct required by him* (*God*) 1 K 2, 3; ד׳ אֲדֹנָי d. vom Herrn geübte Verfahren *the attitude of the Lord* Hs 18, 25, דַּרְכֵי יהוה Ho 14, 10, דַּרְכֵי אֵל Hi 40, 19; דְּרָכָיו

Gottes Taten, Werke *God's deeds, works* Hi 26, 14, cj Pr 8, 22; 5. Weg = **Ergehen, Lage** *way = condition*: דַּרְכִּי Js 40, 27, דַּרְכֵיכֶם Hg 1, 5; לְאָדָם דַּרְכּוֹ d. M. haben ihr Ergehen in ihrer Hand *man determines his own destiny* Ir 10, 23; l דֶּרֶךְ: Hi 24, 18, l כְּדֶבֶר Am 4, 10, l בְּרִכְבְּךָ Ho 10, 13, l בְּרִכֵּיךְ Ir 3, 13, l דֹּדְךָ Am 8, 14?, l וִירֵכֶיהָ Pr 31, 3.

דַּרְכְּמֹנִים Ne 7, 69—71 u. דַּרְכְּמוֹנִים Esr 2, 69: ph. דרכמן; ja. דַּרְכְּמוֹנָא; E. Schwyzer, Indogerm. Forschungen 49, 18; Hebraisirung *Hebraization*: = (gr. pl. gen.) δραχμῶν: **Drachmen** (*darics*), *drachmas*. †

דַּרְמֶשֶׂק: n. l.; < דַּמֶּשֶׂק: **Damaskus** 1 C 18, 5 f 2 C 16, 2 24, 23 28, 5. 23. †

דַּרְדַּע: l דַּרְדַּע 1 C 2, 6. †

***דרק**: n. m. דַּרְקוֹן.

דַּרְקוֹן: n. m.; *דרק Noth. S. 225: Esr 2, 56 Ne 7, 58. †

דרר: ak. *darāru*; دَرَّ (Milch) fliesst reichlich (*milk*) *flows copiously*; Der. I, II u. III? דְּרוֹר.

דרש: ug. *drš*; mhb., aram.; LW دَرَسَ u. ܕܪܫ; Brockelmann, Lex. Syr.[2] 168!!:

qal (150 ×): pf. דָּרַשׁ, דָּרַשְׁתָּ, דָּרַשְׁתִּי, דָּרְשׁוּ, sf. דְּרָשׁוֹ, דְּרָשׁוּם, דְּרָשֻׁהוּ, דְּרָשְׁנֻהוּ, impf. יִדְרֹשׁ, אֶדְרֹשׁ, אֶדְרְשָׁה, יִדְרְשׁוּ, יִדְרְשׁוּן, נִדְרוֹשׁ, נִדְרְשָׁה, sf. יִדְרְשֶׁהוּ, יִדְרְשׁוּהוּ, תִּדְרְשֵׁנִי, תִּדְרְשֶׁנּוּ, inf. דְּרֹשׁ, דְּרֹשׁ, דְּרוֹשׁ cj Esr 10, 16, לִדְרָשׁ־, sf. דָּרְשׁוֹ, דָּרְשֵׁנִי, imp. דִּרְשׁוּ, דִּרְשׁ־נָא, sf. דִּרְשׁוּנִי, pt. דֹּרֵשׁ, דּוֹרֵשׁ, דֹּרְשֵׁי, sf. דֹּרְשָׁיו, דֹּרְשֶׁיךָ, pss. דְּרוּשִׁים, דְּרוּשָׁה:

1. c. ac. nachfragen nach, **sich kümmern um** *seek with care, care for*: Mensch *a person* Ir 30, 14, verlaufnes Tier *stray cattle* Dt 22, 2, Verlornes *lost thing* Hi 3, 4, Verfehlung *sin* 10, 6, Land *land* (Gott *God*) Dt 11, 12; Gottes Willen *God's will* Ps 119, 45. 94. 155 Esr 7, 10; abs. Ir 30, 17, דְּרוּשָׁה (:: נֶעֱזָבָה) Stadt *city* Js 62, 12; 2. ד׳ לְ jmd **nachfragen** *inquire after* 2 S 11, 3, לְנַפְשִׁי Ps 142, 5: c. לֵאלֹהִים > verehren *worship* Esr 4, 2 2 C 17, 4 31, 21, c. לַיהוה Esr 6, 21 1 C 22, 19, c לַבְּעָלִים 2 C 17, 3; 3. ד׳ אַחַר **hinter etw. her sein** *search after* Hi 39, 8; 4. **untersuchen** *inquire* Dt 13, 15 17, 4 19, 18, ד׳ הַדָּבָר cj Esr 10, 16; 5. c. ac. (jmd s. Blut, Leben) **suchen, einfordern** *require* (*somebody's blood, life*) Gn 9, 5, מִיַּד Hs 34, 10; Gott fordert *God requires* Hs 20, 40 Mi 6, 8 (מִן), cj Ps 20, 4; Rechenschaft fordern *require account* Ps 10, 4. 13 2 C 24, 22, c. מֵעִם Dt 18, 19 23, 22, רֶשַׁע für d. Missetat *of the wickedness* Ps 10, 15; c. עַל von jmd *from a person* 2 C 24, 6 32, 31; 6. c. ac. **auf etwas aus sein** *ask for, work for*: הָרָעָה Pr 11, 27, שָׁלוֹם Dt 23, 7, רָעָה Ps 38, 13, טוֹב לְ Est 10, 3, לְשָׁלוֹם לְ Ir 38, 4, מִשְׁפָּט Js 1, 17 16, 5; 7. ד׳ **suchen**, aufsuchen *seek, frequent* Ko 1, 13 Jd 6, 29, (מִקְדָּשׁ) Am 5, 5, מֵעַל סֵפֶר Js 34, 16, Am 5, 14, דֹּרֵשׁ :: נָבִיא Hs 14, 10; 8. ד׳ יהוה **sich** fragend, bittend **an J. wenden** *apply to Y. with demands a. prayers* Gn 25, 22 2 C 1, 5 (45 ×), c. אֱלֹהִים Ex 18, 15, c. אֲדֹנָי Ps 77, 3, c. אֱלֹהֵי אָדָם 2 C 25, 20, c. שֶׁמֶשׁ u. יָרֵחַ Ir 8, 2; דֹּרְשֵׁי יהוה Ps 34, 11, דֹּרְשָׁיו 24, 6 22, 27; 9. > ד׳ אֶל **sich wenden an** *apply to*: Gott *God* Hi 5, 8, (מִקְדָּשׁ) Dt 12, 5, מֵתִים 18, 11, Geister u. Götter *spirits a. deities* Js 8, 19 11, 10 19, 3; 10. ד׳ c. מֵאֵת 1 K 22, 7 2 C 18, 6 f, c. מֵעִם 1 K 14, 5 jmd **befragen** *inquire of*; c. בְּ bei jmd fragen *consult* בְּבַעַל זְבוּב 2 K 1, 2. 3. 6. 16, בַּיהוה Hs 14, 7 (לְ für *for*) 1 C 10, 14 2 C 34, 26, בְּאֵשֶׁת בַּעֲלַת־אוֹב 1 S 28, 7; 11. ד׳ דְּבַר יהוה e. Wort J.s **suchen** *ask for a word of Y.* 1 K 22, 5

ד' י' 2 C 18, 4; דְּבַר אֱלֹהִים! ד' 2 K 1, 16; מֵאוֹתוֹ (l מֵאִתּוֹ) J. bei ihm (d. Propheten) befragen *ask Y. at him (the prophet)*! 2 K 3, 11 8, 8; 12. דְּרוּשִׁים erforschenswert, denkwürdig *worth of inquiring, notable* Ps 111, 2; l וְגֹרְשׁוּ Ps 109, 10; dele לִדְרוֹשׁ 1 C 10, 13;
nif: pf. נִדְרַשְׁתִּי, נִדְרְשׁוּ, impf. אִדָּרֵשׁ! inf. אִדָּרֹשׁ BL 357, pt. נִדְרָשׁ: 1. **gesucht werden** *be required* Gn 42, 22, *be sought out* 1 C 26, 31; 2. **sich suchen lassen**, zugänglich sein *let oneself be inquired* (Gott *God*) Js 65, 1 Hs 14, 3 20, 3. 31 36, 37 (זֹאת darin *in this matter*; לַעֲשׂוֹת dass ich tue *to do*); **sich befragen lassen** *let oneself be consulted* Si 46, 20.
Der. מִדְרָשׁ.

דשא: ak. *dišū* schwellen *swell, grow*, *diš'u* Frühling *spring* Lewy HUC 17, 57 f, ندى ist feucht *is moist* Nöld. NB 122, VG 1, 277; F דֶּשֶׁא:
qal: pf. דָּשְׁאוּ: **grünen** *grow green* Jl 2, 22; †
hif: juss. תַּדְשֵׁא: **grünen, sprossen lassen** *cause to shoot forth* Gn 1, 11. †
Der. דֶּשֶׁא.

דֶּשֶׁא: דשא: ak. *diš'u*, mhb., ba. דִּתְאָה, sy. ܕܬܐܐ Gras *grass*, asa. דתא Graszeit, Frühling *season of grass, spring*: **junges frisches Gras** *young, new grass* (:: עֵשֶׂב, חָצִיר) Gn 1, 11 f Dt 32, 2 2 S 23, 4 2 K 19, 26 Js 15, 6 37, 27 66, 14 Ir 14, 5, cj 50, 11 Ps 23, 2 37, 2 Pr 27, 25 Hi 6, 5 38, 27. †

דשן: mhb. דשן hif. fett sein *be fat*; דֶּשֶׁן = ja. דִּשְׁנָא (Fett) Fettasche *fat ashes*, دسم fett sein *be fat*:
qal: pf. דָּשֵׁן: **fett werden** *grow fat* Dt 31, 20; †
pi: pf. דִּשַּׁנְתָּ, דִּשְּׁנוּ, impf. תְּדַשֵּׁן, inf. sf. דַּשְּׁנוֹ: 1. **fett machen, einfetten** *make fat* Ps 23, 5 Pr 15, 30; 2. **von der Fettasche säubern** *clear away the fat ashes* Ex 27, 3 Nu 4, 13; f. יְדַשְּׁנֶה Ps 20, 4 l יְדַשְּׁנֶהָ; †
pu: impf. יְדֻשַּׁן, תְּדֻשָּׁן: **fett gemacht werden** *be made fat* Js 34, 7 Pr 11, 25 13, 4 28, 25; †
hotpa'al: pf. הֻדַּשְּׁנָה < *הִתְדַּשְּׁנָה: **sich mit Fett sättigen** *be satiated with fat* Js 34, 6. †
Der. דֶּשֶׁן, דָּשֵׁן.

דֶּשֶׁן: דשן: דִּשְׁנָהּ, sf. דִּשְׁנִי: 1. **Fett** *fatness*: (Ölbaum *olive tree*) Jd 9, 9, (Speisen *food a. drink*) Js 55, 2 Ir 31, 14 Ps 63, 6 Hi 36, 16; 2. **Fettasche** (bildet sich auf d. Altar aus verbranntem Holz u. d. Fettstücken) *fat ashes* (*the burned wood of the altar-fire soaked with the fat*) Lv 1, 16 4, 12 6, 3 f 1 K 13, 3. 5 Ir 31, 40. †

דָּשֵׁן: דשן: pl. דְּשֵׁנִים: **fett, saftig** *fat, juicy* Js 30, 23 Ps 92, 15; l יְשֵׁנִי 22, 30. †

דָּת: pers. LW, F ba.: cs. דַּת u. (Est 9, 13) דָּת! sf. דָּתוֹ, cs. pl. דָּתֵי, sf. דָּתֵיהֶם; fem.: 1. **Anordnung** *orders* Est 1, 8 9, 13; 2. **Gesetz** *law* Est 1, 13. 15. 19 2, 8 3, 8. 14 f 4, 3, 8. 11. 16 8, 13 f. 17 9, 1. 14 Esr 8, 36; 3. דָּת נָשִׁים die **Ordnung** für die Frauen *the women's regulation* Est 2, 12; אֵשׁ דָּת Dt 33, 2 F אֲשֵׁדֹת. †

דָּתָן: n. m.; Noth S. 225: Nu 16, 1. 12. 24 f. 27 26, 9 Dt 11, 6 Ps 106, 17 Si 45, 18. †

דֹּתָן: n. l.; äg. *Tutayana* Albr. Voc. 69; *T. Dōthā* 15 km n. Samaria: loc. דֹּתַיְנָה: Gn 37, 17 2 K 6, 13. †

ה

ה: הֵא (Driv. SW 153 f. 162), später Zeichen für *later on sign for* 5. ה bezeichnet den h-Laut von Hand, Hut, Höhe u. ist oft auch am Silbenschluss hörbar; am Wortende wird diese Hörbarkeit durch *Mappiq* bezeichnet (a); vielleicht ist es, wie das Beduinische nahelegt (J. J. Hess, Von d. Beduinen d. Innern Arabiens, 1938, II), auch am Schluss der Deutewörte hörbar (b); in Formen, wie יְהְיֶה, לִהְיוֹת bezeichnet wohl *Mätäq* ebenfalls die Hörbarkeit, sprich also *jih-jä̈*, *lih-jōt*. Vor Vollvokal fällt ה, wenn ihm *Schwa mobile* vorangeht, meist aus (c); ebenso oft zwischen zwei Vollvokalen (d); am Wortende ist es bei offner (langer) Silbe nur Zeichen, nicht Laut (e). ה *renders the h-sound of „hat, hole, behind"; in many cases it is audible even at the end of a syllable; at the end of a word this is indicated by* מַפִּיק (a); *possibly the* ה *of deictic words is, as Beduin Arabic suggests, originally also audible* (b). *In forms as* יְהְיֶה, לִהְיוֹת *etc.* מֶתֶק *may indicate that* ה *is audible; pronounce therefore: yih-yä̈ and lih-yōt.* ה, *when preceded by shwa mobile, is dropped in most cases, when a full vowel follows* (c); ה *is dropped frequently between two full vowels* (d); *at the end of a word* ה *is no sound but sign of length of the final vowel* (e).

a) יֶהְגֶּה, אֶהְפֹּךְ, פְּדָהאֵל (:: פְּדָהצוּר; *Pedäh-ēl* :: *Pedā-ṣūr*!); הִתְמַהְמְהוּ: תִּתְמָהּ Ko 5, 7 Js 29, 9; לָהּ, גְּבֹהַּ; b) כֹּה, פֹּה, זֶה etc.; c) לָעָם < לְהָעָם*, כַּמֹּץ < כְּהַמֹּץ*, יַקְטִיל < יְהַקְטִיל*, sogar *even* לָבִיא < לְהָבִיא Na 2, 12; d) אָבִיו < אָבִיהוּ (*ābī-ū*), ־יוֹ < *yá-ū* < ־יָהוּ; etc.; e) יִגְלֶה, גָּלָה, גְּלֵה, גָּלָה.

ה = ak. ʾ *F* II הֶבֶל, הלך, etc., = ph. u. pu. א *F* ·ה; ה sekundär in aram. *F* רוץ; עִירֹה = עִירוֹ Gordis 92—94; וְהֵמָּה = וְהֵמָּ 2 S 21, 9 u. מַה זֶּה = מַזֶּה Gordis 95—97. ה verschwindet durch Angleichung *disappeares by assimilation*: *t-h* > *tt* אֲהֵבַתְהוּ 1 S 18, 28: יְלָדַתּוּ Ru 4, 15 u. חִלְּקַתָּה (< **hilleqát-hā*) Js 34, 17; *nh* > *nn* יְבָרֲכֶנְהוּ Ps 72, 15: יְכִילֻנּוּ Jl 2, 11; הִנֵּה < **hin-hēn*.

·הַ bestimmter Artikel **der, die, das** usw. *definite article* **the**; auch *also* mo., ph., safaitisch, thamudisch, liḥjanisch. ·הַ < הַן* = هُنَ Ding, der da, das da *thing*, *this one*, Nöld. NB 119, Köhler ZAW 58, 230—2; d. ן wird immer assimiliert *the* ן *is always assimilated*: **han-bēn* > *hab-bēn* הַבֵּן; הָ < הַ· u. הֶ u. Aufhebung d. Verdopplung vor *a. disgemination preceding* יְ u. מְ *F* Grammatiken *F grammars*; beachte *notice* כְּהַמֹּץ* < כַּמֹּץ, בְּהַיּוֹם* < בַּיּוֹם.

A. הַן* deiktisch *deictic*. 1. Wie d. Lateinische kennt d. Althebräische keinen bestimmten Artikel *like Latin the Old-Hebrew has no definite article*: שָׁמַיִם (הַשָּׁמַיִם), אֶרֶץ (הָאָרֶץ), שׁוֹר (הַשּׁוֹר) Js 1, 2 f u. oft *a. often*. Darum *therefore* הַיּוֹם den Tag da, heute *the same day*, *today*, הַפַּעַם das Mal da, diesmal *this time* Ex 9, 27, גַּם הַלַּיְלָה auch diese Nacht *this night also* Gn 19, 34, הַשָּׁנָה (noch) dieses Jahr (*even*) *this year* Ir 28, 16; 2. הַן* vor Verbalform leitet Relativsatz ein הַן* *preceding verbal form introduces relative clause*: הֶהָלְכוּ welche gingen *who went* Jos 10, 24, הֶהֱרִימוּ Esr 8, 25, הֵהֵשִׁיב Esr 10, 14, *F* 10, 17 Da 8, 1 1 C 26, 28 29, 17 2 C 29, 36, cj Ne 13, 23; oft ist diese Konstruktion nur durch Vokalisation oder Akzent dargestellt *in many cases this construction is produced by vocalisation or accentuation only*: (הַבָּאָה) הַבָּאָה Gn 18, 21 46, 27, (הַנִּרְאָה) הַנִּרְאָה 1 K 11, 9, (הַשָּׁמָה) הַשָּׁמָה Js 51, 10; 3. pt. c. *הַן als Attribut *attributive*: הַנֹּתֵן der da gibt *the one who gives* Gn 49, 21, הַשֹּׁאֲפִים die da... *those who*... Am 2, 7, F Ps 19, 11 33, 15 (am besten durch selbständigen Satz zu geben *best to translate by an independent clause*);

B. *הַן = bestimmter Artikel *definite article*: 1. individuell *for individuals*: d. Nomen ist bekannt *the noun is known*: הָעִיר die (erwähnte) Stadt *the (mentioned) city* Gn 11, 5, הַשִּׂמְלָה der (dabei verwendete) Mantel *the (in this case used) cloth* 1 S 21, 10, הַחֲמוֹר der (mir gehörige) Esel *the (by me owned) ass* 2 S 19, 27, הַפָּלִיט der (in solchen Fällen zu vermutende) Flüchtling *the escaped one (whom one supposes in such a case)* Hs 24, 26; 2. *הַן in der Anrede *used by addressing a person*: הַמֶּלֶךְ o König! [*o*,] *the king*! 1 S 24, 9, הַכֹּהֵן o Priester! [*o*,] *the priest*! Sa 3, 8; 3. *הַן als bestimmter Artikel *as definite article* κατ' ἐξοχήν gebraucht *used* κατ' ἐξοχήν: הַשָּׂטָן der (bekannte, eigentliche) Widersacher *the (known, real) Adversary* Sa 3, 1; 4. d. bestimmte Artikel bezeichnet die Gattung *the definite article denotes the species*: הָרֹעֶה der Hirt > die Hirten > ein Hirt *the shepherd > the shepherds > a shepherd* Am 3, 12; 5. er steht bei Eigennamen, die noch irgendwie Appelativa sind *the definite article is given with proper names which still keep the notion of appelatives*: הַיַּרְדֵּן, הַלְּבָנוֹן, הַכַּרְמֶל; 6. *הַן steht als bestimmter Artikel bei e. Gattung, die als die sachgemässe u. darum bekannte gedacht ist *הַן *as definite article is given with the species which is considered the natural a. therefore the known*: כָּבֵד בַּמִּקְנֶה reich an Vieh *rich in cattle* Gn 13, 2, עָשָׂה בַּזָּהָב in Gold arbeiten *work in gold* Ex 31, 4, מָהוּל בַּמָּיִם mit W. versetzt *mixed with w.* Js 1, 22; 7. *הַן c. sg. bedeutet die Gattung *indicates the species*: הַצַּדִּיק die Gerechten *the righteous men* u. הָרָשָׁע die Frevler *the wicked men* Koh 3, 17; 8. im Vergleich hat das, mit dem verglichen wird, als das Bekannte d. bestimmten Artikel *in a comparison the object with which another object is compared is given with* *הַן *because it is known*: כַּמֹּץ wie Spreu *like chaff* Ps 1, 4, כַּשֶּׁלֶג Js 1, 18, כַּסֵּפֶר wie ein Buch *as a scroll* 34, 4; *הַן fehlt *is omitted* vor e. Verglichnen, das näher beschrieben ist *if the compared object has an attribute* כְּמֹץ עֹבֵר Js 16, 2, כְּקַן מְשֻׁלָּח 29, 5; *הַן steht vor Abstraktem *precedes abstract nouns*: בַּצָּמָא vor Durst *for thirst* Js 41, 17, בַּכְּלִמָּה in Schmach *into confusion* 45, 16; l הָאָדָם Dt 20, 19.

הֲ, הַ, הֶ (proclitisch): F ba., ja.: Fragewort *interrogative word*, wie *like* אַ d. 1. Wort der Frage vorgesetzt *prefixed to the first word of the question*; Formen *forms*: הַרְצַחְתָּ 1 K 21, 19, הַאַתָּה 2 S 7, 5, הֶחֳדַלְתִּי Jd 9, 9, הֶהָמֵת Ir 26, 19 (BL 631 g-j);

I. einfache Frage *simple question*: 1. d. Antwort ist Nein *the answer is No*: הֲשֹׁמֵר אָנֹכִי Bin ich d. Hüter? *Am I the keeper*? Gn 4, 9, הַאַתָּה תִּבְנֶה Sollst du bauen? *Shall you build*? (1 C 17, 4!) 2 S 7, 5; 2. die Antwort ist Ja *the answer is Yes*: הַמְצָאתַנִי 1 K 21, 20; 3. die Frage sagt Überraschung aus *the question is the expression of surprise*: הֲכִי אָחִי אַתָּה Du bist ja m. Br.! *Indeed, you are m. br.*! Gn 29, 15; II. Doppelfrage *double question*: 1. הֲ...אִם Ir 2, 14 Js 40, 28; 2. הֲ....אוֹ Ko 2, 19; III. Abhängige Frage *dependent interrogative clause*: נַסֹּה הֲ prüfen, ob *prove whether* Ex 16, 4, רָאָה הֲ sehn, ob *see if* Gn 8, 8; הִגִּיד הֲ

mitteilen, ob *tell whether* Gn 43, 6. Über *concerning* הֲ . לֹא , כִּי , אִם F הֲלֹא , הֲכִי , הַאִם ist oft verschrieben oder falsch geschrieben. הֲ *is often written erroneously or wrongly*: lies *read* הָאִישׁ Nu 16, 22, הַלִיהוה Dt 32, 6, הַיִּיטַב Lv 10, 19, הָאָדָם Dt 20, 19, הֲנָקֵל 1 K 16, 31, הַנְהִיְתָה Ir 2, 10, הָעֹלָה u. הַיֹּרֶדֶת Ko 3, 21, בַּת f. הֲבַת Gn 17, 17, גַּם f. הֲגַם Hi 41, 1, הֲגַם Sa 8, 6, הֲלֹם Jd 14, 15, adde הֲרָאִית Hs 43, 7, הַעַל־כֵּן etwa deshalb? *therefore*? Ha 1, 4, הַשָּׁוְא Ps 89, 48.

הָא: interj. F ba.; sy. ܗܳܐ, هَا: **da! siehe!** *lo! behold!* Gn 47, 23 Hs 16, 43.†

הֶאָח: interj.: **ha! ei!** *aha!* 1. (Behagen *satisfaction*) Js 44, 16; 2. (Schadenfreude *malicious joy*) Hs 25, 3 26, 2 36, 2, cj 6, 11 Ps 35, 25; הֶאָח הֶאָח 35, 21 40, 16 70, 4; 3. (Willkomm *welcome*) Si 41, 2; 4. (Schrei e.s kampflustigen Pferds *cry of the war-steed*) Hi 39, 25.†

הָב, הָבָה, הָבִי, הָבוּ: imp. v. F ba. יָהַב geben *give* (:: interj. Schulthess, Zurufe 14 20. 69 u. Nöld. ZDM 66, 736 f): c. -*ā* הָבָה u. הַבָה Gn 29, 21, fem. הָבִי, pl. הָבוּ: 1. interj. הָבָה: **auf!** *go on!* Gn 11, 3 f. 7 Ex 1, 10, הָבָה־נָּא **auf doch!** *go on!* Gn 38, 16; 2. c. ac. **gieb!** *give!* Gn 29, 21 1 S 14, 41. cj 41, הַב הַב Pr 30, 15; fem. Ru 3, 15; pl. gebt! *give!* Gn 47, 16 Sa 11, 12 Dt 32, 3 Ps 29, 1 f 96, 7. f. 1 C 16, 28. f; 3. הָבָה־לִּי Gn 30, 1 Jd 1, 15; הָבָה־לָּנוּ Gn 47, 15 Ps 60, 13 108, 13; 4. הָבוּ לָכֶם **schafft herbei!** *get!* Dt 1, 13 Jos 18, 4 Jd 20, 7 2 S 16, 20; 5. הָבוּ לִי **gebt mir!** *give me!* Hi 6, 22; l הָבָא 2 S 11, 15.†

[**הַבְהָבַי**: Ho 8, 13; verderbt *corrupt*; l זָבַח אָהֵבוּ וַיִּזְבָּחוּ.†]

הֵבוּ Ho 4, 18: F אהב.

הֵבִים: F שֶׁנְהַבִּים.

הבל: den. v. I הֶבֶל; ja. pa.:

qal: impf. וַיֶּהְבָּלוּ, תֶּהְבָּלוּ: **leer, nichtig,** הֶבֶל **sein** *be vain, empty*, הֶבֶל: 2 K 17, 15 Ir 2, 5 Ps 62, 11 Hi 27, 12;†

hif: pt. מַהְבִּלִים: **leer, nichtig machen** *cause to become vain* Ir 23, 16.†

I **הֶבֶל**: (72 ×, 37 × Ko, Pr 13, 11 l מְבֹהָל): mhb. u. ja. Ausdünstung, Dampf *exhalation, damp*, sy. ܗܒܠܐ Staub, Nichtigkeit *dust, vanity*, mnd. האבלא Dampf *damp*, alt-ar. *old-ar.* (OLZ 14, 195) *hibāl* u. spätäg. *late-eg.* hblʿ Wind *wind*: הָבֶל, cs. nur in *only in* הֲבֵל הֲבָלִים, sf. הֶבְלוֹ, הֲבָלַי, pl. הֲבָלִים, cs. הַבְלֵי, sf. הַבְלֵיהֶם, הֶבְלְךָ:

1. (vergänglicher) **Hauch** (*transitory*) *breath* Js 57, 13 (// רוּחַ) Ps 62, 10. 10 144, 4 Hi 7, 16; 2. > (wie *like* ak. *šāru* Wind *wind*? ZAW 43, 222) **Vergänglichkeit, Nichtigkeit** *vanity* Ko 6, 4. 11, cj 9, 2, alles ist Nichtigkeit, nichtig *all is vanity* Ko 1, 2. 14 2, 11. 17 3, 19 12, 8; auch das ist nichtig *this also is vanity* Ko 2, 1—8, 14 (14 ×); nichtig *vanity* Ir 10, 3. 15 51, 18 Ps 39, 6. 12 Ko 11, 8 8, 14 11, 10 Ps 94, 11 Pr 31, 30 Ko 6, 2; הֲבֵל הֲבָלִים nichtigste Nichtigkeit *vanity of vanities* Ko 1, 2 12, 8; Nichtigkeit unter d. Sonne *vanity under the sun* 4, 7; ה' וָרִיק Js 30, 7, תֹּהוּ וה' 49, 4; // שֶׁקֶר Ir 16, 19; l רֹדֵף Pr 21, 6; הֶבֶל adv. vergeblich *in vain* Sa 10, 2 Hi 21, 34 Ps 39, 7 Hi 9, 29 Th 4, 17; בַּהֶבֶל vergeblich *in vain* Ps 78, 33; הֶבֶל für Nichtiges *for vanity* Hi 35, 16; חַיֵּי הֶבְלוֹ s. nichtiges L. *his vain life* Ko 6, 12, חַיֵּי הֶבְלְךָ 9, 9, יְמֵי הֶבְלִי m. nichtigen T. *my vain d.* 7, 15; הֶבֶל הָבַל s. in Nichtigem bewegen *speak vain things* Hi 27, 12; ?? Ir 10, 8 Ko 5, 6; 3. הֶבֶל, הֲבָלִים Nichtigkeit(en) *vanity (-ies)* = Götter, **Götzen** *idols*: הָלַךְ אַחֲרֵי הַה' 2 K 17, 15 Ir 2, 5; הַבְלֵי הַגּוֹיִם Ir 14, 22, הַבְלֵי נֵכָר 8, 19, הַבְלֵי שָׁוְא Jon 2, 9 Ps 31, 7, הֲבָלִים Dt 32, 21 1 K 16, 13. 26.†

II הֶבֶל: הֶבֶל: n. m; ak. *aplu* Sohn *son* (kaum *hardly* = I): Αβελ **Abel** Gn 4, 2. 4. 8 f. 25.†

הָבְנִים (K הובנים): äg. *hbnj*, ἔβενος, (*h*) *ebenus*, أَبَنُوس; ursprünglich afrikanisch *originally African*?: **Ebenholz** *ebony* (*Diospyros mespiliformis Hochst.*, bezogen aus *imported from* Nubien *Nubia*) Hs 27, 15, cj Ct 3, 10.†

הבר: هَبَرَ in Stücke schneiden *cut to pieces*: qal: pt. הֹבְרֵי (K הברו): ה' שָׁמַיִם ἀστρόλογοι d. Himmel (für Sterndeutung) **einteilen** *divide the celestial sphere* (*as astrologers*) Js 47, 13.†

הֵגֵא, הֶגֶא: F הֵגַי.

הגג: *הָגִיג.

הַגִּדְגָּד: F חֹר הַגִּדְגָּד.

I הגה: mhb., aram. הֲגָא; هجا murmelnd lesen, hersagen *mutter*, *recite muttering*:
qal: pf. הָגִיתָ, הָגִיתִי, impf. יֶהְגֶּה, יֶהְגּוּ, inf. הָגֹה: brummeln *mutter*: 1. **gurren** (Taube) *coo* (*pigeon*) Js 38, 14 59, 11, cj Na 2, 8 (insere הֹגוֹת); 2. **knurren** (Löwe) *growl* (*lion*) Js 31, 4; 3. **halblaut lesen** *read in an undertone* (ZAW 32, 240) c. בְּ in *in* Jos 1, 8 Ps 1, 2; 4. **murmelnd bedenken** *consider muttering*, c. ac. Js 33, 18 59, 3. cj 13 (l הָגֹה = הָגוֹ) Ps 2, 1 35, 28 37, 30 38, 13 71, 24 Pr 8, 7 15, 28 24, 2 Hi 27, 4, c. בְּ Ps 63, 7 77, 13. cj 7 143, 5 Si 6, 37 14, 20; 5. **wimmern** *moan*, c. לְ wegen *about* Js 16, 7, c. אֶל Ir 48, 31, cj Na 2, 8 הֹגוֹת (post מְנַהֲגוֹת); 6. e. **Laut hören lassen** *utter a sound* Ps 115, 7;†
hif: pt. מַהְגִּים: **zum Murmeln bringen** *cause to mutter* Js 8, 19;†
hof: pf. הָגוֹ l הגו Js 59, 13.†
Der. הֶגֶה, הָגוּת, הִגָּיוֹן.

II הגה: cf. ܗܓܐ, ܐܗܓ, وَجَأ, ⲟⲩⲱⲕ (stossen *thrust*):
qal: pf. הָגָה (l הָגֹה) Js 27, 8, inf. הָגוֹ, הָגֹה l הָגְהוּ 2 S 20, 13: ausstossen, **ausscheiden** *expel* Js 27, 8 Pr 25, 4 f, **entfernen** *remove* 2 S 20, 13.†

הֶגֶה: I הגה; mhb. הגא Gedanke, Geflüster *thought*, *whispering*: **Geflüster** *whispering* Ps 90, 9; **Wimmern** *moaning* Hs 2, 10; **Grollen** (d. Donners) *rumbling* (*of thunder*) Hi 37, 2.†

הָגוּת: I הגה: **Sinnen** *meditation* Ps 49, 4.†

הֵגַי: n. m.; Est 2, 8. 15 = הֵגֵא 2, 8 u. הגא (Var. הֶגֶא) 2, 3: pers. Scheft. 43; Gehman JBL 43, 326.†

*הָגִיג: הגג; sy. pa. *imaginari fecit*, هَجَّ d. flackernde Flamme macht ihr Geräusch *the burning fire makes a noise*: sf. הֲגִיגִי **Stöhnen**, **Seufzen** *groaning*, *sigh* (beim Gebet *in prayer* στεναγμός Ro 8, 26) Ps 5, 2 39, 4.†

הִגָּיוֹן: I הגה; ja. הֶגְיוֹנָא Lesen, Sinnen (?) *reading*, *meditation* (?): cs. הֶגְיוֹן, sf. הֶגְיוֹנָם: **Gemurmel** *whispering* Th 3, 62; **Stöhnen** (d. Beters) *groaning* (*of the praying*) Ps 19, 15; **Klingen**, **Tönen** *resounding* Ps 92, 4; unverständlicher Vortragsterminus *unexplained musical term*, F Eerdmans, OTS 4, 79 Ps 9, 17.†

הֲגִינָה: *הגין; unerklärt *unexplained* Hs 42, 12.†

הָגָר: n. f. e.r Ägypterin *of an Egyptian woman*; asa. הגר, הגרו Ryck. 2, 48, Lidz. 258; nab. Αγαρη Eph. 3, 90, הגרו Cant. 2, 84; palm. הגר Berytus 3, 96; Hartmann ZAW 30, 146: **Hagar**, Sarahs Magd, M. v. Ismael *Sarah's maid*, *mother of Ishmael*, Gn 16, 1—16 21, 9—17 25, 12.†

הַגְרִי: n. p.; pl. הַגְרִים Ps 83, 7, הַגְרָאִים 1 C 5, 10 u. הַגְרִיאִים 1 C 5, 19 f: 1. הַהַגְרִי (ὁ Ἀγαρίτης) עַל־הַצֹּאן Davids 1 C 27, 31; 2. Stamm ö. Ostjordanland *tribe e. East Jordan* Zeit v. *time of* Saul 1 C 5, 10. 19 f; 3. Edom, Ismael, Moab וְהַגְרִים Ps 83, 7; l הַגָּדִי 1 C 11, 38 (οἱ υἱοὶ Αγαρ Baruch 3, 23; Ἀγραῖοι Strabo 16, 4, 2 u. Ptolemaeus 5, 19, 2; Αγρεες Dionysius Perieget. 956; asa. הגרו u. n. m. הגרם; nab. n. m. הגרו; *F* Nöld. EB 1933; E. Meyer, IN 327; Hartmann, ZAW 30, 146 ff). †

הַד: dele vel lege הֵידָד Hs 7, 7. †

הֲדַד: n. m.; הֲדַד; KF < alt-sem. Sturmgott *the ancient Semitic storm-god* ak. *Adad, Addu, Ḫaddu*, ug. *Hd* (RLA 1, 22 ff, Deimel, Panth. 23), Lidz. 258, Albr. ARI 230: 1. Edomiterkönig *king of Edom* Gn 36, 35 f 1 C 1, 46 f; 2. Edomiterkönig *king of Edom* (MS הֲדַר) cj 1 C 1, 50 f; 3. Gegner v. *adversary of* שְׁלֹמֹה 1 K 11, 14. 19. 21, > אֲדַד. †
Der. n. m. הֲדַדְעֶזֶר, n. d. הֲדַד־רִמּוֹן, n. m. חֲנָדָד.

הֲדַדְעֶזֶר: n. m.; הֲדַד u. עֶזֶר; Lidz. 258, RLA 1, 134 f, RHR 107, 134—6, Albr. ARI 131 f. 219: K. v. צוֹבָה 2 S 8, 3—12 10, 16. 19 1 K 11, 23; fälschlich *erroneously* הֲדַרְעֶזֶר 1 C 18, 3—10 19, 16. 19. †

הֲדַד־רִמּוֹן: n. d.; Verschmelzung d. 2 Götter *coalescence of the two gods*; Baud., Ad. 92: Sa 12, 11. †

הדה: sy. pa. הַדִּי, هَدَى führen *guide*:
qal: pf. הָדָה: c. יָדוֹ **streckt** s. Hand **aus** *put his hand* Js 11, 8. †

הֹדּוּ: < *הנדו: n. t.; sanskr. *Sindhu* Meer, grosser Fluss *sea, great river*; Herzfeld, Memoirs Survey India 34, Calcutta 1928, Inschrift des *inscription of* Darius in Hamadan: *hidauw*, elam. *hiduš*; Herzfeld, Alt. pers. Inschr. 6, 5 24, 13: *In-du-u*; Darius in Persepolis: *hi-in-du-iš*; sy. ܗܢܕܘ, هِنْد, spätäg. *late-eg. hendu(j)*, ϩ(ⲉ)ⲛⲧⲟⲩ: **Indien** *India* Est 1, 1 8, 9. †

הֲדוּרִים: l הֲדָרִים Js 45, 2. †

הֲדוֹרָם: 1. n. p.; 2. n. m.: 1. (n. m., S. v. יָקְטָן, =) n. p. ar. Stamm *tribe* Gn 10, 27 1 C 1, 21; † 2. n. m.; הֲדוֹ < *Addu* = הֲדַד u. רָם: a) S. v. תֹּעוּ מֶלֶךְ חֲמָת 1 C 18, 10 = יוֹרָם 2 S 8, 10; b) Beamter v. *officer of* רְחַבְעָם 2 C 10, 18, = אֲדֹנִירָם. †

הֲדַי: n. m.; = חוּרַי 1 C 11, 32: 2 S 23, 30. †

הדך: هَدَكَ einreissen *tear down*:
qal: imp. הֲדֹךְ: **niedertreten** *tread down* Hi 40, 12. †

הֲדֹם: äg. *hdm.w*, ug. *hdm*, mhb.: c. רַגְלַיִם; (Fuss =) **Schemel** *footstool*: 1. Gottes *of God*: d. Erde *the earth* Js 66, 1, d. Lade *the ark* 1 C 28, 2 Ps 99, 5 132, 7, Zion Th 2, 1; 2. des *of* אֲדֹנִי: d. Feinde *the enemies* Ps 110, 1. †

הֲדַס: mhb., in Jemen *in Yemen* هَدَس: הֲדַס; pl. הֲדַסִּים: **Myrte** *Myrtle Myrtus communis L.* (Löw 2, 257—74) Js 41, 19 55, 13 Ne 8, 15 Sa 1, 8. 10 f (G הֶהָרִים). †
Der. הֲדַסָּה.

הֲדַסָּה: n. f.; fem. v. הֲדַס: Est 2, 7. †

הדף: mhb., ja.:
qal.: pf. sf. הֲדָפוֹ, הֲדַפְתִּיךָ, impf. יֶהְדֹּף, תֶּהְדָּפוּ, sf. יֶהְדָּפֶנּוּ, יֶהְדָּפֵם, inf. הֲדֹף, sf. הָדְפָהּ: c. ac. jm. **e. Stoss geben** *push a person* Nu 35, 20. 22, **wegtreiben** *push away* 2 K 4, 27 Ir 46, 15, c. מִן von, vor *from* Dt 6, 19 9, 4 Jos 23, 5 Js 22, 19 Hi 18, 18; **zurückstossen** *thrust away* Pr 10, 3, **wegdrängen** *push away* Hs

34, 21; cj יֶהְדֹּף אֶל hineinstossen in *push into* Na 1, 8, †

הדר: *F* ba; äga.; ja. u. sy. pa.:
qal: pf. הָדַרְתָּ, impf. תֶּהְדַּר, pt. הָדוּר (הֲדוּרִים): **auszeichnen, vorziehn** *honour, prefer* Ex 23, 3 Lv 19, 15. 32; c. בְּ durch *by* Js 63, 1; Js 45, 2 1 הֲדָרִים; †
nif: נֶהְדָּרוּ: **mit Auszeichnung behandelt werden** *be honoured* Th 5, 12, pt. נהדר Si 46, 2;
hitp: impf. תִּתְהַדַּר: **sich anspruchsvoll aufführen** *behave arrogant* Pr 25, 6. †
Der. הֲדַר, הָדָר, הֶדֶר, *הֲדָרָה.

הֲדַר: *F* הֲדַדְעֶזֶר.

הָדָר: הדר; *F* ba: cs. הֲדַר, sf. הֲדָרִי, הֲדָרְךָ:
1. **Auszeichnung, Zier** *ornament, splendour*: עֵץ ה׳ edle, schöne Bäume *goodly trees* Lv 23, 40, ה׳ לוֹ voll Adel *majestic* Dt 33, 17, לֹא ה׳ ohne Schönheit *without beauty* Js 53, 2, הֲדָרָהּ was Ansehn in ihr hat *what is dignified in her* Js 5, 14 Th 1, 6, ה׳ הַכַּרְמֶל was d. K. auszeichnet *which gives splendour to the C.* Js 35, 2, נָתְנוּ הֲדָרֵךְ machten deine Pracht aus *caused thy splendour* Hs 27, 10, כָּבוֹד וְה׳ ausgezeichneter Glanz *dignity a. splendour* Ps 8, 6, כְּבוֹד הֲדַר מַלְכוּתוֹ Ps 145, 12; הוֹד וְהָדָר etc. Ps 21, 6 45, 4 96, 6 104, 1 111, 3 Hi 40, 10 1 C 16, 27 *F* הוֹד; הֲדָרִי Auszeichnung durch mich (J.) *the splendour I (Y.) gave* Hs 16, 14 Mi 2, 9; ה׳ לְ Auszeichnung für *honour for* Ps 149, 9; ה׳ זְקֵנִים was d. Alten auszeichnet *what honours the old men* Pr 20, 29: עֹז וְה׳ ausgezeichnete Kraft *strength a. dignity* Pr 31, 25; 2. (v. Gott *of God*): **Erhabenheit** *majesty*: הֲדַר גְּאוֹנוֹ Js 2, 10. 19. 21, הֲדָרְךָ Ps 90, 16, G.s Stimme tönt *God's voice sounds* בֶּהָדָר Ps 29, 4; ? Ps 45, 5 110, 3 145, 5. †

הֶדֶר: הדר: הֶדֶר מַלְכוּת (Var. הֲדַר) **d. erhabne** Königreich *the dignified kingdom* Da 11, 20. †

***הֲדָרָה**: הדר; ug. *hdrt*; äg. *h3dr.t* (Albr. Voc. 10); cs. הַדְרַת: ה׳ קֹדֶשׁ heiliger **Schmuck** *holy adornement* Ps 29, 2 96, 9 1 C 16, 29 2 C 20, 21; ה׳ מֶלֶךְ königliche **Erhabenheit** *royal majesty* Pr 14, 28. †

הֲדֹרָם: *F* הֲדוֹרָם.

הֲדַרְעֶזֶר: *F* הֲדַדְעֶזֶר.

הָהּ: interj.; Schulthess, Zurufe 42: **oh! ach!** *alas*! Hs 30, 2. †

הוֹ: interj. < הוֹי: **o!** *ah*! Am 5, 16. †

הוּא (Ir 29, 23 K אֱלִיהוּ, הוּ u. הוּ in sff.) u. fem. **הִיא** (u. הָ in sff. *יְקַטְלֶנָּה): ug. *hw*, *hy* (ac. *hwt*, *hyt*), mo. הא, ph. הא, Znğ. הא, äga., nab., palm. הו u. הי, *F* ba., هُوَ, هِيَ, asa. הא, היא, mehri *he*, *hi* u. *se*, *si*, ak. *šū*, *šī*, äth. *hŭ'atu*, *hĭ'ati* > *ue'etū*, *je'etī*; in beduin. *hu'* ist d. Schluss-א hörbar *the final* א *is audible* (VG 1, 302 ff); im Pentateuch הוא = הוּא u. הִוא! (הִיא Gn 14, 2 20, 5 38, 25 Lv 11, 39 13, 10. 21 16, 31 20, 17 21, 9 Nu 5, 13 f; **הוּא er** *he*, ־הוּ **ihn** *him*, **הִיא sie** *she*, ־הָ **sie** *she*, הוּא u. הִיא **auch es** *also it*; pl. *F* auch *also* הֵם, הֵמָּה, הֵן, II הֵנָּה:
1. הוּא, הִיא pron. 3. sg. er, sie, es *he, she, it*: הוּא וְאִשְׁתּוֹ er u. s. Fr. *he a. h. wife* Gn 13, 1, הִוא הָיְתָה sie war *she was* 3, 20; הוּא שְׁמוֹ es ist s. N. *it is his name* 2, 19, הִיא כְתוּבָה es ist geschrieben *it is written* Jos 10, 13; 2. הוּא, הִיא deutend *deictic*: **der, die, das** *this, that*: הוּא יָם הַמֶּלַח das ist *this is* Gn 14, 3, הוּא אֲשֶׁר דִּבֶּר das ist es, was *this is what* Lv 10, 3, נוֹרָא הוּא אֲשֶׁר schrecklich ist das, was *that (the*

thing) which Ex 34, 10; 3. הוּא fasst zusammen *summarizes*: חַיֶּיךָ הוּא das ist (macht) d. L. (aus) *that is thy life* Dt 30, 20; 4. הוּא zur Betonung des Subjekts *in order to stress the subject*: הוּא הַהֹלֵךְ Gn 2, 14, הוּא יְדַבֵּר er ist es, der redet *it is he who shall speak* Ex 4, 16; יהוה הוּא הַנִּלְחָם Dt 3, 22; צַדִּיק הוּא יהוה J., er ist *Y., he is* Th 1, 18; beliebt bei Zahlen *especially with numbers* שְׁתַּיִם הֵנָּה die zwei *these two things* Js 51, 19, שְׁלֹשָׁה הֵמָּה die drei *these three things* Pr 30, 18; 5. מִי u. מָה c. הוּא, um d. Subject formal auszudrücken *to express the subject formally*: מָה הוּא was bedeutet das? *what is that?* Gn 23, 15, מִי הוּא wer je *who ever* Hi 4, 7, מִי הוּא זֶה wer ist das? *who is this?* Ps 24, 10; 6. הוּא als Apposition schliesst aus הוּא *as apposition is exclusive*: הַלֵּוִי הוּא nur d. Levit *the Levite only* Nu 18, 23, הַיְּהוּדִים הֵמָּה d. Juden ihrerseits *the Jews on their part* Est 9, 1, אֲדֹנָי הוּא d. Herr selber *the Lord himself* Js 7, 14; 7. הוּא vorangestellt = eben *preceding* = *this same*: הוּא הַלַּיְלָה הַזֶּה eben diese Nacht *this same night* Ex 12, 42, הוּא הַמֶּלֶךְ אָחָז eben d. K. A. *this same k. A.* 2C 28, 22; 8. הוּא drückt bei Pronomen die Identität aus *with pronomen states identity*: אֲנִי הוּא ich bin es, der *it is I who* Js 52, 6, אַתְּ הִיא du bist es, die *it is you who* 51, 9; 9. הוּא = derselbe, dasselbe *the same*: שֵׁם הוּא dort ist es dasselbe *there it is the same* Hi 3, 19, אֲנִי הוּא ich bin derselbe *I am the same* Js 41, 4 43, 10. 13 46, 4 48, 12 Ps 102, 28; 10. הַהִיא, הַהוּא: **jener, jene** *that, that one* הָאִישׁ הַהוּא jener Mann *that man* Hi 1, 1, בָּעֵת הַהִיא in jener Zeit *at that time* Mi 3, 4, בַּיּוֹם הַהוּא an jenem Tag *in that day* Gn 15, 18; 11. הוּא in nn. m.: אֲבִיהוּא, (א)אֱלִיהוּ, מִיכָהוּ; Gn 19, 33 l הַהוּא; Mi 7, 11 l יוֹם הוּא = 12.

הֱוֵא Hi 37, 6: F I הוה.

I הוֹד: mhb.; Socin: v. II ידה wie מְעַן v. ענה; Barth, Wurzeluntersuchungen 11: أَوْدٌ schwer sein *be weighty*: sf. הוֹדִי, הוֹדוֹ u. הֹדֹה Ir 22, 18: **(Gewicht, Bedeutung), Hoheit** (*weight, importance*), *splendour, majesty*: 1. מֹשֶׁה Nu 27, 20, d. König *the king* Ir 22, 18 (הֹדֹה, Baud., Kyr. 4, 26 f), Messias Sa 6, 13, Daniel Da 10, 8, cj מַטֵּה הוֹדוֹ e. Mensch *a man* Ps 89, 45; 2. Donner Js 30, 30, schnaubendes Pferd *snorting horse* Hi 39, 20, Ölbaum *olive-tree* Ho 14, 7; הוֹד מַלְכוּת königliche Würde *royal dignity* Da 11, 21 1 C 29, 25; סוּס הוֹדוֹ s. (Gottes) Prachtrosse *his (God's) horses of state* Sa 10, 3; 3. Gottes *God's* הוֹד Ha 3, 3 Ps 8, 2 148, 13 Hi 37, 22 Si 10, 5; הוֹד וְהָדָר *splendour a. majesty*: e. Königs *of a king* Ps 21, 6 45, 4, wie Gottes *like God's* Hi 40, 10, Gottes *of God* Ps 96, 6 104, 1 111, 3 1 C 16, 27, in Fünferreihe *in series of five* 1 C 29, 11 (Gottes *of God*); 4. ? Ps 145, 5 Pr 5, 9.†

Der. II הוֹד n. m.; n. m. הוֹדְיָה u. אִישְׁהוֹד.

II הוֹד: n. m., = I: 1 C 7, 37.†

***הוֹד**: n. m. אֲבִיהוּד, אֲחִיהוּד u. עַמִּיהוּד; = I הוֹד?

הוֹדְוָה Ne 7, 43: l הוֹדַוְיָה.†

הוֹדַוְיָה: n. m.; < הוֹדַוְיָהוּ; AP 20, 18; II ידה hif. u. (ו)יה: 1. 1 C 5, 24; 2. 9, 7; 3. Esr 2, 40, cj 3, 9 u. Ne 7, 43.†

הוֹדַוְיָהוּ: > הוֹדַוְיָה: 1 C 3, 24.†

הוֹדִיָּה: n. m.; הוֹד u. יָהּ: 1. 1 C 4, 19; 2. Leviten *Levites* Ne 8, 7 9, 5 10, 11. 14. 19.†

I הוה: هَوَى fallen *fall*:

qal: imp. הֱוֵא (von II הוה unterscheidende Schreibung *spelt with* א *in order to differentiate it from* II הוה): **fallen** *fall* Hi 37, 6.†

Der. II *הַוָּה, הֹוָה.

II **הוה**: ba. הוא, ak. *emû* (RA 2, 11); > היה: qal: impf. יְהוּא Ko 11, 3 (BL 423 l הוּא; l יְהֱוֶא), imp. הֱוֵה, f. הֱוִי, pt. הֹוֶה: 1. **werden** *become* Gn 27, 29 Js 16, 4, c. לְ Ne 6, 6; **haben** *have* Ko 2, 22; 2. **bleiben** *be* (F supra) Ko 11, 3. †

I **הַוָּה**: < אַוָּה, cf. הַיִּךְ; هَوًى Gier *desire*: cs. הַוַּת: **Gier** *desire* Mi 7, 3 Pr 10, 3 11, 6 (l הַוָּתָם). †

II ***הַוָּה**: I הוה; > *הַיָּה: sg. sf. הַוָּתִי Hi 30, 13 > הַיָּתִי 6, 2 30, 13 Var., pl. הַוֹּת, הַוּוֹת: **Verderben** *destruction* sg. Hi 6, 2 30, 13, pl. Ps 5, 10 38, 13 52, 4 55, 12 57, 2 (l עֲבֹר) 91, 3 94, 20 Pr 17, 4 19, 13 Hi 6, 30, cj Ps 74, 19; l הוֹנוֹ Ps 52, 9. †

הֹוָה: I הוה: **Sturz** *disaster* Js 47, 11 Hs 7, 26. †

הוֹהָם: n. m.: Jos 10, 3. †

הוֹי: interj.; Schulthess, Zurufe 42; Humbert, Problèmes du livre d'Habacuc, 1944, 19 ff; > הוֹ: **ach! wehe!** *ah! alas!* 1. c. pt. vel adj. Am 5, 18 6, 1 Js 5, 8. 11. 18. 20—22 10, 1 29, 15 31, 1 33, 1 45, 9 f Mi 2, 1 Ir 22, 13 Ha 2, 6. 9. 12. 15. 19 Ze 2, 5, cj Am 5, 7; 2. c. vocat. Js 1, 4 17, 12 18, 1 28, 1 29, 1. cj 16 30, 1 Ir 22, 18 23, 1 47, 6, cj 6, 6 Hs 34, 2 Sa 2, 11 11, 17 Ze 3, 1 Na 3, 1; besonders in Leichenlied *especially used in dirges* (Jahnow, d. hebr. Leichenlied, 1923, 83 ff) 1 K 13, 30 Ir 22, 18 34, 5; 3. abs. Js 1, 24 10, 5; 4. הוֹי עַל Ir 48, 1 50, 27 Hs 13, 3, הוֹי לְ 13, 18; 5. הוֹי הוֹי Sa 2, 10; 6. הוֹי (einladend *inviting*) **he! auf!** *ha!* Js 55, 1; l הָיוּ: Ir 30, 7. †

הוֹלֵלוֹת u. Ko 10, 13 הוֹלֵלוּת: III הלל: **Torheit** *madness* Ko 1, 17 2, 12 7, 25 9, 3 10, 13, cj 5, 2. †

הוֹלֵם: Js 41, 7 F הלם.

הום: هَامَ sinnlos umherlaufen *rush about madly*: qal: pf. sf. הָמָם: **in Verwirrung bringen** *stir, discomfit* Dt 7, 23; † nif: impf. וַתֵּהֹם **ausser sich geraten** *be in a stir* 1 S 4, 5 1 K 1, 45 Ru 1, 19, cj וְאָהוּמָה Ps 55, 3; † hif: Mi 2, 12 (המה) וְתֶהֱמֶינָה l תְּהִימֶנָה; Ps 55, 3 וְאָהִימָה l וְאָהוּמָה (F nif.). † Der. *מְהוּמָה.

הוֹמָם: n. m.; ZAW 44, 91; = הֵימָם Gn 36, 22: 1 C 1, 39. †

הון: هَانَ leicht sein *be light*: hif: impf. וַתָּהִינוּ: **für leicht halten** *regard as easy* Dt 1, 41. † Der. הוֹן.

הוֹן: הון; mhb., ja. הוֹנָא, הַוְנָא Fähigkeit, Vermögen *faculty, wealth*; cp. u. sy. Verstand *faculty, understanding*: sf. הוֹנוֹ, הוֹנְךָ, pl. sf. הוֹנַיִךְ; msc.: **Vermögen, Besitz, Güter** *power, wealth*: Hs 27, 12. 18. 27. 33 Ps 44, 13 112, 3 119, 14 Pr 1, 13 3, 9 6, 31 8, 18 10, 15 11, 4 12, 27 (l יְקַר לְאָדָם) 13, 7. 11 18, 11 19, 4. 14 24, 4 28, 8. 22 29, 3 Ct 8, 7; הוֹן **genug!** *enough!* Pr 30, 15 f; cj בְּהוֹנוֹ Ps 52, 9 u. בְּהוֹן הֲלָלִים 73, 3. †

הוֹשָׁמָע: n. m.; Noth S. 107[3]: < *יְהוֹשָׁמָע, יְהוֹ u. שׁמע: 1 C 3, 18. †

הוֹשֵׁעַ: n. m.; KF < יוֹשִׁעַ (ישע) u. [אֵל vel] יָהוּ; Ωσηε u. Nu 13, 8. 16 Αυση; ak. *Usia, Usi'*; Lidz. 259; Dir. 121 f. 204 f.: **Hosea**: 1. früherer Name des *original name of* Josua Nu 13, 8. 16 Dt 32, 44; 2. Prophet Ho 1, 1 f; 3. letzter K. v. *latest king of* Israel, ak. *Ausi'* 2 K 15, 30 17, 1. 3 f. 6 18, 1. 9 f; 4. Neh 10, 24; 5. 1 C 27, 20. †

הוֹשַׁעְיָה: n.m.; הוֹשִׁיעַ (ישׁע) u. יָה; auch *also* AP; הושעיהו Lkš: 1. Ir 42, 1 u. 43, 2 (G Μαασαῖος = מַעֲשֵׂיָה); 2. Ne 12, 32. †

הוּת: *F* התת.

הוֹתִיר: n.m.; יתר: 1 C 25, 4. 28. †

הזה: هَذَى wirr reden *talk nonsense*: qal: pt. pl. הֹזִים: (v. Hund) im Schlaf **jappen** *pant* (*sleeping dog*) Js 56, 10. †

הִי: interj.: **Wehschrei** *wailing* Hs 2, 10. †

הִיא pron. fem. sg.: *F* הוּא.

הֵידָד: interj.; Schulthess, Zurufe 71: Ruf des Kelterers: **hei-hei**! *cry, shouting of those pressing grapes*: Ir 25, 30 51, 14 Js 16, 9 f; Ir 48, 33 l: הַדֹּרֵךְ הֵידָד לֹא הֵרִים. †

הֻיְּדוֹת Ne 12, 8: G^B τῶν χειρῶν = הַיָּדוֹת l הוֹדוֹת (II ידה hif.). †

היה (3570 ×): *F* II הוה; aram. הוא; هَوَى; C. H. Ratschow, Werden u. Wirken, 1941: qal: pf. הָיָה, הָיְתָה, הָיָתָה Js 14, 24, הָיְתָ = הָיָת K u. הָיְתָה Q 2 K 9, 37, הָיִיתָ, הָיִיתִי, הָיוּ, הֱיִיתֶם, וִהְיִיתֶם Gn 3, 5, הָיִינוּ; impf. יִהְיֶה, יְהִי (יֶהִי Hs 16, 15), וִיהִי, וַיְהִי, וַיֶּהִי Hs 16, 19, תִּהְיֶה, אֶהְיֶה, וָאֶהְיֶה 2 S 7, 6, וָאֱהִי Jd 18, 4, וַתְּהִיֶיןָ, וַתִּהְיֶינָה, תִּהְיֶינָה, תִּהְיֶיןָ Gn 41, 36, יִהְיוּ, Gn 26, 35, תִּהְיֶינָה Ir 18, 21, וַתִּהְיֶנָה 1 C 7, 15, תִּהְיוּ Gn 34, 15, תִּהְיוּן Ex 22, 30, נִהְיֶה, וַנְּהִיֶה Ir 44, 17, וַנְּהִי Nu 13, 33; imp. הֱיֵה Ex 18, 19, וֶהְיֵה Jd 17, 10, הֲיִי Gn 24, 60, הֱיוּ Ex 19, 15, וִהְיוּ 1 S 4, 9; inf. abs. הָיוֹ Gn 18, 18, הָיֹה Hs 1, 3, inf. cs. הֱיוֹת, cj הֱיֹת Hs 21, 15, בִּהְיוֹת, בִּהְיֹת Ex 19, 16, לִהְיוֹת, לִהְיֹת, sf. הֱיוֹתִי, הֱיוֹתְךָ, לִהְיֹתְךָ Dt 26, 19; pt. f. הוֹיָה Ex 9, 3:

1. **eintreten, werden** *occur, come to pass*: הָיָה עֶרֶב es wurde Abend *evening took place* Gn 1, 5, הָיָה גֶשֶׁם es fällt Regen *rain comes* Ir 14, 4, תִּהְיֶה רָעָה e. Unglück geschieht *evil occurs* Am 3, 6, ה׳ מוֹרָא עַל Furcht kommt über *fear comes upon* Gn 9, 2, וַתְּהִי עָלָיו רוּחַ י׳ kam über ihn *came upon* Jd 3, 10, וַיְהִי דְבַר־י׳ אֶל erging an *came unto* Ir 1, 11; 2. besonders *especially* abs. **geschehen** *happen, occur* (M. Johannessohn, D. biblische καὶ ἐγένετο usw., Zeitschrift f. vergleichende Sprachforschung 53, 1925, 161 ff): לֹא תִהְיֶה es geschieht nicht *it does not come to pass* Js 7, 7 = לֹא תִהְיֶה Am 7, 3; וְהָיָה es wird geschehn *it shall come to pass* Js 2, 2; יְהִי es geschehe! *may it happen*! Gn 30, 34; וַיְהִי כֵן es geschah so *thus it came to pass* Gn 1, 7; וְהָיָה wird stereotypiert zu: dann *is stereotyped to: then*: וְהָיָה ... וְאָמַרְתִּי und dann sage ich *and then I shall say* Gn 24, 43; וְהָיָה wird der Person des Folgenden angeglichen *is adapted to the person of the following*: הָיִיתִי ... אֲכָלַנִי dann verzehrte mich *then .. consumed me* Gn 31, 40; וַיְהִי ist meist stereotypiert וַיְהִי *is stereotyped in most cases*: וַיְהִי ... וַיָּבֹא dann kam er > als er kam *then he went > when he went* Gn 39, 11; וַיְהִי הַשֶּׁמֶשׁ לָבוֹא als d. S. untergehn wollte *when the sun was about to* Gn 15, 12 :: וַיְהִי ... בָּאָה als d. S. untergegangen war *when the sun had gone down* 15, 17; וַיְהִי ... כְּבֹא wie (als) er kam *when he came* Gn 12, 14, וַיְהִי כְּדַבְּרָהּ wie (als) sie redete *as she spoke* 39, 10, וַיְהִי בְּנָסְעָם als sie ... *as they* ... 11, 2; so wird וַיְהִי zum bloss formalen Zeichen des Fortschritts der Erzählung *thus* וַיְהִי *only formally indicates the progress of the tale*: וַיְהִי כִּי (und) als (*and*) *when* Gn 27, 1, (und) weil (*and*) *because* Ex 1, 21; וַיְהִי דַבֵּר er redete *he spoke* Dt 1, 3, וַיְהִי בִּהְיוֹתָם als sie waren *when*

they were Gn 4, 8; 3. **sein, werden** *be, become*: vorhanden sein *be in* (*have come into*) *existence* Js 19, 18 1 S 14, 25; אִישׁ הָיָה Es war e. Mann *There was a man* Hi 1, 1; besonders *especially* הָיָה c. Prädikativ *c. predicative*: הָיָה עָרוּם klug sein *be subtil* Gn 3, 1, ה׳ כֵּאלֹהִים 3, 5, ה׳ לְבַדּוֹ 2, 18, ה׳ גֵר Ex 23, 9, ה׳ כַּטַּל Ho 14, 6; וַיְהִי כֵן es wurde so *it originated thus* Gn 1, 7, הָיִינוּ בּוּזָה wir sind e. Spott geworden *we have become despicable* Ne 3, 36; מֶה־הָיָה הַדָּבָר *how went the matter*? 2 S 1, 4; הָיָה *c. pt. praedicativ.* = *conjugatio periphrastica*: הָיוּ מְלַקְּטִים sie pflegten zu lesen *they used to gather* Jd 1, 7, וַיְהִי מַעֲלֶה war bei d. Darbringung = brachte gerade dar *was just offering* 1 S 7, 10; וָאֱהִי צָם ich fastete *I fasted* Ne 1, 4; הָיָה c. inf. der Dauer *of duration*: הָיוּ הָלוֹךְ וְחָסוֹר nahmen immermehr ab *decreased continually* Gn 8, 5; 4. הָיָה אַחֲרֵי zu jmd halten *follow a person* 2 S 2, 10; 5. הָיָה בְּ s. befinden in *be in* Ex 1, 5, bleiben in *stay in* 24, 18, kommen an *come at* 1 S 5, 9, הָיְתָה בִירוּשָׁלִַם es kam über *it fell upon* 2 K 24, 20, הָיָה בַּתָּוֶךְ geraten mitten unter *fall among* Jos 8, 22; 6. הָיָה לְ dienen als *serve as* Gn 1, 29, gereichen zu *be to* Js 4, 2, werden zu *be, show oneself* 1 K 2, 2; haben *have*: יִהְיֶה לְךָ du sollst haben *thou shalt have* Ex 20, 3, הָיָה לְאִישׁ e. Mann als Frau gehören *be a man's wife* Ir 3, 1; zu Gunsten, für jmd sein *be on one's side* Ps 124, 1, zu etwas werden *become* Gn 2, 7 Nu 10, 31, ה׳ לֵאלֹהִים לְ jmds Gott sein *be* [*a*] *God unto* Gn 17, 7, ה׳ לָבַז zur Beute fallen *be a prey* Dt 1, 39; הָיָה לְ sich belaufen auf *amount to* 1 S 13, 21, zuteil werden *have, get* Jos 11, 20; וַיְהִי דְבַר־אִישׁ לְ *somebody's word comes to* 1 S 4, 1; הָיָה לוֹ widerfahren *befalls, overtakes him* Ex 32, 1; ה׳ לְקָצִין לְ Jd 11, 6 u. ה׳ קָצִין לְ Js 3, 6 Richter werden für, über *be judge of*; 7. הָיָה עִם: mit, bei jmd sein *be with* Jd 2, 18; (*sexually*) zusammensein mit *be with* (*a woman*) Gn 39, 10; sich befinden bei *be* (*found*) *with, at* 2 S 24, 16; ה׳ עִם לְבָבוֹ er hat im Sinn *he intends, has in view* 1 K 8, 17; 8. הָיָה עַל sich befinden auf *be upon* Gn 9, 2, sich (kämpfend) halten an *cling to* (*in fight*) 2 S 11, 23; יִהְיֶה עָלָיו es obliegt ihm *it is his part, his duty* Hs 45, 17; וַתְּהִי עַל־רֹאשׁ דָּוִד man setzte sie D. aufs Haupt *it was set on D.s head* 2 S 12, 30; ה׳ דָּמִים עַל Blutschuld kommt auf *blood-guilt comes upon* Dt 19, 10; 9. הָיָה מִן voraushaben vor *be more than* Hs 15, 2; הָיְתָה (גְאֻלָּתוֹ) gelten *be valid* Lv 25, 29; הָיָה c. Zahlwort: sich belaufen auf *c. numeral*: *amount to* Ex 1, 5 Nu 1, 20; הָיָה עַד reichen bis *go as far as* Jos 19, 10;

nif: pf. נִהְיָה, נִהְיְתָה, נִהְיָתָה, נִהְיֵיתָה, נִהְיֵיתִי, pt. f. נִהְיָה: **sich begeben, sich zutragen** *be, occur* Ex 11, 6 Dt 4, 32 Jd 19, 30 20, 3. 12 Ir 5, 30 48, 19, cj 2, 10 Jl 2, 2 Da 12, 1 Ne 6, 8; נִהְיָה מֵאֵת ging aus von *is done, caused by* 1 K 12, 24 2 C 11, 4 1 K 1, 27; geworden sein *has become* Dt 27, 9, eingetreten sein *has occurred* Hs 21, 12 39, 8; vorhanden sein *be extant* Sa 8, 10; תַּאֲוָה נִהְיָה erfülltes Verlangen *desire accomplished* Pr 13, 19; נִהְיֵיתִי es war um mich geschehn *I was done, came to an end* (?) Da 8, 27; נהיות Ereignisse *events* Si 42, 19 48, 25; l נִדְּדָה? Da 2, 1; dele Mi 2, 4.†

*הַיָּה: < II *הַוָּה: sf. הַיָּתִי: **Verderben** *destruction* Hi 6, 2 30, 13.†

הֵיךְ: = אֵיךְ; **F** ba. הֵאכְדֵי; mhb., ja., cp.: **wie**? *how*? Da 10, 17 1 C 13, 12.†

הֵיכָל: ug. *hkl*; LW < sum.-ak. *ekallum* Palast, Tempel *palace, temple*; **F** ba.; ph. הכל: cs. הֵיכַל, sf. הֵיכָלוֹ, הֵיכָלְךָ, pl. הֵיכָלוֹת, cs.

הֵיכָלִי, sf. הֵיכְלֵיכֶם, c. art. הַהֵיכָל 1 K 6, 33; msc.: 1. **Palast** *palace*: d. K. v. Babel 2 K 20, 18 Js 39, 7 2 C 36, 7, אַחְאָב 1 K 21, 1, v. Ninive Na 2, 7, Am 8, 3, pl. Ho 8, 14 Jl 4, 5, הֵיכַל מֶלֶךְ Ps 45, 16 Da 1, 4, הֵיכְלֵי מֶלֶךְ Pr 30, 28, ה׳ עֹנֶג Js 13, 22, ה׳ שֵׁן Ps 45, 9, תַּבְנִית הֵיכָל Ps 144, 12; הֵיכָל (Palast *palace*) = בֵּית הַמֶּלֶךְ; 2. **Tempel** *temple*: הֵיכַל יהוה in Silo 1 S 1, 9 3, 3, in Jerusalem 2 K 18, 16 23, 4 24, 13 Ir 7, 4 24, 1 Hs 8, 16 Hg 2, 15. 18 Sa 6, 12—15 Esr 3, 6. 10 2 C 26, 16 27, 2 29, 16, ebenso *the same* 2 S 22, 7 Ir 50, 28 51, 11 Sa 8, 9 Ma 3, 1 Ps 18, 7 27, 4 29, 9 48, 10, 65, 5 68, 30 Esr 4, 1; הֵיכָל d. Haupthalle *the main hall* :: דְּבִיר 1 K 6, 5. 17 7, 50, = הֵיכַל הַבַּיִת 1 K 6, 3; c. פֶּתַח 1 K 6, 33, c. אֻלָם 7, 21, c. תּוֹךְ Ne 6, 10, c. דַּלְתוֹת 6, 10; הֵיכָל ohne *without* art. = Tempel v. *temple of* Jerusalem Js 44, 28 66, 6; der Hauptbau *the central building* :: חָצֵר (die umliegenden Höfe u. Hallen *the surrounding courts a. halls*) Hs 41, 1. 4. 15. (20.) 21. 23. 25 42, 8 2 C 3, 17 4, 7 f. 22; הַהֵיכָל Js 6, 1, הֵיכַל קָדְשְׁךָ Jon 2, 5. 8 Ps 5, 8 79, 1 138, 2, ה׳ קָדְשׁוֹ Mi 1, 2 Ha 2, 20 Ps 11, 4. †

***הִיל**: F אֲבִיהַיִל.

הֲלִיכוֹת Pr 31, 27 †: F הֲלִיכָה.

הֵילֵל: I הלל; besser *more correct* *הֵילָל; ὁ ἑωσφόρος, *lucifer*: d. **Morgenstern** *the morningstar* (Zimmern KAT³ 565: هِلَال Neumond *new moon*) Js 14, 12. †

הֵימָם Gn 36, 22 †: F הוֹמָם.

הֵימָן: n. m.; ימן oder *or* אמן? Dir. 258 האמן: 1. berühmter Weiser *famous wise man* 1 K 5, 11, = ? 2. levitischer Sänger *Levite singer* Ps 88, 1 1 C 2, 6 6, 18 15, 17. 19 16, 41 f 25, 1. 4—6 2 C 5, 12 29, 14 35, 15. †

הִין: LW, äg. *hnw* Topf *pot*, seit d. Mittlern Reich Flüssigkeitsmass *since Middle Empire liquid measure* = 0, 45 l; hebr. = 6, 074 l; Dir. 286, Eph 3, 48; ph. הן Eph 3, 128: **Hin** *hin*; Mass für *measure of* Öl *oil* Ex 29, 40 30, 24 Nu 15, 4. 6. 9 28, 5 Hs 45, 24 46, 5. 7. 11. 14, Wein *wine* Lv 23, 13 Nu 15, 5. 7. 10 28, 7. 14, Wasser *water* Hs 4, 11; הִין צֶדֶק richtiges H. *just h.* Lv 19, 36. †

הכר: תַּהְכְּרוּ Hi 19, 3 †; F חכר.

***הַכָּרָה**: abstr. v. II נכר hif: cs. הַכָּרַת: הַכָּרַת פְּנֵיהֶם: ihre Parteilichkeit *their regarding of persons*? oder *or*: d. Aussehen ihrer Gesichter *the expression of their faces*? Js 3, 9. †

***הלא**: pt. nif.: הַנַּהֲלָאָה Mi 4, 7; l הַנַּחְלָה (חלה) vel הַנִּלְאָה (לאה).

הָלְאָה: interj.; Schulthess, Zurufe 72 f: **weiter**! *onwards! further!*: 1. גֶּשׁ־ה׳ scheer dich weiter! *stand back! go away!* Gn 19, 9; זְרֵה־ה׳ streu weiter weg! *scatter yonder!* Nu 17, 2; 2. > adv.: מֵהָלְאָה לְ weiter hinaus als *beyond* Gn 35, 21 Ir 22, 19 Am 5, 27; וָהָלְאָה (räumlich *spatially*) u. weiterhin *and forward* Nu 32, 19 1 S 10, 3 20, 22. 37, (zeitlich *temporally*) Lv 22, 27 1 S 18, 9 Hs 43, 27 Nu 15, 23 Hs 39, 22; 3. מִן־הוּא וָהָלְאָה (von hier u. weiterhin =) allüberall, weit u. breit (*from here a. forward* =) *everywhere* Js 18, 2. 7. †

הִלּוּלִים: II הלל; mhb. sg.; ja. הִלּוּלָא Hochzeitsfeier *wedding-feast*; (äg.-ar.) هَلُّولَة Lärm *clamour*: **Festjubel** *festival exultation* Lv 19, 24 Jd 9, 27 (Weinlese *vintage*). †

הַלָּז < הַלָּזֶה: pron. commune: **der da, die da** *this* (*man or woman*) *there* Jd 6, 20 1 S 17, 26 2 K 4, 25 23, 17 Sa 2, 8 Da 8, 16; מֵעֵבֶר הַלָּז **dort drüben** *on yonder side* 1 S 14, 1; cj הַלָּאז 1 S 20, 19. †

הַלָּזֶה: > הַלָּז u. הַלֵּזוּ; לָזֶה u. *הַן; ٱلَّذِى, dial. ٱلَّذْ: **der da** *this there* Gn 24, 65 37, 19. †

הַלֵּזוּ: F הַלָּזֶה; cf. זוּ: זֶה: f. **die da** *this there* Hs 36, 35. †

הלחות Ir 48, 5 K: F לוּחִית.

***הָלִיךְ**: הלך: pl. sf. הֲלִיכַי: **Schritt** *step* Hi 29, 6. †

הֲלִיכָה: הלך: sf. הֲלִיכָתָם, pl. cs. הֲלִיכוֹת, הֲלִכוֹת, הֲלִיכֹת, sf. הֲלִיכוֹתֶיךָ: **Weg** (den e. geht) *walk* Na 2, 6, pl. **Bahnen** (d. Sterne) *orbits* (*of the stars*) ug. *hlk kbkbm*, ak. *alkat kakkabē* (Albr. BAS 82, 49) **F** חתא Ha 3, 6; 2. **Treiben** *goings* > *doings* Pr 31, 27; 3. **Wanderzug, Karavane** *travelling-company, caravan* Hi 6, 19; 4. Umzug, **Prozession** *procession* Ps 68, 25. †

הלך (NF ולך: ילך u. יֵלֵךְ; NF הוֹלִיךְ: ילך: הֵילִיכִי): ug. *hlk*, *ylk*, ak. *alāku*, ba. הלך, mo. לך u. ואהלך gehn *go*; هَلَكَ zu Grund gehn *perish* Nöld. NB 96:

qal: pf. הָלַךְ, הָלְכָה, הָלַךְ, הֲלַכְתֶּם, fehlerhaft *faulty* הָלְכוּא (seq. א) Jos 10, 24; impf. I (selten u. spät *rare a. late*) יַהֲלֹךְ, וַיַּהֲלֹךְ, תִּהֲלַךְ! Ps 73, 9, וַתִּהֲלַךְ! Ex 9, 23, אֶהֱלֹךְ, יַהֲלֹכוּ Hi 41, 11; II (gewöhnlich *usually*) יֵלֵךְ (von *from* ולך, < *yaylik), יֵלֶךְ Hi 27, 21, יֵלֶךְ־ Ex 34, 9, וַיֵּלֶךְ; וַיֵּלַךְ Gn 24, 61, תֵּלֵךְ, וַתֵּלֶךְ, תֵּלְכִי, אֵלֵךְ, וָאֵלֵךְ, וָאֵלֶךְ, אֵלְכָה fehlerhaft *faulty* אֵילְכָה Mi 1, 8, יֵלְכוּ, יֵלֵכוּן, וַיֵּלְכוּ, תֵּלַכְנָה, תֵּלְכוּ, תֵּלְכוּן Dt 6, 14, תֵּלֵכוּן Ex 3, 21, נֵלֵךְ, וַנֵּלֶךְ; inf. הָלוֹךְ, cs. הֲלֹךְ, הֲלָךְ־ Ko 6, 9, meist *mostly* (ילך) לֶכֶת, sf. לֶכְתִּי, לֶכְתְּכֶם; imp. I (הלך) הֲלוֹךְ, לֶכֶת הִלְכוּ Ir 51, 50, II (ילך) לֵךְ, לֶךְ־ Gn 27, 9, לְכָה 19, 32 u. לֵךְ! Nu 23, 13, לְכָה 1 S 23, 27, לְכִי, לְכוּ, לֵכְנָה Ru 1, 8 u. לֵכְןָ 1, 12; pt. הֹלֵךְ, הוֹלֵךְ, f. הֹלְכָה, הֹלֶכֶת, הֹלַכְתִּי vel הֹלֶכֶת! 2 K 4, 23, pl. הֹלְכִים, cs. הֹלְכֵי, f. הֹלְכוֹת:

1. **gehn** *go, walk*: Menschen *men* Dt 11, 19, Tiere (laufen) *animals* 1 S 6, 12, Schlangen (kriechen) *serpents* Gn 3, 14, Meer (strömen) *sea* Jon 1, 11, Wasser (fliessen) *water* (*run*) 1 K 18, 35, Feuer (fahren) *fire* (*run*) Ex 9, 23, Arche u. Schiffe (fahren) *ark, ships* Gn 7, 18, Brief (abgehn) *letter* (*be sent*) Ne 6, 17; etc.; 2. Imperativ-Formen *forms of imperative*: לֶךְ־לְךָ geh (dir)! *go*! Gn 12, 1, קַח וָלֵךְ nimm u. geh! *take a. go*! 12, 19, לֵךְ קַח geh, nimm! *go, take*! Ho 1, 2, לְכוּ וְנֵלְכָה auf, wir wollen gehn! kommt, wir w. gehn! *come a. let us go*! 1 S 9, 9, לְכוּ וְנַעֲלֶה auf! wir wollen hinaufziehn! *come a. let us go up*! Js 2, 3, לְכוּ רְאוּ auf! seht! *come a. see*! Ps 66, 5; לְכָה נַשְׁקֶה komm (zu fem. gesagt), wir wollen tränken! *come* (*said to woman*), *let us make drink*! Gn 19, 32; 3. הלך macht den Vorgang anschaulich *stresses the visibility of the proceeding*: וַיֵּלֶךְ וַיִּקַּח er ging u. nahm *he went a. fetched* Gn 27, 14, וַיֵּלְכוּ וַיִּפְּלוּ sie gingen u. warfen sich nieder *they went a prostrated* Gn 50, 18, וַיֵּלֶךְ וַיִּשְׁלַח 2 K 3, 7, הָלְכוּ וְאָמְרוּ sie gehen u. sagen *they go a. say* Js 2, 3; 4. הָלוֹךְ drückt das Andauern des Vorgangs aus *expresses the duration of the proceeding*: וַיִּסַּע הָלוֹךְ וְנָסוֹעַ er zog immer weiter *he journeyed going on* Gn 12, 9, וַיָּשֻׁבוּ ה׳ וָשׁוֹב gingen immer weiter zurück *returned continually* Gn 8, 3, וַיִּגְדַּל וַיֵּלֶךְ ה׳ וְגָדֵל u. wurde immer grösser *a. grew more a. more* Gn 26, 13, וַתֵּלֶךְ ה׳ וְקָשָׁה lag immer schwerer *prevailed more a. more* Jd 4, 24, הָלְכוּ ה׳ וְגָעוֹ liefen unter beständigem Brüllen *went lowing as they went* 1 S 6, 12, ה׳ וּבָכוֹ יֵלֵכוּ gingen beständig weinend *go on their way weeping* Ir 50, 4, ה׳ יֵלֵךְ וּבָכֹה geht

best. wein. *goes on h. way weeping* Ps 126, 6; 5. הָלַךְ drückt d. Andauern des Vorgangs aus *expresses the duration of the proceeding*: וַיֵּלֶךְ הָלֹךְ וְקָרֵב ging immer näher *drew near a. nearer* 1 S 17, 41, כִּי הַיָּם ה׳ וְסֹעֵר als d. M. immer heftiger stürmte *grew more a. more tempestuous* Jon 1, 11, ה׳ וָאוֹר immer heller *shining m. a. m.* Pr 4, 18; 6. הלך metaph. gehn = **wandeln, sich verhalten** *walk, behave*: ה׳ צְדָקוֹת in Rechtschaffenheit wandeln *walk righteously* Js 33, 15, ה׳ תָּמִים unsträflich wandeln *walk uprightly* Ps 15, 2, ה׳ עִקְּשׁוּת Pr 6, 12, הֵטִיב לָכֶת Pr 30, 29; 7. הלך in besondrer Bedeutung *in special meaning*: fortgehn *go away* Gn 18, 33, dahingehn *go hence* Ps 39, 14, sich ziehn, laufen (Grenze) *go along* (*border*) Jos 16, 8, unterwegs sein *be on the road* Jos 5, 6, vergehn (Tau) *go away, dry* (*dew*) Ho 6, 4, sich entwickeln, ausbreiten (Ranken) *develop* (*shoots*) Hos 14, 7, vergänglich sein (Wind) *pass away* (*wind*) Ps 78, 39, eingehn, munden (Wein) *go down, be to one's taste* (*wine*) Ct 7, 10; 8. הלך in Verbindungen *in combinations*: ה׳ עֲרִירִי kinderlos dahingehn *go childless* Gn 15, 2, ה׳ דֶּרֶךְ e. Weg g. *go a way* 28, 20, ה׳ לְדַרְכּוֹ seines Wegs g. *go on one's way* 19, 2, ה׳ בַּדֶּרֶךְ unterwegs sein *be on the road* Dt 11, 19, ה׳ בְּדֶרֶךְ הָאָרֶץ d. W. der Erde g. = sterben müssen *go the w. of the earth* = *die* 1 K 2, 2, ה׳ לָמוּת einmal sterben müssen *be at the point to die* Gn 25, 32, ה׳ לְבֵיתוֹ heimgehn *goes to his house, home* 1 S 10, 26, ה׳ הַמִּדְבָּר die Wüste durchziehn *go through the desert* Dt 1, 19; תֵּלַכְנָה מַּיִם בִּרְכַּיִם Knie laufen vom Wasser = vor Angst harnen *knees are running of water* = *urinate oppressed with fear* Hs 7, 17 21, 12; תֵּלַכְנָה חָלָב fliessen von *flow with* Jl 4, 18, הֹלֵךְ רוּחַ וָשֶׁקֶר von W. u. Tr. überlaufend *overflowing with* Mi 2, 11; הָ׳ מַיִם Wasser führen (Bäche) *flow with water* (*brooks*) Jl 4, 18; 9. ה׳ אַחֲרֵי: hergehn hinter *go behind* Gn 32, 20, mit jmd gehn *go with a person* 24, 5; 10. ה׳ אֶל: zu jmd gehn *go to* Gn 12, 1, auf jmd zu-, losgehn *go against* Jd 1, 10; אֶל־הַנַּעֲרָה (sexuell) aufsuchen *go unto* (*for sex. intercourse*) Am 2, 7; 11. ה׳ אֵת: mit jmd gehn *go with* Gn 12, 4; 12. ה׳ בְּ mit jmd (unter Mitnahme jmds) gehn *go with a person* (*taking a person with oneself*) Ex 10, 9; ה׳ בִּדְרָכָיו Dt 19, 9 u. ה׳ בְּאֹרְחוֹת Js 2, 3 in s. Wegen, Pfaden gehn *go in his ways, paths*; ה׳ בֶּחָלִיל unter Flötenspiel gehn *go with pipes* Js 30, 29, ה׳ בַּשֶּׁקֶר in Trug wandeln *walk in lies* Ir 23, 14; ה׳ בַּשְּׁבִי in Gefangenschaft ziehn *go into captivity* Am 9, 4; ה׳ שָׁמְעוֹ בְּ d. Kunde von ihm kam in *his fame went through* Est 9, 4; ה׳ בְּצֹאן er ging (unter Mitnahme von) mit Schafen = er brachte Sch. *he went with* (*taking with his*) *sh.* = *he brought sh.* Ho 5, 6; 13. ה׳ לְ: ה׳ לְאֹהָלוֹ geht zu s. Zelt *goes into his tent* Dt 16, 7, ה׳ לַמַּיִם geht zum W. *goes to the w.* Js 55, 1, ה׳ לַמִּלְחָמָה zieht in d. Kampf *goes to the battle* 1 S 17, 13; ה׳ לְשָׁלוֹם geht heil dahin *goes safe* 1 S 20, 13; ה׳ לִקְרַאת entgegengehn *goes to meet* [*him*] Gn 24, 65, ה׳ לִפְנֵי geht vor [ihm] her *preceeds* [*him*] 32, 21 > steht in s. Dienst *is his servant* 1 K 3, 6; 14. ה׳ מִן: fortgehn von *depart from* Gn 12, 1, = ה׳ מֵעִם 1 S 10, 2 u. ה׳ מֵאֵת Ir 3, 1; ה׳ מֵאַחֲרֵי hinter jmd hingehn *go behind a pers.* Ex 14, 19; 15. ה׳ עַד hingehn bis *go as far as* Jd 19, 18; וַיֵּלֶךְ שְׁמוֹ עַד s. Ruhm drang bis *h. fame went as far as* 2 C 26, 8; 16. ה׳ עַל kriechen auf *go, creep upon* Gn 3, 14, ה׳ עַל־אַרְבַּע auf Vieren gehn *go upon all four* Lv 11, 20, ה׳ עַל־כַּפָּיִם auf d. Tatzen laufen *go upon the paws* 11, 27, ה׳ עַל־דֶּרֶךְ e. Weg gehn *go a way* Jd 18, 5, ה׳ עַל in e.

Richtung gehn *go in a direction* 2 S 15, 20, עַל ה׳ zu Feld ziehn gegen *go against* 1 K 22, 6; nif: pf. נֶהֱלָכְתִּי: zum gehn gebracht sein = **dahin gehn müssen** *be caused to go* = *be vanishing* Ps 109, 23;

pi: pf. הִלַּכְתִּי, הִלַּכְתִּי, הִלְּכוּ, impf. וַיְהַלֵּךְ, אֲהַלֵּךְ, יְהַלְּכוּ, יְהַלֵּכוּן, נְהַלֵּךְ, pt. מְהַלֵּךְ, מְהַלְּכִים: **gehn** *go*: 1. gehn *go* (Götter *gods*) Ps 115, 7, laufen *go* (Tiere *animals*) Th 5, 18, fliessen *flow* (Bäche *brooks*) Ps 104, 10; fahren *go* (Schiffe *ships*) Ps 104, 26; 2. **umhergehn** *go about* Ko 4, 15, cj Hi 24, 14; c. אֵת 1 K 21, 27, c. קֹדֵר Ps 38, 7 Hi 30, 28, c. עָרוֹם 24, 10, c. בְּ in Js 59, 9; 3. **wandeln** *walk* (בִּדְרָכַי) Ps 81, 14 86, 11 89, 16 142, 4 Pr 8, 20 Ko 11, 9 (l הָלַךְ Hs 18, 9), c. לִפְנֵי Ps 85, 14, c. עַל auf *upon* 104, 3 Pr 6, 28; 4. **vergehn** *vanish*: Sonnen- u. Mondlicht *light of sun a. moon* Ha 3, 11, Gottlose *the impious* Ko 8, 10; 5. הִלֵּךְ בְּ mit etw. umgehn *deal with* Ps 131, 1; 6. מְהַלֵּךְ Herumtreiber, **Wegelagerer** *rover* Pr 6, 11, cj (MSS) 24, 34; ?Ps 55, 15; †

hif (v. הלך = ולך): pf. הוֹלִיךְ, sf. הוֹלִיכוֹ, הוֹלִיכְךָ, impf. יֹלֵךְ, יוֹלֵךְ, יוֹלִיךְ, יוֹלֵךְ Ko 5, 14, אוֹלִיכָה, אוֹלִיךְ, וַיּוֹלִכֵנִי Th 3, 2, וַיֹּלֶךְ, וַיֹּלֵךְ, וָאוֹלֵךְ, imp. הוֹלֵךְ Nu 17, 11, f. הֵילִיכִי (v. ילך! Ex 2, 9), הֹלִיכוֹ, inf. sf. הֹלִיכוֹ, pt. מוֹלִיךְ, מוֹלִיכֵךְ, מוֹלִכֵךְ, מוֹלִיכָם, pl. f. מוֹלְכוֹת, cj מוֹלִיכֵנוּ Ps 137, 3: 1. **bringen**, etw. *bring*, *a thing* Nu 17, 11 2 S 13, 13 Sa 5, 10 Ko 5, 14 10, 20; **bringen**, jmd *bring*, *a person* Dt 28, 36 1 K 1, 38 2 K 6, 19 17, 27 25, 20 Ir 31, 9 32, 5 52, 26 Hs 40, 24 43, 1 47, 6 Ho 2, 16 Pr 16, 29 2 C 33, 11 35, 24 36, 6; 2. jmd gehn lassen, **geleiten** *cause to go*, *lead* Dt 8, 2. 15 29, 4 Jos 24, 3 Js 42, 16 48, 21 63, 13 Ir 2, 6. 17 Am 2, 10 Ps 106, 9 136, 16, cj 137, 3 Th 3, 2, cj מוֹלִיךְ (Bewer JBL 67, 61) Pr 30, 31; 4. gehn lassen *cause to go*: Gott s. Arm *God his arm* Js 63, 12, aufrecht *upright* Lv 26, 13, שׁוֹלָל Hi 12, 17. 19, c. עַל auf *upon* Hs 36, 12, d. Meer (zurück-)fluten lassen *cause the sea to go (back)* Ex 14, 21; c. גּוֹלָה in d. Verbannung g. l. *carry into captivity* 2 K 24, 15; Bäche fliessen lassen *cause rivers to run* Hs 32, 14, cj 31, 4; 5. jmd mit sich nehmen *take with oneself* Ex 2, 9; l יְבַלֵּם Ps 125, 5;

hitp: pf. הִתְהַלַּכְתִּי, הִתְהַלַּכְתָּ, הִתְהַלֶּךְ־, הִתְהַלֵּךְ, impf. אֶתְהַלְּכָה, אֶתְהַלֵּךְ, יִתְהַלֵּךְ, יִתְהַלָּךְ, תִּתְהַלַּכְנָה, יִתְהַלָּכוּן, יִתְהַלָּכוּ, יִתְהַלְּכוּ, inf. הִתְהַלְּכוֹ, הִתְהַלֵּךְ, imp. הִתְהַלֵּךְ, sf. הִתְהַלֶּכְךָ, הִתְהַלֵּךְ, pt. מִתְהַלְּכִים, מִתְהַלֶּכֶת, מִתְהַלֵּךְ: 1. **hin u. her gehn, sich ergehn** *go to and fro*, *walk about*: בַּגָּן Gn 3, 8, בַּחוּץ Ex 21, 19, עַל־גַּג 2 S 11, 2, חוּג שָׁמַיִם (Gott *God*) Hi 22, 14, חֵקֶר תְּהוֹם 38, 16, חָצֵר Est 2, 11; 2. **umherziehn** *go about* Gn 13, 17 Jos 18, 4. 8 1 S 23, 13 25, 15 30, 31 2 S 7, 6f Sa 1, 10f 6, 7 Ps 105, 13 119, 45 Pr 6, 22 Hi 1, 7 2, 2 1 C 16, 20 17, 6 21, 4; 3. **sich hin u. her bewegen** *go up and down* Hs 1, 13 19, 6 (Löwe *lion*) Hi 18, 8; **einhergehn, sich benehmen** *walk along*, *behave oneself* Ps 35, 14 43, 2 (קֹדֵר); c. לִפְנֵי einherziehn vor *walk before* 1 S 12, 2, בְּרַגְלֵי in jmds Gefolge *as one's attendant* 1 S 25, 27; hin u. her fliegen (Pfeile) *go abroad (arrows)* Ps 77, 18; 4. **auseinandergehn** *depart*, *disperse* Jd 21, 24; sich verlaufen (Wasser) *flow off (water)* Ps 58, 8; eingehn, sich trinken (lassen) (Wein) *go down (wine)* Pr 23, 31; 5. (mor.) **wandeln** *walk*: Gott *God* Lv 26, 12 Dt 23, 15; seinen Wandel führen (Mensch) *(man)*, c. אֶת־ mit, vor *with* Gn 5, 22. 24 6, 9, c. לִפְנֵי Gn 17, 1 24, 40 48, 15 1 S 2, 30. 35 2 K 20, 3 Js 38, 3 Hs 28, 14 Ps 56, 14 116, 9, *F* Ps 12, 9 26, 3 68, 22 82, 5 101, 2 Pr 20, 7; l יִתְהַלָּלוּ Sa 10, 12, l מַהֲלָךְ Pr 24, 34. †

Der. *הָלִיךְ, הֲלִיכָה, הֵלֶךְ, מַהֲלָךְ, תַּהֲלֻכֹת, n.f. הַמֹּלֶכֶת.

הֵלֶךְ: הלך: Gang, Lauf *going, flow*: 1. ה׳ דְּבַשׁ ausfliessender Honig *dropping honey* 1 S 14, 26; 2. Besuch *visitor* 2 S 12, 4. †

I **הלל**: ak. *ellu* hell *bright*, هَلَّ hell werden *begin to shine*, هِلال Neumond *new moon*: hif: impf. יָהֵל, תָּהֵל, יָהֵלּוּ, inf. בְּהִלּוֹ (l בַּהֲהִלּוֹ<) Hi 29, 3: leuchten lassen *flash forth light* Js 13, 10 Hi 29, 3 31, 26, 41, 10; יָהֵל Js 13, 20 F אהל. †
Der. הֵילֵל.

II **הלל**: ak. *alālu, elēlu* jauchzen *shout exultingly*, هَلَّ II. u. IV. am Fest jubeln *shout in festival joy*, ܗܠܠ singen, rühmen *sing, praise*; Littmann, Neuarabische Volkspoesie 87: ursprünglich = trillern *originally = sing with trills*:
pi: pf. הִלֵּלוּ, הִלַּלְנוּ, הִלַּלְתֶּם, sf. הִלְלָתִיךְ, הִלְלוּךָ, impf. תְּהַלֵּל, וַיְהַלְלָהּ, יְהַלֶּלְךָ, יְהַלְלֶךָּ, יְהַלֶּל־, אֲהַלֶּלְךָ, אֲהַלְלֶנּוּ, אֲהַלְלָה, אֲהַלֵּל, תְּהַלְלֶךָּ, וַיְהַלְלוּהָ, וַיְהַלְלוּהָ, יְהַלְלוּךָ, וַיְהַלְלוּ, יְהַלְלוּ, inf. הַלֵּל, imp. הַלְלוּהוּ, הַלְלוּ, הַלְלִי, pt. מְהַלְלִים: 1. loben, rühmen *praise*: e. schöne Frau *a beautiful woman* Gn 12, 15, e. schönen Mann *a beautiful man* 2 S 14, 25, e. Menschen *a person* Pr 27, 2 28, 4, e. Mann seine Frau *a man praises his wife* 31, 28, Frauen e. Frau *women pr. a woman* Ct 6, 9, Taten rühmen e. Frau *works pr. a woman* Pr 31, 31; den König *the king* 2 C 23, 12 f, abs. Ps 63, 6; 2. Gott preisen, rühmen *praise God*: a) d. Tod tut es nicht *death does it not* Js 38, 18; d. Philister ihren G. *the Philistines their G.* Jd 16, 24; b) Jahwe pr. *pr. Yahveh* Js 38, 18 62, 9 64, 10 Ir 20, 13 Ps 22, 23 f. 27 35, 18 69, 35 84, 5 107, 32 109, 30 117, 1 119, 164 146, 1 f 148, 1—4. 7 Esr 3, 10 Ne 5, 13; c) J.s Namen pr. *pr. the name of Y.* Jl 2, 26 Ps 74, 21 145, 2 148, 5. 13 149, 3; d) Gott pr. *pr. God* Ps 69, 31 147, 12 150, 1—5; 3. הַלֵּל c. יָהּ: a) Ps 102, 19 115, 17 150, 6; b) הַלְלוּ־יָהּ Ps 104, 35 105, 45 106, 1. 48 111, 1 112, 1 113, 1. 9 115, 18 116, 19 117, 2 135, 1. 3. 21 146, 1. 10 147, 1. 20 148, 1. 14 149, 1. 9 150, 1. 6; 4. הַלֵּל לַיהוה J. pr. *pr. Y.* Esr 3, 11 1 C 16, 4. 36 23, 5. 30 25, 3 2 C 20, 19 29, 30 30, 21; 5. הַלֵּל לְשֵׁם d. Namen pr. *pr. the name* 1 C 29, 13; 6. הַלֵּל d. Halleluja anstimmen *intonate the Hallelujah* Esr 3, 11 1 C 23, 5 2 C 5, 13 7, 6 8, 14 20, 21 29, 30 31, 2; 7. הַלֵּל abs. preisen *praise* Ir 31, 7; l הִתְהַלַּלְנוּ Ps 44, 9; l [דְּבָרִי] אֲכַלֶּה Ps 56, 5 u. 11; ? Ps 10, 3. †
pu: pf. הֻלָּלָה, הוּלָּלוּ, impf. יְהֻלַּל, pt. מְהֻלָּל: gerühmt werden *be praised*: בְּתוּלוֹת (im Brautlied *by marriage-songs*) Ps 78, 63, עִיר Hs 26, 17, Kluger *wise man* Pr 12, 8; pt. preisenswert *to be praised*: יהוה Ps 48, 2 96, 4 145, 3 1 C 16, 25, שֵׁם יהוה Ps 113, 3; l מְמֻהָלָּלִי (III הלל) 2 S 22, 4 u. Ps 18, 4; †
hitp: impf. יִתְהַלֵּל, תִּתְהַלֵּל, תִּתְהַלְלִי, יִתְהַלְלוּ, יִתְהַלָּלוּ, inf. הִתְהַלֵּל, pt. מִתְהַלֵּל, מִתְהַלְלִים: 1. sich rühmen *boast oneself* 1 K 20, 11 Ir 49, 4 Pr 20, 14 25, 14 27, 1; c. בְּ wegen *in, on account of* Ir 9, 22 f Ps 49, 7 52, 3; 2. c. (בְּשֵׁם יהוה) sich des Namens (Gottes) rühmen *make one's boast in the name (of God)* Ps 105, 3 1 C 16, 10, cj Sa 10, 12; abs. Ps 106, 5; c. בְּ (Gottes *of God*) Js 41, 16 45, 25 Ir 4, 2 Ps 34, 3 63, 12 64, 11 97, 7, cj 44, 9; 3. gerühmt werden *be praised* Pr 31, 30. †
Der. תְּהִלָּה, מַהֲלָל, הוֹלֵלוֹת, הִלּוּלִים; n.m. מַהֲלַלְאֵל, יְהַלֶּלְאֵל.

III **הלל**: sy. af. höhnen *deride*; Joüon, MFB 5, 422 f: I הלל mondsüchtig sein *be moonstruck*:
qal: impf. תָּהֹלּוּ, pt. הוֹלְלִים: verwirrt, verblendet sein *be infatuated* Ps 5, 6 73, 3 75, 5, cj 73, 10 (עִם הוֹלְלִים); †

po: impf. יְהוֹלֵל, pt. sf. מְהוֹלָלַי 1 מְהוֹלְלַי Ps 102, 9, cj 2 S 22, 4 u. Ps 18, 4 †, pt. pss. מְהוֹלָל: c. בְּ seinen Spott treiben mit *make fool of* Js 44, 25 Ps 102, 9 Hi 12, 17 Ko 7, 7, cj 2 S 22, 4 u. Ps 18, 4; pt. pss. **Gespött** *folly* Ko 2, 2; † hitpo: impf. וַיִּתְהֹלֵל, יִתְהֹלְלוּ, יִתְהֹלָלוּ: **sich verrückt nehmen, wie toll aufführen** *act like a madman* 1 S 21, 14 Ir 25, 16 50, 38 51, 7, **wie toll fahren** (Wagen) *drive madly* (*chariots*) Ir 46, 9 Na 2, 5. †
Der. הוֹלֵלוֹת, הוֹלֵלוּת.

הִלֵּל: n. m.; KF, II הלל: Jd 12, 13. 15. †

הַלְלוּיָהּ: = הַלְלוּ־יָהּ F p. 235.

הלם: ug. *hlm* schlagen *strike* [pu. מהלם Münzstätte *mint*?]:
qal: pf. הָלַם, הָלְמוּ, הֲלָמַתְנִי, sf. הֲלָמוּנִי, impf. יֶהֶלְמוּן, sf. יֶהֶלְמֵנִי, pt. הוֹלֵם (< *הוֹלֵם vor Tonsilbe *preceding stressed syllable*), pss. הֲלוּמֵי: **schlagen** *strike*: Menschen *men* Jd 5, 26 Ps 141, 5 Pr 23, 35 (// הִכָּה), Amboss *anvil* Js 41, 7, Dinge *things* Ps 74, 6, d. Boden (Pferdehufe) *ground* (*hoofs*) Jd 5, 22; v. Trauben, Wein gesagt *said of grapes, wine*: **niederzwingen** *smite down* Js 16, 8 28, 1. †
Der. מַהֲלֻמוֹת.

הֲלֹם: ug. *hlm*; هَلُمَّ:
adv. loci: **hierher** *hither* Ex 3, 5 Jd 18, 3 20, 7 1 S 10, 22 14, 36. 38 cj 33 Ru 2, 14, cj Jd 14, 15; עַד־הֲלֹם **bis hierhin** *thus far* 2 S 7, 18 1 C 17, 16; הֲלֹם **hier** *here* Gn 16, 13 (1 אֱלֹהִים ?); cj הֲלֹם וַהֲלֹם **hin u. her** *hither and thither* cj 1 S 14, 16; 1 עִם הֹלְלִים Ps 73, 10. †

הֵלֶם: n. m.; Ηελαμ; 1 חוֹתָם ?: 1 C 7, 35. †

הַלְמוּת: < *הַמּוּת, ak. *amittu* Stössel *beetle*, v. *המת = هَمَتَ = هَبَتَ = دَرَبَ schlagen *beat* (MGJ 78, 5): **Hammer** *hammer* Jd 5, 26. †

הָם: n. l.; *Ham* s. *Kafr Jūbā*, 30 km ö. *Bēsān* (wo megalithische Bauwerke *where megalithic remainders*); ZDP 48, 70 49, 101: Gn 14, 5. †

הֵם, הֵמָּה: F ba. הִמּוֹ, אִנּוּן, هُمْ, ak. *šunu*, ug. *hm*, *hmt*, ph. המת: VG 1, 304 f: הֵם u. הֵמָּה gleichmässig gebraucht, nur הָהֵם häufiger als הָהֵמָּה, הֵם a. הֵמָּה *used indifferently, only* הָהֵם *more frequent than* הָהֵמָּה; בָּהֶם, בָּהֵמָּה, כָּהֶם, כָּהֵמָּה; כָּהֵם 2 K 17, 15, מֵהֵמָּה; pl. zu *to* הוּא: **sie** *they* (Sa 5, 10 Ru 1, 22 Ct 6, 8 statt *instead of* הֵנָּה); אֲשֶׁר הֵם u. אֲשֶׁר הֵמָּה F אֲשֶׁר; מָה הֵם < מֵהֶם Hs 8, 6; 1 עֲדֵיהֶם 2 K 9, 18, cj הֵם Ho 7, 4 u. Dt 32, 26; F II הֵנָּה.

הַמְּדָתָא: n. m.; pers., Scheft. 43; Gehman, JBL 43, 326: Est 3, 1. 10 8, 5 9, 10. 24. †

המה: mhb., ja. lärmen *roar*; هَمَى hin u. her irren (Kamele ohne Hirt) *go astray* (*camels without herdsman*), هَمَّ, هَمْهَمَ knurren (Raubwild) *growl* (*beasts of prey*), äg. copt. *hmhm* brüllen *roar*; F נהם, המם, הום:
qal: pf. הָמוּ, impf. יֶהֱמֶה, תֶּהֱמִי, אֶהֱמָיָה!, נֶהֱמֶה, וַיֶּהֱמוּ, יֶהֱמָיוּן, inf. הֲמוֹת, imp. cj הֲמִי Th 2, 18, pt. הֹמֶה, הוֹמָה u. הוֹמִיָּה:
1. **lärmen** *make noise, be tumultuous*: Stadt *city* 1 K 1, 41 Js 22, 2, Menge *crowd* Ps 46, 7, cj Js 13, 4 (1 הֲמוֹת), Herde *herd* cj Mi 2, 12 (1 וְתֶהֱמֶינָה), Feinde *enemies* Ps 83, 3, Rauschtrank *strong drink* Pr 20, 1; 2. **brausen** *roar* (Meer, Wellen, Wasser *sea, waves, water*) Js 17, 12 51, 15 Ir 5, 22 6, 23 31, 35 50, 42 51, 55 Ps 46, 4; 3. Laut geben *give tongue*: **brummen** (Bär) *groan* (*bear*) Js 59, 11, **kläffen** (Hund) *bark* (*dog*) Ps 59, 7. 15; **tönen** *sound* (Musikinstrumente *musical instruments*) Js 16, 11 Ir 48, 36; 4. **unrastig, unruhig sein** *be restless, boisterous*: Eingeweide *bowels* Js 16, 11 Ir 31, 20 Ct 5, 4, Herz *heart* Ir 4, 19 48, 36, Seele *soul* Ps 42, 6. 12 43, 5, Mensch *man* Ps 77, 4, Dirne *shameless woman* Pr 7, 11,

Frau Torheit *foolish woman* 9, 13; 5. **stöhnen** *moan* Ps 55, 18, cj Th 2, 18; l יָמוּתוּ Hs 7, 16, l דָּמָם Sa 9, 15, l הֲמוֹן Ps 39, 7, l חֲמוֹת Pr 1, 21.† Der. הָמוֹן, *הֶמְיָה; הֲמֻלָּה?, n. l. הֲמוֹנָה u. בַּעַל הָמוֹן.

הֵמָּה: F הֵם; בָּהֵמָּה (Ex 30, 4 36, 1 Ha 1, 16, cj Jl 1, 18 †) = בָּהֶם.

[**הֶמְהֶם**: dele וְלֹא מֵה' (dittogr.) Hs 7, 11.†]

הֲמוּלָּה: F הֲמֻלָּה.

הָמוֹן: המה: cs. הֲמוֹן, sf. הֲמוֹנוֹ u. הֲמוֹנֹה, הֲמוֹנָהּ, הֲמוֹנֵךְ, pl. הֲמוֹנִים, sf. הֲמוֹנֶיהָ:

1. **lebhafte Bewegung, Erregung** *lively commotion, agitation* Js 63, 15; 2. **Getümmel** *tumult* 2 S 18, 29 1 K 20, 13. 28 Js 5, 14 16, 14 29, 5 Ir 49, 32, vieler Völker *of many peoples* Js 17, 12 29, 7 f Ps 65, 8, in Stadt *in a city* Js 32, 14 Hi 39, 7, auf d. Bergen *on the mountains* (l הֲמוֹן) Ir 3, 23; Hs 32, 12. 16. 20; 3. (> ins Akustische gewendet > *becomes an acustic turn*) **Getöse** *turmoil* 1 S 4, 14 14, 19 Js 13, 4 31, 4 33, 3 Da 10, 6, Regen *rain* 1 K 18, 41, Wasser *water* Ir 10, 13 51, 16, Lieder *songs* Am 5, 23 Hs 26, 13, Meer *sea* Js 60, 5, Wellen Ir 51, 42, Räder *wheels* 47, 3; 4. (Getümmel um e. Herrscher *noise around a sovereign* >) **Aufzug, Gepränge** *train, pomp* Hs 30, 10. 15 31, 2. 18. 32, 12. 16. 18. 20. 24 f. 26. 31 f, des *of* Gog 39, 11. 15, הֲמוֹנוֹ (:: רִכְבּוֹ) s. Fussvolk *his foot, infantry* Jd 4, 7; ה' חוֹגֵג in festlichem Aufzug *festival procession* Ps 42, 5; 5. (Getümmel *tumult* >) **Menge** *multitude, crowd* Gn 17, 4 f 2 S 6, 19 2 K 7, 13 25, 11 Js 5, 13 Ps 37, 16, cj 39, 7 Da 11, 11—13 2 C 13, 8 14, 10 20, 2. 12. 15. 24 31, 10 32, 7; הֲמוֹנִים הֲמוֹנִים Menge an Menge *multitude over multitude* Jl 4, 14; הֲמוֹן חֲיָלִים Menge v. Streitkräften *multitude of forces* Da 11, 10; 6. (4. >) **Aufwand, Reichtum** *abundance, wealth* Hs 29, 19 30, 4 Ko 5, 9 1 C 29, 16; l הַמַּחֲנֶה 1 S 14, 16, l הַמְּרֹתְכֶם Hs 5, 7, l וַיִּשָּׂא לָהֶם 2 C 11, 23; ? Hs 7, 11—14 23, 42 Hi 31, 34 (רַבָּה!); F n. l. בַּעַל הָמוֹן. †

הֲמוֹנָה: f. v. הָמוֹן? unerklärt *unexplained*: Hs 39, 16. †

***הֶמְיָה**: המה: cs. הֶמְיַת: **Schall** *sound* Js 14, 11. †

הֲמֻלָּה Hs 1, 24 u. הֲמוּלָּה Ir 11, 16: < *הֲמוּנָּה (המה)?: ug. *hmlt* Menge *multitude*: **Getöse** *sound, noise.* †

המם: F המה, הום, נהם:

qal: pf. הָמַם, הַמֹּתִי, sf. הֲמָמָם, הֲמָמַנִי! Ir 51, 34, impf. וַיָּהָם, וַיְהֻמֵּם (cj 2 S 22, 15), וּתְהֻמֵּם; inf. sf. הֻמָּם:

1. **in Bewegung, Verwirrung bringen** *bring into commotion, confuse* Heerlager *host* Ex 14, 24 Jd 4, 15 1 S 7, 10, Leute *people* Ex 23, 27 Jos 10, 10 2 S 22, 14 Ps 18, 15 144, 6; 2. c. מִן: (Leute von e. Ort) **aufstören** *disturb* (*people out of a place*) Dt 2, 15 Ir 51, 34 Est 9, 24 Si 48, 21; 3. c. גַּלְגַּל **in Gang setzen** *set going* Js 28, 28. †

הָמָן: n. m. Αμαν, *Aman*, **Haman**; pers.? Jensen WZK 6, 58. 70, ZDM 55, 225 f, KAT 485. 516 ff: Est 3, 1—9, 24. †

[**הֲמָנְכֶם** Hs 5, 7: l הַמְּרֹתְכֶם.]

cj I **המס**: همس unhörbar reden *speak inaudiblely*, [Syriac] sinnen *ponder*:

qal: impf. cj תֶּהֱמְסוּ (M תַּחְמְסוּ): **sinnen** *ponder* (Jacob ZAW 32, 286 f) cj Hi 21, 27. †

II **המס**: הֲמָסִים.

הַמָּסִים: II המס; فَشَمَّة abgestorbner, ausgetrockneter, leicht brennbarer Busch *a shrub which is decayed a. dried out a. inflammable*: Reisig *brushwood* Js 64, 1. †

***המר**: F מַהֲמֹרוֹת.

***המת**: F הַלְמוּת.

הֵן (100×, Hi 30×, Js 40–66 21×): hinweisender Ausruf *deictic interj.*, verwandt mit *related to* אִם (// הֵן Hg 2, 12–13 u. 2 C 7, 13), ug. *hn*, *hm* (?), [illegible], إِنَّ, ja. אִין wenn, ob *if*, mhb. הֵין ja *yes*, ja. הִין (הֵין) wenn *if*; F אָכֵן: הֶן־ Nu 23, 9. 24 Hi 8, 19f 13, 1 26, 14 33, 6. 12. 29 36, 5. 22. 26†, הֶן־ Hi 13, 15 36, 30 41, 1†: הֵן bedeutet etwa: gesetzt; angenommen, mit folgendem Inhalt der Annahme; meist übersetzt mit: **siehe**! oft fast = **wenn**. הֵן *means approximately*: *supposed, whereby the content of the supposition follows*; *commonly translated*: *behold*! *sometimes nearly* = *if*. 1. הֵן lenkt die Aufmerksamkeit auf den nachfolgenden Satz *calls attention to the phrase it precedes*: הֵן הָאָדָם הָיָה Gn 3, 22, הֵן גֵּרַשְׁתָּ Gn 4, 14, etc.; 2. הֵן lenkt die Aufmerksamkeit auf d. Wort, bei dem es steht *calls attention to the word it precedes*: הֵן לִי לֹא Gn 15, 3, הֵן רַבִּים עַתָּה Ex 5, 5, etc.; 3. הֵן weist auf e. Nomen, das dann näher gekennzeichnet wird *calls attention to the noun which then is characterized* הֵן אֶרֶץ כַּשְׂדִּים זֶה Js 23, 13 42, 1 55, 5; 4. הֵן gesetzt > [fast schon] = **wenn** *supposed* > [*nearly*] = *if* הֵן יְשַׁלַּח Ir 3, 1, Ex 4, 1 8, 22 Lv 25, 20 Hg 2, 12 (// אִם 2, 13) 2 C 7, 13 (// וְאִם) Hi 9, 11f 12, 14f 23, 8; 5. הֵן c. hinweisendem *deictic imp.* הֵן הַבֶּט־נָא Js 64, 8; 7. l הֵמָּה Hi 24, 5, l הִנְהִיתָה Ir 2, 10.

I הֵנָּה: u. הֵן ? נָא = נָה u. sf. f. ־ָה ? F ba. هُنَّا, هَنَّا, هُنَا, אִנִּין hier *here* (Sarauw ZA 20, 189): adv. loci: 1. **hier** *here* Gn 21, 23; 2. **hierher** *hither* Gn 45, 5. 8. 13 Js 57, 3 Ir 50, 5 Pr 9, 4. 16 25, 7, בֹּא הֵנָּה Gn 42, 15 Jos 2, 2 Jd 16, 2 2 S 5, 6 14, 32 1 C 11, 5, הָבִיא הֵנָּה Jos 18, 6 2 S 1, 10 Hs 40, 4 2 C 28, 13, גֹּשׁוּ הֵנָּה Jos 3, 9, שׁוּב הֵנָּה Gn 15, 16; עַד־הֵנָּה ganz hierher *near hither* 2 S 20, 16; 3. עַד־הֵנָּה **bis hierher** *even hither* Nu 14, 19 2 K 8, 7 Ir 48, 47 51, 64; 4. > adv. temporis: **bisher, bis jetzt** *until now* Gn 15, 16 44, 28 Jd 16, 13 1 S 7, 12 Ps 71, 17 1 C 9, 18 12, 30; so lange *as long as that* 1 S 1, 16; 5. הֵנָּה ... הֵנָּה hier ... da *here ... there* Da 12, 5, auf ... ab *up ... down* 2 K 4, 35; הֵנָּה וָהֵנָּה hierhin und dorthin *hither and thither* Jos 8, 20 2 K 2, 8. 14; מִמְּךָ וָהֵנָּה herwärts von dir *on this side of thee* 1 S 20, 21; l הִנֵּה Ir 31, 8. †
Der. עֶדְנָה, עֶדֶן.

II הֵנָּה: f. zu *to* F הֵמָּה; هُنَّ, ak. *šina*, mehri *sen*, VG 1, 304 ff: sie *they* (pl. f.); מָה הֵנָּה wer sind die? *what are they* [*for*]? Gn 21, 29; כָּהֵנָּה wie sie *such as they* 41, 19, dergleichen *such things* Hi 23, 14; מְעַט הַצֹּאן הָהֵנָּה die paar Schafe *those few sheep* 1 S 17, 28; ... אֲשֶׁר בָּהֵנָּה in denen *in which* Nu 13, 19; הֵנָּה וָהֵנָּה dies u. das *this a. that, thus* 1 K 20, 40, = כָּהֵנָּה וְכָהֵנָּה *such a. such things* 2 S 12, 8; cj כְּמוֹ הֵנָּה derartiges *thus* Ps 73, 15; l הֵמָּה Jd 19, 12.

הִנֵּה (436×, וְהִנֵּה 343× Humbert, Problèmes .. d'Habacuc, 1944, 16 f): < **hinhēn* > **hinnēn* > הִנֵּה? إِنَّ, ug. *hm, hn*; Lkš 6, 5; ak. *annuma* jetzt *now*, F הֵן: הִנֵּה meist unterbrechender Aufmerksamkeitserreger *in most cases interrupting* *call for attention*: הִנֵּה נָא Gn 19, 2 †, c. sf. a) הִנְנִי, הִנֵּנִי, הִנְּךָ, הִנָּךְ, הִנֵּהוּ, > הִנּוֹ Nu 23, 17 Hi 2, 6 1 C 11, 25 †, הִנְנוּ, הִנֵּנוּ, הִנְּכֶם, הִנָּם; b) von **hinnan*: הִנְּנִי, הִנְּךָ, הִנֶּנּוּ; daneben auch *besides also* הִנֵּה אָנֹכִי, הִנֵּה אֲנִי, הִנֵּה הוּא: **siehe**! *behold*! 1. הִנֵּה hebt d. folgende Nomen hervor *calls attention to the following noun*: וְהִנֵּה תַנּוּר u. **siehe**! e. Ofen *a. behold*! *a furnace* Gn 15, 17, הִנֵּה הַגַּל siehe, d. St. *behold, the h.* 31, 51; 2. הִנֵּנִי (der Gerufene meldet sich) **hier bin ich**! (*the called for announces his presence*) *here am I*! 1 S 3, 4 Gn 22, 1. 7. 11 Js 6, 8 u. oft *a. frequently*; 3. הִנֵּה nach Nomen zu seiner Hervorhebung *after a noun to stress it*: וְהָאָרֶץ הִנֵּה d. Land.. ja *behold, the land* Gn 34, 21; וְלִבְנֵי לֵוִי הִנֵּה d. Leviten aber *but to the Levites* Nu 18, 21; 4. הִנֵּה nach Pronomen a) betont d. Subjekt des folgenden Verbs: הִנֵּה *after pronomen a) stresses the subject of the following verb*: וַאֲנִי הִנֵּה לָקַחְתִּי ich selber aber nahm *but I myself took* Nu 3, 12; b) betont d. Suffix des folgenden Nomens *b) stresses the suffix of the following noun* אֲנִי הִנֵּה בְרִיתִי d. Bund, den ich gestiftet habe *as for the covenant which is mine* Gn 17, 4; 5. הִנֵּה hebt d. ganzen folgenden Satz hervor *emphasizes the whole following phrase* הִנֵּה נָתַתִּי siehe! ich gebe *behold*! *I give* Gn 1, 29, הִנֵּה בֵרַכְתִּי siehe! ich segne *behold*! *I bless* Gn 17, 20; הִנֵּה bewirkt Inversion (Subjekt vor Prädikat) *causes inversion* (*subject preceding predicate*) הִנֵּה אָנֹכִי יָצָאתִי Nu 22, 32, הִנֵּה רוּחַ בָּאָה Hi 1, 19; 6. וְהִנֵּה führt e. unerwartetes, neues Moment ein *introduces a new, unexpected moment*: וְהִנֵּה רָחֵל u. siehe! R. *and behold*! *R.* Gn 29, 6, וְהִנֵּה אִישׁ Nu 25, 6; 7. הִנֵּה leitet d. betonten Nachsatz ein *introduces the emphasized concluding sentence*: הִנֵּה אָנֹכִי *behold*! *then* Ex 7, 27 8, 17; 8. nach Verben d. Wahrnehmung u. Mitteilung leitet oft הִנֵּה die eigentliche Wahrnehmung u. Mitteilung ein. *After verbs of perceiving a. communicating* הִנֵּה *frequently precedes the perception a. information proper*: Gn 19, 28 22, 20 38, 13 Lv 13, 8; 9. הִנְנִי c. pt. F Humbert REJ 97, 58—64; הִנְנִי אֵלֶיךָ (20 ×) Formel d. Herausforderung *formula of challenge* Humbert ZAW 51, 101—8: siehe! ich will an dich *behold*! *I am against thee* Jr 21, 13; הִנֵּה Einleitung der Gewissheit d. Erhörung *introduces certainty of being heard in prayer* Begrich, Studien zu Deuterojesaja 1938, 10; 10. הִנֵּה vor e. Satz = wenn *preceding a phrase = if*: הִנֵּה נֵלֵךְ siehe! wir gehn > gesetzt, wenn w. gehn *behold*! *we go > supposed, if we go* 1 S 9, 7, וְהִנֵּה רָאִיתָ gesetzt, du = wenn du *supposed thou = if thou* 2 S 18, 11, הִנֵּה יהוה wenn auch *even if* 2 K 7, 2.

הֲנָחָה: נוח hif: **Erlass, Amnestie** *release, amnesty* Est 2, 18. †

הִנֹּם: n. m.; F גֵּי בֶן־הִנֹּם. †

הֵנַע: n. l.; G Ανα = Ana(t) am Euphrat, ARL 1, 104b: 2 K 18, 34 19, 13 Js 37, 13. †

הֲנָפָה: inf. hif. נוף; c. obj. ac. (BL 486j): **Schwingen** *swing to and fro* Js 30, 28. †

הַס: interj.; Schulthess, Zurufe 20. 64; هَسْ: הָס, pl. הַסּוּ Ne 8, 11 †: **still! Ruhe!** *hust*! *keep silence*! Jd 3, 19 Am 6, 10 (8, 3?) Ze 1, 7 Sa 2, 17 Ne 8, 11. †
Der. הסה.

הסה: denom. v. הַס; هَسَّ leise mit sich reden *speak low to oneself*, Schulthess ZS 2, 15 f: hif: impf. וַיַּהַס: c. ac. jmd **beschwichtigen** *still* (אֶל inbetreff *regarding*) Nu 13, 30. †

*הֲפֻגָה: פוג: pl. הֲפֻגוֹת: **Aufhören** *stop* Th 3, 49. †

הפך: ug. *hpk* umstürzen *overturn*, Suğ. הפך, ph. התהפך, ak. *abāku* F אבך Driver JTS 29, 390ff, *abiktu* Vernichtung *destruction*; mhb., ja., sy., äga., mnd. אפך, أفك umkehren *overturn*: qal: pf. הָפַךְ, הָפְכָה, הָפַכְתִּי, הֲפַכְתֶּם, sf. הֲפָכָם, impf. וַיַּהֲפֹךְ, וַיַּהֲפָךְ־, אֶהֱפֹךְ, וַיַּהַפְכֵהוּ, sf. וַיַּהַפְכֵהוּ, inf. הֲפֹךְ, הָפוֹךְ, sf. הָפְכִּי, הַפְּכָה, imp. הֲפֹךְ, pt. הֹפֵךְ, pl. cs. הַהֹפְכִי! Ps 114, 8, pss. הֲפוּכָה: **1. wenden, auf die andre Scite legen** *turn, put on the other side*: Schüssel *dish* 2 K 21, 13, Kuchen *cake* Ho 7, 8, Hand (hin u. her drehen, Gestus d. Ablehnung) *hand* (*again a. again, gesture of refusal*) Th 3, 3, Bogen *bow* (l הֲפוּכָה Gunkel) Ps 78, 9; **2. umdrehn, umstürzen** *overthrow*: Tron *throne* Hg 2, 22 Si 10, 14, **zerstören** *demolish*: Stadt *city* Gn 19, 21. 25. 29 Dt 29, 22 2 S 10, 3 Ir 20, 16 Th 4, 6 1 C 19, 3, Berge *mountains* Hi 9, 5 28, 9, Menschen *men* Pr 12, 7 Hi 34, 25, Zerstörung anrichten Am 4, 11; **3. umdrehen, e. andre Richtung geben** *turn the reverse way*: הָפַךְ רוּחַ יָם liess umgekehrt Westwind wehen *turn a west wind* Ex 10, 19, הָפַךְ עֹרֶף לִפְנֵי jmd d. Rücken zeigen *turn the back before* Jos 7, 8, ה׳ לְמַעְלָה über d. Haufen werfen *turn upside down* Jd 7, 13, ה׳ sich wenden *turn* Jd 20, 39. 41 Ps 78, 9, sich umkehren *turn* 2 K 5, 26 2 C 9, 12, ה׳ לְדַרְכּוֹ sich auf s. Weg umwenden *turn on the way* 1 S 25, 12, ה׳ יָדַיִם (d. Wagen) wenden *turn round* (*chariot*) 1 K 22, 34 2 K 9, 23 2 C 18, 33; 4. umdrehen > **verändern, verwandeln** *turn* > *change, alter*: c. ac. u. לְ umwandeln in *turn, change into* Dt 23, 6 Ir 31, 13 Am 5, 7 f 6, 12 8, 10 Ps 30, 12 66. 6 78, 44 105, 29 Ne 13, 2, = c. ac. u. בְּ Ps 41, 4 (F Gunkel), = c. 2 ac. Ps 114, 8; ה׳ לֵב d. Sinn wandeln *turn the heart* Ps 105, 25, ה׳ לוֹ לֵב אַחֵר wandelt s. Herz in e. andres *gave him another heart* 1 S 10, 9; ה׳ לָבָן wandelt sich in Weisses *turn white* Lv 13, 3 f. 13. 20, F 13, 10; ה׳ c. ac. ändern *change*: עוֹר Ir 13, 23, עֵינוֹ Lv 13, 55; ה׳ דִּבְרֵי Worte verdrehen *twist words* Ir 23, 36; ה׳ שָׂפָה e. andre Sprache geben *give a changed language* Ze 3, 9; †

nif: pf. נֶהְפַּךְ, נֶהְפְּכָה, נֶהְפַּכְתְּ, נֶהְפְּכוּ Hi 19, 19 u. נֶהֶפְכוּ 1 S 4, 19, impf. יֵהָפֵךְ, וַיֵּהָפְכוּ, inf. נַהֲפֹךְ. pt. נֶהְפָּךְ, נֶהְפֶּכֶת: **1. sich wenden** *turn oneself* Hs 4, 8, c. עַל Js 60, 5, c. אֶל Jos 8, 20; **sich umdrehen** (d. Herz im Leib) *be turned* (*heart*) Th 1, 20; **2. umgestürzt, zerstört werden** *be overthrown, demolished*: Stadt *city* Jon 3, 4; umgewühlt werden (Erdinneres) *be turned upon* (*interior of earth*) Hi 28, 5; **3. sich wandeln, verwandelt werden** *be changed, altered*: לֵבָב Ex 14, 5 Ho 11, 8; Lv 13, 25 Hi 19, 19 Si 6, 12 (בְּ gegenüber *before*) Hi 20, 14; c. לְ zu *to* Ex 7, 15. 17. 20 Lv 13, 16 f 1 S 10, 6 Js 34, 9 63, 10 Ir 2, 21 (l לִ) 30, 6 Jl 3, 4 Hi 30, 21 41, 20 Th 5, 15 Est 9, 22 Da 10, 8; † 4. נֶהֶפְכוּ צִירִים עַל kommen über *come upon* 1 S 4, 19 Da 10, 16; נֶהְפַּךְ versagen *be deceitful* (Bogen *bow*) Ps 78, 57; נֶהְפַּךְ לְ (Besitz) geht über an (*inheritance*) *is turned unto* Th 5, 2; נַהֲפוֹךְ אֲשֶׁר es war umgekehrt so, dass *it was turned to the contrary that* Est 9, 1; ? Ps 32, 4; †

hof: pf. הָהְפַּךְ l הֻהְפַּךְ (MS)?: **sich wenden** *be turned* Hi 30, 15; †

hitp: impf. הִתְהַפֵּךְ, pt. מִתְהַפֵּךְ, מִתְהַפֶּכֶת: **1. sich hin u. her wenden** *be turned round* Hi 37, 12, **rollen** *turn over a. over* (Brotlaib *bread*) Jd 7, 13, **zucken** (Schwert) *turn every way* (*sword*) Gn 3, 24; **2. sich verwandeln** *transform oneself* Hi 38, 14. †

Der. הֶפֶךְ, הֲפֵכָה, הֲפַכְפַּךְ, מַהֲפֵכָה, מַהְפֶּכֶת, תַּהְפֻּכֹת.

הֵפֶךְ: הפך: הֶפֶךְ, sf. הַפְכְּכֶם: Umkehrung *contrary*: 1. **Gegenteil** *opposite thing* (מִן von *of*) Hs 16, 34; 2. **Verkehrtheit** *perversity* Js 29, 16 (1 הוֹי הַפְכְּכֶם). †

הֲפֵכָה: הפך; ak. *abiktu*: **Zerstörung** *overthrow, demolition* Gn 19, 29. †

הֲפַכְפַּךְ: הפך: **gewunden** *crooked* Pr 21, 8. †

הַצִּיץ: F ציץ.

הַצָּלָה; BL 486: נצל hif: **Rettung** *deliverance* Est 4, 14. †

הַצְלֶלְפּוֹנִי: n.f.; Nöld. EB 3278 1 הַצְלֶלְפָּנִי (פָּנִים u. צלל); Bauer ZAW 48, 76: פּוֹנִי aram. = hebr. פָּנַי: 1 C 4, 3. †

הֹצֶן: unerklärt *unexplained* (1 מִצָּפוֹן? G) Hs 23, 24. †

הַקּוֹץ: F קוֹץ.

הַר (558 ×): EA 74, 20 *ḫarri* (can. gloss.) Gebirg *mountain*, ph. הר: הַר (= *harr*), הָהָר, loc. הָרָה Gn 14, 10 u. הֶהָרָה (Sam. auch Gn 14, 10), sf. הֲרָרִי Ps 30, 8, 1 הַרְכֶם (1 מֵהֵר כְּ) Ps 11, 1, הַרְרִי ut Ir 17, 3 u. Gn 14, 6 (für הַרְרָם), pl. הָרִים, הֶהָרִים, cs. הָרֵי u. הַרְרֵי, sf. הָרַי, הָרָיו, הֲרָרֶיהָ, m.: 1. **Gebirg** *mountain(s)*, הַר הַגִּלְעָד Gn 31, 21, הָרֵי הַגּ׳ :: הַר הַגִּלְבֹּעַ 1 S 31, 1. 8 2 S 1, 21; הָהָר d. **Bergland** *the mountainous region, country* Jos 10, 40 11, 16, הָהָר הַטּוֹב הַזֶּה d. schöne Bergl. *this beautiful m. c.* Dt 3, 25, הַר יְהוּדָה Jos 21, 11, הַר הָאֱמֹרִי 17, 15, הַר בָּשָׁן Ps 68, 16, הַר אֶפְרַיִם Dt 1, 7, etc.; הַר Gebirg, mit יַעַר Wald bedeckt *mount. country covered with wood* Jos 17, 18; 2. **einzelner Berg** *Mount*, (*individual elevation*), *mountain*: הַר סִינַי der Berg (des) Sinai *Mount S.*, so *thus* c. הַזֵּיתִים, גְּרִזִּים, הַכַּרְמֶל, יְעָרִים, חֶרֶס (n.l.), חֶרְמוֹן, חוֹרֵב, עֵיבָל, הָעֲבָרִים, סִינַי, נְבוֹ, הַמַּשְׁחִית, הַלְּבָנוֹן, תָּבוֹר u. שִׂיאֹן, הַקֶּדֶם, צִיּוֹן; beachte *note* הֹר הָהָר; 3. הַר הָאֱלֹהִים = חוֹרֵב Ex 3, 1 4, 27 18, 5 24, 13 1 K 19, 8; הַר אֱלֹהִים Ps 68, 16; Hs 28, 16 = הַר קֹדֶשׁ אֱלֹהִים 28, 14; הַר יהוה Nu 10, 33 Ps 24, 3, cj 2 S 21, 6; הַר קָדְשִׁי Js 11, 9 56, 7 57, 13 Hs 20, 40 Ob 16 Ze 3, 11 Ps 2, 6, הַר קָדְשֶׁךָ Ps 15, 1 43, 3; הַר בֵּית יהוה Js 2, 2 u. הַר הַבַּיִת Mi 3, 12, הַר מְרוֹם יִשְׂרָאֵל Hs 20, 40; הַר מוֹעֵד Js 14, 13; הַר גַּבְנֻנִּים Ps 68, 16 f; 4. pl. אַחַד הֶהָרִים im Land *in the country of* הַמֹּרִיָּה Gn 22, 2; הָרִים rund um *around* Jerusalem Ps 125, 2; d. Geburt d. Berge *birth of the mountains* Ps 90, 2; הָרֵי אֲרָרָט Gn 8, 4; הָרֵי B. J.s *m. of Y.* Js 14, 25 65, 9, הַרְרֵי אֵל Ps 36, 7, cj 50, 10; הַרְרֵי עַד Ha 3, 6, cj Gn 49, 26; הָ׳ קֶדֶם Nu 23, 7 Dt 33, 15; רָאשֵׁי הֶהָרִים Ho 4, 13, cj Hi 36, 30; myth. הָרֵי נְחֹשֶׁת Sa 6, 1; verbotner Kult auf d. Bergen *illicit worship upon mountains*: אָכַל עַל־הֶהָרִים Hs 18, 6. 11. 15 22, 9; הַרְרֵי נְמֵרִים Ct 4, 8; הָרֵי וַיִּצְרְפֵם 1 פְּרָצִים u. עֲבָרִים F 8, 14; בְּשָׂמִים הָרִים 1 אַרְיֵה טֹרֵף Ps 76, 5; 1 גִּדְעוֹן Jd 7, 3; f. הָרֵי Sa 14, 5, F גֵּיא הָרִים.

הֹר הָהָר: n.l.; Bauer ZAW 48, 74: הוּר aram. f. הַר, also *therefore* = Hor, das Gebirge *Hor, the mountain* (?); 1. an d. Edomitergrenze *on the border of Edom*: *Ǵebel Nebi Harun* sw. Petra? eher *rather Ǵebel Maderā* nw *ʿen Qadēs* Nu 20, 22—27 21, 4 33, 37—41 Dt 32, 50; 2. Nu 34, 7 f, PJ 36, 23, ungewiss *uncertain*. †

הָרָא: n. t.; unbestimmt *uncertain*; Text?: 1 C 5, 26. †

הַרְאֵל: = F אֲרִיאֵל: Hs 43, 15. †

הַרְבָּה*: cs. הַרְבַּת Q (הַרְבִּית K) 2 S 14, 11: I רבה hif.†

הַרְבִּית 2 S 14, 11 K: F הַרְבָּה*.†

הרג: mo., mhb., aram. F Lidz. 261; هَرَجَ in e. Gemetzel geraten *fall into slaughter*; asa. הרג pass. getötet werden *be killed*:

qal (165 ×): pf. הָרַג, הָרָג, הָרַגְתָּ, sf. הֲרָגוֹ, הֲרַגְתִּים, הֲרָגָתַם, impf. יַהֲרֹג, יַהֲרָג־, אֶהֱרֹג, וַיַּהַרְגֵהוּ, sf. תַּהַרְגוּ, יַהַרְגוּן, יַהַרְגוּ, אַהַרְגֵה, הֲרֹג, inf. הֲרֹג, הֲרֹג, יַהַרְגֵנִי, וְאַהַרְגֵהוּ, תַּהַרְגֵם, sf. הֲרָגוֹ, הַרְגְךָ 1 S 24, 11, הָרְגֵנִי, imp. הֲרֹג, הַרְגֵךְ, sf. הֹרְגִים, הֹורֵג, הֹרֵג, pt. הֹרֵג, הֹרְגוֹ, הֹרְגוֹ, pss. הֲרֻגִים, sf. הֲרֻגֶיהָ, הֲרֻגֶיהָ, הֲרֻגָיו:

1. **totschlagen** *kill, slay*: Mann *man* Gn 4, 8 27, 42 Ex 2, 14; 2. **töten** *kill*: Menschen u. Tiere *men a. animals* Ex 13, 15, (gerichtlich *judicial killing*) Lv 20, 16, (im Krieg *in battle*) 2 S 10, 18 1 K 9, 16, (Meerungeheuer *monsters of the sea*) Js 27, 1; 3. הָרַג לְפִי חֶרֶב Gn 34, 26, בַּחֶרֶב Jos 10, 11; d. Schwert tötet *the sword kills* Am 9, 4; 4. **töten** *kill*: subj. Zunge der Viper *viper's tongue* Hi 20, 16, Hagel *hail* Ps 78, 47; 5. **schlachten** *slaughter*: צֹאן Sa 11, 5, בָּקָר Js 22, 13; 6. c. בְּ e. Morden anrichten unter *slay among* Ps 78, 31 Est 9, 16 2 C 28, 9, subj. Löwe *lion* 2 K 17, 25; 7. subj. Gott *God*: Gn 20, 4 Ex 4, 23 13, 15 22, 23 Am 2, 3 4, 10 9, 1. 4 Th 2, 4. 21 3, 43 Ps 59, 12 78, 31. 34 135, 10 136, 18; 8. הָרַג לְ jmd d. Tod bereiten *slay a person* 2 S 3, 30 Hi 5, 2 (subj. כַּעַשׂ); 9. l הֹרְגָיו Js 27, 7 u. כִּי קָשׁתוֹת יַהַרְגוּן Ps 11, 3; l הוֹרֵיתִים Ho 6, 5;

nif: impf. יֵהָרֵג, תֵּהָרֵגְנָה (inf. בְּהֵהָרֵג* > בֵּהָרֵג, l בַּהֲרֹג Hs 26, 15): **getötet werden** *be slain* Hs 26, 6 Th 2, 20;†

pu (oder *or* qal pss.): pf. הֹרַג, הֹרָגְנוּ: **getötet werden** *be slain* Js 27, 7 Ps 44, 23.†

Der. הֶרֶג, הֲרֵגָה.

הֶרֶג: הרג: **Töten, Morden** *slaughter* Js 27, 7 Pr 24, 11 Est 9, 5, יוֹם הֶרֶג Js 30, 25; l חֶרֶב Hs 26, 15.†

הֲרֵגָה: הרג: **Töten, Schlachten** *slaughter*: צֹאן הה׳ Ir 12, 3, יוֹם הה׳ zur Schlachtung bestimmtes Kleinvieh *sheep to be slaughtered* Sa 11, 4. 7; גֵּיא הה׳ Ir 7, 32 19, 6.†

הרה: mhb.; ak. *erū, arū*; ug. *hry* empfangen *conceive*, *hr* Empfängnis *conception*; aram. Suğ. A b 2:

qal: pf. הָרָה Ps 7, 15, הָרָתָה, הָרִית, הָרִיתִי, הָרוֹ, impf. תַּהַר, וַתַּהֲרֶיןָ, תַּהֲרוּ, הָרִינוּ, inf. הָרֹה, pt. sf. הוֹרָתָם, הוֹרָתִי:

1. **befruchtet werden, sein, schwanger sein** *conceive, become, be pregnant*: וַתַּהַר Gn 16, 4 25, 21 2 S 11, 5, c. לְ von *by* Gn 38, 18, c. מִן von ... her *from* 19, 36; וַתַּהַר וַתֵּלֶד sie empfing u. gebar *she conceived a. bare* Gn 4, 1. 17 21, 2 29, 32—35 30, 5. 7. 17. 19. 23 38, 3f Ex 2, 2 1 S 1, 20 2, 21 2 K 4, 17 Js 8, 3 Ho 1, 3. 6. 8 1 C 7, 23; הָרָתָה war schwanger *was pregnant* Gn 16, 4; F // יָלַד Nu 11, 12 Jd 13, 3 Js 26, 18 33, 11 Ps 7, 15 Hi 15, 35, // הוֹלִיד Js 59, 4; הוֹרָה c. sf. die mit ihnen, mit mir schwanger ging *she who has been pregnant with them, with me* Ho 2, 7 Ct 3, 4;†

pu: pf. הֹרָה ist **empfangen worden** *has been conceived* Hi 3, 3;†

po: inf. הֹרוֹ dele Js 59, 13.†

Der. הָרָה, *הֵרוֹן, הֵרָיוֹן.

הָרָה: הרה; f. v. *הָרֶה: cs. הָרַת, pl. cs.! הָרוֹת (BL 552 o), sf. הָרוֹתֶיהָ, הָרוֹתֵיהֶם u. הָרִיּוֹתָיו (v. *הָרִיָּה): adj. **schwanger** *pregnant* Gn 16, 11, insere 25, 22, Ex 21, 22 Jd 13, 5. 7 2 S 11, 5 Js 7, 14 26, 17 Ir 31, 8; cj הָרָה לָלֶדֶת hochschwanger *very near her time* 1 S 4, 19; הָרָה לְ schwanger von *be with child by* Gn 38, 24f;

בְּקֻעַ הָרוֹת 2 K 8, 12 15, 16 Am 1, 13, pss. Ho 14, 1; הֲרַת עוֹלָם für immer schwanger *pregnant for ever* Ir 20, 17. †

*הֵרוֹן: הרה: sf. הֵרוֹנֵךְ: **Schwangerschaft** *pregnancy* Gn 3, 16. †

[הֲרוֹרִי: l הֲרֹדִי F חֲרֹדִי 1 C 11, 27. †]

*הֵרָיָה: pl. sf. הֵרִיּוֹתָיו: F הָרָה.

הֵרָיוֹן: הרה: **Empfängnis** *conception* Ho 9, 11 Ru 4, 13. †

*הֲרִיסָה: הרס: pl. sf. הֲרִיסֹתָיו: **Trümmer** *ruins* Am 9, 11 Si 49, 13. †

הֲרִיסֻת: הרס: sf. הֲרִיסֻתֵךְ: **Trümmer** *ruin* Js 49, 19. †

הֹרֶם: F בֵּית הָרָם.

הֹרָם, הֹרֶם: הָרוּם: n. m.; asa. הרם u. הרום Ryck. 2, 50: 1 C 4, 8. †

הֹרָם: n. m.; F הָרָם: Jos 10, 33. †

*הַרְמוֹן: c. art. u. -ā: הַהַרְמוֹנָה: unerklärt *unexplained* Am 4, 3. †

הָרָן: n. m.; asa. הרן n. m. vel n. l. Heiligtum *sanctuary* Ryck. 51: 1. Bruder v. *brother of Abraham* Gn 11, 26—31; 2. 1 C 23, 9; 3. F בֵּית הָרָן Nu 32, 36. †

הרס: mhb., mo.; هَرَسَ zermalmen *bruise*:

qal: pf. הָרַס, הָרַסְתָּ, הָרָסוּ, הָרְסוּ, impf. אֶהֱרֹס, יַהֲרוֹס, יֶהֶרְסֻנָּה, יֶהֶרְסֵם, יֶהֶרְסְךָ, וַיֶּהֶרְסֶהָ, יֶהֶרְסוּ, יֶהֶרְסוּ, inf. הֲרוֹס, הָרֹס, imp. הֲרֹס־, sf. הָרְסֵם, pt. הֹרֵס, pss. הָרוּס: **1. einreissen** *throw down, tear down* Ir 1, 10 24, 6 31, 28 42, 10 45, 4 Ma 1, 4 Ps 28, 5 Pr 14, 1 Hi 12, 14 Th 2, 17, מִזְבֵּחַ Jd 6, 25 1 K 18, 30 19, 10. 14, גַּב Hs 16, 39, מִגְדָּל Hs 26, 4, חוֹמָה 26, 12; **in Trümmer legen** *overthrow, ruin*: Stadt *town* 2 S 11, 25 2 K 3, 25 Js 14, 17 1 C 20, 1, Land *country* Pr 29, 4; Gegner niederwerfen *overthrow enemies* Ex 15, 7; **2.** הָרַס sc. גְּבוּל: **durchbrechen, vordringen** *break through* Ex 19, 21. 24; 3. d. Zähne **ausschlagen** *break away the teeth* Ps 58, 7; †

nif: pf. נֶהֶרְסָה, נֶהֶרָסוּ, impf. יֵהָרֵס, יֵהָרְסוּן, pt. f. pl. נֶהֱרָסוֹת: **in Trümmer, niedergelegt werden** *be torn down, ruined* Ir 31, 40 50, 15 Hs 30, 4 36, 35 f 38, 20 Jl 1, 17 Pr 11, 11 24, 31 l יֵהָרֵגוּן Ps 11, 3; †

pi: impf. sf. תְּהָרְסֵם, inf. הָרֵס, pt. pl. sf. מְהָרְסַיִךְ: **in Trümmer legen, zerstören** *tear down, destroy* Ex 23, 24 Js 49, 17. †

Der. [הֶרֶס], *הֲרִיסָה, הֲרִיסֻת.

[הֶרֶס: n. l. עִיר הַחֶרֶס l עִיר הַהֶרֶס Js 19, 18. †]

הֲרָרִי: gntl.; הַהֲרָרִי 2 S 23, 33 1 C 11, 34 f = הֲרָרִי 2 S 23, 11 = הָאֲרָרִי K u. הָאֲרָרִי Q 2 S 23, 33; unbekannter Stamm *not identified tribe* (Elliger PJ 31, 54 ff). †

[הָשֵׁם: l יָשֵׁן 1 C 11, 34. †]

הַשְׁמָעוּת: שמע hif: **Mitteilung** *information* (BL 486. 505) Hs 24, 26. †

הַשְׁפּוֹת: F אַשְׁפֹּת.

הִתּוּךְ: נתך: **Schmelzen** *melting* Hs 22, 22. †

הֲתָךְ: n. m.; pers. Scheft. MGJ 47, 315: Est 4, 5 f. 9 f. †

התל: הֵתֵל hif. v. חלל entwickelt sekundär התל *is developed to a secondary* התל:

pi: impf. וַיְהַתֵּל: **aufziehn, verspotten** *mock* 1 K 18, 27 Si 11, 4 13, 7. †

Der. הֲתֻלִים.

הֲתֻלִים: התל: **Gespött** *mockery* Hi 17, 2. †

התת: هَتَّ unablässig reden *speak incessantly*:

po: impf. תְּהוֹתְתוּ: **mit Vorwürfen überhäufen** *overwhelm with reproofs* Ps 62, 4. †

ו

ו: וָו (*U̯āu̯*, *u̯* = *w* in englisch *was*, *wine*; Driv. SW 155. 178f), später Zahlzeichen = 6; e. Konsonant, der vokalisch klingt und deshalb Halbvokal genannt wird. Im Anlaut selbständiger Wörter wird ו meist durch י ersetzt: יֶלֶד = وَلَد, aber וָלָד (F Grammatiken über Verba פ״י u. פ״ו). *U̯ū* = „und" vor ב etc. wird וּ geschrieben, sodass der Schein eines mit e. Vokal beginnenden Wortes entsteht. In Formen wie אָבִיו < אָבִיהוּ u. עָלָיו < עָלָהוּ* ist ו, obgleich nicht וּ geschrieben, Vokal, sprich *ʾābīu* (< *ʾābīhū*) u. *ʿālāu* (<*ʿālāhū*; י hier nur Zeichen der pluralischen Form). יַהְוֶה (sprich *Yăh-u̯ā́* mit hörbarem *h*) wird in Zusammensetzungen zu ־יָהוּ (sprich *-yā́-hū*). Wegen der Enttonung ist der Schlussvokal *-ā* verhallt u. aus dem Konsonanten *u̯* der Vokal *ū* geworden; genau die gleiche Lautentwicklung im saʿidischen Koptisch: ⲥⲁϩⲟⲩ aus ⲥⲁϩⲟⲩⲉ (Steindorff, Koptische Grammatik², 1930, § 65); Einzelnes F VG 1, 251.

ו: וָו (*U̯āu̯*; *u̯* = *w in was*, *wine*; Driv. SW 155. 178f), *later on sign of number 6*; ו *is a consonant coming near the vowel of shoe, crew, do and wound, and therefore called semi-vocal. At the beginning of words Hebrew* ו *is commonly altered into* י: cf. וَلَد = יֶלֶד, *but* וָלָד (F *grammars on verbs* פ״ו *a.* פ״י). *U̯ū* = „*and*" *preceding* ב *etc. is written* וּ *in such a way as it seems to be the unique case of a Hebrew syllable beginning by a vowel. In forms as* אָבִיו, עָלָיו, *although not written* וּ, ו *is a vowel a. therefore to be pronounced ʾābīu* (< *ʾābīhū*) *a. ʿālāu* (< *ʿālāhū*; י *only being sign of plural-formation*).

יַהְוֶה (*pronounce: Yăh-u̯ā́ with audible h*) *becomes in combined words* ־יָהוּ (*pronounce*: *-yā́-hū*). *Because the final vocal* (*ā*) *looses its stress, it vanishes and u̯ā becomes ū, the consonant u̯ shifting into the vowel ū. The same development of sounds is to be found in Saʿidic Coptic*: ⲥⲁϩⲟⲩ < ⲥⲁϩⲟⲩⲉ (Steindorff, Koptische Grammatik², 1930, § 65). *Particulars* F VG 1, 251.

וְ: Sem.; ug. *u*, ak. *ū*, و etc.; **und** *and*. Der Vokal von ו richtet sich nach der ersten Silbe des Wortes, dem es proklitisch vorgesetzt ist: a) meist וְ, aber b) וּ vor ב, מ, פ u. jedem andern Konsonanten ausser י mit Schwa simplex, c) וָ unmittelbar vor d. Tonsilbe: וָחֹרֶף, d) וַ, וֶ, וָ (ŏ) vor Konsonant mit dem entsprechenden Chatefvokal: וַאֲנִי, וֶאֱדֹם (aber וֵאלֹהִים < וֶאֱלֹהִים*), וָחֳלִי, e) וְ vor יְ wird וִי: וִיהִי, וִילַדְיָה, וִהְיֵה* > וִהְיֵה; וַיִּקְטֹל F וַן*. *The vowel of* ו *depends on which is the first syllable of the word to which* ו *as proclitic is prefixed*: a) *commonly* וְ, *but* b) וּ *preceding* ב, מ, פ *a. every other consonant with shva simplex, with the exception of* י, c) וָ *immediately preceding the stressed syllable*: וָחֹרֶף, d) וַ, וֶ, וָ (*ŏ*) *preceding a consonant with the corresponding chateph-vowel*: וַאֲנִי, וֶאֱמֶת (*mark* וֵאלֹהִים < וֶאֱלֹהִים*), וָחֳלִי (*u̯ŏ*), e) וְ *preceding* יְ > וִי: וִיהִי, וִילַדְיָה, הֱיֵה *a.* ו > וִהְיֵה; וַיִּקְטֹל F וַן*.

1. וְ **und** *and* zwei Wörter (Sätze) **verbindend** *connecting two words* (*phrases*): אֶרֶץ וְשָׁמַיִם, בְּחֶרֶב וּבַחֲנִית, לֹא יָנוּם וְלֹא יִישָׁן etc.; oft bei *frequently in* ἓν διὰ δυοῖν: שָׁלוֹם וָשֶׁקֶט völliger

Friede *perfect peace* 1 C 22, 9, עִצְּבוֹנֵךְ וְהֵרֹנֵךְ d. Beschwerden deiner Schwangerschaft *the hardships of thy pregnancy* Gn 3, 16, etc.; 2. וְ verbindet drei u. mehr Wörter (Sätze); dann steht וְ entweder bei jedem (ausser dem ersten) oder nur beim letzten Wort. וְ *connects three or more words (phrases); in this case* וְ *precedes every (except the first) or only the last word*: יַיִן וְקַיִץ וְשֶׁמֶן Ir 40, 10, בְּמִקְנֶה בַּכֶּסֶף וּבַזָּהָב Gn 13, 2; d. 3.—5. Wort haben וְ *the 3rd–5th word are preceded by* וְ 2 K 23, 5; (שְׂרֵפָה Dt 29, 22 u. קְרָא Js 1, 13 sind appositionelle Zusammenfassungen *are summarizing appositions*; קְצִיעוֹת Ps 45, 9 ist Glosse *is a gloss*, Hi 42, 9 l וְצֹפַר); 3. וְ steigert *emphasizes*: **auch, sogar** *also, even*: וּבְמוֹתָם auch in *even in* 2 S 1, 23, וְעַל־אַרְבָּעָה ja, wegen *yea, for* Am 1, 3; 4. וְ schliesst ein *including*: **samt, und dazu** *together with*: וְצֶאֱצָאֶיהָ Js 42, 5, וּמַצּוֹת Ex 12, 8, וִילָדֶיהָ Ex 21, 4; 5. וְ erläuternd *explaining*: **und zwar** (*a.*) *that is*: וּבְאַפְּכֶם Am 4, 10, וְעַל־עִיר Sa 9, 9; l כִּי Jd 10, 10, l בַּיַּלְקוּט 1 S 17, 40, l בְּעִירוֹ 28, 3, l וּמַעְלִים Js 57, 11, l בְּכָל־ Ir 13, 13, l מִסָּבִיב Am 3, 11, l וַיַּכְאִב Pr 3, 12, יָחִילוּ דּוּמָם Th 3, 26; 6. וְ und > **oder** in Bedingungs- u. Fragesätzen *and > or in conditional clauses a. questions*: וּבְאִשְׁתּוֹ oder s. Frau *or his wife* Gn 26, 11, וְאִמּוֹ oder s. M. *or h. m.* Ex 21, 17, וּמֵהֶם oder das von ihnen *or theirs* Ir 44, 28; 7. וְ mit Wiederholung des gleichen Worts drückt die Verschiedenheit aus וְ *before a repeated noun expresses disparity*: אֶבֶן וָאֶבֶן verschiedene Gewichte *divers weights* Pr 20, 10, לֵב וָלֵב zwiespältiges H. *double h.* Ps 12, 3, עִיר וָעִיר Stadt um St. *town upon town* Esr 10, 14; 8. וְ **und = wie** *and = is like*: וּשְׁמוּעָה טוֹבָה ist wie g. Gerücht *is like g. news* Pr 25, 25; 9. וְ...וְ **sowohl... als auch** *as well as, both... and* Nu 9, 14 Ir 13, 14 (l הָאָבוֹת) Gn 36, 24 (l אַיָּה), l נִרְדְּמוּ רֶכֶב Ps 76, 7; 10. וְ verbindet zwei (oder mehr) Sätze *connects two (or more) clauses*: וְהוּא גָר und er weilte *and he sojourned* (הוּא nimmt d. Subjekt wieder auf *resumes the subject*) Jd 19, 16; 11. Der mit וְ eingeleitete Satz kommt e. Relativsatz gleich: *a clause beginning with* וְ *represents a relative clause*: וְהֵם und sie *and they* = welche *who* Gn 14, 13, וּשְׁמָהּ u. ihr Name *a. her name* = deren Name *whose name* 16, 1 (Parataxe des „mündlichen" Stils statt Hypotaxe *paratax of „oral" style for hypotax*). 12. Im ältern Hebräisch fügt e. 2. Satz, mit וְ eingeleitet, begleitende Umstände, nachträgliche Erläuterungen u. Ähnliches an *in older Hebrew a second clause beginning with* וְ *adds adverbial phrases, supplementary explanations and the like*: וְנָעָל und riegelte dabei zu *and locked at the same time* Jd 3, 23, וָשַׂבְתִּי u. bin auch grau *a. moreover I am greyheaded* 1 S 12, 2; 13. Imperative u. Jussive sind häufig mit וְ gereiht *series of imperatives a. jussives connected by* וְ *are frequent*: הוֹאֶל־נָא וְלִין וְיִטַב Jd 19, 6, אִנָּחֵם .... וְאִנָּקְמָה Js 1, 24; 14. Die gleiche Reihung mit וְ findet sich bei Vergleichung u. Parallelisierung *the same connection by* וְ *is to be found in comparisons a. parallelisms*: Hi 5, 7 12, 11 14, 12; 15. Ebenso bei Gegensätzen, wo וְ = **aber** *the same with clauses of contrast, where* וְ = *but*: וְאֶת־בְּרִיתִי aber m. B. *but my c.* Gn 17, 21; 16. Reihen von Sätzen mit וְ können alternativ sein: **sei es . . . . sei es** *Series of* וְ*-clauses may be alternatives*: . . . . *or* . . . : וְהִתְעַמֶּר־בּוֹ וּמְכָרוֹ Ex 21, 16, Dt 24, 7; 17. וְ leitet Zustands- u. Umstandssätze ein וְ *as introducing adverbial phrases*: וְהִיא יוֹשֶׁבֶת während sie sass *as she sat* Jd 13, 9; 18. וְ nimmt das Subjekt e. Hauptsatzes, dem ein Zustandssatz vorangeht, wieder auf וְ *resumes the subject of* *an adverbial phrase at the beginning of the following primary clause*: וְהִיא שָׁלְחָה da schickte sie [*then*] *she sent* Gn 38, 25, וְהֵמָּה מָצְאוּ [da] trafen sie [*then*] *they met* 1 S 9, 11, וְהָאֲנָשִׁים [da] wurden d. M. *the men were* Gn 44, 3; 19. Derartige Nachsätze mit וְ können oft als Nebensätze mit den verschiedensten Konjunktionen wiedergegeben werden *Such* וְ*-clauses may in many cases be rendered by introducing them with a conjunction*: וְלִבְּךָ obwohl (*al*)*though* Jd 16, 15, so *therefore* Gn 15, 2 Js 53, 7, וְשָׁוְא weil *because* Ps 60, 13; etc.; 20. וְ leitet e. Beteuerung ein וְ *introducing a protestation*: Js 43, 12 44, 8 51, 13 (Pedersen, D. Eid bei d. Semiten, 1914, 16[2]); 21. Nach Befehl, Frage oder Verneinung ersetzt וְ vor Voluntativ oder Jussiv die Hypotaxe und ist durch eine Konjunktion zu übersetzen *After a clause containing imperative or question or negation* וְ *preceding jussive or voluntative effects subordination a. is to be translated by a conjunction*: וְאֵדְעָה damit ich erkenne (*in order*) *that I may know* Gn 42, 34, so *thus* Ex 9, 1 Jd 19, 6 Js 13, 2; וִיכַזֵּב sodass er löge *that he should lie* Nu 23, 19, so *thus* Js 40, 25 Ho 14, 10; 22. Ebenso ist es, wenn auf Imperativ oder Jussiv וְ mit Imperativ folgt *It is the same if* וְ *c. imperative follows imperative or jussive*: וֶהְיֵה sodass du bist *in such a way that* Gn 12, 2, וִחְיוּ damit ihr lebt *that you may live* Gn 42, 18; 23. וְ leitet den Nachsatz einer Bedingung ein וְ *introduces the second half of a conditional clause*: וְיָלְדוּ dann *then* Gn 31, 8, וְשִׁחֵת dann *then* Gn 38, 9, so *thus* Ex 12, 15 1 K 13, 31 14, 12; so auch, wenn die Bedingung e. sogenannter *casus pendens* ist *the same, if the condition is given in a „casus pendens"*: Gn 17, 14 Js 9, 4 Hi 36, 26; l אֵל אָבִיךָ u. וְאֵל שַׁדַּי Gn 49, 25; l 2 × אֲנִי 2 S 15, 34; *pone* תִּקְוָתְךָ *post* דְּרָכֶיךָ Hi 4, 6; „überflüssiges *superfluous*" וְ (mündlicher Stil *oral style*) וְהִנֵּה Gn 40, 9; 24. Nach Zeitangaben leitet וְ das Verbum ein *after expressions of time* וְ *introduces the verb*: עֶרֶב וִידַעְתֶּם am Abend werdet ihr ... *at even you shall* ... Ex 16, 6, Gn 3, 5; 25. Ebenso führt וְ Folgerung u. Frage ein (mündlicher Stil) *in the same manner* וְ *introduces imperatives a. questions* (*oral style*): וְהָשִׁיבוּ so bekehrt euch! *turn then* ..! Hs 18, 32; so *thus* 2 S 24, 3 2 K 4, 41 Sa 2, 10; וְאַיּוֹ Und wo ist er? *And where is he*? Ex 2, 20, Gn 29, 25 1 K 2, 22; 26. וְ nimmt die Negation von לֹא Ps 121, 6 u. von אַל 38, 2 in sich auf, als wenn וְלֹא u. וְאַל stünde וְ = וְלֹא Ps 121, 6 *after* לֹא *a.* = וְאַל 38, 2 *after* אַל. 26. *Waw consecutivum* (*inversivum*), Hehn, Festschr. Budde (BZAW 34), 1920, 83 ff: וְ c. pf. post imp. = imp.: לֵךְ וְאָמַרְתָּ Geh u. sag *Go a. say* 2 S 7, 5 (F Gramm.). וְעַתָּה F עַתָּה; impf. consecutivum וַיִּכְתֹּב F *וַיְ.

וְדָן: verderbt *corrupt* Hs 27, 19. †

וָהֵב: n.l.; Nu 21, 14. †

וָו: mhb., ja. וָוָא Haken *hook*: pl. וָוִים, cs. וָוֵי, sf. וָוֵיהֶם: **Nagel** *hook, peg* Ex 26, 32. 37 27, 10 f. 17 36, 36. 38 38, 10—12. 17. 19. 28. †

וזן: F מֹאזְנַיִם.

וָזָר: *וזר; وزر e. Last tragen *bear a burden*? وزر schuldig sein *be guilty*? زور krumm sein *be crooked* (Barth ES 11)?; MT?: **schuldig**? *guilty*? Pr 21, 8. †

וַיְזָתָא: n. m.; pers., Scheft. 45: Est 9, 9. †

וָלָד: ילד; mhb., ja., ug.; n. m. nab. u. palm.; وَلَد: **Kind** *child* Gn 11, 30 (2 S 6, 23 K Or.) †

ולך: **הלך** F **הוליך** ,**יֵלֵךְ**.

***וַן**: Präfix v. **וַיִּכְתֹּב** ,**וַיֹּאמֶר** ,**וָאֵלֵךְ** etc.; zu **וְ** gehörig? *connected with* **וְ**? ***וַן** als Präfix macht jedes impf. zu e. Tempus der Vergangenheit *the prefixed* ***וַן** *causes each impf. to be a real tense of the past (preterit)*: **וַיֹּאמֶר** er sagte *he said*, **וָאֵלֵךְ** ich ging *I went*, etc.

וזניה: n. m., Scheft. 86; Text? Esr 10, 36. †

וָפְסִי: n. m.; pers?: Nu 13, 14. †

וצא: **וָאֶרְצְאָה** Esr 8, 17: l **וָאֲצַוֶּה** Q. †

ושני: **וַשְׁנִי** 1 C 6, 13: l **וְהַשֵּׁנִי**. †

ושתי: **וַשְׁתִּי**: n. f.; pers.; Scheft. 45: Frau des *wife of* Xerxes Est 1, 9. 11. 15—17. 19 2, 1. 4. 17. †

ז

ז: **זַיִן** (Driv. SW 155—9. 167. 170) später Zeichen für *later on sign for* ז. ז bezeichnet e. stimmhaftes s wie in „Gesang, Gesims" (wenn „summend" gesprochen) ז *is a voiced s as in „as, zeal, then"*. ז = ز F **זֶרַע** u. = ذ F **זבח**; ז = ز = aram. ז F **זרע**; ז = ذ = ug. *d*, aram. ד F **זבח**; ס ,ז: **זרר**; **זער** ,**זרב** ,**זהב** ,**עלז** ,**זעק** F צ ,ז: **יַזַּל** ,**הַזֶּה** ,**בָּזָה**; *nz* > *zz* **עלז** ,**חסם** ,**סבל** F ש.

I **זְאֵב**: ak. *zību*, ja. **דִּיבָא**, [Syriac], asa. n. p. **דאב**, ذِئْب, [Ethiopic], äg. *s3b* Schakal *jackal*: pl. **זְאֵבִים**, cs. **זְאֵבֵי**: je nach d. Gegend bedeutet d. Wort Schakal oder Wolf; wo beide nebeneinander vorkommen, ist *dīb* d. Wolf u. *wāwi* d. Schakal *according to the country the word means jackal or wolf; where both occur, dīb means wolf a. wāwi means jackal*; **Wolf** *wolf* (*Canis lupus*; *C. pallipes*) Gn 49, 27 Js 11, 6 65, 25 Hs 22, 27 Ir 5, 6 Ha 1, 8 Ze 3, 3 (l **עֲרָבָה**) Si 13, 17. † F II **זְאֵב**.

II **זְאֵב**: n. m.; = I; Ζηβ, *Zeb*: Midianiterfürst *prince of Midian* Jd 7, 25 8, 3 Ps 83, 12. †

זאת: F **זֶה**.

***זבב**: F **זְבוּב**.

זבד: ja., nab. (n. p.), sy., زَبَدَ schenken *bestow upon*, asa. **זבד** Geschenk *gift*:

qal: pf. sf. **זְבָדַנִי**: c. 2 ac. jmd **beschenken** mit etw. *bestow a person with* Gn 30, 20. †

Der. **זֶבֶד**; n. m. **זָבָד** ,**זַבְדִּי** ,**זַבְדִּיאֵל** ,**זְבַדְיָה** ,**זְבַדְיָהוּ** ,**זַבּוּד** ,**אֶלְזָבָד** ,**יְהוֹזָבָד** ,**יוֹזָבָד** ,**עַמִּיזָבָד**; n. f. **זְבוּדָה**.

זֶבֶד: **זבד**: **Geschenk** *endowment, gift* Gn 30, 20 Si 36, 24 40, 29. †

זָבָד: n. m.; KF; **זבד**; Ζαβεδ, *Zabad*: 1. 1 C 2, 36 f; 2. 7, 21; 3. 11, 41; 4. 2 C 24, 26 (?); 5. Esr 10, 27; 6. 10, 33; 7. 10, 43. †

זַבְדִּי: n. m.; KF; **זבד**; keilschr. *Zabdī*, äga.: 1. Jos 7, 1. 17 f; 2. Ne 11, 17 (= **זִכְרִי** 1 C 9, 15); 3. 1 C 8, 19; 4. 27, 27. †

זַבְדִּיאֵל: n. m.; **זבד** u. **אֵל**; *Zabdi-ilu* APN 245 b: 1. Ne 11, 14; 2. 1 C 27, 2. †

זְבַדְיָה: n. m.; < **זְבַדְיָהוּ**: 1 C 8, 15. 17 12, 8 27, 7 Esr 8, 8 10, 20. †

זְבַרְיָהוּ: n. m.; > זְבַרְיָה; זבר u. יי; Ζαβαδίας: 1. 1 C 26, 2; 2. 2 C 17, 8; 3. 19, 11. †

זְבוּב: *זבב; ak. *zumbu*, ja. דִּבָּבָא, sy. ܕܒܒܐ, ذُبَاب, amhar. *zemb*, mehri *debbēt*; Schulthess, Zurufe 57: v. *db* Schallwort *sound-imitating* = summen *buzz*: pl. cs. זְבוּבֵי: coll. **Fliegen** *flies* (Bodenheimer 275—84): Js 7, 18, זְבוּבֵי מָוֶת (1 זְבוּב מֵת?) Ko 10, 1; בַּעַל זְבוּב Fliegenherr *Lord of the Flies* = Gott v. *God of* Ekron (cf. Ζεὺς Ἀπόμυιος Pausanias 5, 14, 2, u. Θεὸς Μυίαγρος, Solinus 1; Lagrange, Études sur l. relig. sémit.² 85; NT Βεελζεβουβ/λ; 2 K 1, 2 f. 6. 16. †

זָבוּד: n. m.; זבד; Ζαβουδ: 1. 1 K 4, 5; 2. Esr 8, 14 K. †

זְבוּדָה: n. f.; זבד: 2 K 23, 36 (K זְבִידָה). †

זְבוּלֻן u. זְבֻלוּן u. זְבֻלֻן u. זְבוּלֻן (< *זְבוּלוֹן = זבל u. *-ōn*?): n. m. u. n. p.; II *זבל = äg. (um 2000!) *Tb3nw*? (Sethe, D. Ächtung usw. APAW, 1926, 1 ff; Albr. Voc. 7; De L. 2, 477—81!): **Sebulon** *Zebulun* Ζαβουλων, *Zabulon*: 1. n. m., S. v. Jakob u. Lea Gn 30, 20 (Volksetym. *pop. et.*) 35, 23 46, 14 Ex 1, 3 1 C 2, 1; 2. d. Stamm *the tribe* Gn 49, 13 Nu 1, 9 Dt 27, 13 33, 18 Jd 1, 30 4, 10 5, 14. 18 Hs 48, 26 1 C 12, 34. 41 27, 19 2 C 30, 10. 11. 18, בְּנֵי ז׳ Nu 1, 30 2, 7 7, 24 26, 26 Jos 19, 10. 16 Jd 4, 6; מַטֵּה ז׳ Nu 1, 31 2, 7 13, 10 Jos 21, 7. 34 1 C 6, 48. 62; מַטֵּה בְנֵי ז׳ Nu 10, 16 34, 25; אֶרֶץ ז׳ Jd 12, 12 Js 8, 23, גְּבוּל ז׳ Hs 48, 27; שַׁעַר ז׳ 48, 33; שָׂרֵי ז׳ Ps 68, 28. †
Der. זְבוּלֹנִי.

זְבוּלֹנִי: gntl.; זְבוּלוּן: zu **Sebulon gehörig** *belonging to Zebulun*: מִשְׁפַּחַת Nu 26, 27, אֵלוֹן Jd 12, 11 f. †

זבח: ug. *dbḥ*, ak. *zību* Opfer *sacrifice*; F ba., ܕܒܚ, mhb., ph. זבח, ذَبَحَ, asa. דבח, ዘብሐ; :: F טבח:

qal (112 ×): pf. זָבַח, זָבַחְתִּי, זְבַחְתֶּם, זָבַחְנוּ, impf. וַיִּזְבַּח, יִזְבְּחוּ, תִּזְבְּחוּ, תִּזְבָּחָה, נִזְבְּחָה, sf. תִּזְבָּחֻהוּ, וַיִּזְבָּחֵהוּ, תִּזְבָּחֵנוּ, וַתִּזְבָּחִים, inf. זְבֹחַ, לִזְבֹּחַ, זִבְחוּ, imp. זְבַח, זִבְחוּ, pt. זֹבֵחַ, זוֹבֵחַ, זֹבְחִים, זֹבְחֵי:
1. **schlachten** *slaughter*: Gross- u. Kleinvieh *cattle, sheep* Dt 12, 15. 21 1 K 1, 9. 19. 25 2 C 18, 2, Kalb *calf* 1 S 28, 24, Rinder *oxen* 1 K 19, 21, Schafe *sheep* Hs 34, 3; 2. זָבַח זֶבַח für **e. Gemeinschaftsopfer schlachten** *slaughter for a sacrifice of communion* Gn 31, 54 Dt 18, 3 u. oft *a. often* F זֶבַח; = זָבַח זְבָחִים Gn 46, 1 Dt 33, 19 Lv 17, 5 u. oft *a. often* F זֶבַח; 3. d. Gott, in dessen Verehrung man ז׳ ז׳, wird mit לְ genannt לְ *indicates the god in whose worship* זֶבַח *is slaughtered*: לֵאלֹהֵי אָבִיו Gn 46, 1, לַיהוה Ex 5, 17 etc., לוֹ (עֵגֶל מַסֵּכָה) Ex 32, 8, לַשְּׂעִירִים Lv 17, 7, לַשֵּׁדִים Dt 32, 17 Ps 106, 37, לְדָגוֹן Jd 16, 23, לֵאלֹהֵי דַרְמֶשֶׂק 2 C 28, 23, d. בְּעָלִים u. אֲשֵׁרִים 2 C 34, 4; Nennung mit *indication by* לִפְנֵי: יהוה Lv 9, 4 1 S 11, 15 1 K 8, 62 2 C 7, 4; 4. Objekte v. זָבַח ausser זֶבַח *objects of* זָבַח *others than* זֶבַח: תּוֹעֲבַת מִצְרַיִם Ex 8, 22, פֶּטֶר רֶחֶם 13, 15 Dt 15, 21, שְׁלָמִים u. עֹלוֹת Ex 20, 24, בָּקָר וָצֹאן Nu 22, 40 Dt 16, 2 1 S 15, 15. 21, בָּשָׂר Dt 16, 4, פֶּסַח 16, 5 f, פָּרִים u. נֶדֶר 1 S 1, 21, שׁוֹר וָשֶׂה 17, 1 18, 3, שׁוֹר וּמְרִיא 1 C 15, 26, תּוֹדָה Ps 50, 14. 23, אֵילִים 2 S 6, 13, עֶגְלַת בָּקָר 1 S 16, 2; 5. Einzelnes *particulars*: זֶבַח עַל־חָמֵץ Ex 23, 18, Priester *priests* schlachten *are slaughtering* 1 K 13, 2 2 K 23, 10; d. Frau Israel opfert ihre Kinder d. Götzen *the woman Israel sacrifices her children to the idols* Hs 16, 20, Ps 106, 37; Jahwe זָבַח זֶבַח den Tieren *to the beasts* Hs 39, 17. 19;
pi: pf. זִבֵּחַ, זִבְּחוּ, זִבֵּחוּ, impf. יְזַבֵּחַ, יְזַבֵּחוּ,

inf. זְבֹחַ, pt. מְזַבֵּחַ, מְזַבְּחִים: 1. זִבַּח (regelmässig Gemeinschaftsopfer) darbringen *sacrifice* (*regular offerings of communion*) // קטר 1 K 3,3 11,8 22,44 2 K 12,4 14,4 15,4.35 16,4 2 C 28,4 Ho 4,13 11,2 Ha 1,16; Objekt *object*: צֹאן וּבָקָר 1 K 8,5 2 C 5,6, שְׁוָרִים (l לַשֵּׁדִים ?) Ho 12,12, זִבְחֵי שְׁלָמִים 2 C 30,22, Kinder *children* Ps 106,38; 2. לְ zeigt die Gottheit an, der man opfert לְ *indicates the god in whose worship the sacrifice is slaughtered*: לֵאלֹהִים 1 K 11,8, לָעֲגָלִים 12,32, לַבְּעָלִים Ho 11,2, לְחֶרְמוֹ Ha 1,16, לַעֲצַבֵּי כְנַעַן Ps 106,38, לַפְּסִילִים 2 C 33,22, d. Göttern v. *to the gods of* Damaskus 28,23; 3. זִבַּח בַּבָּמוֹת 1 K 3,2 f 22,44 2 K 12,4 14,4 15,4.35 16,4 2 C 28,4; 4. זִבַּח in Gemeinschaft mit *in community with* קְדֵשׁוֹת Ho 4,14. †

Der. I u. II זֶבַח; מִזְבֵּחַ.

I זֶבַח: זבח; ug. *dbḥ*: זֶבַח, sf. זִבְחִי, pl. זְבָחִים, cs. זִבְחֵי; Ho 4,19 l מִמִּזְבְּחוֹתָם:

I. **Schlachtopfer, Gemeinschaftsopfer** = Opfer von Schaf, Ziege, Rind, dessen Zweck die Gemeinschaft der Opfergenossen mit dem Gott, dem d. Opfer gilt, u. unter den Opfergenossen selber ist (Köhler, Theol. d. AT 171—3. 177) *sacrifice of communion* = *sacrifice of slaughtered sheep, goat, cattle the eating of whose flesh creates communion between the god in whose worship the sacrifice is slaughtered a. the partners of the sacrifice and communion between the partners themselves*;

II. **Terminologie**: 1. זָבַח זֶבַח Gn 31,54 Lv 22,29 Dt 18,3 1 S 2,13 1 K 8,62 Js 57,7 Hs 39,17.19 Jon 1,16 Ps 116,17 2 C 7,4; 2. זָבַח זְבָחִים Gn 46,1 1 S 6,15 10,8 2 S 15,12 Ps 4,6 27,6 107,22 Ne 12,43 1 C 29,21; 3. עָשָׂה זְבָחִים Ex 10,25 1 K 12,27 Ir 33,18; 4. הִקְרִיב זֶבַח Lv 7,16 22,21; 5. הֶעֱלָה זֶבַח Lv 17,8; 6. זֶבַח c. הֵבִיא Am 4,4, בּוֹא בְּ 1 S 16,5, בֵּרֵךְ 1 S 9,13, בִּשֵּׁל Hs 46,24, הֵכִין Ze 1,7, הִגִּישׁ Am 5,25, cj עָרַךְ Ho 9,4, קָרָא בְּ 1 S 16,3, קָרָא לְ 16,5, שָׁחַט Hs 44,11; 7. ז׳ פֶּסַח Ex 12,27, ז׳ חַג הַפֶּסַח 34,25; ז׳ תּוֹדָה Lv 7,12 22,29 Ps 116,17 107,22; ז׳ קָרְבָּנוֹ Lv 7,15 f; אֱלֹהֵיהֶן Nu 25,2, ז׳ הַיָּמִים 1 S 1,21 2,19 20,6, ז׳ מִשְׁפָּחָה 20,29, יוֹם ז׳ יהוה Ze 1,8, ז׳ לַיהוה Js 34,6 Ir 46,10 (Hs 39,17.19), זִבְחֵי תְרוּעָה Ps 27,6, זִבְחֵי אֱלֹהִים Ps 51,19, זִבְחֵי מֵתִים 106,28, ז׳ עַל־חָמֵץ Ex 23,18 34,25, אָכַל ז׳ Ps 106,28, אָכַל מִזִּ׳ Ex 34,15, כָּרַת בְּרִית עֲלֵי־ז׳ Ps 50,5, ז׳ רְשָׁעִים Pr 15,8 21,27, זִבְחֵי רִיב 17,1, ז׳ הַבָּקָר 2 C 7,5, בֵּית ז׳ 7,12; 8. זֶבַח: עֹלָה Ex 10,25 Ps 50,8 Ex 18,12 2 C 7,1 Lv 17,8 Nu 15,3.5.8 Dt 12,27 Jos 22,26.28 Hs 40,42 44,11 Ps 51,18 1 S 15,22 2 K 10,24 Js 56,7 Ir 6,20 7,21 2 K 5,17 Ir 7,22 2 C 7,1; 9. זֶבַח u. מִנְחָה 1 S 2,19.29 3,14 Js 19,21 Ps 40,7 Da 9,27; עֹלָה, מִנְחָה, ז׳ u. נְסָכִים Lv 23,37; עֹלוֹת, זְבָחִים u. שְׁלָמִים Jos 22,27; עֹלָה, מִנְחָה, ז׳ 22,29; ז׳ u. תּוֹדוֹת 2 C 29,31; 10. זֶבַח שְׁלָמִים (F שֶׁלֶם) u. ז׳ הַשּׁ׳ Lv 3,1.3.6.9 4,10.26.31.35 7,11.18—21.29.37 9,18 19,5 22,21 23,19 Nu 6,17 f 7,17.23.29.35.41.47.53.59.65.71.77.83.88 1 K 8,63, זְבָחִים שְׁלָמִים Ex 24,5 1 S 11,15, זִבְחֵי שׁ׳ Ex 29,28 Lv 7,29.32.34 10,14 17,5 Nu 10,10 Jos 22,23 1 S 10,8 Pr 7,14 2 C 30,22 33,16; זֶבַח תּוֹדַת שְׁלָמָיו Lv 7,13.15; 11. Untypisches *non-typical*: Lv 17,5.7 Dt 12,6.11.27 32,38 33,19 Jd 16,23 1 S 9,12 15,22 2 K 10,19 16,15 Js 1,11 43,23 f Ir 17,26 Hs 20,28 Ho 3,4 6,6 8,13 (l זֶבַח) Ps 51,21 Ko 4,17 1 C 29,21; †

III. Gott veranstaltet die **Schlachtung** seiner Feinde *God effects the slaughter of his adversaries*: Js 34,6 Ir 46,10 Hs 39,17 Ze 1,7 f. †

Der. II זֶבַח.

II **זֶבַח**: n.m.; = I; asa. Ryck. 2, 55, am Tag des זֶבַח geboren *born at the day of the* זֶבַח, K. v. Midian Jd 8, 5—21 Ps 83, 12. †

זַבַּי: n.m.; KF; asa. Ryck. 55; keilschr. *Zabbai* BEUP 10, 66 UMBS 2, 1, 10; palm. Lidz. 265, Eph. 1, 213: Esr 10, 28 Ne 3, 20 K (Q זַכַּי). †

זְבִידָה: n.f.; F זְבוּדָה.

זְבִינָא: n.m.; keilschr. *Zabinu* Tallq. APN 246; *זבן aram. kaufen *buy*, Noth S. 231 f: Esr 10. 43. †

I **זבל**: ak. *zabālu*, زَبَلَ tragen *carry, bear*: qal: impf. sf. יִזְבְּלֵנִי: tragen = **ertragen** (nicht fortschicken) *bear* = *tolerate* (*not dismiss*) Gn 30, 20. †

II ***זבל**: ug. *zbl* beherrschen? *rule*? ph. n.m. שמזבל u. בעלאזבל;
Der. זְבֻלוּן, זְבוּלוּן, זְבֻל, n.f. אִיזֶבֶל.

I **זְבֻל**: II *זבל: **Herrschaft** *dominion*: d. Tempel ist für Gott *the Temple is God's* בֵּית זְבֻל 1 K 8, 13 2 C 6, 2, זְבֻל קָדְשְׁךָ Js 63, 15; מִזְּבֻל (MSS מבול)? Ps 49, 15; זְבֻלָה cj בִּזְבֻלֹה (?) Ha 3, 11; NT Βεελζεβουλ F זבוב. †
Der. II זְבֻל.

II **זְבֻל**: n.m.; = I: Jd 9, 28. 30. 36. 38. 41. †

זְבֻלוּן: F זְבוּלוּן.

***זבן**: F ba. u. n.m. זְבִינָא.

זָג: *זוג? זגג? F זקק: **Hülse** (d. Weinbeere) *skin* (*of grape*); Orla 1, 8, Löw 1, 80: Nu 6, 4. †

זֵד: *זוד: pl. זֵדִים: **frech, vermessen** *insolent, presumptuous* Js 13, 11, cj 25, 2. 5, Ir 43, 2 Ma 3, 15. 19 Ps 19, 14, cj 54, 5, 86, 14 119, 21. 51. 69. 78. 85. 122 Pr 21, 24. †

זָדוֹן: *זוד: cs. זְדוֹן, sf. זְדוֹנְךָ: **Vermessenheit** *insolence, presumptuousness* 1 S 17, 28 Hs 7, 10 Pr 11, 2 Si 7, 6; זְדוֹן לִבְּךָ Ir 49, 16 Ob 3; עֶבְרַת זָדוֹן unbegrenzte Vermessenheit *boundless insolence* Pr 21, 24; בְּזָדוֹן Dt 17, 12 18, 22 Pr 13, 10; זָדוֹן Deckname f. *cryptonym of* Babel Ir 50, 31 f. †

זֶה: pron. demonstrat., fem. זֹאת, selten *rarely* זֹה u. זוֹ, 1 הֲזֹה? Jos 2, 17, Ir 26, 6 זאתה K, comm. זוּ, pl. comm. אֵלֶּה u. F אֵל: **dieser, diese, dies** *this, these*: ז = ذ = ד ist im Sem. weithin verbreitet *is widely diffused in the Semitic languages* F BDB, p. 260: ug. *d*, fem. *dt*, pl. *dt*, ph. ז, זא, אז; ذا, ذى, ذو, asa. דן, דת, אלז (pron. relat. דִּ), Ḥ, Ḥ, Ḥ, aram. ז, זִי, דֵּן etc. F ba. דְּנָה; VG 1, 321, J. Friedrich, Mél. Syr. 1, 39—47:

1. betonend: (grade) dieser *stressing*: (*exactly*) *this* Gn 38, 28, זֶה יְנַחֲמֵנוּ dieser [ist es, der] tröstet uns *this same*... Gn 5, 29; קְרָא־נָא זֶה [lies doch] dies! [*read*] *this* [*I pray thee*] Js 29, 11; הֲזֹאת לָכֶם Ist dies *Is this*? Js 23, 7; 2. זֶה ein solcher, so: זֶה דּוֹר דֹּרְשָׁיו so ist d. Geschlecht... *such is*... Ps 24, 6, כִּי זֶה אֱלֹהִים dass G. so ist *that G. is such a one* Ps 48, 14; זֶה דַרְכָּם so ist ihr Geschick *such is their way* Ps 49, 14; אֵלֶּה מִשְׁ' so ist es mit... *such are the* Hi 18, 21; 3. זֶה neutrisch *in a neuter sense*: זֶה אֲשֶׁר u. das ist es, was *a. this is how* Gn 6, 15; אֵין זֶה כִּי־אִם das ist nichts Andres als *this is nothing but* Ne 2, 2; שֶׁגַּם זֶה dass auch dies *that this also* Ko 1, 17; 4. זאת neutrisch *in a neuter sense*: dies, das *this, that*: זֹאת עֲשׂוּ Gn 42, 18, אֶת־זֹאת Ps 92, 7; זֹאת לֹא (*proverbial*? F Jahn) Hs 21, 31, גַּם־זֹאת? 21, 32; 1 נִקְּפוּ כָּזֹאת Hi 19, 26; 5. זֶה, זֹאת,

אֵלֶּה weist auf das Folgende hin *points towards the following*: אֵלֶּה dies sind *these are* Ex 35, 1 וְאֶל־זֶה auf den *to this man* Js 66, 2; neutr. זֶה das *this* Ex 30, 13; זֹאת darin, in folgender Beziehung *in this* Hs 20, 27 36, 37; 6. זֶה, זֹאת, אֵלֶּה weist auf das Vorangegangne hin *points towards the preceding*: אֵלֶּה dies sind *these are* Gn 2, 4; 7. זֶה... זֶה dieser ... jener *this ... that* Ps 75, 8 der eine ... der andre *the one ... the other* Hi 1, 16; זֹאת... זֹאת diese ... die andre *this one .... the other* Gn 29, 27; 8. זֶה vorangestellt weist hin *preceding is pointing to*: זֶה מֹשֶׁה dieser M. *this M.* Ex 32, 1 זֹאת הָרָעָה dieses Unheil *this evil* 2 K 6, 33, זֹאת הַפַּעַם dies endlich *this now* Gn 2, 23; זֶה סִינַי Grimme ZDM 50, 573 u. Nyberg ZDM 92, 338: = ذُو der vom Sinai *he of Mt. S.* Jd 5, 5 Ps 68, 9; 9. זֶה e. Nomen c. sf. nachgestellt *following a noun c. sf.*: דְּבָרֵנוּ זֶה Jos 2, 20, שְׁבֻעָתִי זֹאת Gn 24, 8, אֹתֹתַי אֵלֶּה Ex 10, 1 = dies(e) mein(e), sein(e), unser(e) *this (these) mine, his, our*; l מֵחֳלִיִי זֶה 2 K 1, 2 u. 8, 8 f; 10. זֶה, זֹאת, אֵלֶּה nach Nomen c. art. hat den Artikel *following a noun c. art. has the article*: הָאָרֶץ הַזֹּאת dieses L. *this c.* Gn 12, 7, הַדּוֹר הַזֶּה dieses G. *this g.* 7, 1, כְּהַיּוֹם הַזֶּה an einem von diesen Tagen *one of those days* Gn 39, 11, etc.; 11. זֶה leitet wie אֲשֶׁר e. Relativsatz ein *introduces a relative clause like* אֲשֶׁר: זֶה שָׁכַנְתָּ בּוֹ auf dem du *wherein thou* Ps 74, 2, זֶה יְלָדֶךָ der dich *that begat thee* Pr 23, 22, זֶה אָהַבְתִּי u. der, den *a. he whom* Hi 19, 19; 12. זֶה *adv. loci*: מִזֶּה von hier fort *hence* Gn 37, 17, מֵאֵת זֶה von dort *from there* Ir 2, 37; מִזֶּה ... מִזֶּה (von) hier ... (von) da *on this side ... on that side* Nu 22, 24; מִזֶּה וּמִזֶּה auf beiden Seiten *on both sides* Hs 47, 7; אֵי F אֵיזֶה u. אֵי־זֶה; 13. זֶה *adv. loci* hinweisend *pointing*: זֶה לַחְמֵנוּ unser Br. da *this our br.* Jos 9, 12, זֶה הַיָּם da ist d. M. *yonder is the sea* Ps 104, 25; הַאַתָּה־זֶה bist du es? *is this you*? Gn 27, 21; וְהִנֵּה־זֶה u. siehe, da *a. behold*! *there* Ct 2, 8; 14. זֶה > *adv. temporis*: עַתָּה זֶה jetzt nun *now* 1 K 17, 24. eben jetzt *even now* 2 K 5, 22, זֶה פַעֲמַיִם jetzt schon zwei Mal *these two times* Gn 27, 36, זֶה כַּמֶּה שָׁנִים jetzt schon wieviele J.! *these so many y.*! Sa 7, 3; 15. זֶה verstärkt Fragewörter *strengthens the interrogative word*: מַה־זֶּה wie denn? warum denn? *how then*? Jd 18, 24, לָמָּה זֶּה warum denn? *wherefore then* Gn 18, 13, מִי זֶה Js 63, 1 (l הַבָּא) u. מִי זֹאת Ct 3, 6 u. מִי הוּא זֶה Ir 30, 21 wer ... da *who is this that*; 16. זֶה, זֹאת *c. praefixis*: בָּזֶה hier *here* Gn 38, 21, unter folgenden Umständen *on these conditions* Est 2, 13; בְּזֹאת unter folgender Bedingung *on this condition* Gn 34, 15, dabei, trotzdem *for all this* Lv 26, 27, *even then* Ps 27, 3, בְּכָל־זֹאת bei, trotz alldem *for all this* Js 5, 25 9, 11 Hi 1, 22; כָּזֶה so einer *such a one* Gn 41, 38, auf diese Weise *such* Js 58, 5; כָּזֹאת dergestalt *after this manner* 1 K 7, 37, so etwas *such a thing* Js 66, 8; כָּזֹאת ebenso *after this (the same) manner* Gn 45, 23; כָּזֹאת וְכָזֹאת so und so *thus and thus* 2 S 17, 15; = כָּזֹה וְכָזֶה F זֹה, עַל־זֹאת deswegen *for this* Am 8, 8, עַל־אֵלֶּה, עַל־זֶה deswegen *for this, these things* Th 5, 17.

Der. זוּ, זֹה.

זֹה: F זוּ; fem.: diese *this*; neutr. dies *this* 2 K 6, 19 Hs 40, 45 Ko 2, 24 5, 15. 18 7, 23 9, 13; die, diese *this* Ko 2, 2, cj Jos 2, 17 (הַזֹּה); כָּזֹה וְכָזֶה so und so *thus and thus* Jd 18, 4 1 K 14, 5, bald so, bald so *one as well as another* 2 S 11, 25.†

זָהָב (385 ×): זהב, F צהב; ذَهَب, asa. דהב, F ba. דְּהַב; cs. זְהַב, זְהַב (BL 208r) Gn 2, 12, sf. זְהָבִי: Gold *gold*, in אוֹפִיר, חֲוִילָה, im Sand *in the* *sand* F עַפְרֹת Hi 28, 6; F שְׁבָא, F פַּרְוַיִם; älter *older texts* כֶּסֶף וְזָהָב :: jünger *younger texts* זָהָב וָכֶסֶף; ז׳ טוֹב Gn 2, 12, ז׳ טָהוֹר Ex 25, 11, F ז׳ סָגוּר, F ז׳ שָׁחוּט, F ז׳ מוּפָז; לְשׁוֹן זָהָב (Zunge als Barren *tongue as ingot-mould*) Jos 7, 21; עֲשָׂרָה זָהָב 10 (sc. שֶׁקֶל) Gold *gold* Gn 24, 22; Pestbeulen u. Mäuse von Gold *golden tumours a. mice* 1 S 6, 4; אֱלֹהֵי זָהָב Ex 20, 23; צִפָּה זָהָב mit Gold überziehn *overlay with gold* 1 K 6, 20 f; תְּנוּפַת ז׳ Weihgabe aus G. *wave-offerings of g.* Ex 35, 22; זָהָב Goldfäden *threads of g.* Ex 28, 6 Si 45, 10; l זֹהַר Hi 37, 22; F פַּז, חָרוּץ.

Der. מֵי זָהָב.

זהם: mh. pi., aram. u. sy. pa.; mnd. von fauligem Wasser *scent of putrid water*; زَهَم stinken, widrig sein *stink, be greasy*:

cj qal: pf. זָהֲמָה: c. בְּ **sich ekeln vor** *feel a loathing for* cj Hi 6, 7 (l בִּדְוֵי); †

pi: pf. sf. זִהֲמַתּוּ: c. 2 ac. jmd etw. **widrig machen** *make a thing loathsome to* Hi 33, 20; †

Der. n.m. זַהַם.

זַהַם: n.m.; זהם; Ekel *loathing*: 2 C 11, 19. †

I **זהר**: aram. זהר; زَهَرَ scheinen, glänzen *shine*:

hif: impf. יַזְהִרוּ: **glänzen** *shine* Da 12, 3. †

Der. זֹהַר.

II **זהר**: cp. זְהַר, ja. af. u. etp., mnd. etp. sich hüten *be mindful*; F ba. זְהִיר; verwandt II זור, Schulth. HW 22:

nif: pf. נִזְהַר, inf. הִזָּהֵר, pt. נִזְהָר: **sich warnen lassen** *be warned* Hs 33, 4 f Ps 19, 12 (בְּ durch *by*) Ko 4, 13 12, 12, gewarnt werden Hs 3, 21 33, 6 (l הִזְהִיר 33, 5); †

hif: pf. הִזְהַרְתּוֹ, הִזְהִירָה, sf. הִזְהִיר, הִזְהַרְתָּ, inf. הַזְהִיר: **warnen** *warn* Ex 18, 20, cj Lv 15, 31 2 K 6, 10 Hs 3, 17 (מִן im Auftrag von *by order of*). 18—21 33, 3. 7—9. cj 5 2 C 19, 10. †

זֹהַר: I זהר: **Glanz** *shining, brightness* Hs 8, 2 Da 12, 3, cj Hi 37, 22. †

זִו: ph. זב, F ba. זִיו; Tg. יֶרַח זִיו נִיצָנַיָּא Monat d. Blütenpracht *month of the bright flowers*; April-Mai; Name d. 2. Monats: **Siw** *name of the 2nd month*: *Ziv* 1 K 6, 1. 37. †

זוֹ: F זֶה: **dies** *this* Ho 7, 16 Ps 132, 12. †

זוּ: F זֶה u. הַלָּזֶה: 1. Relationswort *introduction of relative clauses* = אֲשֶׁר: Ex 15, 13. 16 Js 42, 24 43, 21 Ps 9, 16 10, 2 17, 9 31, 5 32, 8 68, 29 142, 4 143, 8; 2. = זֶה Ha 1, 11 F אשם qal; = אֵלֶּה Ps 62, 12; l זוֹלֵל וְעַוָּל Ps 12, 8. †

זוב: ak. *zābu*, aram. דוב, דיב, ذَابَ flüssig werden, sein *melt, flow*:

qal: impf. יָזוּב, יָזֻבוּ, וַיָּזוּבוּ, pt. זָב, f. זָבָה, זָבַת: 1. **fliessen** *flow*: Wasser *water* Js 48, 21 Ps 78, 20 105, 41; 2. c. ac. **von etw. fliessen, triefen** *flow with* אֶרֶץ זָבַת חָלָב וּדְבַשׁ Ex 3, 8. 17 13, 5 33, 3 Lv 20, 24 Nu 13, 27 14, 8 16, 13 (מִצְרַיִם!). 14 Dt 6, 3 11, 9 26, 9. 15 27, 3 31, 20 Jos 5, 6 Ir 11, 5 32, 22 Hs 20, 6. 15 Si 46, 8 Baruch 1, 20; 3. fliessen, **den Fluss haben** *flow, have a flux*: Mann *man* (*gonorrhoea*) Lv 15, 2, Frau *woman* (*menstruatio*) 15, 25; Mann *man* Lv 15, 4. 6—9. 11—13. 32 f 22, 4 Nu 5, 2 2 S 3, 29, Frau *woman* Lv 15, 19. 25; 4. fraglich *dubious* Th 4, 9, l בְּעִמְקֵךְ ז׳ (gloss.) Ir 49, 4; †

hif: fliessen lassen *cause to flow* (Tränen *tears*) Si 38, 16. †

Der. זוֹב.

זוב: זוב: sf. זוֹבוֹ, זוֹבָהּ: 1. **Schleimfluss** *issue, flux* (*gonorrhoea benigna* des Manns *of man*) Lv 15, 2 f. 13. 15. 33; 2. **Blutfluss** *issue, flux of blood* (in u. ausser der Perioden der Frau *during a. between the menstruations*) Lv 15, 19. 25 f. 28. 30.†

***זוג**: זָג.

***זוד**: F זיד.

***זוה**; cf. ܙܘܐ schwellen *swell*, ak. *sam/witu* ZA 42, 94[1]: *זָוִית.

***זוז**: I זִיז.

זוּזִים: n. p.; Procksch[2] 506 l זְוּזִים = זַמְזֻמִּים: הַזּ׳ Gn 14, 5.†

זוֹחֵת: n. m.; Noth S. 229: 1 C 4, 20.†

***זָוִית**: *זוה; äga., ja., sy., mnd. זָוִיתָא > زَاوِيَة = פִּנָּה, מִקְצוֹעַ: pl. זָוִיּוֹת: **Ecke** *corner*: Altar *altar* Sa 9, 15, Haus *house* Ps 144, 12.†

זול: زَالَ weggehn *depart* (Nöld. NB 96), AP 38, 8 זולו entfernen *remove*? verkaufen *sell*?:
qal: pt. זָלִים (l מְזִלִּים?) (Gold aus d. Beutel) **ausschütten** *lavish* (*gold out of the bag*) Js 46, 6.†
Der. *זוּלָה.

***זוּלָה**: זול: cs. זוּלַת u. זוּלָתִי (BL 525 f), sf. זוּלָתְךָ, זוּלָתִי: Entfernung, Aufhören *removal* > praep. u. conjunct.: **ausgenommen, ausser** (nach erwartetem Nein oder Negation) *except, only* (*after a supposed negation*) Dt 1, 36 4, 12 1 S 21, 10 2 S 7, 22 1 K 3, 18 12, 20 2 K 24, 14 Js 26, 13 45, 5. 21 64, 3 Ho 13, 4 Ps 18, 32 Ru 4, 4 1 C 17, 20, **ausgenommen, dass** *save that* Jos 11, 13.†

זון: ak. *zanānu*, F ba. זון ernähren *feed*:
cj qal: impf. יָזוּן: nähren *feed* Hi 36, 31;†
hif: pt. מֵזִין Pr 17, 4 F I אזן;†
hof: pt. מֻיזָנִים, Occ. K. מוּזָנִים F יזן: Ir 5, 8.†
Der. מָזוֹן.

זוֹנָה: F זנה.

זוע: ak. (*il*) *Zū* Sturmvogel *storm-bird*; aram. F ba; زَعْزَعَ treiben, schütteln *agitate, shake*:
qal: impf. יָזוּעוּ, pt. זָע: **zittern** *tremble* Ko 12, 3, c. מִן vor *before* Est 5, 9 Si 48, 12 (cj [סִינַי] זָע Jd 5, 5 Ps 68, 9);†
pilp: pt. sf. מְזַעְזְעֶיךָ: **zittern machen** *toss to and fro* Ha 2, 7.†
Der. זְוָעָה, זועה, זַעֲוָה.

זְוָעָה: זוע: **Zittern, Beben** *trembling* Js 28, 19.†

זועה: K זועה F, > Q זַעֲוָה; זוע: **Zittern, Schrecken** *trembling, terror* Ir 15, 4 24, 9 29, 18 34, 17 2 C 29, 8.†

I **זור**: aram. זִיר, sy. ܙܘܪ, ܙܝܪ, ja. זִירָא Kelterpresse *wine-press*, زَيْر pressen *press together*:
qal: impf. וַיָּזַר, sf. תְּזוּרֶהָ, pt. pss. זוּרֶה **pressen, ausdrücken** *press, wring* Jd 6, 38; **zerdrücken** *crush* Js 59, 5 (l הַזֻּרָה?) Hi 39, 15.†

II **זור**: mh., ja. cp. abweichen *turn aside*, = زَوِرَ; أَزْوَرُ, زَوْرَاء Kamel mit schiefem Höcker oder Blick *camel with inclining hump or look*:
qal: pf. זָרוּ: c. מִן **sich abwenden von** *turn aside from*; זֹרוּ Ps 58, 4 F nif;†
nif: pf. נָזֹרוּ: c. מִן, מֵעַל **sich abwenden von** *turn aside from* cj Ps 58, 4 (l נָזֹרוּ) Hs 14, 5, c. אָחוֹר sich hinterwärts wenden *be estranged* (Budde ZAW 49, 21 l מֵאַחֲרָיו) Js 1, 4;†
hof: pt. מוּזָר: **entfremdet sein** *be estranged* Ps 69, 9 Si 4, 30.†
Der. זָר.

III **זור**: ak. *zâru* hassen *hate*, ذَارَ; ذَيَّرَ mit Mist beschmieren, widerlich machen *smear with dung, make disliked*:

qal: pf. זָרָה: **widerlich sein** *be loathsome* Hi 19, 17. †

זָזָא: n.m.; ak. n.m. *Zazā*: 1 C 2, 33. †

זחח: mh., ja., sy. ܙܚ unbeständig sein *be unstable*, زَاحَ, يَزِيحُ, weggehn *went away*:
nif: impf. יִזַּח: **sich verrücken, rutschen** *be displaced, glide* Ex 28, 28 39, 21. †

זחל: mh. tropfen *drip*, aram. Tg. kriechen *crawl*, זַחְלָא kriechende ungeflügelte Heuschrecke *crawling unwinged locust*; زَحَلَ gleiten *glide*:
qal: pf. זָחַלְתִּי, pt. pl. cs. זֹחֲלֵי: **weggleiten, sich verkriechen** *glide away, creep into a hiding-place*: Schlangen *serpents* Dt 32, 24 Mi 7, 17, Menschen *men* Hi 32, 6, cj זֹחֵל [נָחָשׁ] Jr 46, 22. †
Der. זֹחֶלֶת.

זֹחֶלֶת: n.l. אֶבֶן הַזֹּחֶלֶת bei *near* Jerusalem: זחל: d. Gleitende Stein *The Gliding Stone* Driver ZAW 52, 51 f (früher: „Schlangenstein" *formerly*: „the stone of Zohelet"; Kittel, Studien z. hebr. Archäologie, 1907, 171—8) 1 K 1, 9. †

זיד: mh.; F ba.; Znǧ. זד frech *presumptuous*, زَادَ steigern, übertreiben *increase, exaggerate*, asa. in n.p. זידאל, זיד:
qal: pf. זָדָה, זָדוּ: **vermessen sein** *act presumptuously*, c. עַל gegen *against* Ex 18, 11, c. אֶל gegenüber *against* Jr 50, 29; †
hif: pf. הֵזִידוּ, הֲזִידוּ, impf. יָזִיד, יָזֵד, וַיָּזֶד, יְזִידוּן, וַתָּזִדוּ: 1. etw. kochen, **sieden** *seethe* Gn 25, 29; 2. **sich erhitzen, erregen** *become heated animated* Ex 21, 14 Dt 1, 43; **frech, vermessen sein, handeln** *act presumptuously* Dt 17, 13 18, 20 Ne 9, 10. 16. 29. †
Der. זֵד, זָדוֹן, *זֵידוֹן, נָזִיד.

***זֵידוֹן**: זיד: pl. זֵידוֹנִים: **wallend** (Wasser) *running high* (*water*) Ps 124, 5. †

I זִיז: *זוז; mh. Milbe *mite*; ak. *zāzu* teilen u. Fülle *dismember a. plenty*: זִיז שָׂדַי **Gewimmel** des Felds *swarms, throngs of the field* Ps 50, 11 80, 14. †

II זִיז: ug. *zd* (*ṯd*) Brust *breast*, ak. *zīzu*, pl. *zīzē* Euter *udder*, Beduin. (*qahṭān*) *ed-dēd*, pl. *ed-djūd* Brüste einer Frau, die geboren hat *breasts of a woman who has brought forth a child*, Zitzen der Tiere *teats of animals*; τιτθός: **Euter, Zitze** *udder, tit* Js 66, 11. †

זִיזָא: n.m.; < זִיזָה?: 1. 1 C 4, 37; 2. 2 C 11, 20. †

זִיזָה: n.m.; > זִיזָא?: 1 C 23, 11, cj 23, 10 (זִינָא). †

זִיעַ: n.m.; asa. זיע Ryck. 2, 46; Noth S. 426: 1 C 5, 13. †

I זִיף: n.l.; loc. זִיפָה, Ζαφα, Ζιφ(αι), **Siph** *Ziph*: 1. in Juda, *ez-Zīf*, 7 km s. Hebron, 878 m: Jos 15, 55 1 S 23, 24 1 C 2, 42 2 C 11, 8, מִדְבַּר זִיף 1 S 23, 14 f 26, 2; 2. im äussersten SW v. *in the remotest SW of* Juda Jos 15, 24. †
Der. זִיפִי.

II זִיף: n.m.; *Z(j)f* Dir. 351: 1 C 4, 16. †

זִיפָה: n.m.; asa. זיפת Ryck. 2, 56: 1 C 4, 16. †

זִיפִי: gntl., I, 1 זִיף; pl. זִפִים: aus זִיף *belonging to* זִיף: 1 S 23, 19 26, 1 Ps 54, 2. †

זיקות: ak. *zaqātu* spitz sein *be pointed*; mh., ja. זיק Komet *comet*; ܙܝܩܐ Blitz *flash of lightning*; sg. *זִיקָה? זוק?: **Brandpfeile** *fire-arrows* Js 50, 11 (l מְאִירֵי) Si 43, 13; F II זִקִּים. †

זַיִת: ug. *zt*, aram. זֵיתָא, זֵיתָא, **ዘይት**; > زَيْت Öl *olive-oil*, زَيْتُون Ölbaum, *olive-tree*, **ⲍⲟⲉⲓⲧ**; Herkunft *origin*?: cs. זֵית, sf. זֵיתְךָ, זֵיתְךָ, pl. זֵיתִים, sf. זֵיתֵיכֶם: **Ölbaum, Olive** *olive-tree*, *Olea europaea L.* (Löw 2, 286 ff; BRL 85 f, 402—4; AS 4, 153 ff): זַיִת Ölbaum *olive-tree* Jd 9, 8 f Ho 14, 7, זֵיתִים Ölbäume *olive-trees* Dt 6, 11 28, 40 Jos 24, 13 1 S 8, 14 2 K 5, 26 Am 4, 9 Sa 4, 3. 11 f Ps 128, 3 Ne 5, 11 9, 25 1 C 27, 28; זַיִת Olivenpflanzung *olive-plantation* Ex 23, 11 Jd 15, 5; שֶׁמֶן זַיִת Olivenöl *olive-oil* Ex 27, 20 30, 24 Lv 24, 2; זֵית שֶׁמֶן Dt 8, 8 u. זֵית יִצְהָר ölreiche Olivenbäume *oil-olives*; *F* חָבַט, הִשְׁלִיךְ, שִׁבֹּלֶת, עָלֶה, נָשַׁל, נֹקֶף, נִצָּה, יִצְהָר, שָׁתִיל; דָּרַךְ זַיִת Oliven keltern *press olives* Mi 6, 15; מַעֲשֵׂה זַיִת Arbeit an Olivenbäumen *labour of olives* Ha 3, 17, עֵץ הַזַּיִת Hg 2, 19, זַיִת רַעֲנָן Ir 11, 16 Ps 52, 10 Si 50, 10; n.l. מעלה הזיתים *F* 2 S 15, 30; n.l. הַר הַזֵּיתִים **der Ölberg** *Mount of Olives* ö. Jerusalem Sa 14, 4, cj זֵית הַמִּדְבָּר 2 S 15, 23.†
Der. n.m. בִּרְזַיִת, זֵיתָם, זֵיתָן.

זֵיתָן: n.m.; זַיִת; der mit Ölbaumen zu tun hat *who deals with olives*: 1 C 7, 10.†

זַךְ: זכך; זַךְ, f. זַכָּה: **lauter** *pure*: Öl *oil* Ex 27, 20 Lv 24, 2, לְבוֹנָה Ex 30, 34 Lv 24, 7, Mensch *mankind* Pr 16, 2 Hi 8, 6 33, 9, Tat *action* Pr 20, 11 21, 8 Hi 11, 4, Gebet *prayer* 16, 17.†

זכה: *F* זכך; ak. *zakū*, aram. דכא u. דכי, *F* ba. זְכוּ, زَكَا rein sein *be clean*, *pure*:
qal: impf. תִּזְכֶּה, יִזְכֶּה: **(moralisch) rein dastehn** *be (morally) clean* Ps 51, 6 Hi 15, 14 25, 4; Mi 6, 11 *F* hif; cj הֲתִזְכִּי עַל־זֹאת Ir 11, 15 (Coppens);†
pi: pf. זִכִּיתִי, impf. יְזַכֶּה: rein halten *cleanse* Ps 73, 13 119, 9 Pr 20, 9;†
cj hif: impf. אַזְכֶּה für rein erklären *qualify as clean* cj Mi 6, 11;†
hitp: imp. הִזַּכּוּ (< *הִתְזַכּוּ) sich reinigen *make oneself clean* Js 1, 16.†

זְכוֹכִית: זכך; f. v. זכוכי v. *זָכוֹךְ (Farbadjectiv *adjective of colours* wie *like* אָדֹם etc.); ja., sy. ܙܓܘܓܝܬܐ, mnd. זגאויתא, > زُجَاج: Lauteres, Durchsichtiges: **Glasfluss** *something pure, transparent*: *vitreous paste* Hi 28, 17.†

***זָכוּר**: זָכָר; Gulk. Abstr. 17 f: sf. זְכוּרְךָ, זְכוּרָהּ; coll.: **was männlich ist** *what is male* Ex 23, 17 34, 23 Dt 16, 16 20, 13.†

זָכוּר: זכר; VG, 1, § 141: **eingedenk** *remembering* Ps 103, 14.†

זַכּוּר: n.m.; זכר; Dir. 204 f; äga. *Zakurum* Th. Bauer, Ostkan. 47; Noth S. 187: Nu 13, 4 Esr 8, 14 Q Ne 3, 2 10, 13 12, 35 13, 13 1 C 4, 26 24, 27 25, 2. 10.†

זַכַּי: n.m.; KF; זכר u.?; palm. ברזכר Lidz. 244; > NT Ζακχαῖος: זַכַּי: Ne 3, 20 Q 7, 14 Esr 2, 9.†

זכך: NF v. זכה:
qal: pf. זַכּוּ: **lauter, hell sein** *be pure*, *clean*, *bright* Th 4, 7 Hi 15, 15 25, 5;†
hif: pf. הֲזִכּוֹתִי: **rein machen** *cleanse* Hi 9, 30.†
Der. זַךְ, זְכוֹכִית.

זכר: *F* ba. דכר; ak. *zakāru* sagen, nennen, schwören *say, name, swear*, EA 228, 19: *jazkurmi* (kan. Gl.) gedenken *remember*; ph. זכר, סכר gedenken *remember*, aram. דכר, ذَكَرَ, **ሐከረ**, asa. זכר, n.m. יזכראל; *F* זָכָר!:
qal (165 ×; 43 × Ps, 14 × Dt, 12 × Ir, 11 × Js 43, 18—64, 8): pf. זָכַר, זָכַרְתָּ, זָכַרְתִּי Hs 16, 22, sf. זְכַרְתָּם, זְכַרְתַּנִי, זְכַרְתִּיךָ, impf. תִּזְכֹּר, וַיִּזְכֹּר, sf. וַיִּזְכְּרֶהָ, אֶזְכְּרֶנּוּ, יִזְכְּרוּנִי, אֶזְכָּרְךָ, יִזְכָּר־, inf.

זְכוֹר, לִזְכֹּר, imp. זְכֹר, זָכְרָה, זִכְרָה, זִכְרוּ, זְכֹרוּ, sf. זָכְרֵנִי, pt. זֹכְרֵי; f. אֶזְכּוֹר 1 אֶזְכֹּר Ps 77, 12: 1. זָכַר c. ac. **sich erinnern, denken an** *remember, call to mind*: Gott an *God* Noah Gn 8, 1, G. an d. Bund mit Abraham *G. his covenant with Abr.* Ex 2, 24 6, 5 Lv 26, 42 Ps 105, 8. 42 106, 45 111, 5 1 C 16, 15, an d. Land *the land* Lv 26, 42, an Ieremias Dienst *Ier.'s service* Ir 18, 20; Bitte: gedenke (o Gott) meiner *prayer*: *remember me* (*o God*) Ir 15, 15 Jd 16, 28 Ps 106, 4; aus Erbarmen *mercy* Ha 3, 2 Ps 25, 6, an die Opfer *the offerings* 20, 4, die Gemeinde *the congregation* 74, 2 115, 12, d. Sünde *the sin* 74, 18. 22, d. Hinfälligkeit des Menschen *the frailty of man* 89, 48, d. Schmach der Frommen *the disgrace of the pious* 89, 51, sein Wort *his word* 119, 49, seine Liebe *his love* 98, 3, Gott denkt nicht an die Toten *God does not remember the dead* 88, 6, etc; Israel denkt an J. *Israel rem. Y.* Dt 8, 18 Jd 8, 34 Js 57, 11 64, 4 Ir 51, 50 Sa 10, 9, אֶת־אֲשֶׁר an das, was Gott tat *what the Lord did* Dt 24, 9, etc.; David erinnert sich an Abigail *D. remem. Abig.* 1 S 25, 31, Jehu an früher Erlebtes *Jehu what he has seen* 2 K 9, 25, etc.; זְכַרְתַּנִי אִתְּךָ! du bist bei dir meiner eingedenk *you have* (*keep*) *me in your remembrance* Gn 40, 14; 2. זָכַר בְּ **denken an** *remember* Ir 3, 16; † 3. זָכַר לְ **denken an** *remember* Dt 9, 27 Ps 136, 23 Ne 13, 14. 22 2 C 6, 42; c. לְטוֹבָה zu Gutem *in my favour* Ne 5, 19 13, 31; jmds [strafend] gedenken *remember a person* [*to his punishment*] Ne 6, 14 13, 29; 4. c. ac. u. לְ **zu Gunsten jmds an etw. denken** *remember a thing to the favour of* Ex 32, 13 Lv 26, 45 Ir 2, 2 Ps 132, 1, zu Ungunsten *to the disgrace of* Ps 137, 7; 5. זָכַר c. ac. **vertrauend denken an** *remember with confidence* Ne 4, 8; **bedenken**, in Rücksicht nehmen *consider*: d. Ende *the end* Js 47, 7, e. Verpflichtung *a duty* Am 1, 9; 6. זָכַר c. אֵת אֲשֶׁר 2 S 19, 20 2 K 20, 3 u. c. כִּי Ps 78, 39 Dt 5, 15 Js 44, 21 **daran denken, dass** *remember that*; 7. c. Fragesatz *interrogative clause*: **bedenken** *consider* Hi 4, 7; 8. זָכַר abs. **eingedenk sein** *remember* Ir 14, 21 Ps 22, 28; 1 תִּזְכֹּרוּ Ir 23, 36 u. יִזְכֹּר Na 2, 6 u. אַדִּיר f. אֶזְכְּרָה Ps 77, 12 u. זָכַר 1 C 16, 15 u. לִזְכֹּר בָּהֶם Ir 17, 2; nif: pf. נִזְכַּרְתֶּם, impf. יִזָּכֵר, תִּזָּכְרִי, תִּזָּכַרְנָה u. תִּזָּכַרְן, inf. sf. הִזָּכֶרְכֶם, pt. pl. נִזְכָּרִים: 1. נִזְכַּר **man denkt an ihn** *he is thought of* Js 23, 16 65, 17 Ir 11, 19 Hs 3, 20 18, 24 21, 29. 37 25, 10 33, 13 Hi 24, 20 Est 9, 28, cj Na 1, 14; c. לוֹ Hs 18, 22 33, 16, c. לִפְנֵי יהוה Nu 10, 9; † 2. נִזְכַּר **man erwähnt ihn** *he is named, remembered* Ho 2, 19 Sa 13, 2 Ps 83, 5 109, 14 Hi 28, 18; † 3. cj נִזְכַּר er wird aufgerufen *he is called* cj Sellin Na 2, 6; † 1 הַזָּכַר Ex 34, 19;

hif: pf. הִזְכִּיר, sf. הִזְכַּרְתַּנִי, impf. אַזְכִּיר, יַזְכִּרוּ, תַּזְכִּירוּ, inf. הַזְכִּיר, sf. הַזְכִּירוֹ, הַזְכַּרְכֶם Hs 21, 29, imp. הַזְכִּירוּ, sf. הַזְכִּירֵנִי, pt. מַזְכִּיר, מַזְכֶּרֶת, מַזְכִּירִים:

1. c. ac. jmd **erinnern** *cause to remember* Js 43, 26; † 2. erwähnen, **nennen lassen** (י׳ seinen Namen *his name*) *cause to be remembered* Ex 20, 24 (Stamm ThZ 1, 304—6) 2 S 18, 18; in Erinnerung bringen, **erwähnen** *mention* Gn 41, 9 1 S 4, 18 Js 63, 7 Ps 87, 4 (1 יוֹדְעַי?), c. אֶל gegenüber *before* Gn 40, 14 Js 19, 17, c. כִּי dass *that* Js 12, 4; † 3. erwähnen, **bekannt machen** *bring to remembrance, make known*, c. עָוֹן F זִכָּרוֹן 4 Nu 5, 15 1 K 17, 18 Hs 21, 28 f 29, 16; c. שֵׁם **nennen** *mention* Js 49, 1; c. מַשָּׂא cj Ir 23, 36; c. דּוֹדִים u. מִן **rühmen** mehr als *praise more than* Ct 1, 4; abs. **melden** *report* Ir 4, 16; † 4. (im Hymnus) **nennen, bekennen, preisen** *mention, profess, praise* (*in hymns*) צִדְקָתְךָ Ps 71, 16, שֵׁם י׳ Js 26, 13, י׳

62, 6, בְּשֵׁם שֵׁם אֱלֹהִים Ex 23, 13 Ps 45, 18, unter Nennung d. Namens *by mentioning the name* Jos 23, 7 Js 48, 1 Am 6, 10 Ps 20, 8 (l נַגְבִּיר?); 1 C 16, 4 Ps 38, 1 70, 1; 5. מַזְכִּיר Titel e. hohen Hofbeamten *title of a high court-officer* (Begrich ZAW 58, 1—29): יוֹשָׁפָט 2 S 8, 16 20, 24 1 K 4, 3 1 C 18, 15, יוֹאָח 2 K 18, 18. 37 Js 36, 3. 22 u. יוֹאָח 2 C 34, 8; † 5. denom. v. אַזְכָּרָה: als אַזְכָּרָה darbringen *offer as* אַזְכָּרָה Js 66, 3. †

Der. זָכוּר, I זֵכֶר, זִכָּרוֹן, אַזְכָּרָה; n.m. II זֵכֶר, זִכְרִי ?זַכַּי, זַכּוּר, זְכַרְיָה(וּ).

זָכָר: ak. *zikru*, *zikaru* männlich, Mann *male*, *man*; mh. זָכָר; F ba. דְּכַר; ذَكَر, asa. דכר; Et. unbekannt *unknown*; hebr. זָכָר spät *late*: pl. זְכָרִים: **Mensch männlichen Geschlechts, Mann** *male* (:: נְקֵבָה) Gn 1, 27 5, 2 6, 19 7, 3. 9. 16 Lv 3, 1. 6 12, 7 15, 33 Dt 4, 16 Nu 5, 3 Lv 27, 3. 5—7; כָּל־זָכָר alles, was männlich ist *every male* Gn 17, 10. 12. 23 34, 15. 22. 24f Ex 12, 48 Lv 6, 11. 22 7, 6 Nu 1, 2. 20. 22 3, 15. 22. 28. 34. 39 18, 10 26, 62 31, 7. 17 Jd 21, 11 1 K 11, 15f 2 C 31, 19; עָרֵל זָכָר Gn 17, 14; זָכָר Lv 12, 2 Js 66, 7 u. בֵּן זָכָר Ir 20, 15 männliches Kind *male child*, בְּכוֹר זָכָר männliche Erstgeburt *firstborne males* Nu 3, 40. 43; זְכָרִים Männer *men* Ex 13, 12. 15 Jos 5, 4 17, 2 Esr 8, 3—14 2 C 31, 16; זָכָר männliches Tier *male animal* Ex 12, 5, cj 34, 19, Lv 1, 3. 10 3, 1 4, 23 22, 19 Dt 15, 19 Ma 1, 14; צַלְמֵי זָכָר Bilder v. Männern *images of men* (Phalli? F זִכָּרוֹן 5) Hs 16, 17; homosexueller Verkehr *homosexual intercourse* Lv 18, 22 20, 13; מִשְׁכַּב זָכָר Verkehr der Frau mit einem Mann *a woman's intercourse with a man* Nu 31, 17f. 35 Jd 21, 11f; זָכָר kann nicht gebären *unable to travail with child* Ir 30, 6. †

Der. זִכָּרוֹן 5?

I **זֵכֶר**: זכר: sf. זִכְרִי, זִכְרְךָ, זִכְרֶךָ: **Erwähnung, Nennung** (eines Namens) *mention* (*of a name*): von Amalek Ex 17, 14 Dt 25, 19, Israel 32, 26, den Toten *the dead ones* Js 26, 14 Ko 9, 5, zerstörte Städte *the overthrown cities* Ps 9, 7, d. Übeltäter *the evildoers* 34, 17 109, 15, d. Gerechten *the righteous* 112, 6, d. Frommen *the pious* Pr 10, 7, d. Gottlosen *the impious* Hi 18, 17, Purim Est 9, 28, cj לְזֵכֶר בָּהֶם Ir 17, 2 (Dir. 204f); עָשָׂה זֵכֶר לְ Gott verschafft (s. Wundern) Erwähnung *G. makes* (*his works*) *to be remembered* Ps 111, 4; 2. (Gottes) Erwähnung, **feierliche Nennung, Anrufung** *the mentioning of God in liturgies, his adoration* Ex 3, 15 Js 26, 8 Ho 12, 6 14, 8 (l זִכְרִי) Ps 6, 6 (fehlt den Toten *the dead do not know it*) 30, 5 u. 97, 12 (זֵכֶר קָדְשׁוֹ) 102, 13 135, 13 145, 7 (רַב־טוּבְךָ). †

II **זֵכֶר**: זֶכֶר: n.m.; KF v. זְכַרְיָה; die d. Gleichklang m. זָכָר ausweicht? *to avoid the homophony of* זָכָר? Zkr Dir. 351: 1 C 8, 31 (= זְכַרְיָה 9, 37). †

זִכָּרוֹן u. (Ex 28, 12. 29†) זִכְרֹן: זכר: זכר; F ba. דִּכְרוֹן; cs. זִכְרוֹן, sf. זִכְרֹנֵךְ, pl. זִכְרֹנוֹת! (u. *זִכְרוֹנִים), sf. זִכְרוֹנֵיכֶם:

Erwähnung, Erinnerung *mention, remembrance*: 1. לְזִכָּרוֹן um (sie, euch) in Erinnerung zu bringen *to remember* (*them, you*) Ex 28, 12. 29 30, 16 39, 7 Nu 10, 10 31, 54; 2. אַבְנֵי ז׳ לְ St. der Erinnerung an *st. of memorial for* Ex 28, 12, לְז׳ לְ zum Andenken *for a mem.* Sa 6, 14, לְז׳ zum Gedenktag *day of mem.* Ex 12, 14; ז׳ בֵּין עֵינֶיךָ Gedenkzeichen *mem.* 13, 9; כְּתֹב ז׳ als Erinnerung 17, 14; סֵפֶר הַזִּכְרֹנוֹת d. Buch d. Denkwürdigkeiten, Memoiren *book of records* Est 6, 1; סֵפֶר ז׳ Gedenkbuch *book of remembrance* Ma 3, 16; זִכְרוֹן לְ (cs. c. praep.!) Erinnerung an *remembrance of* Ko 1, 11 2, 16; הָיָה לָהֶם ז׳ man erinnert sich an sie *there is remembr. of them* Ko 1, 11; ז׳ לְ Denkzeichen für *memorial unto* Nu 17, 5 Jos 4, 7; ז׳ Erwähnung, Nennung *memorial* Ne 2, 20; זִכְרוֹן תְּרוּעָה Erinnerung durch *memor. by* ת׳ Lv 23, 24; 3. זִכְרוֹנֵיכֶם was ihr erwähnt, vorbringt *what you mention* Hi 13, 12; 4. מִנְחַת ז׳ Speisopfer des Schuldbekenntnisses *meal offering of admission, confession* (F זכר hif. 3) Nu 5, 15. 18; 5. זִכְרוֹנֵךְ Denkzeichen *memorial* (vel deriv. v. זָכָר = erotisches Symbol *erotic symbol* F זָכָר Hs 16, 17) Js 57, 8. †

זִכְרִי: n. m.; KF v. זְכַרְיָה?: Ex 6, 21 1 C 8, 19. 23. 27 9, 15! 26, 25 27, 16 2 C 17, 16 23, 1 28, 7 Ne 11, 9(. 17!) 12, 17. †

זְכַרְיָה: n. m.; < זְכַרְיָהוּ: **Sacharja** *Zechariah*: 1. K. v. Israel 2 K 14, 29 15, 11 (= זְכַרְיָהוּ 2 K 15, 8); 2. mütterlicher Grossvater v. *mother's father of* חִזְקִיָּה K. v. Juda 2 K 18, 2 (= זְכַרְיָהוּ 2 C 29, 1); 3. d. Prophet *the prophet* Ζαχαρίας, *Zacharias* Sa 1, 1. 7 7, 1. 8 Esr 5, 1 6, 14; 4. e. Priester u. Prophet *a priest a. prophet* 2 C 24, 20; 5. Esr 8, 3; 8, 11; 8, 16; 10, 26; Ne 8, 4; 11, 4; 11, 5; 11, 12; 12, 16; 12, 35; 12, 41; 1 C 9, 21; 9, 37; 15, 20; 16, 5; 2 C 17, 7; 34, 12. †

זְכַרְיָהוּ: n. m.; זכר u. י׳; > זְכַרְיָה; KF II זֶכֶר? *Zkrjhv* Dir. 351: 1. K. v. Israel 2 K 15, 8; 2. Js 8, 2; 3. Bruder v. *brother of* יְהוֹרָם, K. v. Juda 2 C 21, 2; 4. 2 C 26, 5; 5. (F זְכַרְיָה 2) 2 C 29, 1; 6. Rubenit 1 C 5, 7; 7. Manassit 27, 21; 8. Leviten *Levites* 1 C 15, 18; 15, 24; 24, 25; 26, 2. 14; 26, 11; 2 C 20, 14 (עָלָיו רוּחַ י׳); 29, 13; 35, 8. †

***זלא**: יִזְלִיאָה.

***זלג**: מִזְלָג, מַזְלֵג.

זֻלוּת: F זֻלּוּת.

זַלְזַלִּים: זלל; sg. *זַלְזַלָּה: **Ranken,** Schosse ohne Fruchtansatz (der Rebe) *sprigs, shoots having no fruit-buts* (*of vine*) Js 18, 5. †

זלל: mhb. זָלַל unmässig *immoderate*; mh. ja. זלל, زلّ verächtlich sein *be contemptible*, ja. זְלִילָא, זְלִזְלָא = mhb. זָלָל, cp. מזלל trunken *drunk*:

qal: pt. זוֹלֵל, f. זוֹלֵלָה, pl. זוֹלְלִים, cs. זֹלְלֵי: **leichtfertig sein** *be lavish* Dt 21, 20 Pr 23, 21 28, 7 Th 1, 11 Si 18, 33, cj Ps 12, 8; זֹלְלֵי (סָבְאֵי יַיִן //) בָשָׂר Fleischprasser *gluttunous eaters of flesh* Pr 23, 20; זוֹלֵל neutr. Leichtfertiges, Gemeines *vile thoughts, words* Ir 15, 19; †

nif: pf. נָזֹלּוּ! < נָזֹלוּ!: **beben, wanken** (Berge) *quake* (*mountains*) Jd 5, 5 Js 63, 19 64, 2; †

hif: pf. sf. הִזִּילוּהָ!, cj impf. תָּזֹלִּי Ir 2, 36: 1. **als feil behandeln** *treat as venal* (:: כִּבֵּד) Th 1, 8 (F זֻלּוּת); 2. **es leicht nehmen** *treat cheaply* cj Ir 2, 36. †

Der. זַלְזַלִּים, זֻלּוּת.

***זַלְעָפָה, *זַלְעָפָה**: < *זַעֲפָה (Typus יַבָּשָׁה), זעף: pl. זַלְעָפוֹת, cs. זַלְעֲפוֹת: **Heftigkeit, Erregung** *irritation* Ps 119, 53; רוּחַ זִלְעָפוֹת **Sturmwind** *heavy gale* Ps 11, 6; 2. זַלְעֲפוֹת רָעָב **Qualen, Anfälle des Hungers** *fits of hunger* Th 5, 10. †

***זלף**: זִלְפָּה.

זִלְפָּה: n. f.; *זלף; أَزْلَفُ Mann mit kurzer, kleiner Nase *short-nosed man* (H. Bauer ZAW 48, 78): **Silpa,** Leibmagd Leas *Zilpah Leah's handmaid* Gn 29, 24 30, 9 f. 12 35, 26 37, 2 46, 18. †

זֻלּוּת (Var. זֻלוּת): זלל: **Gemeinheit** *vileness* (l הַזּוֹלֵת?) Ps 12, 9. †

I **זִמָּה**: II זמם; ug. *tdmm(t)* Schandtat *loose conduct*(?), ذَمّ tadeln *blame*: cs. זִמַּת, sf. זִמָּתֵךְ, זִמָּתְכֶנָה, Hs 23, 48 f, pl. זִמּוֹת: **Schandtat, schänd-**

liches **Verhalten** *loose conduct* (// תּוֹעֵבָה, meist in geschlechtlichen Dingen *most in sexual affairs*) Lv 18, 17 19, 29 20, 14 Jd 20, 6 Ir 13, 27 Hs 16, 27 (gloss.). 58 22, 11 23, 21. 27. 29. 35. 48 f 24, 13 Ps 26, 10 Pr 21, 27 24, 9 (l אֱוִיל) Hi 31, 11; עָשָׂה זִמָּה Hs 16, 43 22, 9 Ho 6, 9 Pr 10, 23, pl. Js 32, 7; adv. זִמָּה unter Schandtaten *in loose conduct* Ps 119, 150 (l רֹדְפַי); אֵשֶׁת הַזִּמָּה die Schandweiber *the loose, lewd women* Hs 23, 44, cj זַמֹּתִי e. Schandtat, deren ich fähig wäre *loose conduct of which I am capable* Ps 17, 3; ?? Hi 17, 11. †

II **זִמָּה**: n. m.; ak. *Zimmâ* BEP 9, 27. 73 10, 66: 1 C 6, 5. 27 2 C 29, 12. †

זְמֹרָה, זְמוֹרָה: זמר; زبر (زبر) struppig sein (Haar) *it bristled up* (*hair*): cs. זְמֹרַת, pl. זְמֹרֵיהֶם: 1. **Ranke** (d. Rebe) *shoot, twig* (*of vine*) Nu 13, 23 Hs 15, 2 (gloss.) Na 2, 3 Js 17, 10; 2. אַפָּם Hs 8, 17 תִּקּוּן סֹפְרִים (*correctio doctorum*) v. אַפִּי; זְמֹרָה Rute = Penis *shoot = penis* (cf. قضيب Rute *shoot = penis*) F II *זמרה? oder *or* (pers.) *bareçman* (Büschel von Dattel-, Granat- u. Tamariskenzweigen der persischen Sonnenanbeter *cluster of twigs of date, pomegranate a. tamarisk, used by persian sun-worshippers*) oder *or* זְמֹרָה = ak. *zumru* Leib *body* u. שׁלח 'ז e. unanständige Haltung *an obscene gesture* (Bertholet 33). †

זַמְזֻמִּים: זמם?: n. p.; = βάρβαροι die nicht recht reden können *who are unable to speak correctly*? ammonitisch f. רְפָאִים: Dt 2, 20. †

I **זָמִיר**: I זמר; F ba. זְמַר: cs. זְמִיר, pl. זְמִרוֹת, זְמִרֹת: (v. Musik begleiteter) **Gesang** *song* (*with instrumental accompaniment*) 2 S 23, 1 Js 24, 16 25, 5 Ps 95, 2 119, 54 Hi 35, 10. †

II **זָמִיר**: II זמר: **Schneiteln** (d. Reben) *pruning, trimming* (*of vine*), AS 1, 566 f; cf. ירחו זמר Kal. v. Geser Eph 3, 41: Ct 2, 12. †

זְמִירָה: n. m.; = I זָמִיר? Noth l זְמַרְיָה (III זמר) = Ζαμαρίας, F I זִמְרִי: 1 C 7, 8. †

I **זמם**: זם, زمّ summen *drone*:

qal: pf. זָמַם, זָמָם, זָמְמָה, זַמֹּתִי u. זָמַמְתִּי, זָמְמוּ, impf. יָזֹמּוּ! (< *יָזֹמּוּ, BL 436), pt. זֹמֵם: murmeln > **sinnen, denken** *murmur* > *ponder, cogitate*: 1. c. ac. auf etw. sinnen *consider* Pr 31, 16; 2. ac. im Sinn haben, **vorhaben** *purpose, devise* Ir 4, 28 51, 12 Th 2, 17, cj רֶשַׁע זָמְמוּ Ps 140, 9, c. לְ gegen *against* Ps 37, 12, c. לְ c. inf. Gn 11, 6 Dt 19, 19 Sa 1, 6 8, 14 f Ps 31, 14; 3. abs. nachdenken, **überlegen** (Gestus: Hand vor d. Mund) *think* (*gesture: hand upon mouth*) Pr 30, 32; l זַמֹּתִי Ps 17, 3. †

Der. מְזִמָּה.

II *זמם: F I זִמָּה.

*זָמָם: cs. זְמָמוֹ: l זָמְמוּ Ps 140, 9. †

*זמן: denom. v. *זְמָן:

pu: pt. מְזֻמָּנִים, מְזֻמָּנוֹת: **festgesetzt sein** (Zeiten) *be appointed* (*times*) Esr 10, 14 Ne 10, 35 13, 31. †

*זְמָן: aram. LW, F ba.; ak. *simānu* passend, Termin *convenient, (fixed) date*, ja. זְמַן, ܙܒܢܐ, > زمن, ዘመን, mehri *zemōn, zubōn*: זְמָן, sf. זְמַנָּם, pl. sf. זְמַנֵּיהֶם: **bestimmte Zeit, Datum** *season, appointed time* Est 9, 27. 31 Ne 2, 6 Si 43, 7. †

I **זמר**: ug. *zmr*? ak. *zamāru* singen, e. Instrument spielen *sing, play an instrument*, mhb., aram. זְמַר, زمر schreien (Straussenweibchen) *cry* (*female ostrich*), *zammar* Schalmei blasen *play the shalm* (AS 6, 225 f); ዘመረ:

pi: זִמֵּר, נְזַמְּרָה, אֲזַמְּרָה, אֲזַמֵּר; sf. יְזַמֶּרְךָ, אֲזַמְּרֶךָּ, inf. זַמֵּר u. זַמְּרָה (l זַמְּרוּ?) Ps 147, 1, imp. זַמְּרוּ, זַמֵּרוּ:

1. zu e. Instrument **singen** *sing with instrumental accompaniment*: לִיהוה Jd 5, 3 Ps 9, 12 27, 6 30, 5 33, 2 66, 4 71, 22 f 98, 5 101, 1 105, 2 144, 9 149, 3 1 C 16, 9, לְשֵׁם י׳ 2 S 22, 50 Ps 18, 50 92, 2 98, 4 135, 3, לֵאלֹהֵינוּ 147, 7, לֵאלֹהֵי יַעֲקֹב 104, 33 146, 2, לֵאלֹהַי 75, 10, לְמַלְכֵּנוּ 47, 7; 2. **preisen** *praise*: יהוה Js 12, 5 Ps 30, 13 47, 7 57, 10 68, 33 108, 4 138, 1, שֵׁם י׳ Ps 7, 18 9, 3 61, 9 66, 4 68, 5, גְּבוּרַת י׳ 21, 14, כְּבוֹד שְׁמוֹ 66, 2; 3. abs. **singen, preisen** *sing, praise*: Ps 47, 7 f 57, 8 108, 2 147, 1; 4. c. בְּ e. Instrument **spielen** *play an instrument*: בְּכִנּוֹר Ps 71, 22 98, 5 147, 7, בְּתֹף וְכִנּוֹר 149, 3, בְּנֵבֶל עָשׂוֹר 33, 2 144, 9; l אֶשְׁמְרָה Ps 59, 18 = 10. †

Der. I זָמִיר, I זִמְרָה, מִזְמוֹר; n. m. זְמִירָה?

II זמר: ug. *zbr*, زبر (Dozy 1, 578):
qal: impf. תִּזְמֹר: (von d. Rebe die überflüssigen Ranken u. Blätter entfernen) **schneiteln** *prune* (*vines*) Lv 25, 3 f; †
nif: impf. יִזָּמֵר: **geschneitelt werden** *be pruned* Js 5, 6. †
Der. מַזְמֵרָה, מְזַמֶּרֶת.

III *זמר: F II *זִמְרָה; n. m. זְמִירָה? זִמְרִי?

IV *זמר: F *זֶמֶר.

*זֶמֶר: IV *זמר, زمر aufspringen, fliehen *bounce, flee* (Antilope): זָמַר; καμηλοπάρδαλις, Tg. דִּיצָא: Gazellenart *kind of gazelle* Dt 14, 5. †

I זִמְרָה: I זמר: cs. זִמְרַת: **Spiel, Klang** (e. Instruments) *melody, sound* (*of instrument*) Js 51, 3 Am 5, 23 Ps 81, 3 (c. נָשָׂא laut werden lassen *make resound*) 98, 5. †

II *זִמְרָה: III זמר, ذمر antreiben *instigate*, ذمر stark *strong*, asa. מדמר stark, *strong*, n. m. דמראל, דמרכרב etc.: cs. זִמְרַת; f. זִמְרָת Ex 15, 2 Js 12, 2 Ps 118, 14 l. c. MS sf. זִמְרָתִי: **Stärke** *strength* (Zolli, GSAI 3, 290 ff): זִמְרַת הָאָרֶץ die Stärke = die besten Erzeugnisse d. L. *the strength = the best products of the c.* Gn 43, 11; י׳ ist m. Stärke *is my strength* Ex 15, 2 Js 12, 2 Ps 118, 14. †

I זִמְרִי: n. m.; KF < *זְמַרְיָהוּ (Dir. 211 u. Ostrakon v. Samaria); III זמר; F זְמִירָה u. II *זִמְרָה: 1. K. v. Israel 1 K 16, 9–20 2 K 9, 31; 2. Simonit Nu 25, 14; 3. Enkel v. *grandson of* Juda 1 C 2, 6; 4. 1 C 8, 36 9, 42. †

II זִמְרִי: n. p.; Peiser, ZAW 17, 350 l גמרי *Gimirru*; Sarsowsky, ZAW 34, 67 *māt-Zamani* (oberer Tigris *Upper Tigris*); Perles, Analekten, 1922, 39 l זמכי = Atbasch f. עֵילָם; unerklärt *unexplained* Ir 25, 25. †

זִמְרָן: n. m., n. p.; Ptol. 6, 7, 5 Ζαμβραν w. Mecca; Plinius 6, § 158 Zamareni: S. v. Abraham Gn 25, 2 1 C 1, 32. †

זִמְרָת: F II *זִמְרָה.

זַן: pers. LW; F ba.: pl. זְנִים: **Art, Sorte** *kind, sort* 2 C 16, 14 Si 37, 28 49, 8; l מָזוֹן עַל־מָזוֹן Ps 144, 13. †

זנב: denom. v. זָנָב:
pi: pf. זִנַּבְתֶּם, impf. יְזַנֵּב: sy. ܕܢܒ pa.; (d. Schwanz =) **die Nachhut vernichten** *cut off, smite the tail = rear* Dt 25, 18 Jos 10, 19. †

זָנָב: ak. *zibbatu, zimbatu*, ja. דַּנְבָא, sy. ܕܢܒܐ, ذَنَب, = äth.: sf. זְנָבוֹ, pl. זְנָבוֹת, cs. זַנְבוֹת: 1. **Schwanz** *tail*: Schlange *serpent* Ex 4, 4, Fuchs *fox* Jd 15, 4, Nilpferd *hippopotamus* Hi 40, 17; 2. רֹאשׁ וְזָנָב Js 9, 13 19, 15, רֹאשׁ :: זָנָב Dt 28, 13. 44 Js 9, 14; 3. **Ende, Stummel** *end, stump* (אוּד) Js 7, 4. †
Der. זנב.

I זנה: ug. *znw/y*? aram. זנא, زنى, Ⲏⲟⲣⲟ, ... *semen effusum*; Winckler Geschichte Israels 2, 271: זנה bedeutet ursprünglich, dass d. Mann nicht im Stamm der Frau lebt *means originally that the husband does not live in his wife's tribe*: qal: pf. זָנָה, זָנְתָה, זָנִית, זָנִית, זָנוּ, impf. תִּזְנֶה, וַתִּזְנֶה u. וַתִּזֶן (Ir 3, 8), וַתִּזְנִי (l Hs 16, 28 f. וַתִּזְנִים), יִזְנֶה? Hs 23, 43, וַיִּזְנוּ, תִּזְנֶינָה, וַתִּזְנֶינָה, inf. זְנוֹת, זָנֹה u. זְנֹת, sf. זְנוּתֵךְ, pt. זוֹנָה, זֹנָה, pl. זֹנִים, זֹנוֹת:

1. **sich mit e. Andern einlassen, untreu sein, buhlen** (Frau, Braut) *have dealings with an other man, be unfaithful, commit fornication* (*wife, bride*) Gn 38, 24 Lv 21, 9 Dt 22, 21 Ir 3, 6 (l וַתִּזֶן). 8 Hs 16, 15 f. 28 23, 3. 19 Ho 2, 7 3, 3 4, 13 f, cj 6, 10, Am 7, 17; אִשָּׁה זוֹנָה e. (gelegentlich oder gewerbsmässig) **Unzucht Treibende, Dirne, Hure** *woman committing* (*occasionally or professionally*) *fornication, prostitute, harlot* Lv 21, 7 Jos 2, 1 6, 22 Jd 11, 1 16, 1 Ir 3, 3 Hs 16, 30 23, 44 Pr 6, 26, pl. נָשִׁים זֹנוֹת 1 K 3, 16, > זוֹנָה Gn 34, 31 38, 15 Lv 21, 14 Jos 6, 17. 25 1 K 22, 38 Js 23, 16 57, 3 (l וְזוֹנָה) Ir 2, 20 Hs 16, 31. 33. 35. 41 Ho 4, 14. cj אִם זוֹנָה (Sellin) 15, cj 5, 3, Na 3, 4 Pr 7, 10; אֶתְנַן זוֹנָה Dt 23, 19 Mi 1, 7; שִׁירַת הַזּ׳ Js 23, 15, בֵּית ז׳ Ir 5, 7, רֹעֶה ז׳ Pr 29, 3; c. אֵת mit *with* Js 23, 17 (metaph.) Ir 3, 1 (l זָנִית אֵת), c. אֶל sich als Dirne hinwenden zu, einlassen mit *begin forn. with* Hs 16, 26. 28; v. Mann: Unzucht treiben mit *said of man*: *commit forn. with* Nu 25, 1; 2. זָנְתָה בְּ begeht Unzucht an, mit *play the harlot with* Hs 16, 17; 3. (allgemeiner *in a more general sense*, cf. μοιχαλίς Mt 12, 39) **treulos sein** *be unfaithful*: Js 1, 21, זוֹנֶה יִשְׂרָאֵל Hs 6, 9, עֵינֵיכֶם הַזֹּנוֹת u. לִבָּם הַזּוֹנֶה Ho 4, 15, זוֹנֶה מִמֶּךָּ Ps 73, 27, זָנָה בַּמַּעֲלָל 106, 39; 5. metaph., Verhältnis zu Gott in *relation to God*): זָנָה אַחֲרֵי **treulos** (unzüchtig) **nachlaufen** *have unfaithfully* (*involving actual prostitution*) *intercourse with*, c. אֱלֹהִים Ex 34, 15 f Dt 31, 16 Jd 2, 17 1 C 5, 25, c. שְׂעִירִים Lv 17, 7, c. מֹלֶךְ 20, 5, c. Götzenverehrer *worshipper of idols* 20, 5, c. יִדְּעֹנִים 20, 6, c. אֵפוֹד Jd 8, 27, c. בְּעָלִים 8, 33, c. שִׁקּוּצִים Hs 20, 30, c. גּוֹיִם 23, 30, F Nu 15, 39; 6. זָנְתָה מִתַּחַת **sich buhlerisch abwenden von** *for fornication turn aside from* Ho 4, 12, c. מֵאַחֲרֵי 1, 2, c. מֵעַל 9, 1, c. תַּחַת Hs 23, 5; abs. Lv 19, 29; dele זָנוּ Hs 23, 3, l זָרָה Pr 23, 27? l בָּאֵלֶּה נִאֲפוּ מַעֲשֵׂי זֹנָה תִּזְנֶינָה Hs 23, 43; †

pu (qal pass?): pf. זוּנָּה: c. אַחֲרַי **es wurde gebuhlt** *there has been fornicating* Hs 16, 34 (gloss?); †

hif: pf. הִזְנְתָה, הִזְנוּ, impf. וַיֶּזֶן, וַתַּזְנֶה, inf. הַזְנוֹת, הַזְנֵה, sf. הַזְנוֹתֵךְ: 1. **zur Unzucht verleiten, anhalten** *cause to commit fornication* Ex 34, 16 Lv 19, 29 2 C 21, 11. 13; 2. **als Dirne behandeln** (Lust, nicht Kinder wollen) *treat as harlot* (*desiring lust, not children*) Ho 4, 10. 18 (l זָנִית 5, 3). †

Der. תַּזְנוּת, זְנוּת, זְנוּנִים.

II זנה: ak. *zenū* zürnen, hassen *be angry, hateful*, Driv. WO 1, 29 f:

qal. impf. וַתִּזְנֶה: c. עַל **Abneigung empfinden gegen** *feel repugnance against* (ὠργίσθη) Jd 19, 2. †

I זָנוֹחַ n. l.; זנח: 1. *Ch. Zānû*ᶜ (*Zānûḥ*) ö. צָרְעָה Jos 15, 34 Ne 3, 13 11, 30; 2. bei *near* מָעוֹן Jos 15, 56. †

II זָנוֹחַ: n. m.; = I, 1?: 1 C 4, 18. †

זְנוּנִים: I זנה: cs. זְנוּנֵי, sf. זְנוּנַיִךְ, זְנוּנֶיהָ: Zustand, Treiben der *stage, behaviour of the* זוֹנָה: **Buhlerei, Unzucht** *fornication* Gn 38, 24 2 K 9, 22 Hs 23, 11. 29 Ho 2, 4, cj 4, 11, Na 3, 4; אֵשֶׁת ז׳ der Unzucht verfallen *given to forn.* Ho 1, 2, יַלְדֵי ז׳ 1, 2 u. בְּנֵי ז׳ 2, 6 aus Unzucht hervorgegangen *offspring of forn.*, רוּחַ ז׳ 4, 12 5, 4. †

זְנוּת: I זנה: sf. זְנוּתָם, זְנוּתֵךְ, זְנוּתָהּ, pl. sf. זְנוּתֵיכֶם, זְנוּתַיִךְ: 1. **Unzucht** *fornication* Ir 3, 2.9 13, 27 Hs 23, 27 43, 7.9; 2. **Untreue** (gegenüber Gott) *unfaithfulness* (*towards God*) Nu 14, 33; l זְנוּת Ho 6, 10, l זְנוּנִים f. זְנוּת 4, 11. †

I **זנח**: زَنِخَ ranzig sein (Butter) *be rancid* (*oil*); (äg. *ḫnš* stinken *stink*?):
hif: pf. הֶאֱזְנִיחוּ (< הזניחו*): **Gestank von sich geben** (Gewässer) *stink* (*rivers*) Js 19, 6. †

II **זנח**: نَزَحَ entfernt sein *be remote* Barth, Wurzeluntersuchungen, 1902, 24:
qal: pf. זָנַח, זָנַחְתָּ, sf. זְנַחְתָּנוּ, זְנַחְתַּנִי, זְנַחְתִּים, impf. תִּזְנַח, יִזְנַח: **verstossen** *reject* Ho 8, 3. 5 Sa 10, 6 Ps 43, 2 44, 10. 24 60, 3. 12 74, 1 77, 8 88, 15 89, 39 108, 12 Th 2, 7 3, 17. 31; †
hif: הִזְנִיחַ, sf. הִזְנִיחָם, impf. sf. יַזְנִיחֲךָ: **für verworfen erklären, ausser Verwendung setzen** *declare rejected, remove from employment* 1 C 28, 9 2 C 29, 19 11, 14 (מִכַּהֵן sodass sie nicht mehr Pr. sein könnten *that they were not allowed to execute priest's office*). †

I **זנק**: mhb. pi. ausspritzen *spurt*, sy. ܙܢܩ werfen *throw*:
pi: impf. יְזַנֵּק: **hervorspringen** *leap forth* Dt 33, 22. †

II **זנק***: F I זִקִּים.

זֵעָה*: יזע; ak. *zūtu*, ja. דֵּיעֲתָא, sy. ܕܘܥܬܐ cs. זֵעַת: **Schweiss** *sweat* Gn 3, 19. †

זַעֲוָה: < זְוָעָה: **Zittern, Schrecken** *trembling, terror* Dt 28, 25 Hs 23, 46 Ir 15, 4 24, 9 29, 18 34, 17 2 C 29, 8. †

זַעֲוָן: n. m.; (זַעֲוָה u. *-ān*?); ZAW 44, 92: Gn 36, 27 1 C 1, 42. †

זעזע: F זוע.

זְעֵיר: זער*; F ba.; Diminutivform فُعَيْل): **ein wenig** *a little* Js 28, 10. 13, **eine kurze Zeit** *a short time* Hi 36, 2. †

זעך: NF v. F דעך:
nif: pf. נִזְעָכוּ (MS נדעכו): **ausgelöscht sein** *be extinguished* Hi 17, 1. †

זעם: sy. pa. schelten, زَغَمَ; V jmd erschrecken *frighten*; Pedersen, Eid 81 f:
qal: pf. זָעַם, זְעָמָה, impf. אֶזְעֹם, sf. יִזְעָמוּהוּ, imp. c. *-ā* זָעֳמָה, pt. זֹעֵם, pss. cs. זְעוּם, f. זְעוּמָה: (fluchartig) **verwünschen, beschelten** *curse, scold* Nu 23, 7 f Mi 6, 10 Sa 1, 12 Ma 1, 4 Pr 24, 24, c. עַל Verwünschungen ausstossen über *hurl imprecations at* Da 11, 30; אֵל זֹעֵם Gott, der Strafurteile fällt *God sentencing* Ps 7, 12; l חֲמָתוֹ Js 66, 14;
nif: pt. pl. נִזְעָמִים: **von d. Verwünschung betroffen** *scolded, cursed* Pr 25, 23. †
Der. זַעַם.

זַעַם: זעם: זַעַם, sf. זַעְמוֹ, זַעְמִי: 1. **Verwünschung** (durch d. strafenden Gott) *curse* (*by the sentencing God*) Js 10, 5 (l מַטֵּה זַעְמִי). 25 (l זַעְמִי) 13, 5 26, 20 30, 27, cj 66, 14 (l זַעְמוֹ) Ir 10, 10 15, 17 50, 25 Hs 21, 36 22, 24. 31 Na 1, 6 Ha 3, 12 Ze 3, 8 Ps 38, 4 69, 25 78, 49 102, 11 Th 2, 6 Da 8, 19 11, 36; 2. **Verwünschung** (der Menschen gegen Gott) *curse* (*uttered by men against God*) l נִלְעַג f. מִזַּעַם Ho 7, 16. †

זעף: mhb. aram. זְעַף wüten gegen *rage against*; sam. blasen *blow*; ar. *zaʿaf* Beaussier 268:
qal: impf. יִזְעַף, pt. זֹעֲפִים: 1. c. עַל **erbittert sein gegen** *be embittered against* Pr 19, 3, abs. 2 C 26, 19; 2. **schlecht aussehn** *look dejected* Gn 40, 6 Da 1, 10. †
Der. זַעַף, זָעֵף, זַלְעָפָה*.

זַעַף: זעף; sf. זַעְפּוֹ: **Wut** *rage*: König *king* Pr 19, 12, Jahwe Mi 7, 9, Zorn *anger* Js 30, 30, Meer *sea* Jon 1, 15; c. עִם gegen *against* 2 C 16, 10 26, 19; בְּזַעַף mit solcher Wut *thus raging* 28, 9. †

זָעֵף: זעף: **wütend** *raging* 1 K 20, 43 21, 4. †

זעק: = צעק; ja., sy. זעק; زَعَقَ schreien *cry out, call*:

qal: pf. זָעֲקוּ, זָעַקְתִּי, זָעָקָה, impf. אֶזְעַק, יִזְעַק, וַיִּזְעָקוּ, sf. וַיִּזְעָקֵהוּ, inf. זְעֹק, sf. זַעֲקֵךְ, זַעֲקָךְ, imp. זְעַק, זַעֲקִי, זַעֲקוּ, זְעָקוּ Ir 48, 20: **d. Klagegeschrei ausstossen, (um Hilfe) rufen** *utter a plaintive cry, call to aid*: c. אֶל Jd 3, 9. 15 6, 6 10, 10. 14 1 S 7, 8 f 12, 8. 10 15, 11 2 S 19, 29 Ir 11, 11 f Ho 7, 14 Jl 1, 14 Jon 1, 5 Mi 3, 4 Ha 1, 2 Ps 22, 6 107, 13. 19 142, 2. 6 Ne 9, 4 2 C 20, 9; c. לְ Ho 8, 2 1 C 5, 20; abs. Ex 2, 23 1 S 4, 13 5, 10 8, 18 28, 12 2 S 13, 19 19, 5 Js 14, 31 15, 4 f (לְ um *for*) 26, 17 (Gebärende *woman in pain*) 30, 19 57, 13 Ir 20, 8 25, 34 30, 15 47, 2 48, 20. 31 (לְ um *for*) Hs 9, 8 11, 13 21, 17 27, 30 (מָרָה bitterlich *bitterly*) Ha 2, 11 Th 3, 8 Est 4, 1 (זְעָקָה גְדֹלָה וּמָרָה laut u. bitterlich *with a lout voice a. bitterly*) 2 C 18, 31 32, 20 (הַשָּׁמַיִם zum H. *to h.*); c. עַל gegen *against* (verklagend *accusingly*) Hi 31, 38; c. ac. herbeirufen *call* Jd 12, 2 Ne 9, 28; †

nif: pf. נִזְעֲקוּ, נִזְעַקְתָּ, impf. וַיִּזָּעֵק, וַיִּזָּעֲקוּ: **aufgeboten werden** (Heerbann) *be called together* (*militia*) Jos 8, 16 Jd 6, 34 f 18, 22 f 1 S 14, 20; †

hif: impf. וַיַּזְעֵק, יַזְעִיקוּ, inf. הַזְעִיק, imp. הַזְעֶק־: **d. Klagegeschrei erheben** *utter a plaintive cry* Hi 35, 9; 2. **ausrufen lassen** *have proclamation made* Jon 3, 7; 2. (F nif.) **aufbieten** (Heerbann) *call together* (*militia*) Jd 4, 10. 13 2 S 20, 4 f; 4. c. ac. jmd **laut zurufen** *call out to* Sa 6, 8. †

Der. *זַעַק, זְעָקָה.

***זַעַק**: זעק: sf. cj זַעֲקָהּ Ir 50, 46 u. זַעֲקָם 49, 21: **Klagegeschrei** *plaintive cry*. †

זְעָקָה: זעק: cs. זַעֲקַת, sf. זַעֲקָתִי, זַעֲקָתָם: 1. **Klagegeschrei** *plaintive cry* Gn 18, 20 Js 15, 5. 8 65, 19 Ir 18, 22 20, 16 48, 4. 34 51, 54 Hi 16, 18 Est 4, 1 9, 31 Ne 5, 6 9, 9; 2. **Anklageruf** *accusing cry* Pr 21, 13; 3. **Geschrei** *cry* Hs 27, 28 Ko 9, 17; l זַעֲקָם Ir 49, 21 u. זַעֲקָהּ 50, 46. †

***זער**: NF v. צער; EA 127, 34 *zirti*, aram. זער, زَعِرَ dünn, spärlich sein (Haar, Federn) *be scanty* (*hair, plumage*):

Der. מִזְעָר, זְעֵיר.

***זִפְרֹן**: n.l.; c. -*ā* זִפְרֹנָה: unbestimmt *uncertain* Nu 34, 9. †

זֶפֶת: זֶפֶת: ja. זִפְתָּא, sy. ܙܶܦܬܳܐ, زِفْتٌ, ዝፍት: **Pech** *pitch* Ex 2, 3 Js 34, 9 Si 13, 1. †

I **זִקִּים**: ak. *sanāqu*, *zanāqu* binden *bind*, ja. זִקִּין Ketten *chains*, sy. ܙܩܐ Fesseln *fetters* u. ܙܢܩܐ Spange *buckle*; > אֲזִקִּים: **Fesseln** *fetters* Js 45, 14 Na 3, 10 Ps 149, 8 Hi 36, 8. †

II **זִקִּים**: = זִיקוֹת: **Brandpfeile** *fire-arrows* Pr 26, 18. †

זקן: den. v. זָקָן; ak. *zqn*: Bart tragen *be bearded*:

qal: pf. זָקֵן (= adj.!), זָקְנָה, זָקַנְתִּי, impf. וַיִּזְקַן: **e. alter Mann sein** *be an old man* Gn 27, 2 Jos 23, 2 1 S 12, 2, **e. alte Frau sein** *be an old woman* Gn 18, 13; **alt geworden sein** *be old* Gn 18, 12 19, 31 24, 1 27, 1 Jos 13, 1 23, 1 1 S 2, 22 4, 18 8, 5 17, 12 2 S 19, 33 1 K 1, 1. 15 2 K 4, 14 1 C 23, 1 Ps 37, 25 (:: נַעַר) Pr 23, 22 2 C 24, 15; זָקַנְתִּי מִן bin zu alt [geworden], um [noch] *am too old, to* [*still*] Ru 1, 12. †

hif: impf. יַזְקִין: **älter werden** *grow old*, נַעַר Pr 22, 6, שֹׁרֶשׁ Hi 14, 8. †

זָקָן: ug. *dqn*, ph. זקן, ak. *ziqnu*, aram. דִּקְנָא, דַּקְנָא; ذَقَن: cs. זְקַן, sf. זְקָנוֹ, זְקָנְךָ; זְקָנְכֶם: Backen- u. Kinn-**Bart** *beard a. whiskers* (:: שָׂפָם), d. Menschen *of man* Lv 13, 29 f 14, 9 19, 27 21, 5 1 S 21, 14 2 S 10, 4 f 20, 9 Hs 5, 1 Esr 9, 3 Ps 133, 2 1 C 19, 5, d. Löwen *of lion* 1 S 17, 35; זְקַן אַהֲרֹן Ps 133, 2; F גלח, מרט, ספה, צמח. †

Der. זָקֵן, זָקֵן, זֹקֶן, זִקְנָה, זְקֻנִים. †

זָקֵן (174 ×): זָקֵן: wer e. Vollbart trägt *who is bearded*, > Altersstufe *stage of age*: cs. זְקַן, pl. זְקֵנִים, cs. זִקְנֵי, sf. זְקֵנָיו, זְקֵנֵינוּ, f. זְקֵנוֹת: in reiferm Alter, **alt** *of ripened age*, *old*: 1. אִישׁ זָקֵן **alter Mann** *old man* Jd 19, 16—22 1 S 28, 14, זָקֵן :: נַעַר Gn 19, 4 Jos 6, 21 Est 3, 13 Th 2, 21, :: עוּל יָמִים Js 65, 20; זְקֵנִים וּבָאִים בַּיָּמִים Gn 18, 11, זָקֵן וּשְׂבַע יָמִים Gn 25, 8 35, 29 Hi 42, 17, // מְלֵא יָמִים Ir 6, 11, ז׳ וְיָשֵׁשׁ 2 C 36, 17, אָב ז׳ Gn 44, 20, נָבִיא ז׳ 1 K 13, 11; 2. זְקַן בֵּיתוֹ s. ältester [Skl.] im Haus *the oldest sl. of his house* Gn 24, 2; 3. הָאֲנָשִׁים הַזְּקֵנִים d. alt. Männer *the old men* Hs 9, 6, ז׳ :: בַּחֻרִים Ir 31, 13, :: עוֹלָלִים Jl 2, 16; זְקֵנִים **die Alten** *the old people* Ps 107, 32 119, 100 Pr 17, 6 Hi 12, 20 (verlieren *lose* טַעַם) 32, 9 Esr 3, 12; זְקֵנִים וּזְקֵנוֹת **Greise u. Greisinnen** *old men a. old women* Sa 8, 4; 3. הַזְּקֵנִים bilden e. besondre Schicht *are a special class*: זִקְנֵי־אָרֶץ Pr 31, 23, זִקְנֵי הָעָם Ex 19, 7 Ir 19, 1 Ru 4, 4, unter den *among the* שָׂרִים 2 K 10, 1, זִקְנֵי הַכֹּהֲנִים 19, 2 Js 37, 2 Ir 19, 1, זְקֵנֶיךָ וְשֹׁפְטֶיךָ Dt 21, 2. 19 f, neben *together with* רָאשֵׁי שִׁבְטִים Dt 5, 23, יֹשְׁבִים Jos 9, 11 Jl 1, 2, Israel 1 S 15, 30, הָעָם Ir 19, 1 1 K 20, 8, חֹרִים 21, 8. 11, חֲכָמִים Hs 27, 9, כֹּהֲנִים Th 1, 19, שָׂרִים Esr 10, 8; 4. הַזְּקֵנִים ist die Gesamtheit der (den Vollbart tragenden) im reifen Alter stehenden Männer, der Rechtsfähigen einer Gemeinschaft *the whole of the (bearded) really grown-up men, of the legally competent citizens of a community*: זִקְנֵי הָעִיר Jos 20, 4 Dt 19, 12 21, 3 1 S 16, 4 Ru 4, 2, v. *of* סֻכּוֹת (an der Zahl *numbering* 77) Jd 8, 14, יָבֵישׁ 1 S 11, 3, יִשְׂרָאֵל Ex 3, 16 (34 ×), מִדְיָן Nu 22, 4, מוֹאָב 22, 7, גִּלְעָד Jd 11, 5, יְהוּדָה 1 S 30, 26, יְהוּדָה וִירוּשָׁלַםִ 2 K 23, 1, בֵּית יִשְׂרָאֵל Hs 8, 11, בַּת צִיּוֹן Th 2, 10, הָעֵדָה Lv 4, 15 Jd 21, 16, הַשְּׁבָטִים Dt 31, 28, הָאָרֶץ 1 K 20, 7, הַגּוֹלָה Ir 29, 1; בֵּיתוֹ (v. *of* Pharao) Gn 50, 7, v. *of* David 2 S 12, 17; הַזְּקֵנִים Ex 24, 14 1 K 12, 8 2 C 10, 8.

זֹקֶן: זקן: hohes Alter *old age* Gn 48, 10. †

זִקְנָה: זקן: cs. זִקְנַת, sf. זִקְנָתוֹ, זִקְנָתָהּ: **d. Altern** *the growing old*, *old age* Gn 24, 36 1 K 11, 4 15, 23 Js 46, 4 Ps 71, 9. 18, cj זִקְנַת Pr 30, 17. †

זְקֻנִים: זקן: sf. זְקֻנָיו: **Zeit, Zustand des Alten, Betagten** *stage of old people* Gn 21, 2. 7 37, 3 44, 20. †

זקף: ak. *zaqāpu* Pflanzen, e. Gebeugten aufrichten *raise up* (*plants*, *a crushed*); mhb.; F ba!:

qal: pt. זֹקֵף: aufrichten, ermuntern *raise up* Ps 145, 14 146, 8. †

זקק: زِقّ, ja. זִקָּא, sy. ܙܩܐ, ዝቅ Schlauch (Wasser, Milch) *skin* (*of water*, *milk*); denom. זקק; cf. σάκκος > σακκελίζω seihen *filter*:

qal: impf. יָזֹקּוּ: **seihen** *filter* Hi 36, 27 (l יָזֹק?), **auswäschen** (Gold) *wash*, *buttle* (*gold*) 28, 1; †

pi: pf. זִקַּק: **seihen, läutern** *filter*, *buttle* Ma 3, 3; †

pu: pt. מְזֻקָּק, מְזֻקָּקִים: **geseiht, geläutert** *filtered*, *refined* Js 25, 6 (שְׁמָרִים), Ps 12, 7 u. 1 C 29, 4 (כֶּסֶף), 28, 18 (זָהָב). †

זָר: adj. < pt. v. II זור: f. זָרָה, pl. זָרִים, זָרוֹת: **fremd, andersartig, artfremd, unerlaubt** *strange, different, heterogeneous, illicit* (:: נָכְרִי fremd, unbekannt, ausländisch *strange, unknown, foreign*): **1.** זָר Nichtisraelit *stranger* Ex 29, 33, Unbefugter, Nichtaaronit *one having no right, not an Aaronite* Lv 22, 10. 12 f Nu 3, 10. 38 18, 4. 7, = אִישׁ זָר 17, 5, זָר Nichtlevit *one not being a Levite* 1, 51, Nichtkultgenosse *one not member of the community* Ex 30, 33; זָרִים Nichtisraeliten *men not being Israelites* Js 61, 5 (// בְּנֵי נֵכָר) Ir 5, 19 30, 8 51, 51 Hs 7, 21 11, 9 28, 7. 10 30, 12 31, 12 Ho 7, 9 8, 7 Jl 4, 17 Ob 11 Ps 109, 11; Unberechtigte *men having no right* Si 45, 18; **2.** אֵשׁ זָרָה illegitimes, verbotnes Feuer *illegitimate, interdicted fire* Lv 10, 1 Nu 3, 4 26, 61, קְטֹרֶת זָרָה Ex 30, 9; זָרִים Fremde, mit denen e. Ehe unmöglich ist *strangers which it is illicit to be married with* Ir 2, 25 3, 13 Hs 16, 32; בָּנִים זָרִים unechte Söhne, Bastarde *illegitimate sons* Ho 5, 7; **3.** אֵל זָר Ps 44, 21 81, 10 u. זָר Js 17, 10 43, 12 Ho 8, 12, pl. Dt 32, 16 fremder, verbotner Gott *strange, illicit god*; **4.** אִשָּׁה זָרָה (P. Humbert, RÉS 1937, 49—64) d. fremde, verbotne, unzüchtige Frau *the strange, forbidden, woman, harlot* Pr 2, 16 5, 3. 20 7, 5, cj 23, 27, Si 9, 3, pl. Pr 22, 14; **5.** אִישׁ זָר Mann aus fremder Familie *man of another family* Dt 25, 5, זָר der mich nichts angeht *not belonging to me* Hi 19, 27, אֵין־זָר niemand sonst *nobody else* 1 K 3, 18; זָרִים, זָר Fremde, die kein Anrecht haben, nicht dazu gehören *stranger(s) who has no right, does not belong to the community* Js 1, 7 Pr 5, 10. 17 6, 1 11, 15 14, 10 20, 16 27, 2. 13 Hi 15, 19 19, 15 Th 5, 2 Si 8, 18; מַיִם זָרִים W., an das man kein Anrecht hat *w. to which one has no claim* 2 K 19, 24, cj Js 37, 25; **6.** זָר befremdlich, nicht zu erwarten *strange, not to be expected* Js 28, 21; זָרוֹת Seltsames *strange things* Pr 23, 33; widerlich (Atem) *disgusting (breath)* Hi 19, 17; 1 זֵדִים Js 25, 2. 5 u. Ps 54, 5, 1 סְדֹם Js 1, 7, 1 צָרֶיךָ 29, 5, 1 זֹרִים Ir 51, 2; ? 18, 14.†

זֵר: זרר; ak. *zirru*: cs. זֵר, sf. זֵרוֹ: Einfassung, **Randleiste** *border, listel* (BRL 20) Ex 25, 11. 24 f 30, 3 f 37, 2. 11 f. 26 f.†

***זרא**: זָרָא.

זָרָא: *זרא; ja. זָרָא Übelkeit *nausea* (?); χολέρα F Smend, D. Weisheit des Jesus Sirach, 1906, 338: **Brechruhr** *cholerine* Nu 11, 20 Si 37, 30.†

זרב: وزب, ak. *zurrubu* drücken *press*, زَرْبٌ Hürde *enclosure*, زَرِبٌ Wasserleitung *channel of water*:

pu: impf. יְזֹרְבוּ: zusammengedrängt, **wasserarm werden** (Bach) *be pressed together, become waterless (brook)* Hi 6, 17.†

זְרֻבָּבֶל: n. m.; ak. *Zēr-Bābili* (Nachkomme v. *offspring of* B.) Stamm 269 f; Ζοροβαβελ **Serubbabel** *Zerubbabel*, S. v. שְׁאַלְתִּיאֵל Hg 1, 1. 12. 14 2, 2. 4. 23 Sa 4, 6—10 Esr 2, 2 3, 2. 8 4, 2 f Ne 7, 7 12, 1. 47 1 C 3, 19; פַּחַת יְהוּדָה Hg 1, 14 2, 21.†

זֶרֶד: n. l.; (זֶרֶד e. unbestimmbare Pflanze *an uncertain plant* Löw 3, 254): זֶרֶד: נַחַל זֶרֶד *Wadi el-Ḥesa*, südlichster Ostzufluss des Toten Meers *the most southern tributary of the Dead Sea from East*, Glueck, The other side of the Jordan, 1945, 8: Nu 21, 12 Dt 2, 13 f.†

I זרה: ug. *dry*, ak. *zarū*, aram. דְּרָא, ذَرَى, **ⲌⲰⲢⲈ**,

qal: impf. תִּזְרֶה, וַיִּזֶר, תִּזְרֵה, sf. תִּזְרֵם, וָאֶזְרֵם, inf. זָרוֹת, imp. זְרֵה, pt. זֹרֶה, cj pl. זֹרִים: **streuen** (Pulver) *scatter (powder)* Ex 32, 20, ausstreuen (Gluten *fire*) Nu 17, 2; **worfeln** (Drusch) *winnow* Js 41, 16 Ir 4, 11 15, 7, cj (1 זֹרִים) 51, 2

Ru 3, 2 Si 5, 9; ז׳ לְרוּחַ in d. Wind streuen *scatter to the wind* Hs 5, 2; l זָרָה (*F* pu) Js 30, 24; †

nif: impf. וַיִּזָּרוּ, inf. l בְּהִזָּרוֹתְכֶם: zerstreut werden *be scattered* Hs 6, 8 36, 19; †

pi: pf. זֵרִיתִים u. זֵרִתִים, זֵרָם, sf. זֵרוּ, זֵרִיתִי, זֵרִיתָה, זֵרִיתָנוּ, impf. אֱזָרֶה, יְזָרוּ, inf. זָרוֹת, sf. זָרוֹתָם, pt. מְזָרֶה: **1. zerstreuen** *scatter, disperse*: Knochen *bones* Hs 6, 5, Volk *people* Lv 26, 33 1 K 14, 15 Ir 31, 10 49, 32. 36 51, 2 Hs 5, 10. 12 12, 14 f 20, 23 22, 15 29, 12 30, 23. 26 Sa 2, 2. 4, cj 10, 9, Ps 44, 12 106, 27, כָּל־רָע Pr 20, 8, רְשָׁעִים 20, 26; **2. Mist streuen** *spread dung* Ma 2, 3; **3. ausstreuen,** verbreiten *spread about* (דַּעַת; :: Driv. ZAW 50, 144) Pr 15, 7; מְזָרִים Hi 37, 9 *F* מִזָּרִים;

pu: pf. זֹרָה cj Js 30, 24, impf. יְזֹרֶה: **gestreut werden** *be strewed* (בְּלִיל) cj זֹרָה Js 30, 24, Schwefel *brimstone* Hi 18, 15; l מְזוֹרָה (מזר) Pr 1, 17. †

Der. מִזְרֶה, מְזָרִים.

II זרה: denom. v. זֶרֶת Barth ZDM 41, 607:

pi: pf. זֵרִיתָ: **abmessen, bestimmen** *measure off, determine* Ps 139, 3. †

זְרוֹעַ u. זְרֹעַ: זְרֹעַ > אֶזְרוֹעַ; II *זרע; mhb.; *F* ba. דְּרָע; EA *zuruḫ*; ذِرَاع, öteb. *ed-drāʿ*, pl. *ed-dirʿān* (Unterarm mit Hand *forearm with hand*), ja. sy. דְּרָעָא, šḫauri *dirāʿ*, [Ethiopic]: fem., sf. זְרֹעוֹ, זְרֹעֲךָ, זְרֹעֶךָ, זְרֹעָם, pl. זְרֹעִים, cs. זְרֹעֵי u. זְרֹעוֹת, sf. זְרֹעַי, זְרֹעוֹתָיו u. זְרֹעֹתָיו, זְרֹעֹתֵיכֶם: **1. Arm, Unterarm** *arm, forearm*: d. Menschen *of man* Jd 15, 14 16, 12, Gottes *of God* Ex 6, 6, d. Tiers (Bug) *of animal* (*shoulder-blade*) Nu 6, 19 Dt 18, 3; בֵּין זְרֹעָיו zwischen s. Schultern *between his shoulders* 2 K 9, 24, trägt Schmuck *carries ornament* 2 S 1, 10 Ct 8, 6, Binden *pillows* Hs 13, 20, spannt d. Bogen *bends the bow* 2 S 22, 35 Ps 18, 35, wird abgebrochen *is cut off* 1 S 2, 31, cj Ma 2, 3, gebrochen *broken* Hs 30, 21 f. 24 Ps 10, 15 37, 17 Hi 38, 15 Ir 48, 25, zerrissen *torn* Dt 33, 20, trägt Lämmer *carries lambs* Js 40, 11, beschützt *shelters* Ho 11, 3, wird zum Handeln entblösst *is uncovered for acting* Hs 4, 7 Js 52, 10, verdorrt *dried up* Sa 11, 17; זְרוֹעַ כֹּחַ Js 44, 12; חִזֵּק ז׳ d. A. stärken *strengthen the arms* Ho 7, 15; Fleisch für den Arm (Hilfe) halten *make flesh his arm* (*help*) Ir 17, 5; *F* Js 17, 5 Sa 11, 17 Ps 44, 4 83, 9 Pr 31, 17 Hi 22, 9 26, 2 35, 9 40, 9 Da 10, 6 11, 6; **2. Gottes Arm** *the arm of God*: זְרוֹעַ יהוה Js 51, 5. 9 53, 1 (זְרוֹעַ בָּשָׂר :: יהוה 2 C 32, 8), ז׳ קָדְשׁוֹ Js 52, 10 Ps 98, 1, גְּדֹל זְרוֹעֲךָ Ex 15, 16 Ps 79, 11, (נִשְׁבַּע בְּ) ז׳ עֻזּוֹ Js 62, 8, ז׳ עֻזְּךָ Ps 89, 11, ז׳ תִּפְאַרְתּוֹ Js 63, 12, בִּזְ׳ נְטוּיָה Ex 6, 6 Dt 4, 34 5, 15 7, 19 11, 2 9, 29 1 K 8, 42 2 K 17, 36 Ir 27, 5 32, 17 Hs 20, 33 f Ps 136, 12 2 C 6, 32, נַחַת זְרוֹעוֹ Js 30, 30, בִּזְ׳ גְּדוֹלָה Ir 21, 5, בִּזְ׳ חֲזָקָה Hs 17, 9; *F* Js 40, 10 51, 5 59, 16 63, 5 Ps 77, 16 89, 22. 14 Js 33, 2 (l זְרֹעֵנוּ) Ps 71, 18; l וּבְזֶרַע Js 48, 14; **3. זְרֹעוֹת Arme, Streitkräfte** *arms, forces* Hs 30, 22. 24 f Da 11, 15. 22, = זְרֹעִים Da 11, 31; ?Gn 49, 24 Dt 33, 27 Hs 22, 6 31, 17 Hi 22, 8 Da 11, 6; l רֵעוֹ Js 9, 19. †

זֵרוּעַ: I זרע; pl. sf. זֵרוּעֶיהָ: Pflanze, die aus Samen gezogen wird *plant growing from seed* Lv 11, 37 Js 61, 11. †

זַרְזִיף: l יַרְזִיפוּ Ps 72, 6. †

זַרְזִיר: mhb. Star *starling* (= sy. [Syriac], [Syriac] u. زُرْزُور; Nöld. BS 111) u. Kämpfer *fighter*: זרר?: Hahn? Ross? Windhund? *rooster? horse? greyhound?* Pr 30, 31. †

זרח: mhb., > ja. u. sy. דְּנַח, دَرَبَحِيَ (أحمر) leuchtend (rot) *bright* (*red*) Nöld. ZDM 50, 309; asa. דרח, n.m. דרחאל; cf. sy. [Syriac] (ak. LW) Scharlach *scarlet*:

qal: pf. תִּזְרַח, יִזְרַח, זָרְחָה, זָרַח, זָרַח, impf. תִּזְרַח, inf. זְרֹחַ: **aufstrahlen, aufleuchten** *flash up, shine forth*: Sonne *sun* Gn 32, 32 Ex 22, 2 Jd 9, 33 2 S 23, 4 2 K 3, 22 Jon 4, 8 Na 3, 17 Ma 3, 20 Ps 104, 22 Ko 1, 5 Hi 9, 7, Stern *star* cj Nu 24, 17, Licht *light* Js 58, 10 Ps 112, 4, cj Ps 97, 11 u. Pr 13, 9; Jahwe (Theophanie!) Dt 33, 2 Js 60, 2, כְּבוֹד יהוה 60, 1; **hell sichtbar werden** (Aussatz) *become distinctly visible* (*leprosy*) 2 C 26, 19. †

Der. I* u. II זֶרַח, זַרְחִי, מִזְרָח; n.m. זְרַחְיָה, יִזְרַחְיָה; אֶזְרָח, אֶזְרָחִי.

I *זֶרַח: זרח: sf. זַרְחֵךְ **das Aufstrahlen** (Licht) *the flashing up* (*light*) Js 60, 3. †

II זֶרַח: n. m.; = I; keilschr. *Zarḫi-ilu* Tallq. APN 247; asa. n. m. אדרח, דרחמלך, דרחאל: זֶרַח: 1. S. v. Juda u. Thamar **Serah** *Zerah* Gn 38, 30 46, 12 Nu 26, 20 Jos 7, 1. 18. 24 22, 20 Ne 11, 24 1 C 2, 4. 6 9, 6; 2. Edomiter Gn 36, 13. 17 1 C 1, 37; 3. *Edomite* Gn 36, 33 1 C 1, 44; 4. Simeonit Nu 26, 13 1 C 4, 24, = צֹחַר! Gn 46, 10; 5. *Levite* 1 C 6, 6. 26; 6. הַכּוּשִׁי (Moritz, Arabien 124 f; Albr. FSA 18) 2 C 14, 8. †

Der. זַרְחִי (אֶזְרָחִי).

זַרְחִי: gntl. v. II זֶרַח: 1. Nu 26, 20 Jos 7, 17 1 C 27, 11. 13. cj 8; 2. Nu 26, 13. †

זְרַחְיָה: n.m.; זרח u. יָה: 1. 1 C 5, 32 6, 36 Esr 7, 4, > יִזְרַחְיָה 1 C 7, 3; 2. Esr 8, 4. †

זרם: أَرْزَمَ krachte gewaltig (Donner) *made a vehement sound* (*thunder*):

qal: pf. sf. זְרַמְתָּם: ungedeutet *unexplained* Ps 90, 5; †

po: pf. זֹרְמוּ **unter beständigem Donner entladen** (Wolken ihr Wasser) (*clouds*) *pour down* (*water*) *accompanied by incessant thunder* Ps 77, 18, cj Ha 3, 10. †

Der. זֶרֶם.

זֶרֶם: זרם; رَزَمَ: זֶרֶם **Regen unter beständigem Donnern** *rain accompanied by incessant thunder* Js 4, 6 25, 4 28, 2 30, 30 32, 2 Hi 24, 8; l זֹרְמוּ Ha 3, 10. †

*זִרְמָה: < זִמְרָה, F זְמוֹרָה Rute *rod* > Penis, cf. زُبٌّ u. زُبْرٌ u. deutsch *German* Rute: cs. זִרְמַת: **Rute, Glied,** *membrum virile* Hs 23, 20. †

I זרע: Sem., ug. *drʿ*, ak. *zarū*; VG 1, 237:

qal: pf. זָרַע, זָרְעוּ, זְרַעְתֶּם, impf. יִזְרַע, יִזְרָע, אֶזְרַע, תִּזְרָעוּ, וַיִּזְרְעוּ, אֶזְרָעֵם, sf. וַיִּזְרָעֶהָ, נִזְרָע, inf. זְרֹעַ, imp. זְרַע, זִרְעוּ, זִרְעִי, pt. זֹרֵעַ, pss. זְרוּעָה: 1. abs. **ansäen** *sow* (*seed*) Gn 26, 12 Lv 25, 11. 20. 22 Jd 6, 3 2 K 19, 29 Js 28, 24 37, 30 55, 10 Ir 35, 7 50, 16 Ho 10, 12 Mi 6, 15 Hg 1, 6 Ps 126, 5 Hi 31, 8 Ko 11, 4; 2. c. ac. **besäen** *sow*: אֲדָמָה Gn 47, 23, אֶרֶץ Ex 23, 10, שָׂדֶה Ps 107, 37; 3. c. ac. des Samens *of seed*: **aussäen** *sow*: זֶרַע Dt 22, 9, זַרְעוֹ Lv 26, 16 Dt 11, 10 Js 30, 23 Ko 11, 6, חִטִּים Ir 12, 13, רוּחַ Ho 8, 7, צְדָקָה Pr 11, 18, עַוְלָה 22, 8, עָמָל Hi 4, 8, Israel Ho 2, 25 (l וּזְרַעְתִּיהוּ) 4. c. 2 ac. etwas mit e. Samen **besäen** *sow a seed upon*: Lv 19, 19 Dt 22, 9 Jd 9, 45 (עִיר, מֶלַח), Ir 31, 27; mit Rebstecklingen besetzen *set with vine slips* Js 17, 10; 5. זָרַע **aussäen** *sow* c. בְּ auf *in* Ex 23, 16 Lv 25, 3 f, c. עַל an *beside* Js 32, 20, c. אֶל unter *among* Ir 4, 3; 6. אֶרֶץ לֹא זְרוּעָה Ir 2, 2; 7. זֹרֵעַ זֶרַע sich versamend *yielding seed* Gn 1, 29; l זָרַח Ps 97, 11 u. וְאֶזְרַם Sa 10, 9; †

nif: pf. נִזְרְעָה, נִזְרַעְתֶּם, impf. יִזָּרֵעַ, תִּזָּרֵעַ: 1. **ausgesät werden** (Same) *be sown* (*seed*) Lv 11, 37; 2. **angesät werden** *be sown*: נַחַל Dt 21, 4, אֶרֶץ 29, 22, הָרִים Hs 36, 9; 3. **befruchtet werden** (Frau) *be impregnated* (*woman*) Nu 5, 28; l יִזָּכֵר Na 1, 14; †

pu (pass. qal?): pf. זֹרָעוּ: **besät werden** *be sown* Js 40, 24; †

hif: impf. תַּזְרִיעַ, pt. מַזְרִיעַ: **Samen bilden** *bring, yield seed* Gn 1, 11 f; **befruchtet werden** *conceive seed* Lv 12, 2. †

Der. זֶרַע, זֵרֹעִים, זֵרְעֹנִים, זֵרוּעַ; *מִזְרָע; n. m., n. l. יִזְרְעֶאל.

II *זרע: זְרוֹעַ; ذَرَى ausstrecken *stretch out.*

זֶרַע (228 ×): I זרע; *F* ba.: זְרַע, cs. זֶרַע u. זְרַע Nu 11, 7, sf. זַרְעוֹ, pl. זַרְעֵיכֶם: **Same, Saat** *seed*: 1. זֶרַע הַשָּׂדֶה Ansaat d. Felds *seed of the field* Gn 47, 24, Aussaat *seedtime* Gn 8, 22 Lv 26, 5; a. Same *seed*: Baum *tree* Gn 1, 11, Strauch *shrub* Gn 1, 29, Koriander *coriander* Ex 16, 31, זֶרַע אֱמֶת (Reben) von guter Art, Sorte (*vine*) *of right seed* Ir 2, 21; b. Saatgut *seed* Gn 47, 19 Lv 11, 37 26, 16 27, 16, מְקוֹם זֶרַע ansäebares Land *place of seed* Nu 20, 5, שְׂדֵה זֶרַע Saatfeld *field to be sown* Hs 17, 5, זַרְעֵיכֶם Saatfelder *fields of seed* 1 S 8, 15, בֵּית זֶרַע e. Stück Saatland *a piece of field of seed* 1 K 18, 32, זֶרַע חֹמֶר e. Ch. Aussaat *a h. of seed* Js 5, 10, מֶשֶׁךְ זֶרַע Saatbeutel *bag of seed* Ps 126, 6, זֶרַע Saatertrag *yield of seed* Hi 39, 12; 2. von Mensch u. Tier *said of man a. animal*: זֶרַע אָדָם u. זֶרַע בְּהֵמָה Saat *seed* Ir 31, 27, זֶרַע אֲנָשִׁים Mannessamen, Sohn *seed of men, male child* 1 S 1, 11, זֶרַע = **Nachkommen** *offspring* v. אִשָּׁה u. נָחָשׁ Gn 3, 15, עוֹף 7, 3; שִׁכְבַת זֶרַע Samenerguss *seminal discharge* Lv 15, 16; 3. Same = **Nachwuchs, Nachkomme(n)** *seed = descendant(s), offspring*: שָׂם מִן־הָאִשָּׁה הַזֹּאת 1 S 2, 20, זֶרַע לְ 1 S 2, 20, נָתַן זֶרַע לְ Gn 15, 3 Ru 4, 12, זֶרַע אַחֵר andrer Nachkomme *another descendant* Gn 4, 25; זַרְעֲךָ אַחֲרֶיךָ 2 S 7, 12 Gn 9, 9 deine, eure Nachk. nach dir, euch *your desc. after you*; זַרְעֲךָ v. Abraham Gn 12, 7—2 C 20, 7 (21 ×), זַרְעֵךְ v. הָגָר Gn 16, 10, זַרְעֲכֶם (v. Abraham, Isaak u. Jakob) Ex 32, 13 Dt 1, 8 10, 15 11, 9 Ir 33, 26 †, זַרְעֲךָ (Davids, 9 ×) 2 S 7, 12, זֶרַע יִשְׂרָאֵל 2 K 17, 20 (7 ×), זֶרַע בֵּית יִשְׂ׳ Ir 23, 8 Hs 44, 22, זֶרַע בֵּית יַעֲקֹב Hs 20, 5, זֶרַע c. קֹדֶשׁ Js 6, 13, c. הַקֹּדֶשׁ Esr 9, 2, c. שֶׁקֶר Js 57, 4, c. מְרֵעִים 1, 4 14, 20, c. רְשָׁעִים Ps 37, 28 Hi 21, 8, c. אֱלֹהִים Ma 2, 15, c. הַמֶּלֶךְ 1 K 11, 14, c. הַמַּמְלָכָה 2 K 11, 1 2 C 22, 10, c. הַמְּלוּכָה 2 K 25, 25 Ir 41, 1 Hs 17, 13 Da 1, 3; זֶרַע זַרְעֲךָ Nachkommen dein. Nachkommen *offspring of your descendants* Js 59, 21; רָאָה זֶרַע Nachk. sehn = haben *see = have descendants* Js 53, 10, זֶרַע אֵין לָהּ sie hat keine Kinder *she has no children* Lv 22, 13; חִיָּה זֶרַע מִן Kinder haben wollen von *wish for children from* Gn 19, 32. 34, הֵקִים זֶרַע לְ verschafft ihm Nachk. *raise offspring for* Gn 38, 8, c. נָתַן 38, 9; הָיָה הַזֶּרַע לְ d. Kinder gehören dem *are the offspring, descendants of* 38, 9; תִּתֵּן שְׁכָבְתְּךָ לְזֶרַע אֶל schaffst der ... durch dein. Beischlaf Kinder *give children to ... by sexual intercourse* Lv 18, 20; l זַרְעִי meine Nachk. *my offspring* Ps 22, 31; 4. זֶרַע **Herkunft** *origin* Esr 2, 59 Ne 7, 61; l זַרְעָה שָׁלוֹם Sa 8, 12 u. הַזְּרוֹעַ Ma 2, 3.

זֵרֹעִים: I זרע: **Pflanzennahrung** *herbs, vegetables* Da 1, 12. †

זֵרְעֹנִים: = זֵרֹעִים: Da 1, 16. †

***זרף**: mhb. זָרַף überfliessen *overflow*, ja. זַרְזִיפָא Tropfen, sy. ܙܪܝܦܐ starker Regen *heavy rain*, ذَرَفَ fliessen *flow*:

cj hif: impf. יַזְרִיפוּ **netzen, tränken** *wet, water* cj Ps 72, 6. †

I זרק: ak. *zarāqu* sprengen *sprinkle*, *sarāqu* streuen *scatter*; mhb. u. aram. beide Bedeutungen *both meanings*; زَرَقَ werfen *cast*:

qal: pf. זָרַק, זָרְקוּ, sf. זְרָקוֹ, impf. יִזְרֹק, sf. וַיִּזְרְקֵהוּ, inf. זְרֹק, pt. זֹרֵק: 1. **streuen** *toss*: פִּיחַ Ex 9, 8. 10, כַּמֹּן Js 28, 25, גַּחֲלֵי־אֵשׁ Hs 10, 2, עָפָר Hi 2, 12, Zerstampftes *dust* 2 C 34, 4; 2. **sprengen** *sprinkle*: Blut *blood* (עַל auf *upon*) Ex 24, 6. 8 29, 16. 20 Lv 1, 5. 11 3, 2. 8. 13 7, 2 8, 19. 24 9, 12. 18 17, 6 Nu 18, 17 2 K 16, 13. 15 Hs 43, 18 2 C 30, 16 35, 11, הַכֹּהֵן הַזֹּרֵק Lv 7, 14, Blut auf d. Altar zu *blood towards the altar* 2 C 29, 22; reines Wasser *clean water* Hs 36, 25; †

pu (pass. qal?): pf. זֹרַק: **gesprengt werden** (Wasser) *be sprinkled* (*water*) Nu 19, 13. 20.†

Der. מִזְרָק.

II זרק: Driv. JTS 33, 38: أَزْرَق blauweiss, grauweiss *bluish white*, *greyish white* = sy. ܙܪܩ; mnd. זארוק hell sein *be bright*:

qal: pf. זָרְקָה: **hell sein** (Haar der Alten) *be white*, *bright* (*hair of old people*) Ho 7, 9.†

זרר: زَرَّ d. Augen zukneifen *narrow the eyes*: pass. qal: pf. זֹרוּ: **ausgedrückt werden** (Wunden) *squeeze out* (*wounds*) Js 1, 6; †

pol: impf. וַיְזוֹרֵר: (mit d. Augen) **zwinkern** *wink* (*one's eyes*) oder **niesen** *or sneeze* (ja. זְרִירָא Niesen *sneezing*) 2 K 4, 35.†

Der. זֵר.

זֶרֶשׁ: n. f.; Gehman JBL 43, 327 altpers. *old-pers.* Strubbelkopf *mop-head*: Frau v. *wife of* Haman Est 5, 10. 14 6, 13.†

זֶרֶת: > ja., sy. ܙܪܬܐ, mnd. זירתא, ⲆⲢⲦ; < äg. *dr.t* Hand *hand* EG 5, 580 (Nöld. NB 165 f), σπιθάμη, *palmus*: (Hand-) **Spanne** (als Mass) *span* (*of the hand*) (*measure*) Ex 28, 16 39, 9 1 S 17, 4 Js 40, 12 Hs 43, 13.†

Der. II זרה.

זַתּוּא: n. m.; *זתא? Noth 144: Esr 2, 8, cj 8, 5 10, 27 Ne 7, 13 10, 15.†

זֵתָם: n. m.; = *זֵיתָם v. זַיִת?: 1 C 23, 8 26, 22.†

זֵתַר: n. m.; Gehman JBL 43, 324 altpers. *old-pers.* Totschläger *slayer*: Est 1, 10.†

ח

ח: חֵית (Driv. SW 154—8. 166 f. 171. 178 f. 184), später Zahlzeichen = 8 *later on = number 8*.

Viele semitische Schriften unterscheiden zwei Kehllaute (etwa wie ch in „ich" und „ach") durch die Zeichen (so das Ugaritische, Altsüdarabische, Äthiopische, auch d. Ägyptische) oder durch die Punktation (so d. Arabische: ح :: خ); in andern fällt ein Laut fort (ح im Akkadischen) oder die beiden werden (wenigstens) im Zeichen nicht unterschieden (so im Hebräischen u. Aramäischen). Darum fallen in der Schrift (ob auch in der Aussprache lässt sich nicht feststellen) des Hebräischen mehrere Stämme zusammen, wie die Vergleichung mit den 2 Zeichen für die 2 Laute brauchenden Sprachen zeigt a). Auch erkennt das Hebräische in der Schrift keine Verdopplung des ch-Lautes an (kein Dagesch forte im ח), die Vokalisation wie die Schreibung des Arabischen zeigen aber, dass die Verdopplung in manchen Fällen gesprochen wurde b).

The alphabets of many Semitic languages use two different signs for two different guttural sounds like „ch" in German „ich" and „ach" (thus the Ugaritic, the Old South-Arabic, the Ethiopian a. also the Egyptian), others (thus the Arabic) distinguish the two sounds by means of punctuation (ح :: خ); *in other Semitic languages one guttural sound is dropped (thus* ح *in Accadian) or the two sounds are (at least) not distinguished by two different signs (thus in*

Hebrew a. Aramaic). Therefore in Hebrew writing many different stems seem to be one (whether the same is valid for the pronounciation also cannot be said), but comparison with other languages brings the existence of the two different stems to evidence a). In writing the Hebrew does not acknowledge the gemination of ח (no dagesh forte in ח); but the vocalisation a. the writing of Arabic shows that a double ח has been spoken b).

a) F I u. II חבל, I u. II חבר, I u. II חיל, etc.; b) הַחָכְמָה = **haḥ-ḥŏkmā*, רַחוּם = **raḥ-ḥūm*, etc.

ח : ע F ; ח : ע ; F ק : ק.

***חֹב**: I *חבב; ja. חוּבָּא u. עוּבָּא; cp.; mmd. sy. ܥܘܒܐ; (vulgär) عب: Tasche innen am Brustschlitz d. Beduinenhemds, Raum zwischen Hemd u. Brust *pocket at the inside of the slit of a beduin's shirt*; *space between breast a. shirt*: **Hemdtasche** (als Ort sicherer Aufbewahrung) *shirt-pocket* (*as safe receptacle*) Hi 31, 33. †

חבא: ak. *ḫabū*, mhb., ja., sy. ܚܒܐ Finsternis *darkness*, خَبَأَ, ጐብአ; F חבה; I *חבב:

nif: pf. נֶחְבָּאתֶם, נֶחְבְּאוּ, נֶחְבֵּאת, נֶחְבָּא, impf. וַיֵּחָבְאוּ, אֵחָבֵא, תֵּחָבֵא, inf. הֵחָבֵא, pt. נֶחְבָּא, pl. נֶחְבָּאִים: **1. sich verstecken** *hide oneself* Gn 3, 10 Jos 2, 16 10, 16 f. 27 Jd 9, 5 1 S 10, 22 19, 2 2 S 17, 9 2 K 7, 12 Am 9, 3 Hi 29, 8. 10 (l נֶחְבָּא) Da 10, 7 2 C 18, 24; **2. versteckt, geborgen sein** *be hidden* Hi 5, 21; 3. c. לְ c. inf. נַחְבֵּאתָ לִבְרֹחַ **flohst heimlich** *flee secretly* Gn 31, 27; †

pu: pf. חֻבָּאוּ: **sich versteckt halten** *keep oneself hidden* Hi 24, 4; †

hif: pf. הֶחְבִּיאָה (cj Jos 6, 17 ante אֶת־ה׳ für הֶחְבְּאַתָה), sf. הֶחְבִּיאָנִי, impf. וָאַחְבִּא, וַתַּחְבִּא, sf. וַיַּחְבִּאֵם: **verstecken, versteckt halten** *hide, keep hidden* Jos 6, 17. 25 1 K 18, 4. 13 2 K 6, 29 Js 49, 2; †

hof: pf. הָחְבָּאוּ **versteckt gehalten werden** *be kept hidden* Js 42, 22; †

hitp: pf. הִתְחַבְּאוּ, impf. יִתְחַבֵּא, וַיִּתְחַבְּאוּ, יִתְחַבָּאוּ, pt. מִתְחַבֵּא: **sich versteckt halten** *keep oneself hidden* Gn 3, 8 1 S 13, 6 14, 11. 22 23, 23 2 K 11, 3 1 C 21, 20 2 C 22, 9. 12 Hi 38, 30 (כַּבָּאֶבֶן = *כָּאֶבֶן). †

Der. מַחֲבֹאִים, מַחֲבֵא.

I *חבב: خَبَّ listig sein *be deceitful*; F חבא: *חֹב.

II חבב: mhb. pi.; ja. חבב, sy. ܚܒ pe. brennen *burn*, pa. u. pehl. pa. lieben *love*, حَبَّ.

qal: pt. חֹבֵב (l pi. pf. חִבֵּב?) **lieben** (Gott die Völker) *love* (*God the rations*) Dt 33, 3. †

Der. n. m. חֹבָב?

חֹבָב: n. m.; I *חבב (listig *deceitful*)? oder *or* II חבב? n. m. حُبَيب u. حَبِيب, n. d. حَبَاب (Wellhausen, Reste 146); asa. n. m. חבב u. אבחב? oder *or* ug. n. m. (?) *ḥbb*; n. m. *Ḫababa* Tallq. APN 82: Nu 10, 29 Jd 4, 11, cj 1, 16 (G). †

חבה: NF v. חבא:

qal: imp. חֲבִי: **sich verstecken** *hide* Js 26, 20; †

nif: inf. הֵחָבֵה u. cj נֶחְבֹּה Ir 49, 10: **sich verstecken** *hide oneself* 1 K 22, 25 2 K 7, 12 Ir 49, 10. †

Der. חֶבְיוֹן; n. m. חֲבַיָּה.

חֻבָּה: n. m.; חבב (F חֹבָב)? Noth S. 178: Q וְחֻבָּה, K יְחֻבָּה? 1 C 7, 34. †

חָבוֹר: n. fl.; ak. *Ḫabūru*, خَابُور, Χαβωρας, **Habor**, ö. Nebenfluss d. Euphrats *eastern tributary of Euphrates* 2 K 17, 6 18, 11 1 C 5, 26. †

חַבּוּרָה: I חבר; ak. *ibāru*, ja. חַבּוּרְתָא, sy. ܚܒܘܪܬܐ, حَبَار, حَبَر (Holma, Kl. Beitr. 4; F. R. Kraus MVG 40, 2, 40): sf. חַבֻּרָתִי, pl. חַבֻּרוֹת, sf. חַבּוּרֹתָי: **Quetschwunde, (bunte) Beule** *contusion*, (*many-coloured*) *bruise* Gn 4, 23 Ex 21, 25 Js 1, 6 53, 5 Ps 38, 6 Pr 20, 30. †

חבט: mhb.; ja., sy. ܚܒܛ, خَبَطَ, asa. חבט, ኀበጠ:
qal: impf. יַחְבֹּט, pt. חֹבֵט: 1. **abschlagen** *beat off* (זַיִת) Dt 24, 20; 2. **ausklopfen** *beat out* (חִטִּים) Jd 6, 11 Ru 2, 17 Js 27, 12 (Jahwe); †
nif: impf. יֵחָבֵט: **ausgeklopft werden** *be beaten out* (קֶצַח וְכַמֹּן) Js 28, 27. †

חֲבַיָּה: n.m.; חבה u. יָ, Albr. JPO 8, 234: Esr 2, 61 Ne 7, 63. †

חֶבְיוֹן: חבה: **Hülle** *veil, hiding* Ha 3, 4. †

I *חבל: ja., sy. חבלא Strick *cord*, حَبَلَ, ሐበለ binden *bind*: I חֶבֶל, חֵבֶל, חֲבָלִים; ak. *iblu* Strick *rope* u. *naḫlabu* Schlinge *snare*.

II חבל: = ak. *ḫubūlu*, *ḫubullu* verzinsliches Darlehen *interest-bearing loan*; mhb. חבל *seize as a pledge*, ja. חֲבוּלָא u. חִבּוּלָא, sy. ܚܘܒܠܐ, mnd. חבול Zins *interest*; أَخْبَلَ (an jmd) leihen *lend (to)*, إِسْتَخْبَلَ (von jmd) leihen *ask for a loan*:
qal: pf. חָבַל, impf. יַחְבֹּל u. תַּחְבֹּל, תַּחְבֹּל, יַחְבְּלוּ, יַחְבֹּלוּ, inf. חֲבֹל, חָבֹל, imp. sf. חֲבָלֵהוּ, pt. חֹבֵל, pass. חֲבֻלִים: c. ac. etwas **als Pfand nehmen** *seize a thing as a pledge* Ex 22, 25 Dt 24, 6. 17 Hs 18, 16 Am 2, 8 Hi 24, 3. 9 (l וְעַל); **jmd pfänden** (von ihm e. Pfand nehmen) *seize a pledge from a person* Pr 20, 16 27, 13 Hi 22, 6; †
nif: impf. יֵחָבֵל: c. לוֹ **er wird gepfändet** *from him a pledge is seized* Pr 13, 13. †
Der. חֲבֹל, חֲבֹלָה.

III חבל: ak. *ḫabālu* zerstören *destroy*; mhb. ja.; palm. חֲבָל wehe! *woe!*; ja. חֲבַל; sy., pa., خَبَلَ, asa. חבל zerstören *destroy*, ተኃበለ wagen, sich vermessen *dare*:
qal: pf. חָבַלְנוּ, impf. אֶחְבֹּל, inf. חֲבֹל, pt. cj Ps 140, 6 חֹבְלִים: **bös handeln** *act corruptly* Hi 34, 31 Ne 1, 7 (לְ gegen *against*), cj Ps 140, 6; †
pi: pf. חִבֵּל, impf. cj וַיְחַבֵּל־ Th 2, 8, inf. חַבֵּל, pt. pl. מְחַבְּלִים: **verderben** *ruin* Js 13, 5 32, 7 54, 16 Ct 2, 15 Ko 5, 5, cj וַיְחַבֵּל־ Th 2, 8; Mi 2, 10 F pu; †
pu: pf. חֻבְּלָה, impf. cj יְחֻבַּל (pro וְחֻבַּל) Js 10, 27, cj תְּחֻבְּלוּ Mi 2, 10: 1. abs. **vernichtet werden** *be ruined* cj Mi 2, 10; **verstört sein** (Geist) *be broken (spirit)* Hi 17, 1; 2. c. מֵעַל **weggerissen werden** *be pulled down* (Driv. JTS 34, 375 f) Js 10, 27. †
Der. II חֶבֶל.

IV חבל: ja., pa., sy. ܚܒܠ empfangen, gebären *conceive, bear* ja. cp. חֶבְלָא, sy. חֶבְלָא Wehen *travail*, حَبِلَ schwanger sein *be pregnant*, حَبَل F II *חֵבֶל:
pi: pf. חִבְּלָה, sf. חִבְּלַתְךָ, impf. יְחַבֵּל: c. ac. **in die Wehen kommen** mit *be in travail with* Ct 8, 5, **schwanger sein** mit *be pregnant with* Ps 7, 15. †
Der. I u. II חֵבֶל.

I חֶבֶל: I חבל: sf. חַבְלוֹ, pl. חֲבָלִים, cs. חַבְלֵי u. חֶבְלֵי, sf. חֲבָלֶיךָ, חֲבָלָיו: 1. **Seil, Strick** *cord, rope*: הוֹרִיד בַּח׳ Jos 2, 15, חֲבָלִים (um e. Stadt zu schleifen *to demolish a town*) 2 S 17, 13, (auf d. Kopf als Zeichen der Unterwerfung *upon the head as sign of surrender*) 1 K 20, 31 f, (am Zelt *of a tent*) Js 33, 20, (z. Herablassen u. Hinaufziehn *to lower a. to pull out*) Ir 38, 6, 11—13; Schiffstau *cable* Js 33, 23 Hs 27, 24, Fangstrick *snare* Hi 18, 10 40, 25, Schnur (aus Byssus) *cord (of fine linen)* Est 1, 6; 2. metaph. Stricke *ropes*: der *of the* רְשָׁעִים Ps 119, 61, d. *of* חַטָּאת Pr 5, 22, d. *of* עֳנִי Hi 36, 8, d. *of* שְׁאוֹל 2 S 22, 6 Ps 18, 6, d. *of* שָׁוְא Js 5, 18, d. *of* מָוֶת Ps 18, 5 116, 3; חַבְלֵי אָדָם (= freundlichen *kind*) Ho 11, 4; ח׳ הַכֶּסֶף (der Lebensfaden? das Rückgrat? *the thread of life? the spine?*) Ko 12, 6; 3. **Seillänge**

(als Masseinheit) *length of rope as unit of measure*): חֶ׳ מִדָּה Mess-seil *measuring line* Sa 2, 5, מִדֵּד בַּחֶ׳ 2 S 8, 2, cj Mi 2, 4, שְׁנֵי חֲבָלִים 2 Seillängen *lengths of rope* u. מְלֹא הַחֶ׳ e. volle S. *a full l. of r.* 2 S 8, 2, חָלַק בַּחֶ׳ mit d. Mess-seil zugeteilt werden *be allotted by the meas. line* Am 7, 17, הִשְׁלִיךְ חֶ׳ d. M. anlegen *apply the m. l.* Mi 2, 5, הִפִּיל בַּחֶ׳ m. d. M. verteilen *allot by the m. l.* (zum Verfahren *for the proceeding* F Musil AP 3, 293 f), Ps 78, 55, חֲבָלִים M. *m. l.* (zur Verlosung von Feld *for allotting the fields*) Ps 16, 6; daher *thus* חֶבֶל **Feldstück** (zur Verlosung) *piece of field* (*to be alloted*): חֶ׳ נַחֲלָה zugemessnes Grundstück *allotted piece of field* Dt 32, 9 Ps 105, 11 1 C 16, 18, חַבְלֵי מְנַשֶּׁה Jos 17, 5, חֶ׳ בְּנֵי יְהוּדָה 19, 9, חֶ׳ אֶחָד 17, 14; l חֲבָלִים 2 Grundstücke *2 pieces of field* Hs 47, 13; 4. n. l. חֶבֶל אַרְגֹּב **Kreis, Bezirk** A. *region, district of A.* Dt 3, 4. 13 f 1 K 4, 13; n. t. חֶ׳ הַיָּם Gebiet am Meer *region of the sea* Ze 2, 5 f. cj 7; 5. חֶבֶל = حَبْلٌ (cf. عصب binden *bind*, عُصْبَةٌ Bund *company*), ug. *ḥbl*: **Bund, Gruppe** *company*, *group* (נְבִיאִים) 1 S 10, 5. 10; l וּמַחֲלֵב Jos 19, 29, l וַחֲבָלִים Ps 140, 6. †

II חֶבֶל: III חבל: pl. חֲבָלִים: **Verderben** *destruction* Mi 2, 10, pl. Hi 21, 17, cj 20, 23. †

I חֵבֶל: IV חבל: pl. חֲבָלִים, cs. חֶבְלֵי, sf. חֲבָלֶיהָ: Geburtsschmerzen, **Wehen** *labour-pains*, *travail* Js 13, 8 26, 17 66, 7 Ir 13, 21 22, 23 49, 24 Ho 13, 13. †

II *חֵבֶל: IV חבל; sf. חֶבְלֵיהֶם: حَبَلٌ ungeborne Leibesfrucht *foetus in womb*: **Leibesfrucht** *foetus* Hi 39, 3. †

חֲבֹל: II חבל: **Pfand** (das man nimmt) *pledge* (*which is taken*) David OTS 2, 83—6: Hs 18 12. 16 33, 15; F חֲבֹלָה. †

חִבֵּל: Pr 23, 34, l הַבְלָהָה. †

חֹבֵל: v. I חֶבֶל Seil *rope* (cf. صَرَّ binden *tie*: صَرَارِيّ Seemann *sailor*); ph.: pl. cs. חֹבְלֵי, sf. חֹבְלַיִךְ: **Matrose** *sailor* Hs 27, 8. 27—29; רַב הַחֹבֵל **Schiffsführer, Kapitän** *master*, *captain* Jon 1, 6. †

*חֲבֹלָה: f. v. חֲבֹל: sf. חֲבֹלָתוֹ: **Pfand** (d. man nimmt) *pledge* (*which is taken*) Hs 18, 7. †

חֹבְלִים: I *חבל: **Verbindung** *union* Sa 11, 7. 14. †

*חבן: n. m. אַחְבָּן.

חֲבַצֶּלֶת: ak. *ḫab(a)ṣillatu* Halm *stalk* Holma Kl. Beitr. 66: **Affodil** *asphodel Asphodelus microcarpus* (Dalman, Festschr. Marti 62 ff) Js 35, 1 Ct 2, 1. †

חֲבַצִּנְיָה: n. m.; ak. *ḫabṣu* üppig, reich *exuberant*, *rich* u. יָה: Rekabit Ir 35, 3. †

חבק: ug. *ḥbq* umarmen *embrace*; mhb., ja., sy., mnd. חבק, neosy. ܥܒܩ u. ܚܒܩ, عَبِقَ, anhaften *stick to*:

qal: inf. חֲבוֹק, pt. חֹבֵק, חֹבֶקֶת: **liebkosen, umarmen** *embrace* 2 K 4, 16 Ko 3, 5; c. יָדָיו d. Hände (müssig) **in einanderlegen** *fold the hands = be idle* Ko 4, 5;

pi: pf. חִבְּקוּ, impf. וַיְחַבֵּק, וַיְחַבֶּק, sf. תְּחַבְּקֶנָּה, תְּחַבְּקֵנִי, inf. חַבֵּק: **umarmen** *embrace* Gn 33, 4 Pr 4, 8 (חָכְמָה) 5, 20 Hi 24, 8 (צוּר, schutzsuchend *want of shelter*) Ct 2, 6 8, 3 Th 4, 5 (אַשְׁפַּתּוֹת als Verstossner *as outcast*) Si 30, 20, = c. לְ *objecti* Gn 29, 13 48, 10; abs. Ko 3, 5. †

Der. חִבֻּק.

חִבֻּק: חבק: c. יָדַיִם: d. **Ineinanderlegen der** (müssigen) Hände *the folding of the (idle) hands* (F Ko 4, 5) Pr 6, 10 24, 33. †

חֲבַקּוּק: n. m.; (Del. Prol. 84[2]: < *חַבְקוּק?), Αμβακουμ, *Habacuc*; ak. *ḫambaqūqu* e. Gartenpflanze *a garden-plant*; Löw 2, 79 f: حَبَقِيق *Ocimum basilicum L.* Basilienkraut *basil*; Holma, Kl. Beitr. 72: حَبَق *Mentha aquatica* Wasserminze *water-mint*: d. Prophet **Habakuk** *Habakkuk* Ha 1, 1 3, 1. †

I **חבר**: حَبَّرَ verzieren (bunt machen) *beautify, adorne*, حِبْر Farbe (d. Gesichts) *colour, complexion*, ሕብር bunt *many-coloured*; F חֲבוּרָה:
hif: impf. אַחְבִּירָה: c. בְּמִלִּים עַל: mit Worten **glänzen gegen** *be brilliant in words against* Hi 16, 4. †
Der. חַבּוּרָה, *חֲבַרְבֻּרֹת.

II **חבר**: ug. F I חֶבֶר 3.; ak. *ebēru* zusammenbringen *unite*, *ubburru* binden, bannen *bind, ban*, ph. חבר Gefährte *companion*, ja., sy. pa. u. Ableitungen *a. derivatives*; خَبَرَ u. ኀበረ sich bekannt, vertraut machen mit *make the acquaintance of, familiarize oneself with* (Nöld. ZDM 40, 725. 728):
qal: pf. חָבְרוּ, impf. Ps 94, 20 יְחָבְרְךָ (seq. כסא, l יְחַבֵּר), pt. חֹבֵר, חֹבְרֹת u. חֹבְרוֹת, pass. cs. חֲבוּר:
1. **vereinigt, verbunden sein** *be united, ioined with* Si 12, 14 Ho 4, 17, c. יַחְדָּו cj Ps 48, 5 (l חָבְרוּ), c. אֵת (l אֵת־יֹצֵר) Ps 94, 20; c. אֶל **verbündet ziehen nach** *march united to* Gn 14, 3; 2. c. אֶל **verbunden, in Berührung mit** *coupled one to another* (Vorhänge, Flügel *curtains, wings*) Ex 26, 3 28, 7 39, 4 Hs 1, 9. 11; 3. **binden, mit e. Bannspruch belegen** *bind, ban* Dt 18, 11 Ps 58, 6 Si 12, 13; F חֹבֶרֶת; †
pi: pf. חִבַּרְתָּ, impf. יְחַבֵּר, sf. יְחַבְּרֵהוּ; inf. חַבֵּר: 1. (Bauteile) **verbinden, zusammenfügen** *join together (parts of building)* Ex 26, 6. 9. 11 36, 10. 13. 16. 18; 2. c. ac. u. עִמּוֹ jmd **mit sich verbünden** *unite a person with oneself* 2 C 20, 36; F מְחַבְּרוֹת; †
pu: pf. חֻבַּר, l חֻבְּרָה pro חֻבְּרָה Ps 122, 3; cj יְחֻבַּר Ko 9, 4, cj יְחֻבַּר Ex 28, 7: **verbunden sein, werden** *be joined* Ex 28, 7 39, 4, cj c. אֶל mit *with* Ko 9, 4 Si 13, 16; †
hitp: impf. יִתְחַבְּרוּ, inf. הִתְחַבְּרוּת! BL 351, sf. הִתְחַבֶּרְךָ: **sich mit einander verbünden** *join oneself to another* Da 11, 6, c. אֶל mit *with* Da 11, 23 Si 13, 2; c. עִם **Handelsgemeinschaft haben mit** *have partnership with* 2 C 20, 37; †
etpaʿel: pf. אֶתְחַבַּר BL 351: c. עִם **Handelsgemeinschaft haben mit** *have partnership with* 2 C 20, 35. †
Der. I u. II חֶבֶר, חָבֵר, *חַבָּר, חֶבְרָה, n. l. חֶבְרוֹן, חֶבְרִי, חֶבְרֹנִי, חֲבֶרֶת, חֹבֶרֶת, מַחְבֶּרֶת, מְחַבְּרוֹת.

I **חֶבֶר**: II חבר; ug. F 3: sf. חֶבְרָה, pl. חֲבָרִים, sf. חֲבָרַיִךְ: 1. **Verbindung, Gemeinschaft** *company, association* cj Ps 122, 3, Ho 6, 9 (כֹּהֲנִים); 2. **Bindung, Bann** *ban, spell* Dt 18, 11 Ps 58, 6 Js 47, 9. 12; 3. בֵּית חֶבֶר ug. *bt ḫbr*, ak. *bît ḫubûri* u. *bît ḫiburni* BAS 102, 10 Genossenschaftshaus, Speicher *house of association, store-rooms*: **gemeinsames Haus** *house in common* Pr 21, 9 25, 24. †

II **חֶבֶר**: n. m.; II חבר; Gefährte *companion*; חֶבֶר: 1. חֶבֶר הַקֵּינִי (Var. חֶבֶר) Jd 4, 11. 17. 21; 2. Enkel *grandson* v. אָשֵׁר Gn 46, 17 Nu 26, 45 1 C 7, 31 f; 3. 1 C 4, 18; 4. 1 C 8, 17. †
Der. חֶבְרִי.

חָבֵר: II חבר; F ba.: sf. חֲבֵרוֹ, pl. חֲבֵרִים, cs. חַבְרֵי, sf. חֲבֵרֶיךָ, חֲבֵרָיו: **Genosse, Gefährte** *companion, fellow* Jd 20, 11 Js 1, 23 Hs 37, 16 (l חֲבֵרָיו). 19 Ps 45, 8 (l חֲבֵרֶיךָ) Ct 1, 7 8, 13

Ko 4, 10 Si 6, 10 7, 12 (רע וחבר); c. לְ G. von *of* Ps 119, 63 Pr 28, 24, cj 1 S 20, 30; **Anhänger** (e. Gottes) *associate, worshipper (of a God)* Js 44, 11. †

*חַבָּר: II חבר; pl. חַבָּרִים: **Genossen** (e. Gruppe, die Krokodile fängt) *partners (of a group catching crocodiles)* Hi 40, 30. †

*חֲבַרְבֻּרֹת: I חבר, sf. חֲבַרְבֻּרֹתָיו; حَبَرْبَرٌ Trappe *bustard*, (*Otis hubara* =) *Chlamydotis undulata*, weil sie gesprenkelt ist *because this bird is speckled*: **Fellflecken** *skin-specks* (v. נָמֵר) Jr 13, 23. †

חֶבְרָה: II חבר: **Gemeinschaft** *company* Hi 34, 8. †

I חֶבְרוֹן: n.l.; II חבר; c. -*ā* חֶבְרוֹנָה u. חֶבְרֹנָה; Χεβρων, **Hebron**: El-Ḫalil (= Abraham Js 41, 8 Jac 2, 23), 36 km s. Jerusalem, 927 m (BRL 275—9): 7 Jahre vor צֹעַן gebaut *built 7 years before* צֹעַן Nu 13, 22, אֱמֹרִי Jos 10, 3. 5. 23 12, 10, כְּנַעֲנִי Jd 1, 10, מִזְבַּח אַבְרָהָם Gn 13, 18; Grabstätte v. *burial-place of* שָׂרָה Gn 23, 2. 19, יִצְחָק 35, 27, אַבְנֵר 2 S 3, 32 4, 12; = קִרְיַת אַרְבַּע Gn 23, 2 35, 27 Jos 14, 15 15, 13. 54 20, 7 21, 11 Jd 1, 10, = *F* מַמְרֵא Gn 23, 19 35, 27; נַחֲלָה v. כָּלֵב Jos 14, 13 f 15, 13 Jd 1, 20, Residenz v. *royal city of* דָּוִד 2 S 2, 1. 11 3, 2—5, 13 (14 ×) 1 K 2, 11 1 C 29, 27; Davids dort geborne Kinder *David's children born there* 2 S 3, 2. 5 1 C 3, 1. 4; Israel sucht D. dort auf *Israel comes to D. at Hebron* 2 S 5, 3 1 C 11, 1. 3 12, 24. 39, Absaloms Gelübde in H. *Absolom vows at H.* 2 S 15, 7, Ort sein. Aufstands *place of his rebellion* 15, 10; v. Rehabeam befestigt *fortified by Rehoboam* 2 C 11, 10, Asylstadt *city of refuge* Jos 20, 7 21, 13 1 C 6, 42, Wohnort v. *seat of* בְּנֵי אַהֲרֹן 1 C 6, 40. 42; הַבְּרֵכָה בְּח׳ 2 S 4, 12; עֵמֶק ח׳ Gn 37, 14; הָהָר עַל־פְּנֵי ח׳ Jd 16, 3; עָרֵי ח׳ d. Ortschaften um H. *the cities around H.* 2 S 2, 3; *F* Jos 10, 36. 39 11, 21 1 S 30, 31 2 S 2, 1 3, 19 f. 22. 27 4, 1. 8 5, 1. 13 15, 9 f 1 C 11, 1. 3; cj 2 S 3, 12? †

II חֶבְרוֹן: n. m.; = I?: 1. Levit Ex 6, 18 Nu 3, 19 1 C 5, 28 6, 3 15, 9 23, 12. 19; 2. S. v. כָּלֵב 1 C 2, 42 f. †

Der. חֶבְרֹנִי.

חֶבְרִי: gntl. v. II חֵבֶר 2: Nu 26, 45 †

חֶבְרֹנִי u. חֶבְרוֹנִי: gntl. v. II חֶבְרוֹן: Nu 3, 27 26, 58 1 C 26, 23. 30 f. †

חֲבֶרֶת: II חבר; f. v. חָבֵר: sf. חֲבֶרְתְּךָ: (Ehe-) **Genossin** *companion* Ma 2, 14. †

חֹבֶרֶת: II חבר; pt. fem. qal: חֹבֶרֶת: (zusammengesetzte) **Reihe, Behang** (v. Teppichen) *(joined) series, drapery (of curtain-pieces)* Ex 26, 4. 10 36, 17. †

חבשׁ: ug. *ḥbš* Futteral *sheath*; ak. *abāšu* binden *bind*, *ḫubbušu* gebunden, lahm *bound, lame* Holma ABP 51; mhb., ja., sy. ܚܒܫ u. حبس festhalten *hold fast*:

qal: pf. חָבַשְׁתָּ, חָבַשְׁתֶּם, חֲבַשְׁתֶּם, impf. יַחֲבֹשׁ, יַחְבֹּשׁ, אֶחְבֹּשׁ, sf. אֶחְבָּשְׁךָ, יַחְבְּשֵׁנוּ, cohort. אֶחְבְּשָׁה, inf. חֲבוֹשׁ, חֲבֹשׁ, sf. חָבְשָׁה, imp. חִבְשׁוּ, pt. חֹבֵשׁ, pass. חָבוּשׁ, חֲבוּשִׁים:

1. **binden, gürten** *saddle*: חֲמוֹר Gn 22, 3 2 S 17, 23 19, 27 1 K 2, 40 13, 23. 27 Jd 19, 10 2 S 16, 1, אָתֹן Nu 22, 21 2 K 4, 24; 2. **umbinden, umwinden** *bind on, bind about, twine* Ex 29, 9 Lv 8, 13 Hs 24, 17, c. בְּ mit *with* 16, 10; חָבוּשׁ לְ gewunden um *wrapped about* Jon 2, 6; 3. **verbinden** (Wunde) *bind up (wound)* Js 30, 26 61, 1 Hs 30, 21 34, 4. 16 Ho 6, 1 Hi 5, 18; חֹבֵשׁ Wundarzt *surgeon* Js 3, 7; 4. **winden, drehen** (Seiler) *twist (rope-*

maker) Hs 27, 24; 5. **einschliessen** *lock up* (حَبْس Gefängnis *jail*, ja., sy. ܚܒܘܫܝܐ Gefangenschaft *imprisonment*) Hi 40, 13; ?? Hi 34, 17; †

pi: pf. חִבֵּשׁ, pt. מְחַבֵּשׁ: 1. (Wunden) verbinden *bind up* (*wounds*) Ps 147, 3; 2. (Sickerwasser im Bergbau) abbinden, **eindämmen** *dam up* (*trickling water in mines*) (حِبْس, Wasserdamm *dam*) Hi 28, 11; †

pu (qal pass?): pf. חֻבָּשׁוּ, חֻבָּשָׁה: verbunden werden (Wunde) *be bound up* (*wound*) Js 1, 6 Hs 30, 21. †

Der. חֵשֶׁב.

***חבת**: מַחֲבַת, חֲבִתִּים.

חֲבִתִּים: *חבת; mhb. חֲבִתִּין Gebäck *cakes*; خُبْت Erdmulde *depressed tract of ground*; Gefässe sind oft Namen für Geländeformen: Kessel, Mulde, Trog, Becken, Trichter usw.; *formations of the country are often called by names of vessels: basin, pocket, trough etc.*; äg. *wḥ3.t* = Kessel *kettle* u. Oase *oasis*: (Back-) **Pfannen** *pans for baking* 1 C 9, 31. †

חַג: חגג; ja., sy. ܚܓܐ; حَجّ: חַג, הֶחָג, חָג, cs. חַג, sf. חַגִּי, חַגֵּךְ, חַגָּהּ, pl. חַגִּים, חַגַּיִךְ, חַגֵּיכֶם: m., **Umgang, Reigen, Fest** *procession, round dance, feast* (oft mit Wallfahrt verbunden *frequently connected with pilgrimage*): 1. חָגַג חַג F; עָשָׂה חַג e. Fest abhalten *celebrate a feast* 1 K 12, 32 f Ne 8, 18, הִתְקַדֵּשׁ חַג d. Weihen f. e. F. vollziehn *prepare oneself for the feast by initiation rites* Js 30, 29; אָסַר חַג (F Komm. u. Haupt, ZAW 35, 102 ff u. Gressmann, ZAW 42, 60) Ps 118, 27; חַג שִׁבְעַת יָמִים Hs 45, 21, יוֹם חַגֵּנוּ Ps 81, 4; חֵלֶב־חַגִּי Ex 23, 18, פֶּרֶשׁ חַגֵּיכֶם Ma 2, 3, חַגִּים neben *in addition to* חֳדָשִׁים, שַׁבָּתוֹת u. מוֹעֲדִים Hs 45, 17, מוֹעֲדִים 46, 11; חַגִּים יִנְקֹפוּ F. folgen sich im Kreislauf *f. turn up in their course* Js 29, 1; 2. חַג c. הָאָסִיף F, c. הַמַּצּוֹת F; c. הַסֻּכּוֹת F, c. הַפֶּסַח F; c. הַקָּצִיר F, c. הַשָּׁבֻעוֹת F; חָג = הַמַּצּוֹת Nu 28, 17; חַגֶּךָ Dt 16, 14 u. בֶּחָג Ne 8, 14 u. הֶחָג Hs 45, 25 2 C 7, 8 f = חַג הַסֻּכּוֹת; הֶחָג = פֶּסַח Hs 45, 23; הֶחָג 1 K 8, 65 u. בֶּחָג 8, 2 2 C 5, 3 = d. (einmalige) Fest d. Tempelweihe *the feast of the inauguration of the temple* (*happening but once*); חַג c. מַצּוֹת u. שָׁבֻעוֹת u. סֻכּוֹת die 3 Hauptfeste *the 3 principal feasts* Dt 16, 16 2 C 8, 13; חַג יהוה Ex 10, 9 Lv 23, 39 Jd 21, 19 Ho 9, 5; חַג לַיהוה Ex 12, 14 13, 6 32, 5 Lv 23, 41 Nu 29, 12; חַגָּהּ *collective* Ho 2, 13 (c. חָדְשָׁהּ u. שַׁבַּתָּהּ); חַגֵּיכֶם Am 5, 21 8, 10; חַגַּיִךְ Na 2, 1. †

Der. n. m. חַגִּי, חַגַּי, חַגִּיָּה, n. f. חַגִּית.

חָגָא: חגא; خَجَأَ beschämt sein *look ashamed* (Driv. JTS 34, 378): **Beschämung** *shame, confusion* Js 19, 17. †

I חָגָב: *חגב; mhb., ja. חַגָּבָא: pl. חֲגָבִים: **Heuschrecken, die man essen darf** *locusts allowed for food*; Aharoni (F אַרְבֶּה): *Stauronotus maroccanus*? Lv 11, 22 Nu 13, 33 Js 40, 22 2 C 7, 13; metaph. (ungedeutet *unexplained*) Ko 12, 5. †

Der. n. m. II חָגָב, חֲגָבָה/א.

II חָגָב: n. m.; = I; Lkš 1, 3; fem. חֲגָבָה; ug. n. m. *ḥgb*: Esr 2, 46. †

חֲגָבָה: Esr 2, 45 u. חֲגָבָא (Var.) Ne 7, 48: fem. v. II חָגָב; ug. n. p. *ḥgbt*. †

חגג: NF חוג; حَجّ Pilgerfahrt machen *make a pilgrimage*, asa. חגג; sy. ܚܓ e. Fest feiern *celebrate a feast*; Zkr 2, 5 מחגת Festplatz *place of feast*; חגג ursprünglich: springen (Ps 107, 27), tanzen > e. Umgang halten *originally leap, bound* (Ps 107, 27), *dance > walk round in procession*; cf. حَجّ v. *of* Mecca:

qal: pf. חַגֹּתֶם, impf. תָּחֹג; תָּחֹגּוּ, יָחוֹגּוּ, inf. חֹג; imp. חָגִּי, pt. חוֹגֵג:

1. **Sprünge machen** (wie trunken) *leap, jump (like a drunken)* Ps 107, 27; 2. חָגַג חג e. **Umzug halten,** e. **Wallfahrts-Fest feiern** *walk in procession, keep a pilgrim-feast* Sa 14, 16. 18 f Na 2, 1, c. לְ zu Ehren e. Gottes *to worship a god* Ex 5, 1 23, 14, c. לַיהוה Nu 29, 12 Dt 16, 15, c. חָג יהוה Lv 23, 39; 3. חָגַג יוֹם e. Tag festlich (durch Umgang) **begehn** *celebrate a day (by a procession)* Ex 12, 14 Lv 23, 41; חָגַג בְּ e. **Fest feiern** wegen *celebrate a feast on account of* 1 S 30, 16; חוֹגֵג **Festteilnehmer** *partner in a feast* Ps 42, 5. †

Der. חַג; n.m. חַגַּי, חַגִּי, חַגִּיָּה, n. f. חַגִּית.

חגה* : *חָגוּ.

חָגוּ* vel *חֲגוֶה: *חגה, (حجو) حَجًا Schlupfwinkel *refuge*: pl. cs. חַגְוֵי **Schlupfwinkel** *retreat, abode* (הַסֶּלַע) in d. Felsen *in the rocks*) Ir 49, 16 Ob 3 Ct 2, 14. †

חָגוֹר* : חגר: pl. cs. חֲגוֹרֵי: **gegürtet** *girded* Hs 23, 15. †

חֲגוֹר u. **חֲגֹר**: חגר: sf. חֲגֹרוֹ: **Gürtel, Gurt** *belt, girdle* 1 S 18, 4 Pr 31, 24; l חָגוּר 2 S 20, 8. †

חֲגוֹרָה u. **חֲגֹרָה**: f. v. חֲגוֹר: sf. חֲגֹרָתוֹ: pl. חֲגֹרֹת: 1. **Schurz** *loin-covering* Gn 3, 7; 2. **Gürtel, Gurt** *girdle, belt* 2 S 18, 11 1 K 2, 5 2 K 3, 21 Js 3, 24, cj Hs 26, 16 (l חֲגֹרוֹת *pro* חֲרָדוֹת). †

חַגַּי: n.m.; חַג; ph. n.m. חגי; *Ḥgj* Dir. 351; am Festtag geboren *born at the feast-day*, Stamm 271 f: Ἄγγις *Haggi*; F חַגִּית 1. Gadit Gn 46, 16 Nu 26, 15; 2. gntl. Nu 26, 15. †

חַגַּי: Etym. u. Bedeutung *etym. a. meaning* F חַגִּי: bab. *Ḫaggā*; Ἀγγαῖος Aggaeus Haggai: הַנָּבִיא Hg 1, 1. 3. 12 f 2, 1. 10. 13 f. 20 Esr 5, 1 6, 14. †

חַגִּיָּה: n. m.; חַג u. יה: 1 C 6, 15. †

חַגִּית: n. f.; fem. v. חַגִּי; ph. n. p. ח(ג)ת: Frau v. *wife of* David 2 S 3, 4 1 K 1, 5. 11 2, 13 1 C 3, 2. †

חגל*: חַרְגֹּל, חָגְלָה.

חָגְלָה: n. f.; Dir. 351; *חגל, حَجَلَ humpeln *hop*, حَجَل Rebhuhn *partridge*; sy. ܚܓܠܐ; Aharoni (F אַרְבֶּה) 468: *Alectoris graeca sinaica* Rebhuhn *partridge* Nu 26, 33 27, 1 36, 11 Jos 17, 3; F n.l. בֵּית חָגְלָה. †

חגר: ug. *ḥgr*; mhb., ja., sy. ܚܓܪ; palm. חגור (*ḥaggūr*) n. m. lahm *lame* Berytus 1, 37; Uruk 16. 41 *ḫagirta* lahm (Frau, weibliches Tier) *lame (woman, female animal)*; حَجَرَ hindern *restrain*, asa. חגר = حَاجِر Teich *brink*, מחגרת Garten *orchard*; F Noth ZDP 61, 296 ff:

qal: pf. חָגְרָה, חָגְרוּ, חָגַרְתָּ, impf. יַחְגֹּר, יַחְגְּרוּ, תַּחְגֹּרְנָה, inf. חֲגֹר, imp. חֲגֹר, חִגְרִי, חִגְרוּ, חֲגֹרְנָה u. חֲגוֹרָה! (Js 32, 11; BL 305 g. 351), pt. חֹגֵר, pass. חָגוּר, חֲגֻרַת, חֲגֻרִים: 1. c. ac. etwas **als Gürtel, Gurt anlegen** *gird some one, oneself with a girdle, belt* Dt 1, 41 Jd 3, 16 1 S 25, 13 Ps 45, 4; c. 2 ac. Ex 29, 9 Lv 8, 13 1 S 17, 39; c. בְּ sich gürten mit *gird oneself with* Lv 16, 4; c. ac. u. בְּ: jmd gürten mit *gird some one with* 8, 7; חָגוּר כְּלֵי מִלְחָמָה die Waffen umgegürtet *girded with weapons of war* Jd 18, 11, pl. 18, 16 f, (cj חֶרֶב) 2 S 21, 16; חָגוּר אֵפוֹד d. E. umgegürtet *girded with* 1 S 2, 18 2 S 6, 14; חָגַר שַׂק d. Leidschurz umgürten *gird oneself with the loin-covering of mourning* 2 S 3, 31 Js 15, 3 22, 12 Ir 4, 8 6, 26 49, 3 Hs 7, 18 27, 31 Jl 1, 8 Th 2, 10; c. בְּ gürten um *gird on, around* 1 K 20, 32; abs. חָגַר sich gürten *gird oneself* 1 K 20, 11 Js 32, 11 Jl 1, 13; 2. ח׳ מָתְנַיִם seine Lenden gürten = **sich** reisefertig machen *gird oneself's loins = get ready for travel* 2 K 4, 29 9, 1; מָתְנַיִם חֲגֻרִים Ex 12, 11 Da 10, 5; חֹגֵר חֲגֹרָה wer sich gürten kann = wer **waffenfähig** ist *who is able to gird himself = who is able to fight* 2 K 3, 21; חֲגְרָה בְעֹז Pr 31, 17; ח׳ בְּתֶשַׁע Hs 44, 18; ח׳ מֵזַח Ps 109, 19; metaph. ח׳ גִּיל Ps 65, 13; 2 S 20, 8 F Komm.; l וַיַּחְרְגוּ 2 S 22, 46; ? Ps 76, 11. †

Der. *חֲגוֹרָה, חֲגוֹר, חָגוֹר.

חֲגֹר u. **חֲגֹרָה**: F חֲגוֹר u. חֲגוֹרָה.

***חַד**: חדד: fem. חַדָּה: **scharf** (Schwert) *sharp* (*sword*) Js 49, 2 Hs 5, 1 Ps 57, 5 Pr 5, 4. †

Der. n. l. עֵין חַדָּה.

חַד: Hs 33, 30; l אֶחָד. †

חַד: F אֲחִיחוּד.

חדד: ak. *edēdu* scharf, spitz sein *be sharp, pointed*; حدّ scharf sein, schärfen *be sharp, sharpen*; mhb. חִדֵּד, ja. חַדֵּד schärfen *sharpen*:

qal: pf. חַדּוּ **scharf, angriffslustig sein** *be sharp, fierce* Ha 1, 8; †

cj hif: inf. לְהָחֵד **schärfen** *sharpen* cj Sa 2, 4; impf. יָחֵד **scharf, feindlich machen** *cause to be sharp, hostile* cj Pr 27, 17b, l יֻחַד 17a; †

hof: pf. הוּחַדָּה, impf. cj יֻחַד Pr 27, 17a: **geschärft werden** *be sharpened* (Schwert *sword*) Hs 21, 14—16, (Eisen *iron*) cj Pr 27, 17a; †

cj hitp: imp. הִתְחַדִּי: **sich scharf zeigen** *show oneself sharp* cj Hs 21, 21. †

Der. חַד, *חַדּוּדִים, n. l. חָדִיד:

חֲדַד: n. m.; Sarsowsky ZAW 34, 67[1] = d. Aramäerstamm *Aramaean tribe Hudadu*: Ismaelit Gn 25, 15 1 C 1, 30. †

חדה: F ba.; ug. *ḥdw* sich freuen *rejoice*? ak. *ḫadū*, aram. חדי; خدى lebhaften Gang haben *walk lively*:

qal: impf. יִחַדְּ = וַיִּחַדְּ, וַיִּחַד vel וַיִּחַד, l וַיֵּחַר Ex 18, 9; cj יַחְדּוּ Ir 31, 13 **sich freuen** *rejoice*, l יֵחַד (יחד) Hi 3, 6 (יֵחַד Ps 86, 11 F יחד); †

pi: impf. sf. תְּחַדֵּהוּ: c. בְּ: **erfreuen** *make joyful, cheer* (l תְּחַדֵּהוּ?) Ps 21, 7. †

Der. חֶדְוָה, n. m. יַחְדִּיאֵל, יֶחְדְּיָהוּ.

***חַדּוּדִים**: חדד: cs. חַדּוּדֵי: **Spitzen** *points, spikes* Hi 41, 22. †

חֶדְוָה: חדה; aram. F ba. = hebr. שִׂמְחָה: cs. חֶדְוַת: **Freude** *joy* Ne 8, 10 1 C 16, 27. †

חָדִיד: n. l.; חדד; äg. *Ḥd(i)t* ETL 211; ἡ Ἀδιδα 1 Mk 12, 38; *el-Ḥadīṯe* 5 km ö. Lydda Esr 2, 33 Ne 7, 37 11, 34. †

חדל: خَذَلَ (OLZ 33, 473) zurückbleiben *remain behind*, asa. חדל ablassen von *cease*; mhb.:

qal: pf. הֶחֳדַלְתִּי! חָדֵלָּה, חָדַלְתָּ, חָדַל Jd 9, 9. 11. 13 † (BL 659), חֲדֵלוּ, חָדֵלוּ, חָדַלּוּ (BL 351) 1 S 2, 5, impf. יֶחְדַּל, אֶחְדַּל, אֶחְדָּלָה, וַיֶּחְדְּלוּ, יֶחְדָּלוּ, יֶחְדְּלוּן (יֶחְדָּל) Hi 10, 20 l חֲדַל), inf. חֲדֹל, imp. חֲדַל, חֲדַל, חִדְלוּ, חִדְלוּ:

1. **aufhören, ein Ende nehmen** *cease, come to an end*: Unwetter *stormy weather* Ex 9, 29. 33 f., Sintflut *deluge* Si 44, 17, Übermut *high spirits* Js 24, 8, Sünde *sin* Pr 10, 19; **aufhören, nichtmehr vorhanden sein** *cease to be* Arme *poor* Dt 15, 11, Karavanen *caravans* Jd 5, 6 f; **aufhören** (mit e. Tätigkeit) *cease (to do), forbear* Jd 15, 7 Am 7, 5 Hi 16, 6 2 C 25, 16; 2. **sein lassen, nicht tun** *forbear* 1 K 22, 6. 15 Ir 40, 4 41, 8 Hs 2, 5. 7 3, 11. 27 Sa 11, 12 2 C 18, 5. 14; חֲדַל לְךָ lass um deinetwillen ab! *forbear for your own sake*! Js 2, 22 2 C 35, 21; 3. **ausbleiben** *be*

lacking, fail: Baumtriebe *sprouts* Hi 14, 7, Freunde *friends* 19, 14; 4. c. ac. etw. **aufgeben** *give up, drop* Jd 9, 9. 11. 13 Hi 3, 17, c. inf. Js 1, 16 1 S 2, 5 (l חָדְלוּ עָבַד); 5. חָדַל מִן **ablassen von, in Ruhe lassen** *desist from, let alone* Ex 14, 12 Hi 7, 16; **sich nicht kümmern um** *not attend to* 1 S 9, 5 Js 2, 22 Pr 23, 4 Si 48, 15; c. inf. **aufhören** *cease* 1 K 15, 21 2 C 16, 5, cj (ויחדלו) Ho 8, 10; חָדַל מֵעֲזֹב er lässt nicht ohne Beistand sein *forbears not to help* Ex 23, 5; 6. חָדַל לְ **aufhören zu** *cease to* Gn 11, 8 18, 11 41, 49 Jd 20, 28 1 S 12, 23 23, 13 Ps 36, 4 Ru 1, 18; **unterlassen zu** *omit, neglect to* Nu 9, 13 Dt 23, 23; l וְחָלְדוֹ Ps 49, 9, l יְמֵי חֶלְדִּי Hi 10, 20.†
Der. חָדֵל.

חָדֵל: חדל: cs. חֲדַל: 1. der, **welcher es sein lässt** *he who forbears* Hs 3, 27; 2. **aufhörend, vergänglich** *ceasing, transient* Ps 39, 5; חֲדַל אִישִׁים (*F* Komm.) Js 53, 3.†

***חֶדֶל**: חֶדֶל, l חֶלֶד Js 38, 11.†

חַדְלָי: n. m.; Noth S. 226 خَدَلَ stämmig sein *be stout*: 2 C 28, 12.†

***חֵדֶק**: חֵדֶק.

חֵדֶק: *חדק: חֵדֶק: حَدَق *Solanum coagulans Forsk.* (Jericho-) **Nachtschatten** *nightshade* (Löw 3, 376 f) Mi 7, 4 Pr 15, 19.†

חִדֶּקֶל: n. fl.; sum. *Idigna*, ak. *Idiqlat*, aram. דִּגְלַת, דִּקְלַת, دِجْلَة, altpers. *Tigrā*, Τιγρης, Τιγρις: **Tigris** Gn 2, 14 Da 10, 4.†

חדר: ug. u. ph. *F* חֶדֶר; mhb. חזר, ja. חדר, הדר u. חזר, sam. חדר, mnd. חדאר, sy. ܚܕܪ umgeben *surround*; خِدْر Vorhang um d. Frauenraum *curtain separating the women's room*, خَدَرٌ Dunkel der Nacht *darkness of night*:

qal: pt. fem. חֹדֶרֶת: c. לְ jmd umkreisen (Schwert) *surround someone* (*sword*) Hs 21, 19, cj ויחדר Si 50, 11.†
Der. חֶדֶר.

חֶדֶר u. **חֶדֶר**: חדר; ug. *ḥdr*, ph. חדר, חדרת: חָדֶר, cs. חֲדַר, sf. חֶדְרוֹ, c. -*ā* הַחַדְרָה, הֶחָדְרָה, pl. חֲדָרִים, cs. חַדְרֵי, sf. חֲדָרָיו, חֲדָרֶיךָ: d. dunkle (Innen-) **Raum** *the dark* (*interior*) *room*: 1. die dunkle **Kammer**, wo *the dark room, chamber where*: בָּכָה Gn 43, 30, מִשְׁכָּבְךָ Ex 7, 28 2 S 4, 7 2 K 6, 12 Ko 10, 20, אָרֵב Jd 16, 9. 12, man e. Frau trifft *one meets a woman* Jd 15, 1 14, 18 (l הַחַדְרָה) Ct 1, 4 Jl 2, 16, חָלָה 2 S 13, 10, זָקֵן 1 K 1, 15, יָלְדָה Ct 3, 4, בָּא חֶדֶר בְּחֶדֶר לְהֵחָבֵה 1 K 22, 25 20, 30 2 C 18, 24 Js 26, 20, e. geheime Handlung *a secret act* 2 K 9, 2, חַדְרֵי מַשְׂכִּיתוֹ Hs 8, 12, מֵסִיךְ רַגְלָיו Jd 3, 24, חֲדַר הַמִּטּוֹת 2 K 11, 2 2 C 22, 11; חַדְרֵי מְלָכִים Ps 105, 30; חֲדָרָיו הַפְּנִימִים d. dunkeln Innenräume *the dark interior rooms* (d. Tempels *of the temple*) 1 C 28, 11; d. dunkle Kammer des Psalmisten *the dark chamber of the psalmist* cj Ps 84, 11 (l בַּחֲדָרַי); Pr 24, 4; מֵחֲדָרִים drinnen *inside* :: מִחוּץ Dt 32, 25; 2. daher *therefore*: d. (dunkeln, innersten) Räume des Todes *the* (*dark, innermost*) *rooms of death* Pr 7, 27, des Leibes *of the body* 18, 8 20, 27. 30 26, 22; 3. הַסּוּפָה kommt *comes* מִן־הַחֶדֶר, wo sie bereit liegt *where it is stored* Hi 37, 9; חַדְרֵי תֵימָן d. dunkeln Kammern d. Südens *the dark chambers of the south* = d. Tierkreisbilder d. Südens *the constellations of the southern zodiac* Hi 9, 9.†

חַדְרָךְ: n. t.; ak. *Hatarikka*, Zkr 1, 10 חזרך; Stadt u. Gebiet in Mittelsyrien; *city a. territory in Middle Syria*, bei *near* חֲמָת; Noth, ZDP 52, 131 ff, Alt, ZDM 88, 244 f: Sa 9, 1 (Guthe, Kurzes Bibelwörterbuch 276 cj Hs 47, 15 u. Nu 34, 7 f).†

חדש: ug. *ḥdṯ*; ak. *edēšu*; ph. חדש, ba. חֲדַת; n.l. קרתחדשת Neustadt *Newtown* Καρχηδών, *Carthago*; mhb. חִדּוּשׁ; ja. חֲדַת, F חֲדַתָּה, sy. ܚܕܬ; حَدَثَ, asa. חדת; ሐደሰ:

pi: pf. חִדְּשׁוּ, impf. יְחַדֵּשׁ, וַיְחַדֵּשׁ, נְחַדֵּשׁ, inf. חַדֵּשׁ: **neu machen, erneuern** *make anew, renew*: מְלוּכָה 1 S 11, 14, מִזְבַּח 2 C 15, 8, בֵּית יהוה 24, 4. 12, עָרֵי חֹרֶב Js 61, 4, פְּנֵי אֲדָמָה Ps 104, 30; ח׳ רוּחַ e. neuen Geist geben *give a new spirit* Ps 51, 12; ח׳ עֵדִים neue Zeugen aufstellen *bring forth new witnesses* Hi 10, 17, ח׳ יָמִים aufs Neue Tage geben *give afresh, again days* Th 5, 21; cj יְחַדֵּשְׁךָ erneuern *renew* Ze 3, 17; hitp: impf. התחדש: **sich erneuern** *renew oneself* Ps 103, 5 Si 43, 8. †

Der. חֹדֶשׁ, חָדָשׁ, חֲדָתָּה; n.l. חֲדָשָׁה.

חָדָשׁ: חדש; ug. *ḥdṯ*: f. חֲדָשָׁה, pl. חֲדָשִׁים, f. חֲדָשׁוֹת: 1. **neu**, *new* (:: יָשָׁן alt *old*; und *and* noch nicht dagewesen *not yet existing*): מֶלֶךְ Ex 1, 8, בַּיִת Dt 20, 5 22, 8, נֹאד Jos 9, 13, אֹב Hi 32, 19, עֲבֹת Jd 15, 13 16, 11 f, עֲגָלָה 1 S 6, 7 2 S 6, 3 1 C 13, 7, חֶרֶב (*insere*) 2 S 21, 16, שַׂלְמָה 1 K 11, 29 f, צְלֹחִית 2 K 2, 20, מוֹרַג חָרוּץ Js 41, 15, חָצֵר 2 C 20, 5, שַׁעַר Ir 26, 10 36, 10, שֵׁם Js 62, 2, שָׁמַיִם u. אֶרֶץ 65, 17 66, 22, בְּרִית Ir 31, 31, רוּחַ Hs 11, 19 18, 31 36, 26, לֵב 18, 31 36, 26, cj 11, 19, כָּבוֹד Hi 29, 20; שִׁיר חָדָשׁ e. neues Lied *a new song* Js 42, 10 Ps 33, 3 40, 4 96, 1 98, 1 144, 9 149, 1; אִשָּׁה חֲדָשָׁה (Perles, OLZ 8, 127 = ak. *ḫadašatu* Braut *bride*) Dt 24, 5; מִנְחָה חֲדָשָׁה Speisopfer von neuem Korn *meal-offering of recently reaped cereals* Lv 23, 16 Nu 28, 26; יָשָׁן :: חָדָשׁ neu, **frisch** *recent, fresh* Lv 26, 10, חֲדָשִׁים :: יְשָׁנִים **frische** (Früchte) *fresh (fruits)* Ct 7, 14; חֲדָשִׁים Neulinge (Götter) *new (gods)* Dt 32, 17; בְּרִית Ir 31, 32; חָדָשׁ Ko 1, 9 f u. חֲדָשָׁה Js 43, 19 Neues *a new thing*; חֲדָשִׁים לַבְּקָרִים jeden Morgen neue *new every morning* Th 3, 23; חֲדָשׁוֹת neue Dinge, n. Wahrheiten *new things, n. revelations* Js 42, 9 48, 6; ? Jd 5, 8. †

I **חֹדֶשׁ** (280×): חדש: sf. חָדְשׁוֹ, חָדְשָׁהּ, pl. חֳדָשִׁים, cs. חָדְשֵׁי, sf. חָדְשָׁיו, חָדְשֵׁיכֶם: 1. d. **Neumond** (d. Tag, an dem die Mondsichel wieder sichtbar wird, e. Festtag) *the new moon* (*the day on which the crescent reappears, a feast*) חֹדֶשׁ כִּשְׁמוֹ הוּא מִתְחַדֵּשׁ Si 43, 8; ח׳ Neumond *new moon* 2 K 4, 23, וַיְהִי הַח׳ 1 S 20, 24, ח׳ מָחָר morgen ist N. *to-morrow is the n.m.* 1 S 20, 5, מִמָּחֳרַת הַח׳ am Tag nach d. N. *on the day after the n.m.* 20, 27, יוֹם הַח׳ הַשֵּׁנִי am 2. N.-tag *the 2nd day after the n.m.* 20, 34, יוֹם הַח׳ d. N.-tag *the day of the n.m.* Hs 46, 1. 6 > הַח׳ Am 8, 5 Ps 81, 4; בֶּחֳדָשִׁים an d. N.-tagen *on the days of the n.m.* Hs 45, 17 46, 3 Ne 10, 34 1 C 23, 31 2 C 2, 3 8, 13 31, 3, לְחֳדָשִׁים N. um N. *n.m. by n.m.* Js 47, 13 Esr 3, 5, = מִדֵּי חֹדֶשׁ בְּחָדְשׁוֹ Js 66, 23; חָדְשֵׁיכֶם e. N.-feiern *your feasting of the n. moons* Js 1, 14, Ho 2, 13; עֹלַת ח׳ Nu 28, 14 29, 6; חָדְשָׁהּ

2. חֹדֶשׁ יָמִים die Tage von einem Neumond zum andern = **Monat** *the days from one new moon to the next = month* Gn 29, 14 Nu 11, 20 f; חָדְשֵׁי הַשָּׁנָה Ex 12, 2 Nu 28, 14; חֹדֶשׁ = **Monat** *month* ersetzt d. ältre *replaces the older* יֶרַח 1 K 6, 38 8, 2; Datierungen *dates*: בְּ 17 יוֹם לַח׳ Gn 7, 11, בַּח׳ הַשֵּׁנִי בְּ 14 יוֹם Nu 9, 11; חֹדֶשׁ e. Monat lang [*during*] *a month* Nu 9, 22; בֶּן־ח׳ e. M. alt *a m. old* Lv 27, 6, שִׁבְעָה חֳדָשִׁים 7 M. lang *for 7 months* 1 S 6, 1, ח׳ בַּשָּׁנָה e. M. im Jahr *a m. in the year* 1 K 4, 7, cj כְּמֵחֹדֶשׁ etwa nach 1 M. *about a m. later* 1 S 10, 27; Monatsnamen *names of the months* F אָבִיב, אֲדָר, זִו, טֵבֵת, כִּסְלֵו, נִיסָן, סִיוָן, שְׁבָט; Benen-

nung d. Monate durch Zahlen *naming of the months by numbers*: רֹאשׁ חֳדָשִׁים Ex 12, 2, הַח׳ הָרִאשׁוֹן 40, 2. 17, בַּח׳ הַשֵּׁנִי Gn 7, 11 8, 4. 14, הַח׳ הָעֲשִׂירִי 8, 5, בִּשְׁנֵים עָשָׂר ח׳ 2 K 25, 27; 3. חֲרֻשָׁה v. Kamelin *of a female camel*: **Brunstzeit** *heat* Ir 2, 24.
Der. II חֹדֶשׁ.

II חֹדֶשׁ: n. f.; = I; am Neumondstag geboren *born at the day of new moon*: 1 C 8, 9.†

חֲדָשָׁה: n. l.; bei *near* לָכִישׁ: Jos 15, 37.†

חָדְשִׁי: l קָדֵשָׁה 2 S 24, 6.†

חֲדַתָּה: in n. l. חָצוֹר ח׳; aram. = hebr. חֲדָשָׁה: Jos 15, 25.†

חוב: mhb. חוֹב, aram. חָב schuldig sein *be guilty*, خَابَ, يَخِيبُ zu kurz kommen, versagen *fail*, *be unsuccessful*, asa. חוֹב verweigern *refuse*:
cj qal: pf. חַבְתִּי sich verschulden *to wrong*, c. בְּ an *a person* cj 1 S 22, 22;†
pi: pf. חִיַּבְתֶּם: in Schuld bringen *make guilty*, c. לְ vor *in the eyes of* Da 1, 10 Si 11, 18.†
Der. חוֹב.

חוֹב: חוב: **Schuld** *guilt* (dele?) Hs 18, 7.†

חוֹבָה: n. l.; EA 53, 27—63 (*mātu*) *U-pe* = Schilfland *Reed-country* BAS 83, 35; bei *near* Damaskus Gn 14, 15.†

חוג: ja. חוג e. Kreis חוּגְתָא ziehn *describe a circle*, sy. ܚܘܓ umkreisen *encircle*; F חגג:
qal: pf. חָג, l חָג (חַק) Hi 26, 10.†
Der. חוּג, מְחוּגָה.

חוּג u. cj חֻג: חוג: **Kreis** *circle*: 1. der (als Scheibe gedachten) Erde *of the earth* (*conceived as disk*) Js 40, 22; d. (runde) **Horizont** auf d. Meer *the* (*circular*) *horizon on the sea* Pr 8, 27, cj חֻג Hi 26, 10; **Umkreis** des (als Gewölbe gedachten) Himmels *horizon of the heaven* (*conceived as vault*) Hi 22, 14.†

חוד: denom. v. חִידָה
qal: pf. חַדְתָּה, impf. אָחוּדָה, imp. חוּד, חוּדָה: **e. Rätsel, e. Gleichnisfrage stellen** *propound a riddle, the problem of a simile* Jd 14, 12 f. 16 Hs 17, 2.†

I חוה: F ba.; وَحَى kundtun *tell*:
pi: impf. אֲחַוֶּה, יְחַוֶּה, sf. אֲחַוְּךָ, אֲחַוְךָ, inf. חַוֹּת: 1. etw. **verkünden, bekannt geben** *make known* Ps 19, 3 Hi 32, 6. 10. 17 Si 16, 25, cj וַאֲחַוֶּה Ps 52, 11 u. Hi 13, 17; 2. c. sf. **in Kenntnis setzen, unterrichten** *report to someone, inform* Hi 15, 17 36, 2.†
Der. אַחֲוָה.

II *חוה: I *חַוָּה.

I *חַוָּה: II *חוה; حَوَى versammeln *gather*, حِوَاء Kreis von Zelten *circle of tents*: pl. חַוֹּת, sf. חַוֹּתֵיהֶם: **Zeltlager, Zeltdorf** *tentcamp, tent-village* (stets *always* חַוֹּת יָאִיר) Nu 32, 41 Dt 3, 14 Jos 13, 30 Jd 10, 4 1 K 4, 13 1 C 2, 23, cj 2 K 15, 25 u. (חַוַּת Heerlager *camp*) 2 S 23, 13.†

II חַוָּה: n. f.; Εὔα, *Heva*, **Eva** *Eve*: = אֵם כָּל־חָי Gn 3, 20; Ableitungen *derivations*: 1. = aram. חִוְיָא Schlange *serpent* (Midrasch); 2. n. p. pu. רבת חות אלת מלכת Eph 1, 26 ff, Gressmann ARW 10, 358 ff, Albr. AJS 36, 284 39, 27; 3. = חַיָּה τίκτουσα Halévy JA 10, 2, 522 f; 4. = Zeltfrau *tent-woman* Bauer ZDM 71, 413, OLZ 37, 245; 5. = חַוָּה die Stammutter von *the ancestress of* חִוִּי Meinhold BZAW 34, 128; 6. = sum. *ama* > ak. *awa* Mutter *mother* Deimel, Vox Domini 1924, 283 (?); 7. חַוָּה ist Ausweicheform für *form to avoid* חַיָּה (d. auch Tier bedeutet *meaning also animal*) = die lebendige *the living one*; 8. R. Smith, Kinship[2], 208: حوّة = Mutter v. *mother of* حى d. matriarchalische Clan *the matriarchalical clan* :: Morgenstern ZAW 47, 95 f; 9. Gebärerin *woman giving birth* v. حايت ich gebar *I gave life* F 3; Eitan JAO 49, 31 f: Gn 3, 20 4, 1. †

חוֹזָי: l חֹזָיו (הֹזָה) 2 C 33, 19. †

חוֹחַ: ak. *ḫāḫu*, ja. חוֹחָא: pl. חוֹחִים; F חָח: 1. **Dornen, Pflanzen mit Dornen** *thorns, spiniferous plants* 2 K 14, 9 Js 34, 13 Ho 9, 6 Pr 26, 9 Hi 31, 40 Ct 2, 2 2 C 25, 18; 2. e. **Dorn**, den man d. Fisch durch die Kiemen stösst, um ihn heimzutragen *thorn put into the branchiae of a fish to carry it home* (Löw 1, 667) Hi 40, 26; חוֹחִים < F חֲוָחִים 2 C 33, 11. †

חוֹחִים: خوخ, ܚܘܚܐ Loch in der Wand *aperture in the wall*: > חוֹחִים 2 C 33, 11. Löcher, **Schlupfwinkel** *hollows, recesses* 1 S 13, 6 2 C 33, 11. †

חוּט: mhb.; ja., sy. חוּטָא, خيط: **Faden** *thread* (F חֶבֶל ,פְּתִיל ,שְׂרוֹךְ ,תִּקְוָה) Gn 14, 23 Jos 2, 18 Jd 16, 12 1 K 7, 15 Ir 52, 21 Ct 4, 3 Ko 4, 12. †

חִוִּי: (n. m.), n. p.: Stamm *tribe Ḥewāt* F E. Meyer, Isr. 331 ff, Paterson, Presentation Vol. W. B. Stevenson 100 f: 1. הַחִוִּי! S. v. כְּנַעַן Gn 10, 17, cj 15, 21 1 C 1, 15; 2. kanaanäisches Volk *people of Canaan*, **Hewiter** *the Hivite*; d. 5. von 6 *the 5th of 6* Ex 3, 8. 17 23, 23 33, 2 34, 11 Dt 20, 17 Jos 9, 1 12, 8 Jd 3, 5; d. 4. von 5 *the 4th of 5* Ex 13, 5 1 K 9, 20 2 C 8, 7, d. 6. von 7 *the 6th of 7* Dt 7, 1 Jos 24, 11; d. 3. von 7 *the 3rd of 7* Jos 3, 10, d. 1. v. 3 *the 1st of 3* Ex 23, 28; Gebirgsvolk *hill-people* c. יְבוּסִי u. אֱמֹרִי Nu 13, 29, in גִּבְעוֹן Jos 9, 7 (Χορραῖος!) 11, 19; הַחִוִּי וְהַכְּנַעֲנִי 2 S 24, 7; cj Js 17, 9; l הַחִתִּי Jos 11, 3 u. Jd 3, 3, l הַחֹרִי Gn 36, 2; e. einzelner *an individual* חִוִּי Gn 34, 2 (Χορραῖος!). †

חֲוִילָה: (n. m.) n. p.; Deminutiv v. חוֹל Sandstrich *stretch of sand*: 1. Einer der *one of the* בְּנֵי כוּשׁ, also in *therefore in* SW-Arabien Gn 10, 7 1 C 1, 9; 2. c. אוֹפִיר u. יוֹבָב S. v. יָקְטָן, also in *therefore in* SW-Arabien Gn 10, 29 1 C 1, 23; 3. אֶרֶץ הַחֲוִילָה, Goldland, v. פִּישׁוֹן umflossen, wohl Landschaft in SW-Arabien *gold-country, encircled by the river* פִּישׁוֹן, *evidently country in SW-Arabia*, cf. *Ḫaulān*, Moritz, Arabien 92, Montg. 39; F אוֹפִיר, Gn 2, 11; l מִטֵּילָם 1 S 15, 7. †

חול: mhb., ja.; يحول ,حال sich drehen, sich von einem zum andern wenden *whirl, shift from one to the next*, asa. חול *circum*:

qal: pf. חָלָה ,חָלוּ, impf. יָחוּל ,יָחֻלוּ, inf. חוּל: 1. von einem zu andern **umgehn** (Schwert) *shift from one to the next* (*sword*) Ho 11, 6; 2. **Reigen tanzen** *dance round dances* Jd 21, 21, cj נָחֹל Js 30, 32; 3. c. עַל **sich wenden auf** *turn upon* 2 S 3, 29 (דָּמִים), Ir 23, 19 30, 23 (סַעַר); 4. חָלוּ יָדַיִם בְּ **sich hilfreich zuwenden** *turn helpful towards*? Th 4, 6; 5. Ir 4, 19 51, 29 Hs 30, 16 Mi 4, 10 F חִיל; †

pil: pt. מְחֹלְלוֹת; verkürzt *shortened* חֹלְלִים: **Reigen tanzen** *dance round dances* Jd 21, 23 Ps 87, 7, cj 1 S 18, 6; †

hif: impf. l וַיָּחֶל וַיְּחֵל Gn 8, 10; †

hitp: pt. מִתְחוֹלֵל: **wirbeln** *whirl* (סַעַר) Ir 23, 19. †

חוּל: (n. m.) n. t.: בֶּן־אֲרָם c. עוּץ; unbekannt *unknown* Gn 10, 23 1 C 1, 17. †

I **חול**: F חֲוִילָה, mhb., ja. חוֹלָא, ja. u. sy. חָלָא; خَالٌ; schwarzer Schlamm *black fetid mud*: **Schlamm**; **Sand** *mud*; *sand* Gn 22, 17 Jos 11, 4 Jd 7, 12 1 S 13, 5 2 S 17, 11; חוֹל הַיָּם Gn 32, 13 41, 49 Js 10, 22 Ir 33, 22 Ho 2, 1; חוֹל יַמִּים Ir 15, 8 Ps 78, 27 Hi 6, 3; Grenze des Meers *bound of the sea* Ir 5, 22, Versteck *hiding-place* Ex 2, 12 Dt 33, 19; zahlreich *numerous* כַּחוֹל Js 48, 19 Ha 1, 9, zahlreicher als *more numerous then* חוֹל Ps 139, 18; schwer wie *heavy as* חוֹל Pr 27, 3 Hi 6, 3; F 1 K 4, 20 5, 9. †

II **חול** Hi 29, 18 (Nehardeenses חוֹל): offenbar d. Vogel **Phönix**, aber keine Ableitung bekannt *evidently the bird Phoenix, but no etymology known* F Komm. †

חום: חמם; ThZ 5, 314 f: **läufig** *ruttish* Gn 30, 32 f. 35. 40 (צֹאן). †

חוֹמָה u. **חֹמָה** (127 ×): II *חמה; ug. *ḥmt*; pl. *ḥmyt*; EA 141, 44 *ḫumitu* = *dūru*; mo. חמת; mhb. חוֹמָה; حَمَى schützen *protect*: cs. חוֹמַת, sf. חוֹמָתָהּ, pl. חוֹמוֹת, חֹמוֹת, חֹמֹתֶיהָ, חוֹמֹתַיִךְ, חֹמֹתַי, du. חֹמֹתַיִם: **1. Mauer einer Stadt** *wall of a city*; עִיר חוֹמָה ummauerte Stadt *walled city* Lv 25, 29 (:: 25, 30), חוֹמַת הָעִיר Stadtmauer *wall of the city* Jos 6, 5 Ne 2, 8, חוֹמַת יְרוּשָׁלַםִ 1 K 3, 1 Ne 12, 27 2 C 25, 23; בָּנָה ח׳ Ne 2, 17, בָּנָה בַח׳ 4, 4. 11, חֹמַת אֲבָנִים Ne 3, 35, וַתִּקָּשֵׁר הַח׳ 3, 38, 12, טֹהַר ח׳ 12, 27, חֲנֻכַּת ח׳ 5, 16, מְלֶאכֶת הַח׳ 30; קִיר הַחוֹמָה Mauerwand *side of the wall* Jos 2, 15; ח׳ גְבֹהָה Dt 3, 5, ח׳ בְּצוּרָה Js 2, 15, הִפִּיל ח׳ 30, 13; ח׳ נִשְׂגָּבָה 22, 10, בִּצֵּר ח׳ 2 S 20, 15, פָּרַץ בַּח׳ 2 K 14, 13, ח׳ מִפְרֶצֶת Ne 1, 3, הַצִּית ח׳ 2, 13, הִשְׁחִית ח׳ Th 2, 8, נִתַּץ ח׳ Ir 49, 27, הָרַס ח׳ 50, 15, אֵשׁ בַּח׳ 2 C 36, 19; ח׳ וּמִגְדָּלִים 1 K 4, 13, ח׳ וּבְרִיחַ 2 C 14, 6; עָבַר עַל ח׳ 2 K 3, 27; עָלָה עַל־הַח׳ einhergehn auf *walk upon* 6, 26; Chöre singen auf d. Mauer *choirs singing upon the wall* Ne 12, 31; pl. חוֹמֹת יְרוּשָׁלַםִ 2 K 25, 10 Ir 39, 8 Ne 2, 13 Ps 51, 20, חֹמוֹת וָחֵל Js 26, 1, חוֹמוֹת דְּלָתַיִם וּבְרִיחַ 2 C 8, 5; חֹמֹתַיִם Doppelmauer *double wall* 2 K 25, 4 Js 22, 11 Ir 39, 4 52, 7;† הַח׳ הָרְחָבָה 2 C 33, 14, ח׳ הַחִיצוֹנָה Ne 3, 8; **2. Mauer** (um Gebäude, Stadtteile) *wall (around buildings, quarters of a city)*: חוֹמַת אַרְמְנוֹתֶיהָ Th 2, 7, um d. Tempel *around the temple* Hs 40, 5 42, 20, ח׳ בְּרֵכָה Ne 3, 15, ח׳ הָעֹפֶל 3, 27 2 C 27, 3; **3. metaph.**: Wasser als Mauer *water as wall* Ex 14, 22. 29, Menschen *mankind* 1 S 25, 16; f. חוֹמַת אֲנָךְ Am 7, 7 l ח׳ נְחֹשֶׁת; חוֹמַת אֵשׁ Sa 2, 9; חוֹמָה (Alt ZDM 86, 46 f) Ir 1, 18 15, 20; d. Mädchen u. sein Leib *the girl a. her body* Ct 8, 9 f; cj בְּרֹאשׁ חֹמוֹת oben auf d. Mauern *on the top of the walls* Pr 1, 21; l הֲמִי Th 2, 18; cj חֹמָה um Weingarten *around vineyard* Js 27, 4.

חוס: mhb., ja. u. sy.; سَحَّ ausschütten, fliessen *pour forth, flow* (Koehler OLZ 32, 617 f :: Künstlinger OLZ 33, 969):
qal: pf. חַס, חָסָה, חַסְתָּ, impf. יָחוּס, יָחֹס, תָּחוּס, תָּחֹס, אָחוּס, וָאָחֹס, imp. חוּסָה: 1. תָּחוֹס עֵין עַל d. Auge fliesst wegen = er **ist betrübt** wegen *the eye flows on account of = he is sorry, compassionate for* Gn 45, 20 Dt 7, 16 13, 9 19, 13 Js 13, 18 Hs 7, 4 16, 5 20, 17; **2.** תָּחוֹס עַיִן er **ist betrübt** *he is sorry* Dt 19, 21 25, 12 Hs 5, 11 7, 9 8, 18 9, 5. 10; > 3. (ellipt.) חָס עַל **ist betrübt** wegen *is sorry for* 1 S 24, 11 (וָאָחֹס) Ir 21, 7 Jl 2, 17 Jon 4, 10 f Ps 72, 13 Ne 13, 22; > 4. חָס **ist betrübt** *is sorry* Ir 13, 14 Hs 24, 14.†

חוף: חפף; mhb.; aram. חוֹפָא Zapfen *plug*; حَافَة; ug. *ḥp y[m]*; äg. *ḥa-pu* Albr. ARJ 197: **Ufer** *shore*: חוֹף הַיָּם Dt 1, 7 Jos 9, 1 Ir 47, 7 Hs 25, 16; חוֹף יַמִּים Gn 49, 13 Jd 5, 17; חוֹף

אֳנִיּוֹת wo die Schiffe liegen *where the ships are anchored* Gn 49, 13. †

חוּפָם: n.m., F חֻפִּים: Benjaminit Nu 26, 39, cj 1 C 8, 5; F חוּפָמִי. †

חוּפָמִי: gntl. v. חוּפָם: Nu 26, 39. †

***חוּץ**: חִיצוֹן ,חַיִץ ,חוּץ.

חוּץ: F חַיִץ; mhb.: c. -ā חוּצָה ,חֻצָה, pl. חוּצוֹת, חוּצוֹת, sf. חוּצֹתָיו ,חוּצוֹתֶיהָ ,חוּצֹתֵינוּ: d. Raum ausserhalb des Hauses, **das Draussen**, d. Raum zwischen d. Häusern, **Gasse** *the place outside the house, between the houses, the out of doors, street* (:: רְחוֹב Am 5, 16 Pr 1, 20):

I. sg. 1. יָצָא חוּץ draussen hingehn *go abroad* Dt 23, 13, הוֹצִיא הַחוּץ hinaus *forth* Jd 19, 25, דֶּרֶךְ חוּץ aussenher *on the outside* Hs 47, 2, שַׁעַר הַחוּץ Aussentor *outer gate* 47, 2, מִן־הַחוּץ von draussen *abroad* (von andern Häusern *from other houses*) 2 K 4, 3, אֲשֶׁר לַחוּץ לְ ausserhalb von *on the outside of* Hs 42, 7; פְּנֵי חוּץ auf d. Gasse *in the street* (:: pl. פְּנֵי חוּצוֹת d. freie Feld *the open field* 5, 10) Hi 18, 17; מִן־הַחוּץ von draussen = aus andern Familien *from outside = out of other families (clans)* Jd 12, 9; metaph. חוּץ Gasse *street* Js 51, 23; 2. חוּצָה, הַחוּצָה: **hinaus, heraus** *out* Dt 24, 11 Ex 12, 46, מִקִּיר וָחוּצָה von d. Mauer an nach aussen hin *from the wall a. outward* Nu 35, 4; חֻצָה auf d. Gasse *without, in the street* Js 33, 7, nach aussen, auf d. Aussenseite *on the outside* 1 K 6, 6, נִרְאָה הַחוּצָה nach aussen sichtbar sein *be seen from the outside* 1 K 8, 8; חוּצָה לָעִיר vor d. Stadt hinaus *out of the city* 2 C 33, 15; תִהְיֶה . . . . הַחוּצָה aus d. Familie heraus (in e. andre) heiraten *marry out of the family (a man of another family)* Dt 25, 5; שִׁלַּח הַחוּצָה ausserhalb d. Fam. verheiraten *give (daughters) outside (into other families)* Jd 12, 9; 3. בַּחוּץ draussen *outside* Gn 9, 22, :: מִבַּיִת Hs 7, 15, 1 בַּחוּצוֹת Pr 1, 20, לַחוּצָה draussen *outside* 2 C 32, 5; מִחוּץ von aussen her *from outside* Hs 46, 2, von aussen *on the outside* (:: מִבַּיִת) Gn 6, 14, draussen *without* Ir 9, 20; מִחוּץ לְ ausserhalb von *on the outside of* Gn 19, 16, אֶל־מִחוּץ לְ nach aussen vor *to the outside of* Lv 4, 12; 4. חוּץ מִן (logic.) **ausser** *except* Ko 2, 25;

II. pl. (schon חוּץ Js 51, 23 Ir 37, 21 bedeutet d. Gelände zwischen d. Häusern, > die Gasse *already* חוּץ *means* Js 51, 23 Ir 37, 21 *the ground between the houses, > the street*): **Gassen, Strassen** *streets*: חוּצוֹת אַשְׁקְלוֹן 2 S 1, 20, 22, 43, טִיט חוּצוֹת Js 10, 6, חֹמֶר חוּצוֹת רֹאשׁ חוּצוֹת Strassenecke *street-corner* Na 3, 10; חֻצוֹת Handelsgasse, Verkaufsstände *street of sale, shops* 1 K 20, 34; 1 מֵחַיִץ 1 K 7, 9b; ?Hs 40, 44 41, 9 Pr 8, 26 Th 2, 21.

Der. חִיצוֹן.

***חוֹק**: sf. חוּקוֹ Pr 8, 29, 1 חֵיקוֹ.

חוֹק: 1 חֵיקוֹ Ps 74, 11; F חקק.

***חוּקֹק**: 1 חִלְקַת 1 C 6, 60.

חור: ja., sy. חִוַּר ,F ba. חִוָּר; ‎حَوِرَ weiss sein *be white*: qal: pf. cj חָוְרוּ, impf. יֶחֱוָרוּ: **erbleichen** *grow pale* Js 29, 22, cj 19, 9. †

Der. I חוּר, I חֹרִי.

I **חוּר**: חוּר: weisses Gewebe, **Linnen** *white tissue, linen* Est 1, 6 8, 15. †

II **חוּר**: n.m.; Dir. 177f; Spiegelberg, OLZ 9, 109 = äg. *Ḥor* (Gott *god* Horus) :: Noth S. 221 = ak. *ḫuru* Kind *child*, *Ḫuru* n.m. Holma ABP 58: 1. Gefährte Moses *companion of Moses* Ex 17, 10. 12 24, 14; 2. Vorfahr v. *ancestor of* בְּצַלְאֵל Ex 31, 2 35, 30 38, 22 2 C 1, 5; 3. K. v. מִדְיָן

Nu 31, 8 Jos 13, 21; 4. Beamter v. *officer of* שְׁלֹמֹה 1 K 4, 8; 5. Ne 3, 9; 6. 1 C 2, 19 f. 50 4, 1. 4. †
Der. חוּרִי, עֲמִיהוּר?

חוֹר, חוּר: F חֹר, חָר.

חוֹרֵב: F חֹרֵב.

חוֹרִי: F חֹרִי.

חוֹרָי: l חֻוָּרוּ Js 19, 9. †

חוּרִי: n. m.; F II חוּר: 1 C 5, 14. †

חוּרַי: F הַדַּי.

חוּרָם: 1 C 8, 5 l חוּפָם; F חִירָם.

חַוְרָן: n. t.; ak. *Haurānu*, حَوْرَان, Αὐρανῖτις, **Hauran**; Landschaft mit unbestimmten Grenzen ö. See Genesareth *country of undefinite borders east Sea of Galilee*; Schiffer, D. Aramäer 139 f; cf. ug. Gott *god Ḥrn*, Αὐρωνας, Albr., ARJ 80 f: Hs 47, 16. 18. †

חוֹרֹנַיִם: F חֹרֹנַיִם.

חוּשׁ: ug. *ḥš*, ak. *ḫāšu*, حثّ; ሖሰ sich bewegen *move*:
qal: pf. חָשׁ, חַשְׁתִּי, impf. יָחוּשׁ Ko 2, 25 (F unten *below*), imp. חוּשָׁה (חִישָׁה K Ps 71, 12), inf. sf. חוּשִׁי: **eilen** *make haste* Dt 32, 35 1 S 20, 38 Js 8, 1. 3 (ZAW 50, 91 f) Ps 119, 60, c. לְעֶזְרָתִי Ps 22, 20 38, 23 40, 14 70, 2 71, 12, c. לְ zu *towards* Ps 70, 6 141, 1, cj 40, 18, c. לְ c. inf. Ha 1, 8; cj Jl 4, 11 (חוּשׁוּ) u. Mi 4, 10 (וָחוּשִׁי); l חֲמֻשִׁים Nu 32, 17; pro יָחוּשׁ Ko 2, 25 l יִשְׁתֶּה u. l רָחַשׁ לִבִּי Hi 20, 2; †
hif: pf. הֶחִישׁוּ, impf. יָחִישָׁה, וַתָּחַשׁ < וַתָּחַשׁ* (BL 402); אָחִישָׁה, sf. אֲחִישֶׁנָּה: 1. **sich beeilen** *act, come quickly* Jd 20, 37 Js 5, 19 Ps 55, 9 Hi 31, 5; 2. c. ac. **beschleunigen** *hasten* Js 60, 22 Si 33, 10; 3. **sich aufgeregt zeigen** *get excited, alarmed* (Driv. JTS 32, 253 f) Js 28, 16. †
Der. חִישׁ.

חוּשָׁה: n. m., Elliger PJ 31, 44; = שׁוּחָה v. 11: 1 C 4, 4. †
Der. חֻשָׁתִי.

חוּשַׁי: n. m.; **Husai** *Hushai*; Bauer ZAW 48, 80: < אָחוּשַׁי* u. יִשַׁי?: 1. Freund Davids *friend of David* הָאַרְכִּי 2 S 15, 32. 37 16, 16—18 17, 5—8. 14 f 1 C 27, 33; 2. 1 K 4, 16. †

חוּשִׁים: n. f.: 1 C 8, 8 = חֻשִׁים 8, 11. †

חוּשָׁם: F חֻשָׁם.

I חוֹתָם u. **חֹתָם**: äg. LW *ḥtm* Siegel *seal*; aram. חָתְמָא, חַתְמָא, خَاتَم: sf. חוֹתָמְךָ, חֹתָמוֹ: **Siegel** *seal* (BRL 481—90) Gn 38, 18 1 K 21, 8 Ir 22, 24 Hg 2, 23 Ct 8, 6 Si 42, 6, cj (l cs. פִּתּוּחֵי (חוֹתָם Hs 28, 12; חֹמֶר חוֹתָם Hi 38, 14, חוֹתָם Ex 28, 11. 21. 36 39, 6. 14. 30; l חוֹתָם צַר Hi 41, 7; F טַבַּעַת. †
Der. II חוֹתָם, חתם.

II חוֹתָם: n. m.; = I: 1. 1 C 7, 32; 2. 11, 44. †

חֲזָאֵל u. 2 K 8, 8. 13. 15. 28 f 2 C 22, 6 † חֲזָהאֵל, F Eph. 3, 17: n. m., חזה u. אֵל; keilschr. *Ḫazāʾilu*, Zkr 1, 4 חזאל, Αζαηλ; palm. n. m. בולחזי Berytus 2, 112: **Hasael** *Hazael*, K. v. Aram in Damaskus 2 K 8, 8—29 9, 14 f 10, 32 12, 18 f 13, 3. 22. 24 f 2 C 22, 5 f, בֵּית ח׳ Am 1, 4. †

חזה: ug. *ḥdy*, F ba., d. aramäische Wort für hebr. ראה, **früh ins Hebräische eingedrungen** *the Aramaic word for Hebrew* ראה, *early used by the Hebrew*; aram. חזא, palm. אתחזי = δεδόχθαι; حَازٍ Sternkundiger *astrologer*:
qal: pf. חָזָה, חָזִית, חֲזוּ! חֲזִיתֶם, sf. חֲזִיתִךָ, impf. תַּחַז < תֶּחֱזֶה, וְאֶחֱזֶה, אֶחֱזֶה, יֶחֱזֶה Mi 4, 11, אַחַז < אֶחֱזֶה Hi 23, 9, יֶחֱזוּ, יֶחֱזְיוּן, תֶּחֱזֶינָה, נֶחֱזֶה, inf. חֲזוֹת, imp. חֲזֵה, חֲזוּ, pt. חֹזֶה, חֹזִים: 1. **sehen, erblicken** *see, behold*: Js 26, 11 33, 17. 20 48, 6 (l חֲזִיתָ) 57, 8 Ps 11, 7 17, 15

46, 9 58, 9. 11 Pr 22, 29 24, 32 29, 20 Hi 15, 17 23, 9 24, 1 (יְמֵי שַׁדַּי); Gott sieht *God sees* Ps 11, 4 17, 2; d. Mensch sieht Gott *man sees God* Ex 24, 11 Hi 19, 26 f Ps 63, 3; חָזָה שָׁוְא Hs 13, 6. 8 f. 23 21, 34 22, 28 Th 2, 14; חָזָה שֶׁקֶר Sa 10, 2; 2. חָזָה מַחֲזֶה e. **Erscheinung sehn** *see (as seer) a vision* Nu 24, 4 Hs 13, 7; = חָזָה חָזוֹן Js 1, 1 Hs 12, 27 13, 16; חָזָה דָבָר (jedes *every* מַחֲזֶה, חָזוֹן ist Wortoffenbarung *contains revelation of a word*, Koehler, Theologie § 36) חָזָה דָבָר Js 2, 1 Mi 1, 1 u. חָזָה מַשָּׂא Js 13, 1 Ha 1, 1 Hi 27, 12 Si 15, 18; abs. (als Seher) sehn *see (as seer)* Js 30, 10 Am 1, 1; 3. חָזָה לוֹ **sich auslesen** *select for oneself* Ex 18, 21 (l לְךָ); חֹזִים בַּכּוֹכָבִים **Sterndeuter** *astrologers* Js 47, 13; חָזָה בְ mit Lust, Befriedigung (an)sehn *gaze upon with joy, satisfaction* Mi 4, 11 Ps 27, 4 Hi 36, 25 Ct 7, 1; l חֲטָאתִי Hi 34, 32; l יִהְיֶה? 8, 17.†

Der. חֲזָאֵל, חֹזֶה, חָזוֹן, חָזוּת, חֲזוֹת, חִזָּיוֹן; n. m. חֲזִיאֵל, חֲזָיָה, יַחֲזִיאֵל, יַחְזְיָה, כָּל־חֹזֶה, חֶזְיוֹן; מַחֲזִיאוֹת; n. m. מַחֲזֶה, מֶחֱזָה, מַחֲזִיאָה*.

חָזֶה: ak. *irtu* < **iztu* (Holma, Namen d. Körpert. 1911, 44) Brust *breast*; ja., sy. ܚܕܝܐ; *F* ba. חֲדֵה; حذاء Vorderseite *front*: cs. חֲזֵה, pl. חֲזוֹת: **Brust, Brustkern** e. Opfertiers *breast of sacrificial animal*, στηθύνιον, nur P *only in P*: Ex 29, 26 f Lv 7, 30 f. 34 8, 29 10, 14 f Nu 6, 20 18, 18, pl. Lv 9, 20 f.†

חֹזֶה, חוֹזֶה: pt. v. חזה: cs. חֹזֵה, pl. חֹזִים, sf. cj חֹזָיו 2 C 33, 19†: **Seher** (der Offenbarungen Gottes) *seer (of God's revelations)*, // רֹאֶה Js 30, 10, // נָבִיא 2 K 17, 13, // קֹסֵם Mi 3, 7; geringschätzig gebraucht *used disdainfully* Am 7, 12; חֹזֵה דָוִד 2 S 24, 11 (Ed. חֹזֶה = cs!) 1 C 21, 9; חֹזֵה הַמֶּלֶךְ 1 C 25, 5 2 C 29, 25 35, 15; cj חֹזָיו 33, 19; חֹזֶה sind *are*: גָּד 1 C 29, 29, אָסָף 2 C 29, 30, יֵהוּא 19, 2, יֶעְדּוֹ 9, 29 = עִדּוֹ 12, 15; *F* Js 29, 10 2 C 33, 18; l חֶסֶד (ZAW 48, 227 f) Js 28, 15.†

חֲזוֹ: n. m.; S. v. נָחוֹר: Gn 22, 22.†

חָזוֹן: חזה: cs. חֲזוֹן: **Erscheinung, Gesicht** *vision*: חָזָה ח׳ Js 1, 1 רָאָה ח׳ Da 8, 15, מָצָא ח׳ Hs 7, 26, בִּקֵּשׁ ח׳ מִנָּבִיא Hs 12, 27, רָאָה בֶח׳ Da 8, 1, נִרְאָה ח׳ אֶל Th 2, 9, Da 8, 2, הֵבִין בֶּח׳ Da 1, 17, דִּבֶּר בְּח׳ Ps 89, 20, חָתַם ח׳ Da 8, 26, סָתַם ח׳ Ha 2, 2, כָּתַב ח׳ 9, 24, הִרְבָּה ח׳ Ho 12, 11, הֶעֱמִיד ח׳ 11, 14, חֲזוֹן לַיְלָה Js 29, 7 (cf. Mi 3, 6), ח׳ שֶׁקֶר Ir 14, 14, ח׳ לִבָּם des eignen Herzens *of their own heart* Ir 23, 16, ח׳ שָׁוְא Hs 12, 24, ח׳ שָׁלוֹם 13, 16; חֲזוֹן des *seen by* יְשַׁעְיָהוּ, נַחוּם Na 1, 1, 2 C 32, 32, עֹבַדְיָה Ob 1, 1; *F* 1 S 3, 1 Hs 12, 22 f Mi 3, 6 Ha 2, 3 Pr 29, 18 Da 8, 13. 17 9, 21 10, 14 1 C 17, 15; ? Hs 7, 13.†

חֲזוֹת: inf. v. חזה: Gesicht, **Schaubericht** *record of visions* 2 C 9, 29.†

חָזוּת: חזה: 1. **Gesicht, Erscheinung** *vision, conspicuous appearance* Js 21, 2 29, 11; 2. קֶרֶן חָזוּת auffälliges H. *conspicuous h.* Da 8, 5; l חַסְדְּכֶם (ZAW 48, 227 f) Js 28, 18; l אַחֵרוֹת Da 8, 8.†

*חֲזִי: *חֲזִיז.

חֲזִיאֵל: n. m.; חזה u. אֵל: 1 C 23, 9.†

חֲזָיָה: n. m.; חזה u. יָ׳: Ne 11, 5.†

חֶזְיוֹן: n. m.; ug. *Hdyn*; *Haziānu* u. *Ḫazānu* Tallq. APN 88a; Αζαηλ!: 1 K 15, 18.†

חִזָּיוֹן: חזה: cs. חֶזְיוֹן, sf. חֶזְיֹנוֹ, pl. חֶזְיֹנוֹת: **Gesicht, Erscheinung** *vision* 2 S 7, 17 Jl 3, 1 Sa 13, 4, pl. Hi 7, 14; c. לַיְלָה Hi 20, 8 33, 15, pl. 4, 13; n. l. גֵּיא חִזָּיוֹן Js 22, 1. 5.†

***חָזִיז**: mhb., ja. חֲזִיזָא Wolke *cloud*; خَنْذِيذٌ Tāğ 2, 561, 17 v. unten, Gewitterwolke *storm-cloud*: cs. חֲזִיז, pl. חֲזִיזִים: **Gewitterwolke** *storm-cloud* (*Cumulo-nimbus*), AS 1, 215 f: Sa 10, 1 Hi 28, 26 38, 25 Si 32, 26 40, 13. †

חֲזִיר: F חֲזִיר; *חזר, خَزِرَ schielen *look sideways*; ak. *ḫuzirtu* unbestimmtes Tier *unknown animal*, westsem. *ḫuziru* MAO 11, $^1/_2$, 41[1], mhb., ja. חֲזִירָא, sy. ܚܙܝܪܐ, ja. cp. חזיר, חוזיר, خِنْزِير, ሐንዚር, ug. *ḫnzr*: **Wildschwein** *swine, boar Sus scrofa ferus* (Bodenheimer 113), verbotne Speise *forbidden food*: Lv 11, 7 Dt 14, 8 Js 65, 4 66, 3. 17 Ps 80, 14 Pr 11, 22. †

חֵזִיר: n. m.; Ηζιρ; = חזיר (Nöld. BS 84); ug. *bn Ḫzrn, Ḫiziri* EA 336, 3 337, 4; בני חזיר *inscriptio* 1. saecl. ante Christ. Cooke 148 A; خِنْزِير Beduinenname *name of Beduins* Moritz, Arabien, 1923, 46: 1 C 24, 15. †

חזק: mhb., aram.; حَزَقَ fest schnüren, drücken *squeeze*:

qal: pf. חָזַק, חָזֵק, חָזְקָה, חָזַקְתָּ, חֲזַקְתֶּם, sf. חֲזָקַתְנִי, impf. יֶחֱזַק, וַיֶּחֱזַק, יֶחֶזְקוּ u. יֶחֱזְקוּ, תֶּחֱזַקְנָה, inf. sf. חָזְקָה, imp. חֲזַק, חֲזָק, חִזְקוּ:

1. stark sein, werden *grow strong, firm* Dt 11, 8 Jos 17, 13 Jd 1, 28 1 K 2, 2 2 K 14, 5 Js 28, 22 Da 11, 5 Esr 9, 12 2 C 25, 3 26, 15; > **gesund werden** *recover* Js 39, 1 Hs 30, 21; רָעָב gross werden *be sore* Gn 41, 56 f 2 K 25, 3 Ir 52, 6; c. עַל liegt schwer auf *is heavy upon* Gn 47, 20 Hs 3, 14 (יַד י'); ח' מִן stärker sein als, **überwältigen** *prevail over* 1 S 17, 50 2 S 10, 11 13, 14 1 K 20, 23. 25 1 C 19, 12; ח' עַל überwältigen *prevail against* 2 C 8, 3 27, 5; ח' מִן zu stark, schwer sein für *be too strong, heavy for* 2 K 3, 26 (l חָזְקָה); ח' אֶת überwinden *overcome, vanquish* 1 K 16, 22 Ir 20, 7; חָזְקוּ דִּבְרֵיכֶם ihr führt starke, freche Reden *you use strong, arrogant words* Ma 3, 13; חָזַק דְּבַר הַמֶּלֶךְ עַל d. W. d. K.s zwingt ihn *the k.s word constrains him* 2 S 24, 4 1 C 21, 4; **2.** חָזְקוּ יָדֶיךָ d. Hände sind stark = du **findest Mut** *y. hands are firm = you have the courage* Jd 7, 11 2 S 2, 7 16, 21 Hs 22, 14 Sa 8, 9. 13; ח' c. לְ c. inf.: darin **fest bleiben**, zu ... *be firmly resolved to* ... Jos 23, 6 1 C 28, 7, c. לְבִלְתִּי nicht zu *not to* Dt 12, 23; imp. חֲזַק sei fest, mutig *be of good courage* 2 S 10, 12 Js 41, 6 Hg 2, 4 Da 10, 19 Ps 27, 14 Esr 10, 4 1 C 19, 13 22, 13 28, 10 2 C 25, 8, pl. 2 S 13, 28 Js 35, 4 Ps 31, 25 2 C 15, 7 19, 11 32, 7; חֲזַק וַעֲשֵׂה handle entschlossen *act determinedly* Esr 10, 4 1 C 28, 10. 20, pl. 2 C 19, 11; חֲזַק וֶאֱמָץ sei fest u. stark *be of good courage a. firm* Dt 31, 7. 23 Jos 1, 6 f. 9. 18, pl. Dt 31, 6 Jos 10, 25; **3.** חָזַק לֵב d. Herz, d. Sinn **ist verhärtet, verstockt** *the heart is hardened* Ex 7, 13. 22 8, 15 9, 35; **4.** חָזַק עַל c. לְ c. inf. jmd **drängen**, zu ... *urge someone to* .. Ex 12, 33; **5.** חָזַק בְּ **hängen bleiben an** *be caught fast on* 2 S 18, 9, **festhalten an** *cling to, fulfill strictly* 2 C 31, 4; l חִזְּקָה 2 K 12, 13, l חִזְּקוּ 2 C 28, 20; †

pi: pf. חִזַּק, חִזַּקְתִּי, חִזְּקוּ, sf. חִזַּקְתָּנִי, cj חִזְּקוּ 2 C 28, 20, impf. וַיְחַזֵּק, יְחַזְּקוּ, sf. וַיְחַזְּקֵנִי, אֲחַזֶּקְנּוּ, inf. חַזֵּק, sf. cj חַזְּקוֹ Pr 8, 29 u. חַזְּקָה 2 K 12, 13, imp. חַזֵּק, חַזְּקִי, sf. חַזְּקֵהוּ, pt. מְחַזֵּק:

1. fest, stark machen *make strong*: c. ac.: בְּרִיחַ Ps 147, 13, מוֹסְדֵי אֶרֶץ cj Pr 8, 29, יְתֵדוֹת Js 54, 2, Idol *idol* 41, 7; **stärken** *give strength* זְרֹעוֹת Hs 30, 24 Ho 7, 15, יָדַיִם רָפוֹת Js 35, 3 Hi 4, 3; **kräftigen** (krankes Vieh) *restore* (*diseased cattle*) Hs 34, 4. 16; ח' יְדֵי d. Hände kräftigen = **ermutigen** *make the hands strong = encourage* Jd 9, 24 1 S 23, 16 Ir 23, 14 Hs 13, 22 Ne 6, 9; ח' c.

ac. ermutigen *encourage* Dt 1, 38 3, 28 Jd 16, 28 2 S 11, 25 Js 41, 7 Da 10, 18 f 2 C 35, 2, c. עַל gegen *against* Jd 3, 12; ח' לֵב (d. Sinn) verhärten, **verstocken** *harden*, *make obstinate* (*the heart*) Ex 4, 21 9, 12 10, 20. 27 11, 10 14, 4. 8. 17 Jos 11, 20; ח' פָּנִים e. **harte Stirn zeigen** *make one's face hard* Ir 5, 3; 2. ח' בִּידֵי־ kräftig beistehn *sustain vigorously* Esr 1, 6, = ח' יְדֵי־ Esr 6, 22 Ne 2, 18; ח' לְ ermutigen *encourage* 1 C 29, 12; 3. (techn.): c. 2 ac. jmd etw. **fest umbinden** *bind a thing firmly about a person* Js 22, 21; ח' מָתְנַיִם sich d. Hüften **fest gürten** *gird firmly one's hips* Na 2, 2; c. ac. e. Gebäudes *of a building*: **ausbessern** *repair* 2 K 12, 6—9. 13. cj 13 (חַזְּקֹה). 15 22, 5 f Ne 3, 19 2 C 24, 5. 12 29, 3 34, 8. 10, **befestigen** *fortify* 2 C 11, 12 26, 9 32, 5 Si 48, 17; ausbauen, **verstärken** *develop*, *enlarge* Na 3, 14 (מִבְצָר) 2 C 11, 11 (מְצֻרוֹת); c. מַלְכוּת **befestigen** *strengthen* 2 C 11, 17; c. ac. pers.: **unterstützen** *sustain* 2 C 29, 34, cj 28, 20 (חִזְּקוֹ); c. ac. rei: **festhalten** *hold fast* Js 33, 23; l לְחַלֵּק 1 C 26, 27; ? Ps 64, 6; †

hif: pf. הֶחֱזִיק, הֶחֱזִיקָה, הֶחֱזַקְתָּ, הֶחֱזַקְתִּי, וְהֶחֱזַקְתִּי Hs 30, 25, sf. הֶחֱזַקְתָּנוּ, הֶחֱזִקַתְנִי, הֶחֱזַקְתִּיךָ, impf. יַחֲזִיק, יַחֲזֵק, וַיַּחֲזֵק, וַיַּחֲזֶק, אַחֲזֵק, יַחֲזִיקוּ, inf. הַחֲזִיק, sf. הֶחֱזִיקִי, imp. הַחֲזֵק, הַחֲזִיקִי, pt. מַחֲזִיק, מַחֲזֶקֶת:

1. c. בְּ **ergreifen, packen** *seize, grasp* Ex 4, 4 Dt 22, 25 25, 11 Jd 7, 20 19, 25. 29 1 S 15, 27 17, 35 2 S 1, 11 2, 16 3, 29 13, 11 1 K 1, 50 2, 28 2 K 2, 12 4, 27 Js 4, 1 27, 5 41, 9 (acc.) Ir 31, 32 Sa 8, 23 Pr 3, 18 4, 13 7, 13 26, 17; הֶח' בְּיָד **an d. Hand nehmen** *take hold of* (*the hand of*) Gn 19, 16 Jd 16, 26 Js 42, 6 45, 1 51, 18; הֶח' בְּ **festhalten** *take hold of* Ex 9, 2 Jd 7, 8 19, 4 2 S 15, 5 (l בּוֹ) Js 56, 2. 4. 6 64, 6 Ir 8, 5 Hi 2, 3. 9 8, 15 27, 6 Ne 4, 10 f. 15; הֶח' בְּ (e. Verschuldeten) **unterstützen** *sustain* (*a man in debt*) Lv 25, 35, **sich** jmd.s **annehmen** *take care of* 2 C 28, 15; **Hand anlegen** an *apply oneself* Ne 5, 16; **nötigen, einladen** *urge, invite* 2 K 4, 8; הֶח' בֵּאלֹהִים **sich** an Götter **halten** *lay hold of gods* 1 K 9, 9 2 C 7, 22; 2. c. ac. **ergreifen** *seize, grasp* Js 41, 13 Ir 6, 24 8, 21 49, 24 50, 33. 43 Mi 4, 9 Na 3, 14 Sa 14, 13 Ps 35, 2; **festhalten** *keep hold of* Ir 6, 23 50, 42, cj Hs 7, 13 (יַחֲזִיק); הֶח' יָד **beistehn** *aid, sustain* Hs 16, 49 Hi 8, 20; הֶח' יָדוֹ בְּ **s. Hand** (schützend) **halten** über *lend a helping hand to* Gn 21, 18; 3. הֶח' מִלְחָמָה d. K. **entschlossen führen** *fight determinedly* 2 S 11, 25; הֶח' מַמְלָכָה d. Herrschaft **befestigen** *strengthen the kingdom* 2 K 15, 19; הֶח' מִשְׁמָר d. Wache **verstärken** *make strong the watch* Ir 51, 12; הֶח' זְרֹעוֹת jmd **kräftigen** *strengthen a person* Hs 30, 25; הֶח' אַפּוֹ s. Zorn **festhalten** *retain one's anger* Mi 7, 18; הֶח' מַלְכוּת d. Herrschaft **an sich reissen** *usurp the k.* Da 11, 21; הֶח' בֶּדֶק e. Sch. **ausbessern** *repair breaches* Hs 27, 9. 27, > הֶח' ausbessern *repair* Ne 3, 4—32 (34 ×); 4. הֶח' עַל **sich fest anschliessen** an *cleave, cling to* Ne 10, 30, festhaften an *cling to* Hi 18, 9 (יַחֲזִיק); הֶח' לְ **helfen** *support* Da 11, 1; הֶח' abs. **sich mächtig zeigen** *prevail* Da 11, 7. 32 2 C 26, 8; (techn.) **freien** *marry* Da 11, 6; **halten, fassen** (Gefäss) *hold* (*vessel*) 2 C 4, 5; †

hitp: pf. הִתְחַזֵּק, impf. יִתְחַזֵּק, יִתְחַזְּקוּ, imp. הִתְחַזֵּק, pt. מִתְחַזֵּק:

1. abs. **sich als mutig, entschlossen erweisen** *show oneself courageous, determined* Nu 13, 20 2 S 10, 12 1 K 20, 22 Esr 7, 28 1 C 19, 13; **seine Kräfte zusammennehmen** *use one's strength* Gn 48, 2 Jd 20, 22 1 S 4, 9 Da 10, 19 2 C 15, 8 21, 4 23, 1 25, 11, c. בְּיהוה 1 S 30, 6; c. בְּ **sich entschieden halten zu** *hold strongly with* 2 S 3, 6 Si 3, 12, c. עִם *idem* Da 10, 21 1 C 11, 10 2 C 16, 9; 2. abs. **sich festen Halt schaffen** *strengthen oneself* 2 C 13, 21 27, 6 32, 5, c. בְּ in 12, 13; c. עַל **sich befestigen** in *get strength in*

2 C 1, 1 17, 1; c. לִפְנֵי sich behaupten gegenüber *hold one's own against* 2 C 13, 7 f; l יֶחֱזַק Hs 7, 13. †
Der. חָזָק, חָזֵק, *חֵזֶק, חֹזֶק, *חֶזְקָה, חָזְקָה, חִזְקָה; n. m. חִזְקִי, חִזְקִיָּה, חִזְקִיָּהוּ; יְחִזְקִיָּה, יְחֶזְקֵאל.

חָזָק: חזק: f. חֲזָקָה, pl. חֲזָקִים, cs. חִזְקֵי:
1. fest, hart *firm, hard*: Fels *rock* Hs 3, 9, Metall *metal* Hi 37, 18, Stirn *forehead* Hs 3, 7, Gesicht *face* 3, 8, Sinn *heart, mind* 2, 4; 2. **stark** *strong*: בְּיָד חֲזָקָה (handelt Gott *God is acting*) Ex 3, 19 6, 1 13, 9 32, 11 Nu 20, 20 Dt 4, 34 5, 15 6, 21 7, 8 9, 26 26, 8 Ir 32, 21 Hs 20, 33 f Ps 136, 12 Da 9, 15; Hs 3, 14; Dt 3, 24 1 K 8, 42 Ne 1, 10 2 C 6, 32; Dt 7, 19 34, 12; 11, 2; Jos 4, 24; בִּזְרוֹעַ ח׳ (Gottes *of God*) Ir 21, 5, (d. Menschen *of man*) Hs 30, 22 (l זְרוֹעוֹ); Wind *wind* Ex 10, 19 1 K 19, 11; Ton *sound* Ex 19, 16; Volk *people* Nu 13, 18. 31 Jos 17, 18 Ir 31, 11; Mensch *man* Jos 14, 11 Js 28, 2 Ps 35, 10 Am 2, 14, pl. Jd 18, 26, Tier *animal* Hs 34, 16, Stadt *town* 26, 17, Schwert *sword* Js 27, 1; Gott *God* Js 40, 10 Ir 50, 34 Pr 23, 11; 3. **heftig** *heavy*: Kampf *fight* 1 S 14, 52 2 S 11, 15, Krankheit *sickness* 1 K 17, 17, Hungersnot *famine* 18, 2. †

חָזֵק: חזק: **kräftig, stark** *strong* Ex 19, 19 2 S 3, 1. †

***חֵזֶק**: חזק: sf. חִזְקִי: **Stärke** *strength* Ps 18, 2; F חִזְקִיָּהוּ. †

חֹזֶק: חזק: sf. חָזְקֵנוּ: **Stärke** *strength* Am 6, 13 Hg 2, 22; בְּחֹזֶק יָד Ex 13, 3. 14. 16 Si 35, 7. †

***חֶזְקָה**: חזק: cs. חֶזְקַת, sf. חֶזְקָתוֹ: בְּחֶזְקַת הַיָּד **als** die Hand **kräftig ergriff** *with strength of the hand* Js 8, 11; כְּחֶזְקָתוֹ **wie er stark wurde** *when he was strong* Da 11, 2 2 C 12, 1 26, 16. †

חָזְקָה: חזק: stets *always* בְּחָזְקָה: **mit Kraft, heftig** *with might, insistently* Jd 4, 3 8, 1 Jon 3, 8; **mit Gewalt** *by force* 1 S 2, 16, l לְחַזְקָה 2 K 12, 13, l וּבַחֲזָקָה Hs 34, 4. †

חִזְקִי: n. m.; KF < חִזְקִיָּה: 1 C 8, 17. †

חִזְקִיָּה: n. m.; F חִזְקִיָּהוּ, keilschr. *Ḫazaqijau* Tallq. APN 88a; Ἐζεκίας, **Hiskia** *Hezekiah*: 1. K. v. Juda 2 K 18, 1—16 Pr 25, 1 Ze 1, 1; 2. Ne 7, 21 10, 18, > יְחִזְקִיָּה! Esr 2, 16; 3. 1 C 3, 23. †

חִזְקִיָּהוּ: n. m.; חָזַק u. יו׳; > חִזְקִיָּה (Schreibung schwankend *forms varying in* MSS) u. חִזְקִי; Dir. 351 (חזק(הו (?); Ἐζεκίας **Hiskia** *Hezekiah*: K. v. Juda 2 K 16, 20—21, 3 (35 ×) Js 36, 1—39, 8 (32 ×) Ir 26, 18 f 1 C 3, 13 2 C 29, 18. 27 30, 24 32, 15. †

***חזר**: F חֶזִיר, n. m. חֵזִיר.

חָח: F חוֹחַ: sf. חַחִי (*ḥaḥḥi*), pl. חַחִים (Hs 29, 4 l Q חַחִים): 1. **Dorn**, den man Gefangnen u. Tieren durch die Nase oder Backen bohrt, um sie an e. Strick abzuführen *thorn put through nose or cheek of captives or animals to lead them on a rope* F חוֹחַ 2: 2 K 19, 28 Js 37, 29 Hs 19, 4. 9 29, 4 38, 4; 2. **Fibel** *fibula* Ex 35, 22. †

חטא: ug. *ḥṭ'*, ak. *ḫaṭū*, F ba. חֲטָא; خطى verfehlen *miss the mark*, asa. חטא; ኀጥአ:
qal: pf. חָטָא, חָטְאָה, חָטָאתִי, חָטָאנוּ, impf. יֶחֱטָא, יֶחֶטְאוּ, תֶּחֶטְאוּ u. יֶחְטָא, inf. חֲטֹא, חֲטוֹא u. חֲטוֹ, sf. חֶטְאוֹ (BL 375), pt. חֹטֵא u. חוֹטֵא (Übergang zu *transition to* ל״ה), חֹטֵאת (< *חֹטֵאת), sf. חֹטְאִי, pl. חֹטְאִים:
1. (e. Ziel) **verfehlen** *miss (a mark)* Pr 8, 36 (:: מָצָא v. 35) Hi 5, 24 Js 65, 20 (nicht erreichen *not reach*, dele בֶּן;) † 2. **sich sittlich verfehlen** *wrong, offend* 2 K 18, 14 Ne 6, 13, c. לְ gegen *against* Gn 20, 9 40, 1 (Ex 10,

16) Jd 11, 27 1 S 2, 25 19, 4 24, 12 1 K 8, 31 2 C 6, 22; † 3. ח׳ לְ **schuldig sein** gegen (e. Menschen) *be culpable before (a man)* Gn 43, 9 44, 32; 4. ח׳ לְ **sich** gegen Gott **versündigen** *sin (against God)* Gn 20, 6 (Ex 10, 16) Nu 32, 23 Dt 1, 41 etc. (50 ×); וְחָטָאת (cj לְעַמֶּךָ) du (Gott) verfehlst dich *thou (God) offendest* Ex 5, 16; 5. ח׳ בְּ **sich versündigen** an *sin against* Gn 42, 22 1 S 19, 4 f Ne 9, 29, † c. עַל idem Nu 6, 11; † 6. ח׳ בְּ **sich** mit etw. **versündigen** *sin in a thing* Lv 5, 22; † 7. ח׳ abs. **sündigen** *sin* Ex 9, 27 Jd 10, 15 Js 1, 4 Ir 2, 35 etc; cj Ho 12, 9 u. Hi 34, 32; (72 ×); 8. ח׳ חֲטָאָה e. Sünde begehn *commit a sin* Ex 32, 30 f; ח׳ חַטָּאת idem Lv 4, 3 Nu 12, 11 etc. (23 ×); ח׳ חֵטְא idem Dt 19, 15 Th 1, 8; 9. ח׳ בִּלְשׁוֹן Ps 39, 2; ח׳ בִשְׂפָתָיו Hi 2, 10; ח׳ בִּשְׁגָגָה Lv 4, 2. 27 5, 15 Nu 15, 27; הַנֶּפֶשׁ הַחֹטֵאת Hs 18, 4. 20; חָטָא מִן sündigen gegen *sin in* Lv 4, 2 5, 15 f; ח׳ לְאַשְׁמַת הָעָם sünd., sodass Schuld auf d. Volk kommt *sin so as to bring guilt upon the people* Lv 4, 3; ?? Ha 2, 10 Pr 20, 2 (חָטָא in Gn 7 ×, Ex 7 ×, Lv 24 ×, Nu 8 ×, Dt 5 ×; in 1 u. 2 S 17 ×, 1 u. 2 K 16 ×; Js 1, 4 42, 24 43, 27 64, 4 65, 20†; in Ir 13 ×, Hs 10 ×, Ho 5 ×, Mi 7, 9 Ha 2, 10 Ze 1, 17, nicht in den andern Propheten *not with the other prophets*; Ps 8 ×, Pr 6 ×, Hi 11 ×; etc.);

pi: pf. חִטֵּא, חִטֵּאת, sf. חִטְּאוֹ, impf. יְחַטֵּא, sf. יְחַטְּאֶהוּ, אֲחַטֶּנָּה < אֲחַטְּאֶנָּה*, inf. חַטֵּא, pt. מְחַטֵּא:

1. c. ac. etwas **zu büssen, zu ersetzen haben** *bear the loss of a thing* Gn 31, 39; 2. c. ac. **entsündigen** *purify from sin* Nu 19, 19 Ps 51, 9, Lv 8, 15 14, 49. 52 Hs 43, 20. 22 f 45, 18; חִטֵּא עַל־הַמִּזְבֵּחַ d. Altar entsündigen *purify the altar from sin* Ex 29, 36; 3. c. ac. **als Sündopfer darbringen** *make a sin-offering* Lv 6, 19 9, 15 2 C 29, 24; †

hif: pf. הֶחֱטִיא, הֶחֱטִי (ante א) 2 K 13, 6, sf. הֶחֱטִיאָם, impf. יַחֲטִא, תַּחֲטִיא, יַחֲטִיאוּ, inf. הַחֲטִיא, הַחֲטִי (ante א) Ir 32, 35, לַחֲטִיא (< לְהַחֲטִיא) Ko 5, 5:

1. **sich** (beim Zielen) **beirren lassen, fehlen** *be diverted from, miss the mark* Jd 20, 16; 2. c. ac. **zur Sünde veranlassen, verführen** *cause, mislead to sin*: (Israel) 1 K 14, 16 15, 26. 30. 34 16, 2. 13. 19. 26 21, 22 22, 53 2 K 3, 3 10, 29. 31 13, 2. 6. 11 14, 24 15, 9. 18. 24. 28 23, 15, (Juda) 2 K 21, 11. 16 Ir 32, 35, e. Land *a country* Dt 24, 4; c. חֲטָאָה גְדוֹלָה zu grosser Sünde *a great sin* 2 K 17, 21; Menschen *men* Ex 23, 33 (לְ gegen *against*) Js 29, 21 Ko 5, 5; Salomo durch Frauen *Solomon by women* Ne 13, 26; †

hitp: יִתְחַטָּא, תִּתְחַטְּאוּ: 1. **sich entsündigen** *purify oneself* Nu 8, 21 19, 12 f. 20 31, 19 f, c. בְּ durch *by* 19, 12 31, 23; 2. **sich zurückziehn** *withdraw* (cf. äth. *ḫṭ'* III) Hi 41, 17. †

Der. חֵטְא, חַטָּא*, חֲטָאָה, חַטָּאָה, חַטָּאת.

חֵטְא: < חִטְא*; חֵטְא: sf. חֶטְאוֹ, pl. חֲטָאִים, cs. חֲטָאֵי, sf. חֲטָאַי, חֲטָאָיו, חֲטָאֵיכֶם:

F פֶּשַׁע, עָוֹן: 1. **Verfehlung** (gegen Menschen) *offence (against human beings)* pl. Gn 41, 9 Ko 10, 4; 2. **Verfehlung, Sünde** (gegen Gott) *offence, sin (against God)* Nu 27, 3 Dt 19, 15 24, 16 2 K 10, 29 14, 6 Js 31, 7 38, 17, cj Am 5, 12, Ps 51, 7. 11 103, 10 Th 3, 39 Da 9, 16 2 C 25, 4; חֵטְא מִשְׁפַּט מָוֶת S., die Todesurteil verdient *sin deserving death-warrant* Dt 21, 22, > חֵטְא מָוֶת Dt 22, 26; 3. נָשָׂא חֵטְא Schuld auf sich laden *commit a sin* Lv 19, 17 22, 9 Nu 18, 32; נָשָׂא חֶטְאוֹ idem Lv 20, 20 24, 15 Nu 9, 13 18, 22; הָיָה חֵטְא בְּ Schuld fällt auf *sin comes on* Dt 15, 9 23, 22 f 24, 15; נָשָׂא חֵטְא c. gen. trägt die Schuld für *bears the sin of* Js 53, 12; חָטָא חֵטְא Sünde begehn *commit sin* Th 1, 8; חֲטָאֵי גִלּוּלֵיכֶן was ihr mit eur. Götzen verschuldet habt *your sins committed by (worshipping) your idols* Hs 23, 49; l חָטָא Ho 12, 9. †

***חַטָּא**: חטא: f. חַטָּאָה, pl. חַטָּאִים, cs. חַטָּאֵי, sf. חַטָּאֶיהָ: **fehlbar, sündig** *faulty, sinful*: אַנְשֵׁים חַטָּאִים Nu 32, 14, חַטָּאִים **Sünder** *sinners* // פֹּשְׁעִים Js 1, 28 Ps 51, 15, // חֲנֵפִים Js 33, 14, // רְשָׁעִים Ps 1, 5, :: צַדִּיקִים Pr 13, 21; *F* Gn 13, 13 (לְ gegen *against*) Nu 17, 3 1 S 15, 18 1 K 1, 21 Ps 1, 1 26, 9 104, 35 Pr 1, 10 23, 17; חַטָּאֶיהָ (der Erde *of the earth*) Js 13, 9, חַטָּאֵי עַמִּי Am 9, 10; מַמְלָכָה חַטָּאָה Am 9, 8; l חֹטְאִים Ps 25, 8. †

חֲטָאָה: חטא: **Versehen, Verfehlen** *error, fault* // שְׁגָגָה Nu 15, 28. †

חֲטָאָה: חטא: 1. **Verfehlung, Sünde** *fault, sin* Gn 20, 9 Ex 32, 21. 30f 2 K 17, 21 Ps 32, 1 109, 7; 2. **Sündopfer** *sin-offering* Ps 40, 7. †

חַטָּאָה: חטא: **Verfehlung, Sünde** *fault, sin* Ex 34, 7 Js 5, 18. †

חַטָּאת, חַטָּאת Sa 13, 1 † u. חַטָּת Nu 15, 24 † חטא: cs. חַטַּאת, sf. חַטָּאתוֹ, חַטָּאתְךָ, חַטַּאתְכֶם, pl. חַטָּאוֹת, cs. חַטֹּאת, sf. חַטֹּאתָם, חַטֹּאתֶיךָ, חַטֹּאתֵיכֶם u. חַטֹּאותֵיכֶם, חַטֹּאותַי: 288 × u. cj Lv 5, 5 u. Nu 28, 30 (l חֲטָאֵיכֶם Am 5, 12) = 290 × (Lv 82, Nu 42, Hs 24 = 148 ×); = Sünde *sin* 155 ×, = Sündopfer *sin-offering* 135 ×: 1. **Sünde** *sin*: כָּבְדָה Gn 18, 20, חַטַּאת קֶסֶם 1 S 15, 23, חַטֹּאות נְעוּרַי Ps 25, 7; נָשָׂא ח׳ Sünde vergeben *forgive sin* Gn 50, 17 Ex 10, 17 32, 32 1 S 15, 25; נָשָׂא לְחַטָּאת S. vergeben *forgive sin* Jos 24, 19 Ps 25, 18, סָלַח לְחַטָּאת S. verzeihen *pardon sin* Ex 34, 9 1 K 8, 34. 36 Ir 36, 3 2 C 6, 25. 27; הֶעֱבִיר חַטָּאת S. hingehn lassen *overlook sin* 2 S 12, 13; עָשָׂה ח׳ Nu 5, 7 u. חָטָא ח׳ Lv 4, 3 S. tun, begehn *sin, do sin*; פָּקַד ח׳ S. ahnden, strafen *visit, punish sin* Ex 32, 34 Ho 8, 13 9, 9; חַטֹּאת הָאָדָם die bei d. Menschen vorkommenden S. *sin that men commit* Nu 5, 6; *F* פֶּשַׁע, עָוֹן; 2. (*F* חטא pi.) **Entsündigung, Sündopfer** *expiation, sin-offering*: פַּר ח׳ Ex 29, 36 Lv 4, 8. 20 8, 2. 14 16, 6. 11. 27 Hs 43, 21 45, 22, עֵגֶל ח׳ Lv 9, 8, שְׂעִיר ח׳ Lv 9, 15 10, 16 16, 15. 27 Hs 43, 25 2 C 29, 23; דַּם ח׳ Lv 4, 25. 34 5, 9 Hs 45, 19, חֵלֶב ח׳ Lv 16, 25; מֵי ח׳ Entsündigungswasser *water of expiation* Nu 8, 7; שְׂרֵפַת ח׳ Nu 19, 17; כֶּסֶף חַטָּאוֹת 2 K 12, 17; חַטַּאת הַכִּפֻּרִים Ex 30, 10; חַטַּאת הַקָּהָל Lv 4, 21.

I **חטב**: ug. *ḥṭb* Holzhauer *wood-gatherer*; mhb., ja. חטב; حَطَبَ u. ሐመበ Brennholz hauen, sammeln *cut, gather firewood*:

qal: impf. יַחְטְבוּ, inf. לַחְטֹב, pt. חֹטֵב, חֹטְבִים, cs. חֹטְבֵי: c. עֵצִים **Brennholz sammeln** *gather firewood* Dt 19, 5 29, 10 Jos 9, 21. 23. 27 Ir 46, 22 2 C 2, 9, ohne *without* עֵצִים Hs 39, 10; †

pu: pt. מְחֻטָּבוֹת: (in Holz) **geschnitzt** *carved (into wood)* Ps 144, 12. †

II **חטב**: AP 15, 7 לבש חטב, ja. חֲטַב sticken (?) *embroider* (?), sy. ܡܚܛܒܬܐ bunt (Kleid) (*garment*) *of many colours*; أَخْطَبُ Coracias garrula Blauracke *roller, blue jay*, sehr bunter Vogel *bird of very many colours*:

qal: pt. pass. חֲטֻבוֹת: **bunt** *many-coloured* Pr 7, 16. †

***חטה**: אֶחְטֶנָּה *F* חטא pi.

חִטָּה: I חנט; mhb.; *F* ba.; حِنْطَة; ak. Meissner, MVA 10, 247: pl. חִטִּים u. חִטִּין (BL 517 t)

Hs 4, 9†, cs. חִטֵּי: **Weizen** *wheat Triticum sativum* (Löw 1, 776 ff; F חֵלֶב, חבט, דוש, מִנִּית, סֹלֶת, עֲרֵמָה, קָצִיר, (שׂוֹרָה): חִטָּה die Pflanze *the plant* Ex 9, 32, d. Getreide *the grain* Dt 8, 8 Js 28, 25 Jl 1, 11 Hi 31, 40; חִטִּים d. Getreide *the grain* Ir 12, 13 2 C 2, 14; Ähren *ears* Jd 6, 11 1 C 21, 20; Körner *grains* 2 S 4, 6 17, 28 1 K 5, 25 Ir 41, 8 Hs 4, 9 45, 13 Ct 7, 3 1 C 21, 23 2 C 2, 9 27, 5; Mehl *flour* Ex 29, 2; c. חֵלֶב Dt 32, 14 Ps 81, 17 147, 14; קְצִיר חִטִּים Weizenernte *wheat-harvest* Gn 30, 14 Ex 34, 22 Jd 15, 1 1 S 6, 13 12, 17 Ru 2, 23; besondre Sorte *special quality* Hs 27, 17. †

חַטּוּשׁ: n. m.; *חטשׁ: 1. Ne 3, 10; 2. 10, 5 12, 2; 3. Esr 8, 2 1 C 3, 22. †

***חטט**: أَحَطُّ geschmeidig *smooth*:
Der. חֲטִיטָא n. m.

חֲטִיטָא: n. m.; *חטט: Esr 2, 42 Ne 7, 45. †

חַטִּיל: n. m.; *חטל: Esr 2, 57 Ne 7, 59. †

חֲטִיפָא: n. m.; חטף: Esr 2, 54 Ne 7, 56. †

***חטל**: أَخْصَلُ langohrig *having pendulous ears*:
Der. חַטִּיל n. m.

חטם: ak. *ḫatāmu*, خَطَمَ d. Nasenring anlegen *attach a cord round the nose* (*of a camel*); mhb. חֲטָם Nasenring *nose-ring*; mhb. חוֹטֶם, ja. חוֹטְמָא Nase, Schnauze *nose*, *muzzle*:
qal: impf. K אֶחֱטוֹם, Q אֶחֱטָם־: **sich bezähmen** *restrain* (לְ zugunsten *for*) Js 48, 9. †
Der. חַרְטֹם.

חטף: mhb.; palm., ja., sy. חֲטַף, خَطِفَ wegnehmen *seize*; خَطَفَى rascher Gang *quickness in pace*, F חֲטִיפָא:
qal: pf. חֲטַפְתֶּם, inf. לַחְטוֹף: **wegnehmen, (sich) fangen** *seize*, *carry off*, *by force* Jd 21, 21 Ps 10, 9. †
Der. חֲטִיפָא.

***חטר**: خَطَرَ schwanken *vibrate*: חֹטֶר.

חֹטֶר: ak. *ḫuṭaru*, ja., sy. ܚܘܛܪܐ, خِطْرٌ: **Reis, Spross** *twig*, *shoot* Js 11, 1, **Rute** *rod* Pr 14, 3. †

***חטשׁ**: n. m. חַטּוּשׁ.

I **חַי**: F ba.; ug. *ḥy* Leben *life*; F חיה, I u. II חַיָּה, חַיִּים: adj., הַחַי u. Gn 6, 19 הַחַי, הֶחָי, חָי, f. חַיָּה, pl. חַיִּים, חַיּוֹת; חַי in Schwurformeln *in formula's of oath* F 5; חֵיךָ 2 S 11, 11 F חַיִּים:
1. **lebendig** *alive*, *living*: כֶּלֶב Ko 9, 4, צִפּוֹר Lv 14, 6, שָׂעִיר 16, 20, שׁוֹר Ex 21, 35, etc.; בָּשָׂר חַי (= ak. *balṭu* Holma Or. 13, 111[2]) rohes Fleisch *raw flesh* 1 S 2, 15, wucherndes Fl. *proud fl.* Lv 13, 10—16; מַיִם חַיִּים fliessendes W. *flowing w.* Gn 26, 19 Lv 14, 5 f. 51 f 15, 13 Nu 19, 17 Ir 2, 13 17, 13 Sa 14, 8 Ct 4, 15; כָּל־חַי alles, was lebt *every living being* Gn 3, 20 8, 21, כָּל־הַחַי 6, 19, כָּל־חַיָּה alles Lebende *every living being* 1, 28; נֶפֶשׁ חַיָּה lebende Wesen *living being(s)* Hs 47, 9 Gn 1, 20 u. נֶפֶשׁ הַחַיָּה Gn 1, 21 Lv 11, 10; 2. **lebendig, am Leben** (Menschen) *living*, *alive* (*human beings*): בִּהְיוֹת חַי als es am Leben war *while he was alive* 2 S 12, 18, הַעוֹד חָי ist er noch am Leben? *is he still alive*? Gn 43, 7, הַעוֹדָם חַיִּים ob sie noch am Leben sind *whether they be still alive* Ex 4, 18; הַחַיִּים (:: הַמֵּתִים) die Lebenden *the living* Nu 17, 13; אֶרֶץ הַחַיִּים Js 38, 11 53, 8 Ir 11, 19 Hs 26, 20 32, 23—27. 32 Ps 27, 13 52, 7 142, 6 Hi 28, 13; אַרְצוֹת הַחַיִּים (?) Ps 116, 9; סֵפֶר חַיִּים Ps 69, 29, תָּפַשׂ חַי lebendig fangen *capture alive*

Jos 8, 23 1 S 15, 8; שְׁבָה חַיִּים 2 C 25, 12; חַי חַי: wer immer lebt *whosoever is alive* Js 38, 19; 3. **lebendig** (Gott) *living* (*God*): אֱלֹהִים חַיִּים Dt 5, 23 1 S 17, 26. 36 Ir 10, 10 23, 36, אֵל חַי Jos 3, 10 Ho 2, 1 Ps 42, 3; 84, 3; אֱלֹהִים חַי 2 K 19, 4. 16 Js 37, 4. 17; חַי יהוה J. lebt *Y. is alive* 2 S 22, 47 Ps 18, 47; 4. כָּעֵת חַיָּה Gn 18, 10 2 K 4, 16 entsprechend der (wieder auf-) lebenden Zeit = **übers Jahr um diese Zeit** *according to the reviving time* = *next year at this time* (cf. ולחיא u. im nächsten Jahr *a. in the following year* aram. Pachtvertrag *lease-deed* Z. 6, Bauer u. Meissner, SBA 1936, 414 ff); 5. חַי u. חֵי in Schwurformeln *in formula's of oath*: חַי אֵל bedeutet: Gott soll nicht leben, wenn .... = so wahr Gott lebt חַי אֵל *means*: *God shall not be alive, if .... = as true as God is alive*; חַי steht vor Gottesnamen u. ihrer Vertretung (אָנִי Nu 14, 21), sonst wird es zu חֵי dissimiliert; חַי *when preceding a name of God a. their representatives* (אָנִי Nu 14, 21), *in other cases dissimilated to* חֵי: a) חַי אֵל Hi 27, 2; † b) חֵי הָאֱלֹהִים 2 S 2, 27; † c) חַי יהוה (Lkš 3, 9 12, 3) Jd 8, 19 1 S 14, 39. 45 19, 6 20, 3. 21 25, 26. 34 26, 10. 16 28, 10 29, 6 2 S 4, 9 12, 5 14, 11 15, 21 1 K 1, 29 2, 24 17, 1. 12 18, 10. 15 22, 14 2 K 2, 2. 4. 6 3, 14 4, 30 5, 16. 20 Ir 4, 2 5, 2 12, 16 16, 14 f 23, 7 f 38, 16 44, 26 Ho 4, 15 Ru 3, 13 2 C 18, 13; † d) (יהוה) חַי אָנִי Nu 14, 21. 28 Js 49, 18 Ir 22, 24 46, 18 Hs 5, 11 14, 16. 18. 20 16, 48 17, 16. 19 18, 3 20, 3. 31. 33 33, 11. 27 34, 8 35, 6. 11 Ze 2, 9 (Lkš 6, 12 f); † e) (יהוה) חַי אָנֹכִי לְעוֹלָם Dt 32, 40; † f) חֵי אֱלֹהֶיךָ (דָּן) Am 8, 14; † g) cj חֵי דַּרְכְּךָ Am 8, 14; † h) חֵי הָעוֹלָם Da 12, 7; † i) חֵי אֲדֹנִי 2 S 15, 21; † j) חֵי פַרְעֹה Gn 42, 15 f; † k) חֵי נַפְשְׁךָ 1 S 1, 26 17, 55 20, 3 25, 26 2 S 11, 11 14, 19 2 K 2, 2. 4. 6 4, 30; † 6. l כֹּל חַיּוֹ da Alles am Leben ist *because everything is alive* 1 S 25, 6, l אִישׁ־חַיִל 2 S 23, 20, l חִנָּם Ps 38, 20, l יְחִי Th 3, 39;? Ps 58, 10; F חַיָּה I u. II, F חַיִּים.

II *חַי: חיה: حَيّ d. Kinder u. Nachkommen des gleichen Vaters *the children a. descendants of one father*, Montg. 13[23]: pl. sf. חַיַּי, l חַיּוֹ: **Sippe** *family, kinsfolk* 1 S 18, 18. †

חִיאֵל: n. m.; Αχιηλ; < *אֲחִיאֵל; אָח u. אֵל: 1 K 16, 34. †

חִידָה: ja. חִידְתָא; sy. ܐܚܘܕܬܐ v. אחד festhalten, verdecken *hold fast, cover* = Geheimnis *secret*; also *therefore* חִידָה < *אֲחִידָה (*אחד = אחז): sf. חִידָתִי, חִידָתְךָ, pl. חִידֹת, חִידוֹת, sf. חִידֹתָם: Bezeichnung einer Sache mit versteckten Andeutungen *indication of a thing by enigmatic allusions*: 1. **Rätsel** *riddle* Jd 14, 12–19 Nu 12, 8 Hs 17, 2 Ps 78, 2 Pr 1, 6 Si 8, 8, 47, 17; **Rätselfragen** *perplexing questions* 1 K 10, 1 2 C 9, 1; פָּתַח חִידָה e. Rätsel lösen *solve a riddle* Ps 49, 5; 2. **Anspielungen, Sticheleien** *insinuations, sneers* Ha 2, 6; 3. **doppelsinnige Rede** *ambiguous saying* Da 8, 23. †

Denom. חוד.

חיה: Sem (nicht *not* ak.): F ba.; < *חיי; ug. *ḥwy* (*ḥyy*); EA 24, 5 kan. gl. *ḫajama* = ak. *balṭānu*; ph. חוי, חוא, adj. חי, חים Leben *life*; حَيّ, حَيِيَ, asa. חיו; ሕይወ:

qal: pf. 3. sg. 1. Bildung *form* חַי, חָי, חֵי Lv 25, 36 † (BL 423), f. וָחַיָּה Ex 1, 16, 2. Bildung *form* חָיָה, חָיְתָה, חָיִית, חָיוּ, וִחְיִיתֶם Hs 37, 5, impf. יִחְיֶה, אֶחְיֶה, תְּחִיִי, יְחִיוּ, תִּחְיֶינָה, נִחְיֶה, וַיְחִי, וַיֶּחִי, תְּחִי, inf. חָיֹה, חָיוֹ, לִחְיוֹת, sf. חֲיוֹתָם, imp. וֶחְיֵה, חֲיִי, וִחְיוּ; f. יְחִיֶה l יִחְיֶה Ir 21, 9:

1. חָיָה **am Leben sein, bleiben** *be alive, have life* Gn 5, 3 Ex 1, 16 Js 55, 3, cj וַתְּחִי Dt 4, 37, etc. (± 120 ×); c. לִפְנֵי vor Gott leben *live before God* Gn 17, 18 Ho 6, 2; חָיָה לְעוֹלָם Gn 3, 22 Sa 1, 5 Hi 7, 16 Ne 2, 3; יְחִי הַמֶּלֶךְ *vivat rex*! 1 S 10, 24 2 S 16, 16

1 K 1, 25. 31. 34. 39 2 K 11, 12 2 C 23, 11; יְחִי לְבַבְכֶם Ps 22, 27 69, 33; 2. חָיָה בְ durch etw. leben *live by something* Lv 18, 5 Hs 20, 13. 21. 25 33, 12 Ne 9, 29; חָיָה עַל leben von etw. *live by a thing* Gn 27, 40 Dt 8, 3, חָיָה עִם leben zusammen mit *live together with* Lv 25, 35 f; 3. חָיָה **aufleben, genesen** *be quickened, revive* Gn 45, 27 Jos 5, 8 Jd 15, 19 1 K 17, 22 f 2 K 1, 2 8, 8—10. 14 20, 7 Js 38, 1. 9. 16. 21; חָיָה **lebendig werden** *live, revive* 2 K 13, 21 Js 26, 14. 19 Hs 37, 3. 5. 9 f. 14 47, 9; pi: pf. חִיָּה, חִיּוּ, חִיִּיתֶם, sf. חִיִּתַנִי, חִיִּתַנִי, impf. יְחַיֶּה, יְחַיּוּ, נְחַיֶּה, תְּחַיֶּינָה, תְּחַיּוּן, וַתְּחַיֶּין, sf. וַיְחַיֵּהוּ, תְּחַיֵּנִי, וַיְחַיֶּהָ, וַיְחַיֵּנוּ, inf. חַיּוֹת, חַיּוֹתָם, חַיּתוֹ; imp. sf. חַיֵּנִי, חַיֵּהוּ, pt. מְחַיֶּה: 1. **am Leben erhalten** *preserve alive* Gn 12, 12 Ex 1, 17 Nu 31, 15 Dt 6, 24 Jos 9, 15 Js 7, 21 Ir 49, 11 etc. (47 ×), cj 2 K 4, 7 (l תְּחַיִּי .... וְאֶת); חַיּוֹת זֶרַע Gn 7, 3 19, 32. 34; 2. **zum Leben bringen** *bring to life, quicken (to life)*: אֲבָנִים Ne 3, 34, Gott die Schöpfung *God the universe* 9, 6, עִיר 1 C 11, 8; verwirklichen *realize* Ha 3, 2; 3. חִיָּה דָגָן **Korn bauen** *grow corn* Ho 14, 8; l וְנֶפֶשׁ לֹא חִיָּה Ps 22, 30;
hif: pf. הֶחֱיָה, הֶחֱיֵיתִי, הַחֲיִתֶם, sf. הֶחֱיָתָנוּ, inf. הַחֲיוֹת, הַחֲיֹת, imp. הַחֲיֵה, הַחֲיוּ, sf. הַחֲיֵינִי: 1. **am Leben erhalten** *preserve alive* Gn 6, 19 f 19, 19 45, 7 47, 25 50, 20 Nu 22, 33 31, 18 Jos 2, 13 6, 25 9, 20 14, 10 Jd 8, 19 2 S 8, 2 2 K 5, 7 8, 1. 5 Js 38, 16 Hs 13, 22; 2. **beleben** *revive* Js 57, 15. †
Der. חַי I u II, *חָיֶה, חַיָּה I u II, חַיּוּת, חַיִּים, מִחְיָה; n. m. מְחוּיָאֵל, יְחִיָּה, יְחִיאֵל.

***חָיֶה**: חיה: pl. f. חָיוֹת: lebenskräftig, **gebärtüchtig** *having the vigour of life, bearing easily* Ex 1, 19. †

I חַיָּה: חיה; f. v. חַי; ba. חֵיוָה: cs. חַיְתוֹ (BL 525 i) u. חַיַּת, sf. חַיָּתוֹ, pl. חַיּוֹת: חַיָּה (:: בְּהֵמָה Gn 1, 25) das nicht gezähmte, frei lebende, meist grosse, gefährliche Tier *the not domesticated, in the open country living, in most cases big and dangerous animal*: 1. חַיַּת הַשָּׂדֶה **d. Wild** *the wild animals* Gn 2, 19 3, 1 Ex 23, 11 Js 43, 20 Ir 12, 9 Ho 2, 14 (29 ×); חַיְתוֹ שָׂדָי Js 56, 9 Ps 104, 11; חַיַּת הָאָרֶץ Gn 1, 25. cj 26 1 S 17, 46 Hs 29, 5, cj Hi 12, 8 (11 ×); חַיְתוֹ אֶרֶץ Gn 1, 24 Ps 79, 2; (לְבָנוֹן) חַיָּתוֹ Js 40, 16; חַיְתוֹ יַעַר Ps 50, 10 104, 20, חַ' בַּיָּעַר Js 56, 9; כָּל־חַיָּה Gn 1, 28 9, 5, כָּל־הַחַיָּה 7, 14 8, 1. 17, הַחַיָּה 7, 21 etc.; 2. **Raubwild, Raubtiere** *rapacious animals, beasts* Hs 14, 15 33, 27 Ze 2, 15 Ps 148, 10 Hi 37, 8; חַיָּה רָעָה böses Raubtier *evil beast* Gn 37, 20. 33 Lv 26, 6 Hs 5, 17 14, 15. 21 34, 25; 3. חַיָּה טְמֵאָה Lv 5, 2, חַיּוֹת טְהֹרוֹת 11, 47, חַיָּה נֶאֱכֶלֶת 14, 4, צֵיד חַיָּה 17, 13; חַיְתוֹ גוֹי? Ze 2, 14; grosse u. kleine חַיּוֹת *small a. great* Ps 104, 25, פְּרִיץ חַיּוֹת Js 35, 9; חַיַּת קָנֶה Ps 68, 31; 4. חַיּוֹת **Wesen, Gestalten** *living beings, living shapes* Hs 1, 13—22 3, 13, אַרְבַּע חַיּוֹת 1, 5, הַחַיָּה coll. die Wesen *the living beings* 10, 15. 17. 20 1, 20—22; l בְּהֵמָה Gn 8, 19 u. לְהַוּוֹת Ps 74, 19; l לְחַיָּה 2 S 23, 11, l חַוַּת 23, 13, l מְחִיָּתְךָ Ps 68, 11; חַיָּתָם? u. חַיָּתוֹ Hs 7, 13.

II חַיָּה: f. v. חַי in spezieller Bedeutung *with special meaning*: cs. חַיַּת, sf. חַיָּתוֹ: das Lebendige = **das Leben** *the living thing = the life*: // נֶפֶשׁ Hi 33, 18. 20. 22. 28 36, 14 Ps 78, 50 143, 3, וְחַיַּת עֲנִיֶּיךָ Ps 74, 19, cj Ps 107, 20 (l חַיָּתָם); > [כְּפִירִים] חַיַּת Gier *greed, appetite* Hi 38, 39. †

חַיּוּת: חיה: mhb. חַיּוּת, ja., sy. ܚܝܘܬܐ Leben *life*: **Lebenszeit** *lifetime*: אַלְמְנוּת חַיּוּת Witwen, während der Gatte noch lebt, aber der Gattin den ehelichen Verkehr vorenthält *widows whose husband is alive, but withholds his sexual intercourse from his wife* 2 S 20, 3. †

חַיִּים (145 ×): חיה, pl. v. חַי; ug. *ḥym*: cs. חַיֵּי, sf. חַיָּיו, חַיֶּיךָ: 1. **Leben, Lebenszeit, Lebensdauer** *life, lifetime*: חַיֵּי נֹחַ Gn 7, 11, חַיֶּיךָ 3, 14, יְמֵי שְׁנֵי חַיֵּי אַבְרָהָם 47, 28, יְמֵי חַיָּיו 25, 7; נִשְׁמַת חַיִּים d. Odem, der die Lebensdauer trägt *the breath ensuring life* Gn 2, 7, רוּחַ חַיִּים 6, 17; עֵץ הַחַיִּים d. Baum, dessen Frucht Lebensdauer gewährt *the tree the fruits of which eusure life* Gn 2, 9; בְּחַיֶּיהָ bei ihren Lebzeiten *in her lifetime* Lv 18, 18, בְּחַיֶּיךָ solange du lebst *as long as thou livest* Dt 28, 66; חַיֵּי עוֹלָם immerwährendes L. *everlasting l.* Da 12, 2; רוּחַ חַיָּי Hi 7, 7; 2. **Leben, Lebenszustand** *life, state of life* (:: מָוֶת) Dt 30, 15. 19 2 S 15, 21 Pr 18, 21 Ir 8, 3 Jon 4, 3. 8; חַיַּי m. L. = d. Tatsache, dass ich lebe *that I am alive* Gn 27, 46, מֵרַר חַיִּים d. Leben verbittern *make the life bitter* Ex 1, 14; חַיֶּיךָ תְּלֻאִים d. L. ist in d. Schwebe *hangs in doubt* Dt 28, 66; 3. **Leben, Lebensgut, Lebensglück** *life, good of, happiness of life* (Baudissin, Alttestamtl. *ḥajjim* Leben in d. Bedeutung von Glück, Festschrift E. Sachau, 1915; L. Dürr, D. Wertung des Lebens im AT, 1926; חַיִּים = Gesundheit, Unversehrtheit *health, safety* F Baudissin, Adonis u. Esmun 390 ff): הַחַיִּים וְהַשָּׁלוֹם Ma 2, 5, חַיִּים וָחֶסֶד Hi 10, 12, אוֹר הַחַיִּים Ps 56, 14 Hi 33, 30, דֶּרֶךְ הַחַיִּים Ir 21, 8 Pr 6, 23, אֹרַח חַיִּים Ps 16, 11 Pr 5, 6 15, 24, אָרְחוֹת חַיִּים Pr 2, 19, צְרוֹר הַחַיִּים 1 S 25, 29, כָּתוּב לַחַיִּים Js 4, 3, בָּחַר בַּחַיִּים Dt 30, 19; רְאֵה חַיִּים geniesse d. L. *live joyfully* Ko 9, 9; חֻקּוֹת הַחַיִּים Hs 33, 15; Gott schenkt d. L. *life is God's gift*: אֵל חַיָּי Ps 42, 9, Gott *God* מָעוֹז חַיַּי Ps 27, 1, מְקוֹר חַיִּים 36, 10 Pr 13, 14, גֹּאֵל חַיָּיִם Ps 103, 4; 4. Leben, **Lebensunterhalt** *life, subsistence* Pr 27, 27.

I חיל, חול: ug. *ḥl*; ak. *ḫâlu* kreissen *have labour-pains*, mhb., ja. חול tanzen, sich hin u. her wenden *dance, turn this side a. that side*, حَالَ sich wenden *turn*:

qal: pf. חַלְנוּ Dt 2, 25, חָלָה, חַלְתִּי, חָלוּ, impf. 1. c. *i*: יָחִיל, תָּחִיל, יְחִילוּ, יְחִילוּן, וַיָּחֶל, imp. c. *i*: חִילִי; 2. c. *u*: תָּחוּל, וַתָּחֹל, אחולה l אָחוּלָה Ir 4, 19, inf. חִיל, חוּל, imp. c. *u*: חוּלִי; Gn 8, 10 Jd 3, 25 Mi 1, 12 Th 3, 26 Hi 35, 14 l יחל f. חִיל, F cj:

1. **Wehen haben, kreissen** (Gebärende) *have labour-pains* (*childbirth*) Js 13, 8 23, 4 f 26, 17 f 45, 10 54, 1 66, 7 f Ha 3, 10 Si 48, 19, cj Ir 4, 31 (l חָלָה); 2. **sich winden** *writhe* Ir 4, 19 51, 29 Hs 30, 16 Mi 4, 10 (יוֹלֵדָה) Ps 114, 7 (אֶרֶץ); **beben** *tremble* Sa 9, 5 Ps 55, 5 77, 17 97, 4 Th 4, 6, c. מִפְּנֵי Dt 2, 25 Ir 5, 22 Jl 2, 6 Ps 96, 9, c. מִלִּפְנֵי 1 C 16, 30, c. מִן vor *in sight of* 1 S 31, 3 1 C 10, 3; † l יָחֲלָה Mi 1, 12 f. חָלָה; †

po: pf. cj חֹלַל (MT חָלַל) **sich winden** (Herz) *writhe* (*heart*) cj Ps 109, 22; †

pil: impf. יְחוֹלֵל, תְּחוֹלֵל, sf. תְּחוֹלְלֶכֶם, inf. חֹלֵל, pt. sf. מְחֹלַלְךָ: 1. **zum Kreissen bringen** *make to have labour-pains* Ps 29, 9; 2. **kreissend hervorbringen** *bring forth in labour-pains* Dt 32, 18 Js 51, 2 Pr 25, 23 Hi 39, 1; †

pol. pass.: pf. חוֹלַלְתִּי, חוֹלָלְתָּ, impf. cj וַתְּחוֹלַל Ps 90, 2, יְחוֹלָלוּ: 1. **durch Kreissen hervorgebracht werden** *be brought forth by labour-pains* Ps 51, 7 Pr 8, 24 f Hi 15, 7, cj Ps 90, 2; 2. **zum Beben gebracht werden** *be made tremble* Hi 26, 5; †

hif: impf. יָחִיל: **macht erbeben** *cause to tremble* Ps 29, 8; l וַיָּחֶל Gn 8, 10; l וַיּוֹחִילוּ Jd 3, 25; l וַיָּחִיל f. יְחִילוּ Th 3, 26; †

hof: impf. יוּחַל: **unter Kreissen hervorgebracht werden** *be brought forth in labour-pains* Js 66, 8; †

hitpo: pt. מִתְחוֹלֵל: **sich vor Angst winden** *writhe in fear* Hi 15, 20; l וְהוֹחֵל Ps 37, 7; †

hitpalp: impf. וַתִּתְחַלְחַל: **sich bebend winden** *writhe trembling* Est 4, 4. †

Der. חַלְחָלָה, חִילָה, חִיל.

II חיל: F חַיִל; ja., sam., sy. pa. stärken *strengthen*, ꜣḥl stark sein *be strong*:

qal: impf. יָחִיל: **Dauer, Bestand haben** *endure* Hi 20, 21; l יַצְלִיחַ Ps 10, 5. †

Der. חַיִל.

חַיִל (245 ×): II חיל, F ba.; ak. *ellatu* Streitkräfte *army*(?), aram. חֵילָא, sy. ḥaylā, palm. רב חילא; خَيْل Pferde *horses*, asa. *ḫjl*, ḫyl: abs. חַיִל (?) 2 K 18, 17, חָיִל, cs. חֵיל, sf. חֵילוֹ, pl. חֲיָלִים, sf. חֵילֵיהֶם:

1. **Vermögen, Kraft** (d. Fähigkeit, etwas zu leisten, hervorzubringen, δύναμις) *faculty, power* (*the capacity to effect or produce something*): חֵילָם (v. Bäumen *of trees*) Jl 2, 22, חַיִל (d. Pferdes *of the horse*) Ps 33, 17, חַיִל לַמִּלְחָמָה Ps 18, 40, עָשָׂה חַיִל Kraft entfalten *show strength* Nu 24, 18, אָזַר חַיִל 1 S 2, 4, אָזַר חַיִל Ps 18, 33. 40; גִּבֵּר חֲיָלִים d. Kräfte anstrengen *exert one's strength* Ko 10, 10; 2. **Vermögen, Habe** (durch deren Besitz u. Mehrung der Bauer sich als tüchtig erweist) *wealth, property* (*which prove the farmer to be able*): Gn 34, 29 Nu 31, 9 Dt 8, 17 Js 8, 4 10, 14 etc. (34 ×); עָשָׂה חַיִל zu Habe, Reichtum kommen *become wealthy* Dt 8, 18 Ru 4, 11; הִרְבָּה חַיִל Hs 28, 5; הִשְׂגָּה חַיִל Ps 73, 12; daher *therefore* אִישׁ חַיִל e. hablicher, **vermöglicher Grundbesitzer**, der tüchtig u. deshalb fähig für den Heerbann u. wacker ist אִישׁ חַיִל *a wealthy landowner who is able a. thus is apt for military service a. is brave* 2 S 23, 20 1 K 1, 42 etc., pl. אַנְשֵׁי חַיִל Gn 47, 6 Ex 18, 21 Js 5, 22 (tüchtig im Zechen *mighty to drink*) etc.; אֵשֶׁת חַיִל tüchtige Hausfrau *skilled, excellent woman* Pr 12, 4 31, 10 Ru 3, 11; † בֶּן־חַיִל aus rechtem Haus, tapfer *of good race, valiant* 1 S 14, 52 etc., pl. בְּנֵי חַיִל Dt 3, 18 etc.; עָשָׂה חַיִל sich tüchtig, wacker zeigen *prove able, brave* 1 S 14, 48 Ps 60, 14 108, 14 118, 15 f Pr 31, 29 (Frau *woman*); † גִּבּוֹר חַיִל tapfrer Mann *brave man* Jd 11, 1, pl. 1 C 5, 24, cj Ne 11, 8, גִּבּוֹרֵי חֲיָלִים (doppelter *double* pl.!) 1 C 7, 5; 3. חַיִל Vermögen, Kraft, **Streitmacht, Heer** *wealth, power, army*: Ex 14, 4 Dt 11, 4 Ir 32, 2 etc. (68 ×); חַיִל רָב Hs 38, 15, חַיִל גָּדוֹל Hs 17, 17, l בְּחַיִל 2 K 18, 17 u. Js 36, 2, חֵיל הַצָּבָא Heermacht *the forces* 1 C 20, 1 2 C 26, 13, פְּקוּדֵי הֶחָיִל Nu 31, 14 2 K 11, 15, שַׂר הַחַיִל 2 S 24, 2, שָׂרֵי הַחֲיָלִים (doppelter *double* pl.) 1 K 15, 20, נָתַן חַיִל בְּ Besatzung legen in *place forces in* 2 C 17, 2; חַיִל כָּבֵד viel Mannschaft *many troops* 2 K 6, 14; 4 חֵיל שֹׁמְרוֹן **Oberschicht** (die nach Besitz u. militärischen Wert zugleich Bedeutenden) *upper classes* (*the economically a. as soldiers at the same degree important people*) Ne 3, 34 (Alt, Rolle Samarias = Festschr. Procksch, 1934, 13); חַיִל כָּבֵד grosses **Gefolge** *great train* 1 K 10, 2 2 C 9, 1; אַנְשֵׁי הֶחָיִל = die Beine *the legs* Ko 12, 3; cj לְחַיִל Ps 41, 4; ? יוֹם חֵילֶךָ Ps 110, 3.

Der. n.m. אֲבִיחַיִל.

חַיִל, חֵל: חול: حَوْل was rund herum ist *what is round about*; حَوَالَيْنَا (Gott) rund um uns her (= unser Beschützer) (*God*) *around us* (= *our protector*), asa. חול rings um ... herum *around* (*a thing*): sf. חֵילָהּ (MSS) Ps 48, 14, חֵילֵךְ: **Ringmauer? Wallgraben?** *rampart? moat?* sy. בַּר שׁוּרָא; προτείχισμα, *antemurale*: 2 S 20, 15 Sa 9, 4 Ps 48, 14 122, 7; // חוֹמָה Na 3, 8, חֵל וְחוֹמָה Js 26, 1, חוֹמוֹת וָחֵל Th 2, 8; l בְּחֵלֶק 1 K 21, 23, l בְּחַיִל 2 K 18, 17 u. Js 36, 2; l חֲלַח Ob 20. †

חִיל: I חיל: ak. pl. *ḫâli*: **Wehen, Gebärschmerzen** *labour-pains, birth-throes* Ex 15, 14 Ir 6, 24 22, 23 50, 43 Mi 4, 9 Ps 48, 7. †

חִילָה: f. v. חִיל: **Wehen** *labour-pains* Hi 6, 10.†

חִילֵךְ: n. l.? Hs 27, 11.†

חִילֵם: n. l.; loc. חֵלָאמָה: äg. *Ḥl'm* (BAS 83, 33)? Smend, ZAW 22, 137 = Αλαμα 1 Mk 5, 26 :: Hölscher, ZDP 29, 137: in Gilead 2 S 10, 16 f.†

חִילֵן: n. l.; = חֹלוֹן: 1 C 6, 43.†

חִין: Hi 41, 4 (verderbt *corrupt*).†

חַיִץ: *חוץ; mhb.; ja. חִיצָא Scheidewand *partition-wall*; حاص, يَحُوص zusammennähen *sew together*; ursprünglich der d. Innere e. Hauses in 2 Räume scheidende Vorhang *originally the curtain dividing the interior of a house into two rooms*: **Binnenwand** *party-wall* Hs 13, 10, cj 1 K 7, 9 (l וּמֵחַיִץ)†

חִיצוֹן < *חוּצוֹן, חוּץ: f. חִיצֹנָה: aussen gelegen *outer, external* (:: פְּנִימִי): חָצֵר Hs 10, 5 40, 17. 20. 31. 34. 37 42, 1. 3. 7–9. 14. cj 6 44, 19 46, 20f Est 6, 4, שַׁעַר Hs 44, 1, חוֹמָה 2 C 33, 14, מָבוֹא 2 K 16, 18; בַּחִיצוֹן aussen *without* Hs 41, 17, לַחִיצוֹן nach aussen *without* 1 K 6, 29 f; הַמְּלָאכָה הַחִיצֹנָה d. äussere Dienst *the outward business* Ne 11, 16, die äussern, weltlichen Angelegenheiten *profane affairs* 1 C 26, 29.†

*חיק: חֵק, חֵיק.

חֵיק, חֵק: mhb.; ja. חֵיקָא; ak. *ḫâqu* sich zusammenschliessen *be fitted, closed together*; حَقْوٌ Taille (des Leibs) *waist*: sf. חֵיקוֹ, l חֵיקְךָ Q Ps 74, 11: 1. untre, äussre Vorderseite d. menschlichen Leibes, wo man Geliebte, Tiere, Kinder hegt, **Schoss** *under, outer front of human body, where beloved ones, infants, animals are pressed closely, lap* Nu 11, 12 1 K 3, 20 17, 19 Js 40, 11; des Manns *of a man* Gn 16, 5 Dt 13, 7 28, 54 2 S 12, 3. 8 1 K 1, 2 Mi 7, 5 Ps 35, 13 Pr 6, 27, cj Hi 23, 12 בְּחֵיקִי, der Frau *of a woman* Dt 28, 56 Pr 5, 20 Ru 4, 16 (Gestus d. Adoption *rite of adoption* ZAW 29, 312 f) Th 2, 12; 2. **Bausch des Gewands**, oberhalb d. Gürtels, wo man Hände u. Dinge verbirgt *fold of garment above the belt, where hands a. things are hidden* Ex 4, 6 f Ps 74, 11 Pr 16, 33 17, 23; Redensart *popular saying*: vergelten *recompense* עַל חֵיק Js 65, 6 f Ir 32, 18, אֶל חֵיק Ps 79, 12; נָשָׂא בְחֵיק Ps 89, 51; 3. Nierengegend *region of kidneys* Hi 19, 27; 4. **Ausbuchtung** *swelling* 1 K 22, 35 (Wagen *chariot*) Hs 43, 13 f. 17 (Blutrinne, Sims d. Altars *blood-channel, moulding of the altar*, MAO 4, 170 ff).†

חִירָה: n. m.: Gn 38, 1. 12.†

חִירוֹם: F חִירָם.

חִירוֹת: F פִּי־הַחִירוֹת.

חִירָם u. חִירוֹם 1 K 5, 24. 32 7, 40† u. (9×1. 2 C) חוּרָם: keilschr. *Ḫirumu*, Χιραμ, Jos. Εἰρώμος; ph. חרם u. אחרם; < אֲחִירָם **Hiram**: 1. K. v. Tyrus 2 S 5, 11 1 K 5, 15—26. 32 9, 11 f. 14. 27 10, 11. 22 1 C 14, 1 2 C 2, 2. 10 f 8, 2. 18 9, 10. 21; 2. Künstler u. Techniker aus Tyrus *artificer of Tyre* 1 K 7, 13. 40. 45 2 C 2, 12 (dele אָבִי) 4, 11. 16 (dele אָבִיו); l וְחוּפָם 1 C 8, 5.†

חִישׁ: חוש: Eile *haste*, adv. eilends *quickly* Ps 90, 10.†

חֵךְ: ak. *ikku*; mhb., ja. חִכָּא, äga. חנך, sy. ܚܢܟܐ u. ܚܢܟܐ; حَنَكٌ: sf. חִכּוֹ: **Gaumen** *palate, gums*: Hs 3, 26 Ps 137, 6 Hi 29, 10 Th 4, 4 Ps 22, 16 (l חִכִּי), Sitz d. Geschmack *organ of taste* Ps 119, 103 Pr 24, 13 Hi 12, 11 20, 13 34, 3 Ct 2, 3, Sitz d. Sprache *organ of speech* Pr 5, 3 8, 7 Hi 6, 30 31, 30 33, 2, d. Tons *of sound* Ho 8, 1, der Zärtlichkeit *of caresses* Ct 5, 16 7, 10.†

חכה: mhb., ja. pa. חכא:
qal: pt. pf. cs. חוֹכֵי: c. לְ **warten auf** *wait for* Js 30, 18; †
pi: pf. חִכָּה, חִכְּתָה, חִכִּיתִי, חִכּוּ, impf. יְחַכֶּה, imp. חַכֵּה, חַכּוּ, pt. מְחַכֶּה, cs. מְחַכֵּה, pl. מְחַכִּים; f. חַכֵּי Ho 6, 9 l וּבְכֹה:
c. לְ **warten auf** *wait for* Js 8, 17 30, 18 64, 3 (l מְחַכָּיו) Ha 2, 3 Ze 3, 8 (l חַכֵּי) Ps 33, 20 106, 13 Hi 3, 21, c. עַד bis *until* 2 K 7, 9; abs. warten, **zaudern** *wait, tarry* 2 K 9, 3; c. בְּ mit etw. warten *wait with a thing* (את gegenüber *for*) Hi 32, 4; abs. warten **Geduld haben** *wait, have patience* Da 12, 12. †

חַכָּה: *חכך, mhb., ja., sy.; حَكَّ kratzen *scratch*; ja. חַכְּתָא: **Angelhaken** *fish-hook* Js 19, 8 Ha 1, 15 Hi 40, 25. †

חֲכִילָה: n. l.; *חכל: גִּבְעַת הַחֲכִילָה bei *near* זִיף 1 S 23, 19 26, 1. 3. †

***חכך**: חַכָּה.

***חכל**: n. l. חֲכִילָה; n. m. חֲכַלְיָה; חַכְלִילִי, חַכְלִלוּת.

חֲכַלְיָה: n. m.; *חכל u. יה; BAS 80, 12 f: Ne 1, 1 10, 2. †

חַכְלִילִי: *חכל; cs. חַכְלִילִי: חַכְלִילִי עֵינַיִם מִיָּיִן; trad. vom Wein **getrübte** Augen *eyes dull from wine* (*חכל = ak. *ekēlu* finster, traurig sein *be dull, dark, gloomy*)?: Gn 49, 12. †

חַכְלִלוּת: subst. v. חַכְלִילִי: Pr 23, 29. †

חכם: ug. *ḥkm*; aram. חכם; F ba. חכמה, חַכִּים; حَكَمَ; ṭḥhm; ak. *ḫakamu* (westsem. LW, Zimm. 29); amor. n. m. *Jaḫkumu* (Bauer, Ostkan. 73a):
qal: pf. חָכַם, חָכַמְתָּ, חָכְמוּ, impf. יֶחְכַּם, יֶחְכָּם, יֶחְכָּמוּ, אֶחְכָּמָה, imp. חֲכָם, חַכְמוּ; וַחֲכָם Pr 13, 20 = וַחֲכָם vel יֶחְכָּם:
1. **weise sein** *be wise* Dt 32, 29 1 K 5, 11 Hi 32, 9 Sa 9, 2 Ko 2, 15; 2. **weise werden** *become wise* Pr 6, 6 8, 33 9, 9. 12 13, 20 19, 20 20, 1 21, 11 23, 15. 19 27, 11; **sich weise verhalten** *act wisely* Ko 2, 19 7, 23; †
nif: pt. נחכם: sich weise zeigen *prove wise*: Si 37, 19. 22 f; †
pi: impf. יְחַכֵּם, sf. תְּחַכְּמֵנִי, יְחַכְּמֵנוּ:
1. **unterweisen** *teach wisdom* Ps 105, 22; 2. **weise machen** *make wise* Ps 119, 98 Hi 35, 11 Si 6, 37; †
pu: pt. מְחֻכָּם: **unterrichtet, belehrt** *made wise* Ps 58, 6; l מְחֻכָּמִים Pr 30, 24; †
hif: pt. f. cs. מַחְכִּימַת: **weise machen** *make wise* Ps 19, 8; †
hitp: impf. תִּתְחַכַּם, נִתְחַכְּמָה: **sich weise, klug zeigen** *deal wisely, shrewdly* (לְ gegenüber *toward*) Ex 1, 10 Si 10, 26; **seine Weisheit zeigen** *show oneself wise* Ko 7, 16. †
Der. חָכָם, חָכְמָה, חָכְמוֹת.

חָכָם: חכם: (132 ×, Pr 46 ×); cs. חֲכַם, pl. חֲכָמִים, cs. חַכְמֵי, sf. חֲכָמָיו, f. חֲכָמָה, cs. חַכְמַת, pl. חֲכָמוֹת, cs. חַכְמוֹת, adj.: vorsichtig > überlegt > geschickt, sachkundig > weise *cautious > careful > skilful > wise*: 1. **geschickt, kunstfertig** *skilful*: חָרָשׁ חָכָם Js 40, 20, l חַכְמֵי מָצוֹר Hs 27, 8, חֲכָמוֹת Klagefrauen *women hired to lament* Ir 9, 16, מַעֲשֵׂה חֲכָמִים 10, 9; technisch geschickt *skilful (in technical works)* 1 C 22, 15 2 C 2, 6. 12 f; (später *later*) חֲכַם לֵב (fertigt die Kultsachen an *manufactures the things of cult*) Ex 28, 3 31, 6 35, 25 36, 4; 2. **anschlägig, lebenserfahren** *practical, of experience*: אִישׁ חָכָם 2 S 13, 3 1 K 2, 9, אִשָּׁה חֲכָמָה 2 S 14, 2 20, 16; 3. daher *therefore*: **die Weisen** *the wise men*: חֲכָמִים מִצְרַיִם Gn 41, 8 Js 19, 12, פַּרְעֹה 19, 11, בָּבֶל Ir 50, 35 51, 57, גְּבַל Hs 27, 9, אֱדוֹם Ob 8, des *of* הָמָן Est 6, 13, חַכְמֵי הַגּוֹיִם Ir 10, 7; בֶּן־חֲכָמִים einer, der zu d. W. gehört *one out of the wise* *men* Js 19, 11; Führer d. Volks *leaders of the people* Dt 1, 13. 15, נָבוֹן וְחָכָם einsichtig u. erfahren *one of insight a. experience* Gn 41, 33. 39, pl. Js 5, 21, // מְכַשְּׁפִים Ex 7, 11, // קֹסְמִים Js 44, 25, = יֹדְעֵי הָעִתִּים Est 1, 13, bestechlich *venal* Dt 16, 19, חֲכָמִים לְהָרַע Ir 4, 22, haben *own* תּוֹרַת י׳ Ir 8, 8; Tiere *animals* חֲכָם Pr 30, 24; 4. חָכָם :: אֱוִיל Pr 17, 28, :: נָבָל Dt 32, 6, :: כְּסִיל Pr 3, 35, :: כָּסָל Ko 2, 19, שֹׁמֵעַ לְעֵצָה Pr 12, 15; Salomo בֵּן חָכָם 1 K 5, 21; חָכָם מִדָּנִאֵל Hs 28, 3; Gott חָכָם Js 31, 2; 5. Ps 107, 43 Pr 1, 5 Hi 15, 2 Ko 7, 19 2 C 2, 11 u. oft *a. frequently* ist חָכָם d. **gottesfürchtige Weise**, der d. Gesetz kennt u. hält *is the pious wise knowing a. observing the law*; l חַכְמַת Jd 5, 29, l חָכְמוֹת Pr 14, 1, l חָמָס Pr 11, 30.

חָכְמָה (141 ×; Pr 32, Ko 28, Hi 18 = 78 ×; in d. Propheten nur *with the prophets* Ir 6 × u. Js 5 × *only*): חכם; ug. *ḥkmt*: cs. חָכְמַת, sf. חָכְמָתוֹ, חָכְמַתְכֶם; חָכְמַת וָדַעַת! Js 33, 6; fem.: 1. (technische) Fertigkeit, **Geschick** *skill* (*in technical works*) Ex 35, 26 28, 3 31, 3. 6 35, 31 36, 1 f 1 K 7, 14; 2. **Erfahrung, Klugheit** *experience, shrewdness*: Frau *woman* 2 S 20, 22, politisch *political* 1 K 2, 6 Js 10, 13; Gottes *of God* 1 K 3, 28; 3. (praktische, weltliche) **Weisheit** (*practical, worldly*) *wisdom*: der *of* בָּבֶל u. מִצְרַיִם 1 K 5, 10, בְּנֵי קֶדֶם Js 47, 10, רוּחַ חָכְמָה 2 S 14, 20; מַלְאַךְ הָאֱלֹהִים Dt 34, 9 Js 11, 2; 4. (fromme) **Weisheit** (*pious*) *wisdom* Ps 90, 12 Pr 1, 2 Hi 12, 2 u. oft *a. often*; 5. חָכְמָה Gottes *of God* Ir 10, 12 51, 15 Ps 104, 24 Pr 3, 19; 6. חָכְמָה als Personifikation *personified* Hi 28, 12. 18. 20. 28 Pr 8, 1 ff (Göttsberger, D. göttliche Weisheit als Persönlichkeit im AT, 1919; W. Baumgartner, Israelitische u. altorient. Weisheit, 1933).

חָכְמוֹת: חכם; späte Bildung *late form*, Brønno, Stud. 187 f.: **Weisheit** *wisdom* Pr 1, 20 9, 1 24, 7, cj 14, 1, Ps 49, 4 (// תְּבוּנוֹת). †

חַכְמֹנִי: n. m.; חכם?: 1. 1 C 11, 11, cj 2 S 23, 8; 2. 1 C 27, 32. †

חכר: حَكَرَ jem. Unrecht tun *wrong somebody*: qal: impf. תַּחְכְּרוּ (3 MSS f. תַּהְכְּרוּ): c. לְ jmd **zusetzen** *deal hardly with* Hi 19, 3. †

חֹל: I חלל: **profan**, ohne Ritus zugänglich u. brauchbar *profane*; *to be used without preceding ceremony*: חֹל :: קֹדֶשׁ Lv 10, 10 Hs 22, 26 42, 20 44, 23 1 S 21, 5 (Brot *bread*); דֶּרֶךְ חֹל kultisch nicht behemmt, nicht heilig *independent of religious restrictions, not holy* Hs 48, 15. †

חֵל: F חֵיל.

חלא: NF v. חלה; حَلَأَ, asa. חלא: qal: impf. וַיֶּחֱלָא: **erkranken** *fall ill* 2 C 16, 12; †
hif: pf. הֶחֱלִי, l הֶחֱלִים (Begrich) Js 53, 10. †
Der. I u. II חֶלְאָה, תַּחֲלֻאִים.

I **חֶלְאָה**: חלא; hif. denom. rosten *rust* Si 12, 10: sf. חֶלְאָתָהּ u. Hs 24, 6 † חֶלְאָתָהּ!: **Rost** *rust* (Dalm., AS 5, 183: Grünspan *verdigris*) Hs 24, 6. 11 f. †

II **חֶלְאָה**: n. f.; = I: 1 C 4, 5. 7. †

חֲלָאִים: F II חֲלִי.

חֶלְאמָה: F חֵילָם.

חָלָב: ug. *ḥlb*; mhb.; ph.; ja. חֲלַב, sy. ܚܠܒܐ; حَلَبٌ, ሐሊብ: cs. חֲלֵב (or. חֲלַב), sf. חֲלָבִי: **Milch** *milk*; חֲלֵב צֹאן Dt 32, 14, חֲלֵב עִזִּים Pr 27, 27, חֲלֵב אִמּוֹ Ex 23, 19 34, 26 Dt 14, 21; טְלֵה חָלָב Milchlamm *sucking lamb* 1 S 7, 9; חָלָב :: מַיִם Jd 5, 25, יַיִן וְחָלָב Js 55, 1, חָלָב וּדְבַשׁ F זוּב, דְּבַשׁ וְחָלָב Ct 4, 11 (metaph.), שָׁתָה חָלָב 5, 1; יֵינִי עִם חֲלָבִי Hs 25, 4, cj

אָכַל חָלָב 34, 3; עֲשׂ֗ת חָלָב Milchertrag *yield of m.* Js 7, 22, חֶמְאָה וְחָלָב Pr 30, 33, מִיץ חָלָב Gn 18, 8, נֹאד חָלָב 1 S 17, 18, חֲרִיצֵי חָלָב Milchschlauch *skin of m.* Jd 4, 19; הַתִּיךְ חָלָב Hi 10, 10; גְּמוּלֵי מֵחָלָב Js 28, 9; weisse Zähne v. *white teeth of drinking* חָלָב Gn 49, 12, cj d. Auge *the eye* צַחוּ מֵח׳ יָצָה מֵחָלָב Ps 73, 7, Th 4, 7; רָחַץ בֶּחָלָב Ct 5, 12; הָלַךְ חָלָב von M. fliessen *flow with m.* Jl 4, 18; יָנַק חֲלֵב גּוֹיִם Js 60, 16; l חֵלֶב Hi 21, 24; **F** חֶמְאָה.† Der. חֶלְבְּנָה.

I חֵלֶב: ph. חלב; mhb.; sy. ܚܠܒܐ; خِلْبٌ; Zwerchfell *midriff*: sf. חֶלְבּוֹ, חֶלְבְּהֶן Lv 8, 16. 25, pl. חֲלָבִים, cs. חֶלְבֵי, sf. חֶלְבֵהֶן Gn 4, 4: **Fett** *fat* (ursprünglich: (Fett-) Decke d. Zwerchfells? *originally*: *fat of the midriff*? *חלב bedecken? *cover*?): 1. **Fett** *fat*, bedeckt d. Innere des Leibs *covering the inwards* Ex 29, 13. 22 Lv 3, 3. 9. 14 4, 8 7, 3 8, 16. 25, Nieren u. Leber *kidneys a. liver* Ex 29, 13. 22 Lv 3, 4. 10. 15 4, 9 7, 4, Brustkern *breast* 7, 30, cj auf d. Schenkeln *upon the femurs* Hi 21, 24; חֵלֶב (nicht essbar *not eatable*) v. שׁוֹר וְכֶשֶׂב וָעֵז Lv 7, 23, v. כֶּשֶׂב 4, 35, v. Haustieren *of domestic animals* 7, 25; חֵלֶב v. נְבֵלָה u. טְרֵפָה darf gebraucht, aber nicht gegessen werden *is to be used, but not to be eaten* 7, 24; ח am Bauch *on the belly* Jd 3, 22 u. im Gesicht *a. in the face* Hi 15, 27 e. Manns *of a man*, v. Kriegern *of warriors* 2 S 1, 22; ח׳ v. אֵילִים 1 S 15, 22, ח׳ מְרִיאִים Js 1, 11; ח׳ v. כִּלְיוֹת אֵילִים Js 34, 6, ח׳ הַדֶּשֶׁן Hs 44, 7. 15. חֵלֶב דָּם Ps 63, 6, Schwert, getränkt mit *sword made fat with* ח׳ Js 34, 6 f; gefühllos wie *unfeeling as* ח׳ Ps 119, 70; 2. Fett bei Opfern *fat offered in sacrifice*: חֲלָבִים Fettstücke *fat pieces* Gn 4, 4 Lv 8, 25 9, 19 f. 24 2 C 35, 14, cj Dt 18, 3, אִשֵּׁי חֲלָבִים Lv 10, 15; חֵלֶב חַגִּי (nicht aufbewahren *not to be kept*) Ex 23, 18, חֵלֶב זֶבַח Lv 4, 26, ח׳ זְבָחִים Dt 32, 38 Js 43, 24, ח׳ שְׁלָמִים Lv 6, 5 1 K 8, 64 2 C 7, 7 29, 35, ח׳ חַטָּאת Lv 16, 25 (**F** 1. u. 4); 3. (metaph.) חֵלֶב d. Fett = **d. Beste, Erlesene** *the fat = the best, choicest part*: ח׳ הָאָרֶץ Gn 45, 18, ח׳ יִצְהָר Nu 18, 12, ח׳ תִּירוֹשׁ וְדָגָן 18, 12, ח׳ כִּלְיוֹת חִטָּה Dt 32, 14, ח׳ חִטָּה Ps 81, 17, ח׳ חִטִּים 147, 14; 4. **F** Ex 29, 22 Lv 3, 9. 14. 16 f 4, 8. 19. 26. 31. 35 7, 3. 31. 33 8, 16. 25 9, 10 17, 6 Nu 18, 17. 29 f. 32 1 S 2, 15 f Hs 39, 19; l חָלָב Hs 34, 3; חֶלְבָּמוֹ? Ps 17, 10.†

II חֵלֶב n.m.: l חֵלֶד 1 C 11, 30; 2 S 23, 29.†

חֶלְבָּה: n.l.; bei *near* אַכְזִיב: Jd 1, 31.†

חֶלְבּוֹן: keilschr. *Ḫilbūnu*; Weingegend *wine country*; Strabo οἶνος Χαλυβώνιος; *Ḥalbūn* 3 Stunden 3 *hours* n. Damaskus; Dussaud, Top. 285 ff. Hs 27, 18.†

חֶלְבְּנָה: חָלָב, milchiger Saft *milky sap*; mhb., ja., sy. ܚܠܒܢܝܬܐ, χαλβάνη, *galbanum*: **Galbanum**, Harz v. 3 Ferula-Arten, riecht übel, Teil des Räucherwerks *resin of 3 species of ferula, has an unpleasant smell, part of the incense* (Löw 3, 455—7): Ex 30, 34.†

I *חלד: חֶלֶד, חֹלֶד.

II *חלד: חֹלֶד, n.f. חֻלְדָּה.

חֶלֶד: I *חלד, خَلَدَ u. asa. bleiben, dauern *remain, continue incessantly*: חֶלֶד, sf. חֶלְדִּי: 1. **Lebensdauer** *duration of life* Ps 39, 6 89, 48 Hi 11, 17, cj Ps 49, 9 (l חֶלְדּוֹ), cj Hi 10, 20 (יְמֵי חֶלְדִּי); 2. **Welt** *world* (αἰών) Ps 17, 14 49, 2, cj Js 38, 11 (l חֶלֶד); **F** חֶלֶד.†

חֵלֶד: n.m.; = חֶלֶד 1; asa. חלד Ryck. 64: 1 C 11, 30, cj 2 S 23, 29, **F** חֶלְדַּי.†

חֹלֶד: II *חלד; mhb. חלד graben *dig*; cp. sy. ܚܠܕ kriechen *creep*: **Blindmull** *mole-rat*,

Spalax ehrenbergi (Bodenheimer 99. 102 f), unrein *unclean*: Lv 11, 29, *F* n. f. חֻלְדָּה. †

חֻלְדָּה: n.f.; f. v. חלד, Nöld. NB 80; nab. n.f. חלדו: נְבִיאָה 2 K 22, 14 2 C 34, 22. †

חֶלְדַּי: n. m.; Noth S. 230; = חֵלֶד 1 C 11, 30 1 C 27, 15 Sa 6, 10, cj 14. †

I חלה: NF חלא; mhb., ja. חלא:
qal: pf. חָלִית, חָלִיתִי, חָלָה, impf. יֶחֱל, inf. sf. חֲלֹתוֹ, pt. חֹלֶה, חוֹלֶה, f. cs. חֹלַת:
1. **schwach werden** *become weak* Gn 48, 1 Jd 16, 7. 11. 17 1 S 30, 13 Js 57, 10 Pr 23, 35 (l חָלִיתִי), cj Ir 5, 3, cj Gn 34, 27 (l הַחֹלִים), cj Ps 77, 11 (l חַלּוֹתָה); 2. **krank werden, sein** *become, be sick, ill* 1 S 19, 14 1 K 14, 1. 5 17, 17 2 K 1, 2 8, 7. 29 20, 12 Ne 2, 2 2 C 22, 6 Js 33, 24 38, 9 39, 1 Ps 35, 13, cj 107, 17 (l חוֹלִים); (Tier *animal*) Hs 34, 4. 16 Ma 1, 8. 13; c. אֶת־רַגְלָיו an den Füssen *in his feet* 1 K 15, 23, c. לָמוּת zum Sterben *unto death* 2 K 20, 1 Js 38, 1 2 C 32, 24; חָלָה אֶת־חָלְיוֹ erkrankte an s. ihm bestimmten Krankheit *fell sick of the sickness destined for him* 2 K 13, 14; חוֹלַת אַהֲבָה liebeskrank *sick of love* Ct 2, 5 5, 8; רָעָה חוֹלָה schlimmes Übel *grave evil* Ko 5, 12. 15; l חָלָה (חיל) Ir 4, 31, l חֹמֵל 1 S 22, 8; †
nif: pf. נֶחֱלֵיתִי, נֶחְלוּ, pt. f. נֶחְלָה u. נַחְלָה, pl. נַחְלוֹת: **von Krankheit befallen werden** *be made sick* Ir 12, 13 Am 6, 6 Da 8, 27, pt. Hs 34, 4. 21, cj Ps 68, 10; יוֹם נַחְלָה Tag d. Siechtums *day of sickliness* Js 17, 11, מַכָּה נַחְלָה unheilbarer Schlag *incurable blow* Ir 10, 19 14, 17 30, 12 Na 3, 19; †
pi: pf. חִלָּה, חִלִּיתִי, impf. וַיְחַל, יְחַלּוּ, inf. חַלּוֹת, imp. חַל, חַלּוּ:
1. חִלָּה פָּנִים jmds (starres) Gesicht (durch Streicheln) weich machen, jmd **besänftigen, umschmeichen** *soften (by patting the cheeks) a person's (severe) face*, *soften*, *flatter a. person* Ps 45, 13 Pr 19, 6 Hi 11, 19, חִלָּה פְּנֵי (יהוה) (Gott) **besänftigen, mild stimmen** *soften, put in a gentle mood (God)* Ex 32, 11 1 S 13, 12 1 K 13, 6 2 K 13, 4 Ir 26, 19 Sa 7, 2 8, 21 f Ma 1, 9 Ps 119, 58 Da 9, 13 2 C 33, 12; 2. חִלָּה תַחֲלֻאִים בְּ **Krankheiten ausbrechen lassen über** *bring sickness upon* Dt 29, 21; l חַלּוֹתָה Ps 77, 11; †
pu: pf. חֻלֵּיתָ: **schwach gemacht werden** *be made weak* Js 14, 10; †
hif: pf. הֶחֱלוּ Ho 7, 5 (?), pt. f. מַחֲלָה: c. לֵב d. Herz **krank machen** *make the heart sick* Pr 13, 12; l הַחִלּוֹתִי Mi 6, 13, l הֶחֱלִים Js 53, 10; ? Ho 7, 5; †
hof: pf. הָחֳלֵיתִי: **entkräftet, schwer verwundet sein** *be exhausted, heavily wounded* 1 K 22, 34 2 C 18, 33 35, 23; †
hitp: impf. וַיִּתְחָל, inf. הִתְחַלּוֹת, imp. הִתְחָל: **sich krank fühlen** *feel sick* 2 S 13, 2, **sich krank stellen** *feign to be sick* 13, 5 f. †
Der. חֳלִי, מַחֲלֶה*, מַחֲלָה, מַחֲלֻיִים, תַּחֲלֻאִים; n. m. מַחְלוֹן?

II חלה*: *F* II חֳלִי, חֳלָיָה.

חַלָּה: II חלל; ThZ 4, 154 f: cs. חַלַּת, pl. חַלּוֹת: **Ringbrot** *ring-shaped bread*, f. Opfer gebraucht *used for offerings*: חַלַּת לֶחֶם 2 S 6, 19 (1 C 16, 3 כִּכַּר לֶחֶם) Ex 29, 23 Lv 8, 26, סֹלֶת חַלּוֹת 7, 13, 12 חַלֹּת לֶחֶם aus *made of* 24, 5, חַלֹּת מַצּוֹת 8, 26 Nu 6, 19, חַלַּת מַצָּה Ex 29, 2 Lv 2, 4 7, 12; *F* 7, 12 Nu 6, 15 Lv 24, 5 Nu 15, 20. †

חֲלֹם, חֲלוֹם: ug. *ḥlm*; חלם das Starksein, d. sexuelle Traum *the being strong, the sexual dream*; mhb., *F* ba. חֵלֶם: sf. חֲלֹמוֹ, חֲלוֹמִי, pl. חֲלֹמוֹת, sf. חֲלֹמֹתָיו: **Traum** *dream* חֲלוֹם הַלַּיְלָה Gn 20, 3 31, 11 1 K 3, 5; חֶזְיוֹן לַיְלָה = ח׳ Hi 33, 15; חָלַם חֲלוֹם Gn 37, 5 f. 9 f 40, 5. 8 f 41, 11 f. 15 42, 9 Dt 13, 2. 4. 6 Jd 7, 13 Jl 3, 1 Da 2, 1. 3, cj Ir 29, 8; Gott erscheint *God appears* נִרְאָה בַּחֲלוֹם הַלַּיְלָה Gn 20, 3 31, 24,

1 K 3, 5, אָמַר בַּח׳ Gn 20, 6 31, 11, zu Propheten *with prophets* Nu 12, 6, חָזָה בַּח׳ Hi 7, 14; d. Mensch *man* רָאָה בַח׳ Gn 31, 10 41, 22; מָה הַחֲלוֹם was will, bedeutet d. Traum? *what means the dream?* Gn 37, 10; סִפֵּר חֲלֹמוֹ Gn 40, 9 41, 8 Jd 7, 13 Ir 23, 27 f; מִסְפַּר הַחֲלוֹם Jd 7, 15; הֵבִין ח׳ Da 2, 2, הִגִּיד ח׳ Da 2, 2, יָדַע ח׳ 2, 3, 1, 17; פָּתַר ח׳ Gn 40, 5 41, 11 u. פִּתְרוֹן ח׳ 41, 12, שִׁבְרוֹ Jd 7, 15; הִשָּׁנוֹת הַח׳ d. Traum wiederholt sich *the dream is doubled* Gn 41, 32; בַּעַל הַחֲלֹמוֹת wer immer wieder Träume hat *who has dreams after dreams* Gn 37, 19; נָבִיא אֲשֶׁר אִתּוֹ ח׳ Ir 23, 28, חֲלֹמוֹת שֶׁקֶר 23, 32, דִּבְרֵי חֲלֹמוֹת u. חֲלֹמוֹת שָׁוְא Sa 10, 2; d. Traum *the dream* יָעוּף verfliegt *flies away* Hi 20, 8; F Gn 37, 20 40, 16 41, 7. 17. 25 f 1 S 28, 6. 15 Ps 73, 20 Ko 5, 6; 1 הוֹלֵלוֹת Ko 5, 2.†

חַלּוֹן: ug. *ḥln*; II חלל; mhb.: pl. חַלּוֹנִים, sf. חַלּוֹנֵינוּ, u. חַלֹּנוֹת: Wandloch f. Luft u. Licht, Fensteröffnung, **Fenster** *opening in the wall for air a. light, window*: Gn 8, 6 26, 8 Jos 2, 15. 18. 21 Jd 5, 28 1 S 19, 12 2 S 6, 16 1 K 6, 4 2 K 9, 30. 32 13, 17 Ir 9, 20 22, 14 (1 חַלּוֹנָיו) Hs 40, 16. 22. 25 29. 33. 36 Jl 2, 9 Ze 2, 14 Pr 7, 6 Ct 2, 9 1 C 15, 29.†

חֹלֹן, חֹלוֹן: n. l.: 1. בָּהָר, = Ch. ʿAlin (PJ 23, 28 f) Jos 15, 51 21, 15, F חִילֵן; 2. in Moab Ir 48, 21.†

חַלּוֹנִי: 1 חַלּוֹנָיו Ir 22, 14.†

חֲלוֹף: 1 חֳלִי Pr 31, 8.†

חֲלוּשָׁה: חלשׁ: Niederlage *defeat* Ex 32, 18.†

חֲלַח: n. l.; in Nordmesopotamien *in North Mesopotamia*: 2 K 17, 6 18, 11 1 C 5, 26, cj Ob 20 (1 חֲלַח זֶה).†

חַלְחוּל: n. l.; *Ḥalḥul*, 5 km n. Hebron: Jos 15, 58.†

חַלְחָלָה: I חיל: Beben *anguish* Js 21, 3 Hs 30, 4. 9 Na 2, 11.†

חלט: mhb. mischen, endgültiges Urteil abgeben *mix, combine, decide definitely*, ja. af. endgültig erklären *decide definitely*, خَلَطَ mischen *mix*: qal: impf. וַיַּחְלְטוּ: **als gültig aufnehmen** *take for decided*, c. מִן von *from* 1 K 20, 33 (1 וַיַּחְלְטוּהָ מִמֶּנּוּ).†

חֳלִי: I חלה: חֳלִי, sf. חָלְיוֹ, cj חָלְיִי Ir 10, 19, pl. חֳלָיִים u. חֳלָיִם, sf. חֳלָיֵנוּ: **Schwäche, Krankheit** *weakness, sickness* Dt 7, 15 28, 61 2 K 1, 2 8, 8 f 13, 14 Js 1, 5 38, 9 53, 3 Ir 6, 7 10, 19 (1 חָלְיִי) Ho 5, 13 (// מָזוֹר) Ko 5, 16 (1 וָחֳלִי) 2 C 16, 12 21, 18 f; חֳלִי רָע schlimmes Leiden *grave malady* Ko 6, 2, חֳלִי חָזָק heftige Krankheit *heavy sickness* 1 K 17, 17; cj בְּנֵי חֳלִי Kranke *sick people* Pr 31, 8; pl. Dt 28, 59 (נֶאֱמָנִים anhaltende *lasting*) Js 53, 4, Siechtum *sickliness* 2 C 21, 15; 1 לְחִילוֹ Ps 41, 4.†

I חֲלִי: n. l.; bei *near* חֶלְקַת: Jos 19, 25.†

II חֲלִי: II *חלה, حَلْىٌ schmücken *adorn*, حَلْيٌ Frauenschmuck *ornament of a woman*: pl. חֲלָאִים: **Schmuck** *ornament* Pr 25, 12 Ct 7, 2; F חֶלְיָה.†

חֶלְיָה: f. v. חֲלִי: sf. חֶלְיָתָהּ: **Schmuck** *ornament* Ho 2, 15.†

I חָלִיל: II חלל; mhb.; ja. חֲלִילָא; ak. *ḫalālu* flöten *play the flute*: pl. חֲלִלִים: **Flöte** *flute* 1 S 10, 5 1 K 1, 40 Js 5, 12 Ir 48, 36; הָלַךְ בֶּחָלִיל unter Flötenspiel ziehn *go with flutes* Js 30, 29; F III חלל.†

חָלִלָה, חָלִילָה Gn 18, 25: II *חָלִיל, I חלל; Profanes, Verwerfliches, Undenkbares *a profane, abominable, unthinkable thing*; immer abwehrender, verneinender Ausruf *always used in* *preventive*, *negative exclamation*: 1. חָלִ֫ילָה לְ **es sei fern von** *be it far from* Gn 18, 25 1 S 2, 30 (יהוה) 20, 9 22, 15 2 S 20, 20 Hi 27, 5 (folgt Schwursatz c. אִם *followed by an oath c.* אִם); c. מִן c. inf.: dass ich, er ... *that I, he* ... Gn 18, 25 44, 7. 17 Jos 24, 16 1 S 12, 23 Hi 34, 10 (Gott *God*; l מֵרֶשַׁע), c. לְ c. inf.: zu tun *to do* Jos 22, 29 (מִמֶּנּוּ verstärkt *stresses* לָנוּ); 2. c. מֵיהוה vor, gegenüber J. *in the face of Y.* 1 S 24, 7; c. מִן c. inf. dass ich, er ... *that I, he* ... 1 S 26, 11 2 S 23, 17 (l מֵיהוה) 1 K 21, 3 1 C 11, 19 (מֵאֱלֹהַי); 3. abs. חָלִ֫ילָה es sei fern! *be it far!* 1 S 14, 45 20, 2. †

חֲלִיפָה: I חלף: sf. חֲלִיפָתִי, pl. חֲלִיפוֹת, חֲלִפוֹת: **Ersatz**; etwas, was etwas ersetzt *substitute*, *a thing substituting another thing*: 1. חֲלִיפוֹת חֹדֶשׁ **abwechselnd** e. Monat lang *in turns for a month* 1 K 5, 28; 2. חֲלִיפָתִי **Ablösung** (im Dienst) für mich *relief* (*from service*) *for me* Hi 14, 14; חֲלִיפוֹת וְצָבָא Mühsal **um** Mühsal *hardship after hardship* Hi 10, 17; 3. חֲלִיפוֹת (ph. חלפת im Austausch *in exchange*) **gegenseitige Verpflichtungen** *mutual liabilities* Ps 55, 20; 4. חֲלִיפוֹת (:: נהיות) d. **Vergangene** *the past* Si 42, 19; 5. (cf. ἀλλαγαί neue Kleider *new garments*; ital. *mutande* die — oft gewechselten — Unterkleider *the — frequently changed — underwear*) חֲלִיפוֹת Ersatz > **Ausrüstung, Garnitur** *change* > *outfit*, c. שְׂמָלֹת Gn 45, 22, c. בְּגָדִים Jd 14, 12 f 2 K 5, 5. 22 f, abs. Jd 14, 19. †

***חֲלִיצָה**: חלץ: sf. חֲלִיצָתוֹ, pl. sf. חֲלִיצוֹתָם: die e. Erschlagnen **abgezogne Ausrüstung** (Waffen, Gewand, Gerät) *what is stripped off a slain* (*weapon*, *garment*, *belongings*) Jd 14, 19 2 S 2, 21. †

חֶלְכָּאִים (Q חֵל כָּאִים) Ps 10, 10, חֵלְכָה 10, 8 u. חֵלְכָה 10, 14 unerklärt *unexplained*. †

I חלל: mhb. pi. profanieren *profane*, hif. anfangen *begin*; ja. חֲלַל, sy. ܐܫܠ; حَلَّ auflösen (Knoten) *untie* (*knot*), asa. חלל; حِلٌّ, d. Profane, Erlaubte, Zugängliche (*the profane*, *allowed for use*, *accessible* (:: حَرَام d. Verbotne, Geweihte *the forbidden*, *sacred*):

nif: pf. נִחַל, נִחַלְתְּ, נִחֲלוּ, impf. יֵחַל, תֵּחֵל, וָאֵחַל, inf. הֵחֵל, sf. הֵחַלּוֹ: (im Gebrauch genommen, profaniert) **entweiht werden** (*be commonly used*, *profaned*) *be defiled*: מִקְדָּשׁ Hs 7, 24 25, 3, שֵׁם אֱלֹהִים Hs 20, 9. 14. 22 Js 48, 11, Gott selbst *God himself* Hs 22, 26, כֹּהֵן Lv 21, 4, עִיר Hs 22, 16; **sich selbst entweihen** *defile oneself* (לִזְנוֹת) בַּת כֹּהֵן Lv 21, 9; †

pi: pf. חִלֵּל, חִלַּלְתָּ, חִלְּלוּ, חִלַּלְתֶּם, sf. חִלְּלוֹ, חִלְּלוּהָ, impf. יְחַלֵּל, יְחַלְּלוּ, sf. יְחַלְּלֻנִי, וַתְּחַלְּלֶה, יְחַלְּלֵהוּ, inf. חַלֵּל, sf. חַלְּלוֹ, pt. מְחַלֶּלֶת, sf. מְחַלְלֶיהָ: 1. **entweihen** *profane*: מִזְבֵּחַ (durch Eisen *by using iron tools*) Ex 20, 25, שַׁבָּת Ex 31, 14 Js 56, 2. 6 Hs 20, 13. 16. 21. 24 22, 8 23, 38 Ne 13, 17 f, קֹדֶשׁ יהוה Lv 19, 8 22, 9. 15 Nu 18, 32 Hs 22, 26 Ze 3, 4 Ma 1, 12, מִקְדָּשׁ Lv 21, 12. 23 Hs 23, 39 28, 18 44, 7 Ma 2, 11 Ps 74, 7 Da 11, 31, שֵׁם אֱלֹהִים Lv 18, 21 19, 12 20, 3 21, 6 22, 2. 32 Ir 34, 16 Hs 20, 39 36, 20—23 Am 2, 7, Gott selber *God himself* Hs 13, 19; e. Bett *a couch* Gn 49, 4 1 C 5, 1; den Vater *the father* Lv 21, 9, d. Tochter *the daughter* 19, 29, e. Priester sein Geschlecht *a priest his family* 21, 15; אֶרֶץ Ir 16, 18 Hs 7, 22, יִפְעַת צֹר 28, 7; בְּרִית Ma 2, 10 Ps 55, 21, חֻקֹּת יהוה Ps 89, 32, מַמְלָכָה Th 2, 2; Gott selbst entweiht *God himself is profaning* נַחֲלָתוֹ Js 47, 6, מִקְדָּשׁוֹ Hs 24, 21, בְּרִיתוֹ Ps 89, 35, נֵזֶר דָּוִד 89, 40, גְּאוֹן אֶרֶץ Js 23, 9, שָׂרֵי קֹדֶשׁ (?) Js 43, 28; 2. חִלֵּל מִן (vom Götterberg fort) **verstossen** *as profane cast out* (*of the mountain of God*) Hs 28, 16; 3. entweihen, in (profanen) **Gebrauch nehmen** *profane*, *begin to use* (כֶּרֶם) F חֹל: Dt 20, 6 28, 30 Ir 31, 5 (l יְחַלְּלוּ), F Lv 19, 23—25; ? Hs 7, 21; †

pu: pt. מְחֻלָּל: **entweiht** *profaned* (שֵׁם יהוה) Hs 36, 23, cj Js 53, 5; †

hif: pf. הֵחֵל, הַחִלָּה, הַחִלֹּתָ, impf. אָחֵל, יָחֵל, u. יָחֵל, וַיָּחֶל, אָחֵל, תָּחֵלּוּ, וְתַחְלֶינָה, inf. הָחֵל, הַחִלָּם, pt. מֵחֵל:

1. **entweihen lassen** *let be profaned* (שֵׁם קָדְשִׁי) Hs 39, 7; 2. (entweihen, in Gebrauch nehmen >) **anfangen** (*profane, begin to use* >) *begin*: Gn 9, 20 Nu 17, 11 f Dt 2, 24 16, 9 Esr 3, 8 2 C 20, 22 29, 27, cj 2 S 18, 14 (l אָחִלָּה); c. inf. zu *to* Dt 2, 25. 31 Jos 3, 7 1 S 3, 2, cj Mi 6, 13; c. לְ c. inf. zu *to* Gn 6, 1 10, 8 11, 6 41, 54 Nu 25, 1 Dt 3, 24 16, 9 Jd 10, 18 13, 5. 25 16, 22 20, 31. 39 f 1 S 14, 35 22, 15 2 K 10, 32 15, 37 Ir 25, 29 Jon 3, 4 Est 6, 13 9, 23 Esr 3, 6 Ne 4, 1 1 C 1, 10 27, 24 2 C 3, 1 f 29, 17 31, 7. 10. 21 34, 3; וַתָּחֶל es fing an *it began* (Driver, WO 1, 29) Jd 16, 19; הֵחֵל מִן anfangen bei *begin at* Hs 9, 6, cj 2 S 24, 5; הָחֵל בְּ anfangen bei *begin at* Gn 44, 12 Ir 25, 29 Hs 9, 6; הָחֵל :: כַּלֵּה Gn 44, 12 1 C 27, 24; הָחֵל וְכַלֵּה Anfang u. Ende, ganz und gar *from beginning to end* 1 S 3, 12; 3. entweihen = unverbindlich machen *profane* = *violate* יַחֵל דְּבָרוֹ **bricht s. Wort** *breaks h. word* Nu 30, 3; l וַיְחַדְּלוּ Ho 8, 10; †

hof: pf. הוּחַל: **angefangen werden** *be begun* Gn 4, 26. †

Der. חֹל, II חָלִיל, תְּחִלָּה.

II חלל: ak. *ḫalālu* u. خَلَّ u. ph. חלל durchbohren *pierce*; mhb. ja. aushöhlen *hollow out*, sy. ܚܠܠ hohl *hollow*; ph. asa. חלת, خَلَّة Steinsarg *sarcophagus*:

[qal: pf. חָלַל l חָלַל (חיל) Ps 109, 22, חַלּוֹתִי l חַלֹּתָה 77, 11; †]

[pu: pt. pl. cs. מְחֻלְּלֵי l חַלְלֵי Hs 32, 26; †]

po: pf. חֹלְלָה, pt. מְחוֹלֶלֶת, מְחוֹלָל, pl. sf. cj מְחֹלְלֶיךָ Hs 28, 9: **durchbohren** *pierce* Js 51, 9 Hi 26, 13, cj Hs 28, 9; ? Pr 26, 10; †

[po. pass.: pt. מְחֹלָל l מְחֻלָּל (I חלל) Js 53, 5. †]

Der. מְחִלָּה*, חָלָל, I חָלִיל, חַלּוֹן, חַלָּה.

III חלל: denom. v. I חָלִיל; ak. *ḫalālu*:

pi: pt. מְחַלְּלִים: **Flöte blasen** *play the flute* 1 K 1, 40; sf. מְחַלְלֶיךָ l מְחֹלְלֶיךָ (II חלל) Hs 28, 9. †

חָלָל (90 ×, 34 × Hs): II חלל: cs. חֲלַל, f. חֲלָלָה, pl. חֲלָלִים, cs. חַלְלֵי, sf. חֲלָלָיו, חַלְלֵיהֶם: **durchbohrt** *pierced*: 1. חֲלַל חֶרֶב Nu 19, 16 u. חַלְלֵי חֶרֶב Js 22, 2 Ir 14, 18 Hs 31, 17 etc. v. Schwert durchbohrt *pierced with the sword*, חָלָל **erschlagen** *slain* Nu 19, 18 Dt 21, 1 Jd 9, 40 1 S 17, 52 2 S 1, 19 etc., חַלְלֵי יהוה v. J. erschlagen *slain by Y.* Js 66, 16 Ir 25, 33; דַּם חָלָל Dt 32, 42, פַּשֵּׁט חֲלָלִים 1 S 31, 8 1 C 10, 8, מְמוֹתֵי חָלָל Hs 28, 8; 2. (analog): חַלְלֵי רָעָב v. Hunger getötet *slain with hunger* Th 4, 9; חַלְלֵי רְשָׁעִים (pl. v. רֶשַׁע!) von Freveln getötete *deadly wounded by wicked deeds* Hs 21, 34, l חֲלַל רֶשַׁע 21, 30; 3. f. חֲלָלָה **Entjungferte** *deflorated girl* Lv 21, 7. 14; l הַחֹלִים Gn 34, 27, l עוֹלָלִים Hi 24, 12.

חלם: ug. *ḥlm*; mhb., ja., cp. gesund sein, träumen *be healthy, dream*, cp. sy. ܚܠܡ kräftig *strong*; حَلَمَ mannbar werden, träumen *attain to puberty, dream*, ሐለመ träumen *dream*:

qal: pf. חָלַם, חָלַמְתִּי, חֲלַמְתִּי, impf. יַחֲלֹם, יַחֲלֹמוּ, יַחֲלֹמוּן, וַנַּחַלְמָה, pt. חֹלֵם, חֹלְמִים:

1. **kräftig werden** (Tiere) *become healthy, strong (animals)* Hi 39, 4; 2. (sexuell, dann überhaupt) **träumen** *dream (sexual dreams, then dreams in general)* Gn 28, 12 41, 1. 5 Js

29,8 Ir 23,25 (נָבִיא) Ps 126,1, cj Ir 27,9 (l חֹלְמֵיכֶם), חֲלֹם חָלַם F חֲלוֹם; F Gn 37,5 f. 9 f 40,5. 8 41,11. 15 42,9 Dt 13,2. 4. 6 Jd 7,13 Ir 23,25 Jl 3,1; †

hif: impf. sf. וְתַחֲלִימֵנִי l imp. הַחֲלִימֵנִי Js 38,16: **erstarken lassen** *restore to health* Js 38,16, cj Js 53,10 (l הֶחֱלִים אֶת־שָׂם); l חֹלְמִים Ir 29,8. †

Der. חֲלוֹם, חַלָּמוּת.

חֵלֶם: F חֲלוֹם.

חֶלֶם: l חֶלְדַּי Sa 6,14. †

חַלָּמוּת: חלם; mhb. חַלָּמִית; tradit. Dotter *yolk*; حَلَمَة Tāğ 8,256,22 ff u. ʿōtebisch *ḫlimeh* = *Lithospermum callosum Vahl* (Post[2] 2,248) e. gutes Kamelfutter *good camel-fodder*; Löw 1, 292 f: *Anchusa (officinalis)* Ochsenzunge *bugloss*; Andre *athers*: **Eibisch** *marsh-mallow Althaea officinalis*: Hi 6,6. †

חַלָּמִישׁ: ak. *elmēšu* Diamant *diamond*; Ruž. KD 86: < *חמשׁ (*חַמֵּשׁ = خَمِسَ hart sein *be hard*): **Kiesel** *flint* Dt 8,15 32,13 Js 50,7 Ps 114,8 Hi 28,9. †

חֵלֹן: n. m.; KF? asa. חלן Ryck. 2,59; Eph. 2,18, Noth S. 225: Nu 1,9 2,7 7,29 10,16. †

חַלֹּן: F חלון. †

I חלף: ug. *ḫlp* F *מַחְלָפוֹת; mo. חלף nachfolgen *succeed*; mhb., ja. vorübergehn, ändern *pass by, change*, ja., pa. vertauschen *exchange*; sy. vertauschen, ersetzen *substitute*; ja., cp., sy. u. asa. חֲלַף anstatt *in the place of*; خَلَفَ hinter sein, nachfolgen *come after, replace*, ኀለፈ vergehn *pass away*; Ἀλφαῖος Ersatz *restitution* Nöld. BS 98;

qal: pf. חָלַף, חָלָף, impf. יַחֲלֹף, יַחְלְפוּ, inf. חֲלוֹף: 1. **sich ablösen, auf einander folgen** *come by turns* (סוּפוֹת) Js 21,1; 2. חָלַף מִן **weiterziehn** *pass on* 1 S 10,3; 3. חָלַף **vorübergehn** *move on*: Gott *God* Hi 9,11 11,10; **dahinfahren** *sweep on*: אֳנִיּוֹת Hi 9,26, Zeit *time* Si 11,19, מַיִם Js 8,8, אֱלִילִים Js 2,18 (l יַחֲלֹפוּ), רוּחַ Ha 1,11 Hi 4,15, חָצִיר Ps 90,5 f, שָׁמַיִם 102,27; ח׳ גֶּשֶׁם d. Regen zieht ab *the rain is over* Ct 2,11; l חָלְפוּ Js 24,5; †

pi: impf. וַיְחַלֵּף: **wechseln** *change*: שִׂמְלֹתָו Gn 41,14 2 S 12,20; c. חֹק **ändern** *alter* cj Js 24,5 (חִלְּפוּ); †

hif: pf. הֶחֱלִיף, impf. וַתַּחֲלֵף, יַחֲלִיפוּ, נַחֲלִיף, sf. יַחֲלִיפֵנוּ, תַּחֲלִיפֵם, imp. הַחֲלִיפוּ: 1. **an jmds Stelle treten lassen** *cause to succeed* Js 9,9, **ersetzen** *replace* Lv 27,10; 2. **ändern** *alter* Gn 31,7. 41, **wechseln** *change* 35,2; 3. eins aufs andre **folgen lassen** *cause to succeed*: **neu ausschlagen** *sprout again* עֵץ Hi 14,7, **neue Kraft bekommen** *regain strength* כֹּחַ Js 40,31; קַשְׁתִּי תַחֲלִיף m. B. semdet Pfeil um Pfeil *my bow throws arrow after arrow* Hi 29,20; cj וְעַצְמֹתֶיךָ יַחֲלִיף gibt dir neue Kraft *renews thy strength* cj Js 58,11; 4. (F qal 2) **dahinfahren lassen** *cause to pass* Ps 102,27; l יֶחֱלוּ נִכְחִי (יחל) Js 41,1. †

Der. II חֵלֶף, חֲלִיפָה, *מַחֲלָף, *מַחֲלָפוֹת.

II חלף: ak. *ḫalpītu* u. *elpitu*, خَلَف, sy. ܚܠܦܐ Schilf, Binse *reed, rush* („schneidend *cutting*"); mhb. מַחֲלָף u. sy. ܡܚܠܦܬܐ Scheermesser *shearer's knife*; خَلِيف scharf *sharp*:

qal: חָלְפָה, impf. sf. תַּחְלְפֵהוּ: **zerschneiden** *cut up* Jd 5,26 Hi 20,24. †

Der. n. l. חֵלֶף?

I חֵלֶף: n. l.; II חֵלֶף? Saarisalo 123 f: חֵלֶף = ak. *elpitum* (Schilf *reed*) = ʿ*Arbāta* (= sy. ܥܪܒܬܐ Papyrus) ö. Tabor :: Noth F Jos 19,33. †

II חֵלֶף: I חלף; ja., sy. ܚܠܦ: **anstatt** *in return for* Nu 18,21. 31. †

חלץ: mhb., ja. ausziehn *draw off*, sy. pa. plündern, > חצל retten *save* Zkr 1, 14; ph. befreien *deliver*, n.m. חלץ, חלצבעל (B. rettet *rescues*); خَلَصَ sich entziehn *withdraw*; ak. *ḫalṣu* Burg *stronghold* u. = *ḫilṣu* gereinigt *purified*:

qal: pf. חָלַץ, חָלְצָה, impf. תַּחֲלֹץ, pt. pss. חָלוּץ, cs. חֲלוּץ, pl. חֲלוּצִים, חֲלוּצֵי:

1. **auszìehn, ablegen** *draw off* (נַעַל) Dt 25, 9 f Js 20, 2; c. שַׁד d. **Brust** entblössen, **reichen** *uncover the breast*, *present the br.* Th 4, 3; pt. pss. ausgezogen (der Kleider entledigt, = für d. Kampf) **gerüstet** *stripped* = *equipped* (*for fighting*) Nu 32, 21. 29, pl. 32, 30. 32 Dt 3, 18, coll. Jos 6, 7. 9. 13 2 C 20, 21 28, 14; חֲלוּץ לַצָּבָא 1 C 12, 24, חֲלוּץ צָבָא Nu 32, 27 u. חֲלוּצֵי צָבָא Nu 31, 5 Jos 4, 13 1 C 12, 25 2 C 17, 18 z. Heeresdienst **gerüstet** *equipped for war*; l חֲלֻצֵי Js 15, 4; 2. חָלַץ מִן **sich entziehn** *withdraw* (יהוה) Ho 5, 6; †

nif: impf. נֵחָלֵץ, יֵחָלְצוּן, יֵחָלְצוּ, תֵּחָלְצוּ, imp. הֵחָלְצוּ, pt. נֶחֱלָץ:

1. entledigt, **gerettet werden** *be delivered* Ps 60, 7 108, 7 Pr 11, 8 f; 2. **sich** (entkleiden) **rüsten** *become* (*stripped*) *equipped* Nu 31, 3 32, 17. 20; †

pi: pf. חִלְּצָה, חִלְּצוּ, impf. יְחַלֵּץ, sf. יְחַלְּצֵנִי, אֲחַלֶּצְךָ, inf. חַלֵּץ (BL 351), imp. חַלְּצָה, sf. חַלְּצֵנִי:

1. (gewaltsam) auszìehn, **plündern** *strip* (*by violence*), *despoil* Ps 7, 5; 2. (Steine aus e. Mauer) **herausbrechen** *tear out* (*stones from a wall*) Lv 14, 40. 43; 3. herausreissen, **retten** *rescue*, *deliver* 2 S 22, 20 Ps 6, 5 18, 20 34, 8 50, 15 81, 8 91, 15 116, 8 119, 153 140, 2 Hi 36, 15, cj Ps 17, 14 (l חַלְּצֵם f. חֶלְקָם Gunkel); †

[hif: impf. יַחֲלִיץ Js 58, 11, l יַחֲלִיף †].

Der. חֲלִיצָה, מַחֲלָצוֹת; n.m. חֶלֶץ.

I חֶלֶץ: n.m., KF; חלץ; n.m. *Hlṣ* Dir. 351; ph. n.m. F חלץ; asa. n.m. חלץ u. חלצת Ryck. 2, 65: חֶלֶץ: 1. Held v. *hero of* דָּוִד 2 S 23, 26; 2. 1 C 2, 39; 3. 11, 27 27, 10. †

II *חֶלֶץ: du. חֲלָצַיִם, sf. חֲלָצָיו: mhb. חֲלָצַיִם, F ba. חֲרַץ, خَصْر, ak. du. *ḫinṣā*: **Lenden**, Weichen (Leib zwischen d. untersten Rippen u. d. Hüftknochen) *loins* (*body between the lowests rips a. the hip-bones*) Gn 35, 11 1 K 8, 19 Js 5, 27 11, 5 32, 11 Ir 30, 6 Hi 31, 20 38, 3 40, 7 2 C 6, 9, cj Js 15, 4 (l חֲלָצֵי); יָצָא מֵחֲלָצָיו geht aus ׳s. Lenden hervor = stammt leiblich von ihm ab *comes forth out of his loins* = *is his corporeal descendant*. †

I חלק: mhb. hif. u. خلق glätten *make smooth*:

qal: pf. חָלַק: **glatt, falsch sein** *be smooth, slippery*: לֵב Ho 10, 2, פֶּה Ps 55, 22 (l מֵחֶמְאָה); †

hif: pf. הֶחֱלִיק, הֶחֱלִיקָה, impf. יַחֲלִיקוּן, pt. מַחֲלִיק: 1. **glatt machen** (Metall) *make smooth* (*metal*) Js 41, 7; 2. c. לָשׁוֹן e. glatte Zunge brauchen, umschmeicheln *use a smooth tongue*, *flatter* Ps 5, 10 Pr 28, 23, = (ellipt.) הֶחֱלִיק Pr 29, 5; c. אֲמָרִים glatte Worte, Schmeicheleien sagen *use smooth words*, *flattery* Pr 2, 16 7, 5; ? Ps 36, 3. †

Der. חָלָק, I חֵלֶק, *חֲלַק, I חֶלְקָה, חֲלַקְלַקּוֹת, n.l. מַחְלְקוֹת.

II חלק: mhb. sy. verteilen *divide*; mhb. חֵלֶק, ja. חֻלְקָא, F ba. חֲלָק Teil *portion*; ja. חֻלָּקָא, ak. *eqlu* Feld(-stück) *field(-portion)*; خلق abmessen *measure off*, ሐለቀ aufzählen *enumerate*:

qal: pf. חָלַק, חָלְקוּ, יַחֲלֹק, יַחֲלֹקוּ, יַחְלְקוּ, sf. וַיַּחְלְקֵם, וַיֶּחָלְקֵם, l Var. וַיַּחֲלִקֵם 1 C 23, 6 24, 3 †, וַיַּחְלְקוּם, inf. חֲלֹק, imp. חִלְקוּ, pt. חוֹלֵק:

1. (unter einander) **teilen, verteilen, s. Anteil erhalten** (Land, Beute, Besitz) (*between partners*) *divide*, *apportion*, *have one's share* (*land*, *spoil*, *property*) Jos 14, 5 18, 2 22, 8 (עִם mit *with*) 1 S 30, 24 (יַחְדָּו zusammen *together*) 2 S 19, 30 Pr 17, 2 Hi 27, 17 Ne 9, 22, cj Ps 68, 13 (l תְּחַלֵּק); 2. **zuteilen** *ap-*

portion Dt 4, 19 29, 25 Ne 13, 13; 3. c. בְּ **Anteil an etw. geben** *give a share of* Hi 39, 17; 4. (in Gruppen) **verteilen** *distribute (in groups)* 1 C 23, 6 (מַחְלְקוֹת) 24, 3—5 2 C 23, 18; 5. c. עִם **teilen mit** *be partner with* Pr 29, 24; 6. ausrauben? *plunder?* l חָלַץ? 2 C 28, 21; †

nif: impf. יֵחָלֵק, יֵחָלֵ֫ק: 1. **verteilt werden** *be apportioned* (נַחֲלָה) Nu 26, 53. 55 f; 2. **sich teilen** *divide oneself* Gn 14, 15 1 K 16, 21 Hi 38, 24; †

pi: pf. חִלֵּקוּ, sf. חִלְּקָם, חִלְּקָתָּה, חִלַּקְתָּם, impf. יְחַלֵּק, וַיְחַלֵּק, אֲחַלְּקָה, sf. אֲחַלְּקֵם, inf. חַלֵּק, sf. חַלְּקָם, imp. חַלֵּק: 1. **verteilen, zuteilen** *divide, give a portion* (לְ an *to*) Jos 13, 7 (בְּנַחֲלָה als *as*) 18, 10 19, 51 2 S 6, 19 1 K 18, 6 Js 34, 17 Hs 47, 21 Jl 4, 2 Ps 22, 19 60, 8 108, 8 Hi 21, 17 Da 11, 39 1 C 16, 3, cj 26, 27 u. Hi 17, 5 (l לְחַלֵּק); c. שָׁלָל **Beute verteilen** *divide spoil* Gn 49, 27 Ex 15, 9 Jd 5, 30 Js 9, 2 53, 12 Pr 16, 19, cj יְחַלֵּק עִוֵּר Js 33, 23; 2. **in Teile abteilen** *divide in parts, heaps* Hs 5, 1; **zerteilen** *scatter* Gn 49, 7 Th 4, 16, l יְחֻלַּק Mi 2, 4, l תְּחַלֵּק Ps 68, 13; †

pu: pf. חֻלַּק (l יְחַלֵּק Js 33, 23) impf. תְּחֻלַּק, cj יְחֻלַּק Mi 2, 4: **verteilt werden** *be divided*: (אֲדָמָה) Am 7, 17, שָׁלָל Sa 14, 1, שָׂדֶה cj Mi 2, 4; †

hif: inf. לַחְלִק < *לְהַחֲלִיק; BL 228 a' an d. **Verteilung teilnehmen** *take part in the dividing* Ir 37, 12; †

hitp: pf. הִתְחַלְּקוּ: **unter einander teilen** *divide among themselves* Jos 18, 5. †

Der. II חֵלֶק, חֵלֶק II, חֶלְקָה, *חֲלֻקָּה, מַחֲלֹקֶת; n. l. חֶלְקַת.

חָלָק: I חלק: pl. cs. חַלְּקֵי (BL 212 k), f. חֲלָקוֹת u. Da 11, 32 † חֲלַקּוֹת: **glatt** *smooth*: אִישׁ חָלָק (:: אִישׁ שֵׂעָר) Gn 27, 11, מִשֶּׁמֶן Pr 5, 3, חַלְּקֵי נַחַל **glatte Steine im Bachtal** *smooth stones of the wady* Js 57, 6; 2. **glatt, einschmeichelnd** *smooth, insinuating*: פֶּה Pr 26, 28, חֵךְ 5, 3; pl. f. חֲלָקוֹת Glätte, **Falschheit** *smoothness, falsehood* Ps 12, 3 f, חֲלָקוֹת **glatte Worte** *smooth words* Da 11, 32; דִּבֶּר חֲלָקוֹת **angenehme Dinge** sagen *say welcome things* Js 30, 10; cj חֲלָקִים glatte [Lippen] *smooth [lips]* Pr 26, 23; 3. מִקְסַם חָלָק (l מִקְסָם MSS) glatt, **zweifelhaft** *smooth, double-faced* Hs 12, 24; 4. חֲלָקוֹת d. **Schlüpfrige** *the slippery ground* Ps 73, 18; 5. n. l. הָהָר הֶחָלָק = *Ǧebel Ḥalāq* nö. *ʿAbde* (Musil AP 2, 1, 170. 197) Jos 11, 17 12, 7. †

I חֵלֶק: I חלק, mhb.: **Glätte** *smoothness* Pr 7, 21. †

II חֵלֶק: II חלק: mhb., F ba. חֲלָק; حَقْل, asa. חקל, ሐቅል, ak. *eqlu* Feld *field*: sf. חֶלְקוֹ, חֶלְקְכֶם, pl. חֲלָקִים, sf. חֶלְקֵיהֶם: durchs Loos zugeteilter Anteil *allotted portion*: 1. **Beuteanteil** *share of booty* Gn 14, 24 Nu 31, 36 1 S 30, 24 Js 17, 14 // גּוֹרָל; 2. **Anteil** am Besitz *share of possession* חֵלֶק וְנַחֲלָה Gn 31, 14 Dt 10, 9 12, 12 14, 27. 29 18, 1 Nu 18, 20 (Gott selber *God himself* F n. m. חִלְקִיָּהוּ); שִׁבְעָה חֲלָקִים 7 **Besitzloose** *7 lots of property* Jos 18, 5 f. 9; חֵלֶק // נַחֲלָה 2 S 20, 1 1 K 12, 16 2 C 10, 16 Hi 20, 29 27, 13 31, 2; חֵלֶק **Anteil** *share* Nu 18, 20 Dt 18, 8 Jos 14, 4 15, 13 18, 7 19, 9 (רַב zu gross *too large*), ח׳ יַעֲקֹב Ir 10, 16 51, 19, ח׳ עַמִּי, אַחַד הַחֲלָקִים Hs 45, 7 48, 8. 21, Mi 2, 4, ח׳ in Jerusalem // צְדָקָה u. זִכָּרוֹן Ne 2, 20; 3. **Anteil an** *share of* אִשֶּׁה Lv. 6, 10, am Mahl *of meat* Ha 1, 16; 4. **Anteil, Anspruch** *share, claim* 2 S 20, 1 (בְּ an *to*) 1 K 12, 16 2 C 10, 16, ח׳ עִם **Gemeinschaft** mit *companionship with* Ps 50, 18, **Gewinn**

(der e. zufällt) *profit* Ko 2, 10. 21 3, 22 5, 17 f 9, 6. 9 11, 2; 5. **Besitz, Anteil** (auf die Beziehung zwischen Gott u. Mensch angewendet *portion*, *share* (*said of the relation between God a. man*) Dt 32, 9, ח׳ בִּיהוה Jos 22, 25. 27, חֶלְקוֹ (J.s *of Y.*) Sa 2, 16, Gott ist *God is* חֶלְקְךָ Nu 18, 20, חֶלְקִי Ps 16, 5 (l מְנָת) 73, 26 119, 57 142, 6 Th 3, 24, ח׳ מֵאֱלֹהִים was von Gott zugeteilt wird *portion given by God* Hi 20, 29, cj ח׳ מֵאֵל 27, 13, ח׳ אֱלוֹהַּ 31, 2; 6. Anteil; **was e. gehört** *portion*, *what is owned by a person* Js 57, 6 61, 7; 7. עָנָה חֶלְקוֹ sein **Teil** antworten *answer one's part* Hi 32, 17; 8. **Anteil** am Boden, Grundstück *share of the land*, *plot of land* 2 K 9, 10. 36 f Am 7, 4, cj 1 K 21, 23, pl. Ho 5, 7; l לְחֵלֶק Hi 17, 5, חֲלָצִם Ps 17, 14. †
Der. n.m. חִלְקִיָּהוּ, חִלְקִיָּה.

III **חֵלֶק**: n.m., KF, < חִלְקִיָּה?: Nu 26, 30 Jos 17, 2; F חֶלְקִי. †

***חַלֻּק**: I חלק: pl. cs. חַלֻּקֵי: **glatt** (Stein) *smooth* (*stone*) 1 S 17, 40. †

I **חֶלְקָה**: I חלק: cs. חֶלְקַת: **Glätte** *smoothness*: חֶלְקַת צַוָּארָיו d. glatten, unbehaarten Stellen s. Halses *the smooth*, *hairless parts of his neck* Gn 27, 16; ח׳ לָשׁוֹן Pr 6, 24. †

II **חֶלְקָה**: f.v. II חֵלֶק: cs. חֶלְקַת, sf. חֶלְקָתָם: d. Teil der Gesamtflur e. Ortschaft, der (durch das Loos) e. Einzelnen zugewiesen ist *the plot of land alloted to an individual out of the whole land of a community*: **Feldstück, Feld** *plot of land*, *field*: חֶלְקַת הַשָּׂדֶה לְבֹעַז Ru 2, 3, חֶלְקַת יוֹאָב 2 S 14, 30, ח׳ נָבוֹת 2 K 9, 21, חֶלְקַת הַשָּׂדֶה Gn 33, 19 Jos 24, 32 2 S 23, 11, F 2 S 14, 31 23, 12 2 K 3, 19. 25 9, 26 Ir 12, 10b Am 4, 7 Hi 24, 18 1 C 11, 14; l נַחֲלָתִי Ir 12, 10a; ? Dt 33, 21; F n. l. חֶלְקַת u. חֶלְקַת הַצֻּרִים. †

***חֲלֻקָּה**: II חלק: cs. חֲלֻקַּת: **Abteilung** *part*, *portion* 2 C 35, 5. †

חֲלֻקּוֹת: F חָלָק.

חֶלְקִי: gntl. v. III חֵלֶק: Nu 26, 30. †

***חֶלְקַי**: n.m.; < חִלְקִיָּה?: חֶלְקַי (Var. חִלְקִי): Ne 12, 15. †

חִלְקִיָּה: n. m.; < חִלְקִיָּהוּ: 1. V. v. אֶלְיָקִים 2 K 18, 37; F חִלְקִיָּהוּ 1; 2. Hoherpriester *high priest* (± 625) 2 K 22, 8. 10. 12; F חִלְקִיָּהוּ 2; 3. V. v. גְּמַרְיָה Ir 29, 3; 4. Gefährte von *companion of* Nehemia (± 450) Ne 8, 4 12, 7. 21; 5. Vorfahr v. *ancester of* Esra Esr 7, 1; 6. Levit 2 C 35, 8; 7. 1 C 5, 39 9, 11; 8. 6, 30; 9. Ne 11, 11. †

חִלְקִיָּהוּ: n. m.; II חֵלֶק u. י׳ (Nu 18, 20 Ps 73, 26 119, 57), > חִלְקִיָּה; **Hilkia** *Hilkiah*: 1. = חִלְקִיָּה 1: 2 K 18, 18. 26 Js 22, 20 36, 3. 22; 2. = חִלְקִיָּה 2: 2 K 22, 4. 8. 14 23, 4. 24 2 C 34, 9. 14 f. 18. 20. 22; 3. V. v. *father of* Ieremia Ir 1, 1; 4. 1 C 26, 11. †

חֲלַקְלַקּוֹת: I חלק; *חֲלַקְלַק: 1. **glatte Stellen** (d. Wegs) *slippery places* (*of a way*) Ir 23, 12 Ps 35, 6; 2. **Glätte, Falschheit** (d. Verhaltens) *smoothness*, *falsehood* (*of conduct*) Da 11, 21. 34. †

חֶלְקַת: n.l., = II חֶלְקָה: äg. *Ḥrqt* (ETL 212)?: *T. el Harbağ*? sö. עַכּוֹ (PJ 25, 38 f 27, 39): Jos 19, 25 21, 31, cj 1 C 6, 60. †

חֶלְקַת הַצֻּרִים: n.l., l חֶלְקַת הַצִּדִּים μερὶς τῶν ἐπιβούλων; II חֶלְקָה u. צַד: wo einer den andren in die Seite stach *where one prodded his fellows side*, bei *near* גִּבְעוֹן (Dalm., PJ 8, 12): 2 S 2, 16. †

חלש: ja. חֲלַשׁ schwach sein *be weak*, sy. ܚܠܫ schwach *weak*:

qal: impf. trans. יַחֲלֹשׁ, intrans. יֶחֱלַשׁ, pt. חוֹלֵשׁ: 1. trans. **schwächen, besiegen** *weaken, defeat* Ex 17, 13 Js 14, 12 (l עַל־כֹּל־); 2. **hinfällig sein**, verfallen *be prostrate* Hi 14, 10. †
Der. חַלָּשׁ, חֲלוּשָׁה.

חַלָּשׁ: חלשׁ; sy. חַלָּשָׁא: **Schwächling** *weak* (:: גִּבּוֹר) Jl 4, 10. †

I חָם: sf. חָמִיךְ: ak. *ēmū*, mhb., ja., sy. ܚܡܐ; حَم, asa. חם, ሐም: Vater des Gatten e.r Frau, **Schwiegervater** *husband's father, father-in-law* Gn 38, 13. 25 1 S 4, 19. 21. †
Der. חָמוֹת u. n. m. חֲמוּטַל.

II חָם: חמם; ug. *ḥm* (?); pl. חַמִּים: **heiss** (Brot) *hot* (*bread*) Jos 9, 12, Kleider (bei Südwind) *garments* (*heated by southwind*) Hi 37, 17. †

III חָם: n. m.; westsem. G. *Ḫammu* Lewy HUC 18, 473 ff: χαμ, **Ham**: 1. S. v. נֹחַ Gn 5, 32 6, 10 7, 13 9, 18 10, 1 1 C 1, 4, V. v. כְּנַעַן Gn 9, 22, בְּנֵי חָם Gn 10, 6. 20 1 C 1, 8 4, 40. cj 41; 2. Name für *name for* מִצְרַיִם: Ps 78, 51 105, 23. 27 106, 22; *F* חֲמוּאֵל. †

חֹם: חמם; ug. *ḥm*: **Hitze** *heat* (Jahreszeit *season* :: קֹר) Gn 8, 22 Ir 17, 8 Hi 24, 19; לֶחֶם חֹם **heisses, frisches** Br. *hot, new br.* 1 S 21, 7; *F* חמם inf. qal. †

***חמא**: *F* חֶמְאָה.

חֵמָא: *F* חֵמָה.

חֶמְאָה: *חמא; ug. *ḥm't*, ak. *ḫimētu*; mhb.; ja. חֶמְאָתָא, sy. ܚܶܡܐܬܐ, βούτυρος: cs. חֶמְאַת: süsse, frische, noch weiche **Butter** *sweat, new butter, still weak* (Dalm. AS 5, 194 6, 307—11) Gn 18, 8 Jd 5, 25 2 S 17, 29 Js 7, 15. 22 (: חָלָב) Pr 30, 33 Hi 20, 17, חֶמְאַת בָּקָר Dt 32, 14; cj Ps 55, 22 (l מֵחֶמְאָה); > חֵמָה Hi 29, 6. †

חמד: ug. *ḥmd* angenehm sein *be pleasant*; EA 138, 126 kan. Gl. *ḫa-mu-du* = *ya-pu* (יָפֶה); ja., cp. חֲמַד begehren *desire*; حمد u. asa. חמד preisen *praise*:
qal: pf. חָמַד, חֲמַדְתֶּם, impf. יַחְמֹד, sf. וָאֶחְמְדֵם, pt. pss. sf. חֲמוּדוֹ, חֲמוּדֵיהֶם, f. חֲמֻדוֹת: 1. **begehren** *desire* (Begehren schädigt das Begehrte *covetting brings damage upon the thing or person covetted* Musil AP 3, 314) Ex 20, 17 34, 24 Dt 5, 21 7, 25 Jos 7, 21, cj 6, 18, Mi 2, 2 Ps 68, 17 Pr 1, 22 6, 25 12, 12; 2. **begehrenswert finden, schätzen** *take pleasure in* Js 1, 29; 3. חָמוּד **Liebling** *darling* Js 44, 9, **Kostbarstes** *precious things* Hi 20, 20; l חֶמְדוֹ Ps 39, 12, l וְחֶמְדָּה Js 53, 2; †
nif: pt. נֶחְמָד, pl. נֶחְמָדִים: begehrt > **begehrenswert** *desired* > *desirable* Gn 2, 9 3, 6 Pr 21, 20, pl. Ps 19, 11; †
pi: pf. חִמַּדְתִּי: **heftig begehren** *passionately desire* Ct 2, 3. †
Der. חֶמֶד, חֶמְדָּה, חֲמֻדוֹת, *מַחְמָד, *מַחְמֹד, n.m. חֶמְדָּן.

חֶמֶד: חמד, cj sf. חֶמְדוֹ: **Anmut, Pracht** *loveliness, splendour* Js 32, 12 Am 5, 11 Hs 23, 6. 12. 23, cj Js 27, 2 חֶמֶד, cj Js 40, 6 חֶמְדוֹ, cj Ps 39, 12 חֶמְדוֹ. †

חֶמְדָּה: חמד: cs. חֶמְדַּת, sf. חֶמְדָּתִי: **Begehrenswertes** *desirable things* 1 S 9, 20 Js 2, 16 Hs 26, 12 Ho 13, 15 Na 2, 10 Da 11, 8 2 C 32, 27 36, 10; אֶרֶץ חֶמְדָּה **liebliches** L. *pleasant l.* Ir 3, 19 Sa 7, 14 Ps 106, 24; חֶלְקַת חֶמְדָּתִי m. liebliches F. *my pleasant f.* Ir 12, 10; **Lieblichkeit** *loveliness* cj Js 53, 2; בְּלֹא חֶמְדָּה **ohne dass man ihn liebte** *without being loved* 2 C 21, 20; חֶמְדַּת נָשִׁים **Frauenliebling** *darling of women* (Adonis) Da 11, 37; l כְּאֵילֵי ח׳ wie Prachtswidder *like choice rams* Ir 25, 34; l חֲמֻדֹת Hg 2, 7. †

חֲמֻדוֹת, חֲמֻדֹת: חמד: kostbar *precious* Gn 27, 15 Esr 8, 27 2 C 20, 25; **Kostbarkeiten** *precious things* Da 11, 38. 43, cj Hg 2, 7; לֶחֶם ח׳ wohlschmeckend, **lecker** *delicate* Da 10, 3, אִישׁ ח׳ **liebenswert** *attractive* Da 10, 11. 19, cj 9, 23. †

חֶמְדָּן: n. m.; חמד; asa. חמד, חמדן, נאלמן Ryck. 2, 60; ZAW 44, 91; Schiffer, d. Aramäer 117. 121 f: Gn 36, 26, = חֲמְרָן 1 C 1, 41. †

cj I **חמה**: ja., cp., sy. ܚܡܐ sehen *see*: cj qal: pf. חָמְתָה Ps 76, 11 pro חֲמַת (l אֲדָמָה) u. pro חֵמֹת: **sehen** *see*;

cj nif: pf. נֶחֱמוּ **werden sichtbar** *are to be seen* (Sperber, Bibl. Exegese, 1945, 127), cj Ir 13, 22. †

II ***חמה**: ug. *ḥmt*, pl. *ḥmyt* Mauer *wall*, حَمَى, asa. חמי schützen *protect*, מחמי Mauer *wall*. Der. חוֹמָה, n. m. יַחְמַי.

חָמָה: F חוֹמָה.

חֵמָה (120 ×): יחם; mhb. חֵמָה u. חֵימָה Zorn *wrath*; F ba. חֱמָא; sy. ܚܡܬܐ Hitze, Zorn, Gift *heat, wrath, poison*, حُمَة Gift *venom*, ሐሞት Galle *bile*, ak. *imtū* Gift *venom*: cs. חֲמַת, sf. חֲמָתִי, pl. חֵמוֹת, חֵמֹת; חֵמָא Da 11, 44 aram. Schreibung *Aramaic spelling*:

1. **Hitze, Erregung** *heat, rage* חֲמַת רוּחִי Hs 3, 14; † 2. **Gift** *poison, venom*: v. Tieren *of animals* Dt 32, 24. 33 Ps 58, 5 (dele חֲמַת ²) 140, 4, v. Pfeilen *of arrows* Hi 6, 4, v. Menschen *of man* Ps 58, 5; † 3. **Erregung, Zorn** *rage, wrath* (26 ×): אָחִיךָ Gn 27, 44 (שׁוּב nachlassen *calm*), הֵשִׁיב חֵמָה (beschwichtigen *appease*) Pr 15, 1, חֲמַת מִיַּיִן Ho 7, 5, עַזָּה ח׳ Pr 21, 14, תַּעֲלֶה ח׳ (steigt auf *arises*) 2 S 11, 20; חֲמַת גֶּבֶר Pr 6, 34, אִישׁ ח׳ 15, 18, 22, 24, בַּעַל חֵמָה 29, 22, אִישׁ חֵמוֹת = Gott *God* Na 1, 2; ח׳ cj pro מָה Hi 13, 13; חֵמָא = חֵמָה Da 11, 44; 4. **Gottes** *God's* **Erregung, Zorn** *rage, wrath* (81 ×; Ir 14, Hs 29 ×): חֲמַת יהוה 2 K 22, 13 Js 51, 20 Ir 6, 11 2 C 28, 9 34, 21 36, 16 †, חֲמַת שַׁדַּי Hi 21, 20; † חֵמָה לַיהוה Js 34, 2, חֲמַת אַפּוֹ (sic!) Js 42, 25 > בְּאַפּוֹ וּבַחֲמָתוֹ Dt 9, 19 u. הָאַף וְהַחֵמָה 29, 22 > קֶצֶף, חֵמָה, אַף 29, 27 Ir 21, 5; חֲמָתִי Js 63, 3. 6, חֲמָתוֹ Na 1, 6, חֵמָה Gottes Zorn *God's wrath* oft *frequently*: יהוה ist *is* בַּעַל חֵמָה Na 1, 2; F נָתַךְ, יצת; שָׁפַךְ; 5. חֵמָה Glosse *gloss* Ir 23, 19 30, 23; l חֹמָה Js 27, 4 (?); l צִדְקָתִי (30 MSS) Js 63, 5; l חֶמְאָה Hi 29, 6; l חָמְתָה Ps 76, 11. 11; ? Hi 19, 29 36, 18.

חַמָּה: חמם: sf. חַמָּתוֹ: 1. **Glut** (der Sonne) *glow, heat (of the sun)* Ps 19, 7; 2. > **Sonne** *sun* Js 24, 23 30, 26 Ct 6, 10; l נְחָמָה Hi 30, 28. †

חַמּוּאֵל: n. m.; III חָם u. אֵל; asa. חמאל Ryck. 2, 60; ar. n. m. *al-Ḥumām*: 1 C 4, 26. †

חֲמוּטַל (Var. חֲמִיטַל): n. f.; I חָם u. טַל, cf. *Aḥuṣilla* ZAW 48, 80: Mutter der Könige *mother of the kings* יְהוֹאָחָז u. צִדְקִיָּהוּ 2 K 23, 31 24, 18 Ir 52, 1. †

חָמוּל: n. m.; חמל: Gn 46, 12 Nu 26, 21 1 C 2, 5; F חָמוּלִי. †

חָמוּלִי: gntl. v. חָמוּל: Nu 26, 21. †

חַמּוֹן: n. l.; חמם, cf. ja. חַמְּתָא heisse Quelle *hot spring*: 1. *Umm el ʿAwāmīd* (Alt, ZAW 45, 71, Cooke p. 50) Jos 19, 28; 2. (= I חַמַּת Jos 19, 35 u. חַמֹּת דֹּאר 21, 32) *Ḥammām* s. Tiberias 1 C 6, 61. †

***חָמוּץ**: I חמץ, scharf > grell *sharp > piercing, glowing*: cs. חֲמוּץ: חֲמוּץ בְּגָדִים **in grelle Farben gekleidet** *in garments of glowing colours* Js 63, 1.†

חָמוֹץ: II חמץ; Verss. חָמוּץ: **Bedrücker** *oppressor* Js 1, 17.†

***חַמּוּק**: חמק: cs. pl. חַמּוּקֵי: **Wendungen, Biegungen** (d. Hüften) *turnings (of hips)* Ct 7, 2.†

I חֲמוֹר, חֲמֹר (97 ×): II חמר; d. rote Tier *the red animal*, cf. span. *burro* < πυρρός: ug. *ḥmr*, ak. *imēru*, westsem. (aram.) [*ḫi-*] *maru* Rosenth. AF 38[3], aram. חֲמָרָא, حِمَار, asa. חמר; fehlt im *wanting in* äth.: sf. חֲמֹרְךָ, pl. חֲמֹרִים, sf. חֲמֹרֵינוּ, (fem. 2 S 19, 27, l עָלָיו ?): der männliche **Esel** *he-ass* (Eselin *she-ass* אָתוֹן), *Equus Asinus* (Bodenheimer 127 f): Reittier *for riding* Gn 22, 3, Lasttier *for burdens* 42, 26, Pflugtier *for ploughing* Dt 22, 10; in Reihen *in series* Gn 12, 16 24, 35 30, 43 47, 17 Ex 9, 3 20, 17 etc.; בְּשַׂר חֲמוֹרִים Hs 23, 20, לְחִי חֲמוֹר Jd 15, 15 f, קְבוּרַת חֲמוֹר Ir 22, 19, רֹאשׁ ח׳ als Notspeise *food of last resource* 2 K 6, 25; l חֲמִשָּׁה 1 S 16, 20; חֲמוֹר חֲמֹרָתָיִם Jd 15, 16 *F* II חֹמֶר; *F* עַיִר.

Der. II חֲמוֹר, II חֹמֶר.

II חֲמוֹר: n. m.; = I; ar. *Ḥmār* ZAW 35, 129; asa. חמר Ryck. 2, 61: Gn 33, 19 34. 2—26 Jos 24, 32 Jd 9, 28.†

חָמוֹת: fem. v. I חָם; ja. חֲמוֹתָא, cp., sy. חָמָתָא; حَمَاةٌ; ak. *emētu*: sf. חֲמוֹתָהּ: Mutter des Gatten, **Schwiegermutter** *husband's mother, mother-in-law* Mi 7, 6 Ru 1, 14 2, 11. 18 f. 23 3, 1. 6. 16 f.†

חֹמֶט: ak. *ḫulmittu* (Ruž. KD 86, Landsb. 62 f), sy. ܚܘܡܛܐ, حِمَاط, حُمْطُوط, حَمَطِيط: alles nicht genau bestimmbare Reptile *all reptiles which are not defined* (Ruž. 86: v, ak. *ḫamâtu* eilen *haste*): verbotenes Reptil *forbidden reptile*; Aharoni, Osiris 5, 474: *Chalcides sepsoides* (Bodenheimer 192): Lv 11, 30.†

חֻמְטָה: n. l.; bei *near* Hebron: Jos 15, 54.†

חֲמִיטַל: *F* חֲמוּטַל.

חָמִיץ: I חמץ; حُمَّيْض *Rumex pictus* (gutes Kamelfutter *good camel-fodder*), *Rumex lacerus* Balb. Musil, Arabia Deserta 128. 187. 287. 328; حُمَّاض *Rumex*: Sauerampfer, **Ampferfutter** *sorrel-fodder Rumex vesicarius* (ZAW 40, 15 ff): Js 30, 24.†

חֲמִשִׁי, חֲמִישִׁי (42 ×): חָמֵשׁ: fem. חֲמִישִׁית, חֲמִשִׁת, sf. חֲמִישִׁתוֹ (l Lv 5, 24): **fünfter** *the fifth* יוֹם חֲמִישִׁי Gn 1, 23, בֵּן חֲמִישִׁי 30, 17; חֲמִישִׁית e. **Fünftel** *a fifth part* 47, 24; חֲמִשִׁתוֹ d. 5. Teil davon *the fifth part of it* Lv 5, 16, פַּעַם חֲמִישִׁית zum 5. Mal *the fifth time* Ne 6, 5; חֲמִשִׁית fünfeckig *five-cornered* 1 K 6, 31.

חמל: ak. *ḫamālu* forttragen *carry away*, *ḫumalitu* voll Erbarmen *having compassion*; mhb.; حَمَلَ tragen, forttragen, die Verantwortung auf sich nehmen *bear, carry away, become responsible for*:

qal: pf. חָמַל, חָמַל, חָמְלָה, חֲמַלְתָּ, חֲמַלְתֶּם; imp חִמְלוּ, inf. יַחְמוֹל, יַחְמֹל, תַּחְמְלוּ, יַחְמְלוּ, תַּחְמֹלוּ; *F* חֶמְלָה, חֲמָלָה: 1. חָמַל עַל **Mitleid empfinden** mit *have compassion on* Ex 2, 6 1 S 15, 3. 9. 15 23, 21 2 S 21, 7 Ir 15, 5 Hs 36, 21 Jl 2, 18 Sa 11, 5 f Ma 3, 17 2 C 36, 15. 17 Si 13, 4, cj 1 S 22, 8 (l חֹמֵל); = חָמַל אֶל Js 9, 18 Ir 51, 3; 2. חָמַל abs. Dt 13, 9 2 S 12, 6 Ir 13, 14 21, 7 Hs 5, 11 7, 4. 9 8, 18 9, 5. 10 Pr 6, 34 Hi 6, 10 16, 13 27, 22 Th 2, 17. 21 3, 43; 3. חָמַל אֶל (עַל) sich etw. reuen lassen, etw. **sparen**, *spare* Ir 50, 14 Hi 20, 13; 4. חָמַל c. לְ c. inf, es reut ihn, zu *he spares to* ... 2 S 12, 4; 5. לֹא יַחְמֹל Js 30, 14 Ha 1, 17 u. לֹא חָמַל Th 2, 2 **mitleidslos** *without compassion*.†

Der. חֶמְלָה, חֶמְלָה, חֲנַמֵל, n. m. חָמוּל.

חֶמְלָה: inf. fem. v. חמל: cs. חֶמְלַת, sf. חֶמְלָתוֹ: **Mitleid** *compassion* (עַל mit *for*) Gn 19, 16 Js 63, 9.†

חֶמְלָה: inf. fem. v. חמל: **Mitleid** *compassion* (עַל mit *for*) Hs 16, 5.†

חמם: ug. *ḥm* heiss, Hitze *hot*, *heat*; ak. *emmu* heiss *hot*, *ummu* Hitze *heat*; mhb., ja. חֲמַם ܫܚܢ; äg. *šmm*, caus. *s̱ḫmm*; *F* חום, ימם, aram. חמא, حَمِيَ:

qal: pf. חַם, חַמּוֹתִי Js 44, 16, impf. יֵחַם, וַיֵּחַם, u. יֵחַם, יֵחַמּוּ, inf. חֹם, sf. חֻמּוֹ, לַחֲמֹם l לְחֻמָּם Js 47, 14 u. Hi 30, 4; וַיֵּחָמוּ u. וַיֵּחַמְנָה Gn 30, 38 f *F* יחם:

1. חַם לוֹ **hat, bekommt warm** *get heat, feel warm* 1 K 1, 1 f Hg 1, 6 Ko 4, 11; 2. חַם **warm sein, werden** *be, grow warm*: לֵב Dt 19, 6 Ps 39, 4, בָּשָׂר 2 K 4, 34, heiss werden *grow hot* נְחֻשְׁתָּהּ Hs 24, 11; ich, sie *I, they* Js 44, 16 Ho 7, 7; 3. **sich wärmen** *warm oneself* Js 44, 15 f 47, 14, cj Hi 30, 4; 4. **warm werden** *grow warm* (Wetter *weather*) Hi 6, 17 (l בְּחֹם וְ), שֶׁמֶשׁ Ex 16, 21 1 S 11, 9 Ne 7, 3; חֹם הַיּוֹם (cf. ar. *ḥūm il-nāhari* Landberg., Daṯima 572) wenn d. Tag am heissesten ist *in the heat of the day* Gn 18, 1 1 S 11, 11 2 S 4, 5; חֹם קָצִיר u. חֹם צַח Js 18, 4; 5. **heiss, erregt werden** *be heated* אֲרָיוֹת Ir 51, 39;

nif: pt. נֵחָמִים: **glühend, brünstig** *inflamed, ruttish* Js 57, 5;†

[pi: impf. תְּחַמֵּם, l תְּנַחֵם Hi 39, 14;]

hitp: impf. יִתְחַמָּם: **sich warm werden lassen** *warm oneself* Hi 31, 20.†

Der. II חֹם, חֹם, חַמָּה, חַמָּן; n. l. חַמּוֹן u. חַמַּת.

חַמָּן: חמם; ph. חמן, בעל חמן Harris 102; nab. u. palm. חמנא // עלתא (Altar *altar*) Cooke 298 f: pl. חַמָּנִים, sf. חַמָּנֵיכֶם: // אֲשֵׁרִים Js 17, 8 27, 9, // מִזְבַּח Hs 6, 4. 6, // מִזְבְּחוֹת הַבְּעָלִים 2 C 34, 4, auf *upon* בָּמוֹת Lv 26, 30 2 C 14, 4 34, 7; in GVS unverstanden *not known*; *F* Galling BRL 20, Elliger ZAW 57, 256—65 u. ZDP 66, 129 ff, Ingholt, Mél. Syr. 795—802, Albr. ARI, 215 f: (transportabler) **Räucheraltar** (*transportable*) *incense-stand*.†

חמס: mhb., ja.; ak. *ḫamāšu*, *emēsu* zerstampfen *crush by stamping*; حمس hart sein *be hard*:

qal: pf. חָמְסוּ, impf. יַחְמֹס, תַּחְמְסוּ, pt. חֹמֵס:

1. **gewalttätig behandeln** *treat violently* Ir 22, 3 Hs 22, 26 Ze 3, 4 Pr 8, 36; 2. Rebe (*vine*): (Pflanzenteile) **abstossen** *thrust off* (*parts of the plant*) Hi 15, 33 Th 2, 6 (l כַּגֶּפֶן); l תַּחְמְסוּ (בְּאִשׁוֹ) Hi 21, 27;†

nif: pf. נֶחְמְסוּ: **Gewalttat leiden** (müssen) *be treated violently* Ir 13, 22; *F* I חמה nif.†

Der. חָמָס, תַּחְמָס.

חָמָס: חמס: cs. חֲמַס, sf. חֲמָסוֹ, pl. חֲמָסִים: **Gewalttat, Unrecht** *violence, wrong*: חֲמָסִי d. G., die ich leide *the v. done to me* Gn 16, 5 Ir 51, 35, חֲמָסוֹ G., die er übt *the v. done by him* Ps 7, 17; ח׳ וָשֹׁד Am 3, 10, שֹׁד וָח׳ Ha 1, 3; אִישׁ ח׳ Ps 18, 49 u. אִישׁ חֲמָסִים Ps 140, 2. 5 gewalttätiger Mensch *violent man*; עֵד ח׳ (cf. שהד חמס Aḥikar 140) Zeuge, d. Gewalt übt, falscher Z. *witness promoting wrong* Ex 23, 1 Dt 19, 16, cj Pr 24, 28, pl. עֵדֵי ח׳ Ps 35, 11; יֵין חֲמָסִים durch Gewalttat erworbener W. *w. gained by violence* Pr 4, 17; cj חָמָס Pr 11, 30; *F* Gn 6, 11. 13 49, 5 Jd 9, 24 2 S 22, 3. 49 Js 53, 9 59, 6 60, 18 Ir 6, 7 20, 8 51, 46 Hs 7,

11? 23 8, 17 12, 19 28, 16 45, 9 Jl 4, 19 Am 6, 3 Ob 10 Jon 3, 8 Mi 6, 12 Ha 1, 2. 9 2, 8. 17 Ze 1, 9 Ma 2, 16 Ps 7, 17 11, 5 25, 19 27, 12 55, 10 58, 3 72, 14 73, 6 74, 20 140, 12 Pr 3, 31 10, 6. 11 13, 2 16, 29 26, 6 Hi 16, 17 19, 7 1 C 12, 18. †

I **חמץ**: mhb., ja. חמע, sy. [Syriac] u. [Syriac] (VG 1, 135), حمض sauer, scharf sein *be sour, acid*; äg. *ḥm 3.t*, ϩⲙⲟⲩ Salz *salt*:
qal: pf. חָמֵץ, impf. יֶחְמַץ inf. חֻמְצָתוֹ (BL 316) **durchsäuert sein** (Teig) *be leavened* (*dough*) Ex 12, 34. 39 Ho 7, 4; †
hif: pt. מַחְמֶצֶת: **sauer schmecken** *taste leavened* Ex 12, 19 f; †
hitp: impf. יִתְחַמֵּץ: **sich scharf, verbittert zeigen** *be soured, embittered* Ps 73, 21. †
Der. *חָמוּץ, חָמִיץ, חָמֵץ, חֹמֶץ, חָמֵץ.

II **חמץ**: ak. *ḫamāṣu*, [Arabic] unterdrücken *oppress*; sy. pa. [Syriac] beschämen *put to shame*:
qal: pt. חוֹמֵץ: **unterdrücken** *oppress* Ps 71, 4, cj חָמֵץ Js 16, 4. †
Der. חָמוֹץ.

חָמֵץ: I חמץ: **Gesäuertes** (Brot u. andre Speisen) *which is leavened* (*bread a. other food*): wird geopfert *is offered* Am 4, 5 Lv 7, 13 23, 17, als Opfer verboten *forbidden for offerings* Ex 23, 18 34, 25 Lv 2, 11, in Festzeiten verboten *forbidden during festivals* Ex 12, 15 13, 3. 7 Lv 6, 10 Dt 16, 3. †

חֹמֶץ: I חמץ; äg. *ḥmḏ*, ϩⲙϫ, ὄξος, *acetum*: **Essig** *vinegar* (Löw 1, 102 ff): aus Wein *of wine* Nu 6, 3, aus *of* שֵׁכָר 6, 3; greift d. Zähne aus *eats teeth* Pr 10, 26 u. נֶתֶר 25, 20; F Ps 69, 22 Ru 2, 14. †

חֻמְצָה: F I חמץ qal inf.

חמק: حمق sich töricht aufführen *become foolish*:
qal: pf. חָמַק: **abbiegen** *turn away* Ct 5, 6; †
hitp: impf. תִּתְחַמָּקִין: **sich hin u. her biegen** *turn hither a. thither* Ir 31, 22. †
Der *חַמּוּק.

I **חמר**: ak. *ḫamāru* u. خمر bedeckt sein *be covered* = gären *ferment*; (?) mhb. ja. aufhäufen, mit Steinen bedecken *heap up, cover with stones*; خَمِرَ sich ändern, „übergehen" *become changed* (*into fermentation*); خَمْر in Gärung geratnes Getränk *fermented beverage*; ϣⲉⲙⲏⲣ Hefe *leaven*; aram. חמרא Wein *wine*:
qal: pf. חָמַר, impf. יֶחְמָרוּ, sf. תַּחְמְרָה = תַּחְמְרֶהָ Ex 2, 3: 1. **überziehn** *cover* Ex 2, 3; 2. **überzogen sein, schäumen** *be covered, foam* Ps 46, 4, l חָמֵר 75, 9; †
pealal: pf. חֳמַרְמְרוּ: **gären** *ferment* Th 1, 20 2, 11. †
Der. חֹמֶר, חֵמָר.

II **חמר**: حُمْرَة Röte *redness* (حمر schälen *pare*):
pealal: pf. חֳמַרְמְרָה = K חֳמַרְמְרָה u. Q חֳמַרְמְרוּ: **gerötet sein** *be reddened* Hi 16, 16. †
Der. I, II חֲמוֹר; I חֹמֶר, יַחְמוּר.

חֶמֶר: I חמר; ug. *ḫmr*: (noch schäumender, gärender) **Wein** (*still foaming, fermenting*) *wine* Dt 32, 14, cj יֵין חֶמֶר Ps 75, 9; l חֶמֶד Js 27, 2. †

I **חֹמֶר**: II חמר: (roter) **Lehm, Ton** (*reddish*) *clay*: לְבֵנִים Gn 11, 3 Ex 1, 14 Na 3, 14, c. יוֹצֵר Js 29, 16 41, 25 45, 9 64, 7 Ir 18, 4. 6 Hi 33, 6, בָּתֵּי חֹמֶר Hi 38, 14, חוֹתָם Js 10, 6; חֻצוֹת (Menschenleiber *human bodies*) Hi 4, 19; F Ha 3, 15 (l בְּחֹמֶר) Hi 10, 9 13, 12 27, 16 30, 19. †

II **חֹמֶר**: ug. *ḫmr*; ak. *imēru* e. Hohlmass *a dry measure*; Peiser MVG 1, 166 = Eselslast *load of an ass* (חֲמוֹר, ak. *imēru*): pl. חֳמָרִים: **Homer** *homer*; = 10 בַּת u. = 10 אֵיפָה

45, 11. 14, Mass f. Weizen *measure of wheat* 45, 13, f. Gerste *of barley* 45, 13 Ho 3, 2, pl. Nu 11, 32; זֶרַע חֹמֶר 1 H. Aussaat *1 h. of seed* Lv 27, 16 Js 5, 10; חֳמָרִים חֳמָרִים haufenweise *in heaps* Ex 8, 10; l חֲמוֹר חֲמֹרָתָיִם e. H. 2 H. *1 h., 2 h.?* Jd 15, 16. †

חֵמָר: I חמר: Stoff z. Überziehn *material for covering*: **Erdpech, Asphalt** *bitumen, asphalt* Gn 11, 3 14, 10 Ex 2, 3; F II כֹּפֶר. †

חֶמְרָן: n. m.; = חֶמְדָּן Gn 36, 26: 1 C 1, 41. †

***חמשׁ**: F חֶרְמֵשׁ.

חמשׁ: denom. v. חָמֵשׁ:

qal: pt. pss. חֲמֻשִׁים (خَمِيس Heer in 5 Gruppen: Vorhut, Nachhut, Mitte, 2 Flügel *army in 5 parts*: *van, rear, body, 2 wings*; asa. *ḫms* Heer *army*): **in Kampfgruppen geordnet** *in battle array* Ex 13, 18 Jos 1, 14 4, 12 Jd 7, 11, cj Nu 32, 17; †

pi: pf. חִמֵּשׁ: c. ac. **den fünften Teil erheben von** *take the fifth part of* (= خَمَسَ) Gn 41, 34, cj abs. 47, 26 (l לְחַמֵּשׁ לְפַרְעֹה). †

חָמֵשׁ (340 ×): SEM; ug. *ḫmš*, ak. *ḫamšu*, ph. חמשת, خَمْس, asa. *ḫms*; mo. חמשן = 50; etc.: cs. חֲמֵשׁ, f. חֲמִשָּׁה, cs. חֲמֵשֶׁת: fünf *five*: חָמֵשׁ יָדוֹת 5 mal *5 times* Gn 43, 34, חָמֵשׁ שָׁנִים 5 Jahre *5 years* 5, 6; חֲמֵשׁ הַיְרִיעֹת die 5 Teppiche *the 5 curtains* Ex 26, 3, חָמֵשׁ עֶשְׂרֵה 15 Gn 5, 10; הַחֲמִשָּׁה die 5 *the 5* 14, 9, חֲמִשָּׁה וְאַרְבָּעִים 45 18, 28; חֲמֵשֶׁת הָאֲנָשִׁים die 5 Männer *the 5 men* Jd 18, 7, חֲמִשָּׁה עָשָׂר 15 Ho 3, 2; יוֹם חֲמִשָּׁה עָשָׂר der 15. Tag *the 15th day* Est 9, 21, בַּחֲמִשָּׁה לַחֹדֶשׁ am 5. Tag des Monats *on the 5th of the month* Hs 1, 1; 25 Hs 40, 30, 65 Js 7. 8, 500 Lv 26, 8, 775 Esr 2, 5, 5400 Esr 1, 11, 675000 Nu 31, 32, etc.; pl. חֲמִשִּׁים (164 ×): fünfzig *fifty*: חֲמִשִּׁים אִישׁ רָצִים 50 Mann Läufer *50 (men) runners* 2 S 15, 1, חֲמִשִּׁים יוֹם 50 Tage *50 days* Lv 23, 16; שַׂר חֲמִשִּׁים Anführer von 50 *captain of fifty* 2 K 1, 9; שְׁנַת הַחֲמִשִּׁים שָׁנָה d. 50. Jahr *the fiftieth year* Lv 25, 10; sf. חֲמִשָּׁיו seine 50 *his 50* 2 K 1, 9, חֲמִשֵּׁיהֶם ihre 50 *their 50* 1, 14. Der. חֹמֶשׁ, חֲמִישִׁי.

חֹמֶשׁ: Gn 47, 26 l חַמֵּשׁ (pi. חמשׁ).

חֹמֶשׁ: sy. ܚܘܡܫܐ, ܚܘܡܫܐ; ja. חֻמְצָא Fettschicht auf dem Magen *layer of fat upon the stomach*; Holma, N Kt 87: **Unterleib, Bauch** *belly* 2 S 2, 23 3, 27 20, 10; l וְהִישֵׁן 4, 6. †

חֲמִשִׁית, חֲמִשִׁי: F חֲמִישִׁי.

חֵמֶת: ug. *ḥmt*; mhb.; خَمِيت Tāǧ 1, 539, 3 ff: kleiner, mit Dattelsirup *rubb* dicht gemachter Schlauch für Butter, Honig u. Öl *small skin containing butter, honey, oil, tightened with date-syrup (rubb)*: cs. חֵמַת: **Wasserschlauch** *waterskin* Gn 21, 14 f. 19. †

חֲמָת: n. l.: c. -*ā* חֲמָתָה, חֲמַת רַבָּה Am 6, 2, † חֲמַת צוֹבָה 2 C 8, 3 † = חֲמָת 2 S 8, 9 2 C 8, 4: ak. *Amātu*, *Ḫammātu*, äg. *Ḥmt* ETL 211; später *later on* Epiphania, jetzt *today* حَمَاة, am *on* Orontes: **Hamath**, Noth PJ 33, 36 f, RLV 5, 31 f: 2 K 14, 28 17, 24. 30 18, 34 19, 13 Js 10, 9 11, 11 (Sitz v. Exulanten *place of exiles*) 36, 19 37, 13 Ir 49, 23 Hs 47, 16 f 48, 1 Sa 9, 2 1 C 18, 3. 9; רִבְלָה בְּאֶרֶץ חֲמָת 2 K 23, 33 25, 21 Ir 39, 5 52, 9. 27; לְבֹא חֲמָת F *לְבֹא.

Der. חֲמָתִי.

I **חַמַּת**: n. l.; חמם; heisse Quelle *hot spring*: Jos 19, 35 u. חַמֹּת דֹּאר 21, 32, = חַמּוֹן 2. †

II **חַמַּת**: n. m. 1 C 2, 55. †

חֲמָתִי: gntl. v. חֲמָת: Gn 10, 18 1 C 1, 16.†

חֵן: חנן; ug. *ḥnt*: הַחֵן Pr 31, 30†, sf. חִנּוֹ Gn 39, 21; Lofthouse ZAW 51, 29—35: 1. **Anmut, Liebreiz** (was wohlgefällig, angenehm macht) *charm, grace* (*qualities making agreable*): טוֹבַת חֵן durch Liebreiz ausgezeichnet *distinguished by grace* Na 3, 4, אֵשֶׁת חֵן anmutige Frau *charming woman* Pr 11, 16 Si 9, 8, חֵן טוֹב rechte Anmut *real charm* Pr 22, 1; חֵן // יֹפִי 31, 30, חֵן וְכָבוֹד Ps 84, 12; שְׂפָתֶי, חֵן שְׂפָתָיו Pr 22, 11, חֵן בְּשִׂפְתוֹתֶיךָ Ps 45, 3, חֵן Si 6, 5; חֵן Liebreiz, Anmut *attractiveness* bei *with* אֶבֶן Sa 4, 7, לִוְיָה Pr 1, 9 4, 9, Tier *animal* 5, 19; cj הָיָה לְחֵן וּלְזִכָּרוֹן zu e. Andenken, das man liebt, w. *become a kind, agreable memory* Sa 6, 14; 2. חֵן **Liebreiz, Gunst** *charm, favour*: e. Frau bei ihrem Mann *of a wife with her husband* Dt 24, 1; נָתַן חִנּוֹ בְּעֵינֵי schafft ihm **Beliebtheit** bei *gives him favour in the sight of* Gn 39, 21, נָתַן חֵן בְּעֵינֵי beliebt sein lassen *cause to obtain favour with* Ex 3, 21 11, 3 12, 36; נָתַן חֵן לְ beliebt machen *put in favour* Pr 3, 34 13, 15; נָשָׂא חֵן Beliebtheit, Wohlgefallen finden *obtain favour*, בְּעֵינֵי bei *with*, לִפְנֵי bei *with* Est 2, 15. 17; חֵן Beliebtheit *favour* Ko 9, 11 10, 12; חֵן וָחֶסֶד (Gn 19, 19) Est 2, 17; מָצָא חֵן בְּעֵינֵי Beliebtheit, **Geneigtheit** finden bei *obtain favour, willingness with*: Gn 6, 8 18, 3 19, 19 30, 27 32, 6 33, 8. 10. 15 34, 11 39, 4 47, 25. 29 50, 4 Ex 33, 12 f. 16 f 34, 9 Nu 11, 11. 15 32, 5 Dt 24, 1 Jd 6, 17 1 S 1, 18 16, 22 20, 3. 29 25, 8 27, 5 2 S 14, 22 15, 25 16, 4 1 K 11, 19 Pr 3, 4 28, 23 Ru 2, 2. 10. 13 Est 5, 8 7, 3 Si 42, 1; מָצָא חֵן לִפְנֵי Est 8, 5; מָצָא חֵן Ir 31, 2; אֶבֶן חֵן Stein, der beliebt macht *stone providing with favour* Pr 17, 8; 3. רוּחַ חֵן Geist des **Mitleids** *spirit of commiseration* Sa 12, 10.†
Der. n. m. חֲנָדָד, n. f. חַנָּה; חִנָּם.

חֲנָדָד: n. m.; < *חֵן־הֲדַד (חֵן 3) Baudissin, PRE [3], 7, 284: Esr 3, 9 Ne 3, 18. 24 10, 10.†

I **חנה** (140 ×): ak. *ḫanûtu* Belagerungstruppen *siege-forces*; mhb., ja., sy. חֲנָא; Feldlager aufschlagen (gegen) *encamp (against)*; altaram. *old-aram.* u. ph. מחנת (= מַחֲנֶה); ܚܢܐ beugen *bend* (F qal 1):
qal: pf. חָנָה, חָנִיתִי, חָנוּ, impf. וַיִּחַן, יַחֲנוּ, וַנַּחֲנֶה, inf. חֲנֹת, sf. חֲנֹתְכֶם, imp. חֲנוּ, חֲנֵה, pt. חֹנֶה, חֹנָה, חֹנִים u. חוֹנִים; f. חֹנֵךְ Ps 53, 6 1 חֹנָךְ: 1. **sich neigen** (dem Abend zu) *decline (towards evening)* חֲנוֹת הַיּוֹם Jd 19, 9; 2. **Lager beziehn** *encamp* Gn 26, 17 Nu 1, 50—33, 49 (63 ×); **lagern** *be settled (for the night)* Ex 14, 9, 1 תֵּחָתוּ אִתִּי 2 K 6, 8; 3. **Kriegslager aufschlagen** *encamp* (*warriors, army*): gegen *against* = עַל Jos 10, 31. 34 Jd 6, 4 1 S 11, 1 2 S 12, 28, = בְּ Jd 9, 50; 4. חָנָה לְ **sich schützend lagern** vor *encamp protecting* Sa 9, 8; 1 וַיָּחֵלּוּ מֵעֲרוֹעֵר 2 S 24, 5.†
Der. *מַחֲנֶה, חֲנוּת.

II **חנה**: حَنَا freundlich sein *be kind* Barth, Wurzeluntersuchung., 1902, 20 f:
pi: inf. חַנּוֹת: gnädig sein (Gott) *be gracious (God)* Ps 77, 10.†

חַנָּה: n. f.; fem. v. *חֵן = חֵן Anmut *grace*, Αννα, *Anna*: **Hannah** 1 S 1, 2—20 2, 1. 21.†

I **חֲנוֹךְ**: n. m.; חנך; kan. *ḫanaku* Gefolgsmann *follower* (Albr. JBL 58, 96), Ἑνωχ, **Henoch** *Enoch*: 1. S. v. קַיִן Gn 4, 17; 2. S. v. יֶרֶד Gn 5, 18 f. 21—24 1 C 1, 3; 3. S. v. רְאוּבֵן Gn 46, 9 Ex 6, 14 Nu 26, 5 1 C 5, 3; 4. Midjanit Gn 25, 4 1 C 1, 33.†
Der. II חֲנוֹךְ, חֲנֹכִי.

II **חֲנוֹךְ**: n. l.; F I: Gn 4, 17.†

חֲנֹכִי: gntl. v. I חֲנוֹךְ 3: Nu 26, 5.†

חָנוּן: n. m.; חנן: keilschr. *Ḫanūnu* K. v. עַזָּה; ph. חנן; aram. חנון Tallq. APN 86: 1. מֶלֶךְ בְּנֵי עַמּוֹן 2 S 10, 1—4 1 C 19, 2—6; 2. Ne 3, 13; 3. 3, 30.†

חַנּוּן: חנן: **freundlich, huldvoll** *kind, gracious*: 1. Gott *God* Ex 22, 26 Ps 116, 5, חַנּוּן וְרַחוּם Ex 34, 6 Ps 86, 15 103, 8, רַחוּם וְחַנּוּן Jl 2, 13 Jon 4, 2 Ne 9, 31 Ps 111, 4 145, 8 2 C 30, 9 Ne 9, 17; 2. Menschen *man* Ps 112, 4.†

***חָנוּת**: I חנה: mhb., ja., sy., palm., mnd., > LW (Nöld. NB 45) حانوت, ሐኖት: pl. חֲנֻיוֹת: **gewölbter Raum** *vaulted room* Ir 37, 16.†

חנט: ph. החנוטם die Einbalsamierten *the embalmed* F ZAW 44, 123; mhb., ja. sy.; حَنَطَ die (gelblich-rötliche) Farbe d. Reife annehmen *become yellowish-whitish* (*the colour of ripeness*), حَنَّطَ einbalsamieren *embalm*: qal: pf. חָנְטָה, impf. וַיַּחַנְטוּ: 1. **sich zur Reife färben** *gain the colour of ripeness* Ct 2, 13; 2. **einbalsamieren** *embalm* (OLZ 28, 301—6; Herodot 2, 86) Gn 50, 2. 26.† Der. חִטָּה, חֲנֻטִים.

חֲנֻטִים: חנט: **Einbalsamierung** *embalming* Gn 50, 3.†

חַנִּיאֵל: n. m.; חנן u. אֵל, keilschr. *Ḥinni-el*: 1. Nu 34, 23; 2. 1 C 7, 39.†

חֲנֻיוֹת: F *חָנוּת.

***חָנִיךְ**: *חנך; F I חֲנוֹךְ: pl. sf. חֲנִיכָיו: **Gefolgsmann** *follower* Gn 14, 14.†

חֲנִינָה: חנן; mhb.: **Freundlichkeit, Huld** *kindness, favour* Ir 16, 13.†

חֲנִית: LW, = äg. *ḥnj.t*; mhb. sf. חֲנִיתוֹ, חֲנִיתְךָ, pl. חֲנִיתִים 2 C 23, 9†, sf. חֲנִיתֹתֵיהֶם; f.: **Speer** *spear*: עֵץ ח׳ Speerschaft *shaft of spear* 1 S 17, 7 2 S 21, 19 23, 7 1 C 20, 5; לַהַב ח׳ Hi 39, 23 u. לֶהָבֶת ח׳ 1 S 17, 7 Speerklinge *spear-head*; הֵטִיל ח׳ 1 S 18, 11 20, 33, הִכָּה בַח׳ בְּ mit d. Speer treffen *hit, strike with the spear* 1 S 19, 10, ח׳ מְעוּכָה בָאָרֶץ in die Erde gesteckt *stuck in the ground* 26, 7, עוֹרֵר ח׳ 2 S 23, 18. cj 8 1 C 11, 11. 20, הֵרִיק ח׳ aus d. Futteral nehmen, wurfbereit machen *take out of the case, get ready for throwing* Ps 35, 3; בְּרַק ח׳ blitzende Speere *glittering spears* Na 3, 3 Ha 3, 11; חֲנִית Herrschaftszeichen *emblem of the ruler* 1 S 18, 10 19, 9 22, 6; // חֶרֶב 1 S 13, 19. 22 17, 47 21, 9, // חִצִּים Ps 57, 5, // כִּידוֹן Hi 39, 23, // צִנָּה 1 C 12, 35, // חֶרֶב u. כִּידוֹן 1 S 17, 45; F 1 S 26, 8. 11 f. 16. 22 2 S 1, 6 2, 23 23, 21 2 K 11, 10 (l הַחֲנִיתִים) Js 2, 4 Mi 4, 3 Ps 46, 10 Hi 41, 18 1 C 11, 23 2 C 23, 9; (cj חֲנִית (מַרְדֵּעַ) Ochsenstachel *ox-goad* Si 38, 25.†

חנך: mhb., ja. palm. einweihen *dedicate*; حَنَكَ (denom. v. حَنَكٌ = חֵךְ) d. Gaumen e.s Neugebornen mit gekauten Datteln, Öl einreiben *rub palate of new-born child with chewed dates, oil* (Lane, Dozy, Wellhausen, Reste 173) > einweihen *dedicate*; Schwally, D. heilige Krieg 91: äg. *ḥnk.t* Opfer bei Grundsteinlegung *offering at laying the foundation-stone*; F *ḫanaku* = I חֲנוֹךְ:

qal: pf. sf. חֲנָכוֹ, impf. וַיַּחְנְכוּ, sf. יַחְנְכֻנּוּ, inf. חֲנֹךְ: 1. c. לְ jm. **anleiten** *train up a person* Pr 22, 6; 2. c. ac. (Haus) **einweihen** *dedicate* (*house*) Dt 20, 5 1 K 8, 63 2 C 7, 5.† Der. *חָנִיךְ, חֲנֻכָּה, n. m. I חֲנוֹךְ; F חֵךְ.

חֲנֻכָּה: חנך; F ba.: cs. חֲנֻכַּת: **Einweihung** (Bauwerk) *dedication, consecration* (*building*) Nu 7, 10 f. 84. 88 Ps 30, 1 Ne 12, 27 2 C 7, 9.†

חִנָּם: *ḥinn (> חֵן) u. -*ām*, adv.: 1. ohne **Entschädigung** *for nought* Gn 29, 15 Ex 21, 2. 11 Nu 11, 5 Js 52, 3. 5 Ir 22, 13 Hi 1, 9, **ohne dafür zu zahlen** *gratuitously* 2 S 24, 24 1 C 21, 24; 2. umsonst = **vergeblich** *in vain* Hs 6, 10 ('אֶל־ח) 14, 23 Ma 1, 10 Ps 109, 3 119, 161 Pr 1, 17; 3. **ohne Grund** *without cause, undeservedly* 1 S 19, 5 25, 31 Ps 35, 7. 19 69, 5 Pr 1, 11 3, 30 23, 29 Hi 2, 3 9, 17 22, 6 Th 3, 52, cj Ps 38, 20; דְּמֵי חִנָּם **schuldloses** Blut *blood shed without cause* 1 K 2, 31, קִלְלַת חִנָּם **unverdienter** Fluch *undeserved curse* Pr 26, 2; 1 חָמָס 24, 28.†

חֲנַמְאֵל: n. m.; < חֲנַנְאֵל (cf. Ἀναμεηλ = חֲנַנְאֵל Ir 31, 38 Sa 14, 10): Vetter v. *cousin of* Jeremia Ir 32, 7—9. 12.†

חֲנָמָל: < *חַמָּל, חמל; حَمَلٌ viel Wasser führende Wolken *clouds containing much water* = حَوْمَلٌ, JBL 59, 39 f: **verheerende Wasserflut** *devastating flood* Ps 78, 47.†

חנן: ug. *ḥnn*; ak. *ḫanānu, enēnu*; *annu* Gnade *grace*, EA 137, 81 *ji-iḫ-na-nu-ni*, 253, 24 *ji-en-ni-nu-nu-mi*; ph.; mhb.; **F** ba.; حَنَّ von Gram oder Freude bewegt sein *be affected with an intense emotion of grief or of joy*:

qal: pf. חָנַן, חַנֹּתִי, חָנָנוּ, sf. חַנַּנִי, impf. 'יָח u. (Am 5, 15) יֶחֱנַן, וַיָּחָן, sf. תְּחָנֵּם, יְחָנְּנוּ, וַיְחֻנְּךָ, יְחָנֵּנוּ, יְחֻנְךָ* > יְחָנְךָ, BL 437) Gn 43, 29, יְחַנַּנִי (Q וְחַנַּנִי, K יְחַנַּנִי) 2 S 12, 22, inf. חָנוֹן, sf. חֲנַנְכֶם, חַנַּנְּה (BL 437), imp. חָנֵּנִי! Ps 9, 14 u. חָנֵּנִי, חָנֵּנוּ, pt. חוֹנֵן:

1. c. ac. jm. gnädig bedenken, mit jm. **gnädig sein** *favour*: Gott *God* Gn 33, 11 43, 29 Ex 33, 19 Nu 6, 25 2 S 12, 22 2 K 13, 23 Js 27, 11 30, 18 f 33, 2 Am 5, 15 Ma 1, 9 Ps 4, 2 6, 3 9, 14 25, 16 26, 11 27, 7 30, 11 31, 10 41, 5. 11 51, 3 56, 2 57, 2 59, 6 67, 2 86, 3. 16 102, 14 119, 58. 132 123, 2 f Th 4, 16; Menschen *man* Dt 7, 2 Jd 21, 22 Ps 109, 12 Pr 14, 31 19, 17 28, 8 Hi 19, 21; Engel *ange[l]* Hi 33, 24; 2. c. 2 ac.: jm. **gnädig bedenken mit** etw. *favour a person with* Gn 33, 5 Ps 119, 29; 3. חוֹנֵן: **gütig** *gracious* Ps 37, 21. 26 112, 5; †

[nif: pf. נֶחַנְתְּ > נֶאֱנַחְתְּ > (אנח) נֶאֱנַחְתְּ Ir 22, 23; †]

pi: impf. יְחַנֵּן: **lieblich machen** (Stimme) *make gracious (voice)* Pr 26, 25; †

po: impf. sf. יְחֹנְנוּ, pt. מְחוֹנֵן: c. ac. **Erbarmen fühlen mit** *direct favour to* Ps 102, 15 Pr 14, 21; †

hof (qal pass?): impf. יֻחַן; **Erbarmen finden** *be shewn compassion* Js 26, 10 Pr 21, 10; †

hitp: pf. הִתְחַנַּנְתָּה, impf. וַיִּתְחַנֵּן, וַיִּתְחַנֶּן־, אֶתְחַנֵּן, inf. sf. הִתְחַנְנוֹ: um Gnade, Erbarmen **flehen** *implore favour, compassion*: אֶל zu *of* Gn 42, 21 Dt 3, 23 1 K 8, 33. 47 2 K 1, 13 Ps 30, 9 142, 2 Hi 8, 5 2 C 6, 37, לְ zu *to* Ho 12, 5 Hi 9, 15 19, 16 Est 4, 8 8, 3, לִפְנֵי vor *before* 1 K 8, 59 9, 3 2 C 6, 24; abs. Si 13, 3.†

Der. חֵן, חַנָּה, חַנּוּן, חֲנִינָה, חִנָּם, I תְּחִנָּה, *תַּחֲנוּן; n. m. אֶלְחָנָן, חֵנָדָד; n. f. חַנָּה; n. m. חָנָן, חֲנַמְאֵל, חֲנִיאֵל, חָנָן; n. l. חֲנַנְאֵל, n. m. (וּ)חֲנַנְיָה; יוֹחָנָן, יְהוֹחָנָן; תַּחַן? II תְּחִנָּה.

II **חנן**: sy. [Syriac] stinkend *fetid*; خَنَّ X stinken (Brunnen) *stink (well)*:

qal: pf. חַנּוֹתִי (!): **stinkend sein** *be fetid, loathsome* Hi 19, 17.†

חָנָן: n. m., KF < חֲנַנְיָה ? *אֶלְחָנָן ? חנן Dir. 351, asa. Ryck. 2, 61: 1. Ir 35, 4; 2. Esr 2, 46 Ne 7, 49; 3. Ne 13, 13; 4. 1 C 11, 43; 5. verschiedene *divers persons* Ne 8, 7 10, 11. 23. 27 1 C 8, 23. 38 9, 44.†

חֲנַנְאֵל: n. l.; Turm in *tower of* Jerusalem; **F** חֲנַמְאֵל; asa. n. m. Ryck. 2, 61; חנן u. אֵל: Ir 31, 38 Sa 14, 10 Ne 3, 1 12, 39.†

חֲנָנִי : n. m.; KF < חֲנַנְיָהוּ; asa. Ryck. 2, 61: 1. V. v. יֵהוּא 1 K 16, 1. 7 2 C 19, 2 20, 34; 2. Esr 10, 20; 3. Ne 1, 2 7, 2 4. 12, 36 1 C 25, 4; 5. 25, 25; 6. הָרֹאֶה 2 C 16, 7. †

חֲנַנְיָה : n. m.; < חֲנַנְיָהוּ; Dir. 351: 1. Gegner v. *adversary of* Jeremia Jr 28, 1. 5. 10—13. 15. 17; 2. 37, 13; 3. Gefährte v. *companion of* Daniel Da 1, 6 f. 11. 19; 4. Esr 10, 28; 5. Ne 3, 8; 6. 3, 30; 7. שַׂר הַבִּירָה 7, 2; 8. 10, 24; 9. 12, 12; 10. 12, 41; 11. S. v. זְרֻבָּבֶל 1 C 3, 19. 21; 12. 8, 24; 13. 25, 4 = חֲנַנְיָהוּ v. 23? †

חֲנַנְיָהוּ : n. m.; חנן u. יִ; > חֲנַנְיָה; חֲנָנִי; Dir. 351: 1. Jr 36, 12; 2. 1 C 25, 23; 3. שַׂר הַמֶּלֶךְ 2 C 26, 11. †

חָנֵס : n. l.; ak. *Hi-ni-in-ši* Assurbanipal Annal. 1, 95; äg. *Ḥn-n-stnj*, *Heracleopolis parva*, Ἄνυσις Herodot. 2, 166 im östlichen Delta *in the eastern Delta*: Spiegelb. 37 (?): Js 30, 4. †

חנף : ak. *ḫanāpu*, *ḫanpu* Ruchlosigkeit *ruthlessness*; EA 288, 8: *ḫa-an-pa ša iḫ-nu-pu* d. Ruchlosigkeit, mit der sie ruchlos waren *the ruthlessness which they exercised*; mhb. u. ja. schmeicheln, heucheln *flatter*, *feign*, ja. u. sy. חַנְפָא Gottloser *impious*; حَنَفٌ verdrehten Fuss haben *have a distortion of the foot*:

qal: pf. חָנְפָה, חָנְפוּ, impf. תֶּחֱנַף, inf. חָנוֹף: **entweiht, dem rechten Verhältnis zu Gott entfremdet sein** *be polluted, be inclined away from the right relation to God*: אֶרֶץ Js 24, 5 Jr 3, 1 Ps 106, 38, נָבִיא u. כֹּהֵן Jr 23, 11; l וַתַּחֲנֹף 3, 9, l תֶּחְשַׁף (Sellin) Mi 4, 11; †

hif: impf. יַחֲנִיף, cj וַתַּחֲנִף Jr 3, 9: **entweihen** *pollute* (F qal): אֶרֶץ Nu 35, 33 Jr 3, 2, cj 9; **zum Abfall bringen** *lead to apostasy* Da 11, 32. †

Der. חָנֵף; חֹנֶף; חֲנֻפָּה.

חָנֵף : חנף : pl. חֲנֵפִים, cs. חַנְפֵי: **von Gott entfremdet** *alienated from God* חָנֵף וּמֵרַע Js 9, 16, // חַטָּאִים 33, 14, // רְשָׁעִים Hi 20, 5, // שֹׁכְחֵי אֵל 8, 13; גּוֹי חָנֵף Js 10, 6, פֶּה ח׳ Pr 11, 9, חַנְפֵי לֵב Hi 36, 13, coll. עֲדַת חָנֵף 15, 34; F Ps 35, 16 (l כְּחַנְפִים) Hi 13, 16 17, 8 27, 8 34, 30, cj Ps 53, 6 (f. חֹנֵף). †

חֹנֶף : חנף : **Entfremdung** (von Gott) *alienation (from God)* Js 32, 6. †

חֲנֻפָּה : חנף = חֹנֶף : Jr 23, 15. †

חנק : ak. *ḫanqu* zusammengedrückt *compressed*; mhb., ja., sy. würgen *strangle*; خَنَقَ; ኀነቀ; חנקת würgende Dämoninnen *strangling she-demons* aram. Amulett, l. 4, Mél. Syr. 1, 422:

pi: pt. מְחַנֵּק: **erwürgen** (Löwe seine Beute) *strangle (lion the prey)* Na 2, 13. †

nif: impf. וַיֵּחָנַק: **sich erdrosseln** *strangled himself* 2 S 17, 23. †

Der. מַחֲנָק.

חַנָּתֹן : n. l.; EA 8, 17 *Ḫi-in-na-tu-ni*; = *T. el-Bedēwīje* (?) (Alt, PJ 22, 62 ff): Jos 19, 14. †

I חסד : aram.; Schulthess, Hom. Wurzeln 31 f.; mhb. pi. beschimpfen *insult*; ja. sich schämen *be ashamed*, חִסְדָּא Schmach *shame*; sy. pa. beschimpfen *insult*; mnd. חיזדא (; حسد beneiden *envy* = mhb., ja. חשד verdächtigen *cast suspicion upon*); Lit. F II חסד: pi: impf. sf. יְחַסֶּדְךָ: **schmähen** *insult* Pr 25, 10 Si 14, 2. †

Der. I חֶסֶד.

II חסד : denom. v. חָסִיד; F II חֶסֶד; mhb. חסד: hitp: impf. תִּתְחַסָּד: **sich als** חָסִיד **verhalten** *act as* חָסִיד: 2 S 22, 26 Ps 18, 26. †

F II חֶסֶד, חָסִיד, חֲסִידָה; n. m. III חֶסֶד; חֲסַדְיָה,

I חֶסֶד : I חסד : **Schmach** *shame* Lv 20, 17; l חֶסֶר Pr 14, 34. †

II **חֶסֶד** (245 ×): (F חָסִיד u. II חסד); mhb., ja. חִסְדָּא, sy. ܚܣܕܐ; خَشَدَ (fordert eigentlich *leads strictly to* חשד, Nöld. NB 93) sich zusammen tun *assemble*: חֶסֶד, sf. חַסְדּוֹ, חַסְדְּךָ, pl. חֲסָדִים, cs. חַסְדֵי, sf. חֲסָדָיו, חֲסָדֶךָ! Ps 119, 41; N. Glueck, D. Wort *ḥesed*, BZAW 47, 1927: **1.** חֶסֶד d. Verhalten gegenüber Andern, zu denen man im Verwandtschafts-, Freundschafts-, Gast-, Zugehörigkeits- oder Dienst-Verhältnis steht, **die Gemeinschaftspflicht, Verbundenheit, Solidarität** *the mutual liability of those who are relatives, friends, master and servant, or belonging together in any other way, the solidarity, joint liability*; בְּרִית wird durch e. feierlichen Akt begründet, חֶסֶד ergiebt sich von selbst, sobald zwischen Zweien e. engere Beziehung entsteht בְּרִית *comes about by a ceremony*, חֶסֶד *results from the beginning of belonging together*; בְּרִית u. חֶסֶד umfassen weithin dieselben Verpflichtungen *comprehend to a large extent the same obligations* Dt 7, 9; חֶסֶד וֶאֱמֶת (16 ×) dauernde Verbundenheit *lasting solidarity* Gn 24, 27; עָשָׂה חֶסֶד **Verbundenheit beweisen** *prove loyal* c. עִם Gn 21, 23 Jos 2, 12 Jd 1, 24 8, 35 1 S 15, 6 20, 8 2 S 3, 8 9, 1. 7 10, 2 Ru 1, 8 1 C 19, 2 2 C 24, 22, c. עִמָּד (עִם) Gn 20, 13 21, 23 40, 14 2 S 10, 2 Hi 10, 12; חֶסֶד zwischen *between*: Sohn u. sterbendem Vater *son a. his dying father* Gn 47, 29, Frau u. Gatte *wife a. husband* Gn 20, 13 (cf. Ir 2, 2 // אַהֲבָה), Verwandten *the next of kin* Ru 2, 20, Gästen *guests* Gn 19, 19, Freunden *friends* 1 S 20, 8 2 S 9, 1, Leuten, die sich e. Dienst tun *people who render a good service each another* Jd 1, 24, König u. Volk *king a. people* 2 S 3, 8 2 C 24, 22; אִישׁ חֶסֶד wer Gemeinschaft hält *who proves loyal* Pr 11, 17, אַנְשֵׁי חֶסֶד Js 57, 1, cj אִישׁ חַסְדֶּךָ Dt 33. 8; מַלְכֵי חֶסֶד K., welche die Pflicht d. Verbundenheit beobachten *kings who prove loyal* 1 K 20, 31; תּוֹרַת־חֶסֶד Pr 31, 26; **2.** חֶסֶד im Verhältnis zwischen Gott u. Volk oder Einzelnen *concerning God's relation with his people a. individuals*; **Verbundenheit** *solidarity*: חֶסֶד יהוה Ps 33, 5 103, 17, ח׳ אֱלֹהִים 2 S 9, 3 Ps 52, 10; ח׳ עֶלְיוֹן 21, 8; לְעוֹלָם חַסְדּוֹ s. Verbundenheit währt ewig *his solidarity endures for ever* Ps 136, 1—26 (26 ×) Ir 33, 11 Ps 100, 5 106, 1 107, 1 118, 1—4. 29 Esr 3, 11 †; עָשָׂה חֶסֶד עִם Ru 1, 8 (Gottes mit 2 Frauen wie diese mit ihren Angehörigen *God to two women as the women to their kin*), עָשָׂה חֶסֶד לְ (nur von Gott gebraucht *said of God exclusively*) Ex 20, 6 Dt 5, 10 2 S 22, 51 Ir 32, 18 Ps 18, 51; Gott *God* רַב חֶסֶד innig verbunden *thoroughly loyal* Ex 34, 6 Nu 14, 18 Jl 2, 13 Jon 4, 2 Ps 86, 5. 15 103, 8 Ne 9, 17; **3.** חֶסֶד sg. 234 ×, 125 × Ps; l חֶמְדּוֹ Js 40, 6, l עַל־חָסִיד Ps 52, 3, l חָסִיד 141, 5, l מַחְסִי 144, 2; l חֶסֶד pro חָסִיד Ps 4, 4 12, 2; ? Pr 20, 6; **4.** pl. חֲסָדִים, חַסְדֵי etc. bedeutet die einzelnen Akte einer dauernden Solidarität, **beständig bewiesene Gemeinschaft** *means the single proofs of continual solidarity, always proved loyalty*: v. *of* Nehemia Ne 13, 14, Hiskia 2 C 32, 32, Josia 35, 26, Gottes *of God* Js 55, 3 Ps 89, 50 (הָרִאשֹׁנִים) Gn 32, 11; F Js 63, 7 Th 3, 22. 32 Ps 17, 7 25, 6 89, 2 106, 7. 45 107, 43 2 C 6, 42. †

III **חֶסֶד**: n. m.; = II: 1 K 4, 10. †

חֲסַדְיָה: n. m.; חֶסֶד cs. v. II. חֶסֶד ? u. י׳: 1 C 3, 20. †

חסה: خَشِيَ (š!) sich fürchten *fear*:

qal: pf. חָסָה, חָסְיָה, חָסִיתִי, חָסוּ, חָסָיוּ, impf. יֶחֱסֶה, אֶחֱסֶה, יֶחֱסוּ, יֶחֱסָיוּן, inf. לַחְסוֹת u. לַחֲסוֹת, imp. חֲסוּ, pt. חוֹסֶה, pl. חֹסִים u. חוֹסִים, cs. חֹסֵי u. חוֹסֵי: **Zuflucht suchen** *seek refuge*: c. בְּ (bei *in* Menschen *man*) Jd 9, 15 Js 30, 2 Pr 14, 32, (bei Gott *in God*) Dt 32, 37 2 S 22, 3. 31 Js 14, 32 57, 13 Na 1, 7 Ze 3, 12 Ps 2, 12 5, 12 7, 2 11, 1 16, 1 18, 3. 31 25, 20 31, 2. 20

34, 9. 23 36, 8 37, 40 57, 2 61, 5 64, 11 71, 1 118, 8 f 141, 8 144, 2 Pr 30, 5 Si 14, 27 51, 8; c. תַּחַת Ps 91, 4 Ru 2, 12; abs. Ps 17, 7. † Der. חָסוּת, מַחְסֶה; n. m. מַחְסֵיָה, אַחְסְבַּי.

I חֹסָה: n. m.; Et?: Türhüter *doorkeeper* 1 C 16, 38, 26, 10 f. 16. †

II חֹסָה: n. l.; bei *near* Tyrus: Jos 19, 29. †

חָסוּת: חסה: **Zuflucht** *refuge* Js 30, 3. †

חָסִיד: II חֶסֶד: pl. חֲסִידִים, sf. חֲסִידָיו חֲסִידֵי; Gulkowitsch, D. Entwicklung d. Begriffes *Ḥāsîd* im AT I, 1934, Die Bildung d. Begr. *Ḥ.* im AT I, 1935: חָסִיד ist der, welcher חֶסֶד übt, **der Treue, der Fromme** חָסִיד *is he who practices* חֶסֶד; *the loyal, the pious one* (davon *hence* Ἀσιδαῖοι): 1 S 2, 9 2 S 22, 26 Mi 7, 2 Ps 16, 10 18, 26 30, 5 31, 24 32, 6 37, 28 43, 1 50, 5 52, 11, cj 3 79, 2 85, 9 86, 2 89, 20 97, 10 116, 15 132, 9. 16 145, 10 148, 14 149, 1. 5. 9 Pr 2, 8 2 C 6, 41, cj Ps 141, 5; Gott *God* Ir 3, 12 Ps 145, 17; l חַסְדְּךָ Dt 33, 8, l לִי חַסְדּוֹ Ps 4, 4, l חֶסֶד 12, 2; F חֲסִידָה. †

חֲסִידָה: f. v. חָסִיד: verbotener Vogel *forbidden bird* Lv 11, 19 Dt 14, 18; tradit: Storch *stork*, aber *but* Ps 104, 17! eher **Reiher** *rather heron* (*Ardea Cinerea Cinerea*, Nicoll 440; e. Seelenvogel *soul-bird* Globus 83, 301 f): Sa 5, 9 Ir 8, 7: ? Hi 39, 13. †

חָסִיל: חסל; mhb.; ug. *ḥsn*: Ungeziefer, v. אַרְבֶּה verschieden *noxious insect differing from* אַרְבֶּה Ps 78, 46 Jl 1, 4; wohl **Kakerlak, Schabe** *probably cockroach* (*Periplancta furcata* u. *Blatta orientalis*, Bodenheimer 313): 1 K 8, 37 2 C 6, 28 Js 33, 4 Jl 1, 4 2, 25 Ps 78, 46. †

חֲסִין: l חַסְנָךְ Ps 89, 9. †

חסל: EA 263, 13 kan. *ḫazilu* sind geplündert *are looted*; mhb., ja. aufhören *come to an end*; لحس abfressen (Heuschrecken Pflanzen) *eat* (*locusts plants*):

qal: impf. sf. יַחְסְלֶנּוּ: **abfressen** *consume* Dt 28, 38. †

Der. חָסִיל.

חסם: mhb., ja. Maulkorb anlegen *muzzle*; حزم binden *bind*:

qal: impf. תַּחְסֹם, pt. חֹסֶמֶת:

1. (Maul d. Dreschochsens) **zubinden** *muzzle* (*threshing ox*) Dt 25, 4; 2. **versperren** *stop up* Hs 39, 11 (l וְחָסְמוּ אֶת־הַגַּיְא ?). †

Der. מַחְסוֹם.

I *חסן: ba. חִסְנָא Kraft, *strength*; ja., sy.; حصن unzugänglich sein (Festung) *be unapproachable* (*fortress*), asa. n. m. *Ḥṣn* fest *firm*: Der. cj II *חֹסֶן, חָסֹן.

II חסן: ak. *ḫaṣānu* umfassen, bergen *comprehend, shelter*,; F ba., ja. af. Besitz ergreifen *take possession*, äga., sy. חַמְסֵן fest halten *hold firmly* (خزن, مَخْزَن sekundär Lagarde, Sem. 1, 40):

nif: impf. יֵחָסֵן: **aufgespeichert werden** *be stored* Js 23, 18. †

Der. I חֹסֶן.

I חֹסֶן: II חסן: Vorräte, Schatz *store, wealth* Js 33, 6 u. Ir 20, 5 // אוֹצָר, Hs 22, 25 Pr 15, 6 27, 24. †

II *חֹסֶן: I חסן: st. cj חָסְנְךָ: **Stärke** *strength* Ps 89, 9. †

חָסֹן: I חסן: **stark** *strong* Js 1, 31 Am 2, 9. †

***חספס**: מְחֻסְפָּס = מְחֻסְפָּס u. מחפס: خشف knistern (Schnee) *crackle* (*snow*): **knisternd** *rustling, crackling* Ex 16, 14. †

חסר: *F* ba. חַסִּיר; ph.; mhb.; äga., ja., cp., sy.; خسر Verlust leiden *suffer loss*; ሐጸረ verringert werden *be diminished*:

qal: pf. חָסֵר, חָסֵרוּ, חָסַרְנוּ, impf. יֶחְסַר, תֶּחְסַר, וַיַּחְסְרוּ, יַחְסְרוּן, inf. חָסוֹר, *F* חֲסֹר:

1. **abnehmen, weniger werden** *diminish, decrease*: מַיִם Gn 8, 3. 5, מַדָּע Si 3, 13; 2. **zu wenig sein** *lack* Gn 18, 28, **leer sein** *fail* 1 K 17, 14. 16 Pr 13, 25, **fehlen** *be lacking* Ko 9, 8 10, 3; **entbehren** *lack* Dt 2, 7 8, 9 Js 51, 14 Ir 44, 18 Hs 4, 17 Ps 23, 1 34, 11 Pr 31, 11 Ct 7, 3 Ne 9, 21; יֶחְסַר לוֹ **fehlt ihm** *he wants* Dt 15, 8; חסר מן etw. **entbehren** *be in want of* Si 51, 24; †

pi: impf. sf. וַתְּחַסְּרֵהוּ, pt. מְחַסֵּר: c. ac. u. מִן: 1. jmd **entbehren lassen an** *cause to lack in* Ko 4, 8; 2. jmd **entbehren lassen im Vergleich zu** *cause to lack in comparison with* Ps 8, 6; †

hif: pf. הֶחְסִיר, impf. יַחְסִיר: 1. abs. **zu wenig haben** *lack* Ex 16, 18; 2. c. ac. **zu wenig haben lassen** *cause to lack* Js 32, 6. †

Der. מַחְסוֹר, חֶסְרוֹן, חֹסֶר, חֶסֶר, חָסֵר.

חָסֵר: חסר; ersetzt *takes the place of* pt. *חֹסֵר: cs. חֲסַר: c. gen. **einer, der zu wenig hat** an *one in want of*: 1 S 21, 16 2 S 3, 29 Pr 12, 9 1 K 11, 22; חֲסַר לֵב dem es an Verstand fehlt *void of understanding* Pr 6, 32 7, 7 9, 4. 16 10, 13 11, 12 12, 11 15, 21 17, 18 24, 30, 28, 16; abs. Ko 6, 2; l בְּחֹסֶר חֲסַר תְּבוּנוֹת Pr 10, 21. †

חֶסֶר: חסר: **Mangel** *want* Pr 28, 22 Hi 30, 3, cj Pr 14, 34. †

חֹסֶר: חסר: **Mangel** *want* Dt 28, 48. 57 Am 4, 6, cj Pr 10, 21. †

חַסְרָה: n. m.; = חַרְחַס 2 K 22, 14: 2 C 34, 22. †

חֶסְרוֹן: חסר; ja., cp., sy.: **Mangel** *want* Ko 1, 15. †

I **חַף**: חפף: (moralisch) **blank, rein** *clean, pure* Hi 33, 9. †

II* **חַף**: (Gott *God*) **Apis**: äg. *Ḥp*; ph. in n. m. בנחף; ינחף: cj נָס חַף Ir 46, 15. †

חפא: pi: impf. וַיְחַפְּאוּ: l וַיְחַפְּשׂוּ 2 K 17, 9. †

חפה: mhb.; ja., sy. ܚܦܐ, cp. חפיתא Hülle *cover*; خفي verdecken *hide*; ak. *piḫū* schliessen *close*; *F* חפף:

qal: pf. חָפוּ, pt. pss. חָפוּי, cs. חֲפוּי: **verhüllen** (Kopf) *cover* (*head*) 2 S 15, 30 Ir 14, 3 f Est 6, 12 7, 8; †

nif: pt. נֶחְפָּה: **bedeckt sein** *be covered* Ps 68, 14; †

pi: pf. חִפָּה, impf. וַיְחַף; sf. וַיְחַפֵּהוּ: c. 2 ac. etw. mit etw. **überziehn** *overlay a thing with a material* 2 C 3, 5. 7—9. †

Der. חֻפָּה.

I **חֻפָּה**: חפה; sf. חֻפָּתוֹ: mhb.: 1. **Schutzdach** *shelter* Js 4, 5; 2. **Brautgemach** *chamber of bridegroom* (*of nuptial ceremony*) Jl 2, 16 Ps 19, 6; *F* II. †

II **חֻפָּה**: n. m.; = I: 1 C 24, 13. †

חפז: mhb.; حفز eilen *hasten*; äg. *ḥfd*:

qal: impf. וַתַּחְפֹּז, יַחְפְּזוּ, inf. sf. חָפְזִי, חָפְזָה, חָפְזָם: 1. (vor Angst) **forthasten** *hurry away* (*in alarm, fright*) Dt 20, 3 2 S 4, 4 2 K 7, 15 Q Ps 31, 23 116, 11 Hi 40, 23; †

nif: pf. נֶחְפָּזוּ, impf. יֵחָפֵזוּן, inf. הֵחָפְזָם K 2 K 7, 15, pt. נֶחְפָּז: in Hast **fortgetrieben werden** *be hurried away* 2 K 7, 15 K Ps 48, 6 104, 7; נֶחְפָּז לָלֶכֶת ging hastig davon *became hurried to go* 1 S 23, 26. †

Der. חִפָּזוֹן.

חִפָּזוֹן: חפז; בְּחִפָּזוֹן in **Hast** *in haste* Ex 12, 11 Dt 16, 3 Js 52, 12. †

חֻפִּים, **חֻפִּם**: n. m.; l חוּפָם?: Gn 46, 21 1 C 7, 12. 15. †

חֹפֶן: ak. *upnu* Faust *fist*, *ḫapnu* (hohle) Hand *hollow of hand*; mhb. חוֹפֶן; ja. חָפְנָא; sy. ܚܘܦܢܐ; ሕፍን, حِفْنَة Hohlraum *hollow*; Holma NKt 118; du. חָפְנַיִם, cs. חָפְנֵי, sf. חָפְנָיו, חָפְנֵיכֶם: **die beiden hohlen Hände** *the hollow of both hands* Ex 9, 8 Lv 16, 12 Hs 10, 2. 7 Pr 30, 4 Ko 4, 6. †

חָפְנִי: n. m.; äg. *ḥfn(r)* Kaulquappe *tadpole*, EG 3, 74: S. v. Eli 1 S 1, 3 2, 34 4, 4. 11. 17. †

חפף: mhb. waschen *cleanse*, ja., sy. bedecken *cover*; حَفَّ umgeben *surround*, حِفَاف Rand *border*; F חפה:

qal: pt. חֹפֵף: c. עַל **schirmen** *shelter* Dt 33, 12. †

Der. חַף, חוֹף, חֻפָּה.

I **חפץ**: mhb. חָפֵץ, חֵפֶץ > Sache *thing* = ja. חֶפְצָא; ph. מחפץ Begehrenswertes *desirable thing*, n. m. חפצבעל; sy. ܚܦܛ ܥܠ sich bemühen um *strive hard for*; حَفِظَ bewahren, sich kümmern um *keep*, *take care off*; asa. n. m. חפץ Ryck. 2, 62:

qal: pf. חָפֵץ, חָפְצָה, חָפַצְתִּי, impf. יַחְפֹּץ, יֶחְפָּץ, יַחְפְּצוּ, יַחְפְּצוּן, inf. חָפֹץ:

1. c. ac. **gern haben, lieben, wollen** *take pleasure in*, *take care of*, *desire*: Js 1, 11 55, 11 58, 2 Ho 6, 6 Mi 7, 18 Ps 37, 23 40, 7 51, 8. 18. 21 68, 31 115, 3 135, 6 Pr 21, 1 Hi 21, 14 Ko 8, 3; 2. c. בְּ **Gefallen haben an** *delight in* 2 S 15, 26 24, 3 Js 13, 17 56, 4 62, 4 65, 12 66, 3 f Ir 6, 10 9, 23 Hs 18, 23. 32 Ma 2, 17 Ps 73, 25 109, 17 112, 1 119, 35 147, 10 Pr 18, 2 2 C 9, 8 (Gott *God*); חָפֵץ בִּיקָר wünscht auszuzeichnen *desires to treat with distinction* Est 6, 6 f. 9. 11; an jmd **Gefallen haben** *have pleasure in a person* Gn 34, 19 Dt 21, 14 1 S 18, 22 19, 1 2 S 20, 11 1 K 10, 9 Est 2, 14, Gott *God*: an *in* Israel Nu 14, 8, den Frommen *the pious* 2 S 22, 20 Ps 18, 20 22, 9 41, 12; 3. חָפֵץ c. inf.: **es beliebt ihm zu** *he delights in* Hi 13, 3 33, 32 Js 53, 10 (הַדְּכָאוֹ); 4. = חָפֵץ c. לְ c. inf. Dt 25, 7 f Jd 13, 23 1 S 2, 25 1 K 9, 1 Ir 42, 22 Ps 40, 9 Hi 9, 3 Ru 3, 13 Est 6, 6; = חָפֵץ c. impf. Js 53, 10 (l וְחֵפֶץ...יַצְלִחוּ); 5. חָפֵץ abs. **willens sein** *desire* Js 42, 21 Jon 1, 14, **Lust haben** *feel inclined* Ct 2, 7 3, 5 8, 4. †

Der. חָפֵץ, חֵפֶץ; n. f. חֶפְצִי־בָהּ.

II **חפץ**: حَفَضَ niedrig machen *bend down*:

qal: impf. יַחְפֹּץ: **hängen lassen** *bend down* Hi 40, 17. †

חָפֵץ: I חפץ: f. חֲפֵצָה; pl. חֲפֵצִים; cs. חֲפֵצֵי, sf. חֲפֵצֵיהֶם: **einer, der Lust hat** (an), **willig** *delighting in*, *having pleasure in*: 1 K 13, 33 21, 6 Mi 7, 18 Ma 3, 1 Ps 5, 5 34, 13 35, 27 40, 15 70, 3 111, 2 Ne 1, 11 (לְ an *in*) 1 C 28, 9. †

חֵפֶץ: I חפץ: sf. חֶפְצוֹ, pl. חֲפָצִים, sf. חֲפָצֶיךָ:

1. **Freude, Gefallen** *pleasure*, *delight*, c. לְ an *in* 1 S 15, 22 18, 25 Hi 22, 3, c. בְּ an *in* Ir 22, 28 48, 38 Ho 8, 8 Ma 1, 10 Ps 1, 2 16, 3 Hi 21, 21 Ko 5, 3 12, 1; דִּבְרֵי חֵפֶץ Worte, die Freude machen *delightful words* Ko 12, 10, בְּחֵפֶץ כַּפֶּיהָ mit ihren freudigen Händen *with her willing hands* Pr 31, 13; אֶרֶץ חֵפֶץ L, an dem man Freude hat *land delighting* Ma 3, 12; 2. **Wunsch** *desire* 2 S 23, 5 (l חֶפְצִי) 1 K 5, 24 9, 11 10, 13 Js 44, 28 46, 10 48, 14 (l חֶפְצִי) 58, 3 (l חֶפְצְכֶם) Ps 107, 30 111, 2 (pl.) Pr 3, 15 8, 11 Hi 31, 16 2 C 9, 12; l וְחֵפֶץ Js 53, 10; עָשָׂה חֵפֶץ e. Wunsch erfüllen *grant a request* 1 K 5, 22 f; אַבְנֵי חֵפֶץ erwünschte, kostbare St. *precious stones*

Js 54, 12 Si 45, 11; 3. **Anliegen, Geschäft** *request, affair* Js 58, 13 (1 חֲפָצֶיךָ) Ko 3, 1. 17 8, 6; 4. **Angelegenheit, Sache** *affair, thing* Ko 5, 7.
Der. n. f. חֶפְצִי־בָהּ.

חֶפְצִי־בָהּ: n. f.; I חָפֵץ; ph. n. m. חפצבעל: 2 K 21, 1; symbol. Js 62, 4. †

I חפר: ak. *ḫapāru* graben *dig*; mhb., ja., sy.; حَفَرَ, asa. חפר:
qal: pf. חָפַרְתִּי, חָפְרוּ, חֲפָרוּ, sf. חֲפָרוּהָ, impf. וַיַּחְפֹּר; sf. וַיַּחְפְּרֵהוּ, inf. לַחְפֹּר, pt. חֹפֵר: **scharren** (Pferd) *paw the ground* (*horse*) Hi 39, 21; 2. **graben** *dig*: Brunnen *well* Gn 21, 30 26, 15. 18 f. 21 f. 32 Nu 21, 18 Ps 7, 16, nach Wasser *for water* Ex 7, 24, Loch *hollow* Dt 23, 14 Ir 13, 7, Grube *pit* Ko 10, 8, pone שַׁחַת post חָפְרוּ Ps 35, 7, abs. cj Ps 64, 6; 3. (metaph.) **ausfindig machen** *search out*: Land *land* Dt 1, 22 Jos 2, 2 f, Nahrung *food* Hi 39, 29, den Tod *death* 3, 21; l חָפְרָה (II חפר) Hi 11, 18; לַחְפֹּר Js 2, 20 F *חֲפַרְפָּרָה. †

II חפר: ja., sy.; خَفَرَ; ኀፈረ:
qal: pf. חָפַר; חָפְרָה, impf. יַחְפְּרוּ ,יֶחְפְּרוּ: **beschämt sein** *be ashamed* Js 1, 29 (//בּוֹשׁ) 24, 23 Ir 15, 9 50, 12 Mi 3, 7 Ps 35, 4. 26 40, 15 70, 3 71, 24 83, 18 Hi 6, 20;
cj pu וְחֻפָּרְתָּ **sich beschämt wissen** *feel abashed* cj Hi 11, 18; †
hif: pf. הֶחְפִּיר, impf. יַחְפִּיר, pt. מַחְפִּיר: 1. **sich beschämt wissen** *feel abashed* Js 33, 9 54, 4; 2. **sich schändlich verhalten** *act shamefully* Pr 13, 5 19, 26 Si 42, 14. †

I חֵפֶר: n. m.; Noth S. 155: 1. S. v. גִּלְעָד Nu 26, 32 f 27, 1 Jos 17, 2 f; 2. Krieger v. *soldier of* דָּוִד 1 C 11, 36; 3. 4, 6. †
Der. חֶפְרִי.

II חֵפֶר: n. l.; I חפר, Wasserloch *water-pit*, F חֲפָרַיִם, F גַּת הַחֵפֶר: *eṭ-Ṭaijibe* s. *Ṭul Kerm* Alt, PJ 22, 68 f, 28, 27 f :: *T. Ibšār* am *on the Nahr Iskanderūne* Maisler ZDP 58, 81 ff: Jos 12, 17 1 K 4, 10. †

חֶפְרִי: gntl. v. I חֵפֶר: Nu 26, 32. †

חֲפָרַיִם: n. l.; I חפר; F II חֵפֶר: *eṭ-Ṭaijibe* ö. *Sōlem* Albr. ZAW 44, 228: Jos 19, 19. †

חָפְרַע: äg. n. m.; *W3ḥ-ʾb-p3-r* (Spiegelberg, OLZ 31, 3); *Hᶜᶜ-ib-rᶜ* (Sethe, NGW Göttingen 1925, 24); Ἀπρίης: **Hophra, K. v. Ägypten** Ir 44, 30. †

***חֲפַרְפָּרָה**: I חפר: l pl. חֲפַרְפָּרוֹת: *Crociduva religiosa* (Aharoni, Osiris 5, 463 f); e. **Spitzmausart, in Ägypten heilig u. oft mumifiziert, Insektenfresser** *a kind of shrew-mouse, worshipped a. frequently mummified in Egypt, insectivorous*: Js 2, 20. †

חפשׂ: ug, *ḥpšt* Ährenleserin *straw picker* (fem.); mhb., ja. חפשׂ aufsuchen *search*; ja., sam., cp. חפס graben *dig*; حَفَشَ nach Wasser graben *dig for water*:
qal: impf. נַחְפְּשָׂה ,יַחְפְּשׂוּ, sf. תַּחְפְּשֶׂנָּה, pt. חֹפֵשׂ: **ausfindig machen, durchsuchen** *search (out)* Ps 64, 7 (1 וַיַּחְפְּשׂוּ) Pr 2, 4 20, 27 Th 3, 40; †
nif: pf. נֶחְפְּשׂוּ: **durchsucht werden** *be searched out* Ob 6; †
pi: pf. חִפַּשְׂתִּי ,חִפְּשׂוּ, impf. יְחַפֵּשׂ, imp. חַפְּשׂוּ: **eifrig, gründlich suchen** *search carefully* Gn 31, 35 44, 12 1 S 23, 23 1 K 20, 6, cj (וַיְחַפְּשׂוּ) 2 K 17, 9, 10, 23 Ze 1, 12; **ausfindig machen** *search for* Am 9, 3; ? Ps 77, 7; †
pu: impf. יְחֻפַּשׂ l יִתְחַפֵּשׂ Pr 28, 12; pt. מְחֻפָּשׂ? Ps 64, 7; †
hitp: impf. יִתְחַפֵּשׂ, imp., pf. u. inf. הִתְחַפֵּשׂ: sich suchen lassen = **sich unkenntlich machen, sich entstellen** *let oneself be searched for = disguise oneself* 1 S 28, 8 1 K 20, 38

22, 30 2 C 18, 29 Hi 30, 18; l הִתְחַפֵּשׂ 2 C 35, 22. †

חֵפֶשׂ: unerklärt *unexplained*: Ps 64, 7. †

חפשׁ: F חָפְשִׁי; mhb. pi. befreien (*to*) *free*: pu: pf. חֻפְּשָׁה: freigelassen sein (Sklavin) *be freed* (*she-slave*) Lv 19, 20; † cj hitp: pf. התחפשׁ: **wollte sich frei machen** *endevoured to free himself* (Lewy, MVG 29, 2, 21 [3]) cj 2 C 35, 22. †

חֹפֶשׁ: LW; ak. *ḫipšu* Kleiderstoff? *kind of cloth*?: **Stoff** (für Satteldecken) *woven material* (*for saddle-cloths*) Hs 27, 20. †

חֻפְשָׁה: חָפְשִׁי: **Freilassung** (aus d. Sklavenstand) *freedom* (*from slavery*) Lv 19, 20. †

חָפְשׁוּת: F חָפְשִׁית.

חָפְשִׁי: pl. חָפְשִׁים: ug. *ḫpṯ* Freigelassner, Soldat *freeman, soldier*; ass. *awīlūt ḫupšī*, EA 118, 23 *amēlūt ḫu-up-ši*; خَبُثَ niedrig sein *be base* BAS 83, 39—39 86, 37; mhb.: **freigelassen** *released, emancipated*: aus d. Sklavenstand *from slavery* Ex 21, 2. 5. 26 f Dt 15, 12 f. 18 Ir 34, 9—11. 14. 16 Hi 3, 19, cj Hs 13, 20, aus d. Abgabenpflicht *from taxes* 1 S 17, 25, aus Gewalt *from violence* Js 58, 6; Hi 39, 5; ? Ps 88, 6. †
Der. חֹפֶשׁ; חֻפְשָׁה, חָפְשִׁית.

חָפְשִׁית: F חָפְשִׁי; Albr. JPO 14, 131 [162] :: Gordon Nr. 776: בְּבֵית הַחָפְשִׁית 2 K 15, 5 2 C 26, 21 Q (K הַחָפְשׁוּת), l בְּבֵיתֹה חָפְשִׁית (?) in sein Haus **der Geschäfte ledig** *in his house exempt from duties* (Klostermann). †

חֵץ: F חָצִי; mhb., äga. חטא; ak. *uṣṣu*; ph.; حُظْوَة; ሐጽ (Nöld. NB 147): sf. חִצּוֹ, pl. חִצִּים, cs. חִצֵּי, sf. חִצַּי; חֲצָצֶיךָ Ps 77, 18 (BL 570 t): 1. **Pfeil** *arrow*; // קֶשֶׁת 2 K 13, 15 Js 7, 24 Hs 39, 3. 9 Ps 11, 2 1 C 12, 2, // חֲנִית Ps 57, 5: חֵץ שָׁנוּן Pr 25, 18, pl. Js 5, 28 Ps 45, 6 120, 4; חֵץ בָּרוּר Js 49, 2, הָבֵר חִצִּים Ir 51, 11; חֵץ שׁוֹחֵט Ir 9, 7; שָׁלַח חֵץ 2 S 22, 15 Hs 5, 16 Ps 18, 15 144, 6, הוֹרָה חֵץ 2 K 19, 32 Js 37, 33 Ps 64, 8 Pr 26, 18 u. לִירוֹא בַחֵץ 2 C 26, 15; כּוֹנֵן חֵץ Ps 11, 2; מַטָּרָא לַחֵץ Th 3, 12; בַּעֲלֵי חִצִּים Pfeilschützen *archers* Gn 49, 23; חֵץ תְּשׁוּעָה 2 K 13, 17; קִלְקַל בַּחִצִּים (Orakel) Hs 21, 26; 2. (metaph.) חִצִּים Jahwes *of Yahveh* Dt 32, 23. 42 Sa 9, 14 Ps 7, 14 38, 3 77, 18 חִצֵּי שַׁדַּי Hi 6, 4, אוֹר חִצֶּיךָ (Blitze *lightnings*) Ha 3, 11; F 1 S 20, 20—22. 36. 38 2 K 13, 18 Ir 50, 9. 14 Ps 91, 5 (Seuche *plague*), 127, 4 Pr 7, 23 Si 51, 5 (חצי לשון); l עֵץ 1 S 17, 7; l לְחִצָּיו Nu 24, 8; l חָצִיר Ps 58, 8; l מַחֲצִי Hi 34, 6; בֶּן־אַשְׁפָּה (= חֵץ) Th 3, 13, בֶּן־קֶשֶׁת (= חֵץ) Hi 41, 20; F חֵצִי. †

חצב: ug. *ḫṣb* erschlagen *slay*; ak. *haṣāb/pu* abschneiden *cut* (*off*); mhb., ja., cp. aushauen *hew*; ph. F מַחְצֵב.
qal: pf. חָצַב, חָצַבְתָּ, impf. תַּחְצֹב, inf. לַחְצֹב; pt. חֹצֵב, חֹצְבִים, חֹצְבֵי, pss. חֲצוּבִים:
1. (Steine) **brechen** (für Bauten) *hew* (*stones for building*) 1 K 5, 29 2 K 12, 13 Esr 3, 7 2 C 2, 1. 17 24, 12; 2. **aushauen** (aus d. Fels) *hew out* (*from rock*): בּאֵר Dt 6, 11 Ir 2, 13 2 C 26, 10, יֶקֶב Js 5, 2, קֶבֶר 22, 16; 3. (Steine) **behauen** *rough-hew* (*stones*) 1 C 22, 2, חֹצֵב בַּגַּרְזֶן Js 10, 15; 4. (Erz) **brechen, fördern** *hew out, mine* (*copper*) Dt 8, 9; l חִצַּבְתִּי Ho 6, 5, l חֲצִיבָה Pr 9, 1; ? Ps 29, 7; †
nif: impf. יֵחָצְבוּן **ausgehauen werden** *be hewn, graven* Hi 19, 24; †
pu: pf. חֻצַּבְתֶּם: **ausgehauen werden** *be hewn out* Js 51, 1; †
[hif: pt. מַחְצֶבֶת: l מֹחֶצֶת Js 51, 9 †]
Der. מַחְצֵב.

חצה: Dir. 286, ph., mo. חצי Hälfte *half*; mhb. חצה teilen *divide*; حَظُوَ u. asa. חטי Glück *fortune* (Beziehung zu *related to* חֵצִי; חֵץ Lospfeil *arrow for deciding by lots*? Nöld. NB 147 f); F חצן:

qal: pf. חָצָה, חָצִית, impf. יֶחֱצֶה, וַיַּחַץ, יֶחֱצוּן, sf. יֶחֱצוּהוּ:

1. **teilen, verteilen** *divide* Gn 32, 8 33, 1 Ex 21, 35 Nu 31, 27; 2. c. עַל auf *unto* Gn 33, 1, c. בֵּין unter *between* Nu 31, 27 Hi 40, 30; 3. c. 2 ac. **abteilen in** *divide into* Jd 7, 16, = c. ac. u. לְ 9, 43; 4. abs. **abteilen** *divide* Nu 31, 42; c. עַד **reichen bis** *reach unto* Js 30, 28; 1 יִקְצוּ Ps 55, 24; †

nif: impf. וַתֵּחָץ, יֵחָצוּ: **sich teilen** *be divided* 2 K 2, 8. 14, c. לְ in *into* Hs 37, 22 Da 11, 4.†

Der. חֲצוֹת, חֲצִי, מֶחֱצָה, מַחֲצִית; n. m. יַחְצְאֵל, יַחְצִיאֵל.

חֲצוֹצְרָה: F חֲצֹצְרָה.

חָצוֹר: n. l.; III חצר; = חָצֵר: 1. Josephus Ἄσωρος, Ασωρα; äg. *Ḥḏr* ETL 211; EA 228, 15 (F S. 1300) *Ḫa-zu-ra*: **Hazor** = *T. el-Qedaḥ* (BAS 83, 33) Jos 11, 1. 10 f. 13 12, 19 19, 36 Jd 4, 2. 17 1 S 12, 9 1 K 9, 15 2 K 15, 29; 2. in Benjamin = *H. Hazzur* = בַּעַל חָצוֹר F Ne 11, 33; 3. in Juda = *El-Ǧebarîjeh* (?) Jos 15, 23. 25; 4. חָצוֹר חֲדַתָּה in Juda Jos 15, 25; 5. Ir 49, 33, = מַמְלְכוֹת חָצוֹר 49, 28 u. יֹשְׁבֵי חָצוֹר 49, 30 = حضر **die Sesshaften** *the settled people* (:: קֵדָר).†

חֲצוֹת: חצה: **Mitte** *middle*: חֲצוֹת לַיְלָה **Mitternacht** *midnight* Ex 11, 4 Ps 119, 62 Hi 34, 20.†

חֲצִי (123×): חצה; <* *ḥaṣj*: חֶצְיוֹ, sf. חֶצְיוֹ, חֶצְיֵנוּ:

1. **Hälfte** *half*: חֲצִי זְקָנָם 2 S 10, 4, חֲצִי הַהִין Nu 15, 9, חֶצְיֵנוּ die Hälfte von uns *half of us* 2 S 18, 3, 1 חֶצְיוֹ Jos 8, 33; 2. die **halbe Höhe, Mitte** *half of the hight, middle*: חֲצִי הַמִּזְבֵּחַ Ex 27, 5, בַּחֲצִי 2 S 10, 4, חֲצִי יָמָיו Ir 17, 11; חֲצִי הַלַּיְלָה Mitternacht *midnight* Ex 12, 29 Jd 16, 3 Ru 3, 8; 1 עַל־גְּחֹלָיו Js 44, 16.

חֲצִי הַמְּנֻחוֹת 1 C 2, 52: F מְנֻחְתִּי.†

חֵצִי: = חֵץ (Bl 577. 583): **Pfeil** *arrow* 1 S 20, 37 2 K 9, 24, c. ירה 1 S 20, 36.†

cj **חָצִין***: LW; ak. *ḫaṣînu*; ja. חֲצִינָא, sy. ܚܨܝܢܐ, خَصِين (Lisan 16, 299, 2f Beil mit nur einer Schneide *one-edged axe*), ሐጺን; armen. *kaçin*: sf. חֲצִנוֹ: **Streitaxt** *battle-axe* cj עֹרֵר חֲצִנוֹ (Schulz) 2 S 23, 8.†

I חָצִיר: I חצר; mhb., ja. חֲצִירָא; ph. in ασττιρ, αττιρ, ασιρ (Harris 104): cs. חֲצִיר: **Gras** *green grass* (F דֶּשֶׁא, יֶרֶק); auf d. Dach *on the roof* 2 K 19, 26 Js 37, 27 Ps 129, 6, auf d. Bergen *on the mountains* Ps 147, 8, cj 65, 14 (1 לָבְשׁוּ הָרִים חָצִיר), wächst in d. Dürre noch in Bachtälern *growing along brooks even during drought* 1 K 18, 5; F Js 15, 6 40, 6—8 51, 12 Ps 37, 2 90, 5 103, 15 Pr 27, 25 Hi 40, 15, cj Ps 58, 8 (1 כְּמוֹ חָצִיר); 1 חָצֵר Js 34, 13.†

II חָצִיר: II חצר; mhb., ja. חֲצִירָא: **Porree** *leek Allium Porrum* (Löw 2, 131—8) Nu 11, 5.†

III חָצִיר: II חצר; sy. ܚܨܪܐ, cj pl. חֲצָרִים: **Schilf** *reed Typha* (Löw 1, 578. 581): Js 35, 7 44, 4 Hi 8, 12, cj pl. Ps 10, 8.†

חצן*: حضن mit d. Arm umfassen *compress between the arms*, ሐቀፈ: חֵצֶן, חַרְצֻנִּים*? חַרְצָן?

חֹצֶן: חֹצֶן*: חצן: > ja. חֻנָּא, sy. ܚܘܢܐ (<*חֻצְנָא) VG 1, 242; حِضْن, ሕፅን: sf. חֻצְנִי, חָצְנוֹ: **Kleiderbausch, Busen** *puff of garment, bosom* Js 49, 22 Ps 129, 7 Ne 5, 13.†

חצץ: F חצה; mhb. trennen *separate*; ak. *ḫaṣāṣu* zerbrechen *cut in two*, ሐጸጸ abschneiden *curtail*:

qal: pt. חֹצֵץ: εὐτάκτως **Abstand haltend** *divided in groups* Pr 30, 27; †

pi: pt. מְחַצְצִים: **Wasserverteiler** *distributers of water* (Dalm. AS 6, 275) Jd 5, 11; †

pu: pf. חֻצָּצוּ: **sind knapp bemessen** *be measured short(ly)* (Peters) Hi 21, 21. †

חָצָץ: חצץ; ja. חֲצָצָא u. חֲצִיצָא; حصى; ܚܨܐ: **Kiesel, Steinchen** *pebbles*, *gravel* Pr 20, 17 Th 3, 16 (חֲצָצֶיךָ Ps 77, 18 F חֵץ). †

חַצְצֹן תָּמָר: n. l.: Gn 14, 7 = עֵין גֶּדִי 2 C 20, 2. †

חצצר: den. v. חֲצֹצְרָה wie trompeten v. Trompete *like trumpet (verb) from trumpet (noun)*: pt. pl. מחצצרים: Q Occ מַחְצְרִים, K מְחַצְּצְרִים? vel מַחְצֹצְרִים?; die חֲצֹצְרָה **blasen** *sound the* חֲצֹצְרָה 1 C 15, 24 2 C 5, 12 f 7, 6 13, 14 29, 28. †

חֲצֹצְרָה u. **חֲצוֹצְרָה**: II חצר; „Stengel, Röhre" „*stalk, tube*" (mit Mischung eines akustischen Element *blended with an acoustic element*: *ṣr* Ruž. KD 15 f): pl. חֲצוֹצְרוֹת: gewöhnlich: **Trompete** *commonly*: *clarion*, תָּקַע בַּח׳ Nu 10, 8. 10 2 K 11, 14, הֵרִעַ בַּח׳ Nu 10, 9, תְּקַע ח׳ Ho 5, 8; חֲצֹצְרוֹת הַתְּרוּעָה Nu 31, 6 2 C 13, 12 29, 26, aus Silber *of silver* Nu 10, 2; F 2 K 11, 14 12, 14 2 C 23, 13 Ps 98, 6 Esr 3, 10 Ne 12, 35 41 1 C 13, 8 15, 24. 28 16, 6. 42 2 C 5, 12 f 15, 14 20, 28 29, 27 f Si 50, 16; = חֲצֹרָה*? II חצר*? †

I *חצר: خَضِرَ: **grün sein** *be green*:

Der. I חָצִיר.

II *חצר: حَصِرَ, حَصَرَ: **eng, gestreckt sein** *straiten, be narrow* (Stengel, Röhre bilden, *form stalk, tube*) حَصِيرٌ Schilf(matte) (*mat of reeds*:

Der. II u. III חָצִיר, חֲצֹצְרָה; n. m. חֶצְרוֹן, חֶצְרִי.

III *חצר: حَظَرَ: **unzugänglich machen** *debar*:

Der. חָצֵר, חָצוֹר; n. l. חֲצֵרוֹת.

חָצֵר: III חצר: mhb.; ug. *ḥṣr*; ph. חצר; sy. ܚܨܪܐ u. ܚܨܝܪܬܐ; حَظِيرَةٌ Hürde *enclosure for sheep etc.*; asa. מחצר Wohnstätte *homestead*: cs. חֲצַר, loc. חָצֵרָה, sf. חֲצֵרוֹ, pl. חֲצֵרִים, cs. חַצְרֵי, sf. חֲצֵרֶיךָ, חַצְרֵיהֶן, u. חֲצֵרוֹת, cs. חַצְרוֹת, sf. חֲצֵרוֹתַי, חַצְרוֹתָיו Ps 96, 8, חַצְרוֹתֵיהֶם: 1. ständige, aber mauerlose (Lv 25, 31) **Siedlung, Gehöft** *permanent settlement*, *court without walls* (Lv 25, 31) Gn 25, 16 Ex 8, 9 Jos 13, 23 Js 42, 11 Ne 11, 25 12, 28 f 1 C 9, 16, cj Js 34, 13; 2. **Hof, eingehegter Raum** (*bei* Gebäude) *court*, *enclosure* (*around building*): e.s. Einzelnen *of an individual* 2 S 17, 18, pl. Ne 8, 16; חֲצַר הַפְּנִימִית in שׁוּשַׁן Est 4, 11 5, 1, חִיצוֹנָה 6, 4, ח׳ בֵּית הַנָּשִׁים 2, 11, F 1, 5 5, 2 6, 5; ח׳ הַמִּשְׁכָּן Ex 27, 9—19 35, 17 f 38, 15—31 39, 40 40, 8. 33 Lv 6, 9. 19 Nu 3, 26 4, 26. 32; ח׳ בֵּית יהוה Ir 19, 14 26, 2 2 C 24, 21 29, 16; ח׳ בֵּית הָאֱלֹהִים Ne 13, 7, שְׁתֵּי חַצְרוֹת בֵּית יהוה 2 K 21, 5 23, 12, ohne *without* שְׁתֵּי Ps 116, 19 1 C 28, 12 2 C 23, 5, חַצְרוֹת בֵּית הָאֱלֹהִים Ne 8, 16, תּוֹךְ הֶחָצֵר (Opferplatz *place of offerings*) 2 C 7, 7; הֶחָצֵר הָעֶלְיוֹן Ir 36, 10, ח׳ הַכֹּהֲנִים 2 C 4, 9; הֶחָצֵר הַחֲדָשָׁה 2 K 20, 4, cj הֶחָצֵר הַתִּיכֹנָה 2 C 20, 5; חֲצַר הַמַּטָּרָה Ir 32, 2. 8. 12 33, 1 37, 21 38, 6. 13. 28 39, 14 f Ne 3, 25; הֶחָצֵר הַפְּנִימִית 1 K 6, 36 Hs 8, 16 10, 3 40, 23. 27 f. 44 42, 3, הֶחָצֵר הַחִיצֹנָה Hs 10, 5 40, 20. 31. 34. 37 42, 1. 3; הֶחָצֵר הַגְּדוֹלָה 1 K 7, 9. 12; F 1 K 7, 8. 12 8, 64 Hs 8, 7 9, 7 40, 14—47 41, 15 42, 7—10. 14 43, 5 45, 19 46, 1. 21 f 1 C 23, 28; חַצְרוֹת בֵּית יהוה Ps 84, 3,

חֲצֵרֵי בֵּית 92, 14; אֱלֹהֵינוּ 135, 2, ohne *without* חֲצֵרוֹת קָדְשִׁי Js 1, 12 Sa 3, 7, חֲצֵרוֹתָי 1 C 28, 6, Js 62, 9, חֲצֵרֶיךָ Ps 65, 5 84, 11, חֲצֵרוֹתָיו 96, 8 100, 4; 1חֲצֵרִים Ps 10, 8, 1הַשַּׁעַר Hs 40, 19. 32, 1הַחִיצוֹנוֹת 42, 6, 1חֲצֵרָה עֵינָן 47, 16. †

Nomina loci c. חֲצַר: 1. חֲצַר־אַדָּר (aufgelöst in *divided in* חֶצְרוֹן u. אַדָּרָה Jos 15, 3, Noth ZDP 58, 188) bei *near* קָדֵשׁ. = *Ḫ. el-Qudairat*? Nu 34, 4; 2. חֲצַר גַּדָּה: bei *near* בְּאֵר שֶׁבַע Jos 15, 27; 3. חֲצַר סוּסָה Jos. 19, 5 = חֲצַר סוּסִים 1 C 4, 31, = *Sbalat Abū Sūsein* 14 km s. Hebron; 4. חֲצַר עֵינוֹן Hs 47, 17. cj 16 = חֲצַר עֵינָן Hs 48, 1 Nu 34, 9f = *Qarjatein* (?), N-Palästina; 5. חֲצַר שׁוּעָל bei *near* בְּאֵר שֶׁבַע Jos 15, 28 19, 3 Ne 11, 27 1 C 4, 28; F חֲצַרְמָוֶת. †

חֶצְרוֹ: n. m. F חֶצְרַי.

I חֶצְרוֹן: n. m.; II חצר; „schlank *lean*" (?): 1. S. v. רְאוּבֵן Gn 46, 9 Ex 6, 14 Nu 26, 6 1 C 5, 3; 2. S. v. פֶּרֶץ Gn 46, 12 Nu 26, 21 Ru 4, 18f 1 C 2, 5. 9. 18. 21. 24f 4, 1; F קְרִיּוֹת. † Der. חֶצְרוֹנִי.

II חֶצְרוֹן: n. l.; 1 חֲצַר אַדָּרָה Jos 15, 3 u. קְרִיּוֹת־חֶצְרוֹן Jos 15, 25. †

חֶצְרוֹנִי: gntl. v. I חֶצְרוֹן: Nu 26, 6. 21. †

חֲצֵרוֹת u. חֲצֵרֹת Dt 1, 1; n. l.; חָצֵר; Wüstenstation *station of the desert*; = ʿ*Ain Hadrāh* (?) Nu 11, 35 12, 16 33, 17f Dt 1, 1. †

חֶצְרַי = חֶצְרוֹ 1 C 11, 37 2 S 23, 35 K: n. m.; II חצר; F חֶצְרוֹן 2 S 23, 35. †

חֲצַרְמָוֶת: (n. m.) n. t.: حضرموت, asa. חצרמות, חצרמת; Ασαρ(α)μωτ; Strabo 16, 4. 2 Χατραμωτῖται: חֲצַר u. ug. (Gott *God*) *Mt* (Driver PEQ 1945, 13 f); die südarabische Landschaft *the South-Arabian country* **Hadramūt** *Hadramaut*: Van den Berg, Le Hadramout, Batavia, 1816; Nielsen, Handbuch d. altar. Altertumskunde I (1927); Landberg, Ḥadramout, 1901; D. van der Meulen, Hadhramaut, Zürich, 1949: S. v. יָקְטָן Gn 10, 26 1 C 1, 20. †

חֵק: F חֵיק.

חֹק: חֹק; חָק; حَقّ; חָקְךָ, חָקֶּךָ, sf. חֻקּוֹ, חֻקִּי, חֻקֵּךְ! חֻקְּכֶם! pl. חֻקִּים, cs. חֻקֵּי u. חוּקֵּי Hs 20, 18 u. חִקְקֵי Js 10, 1 (Jd 5, 15 1 חִקְרֵי), sf. חֻקָּיו: schriftlich Festgelegtes, Bestimmtes *something prescribed, statute*: 1. **Mass, Ziel** *portion, term* לֶחֶם חֻקִּי m. rechtes Teil Speise *my fair portion of bread* Pr 30, 8, Ziel *term* Hi 14, 5 (1 חֻקּוֹ). 13, חֻקִּי was mir zugemessen ist *what is appointed for me* Hi 23, 14; 2. auferlegte Arbeit, **Leistung** *prescript task* Ex 5, 14 Pr 31, 15; 3. **zukommende Gebühr** *prescribed due* Hs 45, 14 Lv 6, 15 7, 34 10, 15 24, 9 Nu 18, 8. 11. 19, Einkommen *revenue* Gn 47, 22; 4. **Verpflichtung** *due*: c. מֵאֵת vonseiten *from* Ex 29, 28, c. לְ für *for* 30, 21; 5. **Anspruch** *allowance* Hs 16, 27, c. מִן an *from* Lv 6, 11 10, 13f; 6. **bestimmte Zeit** *term* Mi 7, 11 (Gunkel ZS 2, 158); 7. Grenze, **Schranke** *limit* Ir 5, 22 (יָם), לִבְלִי חֹק schrankenlos *bondless* Js 5, 14; 8. **Gesetz, Ordnung** *law, regulation*: f. Gestirne *for celestial bodies* Ps 148, 6 Regen *rain* Hi 28, 26, Meer *sea* (Ir 5, 22) Pr 8, 29 Hi 38, 10 (1 חֻקּוֹ); 9. **Bestimmung, Regel, Vorschrift** *prescription, rule*: a) weltlich *profane*: c. עַל für *for*. Gn 47, 26 2 C 35, 25; חֹק בְּיִשְׂרָאֵל Jd 11, 39 (וַתְּהִי) es wurde *it became* Driv. WO 1, 29); 1 S 30, 25; חִקְקֵי אָוֶן unheilvolle V. *baneful pr*. Js 10, 1; חוּקֵּי אֲבוֹתֵיכֶם Hs 20, 18; b) von Gott gegeben *given by God*: חֻקֵּי הָאֱלֹהִים Ex 18, 16, חֹק וּמִשְׁפָּט Ex 15, 25, Jos 24, 25 Esr 7, 10, חֹק לְ Ex 12, 24 חֻקָּיו 15, 26; // מִצְוֹתָיו Dt 4, 40 6, 2 27, 10 1 K 8, 61 Ps 147, 19, מִשְׁפָּטָיו u. מִצְוֹתָיו // 1 K 8, 58 Ne 10, 30, // בְּרִיתוֹ

u. עֵדוֹתָיו 2 K 17, 15, // תּוֹרַת יהוה Am 2, 4, // תּוֹרֹתָיו Ps 105, 45, // עֵדוֹתָיו u. מִצְוֹתָיו 2 C 34, 31; חֻקֶּיךָ Ps 119, 8—171 (20 ×, 119, 5 l אִמְרָתֶךָ), // מִצְוֹתֶיךָ u. עֵדוֹתֶיךָ 1 C 29, 19; חֻקַּי וּמִשְׁפָּטַי Ma 3, 7, // מִצְוֹתַי 1 K 3, 14, חֻקַּי 1 K 9, 4 2 C 7, 17, דְּבָרַי וְחֻקַּי Sa 1, 6, // חֻקַּי // מִשְׁפָּטַי Hs 11, 12 36, 27, // בְּרִיתִי Ps 50, 16; חֻקִּים // מִשְׁפָּטִים Dt 4, 1. 5. 8. 14 5, 1 11, 32 12, 1 26, 16 Hs 20, 25 Ma 3, 22 1 C 22, 13, // תּוֹרֹת Ex 18, 20, // מִשְׁפָּטִים u. תּוֹרֹת Lv 26, 46, // עֵדֹת u. מִשְׁפָּטִים Dt 4, 45 6, (17.) 20, // מִצְוֹת u. מִשְׁפָּטִים Dt 5, 31 6, 1 7, 11 26, 17, // מִצְוֹת u. מִשְׁפָּטִים Ne 1, 7, // מִשְׁפָּטִים u. תּוֹרָה u. מִצְוֹת 2 K 17, 37, // מִצְוָה u. תּוֹרָה Ne 9, 14, // מִשְׁפָּטִים u. מִצְוָה u. תּוֹרָה 2 C 19, 10, // תּוֹרָה u. מִשְׁפָּטִים 2 C 33, 8; *F* Ne 9, 13; הַחֻקִּים Lv 10, 11 Dt 4, 6 6, 24, כָּל־הַחֻקִּים הַתּוֹרָה הַזֹּאת Dt 16, 12 Ir 31, 36; // הָאֵלֶּה Dt 17, 19; הַמִּצְוָה וְהַחֻקִּים ? Ir 32, 11; // חֹק תּוֹרֹת u. בְּרִית עוֹלָם Js 24, 5, // עֵדוֹתָיו Ps 99, 7, // חֹק לְיִשְׂרָאֵל Ps 105, 10 1 C 16, 17; בְּרִית עוֹלָם Ps 81, 5; חֻקִּים בֵּין . . . לְ Satzungen zwischen . . . u. *statutes between . . . and* Nu 30, 17; 10. עָלַי ? חֹק Ps 94, 20; l חִקְרֵי Jd 5, 15, l תְּהַרְחֵק Ze 2, 2, l חֻקִּי (et bis אֵלָיו) Ps 2, 7, l אִמְרָתֶךָ Ps 119, 5, l בְּחֵיקִי Hi 23, 12, l חַג חֹק (*F* חקק) Hi 26, 10; 11. Beachte: bei den Propheten חֹק nur *note: with the prophets* חֹק *only* Js 5, 14 10, 1 24, 5 Ir 5, 22 31, 36 32, 11? Hs 11, 12 16, 27 20, 18. 25 36, 27 45, 14 Am 2, 4 Mi 7, 11 Sa 1, 6 Ma 3, 7. 22; חוֹק Kunstregel *precept of art* Si 44, 5.†

Der. חֻקָּה.

חקה: NF v. חקק: mhb. nachbilden *imitate*: pu: pt. מְחֻקֶּה: **eingeritzt, vorgezeichnet** *carved, represented* 1 K 6, 35 Hs 8, 10 l אַנְשֵׁי חֲקֻקִים 23, 14; †

hitp: impf. תִּתְחַקֶּה: **sich** (als Denkzeichen an sich?) **einzeichnen**? *carve for oneself (a mark)*? Hi 13, 27.†

חֻקָּה: f. v. חֹק; mhb.: cs. חֻקַּת, pl. חֻקּוֹת, חֻקֹּת, sf. חֻקֹּתָיו: schriftlich Festgelegtes, Bestimmtes, Vorschrift *something prescribed, statute*: 1. חֻקַּת עוֹלָם dauernde **Gebühr** *due for ever* Lv 7, 36; 2. חֻקּוֹת קָצִיר **Zeiten** d. Ernte *terms, seasons of harvest* Ir 5, 24; 3. חֻקּוֹת Ordnungen *regulations*: für *of* שָׁמַיִם וָאָרֶץ Ir 33, 25, שָׁמַיִם Hi 38, 33; 4. (menschliche) *Vorschriften, Satzungen (profane, civil) prescriptions, statutes*: d. Agypter u. Kanaanäer *of the Egyptians a. Canaanites* Lv 18, 3, der Völker *of the nations* 20, 23 2 K 17, 8 Ir 10, 3? des *of* עָמְרִי Mi 6, 16, des *of* דָּוִד 1 K 3, 3, v. *of* Israel 2 K 17, 19; Bräuche *customs* v. *of* תּוֹעֵבָה Lv 18, 30; 5. (göttliche *God's*) **Satzung** *statute, prescription*: חֻקַּת עוֹלָם ist *is* פֶּסַח Ex 12, 14, מַצּוֹת 12, 17, סֻכּוֹת Lv 23, 41, [יוֹם הַכִּפֻּרִים] 16, 29. 31. 34, כְּהֻנָּה Ex 29, 9, מִכְנְסֵי בָד 27, 21 Lv 24, 3, נֵר תָּמִיד Ex 28, 43, Verbot v. *interdiction of* חֵלֶב u. דָּם Lv 3, 17, יַיִן u. שֵׁכָר 10, 9, זֶבַח לַשְּׂעִירִם 17, 7, *F* 23, 14. 21. 31 Nu 10, 8 15, 15 18, 23 19, 10. 21; חֻקַּת הַפָּסַח Ex 12, 43 Nu 9, 12. 14 *F* 9, 3, חֻקּוֹת בֵּית יהוה Hs 43, 18, חֻקּוֹת הַמִּזְבֵּחַ 44, 5, חֻקַּת הַתּוֹרָה (מַצֹּת) Ex 13, 10; הַחֻקָּה הַזֹּאת Nu 31, 21 (l הַפָּרָה ? 19, 2), חֻקַּת מִשְׁפָּט 27, 11 35, 29; חֻקָּה אַחַת ein u. dieselbe Vorschrift *one statute* Nu 9, 14 15, 15; חֻקּוֹת הַחַיִּים V., die Leben mit sich bringen *st. leading to life* Hs 33, 15; חֻקֹּתָיו (Gottes *of God*), // מִשְׁפָּטָיו 2 S 22, 23 Ps 18, 23, // מִצְוֹתָיו Dt 6, 2 28, 15. 45 30, 10, // מִצְוֹת יהוה 10, 13; חֻקֹּתָיו in Reihe v. 3 *in series of 3* Dt 8, 11 30, 16 2 K 23, 3 Ir 44, 23 Hs 43, 11 (?), in Reihe v. 4 *in series of 4* Dt 11, 1 1 K 2, 3; חֻקֹּתַי (Gottes *of God*) Lv 19, 19 20, 8 Hs 18, 19. 21, // מִשְׁפָּטַי Lv 18, 4 f. 26 19, 37 20, 22 25, 18 26, 15. 43

1 K 6, 12 11, 33 Hs 5, 6f 11, 20 18, 9. 17 20, 11. 13. 16. 19. 21. 24 37, 24, // מִצְוֹתַי Lv 26, 3 1 K 9, 6 11, 34. 38 2 K 17, 13 Ps 89, 32 2 C 7, 19, // תּוֹרֹתַי 1 K 11, 11 Ir 44, 10, // בְּרִיתִי Hs 44, 24, in Reihe v. 4 *in series of 4* Gn 26, 5; 6. חֻקֹּתָם Gl? 2 K 17, 34; l חֹקֵק Ir 31, 35, l בְּתוֹרָתְךָ Ps 119, 16; Beachte *note*: חֻקָּה 100×; Lv 26×, Hs 20×, Nu 14×; in den andern Propheten nur *with the other prophets only* Ir 3×, Mi 1×. †

חֲקוּפָא: n. m..; Noth S. 227: Esr. 2, 51 Ne 7, 53. †

חקק: mhb. u. ja. u. Znğ. eingraben > schriftlich festlegen *cut in* > *decree*; cp בחוק ἀκριβῶς Lc 1, 3; sy. ܚܘܩܐ Regel *rule*; حَقَّ zu Recht bestehn *be right*, *obligatory*; حَقٌّ Verpflichtung *obligation*, = ሐቀ (VG 1, 239); F חקה: qal: pf. cj חַק Hi 26, 10, חַקּוֹתָ, sf. חַקּוֹתִיךְ, inf. sf. חֻקּוֹ, חֻקוֹ < חוּקוֹ (BL 437), imp. sf. חֻקָּהּ, pt. cj חֹקֵק Ir 31, 35, cs! חֹקְקִי (BL 548a) Js 22, 16, pl. חֹקְקִים; cs. חֹקְקֵי, pss. pl. חֲקֻקִים: 1. einritzen, einzeichnen *engrave*, *inscribe* Js 30, 8 49, 16 Hs 4, 1 23, 14, cj 14 (אֲנָשִׁים חֲקֻקִים), Pr 8. 27. 29, cj Hi 26, 10 (l חַק חָג); 2. festsetzen, bestimmen *enact*, *decree* Js 10, 1, cj Ir 31, 35; 3. in Ordnung halten *put* (*keep*) *in order* = *command* Jd 5, 9; †
pu: pt. מְחֻקָּק: **Vorgeschriebnes** *which is decreed* Pr 31, 5; l חֶלְקַה מְחֻקָּק? sein bestimmter Anteil *his prescribed share*? Dt 33, 21; †
hof: impf. יֻחַקוּ (< *יֻחְקוּ): **aufgezeichnet werden** *be inscribed* Hi 19, 23; †
po: impf. יְחוֹקְקוּ, pt. מְחֹקֵק, sf. מְחֹקְקִי, מְחֹקְקֵנוּ, pl. מְחֹקְקִים: 1. ordnen, bestimmen *decree* Pr 8, 15; 2. pt. Ordner *commander* Jd 5, 14 (F 5, 9!) Js 33, 22 (יהוה); **Ordnerstab** *commander's staff* Gn 49, 10 Nu 21, 18 Ps 60, 9 108, 9, l מְחֹקָק Dt 33, 21. †
Der. חֻקָּה, חֹק.

***חֻקֹּק**: n. l.: = *Jāqūq* am *near* תָּבוֹר: loc. חֻקֹקָה: Jos 19, 34. †

חֲקָקֵי: F חֹק.

חקר: mhb., ja. erforschen *search*:
qal: pf. חָקַרְתָּ, חֲקָרָהּ, sf. חֲקָרוּהָ, חֲקַרְתָּנִי, יַחְקְרוּ, אֶחְקֹר, יַחְקָרֵה־ יַחְקֹר, impf. חֲקָרְנוּהָ, אֶחְקְרֵהוּ, יַחְקְרֵנוּ, sf. נַחְקְרָה, תַּחְקְרוּן, inf. חֲקֹר, חָקוֹר, לַחְקוֹר, sf. חָקְרָהּ, imp. חִקְרוּ, sf. חָקְרֵנִי, pt. חֹקֵר, חוֹקֵר: **erforschen, auskundschaften** *search through, explore*: עִיר 2 S 10, 3, אֶרֶץ Jd 18, 2 1 C 19, 3, etwas *something* Dt 13, 15 Hs 39, 14 Ps 44, 22 Pr 25, 2 Hi 5, 27 28, 27 32, 11 Th 3, 40 Si 3, 21 14, 22 42, 18 43, 28? c. יַיִן W. kosten *taste w.* Pr 23, 30, c. רִיב prüfen *examine* Hi 29, 16; יהוה ist *is* חֹקֵר לֵב Ir 17, 10 (καρδιογνώστης Act 1, 24 15, 8); jm. (nach s. Gesinnung) ausforschen *search a man* (*his designs*) 1 S 20, 12 Ps 139, 1. 23 Pr 18, 17 28, 11 Hi 13, 9 Si 13, 11; c. לְ e. Sache nachspüren *search out a thing* Hi 28, 3; erfinden *invent*? Si 44, 5; †
nif: pf. נֶחְקַר, impf. יֵחָקֵר; יֵחָקְרוּ: **erforscht werden** *be searched out* Ir 31, 37; **berechnet werden** (Gewicht) *be ascertained* (*weight*) 1 K 7, 47 2 C 4, 18; **durchdringlich sein** (Wald) *be penetrated* (*forest*) Ir 46, 23; †
pi: pf. חִקֵּר; **forschen** *inquire* Ko 12, 9. †
Der. מֶחְקָר, חֵקֶר.

חֵקֶר: חקר: pl. cs. חִקְרֵי: das Forschen *searching*: חִקְרֵי לֵב (ironisch *ironically*) weise **Erwägungen** *clever searchings* Jd 5, 16. cj 15; חֵקֶר אֲבוֹתָם **was** ihre V. **erforscht haben** *things searched out by their f.* Hi 8, 8; לֹא חֵקֶר **ohne Untersuchung** *without inquisition* Hi 34, 24; לֹא חֵקֶר 36, 26 u. אֵין חֵקֶר Js 40, 28 Ps 145, 3 Pr 25, 3 Hi 5, 9 9, 10 **unerforschlich** *unsearchable*; חֵקֶר Gegenstand des Forschens

> Grund, Grenze *object of searching* > *reason, limit*: חֵקֶר תְּהוֹם Hi 38, 16; חֵקֶר אֱלוֹהַּ (cf. τὰ βάθη τοῦ θεοῦ 1 Kor 2, 10) **die Tiefen** Gottes *the deep things of God* Hi 11, 7; חקר נסתרות Si 42, 19. †

I *חֹר: mhb. חרר pi. u. ja. pa., sy. pa. חַר freilassen *set free* (denom.); sy. ܚܐܪܐ, mnd. הֵאר, mhb., ja. חוֹר, حُرّ, asa. חר, ሐር (ZDM 67, 108) Freier, Freigelassner *free, freed-man*: pl. חֹרִים, cs. חֹרֵי, sf. חֹרֶיהָ: **Freie, Vornehme** *free ones, noble ones*: // זְקֵנִים 1 K 21, 8. 11; חֹרִים v. *of* Juda Ir 39, 6 Ne 6, 17 13, 17, v. *of* Juda u. Jerusalem Ir 27, 20; // סְגָנִים Ne 2, 16 4, 8. 13 5, 7 7, 5, // מְלוּכָה Js 34, 12; *F* Ko 10, 17, cj Ne 5, 5; עבד :: חורים Si 10, 25. †

II חֹר, חוֹר: III חרר; ak. *ḫurru*, ja. חוֹרָא, خُرّ: pl. חֹרִים, cs. חוֹרֵי, sf. חֹרָיו, חוֹרֵיהֶן: **Loch, Höhle** *hole*: für Menschen *for man* 1 S 14, 11 Hi 30, 6, für Tiere *for animals* Na 2, 13; Augenhöhle *eye-socket* Sa 14, 12; Loch in d. Wand *hole in chest, wall* 2 K 12, 10 Hs 8, 7; erotisch? Ct 5, 4; *F* חֻר. †
Der. n. l. חֹרֹנַיִם.

חֻר: III חרר; *F* II חֹר: pl. חוּרִים: **Loch** f. Schlange *hole of serpent* Js 11, 8, **Versteck** f. Menschen *hiding-place of man* 42, 22. †

חֹר הַגִּדְגָּד: n. l.; הַר הַגִּד׳ GV! = הַגֻּדְגֹּדָה Dt 10, 7; Abel 2, 215 f: Wüstenstation *station in the desert*: Nu 33, 32 f. †

*חרא: *מַחֲרָאוֹת, חֲרָאִים.

*חֲרָאִים: sy. ܚܪܐ, خَرِئَ, tig. *ḫarē* d. Darm leeren *relieve the bowels*; ja. חֲרְיָא Kot *dung*: 2 K 6, 25 חֲרִיּוֹנִים (K = חֲרֵי יוֹנִים) l חַרְצֻנִּים *F*; 18, 27 חֲרָיֵהֶם (K חֲרֵיהֶם, Q צֹאָתָם), Js 36, 12 חֲרָאֵיהֶם (K חֲרָאֵיהֶם, Q צֹאָתָם): *חֲרָאִים: cs. חֲרֵי 2 K 6, 25 K, sf. חֲרָאֵיהֶם Js 36, 12 K > חֲרֵיהֶם 2 K 18, 27 K: Darminhalt, **Kot** *dung* (ersetzt durch *replaced by* צֹאָה, Gordis 86). †

I חרב: *F* ba.; ug. *ḫrb* trocken werden *become dry*; ak. *ḫarābu*; mhb., ja. cp., Znğ; خَرِبَ wüst liegen *be desolate*; (eigentlich: ohne Wasser u. ohne Pflanzen sein *properly*: *be void of water and vegetation*):

qal: pf. חָרְבוּ, impf. יֶחֱרַב, תֶּחֱרַב, יֶחֶרְבוּ, תֶּחֱרַבְנָה, inf. חֲרֹב, imp. חֲרֹב, חִרְבִי, חִרְבוּ: **1. austrocknen** *be dried up*: Wasser *water* Gn 8, 13 Js 19, 5 f 44, 27 Ho 13, 15 Ps 106, 9 Hi 14, 11, Erde *earth* Gn 8, 13; **2. wüst liegen** *be desolate*: אֶרֶץ Js 34, 10, עִיר Ir 26, 9 Hs 6, 6 12, 20 Si 16, 4, מִקְדָּשׁ Am 7, 9; **verheert werden** *be wasted* גּוֹיִם Js 60, 12; l הָרְבָה Ir 2, 12; †

nif: pt. נֶחֱרֶבֶת, pl. נֶחֱרָבוֹת: **wüst gelegt, verheert werden** *be desolated*: עִיר Hs 26, 19 30, 7; †

pu: pf. חֹרָבוּ: **eingetrocknet sein** *be dried up*: Bogensehnen *bow-strings* Jd 16, 7 f; †

hif: הֶחֱרִיב, הֶחֱרַבְתִּי, וְהַחֲרַבְתִּי, הֶחֱרִיבוּ, impf. אַחֲרִיב, pt. מַחֲרִיב, מַחֲרֶבֶת, sf. pl. מַחֲרִיבַיִךְ: **1. vertrocknen, versiegen lassen** *dry up, cause to run dry*: מַיִם 2 K 19, 24 Js 37, 25 50, 2 51, 10 Ir 51, 36 Na 1, 4, Land *land* Js 42, 15, cj הֶחֱרַבְתִּי Am 4, 9; **2. verwüsten, öde machen** *make desolate, lay waste*: אֶרֶץ 2 K 19, 17 Jd 16, 24 Js 37, 18 49, 17, cj Am 3, 11, עִיר Hs 19, 7, חוצות Ze 3, 6; †

hof: pf. הָחֳרָבָה (pt. מָחֳרָבוֹת l חֲרֵבוֹת Hs 29, 12; inf. הָחֳרֵב l הַחֲרֵב *F* II חרב 2 K 3, 23): **verwüstet worden sein** *be laid waste* Hs 26, 2. †

Der. חֶרֶב, חָרֵב, חֹרֶב, חָרְבָּה, חֲרָבָה, *חֶרָבוֹן; n. montis חֹרֵב.

II חרב: den. v. חֶרֶב, cf. حَرَبَ mit der حَرْبَة behandeln > heftig werden *treat with the* حَرْبَة *become angry*:

qal: inf. חֲרֹב, imp. חִרְבוּ: abstechen, niedermachen *smite down*, *slaughter* Ir 50, 21. 27; †
nif: pf. נֶחֶרְבוּ, cj inf. הֵחָרֵב: niedergemacht werden *be slaughtered* 2 K 3, 23. †
Der. *חֲרָבָה.

חָרֵב: I חרב: f. חֲרֵבָה, pl. חֲרֵבוֹת (ö!): 1. trocken *dry* (:: מִנְחָה בְלוּלָה־בַשֶּׁמֶן Lv 7, 10, פַּת Pr 17, 1; 2. wüst, verödet *waste*, *desolate*: מָקוֹם Ir 33, 10. 12, עִיר Hs 36, 35. 38, cj 29, 12, Ne 2, 3, יְרוּשָׁלַםִ 2, 17, Tempel *temple* Hg 1, 4. 9. †

חֶרֶב (410 ×): ug. *ḥrb*; ja., äga., sy. ܚܪܒܐ, Znǧ. חרב; ak. *ḫarbu* (?) Messer *knife* (?), حَرْبَة; äg. *ḥrp*; Et ?: חָרֶב, sf. חַרְבּוֹ, pl. חֲרָבוֹת, cs. חַרְבוֹת, sf. חַרְבֹתֵיהֶם, חַרְבוֹתָם u. חַרְבוֹתָיו, f.: Dolch u. (Kurz-) Schwert *dagger a.* (*short*) *sword* (BRL 129—35. 472—6; حَرْبَة Lanzenklinge *dart*): 1. חַרְבוֹת צֻרִים Steinmesser *flint knives* Jos 5, 2 f; 2. Dolch *dagger* Jd 3, 16; 3. Meissel (d. Steinhauers) *chisel* (*of stone-mason*) Ex 20, 25 Hs 26, 9; 4. Schwert *sword*; *F* לטשׁ, לַהַט, הוֹצִיא, ינה, הִכָּה, תַּעַר, שָׁלַף, הֵרִיק, פֶּה, נטשׁ, נָתַן, מרט; בֶּחָרֶב Jos 11, 10, הִכָּה לְפִי חָרֶב Nu 21, 24, הָרַג לְפִי חֶרֶב 1 S 15, 8, הֶחֱרִים לְפִי חֶרֶב Gn 34, 26; שְׁבֻיוֹת חֶרֶב Js 22, 2, חַלְלֵי חֶרֶב mit d. Schwert weggeführt, kriegsgefangen *captives taken by sword* Gn 31, 26; חָיָה עַל־חַרְבּוֹ lebt vom Schwert *lives by his sword* Gn 27, 40; חֶרֶב מִתְהַפֶּכֶת Gn 3, 24, חֶרֶב נֹקֶמֶת Lv 26, 25 Si 39, 30; חֶרֶב תֹּאכַל חַרְבִּי בָשָׂר Dt 32, 42; Jahwes *of Yahveh* Jd 7, 20 Js 34, 6 Ir 12, 12 47, 6; לָשׁוֹן = חֶרֶב Ps 57, 5 Pr 5, 4, l חֹרֶב Dt 28, 22, l חֲרָדָה Hs 38, 21a; ? Hi 19, 29; חֲרָבוֹת Ps 59, 8 *F* *חֲרָבָה.

חֹרֶב: I חרב: 1. Trockenheit *dryness*: des Bodens *of ground* Jd 6, 37. 39 f Hg 1, 11 Si 43, 3 (durch die Sonne bewirkt *worked by the sun*), cj Dt 28, 22; der Haut *of the skin* Hi 30, 30; > Hitze *heat* Gn 31, 40 Js 4, 6 25, 4 f Ir 36, 30 Si 14, 27; 2. Verwüstung, Öde *desolation* Js 61, 4 Ir 49, 13 50, 38; l חָרֵב Hs 29, 10, l עֹרֵב Ze 2, 14 †

חֹרֵב: *n. montis*; I חרב ?; Χωρηβ: Horeb; Berg der Gesetzgebung *mountain of legislation* in E u. Dt, = סִינַי in J u. P: Ex 17, 6 33, 6 Dt 1, 2. 6. 19 4, 10. 15 5, 2 9, 8 18, 16 28, 69 1 K 8, 9 19, 8 Ma 3, 22 Ps 106, 19 2 C 5, 10; loc. חֹרֵבָה Ex 3, 1. †

חָרְבָּה: I חרב: pl. חֳרָבוֹת, cs. חָרְבוֹת, sf. חָרְבוֹתֶיהָ: Trümmerstätte *desolated place*, *ruin*: c. בָּנָה Hs 36, 10. 33 Ma 1, 4, c. קוֹמֵם Js 44, 26, c. נָתַן Lv 26, 31 Hs 25, 13, c. נָתַן לְ Ir 25, 18 Hs 5, 14, cj 29, 10, c. שִׂים 35, 4; *F* Lv 26, 33 Js 5, 17 49, 19 51, 3 52, 9 58, 12 61, 4 64, 10 Ir 7, 34 22, 5 25, 11 27, 17 44, 2. 6. 22 49, 13 Hs 13, 4 26, 20 29, 9. 10 33, 24. 27 36, 4 38, 8. 12 Ps 9, 7 102, 7 109, 10 Da 9, 2 Esr 9, 9; חֳרָבוֹת Hi 3, 14 = die Pyramiden *the pyramids* ? l לְחֶרְפַּת Ir 25, 9; 2 C 34, 6 l בְּרְחוֹבוֹתֵיהֶם für בְּחַר בָּתֵּיהֶם. †

***חֲרָבָה**: II חרב *F* حَرِبَ !: pl. חֲרָבוֹת: Wutausbrüche *outbursts of rage* Ps 59, 8. †

חָרָבָה: < *ḫarrābā*; I חרב: d. trockne Land *dry ground* (:: נָהָר, יָם; *F* יַבָּשָׁה) Gn 7, 22 Ex 14, 21 Jos 3, 17 4, 18 2 K 2, 8 Hs 30, 12 Hg 2, 6, cj Ps 78, 15 (f רַבָּה). †

***חֲרָבוֹן**: I חרב: pl. cs. חַרְבֹנֵי: trockne Hitze *dry heat* Ps 32, 4. †

חַרְבוֹנָא: Est 1, 10 u. חַרְבוֹנָה 7, 9 (S 2 × רחבונא): n. m., pers. (Gehman JBL 43, 323 = *calvus*). †

חרג: خَرَجَ:
qal: impf. יַחְרְגוּ: herauskommen *come out of* Ps 18, 46, cj 2 S 22, 46. †

חַרְגֹּל: ja., sy. חַרְגְּלָא, sy. auch *also* חַרְגְּלָא, neosy. *ḥergūl*, n.m. חרגלו Ldz. 280: < *חָגָל, حَجَلَ in Sätzen springen *leap in going* :: Ruž. 212!: e. Heuschreckenart *a kind of locusts* (Aharoni: *Tettigonia vividissima*; Bild *picture* Bodenheimer 319): Lv 11, 22. †

חרד: mhb. חרד u. sy. ܚܪܕ zittern *tremble*, خَرِدَ scheu sein *be bashful*:

qal: pf. חָרַד, חָרֵדוּ, impf. יֶחֱרַד, יֶחֶרְדוּ u. יֶחֶרְדוּ, יֶחֱרָדוּ, imp. חִרְדוּ:

1. **erbeben** *tremble* Gn 27, 33 Ex 19, 16. 18, cj 18, 9 1 K 1, 49 Js 10, 29 32, 11 41, 5 Hs 26, 18 Am 3, 6 Hi 37, 1 Ru 3, 8; **voll Bebens sein** *be trembling* 1 S 13, 7 14, 15 28, 5 Js 19, 16 Hs 26, 16 32, 10; 2. c. אֶל **bebend blicken auf** *turn trembling to* Gn 42, 28; c. לִקְרַאת **bebend entgegengehn** *come to meet trembling* 1 S 16, 4 21, 2, c. מִן **bebend kommen von** *come trembling from* Ho 11, 10f; 3. c. אֶל חֲרָדָה **sich einschränken für** *restrict oneself for* (Driver JTS 27, 158f) 2 K 4, 13; †

hif: pf. הֶחֱרִיד, וְהַחֲרַדְתִּי, inf. הַחֲרִיד, pt. מַחֲרִיד. imp. cj הַחֲרִידוּ Ho 5, 8: **aufschrecken** *disturb, drive into trembling* Jd 8, 12 2 S 17, 2 Hs 30, 9, cj Ho 5, 8; וְאֵין מַחֲרִיד **ohne dass einer aufschreckt** *without anybody disturbing* Lv 26, 6 Dt 28, 26 Js 17, 2 Ir 7, 33 30, 10 46, 27 Hs 34, 28 39, 26 Mi 4, 4 Na 2, 12 Ze 3, 13 Hi 11, 19; l לְהַחֲרִד Sa 2, 4. †

Der. חָרֵד, I חֲרָדָה; חֲרֹד?

חָרֵד: חרד: pl. חֲרֵדִים: **bebend, bang** *trembling (for fear)* Jd 7, 3 1 S 4, 13, **ängstlich** *afraid, anxious* c. עַל Js 66, 2, c. אֶל 66, 5, c. בְּ Esr 9, 4 10, 3. †

חֲרֹד: n.l.: עֵין חֲרֹד; חרד? temporäre Quelle? *temporarily flowing well?* ʿAin Ğālūd nahe *near* גִּלְבֹּעַ: Jd 7, 1; F חֲרֹדִי. †

I חֲרָדָה: חרד: cs. חֶרְדַּת: **Beben, Angst** *trembling, fear* Js 21, 4 Ir 30, 5, cj Hs 38, 21a; c. הָיָה בְ 1 S 14, 15, c. נָפַל עַל Da 10, 7; חֶרְדַּת אָדָם **Menschenfurcht** *fear of man* Pr 29, 25; חָרַד חֲרָדָה **voll Bebens sein** *be in complete trembling* Gn 27, 33; c. אֶל F חָרַד qal 3; l חֲגֹרוֹת Hs 26, 16. †

II חֲרָדָה: n.l.; חרד? F חָרֹד: Wüstenstation *place in the desert*; Χαραδαδ; Noth PJ 36, 22 f: Nu 33, 24 f. †

חֲרֹדִי: gntl. v. חֲרֹד: 2 S 23, 25; = הֲרוֹרִי 1 C 11, 27. †

I חרה: F I חרר; mhb., ja. חרא glühen *burn*, ܚܪܐ, Znğ. חרא Zorn *anger*; mhb. תַּחֲרוּת, ja. תַּחֲרוּתָא, sy. etpe. streiten *conflict*; حَرْوَة Hitze (im Hals, vor Zorn) *burning (in throat, of rage)*:

qal: pf. חָרָה, impf. יֶחֱרֶה, יִחַר, וַיִּחַר, inf. חֲרוֹת, חֳרִה: **heiss werden, sein** *become, be hot, burning*: 1. וַיִּחַר אַפּוֹ seine Nase wurde heiss, **sein Zorn entbrannte** *his nose became hot, his anger burned* Gn 44, 18 u. 23 ×, cj Hi 19, 11, v. Jahwe *said of Yahveh* Ex 4, 14 u. 31 ×; c. בְּ gegen *against* Gn 30, 2 u. 28 ×; 2. (בְ) וַיִּחַר [אַפּוֹ] לוֹ **er wurde zornig über** *he became angry against* Gn 4, 5 f u. 18 ×, cj 2 S 11, 22; חָרָה לְךָ du bist zornig *you are angry* Jon 4, 4. 9; 3. חָרָה בְּעֵינָיו **er zürnt** *he is angry* Gn 31, 35 45, 5; 4. l וַיֵּצֶר pro וַיִּחַר 1 S 15, 11 2 S 6, 8 1 C 13, 11;

nif: pt. נֶחֱרִים c. בְּ: auf jmd **zürnen** *be angry with* Js 41, 11 45, 24, cj נֶחֱרָיו 45, 16; †

hif: pf. הֶחֱרָה, impf. l וַיִּחַר וַיַּחַר Hi 19, 11: sich erhitzen, **mit Eifer tätig sein** *become heated, work with zeal, fervour* Ne 3, 20; †

hitp: impf. תִּתְחַר: **sich erzürnt zeigen** *show*

oneself angry Ps 37, 1. 7 f Pr 24, 19, cj 3, 31; †
tifʿal: impf. תְּתַחֲרֶה, pt. מִתְחָרֶה: **wetteifern** *compete* Ir 22, 15, c. אֶת **um die Wette laufen mit** *contend with* 12, 5. †
Der. חֳרִי, חָרוֹן.

II חרה: حَرَى abnehmen *diminish*:
qal: pf. חָרוּ: **schwinden, an Zahl gering werden** *diminish in number* Js 24, 6. †

חַרְהֲיָה: F חַרְחֲיָה.

חֲרוּזִים: חרז: ph. חרז Kette *string*; خَرَز Halskette aus roten u. grünen Steinen (Kaurimuscheln) *necklet made of red a. green stones (cowrie-shells)*: **Muschelkette** *string of shells* Ct 1, 10. †

חָרוּל: חרל: mhb., sy. ܚܘܪܠܐ; ak. *ḫallūru*, خُلَّر: pl. חֲרֻלִּים: **Platterbse** *chickling* Lathyrus ochrus L. (Löw 2, 437 :: Dalm. AS 2, 318) Ze 2, 9 Hi 30, 7 Pr 24, 31, cj Ps 58, 10. †

חֲרוּמַף: n. p.: < חָרוּם (Lv 21, 18) u. II אַף; ak. *Ḫurrumu* Holma ABP 59: Ne 3, 10. †

חָרוֹן: I חרה; mhb.: cs. חֲרוֹן, sf. חֲרוֹנוֹ, pl. sf. חֲרוֹנֶיךָ: **Glut** (immer psychisch u. immer v. Gott) *burning (always = anger a. only said of God)*: חֲרוֹן אַף יהוה Glut der Nase = Zornglut J.s *burning of the nose of = anger of Y.* Nu 25, 4 32, 14 Ir 4, 8. 26 12, 13 25, 37 30, 24 51, 45 Ze 2, 2 2 C 28, 11; חֲרוֹן אַף אֱלֹהֵינוּ Esr 10, 14; חֲרוֹן אַפּוֹ Dt 13, 18 Jos 7, 26 1 S 28, 18 2 K 23, 26 Js 13, 13 Ir 25, 38 Jon 3, 9 Na 1, 6 Ps 78, 49, cj 2, 5, Hi 20, 23 Th 1, 12 4, 11 2 C 29, 10 30, 8; חֲרוֹן אַפֶּךָ Ex 32, 12 Ps 69, 25 85, 4; חֲרוֹן אַפִּי Ir 49, 37 Ho 11, 9 Ze 3, 8; חֲרוֹן אַף Js 13, 9 2 C 28, 13; חֲרוֹנְךָ Ex 15, 7, חֲרוֹנִי Hs 7, 14, חֲרוֹנוֹ Ps 2, 5; חָרוֹן Hs 7, 12 Ne 13, 18; pl. חֲרוֹנֶיךָ Ps 88, 17; l חֶרֶב Ir 25, 38, l חָרוּל Ps 58, 10. †

חֹרוֹן: Gottheit *god*: ug. *Ḥrn*; Αὐρώνας; Albr. ARI 80 f, Virolleaud RES 1937, 36 ff: F בֵּית חֹרוֹן.

חוֹרֹנַיִם u. **חֹרֹנַיִם**: n. l.; mo. חורנן: II חור: **Horonaim**; in Moab; *el-ʿArāq* sw. Kerak (Musil AP 1, 73. 75)?: Js 15, 5 Ir 48, 3. 5. 34, cj 2 S 13, 34. †

חֲרוּפִי: F חֲרִיפִי.

I חָרוּץ: ug. *ḥrṣ*, ak. *ḫurāṣu*, ph. חרץ (Harris 104); sy. ܥܘܪܐ gelb *yellow*; خُرْص Goldring *ring of gold*; > χρυσός; mitann. *ḫiaruka* Gold *gold* Jensen ZA 5, 191: **Gold** *gold* Sa 9, 3 Ps 68, 14 Pr 3, 14 8, 10. 19 16, 16 Si 14, 3 34, 5. †

II חָרוּץ: I חרץ; ak. *ḫariṣu* Stadtgraben *town-moat*; Zkr 1, 10 חרץ Graben *ditch*: **Graben** *moat* Da 9, 25. †

III חָרוּץ: < **ḥarrūṣ*, I חרץ: **mit e. Einschnitt** (Hasenscharte?) **versehn** *having a cut (hare-lip?)* Lv 22, 22. †

IV חָרוּץ: I חרץ: pl. cs. חֲרֻצוֹת: **Dreschwagen** *threshing instrument (cart?)*, BRL 137—9: Am 1, 3 Js 28, 27 41, 15 (מוֹרַג ח׳) Hi 41, 22. †

V חָרוּץ: < *ḥarrūṣ*; II חרץ: pl. חֲרֻצִים, חָרוּצִים: **fleissig** *assiduous, diligent* Pr 10, 4 12, 24. 27 13, 4 21, 5, cj 11, 16. †

VI חָרוּץ: n. m.; Tallq. APN 285b *Ḫarruṣu*: Grossvater v. *grandfather of* אָמוֹן 2 K 21, 19. †

חרז: خَرَزَ durchbohren, nähen *bore through, sew*: F חֲרוּזִים.

חַרְחוּר: F II חַרְחַר.

חַרְחֲיָה (Var. חַרְהֲיָה): n. m.: Ne 3, 8. †

חַרְחַס: n. m.; = חַסְרָה 2 C 34, 22: 2 K 22, 14.†

I **חַרְחֻר**: I חרר: **Fieberhitze** *feverish heat* Dt 28, 22 Si 40, 9.†

II **חַרְחֻר**: n. m.; = I (zu Fieber geneigt, geboren in e. Fieberanfall der Mutter? *subject to fever? born at a fever of his mother?*) Esr 2, 51 Ne 7, 53.†

I **חרט**: mhb., ja., sy. einschneiden, pflügen *cut in, plough*; ak. *erēšu*, حَرَثَ, ሐረሰ pflügen *plough*; ph. חרטית Geschnitztes *carved objects* (?): F חֶרֶט.

II **חרט**: خَرَطَ entrinden *strip off the bark*: F *חָרִיט.

חֶרֶט: I חרט: **Griffel** *stylus* Js 8, 1; l בַּחֲרִיט Ex 32, 4.†

חַרְטֹם: mhb., F ba.; tradt. < *ḫaṭṭōm, חטם; خَطْم Schnauze *muzzle*, < خُرْطُوم Rüssel *proboscis*; aber *but* B. H. Stricker (Oudheidkundige Mededeelingen, Leiden, 1943, 30—34) = äg. *ḥrj-tp*, Epitheton v. mit Magie beschäftigten Priestern *epiteth of magic practising priests*: pl. חַרְטֻמִּים, חַרְטֻמֵּי: (ägyptische) **Wahrsage-Priester** (*Egyptian*) *soothsayer priests* Gn 41, 8. 24 Ex 7, 11. 22 8, 3. 14 f 9, 11, (babylonische *Babylonian*) Da 1, 20 2, 2.†

חֳרִי: I חרה: **Glut** *heat, fervour*, immer *always* c. אַף: Ex 11, 8 1 S 20, 34 Th 2, 3 2 C 25, 10 Dt 29, 23, Js 7, 4.†

I **חֹרִי**: חור: mbh. חֲרִי; حُوَّارَى weiss (Mehl) *white (flour)*: **Gebäck aus Weissmehl** *white bread or cake* Gn 40, 16.†

II **חֹרִי**: n. m.: 1. (ZAW 44, 90) Gn 36, 22 1 C 1, 39; 2. חוֹרִי (Noth S. 221) Nu 13, 5.†

III **חֹרִי**: ug. *Ḫrj*, ak. *Ḫurru*, äg. *Ḫ3rw* (BAS 102, 9): pl. חֹרִים: Ausläufer des Volks der Ḫurri *part of the people of Ḫurrians* (Goetze, Hethiter, Churriter u. Assyrer, Oslo, 1936; Gelb, Hurrians and Subarians, Chicago 1944): **Horiter** *Hurrians* Gn 14, 6 36, 20 f. 29 f Dt 2, 12. 22, cj Gn 34, 2 36, 2 Jos 9, 7.†

***חָרִיט**: II חרט; pl. חֲרִטִים; خَرِيطَة: **Behälter** (ursprünglich aus Rinde) **Geldbüchse** *bag* (*originally made of bark*), *purse* 2 K 5, 23 Js 3, 22, cj Ex 32, 4.†

חֲרְיוֹנִים 2 K 6, 25: F *חֲרָאִים.†

חָרִיף: n. m.; I חרף, Noth S. 228: Ne 7, 24 10, 20, cj Esr 2, 18; F I חֲרִיפִי.

cj **חֲרִיפוֹת**: II חרף; ZAW 40, 17—20; **Sandkörner** *grains of sand* 2 S 17, 19 Pr 27, 22.†

I **חֲרִיפִי**, Q חֲרוּפִי: gntl. v. חָרִיף: 1 C 12, 6.†

cj II ***חֲרִיפִי**: II חרף: f. חֲרִיפִית: **scharf, sengend** (Wind) *sharp, parching* (wind) Jon 4, 8.†

I ***חָרִיץ**: I חרץ: pl. cs. חֲרִיצֵי: **Schnitte, Stück** (Käse) *slice, portion* (*of cheese*) 1 S 17, 18.†

II ***חָרִיץ**: I חרץ: pl. cs. חֲרִיצֵי: (Gerät aus Eisen) **Pickel? Haue?** (*iron instrument*) *pickaxe? hoe?* 2 S 12, 31 1 C 20, 3.†

חָרִישׁ: I חרשׁ; mhb.: sf. חֲרִישׁוֹ: 1. **Zeit des Pflügens** *ploughing-time* Gn 45, 6 Ex 34, 21; 2. **Arbeit des Pflügens** *ploughing* 1 S 8, 12.†

***חֲרִישִׁי**: f. חֲרִישִׁית: l חֲרִיפִית: Jon 4, 8.†

I **חרך**: qal: impf. יַחֲרֹךְ: Bedeutung unbekannt *meaning unknown* Pr 12, 27.†

II ***חרך**: حَرَّكَ wackeln, beweglich sein *wabble, be in a state of motion*.
Der. חֲרַכִּים.

חֲרַכִּים: II *חרך; mhb. חָרָךְ, ja. חֲרַכָּא: **Gitterfenster** *lattice* Ct 2, 9. †

חרל: *F* חָרוּל.

I **חרם**: ak. *ḫarāmu* absondern *seclude*, *ḫarimtu* Geweihte, Hierodule *dedicated woman*, ph. חרם weihen *consecrate*, mo. החרמתה ich weihte es (dem כמש) *I devoted it (to* כמש*)*; mhb.; ja., sy. weihen *devote*, palm., nab. חרם geweiht *devoted*; حَرُمَ unerlaubt, unzugänglich sein *be prohibited*, *sacred*, ሐረመ weihen *consecrate*, asa. מחרם Heiligtum *sanctuary*:
hif: pf. הֶחֱרִים, הֶחֱרַמְתִּי, הֶחֱרַמְתָּה, הֶחֱרַמְתִּי (2. sg. f! Mi 4, 13), sf. הֶחֱרִימָם; הֶחֱרַמְתִּים, impf. יַחֲרִים, תַּחֲרִימוּ, נַחֲרֵם, וְנַחֲרֵם, sf. וַיַּחֲרִימָהּ, תַּחֲרִימֵם, inf. הַחֲרֵם, sf. הַחֲרִימָם, impf. הַחֲרֵם, הַחֲרִימוּ, sf. הַחֲרִימוּהָ; **mit dem Bann** חֵרֶם **belegen** (aus Gesellschaft u. Leben ausschliessen, der Vernichtung weihen) *banish (by banning* חֵרֶם *seclude from society a. life, devote to destruction)*: 1. c. ac. Nu 21, 2f Dt 2, 34 3, 6 7, 2 13, 16 20, 17 Jos 2, 10 6, 18. 21 8, 26 10, 1. 28. 35. 37. 39f 11, 11f 20f. Jd 1, 17 21, 11 1 S 15, 3. 8f. 15. 18. 20 30, 17 (l לְהַחֲרִימָם) 1 K 9, 21 2 K 19, 11 Js 34, 2 37, 11 Ir 50, 21. 26 51, 3 Da 11, 44 1 C 4, 41 2 C 20, 23 32, 14; יהוה bannt *bans* Js 34, 2 Ir 25, 9; 2. הֶחֱרִים לַיהוה Jahwe **durch d. Bann weihen** (vernichten) *devote to Y. by banning (exterminating)* Lv 27, 28 Mi 4, 13; †
hof: impf. יָחֳרָם: **mit** (Vernichtung durch) **d. Bann belegt werden** *be put under the ban (devoted to destruction)* Ex 22, 19 Lv 27, 29 Esr 10, 8. †
Der. חֵרֶם, n. montis חֶרְמוֹן; n.l. חָרְמָה?

II **חרם**: ak. *ḫarāmu*, خَرَمَ abschneiden *cut off*, أَخْرَمُ mit gespaltner Nase *having the nose slit*, *mutilated*:
qal: pt. ps. חָרוּם (auch *also* mhb.) **mit gespaltner Nase** *having the nose slit, mutilated* Lv 21, 18; *F* n. p. חֲרוּמַף; †
hif: pf. הֶחֱרִים: **abschneiden** (e. Meeresteil) *cut off, separate (part of the sea)* Driv. JTS 32, 251: Js 11, 15. †

I **חֵרֶם**: I חרם: sf. חֶרְמִי: 1. (Weihung zur profanen Unbenutzbarkeit, zur Vernichtung oder zum nur kultischen Gebrauch) **Bann, Gebanntes**; *thing or person devoted (to destruction or sacred use a. therefore secluded from profane use)*: אִישׁ חֶרְמִי der meinem (J. s) Bann Verfallne *the man devoted to me (for destruction)* 1 K 20, 42, עַם חֶרְמִי Js 34, 5, שְׂדֵה הַחֵרֶם Lv 27, 21, לְחֵרֶם d. Bann verfallnes *devoted thing* Jos 7, 12; נָתַן לַחֵרֶם d. Bann preisgeben *make a devoted man (to be destroyed)* Js 43, 28, שִׂים לְחֵרֶם Jos 6, 18, הִכָּה חֵרֶם jm. mit d. Bann schlagen *smite with ban a person* Ma 3, 24; הָיָה חֵרֶם e. Bann wird verhängt *there is a ban* Sa 14, 11; 2. חֵרֶם **durch Bann Geweihtes, Banngut** *thing made sacred by ban* Lv 27, 28f Nu 18, 14 Dt 7, 26 13, 18 Jos 6, 18 7, 1. 11—13. 15 1 S 15, 21 Hs 44, 29 1 C 2, 7. †

II **חֵרֶם**: II חרם, ar. *taḥrimā* Masche, Spitzen *mesh, stitch*; mhb., ja. חַרְמָא Netz *net*; ph. חרם Netzmacher *maker of nets* (?): sf. חֶרְמוֹ, pl. חֲרָמִים: **Schleppnetz** *dragnet* Hs 26, 5. 14 32, 3 Ha 1, 15. 17 Ko 7, 26 (Frauenherz *heart of woman*); ? Mi 7, 2. †

חָרִם: n. m.; = חָרוּם *F* II חרם? vel I חרם?: (mehrere *several individuals*) Esr 2, 32. 39 10, 21. 31 Ne 3, 11 7, 35. 42 10, 6. 28 12, 15 1 C 28, 8. †

חֳרֵם: n. l.; in Naphtali, unbekannt *uncertain* Jos 19, 38. †

חָרְמָה: n. l.; I חרם nach *according to* Nu 21, 3 Jd 1, 17: הַחָרְמָה Nu 14, 45: **Horma**, in Juda; = *T. eš-Šeriʿa* vel *T. el-Mšāš* (Alt, JPO 15, 322f)? kan. Nu 21, 3 Jos 12, 14, zu *to* Simeon Jos

19, 4; = צְפַת Jd 1, 17; F Dt 1, 44 Jos 15, 30 1 S 30, 30 1 C 4, 30. †

חֶרְמוֹן: I חרם; Bannberg *sacred mountain*, cf. حَرَام geweihter Raum (e. Moschee) *sacred interior (of mosque)*: **Hermon**: הַר חֶרְמוֹן Dt 3, 8 Jos 11, 17 12, 1. 5 13, 5. 11 1 C 5, 23, חֶרְמוֹן Jos 11, 3 Ct 4, 8; sidonisch *with Zidonians* שִׂרְיֹן, amoritisch *with Amorites* שְׂנִיר Dt 3, 9, = שִׂיאֹן 4, 48 (nach andern Gipfeln benannt *called after different peaks*?); = Ǵ. eš-Šeḫ (weil mit Schnee bedeckt *because covered with snow*); Südende des Antilibanon *southern range of Anti-Lebanon*; F בַּעַל חֶרְמוֹן 1 C 5, 23. †

חֶרְמוֹנִים: pl. v. חֶרְמוֹן: Heiligtümer *sacred places (peaks)*? (Zorell, Bibl. 7, 312 ff): Ps 42, 7. †

חֶרְמֵשׁ: < *ḥämmeš, *חמשׁ, خَمَس, خرمش abschneiden *cut off*, Ruž. KD 78 f: **Sichel** *sickle* (BRL 475 f): Dt 16, 9 23, 26, cj pro מַחֲרַשְׁתּוֹ 1 S 13, 20 f. †

I **חָרָן**: n. l.; ak. *ḫarrānu* Strasse *street*, cf. ital. n. l. *Chiasso* = Gasse *lane*: حَرَّان; G Χαρραν, Κάρραι, = Ḥarrān 9 Stunden sö. Urfa (Mez, Geschichte d. Stadt Ḥarrān, 1892): **Haran**: Gn 11, 31 12, 5 27, 43 2 K 19, 12 Hs 27, 23. †

II **חָרָן**: n. m.; asa. Ryck. 2, 63; Αρραν: 1 C 2, 46. †

חֹרֹנִי: gntl. v. בֵּית־חֹרוֹן: Ne 2, 10. 19 13, 28. †

חֹרֹנַיִם: F חֹרוֹנַיִם.

חַרְנֶפֶר: n. m.; äg. *Ḥr* (Horus) *nfr* (ist gnädig *is merciful*): 1 C 7, 36. †

חרס: I חֶרֶס.

I **חֶרֶס**: ja. חַרְסָא, sy. ܚܪܣܐ; خَرَش kratzen *scratch*: **Krätze** *scabies* Dt 28, 27. †

II **חֶרֶס**: Sonne *sun* Hi 9, 7, עִיר הַחֶרֶס (*sic* 15 MSS, Symm., V, Saadja) Heliopolis, F III אוֹן, Js 19, 18; l הַחַרְסָה pro הַחַרְסָה Jd 14, 18. †

III **חֶרֶס**: n. l.; מַעֲלֵה הֶחָרֶס bei *near* סֻכּוֹת: Jd 8, 13. †

חַרְסוּת; Q חַרְסִית, K חַרְסוּת; = חֶרֶשׂ; שַׁעַר הַח׳ Scherbentor *Gate of Potsherds* (in Jerusalem), Dalm. Jerusalem 206: Ir 19, 2. †

I **חרף**: خَرَفَ pflücken *gather fruit, pluck*: qal: impf. תֶּחֱרַף die Zeit des חֹרֶף zubringen, **überwintern** *spend the harvest-time* Js 18, 6; †

nif: pt. נֶחֱרֶפֶת: c. לְאִישׁ (Landsberger, AOF 3, 170): **für e. andern Mann bestimmt** *designated for an other man* Lv 19, 20. †

Der. I u. II. חֹרֶף; n. m. חָרִיף, חָרֵף.

II **חרף**: mhb. pi., ja. pa.; ܚܪܦ, حَرُفَ scharf sein *be sharp*:

qal: impf. יֶחֱרַף, pt. sf. חֹרְפִי, חוֹרְפַיִךְ: spitze Reden führen, **reizen, schmähen** *say sharp things, taunt, reproach*: Ps 69, 10 119, 42 Pr 27, 11 Hi 27, 6 (מִיָּמָי keinen von m. T. *for any of m. d.*); †

pi: pf. חֵרֵף, חֵרְפָה, sf. חֵרְפוּנִי, impf. וַיְחָרֵף, יְחָרְפוּנִי, inf. חָרֵף, pt. מְחָרֵף: 1. c. ac. **schmähen** *reproach* Jd 8, 15 1 S 17, 10. 25 f. 36. 45 2 S 21, 21 2 K 19, 4. 16. 22 f Js 37, 4. 17. 23 f 65, 7 Ze 2, 8. 10 Ps 42, 11 44, 17 55, 13 (l חֵרְפָנִי) 74, 10. 18 79, 12 89, 52 102, 9 Pr 14, 31 17, 5 Ne 6, 13 1 C 20, 7; חֵרֵף נַפְשׁוֹ **sich selbst geringschätzen** *scorn oneself* Jd 5, 18; 2. c. לְ **schmähen** *reproach* 2 C 32, 17; l בְּפַס דַּמִּים 2 S 23, 9. †

Der. חֶרְפָּה; *חֲרִיפוֹת, I u. II *חֲרִיפִי.

III **חרף**: خَرِفَ erschreckt, verwirrt sein *be disordered in one's intellect*; sy. ܚܪܦ mischen *mix, combine*:

pi: pf. חֵרֵף, l impf. יְחָרֵף: **verwirren** *confuse* (Driv. JTS 33, 38 f) Ps 57, 4.†

חָרֵף: n. m.; I חרף; Dir. 196: 1 C 2, 51.†

I **חֹרֶף**: I חרף; ak. *ḫarpu*: **1. Zeit des Obstpflückens** *harvest time* Pr 20, 4; **2. Herbst, Winter** *autumn* (:: קַיִץ) Gn 8, 22 Ps 74, 17 Sa 14, 8; בֵּית חֹרֶף **Winterhaus** *autumn-(winter-) house* Ir 36, 22 Am 3, 15.†

II **חֹרֶף**: ja. חֲרָפָא frühzeitig *early*; خَرُوف junges Schaf *young sheep*: sf. חָרְפִּי: **Frühzeit, Jugend** *early time, youth* Hi 29, 4.†

חֶרְפָּה (70×): II חרף: cs. חֶרְפַּת, sf. חֶרְפָּתוֹ, pl. חֲרָפוֹת, cs. חֶרְפוֹת: **1. Schmähung** *reproach, contumely*: חֶרְפַּת מוֹאָב Ze 2, 8, ח׳ אָדָם Ps 22, 7, (cj ח׳ עַמִּים) Mi 6, 16 etc.; **2. Schmach** *disgrace*: Kinderlosigkeit *barrenness* Gn 30, 23, Unbeschnittenheit *being uncircumcised* 34, 14 Jos 5, 9, Schändung *ravishing* 2 S 13, 13, Ehelosigkeit *unmarried life* Js 4, 1, Verstümmelung *mutilation* 1 S 11, 2; נָתַן חֶרְפָּה עַל Ir 23, 40; etc.

I **חרץ**: mhb., ja. 1. eingraben *cut in*, 2. bestimmen *decide*; ak. *ḫarāṣu* abschneiden, bestimmen *cut off, decide*, Meissner MAO 13, 2, 15 ff:
qal: pf. חָרַץ, חָרַצְתְּ, impf. יֶחֱרַץ, pt. חָרוּץ, pl. חֲרוּצִים: 1. חָרַץ לְשׁוֹן לְ jmd. **die Zunge weisen**, jmd **bedrohen** *sharpen the tongue against* Ex 11, 7 (כֶּלֶב) Jos 10, 21; **2. bestimmen, festsetzen** *decide, fix*: Urteil *judgement* 1 K 20, 40, Vernichtung *destruction* Js 10, 22, Lebenstage *days of life* Hi 14, 5; עֵמֶק הֶחָרוּץ d. Tal der Entscheidung *the valley of decision* Jl 4, 14;†
nif: pt. f. נֶחֱרָצָה, נֶחֱרֶצֶת: **Beschlossnes** *things determined* Da 11, 36, **Entscheidung** *decision* Js 10, 23 28, 22 Da 9, 27; ? 9, 26.†
Der. II—IV חָרוּץ, I u. II *חָרִיץ.

II **חרץ**: خَرِصَ begehren, eifrig bedacht sein *crave for, be eager after*:
qal: impf. תֶּחֱרָץ: **eifrig hinter etw. her sein** *be eager after* 2 S 5, 24; cj תֶּחֶרְצוּ **anrennen** *attack* Ps 62, 4.†
Der. V חָרוּץ; VI?

****חַרְצֹב**: حَصْرَمَ e. Strick fest anziehen *stretch a rope*: pl. חַרְצֻבּוֹת: **1. Fesseln** *fedders* Js 58, 6; **2. Qualen** *pangs* Ps 73, 4; cj בְּחַרְצֹב **Qual** *pang* Ps 42, 11.†

חַרְצֹנִים: sy. ܚܨܘܢܬܐ; <*ḥaṣṣōnim, חצן?: **Milchstern** *star of Bethlehem, Ornithogalum umbellatum L.* (dessen Zwiebeln Not- u. Armeleutekost sind *the bulbs of which are eaten by the poor a. in times of famine*; Löw, ZS 1, 121 f): cj 2 K 6, 25.†

***חַרְצָן**: mhb., ja. חַרְצָנִיתָא Kern d. Weinbeere *grape-stone*; aber *but* حِصْرِم Weinbeeren, ehe sie süss u. reif sind *grapes not being sweet a. ripe*: pl. חַרְצַנִּים: **unreife Trauben** *immature (sour) grapes* Nu 6, 4.†

חרק: aram. חרק, حَرَقَ:
qal: pf. חָרַק, impf. יַחֲרֹק, וַיַּחַרְקוּ, inf. חָרֹק, pt. חֹרֵק: **mit d. Zähnen knirschen** *grind the teeth*, c. שִׁנַּיִם Ps 35, 16 37, 12 112, 10, c. שֵׁן Th 2, 16, c. בְּשִׁנָּיו Hi 16, 9.†

I **חרר**: F חרה; mhb. חַרְחֵר erhitzen *make hot*, ja. חֲרַר brennen *burn*; ak. *erēru* brennen *burn*; حَرَّ; heiss sein *be hot*; ug. *ḥrr* rösten *roast*:
qal: pf. חָרָה, חָרוּ: **glühend sein** *be aglow*: נְחֹשֶׁת Hs 24, 11, עֶצֶם Hi 30, 30;†
nif: pf. נִחַר, נָחָר u. נָחַר, נִחַר, impf. וַיֵּחַר, יֵחָרוּ: **1. in Glut versetzt sein** *be made aglow* Hs 15, 4 f 24, 10 Ps 102, 4; **2. sich verbrennen** *be scorched* (l מִפִּיהֶם) Ir 6, 29;†

pilpel: inf. חַרְחַר in Glut bringen *cause to glow* Pr 26, 21. †
Der. I u. II חַרְחֻר; חֲרֵרִים.

II חרר: خَرَّ schnarchen *snore*, ܚܪ heiser sein *be hoarse*:
pi: pf. נִחַר: heiser sein (Kehle) *be hoarse* (*throat*) Ps 69, 4. †

III *חרר: ak. *ḫarāru* höhlen *hollow*:
Der. II חֹר, חֻר.

חֲרֵרִים: I חרר; حَرَّات: Steinwüste, Lavafelder *lava-covered stretches* Ir 17, 6. †

*חרשׁ: חֶרֶשׂ.

חֶרֶשׂ: mhb. חֶרֶס, F חַרְסוּת; خَرَشَ kratzen, rauh sein *scratch*, *be rough*; sy. ܚܪܘܫܐ rauh *rough*: חָרֶשׂ, pl. cs. חַרְשֵׂי: Tonerde *clay*; כְּלִי ח' irdenes Geschirr, Gefäss, *earthenware* Lv 6, 21 11, 33 14, 5. 50 15, 12 Nu 5, 17 Ir 32, 14, נִבְלֵי ח' irdne Krüge *earthen pitchers* Th 4, 2, בַּקְבֻּק יוֹצֵר חָ' irdner Töpferkrug *earthen potter's bottle* Ir 19, 1, חֶרֶשׂ Scherbe (aus Ton) *potsherd* Js 30, 14 45, 9 Ps 22, 16 Pr 26, 23 Hi 2, 8 41, 22; ח' אֲדָמָה Scherben aus Erde *potsherds of earth* Js 45, 9; l שְׁמָרֶיהָ Hs 23, 34; F n. l. קִיר. †

חֲרֶשֶׂת: F n. l. קִיר.

I חרשׁ: mhb., ja. pflügen *plough*, ܚܪܫ eingraben *cut in*; ug. *ḥrš*, ak. *erēšu*, حَرَثَ, ሐረሰ pflügen *plough*; nab. Ἀρέτας = חרתת F חרת; ph. חרש Techniker in Holz u. Metall *artisan*: qal: pf. חָרְשׁוּ, חֲרַשְׁתֶּם, impf. יַחֲרוֹשׁ, יַחֲרֹשׁ, inf. חֲרֹשׁ, pt. חֹרֵשׁ, pl. חֹרְשִׁים, חֹרְשֵׁי, חֹרְשׁוֹת, pss. חֲרוּשָׁה: 1. pflügen *plough* 1 S 8, 12 1 K 19, 19 Js 28, 24 Ho 10, 11 Am 9, 13 Pr 20, 4 Hi 1, 14; c. בְּ mit e. Tier *with animal* Dt 22, 10 Jd 14, 18 Am 6, 12; c. ac. etwas unterpflügen *plough down* Ho 10, 13, c. עַל auf *upon* Ps 129, 3; 2. c. עַל eingraben in *engrave on* Ir 17, 1; 3. verarbeiten, vorbereiten *devise* רָעָה Pr 3, 29, תַּהְפֻּכוֹת 6, 14 רָע, טוֹב 14, 22, אָוֶן Hi 4, 8 Si 7, 12; 4. חֹרֵשׁ Techniker *artisan* Gn 4, 22 (gloss.) 1 K 7, 14 (F חָרָשׁ); †
nif: impf. תֵּחָרֵשׁ: gepflügt werden *be ploughed* Ir 26, 18 Mi 3, 12; †
hif: pt. מַחֲרִשׁ: c. רָעָה עַל (F qal. 3.) Böses im Sinn haben gegen *fabricate mischief against* 1 S 23, 9. †
Der. חָרִישׁ, I *חֶרֶשׁ, I* u. II חָרָשׁ, חֲרֹשֶׁת, *מַחֲרֵשָׁה.

II חרשׁ: mhb. hif., ja., sy. חֲרַשׁ taub, stumm sein *be deaf*, *speechless*; aram., خَرِسَ; Delitzsch, Prol. 100: ak. *ḫarāšu* binden *bind* > hemmen *check*: qal: impf. תֶּחֱרַשְׁנָה, יֶחֱרַשׁ: taub sein *be deaf* Mi 7, 16 Ps 35, 22 39, 13 50, 3 83, 2 109, 1, c. מִן gegenüber *unto* 28, 1;
hif: pf. הֶחֱרִישׁ, הֶחֱרִשׁ, Gn 34, 5, הֶחֱרַשְׁתִּי, impf. תַּחֲרִישׁוּן, יַחֲרִישׁוּ, יַחֲרִישׁ, inf. הַחֲרֵשׁ, imp. הַחֲרֵשׁ, הַחֲרִשִׁי, pt. מַחֲרִישׁ, מַחֲרִשִׁים: 1. sich still (ver-)halten *be silent* Gn 24, 21 34, 5 Ex 14, 14 Jd 18, 19 2 S 13, 20 2 K 18, 36 Js 36, 21 42, 14 Ir 4, 19 Ha 1, 13 Ps 32, 3 50, 21 Pr 11, 12 17, 28 Hi 6, 24 13, 5 33, 31. 33 Est 4, 14; c. מִן gegenüber *before* 1 S 7, 8 Hi 13, 13; c. אֶל jmd schweigend zuhören *listen in silence* Js 41, 1; 2. c. לְ stillschweigend (ohne Einspruch) machen lassen *let in silence* (*without objection*) *somebody do* Nu 30, 5. 8. 12. 15; 3. sich untätig verhalten *be idle*, *indolent* 2 S 19, 11; 4. verstummen *become speechless*, *silent* Ir 38, 27 (מִן vor *before*) Hi 13, 19 Ne 5, 8; 5. zum Schweigen bringen *make silent* Hi 11, 3; 6. ? Hi 41, 4; l כְּמַחֲדִשׁ 1 S 10, 27, l יְחַדֵּשׁ Ze 3, 17; †
hitp: impf. וַיִּתְחָרְשׁוּ sich still verhalten *keep silence* Jd 16, 2. †
Der. II חֵרֵשׁ, חֶרֶשׁ.

I *חֶרֶשׁ: pl. חֲרָשִׁים: חֲכַם חֲרָשִׁים Js 3, 3; < חר/דשים gloss? l חָכָם? (sy. ܚܪܫܐ, ja. חַרְשִׁין Zauberei *magic art*). †

II חֶרֶשׁ: II חרשׁ: subst. > adv. schweigend, in aller Stille, heimlich *silently*, *secretly* Jos 2, 1. †

III חֶרֶשׁ: n. m.; Noth S. 228: 1 C 9, 15. †

חֹרֶשׁ: mhb.; ak. *ḫiršu* Bepflanzung *wooded place*; حَرْش Wald *wood* (Berggren): pl. חֳרָשִׁים: **bewaldeter Platz** *wooded placc* Hs 31, 3 2 C 27, 4; l הַחִוִּי Js 17, 9. †

Der. n. l. חֲרֹשֶׁת הַגּוֹיִם; n. l. חֹרְשָׁה.

I *חָרָשׁ: I חרשׁ; mhb.; ug. *ḥrš*; ph. חרשׁ: pl. חֲרָשִׁים: **Zimmermann** *craftsman* 1 C 4, 14, *F* גֵּיא הַחֲרָשִׁים Ne 11, 35; *F* II חָרָשׁ. †

II חָרָשׁ: <* *ḥarrāš*, I חרשׁ, *F* I *חָרָשׁ: cs. חָרַשׁ, pl. חָרָשִׁים, cs. חָרָשֵׁי: kunstgerecht Arbeitender, **Handwerker** *artisan*: Steinhauer *worker in stone* Ex 28, 11 2 S 5, 11; Zimmermann *craftsmann*, *worker in wood* 2 S 5, 11 2 K 12, 12 Js 44, 13 Ir 10, 3 1 C 14, 1; חָרָשֵׁי קִיר die e. Wand erstellen können (Stuck-Arbeiter?) *builders of walls* (*workers in stucco?*) 1 C 14, 1; Metallarbeiter, Schmied, Schlosser *worker in metal*, *smith*: Waffenschmied *smith for swords a. spears* 1 S 13, 19 Js 54, 16, Giesser *founder* Js 40, 19 41, 7 Ir 10, 9 Ho 13, 2, Arbeiter in Holz u. Metall *worker in wood a. metal* Dt 27, 15, in Holz u. Stein *in wood a. stone* 1 C 22, 15; // חֹצְבִים Esr 3, 7 2 C 24, 12, // חשׁב u. רֹקֵם Ex 35, 35 38, 23, // מַסְגֵּר 2 K 24, 14. 16 Ir 24, 1 29, 2, // צֹרֵף Js 41, 7 Ir 10, 9; Verfertiger von Kultbildern *idol-maker* Dt 27, 15 Js 41, 7 44, 11 45, 16 Ho 8, 6; *F* Js 40, 20 Hs 21, 36 Sa 2, 3 1 C 29, 5 2 C 34, 11. †

חֵרֵשׁ: <* *ḥirrēš*, II חרשׁ; mhb., äga.; ja., sy. חֵרְשָׁא: pl. חֵרְשִׁים: taub *deaf* Ex 4, 11 Lv 19, 14 Js 29, 18 35, 5 42, 18 f 43, 8 Ps 38, 14 58, 5 (פֶּתֶן). †

חַרְשָׁא: n. m.; KF? v. חֵרֵשׁ?: בְּנֵי חַרְשָׁא Esr 2, 52 Ne 7, 54; *F* תֵּל חַרְשָׁא. †

חֹרְשָׁה: n. l.; = חֹרֶשׁ, V silva, „Wald *Wood*": *Ḥōrēsa* 10 km s Hebron: 1 S 23, 15—19. †

חֲרֹשֶׁת: I חרשׁ: חֲרֹשֶׁת אֶבֶן **Bearbeitung von Stein** *working of stone* u. ח' עֵץ **Bearbeitung von Holz** *working of wood* Ex 35, 33. †

חֲרֹשֶׁת הַגּוֹיִם: n. l.; חֹרֶשׁ, *F* חֹרְשָׁה: *T. ʿAmr* bei *near El-Ḥāriṯīje* (Alt, PJ 21, 42 f): Jd 4, 2. 13. 16. †

חרת: ug. *ḫrt*, mhb. ja., sy. eingraben *engrave*; خَرَتَ graben *dig*:

qal: pt. pss. חָרוּת: **eingegraben** (Schrift) *engraved* (*writing*) Ex 32, 16. †

חֶרֶת: n. l.; in Juda: 1 S 22, 5. †

חֲשׂוּפָא: n. m.; KF? Noth S. 226: Esr 2, 43 Ne 7, 46. †

חֲשׂוּפַי: l חֲשׂוּפֵי (ZS 4, 40) Js 20, 4. †

חשׂך: mhb., ja., sy., palm. חסך; حِشَاكٌ, u. شِحَاكٌ Stück Holz im Maul d. Ziege, das sie vom Saugen abhält *piece of wood in the mouth preventing the goat from sucking*; asa. *ḥškt* Gattin *wife*, *mḥškt legati* = Verbotne (Tabu) *prohibited men* (*taboo*) Albr., BAS 83, 24:

qal: pf. חָשַׂךְ, חָשַׂכְתִּי, חָשָׂכוּ, impf. יַחְשֹׂךְ, תַּחְשְׂכִי, אֶחְשָׂךְ־, imp. חֲשֹׂךְ, pt. חֹשֵׂךְ, חוֹשֵׂךְ:

1. **zurückhalten** *withhold*, *keep back* 2 S 18, 16, c. מִן von *from* Gn 20, 6 1 S 25, 39 2 K 5, 20 Ps 19, 14 78, 50 Hi 33, 18 Si 51, 2, cj Js 38, 17, abs. Js 14, 6 (l חֲשֹׂךְ) 54, 2 58, 1 Pr 21, 26; c. לְאָחוֹר cj Pr 29, 11 (l יַחְשְׂכֶנָּה), c. לְ für *for* Hi 38, 23; 2. c. מִן **vorenthalten**

withhold from Gn 22, 12. 16 (adde מִמֶּנִּי) 39, 9 Hi 30, 10; 3. **schonen, sparen** *keep in check, spare*: רַגְלֶיךָ Ir 14, 10, l עֹשֶׁר Pr 11, 24, אֲמָרָיו Pr 17, 27, פִּי Hi 7, 11, שְׂפָתָיו Pr 10, 19, שִׁבְטוֹ 13, 24; 4. intrans. (Driv., JTS 34, 380): **sich zurückhalten, ausbleiben** *refrain, stay away* Hs 30, 18 Hi 16, 5; l תַּחְשֹׂךְ Pr 24, 11, l חָשַׁבְתָּ Esr 9, 13; †

nif: impf. יֵחָשֵׂךְ: **sich zurückhalten** *keep back* cj Pr 24, 11, **zurückgehalten werden** *be kept back* Hi 16, 6, **geschont werden** *be spared* (l בְּיוֹם) 21, 30. †

Der. *חָשֵׂךְ.

cj *חָשֵׂךְ: חֹשֶׂךְ: **Spracnlosigkeit** *speechlessness* cj pro: חֹשֶׁךְ (Perles, JQR 18, 384) Hi 37, 19. †

I **חשף**: mhb. חֲשִׂיפָה Entblössen *laying bare*; ug. *ḥsp* (Wasser) schöpfen, holen *get (water)*; jemen. شَحَف abschälen *strip*:

qal: pf. חָשַׂף, sf. חֲשָׂפָהּ, impf. וַיֶּחֱשֹׂף, inf. חָשׂף, לַחְשׂף, לַחְשׂוֹף, imp. חֶשְׂפִּי (BL 352), pt. pss. חֲשׂוּפָה:

1. **abschälen** *strip, lay bare* (תְּאֵנָה, l חֲשׂוּפָה חָשַׂף) Jl 1, 7; 2. **entblössen** *strip* (זְרוֹעַ) Js 52, 10 Hs 4, 7, cj חֲשׂוּפֵי שֵׁת Js 20, 4, // גִּלָּה Js 47, 2 Ir 13, 26, cj חֶשְׂפֵּךְ Hs 16, 36, עֵשָׂו cj Ir 49, 10; 3. = ug. **schöpfen** *draw, get* (Wasser *water*) Js 30, 14, (Wein *wine*) Hg 2, 16; † cj nif: impf. תֵּחָשֵׂף: **wurde entblösst** *was stripped* cj Mi 4, 11. †

Der. מַחְשֹׂף.

II **חשף**: خَشَف beschleunigen *accelerate*:

qal: impf. וַיֶּחֱשֹׂף: l וַיָּחֵשׁ: **zu schnellem, frühem Gebären bringen** *cause an hurried, early delivery* (Driv., JTS 32, 255) Ps 29, 9. †

III **חשף**: حَشَّفَ (d. Augenlider) zusammenziehen *contract (the eyelids)*, حَشَف getrocknetes, eingeschrumpftes Brot *bread shrivelled up*; F *חָשִׂף.

*חָשִׂף: III חשף: pl. cs. חֲשִׂפֵי: **Häuflein** *little flock, handful* 1 K 20, 27. †

חשב: mhb., F ba.; حَسَبَ, ሐሰበ rechnen, denken *account, think*; ph. חשב (Bedeutung *meaning*?); äg. *ḥśb* rechnen *account*; > ak. *epēšu* machen, herstellen *make, produce*:

qal: pf. חָשַׁב, חָשַׁבְתָּה, חֲשָׁבָהּ, sf. חֲשַׁבְנֻהוּ, impf. יַחְשֹׁב, יַחְשְׁבוּ, נַחְשְׁבָה, sf. וַיַּחְשְׁבֶהָ, תַּחְשְׁבֵנִי, inf. לַחְשֹׁב, pt. חֹשֵׁב, חֹשְׁבֵי:

1. **zählen, beachten, für wertvoll halten** *account, regard, value* Js 13, 17, 33, 8 53, 3 Ma 3, 16; 2. c. ac. u. לְ **jm. für etw. halten** *think, reckon a person for something* Gn 38, 15 1 S 1, 13 Hi 13, 24 19, 15 33, 10 35, 2 41, 19. 24; 3. c. 2 acc. **jm. für etw. halten** *think as, reckon for* Js 53, 4, cj Ps 119, 119; **etw. als etw. anrechnen** *impute something as, for* Gn 15, 6; 4. c. ac. u. כְּ **ansehn als** *regard as* Hi 19, 11; 5. חָשַׁב עָוֹן לְ **jm. als Schuld anrechnen** *regard as one's guilt, impute iniquity unto* 2 S 19, 20 Ps 32, 2; חָשַׂכְתָּ לְמַטָּה מֵעֲוֹנֵנוּ **hast weniger angerechnet als unsre Schuld war** *hast less accounted then was our guilt* cj Esr 9, 13; 6. חָשַׁב לְטוֹבָה **zum Guten anrechnen, es gut meinen** *mean for good* Gn 50, 20; 7. חָשַׁב עַל **planen gegen** *devise against* Gn 50, 20 2 S 14, 13 Ir 48, 2 Mi 2, 3 Na 1, 11; ח׳ לְ pl. fur *dev. for* Ps 41, 8; ח׳ רָעַת אִישׁ jm.s Unglück planen *devise evil against* Sa 7, 10 8, 17 Ps 35, 4; 8. c. לְ c. inf. **beabsichtigen, im Sinn haben** *devise, mean* 1 S 18, 25 Ir 18, 8 23, 27 26, 3 36, 3 Ps 140, 5 Hi 6, 26 Th 2, 8 Est 9, 24 Ne 6, 2. 6; abs. **im Sinn haben** *mean* Js 10, 7; 9. c. obj.: **planen** *devise* מַחֲשָׁבָה 2 S 14, 14 (l חֹשֵׁב) Ir 11, 19 18, 18 29, 11 49, 20 50, 45 Da 11, 25, מַחֲשָׁבָה עַל Ir 18, 11 49, 30 Est

8,3 9,25 מַחֲשֶׁבֶת רָעָה Hs 38,10, רָעוֹת Ps 140,3, אָוֶן Hs 11,2 Mi 2,1 Ps 36,5, הַוּוֹת 52,4, מְזִמּוֹת 10,2 21,12, דִּבְרֵי מִרְמוֹת 35,20, תַּהְפֻּכוֹת Pr 16,30; 10. ersinnen, erfinden *devise, invent* כְּלֵי שִׁיר Am 6,5, cj Ir 23,26 (l יַחְשֹׁב לֵב), מַחֲשָׁבוֹת kunstgewerbliche Entwürfe *artistic devices* Ex 31,4 35,32 2 C 2,13; 11. חֹשֵׁב: **Stoffwirker** *weaver* (Sticker *embroiderer*, AS 5,126) Ex 26,1.31 28,6.15 35,35 36,8.35 38,23 39,3.8 Si 45,10; 12. חֹשֵׁב: **(Befestigungs)techniker** *technician (of fortification)* 2 C 26,15; l חוּשָׁה לִי Ps 40,18; †

nif: pf. נֶחְשַׁב, נֶחְשְׁבוּ, נֶחְשָׁבוּ, נֶחְשַׁבְתִּי, impf. יֵחָשֵׁב, pt. נֶחְשָׁב:

1. **gerechnet werden, Wert haben** *be accounted* 1 K 10,21 2 C 9,20, c. לְ zu *to* Jos 13,3 Js 29,17 32,15 Th 4,2, c. עַל zu *to* Lv 25,31 2 S 4,2, c. עִם unter *among* Ps 88,5; c. אֶת־ **wird verrechnet, abgerechnet mit** *is computed with* 2 K 22,7; c. לוֹ **wird ihm angerechnet** *is imputed to him* Lv 7,18 17,4 Ps 106,31 (לְ als *for*); 2. **gelten als** *be esteemed* Dt 2,11.20 Pr 17,28 Ne 13,13, c. לְ bei, für *with, for* Gn 31,15 Js 40,17 Pr 27,14, c. בְּ für *for* Js 2,22, c. כְּ wie *as* Nu 18,27.30 Js 5,28 29,16 40,15 Ho 8,12 Ps 44,23 Hi 18,3 41,21; †

pi: pf. חִשַּׁב, חִשַּׁבְתִּי, impf. יְחַשֵּׁב, וַאֲחַשְּׁבָה, sf. וַתְּחַשְּׁבֵהוּ, pt. מְחַשֵּׁב: 1. **berechnen** *count, reckon* Lv 25,27.50 27,18.23; c. אֶת־ **abrechnen mit** *balance accounts with* 2 K 12,16; c. לְ **anrechnen** *put down to one's account* Lv 25,52; 2. **bedenken** *consider, be mindful of* Ps 77,6 119,59, abs. 73,16; (Gott) bedenkt, beachtet *(God) considers, thinks upon* 144,3; 3. **planen, ersinnen** *think (to do), devise* Pr 16,9, c. עַל Ho 7,15, c. תַּהְפֻּכֹת Pr 16,30, c. לְ c. inf. 24,8; c. מַחְשְׁבֹתָיו עַל s. **Pläne richten gegen** *devise his devices against* Da 11,24 f; 4. c. לְ c. inf. nif.: **nahe daran sein, zu...** *be about to...* Jon 1,4; l תִּשָּׁבַחוּן Na 1,9; †

hitp: impf. יִתְחַשָּׁב: c. בְּ **sich zählen unter** *reckon oneself among* Nu 23,9. †

Der. I חֶשְׁבּוֹן, *חִשָּׁבוֹן, מַחֲשָׁבָה; n. f. חֲשֻׁבָה; n. l. II חֶשְׁבּוֹן? n. m. חֲשַׁבְיָה(וּ) u. חַשּׁוּב.

חֵשֶׁב: < *חֶשֶׁב, חֶבֶשׁ, חבשׁ: **Bund, Gurt** *girdle, band*, (אֵפֹד) Ex 28,27 f 29,5 39,20 f Lv 8,7, (אֲפֻדָּה) Ex 28,8 39,5. †

חֲשַׁבְדָּנָה: n. m.; F חֲשַׁבְיָה: Ne 8,4. †

חֲשֻׁבָה: n. f.; חשׁב (qal 1): 1 C 3,20. †

I חֶשְׁבּוֹן: חשׁב; mhb., ja. חֻשְׁבָּנָא: **Berechnung, Planen** *account, device* Ko 7,25.27 9,10 Si 27,5 f 42,3. †

II חֶשְׁבּוֹן: n. l.; (חשׁב qal 12?); حُسْبَان, 874 m, in Moab, 34 km ö. Jericho, Musil, AP 1,383 ff: **Hesbon** *Heshbon*: Stadt d. Amoriterkönigs *city of* סִיחוֹן *king of the Amorites* Nu 21,26—34 32,3 Dt 1,4 2,24.26.30 3,2.6 4,46 29,6 Jos 9,10 12,2.5 13,10.21.27 Jd 11,19 Ir 48,45 Ne 9,22, v. Ruben neu gebaut *rebuilt by Reuben* Nu 32,37, zu Gad gehörig *belonging to Gad* Jos 13,26; בְּרֵכוֹת בְּח׳ Ct 7,5, moabitisch; F Nu 21,25 Jos 21,39 Jd 11,26 Js 15,4 16,8 f Ir 48,2.34 49,3 1 C 6,66. †

***חִשָּׁבוֹן**: חשׁב: pl. חִשְּׁבֹנוֹת: 1. **Erfindung, Plan** *invention, device* Ko 7,29; 2. (cf. lat. *ingenia* > *engine, ingénieur*) **Belagerungswerke, Kriegsmaschinen** *engines of war, battering-engines* 2 C 26,15. †

חֲשַׁבְיָה: n. m.; < חֲשַׁבְיָהוּ: (Mehrere *several individuals*) Esr 8,19.24; Ne 3,17 10,12; 11,15 1 C 9,14; Ne 11,22 12,21.24 1 C 6,30 25,19 27,17. †

חֲשַׁבְיָהוּ: n. m.; חשב (qal 1) u. יְ; > חֲשַׁבְיָה: 1 C 25, 3 26, 30 2 C 35, 9.†

חֲשַׁבְנָה: n. m.; Noth S. 189²: Ne 10, 26.†

חֲשַׁבְנְיָה: n. m.; Noth S. 189²: 1. Ne 3, 10; 2. 9, 5.†

חשה: mhb., ja. חֲשַׁי geheim *secret*; ja. חשה schweigen *be silent*:

qal: impf. תֶּחֱשֶׁה, יֶחֱשׁוּ, inf. לַחְשׁוֹת: **sich still verhalten** *keep silence* Js 62, 1. 6 64, 11 65, 6 Ps 28, 1 (מִן gegenüber *unto*) 107, 29 Ko 3, 7;†

hif: pf. הֶחֱשֵׁיתִי, imp. הַחֲשׁוּ, pt. מַחְשֶׁה, מַחְשִׁים: 1. c. לְ: **schweigen heissen** *order to be silent* Ne 8, 11; 2. **sich still halten** *be silent* 2 K 2, 3. 5 Js 42, 14 57, 11 Ps 39, 3; 3. **zaudern** *hesitate* Jd 18, 9 2 K 7, 9; c. מִן zu *to* 1 K 22, 3.†

חַשּׁוּב: n. m.; חשב: 1. Ne 3, 23 11, 15 1 C 9, 14; 2. Ne 3, 11 10, 24.†

***חָשׁוּק**: חשק: pl. sf. חֲשֻׁקֵיהֶם u. חֲשֻׁקֵיהֶם: **Querstangen** (zwischen Säulen) **joints** (*between pillars*) Ex 27, 10 f 36, 38 38, 10—12. 17. 19.†

חֲשֵׁיכָה: F חֲשֵׁכָה.

חשך: mhb. חָשׁוּךְ finster *dark*; F ba.; äga., ja. חשוכא Finsternis *darkness*; cp., sy. ܚܫܟ dunkel sein *be dark*; سَحْكُوك sehr dunkel *very dark*; Zusammenhang mit *connexion with* حَسَكَ wurde zornig *became angry*?):

qal: pf. חָשַׁךְ, חָשְׁכוּ, impf. תֶּחְשַׁךְ, יֶחְשְׁכוּ, תֶּחְשַׁכְנָה: **finster, dunkel sein, werden** *be, grow dark*: שֶׁמֶשׁ Js 13, 10 Ko 12, 2, כּוֹכָבִים Hi 3, 9, אוֹר Hi 18, 6, cj Js 5, 30 u. Hi 22, 11, יוֹם cj Hs 30, 18, אֶרֶץ Ex 10, 15, Aussehn *aspect* Th 4, 8; **dunkel werden** (von d. Augen) *grow dim* (*eyes*) Ps 69, 24 Th 5, 17 Ko 12, 3; 1 חָשְׁכָה Mi 3, 6;†

hif: pf. הֶחְשִׁיךְ, הַחֲשַׁכְתִּי, impf. יַחְשִׁךְ, וַיַּחְשִׁךְ Ps 105, 28, pt. מַחְשִׁיךְ: (es) **finster machen** *cause darkness* Ir 13, 16 Ps 105, 28, cj Ex 14, 20, **verfinstern** *make dark* Am 5, 8 (1 לְלַיְלָה); **sich als finster erweisen** *prove dark* Ps 139, 12; c. לְ **Finsternis bringen** *cause darkness* Am 8, 9; **verdunkeln** *obscure, confuse* Hi 38, 2.†

Der. חֹשֶׁךְ, חֲשֵׁכָה, *חָשֹׁךְ, מַחְשָׁךְ.

חֹשֶׁךְ: חשך; 1 חֹשֶׁךְ Hi 22, 11, 1 חֹשֶׁךְ 37, 19: sf. חָשְׁכִּי: 1. **Finsternis** *darkness*: kosmisch *cosmic* Gn 1, 2, = לַיְלָה 1, 4 f. 18 Ps 104, 20 139, 11 f Pr 20, 20 Hi 3, 4 12, 22, um Gott her *around God* Dt 5, 23 2 S 22, 12; בַּחֹשֶׁךְ im Finstern *in the dark* Hi 24, 16, im Erdinnern *in the midst of the earth* 28, 3; אוֹר :: חֹשֶׁךְ Js 5, 20 45, 7 59, 9 Am 5, 18. 20 (יוֹם יְ) Hi 17, 12 18, 18 26, 10 38, 19 Ko 2, 13 Th 3, 2; אֹפֶל // Js 29, 18 Hi 23, 17, אֲפֵלָה // Js 58, 10, שְׁאוֹל // 45, 3, מִסְתָּרִים // 60, 2, עֲרָפֶל // Hi 17, 13; חֹשֶׁךְ וְצַלְמָוֶת Ps 107, 10. 14 Hi 3, 5 10, 21; 2. **Verfinsterung** *obscuration* Ex 10, 21 Hs 32, 8 Jl 3, 4 Ps 105, 28; 3. (metaph.) **Finsternis** *darkness*: (דֶּרֶךְ רְשָׁעִים) Ps 35, 6, derer, die von Gott nichts wissen *of those not knowing God* 88, 13, = traurige Lage *situation of the distressed* 2 S 22, 29 Ps 18, 29, = Versteck, Heimlichkeit *secret, hiding-place* Js 47, 5 Hs 8, 12 Hi 34, 22, = Unbekanntheit *obscurity* Ko 6, 4, = Unheil *evil* Hi 15, 22. 30 20, 26; הָלַךְ בַּחֹשֶׁךְ Js 9, 1 Hi 29, 3 (1 בַּחֹשֶׁךְ) Ko 2, 14 6, 4; יֹשֵׁב חֹשֶׁךְ Js 42, 7 Mi 7, 8 Ps 107, 10; יוֹם חֹשֶׁךְ Jl 2, 2 Hi 15, 23; יְמֵי חֹשֶׁךְ Ko 11, 8; אֶרֶץ חֹשֶׁךְ Js 45, 19; דַּרְכֵי חֹשֶׁךְ Pr 2, 13; F Ex 10, 22 Dt 4, 11 Jos 2, 5 1 S 2, 9 Js 5, 30 49, 9 Na 1, 8 Ps 18, 12 112, 4 Hi 12, 25 Ko 5, 16; 1 וְהֶחְשִׁךְ Ex 14, 20.†

***חָשֵׁךְ**: חשׁך: pl. חֲשֵׁכִים: dunkel, unedel, gering *dark, obscure, low* Pr 22, 29.†

חֲשֵׁכָה (חֲשֵׁיכָה Ps 139, 12†): חשׁך: cs. חֶשְׁכַת Ps 18, 12†, pl. חֲשֵׁכִים Js 50, 10: **Finsternis** *darkness* Gn 15, 12 (l חֲ׳) Ps 18, 12 (2 S 22, 12 חַשְׁרַת!) 139, 12, cj Mi 3, 6; metaph. Js 8, 22 50, 10 (pl.) Ps 82, 5.†

חשׁל: mhb. pi., F ba.; ak. *ḫašālu* zerreiben *grind*; حَسَلَ (zurückgebliebnes, zerstreutes) Vieh antreiben *drive cattle (remained back dispersed) violently*:
nif: pt. נֶחֱשָׁלִים: **Nachzügler, Marschunfähige** *stragglers, unfit for marching, worn out* Dt 25, 18.†

חשׁם: F חֻשָׁם, חָשֻׁם, חָשְׁמוֹן, חַשְׁמֹנָה.

חָשֻׁם: n. m.; חשׁם? Noth S. 227: Esr 2, 19 10, 33 Ne 7, 22 8, 4 10, 19.†

חֻשָׁם: n. m.; חשׁם?: Edomiterkönig *king of Edom*: Gn 36, 34 f, = חוּשָׁם 1 C 1, 45 f.†

חֻשִׁם: n. p.; Text?: 1 C 7, 12.†

חֶשְׁמוֹן: n.l.; חשׁם; in SW von Juda: Jos 15, 27 (Der. *חַשְׁמוֹנִי Ἀσαμωναῖος Hasmonäer *Hasmonaean*, Joseph. Ant. 20, 8, 11 Mischna, Middoth 1, 6).†

חַשְׁמַל: ug. *ṣ̌rml*? ak. *ešmaru* (Zimm. 59), ἤλεκτρον: hellweisse Mischung v. Gold u. Silber *shining alloy of gold a. silver* (Lucas, Ancient Egyptian materials, 1926, 84—6): **Elektron, Blassgold** *electrum*: Hs 1, 4. 27 8, 2 (l הַחַשְׁמַל f. הַחַשְׁמַלָה).†

חַשְׁמֹנָה: n. l.; Wüstenstation *place in the desert*: Nu 33, 29 f.†

חַשְׁמַנִּים: Pseudoplural: = äg. *ḥsmn*: **Bronzesachen** (Waffen, Gefässe, Spiegel, Beschläge usw.) *bronze ware (weapons, vessels, mirrors, bands, etc.)* Ps 68, 32.†

חֹשֶׁן: חשׁן; حَسُنَ schön sein *be beautiful*: **Brustschild** (des Hohenpriesters) *breastpiece (of the high priest)* Ex 25, 7 28, 4—30 29, 5 35, 9. 27 39, 8—21 Lv 8, 8.†

חשׁק: mhb. drücken *press together*, ja. satteln *saddle (ass)*; ak. *ešēqu* verbinden *combine*:
qal: pf. חָשַׁק, חָשְׁקָה: c. בְּ **an jmd hangen, lieben** *be attached to, love*: Frau *woman* Gn 34, 8 Dt 21, 11 Si 51, 19 (חכמה); (Gott *God*) Dt 7, 7 10, 15; (d. Fromme an Gott *the pious to God*) Ps 91, 14; c. לְ c. inf. **daran hängen, zu** ... *love to* ... 1 K 9, 19 2 C 8, 6; l חָשַׂכְתָּ Js 38, 17;†
pi: pf. חִשֵּׁק: **verbinden** *join together* Ex 38, 28;†
pu: pt. מְחֻשָּׁקִים: **Verbindungen** (Querstangen) *joints* Ex 27, 17 38, 17;†
(nif: pt. נחשקת: **anhänglich** (Frau) *devotea (wife)* Si 40, 19).†
Der. חֵשֶׁק, *חִשֻּׁק, חִשֻּׁקִים.

חֵשֶׁק: חשׁק: sf. חִשְׁקִי: **herzlicher Wunsch** *desire, thing desired* 1 K 9, 1. 19 2 C 8, 6; נֶשֶׁף חִשְׁקִי die mir liebe Dämmerung *the twilight of my pleasure* Js 21, 4.†

***חִשֻּׁק**: חשׁק: pl. sf. חִשֻּׁקֵיהֶם: **Radspeiche** *spoke of a wheel* 1 K 7, 33.†

***חשׁר**: حَسَرَ blosslegen *remove from a covered thing*: F *חִשֻּׁר (חַשְׁרָה).

***חִשֻּׁר**: חשׁר: pl. sf. חִשֻּׁרֵיהֶם: **Radnabe** *nave, hub* 1 K 7, 33.†

[*חַשְׁרָה: חשׁר: cs. חַשְׁרַת: l חֶשְׁכַת 2 S 22, 12.†]

חשׁשׁ: حَشَّ (!ش): eintrocknen *dry*: F חֲשַׁשׁ.

חֲשַׁשׁ: חשש; حَشِيش: dürres Gras, Laub *dried grass, dried foliage* Js 5, 24 33, 11.†

חֻשָׁתִי: gntl. v. חוּשָׁה: 2 S 21, 18 23, 27 1 C 11, 29 20, 4 27, 11.†

I *חַת: חתת: sf. חִתְּכֶם Schrecken (vor euch) *terror (of you)* Gn 9, 2; 1 חִתָּה Hi 41, 25.†

II *חַת: חתת; adj. = עַז v. עזז: pl. חַתִּים: von Schrecken erfüllt *filled with terror* 1 S 2, 4 Ir 46, 5.†

חֵת: n. m.: Heth: S. v. כְּנַעַן Gn 10, 15 1 C 1, 13; בְּנֵי חֵת Gn 23, 3. 5. 10. 16. 18. 20 25, 10 49, 32; בְּנוֹת חֵת 27, 46; F חִתִּי.†

cj *חתא: ug. *ḥtʾ* zermalmen *crush*; ak. *ḫatū* einreissen *destroy*, إِخْتَتَأَ ist zerschlagen *is broken up* (Lisan 1, 16); Albr. BAS 82, 48 f; F I חתה: cj nif.: impf.: תֵּחָתֶאנָה: sind zerschlagen *are destroyed*, cj Ha 3, 7.†

I חתה: ak. *ḫtū* niederschlagen *knock down*, Driv. JTS 32, 255; F *חתא: qal: impf. sg. יַחְתְּךָ: niederschlagen *knock down* Ps 52, 7.†

II חתה: mhb., ja. חֲתָא scharren *rake*; ϣⲧⲉ angezündet werden *be set on fire*: qal: impf. יַחְתֶּה, inf. לַחְתּוֹת, pt. חֹתֶה: (Kohlenglut) zusammenscharren *rake together (slow fire)* Js 30, 14 Pr 6, 27 25, 22.† Der. מַחְתָּה.

***חִתָּה**: חתת: cs. חִתַּת: Schrecken *terror* Gn 35, 5.†

חִתּוּל: חתל: Verband, Schiene (f. gebrochnen Arm) *bandage (for broken arm)* Hs 30, 21.†

חַתְחַתִּים: חתת: Schrecken *terror* Ko 12, 5.†

חִתִּי: f. חִתִּית, pl. חִתִּים, f. חִתִּיּוֹת; F חֵת; Hethiter *Hittite*: 1. הַחִתִּי coll. a) in 3 = Reihe *in series of 3* Ex 23, 28 Nu 13, 29, cj Jd 3, 3; b) in 4 = Reihe *in series of 4* Jos 11, 3; c) in 5 = Reihe *in series of 5* Ex 13, 5 1 K 9, 20 2 C 8, 7; d) in 6 = Reihe *in series of 6* Ex 3, 8. 17 23, 23 33, 2 34, 11 Dt 20, 17 Jos 9, 1 12, 8 Jd 3, 5 Ne 9, 8; e) in 7 = Reihe *in series of 7* Dt 7, 1 Jos 3, 10 24, 11; f) in 8 = Reihe *in series of 8* Esr. 9, 1; g) in 10 = Reihe *in series of 10* Gn 15, 20; 2. Einzelne *individuals*: a) עֶפְרוֹן Gn 23, 10 25, 9 49, 29 f 50, 13; b) בְּאֵרִי Gn 26, 34; c) אֵילֹן Gn 26, 34 36, 2; d) אֲחִימֶלֶךְ 1 S 26, 6; e) אוּרִיָּה 2 S 11, 3. 6. 17. 21. 24 12, 9 f 23, 39 1 K 15, 5 1 C 11, 41; 3. חִתִּיֹּת Frauen v. *women of* Salomo 1 K 11, 1; 4. אֶרֶץ הַחִתִּים (ak. (*mātu Ḫat-ti*) = Syrien *Syria* Maisler BAS 102, 11[25]) Jos 1, 4 Jd 1, 26, cj 2 S 24, 6; 5. מַלְכֵי הַחִתִּים 1 K 10, 29 2 K 7, 6 2 C 1, 17; 6. אִמֵּךְ חִתִּית (Jerusalem) Hs 16, 3. 45; † חֵת ist *is heros eponymos* v. חִתִּי; die im AT erwähnten Hethiter sind versprengte Reste des Reiches der H. *the Hittites mentioned in OT are scattered remainders of the empire of Ḫatti*, ak. *Ḫatti*, ug. *Ḥtj*, äg. *Hiti*; F Garstang, The Hittite Empire, 1929, Goetze, Hethiter usw., 1936, Gelb, Hittite Hieroglyphs, 1932—42, Bruce, The Hittites and the O. T., 1947.

חִתִּית: חתת: sf. חִתִּיתָם: Schrecken *terror* Hs 26, 17 (1 חִתִּיתָהּ) 32, 23—27. 30. 32.†

חתך: mhb. schneiden, entscheiden, = ja. pa.: nif: pf. נֶחְתַּךְ: c. עַל ist bestimmt über *is determined upon* Da 9, 24.†

חתל: mhb. חוּתָל Verpackung (v. Datteln, aus Palmblättern) *woven date-basket*: pu: pf. חֻתָּלְתְּ: gewickelt werden *be swaddled* (Kind *infant*) Hs 16, 4; † hof: inf. הָחְתֵּל: gewickelt werden *be swaddled* Hs 16, 4.† Der. חִתּוּל, *חֲתֻלָּה.

חֲתֻלָּה*: חתל; ug. *ḫtl*: sf. חֲתֻלָּתוֹ: **Windeln** *swaddling-band* Hi 38, 9. †

חֶתְלֹן: n. l.; unbestimmt *uncertain*: Hs 47, 15 48, 1. †

חתם: mhb., *F* ba.; ph.; خَتَمَ, asa.; denom. v. חוֹתָם:

qal: impf. יַחְתֹּם, יַחְתּוֹם, inf. חָתוֹם, לַחְתֹּם, imp. חֲתוֹם, חֲתֹמוּ, חָתוֹם, pt. חֹתֵם, חֲתֻמִים: 1. **siegeln, versiegeln,** *seal, affix a seal*: Brief *letter* 1 K 21, 8, Kaufbrief *purchase-deed* Ir 32, 10. 44, סֵפֶר Js 29, 11 Ir 32, 11. 14 Da 12, 4, דְּבָרִים 12, 9; c. בְּעַד unter Siegel legen *put a seal about* Hi 9, 7 37, 7 (l בְּעַד); חָתַם בְּטַבַּעַת 'ח Dt 32, 34, בִּצְרוֹר 'ח Hi 14, 17, בְּאוֹצָר Est 8, 8. 10; בְּלִמֻּדָי 'ח (F לִמּוּד!) Js 8, 16; הַחֲתוּמִים Ct 4, 12; הֶחָתוּם Ne 10, 1 u. מַעְיָן חָתוּם 10, 2 mit Siegel versehn *attested by seal*; 2. (metaph.) **bestätigen** *confirm*, חָזוֹן u. נָבִיא Da 9, 24; †

nif: inf. נַחְתּוֹם, pt. נֶחְתָּם: **versiegelt werden, sein** *be sealed* Est 3, 12 8, 8, l חוֹתָם Hs 28, 12, l יַחְתֹּם Hi 33, 16, l וּלְהָתֵם Da 9, 24 a; †

pi: pf. חִתְּמוּ: (e. Haus) **versiegelt, verschlossen halten** (*a house*) *keep sealed* (?) Hi 24, 16; †

hif: pf. הֶחְתִּים: c. (מִזּוֹבוֹ) בְּשָׂרוֹ; hat s. Glied zur Verschliessung gebracht, **hat e. verstopftes** Glied (Harnverhaltung?) *has his genital organ sealed (by his flux), his g. o. is obstructed (ischuria?)* Lv 15, 3. †

Der. חֹתֶמֶת; *F* חוֹתָם.

חֹתֶמֶת: חתם: **Siegelgerät, Siegelring** *sealing-apparatus, signet-ring* Gn 38, 25. †

חתן: denom. v. חָתָן: ug. *ḫtn* verheiraten *to marry*: qal: pt. חֹתֵן, sf. חֹתְנוֹ, f. sg. חֹתַנְתּוֹ: חֹתֵן מֹשֶׁה **der M. zum Schwiegersohn hat** *whose son-in-law is M.* Ex 18, 1 f. 5. 12. 14. 17 Nu 10, 29 Jd 1, 16 4, 11; חֹתְנוֹ **der ihn zum Schwiegersohn hat** *whose son-in-law he is* Ex 3, 1 4, 18 18, 8. 15. 24. 27 Jd 19, 4. 7. 9; חֹתַנְתּוֹ die ihn zum Schwiegersohn hat *whose son-in-law he is* Dt 27, 23; †

hitp: pf. הִתְחַתַּנְתֶּם, impf. תִּתְחַתֵּן, imp. הִתְחַתֵּן, הִתְחַתְּנוּ: 1. c. אֶת **gegenseitig sich Schwiegersohn werden** *become each other's son-in-law*, Ehegemeinschaft mit einander haben *form marriage-alliance (connubium)* Gn 34, 9 (l אִתָּנוּ), c. בְּ dasselbe *the same* Dt 7, 3 Jos 23, 12 Esr 9, 14; 2. c. בְּ **jmd s. Schwiegersohn werden** *become somebody's son-in-law* 1 S 18, 21—23. 26 f Esr 9, 14, c. אֶת dasselbe *the same* 1 K 3, 1; c. לְ dasselbe *the same* 2 C 18, 1. †

Der. חֲתֻנָּה; *F* חָתָן.

חָתָן: mhb., ja., sy. ܚܬܢܐ Tochtermann *daughter's husband*; ug. *ḫtn*; ak. *ḫatānu* Verwandter durch Heirat *relative through marriage* (westsemitisch? Goetze Or. 16, 246 f), asa. מחתן (Bedeutung? *meaning*?): cs. חֲתַן, sf. חֲתָנוֹ, pl. sf. חֲתָנָיו: einer, der durch Heirat (als Tochtermann oder Schwager) mit e. andern (u. seiner Familie) verwandt ist *one who by marriage has become relative (son-in-law, brother-in-law) to an other man (a. h. family)*; Del. Prol. 20 f: ak. *ḫatānu* schützen *protect*; wer in d. Schutz der Eltern seiner Frau tritt *who gets the protection of his wife's father a. mother*; Wellhausen, Reste 175, u. viele andre *a. many others*: خَتَنَ beschneiden *circumcise*; wer v. Vater seiner künftigen Frau vor der Hochzeit beschnitten wird *he who is circumcised by his future wife's father before the marriage* (Gn 34): 1. **Tochtermann** *daughter's husband, son-in-law* Gn 19, 14 (dele וּ חֲתָן v. 12) Jd 15, 6 19, 5 1 S 18, 18 22, 14 Ne 6, 18 13, 28; 2. **Bräutigam, Neuvermählter** *bridegroom* :: כַּלָּה Js 61, 10 62, 5 Ir 7, 34 16, 9 25, 10 33, 11 Jl 2, 16 Ps 19, 6; חֲתַן דָּמִים Ex 4, 25 f (*F* Komm.); 3. חֲתַן בֵּית־אַחְאָב **durch Heirat** mit d. Hause **A. verwandt** *relative of the house of A. by marriage* 2 K 8, 27. †

Der. חתן.

חֲתֻנָּה*: חתן: חֲתֻנָּתוֹ: **Ehevollzug, Hochzeit** *marriage, wedding* Ct 3, 11.†

חתף: ja. wegreissen *snatch away*; sy. pa. zerbrechen *break in pieces*; ak. *ḫatāpu* II 2 niederschlagen *knock down*; حَتْف Tod *death* (?):
qal: impf. יַחְתֹּף: **hinraffen** *snatch away* Hi 9, 12.†

חֶתֶף: חתף: (Rauben *robbing* Si 50, 4, >) **Räuber** *robber* Pr 23, 28.†

חתר: mhb., ja. cp. bohren *bore*:
qal: pf. חָתַר, חָתַרְתִּי, impf. וָאֶחְתֹּר, יַחְתְּרוּ, imp. חֲתָר־: 1. c. בְּ **durchbrechen durch** *dig through* Hs 8, 8 12, 5. 7. 12 (l יַחְתֹּר); 2. c. בְּ **durchbrechen nach, in ... hinein** *dig into* Am 9, 2, Hi 24, 16 (בַּבָּתִּים < בַּחֹשֶׁךְ); 3. abs. **sich (rudernd) hindurcharbeiten** *work one's way through (by rowing)* Jon 1, 13.† Der. מַחְתֶּרֶת.

חתת: mhb. zerbrechen *crush*; ak. *ḫatū*; ug. *ḥtʾ* *ḫattu* Schrecken *terror*; **F** *חתא, I חתה:
qal: pf. חַת, חַתָּה, חָתָּה, חַתּוּ, חָתּוּ, imp. חֹתּוּ: **zerbrechen, von Schrecken erfüllt sein** *be shattered, filled with terror* 2 K 19, 26 Js 8, 9 20, 5 37, 27 Ir 8, 9 14, 4 48, 1. 20. 39 50, 2 (Gott *God* Marduk). 36 Ob 9 Hi 32, 15, cj Js 10, 4 (l חַת Gott *God* Osiris) cj Ir 51, 56 חַתָּה קַשְּׁתָם (= 1 S 2, 4?);†
nif: pf. נִחַת, impf. יֵחַת, יֵחָת, אֵחַתָּה, יֵחַתּוּ, תֵּחָתּוּ: 1. **zerschlagen sein** *be broken in pieces* Js 7, 8 Ma 2, 5; 2. **niedergeschlagen sein** *be disheartened* Dt 1, 21 31, 8 Jos 1, 9 8, 1 10, 25 1 S 2, 10 17, 11 Js 30, 31 51, 7 Ir 1, 17 10, 2 17, 18 23, 4 30, 10 46, 27 Hs 2, 6 3, 9 Hi 39, 22 1 C 22, 13 28, 20 2 C 20, 15. 17 32, 7, cj Ha 3, 7 (l תֵּחַת); 3. **erschreckt sein** *be filled with terror* Js 31, 4 (אַרְיֵה) 51, 6 (l יֵחָדֵל?), cj מְחִתַּת וַיֵּחַתּוּ (Dhorme) Hi 26, 5; l יֵחָתּוּ (נחת) Hi 21, 13;†
pi: pf. sf. חִתַּתַּנִי: **niedergeschlagen machen** *dishearten* Hi 7, 14; l חַתָּה pro חִתְּתָה Ir 51, 56;†
hif: pf. הֵחַתֹּתִי, הַחִתֹּתָ (BL 437), impf. sf. יְחִתֵּם, cj יְחִתֶּךָּ Ha 2, 17, cj אֲחִתְּךָ, יְחִתֵּנִי Hi 33, 16: **zerschmettern** *shatter*: (phys.) Js 9, 3, (psych.) Ir 1, 17 49, 37, cj Ha 2, 17, Hi 31, 34, cj 33, 16.†
Der. I u. II *חַת, *חִתָּה, חַתְחַתִּים, חִתִּית, מְחִתָּה, חֲתַת.

חֲתַת: חתת: **Schrecken, Verwirrung** *terror, disorder* Hi 6, 21, cj 41, 25; **F** חֲתַת.†

חֲתַת: n. m.; = חִתִּית?: 1 C 4, 13.†

ט, טֵית (Driv. SW 154—8 166 f 171 178 f 184), Τηθ (Th 3, 27), später = 9 *later on* = 9, טו = 15 u. טז = 16, um יה u. יו zu vermeiden *to avoid* יה *a.* יו. ט ist ein unaspiriertes t (:: ת = ϑ), wie in franz. *table, temps, tout*, ein „hartes" d; ט *is t without any aspiration, not like t in task, time, tore, rather like a „strong" d would be spelled in doe, dime, dare* (:: ת = ϑ); ט = τ: שָׂטָן σατανας, טוֹבִיָּה Τωβιας etc. ט findet sich als besondrer Laut in allen semitischen Sprachen; ט *occurs as special sound a. sign in all Semitic languages*: **F** BL 166 r, Brgstr. Gr. 87 f. Beachte *mark*: *הִצְטַדֵּק < הִצְתַּדֵּק < הִתְצַדֵּק etc.; *הִטַּהֵר < *הִתְטַהֵר etc.; **F** *טִבָּה.

טאטא: denom. v. טִיט; Wort der Dienstbotensprache *slang of servants*, Rōš haššānā 26 b; F סאסא:
pi: pf. sf. טֵאטֵאתִיהָ: **wegfegen** *sweep* Js 14, 23.†
Der. מַטְאֲטֵא.

טָבְאֵל: F טָבְאֵל.

טָבְאַל: n. m.; aram. טָב = hebr. טוֹב u. אֵל, cf. טוֹבִיָּה; ak. *Ṭāb-ilum*; > טָבְאַל Js 7, 6 (absichtliche Verunstaltung: zu nichts gut *deliberate disfigurement: good-for-nothing*): 1. Js 7, 6; 2. persischer Beamter *Persian official* Esr 4, 7.†

cj ***טָבָה**: ja. טָבָא, sy. ܛܒܐ; aram., entspricht *corresponds to* hebr. דִּבָּה (ZAW 33, 154 f); *טבב, طَبَّ, ጠበ Kenntnis haben *know*: pl. sf. טִבֹּתָיו: **Gerücht** über ihn *rumour concerning him*: cj Ne 6, 19.†

טְבוּלִים: II טבל; pl. tant.: **Kopfbund, Turban** *turban* Hs 23, 15.†

טַבּוּר: טבר; mhb. טִבּוּר u. טַבּוּר; ja. טִבּוּרָא: **Nabel, Mitte** (der Erde, des Landes) *navel, centre* (*of the earth, the country*); Wensinck, *The ideas of western Semites concerning the navel of the earth*, Amsterdam, 1916): Jd 9, 37 Hs 38, 12; Jubil. 8, 19.†

טבח: mhb., ja., sy. pa.; ug. *ṭbḫ*, ak. *ṭabāḫu*; ph. טבח Koch, Schlächter *cook, slaughterer*, מטבח Schlachtplatz *slaughtering-place*, طَبَخَ, asa. טבה, ጠበሐ schlachten *slaughter*:
qal: pf. טָבְחָה, sf. טְבָחוֹ, inf. טְבֹחַ, imp. טְבַח, pt. טֹבֵחַ: 1. (im Orient wird Schlachten u. Sieden von denselben, von Männern besorgt *in the East slaughtering and boiling is man's business*) **schlachten** *slaughter, butcher* (:: זבח zum Opfer schlachten *kill for sacrifice*) Gn 43, 16 Ex 21, 37 Dt 28, 31 1 S 25, 11 Ir 11, 19 51, 40 Pr 9, 2; 2. (metaph.) **abschlachten** (Menschen) *kill ruthlessly* (*people*) Ir 25, 34 Hs 21, 15 Ps 37, 14 Th 2, 21.†
Der. I u. II טֶבַח, טַבָּח, *טַבָּחָה, טִבְחָה, מַטְבֵּחַ.

I טֶבַח: טבח: טֶבַח, sf. טִבְחָהּ: **Schlachtung** *slaughtering* Js 34, 2. 6 53, 7 65, 12 Ir 48, 15 50, 27 Pr 7, 22; טָבַח טֶבַח e. **Schlachtung veranstalten** *organize a. slaughtering* Gn 43, 16 Hs 21, 15 Pr 9, 2; F II טֶבַח.†

II טֶבַח: n. m.; = I; zur Zeit der Schlachtung geboren *born at the time of a slaughtering*: Gn 22, 24.†

cj **III טֶבַח**: n. l.; F טִבְחַת: cj 2 S 8, 8.†

טַבָּח: טבח; ph.; F ba.: pl. טַבָּחִים: 1. **Schlächter, Koch** (der auch kocht u. aufträgt) *butcher, cook* (*who also boils a. serves the food*) 1 S 9, 23 f; 2. pl. **Leibwache** *bodyguard* (die auch für den Hof schlachten, kochen u. auftragen *who also slaughter, cook a. serve for the court*), שַׂר טַבָּחִים Oberster d. Leibwache *captain of the bodyguard* Gn 37, 36 39, 1 40, 3 f 41, 10. 12, = רַב טַבָּחִים 2 K 25, 8—20 (7 ×) Ir 39, 9—52, 30 (17 ×); F *טַבָּחָה.†

***טַבָּחָה**: f. v. טַבָּח: pl. טַבָּחוֹת: (Fleisch-) **Köchin** *female cook* (*of meat*) 1 S 8, 13.†

טִבְחָה: טבח: sf. טִבְחָתִי: **Schlacht-Fleisch** *slaughtered meat* 1 S 25, 11 Ir 12, 3 Ps 44, 23, cj Hs 21, 20.†

טִבְחַת: n. l.; = II בֶּטַח cj טֶבַח 2 S 8, 8; cf. EA 179, 15 *Tubiḫi* (F S. 1279 u. Clauss, ZDP 30, 62); äg. *Dbḫ* (ETL 221)? in Syrien: 1 C 18, 8.†

I טבל: mhb., ja.; طَمَلَ:
qal: pf. טָבַל, טָבַלְתְּ, impf. וַיִּטְבֹּל, תִּטְבְּלֵנִי: c. בְּ **eintauchen in** (e. Flüssigkeit) *dip into* (*a liquid*): Gn 37, 31 Ex 12, 22 Lv 4, 6 9, 9 14, 6. 51 Nu 19, 18 Dt 33, 24 2 K 8, 15 Hi 9, 31

Ru 2, 14 (Brot in Essig *morsel in vinegar*); c. מִן־הַדָּם Lv 4, 17 u. מִן־הַשֶּׁמֶן 14, 16 in etwas Blut, Öl eintauchen *dip into some blood, oil*; c. בְּ **untertauchen in** *dive, plung into* 2 K 5, 14; †

nif: pf. נִטְבְּלוּ: **wurden eingetaucht** *were dipped into* Jos 3, 15. †

II טבל: 𐡈𐡁𐡋 umwinden *wrap up*: Der. טְבוּלִים.

טְבַלְיָהוּ: n. m.; < *טְבַלְיָהוּ (טָב u. לְ u. יו?): 1 C 26, 11. †

טבע: mhb., ja., sy.; ph. טבע Prägung, Aufschrift *coinage, imprint*; ak. *ṭebû* versinken *sink in*; طَبَعَ siegeln, prägen *seal, imprint*; 𐡈𐡁𐡏 eintauchen *dip*:

qal: pf. טָבַעְתִּי, טָבְעוּ, impf. וַיִּטְבַּע, אֶטְבְּעָה: **eindringen, einsinken** (בְּ) *sink down*: 1 S 17, 49 Ir 38, 6 Ps 9, 16 69, 3. 15 Th 2, 9, cj pt. טֹבֵעַ Hi 30, 24; †

pu: pf. טֻבְּעוּ: **versenkt werden** *be sunk* Ex 15, 4; †

hif: cj pf. הִטְבִּיעוּ: **versinken lassen** *cause to sink* cj Ir 38, 22; †

hof: pf. הָטְבָּעוּ, הָטְבָּעוּ: **eingesenkt werden, in ihren Sockel gestellt werden** *be sunk, be settled, planted* Pr 8, 25 Hi 38, 6, l הִטְבִּיעוּ Ir 38, 22. †

Der. טַבַּעַת, n. m. טַבָּעוֹת.

טַבָּעוֹת: n. m.; pl. v. טַבַּעַת: Esr 2, 43 Ne 7, 46. †

טַבַּעַת: טבע: mhb. Ring *ring*, טֶבַע Münze *coin*, ja. טִבְעָא, טַבְעָא Münze *coin*, sy. ܛܒܥܐ Siegel, Münze *seal, coin*; ak. *ṭimbuʾu, ṭimbûtu* Siegelring *seal-ring*; äg. *ḏbʿ.t* Siegel *seal*: sf. טַבַּעְתּוֹ, pl. טַבָּעוֹת, cs. טַבְּעֹת, sf. טַבְּעֹתָיו, טַבְּעֹתֵיהֶם: 1. **Siegelring** *signet-ring* (F חוֹתָם) Gn 41, 42 Est 3, 10. 12 8, 2. 8. 10, Frauenschmuck *adornement of women* Ex 35, 22 Nu 31, 50 Js 3, 21; 2. **Ring** (zum Halten u. Tragen) *ring* (*for staves, curtains etc.*) Ex 25, 12. 14 f 37, 3. 5, 28, 23 f. 26—28 39, 16 f. 19—21, 25, 26 f 37, 13 f, 26, 24. 29 36, 29. 34, 30, 4 37, 27 27, 4. 7 38, 5. 7. †

*טבר: F טַבּוּר.

טַבְרִמֹּן: n. m.; aram. טָב = hebr. טוֹב u. (Gott *God*) רִמּוֹן: Vater v. *father of* בֶּן־הֲדַד 1 K 15, 18. †

טֵבֵת: nab., palm.; < ak. *Ṭebîtu*, Name des 10. Monats *name of the 10th month*, = Dez.-Januar: Est 2, 16. †

טַבָּת: n. l.; im Jordantal, *in the Valley of Jordan*: Jd 7, 22. †

טָהוֹר: F טָהֹר.

טהר: mhb., pi. für rein erklären *declare* (*ceremonially*) *clean*; ja. *be clean*, טַהֲרָא Reinheit, Leere *cleanness, emptiness*; ug. *ṭhr* rein *pure*; طَهُرَ rein sein *be clean, pure*; asa. טהר rein *clean*; äth. F Nöld. NB 36:

qal: pf. טָהֵר, טָהֲרָה, טָהַרְתִּי, impf. יִטְהַר, תִּטְהַר, אֶטְהָר, תִּטְהֲרִי, תִּטְהָרוּ, imp. טְהָר: **rein sein** (c. מִן v. kultischer Verunreinigung) *be clean* (*ceremonially*; מִן *from*) Lv 11, 32 13, 6. 34. 58 14, 8 f. 20. 53 15, 13. 28 16, 30 17, 15 22, 4. 7 Nu 19, 12. 19 31, 23 f Hs 24, 13 36, 25 Pr 20, 9, v. Krankheit *from disease* 2 K 5, 10. 12—14; (moralisch? *morally*?) Ir 13, 27 Hi 4, 17 (מִן gegenüber *in the eyes of*); †

pi: pf. טִהַר, טִהֲרָה, טִהַרְתִּי, sf. טִהַרְתִּים, טִהַרְתִּיךְ, טִהֲרוֹ, וְטִהֲרוּ, impf. אֲטַהֵר, sf. תְּטַהֲרֵם, inf. טַהֵר, sf. טַהֲרוֹ, טַהֲרָם, imp. sf. טַהֲרֵנִי, pt. מְטַהֵר: 1. **rein fegen** *cleanse*: כֶּסֶף Ma 3, 3; שָׁמַיִם Hi 37, 21; 2. (מִן von kultischer Verunreinigung) **für rein erklären** *pronounce clean* (מִן *from*): Kranke *sick persons* Lv 13, 6. 13. 17. 23. 28. 34. 59 14, 7. 11. 48, d. Volk *the people* Lv 16, 30 Ir 33, 8 Hs 36, 25. 33 37, 23

Ne 12, 30, Sünder *sinner* Ps 51, 4, Leviten *Levites* Nu 8, 6f. 15. 21 Ma 3, 3, Altar *Altar* Lv 16, 19 Hs 43, 26, Tempel *temple* 2 C 29, 15f 34, 8, Tempelanbau *outhouse of the temple* Ne 13, 9, Tore u. Mauern Jerusalems *towers a. walls of Jerusalem* Ne 12, 30, d. Land *the country* Hs 39, 12. 14. 16 2 C 34, 3. 5. 8; †
pu: cj pf. טֹהַר **für rein erklärt werden** *be pronounced clean* cj 1 S 20, 26[2]; l הַמְטֹהָרָה pro מְטֹהָרָה IIs 22, 24; †
hitp. pf. הִטַּהֲרְנוּ, הִטֶּהָרוּ, הִטַּהָרוּ, impf. וַיִּטַּהֲרוּ (Var. וַיִּטַּהֲרוּ) Ne 12, 30, imp. הִטַּהֲרוּ, pt. מִטַּהֵר, מִטַּהֲרִים: **sich (kultisch) reinigen** *cleanse, purify (ceremonially) oneself* Gn 35, 2 Lv 14, 4—31 (12 ×) Nu 8, 7 Jos 22, 17 (מִן von *from*) Js 66, 17 (in fremdem Kult *in foreign worship*) Esr 6, 20 Ne 12, 30 13, 22 2 C 30, 18. †
Der. טֹהַר, (טְהָר*), טָהוֹר, טָהֳרָה.

טֹהַר: טהר: sf. טָהֳרָהּ: **1. Reinheit, Klarheit** (d. Himmels) *purity, brightness (of the heaven)* Ex 24, 10; **2.** (kultische) **Reinigung** *(ceremonial) purifying* Lv 12, 4. 6. †

[***טְהָר**: טהר: sf. טְהָרוֹ: l מַטֵּה הוֹדוֹ Ps 89, 45. †]

טָהוֹר, טָהֹר (91 ×): טהר, ug. *ṭhr*: cs. טְהוֹר, וּטְהָר־, טְהָר־ Hi 17, 9, pl. טְהוֹרִים, f. טְהוֹרָה, pl. טְהוֹרוֹת: **1. rein, lauter, gediegen** *pure*: Gold *gold* Ex 25, 11—39 (8 ×) 28, 14. 22. 36 30, 3 37, 2—26 (9 ×) 39, 15. 25. 30 1 C 28, 17 2 C 3, 4 9, 17 Hi 28, 19, קְטֹרֶת Ex 30, 35 37, 29; aus lauterm Gold *made of pure gold*: Leuchter *candlestick* Ex 31, 8, Tisch *table* Lv 24, 6; **2.** (kultisch) **rein** *(ceremonially) clean* (:: טָמֵא Lv 10, 10): Mensch *man* Lv 7, 19, Tier *animal* Gn 7, 2, *bird* Vogel Lv 14, 4, Gn 8, 20 Dt 14, 11, Opfer *offering* Ma 1, 11, Wasser *water* Hs 36, 25, Quelle *well* Lv 11, 36, Same *seed* 11, 37, Gefäss *vessel* Js 66, 20, Turban *turban* Sa 3, 5, Ort *place* (ak. *ašru ellu* Haupt JBL 19, 55. 62) Lv 4, 12; טָהוֹר was rein ist *the clean* Dt 12, 15; בְּיוֹם הַטָּהוֹר wenn etwas rein ist *when it is clean* Lv 14, 57; **3.** (moralisch) **rein** *(ethically) clean, pure*: Augen *eyes* Ha 1, 13, Hände *hands* Hi 17, 9, Worte *words* Ps 12, 7, Herz *heart* 51, 12, יִרְאַת יהוה 19, 10; :: תּוֹעֲבָה Pr 15, 26; l טֹהַר (טהר pu.) 1 S 20, 26[2].

טָהֳרָה: טהר: cs. טָהֳרַת, sf. טָהֳרָתוֹ: (kultische) **Reinheit** *(ceremonial) purification* 1 C 23, 28 2 C 30, 19; **Feststellung der** (kultischen) **Reinheit** *establishment of (ceremonial) purification* Lv 13, 7. 35 14, 2. 23. 32 15, 13 Nu 6, 9 Hs 44, 26 Ne 12, 45; (schwierig *difficult*) דְּמֵי טָהֳרָה Lv 12, 4f. †

טוב (die Scheidung von טוב als Verbum u. טוב als Adjectivum ist unsicher *in some cases it is impossible to tell whether* טוב *is verb or adjective*): Sem; ug. *ṭb* gut *good*, *ṭbn* Güte *goodness*; mhb. טוב u. Der.; aram. טָב u. Der., F ba. טאב; ak. *ṭābu* gut sein *be good* u. Der.; طَابَ, يَطِيبُ gut, angenehm sein *be good, pleasant* u. Der., asa. טוב gut *good*; nicht *not* äth: qal: pf. טוֹב (= טוֹב adj!), טֹבוּ (Nu 24, 5 Ct 4, 10), inf. טוֹב; impf. יִיטַב (F יטב): **1. angenehm, beliebt sein** *be pleasant, liked* 1 S 2, 26, **angenehm, süss s.** *be pleasant, delightful* Ct 4, 10; **2. froh, fröhlich sein** *be joyful, glad* 1 S 25, 36, כְּטוֹב לֵב wenn er guter Dinge wird *if he is in a merry mood* 2 S 13, 28 Est 1, 10 Jd 16, 25; **3. erfreulich, schön sein** *be pleasant, lovely* Nu 24, 5; **4.** טוֹב בְּעֵינֵי **es erscheint rätlich, gut** *it seems desirable, good* 2 S 3, 19. 36 15, 26 19, 38, c. לְ c. inf. Nu 24, 1; **5. erträglich, behaglich, gut sein,** *be appropriate, becoming, good*: טוֹב לָנוּ es geht uns gut *it is well with us* Nu 11, 18, טוֹב לוֹ עִמָּךְ Dt 5, 30, לְמַעַן טוֹב לָכֶם ihm ist wohl bei dir *he is well with thee* 15, 16; **6. gut, wertvoll sein** *be good, precious*: הֲטוֹב אַתָּה מִן bist du besser als *art thou better, more precious than* Jd 11, 25, טוֹב לִי es ist gut,

heilsam für mich *it is good, wholesome for me* Ps 119, 71; †
hif: pf. הֵיטִבֹתָ: **recht handeln** *act right* 1 K 8, 18 2 C 6, 8, c. לְ c. inf. dass ... *to* ... 2 K 10, 30; F יטב hif. †
Der. I u. II טוֹב, טוּב, טוֹבָה; n. m. c. טוֹב־, טָבֵב־, טָבֵב־.

I טוֹב (adj., F zu טוב!), 390 ×: טוב: sf. טוֹבָם, pl. טוֹבִים, טֹבִים, cs. טוֹבֵי, f. טוֹבָה, טֹבָה, cs. טוֹבַת, טֹבַת, sf. טוֹבָתִי, pl. טֹבוֹת, טוֹבוֹת: **gut** (in allen Spielarten der Bedeutung: angenehm, brauchbar, zweckmässig, schön, freundlich, recht, sittlich gut *good in every variety of meaning: pleasant, useful, efficient, beautiful, kind, right, morally good*: 1. **angenehm** *pleasant, delightful*: מנוחה Gn 49, 15, פָּתַר טוֹב deutet günstig *interpretes favorably* 40, 16, יוֹם טוֹב Festtag *festival day* 1 S 25, 8, מוֹשַׁב עִיר 2 K 2, 19, קִרְבַת אֱלֹהִים Ps 73, 28, טוֹב בְּעֵינַי es wäre mir angenehm *it would be a pleasure for me* 1 S 29, 6, דְּבָרִים טוֹבִים es steht gut *things are good* 2 C 12, 12; c. לְ c. inf. vel nom.: לְמַאֲכָל angenehm zu essen *delightful to eat* Gn 2, 9 3, 6, טוֹב עֲבֹד Ex 14, 12, טוֹב לִרְאוֹת Ko 11, 7; 2. **brauchbar** *useful, handy*: דֶּבֶק Js 41, 7, שָׁנִים ertragreich *prosperous* Gn 41, 35, בְּהֵמָה Lv 27, 10, אֶרֶץ טוֹבָה Ex 3, 8 (u. 17 ×), כֶּרֶם טוֹב 1 K 21, 2, עֵץ 2 K 3, 19. 25, Feigen *figs* Ir 24, 2 f. 5; טוֹב עַל־הַמֶּלֶךְ es sagt dem König zu *it is convient for the king* Ne 2, 5, אַדֶּרֶת Jos 7, 21, עֵצָה 2 S 17, 7; 3. **zweckmässig,** in seiner Art recht *efficient, right in his kind*: וַיַּרְא כִּי טוֹב Gn 1, 4, טוֹב es ist recht *it is right* 1 S 20, 7, טוֹב הַדָּבָר = 1 K 18, 24, כִּי טוֹב es ist gut, wenn *it is good if* 2 S 18, 3, הֲטוֹב לְךָ ist es Gewinn für dich? hast du etwas davon? *is it of becoming for thee?* Hi 10, 3; 4. **schön** *pleasing, beautiful*: Neugeborner *a new-born one* Ex 2, 2, טוֹבָה מִן schöner als (Mädchen) *fairer than (girl)* Jd 15, 2, גְּדֹלֹת וְטֹבֹת (Städte *cities*) Dt 6, 10, טוֹב רֳאִי 1 S 16, 12, טוֹבֵי מַרְאֶה 1 K 1, 6, טוֹב תֹּאַר Da 1, 4, שֵׂיבָה טוֹבָה schönes Alter *good old age* Gn 15, 15; 5. **freundlich, gütig** *kind, friendly*: טֹבִים לָנוּ freundlich gegen uns *good unto us* 1 S 25, 15, טוֹב יהוה J. ist gütig *Y. is good, kind* Ir 33, 11 Na 1, 7 Ps 145, 9 (u. 18 ×), דִּבֶּר טוֹב עִם redet gütig mit *speaks friendly to* Gn 31, 24. 29, הָיָה לְטוֹב zeigt sich freundlich *is kind* 2 C 10, 7; 6. **gut** (das eigentliche Wesen, den Wert betonend) *good (emphasizing the true character a. value)*: רוּחֲךָ טוֹבָה (Gottes *of God*) Ps 143, 10, זָהָב טוֹב Gn 2, 12, מִשְׁפָּטֶיךָ טוֹבִים Ps 119, 39; אִישׁ טוֹב wacker *honest* 2 S 18, 27, pl. 1 K 2, 32; 7. **sittlich gut** *ethical good*: טוֹב וָרָע Gn 2, 17 (F Komm!) 3, 5. 22 Dt 1, 39 2 S 19, 36; הַטּוֹב :: הָרָע Dt 30, 15 2 S 14, 17 Js 5, 20 7, 15 f Am 5, 14 f Mi 3, 2 6, 8 Ps 52, 5 Ko 9, 2 12, 14; הַטּוֹב בְּעֵינֵי recht nach d. Urteil von *good in the eyes (judgement) of* Gn 16, 6 Nu 36, 6 Dt 6, 18 (u. 23 ×); דֶּרֶךְ הַטּוֹב Ir 6, 16, הַדֶּרֶךְ הַטּוֹבָה 1 S 12, 23 1 K 8, 36; טוֹב guten Willens *of good will* 2 C 19, 11; 8. Einzelnes *particulars*: טוֹב ist häufig in Redensarten u. stehenden Wendungen *is frequently used in common sayings a. coined phrases*; F 1.—7. passim; בַּטּוֹב לוֹ wo es ihm gefällt *where he pleases* Dt 23, 17; מָצָא טוֹב Glück finden *find fortune* Pr 16, 20 17, 20 18, 22; dele הַטּוֹבִים 1 K 20, 3; l מִבֶּטֶא Ps 39, 3, l כַּטּוֹב pro כִּי טוֹב 109, 21.
Der. טוֹבָה, n. m. אִישׁ טוֹב.

II טוֹב: טוב; طِيبٌ: **Wohlgeruch,** *perfume*: קָנֶה טוֹב (MT הַטּוֹב, ה dittogr.), ak. *qanū ṭābu* Kahnbartgras *Cymbopogon* (Löw 1, 692 ff) Ir 6, 20; שֶׁמֶן טוֹב (ak. *šamnu ṭābu*) wohlriechendes Öl *scented oil* Js 39, 2; יֵין הַטּוֹב

mit Würzstoff versetzter, duftender W. *spiced, perfumed w.* Ct 7, 10.†

III **טוֹב**: n. t.; äg. *Tu-by* Maisler 43—45; aramäische Landschaft *Aramaean country* ö. Jordanquellen *sources of Jordan*; Τούβιον 1 Mk. 5, 13, Τουβινός 2 Mk 12, 17: אֶרֶץ טוֹב Jd 11, 3. 5, אִישׁ טוֹב 2 S 10, 6. 8.†

טוּב: טוּב: cs. טוּבִי: Gutes, Güter *good things*: 1. **das Beste,** was e. Ort, e. Mensch hat *the best things of a place or a person* Gn 24, 10 45, 18. 20. 23 Dt 6, 11 2 K 8, 9 Js 1, 19 Ps 65, 5 128, 5 Ne 9, 25, פְּרִיָהּ וְטוּבָהּ Ir 2, 7 Ne 9, 36, **Wohlstand** *wealth* Pr 11, 10 Hi 20, 21 21, 16, **Glück, Güte,** die J. schenkt *good things, goodness given by Y.* Js 63, 7 Ir 31, 12 (דָּגָן, תִּירשׁ, יִצְהָר u. Vieh *a. cattle*) Ho 3, 5 Ps 25, 7 (sündenvergebende Güte *forgiving goodness*) 27, 13 31, 20 145, 7 Ne 9, 35, cj Ps 109, 21; 2. das Treffliche, Tüchtige *the valuable, qualified things*: **Schönheit** *beauty* Ex 33, 19 Ho 10, 11 Sa 9, 17 (l טוֹבָה?); טוּב לֵב **frohes Herz** *joy of heart* Dt 28, 47 Js 65, 14; dele Ps 119, 66.†
Der. n. m. אֲבִיטוּב u. אֲחִיטוּב.

[**טוֹב אֲדֹנִיָּה**: dele (dittogr.) 2 C 17, 8.†]

טוֹבָה, טֹבָה: f. v. טוֹב; subst. u. adj. oft schwer zu unterscheiden *in many cases it is difficult to tell whether* טובה *is subst. or adj.*: sf. טוֹבָתִי, pl. טֹבוֹת: **Gutes, Erfreuliches, Glück** *good things, pleasant things, fortune* Ir 18, 10 32, 42 33, 9 Ps 106, 5 Hi 22, 21 Th 3, 17 Ko 4, 8 5, 10. 17 6, 3. 6 7, 14 9, 18 Esr 8, 22; von Gott gesagt *said of God*: m. Gut, Glück *my good* Ps 16, 2; אָכַל בַּטּוֹבָה Glück geniessen *enjoy fortune* Hi 21, 25; F שָׁנָה, אוֹת; oft *frequently*: ; רָעָה, F שָׁלֵם, שָׁלוֹם, הֵשִׁיב; חָשַׁב לְטוֹבָה עַל es gut im Sinn haben mit *mean it good for* Gn 50, 20; עָשָׂה טוֹבָה לְ jm. Gutes erweisen *do goodness to* Ex 18, 9 1 K 8, 66 2 C 7, 10; c. בְּ sich verdient machen um *deserve well of* 2 C 24, 16, c. עִם Jd 8, 35 9, 16, c. אֶת־ 1 S 24, 19 2 S 2, 6; גָּמַל טוֹבָה אֶת־ 1 S 24, 18; דִּבֶּר טוֹבַת אֶת־ freundlich reden mit *speak kindly to* 2 K 25, 28 Ir 52, 32, c. אֶל 12, 6; דִּבֶּר טוֹבָה עַל jm. Gutes verheissen *promise good things to* 1 S 25, 30 2 S 7, 28 1 C 17, 26; לְטוֹבָה freundlich, wohlwollend *kindly, benevolently*, c. הִכִּיר Ir 24, 5, c. זָכַר לְ Ne 5, 19 13, 31, c. הִתְנַבֵּא עַל 2 C 18, 7; דִּבֶּר טוֹבָה עַל jm. zum Besten reden *speak good for* Ir 18, 20; בִּקֵּשׁ טוֹבָה לְ Ir 14, 11; הִתְפַּלֵּל לְטוֹבָה בְּעַד sich um s. Wohl kümmern *care for the welfare of* Ne 2, 10; דָּרַשׁ טוֹבָתָם nach ihrem Wohl fragen *care about their prosperity* Dt 23, 7 Esr 9, 12; וַיְחַזְּקוּ יְדֵיהֶם לְטוֹבָה für d. gute Werk *for the good work* Ne 2, 18; F הוֹתִיר; טוֹבָתְךָ in d. Güte *with thy goodness* Ps 65, 12; טֹבוֹתָיו Ne 6, 19 F *טֹבָה.

טוֹבִיָּה: n. m.; < טוֹבִיָּהוּ; Dir. 351; keilschr. *Ṭābiga* Tallq. APN 236 a; טוביה *ʿArāq el-Emīr* Eph. 2, 49; Τωβια: 1. Sa 6, 10. 14; , 2. Esr 2, 60 Ne 7, 62; 3. הָעֶבֶד הָעַמֹּנִי Ne 2, 10. 19 3, 35 4, 1 6, 1. 12. 14. 17. 19 13, 4. 7 f.†

טוֹבִיָּהוּ: n. m.; טוֹב u. יי; > טוֹבִיָּה: 2 C 17, 8.†

טוה: mhb., F ba. טְוָת; ak. *ṭamû* spinnen *spin*, طوى falten *fold*, ጠወየ drehen *be twisted*: qal: pf. טָווּ **spinnen** *spin* Ex 35, 25 f.†
Der. מַטְוֶה.

טוח: mhb., ja. überziehn *overlay, besmear*; ug. *ṭḥ*; neopu. מטח Tünche *plastering*; طَلَخَ beschmutzen *oversmear*; ጠለ bestreichen *spread over*; F טחח:
qal: pf. טָח, טַחְתֶּם, טָחוּ, inf. טוֹחַ, pt. טָחִים, cs. טָחֵי: c. 2 ac. etw. (Wand, Haus) mit etw. (תָּפֵל, טִיחַ, עָפָר) **bestreichen** *plaster, coat (wall, house, etc.) with (gold, silver,* עָפָר, *etc.)* Lv 14, 42 1 C 29, 4 Hs 13, 10—12. 14 f; c. ac. u. לְ: jm. etw. **darüberstreichen** *coat something for a person* Hs 22, 28;†

nif: inf. הָטּוֹחַ, הִטּוֹחַ: **überstrichen werden** *be coated* Lv 14, 43. 48.†
Der. טִיחַ.

טוֹטָפֹת, טֹטָפֹת: < *טַפְטֶפֶת (נטף), mhb. טוֹטֶפֶת, ja. טוֹטַפְתָּא Kopfschmuck (d. Frauen), Phylakterien (*women's*) *head-dress, phylacteries*: **Anhänger, Merkzeichen** *appendage, phylacteries, mark* (auf d. Stirn *between the eyes*) Ex 13, 16 Dt 6, 8 11, 18.†

טול; mhb. pi., ja. טַיֵּל umhergehn *walk about*, mhb. טִלְטֵל, ja. טַלְטֵל bewegen *move*, طَالَ lang sein *be extended*, asa. טל Länge *length*:
hif: הֵטִיל, הֲטִלְתִי, impf. וַיָּטֶל, וַיְטִילוּ, sf. אֲטִילְךָ, וַיְטִלֻהוּ, imp. sf. הֲטִילֻנִי: **von Weitem werfen, weithin werfen** *cast from afar, cast out*: חֲנִית 1 S 18, 11 20, 33, רוּחַ (Gott *God*) Jon 1, 4 f., Menschen *men* Jon 1, 12. 15 Ir 16, 13 22, 26 Hs 32, 4;†
hof: pf. הוּטְלוּ, impf. יוּטָל, יֻטַל, יוּטָל: **hingeworfen werden** *be hurled down* Ir 22, 28 Ps 37, 24 Hi 41, 1 Pr 16, 33;†
pilp: pt. sf. מְטַלְטֶלְךָ **in weitem Bogen hinwerfen** *cast down far away* Js 22, 17.†
Der. טַלְטֵלָה.

***טור**: F טוּר, טִירָה.

טוּר: טוּר; sy. ܛܘܪܐ Raum (Zeit u. Platz) *space* (*of time or distance*); طَوْر Mal *time* (lat. *vicis*): pl. טוּרִים, cs. טוּרֵי: **Lage, Reihe** *course, row*: גָּזִית 1 K 6, 36 7, 12, Balken *beams* 6, 36, 7, 2 f. 18, Zieraten *ornaments* 7, 20. 42 עַמּוּדִים 2 C 4, 13 1 K 7, 24 2 C 4, 3, Edelsteine *jewels* Ex 28, 17—20 39, 10—13; F 1 K 7, 4 Hs 46, 23.†

טוש: ja. טוּס, sy. ܛܣ flattern *flutter*, طَاشَ unbeständig sein *be unstable*:
qal: impf. יָטוּשׂ: **hin u. her fliegen** (futtersuchender Vogel) *flutter to a. fro* (*bird looking for food*) Hi 9, 26.†

טחה: cf. mhb. טְוָה Schuss(weite) (*range of*) *shot*; طَحَى (weit) werfen *carry far*:
pilp: pt. pl. cs. מְטַחֲוֵי: כִּמְטַחֲוֵי קֶשֶׁת soweit wie die, die mit d. Bogen schiessen, **e. Bogenschuss weit** *making distance like shooters of a bow*, (*about*) *a bowshot off* Gn 21, 16.†

טְחוֹן: טחן; mhb. טַחֲנָה; طَاحُون: **Handmühle** *hand-mill* Th 5, 13. (F Vulg.!).†

טֻחוֹת: בַּטֻּחוֹת Ps 51, 8 Hi 38, 36: unerklärt *unexplained* (F Hölscher Hi 38, 36).†

טחח: NF v. טוח:
qal: pf. טַח: **verklebt sein** (Augen) *be besmeared* (*eyes*) Js 44, 18 (l טָחוּ; מִן sodass nicht *that not*).†

טחן: mhb., aram.; ug. *ṭḥn*, ak. *ṭênu*, طَحَنَ, asa. טחן mahlen *grind*; ጠሐነ Mehl *meal*:
qal: pf. טָחֲנוּ, impf. וַיִּטְחַן, תִּטְחַן, imp. טַחֲנִי, inf. טָחוֹן, pt. טוֹחֵן, F טֹחֲנוֹת: **zerreiben, mahlen** *grind* Nu 11, 8 Jd 16, 21 Js 47, 2 Hi 31, 10 (sexuell? *sexually*?), **zermalmen** *crush* Ex 32, 20 Dt 9, 21; (metaph.) Js 3, 15.†
Der. טַחֲנָה, טְחוֹן, טֹחֲנוֹת.

טַחֲנָה: טחן; F טְחוֹן: **Mühle** (*grinding-*)*mill* Ko 12, 4 (GV 1 pt).†

טֹחֲנוֹת: טחן, pt. f. pl.; طَوَاحِن: **Mahlerinnen, Mahlzähne** *the grinding ones, molar teeth* Ko 12, 3.†

***טחר**: F טְחֹרִים.

טְחֹרִים: טחר; mhb. טָחוּר an Hämorrhoiden leidend *afflicted with hemorrhoids*; ja. טְחוֹרִין Hämorrhoiden *hemorrhoids*; ܛܚܘܪܐ pa. mit Beschwerden d. Darm entleeren *relief with troubles*; طَحَرَ ausscheiden *eject*: cs. טְחֹרֵי 1 S 6, 17, sf. טְחֹרֵיהֶם 6, 11; Q pro F I עֹפֶל; F Gordis 86:

Schwären, Geschwüre (am Darmausgang) *tumours* (*of anus*) Dt 28, 27 1 S 5, 6. 9. 12 6, 4 f. 11. 17.†

טֹטָפוֹת: F טוֹטָפוֹת.

טִיחַ: טוח: **Lehmstrich, Lehmüberzug** *coating* Hs 13, 12.†

טִיט: (< *ṭitt* < *ṭint* Haupt JBL 26, 32); mhb.; ja., ba. טִינָא Lehm, Schmutz *loam, mud*; ak. *ṭîṭu, ṭiṭṭu*; طين Lehm, Schlamm *clay, mud*: nasse Lehmerde, **Schlamm** *wet loam, mud*: Schlamm der Gasse *mire of the street* 2 S 22, 43 Mi 7, 10 Sa 9, 3 10, 5 Ps 18, 43, am Ufer *at the shore* Js 57, 20 Hi 41, 22, auf d. Boden der Zisterne *at the bottom of a cistern* Ir 38, 6 Ps 40, 3 69, 15; **Töpferlehm** *potter's clay* Js 41, 25 Na 3, 14.†
Der. טאטא.

cj **טֵילָם**: n. l.; = טֶלֶם; *טלה, طَلَّ aufragen *tower*: cj (מֵטִּילָם) 1 S 27, 8.†

טִירָה: טור; mhb., sy. ܛܝܪܐ; طور (AS 6, 41: *ṭîrā*): cs. טִירַת, sf. טִירָתָם, pl. טִירוֹת, sf. טִירֹתָם:
1. (durch Steinwall geschütztes) **Zeltlager** *encampement* (*protected by stone-walls*) Gn 25, 16 Nu 31, 10 Hs 25, 4 Ps 69, 26 1 C 6, 39;
2. **Steinlager** (den Wänden entlang) *row of stones* (*along the walls*) Hs 46, 23. cj. 23;
3. **Mauerkrone, Zinne** *battlement* Ct 8, 9; F *צִרָה.†

טַל: I טלל; mhb., ba., ja., sy. ܛܠܐ; ug. *ṭl*; طَلّ, ጠል: טָל, sf. טַלֶּךָ, טַלָּם: **Tau, sanfter Regen** *dew, light rain* (AS 1, 93 ff. 311 ff. 514 ff): טַל שָׁמַיִם (ug. *ṭl šmm*) Gn 27, 28. 39, Gabe d. Himmels *gift of the sky* Sa 8, 12, כָּלְאוּ שָׁמַיִם (1 טַל) Hg 1, 10, עָרַף טַל Dt 33, 28 Pr 3, 20, טַל :: חֹרֶב Jd 6, 37, טַל וּמָטָר 1 K 17, 1; עָב טַל Js 18, 4, אֶגְלֵי טַל Hi 38, 28, שִׁכְבַת טַל Tauschicht *layer of dew* Ex 16, 13 f; יָרַד Nu 11, 9, נָפַל 2 S 17, 12, יָלִין בַּקָּצִיר hängt nachts auf d. Zweig *lies all night upon the branch* Hi 29, 19; טַל חֶרְמוֹן Ps 133, 3; F Dt 32, 2 Jd 6, 38—40 2 S 1, 21 Js 26, 19 Ho 6, 4 13, 3 14, 6 Mi 5, 6 Ps 110, 3 Pr 19, 12 Ct 5, 2; 1 מֵעָל Dt 33, 13.†
Der. n. m. אֲבִיטַל.

טלא: mhb. טָלָה flicken *patch*, טָלֶה u. טְלָא Fleck-, Flickstück *patch*:
qal: pt. ps. טָלוּא, pl. טְלֻאִים, f. טְלֻאוֹת: **gefleckt** (Schafe, Ziegen) *spotted* (*sheep, goats*) Gn 30, 32 f. 35. 39; בָּמוֹת buntgefleckt *variegated* (ZAW 42, 325 f) Hs 16, 16;†
pu: pt. ps. f. מְטֻלָּאֹת: **mit Flecken besetzt** (Schuhe) *patched* (*sandals*) Jos 9, 5.†

טְלָאִים: F טָלָאִם u. טְלִי.

cj **טְלָאִם**: n. l.; = F טֶלֶם?: cj 1 S 15, 4, cj מִטְּלָאִם pro מַחֲוִילָה 15, 7.†

טלה: F טְלִי, טָלֶה; n. l. F טֵילָם, טְלָאִם u. I טֶלֶם; n. m. II טֶלֶם, טַלְמוֹן.

טָלֶה: mhb.; ja. טַלְיָא jung, Lamm *young, lamb*, טַלִיתָא Mädchen *girl* (Mc 5, 41 ταλιθα); sy. ܛܠܝܐ f. ܛܠܝܬܐ jung, Knabe, Mädchen *young, boy, girl*; طَلًا jung (Gazelle) *young* (*gazelle*); ጠሊ Zicklein *kid*: cs. טְלֵה: **Lamm** *lamb* Js 65, 25, טְלֵה חָלָב **Milchlamm** *sucking lamb* 1 S 7, 9; F טְלִי.†

טַלְטֵלָה: טול: **weiter Wurf** *far, violent hurling* Js 22, 17.†

טְלִי: = טָלֶה: pl. טְלָאִים < *טְלָיִם: **Lamm** *lamb* Js 40, 11; F טְלָאִם.†

I טלל: F ba. af. Schatten suchen *have shadow*; F טַל.

II טלל: *F* ba.; äga. מטלל, palm. חטלילא u. מטללתא Bedachung *roof*; *F* III צלל; ظَلَّلَ Deck (Schiff) *deck* (*of ship*):

pi: impf. sf. וַיְטַלְּלֻהוּ: **mit e. Dach versehn** *cover of*, *roof* Ne 3, 15.†

I טֶלֶם: n. l.; *F* טֵילָם u. טְלָאִם; *טלה: bei *near* זִיף: Jos 15, 24.†

II טֶלֶם n. m.; *F* *טלה sub טֵילָם: = טַלְמוֹן: Esr 10, 24.†

טַלְמֹן, טַלְמוֹן: n. m.; = II טֶלֶם: Esr 2, 42 Ne 7, 45 11, 19 12, 25 1 C 9, 17.†

טמא: mhb., ja. טְמָא, sy. (pa.) unrein sein *be polluted*; طَمَى (ägar.) verschlammen *silt up*, طَمْىٌ Nilschlamm *silt*; *F* *טמה:

qal: pf. טָמֵא, טָמְאָה, טָמֵאת, impf. יִטְמָא, inf. טָמְאָה: 1. (kultisch) **unrein werden** *become unclean* (*ceremonially*): Menschen *man a. woman* Lv 11, 24—39 12, 2. 5 13, 14. 46 15, 5—27 17, 15 22, 6 Nu 19, 7—22 Hg 2, 13, c. בְּ durch *by* Lv 5, 3 15, 32 18, 20. 23 19, 31 22, 8 Hs 22, 4 23, 17 Ps 106, 39; 2. **unrein werden** *become polluted*, (*ceremonially*) *unclean*: Sachen *things* Lv 11, 32—35 14, 36 15, 4. 9. 20. 24; אֶרֶץ Lv 18, 25. 27; יִטְמָא לוֹ es ist für ihn unrein *it brings uncleanness upon him* Lv 22, 5; לְטָמְאָה sodass Unreinheit entsteht *that uncleanness is caused* Hs 22, 3 44, 25; 1 יָדַע Lv 5, 2 b, 1 מְעַט מְאוּמָה Mi 2, 10;†

nif: pf. נִטְמָא, נִטְמְאָה, נִטְמֵאת, נִטְמֵאתֶם, Hs 20, 43 > נִטְמֵתֶם Lv 11, 43, pt. pl. נִטְמָאִים: **sich verunreinigen** *defile oneself* Ho 5, 3 6, 10, c. בְּ durch *by* Lv 11, 43 18, 24 Hs 20, 43 23, 7. 30, c. לְ hinsichtlich *concerning* 20, 31; e. Frau macht sich (durch Ehebruch) unrein *a wife defiles herself* (*by adultery*) Nu 5, 13 f. 20. 27—29 Ir 2, 23 Hs 23, 13;†

pi: pf. טִמֵּא, טִמֵּאתֶם, sf. טִמְּאוּ, טִמְּאוּהָ, impf. טַמֵּא, וַיְטַמְּאֵהוּ, יְטַמְּאֻנּוּ, sf. תְטַמְּאוּ, תְּטַמֵּא, inf. טַמֵּא, sf. טַמְּאוֹ, טַמַּאֲכֶם, imp. טַמְּאוּ: 1. **beflecken, entehren** *defile*: Mädchen *girl* Gn 34, 5. 13. 27, Frau *woman* Hs 18, 6. 11. 15 23, 17 33, 26; שֵׁם י׳ (verunehren) Hs 43, 7 f; 2. **entweihen** *defile*: מִשְׁכָּן Lv 15, 31 Nu 19, 13, מִקְדָּשׁ Lv 20, 3 Nu 19, 20 Hs 5, 11 23, 38, מַחֲנֶה Nu 5, 3, אֶרֶץ Lv 18, 28 Nu 35, 34 Dt 21, 23 Ir 2, 7 Hs 36, 17 f, seine eigne *his own* כַּלָּה 22, 11; 3. **verunreinigen, kultunfähig machen** *defile, make unfit for worship, religious ceremonies*: sich selbst *oneself* Lv 11, 44, נָזִיר Nu 6, 9, בָּמוֹת 2 K 23, 8. 13, תֹּפֶת 23, 10, מִזְבֵּחַ 23, 16, פְּסִילִים Js 30, 22, בֵּית י׳ Ir 7, 30 32, 34 Hs 9, 7 Ps 79, 1 2 C 36, 14, jm. *somebody* Hs 20, 26; 4. **für unrein erklären** *declare* (*ceremonially*) *unclean* Lv 13, 8—59 20, 25;†

pu: pt. מְטֻמָּאָה: **verunreinigt werden** *be polluted, defiled* Hs 4, 14;†

hitp: impf. יִטַּמָּא, יִטַּמָּאוּ, יִטַּמְּאוּ: **sich Verunreinigung zuziehn** *defile oneself*, c. לְ an *by* Lv 11, 24 21, 1. 3. 11 Nu 6, 7 Hs 44, 25, c. בְּ durch *by* Lv 11, 43 18, 24. 30 Hs 14, 11 20, 7. 18 37, 23; abs. Lv 21, 4 Ho 9, 4;†

hotp: pf. הֻטַּמָּאָה: **v. Verunreinigung betroffen werden** *be defiled* Dt 24, 4.†

Der. טָמֵא, טֻמְאָה.

טָמֵא (88 ×, 46 × Lv): cs. טְמֵא, pl. טְמֵאִים, f. טְמֵאָה, cs. טְמֵאַת, adj.: 1. **unrein** *unclean* (:: טָהוֹר) Lv 10, 10 11, 47 Dt 12, 15. 22 15, 22 Hs 22, 26 44, 23 Hi 14, 4 Ko 9, 2; טָמֵא טָמֵא Ruf des *cry of the* צָרוּעַ Lv 13, 45; טְמֵאַת הַשֵּׁם Frau mit beflecktem Ruf *woman defiled of name, infamous w.* Hs 22, 5; 2. (kultisch) **unrein** (*ceremonially*) *unclean*: חַיָּה, דָּבָר, טָמֵא לְכָל־דָּבָר; בְּהֵמָה, שֶׁרֶץ, שֶׁקֶץ Lv 5, 2, 7, 21; e. irgendwie Unreiner *unclean in any thing* 2 C 23, 19, כָּל־טָמֵא irgendetwas Unreines *any* *unclean thing* Lv 7, 19. 21 Jd 13, 4; טָמֵא בַּשֶּׁרֶץ unrein unter, von *unclean among* Lv 11, 29, יוֹם הַטָּמֵא wenn etwas unrein ist *when something is unclean* Lv 14, 57; טְמֵא נֶפֶשׁ durch e. Leiche verunreinigt *unclean by a dead person* Lv 22, 4 Hg 2, 13 = טָמֵא לָנֶפֶשׁ Nu 5, 2 9, 10. **F** 6 f; טָמֵא einer, d. unrein ist *the unclean* Js 35, 8 52, 1 Th 4, 15, etwas, das unrein ist *an unclean thing* Js 52, 11 Hs 4, 13 Ho 9, 3 Hg 2, 14; טְמֵא שְׂפָתַיִם mit unr. Lippen *unclean of lips* Js 6, 5; 3. **F** טָמֵא noch *farther* Lv 7, 21 11, 4—38 (12 ×) 13, 11—55 (7 ×) 14, 40 f. 44 f 15, 2. 25 f. 27 20, 25 27, 11. 27 Nu 18, 15 19, 13. 15. 17. 19 f. 22 Dt 14, 7 f. 10. 19 15, 22 26, 14 Jos 22, 19 Js 64, 5 Hs 22, 10 Am 7, 17; l יָדַע Lv 5, 2b, l טְמֵאִים Ir 19, 13. †

טֻמְאָה: טמא: cs. טֻמְאַת, sf. טֻמְאָתוֹ, pl. cs. טֻמְאֹת: (Zustand kultischer) **Unreinheit** (*state of ceremonial*) *uncleanness*: Männer *men* Lv 5, 3 7, 20 f 14, 19 15, 3. 31 16, 16. 19 Nu 19, 13 Hs 36, 25. 29 39, 24, Frauen *women* Lv 15, 25 f. 30 Nu 5, 19 2 S 11, 4 Hs 22, 15 24, 13 36, 17 Th 1, 9; Heiden *gentiles* Esr 6, 21 9, 11, Speisen *food* Jd 13, 7. 14, Sachen *things* Hs 24, 11 2 C 29, 16; רוּחַ הַטֻּמְאָה d. Geist der Unreinheit *spirit of uncleanness* Sa 13, 2. †

***טמה**: = טמא (?):
nif: pf. נִטְמֵינוּ (נִטְמֵתֶם Lv 11, 43 **F** טמא nif.): **für unrein gelten** (?) *be regarded as unclean?* Hi 18, 3. †

טמן: mhb., ja. verbergen *hide*; = ak. *ṭamāru*, ja., sy., mnd. טמר, طمر verscharren, verbergen *bury, hide* (Ruž. KD 100)?; **F** צפן:
qal: pf. טָמַן, טָמַנְתִּי, טָמְנוּ, sf. טְמָנוּהוּ, טְמַנְתִּיו, impf. וַיִּטְמֹן, sf. וַיִּטְמְנֵהוּ, וַתִּטְמְנֵם, inf. טְמוֹן, sf. טָמְנוֹ, imp. sf. טָמְנֵהוּ, pt. ps. טָמוּן, טְמוּנָה, pl. טְמֻנִים, cs. טְמוּנֵי:
1. **verstecken** *hide*: Ir 13, 6 f 43, 10 Hi 3, 16 20, 26, c. בְּ in *in* Ex 2, 12 Jos 2, 6 7, 21 f Pr 19, 24 (d. Faule die Hand in d. Schüssel *the sluggard his hand in the dish*) = 26, 15 Ir 13, 4 f 43, 9 Hi 31, 33 40, 13; c. תַּחַת unter *under* Gn 35, 4; טְמוּנֵי חוֹל im Sand Versteckte *hidden in the sand* Dt 33, 19; בַּטָּמוּן im Verborgnen *secretly* (?) Hi 40, 13; 2. **versteckt anbringen** *fix secretly* Netz *fishing-net* Ps 9, 16 31, 5 35, 7 f, Falle *trap* 64, 6, 140, 6 142, 4 Ir 18, 22, Fangstricke *snare* Hi 18, 10; †
nif: imp. הִטָּמֵן: **sich verstecken** *hide oneself* Js 2, 10; †
hif: impf. וַיַּטְמִנוּ: **sich versteckt halten** *keep hidden* 2 K 7, 8. †
Der. מַטְמוֹן.

טֶנֶא: LW; äg. *dnj.t*; mhb. טני Büchse *box*: sf. טַנְאֲךָ: **Korb** *basket* Dt 26, 2. 4 28, 5. 17. †

I *טנף: **F** טַף.

II טנף: mhb. pi., ja., pa., sy.; ak. *ṭunnupu*:
pi: impf. sf. אֲטַנְּפֵם: [die frisch gewaschnen Füsse] **schmutzig machen** *soil* (*the feet*) Ct 5, 3. †

טעה: NF תעה; mhb., ja., sy. ܛܥܐ umherirren *err*; ak. *ṭaʾtu* Bestechung *bribery*; طَغَى d. Mass überschreiten *exceed just limit*, طَاغِيَةٌ der den rechten Weg verlässt *one who deviates from the right way*:
cj qal: pt. f. טֹעִיָּה (pro עֹטְיָה): **schweifen, sich umhertreiben** *stray, wander about* cj Ct 1, 7; †
hif: pf. הִטְעוּ: **verleiten** *lead astray* Hs 13, 10. †

טעם: mhb., ja. טְעֵים, **F** ba.; ak. *ṭêmu* Verstand *sense*; طَعِمَ u. ܛܥܡ schmecken, kosten *taste, eat*:
qal: pf. טָעַם, טָעֲמָה, impf. יִטְעַם, imp. pl. טַעֲמוּ: 1. (d. Geschmack v. Speisen) **empfinden, kosten** *taste* (*the flavour of dishes*)

2 S 19, 36 Hi 12, 11 34, 3 (לוֹ אֹכֶל 1); 2. (e. Speise) **geniessen** *taste, eat (food)* 1 S 14, 24. 29. 43 2 S 3, 35 Jon 3, 7; 3. für etw. **Geschmack, Empfindung, Urteil haben** *have taste, sense, judgement for something* Ps 34, 9 Pr 31, 18.†
Der. מַטְעַמִּים, טַעַם.

טַעַם: טעם; ba. F טְעֵם: טְעַם, sf. טַעְמוֹ: 1. **Geschmack** (e. Speise) *taste (of food)* Ex 16, 31 Nu 11, 8 Hi 6, 6; עָמַד טַעְמוֹ s. Geschmack ändert sich nicht (Wein) *its taste is not shifting (wine)* Ir 48, 11; 2. **Empfindung, Unterscheidung, Verstand** *taste, discernement, sense* 1 S 25, 33 Ps 119, 66 Hi 12, 20; הֵשִׁיב טַעַם verständig antworten *answer with discretion, good sense* Pr 26, 16; סָרַת טַעַם ohne Zartgefühl *without delicacy* Pr 11, 22; שִׁנָּה טַעְמוֹ verstellte sich, stellte sich von Sinnen *disguised his sense, feigned madness* 1 S 21, 14 Ps 34, 1 (בלא טעם unwillkürlich *instinctively* Si 25, 18 u. mhb.); 3. (< ak. *ṭēmu* Zimm. 10) **Befehl, Erlass** *decision, decree* Jon 3, 7.†

I **טען**: ja., pa.; طعن:
pu: pt. pl. cs. מְטֻעֲנֵי: **durchbohrt sein** *be pierced* Js 14, 19.†

II **טען**: mhb., ja., sy.; aram., = צען; ak. *ṣanu*; ظعن, asa. טען; ጸዐነ:
qal: imp. טַעֲנוּ: **beladen** *load* Gn 45, 17.†

טַף: < *ṭanf*, sprich *spell ṭapp*; טנף*; طَنِفَ ängstlich, argwöhnisch sein *be suspicious*; ጥፍእ kleine Kinder *little children*: טַף, sf. טַפְּכֶם, טַפֵּנוּ; coll.: **die nicht** (oder wenig) **Marschfähigen** e. wandernden Stamms *those of a nomadic tribe who are not (or in small extent) able to march*: 1. d. Männer *the men* u. הַטַּף Gn 43, 8 47, 12. 24 50, 8. 21 Ex 10, 10. 24 12, 37 Nu 14, 31 32, 16 f. 24 Jd 18, 21 2 S 15, 22 Esr 8, 21; 2. die Frauen *the women* u. הַטַּף (Kinder u. Alte *children a. old ones*) Gn 34, 29 45, 19 46, 5 Nu 14, 3 31, 9 32, 26 Jos 1, 14 8, 35 Jd 21, 10 Est 3, 13 8, 11; 3. Männer, Frauen *men, women* u. הַטַּף (Kinder u. Alte *children a. old ones*) Dt 2, 34 3, 6 31, 12 Ir 40, 7 41, 16 43, 6; 4. זָקֵן, בָּחוּר, בְּתוּלָה, נָשִׁים u. טַף (Kinder *children*) Hs 9, 6; 5. Männer, Frauen *men, women*, בָּנִים u. טַף (Alte, Mädchen u. Kinder *the old ones, girls, children*) Nu 16, 27 2 C 20, 13; alle ausser weiblicher טַף *all but women children* Nu 31, 18; 6. טַף die noch Kleinen *the young ones* Dt 1, 39; 7. כָּל־זָכָר בַּטַּף alle männlichen Kinder *every male of the young ones* Nu 31, 17.†
Der. טפף.

I **טפח**: mhb. sich ausbreiten *extend*; ja. schlagen (Hand), stampfen (Fuss) *strike (hand), stamp (foot)*, pa. breitschlagen *spread*; sy. = ja.; cp. ܛܦܚܐ Händeklatschen *clapping (of hands)*; ak. *ṭappu* Brett *board* u. äg. *ṭb.t* Sohle *sandal* F Holma NKt 138 f; طَفَحَ ausbreiten *extend*, ጠፍሐ in d. Hände klatschen *clap one's hands*; ak. *ṭepū* auflegen *lay on* v. Soden, Or 16, 72 ff; F II טפח:
pi: pf. טִפְּחָה: (d. Himmel) **ausbreiten** *spread out (the heaven)* Js 48, 13.†
Der. טִפְחָה*, טֶפַח, טֹפַח.

II **טפח**: طَفَحَت بِالْأَوْلَادِ sie bringt vollentwickelte Kinder zur Welt *she brings forth the child fully formed*; ak. *ṭuppū* aufziehn *bring up*, = I טפח?:
pi: pf. טִפַּחְתִּי: **gesunde, vollentwickelte Kinder zur Welt bringen** *bring forth the child fully formed, healthy* Th 2, 22.†
Der. מִטְפַּחַת, טִפֻּחִים.

טֶפַח: I טפח: **eine Handbreit** *span, handbreath* (4 Finger *fingers*, = 74—90 mm ZDP 37, 233[1]; Ir 52, 21), = טֹפַח: 1 K 7, 26 2 C 4, 5.†

טֹפַח: I טפח; = טֶפַח: **Handbreit** *span, handbreath* Ex 25, 25 37, 12 Hs 40, 5. 43 43, 13.†

***טְפָחָה**: I טפח: pl. טְפָחוֹת: 1. Handbreiten = **gering** *hand-breaths = a few* Ps 39, 6; 2. (archit.) unerklärt *unexplained* 1 K 7, 9.†

טִפֻּחִים: II טפח: der Zustand, dass Kinder gesund u. schön geboren sind *the state that children are brought forth fully formed a. healthy*; עֹלֲלֵי טִפֻּחִים **gesund geborne Kinder** *children brought forth fully formed* Th 2, 20.†

טפל: NF I תפל; mhb., ja., sy.; ak. *ṭapālu* (Meissner MAO 11, 1—2. 46 f beschmutzen *soil* >) schlecht behandeln *maltreat*; طَفَلٌ Walkererde *fuller's earth*:
qal: pf. טָפְלוּ, impf. וַתִּטְפֹּל, pt. טֹפְלֵי: **schmieren, besudeln** *smear, soil*: שֶׁקֶר עַל Ps 119, 69 Hi 13, 4 Si 51, 5; c. עַל **zuschmieren, zudecken** *coat, cover* Hi 14, 17.†

טִפְסָר, ***טַפְסָר**: LW; ak. *ṭupšarru* Tafelschreiber *tablet-writer*: pl. sf. טַפְסְרַיִךְ: (babyl.) **Beamter** (für Aushebungen) (*Babyl.*) *official* (*for recruiting*) Ir 51, 27 Na 3, 17.†

טפף: denom. v. טַף:
qal: inf. טָפוֹף: (wie טַף gehn) **trippeln** (*walk like* טַף) *trip along* Js 3, 16.†

טפש: mhb., ja. töricht sein *be stupid*:
qal: pf. טָפַשׁ, cj impf. יִטְפַּשׁ: **unempfindlich sein** *be unfeeling* Ps 119, 70, cj יִטְפַּשׁ (בְּשָׂר) **fett sein** *be gross, fat* Hi 33, 25.†

טָפַת: n. f.; Tochter *daughter* v. שְׁלֹמֹה: 1 K 4, 11.†

טרד: mhb., ja., F ba., sy.; ug. *ṭrd*; ak. *ṭarādu*, طَرَدَ vertreiben *drive away*:
qal: pt. טֹרֵד: **vertreiben** *drive away* Pr 19, 13 27, 15.†
Der. n. m. מְטֹרָד.

***טרה**: (ug. *ṭrj?*); طَرُوَ frisch, feucht sein *be fresh, moist*:
Der. טְרוֹם, *טָרִי, טֶרֶם.

טְרוֹם: cs. v. *טְרוֹם Anfang *beginning*; *טרה; F טֶרֶם; > conjunct.: **ehe noch** *before* Ru 3, 14 K.†

טרח: mhb., ja. sich mühen *toil*; طَرَحَ werfen *throw*:
hif: impf. יַטְרִיחַ: c. ac. u. בְּ **belasten** mit *burden with* Hi 37, 11.†
Der. טֹרַח.

טֹרַח: טרח: sf. טָרְחֲכֶם: **Last** *burden* Dt 1, 12 Js 1, 14.†

***טָרִי**: *טרה; طَرِيٌّ frisch, saftig *fresh, juicy*: f. טְרִיָּה: **frisch, feucht** *fresh, moist*: Knochen *bones* Jd 15, 15, Wunde *wound* Js 1, 6.†

טְרֵפָה: I טרף: (v. Raubwild) **zerrissenes Tier** *animal torn* (*by wild beasts*) Gn 31, 39 Na 2, 13; (als Speise verboten, d. Fett zu anderm Gebrauch erlaubt *forbidden as food, but the fat allowed for other use*) Lv 7, 24 17, 15 22, 8 Hs 4, 14 44, 31.†

טֶרֶם: cs. v. *טֶרֶם; טרה; F טְרוֹם: **Frische, Anfang** *beginning*: 1. בְּטֶרֶם בֹּקֶר in d. Frische des Morgens *at the beginning of the morning* > ehe es recht Morgen ist *before the morning* Js 17, 14, בְּטֶרֶם קָצִיר ehe das Obst reif ist *at the beginning of fruit-harvest* 28, 4; 2. > conjunct.: מִטֶּרֶם c. inf. **ehe noch** *before* Hg 2, 15; 3. בְּטֶרֶם c. pf. **ehe** *before* Ps 90, 2 Pr 8, 25; 4. טֶרֶם **ehe, bevor** *before*, c. pf. Gn 24, 15 1 S 3, 7, c. impf. Gn 2, 5 Ex 12, 34 1 S 3, 3 Ir 1, 5 (u. 40 ×).

I טרף: mhb., ja. wegreissen *tear, seize*, طَرَفَ abweiden *depasture*:

qal: טָרַף, טָרַף, impf. יִטְרָף, יִטְרֹף Gn 49, 27, אֶטְרֹף, inf. טְרֹף, טָרֹף, לִטְרָף־, pt. טֹרֵף, טֹרְפֵי: (v. Raubwild) „reissen", zerreissen (*wild beasts*) *tear, rend* Gn 37, 33 44, 28 49, 27 Ex 22, 12 Dt 33, 20 Hs 19, 3. 6 22, 25. 27 Ho 5, 14 6, 1 Mi 5, 7 Na 2, 13 Ps 7, 3 17, 12 22, 14 50, 22 Hi (אַפּוֹ = Raubtier *wild beast*) 16, 9 18, 4, cj Ps 76, 5 (l טֶרֶף); l וַיִּטֹּר Am 1, 11;†

nif: impf. יִטָּרֵף: zerrissen werden (v. Raubwild) *be torn* (*by wild beasts*) Ex 22, 12 Ir 5, 6;†

cj pi: pt. (בְּנֵי עָלוֹת) מְטָרֵף zerreissen *tear* cj (Dürr, Heilandserwartung, 67) Gn 49, 9;†

pu (qal pass?): pf. (טֹרַף) טֹרָף: zerrissen werden *be torn* Gn 44, 28;†

hif: imp. sf. הַטְרִיפֵנִי (abgeschwächte Bedeutung) davontragen lassen, geniessen lassen (*weakened meaning*) *let carry off, let devour* (F II טֶרֶף) Pr 30, 8.†

Der. I u. II טֶרֶף, טְרֵפָה.

II *טרף: طَرُفَ frisch gepflückt sein *be recently acquired, freshly plucked*: F טָרָף.

I טֶרֶף: I טרף: טֶרֶף, sf. טַרְפּוֹ, טַרְפָּהּ: Raub (d. Raubwilds) *prey* (*of wild beasts*) Nu 23, 24 Js 5, 29 31, 4 Am 3, 4 Na 2, 13 f 3, 1 Ps 104, 21 124, 6 Hi 4, 11 29, 17 38, 39; טֶרֶף טרף Hs 19, 3. 6 22, 25. 27; l מִטֶּרֶף Gn 49, 9, l טֶרֶף Ps 76, 5; F II טֶרֶף.†

II טֶרֶף: I טרף hif; = I?: טֶרֶף: Davongetragnes, Nahrung *things carried off, food* Ma 3, 10 Ps 111, 5 Pr 31, 15 Hi 24, 5.†

טָרָף: II טרף; ZAW 58, 230 u. Speier Th Z 2, 153 f: pl. cs. טַרְפֵּי: frisch gepflückt *fresh-plucked* Gn 8, 11 Hs 17, 9.†

י

י, יוֹד (Driv. SW 154 f. 168. 178—80. 184); י = 10, יא = 11, יב = 12, aber *but*, ט״ו = 15 meist auch *often* ט״ז = 16. Ἰῶτα, aber *but* יִצְחָק *jiṣḥāq* > Ισααχ *isaak*, weil d. Griechische kein j hat *the Greek having no consonant j*. Aussprache: י = j in ja, je, Jordan, Juda, Jäger; *spelling*: י = *y in yes, yard, yield, yonder*. י > ו F ילד, ישב etc. אִמִּי ursprünglich *originally* ʾ*immij* > ʾ*immi*; דָּנִיֵּאל *Dānij-jēl* < *דָּנִיאֵל *Dani(j)-ʾēl*. F VG 1, 138—40, Brgstr. Gr. 96—105. Beachte *mark*: י ist Substantivpräfix *is prefix of nouns*, F יַחְמוּר, יִדְבַּשׁ, יַבְשָׁה, *יְהוָה, יִגְבְּהָה, יִדְאָלָה, etc.

יאב: sy. יְאֵב; F אבה:

qal: pf. יָאַבְתִּי: c. לְ sich sehnen nach *long for* Ps 119, 131.†

יאה: mhb. יָאוּת recht *right*; ja. יָאוּת recht *right*, יָאֵיא u. sy. ܝܐܝܐ schön *fine*; pt. יאי recht *fitting*; يَايَا u. ያየ freundlich sein *be kind*:

qal: pf. 3. f. יָאָתָה: c. לְ am Platz sein gegenüber *be befitting for* Ir 10, 7.†

יְאֹר: F יְאֹר.

יַאֲזַנְיָה: n. m.; < יַאֲזַנְיָהוּ; Dir. 351: 1. Haupt d. Rekabiter *chief of the Rechabites* Ir 35, 3; 2. שַׂר הָעָם Hs 11, 1; F יְזַנְיָה, אֲזַנְיָה, יְדוֹן.†

יַאֲזַנְיָהוּ: n. m.; הָאֲזִין u. ״י > יְזַנְיָה; Badè, The seal of Jaazaniah ZAW 51, 150—6; Lkš 1, 2; Dir. 351: 1. Zeitgenosse *contemporary* v. גְּדַלְיָהוּ 2 K 25, 23; > יְזַנְיָהוּ Ir 40, 8 2. Hs 8, 11.†

יָאִיר: n. m.; KF; הָאִיר; Dir. 351: 1. Nu 32, 41 Dt 3, 14 1 K 4, 13 Jos 13, 30 1 C 2, 22 f, cj 2 K 15, 25; 2. Richter *judge* Jd 10, 3; 3. V. v. מָרְדֳּכַי Est 2, 5.†
Der. יָאִירִי.

יָאִירִי: gntl. v. יָאִיר: 2 S 20, 26.†

I יאל: < *ואל, NF I *אול:
nif: pf. נוֹאַלְנוּ, נֹאֲלוּ, נוֹאֲלוּ: **sich als Tor** (אֱוִיל) **erweisen** *act foolishly* Nu 12, 11 Js 19, 13 Ir 5, 4 50, 36 Si 37, 19.†

II יאל: < *ואל, F II *אול:
hif: pf. הוֹאִיל, הוֹאַלְתָּ, הוֹאַלְנוּ, impf. יֹאֵל, וַיּוֹאֶל, imp. הוֹאֵל, הוֹאֶל־, הוֹאִילוּ: sich als erster erweisen, **den Anfang machen** (meist Ausdruck der Höflichkeit oder Bescheidenheit) *shew willingness, make a beginning with* (*frequently expression of politeness or modesty*) 1. הוֹאִיל הָלַךְ war der erste, **war darauf erpicht** zu gehen *was the first to, persisted to walk* Ho 5, 11; 2. לוּ הוֹאַלְנוּ וַנֵּשֶׁב wenn **wir uns** doch **entschlossen hätten** u. geblieben wären! *would that we had persisted a. had remained!* Jos 7, 7; 3. imp. c. imp. הוֹאֵל קַח **entschliesse dich**! nimm! *go on! take!* 2 K 5, 23; F Hi 6, 28. 9 (impf. c. impf.) Jd 19, 6 2 S 7, 29 2 K 6, 3; 4. c. inf. **anfangen zu**... *start to*... Dt 1, 5; 5. c. לְ c. inf: sich entschliessen zu... *take (it) upon oneself to*... Gn 18, 27. 31 Ex 2, 21 Jos 17, 12 Jd 1, 27. 35 17, 11 1 S 12, 22 1 C 17, 27; cj הוֹאִיל ante לְהוֹשִׁיעֵנִי Js 38, 20; l וַיּאֶל (I אלה) 1 S 14, 24; וַיֹּאֶל 17, 39 F III אלה.†

יְאֹר, יְאוֹר: äg. *jrw* (so seit 18. Dynastie für ältres *jtrw thus since the 18th dynasty for older jtrw*; EG 1, 146), ⲓⲟⲣ, ⲓⲁⲁⲣ: sf. יְאֹרִי Hs 29, 3, loc. הַיְאֹרָה, pl. יְאֹרִים, cs. יְאֹרֵי, sf. יְאֹרָיו, יְאֹרֶיךָ, יְאֹרֵיהֶם: **der Nil** *river Nile*, יְאֹר מִצְרַיִם Am 8, 8. cj 8; הַיְאֹר Gn 41, 1—3. 17 f Ex 1, 22 2, 3. 5 4, 9 7, 15. 17 f. 20 f. 24. 28 8, 5. 7 17, 5 Js 19, 7 f 23, 3. 10? Ir 46, 7 f Hs 29, 9 Sa 10, 11; 2. = **Strom** *stream, river* (Tigris) Da 12, 5—7; 3. pl. **die Arme** (u. Kanäle) **des untern Nils** *Nile-arms, Nile-canals* Ex 7, 19 8, 1 Js 7, 18 Ps 78, 44; die Nile = der Nil *the Niles for Nile* (?) 2 K 19, 24 Js 19, 6 37, 25, Hs 30, 12 Na 3, 8, Js 33, 21, Hs 29, 3—5. 10; 4. **wasserführende Stollen** (e. Bergwerks) *waterfilled galleries (of mines)* Hi 28, 10.†

יאשׁ: mhb. hitp. u. ja. itp. verzweifeln *despair*, = يَئِسَ u. ፀሰ:
nif: pf. נוֹאָשׁ, pt. נוֹאָשׁ. c. מִן **verzweifeln an, ablassen von** *despair of, desist from* 1 S 27, 1; pt. **Verzweifelter** *despairing* Hi 6, 26; neutr. **verzweifelt, aussichtslos** *desperate, without any hope* Js 57, 10 Ir 2, 25 18, 12;†
pi: inf. יַאֵשׁ: **verzweifeln lassen** *make despair* Ko 2, 20.†

יֹאָשׁ: n. m.; F יוֹאָשׁ.

יֹאשִׁיָּה: n. m.; < יֹאשִׁיָּהוּ: Sa 6, 10.†

יֹאשִׁיָּהוּ: n. m.; > יֹאשִׁיָּה; Bauer ZAW 48, 77: *יֹאשִׁי hif. v. *ישׁי (hervorbringen *produce*); Ir 27, 1 יאושיהו v. אושׁ? Noth 212[1]: K. v. יְהוּדָה **Josia(h)**: 1 K 13, 2 2 K 21, 24. 26 22, 1. 3 23, 16—34 Ir 1, 2 f 3, 6 22, 11. 18 25, 1. 3 26, 1 35, 1 36, 1 f 37, 1 45, 1 1 C 3, 14 f 2 C 33, 25 34, 1. 33 35, 1—26 36, 1 Ze 1, 1.†

יְאָתְדַי: F יאה.

יְאתוֹן: Hs 40, 15 F אִיתוֹן.

יְאָתְרַי: n. m.; 1 C 6, 6; l אֶתְנִי ut 6, 26.?†

יבב: mhb. pi. klagen *lament*, ja. u. sy. pa. jubeln *exult*; أَبَّ, هَبَّبَ u. ፀበበ jubeln *exult*:
pi: impf. וַתְּיַבֵּב: **klagen** *lament* (l c. Tg. וַתַּבֵּט?) Jd 5, 28; F יוֹבָב.†

יְבוּל, יְבֻל: I יבל; ak. *biltu*. Ertrag *produce*: sf. יְבוּלָהּ, יְבוּלָם: **Ertrag** (d. Bodens) *produce* (*of soil*) Lv 26, 4. 20 Dt 11, 17 32, 22 Jd 6, 4 Hs 34, 27 Hg 1, 10 Sa 8, 12 Ps 67, 7 85, 13, v. גֶּפֶן Ha 3, 17; v. menschlicher Arbeit *of human toil* Ps 78, 46; l יָבָל Hi 20, 28.†

יְבוּס: n. l.; alter, unerklärter Name v. *old, unexplained name of* Jerusalem Jd 19, 10 f 1 C 11, 4 f.†
Der. יְבוּסִי.

יְבוּסִי, יְבֻסִי: n. l.; n. m.; gntl. v. יְבוּס; Böhl, Kanaanäer 1911, 65 f: **Jebusiter** *Jebusite*: 1. Bewohner d. alten *inhabitants of old* Jerusalem Jos 15, 63 Jd 1, 21; in Reihen *in series* Gn 15, 21 Ex 3, 8. 17 13, 5 23, 23 33, 2 34, 11 Nu 13, 29 Dt 7, 1 20, 17 Jos 3, 10 9, 1 11, 3 12, 8 24, 11 Jd 3, 5 1 K 9, 20 Esr 9, 1 Ne 9, 8 2 C 8, 7; 2. Einzelner *individual* F אֲרַוְנָה u. אָרְנָן; 3. עֶקְרוֹן כִּיבוּסִי Sa 9, 7 OTS 7, 67—8; 4. n. m. S. v. כְּנַעַן Gn 10, 16 1 C 1, 14; 5. n. l. כֶּתֶף הַיְבוּסִי Jos 15, 8 18, 16.†

יִבְחָר: n. m.; II בחר Auswahl *choice*: 2 S 5, 15 1 C 3, 6 14, 5.†

יָבִין: n. m.; בין?: K. v. חָצוֹר Jos 11, 1; Jd 4, 2. 7. 17. 23 f Ps 83, 10.†

יָבִישׁ: n. l. F III יָבֵשׁ.

I יבל: mhb. hif. bringen *bring*; F ba.; ug. *ybl* bringen *bring*; ak. (*w*)*abālu, abālu* bringen *bring*, EA 287, 55 *ubilimi* Träger *bearer*, *biltu* Ertrag, Geschenk *produce*, *gift*, F יְבוּל; asa. יבל (*δβολός*? Montgomery JAO 29, 207 f):
hif: impf. יוֹבִלוּ, יֹבִילוּן, cj תּוֹבַלְנָה Ps 45, 16, sf. יֹבִלוּהָ, יוֹבִילֵנִי, יֹבִלֵנִי, אוֹבִילֵם: (als Gabe) **bringen** *bring* (*a gift*) Js 23, 7 Ir 31, 9 Ze 3, 10 Ps 60, 11 68, 30 76, 12 108, 11, cj Ho 10, 6 u. 12, 2 u. Ps 45, 16;†
hof: impf. יוּבַל, יוּבָל, תּוּבַל, אוּבָל, תּוּבַלְנָה: (als Gabe) **gebracht werden** *be brought* (*gifts*) Js 18, 7 53, 7 55, 12 Ir 11, 19 Ps 45, 15 (Braut *bride*) Hi 10, 19 21, 32; l יוֹבִלוּ Ho 10, 6 u. 12, 2, l תּוֹבַלְנָה Ps 45, 16.†
Der. יְבוּל, I יָבָל, יוּבַל, II אֵבֶל, n. m. III יָבָל u. אוּבִיל.

II *יבל: وَبَلَ stossen, stark regnen *toss, pour down rain*, وَبْل Regenguss *violent rain*, Nöld NB 199.
Der. cj II יָבָל, יוּבַל, יַבֶּלֶת.

I יָבָל: I יבל; > äg. *jbr* (Strom *river*?) EG 1, 63; sy. יַבְלָא Fluss *river*; F יוּבַל, II אֵבֶל: **Wassergraben** *water-ditch* Js 30, 25 44, 4 Si 50, 8.†

cj II יָבָל: II יבל: **Platzregen** *heavy shower* cj Hi 20, 28.†

III יָבָל: n. m.; = אוּבִיל, *Ιωβελ*: Gn 4, 20.†

יִבְלְעָם: n. l.; בלע?; äg. *Yabraʿam(a)* Albr. Voc. 36, ETL 201: *T. Belʿame* bei *near Ǵenīn*: Jos 17, 11 (cj 21, 25) Jd 1, 27 2 K 9, 27, cj 15, 10; = בִּלְעָם 1 C 6, 55.†

יַבֶּלֶת: II יבל; *μυρμηκιῶν* u. mhb. (Mischna, Löw 1, 699): **Warze** *wart*, *verruca* Lv 22, 22.†

יבם: Scheft. ARW 18, 250 ff; denom. v. יָבָם; ug. (Anat) *jbmt l3mm* (Albr. BAS 70, 6. 19: Erzeugerin *procreator*, cf. ونم u. *bāmā* erzeugen *procreate*) pi: pf. sf. יִבְּמָהּ, inf. sf. יַבְּמִי, imp. יַבֵּם: c. ac. (an der Witwe des Bruders) **die Schwagerehe vollziehn** *consume the brother-in-law's marriage* (*with the dead brother's widow*) Gn 38, 8 Dt 25, 5. 7; F יָבָם.†

יָבָם: mhb., ja. יִבְמָא: sf. יְבָמִי, יְבָמָהּ: (Mittelmann, d. altisraelitische Levirat, 1934, 1 f): **Bruder des Ehemanns** *husband's brother* Dt 25, 5. 7.†
Der. יבם, *יְבָמָה.

יְבָמָה* vel (Rengstorf, Jebamoth, 1929, 3) *יְבֶמֶת: f. v. יָבָם: sf. יְבִמְתּוֹ, יְבִמְתֵּךְ: 1. **Witwe des Bruders** *brother's widow* Dt 25, 7. 9; 2. **Witwe des Bruders des Gatten** *widow of the brother of a wife's husband* Ru 1, 15. †

יַבְנְאֵל: n.l.; בנה u. אֵל (*Jabni-ilu* n.m. EA 328): 1. *Yebna* 20 km s. *Jaffa*; > יַבְנֵה, Ἰάμνια, cf. Schürer, Geschichte d. jüd. Volkes II⁴ 126f, Jos 15, 11; 2. in Naftali Jos 19, 33. †

יַבְנֵה: n.l.; = יַבְנְאֵל 1.: 2 C 26, 6; F יָמְּה. †

יִבְנְיָה: n. m.; בנה u. יה: 1 C 9, 8. †

יִבְנִיָּה: n. m.; בנה u. יה: 1 C 9, 8. †

יְבֻסִי: F יְבוּסִי.

יַבֹּק n. fl.; Etymologie? = *Wadi Zerqā*, östlicher Zufluss des *eastern tributary of* Jordan (ZDP 47, 221): Gn 32, 23 Nu 21, 24. cj 26 Jd 11, 13. 22; נַחַל יַבֹּק Dt 2, 37, יַבֹּק הַנַּחַל 3, 16 Jos 12, 2. †

יְבֶרֶכְיָהוּ: n. m.; ברך u. יה: Js 8, 2. †

יִבְשָׂם: n. m.; בשׂם, Wohlgeruch *perfume*: 1 C 7, 2. †

יבשׁ: mhb., aram., يَبِسَ, የብሰ:
qal: pf. יָבֵשׁ, יָבְשָׁה, יָבֵשׁוּ, יָבֵשׁוּ, impf. יִיבַשׁ, יִיבָשׁ, וַתִּיבַשׁ, יָבֵשׁוּ, inf. יְבוֹשׁ, יָבֹשׁ u. יְבֹשֶׁת: 1. **austrocknen** (Wasser) *be dried up* (*water*) Gn 8, 7 Ir 50, 38 Ho 13, 15 (l וְיֵבוֹשׁ) Hi 12, 15 1 K 17, 7 Js 19, 5 Hi 14, 11 Jl 1, 20; 2. **trocken werden** *dry up* אֶרֶץ Gn 8, 14; 3. **eintrocknen, vertrocknen** *be, become dry*: זְרוֹעַ לֶחֶם Jos 9, 5. 12, יָד 1 K 13, 4 (Mc 3, 1), Sa 11, 17, l חִכִּי Ps 22, 16, עוֹר Th 4, 8; 4. **verdorren** *wither*: חָצִיר Js 15, 6 40, 7f Ps 129, 6, מִזְרָע Js 19, 7, קָצִיר 27, 11, Pflanzen *plants* 40, 24 Ir 12, 4 Hs 17, 10 Jon 4, 7 Ps 90, 6 102, 5. 12 Hi 8, 12, נְאוֹת Ir 23, 10, צֶמַח Hs 17, 9, עֲצָמִים Jl 1, 12, שֹׁרֶשׁ Ho 9, 16 Hi 18, 16, רֹאשׁ הַכַּרְמֶל Am 1, 2, חֶלְקָה 4, 7; †
pi: impf. תְּיַבֵּשׁ, תְּיַבֶּשׁ־, sf. וַיְבַשְׁהוּ < *וַיְיַבְּשֵׁהוּ: **austrocknen** *make dry, dry up*: יָם Na 1, 4, יַנְקָתוֹ Hi 15, 30, גֶּרֶם Pr 17, 22; †
hif: pf. הוֹבִישׁ, הֹבִישׁ, הוֹבַשְׁתִּי, הוֹבִישׁוּ, impf. אוֹבִישׁ: 1. (Wasser) **vertrocknen lassen** *dry up* (*water*) Jos 2, 10 4, 23 5, 1 Js 44, 27 Ir 51, 36 Ps 74, 15, cj Ho 13, 15; 2. (Pflanzen) **verdorren lassen** *make wither* (*herbs*) Js 42, 15 Hs 17, 24 19, 12; 3. **austrocknen** (Wasser) *exhibit dryness* (*water*) Sa 10, 11; l הִבְאִישׁ Js 30, 5. †
Der. I-III יָבֵשׁ, יַבָּשָׁה, יַבֶּשֶׁת.

I **יָבֵשׁ**: יבשׁ; adj.: f. יְבֵשָׁה; pl. יְבֵשִׁים, יְבֵשׁוֹת: **vertrocknet, dürr** *dried, dry*: עֵץ Hs 17, 24 21, 3 Js 56, 3, קַשׁ Na 1, 10 Hi 13, 25; **vertrocknet** *dry* עֲצָמוֹת Hs 37, 2. 4; **eingetrocknet** *dried* (:: לַח) Nu 6, 3; נַפְשֵׁנוּ יְבֵשָׁה wir verschmachten *our soul is dried away* Nu 11, 6. †

II **יָבֵשׁ**, יָבֵישׁ: n. m.; = I? (Wellh. Geschichte⁶ 118¹: n. l.) 2 K 15, 10. 13f. †

III **יָבֵשׁ**, **יָבֵישׁ** (Jd 21, 8. 12 1 S 11, 1b. 3. 5. 9. 10 31, 11 2 S 2, 4f 21, 12 1 C 10, 11f): n. l.; יָבֵשׁ גִּלְעָד, loc. יָבֵשָׁה: *T. Abu Ḫaraz* u. *Meqbereh*, n. *Wadi Yâbis*, 15 km sö. *Beisān* (Glueck BAS 89, 2ff 91, 8f): F Jd 21, 9—14 1 S 11, 1—10 31, 12f. †

יַבָּשָׁה: יבשׁ; palm. יבשׁא: **trocknes Land** *dry land* Ex 4, 9 14, 16. 22. 29 15, 19 Ne 9, 11 Js 44, 3; **Festland** *dry land, shore*:: יָם Gn 1, 9f Jon 1, 9. 13 2, 11 Ps 66, 6, cj Hi 41, 24. †

יַבֶּשֶׁת: יבשׁ: **d. trockne Land** *dry land* Ex 4, 9 Ps 95, 5. †

יִגְאָל: n. m.; I גאל; Blutrache *avengement of blood*: 1. Nu 13, 7; 2. 2 S 23, 36; 3. 1 C 3, 22. †

יגב: وَجِبَة Frondienst *compulsory (unpaid) labour* Dozy 2, 781b:

qal: pt. יֹגְבִים: **Fronknechte** *unpaid labourers*, 2 K 25, 12 Ir 52, 16, cj יֹגֵב Js 45, 14.†

Der. *יָגֵב.

***יָגֵב**: יגב: pl. יְגֵבִים: **Fronleistungen** *compulsory service* Ir 39, 10.†

יָגְבְּהָה: n. l.; גבה, Anhöhe *elevation*: *el-Ağbēhāt* 11 km nw. ʿAmmān: Nu 32, 35 Jd 8, 11.†

יִגְדַּלְיָהוּ: n. m.; גדל u. יי: Ir 35, 4.†

יגה: وَجِىَ (Pferd) hat Schmerzen im Huf (*horse*) *experiences a pain in his hoof*:

nif: pt. pl. (נוּגֵי) נוּגוֹת: (im Gemüt) **bedrückt, gequält** *depressed (in mind), vexed* Th 1, 4; l כִּימֵי מוֹעֵד Ze 3, 18;†

pi: impf. וַיַּגֶּה < *וַיְיַגֶּה: **plagen, betrüben** *vex, grieve* Th 3, 33;†

hif: pf. הוֹגָה, sf. הוֹגָהּ, impf. תּוֹגְיוּן, pt. sf. מוֹגַיִךְ: **plagen, betrüben** *vex, grieve* Js 51, 23 Hi 19, 2 Th 1, 5. 12 3, 32;†

[hof: pf. הֻגָּה: l הִגָּהוּ (II הגה) 2 S 20, 13.†]

Der. תּוּגָה, יָגוֹן.

יָגוֹן: יגה: sf. יְגוֹנָם: **Kummer, Qual** *grief, vexation*: בְּיָגוֹן Gn 42, 38 44, 31; וַאֲנָחָה י׳ Js 35, 10 51, 11, עָמָל וְי׳ Ir 20, 18; רָעָה וְי׳ Ps 107, 39, צָרָה וְי׳ 116, 3, :: שִׂמְחָה Est 9, 22; F Ir 8, 18 31, 13 45, 3 Hs 23, 33 Ps 13, 3 31, 11.†

יָגוּר: n. l.; = גּוּר־בַּעַל, Alt, JPO 4, 322[4]: Jos 15, 21.†

יָגוֹר: יגר: **Furcht hegend** *fearing* Ir 22, 25 39, 17.†

***יָגִיעַ**: יגע: pl. cs. יְגִיעֵי: **erschöpft** *weary* Hi 3, 17 Si 37, 12.†

***יְגִיעַ**: יגע: sf. יְגִיעוֹ, יְגִיעֲךָ, יְגִיעֶךָ, pl. sf. יְגִיעֶי: 1. **Mühe, Arbeit** *toil, labour* Js 55, 2 Ps 78, 46 128, 2 Hi 10, 3 39, 11. 16 Ne 5, 13; 2. **Arbeitsertrag, Erwerb, Gewinn** *product, acquired property* Gn 31, 42 Dt 28, 33 Ir 3, 24 20, 5 Hs 23, 29 Ho 12, 9 Hg 1, 11 Ps 109, 11 Si 14, 15; l יְגִעַ Js 45, 14.†

יָגְלִי: n. m.; Etymologie?: Nu 34, 22.†

***יגן**: I גַּת.

יגע: mhb.; ak. *egû* müd werden *grow weary*; وَجِعَ Mühe haben, leiden *have pain, suffer*:

qal: pf. יָגַעְתָּ, יָגַעְתָּ, יָגְעָה, (sprich *spell* יָגַעַתְּ vel יָגַעַתְּ) Js 47, 12, יָגַעְנוּ, impf. תִּיגַע, יִיגַע, אִיגַע, יִיגְעוּ, יִגָעוּ Ir 51, 58 u. יִיגָעוּ Js 65, 23 Ha 2, 13, יִיגָעוּ Js 40, 31 u. יִגָעוּ 40, 30: 1. **müd werden** *grow weary* 2 S 23, 10 Js 40, 28. 30 f Ir 45, 3; 2. c. בְּ **sich mühen um** *toil, labour for* Jos 24, 13 Js 43, 22 47, 12 62, 8 Ps 6, 7; 3. **sich abmühen** *toil, labour* Js 47, 15 49, 4 57, 10 Ir 51, 58 Ha 2, 13 Pr 23, 4 Hi 9, 29 Th 5, 5 Si 11, 11; יָגַעְתִּי בְקָרְאִי habe mich müde gerufen *became weary by crying* Ps 69, 4;†

pi: impf. תְּיַגַּע, sf. תְּיַגְּעֵנּוּ: 1. **müd machen** *make weary* Ko 10, 15, **bemühen** *trouble* Jos 7, 3; 2. **quälen, martern** *torture* (Ginsberg ZAW 51, 308: = أَوْجَعَ) 2 S 5, 8;†

hif: pf. הוֹגַעְתֶּם, הוֹגַעְנוּ, הוֹגַעְתַּנִי, sf. הוֹגַעְתִּיךָ: **jm. ermüden** *make weary* Js 43, 23 f Ma 2, 17.†

Der. *יָגֵעַ, יָגָע, יְגִיעַ, *יָגִיעַ, *יְגִעָה.

יָגָע: יגע: **Arbeitsertrag** *product, acquired property* (l יְגִעוֹ) Hi 20, 18.†

יָגֵעַ: יגע: pl. יְגֵעִים: 1. müd *weary* Dt 25, 18 2 S 17, 2; 2. sich abmühend *wearisome, toilsome* Ko 1, 8; 3. cj יָגֵעַ geplagt *toiling* Ps 88, 16.†

***יְגִעָה**: יגע: cs. יְגִעַת: Ermüdung *wearying* Ko 12, 12.†

יגר: ph. in n. m. יגראשמן; وَجِرَ fürchten *fear*; F III גור:

qal: pf. יָגֹרְתִּי, יָגֹרְתָּ: Furcht, Bangen (vor Künftigem) haben *fear, be afraid (of future events)* Dt 9, 19 28, 60 Ps 119, 39 Hi 3, 25 9, 28.†
Der. יָגוֹר.

יָד (1600 ×), fem.; msc. Ex 17, 12†: Sem.; F ba.; ug. *yd*; VG I, 333, Nöld. NB 113—6: cs. יַד, sf. יָדוֹ, יָדְךָ, יֶדְכֶם u. יֶדְכֶן (BL 547), du. יָדַיִם, cs. יְדֵי, sf. יָדָיו, pl. יָדוֹת, cs. יְדוֹת, sf. יְדֹתָיו, יְדוֹתֶיהָ, יְדוֹתָם: 1. sg. Hand (des Menschen) *hand (of man)* Gn 3, 22; אֶבֶן יָד in d. Hand passender Stein, Wurfstein *stone fitting the hand, throwing-stone* Nu 35, 17, מַקֵּל יָד Handstock *handstaff* Hs 39, 9, כְּלִי עֵץ־יָד Handgerät, Werkzeug aus Holz *wooden tool* Nu 35, 18; נָתַן יָדוֹ d. Hand reichen *give the hand* 2 K 10, 15; יַד שְׂמֹאלוֹ s. linke H. *his left h.* Jd 3, 21, יַד יְמִינָם ihre rechte H. *their right h.* 7, 20 F יָמִין; חֹזֶק יָד starke H. *strong H.* Ex 13, 3. 14. 16; etc.; 2. du. Hände (des Menschen) *hands (of man)* Gn 27, 22; יָדַיִם רָפוֹת Hi 4, 3 cf. Js 13, 7, שִׁפְלוּת יָדַיִם Ko 10, 18, יְדֵי אָדָם Hs 1, 8, cj עָשָׂה יָדָיו pflegte s. Hände *dressed h. hands* 2 S 19, 25; שִׂימוּ יָדַיִם לְ legen Hand an *put th. hands upon* 2 K 11, 16 2 C 23, 15, בֵּין יָדֶיךָ = auf d. Brust *upon thy breast* (ug. *bn jdm // ktp*) Sa 13, 6; 3. יָד sg. Hand *hand*: Gottes *of God* (Häussermann, Wortempfang ... in d. ... Prophetie, 1932, 22 ff): יַד יהוה Ex 9, 3, יַד הָאֱלֹהִים 2 C 30, 12; יַד יהוה c. הָיְתָה אֶל 1 K 18, 46, c. הָיְתָה עַל 2 K 3, 15 Hs 1, 3, c. נָפְלָה עַל Hs 8, 1, c. יָצְאָה בְּ Ru 1, 13; בְּחֶזְקַת יָדִי // גְבוּרָתִי Ir 16, 21, מִפְּנֵי יָדֶךָ Js 8, 11; הַיָּד יַד יהוה Ps 109, 27, 144, 7, יָדְךָ זֹאת Ir 15, 17, הַטּוֹבָה Esr 7, 9 8, 18; עָשָׂה יָד גְּדוֹלָה בְּ J. zeigt e. starke H. gegen *Y. shows a strong h. against* Ex 14, 31; etc.; 4. יָד sg. des Menschen *of man*: שָׁלַח יָדוֹ streckt s. H. aus *puts forth h. h.* Gn 3, 22, הֵרִים יָד אֶל־ erheben zu *lift up unto* (Schwur *oath*) 14, 22, הָיְתָה יָד בּוֹ sich vergreifen an *lay hands on* Gn 37, 27, = נָתַן יָדוֹ בּוֹ Ex 7, 4, שִׁית יָדוֹ עִם gemeinsame Sache machen mit *make common cause with* Ex 23, 1; תַּגִּיעַ יָדוֹ die Kosten aufbringen *be able to pay, defray the expenses* Lv 5, 7, = תַּשִּׂיג יָדוֹ לְ 5, 11; מָטָה יָדוֹ kann sich nicht halten *is not able to hold out* 25, 35; יָד לְפֶה (Gestus d. Schweigens *gesture of silence*) Pr 30, 32 cf. Hi 21, 5; נָתַן יָדוֹ Handschlag geben *promise by shaking hands* Hs 17, 18; וַיִּתְּנוּ יָדָם c. לְ c. inf. sie gaben die Hand darauf, dass sie *they promised by shaking hands to ...* Esr 10, 19; נָתַן יָד תַּחַת sich unterwerfen *submit oneself* 1 C 29, 24; יָדוֹ בַכֹּל s. H. ist gegen jeden *his h. is against every man* Gn 16, 12; כְּמַתְּנַת יָדוֹ was er geben kann *as he is able to give* Dt 16, 17; יָדוֹ אִתְּךָ בְּ er steht in d. Sache zu dir *his h. (he) is with thee in this* 2 S 14, 19; נָתַן עַל־יָדוֹ ihm anvertrauen *entrust to him* Gn 42, 37; הוֹצִיא עַל־יָדוֹ in s. Obhut bringen *commit to the care of* Esr 1, 8 cf. Est 2, 3. 8; יָד לְיָד die Hand darauf! *my hand upon it!* Pr 11, 21 16, 5; עַל־יָד unter der Hand, allmählich *little by little* Pr 13, 11; לֹא בְיָד ohne (menschliches) Zutun *without (human) hand* Hi 34, 20; etc.: 5. יָד, יָדַיִם metaph.: a) Seite *side*: אִישׁ עַל־יָדוֹ jeder auf s. Seite *every man in his place* Nu 2, 17; עַל־יָדוֹ neben ihm *next to him* Ne 3, 2, = עַל־יְדֵיהֶם Hi 1, 14; עַל־יְדֵי אֱדוֹם Edom entlang *along Edom* Nu 34, 3; abs. Ort auf der Seite > **Ab-ort** *private-place, privy* Dt 23, 13; יַד הַשַּׁעַר neben dem Tor *beside the gate* 1 S 4, 18, לְיַד אָבִי zur Seite m. Vaters *beside my father* 19, 3; יַד (bei Wasserläufen *connected with water-courses* =) Seite, **Ufer** *side, bank*: יַד נַחַל Dt 2, 37, יַד הַנָּהָר Da 10, 4, יְדֵי אַרְנוֹן Jd 11, 26; רַחֲבַת יָדַיִם nach beiden Seiten weit, geräumig *large on both sides, wide* Gn 34, 21; etc.; b) יָד **Bereich** *place*: יָדוֹ Ir 6, 3, בְּיָדָם in ihrem Bereich, bei ihnen *in their place, with them* Gn 35, 4, בְּיָדִי 1 S 9, 8, = in s. Besitz *in his possession* Ko 5, 13; בְּיַד לָשׁוֹן in d. Gewalt d. Z. *in the power of the tongue* Pr 18, 21, שִׁלַּח בְּיַד in d. Gewalt hingeben *deliver into the power* Hi 8, 4; בְּיַד Anleitung *guidance* Ex 38, 21 Nu 7, 8; בְּיָדֵנוּ Befehl *charge* Nu 31, 49; לְיַד הַמֶּלֶךְ Verfügung *disposal* Ne 11, 24, כְּיַד הַמֶּלֶךְ; עַל־יְדֵי Anordnung *disposal* 1 C 25, 2; Vermögen, Art *riches, way* 1 K 10, 13 Est 1, 7; c) יָד **Kraft, Halt** *power, firmness* Dt 32, 36; יָדַיִם לָנוּס Kraft zu fliehen *power to flee* Jos 8, 20; הֵשִׁיב יָדוֹ richtet s. Macht wieder auf *recovers his dominion* 2 S 8, 3; 6. Einzelnes *particulars*: יָד **Denkmal** *monument* 1 S 15, 12 2 S 18, 18, יָד וָשֵׁם Js 56, 5; חַיַּת יָדֵךְ? 57, 10; Penis? (وَدْأ u. ودى *penem exseruit* (*equus*)) 57, 8;? Ir 5, 31? 50, 15? etc.; 7. pl. יָדוֹת: a) **Handgriffe** *stays, supports* (מְכוֹנָה) 1 K 7, 35 f, **Armlehnen** *arms, rests* 10, 19, **Zapfen** *plugs* (zum Verzahnen d. Bretter *for joining of boards*) Ex 26, 17 36, 22; b) **Teile** *fractional part, share*: שְׁתֵּי הַיָּדוֹת בָּכֶם die 2 Abteilungen von euch *the 2 parts, divisions of you* 2 K 11, 7; תֵּשַׁע הַיָּדוֹת die 9 Teile, Zehntel *nine parts* Ne 11, 1, חָמֵשׁ יָדוֹת d. Fünffache, fünf Mal mehr Gn 43, 34, עֶשֶׂר יָדוֹת 10 Teile *10 parts* 2 S 19, 44 Da 1, 20; 8. יָד c. praep.: אֵין בְּיָדִי ich habe nicht im Sinn *I have not in view* 1 S 24, 12, מַה ... בְּיָדִי 26, 18; קַח בְּיָדְךָ mit dir *with thee* Ir 38, 10; בְּיַד > durch *by*: קָרָא Ir 39, 11, דִּבֶּר בְּיַד 1 K 12, 15, וַיִּצֶו בְּיַד Sa 7, 7, פִּי יהוה בְּיַד Nu 10, 13; מִיַּד von *from*: קָנָה מִיַּד Gn 33, 19, רָצָה מִיַּד gern annehmen von *accept with delight from* Ma 1, 13; מִיַּד an d. Seite von, zur S. von *by the side of* 2 C 31, 13; עַל־יַד unter d. Leitung *under the control of* 2 C 26, 11. 13, = עַל־יְדֵי 2 C 23, 18 Esr 3, 10; עַל־יְדֵי שִׁיר zur Besorgung d. Gesangs *for the singing* 1 C 6, 16; etc.; 9. l פִּידוֹ Hi 15, 23, l יְלָדִים Th 4, 6, l בְּיָדוֹ 2 C 25, 20, l בּוֹר גָּדוֹל Ir 41, 9, l מְצַיֵּד Pr 6, 5; F כַּף.

יִרְאָלָה: n. l.; *דאל; دُئِل Schakal *jackal* (*Canis lupaster*): *Ch. el Hawāra* bei *near* בֵּית לֶחֶם?: Jos 19, 15.†

יִדְבָּשׁ: n. m.; דְּבַשׁ; Honig *honey*: 1 C 4, 3.†

I ידד: = I ידה:
qal: pf. יַדּוּ: c. גּוֹרָל עַל: d. Los **werfen** über *cast a lot upon* Jl 4, 3 (l עַל) Ob 11 Na 3, 10.†

II *ידד: ug. *yd*; Zng. Lidz. 262, sy. etpa. وَدَّ, asa. ודד, Gottheit *God* ود; ak. *namaddu* Liebling *beloved*?:
Der. יְדִידָה, *יָדִיד, n. f. יְדִידָה, n. m. יְדִידְיָה, יְדִדוּת, מֵידָד, יִדּוֹ?

יְדִדוּת: II ידד: **Liebling** *beloved one* Ir 12, 7.†

I ידה: F I ידד; ودى, ⲱⲧⲉ; cf. ak. *nadū*; äg. *wd*:
qal: imp. יְדוּ: **schiessen** *shoot* Ir 50, 14;
pi: impf. וַיַּדּוּ, < *וַיְיַדּוּ, inf. יַדּוֹת: **werfen** *cast* Th 3, 53, **niederwerfen** *cast down* Sa 2, 4.†

II ידה (99 ×, 66 × Ps): F ba.; mhb. hif. bekennen, loben, danken *confess, praise, give thanks*, hitp. eingestehn *confess*, הוֹדָאָה Bekenntnis, Danksagung *confession, thanksgiving*; ودى X

bekennen *confess*; ኣስተዋደየ beschuldigen *accuse*: hif: pf. הוֹדוּ, הוֹדִינוּ, impf. יוֹדוּ, יוֹדֶה, אוֹדֶה, יוֹדְךָ, sf. יוֹדוּךָ u. אוֹדְךָ, אוֹדֶנּוּ, תּוֹדֶךָּ, יוֹדֶךָ, נוֹדֶה, יְהוֹדֶה < אֲהוֹדֶנּוּ, יְהוֹדוּךָ (BL 229), inf. הוֹדוֹת, pt. מוֹדִים: 1. c. ac.: **preisen** *praise* Gn 49, 8 (Etym. v. יְהוּדָה) Ps 45, 18 49, 19 Hi 40, 14; Gott preisen *praise God* Gn 29, 35 (Etym. v. יְהוּדָה) 2 S 22, 50 Js 12, 1 38, 18 f Ir 33, 11 Ps 7, 18 9, 2 (1 אוֹדְךָ) 18, 50 28, 7 30, 10. 13 35, 18 42, 6. 12 43, 4 f 52, 11 57, 10 67, 4. 6 71, 22 76, 11 86, 12 88, 11 108, 4 109, 30 111, 1 118, 19. 21. 28 119, 7 138, 1. 4 139, 14 145, 10, cj (אֹדֶךָ) Js 38, 15 Ps 74, 19; c. שֵׁם d. Namen (Gottes) preisen *praise the name* (*of God*) 1 K 8, 33. 35 Js 25, 1 Ps 44, 9 54, 8 99, 3 138, 2 142, 8 2 C 6, 24. 26, c. פֶּלֶא יהוה Ps 89, 6; 2. c. לְ: (Gott) **preisen** *praise* (*God*) Js 12, 4 Ps 6, 6 33, 2 75, 2 79, 13 92, 2 100, 4 105, 1 106, 1 107, 1. 8. 15. 21. 31 118, 1. 29 119, 62 136, 1. 3. 26 Esr 3, 11 Ne 12, 46 1 C 16, 7 f. 34. 41 29, 13 2 C 5, 13 7, 3. 6 20, 21, לְשֵׁם Ps 106, 47 1 C 16, 35 Ps 122, 4 140, 14, c. לְזֵכֶר Ps 30, 5 97, 12; 3. abs. cj Ne 12, 8; 4. הוֹדָה עַל: **Bekenntnis ablegen** über *confess* (Zusammenhang v. Konfession u. Doxologie *relation between confession a. doxology* F Greiff, D. Gebet im AT, 1915, 6 f u. Horst, ZAW 47, 50—4) Ps 32, 5; 5. הוֹדָה c. ac.: **bekennen** *confess* Pr 28, 13; 6. הוֹדָה [לַתְּפִלָּה] **stimmt** [beim Gebet] **d. Lobpreis an** *intonates the doxology* [*in the prayer*] Ne 11, 17 12, 24 1 C 16, 4 23, 30 25, 3 2 C 31, 2; hitp: pf. הִתְוַדָּה, הִתְוַדּוּ, impf. וָאֶתְוַדֶּה, וַיִּתְוַדּוּ, inf. sf. הִתְוַדֹּתוֹ, pt. מִתְוַדֶּה, מִתְוַדִּים: c. ac. sich geständig zeigen über, **bekennen** *confess* Lv 5, 5 16, 21 26, 40 Nu 5, 7 Da 9, 4. 20 Esr 10, 1, c. לַיהוה gegenüber J. *before Y.* 2 C 30, 22, c. עַל hinsichtlich *relating to* Ne 1, 6 9, 2 f.†
Der. I הוֹד, (הֻיְּדוֹת), תּוֹדָה; n. m. הוֹדַוְיָה(וּ).

יַדּוֹ: n. m.; II ידד? Noth S. 181; palm. ידי; Ἰάδης, Ἰαδ(δ)αῖος Wuthn. 55: 1. 1 C 27, 21; 2. Esr 10, 43 (Q יַדַּי).†

יָדוֹן: n. m.; KF v. ידניה AP 37, 1 = יארניה 37, 17 < יאזניה Eph 3, 258: Ne 3, 7.†

יַדּוּעַ: n. m.; ידע; asa. n. m. ידע; Lkš 3, 20: 1. Ne 10, 22; 2. 12, 11. 22.†

יְדוּתוּן, יְדֻתוּן, יְדִיתוּן: 1. unerklärtes Fachwort *unexplained term*: Ps 39, 1 62, 1 77, 1; 2. n. m.: Ne 11, 17 1 C 9, 16 16, 38. 41 f 25, 1. 3. 6 2 C 5, 12 29, 14 35, 15.†

יַדַּי: F יַדּוֹ.

***יָדִיד**: II ידד; ug. *ydd*; amor. n. m. *Jadidum* (Bauer, Ostkan. 69): cs. יְדִיד, יְדִידִי, יְדִידוֹ, pl. sf. יְדִידֶיךָ, f. יְדִידוֹת: **Liebling, lieblich** *beloved, lovely* Js 5, 1 Ps 127, 2, יְדִיד יהוה Dt 33, 12, יְדִידֶיךָ d. L. = d. Frommen *thy beloved ones = thy pious ones* Ps 60, 7 108, 7; מִשְׁכְּנוֹתֶיךָ 84, 2; ? Ir 11, 15.†
Der. n. f. יְדִידָה; n. m. יְדִידְיָה.

יְדִידָה: n. f.; fem. v. יָדִיד: 2 K 22, 1.†

יְדִידְיָה: n. m.; יָדִיד u. יה; = שְׁלֹמֹה: 2 S 12, 25.†

יְדִידֹת: II ידד; 3 MS יְדִידֹת, 6 MS יְדִידוֹת: שִׁיר יְדִידֹת **Liebeslied** *song of love* Ps 45, 1.†

יְדָיָה: n. m.; Noth S. 182: 1. Ne 3, 10; 2. 1 C 4, 37.†

יְדִיעֲאֵל: n. m.; ידע u. אֵל; altbab. *Jadīḫ-ilu*, spätbab. *Jādiḫ-el*, amor. *Jadi-ilu* (Bauer, Ostkan. 55); asa. ידעאל: 1. 1 C 7, 6. 10 f; 2. 11, 45 12, 21; 3. 26, 2.†

יְדִיתוּן: F יְדוּתוּן.

יִדְלָף: n. m.: II דלף; F בִּלְדָּד: Gn 22, 22.†

ידע: mhb., F ba.; ug. *ydʿ*; ak. *idū*; ph. ידע; يدع (selten *rare*), asa. ידע; የደዐ:

qal (814×): pf. יָדַע, יָדַעְתָּ, יָדַעַתְּ, יָדַעְתְּ, יָדְעוּ, יְדַעְתֶּם, sf. יְדָעוֹ, יְדָעָנוּ, יְדָעוּ, יְדָעוּן, יְדַעְתּוֹ, יְדַעֲנוּם, יְדַעֲנוּךָ, יְדַעְתִּין, יְדַעְתִּיו, יְדַעְתַּנִי, impf. יֵדַע < *jajdaʿ, יֵדַע, יֵידַע l יֵידָע Ps 138, 6, אֵדְעָה, אֵדָעֲךָ, inf. sf. יֵדָעֶנּוּ, תֵּדְעִין, תֵּדָעִי, אֵדָעָה, יְדֹעַ, יָדֹעַ, cs. דַּעַת u. דֵּעָה, sf. לְדַעְתּוֹ, imp. דַּע, דְּעִי, דְּעוּ, sf. דָּעֵהוּ, pt. יֹדֵעַ, יוֹדֵעַ, f. יֹדַעַת, יֹדְעִים, יוֹדְעִים, ps. cs. וִידוּעַ, pl. וִידֻעִים:

יָדַע wahrnehmen (allgemein) *observe* (*in general*) 1. **wahrnehmen, merken** *observe, notice* Lv 5, 3, לֹא יָדַע ohne es zu merken *not being aware* Ir 50, 24 Hi 9, 5 (l וַאֲשֶׁר), in Acht nehmen, sich merken *mark* Ru 3, 4, יָדַע כִּי merken, dass *realize that* Gn 3, 7, c. מה Ex 2, 4 1 S 22, 3, יָדַע שְׁלוֹם פ׳ erfahren, wie es geht *learn how they are* Est 2, 11; 2. (durch Mitteilung) **erfahren, vernehmen** *learn, know* (*by being told*) Lv 5, 1 2 S 24, 2, c. בְּ von *of* Ir 38, 24, c. כִּי dass *that* Ne 13, 10; erfahren = erleben *learn = experience* Js 47, 8 Ko 8, 5, c. כִּי Hi 5, 24; zu spüren bekommen, es fühlen müssen *feel, know* Js 9, 8 Hi 21, 19 Ho 9, 7; 3. (durch Wahrnehmen u. Überlegen) **erkennen** *know* (*by observing a. reflecting*): c. כִּי Jd 13, 21, c. עִם לְבָבְךָ Dt 8, 5, c. בְּ an *by* Gn 15, 8; erkennen, dass ich J. bin *know that I am Y.* Ex 6, 7 Hs 6, 7 (u. oft *a. often*); דַּע וּרְאֵה כִּי erkenne u. sieh, dass *know a. see that* 1 S 12, 17 24, 12 1 K 20, 7 2 K 5, 7 Ir 2, 19, c. מִי Ir 44, 28, c. אִם ob *if* Ir 5, 1, c. ac. 1 S 23, 22, c. מִן partitivum 23, 23; 4. wahrnehmen = **sich kümmern um** *notice = care for* (**F** 7), c. ac. Gn 39, 6, c. obj. נַפְשִׁי Hi 9, 21, c. בְּ Ps 31, 8: 5. kennen lernen, **kennen** *know*: jmd *somebody* Ex 1, 8 (geschichtlich *by history*), Gn 29, 5 (persönlich *personally*), e. Sache *a thing* Hi 28, 7; c. לֹא nicht wissen wollen von *not know* Dt 33, 9; c. בְּשֵׁם Ex 33, 12, c. פָּנִים אֶל־פָּנִים Dt 34, 10; Gott kennt *God knows* כָּל־עוֹף Ps 50, 11, אֶפְרַיִם Ho 5, 3; c. לְ Ps 69, 6; daher *thus*: יֹדְעִים Bekannte, Vertraute *acquaintance, fellows* Hi 19, 13; יְדוּעִים (mit d. Dingen bekannt) sachkundig *experienced* Dt 1, 13; יְדוּעַ חֹלִי m. Krankheit vertraut *acquainted with sickness* Js 53, 3; 6. gleich *like* sy. ܝܕܥ, عَرَفَ, ak. *lamādu*, γιγνώσκειν: sexuell **erkennen, beiwohnen** *know sexually, lie with*: c. ac. Gn 4, 1 1 K 1, 4, Päderastie *paederasty* Gn 19, 5, v. Frau *said of woman* יָדְעָה אִישׁ Gn 19, 8 Nu 31, 17; 7. (theol.) **kennen, sich kümmern um** (*said of God*) *know, care for* Gn 18, 19 2 S 7, 20 Ir 1, 5 Ho 13, 5 Am 3, 2 Na 1, 7 Ps 144, 3; 37, 18; von Menschen gesagt *said of man*: 1 S 2, 12 Ir 2, 8 4, 22 Ho 2, 22 5, 4 Hi 18, 21; Ps 79, 6 Ex 5, 2 33, 13; יֹדְעֶיךָ Ps 36, 11, יֹדְעָי 87, 4, יֹדְעֵי שְׁמֶךָ 9, 11; 8. e. Sache kennen, **verstehn** *know how to do a thing, be learned in, be skilled*: Pr 30, 18, שָׂפָה Ps 81, 6, סֵפֶר Js 29, 11, בִּינָה 29, 24, חָכְמָה Pr 1, 2; c. צַיִד jagdkundig *skilled hunter* Gn 25, 27, c. הַיָּם seetüchtig *experienced seafarer* 1 K 9, 27; יָדַע לְ sich verstehn auf *know* (*thoroughly*) Hi 37, 16 (l לְמִפְלְשֵׂי); c. לְ c. inf. zu tun verstehn, können *know how to do, be able to do* Ir 4, 22, c. inf. einer Tätigkeit kundig sein *be skilled in* 1 S 16, 18, c. וְ c. impf. können *be able to* Hi 23, 3, = ohne *without* וְ 32, 22; l נַגֵּן 1 S 16, 16; 9. erkannt haben, **wissen** *have experienced, know*: Js 40, 21, c. ac. etwas *something* 1 S 20, 39 2 S 15, 11, „es" „*it*" 3, 26, c. כִּי dass *that* Gn 12, 11, c. אֲשֶׁר dass *that* Est 4, 11, = c. אֵת אֲשֶׁר Dt 29, 15, c. מָה Ko 8, 7, c. טוֹב וָרָע was gut u. bös ist *good a. evil* Gn 3, 5. 22 (Humbert, Études sur le récit du Paradis, 1940, 83 ff) 2, 17 Dt 1, 39, c. inf. die Einsicht haben, um zu *know to* Js 7, 15; יָדַע בֵּין ... לְ unterscheiden können *discern* 2 S 19, 36 Jon 4, 11 (ZAW 33, 167 ff); c. 2 ac. 2 C 12, 8; 10. מִי יֹדֵעַ **wer weiss** *who knows*: c. impf. = vielleicht *perhaps* 2 S 12, 22 Jl 2, 14 Jon

3,9, c. אִם ob *whether* Est 4,14, c. הֲ... אוֹ = keiner weiss, ob... oder *nobody knows whether... or* Ko 2,19; 11. **Wissen, Einsicht haben** *have knowledge, wisdom*: יֹדְעִים Hi 34,2 Ko 9,11; c. neg. ohne Einsicht sein *be without wisdom* Js 1,3 44,9 45,20 56,10 Ps 73,22 82,5; Hi 13,2; l תֵּעוֹר Hs 38,14, l יִדַּע Ps 104,19, l רְעִתִיךָ Ho 13,5, l יָרִיעַ Ho 9,7;

nif: pf. נוֹדַע, נוֹדְעָה, נוֹדַעְתִּי, impf. יִוָּדַע, תִּוָּדַע, תִּוָּדְעִי, וָאִוָּדַע, inf. sf. הִוָּדְעִי, pt. נוֹדָע: **1. sich bekannt geben** *make oneself known* Ex 6,3, cj 2,25 (l וַיִּוָּדַע), Hs 20,5 (לְ). 9 (אֶל) 35,11 (בְּ) 36,32 (לְ) 38,23 Ps 9,17 48,4, cj Ha 3,2; 2. **sich zu erkennen geben, sich zeigen** *make oneself seen* Ru 3,3; 3. **gemerkt werden** *become known* Gn 41,31 2 S 17,19, נוֹדַע כִּי man merkt, dass *it is known that* Gn 41,21; entdeckt werden *be discovered* 1 S 22,6; 4. **bekannt werden, sein** *become, be known* Ex 2,14 21,36 33,16 Lv 4,14 Dt 21,1 Jd 16,9 1 K 18,36 Js 19,21 61,9 Ir 28,9 Na 3,17 Sa 14,7 Ps 76,2 77,20 79,10 88,13 Pr 31,23 Ru 3,14 Ko 6,10 Est 2,22; 5. נוֹדַע לוֹ ihm wird bekannt, **er vernimmt** *it is known to him, he learns* 1 S 6,3 Ne 4,9; 6. נוֹדַע אֶת **tut sich kund an** *makes itself known toward* Js 66,14; 7. אַחֲרֵי הִוָּדְעִי nachdem ich **zur Einsicht gebracht worden** war *after I was made to know* Ir 31,19; l יְגֻדְּעוּ Ps 74,5, l יֵרוֹעַ Pr 10,9, l יוֹדִיעַ 12,16, l תֵּרוֹעַ 14,33; †

pi: pf. יִדַּעְתָּ (Q [הַשַּׁחַר]): **wissen lassen** *cause to know* Hi 38,12, cj Ps 104,19 (l יִדַּע); †

pu: pt. מְיֻדָּע (K; Q מוֹדַע) Ru 2,1, sf. מְיֻדָּעִי, pl. sf. מְיֻדָּעָיו, מְיֻדָּעַי, מְיֻדָּעַי: **Bekannter, Vertrauter** *acquaintance* 2 K 10,11 Ps 31,12 55,14 88,9.19 Hi 19,14; f. מְיֻדַּעַת (K; Q מוֹדַעַת) **Bekanntes** *known [things]* Js 12,5; †

[po: pf. יוֹדַעְתִּי: l נוֹדַעְתִּי 1 S 21,3; †]

hif: pf. הוֹדִיעַ, הוֹדַעְתָּ, הוֹדַעְתֶּם, sf. הוֹדִיעַנִי, הוֹדַעְתָּם, הוֹדַעְתַּנִי, impf. יוֹדִיעַ, וְיֹדַע, אוֹדִיעַ, נוֹדִיעָה, sf. יוֹדִיעֶנּוּ, יוֹדִיעֻם, תּוֹדִיעֵנִי, אוֹדִיעֲךָ, inf. הוֹדִיעַ, הֹדִיעַ, imp. הוֹדַע, הוֹדִיעוּ, הוֹדִיעֵנִי, הוֹדִיעֻנוּ, pt. sf. מוֹדִיעֲךָ, מוֹדִיעָם, pl. מוֹדִיעִים: 1. c. 2 ac. jm. etw. **wissen lassen** *make one know a thing* Gn 41,39 Ex 33,12f 1 S 14,12 16,3 2 S 7,21 Js 5,5 40,13f Ir 11,18 (es *it*) 16,21 Hs 16,2 20,4. 11 22,2 43,11 Ps 16,11 25,4. 14 32,5 39,5 51,8 143,8, cj 147,20, Pr 1,23 22,21. 19?, cj 12,16, Hi 13,23 38,3 40,7 42,4 Da 8,19; 2. c. ac. etw. **wissen lassen, kund tun, mitteilen** *make known, publish, tell a thing* Ex 18,16.20 (לְ) Nu 16,5 Dt 4,9 1 S 10,8 (לְ) Js 12,4 64,1 (לְ) Hs 39,7 Ho 5,9 Ps 77,15 78,5 89,2 90,12 98,2 103,7 (לְ) 105,1 106,8 145,12 (לְ) Pr 9,9 Hi 26,3 32,7 Ne 8,12 (לְ) 9,14 (לְ) 1 C 16,8 17,19; 3. c. ac. jem. (von e. Sache) **in Kenntnis setzen, ihm mitteilen** *cause to know (a thing), tell a person*: כִּי dass *that* Dt 8,3, לֵאמֹר Jos 4,22, מָה 1 S 6,2 28,15 1 K 1,27 Hi 10,2 37,19 Js 47,13 (לְ hinsichtlich *relating to*); 4. c. לְ u. אֶל: jem. **Mitteilung machen** von *tell a person about* Js 38,19; 5. הוֹדִיעַ בֵּין... לְ d. **Unterschied bekannt geben** *tell the difference between... a.* Hs 22,26 44,23 (c. ac. jm. *a person*); 6. הוֹדִיעַ c. לְ c. inf: d. **Zeichen geben** zum *give the signal for* 2 C 23,13; l וַיָּרַע Jd 8,16, l תִּוָּדַע Ha 3,2; †

hof: pf. הוּדַע, (BL 382), pt. f. מוּדַעַת (Q Js 12,5) **bekannt gegeben werden** *be made known* Lv 4,23. 28. (אֶל an *for*) Js 12,5;

hitp: impf. אֶתְוַדַּע, inf. הִתְוַדַּע: **sich zu erkennen geben** *to make oneself known*, c. אֶל gegenüber *unto* Gn 45,1 Nu 12,6.†

Der. דֵּעַ, דֵּעָה, דַּעַת, מַדָּע, מֹדַעַת, מַדּוּעַ, מַדָּע, יִדְּעֹנִי; n. m. אֲבִידָע, אֶלְיָדָע, דְּעוּאֵל, יַדּוּעַ, יְדִיעֲאֵל, יָדָע, יְדַעְיָה, יְהוֹיָדָע, יוֹיָדָע, שְׁמִידָע.

יַדָּע: n. m.; KF; asa. Ryck. 2,69: 1 C 2, 28 (Var. יָדָע). 32.†

יְדַעְיָה: n. m.; ידע u. ׳י; Dir. 351: 1. Priester *priest* 1 C 9, 10 24, 7 Esr 2, 36 Ne 7, 39 12, 6. 7? 19. 21?; 2. Sa 6, 10. 14; 3. cj Esr 10, 29.†

יִדְּעֹנִי: ידע u. *-ōni*: pl. יִדְּעֹנִים (immer *always* // אוֹב); ak. *mudū* Gelehrte *learned men* Jensen ZA 35, 124 ff: **Wahrsager** *familiar spirit, soothsayer* Lv 19, 31 20, 6. 27 Dt 18, 11 1 S 28, 3. 9 2 K 21, 6 23, 24 Js 8, 19 19, 3 2 C 33, 6.†

יָהּ u. (besonders *especially* in n. m.) יָה: KF v. יהוה: **Jah** *Yah* Ex 15, 2, Js 12, 2 (wie *like* 26, 4 neben *beside* יהוה), l יהוה, 38, 11 Ps 68, 5? 19 77, 12 94, 7. 12 102, 19 118, 5. 17—19 122, 4 130, 3? 135, 4, cj Ct 8, 6; הַלְלוּ יָהּ u. הַלְלוּ יָה F II הלל; cj כִּסֵּא יָהּ Ex 17, 16; l הָעֲלִילָה Ir 32, 19, l חֲסִנְךָ Ps 89, 9; F מַאְפֵּלְיָה.†

יהב: F ba. u. הַב.

יְהָב: Talmud: Last *burden*; Nöld. ZDM 57, 417: ar. *'ahbā* Ausrüstung *outfit*; Wellhausen: יהב = יאב Begehren *demand*: sf. יְהָבְךָ: unerklärt *unexplained* Ps 55, 23.†

יהד: denom. v. יְהוּדִי: hitp: pt. מִתְיַהֲדִים: **sich als Juden bezeichnen** *declare oneselves Jews* Est 8, 17.†

יְהֻד: F יְהוּד.

יֶהְדַּי (Var. יְהְדַי, יָהְדַי, יֶהְדָּי): n. m.; Noth S. 196: 1 C 2, 47.†

יֵהוּא: n. m.; < *יהוא הוּא er ist J. *he is Y.* (*ō-ū* > *ē-ū*, F יֵשׁוּעַ); **Jehu**: 1. K. v. Israel (keilschr. *Ja-u-a*) 1 K 19, 16 f 2 K 9, 2—10, 36 (37 ×) 12, 2 13, 1 14, 8 15, 12 Ho 1, 4 2 C 22, 7—9 25, 17; 2. Prophet *prophet* 1 K 16, 1. 7. 12 2 C 19, 2 20, 34; 3. Offizier v. *officer of* דָּוִד 1 C 12, 3; 4. 1 C 2, 38; 5. 4, 35.†

יְהוֹאָחָז: n. m.; keilschr. *Jauḫazi*; F יוֹאָחָז: **Joahas** *Jehoahaz*; 1. K. v. Israel 2 K 10, 35 13, 1. 4. 7—10. 22. 25 14, 8. 17 2 C 25, 17. 25, = יוֹאָחָז 2 K 14, 1; 2. K. v. Juda 2 K 23, 30 f. 34 2 C 36, 1, = יוֹאָחָז 36, 2. 4; 3. 2 C 21, 17 25, 23.†

יְהוֹאָשׁ: n. m.; ׳י u. אוש, ug. *jšn*, أوس Gabe *gift*; asa. n. m. c. אוס Ryck. 2, 25: **Joas** *Jehoash*: 1. K. v. Juda 2 K 12, 1—3. 5. 7 f. 19 14, 13, F יוֹאָשׁ 3. 2. K. v. Israel 2 K 13, 10. 25 14, 8 f. 13. 15—17, F יוֹאָשׁ 4.†

יְהֻד, וִיהֻד: n. l.; G^B Αζωρ, Eissfeldt ZDP 54, 276 ff; *el-Jehūdīje* n. Lydda: Jos 19, 45.†

יְהוּדָה (820 ×): n. m., n. tribus, n. t.; **Juda** *Judah*; ak. *Ja-ú-du*, *Ja-a-ḫu-du*, *Ja-ku-du* Mél. Syr. 926; Etym. unbekannt *unknown*, (Albr. JPO 1, 68; J. Lewy HUC 18, 479); F Gn 29, 35 49, 8: I. n. m.: 1. Levit Esr 10, 23; 2. Benjaminit Ne 11, 9; 3. Levit 12, 8; 4. 12, 34; 5. 12, 36; 6. 4. S. v. יַעֲקֹב: Gn 29, 35 35, 23 37, 26 38, 1 ff 43, 3. 8 44, 14. 16. 18 46, 28 49, 8 Ru 4, 12 1 C 2, 1. 3; בְּנֵי יְהוּדָה Gn 46, 12 Nu 26, 19 1 C 2, 3 f; l הוֹדַוְיָה Esr 3, 9; II. n. tribus: d. Stamm Juda *the tribe of Judah* (Alt, D. Gott der Väter 5[1]: ursprünglich *originally* Ortsname *name of place*) Jd 1, 3, בְּנֵי יְהוּדָה 1 C 4, 1, מַטֵּה בְנֵי ׳י Jos 15, 1, שֵׁבֶט ׳י Jos 7, 16, אַנְשֵׁי ׳י Ex 31, 2, אִישׁ ׳י Jd 15, 10, מַטֵּה ׳י 2 S 2, 4; III. Reich, Staat Juda *the kingdom of Judah*: אֶרֶץ יְהוּדָה Am 7, 12 Ne 5, 14, מַלְכֵי ׳י Js 19, 17, עָרֵי ׳י 44, 26, אַדְמַת ׳י 1 K 14, 29, בֵּית ׳י Hg 1, 1. 14, פַּחַת ׳י Js 22, 21, אַנְשֵׁי ׳י (:: יֹשֵׁב יְרוּשָׁלַם), אִישׁ ׳י 5, 3 1 K 1, 9, יְרוּשָׁלַם // ׳י 23, 6, בְּנֵי ׳י וְיִשְׂרָאֵל Ir 7, 30, Js 3, 8; יְהוּדָה fem. d. Volk Juda *the people of Judah* Th 1, 3; cj בְּנֵי יְהוּדָה pro בִּיהוּדָה die

Juden *the Jews* Ne 13, 15 (Joüon ZAW 49, 289); ? Jos 19, 34; l דָּוִיד 2 C 25, 28. (MSS). Der. יְהוּדִי, n. f. יְהוּדִית.

I **יְהוּדִי**: gntl. v. יְהוּדָה; ak. *Ja-ū-dai*: pl. יְהוּדִים (K יְהוּדִיִּים Est 4, 7 etc.), f. יְהֻדִיָּה 1 C 4, 18 u. יְהוּדִית; 1. **jüdäisch**, zu Juda gehörig *Judaean, belonging to Judah*: אֲנָשִׁים Ir 43, 9, אִישׁ Sa 8, 23 Est 2, 5, אִשְׁתּוֹ הַיְהֻדִיָּה 1 C 4, 18; דִּבֶּר יְהוּדִית jüdisch sprechen *speak Jewish* 2 K 18, 26 Js 36, 11 Ne 13, 24, יְהוּדִית in jüdischer Sprache *in the Jew's language* 2 K 18, 28 Js 36, 13 2 C 32, 18; 2. **Judäer, Jude** *Judaean, Jew* 2 K 16, 6 25, 25 Ir 32, 12 34, 9 38, 19 40, 11 f 41, 3 44, 1 52, 28. 30 Ne 1, 2 2, 16 3, 33 f 4, 6 5, 1. 8. 17 6, 6 13, 23 Est 3, 4. 6. 10. 13 4, 3. 7. 13 f. 16 6, 10. 13 8, 3—10, 3 (39 ×). †

II **יְהוּדִי**: n. m., = I: Ir 36, 14. 21. 23. †

יְהוּדִית: n. f.; f. v. יְהוּדִי: Hethiterin *Hittite woman* Gn 26, 34. †

יהוה: d. Gottesname **Jahveh** (besser **Jahwä**): 1. Formen: 1. Beleg Gn 2, 4; etwa 6823 ×; wurde massoretisch אֲדֹנָי ausgesprochen (G *κύριος*), daher Edd. יְהֹוָה, BH יְהוָה (Katz Th Z 4, 467—9) oder, wenn אֲדֹנָי daneben steht, אֱלֹהִים (305 ×), daher Edd. יְהוִֹה Js 28, 16, BH יְהוִה; die falsche Namensform Jehovah kommt etwa um 1100 auf; die Aussprache אֲדֹנָי verursacht die Formen בַּיהוה, לַי׳, וַי׳ u. מֵי׳, die man בַּאדֹנָי usw. sprechen sollte, sprich *בְּיַהְוֶה, *מִיַּהְוֶה usw. Dass *יַהְוֶה die richtige ursprüngliche Form ist, zeigt a) d. Wortspiel mit אֶהְיֶה Ex 3, 14, b) die Transskription *ιαουαι* Clemens Al., Stromata V, 6, 34, c) die Transskription *ιαβε* (cf. *Δαβιδ* wechselnd mit *Δαυιδ*) Theodoret bei Field, Origenis hexaplorum ad Ex 6, 3 (Driver ZAW 46, 7—25; besonders Thierry OTS 5, 30—42, Alfrink OTS 5, 43—62); mo. יהוה Mesa 18; *יַהְוֶה am Wortende wird verkürzt zu *יַהְוְ (cf. *יִשְׁבֶּה > וַיִּשְׁבְּ Nu 21, 1, F S. 244a), dies unter d. Ton, weil ו vokalischer Konsonant ist, zu ־יָהוּ; verkürzt ־יָה: *N^e^tan-Jahwā > *N^e^tan-Jáhu^e^ > נְתַנְיָהוּ, > נְתַנְיָה. Am Wortanfang wird יָהוּ enttont zu *יְהוּ, dieses durch Dissimilation des Vokals zu יְהוֹ, dieses durch Elision des ה (F S. 221) > יוֹ: *Jāhu-nātān > *J^e^hu-nātān > *יְהוֹנָתָן > יוֹנָתָן. Vor ū wird יוֹ zu יֵ: F יֵהוּא, יֵשׁוּעַ. Beachte: *יַהְוֶה ist immer Absolutus u. hat nie einen Genitiv nach sich; יהוה צְבָאוֹת ellipt. < י׳ אֱלֹהֵי צְבָאוֹת. 2. Gebrauch: a) als der Gottesname Ex 6, 2 f; b) in d. Form ־יָהוּ u. ־יָה als 2. Teil von Namen; c) in d. Form יְהוֹ־, יוֹ־ u. יֵ־ als 1. Teil von Namen; d) als selbständige Kurzform F יָהּ u. יָהּ; Statistisches: P. Vetter, Theol. Quartalschrift, Band 85 f. *יַהְוֶה findet sich etwa 6823 ×: nie in Ko Est (מָקוֹם אַחֵר 4, 14!), Gn-Dt 1788 ×, Jos 204 ×, Jd 165 ×, 1 u. 2 K 484 ×, Js 357 ×, Ir 611 ×, Hs 211 × Ps 670 × (Ps 42—83 oft durch אֱלֹהִים ersetzt), 1 u. 2 C 494 ×. An einigen Stellen vermutet man, dass יהוה irrige Auflösung des sf. 1. sg. sei: בֵּית יהוה für בֵּיתִי Jd 19, 18, umgekehrt l אֶת־יהוה für אוֹתִי Ir 9, 5, etc.; 3. Ableitung: *יַהְוֶה ist e. regelrechtes Substantiv, v. II הוה mit d. Präformativ י gebildet F S. 357; wenn הוה aus lautlichen Gründen (*יַהְיֶה ist misstönend) für היה steht, bedeutet *יַהְוֶה „Wesen", wie Ex 3, 14 umschreibt. Ältere, die *יַהְוֶה für e. Imperfekt ansehn, geben die verschiedensten Deutungen: Clericus (1700): hif. v. הָיָה = Schöpfer, Erfüller (d. Verheissungen); Lagarde, Übersicht 137: v. הָוָה (ar. *hawā* Luftraum) der Wehende; Wellhausen, Israel. Geschichte 3, 25[1]: d. Fällende, Blitzeschleuderer; Lagarde, Orientalia 2, 27 ff: d. Hauchende, d. Geist; Beer, Älteste Religion Israels 29: v. הוה der im Sturm Brausende; Marti, Theologie[3], 61[2]: pf. v. ar. יהי, der Regnende, etc.; 4. Literatur (Auswahl *selected*): Quell, ThWB sub *κύριος*; Hänel, Neue

Kirchl. Zeitschr. 40, 608—41; K. G. Kuhn, יו, יהו, יהו, יהוה in Orient. Stud. E. Littmann, 1935, 25—42; Eissfeldt, ZAW 53, 59 ff (zu ak. theophorem suff. *-ja-a-ma* u. Andrem), Albright JBL 46, 168 ff, ARJ 238, Schleiff ZDM 90, 679 ff; Driver, Thierry u. Alfrink ↗ S. 368; J. Obermann, The divine name Yhwh (= JBL 68, 301 ff): יהוה ist *is* pt. „*sustainer*" „Erhalter".

יהוה: *name of Israels God*: *Yahweh* (*better*: *Yahwæh*): 1. *The forms*: *first occurrence* Gn 2, 4; *about* 6823 ×; *Massorah spells it* אֲדֹנָי (G κύριος), *therefore Edd.* יְהוָֹה, BH יְהוָה *or*, *if* אֲדֹנָי *beside it*, אֱלֹהִים (305 ×), *therefore Edd.* יְהוִֹה Js 28, 16, BH יְהוִה; (Katz Th Z 4, 467—9); *the wrong spelling Jehovah* (*Revised Version*: *The LORD*) *occurs since about* 1100; *the spelling* אֲדֹנָי *causes forms as* בַּיהוה, לַי׳, וַי׳ *a.* מֵי׳, *to be read* בַּאדֹנָי, מֵאדֹנָי *etc.*, *but spell* *בַּיַהְוֶה, *מִיַּהְוֶה *etc.* *יַהְוֶה *to be the correct a. original pronunciation is demonstrated by* a) *the correspondence of* אֶהְיֶה Ex 3, 14, b) *the transscription* ιαουαι Clemens Al., Stromata V, 6, 34; c) ιαβε (cf. Δαβιδ *alternating in* MSS *with* Δαυιδ) Theodoret *in* Field, Origenis Hexaplorum ad Ex 6, 3 (Driver ZAW 46, 7—25; *especially* Thierry OTS 5, 30—42, Alfrink *ibid.* 43—62); *mo.* יהוה *Mesha* 18. *יַהְוֶה *at the end of a word is shortened into* *יַהְוּ (cf. וַיִּשְׁבְּ < יִשְׁבֶּה Nu 21, 1, ↗ p. 244a), *a. this,* ו *being a semivocalic consonant, is stressed as* ־יָ֫הוּ, *this shortened to* ־יָ֫ה: *Nᵉtan-Yahuae > *Nᵉtan-Yáhuᵉ > נְתַנְיָהוּ < נְתַנְיָה. *At the beginning of a word* ־יָהוּ *looses its stress becoming* ־יְהוּ, *which, by dissimilation of the vowel,* > ־יְהוֹ, *this, by elision of* ה (↗ p. 221) > יוֹ; **Yahuae-nātān* > **Yᵉhū-nātān*, > **Yᵉhō-nātān*, > יוֹנָתָן. *Preceding a syllable with ū* יו > י: ↗ יְהוּא, יֵשׁוּעַ. *Mark*: *יַהְוֶה *always is absolutus a. never precedes a genitive*; יהוה צְבָאוֹת ellipt. < י׳ אֱלֹהֵי צְבָאוֹת. 2. *Use of* *יַהְוֶה: a) *name of God* Ex 6, 2 f; b) *as* ־יָהוּ *a.* יָה *second half of a name*; c) *as* ־יְהוֹ, יוֹ *a.* ־יְ *first half of a name*; d) ↗ *the shortened forms* יָהּ *a.* יָה. *Statistics*: P. Vetter, Theol. Quartalschrift, vols 85 f. *יַהְוֶה *occurs about* 6823 *times*: *never in* Ko Est (מָקוֹם אַחֵר 4, 14!), Gn–Dt 1788 ×, Jos 204 ×, Jd 165 ×, 1 *a.* 2 S 434 ×, 1 *a.* 2 K 484 ×, Js 357 ×, Ir 611 ×, Hs 211 ×, Ps 670 × (Ps 42—83 *frequently replaced by* אֱלֹהִים), 1 *a.* 2 C 494 ×. *In some cases* יהוה *may be a misunderstanding of sf. 1th sg*; *thus* בֵּית יהוה Jd 19, 18 *for* בֵּיתִי *a. reversedly* אוֹתִי Ir 9, 5 *for* אֶת־יהוה, *etc.*; 3. *Etymology*: *יַהְוֶה *is a correct a. plain noun*: הוה (היה) *a. the preformative* י, ↗ p. 357; *perhaps reasons of euphony caused* *יַהְוֶה *instead of* *יַהְיֶה; *then it means*: „*being, existence*", *a. this would be in accordance with* Ex 3, 14. *Until now* יהוה *has been taken for a verb* (*impf.*) *a. very different meanings have been proposed*: Clericus (*literature* ↗ p. 368): *hif. of* היה = *creator*, *fulfiller* (*of the promises*); Lagarde: *of* הוה (*ar. hauā aerial region*) *the wafting one*; Wellhausen: *the falling one*, *the one hurling lightnings*; Lagarde: *the breathing one*, *the spirit*; Beer: *the one roaring in storms*; Marti: *the raining one*; etc.; 4. *Literature*: ↗ p. 368—9.

יְהוֹזָבָד: n. m.; ↗ יוֹזָבָד: 1. 2 K 12, 22 2 C 24, 26; 2. 1 C 26, 4; 3. 2 C 17, 18.†

יְהוֹחָנָן: n. m.; äga.; ↗ יוֹחָנָן: Esr 10, 6 10, 28 Ne 6, 18 12, 13. 42 1 C 26, 3 2 C 17, 15 23, 1.†

יְהוֹיָדָע: n. m.; Dir. 351; ↗ יוֹיָדָע: V. v. בְּנָיָהוּ 2 S 8, 18 20, 23 23, 20. 22 1 K 1, 8. 26. 32. 36. 38. 44 2, 25. 29. 34 f. 46 4, 4 1 C 11, 22. 24 12, 28 18, 17 27, 5. 34; 2. Priester zur Zeit v. *priest in the time of* עֲתַלְיָה 2 K 11, 4. 9. 15. 17 12, 3. 8. 10 2 C 22, 11 23, 1—18 24, 2—25; 3. Priester zur Zeit v. *priest in the time of* יִרְמְיָהוּ Ir 29, 26.†

יְהוֹיָכִין: n. m.; י׳ u. כון; ak. *Ja-ku-ú-ki-nu*, Weidner, Mél. Syr. 926; **Jojachin** *Jehoiachin*:

K. v. Juda 2 K 24, 6. 8. 12. 15 25, 27 Ir 52, 31 2 C 36, 8 f; = יוֹיָכִין Hs 1, 2, = יְכָנְיָה Ir 27, 20, = יְכָנְיָהוּ Ir 24, 1, = יְכָנְיָה Ir 28, 4 29, 2 Est 2, 6 1 C 3, 16 f, = כָּנְיָהוּ (Lkš 3, 15) Ir 22, 24. 28 37, 1. †

יְהוֹיָקִים: n. m.; י׳ u. קום (ZAW 36, 27 f); F יוֹיָקִים; Jojakim *Jehoiakim*; aus אֶלְיָקִים umbenannt *name changed from* אֶלְיָקִים: K. v. Juda 2 K 23, 34—36 24, 1. 5 f. 19 Ir 1, 3 22, 18. 24 24, 1 25, 1 26, 1. 21—23 28, 4 35, 1 36, 1. 9. 28—30. 32 37, 1 45, 1 46, 2 52, 2 Da 1, 1 f 1 C 3, 15 f 2 C 36, 4 f. 8; 1 צִדְקִיָּהוּ Ir 27, 1. †

יְהוֹיָרִיב: n. m.; י׳ u. ריב; F יוֹיָרִיב: 1 C 9, 10 24, 7; = יוֹיָרִיב 1. Ne 11, 10 12, 6. 19. †

יְהוּכַל: n. m.; Dir. 351, Lkš; Noth S. 207: Ir 37, 3, = יוּכַל 38, 1. †

יְהוֹנָדָב: n. m.; > יוֹנָדָב; י׳ u. נדב: 1. 2 S 13, 5, = יוֹנָדָב 13, 3. 32. 35; 2. 2 K 10, 15. 23 Ir 35, 8. 14. 16. 18, = יוֹנָדָב 35, 6. 10. 19. †

יְהוֹנָתָן: n. m.; > יוֹנָתָן; י׳ u. נתן; keilschr. *Jāḫû-natunnu*: 1. S. v. שָׁאוּל 1 S 14, 6. 8 18, 1. 3 f 19, 1 f. 4. 6 f 20, 1—42 (26 ×) 21, 1 23, 16. 18 2 S 1, 4 f. 12. 17. 22 f. 25 f 4, 4 9, 1. 3. 6 f 21, 7. 12—14 1 C 8, 33 f 9, 39 f, F יוֹנָתָן; 2. S. v. אֶבְיָתָר 2 S 15, 27. 36 17, 17. 20, F יוֹנָתָן; 3. Brudersohn v. David *David's brother's son* 2 S 21, 21 1 C 20, 7; 4. דּוֹד דָּוִד 1 C 27, 32; Held v. *champion of* David 2 S 23, 32, = יוֹנָתָן 1 C 11, 34; 5. 1 C 27, 25; 6. הַסֹּפֵר Ir 37, 15. 20 38, 26; 7. 2 C 17, 8; 8. Ne 12, 18; 9. Jd 18, 30. †

יְהוֹסֵף: n. m.; künstlich *artificially* < יוֹסֵף: Ps 81, 6. †

יְהוֹעַדָּה: n. m.; F יַעְרָה 1 C 8, 36. †

יְהוֹעַדִּין (K ־דָּין) 2 K 14, 2 u. יְהוֹעַדָּן 2 C 25, 1: n. f.; Noth S 165 f; M. v. K. אֲמַצְיָהוּ. †

יְהוֹצָדָק: n. m.; י׳ u. צדק: Hg 1, 1. 12. 14 2, 2. 4 Sa 6, 11 1 C 5, 40 f, = יוֹצָדָק Esr 3, 2. 8 5, 2 10, 18 Ne 12, 26. †

יְהוֹרָם: n. m.; י׳ u. רום; Joram *Jehoram*: 1. K. v. Juda 1 K 22, 51 2 K 1, 17 8, 16. 25. 29 12, 19 2 C 21, 1. 3—5. 9. 16 22, 1. 6. 11, = יוֹרָם 1.; 2. K. v. Israel 2 K 1, 17 3, 1. 6 9, 15. 17. 21—23 2 C 22, 5—7, = יוֹרָם 2.; 3. 2 C 17, 8. †

יְהוֹשֶׁבַע: n. f.; י׳ u. II שבע: 2 K 11, 2., = יְהוֹשַׁבְעַת 2 C 22, 11. †

יְהוֹשׁוּעַ Dt 3, 21 Jd 2, 7 † u. יְהוֹשֻׁעַ; n. m.; י׳ u. שׁוּעַ, > יֵשׁוּעַ; Dir. 351; Gressmann, Mose 432: ältester jahwehaltiger Name *the oldest name containing Yahwae*; Josua *Joshua*: 1. בִּן־נוּן Ex 17, 9 f. 13 f 24, 13 32, 17 33, 11 Nu 11, 28 14, 6. 30. 38 26, 65 27, 18. 22 32, 12. 28 34, 17 Dt 1, 38 3, 28 31, 3. 7. 14. 23 34, 9 Jos 1, 1—24, 31 (168 ×) Jd 1, 1 2, 6—8. 21. 23 1 K 16, 34 1 C 7, 27; = יֵשׁוּעַ Ne 8, 17; F הוֹשֵׁעַ Nu 13, 8. 16 Dt 32, 44; 2. 1 S 6, 14. 18; 3. Hg 1, 1. 12. 14 2, 2. 4 Sa 3, 1. 3. 6. 8 f 6, 11, = יֵשׁוּעַ Esr 2, 2 etc; 4. 2 K 23, 8. †

יְהוֹשָׁפָט: n. m.; F יוֹשָׁפָט; Josaphat *Jehoshaphat*: 1. K. v. Juda 1 K 15, 24 22, 2—52 2 K 1, 17 3, 1. 7. 11 f. 14 8, 16 12, 19 1 C 3, 10 2 C 17, 1—21, 2 (40 ×); 2. V. v. יֵהוּא 2 K 9, 2. 14; 3. מַזְכִּיר 2 S 8, 16 20, 24 1 K 4, 3 1 C 18, 15; 4. Beamter v. *official of* שְׁלֹמֹה 1 K 4, 17; 5. n. l. עֵמֶק יְהוֹשָׁפָט Jl 4, 2. 12. †

יָהִיר: יהר mhb. hitp. u. ja. itp. sich brüsten *show oneself haughty*, cp. יהירו Hochmut *haughtiness*, mnd. יורא (יוהרא*) Glanz *splendour*, עתיאאר erglänzen *shine forth* (Nöld. NB 189); إستهتر toll sein *be insane*: **anmassend, stolz** *presumptuous, haughty* Ha 2, 5 Pr 21, 24. †

יַהַל: Js 13, 20, F II אהל.

יְהַלֶּלְאֵל: n.m.; הלל u. אֵל: 1. 1 C 4, 16; 2. 2 C 29, 12.†

יַהֲלֹם: (Var. ׳יָ) e. Edelstein *a precious stone* (G ἴασπις?): Ex 28, 18 39, 11 Hs 28, 13.†

יַהַץ: Js 15, 4 Ir 48, 34† u. יַהְצָה 48, 21 Jos 13, 18 21, 36 1 C 6, 63† u. יָהְצָה Nu 21, 23 Dt 2, 32 Jd 11, 20†: mo. יהץ Mescha *Mesha* 19f: in Moab; Noth ZAW 60, 40. 45.†

***יהר**: *F* יָהִיר.

יוֹאָב u. יֹאָב 1 K 1, 19†: n.m.; ׳י u. אָב: 1. Feldherr v. *general of* דָּוִד: 1 S 26, 6 2 S 2, 13—24, 9 (98 ×) 1 K 1, 7—11, 21 (15 ×) 1 C 2, 16—27, 34 (23 ×) Ps 60, 2; 2. 1 C 4, 14; 3. Esr 2, 6 Ne 7, 11.†

יוֹאָח: n.m.; ׳י u. אָח: 1. 2 K 18, 18. 26. 37 Js 36, 3. 11. 22; 2. 2 C 34, 8; 3.—5. 1 C 6, 6; 26, 4; 2 C 29, 12.†

יוֹאָחָז: n.m.; ׳י u. אחז: 2 C 34, 8 u. *F* יְהוֹאָחָז†

יוֹאֵל: n.m.; ׳י u. אֵל: 1. Prophet *prophet* Jl 1, 1; 2. S. v. שְׁמוּאֵל 1 S 8, 2 1 C 6, 18. cj 13; 3.—13. 1 C 6, 21; 5, 4. 8; 15, 7. 11. 17; 23, 8; 26, 22; 4, 35; 5, 12; 7, 3; 11, 38; . 27, 20; 2 C 29, 12; Esr 10, 43. cj 34; Ne 11, 9.†

יוֹאָשׁ, יֹאָשׁ: n.m.; *F* יְהוֹאָשׁ: 1. V. v. גִּדְעוֹן Jd 6, 11. 29—31 7, 14 8, 13. 29. 32; 2. בֶּן־הַמֶּלֶךְ 1 K 22, 26 2 C 18, 25; 3. K. v. Juda 2 K 11, 2 12, 20 f 13, 1. 10 14, 1. 3. 17. 23 1 C 3, 11 2 C 22, 11—25, 25 (7 ×), יֹאָשׁ 2 C 24, 1, *F* יְהוֹאָשׁ 1.; 4. K. v. Israel 2 K 13, 9—14, 27 (7 ×) 2 C 25, 17—25 (5 ×) Ho 1, 1 Am 1, 1, *F* יְהוֹאָשׁ 2.†

יוֹב: Gn 46, 13, l יָשׁוּב.

I יוֹבָב: n.p.; S. v. יָקְטָן, also *therefore* Süd-araber *South-Arabian*; Ptolemaeus VI, 7 Ἰωβαρῖται l Ἰωβαβῖται? in Ost-Südarabien *in eastern South-Arabia*:: Landberg, Hadr. 282: Gn 10, 29 1 C 1, 23.†

II יוֹבָב: n.m.; יבב; asa. n.l. יהובב; keilschr. n. m. *Jābibi* Tallq. APN 68; Noth S. 226: 1. K. v. אֱדוֹם Gn 36, 33 f 1 C 1, 44 f; 2. K. v. מָדוֹן Jos 11, 1; 3. 1 C 8, 9; 4. 8, 18.†

יוֹבֵל, יֹבֵל: mhb., ja. יוֹבְלָא Jobeljahr *year of jubilee*; ph. יבל Widder *ram*; Nöld. NB 199 وَبَل = II *יבל stossen *toss*: pl. יוֹבְלִים: 1. Widder *ram*, קֶרֶן יוֹבֵל Widderhorn (Blasinstrument *ram's-horn (wind-instrument)* Jos 6, 5, שׁוֹפְרוֹת יוֹבְלִים 6, 6 u. ׳שׁ׳ הַי Widderhornposaunen *ram's horns (cornets)* 6, 4. 8. 13; מְשֹׁךְ הַיֹּבֵל d. W. blasen *blow the ram's horn* Ex 19, 13; 2. שְׁנַת הַיּוֹבֵל d. [durch Blasen d. Widderhorns eröffnete] **Erlassjahr** *the year of acquittance [inaugurated by blowing the ram's horn]* Lv 25, 13. 28. 40. 50. 52. 54 27, 17 f. 23 f., > הַיּוֹבֵל Erlassjahr *year of acquittance* Lv 25, 15. 28. 30 f. 33 27, 18. 21 Nu 36, 4; > יֹבֵל Lv 25, 10—12; Jirku, D. israel. Jobeljahr, 1929.†

I יוּבַל: I יבל, > אֻבָל: **Wasserlauf, Kanal** *water-course, canal* Ir 17, 8.†

II יוּבָל: n.m.: S. v. לֶמֶךְ, Vater d. Musikanten *inventor of musical instruments* Gn 4, 21.†

יוֹזָבָד: n.m.; ׳י u. זבד, *F* יְהוֹזָבָד: 1. 2 K 12, 22; 2. 1 C 12, 5; 3. 12, 21; 4. Esr 10, 22; *F* 2 C 31, 13 35, 9 Esr 8, 33 10, 23 Ne 11, 16.†

יוֹזָכָר: 2 K 12, 22 Var., l יוֹזָבָד.†

יוֹחָא: n.m.; KF?: 1. 1 C 8, 16; 2. 11, 45.†

יוֹחָנָן: n.m.; ׳י u. חנן; *F* יְהוֹחָנָן: 1. שַׂר הַחֲיָלִים 2 K 25, 23 Ir 40, 8. 13. 15 f 41, 11. 13—16 42, 1. 8 43, 2. 4 f; 2. Ne 12, 11? 22 f (= יהוחנן in AP 30, 18 im Jahr *in the year* 408; Jos.

Antt. XI, 7); 3.—8. 1 C 3, 15; 3, 24; 5, 35 f; 12, 5; 12, 13; Esr 8, 12.†

יוּטָּה Jos 15, 55 u. יֻטָּה 21, 16: n. l. *Jaṭṭā* s. Hebron.†

יוֹיָדָע: n. m.; י׳ u. ידע; *F* יְהוֹיָדָע: 1. Ne 3, 6; 2. 12, 10 f. 22 13, 28.†

יוֹיָכִין: *F* יְהוֹיָכִין.

יוֹיָקִים; n. m.; *F* יְהוֹיָקִים: Ne 12, 10. 12. 26.†

יוֹיָרִיב: n. m.; *F* יְהוֹיָרִיב: 1. Ne 11, 5; 2. Esr 8, 16.†

יוֹכֶבֶד: n. f.; (H. Bauer ZAW 51, 92 f); Et.?: Mutter v. *mother of* מֹשֶׁה: Ex 6, 20 Nu 26, 59.†

יוּכַל: n. m.; *F* יְהוּכַל: Ir 38, 1.†

יוֹם: mhb., *F* ba.; ug. *ym*, pl. *ymm* u. *ymt*; ים Siloah-Inschr. u. Lkš (= **jam*? cf. pl. יָמִים), ak. *ūmu*, pl. *ūme u. ūmāti*; ph. ים, pl. ימם, cs. ימת, Sem.; Nöld. NB 133—5; يوم; יוֹם <**jaum* (2225 ×): cs. יוֹם, sf. יוֹמוֹ, יוֹמָם, pl. יָמִים, aramais. יָמִין Da 12, 13†, cs. יְמֵי u. (poet.) יְמוֹת Dt 32, 7 Ps 90, 15†, sf. יָמָיו, יָמֶיךָ, יְמֵיכֶם; c. -*ā* יָמִימָה 1 S 2, 19, du. יוֹמָיִם, יֹמָיִם, m.: 1. Tag, helle Tageszeit (:: Nacht) *day, bright daylight* (:: *night*): יוֹם וָלַיְלָה Gn 8, 22, cj Ir 33, 25, לַיְלָה וָיוֹם 1 K 8, 29 Is 27, 3 Est 4, 16†, מַחֲצִית הַיּוֹם Mittag *midday* Ne 8, 3, רְבִעִית הַיּוֹם Viertelstag *fourth part of the day* 9, 3; 2. Tag (von 24 Stunden) *day (of 24 hours)* Gn 1, 5, שְׁלֹשֶׁת יָמִים 3 Tage lang *3 days* Est 4, 16; יוֹם יוֹם Tag um Tag, jeden Tag *day by day, each day* Gn 39, 10 Ex 16, 5 Ps 61, 9 Pr 8, 30, cj Ir 7, 25, = יוֹם וָיוֹם Est 3, 4; † יוֹם בְּיוֹם Tag (an) um Tag *day by day* Ne 8, 18 2 C 30, 21, = לְעֶת־יוֹם בְּיוֹם 1 C 12, 23, = לְיוֹם בְּיוֹם 2 C 24, 11; כְּיוֹם בְּיוֹם wie jeden Tag *as day by day* 1 S 18, 10; שְׁנַיִם לַיּוֹם 2 auf den Tag *two in a day* Ex 29, 38; לִשְׁלֹשֶׁת יָמִים am. 3. Tag *on the 3d day* Am 4, 4; דְּבַר יוֹם בְּיוֹמוֹ was für jeden Tag nötig ist *the portion, the needful for every day* Ex 5, 13. 19 16, 4 Lv 23, 37 1 K 8, 59 2 K 25, 30 Ir 52, 34 Da 1, 5, בִּדְבַר־יוֹם בְּיוֹם wie es jeder Tag erfordert *as every day requires* 2 C 8, 13, = לִדְבַר־יוֹם בְּיוֹמוֹ 8, 14; כָּל־הַיּוֹם (ak. *umak(k)al*) den ganzen Tag über *during the whole day* Js 62, 6, immer *always* 28, 24, jeden Tag *every day* Ps 140, 3, = בְּכָל־יוֹם 7, 12; 3. besondre Tage *special days*: יוֹם הַגֶּשֶׁם Hs 1, 28, יוֹם הַשֶּׁלֶג 2 S 23, 20, יוֹם קָרָה Na 3, 17 Pr 25, 20, יוֹם קָצִיר 25, 13, יוֹם הַשַּׁבָּת Ex 20, 8, יְמֵי הַמַּעֲשֶׂה die Werktage *the working days* Hs 46, 1; יוֹם טוֹבָה Glückstag *day of prosperity* u. יוֹם רָעָה Unglückstag *day of adversity* Ko 7, 14; יוֹם נָכְרוֹ Unheilstag *day of disaster* u. יוֹם אָחִיךָ Unheilstag d. Bruders *thy brother's day of disaster* Ob 12; יוֹם מוֹתוֹ s. Todestag *day of his death* Ir 52, 34, יוֹמוֹ d. für ihn bestimmte (Todes-) Tag *the day (of his death) destined for him* 1 S 26, 10 Hs 21, 30 Ps 37, 13, יוֹמָם d. ihnen bestimmte Tag *the day destined for them* Ir 50, 27, so *thus* יוֹמְךָ (M: יָמַיִךְ) Hs 22, 4, יוֹם יְרוּשָׁלִָם Ps 137, 7, בְּלֹא יוֹמוֹ (ak. *ina lā ūmišu*) wenn s. Tag noch nicht da ist *before the day destined for him* Hi 15, 32; יוֹמוֹ (يوم خاصّ) s. Geburtstag *his birthday* Hi 3, 1, = יוֹם הֻלֶּדֶת Gn 40, 20, = יוֹם הִוָּלְדָהּ Ho 2, 5; geschichtliche Tage *historic days*: יוֹם יִזְרְעֶאל Ho 2, 2, יוֹם מִדְיָן Js 9, 3 f; 4. Tag Jahwäs *Yahwae's day*; יוֹם לַיהוה; יוֹם חַג יהוה Ho 9, 5, Js 2, 12 Hs 30, 3 Sa 14, 1, יוֹם יהוה Am 5, 18. 20 Js 13, 6. 9 Ze 1, 7. 14 Hs 13, 5 Ob 15 Ma 3, 23 Jl 1, 15 2, 1. 11 3, 4 4, 14, יוֹם עֶבְרַת י׳ Ze 1, 18, יוֹם עֶבְרָה Pr 11, 4, יוֹם חֲרוֹן אַפּוֹ Js 13, 13 Th 1, 12, יוֹם נָקָם Js 34, 8 61, 2 63, 4, יוֹם נְקָמָה Ir 46, 10, יוֹם אַף י׳ Ze 2, 2 f Th 2, 22, יוֹם אַפּוֹ 2, 1; cf. Ze 1, 8. 15 f Hs 36, 33 39, 8. 11. 13 Sa 14, 7 Ma 3, 2. 17. 19. 21 Jl 2, 2; זֶבַח הַיּוֹם

Opfer d. Tages J.s, d. jährliche Opfer *offering of Y's day, yearly off.* 1 S 9, 12 (Morgenstern HUC 14, 44) יָמָיו seine Tage (d. Strafe) *his days (of punishment)* Hi 24, 1, daher die prophetischen Einleitungsformeln *therefore the formulae of prophetic introduction*: בַּיּוֹם הַהוּא Am 2, 16 etc. (ZAW 55, 137) u. הִנֵּה יָמִים בָּאִים 1 S 2, 31 2 K 20, 17 = Js 39, 6 Am 4, 2 8, 11 9, 13 Ir 7, 32 (u. 13 × in Ir); 5. pl. יָמִים Tage *days*: שִׁבְעַת יָמִים 7 Tage *7 days* Gn 8, 10, י׳ אֲחָדִים einige Tage *a few d.* 27, 44, יָמִים אוֹ עָשׂוֹר wenigstens 10 T. *at least 10 d.* 24, 55, עוּל י׳ einige T. altes Kind *infant of days, child some d. old* Js 65, 20; יָמִים (أيّاما, syr. *jaumātā*) einige T. lang *a few days* Gn 40, 4 Ne 1, 4 Da 8, 27, חֹדֶשׁ אוֹ יָמִים e. Monat oder länger *for a month or a longer time* Nu 9, 22, מִיָּמִים einige Zeit darauf *after a while* Jd 11, 4 14, 8 15, 1; F קֵץ; כָּל־הַיָּמִים für allezeit *for ever* Dt 4, 40, c. לֹא niemals *never* 1 S 2, 32; 6. pl. יָמִים: יְמֵי עוֹלָם Am 9, 11, יְמוֹת עוֹלָם Dt 32, 7, יְמֵי נְעוּרֶיהָ Ho 2, 17, יְמֵי הַבְּעָלִים Festtage d. B. *the festival days of the B.* (ak. *ūmu ili*) Ho 2, 15, יְמוֹת עִנִּיתָנוּ d. Tage, da du ... *the days wherein ...* Ps 90, 15, כָּל־יְמֵי הֱיוֹת 1 S 22, 4 u. כָּל־יְמֵי הִתְהַלַּכְנוּ 25, 15 alle Tage, wo ... *all the days wherein ...*; יְמֵי שְׁנֵי חַיֶּיךָ d. Tage, die Zeit d. Lebensjahre *the days of the years of thy life* Gn 47, 8; מִיָּמֶיךָ solange du lebst *as long as you live* 1 S 25, 28, je in deinem Leben *ever in thy days* Hi 38, 12; בִּימֵי דָוִד 2 S 21, 1 u. הַיָּמִים לְ 1 K 14, 19 Regierungszeit *reign*; 7. יָמִים = Zeit, Dauer e. Jahrs, Monats *period of a year, a month*: יָמִים (aram. עִדָּן) e. Jahr lang *a whole year* Lv 25, 29 1 S 29, 3; מִיָּמִים יָמִימָה von Jahr zu Jahr *from year to year* 1 S 1, 3 2, 19 Ex 13, 10 Jd 11, 40, זֶבַח הַיָּמִים d. jährliche O. *the yearly off.* 1 S 2, 19, יָמִים וְאַרְבָּעָה חֳדָשִׁים e. Jahr u. 4 M. *a year a. 4 m.* 1 S 27, 7, עֲשֶׂרֶת כֶּסֶף לַיָּמִים 10 S. im Jahr *10 s. by the year* Jd 17, 10; יָמִים עַל שָׁנָה über Jahr u. Tag *in years to come* Js 32, 10, = יָמִים עַל יָמִים 2 C 21, 15, = לְיָמִים מִיָּמִים 21, 19; לְיָמִים שְׁנַיִם nach 2 Jahren *at the end of 2 years* 21, 19; שְׁנָתַיִם יָמִים 2 volle Jahre *2 full years* Gn 41, 1 Ir 28, 3. 11, חֹדֶשׁ יָמִים Gn 29, 14 u. יֶרַח יָמִים (ak. *araḫ ūmāti*) Dt 21, 13 2 K 15, 13 e. voller Monat *a full month*; 8. dual. יוֹם אוֹ יוֹמָיִם ein, zwei Tage *a day or two* Ex 21, 21, מִיֹּמָיִם nach 2 T. *after 2 d.* Ho 6, 2, לֶחֶם יוֹמָיִם Br. für 2 T. *br. of 2 days* Ex 16, 29; 9. הַיּוֹם: an d. betreffenden Tag *on that day* 1 S 1, 4, eines Tages *on a day* 14, 1 2 K 4, 8 Hi 1, 6, :: הַלַּיְלָה tagsüber *in the day-time* Ne 4, 16, an dem Tag (lat. *hoc die > hodie*), heute *on that day, to-day* Gn 4, 14 22, 14, 1 וָלַיְלָה F יוֹמָם Ho 4, 5; 10. יוֹם c. praepp.: a) בְּיוֹם c. verb. fin. בְּיוֹם צַר לִי a. d. Tag, wo = **wann, wenn** (*on the day*) *when* Ps 102, 3, בְּיוֹם קְרָאתִי 138, 3, בְּיוֹם אֶקְרָא Ps 56, 10, בְּיוֹם הִקְרִיב Lv 7, 35; b) בְּיוֹם c. inf. בְּיוֹם הִגָּמֵל Gn 21, 8, בְּיוֹם צֵאתְךָ 1 K 2, 37, בְּיוֹם אֲכָלְךָ Gn 2, 17, בְּיוֹם עֲלֹתוֹ Js 11, 16; ebenso *thus* בְּיוֹם הַטָּמֵא u. בְּיוֹם הַטָּהֹר wenn etw. unrein, rein ist *when it is unclean, clean* Lv 14, 57; c) בַּיּוֹם untertags *in the day-time* Gn 31, 40, am gleichen Tag *at the same day* Pr 12, 16 Ne 3, 34, c. הַהוּא an jenem Tag, damals *that day* Jd 3, 30 1 S 3, 2; d) כַּיּוֹם diesen Tag, heute *this day, today* 1 K 1, 51 Js 58, 4, als wäre es heute > zuvor *as if it were today > first af all* Gn 25, 31. 33 1 S 2, 16 1 K 22, 5; כְּהַיּוֹם eben heute *at this day* 1 S 9, 13; כַּיּוֹם הַזֶּה wie es zu Tage liegt, wie es jetzt der Fall ist *as it is this day* Gn 50, 20 Dt 2, 30 4, 20. 38 8, 18 29, 27 1 S 22, 8. 13 Ir 11, 5 25, 18 32, 20 44, 6. 23 Da 9, 7. 15; = כְּהַיּוֹם הַזֶּה Dt 6, 24 Ir 44, 22 Esr 9, 7. 15 Ne 9, 10, eines Tages *about this time, in those days* Gn 39, 11 e) לְיוֹם am Tag von *in the day of* Js 10, 3 Ha 3, 16 Ps 81, 4 Hi 21, 30; f) מִיּוֹם von d.

Tag an, wo; seit *since the day that* Ex 10, 6 Dt 9, 24, c. verb. finit. מִיּוֹם דִּבַּרְתִּי seitdem ich... *since I...* Ir 36, 2; g) עַד־הַיּוֹם הַזֶּה bis heute, jetzt *unto this day* 1 S 5, 5.

יוֹמָם (150 ×): יוֹם u. *-ām*: **tagsüber, bei Tag** *in the day-time* יוֹמָם :: לַיְלָה Ex 13, 21 (17 ×, cj Ps 88, 2), יוֹמָם וָלַיְלָה Ex 13, 21 Lv 8, 35 (17 ×), לַיְלָה וְיוֹמָם Dt 28, 66 Js 34, 10 Ir 14, 17 †, בְּעוֹד יוֹמָם während es noch Tag war *while it was yet day* Ir 15, 9, יוֹמָם am hellen Tag *in the full day* Hs 12, 3. 4 (:: בָּעֶרֶב). 7; יוֹמָם Nu 10, 34 Js 60, 19, Hi 24, 16; l יוֹם Ps 13, 3, l יוֹם Ir 33, 25, l בַּיּוֹם Ne 9, 19; וְיוֹם cj Ho 4, 5 l יוֹמָם וָלַיְלָה, dele לַיְלָה; Hs 30, 16.

יָוָן: n. m., n. p.; ak. *Jāmanu*, *Jāuanu*, sanskr. *Javanā*, altpers. *Jaunā* = Griechenland *Greece*; يُونَانِى Grieche *Greek*; Ἰάωνες: pl. יְוָנִים: 1. n. m., **Jawan** *Javan*; 4. S. v. יֶפֶת Gn 10, 2 1 C 1, 5, בְּנֵי יָוָן Gn 10, 4 1 C 1, 7; 2. n. p., Luckenbill ZA 28, 92 ff; Lehmann-Haupt, Klio 27, 286 ff, *Ja-wa-na-ai* bei Darius Herzfeld, Altpers. Inschr.; nab. יוניא Lidz. 287a; die griechisch sprechenden Gebiete von Vorderasien, Kleinasien u. die Inselwelt (d. genaue Bereich schwankt von Stelle zu Stelle) *the Greek speaking Near East, Asia Minor a. the islands* (*the exact realm shifting from quotation to quotation*) Js 66, 19 Hs 27, 13 Sa 9, 13 Da 8, 21 10, 20 11, 2; בְּנֵי הַיְּוָנִים die Jonier (Griechen) *the Jonians* (*Grecians*) Jl 4, 6; l וְיַיִן Hs 27, 19. †

יָוֵן: cs. יְוַן: **Bodensatz, Schlamm** *sediment, mire* Ps 40, 3 69, 3. †

יוֹנָדָב: n. m.; *F* יְהוֹנָדָב. †

I **יוֹנָה**: mhb.; ja., sy. ܝܘܢܐ, mnd.: Stade, Lehrbuch § 259a: I אנה die Ächzende *the groaning one*: cs. יוֹנַת, sf. יוֹנָתִי, pl. יוֹנִים, cs. יוֹנֵי: **Taube** *dove* (*Cŏlumba*; Bodenheimer 171.173); Gn 8, 8—12 Js 38, 14 59, 11 60, 8 Ir 48, 28 Hs 7, 16 (*F* Cornill) Ho 7, 11 11, 11 Na 2, 8 Ps 55, 7 56, 1 (?) 68, 14 Ct 1, 15 4, 1; als Opfertier *for offerings* בְּנֵי יוֹנָה, בֶּן־יוֹנָה einzelne (männliche?) Taube(n) *single* (*male*?) *dove(s)* Lv 1, 14 5, 7. 11 12, 6. 8 14, 22. 30 15, 14. 29 Nu 6, 10; 2. Kosewort für die Geliebte *term of endearment for the beloved girl* Ct 2, 14 5, 2 6, 9; *F* II יוֹנָה. †

II **יוֹנָה**: n. m.; = I: **Iona** *Jonah*: Jon 1, 1—4, 9 2 K 14, 25. †

יוֹנָה: חֶרֶב הַיּוֹנָה *F* ינה.

* **יְוָנִי**: < יָוָן pl. *n. gntl.*

יוֹנֵק u. **יֹנֵק**: pt. v. ינק: f. *יֹנֶקֶת, sf. יוֹנַקְתּוֹ, cj יוֹנַקְתָּהּ Js 66, 12, pl. m. יֹנְקִים, cs. יוֹנְקֵי, pl. f. sf. יוֹנְקֹתָיו: 1. **Säugling** *suckling* Nu 11, 12 Dt 32, 25 1 S 15, 3 22, 19 Js 11, 8 Ir 44, 7 Ps 8, 3 Th 2, 11 4, 4, יוֹנְקֵי שָׁדַיִם **Brustkind**(er) *that suck the breasts* Jl 2, 16 Ct 8, 1, cj coll. יוֹנַקְתָּהּ ihre Säuglinge *her sucklings* Js 66, 12; 2. (v. Pflanzen *said of plants*) **Trieb, Schoss** *shoot* Js 53, 2 Hs 17, 22 Ho 14, 7 Ps 80, 12 Hi 8, 16 14, 7 15, 30. †

יוֹנָתָן: n. m.; *F* יְהוֹנָתָן: 1. S. v. שָׁאוּל 1 S 13, 2—14, 49 (28 ×) 19, 1, *F* יְהוֹנָתָן 1.; 2. S. v. אֶבְיָתָר 1 K 1, 42 f, *F* יְהוֹנָתָן 2.; 3. Ir 40, 8 (dittogr?); 4.—8. Ne 12, 35; 12, 14; Esr 8, 6; 10, 15; 1 C 2, 32 f; יוֹחָנָן? Ne 12, 11. †

יוֹסֵף: n. m.; n. tribus; KF, יסף, *F* יוֹסִפְיָה, יְהוֹסֵף; zu äg. *Ya-šu-pi-ʾi-ra* *F* Albr. Voc. 34: I. 1. n. m.; S. v. יַעֲקֹב u. רָחֵל Gn 30, 24—50, 26 (152 ×; 30, 23 f Etym.) Ex 1, 5 f. 8 13, 19 Nu 32, 33 36, 12 Jos 17, 1 f 24, 32 Ps 105, 17 1 C 2, 2 (Noth, Überlieferungsgeschichte 231[571]); 2. n. m. Nu 13, 7; 3. n. m. Esr 10, 42; 4. Priester *priest* Ne 12, 14; 5. בֶּן־אָסָף 1 C 25, 2. 9; II. n. tribus.: a) יוֹסֵף d.

Stamm *the tribe* Dt 27,12 33,13.16 Hs 47,13 (l לֵוִי) 48,32 1 C 5,2; b) d. Nordreich *the Northern kingdom*, = Israel Hs 37,16.19 Am 6,6 Ps 80,2, F 81,6; c) בְּנֵי יוֹסֵף Nu 1,10.32 26,28.37 34,23 36,1 Jos 14,4 16,1.4 17,14.16 18,11 1 C 5,1 7,29; d) מַטֵּה י׳ Nu 13,11; e) מַטֵּה בני י׳ Nu 36,5; f) בֵּית י׳ Jos 17,17 18,5 Jd 1,22f.35 2 S 19,21 1 K 11,28 Am 5,6 Ob 18 Sa 10,6; g) שְׁאֵרִית י׳ Am 5,15; h) אֹהֶל י׳ Ps 78,67; i) בְּנֵי יַעֲקֹב וְיוֹסֵף 77,16.†

יוֹסִפְיָה: n.m.; יסף u. י׳: Esr 8,10.†

יוֹעֵאלָה: n.m.; l יַעֲלָה (MSS): 1 C 12,8.†

יוֹעֵד: n.m.; י׳ u. עד: Ne 11,7.†

יוֹעֶזֶר: n.m.; י׳ u. עֵזֶר; Dir. 351 *Jhwʿzr*: 1 C 12,7.†

יוֹעָשׁ: n.m.; י׳ u. עוש; Dir. 352: 1. 1 C 7,8; 2. 27,28.†

יוֹצֵאת: יצא pt. f.: Verwerfen, Fehlgeburt (Rinder) *abortion (cattle)* Ps 144,14.†

יוֹצָדָק: n.m.; י׳ u. צדק: F יְהוֹצָדָק.†

יוֹצֵר u. **יֹצֵר**: יצר; mhb.; pl. יוֹצְרִים: Töpfer *potter* Js 41,25 Ir 18,4 Th 4,2, pl. 1 C 4,23; כְּלִי י׳ Töpfergeschirr *potter's (earthen) vessels* 2 S 17,28 Ir 19,11 Ps 2,9, נֵבֶל יוֹצְרִים Js 30,14, בַּקְבֻּק י׳ חֶרֶשׂ Ir 19,1, חֹמֶר הַיּ׳ Töpferlehm *potter's clay* Js 29,16, בֵּית הַיּ׳ Ir 18,2f, l הָאוֹצָר Sa 11,13.†

יוֹקִים: n.m.; < יוֹיָקִים: 1 C 4,22.†

יוֹרֵא: Pr 11,25, F רוה hof.†

יוֹרֶה: < יוֹרֶה* < יְרוֶה* (רוה); mhb.: Frühregen *early rain* (AS 1,122f; Ende Oktober bis Anfang Dezember *end of October until first of December*) :: מַלְקוֹשׁ: Ir 5,24 (l יוֹרֶה) Dt 11,14 Jl 2,23 (MSS).†

יוֹרָה: n.m., l חָרִיף Esr 2,18.†

יוֹרַי: n.m.; KF: 1 C 5,13.†

יוֹרָם: יָרָם: n.m.; F יְהוֹרָם: 1. K. v. Juda 2 K 8,21.23f 11,2 1 C 3,11; F יְהוֹרָם 1.; 2. K. v. Israel 2 K 8,16.25.28f 2 C 22,5.7; F יְהוֹרָם 2.; 3. יָרָם! 1 C 26,25; 4. cj 1 K 16,22; 5. 2 S 8,10 (Ausländer *foreigner*) = הֲדוֹרָם 1 C 18,10.†

יוּשַׁב חֶסֶד: n.m.; Form!: 1 C 3,20.†

יוֹשִׁבְיָה (Var. יוֹשַׁבְ־) n.m.; ישב u. י׳; AP ישביה (Dir. 352: *Jšbʾ*?): 1 C 4,35.†

יוֹשָׁה: n.m.; Form?: 1 C 4,34.†

יוֹשַׁוְיָה: n.m.; F יוֹשִׁבְיָה (Var.) (ישב): 1 C 11,46.†

יוֹשָׁפָט: n.m.; י׳ u. שפט; F יְהוֹשָׁפָט: 1. 1 C 11,43; 2. 15,24.†

יוֹתָם: n.m.; י׳ u. תם: 1. jüngster *youngest* S. v. גִּדְעוֹן Jd 9,5.7.21.57; 2. K. v. Juda 2 K 15,5.7.30.32.36.38 16,1 Js 1,1 7,1 Ho 7,1 Mi 1,1 1 C 3,12 5,17 2 C 26,21.23 27,1.6f.9 3. 1 C 2,47.†

יוֹתֵר u. **יֹתֵר**: pt. v. יתר: 1. was übrig bleibt *the rest* 1 S 15,15; 2. was zu viel ist, überflüssig, zu sehr *superfluous, too much* Ko 7,16; 3. c. לְ Vorteil für *advantage, profit* Ko 6,8.11 7,11; c. מִן mehr als *more than* Ko 12,12 Est 6,6; c. שֶׁ es erübrigt sich, es ist unnötig, dass *it is superfluous that* Ko 12,9; l וְאֵין יִתְרוֹן 2,15.†

יוֹתֶרֶת: F יֹתֶרֶת.

***יזז**: *F* n. m. יָזִיז, יְזִיָּה, יְזִיאֵל.

יְזִיאֵל (Var. יזואל): n. m.; l יְזִיאֵל ? *F* יְזִיָּה: 1 C 12, 3.†

יְזִיָּה: n. m.; *יזז? u. יְ': Esr 10, 25.†

יָזִיז: n. m.; *יזז; *F* יְזִיאֵל u. יְזִיָּה: 1 C 27, 31.†

יִזְלִיאָה: n. m.; *זלא?: 1 C 8, 18.†

I ***יזן**: *F* מאזנים.

II ***יזן**: وَزَنَ erregen *excite* (Festschr. Löw, 1934, 4 f): (hof pt. pl. מוּזָנִים K. 1) pu: pt. pl. מְיֻזָּנִים Q: **in Brunst versetzt, geraten sein** (Pferde) *be slized with heat, ruttishness* (*horses*) Ir 5, 8.†

יְזַנְיָה: n. m., l עֲזַרְיָה Ir 42, 1.†

יְזַנְיָהוּ; n. m.; Dir. 351: < יַאֲזַנְיָהוּ: Ir 40, 8.†

***יזע**: *F* יֶזַע, *זֵעָה.

***יֶזַע**: *יזע; ja. דֵּיעֲתָא, sy. ܕܘܥܬܐ, ak. *zutu*; وَدَعَ rinnen *trickle*, Nöld. NB 194 f: יֶזַע: **Schweiss** *sweat* Hs 44, 18.†

יזרח: הַיִּזְרָח 1 C 27, 8, l הַזַּרְחִי.†

I **יִזְרְעֶאל**: n. m.; זרע u. אֵל: 1. Ho 1, 4 2, 24; 2. 1 C 4, 3.†

II **יִזְרְעֶאל**: n. l.; = I; loc. יִזְרְעֶאלָה 1 K 18, 45 f 2 K 9, 16. 30†: BRL 307 f; > *Esdrelon*, *Esdrelom*, *Stradela*; **Jesreel** *Jezreel*; = *Zerʿīn*: עֵמֶק י' Jos 17, 16 Jd 6, 33 Ho 1, 5 (auch *also* 1 S 29, 1 2 S 2, 9 4, 4), יוֹם י' Ho 2, 2, דְּמֵי י' 1, 4, חֵלֶק י' 1 K 21, 23 2 K 9, 10. 36 f, *F* Jos 19, 18 1 K 4, 12 21, 1 2 K 8, 29 9, 15. 17 10, 11 2 C 22, 6; l וְאֶל הָעִיר 2 K 10, 1, *F* יִזְרְעֵאלִי; 2. in Juda, Lage ungewiss *position uncertain* Jos 15, 56 1 S 25, 43.†

יִזְרְעֵאלִי: gntl., v. II יִזְרְעֶאל 1.: f. יִזְרְעֵאלִית: **aus** *from* **Jesreel**: 1 S 27, 3 2 S 3, 2 1 C 3, 1; 1 S 30, 5 2 S 2, 2; 1 K 21, 1. 4. 6 f. 15 f 2 K 9, 21. 25.†

יְחֻבָּה 1 C 7, 34 K: l חֻבָּה Q.†

יחד: mhb. pi., ja. pa. vereinigen *unite*, Zkr הוחד, ܐܘܚܕ absondern *set alone*; ug. *yḥd* Einzelner *solitary*; وحد; ወሐደ Einer sein *be one*, *alone*, asa. וחד Einer *one*, ak. (*w*)*ēdu* einzig *only one*: *F* **אחד**:

qal: impf. תֵּחַד, cj יֵחַד: **sich vereinigen** *be, become united* Gn 49, 6 (בְּ mit *with*) Js 14, 20 (אֶת mit *with*), cj **sich gesellen** *unite oneself* (בְּ zu *with*) Hi 3, 6, cj **zusammenkommen** *meet* Ps 122, 3 (*F* Gunkel);†

pi: imp. יַחֵד l יַחְמֹד Ps 86, 11.†

Der. יַחַד, יַחְדָּו, יָחִיד.

יַחַד: יחד: יַחַד: 1. subst. **Vereinigung, Gesamtheit** *gathering, entire number* Dt 33, 5 1 C 12, 18; 2. > adv.: vorangestellt *preceding*: **mit einander** *together* Ps 41, 8 49, 3. 11 98, 8 Hi 3, 18 17, 16 19, 12 21, 26 24, 4; **gleichzeitig** *at the same time* Hi 31, 38, **gänzlich** *thoroughly* Ho 11, 8 Mi 2, 12; יַחַד יִתְמַלָּאוּן rotten sich **in Menge** zusammen *gather themselves in large number* Hi 16, 10; ? Ho 11, 7; nachgestellt *following*: שְׁנַיִם יַחַד 2 **zusammen** *two together* 1 S 11, 11; **insgesamt** *altogether* Js 27, 4 44, 11 Ps 40, 15 62, 10 74, 6 88, 18 141, 10, cj 70, 3, Hi 34, 15 38, 7 Esr 4, 3; **miteinander** *together* c. נִלְחַם 1 S 17, 10, c. נֶאֱסַף 2 S 10, 15 14, 16 21, 9 Js 22, 3, c. נִשְׁפַּט 43, 26, c. עָמַד 50, 8, c. נוֹסַד Ps 2, 2 31, 14, c. יָשַׁב 133, 1; **zu gleicher Zeit** *at the same time* Js 42, 14 45, 8 Hi 6, 2; **gänzlich** *thoroughly* Ps 33, 15; l יַחַד u. יַחַד (חדד) Pr 27, 17, l אַחַר Hi 10, 8, l נָוֵהוּ Ps 74, 8, l יָעַר Hi 34, 29.†

יַחְדָּו (90 ×) u. יַחְדָּיו Ir 46, 12. 21 49, 3†: יחד: 1. vorangestellt *preceding*: **zusammen, miteinander** *together* Js 11, 7. 14 31, 3 41, 1 52, 8 66, 17 Ir 46, 12 Sa 10, 4 Th 2, 8, **insgesamt** *altogether* Dt 12, 22 33, 17 1 S 30, 24 Js 9, 20 10, 8 Ir 51, 38 Hi 24, 17; 2. nachgestellt *following*: **zusammen** *together* Ex 19, 8 Js 1, 28 Am 1, 15, etc., c. ישׁב Gn 13, 6 Dt 25, 5, c. הָלַךְ Gn 22, 6. 8. 19 Am 3, 3, c. יִנָּצוּ Dt 25, 11, c. נוֹעַץ Js 45, 21, **insgesamt** *altogether* Ps 19, 10 37, 38; **zugleich** *at the same time* Js 46, 2 48, 13 Ir 6, 11 Ps 4, 9; 1 יחד (יחד) Ps 122, 3, 1 נִחְרוּ Js 45, 16, 1 אֶחָד וְ Ps 83, 6, 1 יַחְדָּו (חרה) Ir 31, 13.

יַחְדּוֹ: n. m.; F BH[4]; Noth S. 210: 1 C 5, 14.†

יַחְדִּיאֵל: n. m.; חרה (ZAW 48, 74) u. אֵל: 1 C 5, 24.†

יֶחְדְּיָהוּ: n. m.; חרה (ZAW 48, 74) u. י׳: 1. 1 C 24, 20; 2. 27, 30.†

יְחוּאֵל: cf. יחומלך ClS I, 1, 1 u. keilschr. *Jaḫilu* BA VI, 5, 100: 2 C 29, 14: F יְחִיאֵל.

יַחֲזִיאֵל: n. m.; חזה (ZAW 48, 74) u. אֵל; EA *Jaḫzibada*: 1.—5. 1 C 12, 5; 16, 6; 23, 19 24, 23; 2 C 20, 14; Esr 8, 5.†

יַחְזְיָה: n. m.; חזה (ZAW 48, 74) u. י׳: Esr 10, 15.†

יְחֶזְקֵאל: n. m.; <*יְחַזְּקֵאל; חזק u. אֵל, Ιεζεκιηλ, Ezechiel: **Hesekiel, Ezechiel** *Ezekiel*: 1 d. Prophet *the prophet* Hs 1, 3 24, 24 Si 49, 8; 2. 1 C 24, 16.†

יְחִזְקִיָּה: n. m.; F יְחִזְקִיָּהוּ: 1. K. v. Juda Ho 1, 1 Mi 1, 1; 2. Esr 2, 16, = חִזְקִיָּה Ne 7, 21 10, 18.†

יְחִזְקִיָּהוּ: n. m.; > יְחִזְקִיָּה; חזק (יְחַזֵּק) u. י׳ unter d. Einfluss v. *influenced by* חִזְקִיָּה; Dir. 352; Hiskia *Hezekiah*: 1. K. v. Juda 2 K 20, 10 Js 1, 1 Ir 15, 4 1 C 4, 41 2 C 28, 27—33, 3 (36 ×); 2. 2 C 28, 12, (*Jehizkia*).†

יַחְזֵרָה: n. m.; *חזר F חֵזִיר = אַחְזַי Ne 11, 13: 1 C 9, 12.†

יְחִיאֵל: n. m.; חיה u. אֵל: 1.—11. 1 C 23, 8 29, 8; 27, 32; 15, 18. 20 16, 5; 2 C 21, 2; 29, 14 (יְחִיאֵל); 31, 13; 35, 8; Esr 8, 9; 10, 2; 10, 21; 10, 26; F יְחִיאֵלִי.†

יְחִיאֵלִי: gntl. v. יְחִיאֵל: 1 C 26, 21 f.†

יָחִיד: יחד; ug. *yḥd*; ja., sy. u. mnd.: pl. יְחִידִים, f. יְחִידָה, sf. יְחִידָתִי: **einzig, allein** *only one*: d. einzige Sohn *the only son* Gn 22, 2. 12. 16, אֵבֶל יָחִיד Ir 6, 26 Am 8, 10, Sa 12, 10 Pr 4, 3, d. einzige Tochter *the only daughter* Jd 11, 34; **allein, einsam** *alone, solitary* Ps 25, 16 68, 7; meine Einzige = m. Seele *my only one = my soul, life* Ps 22, 21 35, 17.†

יְחִיָּה: n. m.; חיה u. י׳: 1 C 15, 24.†

יָחִיל Th 3, 26: 1 וְיָחִלוּ.

יחל: mhb. יִחוּל Erwartung *expectation*; Landberg, Ḥadr. وحل, südar. *south-ar.* unentschlossen sein *be undecided*:

pi: pf. יִחֲלוּ, יִחַלְתִּי, יִחֲלוּ (BL 382) Hi 29, 21, impf. אֲיַחֵלָה, יְיַחֲלוּן, יְיַחֲלוּ, יְיַחֵל, יְחַלְנוּ, imp. יַחֵל, pt. מְיַחֲלִים: 1. **warten** *wait* cj Gn 8, 10 u. 12 (1 וַיָּחֶל), cj Js 41, 1 (1 יָחֵלּוּ), Ps 71, 14 119, 49 (1 יִחַלְתִּי) Hi 6, 11 13, 15 14, 14, cj Th 3, 26 (1 יְיַחֵלוּ); 2. c. לְ auf *for* 1 S 13, 8 Js 42, 4 Hs 13, 6, cj Mi 1, 12 (1 יָחֲלָה), 5, 6 Ps 31, 25 33, 18. 22 69, 4 (1 מִיַּחֵל) 119, 43. 74. 81. 114. 147 147, 11 Hi 29, 21. 23 30, 26; 3. c. אֶל auf *for* Js 51, 5 Ps 130, 7 131, 3;† [nif: pf. נוֹחֲלָה ?? Hs 19, 5; impf. pro וַיִּיָּחֶל 1 וַיָּחֶל Gn 8, 12;†];

hif: pf. הוֹחַלְתִּי, הוֹחָלְתִּי, הוֹחִילוּ, impf. תּוֹחֵל,

אוחִיל, אוֹחִילָה, imp. הוֹחִילִי: sich wartend verhalten *shew a waiting attitude, tarry* 1 S 10,8 Hi 32,16 Th 3,21, cj וַיּוֹחִילוּ Jd 3,25, c. לְ gegenüber *towards, for* 2 K 6,33 Mi 7,7 Ps 38,16 42,6.12 43,5 130,5 Hi 32,11, cj וְהוֹחֵל Hi 35,14 u. Ps 37,7, Th 3,24; l וַיְּיַחֵל 1 S 13,8, l אֲחִלָה 2 S 18,14, l אֲחוּלָה Ir 4,19.†

Der. (יָחִיל) תּוֹחֶלֶת, n. m. יַחְלְאֵל.

יחלאל: n. m.; < *יַחְלְאֵל = יַחֵל לְאֵל?: Gn 46,14 Nu 26,26; *F* יַחְלְאֵלִי.†

יַחְלְאֵלִי: gntl. v. יַחְלְאֵל: Nu 26,26.†

יחם: *F* חמם; mhb. pi., ja. pa. brünstig machen *make ruttish*; وَحَمٌ Brunst *ruttishness*:

qal: impf. וַיֶּחֱמוּ, וַיֵּחַמְנָה!: brünstig sein *be hot, ruttish* Gn 30,38 f;†

pi: pf. sf. יֶחֱמַתְנִי, inf. יַחֵם, sf. יַחְמֵנָה: 1. in Brunst sein *be in (breeding-) heat* Gn 30,41 31,10; (im Brunst) empfangen (*being hot*) *conceive* Ps 51,7; 2. brünstig machen *bring into heat* Gn 30,41b.†

Der. חֵמָה.

יַחְמוּר: II חמר; Targ. יַחְמוּרָא, يَحْمُورٌ; n.m. Ιαμουρ Eph 2,124: Rehbock *roebuck* Dt 14,5 1 K 5,3.†

יַחְמַי: n. m.; II חמה; cf. asa. יחמאל Ryck. 2,71; äg. *Ya-ḥ-m(a)*, Albr. Voc. 36: 1 C 7,2.†

יחף*: יָחֵף.

יָחֵף: *יחף; mhb., ja. יַחְפָּא; sy. ܚܦܝܐ; حَافٍ; Nöld. NB 186: barfuss *barefoot* 2 S 15,30 Js 20,2—4 Ir 2,25 (מִיָּחֵף dass er nicht b. wird *from becoming b.*).†

יחצאל: n. m.; חצה u. אֵל; Noth S. 204: Gn 46,24 Nu 26,48; *F* יַחְצִיאֵל, יַחְצְאֵלִי.†

יַחְצְאֵלִי: gntl. v. יַחְצְאֵל: Nu 26,48.†

יַחְצִיאֵל: n.m.; חצה u. אֵל; *F* יַחְצְאֵל: 1 C 7,13.†

יחר: וַיּוֹחֶר 2 S 20,5: *F* אחר hif.†

יחשׂ: Haupt AJS 26,2: وَخْشٌ Gesindel, Leute ohne Stammbaum *rabble, people without ancestors*; Schulthess ZAW 30,61: وخش X Anschluss suchen *try to associate*; mhb. יַחַס, ja. יַחְסוּתָא legitime Abstammung *legitimate descent*:

hitp: pf. הִתְיַחְשׂוּ, inf. הִתְיַחֵשׂ, sf. הִתְיַחְשָׂם, pt. מִתְיַחְשִׂים: sich in d. Geschlechtsverzeichnis eintragen lassen, seine Abstammung (Zugehörigkeit amtlich) feststellen lassen *enrol oneself by genealogy, get one's genealogy publicly established* Esr 2,62 8,3 Ne 7,5.64 1 C 5,1.7.17 9,1; הִתְיַחֵשׂ inf. > subst. Eintragung ins Geschlechtsverzeichnis *genealogical enrolement* Esr 8,1 1 C 4,33 7,5.7.9.40 9,22 2 C 31,16—19; ?12,15; *F* יַחַשׂ.†

יַחַשׂ: יחשׂ; mhb., ja. *F* יחשׂ: coll.: סֵפֶר הַיַּחַשׂ Verzeichnis der Familien *book of genealogy* Ne 7,5.†

יַחַת: n. m.; יַחַת: 1.—5. 1 C 4,2; 6,5.28; 23,10 f; 24,22; 2 C 34,12.†

יטב: NF v. טוב; *F* ba.; impf. v. יטב vertritt auch *represents also* impf. v. טוב:

qal: impf. תֵּיטְבִי, תִּיטַב, יִיטַב, יֵיטַב! Na 3,8, וַיִּיטַב, וַיִּיטְבוּ: 1. יִיטַב לוֹ, לָהּ es geht ihm, ihr gut *it goes well with him, her* Gn 12,13 40,14 Dt 4,40 5,16.29 6,3.18 12,25.28 22,7 Ir 7,23 38,20 40,9 42,6 Ru 3,1, cj Ps 49,19; 2. יִיטַב בְּעֵינֵי er, sie, es gefällt dem, der *he, she, it is pleasing to* Gn 34,18 41,37 45,16 Lv 10,19 f Dt 1,23 Jos 22,30.33 1 S 18,5 24,5 2 S 3,36 1 K 3,10 Est 1,21 2,4.9 (Frau u. Mann *woman for man*); יִיטַב לִפְנֵי steht in Gunst bei *be in favour with* Ne 2,5; יִיטַב אֶל־ es beliebt ihm, zu ... *it pleases him to* ... cj 1 S 20,13; יִיטַב לְ es ist ihm lieb *it pleases him* Ps 69, 32; לִפְנֵי יִיטַב es gefällt ihm, er willigt ein *he approves it* Est 5, 14 Ne 2, 6; 3. וַיִּיטַב לִבּוֹ er wurde fröhlich *his heart was glad* Jd 18, 20 19, 6. 9 1 K 21, 7 2 K 25, 24 Ru 3, 7 Ko 7, 3, cj 11, 9; 4. יִיטַב מִן ist besser als *is better than* Na 3, 8; †

hif (BL 402 f): pf. הֵיטַבְתִּי, הֵיטַבְתָּ, הֵיטִיב Hs 36, 11, הֵיטִבוּ, הֵיטַבְנוּ, sf. הֱיטִיבָךְ, impf. יֵיטִיב, יֵיטִב, וַיֵּיטֶב, תֵּיטִיבִי, יֵיטִיב! Hi 24, 21, inf. הֵיטִיב Ir 10, 5, הֵיטֵב, הֵיטִיב, הֵיטִיב, cs. הֵיטִיבֵךְ, sf. הֵיטִיבָךְ, imp. הֵיטִיבָה, הֵיטִיבִי, pt. מֵיטִיב, מֵטִב Hs 33, 32, pl. cs. מֵיטִיבֵי u. מֵיטְבֵי: 1. הֵיטִיב לְ ist, handelt gütig, freundlich gegen *deals well with* Gn 12, 16 Ex 1, 20 Nu 10, 29 Jos 24, 20 Jd 17, 13 1 S 25, 31 Hs 36, 11 Ps 51, 20 119, 68 125, 4; 2. c. ac. jm. Gutes erweisen *do good to a person* Dt 8, 16 28, 63 30, 5 1 S 2, 32 Ir 18, 10 32, 40 f Sa 8, 15 Hi 24, 21; etw. gut, recht machen *do well a thing* Dt 5, 28 18, 17 Ps 36, 4; 3. c. עִם es jm. gut gehn lassen *do good unto* Gn 32, 10. 13 Nu 10, 32; 4. c. לְ c. inf. etw. gut, trefflich tun *do well* 1 S 16, 17 Ir 1, 12; 5. c. ac. (Lampen) zurechtmachen *dress (lamps)* Ex 30, 7; (Haupt) schmücken *tire (head)* 2 K 9, 30; (דֶּרֶךְ) recht wandeln *amend the ways* Ir 7, 3. 5 18, 11 26, 13 :: geschickt anstellen *trimm (her way)* 2, 33; (נַגֵּן) schön spielen *make sweet melody, play well* Js 23, 16 Hs 33, 32; (מַצֵּבֹת) schöne M. errichten *erect splendid pillars* Ho 10, 1, (לֶכֶת u. צַעַד) stattlich schreiten, einhergehn *march, go stately* Pr 30, 29; c. חֶסֶד treu Gemeinschaft erweisen *keep faithfully communion* Ru 3, 10; c. חָרָה mit Recht zürnen *be rightly angry* Jon 4, 4. 9; c. פָּנִים d. Gesicht erheitern *make a cheerfull countenance* Pr 15, 13, c. cj גְּוִיָּה d. Leib Wohlbehagen geben *give ease to the body* 17, 22; 6. c. לִבּוֹ sich gütlich tun *rejoice, be merry* Jd 19, 22; 7. abs. recht, gut handeln *do good* (:: לְהָרַע) Lv 5, 4 Ir 4, 22 10, 5 13, 23 Js 1, 17 41, 23 Ze 1, 12; 8. adverb. gut, gründlich *well, thoroughly* Dt 9, 21 13, 15 17, 4 19, 18 27, 8 2 K 11, 18; 9. הֵיטִיב שֵׁם מִן gibt e. herrlichern Namen als *makes the name more splendid than* 1 K 1, 47; 10. ? Gn 4, 7 Mi 2, 7 7, 3; l יִיטַב 1 S 20, 13, l יִיטַב לָהּ Ps 49, 19, l תֵּטִיב Pr 15, 2, l וַיִּיטַב Ko 11, 9. †

Der. מֵיטָב, n. l. יָטְבָתָה, יָטְבָה, n. m. מְהֵיטַבְאֵל.

יָטְבָה: n. l.; יטב; Joseph. Ἰωτάπατα, Tosephtha, Nidda 3 יטבת = Ch. Ǧefāt, 10 km n. Sepphoris; Abel 2, 366: 2 K 21, 19. †

יָטְבָתָה: n. l.; יטב; אֶרֶץ נַחֲלֵי מָיִם; unbekannte Wüstenstation *unknown station in wilderness* Nu 33, 33 f Dt 10, 7. †

יֻטָּה: Jos 21, 16: F יוּטָּה.

יְטוּר: n. m.; n. p.: zu *belonging to* טִירָה?; 1. n. m. S. v. יִשְׁמָעֵאל Gn 25, 15 1 C 1, 31; 2. n. p. 1 C 5, 19 (die spätern *at a later period* Ἰτουραῖοι, Strabo XVI, 2, 18, Josephus; Schürer, Geschichte d. Jüdisch. Volkes[3], 1, 707 ff, Dussaud, Les Arabes en Syrie, 1907, 10 ff; Ἰτουραία Lc 3, 1.) †

***יטשׁ**?: F נטשׁ.

יַיִן (139 ×): nicht semit.; *un-Semitic*; F תִּירוֹשׁ; ak. *īnu*, Zimm. 39 :: Albr. AJS 36, 270; ug. *yn*; mhb. יַיִן, F ba., ... [Ethiopic], οἶνος, *vinum*: יַיִן, cs יֵין, sf. יֵינְךָ, יֵינִי: (Trauben-) Wein, *wine*: 1. Wendungen *formulae*: לֶחֶם וָיַיִן Gn 14, 18 Jd 19, 19 Ne 5, 15; דָּגָן וְיַיִן Th 2, 12; בָּשָׂר וָיַיִן Da 10, 3; יַיִן וְשֵׁכָר Lv 10, 9 Nu 6, 3 Dt 14, 26 29, 5 Jd 13, 4. 7. 14 1 S 1, 15, יַיִן // שֵׁכָר Js 24, 9 28, 7 29, 9 56, 12 Mi 2, 11 Pr 20, 1 31, 6; יַיִן וְחָלָב Js 55, 1, שֶׁמֶן וָיַיִן Pr 21, 17 2 C 11, 11; יַיִן וָקַיִץ Ir 40, 12; יַיִן וְקַיִץ וְשֶׁמֶן Ir 40, 10; חָלִיל וָיַיִן

Js 5, 12; 2. F שָׁתָה, הִשְׁקָה, נָסַךְ, נֶסֶךְ, נָסִיךְ, גָּבִיעַ, כּוֹס, נִבְלַע, גַּת, דָּרַךְ, נֵבֶל, נֹאד, גֶּפֶן, הֵסִיר, מִשְׁתֶּה, מִזְרָק (durch absichtlicher Erbrechen *by intentional vomiting* 1 S 1, 14), etc; 3. יַיִן c. לְבָנוֹן Ho 14, 8, חֶלְבּוֹן Hs 27, 18, מַלְכוּת Est 1, 7, הַטּוֹב Ct 7, 10, הָרֶקַח (l יֵין) Ct 8, 2, חֶמֶר Ps 75, 9!, עֲנוּשִׁים Am 2, 8, חֲמָסִים Pr 4, 17; חֹמֶץ יַיִן Weinessig *vinegar of wine* Nu 6, 3; 4. Wein = Rausch *wine = drunkenness* Gn 9, 24 1 S 25, 37; Wein macht fröhlich *wine makes merry* 2 S 13, 28 Ko 10, 19 Pr 31, 6 Ps 78, 65 104, 15; andre Folgen d. Weingenusses *other consequences of drinking wine* Gn 49, 12 Ho 7, 5 Ps 60, 5 Js 24, 11 28, 1. 7 Ir 23, 9 Pr 23, 31; בֵּית הַיַּיִן Ct 2, 4; אוֹצְרוֹת הַיַּיִן 1 C 27, 27 2 C 11, 11; Wein zechen *freely drinking of wine* Js 5, 11 Pr 23, 20. 30 9, 2. 5 Ko 2, 3 Gn 43, 34; Wein verboten *wine forbidden* Lv 10, 9 Hs 44, 21; Nu 6, 3 f. 20; H. F. Lutz, Viticulture . . . in the Ancient Orient, 1922; Meissner in V. Hehn, Kulturpflanzen [8]91 ff; F חֶמֶר.

יַךְ: 1 S 4, 13: l Q יַד.†

יכוניה: F יְהוֹיָכִין.

יכח: mhb. hif., ja. af. zurechtweisen *reprove*; F נכח; Nöld. NB 190 f:

nif: impf. נִוָּכְחָה, pt. נוֹכָח, f. נוֹכַחַת: sich (im Rechtsstreit) auseinandersetzen *reason together* (*in a legal contest*) Js 1, 18, c. עִם mit *with* Hi 23, 7; sich als im Recht erweisen *be found to be right* Gn 20, 16 (l וְאַתְּ כֻּלּוֹ);

hif: pf. הוֹכִיחַ, הוֹכַח, הֹכִיחַ, הוֹכַחְתָּ, sf. הוֹכַחְתִּיו, impf. יוֹכִיחַ, יוֹכַח, וַיּוֹכַח, אוֹכִיחַ, sf. יוֹכִיחוּ, תּוֹכִחֵךְ, אוֹכִיחֲךָ, יוֹכִחֶךָ, יוֹכִיחֵנִי, יוֹכִחֵנוּ, inf. הוֹכֵחַ, cs. הוֹכִיחַ u. הוֹכֵחַ, imp. הוֹכַח, pt. מוֹכִיחַ, מוֹכִיחִים: 1. zurechtweisen *reprove* Js 11, 3 29, 21 Hs 3, 26 Ho 4, 4 Am 5, 10 Ha 1, 12 Pr 9, 7 24, 25 25, 12, cj 10, 10, Hi 6, 25 15, 3 32, 12; c. ac. Gn 21, 25 Lv 19, 17 2 S 7, 14 Ir 2, 19 Ps 6, 2 38, 2 50, 8. 21 94, 10 105, 14 141, 5 Pr 3, 12 9, 8 28, 23 Hi 5, 17 6, 25 f 13, 10 22, 4 40, 2 1 C 16, 21; c. לְ Js 2, 4 11, 4 Mi 4, 3 Pr 9, 8 15, 12 19, 25; 2. c. אֶל sich verteidigen gegenüber *argue before* Hi 13, 3; 3. הוֹכִיחַ דְּרָכָיו rechtfertigt s. Wege *shews his ways to be right* Hi 13, 15; 4. הוֹכִיחַ עַל jm. etw. vorhalten *reproach a person* Hi 19, 5; 5. c. בְּ zur Rechenschaft ziehn für *call to account for* 2 K 19, 4 Js 37, 4 Pr 30, 6; 6. in Ordnung bringen *put in order* Gn 31, 42 1 C 12, 18; 7. c. בֵּין urteilen, entscheiden zwischen *judge between* Gn 31, 37 Hi 9, 33, = c. לְ... בֵּין (l וּבֵין) Hi 16, 21, = c. עִם ... לְ 16, 21; 8. c. ac. bestimmen, zuteilen *decide*, *assign for* Gn 24, 14. 44;†

hof: pf. הוּכַח, cj הוּכַחְתִּי Ps 73, 14: zurechtgewiesen werden *be reproved* Hi 33, 19, cj Ps 73, 14;†

hitp: impf. יִתְוַכָּח sich auseinandersetzen mit *argue with* Mi 6, 2.†

Der. הוֹכֵחָה, תּוֹכַחַת.

יכיליה: F יְכָלְיָהוּ.

יָכִין: n. m.; KF; כּוּן; ph. (Harris 106); keilschr. *Jakini* Tallq APN 91: 1. S. v. שִׁמְעוֹן Gn 46, 10 Ex 6, 15 Nu 26, 12, = יָרִיב 1 C 4, 24; 2. Priester *priest* Ne 11, 10 1 C 9, 10 24, 17; 3. Name e. Tempelsäule *name of a pillar at the temple* 1 K 7, 21 2 C 3, 17; F יָכִינִי.†

יָכִינִי: gntl. v. יָכִין 1.: Nu 26, 12.†

יכל (199 ×): mhb.; F ba.; وَكَلَ; ሐመለ; F aram. כהל, hebr. כול; ursprünglich: fassen *originally*: *hold*:

qal: pf. יָכֹל, יָכוֹל, יָכְלָה, וַיְכָלְתָּ, Ex 18, 23, יָכֹלְתִּי, יָכְלוּ, יָכֹלוּ, sf. יְכָלְתִּיו, impf. יוּכַל, יוּכָל, יוּכְלוּן, יֻכְלוּ, אוּכַל, וַתּוּכַל, תּוּכַל, וַיֻּכַל, יְכֹלֶת, יוּכָלוּ, תּוּכְלוּ, נוּכַל, נוּכְלָה, inf. יְכוֹל, cs. יְכֹלֶת (BL 382); pro יוּכְלוּ l יָכְלוּ K vel יֻכְלוּ Q Jos 15, 63: 1. c. ac. fassen, ertragen, aushalten können *be able to hold*, *endure*, *stand* Gn 37, 4 Js 1, 13 Ps 101, 5, **fähig sein zu** *be able to* Ho 8, 5 Hi 42, 2; 2. **können, vermögen** *be able, have it in one's power* a) in Paratax: נוּכַל נַכֶּה wir sind fähig zu schlagen *we may smite* Nu 22, 6; F Th 4, 14; אוּכַל וְרָאִיתִי bin fähig zu sehn *I have it in my power to see, I can endure it to see* Est 8, 6; b) c. inf. יוּכַל תֵּת ist fähig zu geben *can give* Ps 78, 20 Gn 24, 50 u. oft *a. often*: c) c. לְ c. inf. אוּכַל לָקוּם kann aufstehn *am able to rise* Gn 31, 35 (111 ×), cj Jd 1, 19; d) = c) c. לֹא: לֹא תוּכַל לֶאֱכֹל darfst nicht essen *is not allowed to eat* Dt 12, 17 (10 x); e) c. vorangestelltem *preceding* inf.: הַשְׁקֵט יוּכַל ist fähig zu *is able to* Js 57, 20 Ir 49, 23, F Ha 1, 13 Hi 4, 2 Ir 49, 10 (l נַחְבֹּה); f) c. „es", „*it*": können, dürfen *be able, be allowed* Gn 29, 8 Ex 8, 14 (12 ×), fertig bringen *manage* Ir 3, 5 (l וַתּוּכָלִי), vermögen *can do* Ir 38, 5 (l יָכֹל); 3. **überlegen sein, obsiegen** *prevail* a) abs. Gn 30, 8 32, 29 Ir 20, 7. 11 Ho 12, 5, cj Js 41, 2 (l יִקְרָאֵהוּ וַיּוּכַל) b) c. ac. über *against, over* Ps 13, 5; c) = c. לְ Gn 32, 26 Nu 13, 30 Jd 16, 5 Ir 1, 19 20, 10 38, 22 Ob 7 Ps 129, 2; etwas fassen können *can understand it* Ps 139, 6; jmd. gewachsen sein *prevail against* Est 6, 13; 4. **standhalten** *hold out* (מִן gegenüber *against*) Hi 31, 23. Der. יְכָלְיָהוּ.

יְכָלְיָהוּ: n. f.; יכל u. יָ׳; = יְכָלְיָה (K יְכִילְיָה, Q יְכָלְיָה) 2 C 26, 3: 2 K 15, 2.†

יְכָנְיָה(וּ): F יְהוֹיָכִין.†

ילד (595 ×): mhb.; ja. יְלֵד, sy. ܐܝܠܕ; ug. *yld*; ak. *walādu, alādu*; وَلَدَ, asa. ולד, ወለደ:

qal: pf. יָלַד, יָלְדָה, יָלָֽדָה, sf. יְלִדְתִּיךָ, יְלִדְתִּיךָ, יְלִדְתֶּךָ u. יְלִדְתִּיהוּ u. יְלִדְתִּךָ (BL 382), יְלִדְתָּנִי, impf. *jajlid, *tajlid > וָאֵלֵד, יֵלֵד, וַתֵּלֶד, תֵּלֵד, sf. וַתֵּלְדְךָ, inf. יְלֹד, cs. לֶדֶת, לָלֶדֶת, sf. יַלְדוֹ, לִדְתָּהּ, יְלִדְתָּהּ, pt. יֹלֵד, יֹלֶדֶת, יוֹלֵדָה, sf. יֹלַדְתּוֹ, לִדְתָּהּ, לִדְתִּי, יֹלְדִים, pss. יְלוּד, יִלּוֹד, יוֹלַדְתֶּךָ, יַלְדְתְכֶם; pro יֹלַדְתְּ vel יֹלֶדֶת l יֹלַדְתְּ Gn 16, 11 Jd 13, 5. 7; לָלַת l לָלֶדֶת 1 S 4, 19: 1. (Kinder) **gebären** *bear, bring forth* (*children*) Gn 3, 16, יְלוּד אִשָּׁה Hi 14, 1, עֵת לֶדֶת 39, 1; (Junge) **werfen** *bring forth* (*young*) צֹאן Gn 30, 39, אַיֶּלֶת Ir 14, 5, (Junge) **hervorbringen** (Vögel) *bring forth young* (*birds*) Ir 17, 11; יִלּוֹד (τεχθείς Mt 2, 2) **Neugebornes** *new-born one* 1 K 3, 26 f, pl. 1 C 14, 4; 2. (v. Mann) **erzeugen** (*said of men*) *beget* Gn 4, 18 10, 8 Pr 17, 21 1 C 1, 10† (F הוֹלִיד); אִם יֵלֵד זָכָר (gebiert *brings forth*) Ir 30, 6; 3. (metaph.): יָלַד אָוֶן Hi 15, 35, יָלַד שָׁקֶר Ps 7, 15; מֹשֶׁה gebiert d. Volk *brings forth the people* Nu 11, 12, צוּר = Gott *God* Dt 32, 18; יָלַדְנוּ רוּחַ Js 26, 18, תֵּלֶד קַשׁ 33, 11; מַה־יֵּלֶד יוֹם was d. Tag mit sich bringt *what a day may bring forth* Pr 27, 1; Gott *God* יָלַד d. מָשִׁיחַ Ps 2, 7; l יָלְדָה Js 26, 18, l לֹא תִרְחַק Ze 2, 2 F Festschr. Marti 176;

nif: pf. נוֹלַד, נוֹלְדוּ, pro נוֹלְדוּ 1 C 3, 5 20, 8† l נוֹלְדוּ, impf. יִוָּלֵד, אִוָּלֵד־, יִוָּלְדוּ, יִוָּלֵדוּ, inf. הִוָּלֵד, sf. הִוָּלְדוֹ, הִוָּלְדָהּ; pt. נוֹלָד, נוֹלָדִים: 1. **geboren werden** *be brought forth* Gn 10, 1 Lv 22, 27 (Tiere *animals*) (35 ×); וַיִּוָּלֵד לְאַהֲרֹן אֶת־נָדָב dem A. wurde N. geboren *unto A. was born N.* Nu 26, 60, F Gn 4, 18 21, 5 46, 20; יוֹם הִוָּלְדָהּ Tag ihrer Geburt *day of her birth* Ho 2, 5, יוֹם יִוָּלֶד בּוֹ Hi 3, 3; geboren werden *be born* (Volk *people*) Js 66, 8 Ps 22, 32; הַנּוֹלָד מֵהֶם was von ihnen geboren wird *those born of them* Esr 10, 3; נוֹלַד לוֹ מִן wurde ihm von (ihr) geboren *was born unto him from* (*her*) 1 C 2, 3; l יִלָּמֵד Hi 11, 12;

pi: inf. sf. יַלֶּדְכֶן, pt. f. מְיַלֶּדֶת, pl. מְיַלְּדוֹת: **gebären helfen** *help to bring forth* Ex 1, 16, pt. **Hebamme** *midwife* Gn 35, 17 38, 28 Ex 1, 15. 17—21† (Μύλιττα assyr < *Muallid(a)tu* = Istar Herodot. 1, 131. 199);

pu (pass. qal?): pf. יֻלַּד, יוּלַּד, יֻלְּדָה, יֻלַּדְתִּי, יֻלְּדוּ, יֻלְּדוּ, יֻלְּדָתָם, pt. יוּלָּד!: geboren werden *be born* Gn 4, 26 (24 ×), c. עַל־בִּרְכֵּי Gn 50, 23, c. לְעָמָל Hi 5, 7; subj. הָרִים Ps 90, 2 (cf. اَلْمُوَلَّدَات d. Naturerzeugnisse *what nature produces*);

hif: pf. הוֹלִיד, הוֹלַדְתָּ, הוֹלִידוּ, sf. הוֹלִידָה, impf. יוֹלִיד, וַיּוֹלֶד, inf. הוֹלִיד Js 59, 4, sf. הוֹלִידוֹ, imp. הוֹלִידוּ, pt. מוֹלִיד: **erzeugen** *beget* (älter *older* **F** qal 2.) Gn 5, 3 (38 ×), הוֹלִיד מִן m. (e. Frau) erzeugen *beget of (a wife)* 1 C 8, 9; **gebären lassen** *cause to bring forth* Js 66, 9; d. Regen macht d. Erde gebären *rain makes the earth to bring forth* Js 55, 10; erzeugen *beget (produce)* 59, 4 Hi 38, 28;

hof: inf. הֻלֶּדֶת u. הוּלֶּדֶת: **geboren werden** *be born* Gn 40, 20 Hs 16, 4 f†

hitp: impf. וַיִּתְיַלְדוּ (nicht *not* לְ): **seine Abstammung anerkennen lassen** *get one's descent acknowledged* Nu 1, 18.†

Der. לֵדָה, יָלִיד*, יַלְדוּת, יִלּוֹד, יַלְדָּה, יֶלֶד, וָלָד, מוֹלֶדֶת, *תּוֹלְדוֹת, הוּלֶּדֶת, n.m. מוֹלִיד.

יֶלֶד: ילד; ug. *yld*: יֶלֶד, pl. יְלָדִים, cs. יַלְדֵי u. יַלְדֵי, sf. יְלָדָיו, יַלְדֵיהֶם: **1. Knabe, männliches Kind** *boy, male child* Gn 4, 23 21, 8. 14—16 37, 30 42, 22 44, 20 Ex 2, 3. 6—10 2 S 6, 23 12, 15. 18 f. 21 f 1 K 3, 25 14, 12 17, 21—23 2 K 4, 18. 26. 34 Js 9, 5 Jl 4, 3 Ru 4, 16 Ko 4, 13. 15; pl. **Knaben, Kinder** *boys, children* Gn 30, 26 32, 23 33, 1 f. 5—7. 13 f Ex 1, 17 f 21, 4 1 S 1, 2 2 K 2, 24 4, 1 Js 2, 6 8, 18 29, 23 57, 4 Sa 8, 5 Hi 21, 11 Ru 1, 5 Th 4, 10. cj 6 Esr 10, 1 Ne 12, 43 Da 1, 4. 10. 13. 15 17; pl. **junge Leute** *young men* 1 K 12, 8 (:: זְקֵנִים). 10. 14 2 C 10, 8. 10. 14; 2. יֶלֶד זְקֻנִים im Alter erzeugter Sohn, **Alterskind** *son begotten by an old man, child of one's old age* Gn 44, 20; יֶלֶד שַׁעֲשׁוּעִים Ir 31, 20, יַלְדֵי זְנוּנִים Ho 1, 2, יַלְדֵי פֶשַׁע Js 57, 4; 3. **Junges** (v. Tieren) *young one (of animals)*: Kuh u. Bär *cow a. bear* Js 11, 7, Raben *raven* Hi 38, 41, Hinde u. Steinziege *hind a. wild goat* 39, 3; 4. pl. **Leibesfrucht** (e. Frau) *fruit (of wife)* Ex 21, 22.†

יַלְדָּה: ילד: pl. יְלָדוֹת: **1. Mädchen, weibliches Kind** *girl, female child*: pl. Sa 8, 5; 2. (heiratsfähiges) Mädchen *(marriageable) girl* Gn 34, 4 Jl 4, 3, cj Da 11, 6.†

יַלְדוּת u. **יַלְדֻת**: ילד: sf. יַלְדוּתֶךָ!: **Jugendzeit, Kindheit** *youth, childhood* Ps 110, 3 Ko 11, 9. f.†

ילה: وَلِهَ:

qal: impf. וַתֵּלַהּ: **besorgt, bekümmert sein** *be in consternation*, (Driver brieflich *by letter*) Gn 47, 13.†

יִלּוֹד: ילד: pl. יִלּוֹדִים: **neu geboren** *new-born* Ex 1, 22; c. לְ jmd. **geboren** *born unto* 2 S 12, 14; an e. bestimmten Ort geboren *born at a certain place* Jos 5, 5 2 S 5, 14 Ir 16, 3.†

יָלוֹן: n.m.: 1 C 4, 17.†

יָלִיד*: ילד: cs. יְלִיד, pl. cs. יְלִידֵי: **1. Sohn** *son*, v. עֲנָק Nu 13, 22. 28 Jos 15, 14, v. רָפָה 2 S 21, 16. 18 u. רָפָא 1 C 20, 4; 2. יְלִיד בַּיִת **im Haus(halt) geborner Sklave** *slave born in the house(hold)* (cf. ak. *wilid bītim* u. مُوَلَّد; :: קִנְיַן כֶּסֶף, מִקְנַת כֶּסֶף für Geld gekauft *purchased by money*) Gn 14, 14 17, 12 f. 23. 27 Lv 22, 11 (l יְלִידֵי) Ir 2, 14.†

ילך: qal. impf. יֵלֵךְ, hif. imp. הֵילִיכִי: **F** הלך.

ילל: mhb. pi., ja. pa., äga. הילל, sy. af., mnd. האוליל; وَلْوَلَ; onomatop.?:

hif: pf. הֵילִיל; impf. (BL 229. 382) יְיֵלִיל, אֵילִיל, יְהֵילִילוּ u. יְיֵלִילוּ, תְּהֵילִילוּ, אֵילִילָה, imp. הֵילִיל, הֵילִילוּ, הֵילִילִי u. הֵילִילִי: **heulen, wehklagen** *give a howl*: // זעק Js 14, 31 65, 14 Ir

25, 34 47, 2 48, 20. 31 49, 3 Hs 21, 17 Ho 7, 14 Sa 11, 2; ספר// Ir 4, 8 Jl 1, 13 Mi 1, 8; c. על Jl 1, 5. 11 Ir 51, 8; F Js 13, 6 15, 2 16, 7 23, 1. 6. 14 Ir 48, 39 Hs 30, 2 Am 8, 3 Ze 1, 11 Sa 11, 2; ? Js 52, 5.† Der. ילל, יְלָלָה.

יְלֵל: ילל: **Geheul** *howling* Dt 32, 10.†

יְלָלָה: ילל: cs. יִלְלַת, sf. יִלְלָתָהּ: **Geheul, Wehgeschrei** *howling* Js 15, 8 Ir 25, 36 Ze 1, 10 Sa 11, 3.†

יָלַע Pr 20, 25: F I לעע.†

***ילף**: F יַלֶּפֶת.

cj יְלַפְּנוּ Hi 32, 13: F I אלף pi.

יַלֶּפֶת: *ילף: G λειχήν, V *impetigo*; jüdische Tradition *Jewish tradition* חזזית מצרית ägyptische Flechte *Egyptian herpes, ringworm*; حَزَاز = *Tinea trichophytina*, e. durch *Trichophyton tonsurans* bewirkte Hautkrankheit *a skin-disease caused by Trichophyton tonsurans*; sy. ܠܦܬܐ Flechte (Pflanze u. Krankheit *tress a. herpes*; حَزَاز Flechte *ringworm* Stace 144b: **Hautflechte** *ringworm, herpes*: Lv 21, 20. 22.†

***ילק**: יֶלֶק.

יֶלֶק: ילק: יֶלֶק: wegen sy. ܝܠܩܐ d. kriechende, ungeflügelte Stufe der **Heuschrecke** *on account of sy.* ܝܠܩܐ *the creeping, unwinged phase of locust* (ZDP 49, 332): Ir 51, 14. 27 Jl 1, 4 2, 25 Na 3, 15 f Ps 105, 34.†

יַלְקוּט: לקט: **Hirtentasche** (f. Schleudersteine u. Andres) *shepherd's receptacle* (*for stones a. other things*) 1 S 17, 40.†

יָם (390 ×): mhb., F ba., ak. *iāme*; ug. *ym*; ph. ים; يَمّ; äg. *jm*, ⲓⲟⲙ: cs. יָם u. יַם־, loc. יָמָּה, sf. יַמָּהּ, pl. יַמִּים, m.: 1. sg. **Meer** *sea* שָׁמַיִם .. אֶרֶץ .. יָם Ex 20, 11, שְׂפַת הַיָּם Gn 22, 17, 32, 13, חוֹל הַיָּם Gn 1, 26, דְּגַת הַיָּם 9, 2; דְּגֵי הַיָּם Jos 15, 5, לְשׁוֹן הַיָּם מַעֲמַקֵּי יָם Js 51, 10, cj גַּלֵּי הַיָּם Ps 107, 29, cj עַמְלָצֵי יָם 74, 14; גָּדוֹל כַּיָּם Ir 51, 42, עֲלֵה הַיָּם Th 2, 13; 1 בַּבָּקָר יָם Am 6, 12, 1 רָאשֵׁי הָרִים Hi 36, 30, 1 מַיִם Na 3, 8, 1 וְאִיִּים Ps 65, 6, dele ים ante יַעְזֵר Ir 48, 32; 2. pl. יַמִּים **Meer** *sea*, = מִקְוֵה הַמַּיִם Gn 1, 10, שֶׁפַע יַמִּים Dt 33, 19, בְּלֶב Ir 15, 8, חוֹף יַמִּים Gn 49, 13, חוֹל יַמִּים יַמִּים Ps 46, 3; 3. einzelne Meere *particular seas*: a) **Mittelmeer** *Mediterranean* הַיָּם הַגָּדוֹל Jos 1, 4 9, 1 15, 12 (1 הַיָּם). 47 (1 הַגָּדוֹל) 23, 4 Hs 48, 28, הַיָּם הָאַחֲרוֹן Ex 23, 31, יָם פְּלִשְׁתִּים Dt 11, 24 34, 2 Jl 2, 20 Sa 14, 8; b) **d. Tote Meer** *Dead Sea* יָם הַמֶּלַח Gn 14, 3 Jos 18, 19, הַיָּם Dt 3, 17 4, 49 2 K 14, 25 יָם הָעֲרָבָה הַקַּדְמוֹנִי Hs 47, 18 Jl 2, 20 Sa 14, 8, c) **d. galiläische See** *Sea of Galilee* יָם כִּנֶּרֶת Nu 34, 11, יָם כִּנְרוֹת Jos 12, 3; d) יָם מִצְרַיִם Js 11, 15; e) יָם יָפוֹא Esr 3, 7 2 C 2, 15; f) יַם־סוּף F סוּף; 4. weil הַיָּם meistens = Mittelmeer = Westmeer, > יָם = **Westen** *because* הַיָּם *in most cases means The Mediterranean = the western sea,* יָם > *west, westward*: יָמָּה nach Westen hin *westward* Gn 13, 14, מִיָּם von W. her *from west* 12, 8, רוּחַ יָם Westwind *west wind* Ex 10, 19 > Westseite *west side* Hs 42, 19, פְּאַת יָם W. seite *west side* Ex 27, 12, יָם וְדָרוֹם W. u. Süd *west a. south* Dt 33, 23, מִיָּם לְ westlich von *westward* Jos 8, 9, מִזְרָחָה וְיָמָּה n. Ost u. West *towards east a. west* Sa 14, 4; etc.; 5. (künstliches) **Meer** (*artificial*) *sea* (*great basin*) יָם הַנְּחֹשֶׁת 2 K 25, 13, הַיָּם מוּצָק 1 K 7, 23 2 C 4, 2, הַיָּם Ir 27, 19 52, 20; 6. יָם (wie *like* بَحْر u. يَمّ) v. grossen Strömen *said of mighty rivers*: Nil

Nile Js 19, 5, Euphrat Ir 51, 36; pl. Nilarme *branches of Nile* Hs 32, 2; ? Js 21, 1.

ימא: F תֵּימָא.

יְמוּאֵל: n. m,; = נְמוּאֵל Nu 26, 12 1 C 4, 24: Gn 46, 10 Ex 6, 15. †

יְמִימָה: n. f.; יָמָם ; يَمَامَة Taube *dove*, (n. f. Tağ 9, 114) ägyptische Turteltaube *Egyptian turtle-dove Turtur Senegalensis Aegyptiacus*; G: Ἡμέρα! V: *Dies*!: Hi 42, 14. †

I יָמִין (137 ×): ימן, ug. *ymn*; Siloa-Inschr. 3 מימן rechts *on the right*; mhb., ja., sy. יַמִּינָא, يَمِين, asa. ימן, ימן rechte Hand *right hand*; ak. *imnu, imittu* rechte Hand, Seite *right hand, side*: cs. יְמִין (מִימִין ,בִּימִין), sf. יְמִינוֹ, יְמִינִי, fem.: 1. die rechte Seite *the right side*: יַד יְמִינוֹ seine rechte Hand *his right hand* Gn 48, 17, שׁוֹק הַיָּמִין die rechte Keule *the right thigh* Ex 29, 22, יֶרֶךְ יְמִינוֹ Jd 3, 16, עֵין יָמִין rechtes Auge *right eye* 1 S 11, 2; > יְמִינוֹ s. rechte Hand *his right hand* Gn 48, 13, Gottes *of God* Js 62, 8 Ps 16, 8. 11, יְמִין עֶלְיוֹן Ps 77, 11; 2. daher *therefore*: הַיָּמִין nach rechts *to the right* Gn 13, 9, = עַל־יָמִין 24, 49, מִימִין rechts von *at the right side of* 48, 13, עַל־יְמִינוֹ rechts von ihm *on his right hand* 1 C 6, 24, cj Sa 6, 13, לִימִינְךָ auf deiner rechten Seite *at thy right side* Ps 45, 10, לְיָמִין auf die rechte Seite *on the right hand* Ne 12, 31, מִיָּמִין 1 K 7, 39, l Q מִימִין 2 K 12, 10; schwur bei d. rechten Hand (Gott) *has sworn by his right hand (God)* Js 62, 8; besondre Schätzung d. Rechten *the right hand especially valued* Ps 137, 5, יָמִין hält d. Losorakel *holds the divination* Hs 21, 27, Pfeile *arrows* 39, 3, d. Becher *the cup* Ha 2, 16, שֹׁחַד Ps 26, 10; rechts steht d. Beschützer *at the right stands the supporter* Js 63, 12 Ps 109, 31, d. Ankläger *the adversary* Sa 3, 1 Ps 109, 6; rechts sitzt d. Geehrte *at the right hand sits the honoured* Ps 110, 1, d. Königsmutter *the king's mother* 1 K 2, 19; Gott hält d. Schützling an d. rechten Hand *God holds the right hand of the supported* Ps 73, 23; יָדַע בֵּין־יְמִינוֹ לִשְׂמֹאלוֹ rechts u. links unterscheiden können *be able to distinguish right from left* Jon 4, 11; יָמִין Ps 89, 13 Bergname oder Ersatz dafür *name of mountain or substitute of name* Eissfeldt, Baal Zaphon 12 f; 3. die rechte Seite ist die südliche Seite *the right side is the southern side*: יָמִין Süden, südlich *south, southern*: צָפוֹן וְיָמִין Nord u. Süd *the north a. the south* Ps 89, 13; אֶל־הַיָּמִין südwärts *southward* Jos 17, 7, מִימִין 1 S 23, 19 u. אֶל יְמִין 23, 24 u. מִימִין לְ 2 K 23, 13 südlich von *south of*; l וּמִן pro יְמִין 2 S 24, 5; F I u. II תֵּימָן.

Der. בִּנְיָמִין n.m.

II יָמִין: n.m.; = I 3, Süden = Glück *south* = *(good) fortune*: 1. Gn 46, 10 Ex 6, 15 Nu 26, 12 1 C 4, 24; 2. 2, 27; 3. Ne 8, 7; F יְמִינִי.†

יָמִינִי: gntl. v. II יָמִין 1.: Nu 26, 12. †

יְמִינִי: F יְמָנִי.

יְמִינִי: gntl. v. בִּנְיָמִין: 1. בֶּן־יְמִינִי Benjaminit *Benjamite* 1 S 9, 21 Ps 7, 1 K 1 C 27, 12, c. art. בֶּן־הַיְמִינִי Jd 3, 15 2 S 16, 11 19, 17 1 K 2, 8, pl. בְּנֵי יְמִינִי Jd 19, 16 1 S 22, 7; 2. בֵּן ersetzt durch *substituted by* אִישׁ: אִישׁ יְמִינִי 2 S 20, 1 Est 2, 5; 3. בֶּן־אִישׁ יְמִינִי 1 S 9, 1; 4. 1. > אֶרֶץ־יְמִינִי: יְמִינִי benjaminitisch *of the Benjamites* 1 S 9, 4. †

ימך: F חמך.

יִמְלָא: n. m.; מלא, Fülle *plenty*: 2 C 18, 7f > יִמְלָה 1 K 22, 8 f. †

יַמְלֵךְ: n. m.; KF v. hif. מלך: altbab. *Jamlik-ilu*: 1 C 4, 34.†

ימם*: n. f. ימימה, יְמִים?

יֵמִם: V. *aquae calidae*; J. J. Hess (mündlich *orally*): يَمّ (Lisan 16, 134 letzte Zeile *last line*:) **Vipern** *adders* (*Cerastes vipera* u. *cornutus*) (Zusammenhang von Schlangen mit Geistern *connection between serpents a. spirits* F Wellhausen, Reste², 152 f) Gn 36, 24.†

ימן: F I יָמִין; denom.:

hif. impf. תַּאֲמִינוּ, אֵימִינָה pro *תֵּימִינוּ Js 30, 21, inf. הֵימִין, imp. הֵימִינִי, pt. pl. מַיְמִינִים: **1. nach rechts halten, gehen** *go to the right* Gn 13, 9 Js 30, 21 Hs 21, 21, c. מִן **rechts vorbeikommen an** *leave to the left* 2 S 14, 19; **2. pt. rechtshändig** *using the right hand* 1 C 12, 2; F יָמִין, יְמָנִי, תֵּימָן.†

יִמְנָה: n. m.; מנה: 1. Gn 46, 17 Nu 26, 44 1 C 7, 30; 2. 2 C 31, 14.†

יְמָנִי: יָמִין, ימן: f. יְמָנִית: **1. rechts,** *right hand, right*: אֹזֶן, יָד, בֹּהֶן רֶגֶל, אֶצְבַּע Ex 29, 20 Lv 8, 23 f 14, 14. 16 f. 25. 27 f, Seite *side* Hs 4, 6 (1 הַיְמָנִי); rechtsstehend *on the right side* עַמּוּד 1 K 7, 21 2 C 3, 17 (1 הַיְמָנִי); **2. südlich** *southern* 1 K 6, 8 7, 39 2 K 11, 11 Hs 47, 1 f 2 C 4, 10 23, 10.†

יִמְנָע: n. m. מנע: 1 C 7, 35.†

יַם סוּף: Name einer Küste *name of a shore*, F I סוּף: loc. יַמָּה סוּף: **d. Meer von Suf, die Küste von Suf** *the sea, the shore near Suph*; wie *like* יָם יָפוֹא, ar. *baḥr Qulzum* (= d. Meer *the sea of* Κλύσμα), *Ġubbet el Buṣ* die Bucht des Schilfrohrs *Bay of Bulrushes* (s. *Ǧebel ʿAṭṭāqa*); alle diese Namen bezeichnen d. Mittelmeer oder d. Rote Meer nach e. Ausschnitt der Küste *all those names calling the Mediterranean or the Read Sea after the concerned fraction*: Ex 13, 18 15, 4. 22 23, 31 Nu 14, 25 21, 4 33, 10 f Dt 1, 40 2, 1 11, 4 Jos 2, 10 4, 23 24, 6 Jd 11, 16 1 K 9, 26 Ir 49, 21 Ps 106, 7. 9. 22 136, 13. 15 Ne 9, 9, loc. Ex 10, 19; F I סוּף.†

ימר: hif. pf. הֵימִיר Ir 2, 11: 1 הֵמִיר (מור); hitp. תִּתְיַמָּרוּ Js 61, 6: < תִּתְאַמְּרוּ (II אמר).†

יִמְרָה: n. m.; מרה: 1 C 7, 36.†

ימשׁ: hif. הֲיִמִשֵׁנִי Jd 16, 26: F משׁשׁ.†

ינה: mh. hif., ja. af. unterdrücken *oppress*; وَنَى schwach sein *be weak*:

qal: pt. f. יוֹנָה: **gewalttätig** *oppressing*: עִיר Ir 46, 16 50, 16, cj 25, 38 (1 חֶרֶב), חֶרֶב Ze 3, 1; 1 גַּאֲיוֹנִים Ps 123, 4; ? יִנָּם 74, 8;†

hif: pf. תּוֹנוּ, הוֹנוּ, הוֹנָה, impf. יוֹנֶה, תּוֹנוּ, sf. תּוֹנֻנוּ, inf. sf. הוֹנֹתָם, pt. sf. מוֹנַיִךְ: **bedrücken** *oppress* Ex 22, 20 Lv 19, 33 25, 14. 17 Dt 23, 17 Js 49, 26 Ir 22, 3 Hs 18, 7. 12. 16 22, 7. 29 45, 8 46, 18.†

יָנוֹחַ: n. l.; נוח; loc. יָנוֹחָה: 1. Ch. *Jānūn* 12 km s. Nāblus (ZDP 53, 279) Jos 16, 6 f; 2. *Janūḥ* ö. Tyrus? 2 K 15, 29.†

יָנוּם: (K יָנִים): n. l.; נום? bei *near* Hebron: Jos 15, 53.†

יְנִיקָה*: ינק: pl. sf. יְנִיקוֹתָיו: **Pflanzenschoss** *shoot* Hs 17, 4.†

ינק: mhb., altaram. Suğ., äga., ja., sy.; ug. *ynq*; ak. *enēqu*; ar. *nāqa* Kamelstute *cow-camel*; äg. causat. *s-nq*: qal: pf. יָנָקְתְּ, impf. יִינַק, אִינַק, תִּינְקִי, יִינְקוּ, תִּינָקוּ, pt. יוֹנֵק, F יוֹנֶקֶת: **saugen** *suck* Dt 33, 19 Js 60, 16 66, 11 Hi 3, 12 20, 16, 1 יוֹנַקְתָּהּ Js 66, 12;†

hif: pf. הֵינִיקָה, הֵינִיקוּ, impf. תֵּינִק, וַתֵּינִק, sf. יִנְקֵהוּ, inf. הֵינִיק, imp. sf. הֵינִקְהוּ, pt. F מֵינֶקֶת, pl. מֵינִיקוֹת: **säugen, stillen** *give suck, nurse* Gn 21, 7 Ex 2, 7. 9 1 S 1, 23 1 K 3, 21, (Tiere *animals*) Gn 32, 16 Th 4, 3; **einschlürfen lassen** *cause to suck* Dt 32, 13.†

Der. יוֹנֶקֶת, מֵנֶקֶת, יְנִיקָה*, אַקּוֹ.

יַנְשׁוּף u. **יַנְשׁוֹף**: נשף: (Aharoni, Osiris 5, 1938, 470: **Ohreneule** *long-eared owl Asia otus* (Nicoll 355 f) :: J. J. Hess (mündlich *orally*) **Bienenfresser** *bee-eater Merops apiaster* نَسَّاف (Nicoll 325 f) Lv 11, 17 Dt 14, 16 Js 34, 11.†

יסד: ug. *ysd*; mhb., ja.; sy. ܣܘܣܕܐ Rebsteckling *vinelayer*; وِسَاد u. aram. אִסָּדָא Kissen *pillow*; Zusammenhang mit *connection with* ak. *išdu* (Fundament *foundation*)?:

qal: pf. יָסַד, יָסַדְתָּ, sf. יְסָדָהּ, יְסַדְתּוֹ, וִיסַדְתִּיךָ, inf. לִיסוֹד, לִיסֹד, וִיסוֹד (BL 383) 2 C 31, 7, sf. יָסְדִי, יָסְדוֹ, pt. יֹסֵד: 1. **die Grundlage erstellen, gründen** *found, establish*: c. אֶרֶץ Js 48, 13 51, 13. 16 Sa 12, 1 Ps 24, 2 78, 69 102, 26 104, 5 Pr 3, 19 Hi 38, 4, c. תֵּבֵל Ps 89, 12; d. **Grundmauer** d. Tempels **legen** *lay the foundation of the temple* Js 54, 11 Esr 3, 12 2 C 24, 27, e. **Grundstein legen** *lay the foundation-stone* Js 28, 16 (יֹסֵד); d. **unterste Schicht legen** *lay the lowest course, layer* 2 C 31, 7; 2. c. עַל **errichten auf** *establish upon* Am 9, 6; 3. Gott *God* seine *his* מִצְוֹת **festlegen** *fix* Ps 119, 152; 4. יָסַד מָקוֹם לְ e. Platz **bestimmen** *found, fix a place* Ps 104, 8; 5. c. לְ c. inf: **setzen, bestimmen** zu ... *establish to* ... Ha 1, 12; l וִיסֹדוֹתָיו ? Js 23, 13;†

nif: F II יסד; impf. תִּוָּסֵד, inf. sf. הִוָּסְדָהּ: **gegründet werden** *be founded* Ex 9, 18, Js 44, 28;†

pi: pf. יִסַּד, יִסְּדוּ, sf. יִסְּדָהּ; impf. sf. וַיְיַסְּדֵנָה, inf. יַסֵּד: 1. d. **Grundmauer erstellen** *lay the foundation*: עִיר Jos 6, 26 1 K 16, 34, צִיּוֹן Js 14, 32, בַּיִת 1 K 5, 31 Sa 4, 9 Esr 3, 10; 2. **bestimmen** *appoint* Est 1, 8, cj Esr 7, 9 u. 2 C 3, 3 (l יִסַּד); 3. c. בֶּאֱמוּנָתָם **in ihre Amtspflicht einsetzen** *ordain to their office* 1 C 9, 22; l יֹסֵד Js 28, 16, l יִסַּדְתָּ עֹז Ps 8, 3;†

pu: pf. יֻסַּד, pt. מְיֻסָּד, pl. מְיֻסָּדִים: **fundamentiert, gegründet werden** *be founded* 1 K 6, 37 7, 10 Hg 2, 18 Sa 8, 9 Ct 5, 15 Esr 3, 6; pt. pl. f. (1 Q) מְיֻסָּדוֹת **Fundamente** *foundation* Hs 41, 8;†

hof: inf. הוּסַד, pt. מוּסָד (dele מוּסָד dittogr. Js 28, 16): **fundamentiert, gegründet werden** *be founded* Js 28, 16 Esr 3, 11; l יִסַּד 2 C 3, 3.†

Der. יְסֹדוֹת, יְסוֹד, יְסוּדָה*, מוּסָד, מוֹסָד, מוּסָדָה, מוֹסָדָה, מַסַּד.

II יסד: NF v. סוד:

nif: pf. נוֹסְדוּ, inf. sf. הִוָּסְדָם: **sich zusammentun** *close together* Ps 2, 2 31, 14 (עַל gegen *against*).†

יְסֻד: Esr 7, 9: l יִסַּד.†

יְסֹדֹת, יְסוֹדוֹת: יסד; sf. יְסֹדֹתֶיהָ. cj יְסוֹדוֹתָיו? Js 23, 13: **Grundmauer** *foundation* Hs 30, 4 Th 4, 11, cj Js 40, 21 (יְסֹדוֹת) u. Mi 1, 6 (יְסֹדוֹתֶיהָ) u. Js 23, 13 (? יְסֹדוֹתָיו).†

יְסוֹד: יסד: sf. יְסוֹדוֹ, יְסוֹדָם: **Grundmauer, Sockel** *foundation, base* Ex 29, 12 Lv 4, 7. 18. 25. 30. 34 5, 9 8, 15 9, 9 Hs 13, 14 Ha 3, 13 Ps 137, 7 Pr 10, 25 Hi 4, 19 22, 16, l יְסֹדֹתֶיהָ Mi 1, 6; שַׁעַר הַיְסוֹד 2 C 23, 5 (?), cj 2 K 11, 6.†

יְסוּדָה*: יסד: sf. יְסוּדָתוֹ **Gründung** *foundation* Ps 87, 1.†

יִסּוֹר: יסר: **Tadler, Nörgler** *reprover, faultfinder* Hi 40, 2.†

יְסוּרַי: Ir 17, 13: l וְסוּרַי (סור).†

יִסְכָּה: n. f.; *סכה; F Gaster JRS 1937, 531: Gn 11, 29.†

יִסְמַכְיָהוּ: n. m.; סמך u. יָ׳: 2 C 31, 13.†

יסף: mhb. pi.; F ba.; mo.; ph.: asa. וסף, ak. *uṣṣupu* hinzufügen *add*, *ṣiptu* Zins *interest*; F אסף:

qal: pf. יָסַף, יָסֵף, יָסְפוּ, יָסַפְנוּ, inf. סְפוֹת (u. סֶפֶת Nu 32, 14 u. Js 30, 1), imp. סְפוּ, pt. pl. יֹסְפִים; 1 S 27, 4 יָסַף Q יָסַף K יוֹסֵף OTS 6, 77: 1. hinzufügen *add* Lv 26, 21 Dt 5, 22 2 K 19, 30 Js 26, 15 37, 31, c. עַל zu *to* Lv 22, 14 27, 13. 15. 19. 27 Dt 19, 9 1 S 12, 19 Js 29, 1 30, 1 Ir 7, 21 45, 3 2 C 9, 6; 2. c. inf.: **fortfahren zu . . ., weiterhin tun** *continue doing, do more, again* Gn 8, 12; = c. לְ c. inf. Gn 38, 26 Lv 26, 18 Nu 32, 15 Dt 5, 25 20, 8 Jd 8, 28 13, 21 1 S 7, 13 15, 35 27, 4 2 S 2, 28 2 K 6, 23; 4. יָסַף שִׂמְחָה hat Freude über Freude *has joy over joy* Js 29, 19; l יָסוּפוּ Nu 11, 25;

nif: pf. נוֹסְפָה, נוֹסַף, pt. נוֹסָף, pl. f. נוֹסָפוֹת: c. עַל **hinzugefügt werden zu** *be added to* Ex 1, 10 Nu 36, 3 f Ir 36, 32 Pr 11, 24; נוֹסָפוֹת weiteres [Unheil] *added* [*calamities*] Js 15, 9;

hif (172 ×): pf. הוֹסִיף, הוֹסַפְתִּי, impf. יוֹסִיף, יֹסִיף; יֹסֵף, יוֹסֵף, יֹסֵף, יוֹסֶף, וַיֹּסֶף, וַיֹּאסֶף 1 S 18, 29 (וַיֹּאסֶף contaminatum c. וַיֹּסֶף), l יוֹסִיף pro יֶאֱסֵף < *יֹאסֵף Hi 27, 19, תּוֹסִיף, וַתּוֹסֶף, תּוֹסַף, תּוֹסְףְ! (BL 383), אוֹסִיף, אֹסִפָה, אוֹסֵף, יוֹסִיפוּ, יוֹסִפוּן, תֹּסִפוּ, תֹּסִפוּן, תֹּאסִפוּן! Ex 5, 7, inf. הוֹסִיף, הוֹסֵף, pt. מוֹסִיפִים: 1. **hinzufügen** *add* Gn 30, 24 Dt 4, 2 Pr 10, 22, cj Hi 27, 19, c. עַל zu *to* Lv 5, 16 Nu 5, 7 2 K 20, 6 Ko 3, 14 etc., cj Dt 32, 23, c. אֶל zu *to* 2 S 24, 3; 2. הוֹסִיף עַל **steigern, vermehren** *increase* Js 1, 5 Ps 71, 14 115, 14 Esr 10, 10 1 C 22, 14 2 C 28, 13, etc.; schwerer machen *add to* 1 K 12, 11. 14; 3. הוֹסַפְתִּי חָכְמָה עַל **übertreffe** an W. *surpass in w.* Ko 1, 16 1 K 10, 7 (l עַל), c. מִן jm. *a person* Ko 2, 9; 4. **weiter, nochmals tun** (parataktisch) *do more, again* (*in paratax*) וַיֹּסֶף וַיִּקַּח nahm nochmals *took again* Gn 25, 1, וַיֹּסֶף וַיִּשְׁלַח schickte aufs Neue *sent again* Jd 11, 14; so *thus* Gn 38, 5 1 S 19, 21 Js 52, 1 Ho 1, 6 Pr 23, 35 Js 47, 1. 5; 5. c. inf. **fortfahren zu** *continue* (*doing*) Gn 4, 12 8, 10 Nu 22, 26 Am 7, 8 8, 2 Gn 37, 5. 8, (l אוֹסִיף) Ho 9, 15; = c. לְ c. inf. Gn 4, 2 Ex 5, 7 Jos 7, 12, etc.; noch mehr tun, sein *do, be yet more* 1 S 18, 29 2 S 3, 34; 6. (ellipt. c. negat.) הוֹסִיף **nichtmehr, nicht weiter** (sein, tun) *not any more* (*be, do*) Ex 11, 6 Jl 2, 2 Pr 19, 19 Hi 20, 9, etc.; 7. Schwurformel *formula of oath*: כֹּה יַעֲשֶׂה וְכֹה יוֹסִיף Er (Gott) tue mir dies u. das (*God*) *do so a. more so* 1 S 3, 17 2 S 3, 9 1 K 2, 23 2 K 6, 31 Ru 1, 17.

Der. n. m. יוֹסֵף, יוֹסִפְיָה, אֶבְיָסָף, אֶלְיָסָף.

יסר: ug. *ysr*; mhb. pi., äga. יתסר itp. ?, ja. itp.; mhb. יִסּוּר u. ja. יִסּוּרָא Züchtigung *chastisement*; Barth ES 55: شار IV e. Rat geben *advice*:

qal: pt. יֹסֵר; pro וְיִסְּרֵנִי l וַיְסִירֵנִי (סור) Js 8, 11; pro וְאֶסֳּרֵם l וָאֲיַסְּרֵם Ho 10, 10; יָסֹר 1 C 15, 22 F שׂרר: **unterweisen** *admonish* Ps 94, 10 Pr 9, 7; †

nif: impf. יִוָּסֵר, תִּוָּסְרוּ, imp. הִוָּסְרִי, הִוָּסְרוּ: **sich unterweisen, belehren lassen** *let oneself be admonished, corrected* Lv 26, 23 Ir 6, 8 31, 18 Ps 2, 10 Pr 29, 19; †

pi: pf. יִסַּר, יִסַּרְתִּי, יִסְּרוּ, sf. יִסְּרַנִּי, יִסְּרוּ, יִסַּרְתַּנִי, יִסַּרְתּוֹ, יִסַּרְתִּיךָ, יִסְּרוּנִי, impf. יְיַסֵּר, אֲיַסֵּר, sf. תְּיַסְּרֵנוּ, תְּיַסְּרֵנִי, תְּיַסְּרֶךָּ, inf. יַסֹּר, יַסְּרָה, Lv 26, 18, sf. יַסֶּרְךָ, imp. יַסֵּר, sf. יַסְּרֵנִי, pt. מְיַסֶּרְךָ: **zurechtbringen, richtig leiten** *discipline, correct* Dt 4, 36 8, 5 Pr 31, 1 Hi 4, 3; **züchtigen** *chastise* Lv 26, 18. 28 Dt 21, 18 22, 18 1 K 12, 11. 14 Ir 2, 19 10, 24 30, 11 31, 18 46, 28, cj Ho 10, 10 Ps 6, 2 16, 7 38, 2 39, 12 94, 12 118, 18, cj 8, 3 u. 105, 22, Pr 19, 18 29, 17 2 C 10, 11. 14 Si 7, 23; **anleiten** *instruct* Js 28, 26, cj וְאֵין מְיַסֵּר Ho 5, 2; ? 7, 15; †

hif: impf. sf. אַיְסִירֵם Ho 7, 12: l אֶאֱסְרֵם; †

nitp.: pf. נִוַּסְּרוּ < *נִתְוַסְּרוּ: **sich zurechtweisen, warnen lassen** *let oneself be admonished* Hs 23, 48. †

Der. מוּסָר, יִסּוֹר.

***יעב** : F הוּעֲבָה.

יַעְבֵּץ : I: n.l.; עבץ: in Juda 1 C 2, 55; II: n.m.; F עֹצֶב 1 C 4, 9; *heros loci*?: 1 C 4, 9 f. †

יעד : mhb. pi. u. ja. pa. (besonders) zur Frau bestimmen (*especially*) *designate as wife*; F ba. עִדָּן; sy. ܡܘܥܕܐ Bestimmung, Frist *designation, term*, ܘܥܕ einladen *invite*; وَعَدَ bestimmen, III e. Zeit, e. Ort abmachen *designate*, III *appoint a time, a place*, asa. יעד versprechen *promise*; VG 1, 237:
qal: pf. sf. יְעָדוֹ, יְעָדָהּ, impf. sf. יִיעָדֶנָּה: eine Frau **zuweisen** *designate a woman* (*concubine*) Ex 21, 8 (1 לוֹ). f, מוֹעֵד e. Frist **zugestehn** *appoint a time* 2 S 20, 5; jmd. **bestellen** *appoint a place* Ir 47, 7; 1 ומועד Mi 6, 9; †
nif: pf. נוֹעַדְתִּי, נוֹעֲדוּ, נוֹעֲדָה, impf. אִוָּעֵד, וַיִּוָּעֲדוּ, pt. pl. נוֹעָדִים: **1. sich treffen lassen** (Gott) *let oneself be met* (*God*) Ex 25, 22 29, 42 f 30, 6. 36 Nu 17, 19; **2. sich einfinden** *appear, be present*, c. אֶל Nu 10, 3 f, c. עַל 1 K 8, 5 2 C 5, 6; **3. sich versammeln** *gather*, c. עַל gegen *against* Nu 14, 35 16, 11 27, 3 Jos 11, 5 Hi 2, 11 Ne 6, 2. 10; **4. sich verabreden** *make an appointment* Am 3, 3 Ps 48, 5, cj 1 S 21, 3;
hif: impf. sf. יוֹעִידֵנִי, יְעִידֵנִי: **bestellen** *make an appointment with* cj 1 S 21, 3 (1 הוֹעַדְתִּי), **vorladen** *summon* Ir 49, 19 50, 44 Hi 9, 19; †
hof: pt. pl. מוּעָדוֹת, מוּעָדִים: **bestellt, beordert** *set, ordered* Hs 21, 21, 1 עֹמְדִים Ir 24, 1. †
Der. מוֹעֵד, *מוֹעֵד, מוֹעָדָה, I עֵדָה; n. m. נוֹעַדְיָה.

***יַעְדָּה** : n. m.; עדה; cj (MSS) pro יערה: 1 C 9, 42. †

יֶעְדּוֹ Q, **יֶעְדִּי** K: n. m.; Noth, S. 204 v. עדה: 2 C 9, 29. †

יעה : وَعَى sammeln *collect*; F יָעִים:
qal: pf. יָעָה: wegnehmen (?) *sweep together* (?) Js 28, 17. †
Der. יָעִים; n. m. יְעִיאֵל, יְעוּאֵל.

יְעוּאֵל, Q (nicht *not* 1 C 9, 6) יְעִיאֵל: n. m.; יעה? u. אֵל: 1. 1 C 9, 6; 2. 9, 35; 3. 11, 44 2 C 26, 11 29, 13. †

יְעוּץ : n. m.: 1 C 8, 10. †

יָעוּר : F יָעִיר.

יְעוֹרִים : Hs 34, 25: F יַעַר.

יְעוּשׁ u. Gn 36, 5. 14 1 C 7, 10 K יְעִישׁ: n. m.; עוש; Dir. 352; asa. יעת Ryck. 2, 73; ar. *ġijat* Helfer *helper* Wellhausen, Reste [2], 21, ar. n. dei يغوث: 1. Edomiter Gn 36, 5. 14. 18 1 C 1, 35; 2. 7, 10 8, 39; 3. 23, 10; 4. S. v. רְחַבְעָם 2 C 11, 19. †

יעז : NF v. עזז:
nif: pt. נוֹעָז: **frech, vermessen** *insolent, presumptious* Js 33, 19. †

יַעֲזִיאֵל 1 C 15, 18: n. m.; 1 עֻזִּיאֵל? †

יַעֲזִיָּהוּ 1 C 24, 26 f: n. m.; 1 עֻזִּיָּהוּ? †

יַעְזֵיר 1 C 6, 66 26, 31 u. יַעְזֵר: n. l.; עזר; Ιαζηρ 1 Mk 5, 8; ZAW 60, 30 ff: in גִּלְעָד Jos 13, 25 1 C 26, 31; Lage unbestimmt *site uncertain* (PJ 34, 27) Nu 21, 32. cj 24 32, 1. 3. 35 Jos 21, 39 2 S 24, 5 Js 16, 8 f Ir 48, 32 (dele יָם). †

יעט Js 61, 10: F עטה.

יְעִיאֵל : n. m.; F יְעוּאֵל: 1.—7. 1 C 15, 18. 21 16, 5; (= יַעֲזִיאֵל 15, 18); 5, 7; 2 C 20, 14; 35, 9; Esr 8, 13 (K יְעוּאֵל); 10, 43. †

יָעִים : pl., sg. *יָעֶה?; יעה; ja. יָעָא: sf. יָעָיו: **Schaufeln** *shovels* Ex 27, 3 (f. Reinigung d.

Altars *for cleaning altar*) 38, 3 Nu 4, 14 1 K 7, 40, 45 2 K 25, 14 Ir 52, 18 2 C 4, 11. 16.†

יָעִיר: n. m.; KF; עור; K יָעוּר; keilschr. *Ja'iru* Tallq. APN 91; asa. יער Ryck. 2, 73: 1 C 20, 5, cj 2 S 21, 19.†

יְעִישׁ: n. m.; F יְעוּשׁ.†

יַעְכָּן: n. m.; עכן; 1 C 5, 13.†

יעל: mhb. hif. nützen *profit*; תועלה Si 30, 23 41, 14 Nutzen *profit*; وعل auf e. Anhöhe Schutz suchen *look for shelter on a hill*:
hif: pf. הוֹעִיל, impf. יוֹעִיל, אוֹעִיל, יֹעִילוּ, יוֹעִלוּ, sf. יוֹעִילֶךָ, inf. הוֹעִיל, הוֹעִיל, pt. מוֹעִיל: **helfen, nützen** *profit, avail, benefit*: Götzen *gods* 1 S 12, 21 Js 57, 12 Ir 2, 8. 11 16, 19, Götterbilder *idols* Js 44, 9 f Ha 2, 18, Zauber *sorceries* Js 47, 12, falsche Propheten *false prophets* Ir 23, 32, Worte *words* Ir 7, 8 Hi 15, 3, Gebete *prayers* Hi 30, 13, Reichtum *wealth* Pr 11, 4, אוֹצְרוֹת רֶשַׁע Pr 10, 2 (Si 5, 8); F Js 30, 5 f 48, 17 Ir 12, 13 Hi 30, 13 35, 3.†

I **יָעֵל**: ug. *y'l*; mhb.; ja., sy. ܝܥܠܐ, وَعِل, 'öteb. *él-wi'yl*, ወዓል: עלה: pl. יְעֵלִים, cs. יַעֲלֵי: **Steinbock** *mountain-goat Capra walu Rüppel = C. nubiana* (Bodenheimer 93): Ps 104, 18 Hi 39, 1; n. l. צוּרֵי הַיְּעֵלִים 1 S 24, 3.† Der. n. f. II יָעֵל, יַעֲלָה, cj יַעֲלָה.

II **יָעֵל**: n. f.; = I: Jd 4, 17 f. 21 f 5, 6. 24.†

יַעְלָא: F יַעֲלָה.

***יַעֲלָה**: I יָעֵל; cs. יַעֲלַת: **Steinbockweibchen** (*female*) *mountain-goat* Pr 5, 19; F יַעֲלָה.†

יַעֲלָה: Esr 2, 56 u. cj 1 C 12, 8 (MSS) u. יַעֲלָא Ne 7, 58: n. m. = *יַעֲלָה.†

יַעְלָם: n. m.; II עלם (Bursche *young man*): Edomiter Gn 36, 5. 14. 18 1 C 1, 35, cj Ps 55, 20.†

יַעַן: III ענה: **Anlass** zu *motive, inducement for*: Gn 22, 16 Lv 26, 43 Nu 11, 20 20, 12 Dt 1, 36 Jos 14, 14 Jd 2, 20 1 S 15, 23, cj 3, 13, 1 u. 2 K 20 ×, Js 6 u. 3 ×, Ir 11 ×, Hs 38 ×, Ho 8, 1 Am 5, 11 Hg 1, 9, Ps cj 45, 5, 109, 16 Pr 1, 24: 1. c. subst. **wegen** *on account of, because* Hs 5, 9 Hg 1, 9, cj וְיַעַן הַצֶּדֶק Ps 45, 5, c. inf. 2 K 19, 28 Hs 36, 13 (1 אָמְרָם) u. 23 ×; יַעַן מֶה weswegen *why* Hg 1, 9; 2. יַעַן כִּי deshalb, weil *because* Nu 11, 20 u. 6 ×; 3. יַעַן אֲשֶׁר weil *because* Gn 22, 16, cj 1 S 3, 13, Hs 5, 11 (1 יַעַן אֲשֶׁר) u. 29 ×; 4. c. verb. finit. weil *because* Nu 20, 12 u. 21 ×; 1 וְעַיִן 2 S 24, 6, 1 לְמַעַן Hs 12, 12.

***יָעֵן**: pl. יְעֵנִים (MS u. Q) Th 4, 3: = יַעֲנָה.†

יַעֲנָה: בַּת הַיַּעֲנָה Lv 11, 16 Dt 14, 15, pl. בְּנוֹת יַעֲנָה Js 13, 21 34, 13 43, 20 Ir 50, 39 Mi 1, 8 Hi 30, 29; unreiner Vogel *unclean bird*: **Strauss** *ostrich Struthio camelus* (Vorkommen *to be met* Montg. 17[30]); so *thus* G, V, Peschitta (נַעֲמָא = نَعَامَة Strauss *ostrich*); יַעֲנָה = وَعْنَة hartes, steiniges Gelände *hard, stony tract of land*; cf. männlich. Strauss *male ostrich = abu eṣ-ṣaḥārāti* Vater der gelbroten [Wüste] *father of the yellowish-red* [*desert*]; F *יָעֵן.†

יַעְנַי: n. m.; v. יַעֲנָה? Noth S. 198 v. ענה: 1 C 5, 12.†

I **יעף**: mhb. pi. ermüden *be weary*, cp.; وَغَفَ ermüdet laufen *run a. shew weariness*; F II עיף: qal: pf. יָעֲפוּ, impf. יִיעַף, יִעַף, יִעֲפוּ, יִעָפוּ: **müde werden** *be weary, faint* Js 40, 30 f 44, 12 Ir 2, 24 51, 58. 64 Ha 2, 13, Gott *God* Js 40, 28; †
hof: pt. מֻעָף? Da 9, 21.†
Der. יָעֵף, F יְעִיף; יְעָף?

II **יעף**: הוּעָפוֹת.

יָעֵף: יעף: pl. יְעֵפִים: **ermüdet** *weary, faint* Jd 8, 15 2 S 16, 2 Js 40, 29 50, 4, cj Jd 4, 21 u. 1 S 14, 28. 31 u. 2 S 21, 15.†

יְעָף: יעף: ?? Da 9, 21.†

יעץ: mhb.; *F* ba. יעט; ja. עֵיטָא ,עֵצְתָא Rat *advice*; cp. [Syriac] συνέδριον Joh 11, 47; [Arabic], [Ethiopic] ermahnen *exhort*; *F* עין:

qal: pf. יְעַצְתָּהּ ,יָעַץ ,יָעַץ ,sf. יְעָצַנִי ,יְעָצָהּ ,יְעָצוּהוּ, impf. אִיעָצָה ,sf. אִיעָצְךָ ,אֶיעָצְךָ ,pt. יוֹעֵץ, יֹעֵץ ,cs. pl. יֹעֲצֵי ,sf. יֹעֲצֶיךָ ,יוֹעֲצֶךָ ,f. יוֹעַצְתּוֹ, pt. pss. f. יְעוּצָה: **1. raten, beraten** *advise* Ex 18, 19 Nu 24, 14 2 S 17, 15 Ir 38, 15 Ps 16, 7 2 C 10, 8; יָעַץ לְ jmd. raten *advise a person* Hi 26, 3; 2. יָעַץ עֵצָה **e. Rat geben** *give advice*: 2 S 16, 23 17, 7 Js 19, 11, ohne *without* עצה 2 S 17, 15, mit folgender direkter Rede *followed by direct speech* 17, 11, c. עַל inbetreff *on account of* 17, 21; c. עֵצָה u. c. ac. jmd raten *advise a person* 1 K 1, 12 12, 8. 13, c. 2 ac. jmd etw. raten *advise a person a thing* Mi 6, 5, יֹעֲצֵי שָׁלוֹם die zum Frieden raten *those advising peace* Pr 12, 20; 3. יֹעֵץ **Ratgeber** *advising man, counsellor* 2 S 15, 12 Js 1, 26 3, 3 9, 5 41, 28, cj יֹעֲצֶיךָ 47, 13, Mi 4, 9 Na 1, 11 Pr 11, 14 15, 22 24, 6 Hi 3, 14 12, 17 Esr 4, 5 7, 28 8, 25 1 C 26, 14 27, 32 f 2 C 22, 4 25, 16; יוֹעַצְתּוֹ s. Beraterin *his* (*female*) *counsellor* 2 C 22, 3; 4. יָעַץ רָעָה עַל Böses **planen** gegen *scheme evil against*, abs. planen *scheme* Js 14, 24. 27; c. עֵצָה עַל e. Plan hegen gegen *nourish a plan, scheme against* Js 14, 26 19, 17 Ir 49, 20. 30 50, 45, c. בְּ gegen *against* Hs 11, 2; c. ac. etw. **planen** *scheme a thing* Js 19, 12 23, 8 f, c. זִמּוֹת 32, 7, c. נְדִיבוֹת 32, 8, c. cj מַשְּׁאוֹת Ps 62, 5, c. לְ für *for* Ha 2, 10; l אִעֲצָה (עצץ) Ps 32, 8;†

nif: pf. נוֹעַץ ,נוֹעֲצוּ ,impf. וַיִּוָּעֵץ ,יִוָּעֲצוּ, נִוָּעֲצָה ,pt. נוֹעָצִים: **sich unter einander beraten** *consult together* יַחְדָּו, *exchange counsel* Js 45, 21 Ps 71, 10 83, 6 Pr 13, 10 Ne 6, 7; c. אֶת־ **sich beraten** mit *take counsel with* 1 K 12, 6. 8 Js 40, 14 2 C 10, 6, = c. אֶל 2 K 6, 8 2 C 20, 21, = c. עִם 1 C 13, 1 2 C 32, 3; 3. (nach Besprechung) **anraten** *advise* (*after consulting*) 1 K 12, 6. 9 2 C 10, 6. 9; 4. rätig werden, **beschliessen** *resolve* 1 K 12, 28 2 C 25, 17 30, 2. 23;†

hitp: impf. יִתְיָעֲצוּ: c. עַל **sich beraten** gegen *consult together, conspire against* Ps 83, 4, cj הִתְיָעֲצוּ Ps 2, 2.†

Der. I עֵצָה, *מוֹעֵצָה.

יַעֲקֹב (341 ×) u. יַעֲקוֹב (Lv 26, 42 Ir 30, 18 46, 27 51, 19†): n. m. (206 ×), n. p. (135 ×); עקב: 1. Statistik *statistics*: Caspari, Festschr. G. Jacob, 1932, 24—40: Gn 118 ×, Ex—Jo 35 ×, 1 S 12, 8 2 S 23, 1 1 K 18, 31 2 K 13, 23 17, 34, Js 15 + 27 ×, Ir 12 ×, Hs 4 ×, Ho 3 ×, Am 6 ×, Ob 3 ×, Mi 10 ×, Na 2, 3, Ma 4 ×, Ps 34 ×, Th 3 ×, 1 C 16, 13. 17; 2. n. m., **Jakob** *Jacob*, S. v. יִצְחָק; Name von *name derived of* עָקֵב Gn 25, 26 :: von *of* עָקַב hintergehn *deceive* Ho 12, 3 f Gn 27, 36; Umnennung in *name changed into* יִשְׂרָאֵל Gn 32, 28 f 2 K 17, 34 Ho 12, 3 f; 3. n. p.: Dt 32, 9 Js 9, 7 Ir 10, 25 Am 7, 2. etc.; // יִשְׂרָאֵל Nu 23, 7 Js 14, 1 Mi 3, 8, etc.; // יְהוּדָה Js 65, 9, // אֶפְרַיִם Ho 10, 11; אֱלֹהֵי יַעֲקֹב 2 S 23, 1 Js 2, 3 Mi 4, 2, אֵל י׳ Ps 146, 5, אֱלוֹהַּ י׳ 114, 7; c. אָהֳלֵי Ir 30, 18 Ma 2, 12, c. בְּנֵי 1 K 18, 31 2 K 17, 34 Ma 3, 6 1 C 16, 13, c. בֵּית Ir 2, 4 5, 20 Hs 20, 5, etc.; c. גְּאוֹן Am 6, 8 8, 7 Na 2, 3, c. חֵלֶק Ir 10, 16 51, 19, c. כְּבוֹד Js 17, 4, c. קְדוֹשׁ Js 29, 23, cj Ps 22, 4, c. שְׁאָר Js 10, 21, c. שְׁאֵרִית Mi 5, 6 f; עַבְדִּי יַעֲקֹב Ir 46, 27 f Hs 28, 25 37, 25; 4. (Lagarde, Übersicht 127) Horovitz, Koranische Untersuchungen 1926, 153, Jacob, Litterae Orientales (Harrassowitz), 1933, 54,

16—19: يَعْقُوب Steinhuhn *rock-partridge laccabis melanocephala* (= *Alectoris*), das Männchen hat hinten am Lauf e. Verdickung (עָקֵב) *the male's leg has a callosity* (עָקֵב); ältre Deutungen *earlier explanations*: Noth, S. 177 ff: asa. עקב schützen *protect*; äg. *Jʿqꜣb(i) rw* Müller MVG 12, 27 17, 283, Iraq 7, 38a; ak. *Jaḫqub-ēl* ZAW 30, 6; cf. palm. n. m. בלעקב Lidz. 237.

יַעְקֹבָה: n. m.; Noth S. 197: 1 C 4, 36.†

יַעֲקָן: n. m.; עקן? *F* עֲקָן: 1 C 1, 42; בְּנֵי יַעֲקָן Nu 33, 31 f Dt 10, 6; *F* n. l. בְּאֵרֹת בְּנֵי־יַעֲקָן.†

I **יער**: I—III יַעַר, I *יַעְרָה.

II **יער**: II *יַעְרָה.

I **יַעַר**: I יער: ug. *yʿr*, mo. pl. יערן, ph. (pu.) יר u. „*iar*"; ja. יַעְרָא, sy. ܝܥܪܐ, وعر Gelände, bedeckt mit Steinen, Blöcken u. Buschwald *track covered with stones, boulders a. wood*; ወዐር schwer zu verstehen *difficult to understand*: יָעַר, sf. יַעְרוֹ, יַעְרָה, loc. הַיַּעְרָה, pl. יְעָרִים (Var. יְעוֹרִים Hs 34, 25): **Dickicht, Gehölz** *thicket, wood* Dt 19, 5 Jos 17, 15 (בָּרֵא). 18 2 S 18, 8. 17 Js 21, 13 29, 17 32, 15. 19 44, 23 Ir 21, 14 26, 18 Hs 21, 2 f Ho 2, 14 Mi 3, 12 7, 14 Sa 11, 2 Ps 50, 10 83, 15 104, 20; יַעַר אֶפְרַיִם Waldland v. E. *woodland of E.* 2 S 18, 6; יַעַר חֶרֶת 1 S 22, 5, יַעַר מִצְרַיִם Ir 46, 23, יַעְרוֹ וְכַרְמִלּוֹ 2 K 19, 23 Js 37, 24; יַעַר כַּרְמֶל 10, 18; :: שָׂדֶה 2 S 18, 6 Js 56, 9 Hs 39, 10; עֵץ, עֵצִים v. יַעַר Js 7, 2 10, 19 44, 14 Hs 15, 2. 6 Ps 96, 12, Ir 10, 3 Ko 2, 6 Ct 2, 3 1 C 16, 33; אַרְיֵה מִיַּעַר Ir 5, 6 *F* 12, 8 Am 3, 4, בַּהֲמוֹת יַעַר Mi 5, 7, דֻּבִּים מִן־הַיַּעַר 2 K 2, 24, חֲזִיר מִיַּעַר Ps 80, 14; סִבְכֵי הַיַּעַר Js 9, 17 10, 34; יָשֵׁן בַּיְּעָרִים Hs 34, 25, שֹׁכֵן יַעַר Mi 7, 14, cj בְּעָבֵי יְעָרִים Ir 4, 29; בֵּית הַיַּעַר Js 22, 8, בֵּית יַעַר הַלְּבָנוֹן 1 K 7, 2 10, 17. 21 2 C 9, 16. 20; *F* n. l. קִרְיַת־יְעָרִים u. שְׂדֵי־יַעַר; BRL 533 f; Bergname *name of mountain* הַר־יְעָרִים: Bergzug zwischen *range of hills between W. eṣ-Ṣarār* u. *W. el-Ġrāb* w. Jerusalem (PJ 24, 28) Jos 15, 10.†

II **יַעַר**: I יער: ወዓር: Honigwabe *honeycomb* 1 S 14, 26. cj 25, Ct 5, 1 (Archiv f. Bienenkunde 13, 1 ff. *F* ZAW 50, 170).†
Der. I *יַעְרָה.

III **יַעַר**: n. l.: שְׂדֵי־יַעַר: Ps 132, 6.†

I ***יַעְרָה**: nom. unitat. v. II יַעַר: cs. יַעֲרַת: **Honigwabe** *honeycomb* 1 S 14, 27.†

II ***יַעְרָה**: cj Driver JTS 32, 255; يَعَرَ blöken *bleat*: pl. יְעָרוֹת: **Zicklein** *kid* Ps 29, 9.†

יַעְרָה: n. m. 1 C 9, 42: l יַעְדָּה (MS).†

יַעְרֵי: n. m. (MSS c. ר *minore*): l יִשַׁי (ער pro ש) Honeyman JBL 67, 23 f: 2 S 21, 19.†

יַעֲרֶשְׁיָה: n. m.; Noth S. 203: ערש u. יי, غَرَس pflanzen *plant*: 1 C 8, 27.†

יַעֲשׂוֹ: n. m.; Q יַעֲשַׂי; KF; = יַעֲשֶׂה (I עשׂה): Esr 10, 37.†

יַעֲשִׂיאֵל: n. m.; I עשׂה u. אֵל: 1. 1 C 11, 47; 2. 27, 21.†

***יפא**: NF v. יפה: *F* II *פאה.

יפה: NF *פאה; mhb. pi. schmücken *adorn*, sy. ܦܐܐ schön sein *be beautiful*; وَفَى u. asa. ופי heil sein *be whole, safe*; ወሀፈየ überlassen *give over to*; VG 1, 234. 277:

qal: pf. יָפִית, יָפוּ, יָפָת (l יָפוֹ יָפִיתָ Ps 45, 3), impf. וַתִּיפִי vel וַיְּיַף Hs 31, 7, וַתִּיפִי 16, 13, inf. יְפוֹ cj Ps 45, 3: **schön, rein werden** *be, become beautiful* Hs 16, 13 31, 7 Ct 4, 10 7, 2. 7, cj Ps 45, 3;†

pi: impf. sf. יְיַפֵּהוּ: **schmücken** *beautify* Ir 10, 4;†

hitp: impf. תִּתְיַפִּי: **sich schön machen** *beautify, adorn oneself* Ir 4, 30.†
Der. יְפִי, יְפֵה־פִיָּה, יָפֶה.

יָפֶה: יפה: cs. יְפֵה, f. יָפָה, cs. יְפַת, sf. יָפָתִי (BL 599 i'), pl. יָפוֹת, cs. יְפוֹת: **schön** *fair, beautiful*: אִישׁ Gn 39, 6 1 S 16, 12 17, 42 2 S 14, 25 Ct 1, 16, אִשָּׁה Gn 12, 14 Pr 11, 22 Gn 12, 11 29, 17 Dt 21, 11 1 S 25, 3 Est 2, 7 2 S 13, 1 14, 27 1 K 1, 3 f Am 8, 13 Hi 42, 15 Ct 1, 8, 15 4, 1. 7 5, 9 6, 1. 4. 10; יָפָתִי (Kosewort *term of endearment*) 2, 10. 13; פָּרוֹת Gn 41, 2. 4. 18, עֵינַיִם 1 S 16, 12, Bäume *trees* Ir 11, 16 Hs 31, 3. 9, Berg *mountain* Ps 48, 3, תֹּאַר u. מַרְאֶה Gn 29, 17, קוֹל Hs 33, 32; יָפָה כַלְּבָנָה Ct 6, 10; schön = recht, wohlgeordnet *beautiful = right, well-arranged* Ko 3, 11; l יָפֶה 5, 17.†

יְפֵה־פִיָּה: יפה: *יְפֵיפִיָּה; > יְפֵהפִיָּה (BL 483), **schön** *pretty* (Kuh *cow*) Ir 46, 20.†

יָפוֹ, יָפוֹא: n. l. (יפה ?); ak., EA *Ya(p)pu*; äg. *y-p-(w)* ETL 201, *Y(a)pu* Albr. Voc. 36, ph. יפי, Ἰόππη, *Jāfa, Jaffa*: **Joppe** *Joppa* (Alt PJ 20, 38) Jon 1, 3 Jos 19, 46 Esr 3, 7 2 C 2, 15.†

יפח: F II פוח; mhb. יָפֵחַ schnaubend *puffing out*; Torcz. ZDM 1916, 558 وبّخ schelten *scold*; hitp: impf. תִּתְיַפֵּחַ: **nach Atem ringen** *gasp for breath* Ir 4, 31, cj מִתְיַפֵּחַ Ps 12, 6.†
Der. *יָפֵחַ.

יָפֵחַ*: יפח: cs. וִיפֵחַ: l וְפִיחַ (II פוח) Ps 27, 12.†

יְפִי: יפה: יֳפִי, cs. יְפִי, sf. יָפְיוֹ, יָפְיֵךְ: **Schönheit** *beauty*: v. אִשָּׁה Js 3, 24 Hs 16, 14 f. 25 27, 3 f. 11 28, 7 (חָכְמָה) Ps 45, 12 Pr 6, 25 31, 30 Est 1, 11 Si 9, 8, מֶלֶךְ Js 33, 17 Hs 28, 12. 17, צִיּוֹן Ps 50, 2 Th 2, 15, עֵץ Hs 31, 8, אֲדָמָה Sa 9, 17.†

I **יָפִיעַ**: n. l.; יפע; *Yafā in Galilee*: Jos 19, 12.†

II **יָפִיעַ**: n. m., יפע; asa. יפע Ryck. 2, 73 f; Noth S. 204: 1. K. v. לָכִישׁ Jos 10, 3; 2. S. v. David 2 S 5, 15 1 C 3, 7 14, 6.†

יַפְלֵט: n. m.; פלט: 1 C 7, 32 f; F יַפְלֵטִי.†

יַפְלֵטִי: gntl. v. יַפְלֵט: Jos 16, 3.†

יְפֻנֶּה: (Var. יְפֻנָּה 1 C 7, 38): פנה: 1. V. v. כָּלֵב Nu 13, 6 14, 6. 30. 38 26, 65 32, 12 34, 19 Dt 1, 36 Jos 14, 6. 13 f 15, 13 21, 12 1 C 4, 15 6, 41; 2. 1 C 7, 38.†

יפע: ug. *ypʿ*; ak. *wapū*, šaf. *šūpū*, mhb. hif., ja. pe. u. af. erscheinen *be visible*; ak. *šūpū* erstrahlen *shine forth*; يَفَع Anhöhe *height, hill*, usw. Nöld. NB 203 f; asa. יפע sich aufrichten *rise*, n. m. F II יָפִיעַ;
hif: pf. הוֹפִיעַ, הוֹפַעְתָּ, impf. תּוֹפַע, imp. הוֹפִיעָה: **strahlend sichtbar werden** *shine forth beaming* Licht *light* Hi 3, 4 37, 15, Gott in d. Theophanie *God in theophany* Dt 33, 2 Ps 50, 2 80, 2 94, 1 (l הוֹפִיעָה) Hi 10, 3. 22.†
Der. *יִפְעָה, I u. II יָפִיעַ, n. l. מֵיפַעַת.

יִפְעָה*: יפע: sf. יִפְעָתֶךָ: **strahlender Glanz** *beaming splendour*: Hs 28, 7. 17.†

יֶפֶת: n. m.; יָפֶת; Ιαφεθ; Gn 9, 27 verbunden mit *connected with* יַפְתְּ (פתה): **Japhet** *Japheth*, 3. S. v. נֹחַ: Gn 5, 32 6, 10 7, 13 9, 18. 23. 27 10, 1 f. cj 5. 21 1 C 1, 5.†

I **יִפְתָּח**: n. l.; פתח; in Juda: Jos 15, 43.†

II **יִפְתָּח**: n. m.; פתח; asa. יפתחאל Ryck. 74; Ιεφθαε, **Jephtha**: Jd 11, 1—12, 7 1 S 12, 11.†

יִפְתַּח־אֵל: n. l.; פתח u. אֵל: c. גַּי: = *W. el-Mālik* (Alt PJ 22, 62 ff), entwässert *draining Sahl el-Baṭṭōf* nach *towards* SW (?): Jos 19, 14. 27.†

יצא: ph. u. ug. *yṣʾ*; mhb., F ba.; asa. וטא u. וצא; äth. ወፅአ u. ወጽአ; ak. (*w*)*aṣû*: qal (± 750×): pf. יָצָאתִי, יָצָאת, יָצְאָה, יָצָא u. יָצָתִי Hi 1, 21, יָצְאוּ, יָצָאוּ, יָצָאנוּ, (sf. יְצָאַנִי l וּצָאַנִי Ir 10, 20), impf. יֵצֵא, וַיֵּצֵא, יֵצְאוּ, תֵּצֶאינָה, inf. יְצֹא, יָצוֹא, cs. צֵאת, sf. צֵאתוֹ, צֵאתְךָ, imp. צֵא, צְאָה, צְאוּ, צֶאוּ, (Ct 3, 11 צֶאֱינָה l צְאֶנָה), pt. יוֹצֵא, יֹצֵא, f. יוֹצְאָה, > יֹצֵא Ko 10, 5, u. יֹצֵאת, > יוֹצֵת Dt 28, 57, יֹצְאִים, cs. יֹצְאֵי, etc.: 1. **hervorkommen, herauskommen** *go out, come forth*: שֶׁמֶשׁ (ak. *ṣīt šamši*, ug. *ṣʾt špš*) Gn 19, 23, כּוֹכָבִים Ne 4, 15, Neugebornes *new-born* Gn 25, 26 Hi 1, 21, יֹצְאֵי יְרֵכוֹ Abkömmlinge s. Lende *descendants of his loins* Gn 46, 26, גּוֹרָל Nu 33, 54, Pflanzen *plants* 1 K 5, 13 Js 11, 1, הַיֹּצֵא הַשָּׂדֶה was auf d. Feld hervorkommt *what comes forth on the field* Dt 14, 22; Fluss entspringt *river originates* Gn 2, 10, cj מֵימֶיהָ יֹצְאִים Na 2, 9, Urteil *judgement* Ha 1, 4, תּוֹרָה (ak. *ṣīt pī*) Js 2, 3 51, 4, Befehl *order* Est 1, 17, חֶרֶב Hs 21, 9 etc.; 2. **herausgehn** *go out*: Gn 9, 10 34, 24, c. אֶל 19, 6, c. מִן 24, 50, c. מֵאֵת 44, 28, c. מִלִּפְנֵי cj 2 S 24, 4; (häufig *frequent*); 3. **hervorkommen, auftreten** *proceed, come forward* (L.K. ThZ 3, 471, Aalders ThZ 4, 234): Sa 5, 5 6, 1 1 S 17, 4 2 S 16, 5 20, 8, etc.; 4. besondre Wendungen *special expressions*: יָצוֹא וָשׁוֹב aus u. ein *to a. fro* Gn 8, 7, יָצָא מִן abstammen von *descend from* 17, 6; בְּצֵאת נַפְשָׁהּ als ihre Seele entfloh *as her soul was in departing* 35, 18, וַיֵּצֵא לִבָּם d. Mut sank ihnen *their heart failed them* 42, 28; יָצְאוּ יְלָדֶיהָ ihre Frucht geht ab *her fruit departs* (F יֹצֵאת Ps 144, 14) Ex 21, 22; אָלָה יֹצֵאת עַל e. Fluch geht aus über *a curse goes out over* Sa 5, 3; תֵּצֵא רוּחוֹ s. Atem schwindet *his breath stops short* Ps 146, 4; צֵאת הַשָּׁנָה Anfang d. Jahrs *beginning of the year* Ex 23, 16; בְּצֵאת הַיַּיִן als d. Wein (vom Trunkenen) abging *when the wine was gone out* 1 S 25, 37; הַמִּגְדָּל הַיּוֹצֵא d. vorspringende Turm *the salient tower* Ne 3, 26; יָצָא אֶל (Grenze) erstreckt sich bis (*border*) *runs, extends to* Jos 15, 3; יָצָא אֶל sich ergeben (Belagerte) *surrender* (*besieged ones*) 1 S 11, 3 Js 36, 16; יָצָא (כֶּסֶף) wird ausgegeben *is laid out* 2 K 12, 13; עָלָה וְיָצָא בְ zu stehen kommen, kosten *cost* 1 K 10, 29; etc.; 5. **ausziehn, fortgehn** *go out*: c. מִלִּפְנֵי Gn 4, 16, c. מֵאֵת 44, 28, c. מֵעִם Ex 8, 26, c. לִקְרָאת Gn 14, 17; besonders militärisch *especially in military phrases*: ausrücken *move out of camp* 1 S 8, 20, c. לַמִּלְחָמָה Dt 20, 1, הַיֹּצֵאת אֶלֶף die mit 1000 Mann ausrückt *going* (*moving*) *out a thousand* Am 5, 3, יָצָא מַחֲנֶה als Heer(bann) ausziehn *go forth in camp* Dt 23, 10; צֵאת וָבוֹא (ursprünglich militärisch *originally in military meaning*) Dt 31, 2 Jos 14, 11 1 S 21, 6, > kultisch *in regard to worship* Ex 28, 35 Lv 16, 17 Hs 46, 10, > allgemein *used generally* 1 K 3, 7† (Humbert, Études sur le récit du Paradis 87); 6. Einzelnes *particulars*: יָצָא עַל Verfügung haben über? *be responsible for*? Gn 41, 45 Ps 81, 6†; יֹצְאֵי הַשַּׁבָּת die am S. (als Wache) aufziehn *mount guard on S.* 2 K 11, 7; יָצָא חָפְשִׁי Ex 21, 5 u. 21, 2 F חָפְשִׁי; יָצָא אַחֲרֵי verfolgen *pursue* 1 S 17, 35 24, 15; יָצָא davonkommen, nicht betroffen werden *escape* 1 S 14, 41, fertig werden *cease, finish* Pr 22, 10 Da 10, 20; e. (unglücklichen) Ausgang nehmen *come to an end* Hs 26, 18; (an d. ursprünglichen Eigentümer) heimfallen *revert* (*to the original owner*) Lv 25, 28. 30; כיוצא בה wie es ihr zukommt *as is her due* Si 10, 28; יָצָא אֶת entgehn *get away from* (l מֵאֵת?) Ko 7, 18; l תֵּצָה Ir 48, 9;

hif (278 ×): pf. הוֹצִיא, הוֹצֵאת, הוֹצֵאתָ, הוֹצִיאוּ, הוֹצֵאתָנִי, sf. הוֹצִיאָנִי, הוֹצִיאָנוּ, הוֹצֵאךָ, הוֹצֵאתִים, הוֹצֵאתִיהָ, הוֹצִיאוּהָ, impf. יוֹצִיא, יוֹצִא (Dt 4, 20), אוֹצִיאָה, וָאוֹצִא, וַתּוֹצֵא, תּוֹצֵא, תֹּצִיא, sf.

וַיּוֹצִאֵהוּ, וַיֹּצִאֵהוּ, וַיּוֹצִיאָה, inf. הוֹצִיא, sf. הוֹצִיאֲךָ, הוֹצִיאָם, imp. הַוְצֵא (Gn 8, 17), הוֹצִיא, הוֹצִיאִי, sf. הוֹצִיאֵם, הוֹצִיאֻהוּ, pt. מוֹצִיא, מוֹצָא, (Ps 135, 7), מוֹצֵאת (Ct 8, 10), מוֹצִיאִים, מוֹצִיאֵי: 1. **herausgehn lassen, herauskommen lassen** *cause to go forth, to come forth*: Gn 15, 7 45, 1; (כּוֹכָבִים) Js 40, 26 Hi 38, 32; (Feuer) hervorbrechen lassen *bring forth* (*a fire*) Hs 28, 18, (Blut) herauspressen *bring forth* (*blood*) Pr 30, 33, (Wasser) hervorschlagen *br. f.* (*water*) Nu 20, 8, (Blüten) treiben *put forth* (*buds*) 17, 23, (e. Fluch) ausgehn lassen *cause to go forth* (*a curse*) Sa 5, 4; etc.; 2. **herausbringen** *bring forth*: Tiere *animals* Gn 8, 17, Speisen *food* 14, 18, c. הַחוּצָה 15, 5; herausführen *carry forth* c. מִחוּץ לְ 1 K 21, 13, c. אֶל מִבֵּית לְ 2 K 11, 15, c. לִקְרַאת Ex 19, 17; herausschaffen *carry forth* c. אֶל מִחוּץ לְ Lv 4, 12, herausholen *bring out* c. מִתַּחַת Ex 6, 6, c. מִתּוֹךְ 7, 5; (zur Hinrichtung) hinausführen *conduct* (*to execution*) Gn 38, 24 Jd 6, 30 1 K 21, 10 Ho 9, 13; herausnehmen (aus Gefäss) *bring forth* (*from vessel*) Gn 24, 53, Schwert aus Scheide *sword from sheath* Hs 21, 8, Hand aus Bausch *hand from bosom* Ex 4, 7, loslösen (aus Netz) *pluck out* (*from net*) Ps 31, 5; herausreissen *snatch* Ir 51, 44, c. מֵעִם wegnehmen von *take away from* Gn 48, 12; etc.; 3. **hervorbringen** *produce*: כְּלִי Js 54, 16, מִלִּים Hi 8, 10, cf. 15, 13 Ko 5, 1, מִשְׁפָּט Js 42, 1. 3, ans Licht bringen *bring to the light* Ir 51, 10, c. לָאוֹר Mi 7, 9 Hi 12, 22, c. אוֹר 28, 11, c. לַמֶּרְחָב Ps 18, 20; etc.; 4. ausliefern *hand over* Jos 2, 3, fortschicken *put away* Esr 10, 3. 19; הוֹצִיא בַּת e. Tochter weggeben, verheiraten *give away a daughter in marriage* Si 7, 25; ins Feld führen *lead into the field* (*troops*) 2 S 5, 2 Hs 38, 4 Js 43, 17; הוֹצִיא עַל־יַד herausgeben an *deliver to* Esr 1, 8; הוציא רוחו lässt s. Unmut aus *lets out his cross mood* Pr 29, 11; הוֹצִיא דִבָּה üble Nachrede verbreiten *bring up an evil report* Nu 13, 32 14, 36 f Pr 10, 18; הוֹצִיא דְבָרָיו s. W. weitersagen *retell, spread* (*about*) *his w.* Ne 6, 19, הוֹצִיא שֵׁם רַע עַל jm. in schlechten Ruf bringen *defame a. person* Dt 22, 14. 19; הוֹצִיא כֶּסֶף עַל d. Abgabe verteilen auf *apportion the tribute among* 2 K 15, 20; l יֵצְאוּ 1 K 10, 29;

hof†: pf. הוּצָאָה, pt. מוּצָאִים, cj cs. מוּצָאֵי Hs 12, 4, pro מוֹצֵאת, pl. מוּצָאוֹת: **herausgeführt werden** *be brought forth, conducted* Gn 38, 25 Hs 14, 22 38, 8, cj Na 2, 8 (l וְהוּצָאָה), c. אֶל ausgeliefert werden an *be handed over to* Ir 38, 22, cj מוּצָאֵי גוֹלָה in d. Verbannung Geschleppte *dragged into exile* Hs 12, 4, cj מֻצֵאת ausgezahlt werden *be paid* 2 S 18, 22; ? Hs 47, 8. Der. *יָצִיא, מוֹצָא, מוֹצָאָה, צֹאן, צֶאֱצָאִים, תּוֹצָאוֹת.

יצב: F נצב, (Formen wie v. נצב, *formations as if from* נצב); F ba.; mhb. יַצִּיב feststehend *standing firm*, ja. יַצִּיבָא Einheimische *natives*; وَصَبَ fest sein *be firm* Nöld. NB 183; VG 1, 601:

hitp: pf. הִתְיַצְּבוּ, impf. יִתְיַצֵּב, יִתְיַצֵּב 1 S 3, 10, וַתִּתְיַצֵּב Pr 22, 29, אֶתְיַצְּבָה, pro וַתֵּתַצַּב l וַתִּתְיַצֵּב Ex 2, 4, inf. הִתְיַצֵּב, imp. הִתְיַצֵּב, הִתְיַצְּבָה, הִתְיַצְּבוּ: 1. **sich (fest) hinstellen** *take* (*firmly*) *one's stand* Ex 2, 4 14, 13 19, 17 34, 5 Nu 11, 16 22, 22 23, 3. 15 Dt 31, 14 1 S 3, 10 10, 19. 23 12, 7. 16 2 S 18, 30 23, 12 Ir 46, 4 Ha 2, 1 (עַל) Ps 5, 6 36, 5 94, 16 Hi 33, 5 1 C 11, 14 2 C 20, 17, cj וְהִתְיַצְּבִי Hs 26, 20, c. לִפְנֵי Ex 8, 16 9, 13 Dt 9, 2 Jos 24, 1 Pr 22, 29 Si 8, 8 46, 3; 2. **standhalten** *hold one's ground* Jos 1, 5 Hi 41, 2; c. עִם jm. *against a person* 2 C 20, 6; c. בִּפְנֵי entgegentreten *set oneself against* Dt 7, 24 11, 25; bestehn (können) *subsist* 2 S 21, 5; sich stellen, einfinden *appear* Dt 31, 14 Jd 20, 2 1 S 17, 16 Sa 6, 5 Hi 1, 6 2, 1 (עַל vor *before*); c. מִנֶּגֶד sich abseits stellen *stand aloof* 2 S 18, 13; l וְתִצְטַבַּע Hi 38, 14, l יִתְיָעֲצוּ Ps 2, 2. †

יצג: (Formen wie von נצג *forms as if from* נצג); יצג = יצק; יצג von festen, יצק von flüssigen oder aus kleinsten Teilen bestehenden Stoffen gebraucht יצג *used of solid materials*, יצק *used of liquids or materials consisting of fine particles*; F יצק:
hif: pf. sf. הִצַּגְתִּיו, הִצִּיגַנִי, impf. וַיַּצֵּג, תַּצִּיג, וַיַּצִּגוּ, אַצִּיגָה, inf. הַצֵּג, imp. הַצִּיגוּ, pt. מַצִּיג: **1. hinlegen, abstellen** *set, place* Gn 30, 38 Dt 28, 56 1 S 5, 2 2 S 6, 17 Ir 51, 34 Ho 2, 5 1 C 16, 1, cj 2 S 15, 24 (pro וַיַּעַל l עַל bei *with*), **bereit halten** *keep ready* Jd 6, 37 8, 27, **dalassen** *put at disposal* Gn 33, 15; **2.** c. לִפְנֵי **vorführen** *present* Gn 43, 9 47, 2; **3.** c. מִשְׁפָּט **d. Recht zur Geltung bringen** *make justice valid* Am 5, 15; הִצִּיג (לִמְשֹׁל) (d. Spott) **preisgeben** *expose* (*to mockery*) Hi 17, 6 (l וְהִצִּיגַנִי); הִצִּיג לְבַד **für sich aufstellen**, *set apart* Jd 7, 5; †
hof: impf. יֻצַּג: **hinterlegt werden** *be detained* Ex 10, 24, **niedergelegt werden** *be placed* Si 30, 18. †

I **יִצְהָר**: צהר: sf. יִצְהָרְךָ: Glanz > **Öl**, Olivensaft *glare > oil, juice of olives*, archaistisch = שֶׁמֶן ZAW 46, 218—20, Dalm. AS 4, 255 f: Reihe *series* 1. יִצְהָר, 2. תִּירוֹשׁ, 3. דָּגָן Nu 18, 12; 3. 2. 1. Dt 7, 13 11, 14 12, 17 14, 23 18, 4 28, 51 Ir 31, 12 Ho 2, 10. 24 Jl 1, 10 2, 19 Hg 1, 11 Ne 5, 11 10, 40 13, 5. 12 2 C 31, 5 32, 28; 2. 1. Ne 10, 38; בַּר, 2. 1. Jl 2, 24; זֵית יִצְהָר 2 K 18, 32; בְּנֵי הַיִּצְהָר = die Gesalbten *the anointed ones* Sa 4, 14; cj יִצְהָר Hi 20, 17; † F II יִצְהָר. †

II **יִצְהָר**: n. m.; = I Glanz *glare*: S. v. קְהָת Ex 6, 18. 21 Nu 3, 19 16, 1 1 C 5, 28 6, 3. 23 23, 12. 18; F יִצְהָרִי. †

יִצְהָרִי: gntl. v. II יִצְהָר: Nu 3, 27 1 C 24, 22 26, 23. 29. †

***יָצוּעַ**: יצע: pl. cs. יְצוּעֵי, sf. יְצוּעִי: **Lager** *couch, bed* Gn 49, 4 (l יְצוּעַי) Ps 63, 7 132, 3 Hi 17, 13 1 C 5, 1 Si 47, 20. †

יִצְחָק: צחק; Gelächter *laughter*; Volksetymologien *popular etymologies* Gn 17, 17 18, 12 f :: 21, 6; Ισαακ; **Isaak** *Isaac*: S. v. אַבְרָהָם Gn 17, 19—50, 24 (80 ×) Ex 2, 24 3, 6. 15 f 4, 5 6, 3. 8 32, 13 33, 1 Lv 26, 42 Nu 32, 11 Dt 1, 8 6, 10 9, 5. 27 29, 12 30, 20 34, 4 Jos 24, 3 f 1 K 18, 36 2 K 13, 23 1 C 1, 28. 34 16, 16 29, 18 2 C 30, 6; F יִשְׂחָק. †

יִצְחַר 1 C 4, 7: F צֹחַר. †

***יָצִיא**: יצא: מיציאו K: pl. cs. Q יְצִיאֵי: abstammend *coming forth, descendant* 2 C 32, 21. †

***יָצִיעַ**: יצע: K יָצוּעַ, l Q יָצִיעַ: **Anbau** *outhouse* (*lower projecting story*) 1 K 6, 5. 10; l הַצֵּלָע 6, 6. †

cj ***יָצֻל**: pro אָצַל Sa 14, 5: n. fl., יצל; Ιασολ: *W. Yaṣūl* Zufluss d. Kidron vom Ölberg *afflux of Kidron from Olivet* (Abel RB 45, 385 ff). †

יצע: mhb. hif. u. ja. pa. af. ausbreiten (Decken) *spread*; وَضَعَ (!ض) hinlegen *lay down*, asa. יצע (Formen wie v. נצע *forms as of* *נצע): hif: impf. יַצִּיעַ, אַצִּיעָה: **sich e. Lager ausbreiten** *spread out a couch* Js 58, 5 Ps 139, 8; †
hof: impf. יֻצַּע: **zum Lager ausgebreitet werden** *be spread out as couch* Js 14, 11 Est 4, 3. †
Der: *יָצוּעַ, *יָצִיעַ, מַצָּע.

יצק: F יצג; ug. *ysq*; mhb. יצק, הִצִּיק; F II צוק: qal: pf. יָצַק, יָצַקְתָּ, sf. יְצָקָם, impf. יִצֹּק, וַיִּצֹק Gn 28, 18 u. וַיִּצֶק 1 K 22, 35 (BL 380), אֶצָּק־ Js 44, 3, וַיִּצְקוּ 2 K 4, 40, inf. צֶקֶת, imp. יְצֹק Hs 24, 3 u. צַק 2 K 4, 41, יִצְקוּ 1 K 18, 34, pt. ps. יָצוּק, יְצֻקִים, יְצֻקוֹת: **1. hinschütten, vorschütten** *pour* 2 K 4, 40 f

2 S 13, 9; 2. (Flüssigkeit) giessen *pour out (liquid)*: שֶׁמֶן Gn 28, 18 35, 14 Ex 29, 7 Lv 2, 1.6 8, 12 14, 15.26 Nu 5, 15 1 S 10, 1 2 K 4, 4 (עַל in *into*) 9, 3.6, דָּם Lv 8, 15 9, 9, מַיִם 1 K 18, 34 2 K 3, 11 Js 44, 3 Hs 24, 3; metaph. דָּבָר Ps 41, 9 (l יָצְקוּ), רוּחַ Js 44, 3; יָצוּק **ergossen** in *poured out as* (dele עִמָּדִי) Hi 29, 6; 3. techn. (Metall) **giessen** *cast (metal)* Ex 25, 12 26, 37 36, 36 37, 3.13 38, 5.27 1 K 7, 24.30.46. cj 15 2 C 4, 3.17; metaph. Hi 41, 15 f; 4. **sich ergiessen** *flow* Hi 38, 38 1 K 22, 35; l יוּצַק Hi 28, 2; †

hif: impf. וַיַּצִּקוּ, sf. וַיַּצִּקֻם, pt. f. מוֹצָקֶת (Q 2 K 4, 5): 1. **ausleeren** *pour out* Jos 7, 23; 2. **einfüllen** *pour* 2 K 4, 5; l וַיַּצִּגוּ 2 S 15, 24; †

hof: pf. הוּצַק, impf. יוּצַק, pt. מוּצָק, מֻצָק, cs. מֻצַק: **ausgeleert, gegossen werden** *be poured*: שֶׁמֶן Lv 21, 10, נָהָר Hi 22, 16, חֵן Ps 45, 3; (techn.) **gegossen werden** *be cast, molten* 1 K 7, 16.23.33 Hi 37, 18 2 C 4, 2, cj Hi 28, 2 (l יוּצַק); metaph. festgegossen *firmly established* Hi 11, 15. †
Der. *יְצֻקָה, I מוּצָק, *מוּצָקָה.

***יְצֻקָה**: יצק: sf. יְצֻקָתוֹ: (Metall =) **Guss** *casting (of metal)* 1 K 7, 24. †

יצר: ug. *yṣr* schaffen, gestalten *create, shape*, *yṣrm* Töpfer *potters*; mhb. ug. u. ph. יצר Töpfer *potter*; ak. *eṣēru* **zeichnen, bilden** *design, shape*; وصر Abmachung *contract*:

qal: pf. יָצַר, יָצַר, יָצָרוּ, יְצָרוֹ, sf. יְצָרָהּ, יְצַרְתָּם, יְצַרְתִּיו, impf. וַיִּיצֶר u. וַיִּצֶר, sf. (wie von *as from* נצר) אֱצָּרְךָ (Q אֶצָּרְךָ, יִצְּרֵהוּ) Ir 1, 5, pt. יוֹצֵר, u. יֹצֵר, sf. יֹצְרוֹ, יֹצְרֵנוּ, יֹצֶרְךָ, pl. יֹצְרִים, יֹצְרֵי: (als Töpfer) **formen, bilden** *(as potter) form, shape*: 1. von Gott *said of God* (יצר ist d. ältre, konkretere Wort für späteres ברא; יצר *is the older a. more concrete word for younger* ברא): Menschen *mankind* Gn 2, 7 f Js 43, 7 45, 9 Ir 1, 5, Tiere *animals* Gn 2, 19, Licht *light* Js 45, 7, הָרִים Am 4, 13, אֶרֶץ Js 45, 18 Ir 33, 2, יַבֶּשֶׁת Ps 95, 5, לִוְיָתָן 104, 26, Auge *eye* 94, 9, לֵב 33, 15, רוּחַ־אָדָם Sa 12, 1, עָם Js 27, 11 43, 1.21 44, 2.21.24 45, 11 64, 7, Geschicke *destinies* 2 K 19, 25 Js 22, 11 37, 26 46, 11, Schritte *steps* Hi 18, 7 (l יָצַר צְעָדָיו Driver ET 57, 192), Jahreszeiten *seasons* Ps 74, 17, רָעָה Ir 18, 11, Alles *every thing* Ir 10, 16 51, 19; Gott *God* יֹצְרוֹ des Menschen *of man* Js 45, 9; 2. v. Menschen *said of men*: **gestalten** *shape*: פֶּסֶל Js 44, 9 Ha 2, 18, אֵל Js 44, 10, יָצַר בַּמַּקָּבוֹת m. d. Hammer (Metall) formen *fashion (metal) with hammers* Js 44, 12; (עָמָל) יֹצֵר schaffen = anrichten *frame* Ps 94, 20; 3. pt. יֹצֵר **Töpfer** *potter* 2 S 17, 28 Js 29, 16 30, 14 41, 25 Ir 18, 2—4.6 19, 1.11 Ps 2, 9 Th 4, 2 1 C 4, 23; **Giesser, Einschmelzer** (v. Metallgeräten zum Barren *founder (who melts down vessels a. tools of metal to ingots)* Sa 11, 13 (Torrey JBL 55, 247—60, Eissfeldt FF 13, 162—4); l יֹצֵא Am 7, 1; †

nif: pf. נוֹצַר: **gebildet werden** *be formed* Js 43, 10 Si 11, 16 49, 6; †

pu: יֻצָּרוּ: l יִרְצוּ (רצה) Ps 139, 16; †

hof (pass. qal?): impf. יוּצַר: **gebildet, geformt werden** *be shaped, formed* Js 54, 17. †
Der. I u. II יֵצֶר, יִצְרִי, *יְצֻרִים (יוֹצֵר F יצר qal).

I יֵצֶר: יצר; mhb. יֵצֶר u. ja. יִצְרָא u. sy. ܝܨܪܐ Trieb *impulse, desire*: sf. יִצְרוֹ, יִצְרֵנוּ, cj pl. יְצָרִים: 1. **Gebilde** *form, framing* Js 29, 16 Ha 2, 18, cj יֵצֶר pro קָצִיר Ho 6, 11, cj (Hehn, Festschr. Sellin 67) pl. יְצָרִים Götterbilder *idols* Js 45, 16; 2. Bildung, Art, **Streben** *form, purpose* Gn 6, 5 8, 21 Dt 31, 21 Js 26, 3 (l יִצְרוֹ) Ps 103, 14 1 C 28, 9 29, 18, cj יִצְרָם (Hehn l. c. 66) Ps 49, 15; F II יֵצֶר. †

II יֵצֶר: n. m.; = I, 1; cf. ak. *Iṣ-ṣi-ir-ti* (?) BAS 92, 29[12]: Gn 46, 24 Nu 26, 49 1 C 7, 13 F יִצְרִי. †

יִצְרִי: gntl. v. II יֵצֶר Nu 26, 49; l צְרִי (= 25,3) 1 C 25, 11.†

***יְצֻרִים**: יצר: pl. sf. יְצֻרַי: **Glieder** *members* Hi 17,7.†

יצת: mhb. hif.; asa. וצת MVG 28,2,20f; *F* צות (Formen wie v. נצת, *forms as if from* נצת): qal: impf. תִּצַּתְנָה, יִצְּתוּ, וַתִּצַּת (BL 218.383): c. בְּ **anzünden** *kindle* Js 9,17; c. בָּאֵשׁ im Feuer **verbrennen** *be kindled with fire* Js 33,12 Ir 49,2 51,58;† nif: pf. נִצְּתָה, נִצְּתוּ: **1. sich entzünden** *be kindled* (חֲמַת יי) 2 K 22, 13. 17 Si 16,6; **2. verbrannt werden** *be burned* Ne 1,3 2,17, cj Ir 51,30 u. Na 1,6; l. נִצְּתוּ Ir 9,9; Ir 2,15 Q נִצְּתוּ K נִצְּתָה l נִתְּצוּ;† hif: pf. הִצִּית, הִצִּיתוּ, impf. וַיַּצֶּת־, וַיַּצִּיתוּ, תַּצִּיתוּ, imp. sf. הַצִּיתוּהָ Q 2 S 14,30, pt. מַצִּית: **1.** c. בָּאֵשׁ **in Brand stecken** *set on fire* Jos 8, 8. 19 Jd 9,49 2 S 14, 30. 31, (stehendes Getreide *standing crop*) Ir 32,29; **2.** הִצִּית אֵשׁ **Feuer legen** *set fire to* Ir 11,16 (עַל); c. בְּ an *to* Ir 17,27 21,14 43,12 49,27 50,32 Hs 21,3 Am 1,14 Th 4,11; l נִצְּתוּ Ir 51,30.†

***יקב**: יֶקֶב.

יֶקֶב: יקב, *F* נקב; יקב mhb. pi. aushöhlen *hollow out*; وَقْبٌ Vertiefung *cavity*: יֶקֶב, sf. יִקְבֶךָ Dt 15,14 (BL 581), pl. cs. יִקְבֵי: zwei flache im Felsboden ausgehauene Gruben, durch e. Rinne verbunden, die eine höher als die andre gelegen; in der obern werden Trauben oder Oliven durch Treten gekeltert; in der untern, wohin d. Saft fliesst, klärt er sich zu Wein oder Öl *two shallow cavities or sinks, hewn out in rocky ground, the one on a higher level than the other, both connected by a small channel; in the upper sink grapes or olives are trodden, in the lower the juice becomes clear into wine or oil,* *F* גַּת, דָּרַךְ: **1. Kufe** (Klärgrube) *pit* ὑπολήνιον Js 5,2 (חָצֵב) Ir 48,33 Jl 2,24 4,13 Hg 2,16 Pr 3,10; **2. Kelter** *wine-(oil)press* (genauer *properly* גַּת) Js 16, 10 u. Hi 24,11 (דָּרַךְ), // גֹּרֶן Nu 18,27. 30 Dt 15,14 16,13 2 K 6,27 Ho 9,2; n.l. c. זְאֵב, הַמֶּלֶךְ.†

יֶקֶב זְאֵב: n.l. *F* יֶקֶב: Jd 7,25.†

יִקְבֵי הַמֶּלֶךְ: n.l.; *F* יֶקֶב: bei *near* Jerusalem Sa 14,10.†

יְקַבְצְאֵל: n.l.; קבץ u. אֵל; > קַבְצְאֵל: in SW-Juda Ne 11,25.†

יקד: *F* ba.; ak. *qâdu* anzünden *kindle*; وَقَدَ brennen *burn*: qal: impf. יֵקַד, וַתִּיקַד, pt. יֹקֶדֶת: **brennen** *burn* Dt 32,22 Js 10,16 65,5;† hof: imp. תּוּקַד, תּוּקַד: **angezündet werden** *be burning, kindled* Lv 6,2.5f Ir 15,14 17,4.† Der. יְקוֹד, יָקוּד, מוֹקֵד.

יְקֹד: יקד; *F* ba.: cs. יְקוֹד: **Brand** *burning* Js 10,16, cj כִּיקֹד כָּרִים Ps 37,20.†

יָקְדְעָם: n.l.; *קדע: Jos 15,56, cj 1 C 2,44. (?).†

יָקֶה: n.m.; Noth S. 228: Pr 30,1.†

***יקה**: *F* *יְקָהָה.

***יְקָהָה**: *יקה; وَقَى gehorchen *be obedient*, asa. וקה befehlen *command*, n.m. יקהמלך Ryck. 2,74; ak. *utaqqû* gehorchen *be obedient*: cs. יִקְּהַת (BL 600): **Gehorsam** *obedience* Gn 49,10; l זִקְנַת Pr 30,17.†

יקוד: *F* יקד.

יָקוּד: יקד: **Feuerstelle** *fire-place* (*hearth*) Js 30,14.†

***יָקוּט**: אֲשֶׁר־יָקוּט Hi 8, 14, l קִשְׁרֵי קַיִט (Peters).†

יְקוּם: קום: **Bestand, Lebewesen** *substance, living beings* Gn 7, 4. 23 Dt 11, 6.†

יָקוּשׁ u. **יָקוֹשׁ** Ho 9, 8: יקשׁ: pl. יְקוּשִׁים; ug. *yqšm*: **Vogelsteller** *fowler* Ir 5, 26 Ho 9, 8 Ps 91, 3 Pr 6, 5.†

יְקוּתִיאֵל: n.m.; Noth S. 203: 1 C 4, 18.†

***יקט**: F יָקְטָן.

יָקְטָן: n.m.; يَقْطَان (يَقِظَ wach sein *be awake, watchful*, F יקץ); S. v. עֵבֶר; Stammvater d. jemenitischen Stämme *ancestor of the tribes of Yemen*, F מֵשָׁא; Montg. 37 ff: Gn 10, 25 f. 29 1 C 1, 19 f. 23.†

יָקִים: n.m., KF; קום: 1. 1 C 8, 19; 2. 24, 12.†

יַקִּיר: יקר, F ba.: יַקִּיר לְ **teuer, wert** für *precious, dear unto* Ir 31, 20.†

יְקַמְיָה: n.m.; קום u. י׳; יקמיהו Dir. 352; cf. asa. יקמאל Ryck. 2, 74: 1. 1 C 2, 41; 2. 3, 18.†

יְקַמְעָם: n.m.; קום u. III עַם: 1 C 23, 19 24, 23.†

יָקְמְעָם: n.l.; = יָקְנְעָם?: 1. 1 K 4, 12; 2. 1 C 6, 53, = קִבְצַיִם Jos 21, 22.†

יָקְנְעָם: n.l.; יקן ? קנע ?; äg. *ʿn-qn-ʿa-m(a)* Albr. Voc. 37, *ʿ-n q-n-ʿ-m* ! ETL 202, ug. De L. 2, 49: *T. Qēmūn* 10 km nw. Megiddo (F Noth, Josua S. 87): Jos 12, 22 19, 11 21, 34; > יָקְמְעָם?†

יקע: NF v. נקע; Nöld. NB 198; قَعْقَعَ knacken (beim Fussvertreten) *crack (by spraining one's foot)*:

qal: impf. וַתֵּקַע, תֵּקַע: 1. **sich mit e. Ruck abwenden** (aus Liebesüberdruss) *turn disgusted one's back* Ir 6, 8 Hs 23, 17. 18; 2. **verrenken** (Hüftgelenk) *sprain, dislocate (thigh)* Gn 32, 26;†

hif: pf. sf. הוֹקַעֲנוּם, impf. sf. וַיֹּקִיעֻם, imp. הוֹקַע: (mit gebrochnen Gliedern) **aussetzen** *expose (with legs a. arms broken)* Nu 25, 4 u. 2 S 21, 6 (לַיהוה) 21, 9 (לִפְנֵי י׳), e. Leiche aussetzen *expose a dead body* cj 1 S 31, 10 u. 1 C 10, 10 (l הֹקִיעוּ);†

hof: pt. מוּקָעִים (mit gebrochnen Gliedern) **ausgesetzt werden** *be exposed (with legs a. arms broken)* 2 S 21, 13.†

יקץ: NF v. קיץ, von diesem wird pf. gebildet *pf. from* קיץ *only*; يَقِظَ wach sein *be awake*; ak. *eqēṣu* wachsam sein *be vigilant*: F יָקְטָן:

qal: impf. וַיִּיקַץ, יִיקַץ (Edd. וַיִּקַץ 1 K 3, 15†), וַיִּיקֶץ Gn 9, 24†, וָאִיקָץ Gn 41, 21†, יִקְצוּ Ha 2, 7: **aufwachen** *awake* Gn 41, 4. 7. 21 1 K 3, 15 18, 27, c. מִשְּׁנָתוֹ Gn 28, 16 Jd 16, 14. 20, c. מִיֵּינוֹ Gn 9, 24; Ha 2, 7 Ps 78, 65 = tätig werden *become active*.†

יקר: mhb., F ba.; ug. *yqr*, *qrt* Ehre *honour*; وَقُرَ schwer sein *be heavy*, وَقَّرَ ehren *honour*; asa. וקר u. ak. *(w)aqāru* wertvoll sein *be precious*:

qal: pf. יָקַר, יָקְרָה, יָקַרְתִּי, impf. יֵיקַר, וַיֵּיקַר, תֵּיקַר: 1. **schwierig sein** *be difficult* Ps 139, 17; 2. יָקַר יְקַר מִן e. Gewicht, e. **Wert haben** bei *be valued from* Sa 11, 13; 3. **geehrt sein** *be valued, honoured* 1 S 18, 30; 4. selten, **kostbar sein** *be precious* Ps 49, 9, c. בְּעֵינֵי (ak. *aqāru ina pāni*) 1 S 26, 21 2 K 1, 13 f Js 43, 4 Ps 72, 14;†

hif: impf. אוֹקִיר, imp. הֹקַר: **kostbar, selten machen** *make precious, rare* Js 13, 12 Pr 25, 17; > **sparsam brauchen** *make spare of* cj Pr 25, 27 (l וְהֹקַר דִּבְרֵי).†

Der. יַקִּיר, יְקָר, יָקָר.

יָקָר: יקר: f. יְקָרָה, pl. יְקָרִים, יְקָרוֹת: 1. **selten** *rare* 1 S 3, 1 (דְּבַר־י׳) Hi 28, 16; אֶבֶן יְקָרָה (ak. *abnu aqartu*) seltne, **edle Steine**

precious stones 2 S 12, 30 1 K 10, 2. 10 f Hs 27, 22 28, 13 Da 11, 38 1 C 20, 2 29, 2 2 C 3, 6 9, 1. 9 f 32, 27, pl. אַבְנֵים יְקָרוֹת 1 K 5, 31 7, 9—11; 2. **kostbar, wertvoll** *precious, weighty* Ps 36, 8 116, 15 Pr 1, 13 12, 27 (l יְקַר אָדָם) 24, 4; 3, 15 6, 26 Hi 31, 26 Ko 10, 1; **edel** *noble* Th 4, 2 Ir 15, 19 (Edles *the noble*); l וִיקָרוֹת Sa 14, 6, יִקְרַת l כִּיקַד כֻּרִים Ps 37, 20, l לִקְרָאתֶךָ 45, 10; Js 28, 16 F *יִקְרָה. †

יְקָר: יקר; F ba.: cs. יְקָר Est 1, 4 †, sf. יְקָרוֹ: 1. **Kostbares** *precious things* Ir 20, 5 Hs 22, 25 Pr 20, 15 Hi 28, 10; 2. Wert, Preis *value, price* Sa 11, 13; 3. **Glanz** *splendour* Est 1, 4 8, 16; 4. **Ehrung** *honour* Est 6, 7. 9. 11; נָתַן יְקָר לְ (Frauen ihrem Mann *wives to their husband*) 1, 20, עָשָׂה יְקָר לְ 6, 3. 6; l כַּבָּקָר Ps 49, 13. 21. †

***יִקְרָה**: קרה; L.K. Th Z 3, 390—2: cs. יִקְרַת: **Zusammentreffen** *meeting*: פִּנַּת יִקְרַת מוּסָד die Ecke, wo die Grundmauern sich treffen *the corner where the foundation-walls meet* Js 28, 16. †

יקשׁ: NF נקשׁ, I קושׁ; Nöld. NB 191 f: qal: pf. יָקַשְׁתִּי, יָקְשׁוּ, pt. יוֹקְשִׁים: (Vögel) mit dem Stellholz fangen *lay snares* Ir 50, 24 Ps 124, 7 141, 9; †
nif: pf. נוֹקַשְׁתָּ, נוֹקְשׁוּ, impf. תִּוָּקֵשׁ: **gefangen werden, sich verstricken lassen** *be caught by a bait, be ensnared, entrapped* Dt 7, 25 Js 8, 15 28, 13, cj Ps 9, 17, Pr 6, 2, cj 12, 13 u. 29, 6 u. Ko 9, 12 (l נוֹקְשִׁים), Si 9, 5 34, 7; †
pu (pass. qal): pt. יוּקָשִׁים l נוֹקְשִׁים Ko 9, 12. †
Der. מוֹקֵשׁ, יָקוּשׁ, יָקוֹשׁ, n.m. יָקְשָׁן.

יָקְשָׁן: n. m.; יקשׁ: S. v. אַבְרָהָם u. קְטוּרָה Gn 25, 2 f 1 C 1 32. †

יָקְתְאֵל: n. l.; Šanda zu 2 K 14, 7 (S. 164 f): אֵל u. קתה zu ak. *qatû* = vernichten *abolish*? (l יָקְתְאֵל?): 1. in Juda bei *near* לָכִישׁ Jos 15, 38; 2. neuer Name f. *new name for* סֶלַע in Edom 2 K 14, 7. †

I ירא (323 ×): ug. *yr*ʾ; mhb.: qal: pf. יָרֵא, יָרֵאָה, יָרֵאתִי, יְרֵאתֶם, יָרֵאנוּ (l יְרֵאתֶם Jos 4, 24 pro יְרָאתָם), sf. יְרֵאוּהוּ, impf. יִירָא, וַיִּירָא, תִּירָאִי, תִּירָאִי, תִּירָאוּן, תִּירְאוּ, וַיִּרְאוּן, וַיִּירְאוּ, וַיִּרְאוּ, וָאִירָא, תִּירָאֶם, יְרָאוּךָ, יִירָאוּךָ, יִרָאֶךָ, sf. וַנִּירָא, וַתִּירֶאןָ, וַיִּירָאֵנִי, inf. יְרֹא Jos 22, 25, לִרְאֹ (BL 443) 1 S 18, 29 l לִרְאֹ, meist *in most cases* fem. יִרְאָה F Dt 4, 10, imp. יְרָא Pr 3, 7, יְראוּ u. יִירְאוּ Jos 24, 14 (BL 443); loco pt. F יָרֵא, cs. pl. יִרְאֵי:
1. **fürchten** *fear, be afraid of* Gn 32, 12 1 K 1, 51 Ex 9, 20 Ps 23, 4, cj Hi 41, 26 (l יִרָא ... אֹתוֹ), 2. יָרֵא אֶת־יהוה **fürchten, in Ehren halten** *fear, stand in awe of* Ex 14, 31 Dt 6, 2 Jos 22, 25 24, 14 (40 ×), c. אֱלֹהִים Gn 22, 12 42, 18 Ex 1, 17 Ps 55, 20, Götter *gods* Jd 6, 10 2 K 17, 7. 35. 37 f, מִקְדָּשׁ Lv 19, 30 26, 2, Vater u. Mutter *father a. mother* 19, 3; 3. יִרְאָה c. אֵת = 2: Dt 4, 10 5, 29 (17 ×), cj Jos 4, 24; 4. abs. **sich fürchten** *be afraid* Gn 3, 10, cj 1 K 19, 3 u. Ir 17, 8, c. מִן vor *of* Lv 19, 14. 32 25, 17. 36. 43 Dt 1, 29, c. מִפְּנֵי vor *of* Ex 9, 30 Dt 5, 5, c. מִלִּפְנֵי vor *of* Ko 3, 14 8, 12; c. לְ um ... willen *for* Pr 31, 21; 5. יָרֵא c. לְ u. inf.: **sich fürchten zu** ... *be afraid to do* Gn 19, 30 Nu 12, 8 2 S 1, 14; = c. מִן c. inf. Ex 3, 6 34, 30 1 S 3, 15; 6. אַל־תִּירָא fürchte dich nicht! *fear not!* (*formula revelationis*, L. K. Schweiz. Theol. Zeitschr. 1919, 33—39; = aram. אל תחול Zkr 13, ak. *lā tapallaḫ*) Gn 15, 1 21, 17? 26, 24, cj 28, 13, 46, 3 Jos 8, 1 Jd 6, 23 Lc 2, 10; l אִירָא Ps 49, 6 u. תֵּרֶא 49, 17 (ראה), l יַאֲרִיךְ 72, 5;
nif †: impf. תִּוָּרֵא, pt. נוֹרָא, נוֹרָאָה, נוֹרָאוֹת, sf. נוֹרָאוֹתֶיךָ: 1. **gefürchtet, in Ehren ge-**

halten werden (Gott) *be revered* (*God*) Ps 130,4; 2. pt. a) **gefürchtet** *dreaded, terrible* עַם Js 18,2.7, גּוֹי Ha 1,7; b) **fürchtenswert, furchtbar** *inspiring fear, awe*: יהוה Ps 76,13 96,4 1 C 16,25. cj Ps 76,5, אֵל Dt 7,21 10,17 Ps 89,8 Da 9,4 Ne 1,5 9,32, יהוה עֶלְיוֹן Hi 37,22, אֱלוֹהַּ Ne 4,8, אֲדֹנָי Ps 47,3, מַלְאַךְ הָאֱלֹהִים Ps 66,5 68,36, אֱלֹהִים Jd 13,6, יוֹם יהוה Jl 2,11 3,4 Ma 3,23, הַשֵּׁם Dt 28,58, שְׁמוֹ Ps 111,9, שִׁמְךָ 99,3, שְׁמִי Ma 1,14, אַתָּה (Gott *God*) Ps 76,8, מַעֲשֶׂיךָ 66,3, was ich (J.) tue *that I (Y.) do* Ex 34,10; נוֹרָאוֹת **die furchtbaren Taten** Gottes *terrible things, awe-inspiring things* Dt 10,21 2 S 7,23 Js 64,2 Ps 65,6 106,22 139,14 145,6 1 C 17,21; הַמָּקוֹם הַזֶּה Gn 28,17; נוֹרָאוֹת furchtbare Taten (d. Königs) *terrible things (of the king)* Ps 45,5; l נִרְאָה Ze 2,11; c) **furchterregend** *awful, terrible*: מִדְבָּר Dt 1,19 8,15, קֶרַח Hs 1,22, אֶרֶץ Js 21,1; l בּוֹרֵא Ex 15,11;

pi†: pf. sf. יֵרְאֻנִי, inf. sf. יָרְאָם, יָרְאֵנִי, pt. מְיָרְאִים: **erschrecken** *make afraid* 2 S 14,15 Ne 6,9.14.19 2 C 32,18.†

II ירא: F I ירה qal u. hif.

III ירא: F II ירה hof.

יָרֵא: *adj. verbale*: I ירא: cs. יְרֵא, pl. יְרֵאִים, cs. יִרְאֵי, sf. יְרֵאָיו, f. cs. יִרְאַת (Var. יְרֵאַת): **1. in Furcht, in Ehrfurcht vor** *afraid of, in awe before*: obj. אֹתוֹ Gn 32,12, מֶלֶךְ Da 1,10, cj הֹךְ (l וּמִי יְרֵא תֹּךְ) Ps 90,11, אֱלֹהִים Gn 22,12 Ex 18,21 Ps 66,16 Hi 1,1.8 2,3 Ko 7,18, אֶת־הָאֱלֹהִים Gn 42,18 Ne 7,2, הָאֱלֹהִים Ko 8,12, אֶת־יהוה 1 K 18,3.12 2 K 4,1 17,32 Ir 26,19 Jon 1,9 Ps 112,1; יְרֵא יהוה Js 50,10 Ps 25,12 128,1.4 Pr 14,2, pl. יִרְאֵי יהוה Ma 3,16 Ps 15,4 22,24 115,11.13 118,4 135,20; אִשָּׁה יִרְאַת יהוה Pr 31,30; יְרֵאָיו Ps 22,26 25,14 33,18 85,10 103,11.13.17 111,5 145,19 147,11, יְרֵאֶיךָ 31,20 60,6 119,74.79, cj 119,38 (l לִירֵאֶיךָ), שְׁמִי Ma 3,20, שְׁמֶךָ Ps 61,6, דְּבַר יהוה Ex 9,20, מִצְוָה Pr 13,13; 2. c. מִן **in Furcht vor** *afraid of* Dt 7,19 Ir 42,11.16; 3. adj. **furchtsam** *fearful* Dt 20,8 Jd 7,3 1 S 23,3.†

יִרְאָה: ירא; inf. fem. > substant.: cs. יִרְאַת, sf. יִרְאָתוֹ: **Furcht; Ehrfurcht** *fear; reverence*: 1. **Furcht** *fear*: יִרְאַת שָׁמִיר F. vor Dornen *f. of briers* Js 7,25, יִרְאָתְךָ F. vor dir *f. of thee* Dt 2,25, יָרֵא יִרְאָה Jon 1,10.16 Hs 30,13, cj יִרְאָתָם die F., die sie haben *the fear they feel* cj Jos 4,24, אֶת [יִרְאָה] F. vor *fear of* Jos 4,24; 2. **Ehrfurcht** (vor Gott) *reverence (of God)*: יִרְאַת אֱלֹהִים Gn 20,11 2 S 23,3 Ne 5,15, י׳ הָאֱלֹהִים cj 2 C 26,5, יִרְאַת יהוה Js 11,2f 33,6 Ps 19,10 34,12 111,10 Pr 1,7.29 2,5 8,13 9,10 10,27 14,26f 15,16.33 16,6 19,23 22,4 23,17 2 C 19,9; יִרְאַת שַׁדַּי Hi 6,14, י׳ אֲדֹנָי Hi 28,28, י׳ אֱלֹהֵינוּ Ne 5,9, יִרְאָתוֹ Ex 20,20 u. יִרְאָתְךָ Js 63,17 Ps 5,8 u. יִרְאָתִי Ir 32,40 Ehrfurcht vor (Gott) ihm, dir, mir *reverence of (God) him, thee, me*; י׳ שְׁמֶךָ cj Mi 6,9, יִרְאָה die Gottesfurcht *the reverence of God* Hi 15,4; יִרְאָתְךָ deine G. *your rev. of God* Hi 4,6 22,4; עִבְדוּ בְּיִרְאָה Ps 2,11, יִרְאָה וָרַעַד 55,6; l וּמִי יְרֵא תֹּךְ Ps 90,11, l לִירֵאֶיךָ 119,38; ? Hs 1,18.†

יִרְאוֹן: n. l.; G^A Ιαριων: = *Yārūn* in N-Galiläa (Abel 2,351) Jos 19,38.†

יִרְאִיָּיה: n. m.; < יִרְאִיָּה*, ראה u. י׳: Ir 37,13f.†

יָרֵב: מֶלֶךְ יָרֵב < מַלְכִּירַב* (מֶלֶךְ) u. רבב; cf. ak. *šarru rabū* d. Grosskönig *the great king*) Geheimname f. d. K. v. Assur *secret name* *given to the Assyrian king*, ZAW 17, 335 f; ug. *mlk rb* Sy 21, 260 l. 13. 26; Driv. JTS 36, 295 f: Ho 5, 13 10, 6.†

יְרֻבַּעַל: n. m f. גִּדְעוֹן; Jd 6, 32 = יָרֶב בּוֹ הַבַּעַל; eher *rather* I רבב u. בַּעַל, F יָרָבְעָם: יְרֻבַּעַל; Dir. 226 ff: Jd 6, 32 7, 1 8, 29. 35 9, 1—57 (8 ×) 1 S 12, 11; entstellt zu *deformed into* יְרֻבֶּשֶׁת 2 S 11, 21.†

יָרָבְעָם: n. m.; I רבב u. I עַם, F יְרֻבַּעַל; Dir. 352; asa. רבאל; Ιεροβοαμ, Jerobeam, *Jeroboam*: 1. K. v. Israel 1 K 11, 26—22, 53 (52 ×) 2 K 3, 3—23, 15 (16 ×) 2 C 9, 29—13, 20 (18 ×); 2. K. v. Israel 2 K 13, 13 14, 16. 23. 27—29 15, 1. 8 Ho 1, 1 Am 1, 1 7, 9—11 1 C 5, 17; cj Ho 10, 14.†

יְרֻבֶּשֶׁת: n. m., F יְרֻבַּעַל; בֹּשֶׁת loco בַּעַל: 2 S 11, 21.†

ירד (367 ×): mhb., ug. *yrd*; mo. וארד u. imp. רד; ak. *(w)arādu*; ورد, asa. ورد, ወረደ; sy. ܝܘܪܕܢܐ Fluss *river*, ja. (ak. LW) אַרְדְּתָא Kanal *channel*, Schulthess ZA 25, 287:

qal: pf. יָרַד, יָרֵד, impf. יֵרֵד, וַיֵּרֶד, תֵּרֵד, תֵּרַד Ir 13, 17, וַתֵּרֶד, אֵרְדָה־ Gn 18, 21, נֵרְדָה, נֵרֵד, תֵּרַדְנָה, וַיֵּרְדוּ, יֵרְדוּ, וָאֵרֵד, inf. יָרֹד, רֶדֶת, sf. רִדְתּוֹ, רְדָה Gn 46, 3, imp. רֵד, רְדָה Gn 45, 9, רֵדָה 2 K 1, 9, רְדִי, רְדוּ, pt. יֹרֵד, יֹרֶדֶת, יֹרְדָה, יֹרְדִים, יֹרֵד, יוֹרֵד, יֹרְדוֹת:

1. Driver, PEF 79, 123—6: = ug. *yrd* bedeutet ירד je nachdem (meist) heruntergehn oder (einige Male) hinaufgehn: ירד *means, according to the case, go down (mostly) or go up* (F Eissfeldt, Baal Zaphon, 1932; OLZ 37, 241): **hinaufgehn** *ascend* וְיָרַדְתִּי עַל־הֶהָרִים Jd 11, 37, so *thus* Jd 1, 9 (gingen bergauf u. bergab *went up a. down*) 2 K 2, 2 (Gilgal-Bethel); Jd 15, 8; יֹרֵד בַּבֶּכִי ging unter Weinen auf u. nieder *going up a. down in tears* Js 15, 3;

2. **hinab-, herabsteigen** *descend, go down*: עֹלָה וְיֹרֵד Gn 28, 12; herunterkommen *come down* הַגֶּשֶׁם וְהַשֶּׁלֶג Js 55, 10, בָּרָד Ex 9, 19, טַל, מָן Nu 11, 9, אֵשׁ 2 K 1, 10, untersinken *go down* אֶבֶן Ex 15, 5, herunterhängen *hang down* זָקָן Ps 133, 2, heruntergehn *go down* הָעַיְנָה Gn 24, 16, [הַיְאֹר] Ex 2, 5, רְדוּ cj Jd 3, 28; heruntersteigen *come down* מִן־הָהָר Ex 19, 14, [מִן־הַמִּזְבֵּחַ] Lv 9, 22, מֵעַל הַחֲמוֹר 1 S 25, 23; aufstehn (v. Bett) *come down (from bed)* 2 K 1, 4, heruntergehn *go down* לַשְּׁעָרִים Jd 5, 11, לְגַנּוֹ Ct 6, 2, לַטֶּבַח Ir 48, 15; etc.; J. kommt (in d. Theophanie) herunter *Y. comes down (theophany)* Gn 11, 5 Ex 3, 8 19, 11. 18. 20 Nu 11, 17. 25 2 S 22, 10 Js 31, 4 63, 19 Ps 18, 10 144, 5 Ne 9, 13; רָע מֵאֵת י' Mi 1, 12; יָרַד hinabziehn, hinuntergehen, hinabsteigen *go down* c. מִצְרַיְמָה Gn 12, 10, c. שְׁאֹלָה Gn 37, 35 Nu 16, 30. 33 Hs 31, 15—17 32, 27 Ps 55, 16 Hi 7, 9, c. עָפָר Ps 22, 30, c. שַׁחַת 30, 10 Hi 33, 24, c. מָוֶת Pr 5, 5; יוֹרְדֵי בוֹר (cf. ug. *yrdm ᵓrṣ*) Js 38, 18 F בּוֹר, c. אֶל־אַבְנֵי בוֹר Js 14, 19, c. דוּמָה Ps 115, 17;

3. (metaph.) יָרַד מֵאֵת fortziehn von *go down from* Gn 38, 1, יָרַד אֶל (unterwürfig) herabkommen zu *(obsequiously) come down unto* Ex 11, 8; (Grenze) zieht sich hinunter nach *(border) extends towards to* Nu 34, 11 f; (belagerte Stadt) fällt *(besieged town) falls* Dt 20, 20, (Mauer) stürzt ein *(wall) comes down* Dt 28, 52, (Kämpfende) fallen *(fighting men) fall dead* 1 S 26, 10 Hg 2, 22; herunter müssen, fallen *must descend* Js 5, 14 Hs 30, 6; (Wald) sinkt zu Boden *(forest) falls down* Js 32, 19 Sa 11, 2; (Schatten) senkt sich *(shadow) goes down* 2 K 20, 11 Js 38, 3, (Tag) neigt d. Ende zu *(day) is spent* Jd 19, 11 (l יָרַד pro רַד :: Driver F רוד); תֵּרֵד עֵינִי דִּמְעָה m. Auge zerfliesst in Tränen *my eye weeps sore* Ir 13, 17, pl. 9, 17 14, 17, cf. Ps 119, 136 Th 1, 16 3, 48 u. יֹרֵד בַּבֶּכִי Js 15, 3 (F 1.); (wirtschaftlich) herunterkommen *come down (economically)* Dt 28, 43; l יָרַד Jd 5, 13, l יִרְעַם Js 42, 10, l וַיִּרְדּוּ Hs 31, 12; ? 2 K 12, 21; F יָרַד s.v. רדד;

hif: pf. הוֹרִיד, הוֹרִידוּ, הוֹרַדְתֶּם, הוֹרַדְנוּ, sf. הוֹרִידֻהוּ, l הוֹרַדְתִּנוּ Jos 2, 18, הוֹרַדְתִּיךְ, impf. אוֹרִיד, וַיּוֹרֶד, וַיֹּרִדֵהוּ, תּוֹרֶד, וַתּוֹרֶד, וַתּוֹרִדֵם, יוֹרִדוּ, וַיּוֹרִידוּם, inf. הוֹרִיד, sf. הוֹרִדִי, imp. הוֹרֵד, sf. הוֹרִידֵמוֹ Ps 59, 12, הוֹרִידִי, הוֹרִידוּ, pt. מוֹרִיד: 1. **herunterbringen** *bring down* Gn 37, 25 Dt 1, 25; 2. herunterführen *bring, lead down* Dt 21, 4 Jd 7, 4; 3. herunternehmen *take down* Gn 24, 18 Am 9, 2, c. מִן 1 K 5, 23, c. מֵעַל 2 K 16, 17; stürzen *bring down* Ps 56, 8 59, 12 Pr 21, 22, ablegen *put down* Ex 33, 5 Nu 4, 5; 4. herunterlassen *let down* Jos 2, 15 1 S 19, 12; 5. (Einzelnes *particulars*): הוֹרִיד c. גֶּשֶׁם Regen fallen lassen *cause to rain* Hs 34, 26, c. מִשְׁכָּן abbrechen *take down* Nu 1, 51, c. רִירוֹ s. Geifer triefen lassen *let his spittle fall down* 1 S 21, 14, c. דִּמְעָה fliessen lassen *let run down* Th 2, 18, c. בְּרִיחַ herunterstossen *put down* cj Js 43, 14, c. רֹאשׁוֹ d. Kopf hängen lassen *hang down the head* Th 2, 10, c. אַרְצָה auf d. E. herunterlassen *take down to the ground* Gn 44, 11, c. שְׁאֹלָה hinuntersteigen lassen *bring down* Gn 42, 38, = cj אוֹרִדֵם pro אֲדִּרֵם Hs 32, 18, c. תַּחַת zwingen unter *bring down under* 2 S 22, 48; cj הוֹרִדֵנִי herunterwerfen *cast down* Hi 30, 19; l הַיֹּרֵד 1 S 30, 24, l וָאֵרֵד (רדה) Js 10, 13, l הוּרַד Am 3, 11;

hof†: pf. הוּרַד, הוּרַדְתָּ, impf. תּוּרַד: **heruntergebracht werden** *be brought down* Gn 39, 1, abgebrochen w. *be taken down* Nu 10, 17, hinuntergeführt w. *be brought down* Js 14, 11. 15 Hs 31, 18, gestürzt w. *be brought down* Sa 10, 11, cj Am 3, 11.

Der. מוֹרָד.

יֶרֶד: n. m.; ak. (*w*)*ardu* Diener *servant*: יָרֶד: 1. Gn 5, 15 f. 18—20 1 C 1, 2; 2. 4, 18.†

יַרְדֵּן Ps 42, 7 Hi 40, 23† u. הַיַּרְדֵּן (177 ×): n. fl.; äg. *y-r-d-n* ETL 201, *Ya-ar-du-na* Albr. Voc. 36; Ἰορδάνης cf. Ἰάρδανος häufiger *frequent* n. fl. PW IX, 1, 748: der **Jordan**, الشَّرِيعَة u. الكَبِيرَة u. اَلأُرْدُنّ: F כִּכָּר, גָּאוֹן, מַעֲבָרָה; d. ältern Deutungen d. Namens *the older explanations of the name* L.K., ZDP 62, 115—20; ibid. neue Deutung *new explanation*: *yar* avestisch = Jahr *year* u. *dan*, *don* = Fluss *river* cf. sum. *idigna* = Tigris = d. (immer) fliessende Strom *the always streaming river* :: W. von Soden: iranische Ableitung historisch u. geographisch unmöglich *Iranian derivation impossible from historical a. geographical point of view*; ZAW 57, 153 f: הַיַּרְדֵּנָה Nu 34, 12; יַרְדֵּן יְרֵחוֹ d. J. bei Jericho *J. near Jericho* Nu 26, 3. 63 Jos 13, 32 1 C 6, 63 (13 ×); l יְאֹר? Hi 40, 23, נָהָר // יַרְדֵּן

I ירה: ug. *yry* schiessen *shoot*; mhb.; neu-ar. *warra*, asa. ורו, ወረወ:

qal: pf. יָרָה, יָרִיתִי, impf. sf. וַנִּירָם (BL 443) Nu 21, 30, inf. יָרֹה, cs. לִירוֹת u. לִירוֹא 2 C 26, 15, imp. יְרֵה, pt. יֹרֶה, pl. יֹרִים, יוֹרִים: 1. **werfen** *throw*, *cast*: Loose *lots* Jos 18, 6, בָּאֲבָנִים Ex 15, 4 (= רָמָה בַיָּם 15, 21), בַּיָּם 2 C 26, 15; **schiessen** *shoot*: Pfeile *arrows* 1 S 20, 36 f Pr 26, 18, בַּחִצִּים 2 C 26, 15, c. ac. auf *at* Nu 21, 30 Ps 11, 2 64, 5; 2. יָרָה גַל e. Steinhaufen aufwerfen *set a heap* Gn 31, 51, יָרָה אֶבֶן d. Schlusstein setzen *lay the corner stone* Hi 38, 6; †

nif: impf. יִיָּרֶה (BL 444) **erschossen werden** *be shot through* Ex 19, 13; †

hif: pf. sf. הֹרָנִי, impf. וַיֹּרֶם, וַיּוֹר, יוֹרֶה, יֹרֵהוּ, אוֹרֶה, יֹרוּ, וַיֹּראוּ (Q וַיֹּרוּ) 2 S 11, 24, pt. מוֹרֶה, מוֹרִים u. מוֹרִאים (Q מוֹרִים) 2 S 11, 24: **schiessen** *shoot*: abs. 1 S 31, 3 2 S 11, 20. 24 2 K 13, 17; c. ac. auf *at* Ps 64, 5. 8, c. לְ auf *at* 2 C 35, 23; c. חִצִּים 1 S 20, 20. 36 2 K 19, 32 Js 37, 33 Ps 64, 8; c. בַּקֶּשֶׁת 1 S 31, 3 1 C 10, 3; l הֹרְדַנִי Hi 30, 19.†

II **ירה**: hif. impf. יֹורֶה l יַרְוֶה Ho 6, 3, l פְּרִי Ho 10, 12; hof. יֹורֶא Pr 11, 25 l יֻרְוֶה.†

III **ירה**: hif: הוֹרָה **unterweisen, lehren** *direct, teach*; mhb. hif.; ja. ירא af., *F* תּוֹרָה; vorgeschlagne Ableitungen *suggested derivations*: a) ak. (*w*)*arū* führen *guide*; b) הוֹרָה גוֹרָל (nicht belegt *not to be found*!) Loose werfen *cast lots* > Entscheidung herbeiführen *come to a decision*; c) Grimme OLZ 4, 4: < הארה* v. אוּרִים; d) s.-ar. ورى, n.-ar. ورى zeigen *indicate*; e) Vollers ZDM 41, 396: תּוֹרָה v. ראה; f) Barth ES 13f: روى überliefern *transmit to posterity*:
hif: pf. הוֹרֵיתִי, sf. הוֹרֵיתִיךָ, הוֹרָתְנִי, הוֹרָהוּ, impf. יוֹרֶה, sf. יוֹרֵנוּ, יֹרֵנוּ, יוֹרוּ, יוֹרוּךָ, inf. הוֹרֹת, sf. הוֹרֹתָם, imp. sf. הוֹרוּנִי, הֹרֵנִי, הוֹרֵנִי, pt. מֹרֶה, pl. sf. מוֹרַי, מוֹרֶיךָ: 1. c. ac. **unterweisen, lehren** *direct, teach*: 2 K 12, 3 כֹּהֵן, Pr 4, 4 אָב, Hi 6, 24 Freunde *friends*, 8, 10 Erfahrene *experienced men*, 12, 7 f בְהֵמוֹת, 27, 11 34, 32 אִיּוֹב; Gott *God* Ex 24, 12 Js 28, 26 (den Landmann *the peasant*) Ps 119, 102, cj הוֹרֵיתִים Ho 6, 5; 2. abs. Ex 35, 34 (Technisches *technical matters*), Lv 14, 57 (Rituelles *ritual matters*), Ha 2, 19 (Orakel *oracles*), Mi 3, 11 u. 2 C 15, 3 (Priester Kultisches *priest things of cult*), cj יוֹרוּ Ir 5, 31; 3. c. 2 ac. jmd etw. **lehren** *teach a person a thing* Dt 17, 10 24, 8 Js 28, 9, Gott *God*: 1 K 8, 36 Ps 27, 11 86, 11 119, 33; 4. c. בְּ **belehren** übcr *instruct in* 1 S 12, 23 Ps 25, 8. 12 32, 8 Pr 4, 11 Hi 27, 11; 5. (besondre Objekte *special objects*); הַתּוֹרָה Lv 10, 11, חֻקִּים Dt 17, 11, מִשְׁפָּטִים 33, 10 (לְ), מִשְׁפַּט אֱלֹהִים 2 K 17, 27, שֶׁקֶר Js 9, 14 Ha 2, 18, מִדְּרָכָיו in-betreff s. (Gottes) Wege *concerning his* (*God's*) *ways* Js 2, 3 Mi 4, 2, אֶל־הַדֶּרֶךְ hinsichtlich *regarding* 2 C 6, 27; 6. das Gelehrte steht in e. Satz mit *the instruction is told in a clause with*: אֲשֶׁר Ex 4, 12. 15, מָה Jd 13, 8, אֵיךְ 2 K 17, 28; 7. (Einzelnes *particulars*): כֹּהֵן מוֹרֶה 2 C 15, 3, מוֹרַי m. Lehrer *my teachers* Pr 5, 13, מוֹרֶךָ (Var. מוֹרֶיךָ) Js 30, 20; הוֹרָה c. ac. u. בֵּין ... לְ ... jmd. d. Unterschied zwischen ... und ... lehren *teach a person the difference between ... and ...* Hs 44, 23; הוֹרָה בְאֶצְבְּעֹתָיו gibt Zeichen mit d. Fingern *makes signs with his fingers* Pr 6, 13; l וַיַּרְאֵהוּ Ex 15, 25, l וְתֵרֶא Ps 45, 5; ? Gn 46, 28.†
Der. תּוֹרָה, מוֹרֶה.

ירה: وَرِهَ: qal: impf. תִּרְהוּ (l תֶּחֱרְדוּ): (vor **Schreck) gelähmt sein** *be stupefied* (*with fright*) Js 44, 8.†

יְרוּאֵל: n. l. (?): יְרוּ* (I ירה) Gründung *foundation* Fr. Delitzsch OLZ 29, 645 u. אֵל, *F* יְרִיאֵל: 2 C 20, 16; *F* יְרוּשָׁלַיִם 3.†

יָרוֹחַ: n. m.; ירח; Noth S. 226: 1 C 5, 14.†

יָרוֹק: ירק; ug. *yrq* (Gold *gold*): **grünende Pflanzen** *green*(*ing*) *plants* Hi 39, 8.†

יְרוּשָׁא 2 K 15, 33 < יְרוּשָׁה 2 C 27, 1: n. f.; ירשׁ.†

יְרוּשָׁלַיִם Ir 26, 18 Est 2, 6 1 C 3, 5 (pausa) 2 C 25, 1 32, 9† u. יְרוּשָׁלַםִ, יְרוּשָׁלָֽםִ: (640 ×): n. l.; loc. יְרוּשָׁלַ֫יְמָה: 1. Statistisches *statistics*: fehlt in *not to be found in* Gn-Dt, Ho, Jon, Na, Ha, Hg, Pr, Hi, Ru; findet sich *to be found* Jos 10, 1—18, 28 (9 ×) Jd 1, 7 f. 21 19, 10 1 S 17, 54 2 S 5, 5—24, 16 (30 ×) 1 K 2, 11—2 K 25, 10 (89 ×) Js 1, 1—66, 20 (47 ×) Ir 1, 3—52, 29 (101 ×) Hs 4, 1—36, 38 (26 ×) Jl 3, 5 4, 1. 6. 16 f. 20 Am 1, 2 2, 5 Ob 11. 20 Mi 1, 1. 9. 12 3, 10. 12 4, 2. 8 Ze 1, 4. 12 3, 14. 16 Sa 1, 12—14, 21 (39 ×) Ma 2, 11 3, 4 Ps 51, 20—147, 12 (17 ×) Ct 1, 5 2, 7 3, 5. 10 5, 8. 16 6, 4 8, 4 Th 1, 7—4, 12 (7 ×) Ko 1, 1. 12. 16 2, 7. 9 Est 2, 6 Da 1, 1 (5, 2 f

6, 11) 9, 2. 7. 12. 16. 25 Esr 1, 2—10, 9 (48 ×) Ne 1, 2—13, 20 (35 ×) 1 C 3, 4—2 C 36, 23 (148 ×), cj Ir 36, 2.† 2. D. Name *the name*: יְרוּשָׁלַיִם u. יְרוּשָׁלָיְמָה sind künstliche Formen *are artificial forms*; denn *for*: a) G Ιερουσαλημ, = NT (// Ἱεροσόλυμα); b) K ירושלם; c) sy. *Urišläm* u. F ba. יְרוּשְׁלֶם (Var. יְרוּשְׁלֵם); d) ak. *Urusalim* (EA), *Urusalimmu* (Sanherib); e) äg. *3 w š 3 mm Urusalimum* Albr. BAS 83, 34 (Sethe, Ächtungstexte 53) führen auf *lead to* *יְרוּשָׁלֵם; **Jerusalem**, = *al-Quds*: 3. (Etymol.): *יְרוּ Gründung *foundation* F יְרוּאֵל des (Gottes) *of (the god)* שָׁלֵם; F J. Lewy RHR 110, 61 f; 4. Topogr., Geschichte, Ausgrabungen: F Handbücher, BRL 297 ff; F יְבוּס u. שָׁלֵם.

***ירח**: I u. II יֶרַח, n. m. יָרוֹחַ.

I יֶרַח: *ירח, = ארח wandern *wander*?: mhb., F ba.; ug. *yrḫ*, ph. ירח, ak. (*w*)*arḫu*, asa. ורח, ወርኅ; äg. *jʿḥ*; ar. *arraḫa*, *warraḫa* e. Tag bestimmen *fix a day (date)*: pl. יְרָחִים, cs. יַרְחֵי: (Mond-) **Monat** (*lunar*) *month* (älter für *older for* חֹדֶשׁ 1 K 6, 38) Ex 2, 2 1 K 6, 37 f 8, 2 Sa 11, 8 Hi 3, 6 7, 3 29, 2 39, 2; יֶרַח יָמִים e. Monat lang *a month of time* Dt 21, 13 2 K 15, 13, יְרָחִים // שֶׁמֶשׁ Dt 33, 14 (= Jahreszeiten *seasons of the year*); F II יֶרַח, *ירח.†

II *יֶרַח: n. m.; = I: יֶרַח; s.-ar. Stamm *South-arabian tribe* Montg. 40: Gn 10, 26 1 C 1, 20.†

יָרֵחַ: *ירח; ak. *warḫu*, *arḫu*; F I יֶרַח: sf. יְרֵחֵךְ: Mond *moon*: יָרֵחַ vor *preceding* שֶׁמֶשׁ Ps 104, 19, יָרֵחַ וְכוֹכָבִים Ps 8, 4 Hi 25, 5, יָרֵחַ nach *following* שֶׁמֶשׁ Gn 37, 9 Dt 4, 19 17, 3 Jo 10, 12 f 2 K 23, 5 Js 13, 10 60, 20 (יְרֵחֵךְ) Ir 8, 2 31, 35 Hs 32, 7 Jl 2, 10 3, 4 4, 15 Ha 3, 11 Ps 72, 5 89, 38 121, 6 136, 9 148, 3 Ko 12, 2, cj לַיָּרֵחַ pro לַיהוה (Nestle) Ze 1, 5, l עַד־בְּלִי־דָי Ps 72, 7 (Kl L 57—59).†

יְרֵחוֹ, יְרִיחוֹ, יְרֵחוֹ (Nu 2 S Esr Ne 1 u. 2 C), יְרִיחֹה 1 K 16, 34 (Bauer ZAW 48, 75[2]); Driv. PEQ 1945, 12 f: *יְרִי (F יְרוּאֵל) u. n. d. *חֹה: n. l.; G Ιεριχω, Strabo 16, 2, 41 Ἱεριχοῦς; **Jericho**; رِيحَا, أَرِيحَا: = *T. es-Sulṭān* u. Umgegend *a. proximity* 2 km nw. *Erīḥā*; F BRL, J. Garstang, PEF 1930—32, 1935; J. Garstang u. J. B. E. Garstang, The story of Jericho, 1948: Nu 22, 1—36, 13 (9 ×) Dt 32, 49 34, 1. 3 Jos 2, 1—24, 11 (27 ×) 2 S 10, 5 1 K 16, 34 2 K 2, 4 f. 15. 18 25, 5 Ir 39, 5 52, 8 Esr 2, 34 Ne 3, 2 7, 36 1 C 6, 63 19, 5; בִּקְעַת יְרֵחוֹ Dt 34, 3; 2 C 28, 15 F עִיר הַתְּמָרִים; עַרְבוֹת יְרִיחוֹ Jos 4, 13 5, 10 2 K 25, 5 Ir 39, 5 52, 8; מֵי יְ׳ u. יַרְדֵּן יְ׳ Jos 16, 1.†

יְרֹחָם: n. m.; רחם, :: Noth S. 226: 1.—8.: 1 S 1, 1; Ne 11, 12; 1 C 6, 12. 19; 8, 27 (= יְרֵמוֹת 8, 14?); 9, 8. 12; 12, 8; 27, 22; 2 C 23, 1.†

יְרַחְמְאֵל: n. m.; רחם u. אֵל; *Jorḫam-ilu* (Th. Bauer, Ostkan. 69): 1. בֶּן־הַמֶּלֶךְ Ir 36, 26; 2. 1 C 2, 9. 25—27. 33. 42; 3. 24, 29; F יְרַחְמְאֵלִי.†

יְרַחְמְאֵלִי: gntl. v. יְרַחְמְאֵל 2: 1 S 27, 10 30, 29.†

יַרְחָע: n. m.; G^B Ιωχηλ; äg.?: עֶבֶד מִצְרִי 1 C 2, 34 f.†

ירט: وَرَّطَ hinabstürzen *throw down*: qal: pf. יָרַט, impf. יִרְטֵנִי c. עַל־יְדֵי in jmd.s Hände **stürzen** *throw, deliver into the hands of*...? Hi 16, 11 (l יִרְטֵנִי?); יָרַט הַדֶּרֶךְ l יָרַע הַדֶּרֶךְ? Nu 22, 32.†

יְרִיאֵל: n. m.; יְרוּאֵל = יְרִיאֵל: פְּנוּאֵל = פְּנִיאֵל: 1 C 7, 2.†

I *יָרִיב: ריב: sf. יְרִיבֶךָ, pl. sf. יְרִיבַי: **Rechtsgegner** *opponent, adversary* Js 49, 25 Ps 35, 1; l רִיבִי Ir 18, 19.†

II **יָרִיב**: n. m.; KF?; asa. n. m. ירב: 1. 1 C 4, 24 F יָכִין 1.; 2. Esr 8, 16; 3. 10, 18.†

יְרִיבַי: n. m.; ak. *Eribam* Stamm 78: 1 C 11, 46.†

יְרִיָּה: n. m.; < יְרִיָּהוּ: 1 C 26, 31.†

יְרִיָּהוּ: n. m.; // יְרִיאֵל; > יְרִיָּה: 1 C 23, 19 24, 23.†

יְרִיחֹה u. **יְרִיחוֹ**: F יְרֵחוֹ.

יְרִימוֹת: n. m.; Noth S. 226; *יְרִי = יְרוּ (F יְרוּאֵל) u. מוֹת?: 1 C 7, 7 12, 6 27, 19 2 C 11, 18 31, 13; F יְרֵמוֹת, יְרִימוֹת†.

יְרִימוֹת: n. m.; = יְרִמוֹת: 1 C 7, 8.†

יְרִיעָה: ירע; mhb., ja. יְרִיעֲתָא; > sy. LW יְרִיעֲתָא ZDM 26, 647: pl. יְרִיעֹת, יְרִיעוֹת, sf. יְרִיעֹתַי, יְרִיעוֹתֵיהֶם: **Zeltdecke** (*tent-*) *curtain* aus Ziegenhaar *of goat's hair* Ex 26, 7, schwarz *black* Ct 1, 5, c. נָטָה Ps 104, 2, c. הֵקִים Ir 10, 20; F Ex 26, 1—13 36, 8—17 (43 ×) Nu 4, 25 2 S 7, 2 Js 54, 2 Ir 4, 20 49, 29 Ha 3, 7 1 C 17, 1.†

יְרִיעוֹת: n f.; ירע; ZAW 34, 110: 1 C 2, 18.†

***ירך**: ak. (*w*)*arku* hinten befindlich *being at the back*: F יָרֵךְ, *יַרְכָה.

יָרֵךְ: *ירך; mhb., ja. יַרְכָּא, Zng. ירך Lende *loin*; وَرِك Hüfte *hip*: cs. יֶרֶךְ, sf. יְרֵכִי, du. יְרֵכַיִם, sf. יְרֵכָיו: 1. (d. fleischige Teil der) **Oberschenkel** (*the fleshy part of the*) *upper thigh* (:: מָתְנַיִם): Gesässgegend *backside* Ex 28, 42, Sitz d. Hinkens *seat of limping* Gn 32, 32, d. Zeugens *of procreating* Gn 46, 26 Ex 1, 5 Jd 8, 30, d. Verfalls *of decaying* Nu 5, 21 f. 27; כַּף יְרֵכוֹ Hüftpfanne *socket of the hip-joint*, *hollow of the hip* Gn 32, 26. 33; Gegend d. Schwurs *where the hand of the swearing is placed* Gn 24, 2. 9 47, 29, Sitz d. Schwertes *where the sword is worn* Ex 32, 27 Jd 3, 16. 21 Ps 45, 4 Ct 3, 8, Gegend d. Schlagens *where one is smitten* Ir 31, 19 Hs 21, 17; (erot.) Ct 7, 2; שׁוֹק עַל־יָרֵךְ Jd 15, 8, יָרֵךְ וְכָתֵף Hs 24, 4; cj Pr 31, 3 (l וִירֵכַיִךְ); 2. (metaph.) **Seite** *side* (*flank*) Ex 25, 31 37, 17 40, 22. 24 Nu 3, 29. 35 8, 4 Lv 1, 11 2 K 16, 14.†

***יַרְכָה**: f. v. יָרֵךְ: sf. יַרְכָתוֹ: du. (Torcz. Entst. 160: adv.) יַרְכָתַיִם, יַרְכָתָיִם, cs. יַרְכְּתֵי (1 K 6, 16 K ירכותי, Hs 46, 19 K ירכתם): **Rücken** *backside* Gn 49, 13, Rückseite (e. Baus) *backside* (*of building*) :: צֵלָע: Ex 26, 22 f. 27 36, 27 f. 32 1 K 6, 16 Hs 46, 19; **entlegenster Teil** (e. Gebirgs) *remotest part* (*of mountain*) Jd 19, 1. 18 2 K 19, 23 Js 37, 24, (d. Erde *of earth*) Ir 6, 22 25, 32 31, 8 50, 41, (d. Nordens *of the north*) Js 14, 13 Hs 38, 6. 15 39, 2 Ps 48, 3; hinterster, innerster Teil *extreme*, *innermost part* (Höhle *cave*) 1 S 24, 4, (Zisterne *cistern*) Js 14, 15 Hs 32, 23, (Haus *house*) 1 K 6, 16 Am 6, 10 Ps 128, 3, (Schiff *ship*) Jon 1, 5.†

יַרְמוּת: n. l.; *יְרוּ (F יְרוּאֵל) u. (Gott *god*) מוּת? J. Lewy RHR 110, 61, H. Bauer ZAW 51, 95: 1. *Ch. Yarmūq* (BAS 87, 36[80]) in שְׁפֵלָה: Jos 10, 3. 5. 23 12, 11 15, 35 Ne 11, 29, cj 1 C 6, 58; 2. Jos 21, 29.†

יְרָמוֹת: F יְרֵמוֹת.

יְרֵמוֹת: n. m.; Noth S. 226; *יְרוּ u. מוֹת?: 1.—7. 1 C 8, 14 = יְרֹחָם 8, 27; Esr 10, 26; 10, 27; 10, 29 K יְרָמוֹת, Q וְרָמוֹת; 1 C 23, 23 = יְרִימוֹת 24, 30; 7, 8 25, 22.†

יְרֵמַי: n. m.; KF v. יִרְמְיָה?: Esr 10, 33.†

יִרְמְיָה: n. m.; < יִרְמְיָהוּ 1. d. Prophet *the prophet* Ir 27, 1 28, 5 f. 10—12. 15 29, 1 Esr 1, 1 Da 9, 2; 2.—6. 1 C 5, 24; 12, 5; 12, 11; Ne 10, 3 12, 1; 12, 34.†

יִרְמְיָהוּ: n. m.; Lkš 1, 4, Dir. 352; I רמה? u. י׳; Noth S. 201 v. הֵרִים; J. Lewy MVA 35, 3, 176: Ιερεμιας, **Jeremia(s)** *Jeremiah*: 1. d. Prophet *the prophet* Ir 1, 1—51, 64 (120 ×) 2 C 35, 25 36, 12. 21 f, *F* יִרְמְיָה 1.; 2. Schwiegervater *father-in-law* v. K. Josia 2 K 23, 31 24, 18 Ir 52, 1; 3. 1 C 12, 14.†

ירע: mhb. hif. benachteiligen *damage*, ja. pa. verzagt machen *dishearten*; ورع zaghaft sein (schwanken?) *be timid* (*waver?*):
qal: pf. יָרְעָה: **zittern, zagen** *quiver* Js 15, 4, cj יָרְעוּ 15, 4.†
Der. יְרִיעָה.

יִרְפְּאֵל: n. l.; רפא u. אֵל: in Benjamin Jos 18, 27.†

I ירק: NF v. רקק; ja.; ወረቀ:
qal: pf. יָרַק, יָרְקָה, inf. יָרֹק: **speien** (ins Gesicht; Rechtsgestus der Verwerfung) *spit* (*in the face; juridical custom of rejection*) Nu 12, 14 Dt 25, 9.†
Der. יֵרָקוֹן?

II *ירק: ug. *yrq F* יְרַקְרַק; mhb. hif. blass, glänzend machen *make pale, shining*, ja. af. blass werden *become pale*; sy. *F* יָרָק, äth. *F* יְרַקְרַק; ak. *arāqu* gelb, bleich werden *become yellow, pale*; ar. *F* יָרָק, asa. ורק:
Der. יְרַקְרַק, יֵרָקוֹן, יֵרָקוֹן? יֶרֶק, יָרָק.

יָרָק: II *ירק; ak. *arqu* fahl, grün *pale, green*, ja. u. sy. ܝܘܪܩܐ u. äg. *j3q.t* Grünzeug, Gemüse *greens*, ورق Blatt *leaf*: **Grünzeug, Gemüse** *greens, vegetables* Dt 11, 10 1 K 21, 2 Pr 15, 17.†

יֶרֶק: II *ירק, *F* יָרָק: cs. יֶרֶק **Grünes** (Pflanzen) *green (plants)* Gn 1, 30 9, 3 Ex 10, 15 Nu 22, 4 2 K 19, 26 Js 15, 6 37, 27 Ps 37, 2.†

יַרְקוֹן: מֵי הַיַּרְקוֹן: n. fl.? I oder *or* II ירק: Jos 19, 46.†

יֵרָקוֹן: II *ירק; mhb.; ja. u. sy. יַרְקָנָא; ar. *irqān*: Fahle, Bleichheit *paleness, lividness*: 1. **Blässe** (d. Gesichts) *paleness* (*of face*) Ir 30, 6 (cf. ܡܪܘܩܢܐ, ak. *amurriqānu* Gelbsucht *jaundice* KB 6, 516); 2. **Rost** (Getreidekrankheit) *mildew* (immer *always* // שִׁדָּפוֹן) Dt 28, 22 1 K 8, 37 2 C 6, 28 Am 4, 9 Hg 2, 17.†

יָרְקְעָם: n. l.; רקע; Ch. Raqaʿ bei *near* זִיף?: 1 C 2, 44 (Borée 99[1]); *F* יָקְדְעָם.†

יְרַקְרַק: II *ירק; pl. יְרַקְרַקֹּת: **gelblich-grün, fahlgrün** *yellowish-green, pale-green*: 1. v. kranken Hautstellen „*plague*"-*spots* Lv 13, 49 14, 37; 2. v. Gold, cf. ug. *yrq ḫrṣ* gelbes Gold *yellow gold*, ak. *ḫurāṣu arqu*, asa. ורק, ወርቅ Gold *gold* (Gold mit starkem Silberzusatz ist gelb *gold blended with a considerable percentage of silver looks yellow*) Ps 68, 14.†

ירשׁ (228 ×): Sem. ausser *except* ak. ph.; ug. *yrš*; ja. יְרִית, وَرِثَ, asa. ורת:
qal: pf. יָרַשׁ, יָרַשְׁתָּ, יְרִשְׁנוּ, וִירִשְׁתֶּם u. sf. וִירִשְׁתָּם (BL 384), וִירֵשׁוּהָ u. וִירֵשׁוּךָ (BL 383), impf. יִירַשׁ, יִירַשׁ, וַיִּירַשׁ, תִּירַשׁ, יִירְשׁוּ, נִירַשׁ, sf. יִירָשְׁךָ, יִירָשְׁךָ, תִּירָשֵׁנוּ, אִירָשֶׁנָּה, יִירָשׁוּם, יִירָשֻׁם, וַיִּירָשׁוּהָ, inf. cs. רֶשֶׁת, רֶשֶׁת, sf. רִשְׁתּוֹ, imp. רֵשׁ, רָשׁ Dt 2, 24. 31, יְרָשָׁה (?) Dt 33, 23, רְשׁוּ, pt. יוֹרֵשׁ, יֹרֶשֶׁת, יֹרְשִׁים, יֹרְשָׁיו: 1. **niedertreten, keltern** *trample down, press (grapes)* (*F* תִּירוֹשׁ, ja. מֵירְתָא Haupt AJS 23, 223) cj Mi 6, 15 (l תִּירַשׁ); 2. **unterwerfen, in Besitz nehmen** *subdue, take possession of*: אֶרֶץ Gn 15, 7 Nu 13, 30 Dt 1, 8 Js 14, 21 Am 2, 10 (89 ×, 43 × Dt); אֲדָמָה Lv 20, 24 Dt 28, 21. 63 30, 18 31, 13 32, 47; נַחֲלָה Nu 27, 11 36, 8; c. אֲחֻזָּה Lv 25, 46; שַׁעַר Gn 22, 17 24, 60; e. Gebiet *a territory* Dt 33, 23 Jos 24, 4 Jd 11, 22 Am 9, 12 (17 ×), עִיר Jd 3, 13 Ob 20, בַּיִת Hs 7, 24 Ne 9, 25, מִשְׁכָּנוֹת Ha 1, 6, e.

Sache *a thing* Ho 9, 6 Ob 17 Ps 105, 44; abs. Dt 1, 21 2, 24. 31; 3. c. ac. pers. **aus d. Besitz verdrängen** *dispossess* Dt 2, 12 (11 × Dt) Jd 11, 23 f 14, 15 Ir 49, 2 Pr 30, 23; 4. c. ac. pers. **beerben** *inherit* (*one's possession*) Gn 15, 3 f Js 54, 3, c. עִם zusammen mit *together with* Gn 21, 10, יוֹרֵשׁ **Erbe** *heir* 2 S 14, 7 Ir 49, 1; 5. יוֹרְשִׁים **Eroberer** *those who take* (*them*) Ir 8, 10, הַיֹּרֵשׁ Erbe, Eroberer (gewollt doppelsinnig) *heir*, *who takes* (*it*) (*intentionally equivocal*) Mi 1, 15 (Anklang an *hinting at* מָרֵשָׁה); יוֹרֵשׁ עֶצֶר? Jd 18, 7; l לָמָּה צִעֲרוּ רְשָׁעִים Js 63, 18;

nif: impf. תִּוָּרֵשׁ, יִוָּרֵשׁ: **um d. Besitz gebracht werden, arm werden** *be dispossessed, be brought to poverty* Gn 45, 11 Pr 20, 13 23, 21 30, 9;

pi: impf. יְיָרֵשׁ (inf. sf. לְיָרְשֵׁנוּ): **in Besitz nehmen** *take possession of* Dt 28, 42; l הֲלְהָרִישֵׁנוּ (רושׁ) Jd 14, 15 (Delitzsch OLZ 29, 645 f);

hif: pf. הוֹרִישׁ, הוֹרַשְׁתֶּם, sf. הוֹרִישׁוֹ, הוֹרַשְׁתָּם, הוֹרַשְׁתִּים, הוֹרַשְׁתָּנוּ, impf. יוֹרִישׁ, וַיּוֹרֶשׁ, וַיֹּרֶשׁ, וַיֹּרִשֵׁם, יוֹרִישְׁךָ, יוֹרִישֶׁנָּה, יֹרְשֶׁנּוּ, תּוֹרִישׁוּ, אוֹרִישׁ, אוֹרִשֶׁנּוּ, תּוֹרִישֵׁמוֹ, תּוֹרִישֵׁנִי, inf. הוֹרֵשׁ, sf. לְהוֹרִישָׁם, pt. מוֹרִישׁ, מוֹרִישָׁם; Nu 21, 32 l וַיּוֹרִישׁוּ pro וַיּוֹרֶשׁ: 1. **vertreiben** *drive away* Ex 15, 9 34, 24 Nu 14, 12 (51 ×); 2. **in Besitz nehmen** *take possession of* Nu 14, 24 33, 53 Jos 8, 7 17, 12 Jd 1, 19. 27, cj מוֹרִישֵׁיהֶם Ob 17; 3. **verarmen lassen** *impoverish* 1 S 2, 7; 4. **entgelten lassen** *make suffer for* (> 2.) Hi 13, 26.

Der. I מוֹרָשׁ, תִּירוֹשׁ, רֶשֶׁת, יְרֵשָׁה, יְרֻשָּׁה, מוֹרָשָׁה, n. f. יְרוּשָׁא u. יְרוּשָׁה.

יְרֵשָׁה: ירשׁ: **Besitz** *possession* (l יְרֻשָּׁתוֹ?) Nu 24, 18. †

יְרֻשָּׁה: ירשׁ: cs. יְרֻשַּׁת, sf. יְרֻשָּׁתוֹ, יְרֻשַּׁתְכֶם: **Besitz** *possession* Dt 2, 5. 9. 19 3, 20 Jos 1, 15 12, 6 f 2 C 20, 11; אֶרֶץ יְרֻשָּׁתוֹ d. Land, d. s. Besitz ist *the country which is his possession* Dt 2, 12; מִשְׁפַּט הַיְרֻשָּׁה Besitzrecht *right of possession* Ir 32, 8; l אֲרֶשֶׁת Ps 61, 6, l אֵיךְ תִּשָּׁאֵר Jd 21, 17. †

ישׂג: F נשׂג.

יִשְׂחָק: n. m.; שׂחק; = יִצְחָק: Ir 33, 26 Am 7, 9. 16 Ps 105, 9. †

יְשִׂימְאֵל: n. m.; Var. יְשִׂמְאֵל u. ישמאל: שִׂים u. אֵל; *Iasam* Tallq. APN 92 b: 1 C 4, 36. †

יִשְׂרָאֵל (2355 ×): n. m.; n. p.; Ισραηλ, **Israel**: 1. Statistik *statistics*: a) fehlt in *not to be found in* Jon, Ha, Hg, Hi, Est; b) Gn 32, 29—50, 2 (39 ×), Ex 164 ×, Lv 69 ×, Nu 221 ×, Dt 68 ×, Jos 144 ×, Jd 172 ×, 1 S 128 ×, 2 S 170 ×, 1 K 186 ×, 2 K 157 ×, Js 86 ×, Ir 122 × (cj 51, 19, l יְרוּשָׁלַם 36, 2), Hs 176 ×, Ho 43 ×, Jl 2, 27 4, 2. 16, Am 26 ×, Ob 20, Mi 12 ×, Na 2, 3 Ze 3, 13—15 Sa 2, 2 8, 13 9, 1 11, 14 12, 1 Ma 1, 1. 5 2, 11. 16 3, 22, Ps 61 × (cj 68, 18, l לְיָשָׁר אֵל 73, 1), Pr 1, 1 Ct 3, 7 Ru 2, 12 4, 7. 11. 14 Th 2, 1. 3. 5 Ko 1, 12 Da 1, 3 9, 7. 11. 20, Esr 38 ×, Ne 19 ×, 1 C 105 ×, 2 C 176 ×; יִשְׂרָאֵל fem. 1 S 17, 21 2 S 24, 9; 2. Etymologie *etymology* (Noth S. 207 f): a) שָׂרָה c. obj. אֵל Gn 32, 29 (עִם) Ho 12, 4, aber *but* אֵל in nom. propr. immer *always* subj., nicht *not* obj.; b) שָׂרָה c. subj. אֵל = Gott kämpft *God fights*; c) alle Versuche e. Deutung *all suggested explanations* F G. A. Danell, Studies in the name Israel in the OT, Uppsala, 1946, 22—28; d) ישראל mo. Meša 7. 14; ak. (*māt*) *Sir-ʾi-la-a-a-* (Salmanassar III); äg. *Ya-si-r-ʾi-ra* (Menephta) Albr. Voc. 34; Der. יִשְׂרְאֵלִי; 3. Gebrauch *usage*: 1. n. m. = יַעֲקֹב Gn 32, 29 Ho 12, 4 Gn 50, 2 1 C 1, 34, בְּנֵי יִשְׂרָאֵל Ex 1, 1, etc.; 2. n. p. a) בְּנֵי יִשְׂרָאֵל die Israeliten *the Israelites* Lv 1, 2 Jd 2, 4; b) בֵּית יִשְׂרָאֵל Ex 40, 38 1 S 7, 2 Js 46, 3, (l בְּבֵית אֵל Ho 6, 10), = die im Nordreich *those in the northern king-*

dom 1 K 12, 21 Ho 5, 1 Am 5, 1 Mi 1, 5 etc., = Ehrenname für d. Südreich *honorary title of the southern kingdom* Js 5, 7 Ir 10, 1 etc.; d) יִשְׂרָאֵל Dt 34, 10 Js 1, 3 = כָּל יִשְׂרָאֵל Esr 2, 70 10, 5 1 C 9, 2 (:: הַכֹּהֲנִים), כָּל־יִשׂ׳ בִּיהוּדָה וּבִנְיָמִן 2 C 11, 3; e) je nach Zusammenhang bedeutet *according to context means* יִשְׂרָאֵל α) d. Nordreich *the northern kingdom* Ho 1, 1 2 S 3, 10 1 K 14, 19, β) d. Ganze *the whole kingdom* 2 K 24, 13, γ) d. Südreich *the southern kingdom* 2 C 11, 3; 2 C 21, 2 יְהוּדָה Sebir (40 MSS) pro יִשְׂרָאֵל, ebenso *the same* 21, 4? f) מַחֲנֵה יִשׂ׳ 2 S 1, 3, גְּבוּל יִשׂ׳ 1 K 1, 3 Ma 1, 5, שִׁבְטֵי יִשׂ׳ Hs 48, 31, אַלְפֵי יִשׂ׳ Nu 10, 36, cj Ps 68, 18, עַמִּי וְנַחֲלָתִי יִשׂ׳ Jl 4, 2, שְׁאֵרִית יִשׂ׳ Ze 3, 13, גִּבֹּרֵי יִשׂ׳ Ct 3, 7, תִּפְאֶרֶת יִשׂ׳ Th 2, 1, קֶרֶן יִשׂ׳ 2, 3, אַשְׁמַת יִשׂ׳ Esr 10, 10, הָעָם יִשׂ׳ 9, 1; g) אֶרֶץ יִשׂ׳ = כְּנַעַן 1 S 13, 19 2 K 6, 23 Hs 27, 17; אִישׁ יִשׂ׳ e. Israelit *an Israelite* Nu 25, 8, כָּל־אִישׁ יִשׂ׳ 1 S 17, 19, הַר יִשׂ׳ Jos 11, 16. 21, אֱלֹהֵי יִשׂ׳ 1 S 1, 17.

יְשַׂרְאֵלָה: n. m.; < אֲשַׂרְאֵלָה: 1 C 25, 14.†

יִשְׂרְאֵלִי: gntl. v. יִשְׂרָאֵל: f. יִשְׂרְאֵלִית: **israelitisch** *Israelitish* Lv 24, 10f; l הַיִּשְׁמְעֵאלִי 2 S 17, 25.†

יִשָּׂשכָר: n. m. n. p.; alte Schreibung, die noch kein dagesch forte kennt *old orthography preceding the introduction of dagesh forte*; < יִשְׂשְׂכָר K pro *יִשָּׂכָר (= אִישׁ שָׂכָר Mietling *hireling*); Ισσαχαρ, **Issaschar** *Issachar*: 1. n. m. 1 C 26, 5; 2. n. m. S. v. יַעֲקֹב u. לֵאָה Gn 30, 18 (Namendeutung *name explained*) 35, 23 46, 13 Ex 1, 3 Nu 1, 8 1 C 2, 1 7, 1; seine Söhne *his sons* Gn 46, 13 Nu 1, 28 26, 23 Jos 19, 17 1 C 12, 33; 3. n. tribus: c. מַטֵּה Nu 1, 29 2, 5 13, 7 Jos 21, 6. 28 1 C 6, 47. 57, c. מַטֵּה בְנֵי Nu 10, 15 34, 26 Jos 19, 23, c. מִשְׁפְּחֹת Nu 26, 25 1 C 7, 5, c. גְּבוּל Hs 48, 26, c. בֵּית 1 K 15, 27, c. נְשִׂיא Nu 7, 18, c. שַׁעַר Hs 48, 33; יִשָּׂשכָר Stamm *tribe* Gn 49, 14! Dt 27, 12 33, 18 Jos 17, 10f 19, 17 Jd 5, 15 1 K 4, 17 Hs 48, 25 1 C 12, 41 27, 18 2 C 30, 18; אִישׁ יִשׂ׳ Jd 10, 1.†

יֵשׁ: (< *יִשַׁי ZAW 48, 77; :: אַיִן) ug. *ʾiṯ*, *ʾiṯ ly* ich habe *I have*; F ba. אִיתַי, ak. *išū* haben *have*, negat. *lāšu*, *laššu*, altaram. לישה, amor. (Th. Bauer, Ostkan. 77b) *laši*, لَيْسَ: NF אִשׁ, אִישׁ: sf. יֶשְׁךָ, יֶשְׁכֶם, יֶשְׁנוֹ, יֶשְׁכֶם (BL 634) Dt 29, 14 1 S 14, 39 23, 23 Est 3, 8†, יֶשׁ־ u. (Esr 10, 2†) יֵשׁ־: 1. (Vorhandensein) **Bestand, Besitz** (*existence*) *substance*, *property* Pr 8, 21, 2. יֵשׁ c. nom.: **es ist vorhanden, es gibt** *it exists, there is*: יֵשׁ דָּבָר es gibt etwas *there is a thing* Ko 1, 10; so *thus* 2, 21 5, 12 Gn 24, 23 42, 1f Nu 13, 20 Jd 18, 14 Js 44, 8 Ir 5, 1 37, 17 Ps 14, 2 53, 3 73, 11 Pr 19, 18 20, 15 23 18 24, 14 Hi 5, 1 9, 33 11, 18 33, 23. 32 Ru 3, 12 Th 1, 12 3, 29 Ko 2, 13 4, 8 6, 1 7, 15 8, 6 9, 4 10, 5 Esr 10, 2 2 C 15, 7 1 K 18, 10 Pr 14, 12 16, 25; יֵשׁ חֲמִשִּׁים es gibt fünfzig *there are fifty* Gn 18, 24 47, 6 Ps 58, 12 Ko 6, 11 8, 14 Esr 10, 44, cj Hi 19, 29 (l יֵשׁ דַּיָּן) Dt 29, 17 2 K 5, 8 Ir 14, 22 31, 16f; יֵשׁ יהוה J. ist zugegen *Y. is present* Gn 28, 16 Ex 17, 7 (:: אַיִן); 3. יֵשׁ nach vorangehendem Substantiv *preceded by substantive*: לֶחֶם יֵשׁ Brot **ist da** *bread is at hand* 1 S 21, 5 Js 43, 8 Jd 19, 19 (לִ für *for*); 4. יֵשׁ c. אֵת bei *with* Gn 44, 26 2 K 2, 16 3, 12 (l אִתּוֹ) Ir 27, 18 Pr 3, 28 oder *or* c. עִם Jd 6, 13 2 K 10, 23 2 C 16, 9; (es) **ist bei** (mir) (*he*) *is with* (*me*): יֵשׁ אֶת־נַפְשְׁכֶם ihr seid willens *you are willing, ready* Gn 23, 8, cj 2 K 9, 15; 5. יֵשׁ c. pt. יֵשׁ מְפַזֵּר es gibt solche, die = manche zerstreuen *there are who = many scatter* Pr 11, 24, so *thus* 12, 18 13, 7 18, 24; = יֵשׁ אֲשֶׁר Ne 5, 2—5; 6. יֵשׁ c. sf.

(= subj.) u. pt.: יֶשְׁךָ מַצְלִיחַ du gibst [wirklich] Gelingen *you [really] prosper* Gn 24,42, so *thus* 24,49 43,4 Dt 13,4 29,14 Jd 6,36; 7. יֵשׁ לוֹ **er hat** *he has* Gn 33,9. 11 39,4f. 8 43,7 44,19f Jd 19,19 1 S 17,46 2 S 19,29 1 K 17,12 2 K 4,2 Ir 41,8 Hi 14,7 25,3 28,1 38,28 Ko 4,9 1 C 29,3 Ru 1,12; c. לְ c. inf.: ich habe zu, **ich soll** *I have to, I shall* 2 K 4,13, **ich vermag** zu *I am able to* 2 C 25,9; 8. יֵשׁ c. adv. loci: פֹּה **hier ist** *here is* Jd 4,20 1 S 21,9, בְּ ist in, an *is in, at* Nu 22,29 1 S 9,11 20,8 2 S 14,32 Ps 7,4 Hi 6,6. 30 Jon 4,11 Ma 1,14, תַּחַת ist anstelle von *is in the place of* Hi 16,4, ist unter *is under* 1 S 21,4; 9. יֵשׁ אֲשֶׁר (F IV אֵל): es gibt sich, dass = **manchmal** *it occurs that = sometimes* Nu 9,20f; 10. יֵשׁ abs. (als Antwort auf הֲיֵשׁ ist da? *answering* הֲיֵשׁ *is there?* =) es ist da; **ja** *there is; yes* (:: אַיִן) 1 S 9,12 2 K 10,15 Ir 37,17; 11. וָיֵשׁ (nach antwortendem *after answering* יֵשׁ): **wenn es so ist** *if it be* 2 K 10,15; 12. יֶשׁ־עוֹד אֲשֶׁר es ist noch jemand da, der *there is yet somebody who* 2 S 9,1; 13. יֵשׁ c. sf. u. substant.: **es gibt wirklich** *there is indeed* Est 3,8, יֵשׁ c. sf. u. בְּ es ist an *there is in* (1 ?יְשֶׁנָּה) 1 S 14,39 23,23; 14. יֶשׁ־יוֹם es kommt d. Tag, wo *there is a day that* Ir 31,6; 15. יֵשׁ c. negatione: אֵין יֵשׁ 1 S 21,9 Ps 135,17; 16. יֶשׁ־לְאֵל (יָדָם) es steht (ihnen) zu Gebot *it is in (their) power* Mi 2,1, c. לְ c. inf. Gen 31,29; 1 יַחְשֹׁב לֵב Ir 23,26.†

Der. ? אֲבִישַׁי .יְשִׁיָּה(וּ)

cj **יְשָׁאָל**: (Or^K): n. m.; שְׁאָל: Esr 10,29.†

ישׁב: (1090 ×): ug. *yṯb*; mhb., *F* ba. יתב; mo., ph.; وَثَبَ springen *leap*, himjar. (Lane 2919) sitzen *sit*; asa. ותב; ak. (*w*)*ašābu*; ሐሠበ heiraten *marry*:

qal: pf. יָשַׁב, יָשָׁב, יָשַׁבְתָּ, יָשָׁבוּ, impf. יֵשֵׁב, יֵשֵׁב, וַיֵּשֶׁב, תֵּשְׁבִי, אֵשֵׁב, אֵשְׁבָה, יֵשְׁבוּ, יֵשֵׁבוּ, inf. יָשֹׁב, שֶׁבֶת, שָׁבֶת, sf. שִׁבְתִּי, imp. שֵׁב, שֵׁב־, שְׁבָה, שְׁבוּ, שֵׁבוּ, pt. יֹשֵׁב, יֹשֶׁבֶת, יֹשְׁבָה, יֹשְׁבִים, יֹשֶׁבֶת Na 3,8: 1. **sich hin setzen** *sit down* Gn 27,19; c. לְ auf *upon* Th 2,10, c. לְ an *at* Pr 9,14, c. עַל auf *upon* 1 K 2,19, c. לְ wartend auf *waiting for* Ex 24,24; c. dat. ethico וַתֵּשֶׁב לָהּ sie setzte sich hin *she sat down* Gn 21,16; 2. **sitzen** *sit*: Dt 6,7 (:: הָלַךְ), Ps 139,2 (קוּם); c. loc. Gn 18,1, c. בְּ in *in* 19,1, c. עַל auf *upon* 1 K 22,10, c. אֶל־הַשֻּׁלְחָן bei Tisch *at the table* 13,20; Tauben sitzen *doves sitting* Ct 5,12; יהוה: יֹשֵׁב הַכְּרֻבִים d. auf d. K. sitzt (thront) *sitting upon the cher.* 1 S 4,4 כְּרוּב; c. לְ loci Ps 9,5 29,10 Js 3,26 47,1; יָשַׁב עַל־הַמִּשְׁפָּט bei e. Gericht d. Vorsitz haben *preside a court* Js 28,6; 3. Einzelnes *particulars*: עַל־כִּסֵּא מְלוּכָה (ak. *ina kussē šarrūti ašābu*) d. Königsthron besteigen *sit on the throne as king* 1 K 1,46 2,12 Ir 22,4 Est 1,2; Löwen kauern *lions lurking* Ps 17,12; יֹשֵׁב c. אֹרֵב Jd 16,9 u. בַּמַּאְרָב Ps 10,8 im H. liegen, bereit sitzen *sit ready* (זוֹנָה) Ir 3,2; יָשַׁב c. עִם zusammensitzen mit *sit together with* Ps 26,4, c. לִפְנֵי = Schüler sein *be disciple* 2 K 4,38; c. בְּ u. n. l. besetzt halten *encamp in* 1 S 13,16 1 K 11,16; c. לְחוֹף müssig am Strand sitzen *sit still, idle on the shore* Jd 5,17; abs. Ir 8,14; 4. **sitzen bleiben** *remain sitting*: s. zu Hause halten *stay at home* Lv 12,4f 2 K 14,10 Ho 3,3; bleiben *remain* Gn 24,55, (Sachen *things*) 49,24; יָשַׁב לוֹ er bleibt *he abides* 22,5; c. לְ warten auf *wait for* Ex 24,14; 5. (< 4.) **wohnen** *dwell*: Gn 13,6 Ps 133,1; בְּ in *at* Dt 17,14, c. עַל auf, in *in* Ir 23,8, c. אֶת bei *with* 1 K 21,8, c. לִפְנֵי vor *before* Js 23,18; יֹשֵׁב Bewohner *inhabitant, resident* Gn 19,25 36,20 Ps 107,10; יָשַׁב c. ac. bewohnen *dwell in* Gn 4,20; יֹשְׁבֵי בָאָרֶץ Js 9,1, יֹשְׁבֵי בָהּ

Ir 12,4; 6. (Stadt, Land) bewohnt sein (*city, land*) *be inhabited*: Stadt *city* Js 13,20 Ir 17,25 Hs 26,20 Sa 9,5, Landschaft *territory* Jl 4, 20 Ir 17,6 Hs 29,11, Haus *house* Hi 15,28; l קְדוֹשׁ יַעֲקֹב Ps 22,4, l רְהַבָּה מְשֻׁבַּת (Procksch) Js 30,7; l יָשִׁיב n. l. Jos 17,7;

nif†: pf. נוֹשְׁבָה, נוֹשָׁבוּ, נוֹשְׁבוּ, נוֹשָׁבָה, 1Q נוֹשָׁבוּ Ir 22,6, pt. נוֹשֶׁבֶת, נוֹשָׁבוֹת: bewohnt sein *be inhabited* Land *land* Ex 16,35 Ir 6,8, Stadt *city* Ir 22,6 Hs 12,20 26,19 36,10, Trümmer *ruins* Hs 38,12; נושבת bewohntes Gebiet *inhabited territory* Si 43,4; l נִשְׁבַּתְּ Hs 26,17;

pi†: pf. יִשְּׁבוּ: **aufsetzen, errichten** *set up* טִירוֹת Hs 25,4;

hif†: pf. הוֹשִׁיב, הוֹשַׁבְתִּי, הוֹשִׁיבוּ, sf. הוֹשִׁיבַנִי, הוֹשַׁבְתִּיךָ, הוֹשַׁבְתִּים, impf. וַיּוֹשֶׁב Gn 47,11, וַיֹּשֶׁב, וַיּוֹשֶׁב, sf. וַיּוֹשִׁיבֵנִי 1Q וַיּוֹשִׁיבֵינִי 1K 2,24, אוֹשִׁיבְךָ, תּוֹשִׁיבֵנִי, וַיֹּשִׁיבוּם, inf. הוֹשִׁיב, sf. הוֹשִׁיבִי, imp. הוֹשֵׁב, pt. מוֹשִׁיב: 1. **sich setzen lassen, setzen** *cause to sit* c. עַל־כִּסֵּא 2C 23,20; 2. **sitzen heissen, Platz nehmen lassen** *place, set* 1K 2,24 21,9f.12 Ps 113,8 Hi 36,7; 3. **bewohnt werden lassen, besiedeln** *cause to be inhabited* Js 54,3 Hs 36,33; 4. **wohnen lassen** *cause to dwell* Gn 47,6.11 Lv 23,43 1S 2,8 (עִם zusammen mit *together with*) 1S 12,8 2K 17,6.24.26 Ir 32,37 Hs 26,20 36,11 Ho 12,10 Ps 4,9 107,36 143,3 Th 3,6 2C 8,2; 5. bleiben lassen *cause to abide* 1S 30,21; 6. הוֹשִׁיב אִשָּׁה נָכְרִיָּה e. Ausländerin ansässig machen, **heiraten** *give a dwelling to a foreign woman, marry* (አውሰበ) Esr 10,2.10.14.17f Ne 13,23; l וְהֲשִׁיבוֹתִים Ho 11,11 u. Sa 10,6, l מֵשִׁיב Ps 68,7;

hof†: pf. הוּשַׁבְתֶּם, impf. תּוּשַׁב: 1. **bewohnt werden** *be inhabited* Js 44,26, cj תּוּשַׁבְנָה Hs 35,9; 2. **ansässig gemacht sein** *be made to dwell* Js 5,8.

Der. יוֹשַׁבְיָה ;מוֹשָׁב, שֶׁבֶת, תּוֹשָׁב.

יֹשֵׁב בַּשֶּׁבֶת: n. m.; = יִשְׁבַּעַל* > יִשְׁבֹּשֶׁת* > יָשָׁבְעָם 1C 11,11: 2S 23,8.†

יֶשֶׁבְאָב: n. m.; Nöld. BS, 100: = יָשִׁיב אָב* > Ἀντίπατρος: 1C 24,13.†

יִשְׁבָּח: n. m.; I שׁבח, äg. *Jasabaḥu* Albr. Voc. 39: 1C 4,17.†

יָשֻׁבִי: gntl. v. II יָשׁוּב: Nu 26,24, l וְיָשֻׁבִי 1C 4,22.†

cj **יִשְׁבַּעַל**: n. m.; Ισβααλ; אִישׁ u. בַּעַל: 2S 23,8 1C 11,11 12,7 27,2.†

יָשָׁבְעָם: n. m.; Ισβααλ, l יִשְׁבַּעַל: 1C 11,11 12,7 27,2.†

יִשְׁבָּק: n. m.; שׁבק: S. v. אַבְרָהָם u. קְטוּרָה: Gn 25,2 1C 1,32.†

יָשְׁבְּקָשָׁה: n. m.? l יֹשֵׁב בְּקָשָׁה 1C 25,4: 25,24.†

I **יָשׁוּב**: n. m.; שׁוּב: 1.—3. Nu 26,24; 1C 7,1Q (K יָשִׁיב), cj Gn 46,13; Esr 10,29.†

II **יָשׁוּב**: n. l.; Ιασσιβ; Dir. 33.54: *Yāsūf* (sam. יסופה, יסוף) 13 km s. Nāblus (RB 45,106ff; PJ 24,65²): cj Jos 17,7 pro ישבי; *F* יָשֻׁבִי.†

יִשְׁוָה: n. m.; I שׁוה: Gn 46,17 1C 7,30.†

יְשׁוֹחָיָה: n. m.; שׁחה?: 1C 4,36.†

יִשְׁוִי: 1. n. m.: I שׁוה, Noth S. 227: Gn 46,17 Nu 26,44 *F* 2. 1C 7,30; 1S 14,49; 2. gntl. v. 1. Nu 26,44.†

I **יֵשׁוּעַ**: n. m; mhb.; Dir. 352; Ἰησοῦς; > יוֹשׁוּעַ* (*F* יְהוֹשׁוּעַ = יָהוּא): 1.—7: Esr 2,6 Ne 7,11; Esr 2,36 Ne 7,39; Esr 2,40 3,9 Ne 7,43 8,7 9,4f 10,10 12,8.24; Esr 8,33; Ne 3,19; 1C 24,11; 2C 31,15.†

II **יֵשׁוּעַ**: n. l.; *F* I 1; in S-Juda: Ne 11,26.†

יְשׁוּעָה: ישׁע; mhb. u. יְשׁוּעָתָה Jon 2, 10 Ps 3, 3 80, 3†: cs. יְשׁוּעַת, sf. יְשׁוּעָתָהּ, יְשֻׁעָתוֹ, יְשֻׁעָתוֹ, יְשׁוּעָתֵנוּ, pl. יְשׁוּעוֹת, יְשׁוּעֹת, יְשֻׁעוֹת: I. sg. 1. **Hilfe, Heil**; v. Gott *help, salvation, given by God*: יְשׁוּעַת יהוה Ex 14, 13 2 C 20, 17, אֵל יְשׁוּעָתִי Js 12, 2, י׳ אֱלֹהֵינוּ Js 52, 10 Ps 98, 3, עָשָׂה יהוה יְשׁוּעָה לְ Ex 14, 13; *F* Gn 49, 18 Ex 15, 2 Dt 32, 15 1 S 2, 1 Js 12, 2 25, 9 33, 2 49, 6. 8 51, 6. 8 52, 7 56, 1 59, 11. 17 Jon 2, 10 Ps 3, 3. 9, 15 13, 6 14, 7 20, 6 21, 2. 6 35, 3. 9 40, 17 62, 2 f. 7 67, 3 68, 20 69, 30 70, 5 78, 22 80, 3 89, 27 91, 16 96, 2 98, 2 106, 4 118, 14 f. 21 119, 123. 155. 166. 174 140, 8 149, 4 Hi 30, 15 1 C 16, 23; 2. **Hilfe, Heil**, die e. Mensch bringt *help, salvation, given by man*: 1 S 14, 45 (עשׂה) 2 S 10, 11 Js 62, 1 (Zion) 1 C 19, 12; 3. **Hilfe, Heil** von Sachen her *help, salvation, worked by things*: Js 26, 1 (חֹמוֹת וָחֵל) 60, 18 (חֹמוֹת) Hi 13, 16, מַעַיְנֵי הַיְשׁוּעָה Js 12, 3; II. pl. **Hilfe** *help* Js 26, 18 33, 6 Ps 28, 8 42, 6. 12 43, 5 44, 5 53, 7; **Hilfetaten** *acts of help* Ps 74, 12; כּוֹס יְשׁוּעוֹת Becher d. Heils *cup of salvation* Ps 116, 13; mannigfaches, grosses Heil *great deliverance* 2 S 22, 51; l מְשַׁוְּעָתִי Ps 22, 2, l שַׁוַּעְתִּי Ps 88, 2; ? Ha 3, 8. †

***יֶשַׁח**: sf. יֶשְׁחֲךָ Mi 6, 14: ungedeutet *unexplained*; Torcz. ZDM 16, 558 Embryo, V *humiliatio*, G חשׁך? Sy *dysenteria*; l וְיֵשׁ כֹּחַ? †

ישׁט: aram.; mhb. hif. u. ja., sy. af. ausstrecken *hold out*; ak. (*w*)*aštu* schwer *heavy*; وَسَطَ in d. Mitte greifen *penetrate into the middle*: hif: impf. וַיּוֹשֶׁט, יוֹשִׁיט: **entgegenstrecken** *hold out to* Est 4, 11 5. 2 8, 4 Si 7, 32 (hof. מושׁטת Si 4, 31). †

***יָשִׁי**: *F* הוֹשַׁעְיָה, n. m. יֹאשִׁיָּהוּ.

יִשַׁי: n. m.; äga. n. m. ישי Driv. J. Egypt. Arch. 25, 175; KF v. אֲבִישַׁי Wellhausen (1 S 14, 49), Bauer ZAW 48, 77: יִשַׁי, Ιεσσαι, **Isai** *Jesse*: V. v. David 1 S 16, 1—22 (13×) 17, 12 f. 17. 20. 58 20, 27. 30 f 22, 7—9. 13. 25, 10 2 S cj 17, 25, 20, 1 23, 1 1 K 12, 16 Js 11, 1. 10 Ps 72, 20 Ru 4, 17. 22 1 C 2, 12 f (אִישַׁי!) 10, 14 12, 19 29, 26 2 C 10, 16 11, 18; cj 2 S 21, 19 *F* יַעֲרֵי. †

יָשִׁיב: n. m. *F* I יָשׁוּב. †

יִשִּׁיָּה: n. m.; < יִשִּׁיָּהוּ: 1.—4. 1 C 7, 3; Esr 10, 31; 1 C 24, 21; 23, 20 24, 25. †

יִשִּׁיָּהוּ: n. m.; > יִשִּׁיָּה; יֵשׁ? u. י׳: 1 C 12, 7. †

יְשִׁימוֹן u. **יְשִׁמֹן**: ישׁם: 1. **Wüste** *wilderness* Dt 32, 10 Js 43, 19 f Ps 68, 8 78, 40 106, 14 107, 4; 2. n. l. הַיְשִׁימוֹן bei *near* זִיף u. מָעוֹן 1 S 23, 19. 24 26, 1. 3; 3. n. l. הַיְשִׁימֹן = *Ġōr el-Belqā* = Jordantal n. Totem Meer *Jordan Valley n. Dead Sea* Nu 21, 20 23, 28. †

יְשִׁימוֹת Ps 55, 16: K יְשִׁימוֹת *F* בֵּית הַיְשִׁימוֹת (*ישׁם), 1 Q יַשִּׁי מָוֶת (I שׁוא). †

יָשִׁישׁ: *ישׁשׁ; mhb.: pl. יְשִׁישִׁים: **altersschwach** *aged, decrepit* // שָׂב Hi 15, 10, :: נְעָרִים 29, 8, :: צְעִיר לְיָמִים 32, 6, 12, 12. †

יְשִׁישַׁי: n. m.; יָשִׁישׁ?: 1 C 5, 14. †

***ישׁם**: NF v. שׁמם: יְשִׁימוֹן, יְשִׁימוֹת (בֵּית).

יִשְׁמָא: n. m.; KF < יִשְׁמָעֵאל; Dir. 352: 1 C 4, 3. †

יִשְׁמָעֵאל: n. m.; < *יִשְׁמַעְאֵל, שׁמע u. אֵל, > יִשְׁמָא, cf. יִשְׁמַעְיָהוּ; Dir. 352; שמעאל Ungnad, Eleph. Pap. nr. 75, II 7; *Išme-ilum* Stamm 72, *Jašmaḫi-el* Bauer, Ostkan. 69: 1. S. v. אַבְרָהָם u. הָגָר: Gn 16, 11 (Deutung *name explained*). 15 f 17, 18. 20. 23. 25 f 25, 9. 12 f. 16 f 28, 9 36, 3 1 C 1, 28 f. 31; בְּנֵי יִשְׁ׳ Gn 25, 13. 16 1 C 1, 31, בַּת יִשְׁ׳ Gn 28, 9 36, 3; cj (Stamm *tribe*) Ps 55, 20; 2. Mörder des *murderer of* גְּדַלְיָה 2 K 25, 23. 25 Jr 40,

8.14—16 41,1—18 (15 ×); 3.—6. Esr 10,22; 1 C 8,38 9,44; 2 C 19,11; 23,1; F יִשְׁמְעֵאלִי.†

יִשְׁמְעֵאלִי: gntl. v. יִשְׁמָעֵאל, > יִשְׁמְעֵלִי 1 C 27,30; pl. יִשְׁמְעֵאלִים: **Ismaelit** *Ishmaelite* 1 C 2,17 27,30, cj 2 S 17,25, pl. Gn 37,25. 27 f 39,1 Jd 8,24 Ps 83,7.†

יִשְׁמַעְיָה n. m. < יִשְׁמַעְיָהוּ: 1 C 12,4.†

יִשְׁמַעְיָהוּ: n. m.; שמע u. יְ; > יִשְׁמַעְיָה: 1 C 27,19.†

יִשְׁמְרַי: n. m.; KF v. *שְׁמַרְיָה?: 1 C 8,18.†

I **יָשֵׁן**: mhb.; ug. *yšn*; ph.; F ba. שְׁנָה u. ak. *šittu* Schlaf *sleep*, وسن schläfrig sein *be sleepy*: qal: pf. יָשֵׁנְתְּ, יָשַׁנּוּ, impf. וַיִּישַׁן, וַיִּישָׁן, יִישָׁן, יִישְׁנוּ, וָאִישָׁנָה, אִישָׁן, אִישַׁן, inf. לִישׁוֹן: 1. **einschlafen** *go to sleep* Gn 2,21 41,5, cj 2 S 4,6, 1 K 19,5 Js 5,27 Ps 3,6 4,9; c. מָוֶת z. Tod einschl. *go to sleep the sleep of death* Ps 13,4 (l אִישָׁנָה מָוֶת); 2. **schlafen** *sleep* Ir 51,39 u. 57 (שְׁנַת עוֹלָם) Hs 34,25 Ps 121,4 Pr 4,16 Hi 3,13 Ko 5,11; 3. (metaph.) **untätig sein** *be indolent* Ps 44,24 121,4;†
pi: impf. sf. וַתְּיַשְּׁנֵהוּ: **zum Schlafen bringen** *make (him) sleep* Jd 16,19.†
Der. I יָשֵׁן, שֵׁנָה, שְׁנַת.

II **יָשֵׁן**: = I? mhb. pi. alt machen *make old*; أسن, وسن faul, stinkend werden (Wasser) *become putrid, fetid (water)*; ወግሰ verdorben sein *be decayed* Nöld. NB 203:
nif: pf. נוֹשַׁנְתֶּם, pt. נוֹשָׁן, נוֹשֶׁנֶת: **lang eingesessen sein** *be resident for a long time* Dt 4,25, **veraltet, vorjährig** (Hautkrankheit, Getreide) *old, stale, of last year (skin-disease, cereals)* Lv 13,11 26,10.†
Der. יָשָׁן.

יָשָׁן: II ישן; ug. *yšn*; mhb.: f. יְשָׁנָה, pl. יְשָׁנִים: 1. **alt, vorjährig** *old, of last year* :: חָדָשׁ Lv 25,22 26,10 Ct 7,14; 2. הַבְּרֵכָה הַיְשָׁנָה d. Altteich *the Old Reservoir* Js 22,11; שַׁעַר הַיְשָׁנָה d. Alttor *the Old Gate* Ne 3,6 12,39; אוהב ישן alter Freund *old friend* Si 9,10; F n. l. יְשָׁנָה.†

I **יָשֵׁן**: I ישן: יְשֵׁנָה (Var. יְשֵׁינָה), pl. יְשֵׁנִים, cs. יְשֵׁנֵי: **schlafend** *sleeping* 1 S 26,7.12 1 K 3,20 18,27 (בַּעַל, cf. Ps 44,24 121,4) Ps 78,65 Ct 5,2; v. Tod *about death*: יְשֵׁנֵי אַדְמַת עָפָר Da 12,2, cj יְשֵׁנֵי אֶרֶץ Ps 22,30; l וּשְׁנַי GV Ct 7,10; ? Ho 7,6; F II יָשֵׁן.†

II **יָשֵׁן**: n. m.; = I? Noth S. 227?: 2 S 23,32, cj 1 C 11,34.†

יְשָׁנָה: n. l.; (Altstadt *Old Town* יָשָׁן?) äg. *Y-š-n-t* ETL 201, Albr. Voc. 36: = *Burǧ el-Isāneh* nw. בַּעַל חָצוֹר 2 C 13,19 (cj 1 S 7,12 :: MDP 18,55).†

ישע: mo., mhb.; وسع geräumig sein *be capacious*; asa. n. m. יהׄעאל, אליהׄע etc.:
hif: pf. הוֹשִׁיעַ, הוֹשַׁעְתָּ, הוֹשִׁיעוּ, sf. הוֹשִׁיעוֹ, הוֹשִׁיעָתְנוּ, הוֹשַׁעְתִּים, impf. יוֹשִׁיעַ, וַיּוֹשַׁע, וַיֹּשַׁע יֹשַׁע Pr 20,22, sf. יוֹשִׁיעֶךָ, וַיּוֹשִׁעֵן, וָאוֹשִׁיעָה, אוֹשִׁיעַ, יוֹשִׁיעֵנוּ, יֹשַׁעֲכֶם, יֹשִׁעֵנוּ, sf. אוֹשִׁיעֵם, יוֹשִׁעוּ, sf. וַיּוֹשִׁיעוּם, יוֹשִׁיעֲךָ, inf. לְהוֹשִׁיעַ, הוֹשִׁיעַ, sf. לְהוֹשִׁיעָהּ, הוֹשִׁיעוֹ, לְהוֹשִׁיעֲךָ, imp. הוֹשַׁע, הוֹשִׁיעָה, הוֹשִׁיעָה־נָא (ὡσαννα Mt 21,9), הוֹשִׁיעֵנִי, pt. מוֹשִׁיעַ, מוֹשִׁיעוֹ, מוֹשִׁיעֶךָ, מֹשִׁעִי, pl. מוֹשִׁיעִים; יְהוֹשִׁיעַ 1 S 17,47 Ps 116,6 (BL 229 f[1]); l הוֹשִׁיעַ pro הוֹשַׁע Ir 31,7: 1. (bei d. Arbeit) **helfen, beistehn** *help, assist (in work)* Ex 2,17; 2. **helfen, retten** (in Not) *help, save (in danger)*: Gott *God* Ex 14,30 Dt 20,4 Jd 2,18, cj (לְהוֹשִׁיעַ) Ha 3,13, (100 ×, 47 × Ps),

l וַיֹּשַׁע 1 C 11, 14; Menschen (*man*) Dt 22, 27 28, 31 Jd 2, 16 (42 ×); 3. הוֹשִׁיעַ לְ **zu Hilfe kommen** *come to assistance, help* Gott Ps 72, 4 86, 16 116, 6 Pr 20, 22 1 C 18, 6; F Dt 22, 27 28, 31 Jos 10, 6 Jd 7, 2 1 S 25, 31. 33 2 S 10, 11 Js 59, 16 63, 5 Hs 34, 22 Ps 98, 1 Hi 40, 14; † 4. אֵל לֹא יוֹשִׁיעַ Js 45, 20; מוֹשִׁיעַ **Helfer** *helper* Jd 3, 9. 15 Js 19, 20 Ob 21 Ne 9, 27, F Jd 12, 3 1 S 11, 3 2 K 13, 5; Gott *God* 1 S 10, 19 14, 39 2 S 22, 3 Js 43, 3. 11 45, 15. 21 49, 26 60, 16 63, 8 Ir 14, 8 30, 10 46, 27 Ho 13, 4 Sa 8, 7, cj 9, 9, Ps 7, 11 17, 7 106, 21;

nif: † pf. נוֹשַׁע, נוֹשַׁעְתֶּם, נוֹשָׁעְנוּ, impf. יִוָּשֵׁעַ, נִוָּשֵׁעַ, תִּוָּשֵׁעוּן, אִוָּשֵׁעָה, אִוָּשֵׁעַ, תִּוָּשְׁעִי, תִּוָּשַׁע, imp. הִוָּשְׁעוּ, pt. נוֹשָׁע: 1. **Hilfe empfangen** *be helped, saved* Nu 10, 9 (מִן gegenüber *against*) Dt 33, 29 (בְּ durch *by*) 2 S 22, 4 Js 30, 15 45, 17 Ir 4, 14 8, 20 17, 14 23, 6 30, 7 33, 16 Ps 18, 4 80, 4. 8. 20 119, 117 Pr 28, 18; cj נוֹשָׁעִים Ob 21; 2. **sich helfen lassen** *accept help* Js 45, 22; 3. **Hilfe erfahren, siegreich sein** *be saved, be victorious* Ps 33, 16, cj 1 S 14, 47; l מוֹשִׁיעַ Sa 9, 9, l וַנִּפְשָׁע Js 64, 4.

Der. יֵשַׁע, יְשׁוּעָה, מוֹשָׁעוֹת; n. m. יִשְׁעִי, מֵישַׁע, הוֹשַׁעְיָה, הוֹשֵׁעַ, אֱלִישָׁע ?, יְשַׁעְיָה(וּ), מֵישָׁע.

יֵשַׁע: ישע: יֶשַׁע, cs. יֵשַׁע, sf. יִשְׁעוֹ, יִשְׁעֲךָ: **Hilfe, Befreiung, Heil** *help, rescue, salvation*: אֱלֹהֵי יִשְׁעִי, יִשְׁעֶךָ Js 17, 10, Mi 7, 7 Ha 3, 18 Ps 18, 47 25, 5 27, 9, א׳ יִשְׁעוֹ Ps 24, 5, א׳ יִשְׁעֵנוּ Ps 65, 6 79, 9 85, 5 1 C 16, 35; צוּר יִשְׁעִי 2 S 22, 47, צוּר יִשְׁעֵנוּ Ps 95, 1, קֶרֶן יִשְׁעִי 2 S 22, 3 Ps 18, 3, יֵשַׁע אֱלֹהִים 50, 23, יֵשַׁע יְמִינוֹ Ps 20, 7; Heil von Gott gegeben *salvation given by God* F Js 51, 5 2 S 22, 36 Ps 18, 36, 12, 6 85, 8. 10 132, 16; שְׂשׂוֹן יִשְׁעֶךָ d. Freude deiner Hilfe *the joy of thy salvation* Ps 51, 14, אֱמֶת יִשְׁעֶךָ d. treue Hilfe *thy true salv.* 69, 14; בִּגְדֵי יֶשַׁע Gewänder des Heils *garments of salv.* Js 61, 10; Heil, das d. Mensch (bei Gott) findet *salvation of man found with God* 2 S 23, 5 Js 45, 8 62, 11, cj 64, 3 (l יֵשַׁע לִמְחַכָּיו), Ha 3, 13 Ps 24, 5 27, 1 62, 8 69, 14; > neutral: Glück *welfare* Hi 5, 4. 11; l לְהוֹשִׁיעַ Ha 3, 13. †

Der. n. m. יִשְׁעִי, יְשַׁעְיָה(וּ).

יִשְׁעִי: n. m.; KF; < יְשַׁעְיָה ?: 1.—4. 1 C 2, 31; 4, 20; 4, 42; 5, 24. †

יְשַׁעְיָה: n. m.; < יְשַׁעְיָהוּ: 1.—3. 1 C 3, 21 Esr 8, 7; 8, 19; Ne 11, 7. †

יְשַׁעְיָהוּ: n. m.; יֵשַׁע u. ׳י; *Yšʿʾ*, *Yšʿ* u. *Yšʿjhv* Dir. 352; > יְשַׁעְיָה (u. יִשְׁעִי ?): **Jesaja** *Isaiah*: 1. d. Prophet *the Prophet* 2 K 19, 2—20, 19 (13 ×) Js 1, 1 2, 1 7, 3 13, 1 20, 2 f 37, 2. 5 f. 21 38, 1. 4. 21 39, 3. 5. 8 2 C 26, 22 32, 20. 32; 2. 1 C 25, 3. 15; 3. 26, 25. †

יִשְׁפָּה: n. m.; I שׁפה: 1 C 8, 16. †

יָשְׁפֵה (Var. יָשְׁפָה): J. J. Hess (mündlich *orally*) ak. (*j*)*ašpū*; pers. > يَشْم < يَشْب (Tāğ 1, 520, 14) der im Altertum hochgeschätzte, smaragdgrüne **Nephrit, Jade** *nephrite, jade (emerald green, in Antiquity highly esteemed)* (Ca [Fe Mg]$_3$ Si$_4$ O$_{12}$; = ἴασπις Dioscurides 5, 142): Ex 28, 20 39, 13 Hs 28, 13. †

יִשְׁפָּן: n. m.; I שׁפה ? שׁפן ?: 1 C 8, 22. †

ישר: ak. *ešēru*, *ašāru* gerade sein *be straight*, ph. ישר recht *just*; aram. הושר Assurbr. 6. 14, äga. Eph. 2, 233 f; mhb. pi. gerade machen *make straight*; يَسَر recht sein *be tractable*, asa. והר; ug. *yšr* Aufrichtigkeit *uprightness*:

qal: pf. יָשַׁר, יָשְׁרָה, יָשְׁרוּ, impf. יִישַׁר, וַתִּישַׁר, וַיִּשַּׁרְנָה: **gerade, eben, recht sein** *be straight, smooth, right*: 1. יָשַׁר בַּדֶּרֶךְ geht geradeaus *goes straight ahead* 1 S 6, 12; 2. יָשַׁר בְּעֵינֵי

ist in s. Augen recht, gefällt ihm *is straight in his eyes*, *pleases him* Jd 14,3 1 K 9,12 Ir 27,5, ist ihm recht *is to his liking*, *suits him* Nu 23,27 Jd 14,7 1 S 18,20.26 2 S 17,4 1 C 13,4 2 C 30,4; c. לְ c. inf. es beliebt ihm zu *he is pleased to* Ir 18,4; 3. ישר ל es gefällt ihm *it pleases him* Si 39,24; ? יָשְׁרָה (:: עֻפְּלָה) Ha 2,4; †

pi: pf. יִשַּׁרְתִּי, impf. אוֹשֵׁר, אֲיַשֵּׁר, וַיְיַשֵּׁר, יְיַשֶּׁר־ Q אֲיַשֵּׁר, K אוֹשִׁר Js 45,2, sf. וַיְיַשְּׁרֵם Q 2 C 32,30, imp. יַשְּׁרוּ, pt. מְיַשְּׁרִים: 1. gerad, eben machen *make straight*, *smooth*: מְסִלָּה Js 40,3, דֶּרֶךְ Pr 11,5 Js 45,2 (cj הַדְּרָכִים). 13; אֹרַח Pr 3,6 9,15; 2. geradeaus leiten (Wasser) *direct straight along* (*water*) 2 C 32,30; 3. geradeaus gehn *go straight ahead* Pr 15,21; †

pu: pt. מְיֻשָּׁר: plattgeschlagen (Gold), Goldblech *plated* (*gold*), *gold-foil* 1 K 6,35; †

hif: impf. אוֹשִׁר K Js 45,2, יַיְשִׁרוּ Pr 4,25, imp. הַיְשַׁר Q, הוֹשַׁר K Ps 5,9: ebnen *make smooth* (Weg *way*) Js 45,2 Ps 5,9; geradeaus blicken lassen *let look straight* (עֵינַיִם) Pr 4,25. †

Der. יָשָׁר, יֹשֶׁר, יִשְׁרָה*, יְשֻׁרוּן, מִישׁוֹר, מֵישָׁרִים; n. m. יֵשֶׁר, אֲחִישָׁר; n. l. שָׁרוֹן.

יָשָׁר (115 ×): ישר: cs. יְשַׁר, pl. יְשָׁרִים, cs. יִשְׁרֵי, f. יְשָׁרָה, pl. יְשָׁרוֹת: 1. gerad, gestreckt (:: krumm) *straight* (:: *crooked*) רֶגֶל Hs 1,7 (l מַשְׁקוֹת ? 1,23); 2. eben *smooth*, *level* (Weg *way*) Ir 31,9 Ps 107,7 Pr 14,12 16,25 Esr 8,21; Js 26,7; 3. recht, richtig, zusagend *right*, *pleasing* יָשָׁר בְּעֵינֵי: in d. eignen Augen *in one's own eyes* Dt 12,8 Jd 17,6 Pr 12,15 2 S 19,7; in Gottes Augen *in God's eyes* Ex 15,26 Dt 6,18 1 K 11,33 Ir 34,15 (28 ×); דֶּרֶךְ 1 S 12,23, יָשָׁר אַתָּה 29,6, הַיָּשָׁר מִן d. Tüchtigste unter *the best of* 2 K 10,3; 4. recht, redlich *just*, *upright* Mi 7,2.4 Ps 11,7 Pr 20,11 Hi 8,6; יִשְׁרֵי לֵב aufrichtig *honest*, *upright* Ps 7,11 11,2 32,11 36,11 64,11 94,15 97,11, יִשְׁרֵי לֵבָב 2 C 29,34; יִשְׁרֵי דֶרֶךְ Ps 37,14, sg. Pr 29,27; דֹּבֵר יְשָׁרִים (l מֵישָׁרִים) Pr 16,13; Wort *word* 8,9, Tat *deed* 21,8; אִישׁ תָּם וְיָשָׁר Hi 1,1.8 2,3; Gott ist *God is* יָשָׁר Dt 32,4, יהוה Ps 25,8 92,16, דְּבַר י׳ 33,4, פִּקּוּדֵי י׳ 19,9, דַּרְכֵי י׳ Ho 14,10; הַיְשָׁרִים die Geraden, Aufrichtigen, Frommen *the upright*, *pious ones* Ps 33,1—Pr 29,10 (22 ×) Hi 4,7 17,8; 5. יָשָׁר das Rechte *which is right* Hi 33,27, הַיָּשָׁר was recht ist *which is right* 2 C 31,20; כָּל־הַיְשָׁרָה alles Gerade *everything straight* Mi 3,9; סֵפֶר הַיָּשָׁר Buch des Aufrechten ? *Book of the upright* ? F Komm. Jos 10,13 2 S 1,18 (G 1 K 8,53); cj לְבָרֵי לֵבָב // לַיָּשָׁר אֵל Ps 73,1, cj וִישָׁרִים (Ne 9,13) Ps 119,137; l יֹשֶׁר Ps 37,37 u. 111,8, l בְּיָשְׁרָם 49,15, l וּמֵישָׁרִים Da 11,17; ? Mi 2,7.

יֵשֶׁר: n. m.; ישר: 1 C 2,18. †

יֹשֶׁר: ישר: sf. יָשְׁרוֹ: Geradheit *straightness*: הָלַךְ בְּיֹשֶׁר geradeaus, redlich wandeln *walk straight ahead*, *in uprightness* 1 K 9,4 Pr 14,2 (l בְּיֹשֶׁר), מַעְגְּלֵי ישר 4,11, אָרְחוֹת ישר 2,13, אִמְרֵי ישר Hi 6,25; cj ישר (שִׂפְתֵי־) Pr 17,7 u. ישר (שְׂפָתַי) 10,18; Redlichkeit *uprightness* Ps 25,21, cj 37,37 u. 111,8 u. 85,14; ישר לֵבָב Dt 9,5 Ps 119,7 1 C 29,17, יֹשֶׁר לֵב Hi 33,3; was recht ist *what is right* Ko 12,10 (l וְכָתַב), Pflicht *duty* Hi 33,23; l עֹשֶׁר Pr 11,24, l יֹתֶר 17,26. †

***יִשְׁרָה**: ישר: cs. יִשְׁרַת: Redlichkeit *uprightness* 1 K 3,6. †

יְשֻׁרוּן: ישר u. *-ūn* (cf. זְבֻלוּן); d. Gegenteil v. *the opposite of* יַעֲקֹב (ZAW 5,161 ff) Ehrentitel v. *honorary title of* Israel: d. Redliche *the* *upright*; Jeschurun *Jeshurun*: Dt 32, 15 33, 5. 26 Js 44, 2 (// יַעֲקֹב), ישרון Si 37, 25.†

***ישׁשׁ**: وَثُوءَ schwach *weak*; Der. יָשִׁישׁ, יָשֵׁשׁ.

יָשֵׁשׁ: *ישׁשׁ; mhb.: **altersschwach** *aged, decrepit* 2 C 36, 17.†

***יתד**: יָתֵד.

יָתֵד: *יתד: mhb. وَتِدٌ, VG 1, 173: cs. יְתַד, pl. יְתֵדֹת, cs. יִתְדֹת, sf. יְתֵדֹתָיו: 1. (hölzener) **Zeltpflock** (*wooden*) *peg, tent-pin* Jd 4, 21 f 5, 26 Js 22, 23. 25 33, 20 54, 2 Esr 9, 8, cj כַּיָּתֵד Pr 22, 18; als Aufhänger in d. Lehmwand *peg for hanging in clay wall* Js 22, 23. 25 Hs 15, 3, zum Graben benutzt *for digging* Dt 23, 14, z. Festhalten d. Gewebes am (wagrechten) Webstuhl *for fixing the woof of the* (*horizontal*) *loom* Jd 16, 14 (l יָתֵד); 2. (metallner) Zeltpflock *peg* (*of metal*) Ex 27, 19 35, 18 38, 20. 31 39, 40 Nu 3, 37 4, 32; 3. (metaph.) **Stützen**, Führer des Volkes *support, ruler of the people* (cf. ar. *auṯādu-ʾlbilādi*) Sa 10, 4; l יֶתֶר Esr 9, 8.?†

יָתוֹם ug. *ytm*: mhb.; ph.; ja. יְתוֹמָא; sy. ܝܬܡܐ; يَتِيمٌ; Tigre የተመ die Eltern verlieren *be bereaved of the parents* Littmann ZA 14, 51: pl. יְתוֹמִים, sf. יְתוֹמָיו: d. vaterlos gewordne, unmündige Knabe, **der Vaterlose** (nie v. Mädchen gebraucht) *the boy who became fatherless a. is not of age, the fatherless* (*never said of girls*): // אַלְמָנָה Ex 22, 21. 23 Dt 10, 18 Js 1, 17. 23 9, 16 10, 2 Ir 49, 11 Ma 3, 5 Ps 68, 6 109, 9 146, 9 Pr 23, 10 (cj אַלְמָנָה) Hi 22, 9 24, 3 Th 5, 3; // אַלְמָנָה u. גֵּר Dt 14, 29 16, 11. 14 24, 19—21 26, 12 f 27, 19 Ir 7, 6 22, 3 Hs 22, 7 Sa 7, 10 Ps 94, 6; F Dt 24, 17 Ir 5, 28 Ho 14, 4 Ps 10, 14. 18 82, 3 109, 12 Hi 6, 27 24, 9 29, 12 31, 17. 21.†

יְתוּר: Hi 39, 8†: l יָתוּר (תור).

יַתִּיר u. יַתִּר: n. l.; יתר?: = *Ch. ᶜAttīr* s. Hebron (PJ 28, 15 f) Jos 15, 48 21, 14 1 S 30, 27 (Var. יַתִּר) 1 C 6, 42.†

יִתְלָה: n. l.; תלה; Abel 2, 53 l שלתה (Σιλαθα) = *Silta* 7 km n. בֵּית־חוֹרֹן: Jos 19, 42.†

יִתְמָה: n. m.; äga. n. m. יתום; *Jatamā* Tallq. APN 92 b; asa. n. m. איתם; Moabiter: 1 C 11, 46.†

***יתן**: وَتَنَ unablässig fliessen *flow incessantly* (Eitan JQR 14, 42 ff):

qal: cj impf. ייתן (pro נָתַן) beständig da sein *be constant* // נֶאֱמָן: cj (Gaster, Sem. Studies... Im. Löw, Budapest, 1947, 284) Js 33, 16.†

Der. I u. II אֵיתָן, n. m. יַתְנִיאֵל, n. l. יִתְנָן.

יַתְנִיאֵל: n. m. *יתן u. אֵל; asa. יתני Ryck. 2, 75: 1 C 26, 2.†

יִתְנָן: n. l.; *יתן: in S-Juda Jos 15, 23 (Abel 2, 345 l חָצוֹר יִתְנָן).†

I יתר: mhb. pi. hinzufügen *add*, nif. übrig bleiben *remain over*; ja., sy. Znǧ.; ak. (*w*)*atāru* überflüssig sein *be superfluous*; F II יתר:

nif: pf. נוֹתַר, נוֹתְרָה, נוֹתַרְתִּי, impf. יִוָּתֵר, הִוָּתֵר, וָאִוָּתֵר, יִוָּתְרוּ, pt. נוֹתָר, נוֹתֶרֶת, נוֹתָרִים, נוֹתָרוֹת: **übrig gelassen werden, übrig bleiben** *be left over, remain over* Gn 30, 36 Ex 10, 15 Lv 2, 3 Nu 26, 65 Jos 11, 11 Jd 8, 10 Js 1, 8 (78 ×); לֹא נוֹתַר עֲנָקִים Jos 11, 22; l הוֹתַרְתִּיו Da 10, 13, l וְנוֹתַר 2 C 31, 10;

hif†: pf. הוֹתִיר, הוֹתִרָה, הוֹתַרְתִּי, sf. הוֹתִירְךָ, impf. יוֹתֵר, וַיּוֹתֵר, תּוֹתֵר, וַתֹּתַר, וַיּוֹתִירוּ, נוֹתַר, inf. u. imp. הוֹתֵר: 1. **übrig lassen** *leave over* Ex 10, 15 12, 10 16, 19 f Lv 22, 30 Nu 33, 55 2 S 17, 12 Js 1, 9 Ir 44, 7 Hs 6, 8 12, 16 39, 28; zurücklassen *leave behind* cj Da 10, 13; 2. **übrig haben** *have remaining* Dt 28, 54 2 S 8, 4 2 K 4, 44 Ru 2, 14. 18 1 C 18, 4 Si 10, 27, cj 2 C 31, 10; וְהוֹתֵר u. hab übrig > übergenug *have remaining > more than enough* Ex 36, 7 2 K 4, 43 2 C 31, 10; 3. c. ac. pers. et בְּ rei: jmd **Überfluss haben lassen an** *make a person abundant in* Dt 28, 11 30, 9; 4. e. **Vorrang haben** *excel, rank before* Gn 49, 4; l תֹּתַר (נתר) Ps 79, 11.

Der. יֶתֶר, יִתְרָה, יִתְרוֹן, II יֶתֶר, יוֹתֵר, הוֹתִיר, מוֹתָר, *מֵיתָר; n. m. אֶבְיָתָר, III יֶתֶר, יִתְרָא, יִתְרוֹ, יִתְרָן, n. l. יַתִּיר.

II *יתר: I יֶתֶר.

I יֶתֶר: II *יתר F Joüon MFB 6, 174; mhb., ja. u. sy. יִתְרָא; وَتَر, ⲟⲩⲧⲣ; äg. *w3r.t* Fangseil *snare* (Spiegelberg OLZ 17, 424): sf. יְתָרָם, pl. יְתָרִים: 1. יְתָרִים לַחִים frische, feuchte **Sehnen** (e. geschlachteten Tiers, die sich beim Trocknen zusammenziehn u. fest halten) *fresh, moist sinews (of slaughtered cattle, which contract a. hold fast in drying)* Jd 16, 9; 2. **Bogensehnen** *bow strings* Ps 11, 2 Hi 30, 11, cj. יִתְרוֹ Ha 3, 9; (Sellin); **Zeltstricke** *tent cords* (AS 6, 31) Hi 4, 21. †

II יֶתֶר: I יתר: sf. יִתְרוֹ: 1. was man übrig lässt *what is left behind, remaining* Jl 1, 4†; 2. was übrig bleibt, **Rest** *remainder* Ex 10, 5 23, 11 Lv 14, 17 (39 ×), cj Esr 9, 8; יֶתֶר דִּבְרֵי was sonst zu sagen ist *the rest of the affairs, what is more to tell* 1 K 11, 41—2 K 24, 5 (34 ×) 2 C 13, 22—36, 8 (10 ×)†; 3. sodass noch übrig bleibt > **überaus** *there is more > abundantly* Js 56, 12 Da 8, 9 Gn 49, 3; עַל־יֶתֶר **übers Maas** *exceedingly* Ps 31, 24, cj Pr 17, 26; l יָשָׁר 17, 7.

III יֶתֶר: n. m.; = II יֶתֶר 3; asa. ותרם u. ותראל Ryck. 2, 55: 1. = יִתְרוֹ Ex 4, 18; 2. S. v. גִּדְעוֹן Jd 8, 20; 3. V. v. עֲמָשָׂא 1 K 2, 5. 32 1 C 2, 17, = יִתְרָא 2 S 17, 25; 4.—6. 1 C 2, 32; 4, 17; 7, 38 = יִתְרָן 7, 37; F יִתְרִי. †

יָתֻר: F תור.

יַתִּר: F יַתִּיר.

יִתְרָא: n. m.; KF; I יתר; = III יֶתֶר 3: 2 S 17, 25. †

יִתְרָה: I יתר: cs. יִתְרַת: d. **Erübrigte** *what remained* Js 15, 7 Ir 48, 36. †

יִתְרוֹ: n. m.; I יתר; nab. n. m.; F III יֶתֶר 1; Ιοϑορ: **Jethro**, V. v. Moses Frau *father of Mose's wife*: Ex 3, 1 (כֹּהֵן מִדְיָן) 4, 18 18, 1 f. 5 f. 12. †

יִתְרוֹן: I יתר, mhb.: Überschuss, **Gewinn** *what is over, profit* Ko 1, 3 2, 11 3, 9 5, 8. 15 7, 12 10, 10; **Vorzug** *advantage* 10, 11, c. מִן vor *more than* 2, 13. †

יִתְרִי: gntl. v. III יֶתֶר: 2 S 23, 38 1 C 11, 40, coll. 2, 53. †

יִתְרָן: n. m.; I יתר; *Itranu* Tallq. APN 108a: 1. Gn 36, 26 1 C 1, 41; 2. 7, 37 = יֶתֶר 7, 38. †

יִתְרְעָם: n. m.; Noth S. 197; *Atar-ḫamu* Tallq. APN 47; cf. asa. ותראל; יֶתֶר u. I עַם: 2 S 3, 5 1 C 3, 3. †

יֹתֶרֶת u. יוֹתֶרֶת: I יתר: das Überschüssige *the surplusage* (d. bei Rind, Schaf, Ziege, aber nicht beim Menschen sich vorfindende) **Leberlappen** *the appendage of liver (to be found with neat, sheep, goat, but not with man)* Moore OS 761—9: Ex 29, 13. 22 Lv 3, 4. 10. 15 4, 9 7, 4 8, 16. 25 9, 10. 19. †

יְתֵת: n. m.; Edomiter: Gn 36, 40 1 C 1, 51. †

כ

כ, ך, כַּף (später *later on* = 20, כא = 21), k, d. stimmlose k-laut *the voiceless k*, F ג; Driv. SW 215. Griechisch: כָּלֵב = Χαλεβ, לֶמֶךְ = Λαμεχ. Wechsel v. כ u. ק in Kombinationen mit *shifting from* כ *to* ק *in combination with* ח u. ט etc. F קטל; כ = ug. *ḥ* F לָחַךְ, כ = (gelegentlich *occasionally*) ak. *ḫ* F חמך, etc.

כְּ: Sem.; ug. u. mhb. u. ph. u. ja. etc. *k*, F ba.; sy. in Ableitungen; ak. *ak*, *akī*, *kī*, ar. *ka*; in אֵיךְ etc.; hebr. כְּ ist Reduktion v. *is reduced from* *ka so *thus*; F כָּ־ ־, cf. כַּצַּדִּיק כָּרָשָׁע „so der Gerechte so (wie) der Gottlose" = „*(as) the just as the impious*"; Gn 18,25; andre Ableitungen *other derivations*: כְּ = subst. *kn v. כון, oder = subst. *כֵּם etc. König, Lehrgebäude 2,250. 279 ff; Schwabe, כְּ nach s. Wesen u. Gebrauch, Halle, 1883: Formen *forms*: כֵּאלֹהִים, כַּאֲבוֹתָם; sf. כָּכֶם, כָּהֶם 2 K 17,15 u. כָּהֵם, כָּהֵמָּה, כָּהֵן u. כָּהֵנָּה, c. כְּמוֹ F wie *as* כָּמוֹנִי, כָּמֹנִי, כָּמֹכָה Ex 15,11, כָּמֹהוּ, כָּמוֹהָ, כָּמוֹנוּ, כָּמֹנוּ, auch *also* כְּמוֹכֶם Hi 12,3, כְּמוֹהֶם Jd 8,18 Ps 115,8 135,18; כְּ > *kan in כַּגְּבִרְתָּהּ Js 24,2, כַּמָּה u. כַּמֶּה 2 C 18,15; 1. כָּמוֹךָ כְּפַרְעֹה so du so Pharao = du bist wie Ph. *as thou as Pharao* = *thou art as Ph.* Gn 44,18, כָּמֹהוּ כְּאַיִן so es so nichts = es ist wie nichts *as it as nothing* > *it is as nothing* Hg 2,3; כְּ wie (drückt Identität aus) *as* (*expressing identity*) F Gn 13,10 18,25 1 S 30,24 1 K 22,4 Js 24,2 Ho 4,9 Lv 24,16 Dt 1,17; 2. כְּ drückt Übereinstimmung des Masses aus *expressing conformity of measure*: (ebensoviel) wie (*as many*) *as*: כָּכֶם אֶלֶף פְּעָמִים 1000 mal so viele wie ihr *a 1000 times as many as you* Dt 1,11, > ungefähr *about*: כְּפֶשַׂע nur wie e. Schritt *but a step* 1 S 20,3, כְּמַעֲשֵׂה wie d. Tun von *as (according) the work of* Ko 8 14, כַּעֲשֶׂר wie, etwa 10 *about 10* Ru 1,4, כְּאֵיפָה 2,17, כַּחֲצוֹת um die Mitte von *about midnight* Ex 11,4, כְּרָגַע Nu 16,21, כָּהֵנָּה derartiges *such* Gn 41,19; 3. כְּ drückt Übereinstimmung der Art aus *expressing conformity of kind*: (auf die gleiche Art) wie (*of the same kind*) *as*: כֵּאלֹהִים Gn 3,5, כְּעֵץ Ps 1,3, אִישׁ כָּמֹנִי Gn 44,15, cj כְּמַעֲרָמִים Ir 50,26; כַּעֲפַר Ps 18,43, כָּזֹאת so etwas *such a thing* Js 66,8; > **entsprechend, gemäss**, *according to* כִּדְמוּתֵנוּ Gn 1,26, כְּשֵׁם 4,17, כִּלְבָבוֹ nach s. Sinn *after his own heart* 1 S 13,14, כְּצִדְקוֹ Ps 7,18; 4. Präpositionen fallen nach כְּ aus *elision of prepositions after* כְּ: כְּהַר wie auf d. B. *as in mount* Js 28,21, כְּיוֹם wie an d. T. *as at the day* 9,3, כְּזוֹנָה wie mit e. D. *as with an h.* Gn 34,31; anders, wo כְּ vor festgefügten Ausdruck tritt *not so, when* כְּ *precedes a standing expression*: כְּבָרִאשֹׁנָה Jd 20,32, כְּבַתְּחִלָּה Js 1,26, F Gn 38,24 Lv 26,37 1 K 13,6 Js 59,18 63,7 Ir 33,7.11 2 C 32,19 (1 מֵעַל Ps 119,14); ? 1 S 14,14; 5. (scheinbar überflüssig, in Wirklichkeit) betonend (*seemingly superfluous, but in reality*) *stressing* (כְּ „*veritatis*"): אַתָּה כְּאַחַד מֵהֶם genau so wie *even as* Ob 11, כְּאִישׁ אֱמֶת gerade ein zuverlässiger M. *a particularly reliable m.* Ne 7,2; כִּמְעַט F מְעַט; 6. כְּ vor *preceding* inf.: vergleichend *comparing*:

כְּחָנִיף wie verzehrt *as devours* Js 5, 24, כֶּאֱכֹל als schwänge *as if should shake* Js 10, 15; > zeitlich *temporal*: **כְּבוֹא als** er kam *when he came* Gn 12, 14, כְּשָׁמְעוֹ wie er hörte *when he heard* 27, 34, כִּרְאוֹתוֹ **sobald** er sehen wird *as soon as he sees* Gn 44, 31, כְּבֹאִי **falls** ich komme *supposed I come* 44, 30; ebenso *the same with* כְּ vor *preceding* subst. mit verbalem Sinn *with verbal meaning*: כְּתֹם־ wenn er vollendet ist *when ... is over* Js 18, 5, כְּחֶזְקָתוֹ als er gefestigt hatte *when ... was established* 2 C 12, 1; 7. Einzelnes *particulars*: כְּלוֹא הָיוּ wie solche, die nicht sind *as those who are not* Ob 16; כְּ ... כֵּן wie ..., so ... *as ..., so ...* Ps 127, 4; l בְּתֹף Hi 21, 12, l מָוֶת Th 1, 20, l כְּמוֹ הֵשִׁיב Gn 38, 29, l כְּפֹרַחַת 40, 10, l מֵהִתְכַּנֵּס Js 28, 20; ? Ir 17, 2; 8. כַּאֲשֶׁר, ak. *kī ša*, aram. כְּדִי, כַּד: כְּ u. אֲשֶׁר: a) vergleichend *comparing*: wie, dem entsprechend dass *as*: כַּאֲשֶׁר צִוָּה Gn 7, 9, כַּא׳ תֹּאמְרוּ 34, 12; ellipt. כַּא׳ [נְסוּ] בראשנה Ex 5, 13, כַּא׳ [כַּלּוֹתָם] בִּהְיוֹת Jos 8, 6; in Formel d. Ergebung *in formula of resignation* Gn 43, 14 Est 4, 16; כַּאֲשֶׁר ... כֵּן wie ..., so *as ... so* Nu 2, 17 Js 31, 4, je mehr ..., desto mehr *the more ..., the more* Ex 1, 12; b) begründend *causal*; demgemäss, dass = weil *therefore that = because* Nu 27, 14 1 S 28, 18 2 K 17, 26 Mi 3, 4; c) voraussetzend *supposing*: wie wenn *as though* Sa 10, 6 Hi 10, 19; d) zeitlich *temporal*: wie = als *when*, c. pf. Gn 32, 3. 32 Ex 32, 19, c. impf. dann wenn *when* Ko 4, 17 5, 3; l כְּאוֹר Js 26, 9, l כִּשְׁאֵר Mi 3, 3, l אַחֲרֵי אֲשֶׁר vel כַּאֲשֶׁר Jos 2, 7.

Der. n. m. מִיכָא, מִיכָאֵל, מִיכָה, מִיכָהוּ, מִיכָיְהוּ, מִיכָיָהוּ.

־כְּ: F כְּ.

כאב: mhb. כָּאַב, ja. כְּאֵב, sy. ܟܐܒ; كَئِبَ traurig sein *be sad*; ak. *kibtu* Schmerz *pain*: qal: impf. יִכְאַב, יִכְאָב, pt. כֹּאֵב, כֹּאֲבִים: **Schmerzen haben** *be in pain* Gn 34, 25 Ps 69, 30 Pr 14, 13 Hi 14, 22 (יכאב לו Si 13, 5); †

hif: pf. sf. הִכְאַבְתִּיו, impf. יַכְאִיב, תַּכְאִיבוּ, pt. מַכְאִב: **Schmerzen bereiten** *pain*, *mar* Hs 13, 22. cj 22 28, 24 Hi 5, 18 cj Pr 3, 12, Si 4, 3; obj. חֶלְקָה e. Feld **verwüsten** (mit Steinen) *mar good land* (*with stones*) 2 K 3, 19. †

Der. מַכְאוֹב, כְּאֵב.

כְּאֵב: כאב: sf. כְּאֵבִי: **Schmerz** *pain*; גָּדַל כְּ׳ ist heftig *is heavy* Hi 2, 13, נֶעְכַּר כְּ׳ wird erregt *is stirred* Ps 39, 3, נֶחְשַׂךְ כְּ׳ wird unterdrückt *is suppressed* Hi 16, 6; F Js 17, 11 65, 14 Ir 15, 18. †

כאה: sy. ܟܐܐ einschüchtern *intimidate*, كَأَى ängstlich zurückweichen *abstain through timidity*: hif: inf. הַכְאוֹת, l הַכְאִיב Hs 13, 22; †

nif: pf. נִכְאָה: **verzagen** *be disheartened* Da 11, 30; l וְנִכְאֵה הַלֵּבָב Ps 109, 16; נִכְאוּ Hi 30, 8 F נכא. †

כאר: Ps 22, 17 Var!: l כָּרוּ (IV כרה).

כָּאֹר Am 8, 8: l כַּיְאֹר.

כַּאֲשֶׁר: F כְּ 8.

***כב**: F כּוֹכָב.

כבד: mhb. pi. ehren *honour*, hif. schwer machen *make weighty*; ug. *kbd* ehren *honour* u. adj. schwer *heavy*; ph. pi. (Klmw 14 f) u. n. m. כבדעשתרת, כבדמלקרת; كَبَدَ in Schwierigkeiten sein *struggle with difficulties*, asa. כבד Last *weight*; ክብደ schwer sein; ak. *kabtu* schwer *heavy*, *kubbutu* ehren *honour*:

qal: pf. כָּבֵד (F adj. כָּבֵד), וְכָבַד Js 24, 20, כָּבְדָה, כָּבֵדָה, כָּבְדוּ, impf. תִּכְבַּד, וַתִּכְבְּדִי, יִכְבְּדוּ, נִכְבַּד: **1. schwer, lastend sein** *be heavy*, *weighty*, *burdensome*: יָד Jd 1, 35 1 S 5, 6. 11 Ps 32, 4 Hi 23, 2, 33, 7,

עֲבֹדָה Ex 5, 9 Ne 5, 18, מִלְחָמָה Jd 20, 34; חַטָּאת, Gn 18, 20, פֶּשַׁע Js 24, 20, כַּעַשׂ Hi 6, 3; beschwerlich fallen (Gäste) *be troublesome (guests)* 2 S 13, 25; c. מִן zu schwer sein für *be too heavy for* Ps 38, 5; 2. **schwer, stumpf sein** *be heavy, insensible, dull*: עֵינַיִם Gn 48, 10, אֹזֶן Js 59, 1, לֵב Ex 9, 7; l יִכְבַּד Js 66, 5; 3. gewichtig, **geehrt sein** *be honoured* Hi 14, 21 Hs 27, 25; †

nif: pf. נִכְבַּד, נִכְבַּדְתְּ, נִכְבַּדְתִּי, impf. אֶכָּבֵד, אֶכָּבֵד (Q אֶכָּבְדָה) Hg 1, 8, אִכָּבְדָה Ex 14, 4, אִכָּבְדָה 2 S 6, 22, inf. sf. הִכָּבְדִי, imp. הִכָּבֵד, pt. נִכְבָּד, pl. נִכְבָּדִים, cs. נִכְבַּדֵּי, sf. נִכְבַּדֶּיהָ, f. נִכְבָּדוֹת: 1. als gewichtig empfunden, **geehrt werden** *be estimated weighty, be honoured* Gn 34, 19 Nu 22, 15 Dt 28, 58 1 S 9, 6 22, 14 2 S 23, 19. 23 Js 3, 5 23, 8 f 43, 4 49, 5 Na 3, 10 Ps 149, 8 1 C 11, 21. 25, cj 2 C 25, 19, Si 10, 20; נִכְבָּד מֵאֶחָיו **Meister** über s. Br. *head of his br.* (Klein, Zion, II, 9) 1 C 4, 9; 2. sich ehren lassen, **Ansehn geniessen** *enjoy honour* 2 K 14, 10; 3. **sich ehrenvoll aufführen** *distinguish oneself* 2 S 6, 20. 22; 4. Gott *God*: **sich verherrlichen** *get honour* Ex 14, 4. 17 f Lv 10, 3 Js 26, 15 Hs 28, 22 39, 13 Hg 1, 8, cj Js 66, 5; 5. נִכְבָּדוֹת herrliche Dinge *glorious things* Ps 87, 3; l נִבְכֵי Pr 8, 24; †

pi: pf. כִּבְּדוּ, כִּבַּדְתָּנִי, כִּבְּדוּנִי, sf. כִּבַּדְתּוֹ, אֲכַבְּדֵהוּ, impf. יְכַבֵּד, תְּכַבְּדוּ, sf. כִּבְּדוּנוּךְ, יְכַבְּדֻנְנִי, תְּכַבֵּדְךָ, אֲכַבֶּדְךָ (BL 339) Ps 50, 23, inf. u. imp. כַּבֵּד, sf. כַּבְּדוּהוּ, כַּבֶּדְךָ, pt. מְכַבֵּד, sf. מְכַבְּדֶיהָ, מְכַבְּדַי, מְכַבְּדוֹ: 1. stumpf, **unempfindlich machen** *make insensible* (F qal 2): כִּבֵּד לִבּוֹ 1 S 6, 6; 2. **ehren** *honour*: Vater u. Mutter *father a. mother* Ex 20, 12 Dt 5, 16 Ma 1, 6 Si 3, 8, jmd *somebody* Jd 9, 9 13, 17 1 S 15, 30 2 S 10, 3 Ps 15, 4 Th 1, 8 1 C 19, 3, Gott *God* 1 S 2, 30 Js 24, 15 25, 3 29, 13 43, 20 Ps 22, 24. cj 31 (l זַרְעוֹ יְכַבְּדוּן) 50, 23 86, 12 (שִׁמְךָ) Pr 3, 9 14, 31; Gott ehrt Menschen *God honours man* 1 S 2, 30 Ps 50, 15 (l וַאֲכַבְּדֵךְ) 91, 15; 3. c. לְ **Ehre erweisen** *honour* Ps 86, 9 Da 11, 38; 4. c. ac. **in Ehren halten** *do honour to*: שַׁבָּת Js 58, 13, מָקוֹם 60, 13 Pr 4, 8; ehren > **belohnen** *honour > reward* Nu 22, 17. 37 24, 11; c. 2 ac. jmd mit etw. ehren *honour a person with* Js 43, 23, cj Ps 45, 14 (l יְכַבְּדוּךְ); †

pu: impf. יְכֻבָּד, pt. מְכֻבָּד: **geehrt werden** *be honoured* Pr 13, 18 27, 18; pt. **ehrwürdig** *honourable* Js 58, 13; †

hif: pf. הִכְבִּיד, הִכְבַּדְתָּ, sf. הִכְבַּדְתִּים, impf. וַיַּכְבֵּד, inf. הַכְבֵּד, pt. מַכְבִּיד: 1. **schwer machen, schwer lasten lassen** *make heavy, make weigh heavely*: עַל 1 K 12, 10. 14 Js 47, 6 2 C 10, 10. 14 Si 30, 13 Ne 5, 15 (l עַל?), Ha 2, 6, עַבְטִיט Th 3, 7, נְחֻשְׁתִּי רעתך Si 8, 15; 2. **stumpf machen, verstocken** *make dull, unresponsive*: לֵב Ex 8, 11. 28 9, 34 10, 1, אֹזֶן Js 6, 10 Sa 7, 11; 3. gewichtig, **zahlreich machen** *make weighty, numerous* Jr 30, 19; 4. **zu Ehren bringen** *cause to be honoured* Js 8, 23; l לְהַכְבֵּד 2 C 25, 19; †

hitp: imp. הִתְכַּבֵּד, הִתְכַּבְּדִי, pt. מִתְכַּבֵּד **sich als gewichtig, zahlreich erweisen** *make oneself weighty, numerous* Na 3, 15; **sich grossmachen** *honour oneself, swagger* Pr 12, 9 Si 3, 10 10, 26. †

Der. I, II כָּבֵד, כֹּבֶד, כְּבֵדֻת, כָּבוֹד, כְּבוּדָּה.

I כָּבֵד: כבד: cs. כְּבַד u. Js 1, 4† כֶּבֶד, pl. כְּבֵדִים, cs. כִּבְדֵי: 1. **schwer, lastend** *heavy*: 2 S 14, 26, עַל 1 K 12, 4. 11 2 C 10, 4. 11, יָדַיִם Ex 17, 12, סֶלַע Js 32, 2, F Ps 38, 5 Ex 19, 16 1 S 4, 18; 2. **lastend, drückend** *heavy, oppressing*: רָעָב Gn 12, 10 41, 31 43, 1 47, 4. 13, דֶּבֶר Ex 9, 3, בָּרָד 9, 18. 24, Tross *train* 1 K 10, 2 2 K 6, 14 18, 17 Js 36, 2 2 C 9, 1, מִסְפֵּד Gn 50, 10 f; 3. lastend, **gewichtig** *weighty*: אַבְרָהָם Gn 13, 2, > **zahlreich** *numerous*: מַחֲנֶה Gn 50, 9, עַם Nu 20, 20, מִקְנֶה Ex 12, 38, עָרֹב 8, 20, אַרְבֶּה

10, 14; Si 16, 17; 4. schwer, **schwierig** *heavy*, *difficult* Ex 18, 18 Nu 11, 14 1 K 3, 9; 5. schwer, **stumpf, verstockt** *heavy*, *dull*, *unresponsive* Ex 7, 14 Si 3, 26; 6. **schwerfällig** *heavy*, *slow* Ex 4, 10 Hs 3, 5f; 7. כְּבַד עָוֹן schuldbeschwert *laden with guilt* Js 1, 4; כָּבֵד מִן schwerer als *heavier than* Pr 27, 3, zu schwer für *too heavy for* cj Na 2, 10; *F* II.†

II כָּבֵד: = I, d. schwere Organ *the heavy organ*: ug. *kbd*, mhb., aram. כַּבְדָּא, كَبِدٌ, ክብድ, ak. *kabittu* Holma NKt 75 ff: sf. כְּבֵדוֹ, כְּבֵדִי: **Leber** *liver* Ex 29, 13. 22 Lv 3, 4. 10. 15 4, 9 7, 4 8, 16. 25 9, 10. 19 Hs 21, 26 (Leberschau *liver-divination*) Pr 7, 23 Th 2, 11; Merx, Florilegium M. de Vogüé, 1909, 427 ff: cj כְּבֵדִי m. L. = m. Seele *my l. = my soul* Gn 49, 6 Ps 7, 6 16, 9 30, 13 57, 9 108, 2 pro כָּבוֹד vel כְּבוֹדִי, dagegen *opposed by* Pedersen, Israel, I-II 519.†

כָּבֵד : *F* כָּבוֹד.

כֹּבֶד: כבד: **Schwere, Wucht** *heaviness*, *vehemence*: מִלְחָמָה Js 21, 15, מַשָּׂאָה 30, 27; **schwere Menge** *heavy mass* Na 3, 3 Pr 27, 3.†

כְּבֵדֻת: כבד: Beschwer *heaviness*: בִּכְ׳ **nur mühsam** *with difficulty* Ex 14, 25.†

כבה: mhb. erlöschen *be quenched*, pi. u. ja. pa. auslöschen *extinguish*, كَبَا glimmen *burn faintly*: qal: pf. כָּבוּ, impf. תִּכְבֶּה, יִכְבֶּה: **erlöschen** *be quenched*, *go out*: אֵשׁ Lv 6, 5f Js 66, 24 Ir 17, 27 Hs 21, 4 Pr 26, 20, לַהֶבֶת Hs 21, 3, נֵר 1 S 3, 3 Pr 31, 18, פִּשְׁתָּה Js 43, 17, זֶפֶת Js 34, 10, חֵמָה Gottes *of God* 2 K 22, 17 Ir 7, 20 2 C 34, 25; = sterben *die* Js 43, 17;†
pi: pf. כִּבּוּ, impf. תְּכַבֶּה, וַיְכַבּוּ sf. יְכַבֶּנָּה, inf. כַּבּוֹת, sf. כַּבּוֹתְךָ, pt. מְכַבֶּה: **auslöschen** *extinguish*: נֵר 2 S 21, 17 2 C 29, 7, פִּשְׁתָּה Js 42, 3, גַּחֶלֶת (= Familie *family*) 2 S 14, 7; metaph. אַהֲבָה Ct 8, 7, Volk *people* Hs 32, 7 (1 בְּכַבּוֹתְךָ?); Redensart *common phrase* וְאֵין מְכַבֶּה Js 1, 31 Ir 4, 4 21, 12 Am 5, 6.†

כָּבוֹד u. Gn 31, 1 Na 2, 10† כָּבֹד: כבד: cs. כְּבוֹד, sf. כְּבוֹדוֹ, sg. tantum (194 ×):
I. untheologisch *untheological*:
1. **Schwere, Last** *weight*, *burden* Js 22, 24; 2. **Gewicht, Besitz, Ansehn** *weight*, *riches*, *reputation*: עָשָׂה כָבוֹד Besitz erwerben *get wealth* Gn 31, 1; Besitz *wealth* Js 10, 3 61, 6 66, 12; זִיז כְּבוֹדָהּ ihre reiche Brust *her abundant breast* Js 66, 11; Ansehn *reputation* Gn 45, 13; כְּבוֹדוֹ seine Angesehenen *his honorable men* Js 5, 13 8, 7; 3. **Ansehnlichkeit, Pracht** *reputation*, *splendour*: כְּבוֹד יַעְרוֹ Js 10, 18, כְּבוֹד הַלְּבָנוֹן 35, 2 60, 13, e. Baums *of a tree* Hs 31, 18, לְכָבוֹד zu Pracht *for splendour* Js 4, 2 Hg 2, 3. 7. 9 Ps 49, 17f, zur Auszeichnung *for distinction* Ex 28, 2. 40; Js 11, 10; 4. **Auszeichnung, Ehre** *distinction*, *honour*: כָּבוֹד Ehrengabe, Geschenk *testimonial*, *gift* Nu 24, 11 1 S 6, 5, כִּסֵּא כָ׳ 1 S 2, 8 Js 22, 23 Ir 14, 21 17, 12, מַרְכְּבוֹת כ׳ Js 22, 18; cj דִּבְרֵי כ׳ ehrende Worte *words of distinction* cj Pr 25, 27; עֹשֶׁר // כָּבוֹד 1 K 3, 13 Pr 3, 16 Ko 6, 2 2 C 1, 11 f Est 1, 4, כָּבוֹד וְהָדָר Ps 8, 6, כ׳ :: קָלוֹן Ha 2, 16, כְּלִמָּה Ps 4, 3, חֵן וְכָבוֹד 84, 12, חַיִּים צְדָקָה וְכ׳ Pr 21, 21; שָׁכַב בְּכ׳ Js 14, 18, גָּלָה כָבוֹד 1 S 4, 21f Ho 10, 5, עָלַז בְּכ׳ Ps 149, 5; כְּבוֹד d. Ehre, Auszeichnung v. *the honour, distinction of*: יִשְׂרָאֵל Js 10, 3 17, 3 Mi 1, 15, יַעֲקֹב Js 17, 4, קֵדָר 21, 16, אַשּׁוּר 10, 16, בַּת דִּיבוֹן Ir 48, 18, צִיּוֹן Js 62, 2, מוֹאָב 16, 14, הַמֶּלֶךְ Ps 21, 6, מְלָכִים Pr 25, 2, אָב Ma 1, 6; *F* Pr 15, 33 18, 12 20, 3 26, 1. 8 29, 23 Ko 10, 1 Da 11, 39, v. Einzelnen *of*

individuals Hi 19, 9 29, 20; עָשָׂה כָבוֹד לְ (e. Toten) Ehre erweisen *do honour* (*to a dead one*) 2 C 32, 33; לְךָ לְכָבוֹד מִן es bringt dir Ehre ein von *it is for thy honour from* 2 C 26, 18; **F** Ps 85, 10 112, 9 149, 5 Est 1, 4; Gn 49, 6 Ps 7, 6 16, 9 30, 13 57, 9 108, 2 **F** II כָּבֵד; l כְּבֵדִים Na 2, 10;

II. theologisch *theological*:

1. שִׂים כָּבוֹד לַיהוה J. die **Ehre** geben *give glory unto Y.* Js 42, 12 Jos 7, 19 (durch Schuldgeständnis *by confessing sin*), נָתַן לַיהוה כ׳ Ir 13, 16 Ma 2, 2 (לִשֵׁם י׳), c. הָבוּ Ps 29, 1 96, 7 1 C 16, 28; כֻּלּוֹ אֹמֵר כ׳ Ps 29, 9; י׳ ist *is* כְּבוֹדִי Ps 3, 4 62, 8; כְּבוֹד מַלְכוּתְךָ 145, 11 f, כְּבוֹד אֱלֹהִים ist *is* הַסְתֵּר דָּבָר 145, 5; כְּ׳ הוֹדְךָ Pr 25, 2; י׳ ist *is* לְכָבוֹד für *for* Jerusalem Sa 2, 9; Gott schafft Israel *God creates Israel* לִכְבוֹדִי Js 43, 7; כְּבוֹד שְׁמוֹ Ps 66, 2 72, 19; **F** Ps 112, 9 Js 4, 5 Sa 2, 12 Ps 73, 24 Ho 9, 11; ? Ps 66, 2 (l לוֹ כָבוֹד ?); 2. כָּבוֹד Jahves *of Yahve* ausserhalb des *beside* term. techn. כְּבוֹד יהוה: a) כְּבוֹד אֵל Ps 19, 2, מֶלֶךְ הַכּ׳ אֵל הַכּ׳ 29, 3, Ps 24, 7—10, כְּ׳ שְׁמוֹ 29, 2 1 C 16, 29, כְּ׳ שְׁמֶךָ Ps 79, 9 96, 8, שֵׁם־י׳ // כְּבוֹדוֹ Js 59, 19; b) יהוה: כְּבוֹדִי heiligt *sanctifies* יִשְׂרָאֵל Ex 29, 43, geht vorüber *passes by* 33, 22, man sieht sie *is seen* Nu 14, 22 Js 66, 18 f, keinem andern gegeben *given to nobody else* Js 42, 8 48, 11, unter d. Völkern verkündigt *announced among the nations* 66, 19, unter d. V. gegeben *given among the nat.* Hs 39, 21; c) כְּבוֹדְךָ: Mose will sie sehn *Mose wants to see it* Ex 33, 18; ihr *its* מִשְׁכַּן Ps 26, 8; **F** 57, 6. 12 63, 3 102, 16 108, 6 Ne 9, 5; d) כְּבוֹדוֹ: d. Ältesten gezeigt *shewn to the elders* Dt 5, 24, c. עֵינֵי Js 3, 8, מְלֹא כָל־הָאָרֶץ 6, 3 Ps 72, 19, J. lässt sie auf Erden wohnen *Y. orders it to dwell upon the earth* (l כְּבוֹדוֹ) Ps 85, 10, höher als d. Himmel *higher than heaven* 113, 4, // שֵׁם־י׳ Js 59, 19, wird sichtbar *is visible* 60, 2 Ps 97, 6, י׳ sichtbar *visible* בִּכְבוֹדוֹ 102, 17; כְּבוֹדוֹ Tiq. sof. כְּבוֹדָם 106, 20; e) כָּבוֹד Js 24, 23 (l יִכָּבֵד ?); כְּבוֹדוֹ des Volks *of the people* = יהוה Ir 2, 11; 3. כְּבוֹד יהוה d. **Herrlichkeit** Jahves *the glory of Yahve* (**F** d); a) Vorstufe *first step*: כְּבוֹד אֱלֹהֵי יִשְׂרָאֵל Hs 8, 4 9, 3 10, 19 11, 22 43, 2 (im Wechsel mit *alternating with* כְּ׳ י׳); הַכָּבוֹד 3, 23; b) כְּ׳ י׳ im weitern Sinn *in a larger sense* Nu 14, 21 Js 35, 2 Ha 2, 14 Ps 104, 31 138, 5; c) כְּבוֹד יהוה als *as* term. techn. (Stellen *quotations* **F** e): 1 K 8, 11 (ältester Beleg *oldest quotation* ?), Hs 10 ×, Js 3 ×, Ex 6 ×, Lv 2 ×, Nu 3 ×, 2 C 4 ×; gesamt *together* 29 ×; d) G immer *always* δόξα (= Lichtglanz *brilliant light* Mowinckel, Ps-stud. 2, 158[2]); im Ganzen *in the whole* G 177 × δόξα = כָּבוֹד; e) Aussagen über *statements about* כְּ׳ י׳ als *as* term. techn.: die Israeliten sehn d. Herrlichkeit Jahves *the glory of Yahve is seen by Israel* Ex 16, 7; sie erscheint in d. Wolke *it appears in the cloud* 16, 10; wohnt auf d. Sinai *abides upon mount Sinai* 24, 16; ist sichtbar für *is visible for* בְּנֵי יִשְׂרָאֵל 24, 17; erfüllt *filles* אֹהֶל מוֹעֵד 40, 34 f, erscheint beim 1. Opfer *appears at the first sacrifice* Lv 9, 6. 23, u. als Mose u. Aaron gesteinigt werden sollen *a. as they will stone Moses a. Aaron* Nu 14, 10, u. als Korah d. Aufstand leitet *a. when Korah leads the revolt* 16, 19 u. als M. u. A. angegriffen werden *a. as M. a. A. are attacked* 17, 7; sie erscheint M. u. A. *it appears unto M. a. A.* Nu 20, 6, erfüllt d. Tempel *fills the temple* 1 K 8, 11 2 C 5, 14 7, 1—3; enthüllt sich allem Fleisch *is revealed to all flesh* Js 40, 5, beschützt die Heimkehrer *protects Israel going home* 58, 8, erstrahlt über d. erlösten Zion *shines upon Zion delivered* 60, 1; in Hs: erscheint v. Norden her *appears from the north* 1, 28, verlässt d. Tempel *leaves the temple* 3, 12, steht in d. *stands at* הַבִּקְעָה 3, 23, erhebt sich gegen die Tempelschwelle hin *rises over the threshold of the temple* 10, 4, füllt den Hof *fills the court* 10, 4, stellt sich auf *stands over* הַכְּרוּבִים 10, 18, geht über d. Ölberg *passes over mount Olivet*

11, 23, kommt in d. Tempel *comes into the temple* 43, 4 u. erfüllt ihn *a. fills it* 43, 5 44, 4.†
Der. n. m. אִיכָבוֹד.

כְּבוּדָּה: כבד: **wertvolle Habe** *valuable things* Jd 18, 21; 1 רְבוּדָה Hs 23, 41; 1 יְכַבְּדוּהָ Ps 45, 14.†

כָּבוּל: n. l.; *כבל (Kreis *circuit*); äg. *Kbr* ETL 217: 1. *Kābūl* sö. Akko Jos 19, 27; 2. אֶרֶץ כָּבוּל (G ὅριον = גְּבוּל), Volksetymologie *popular etymology* = כְּבַל „wie nichts *as good as nothing*"? Jos. Antt. 8, 5, 3 χαβαλών γῆ (χάβαλον κατὰ Φοινίκων γλῶτταν οὐκ ἄρεσκον σημαίνει); 20 Städte *cities* in Galiläa; Alt, Israels Gaue unter Salomo 13f: 1 K 9, 13.†

כַּבּוֹן: n. l.; כבן? bei *near* לַחְמָס: Jos 15, 40; = מַכְבֵּנָה 1 C 2, 49.†

כַּבִּיר: כבר; mhb.: pl. כַּבִּירִים: **stark, gewaltig** *great, mighty*: Js 17, 12, מַיִם 28, 2, רוּחַ Hi 8, 2, אֵל 36, 5 a (?), כֹּחַ 36, 5 b (?); כ' e. Gewaltiger *a mighty one* 34, 17, pl. 34, 24; neutr. Gewaltiges *mighty things, much* 31, 25; כ' יָמִים reich an Tagen *aged* 15, 10; לֹא כַבִּיר (// מִזְעָר) unansehnlich *of no account* Js 16, 14; Q כַּאבִּיר (?) Js 10, 13.†

***כָּבִיר**: כבר: cs. כְּבִיר הָעִזִּים: כְּבִיר **Geflecht** aus Ziegenhaaren *quilt, net of goat's hair* (AS 6, 200) 1 S 19, 13. 16.†

***כבל**: n. l. כָּבוּל; כֶּבֶל.

כֶּבֶל: *כבל; mhb. ja. fesseln, binden, *fetter, bind*; ja. כַּבְלָא, sy. ܟܒܠܐ; ak. *kubbulu* knebeln *tie up*; كَبْل, كِبْل, Fessel *fetter*: pl. cs. כַּבְלֵי: **Fessel** *fetter*: Ps 105, 18 149, 8.†

כבס F כבש.: mhb.; pu. כבס, ug. *kbšm* Wäscher *launderer* Lidz. 293; كَبَسَ kneten *knead, stamp*, ak. *kabāsu* (nieder-) treten *tread down*:

qal: pt. כּוֹבֵס: **walken** (durch Treten, Kneten Schlagen in kaltem Wasser Tücher sauber u. geschmeidig machen *full* (*make stuffs clean a. soft by treading, kneading a. beating them in cold water*) AS 5, 145 ff: שְׂדֵה כוֹבֵס n.l. sö. Jerusalem bei *near* עֵין רֹגֵל (AS 5, 152) 2 K 18, 17 Js 7, 3 36, 2;†

pi: pf. כִּבֵּס u. כִּבֵּס (BL 329), כִּבְּסוּ, כִּבַּסְתֶּם, impf. יְכַבֵּס, תְּכַבְּסִי, sf. תְּכַבְּסֵנִי, imp. כַּבְּסִי, sf. כַּבְּסֵנִי, pt. מְכַבְּסִים: (Gewand) **walken, reinigen** *full, clean(se)* (*garment*) (:: רחץ) Gn 49, 11 Ex 19, 10. 14 Lv 6, 20—17, 16 (27 ×) Nu 8, 7. 21 19, 7 f. 10. 19. 21 31, 24 2 S 19, 25; **reinigen** *clean(se)*: לֵב Ir 4, 14; **abwaschen** (Schuld) *wash out (guilt)* 2, 22 (בַּנֶּתֶר), cj (1 יְכַבֵּב vel יִכְבֹּשׁ) Mi 7, 19, Ps 51, 4. 9; בֹּרִית מְכַבְּסִים Ma 3, 2;†

pu: pf. כֻּבַּס: **gewalkt werden** *be fulled* Lv 13, 58 15, 17;†

hutp: הֻכַּבֵּס (< *הִתְכַּבֵּס, BL 285): **gewalkt werden, abgewaschen werden** *be fulled, washed out* Lv 13, 55 f.†

I כבר: mhb. sieben *sieve*, כַּבִּיר viel *many*; ja. pa. schwefeln *fumigate with burning sulphur*, altaram. viel sein *be numerous* Lidz. 293, äga. כביר gross *great*; nab. u. sy. כבר zahlreich sein *be numerous*; كَبُرَ, asa. כבר, ከበረ u. ak. *kabāru* gross sein *be great*; ostkan. n. m. *Jakbarum/urim* Th. Bauer 77 a:

hif: impf. יַכְבִּיר, pt. מַכְבִּיר: **viel machen** (Worte) *multiply (words)* Hi 35, 16, לְמַכְבִּיר in **Fülle** *in abundance* Hi 36, 31.†
Der. *כְּבִיר, כַּבִּיר, כְּבָר, I u. II כְּבָרָה, עַכְבָּר, n. m. עַכְבּוֹר.

I כְּבָר: כבר; Aramaismus: schon längst *already* Ko 1, 10 2, 12. 16 3, 15 4, 2 6, 10 9, 6 f.†
Der. מִכְבָּר.

II כְּבָר: n. fl.: **Chebar**; ak. *nār Kabari*, Kanal, der bei Babel d. Euphrat verlässt u. bei Warka in ihn zurückmündet *channel leaving the Euphrates near Babylon a. regaining it near Warka*: Hs 1, 1. 3 3, 15. 23 10, 15. 20. 22 43, 3.†

I **כְּבָרָה**: כבר, mhb.; F Volz ZAW 38, 107 f: **Sieb** *sieve* Am 9, 9.†

II ***כִּבְרָה**: כבר; G Gn 48, 7 ἱππόδρομος = soweit e. Pferd laufen kann *as far as a horse may run*: **Strecke, ein Stück weit** *stretch, a good stretch*: כִּבְרַת אֶרֶץ Gn 48, 7 2 K 5, 19, כִּבְרַת הָאָרֶץ Gn 35, 16.†

כֶּבֶשׂ (107 ×): > כֶּשֶׂב; f. F כִּבְשָׂה; mhb.; ak. *kabsu* Lamm *lamb*; كَبْش junger Widder *young ram* > Anführer *leader*; sy. ܟܒܫܐ (c. š! LW?): pl. כְּבָשִׂים, sf. כְּבָשָׂיו: **junger Widder** (fast immer Opfertier) *young ram* (*nearly always for sacrifice*): Ex 12, 5 2 C 35, 7 :: עִזִּים; // גְּדִי Js 11, 6, עֵגֶל וָכֶבֶשׂ Lv 9, 3; גֵּז כְּבָשַׂי Hi 31, 20; F Ex 29, 38—41 Lv 4, 32—23, 20 (13 ×) Nu 6, 12—29, 37 (68 ×) Js 1, 11 5, 17 Ir 11, 19 Hs 46, 4—15 (7 ×) Ho 4, 16 Pr 27, 26 Esr 8, 35 1 C 29, 21 2 C 29, 21 f. 32.†

כִּבְשָׂה u. Lv 14, 10 Nu 6, 14† כַּבְשָׂה: f. v. כֶּבֶשׂ, > כִּשְׂבָּה: cs. כִּבְשַׂת, pl. כְּבָשׂוֹת, cs. כִּבְשֹׂת: **junges Schaflamm** *young ewe-lamb*: Gn 21, 28—30 Lv 14, 10 Nu 6, 14 2 S 12, 3 f. 6.†

כבשׁ: mhb., ja., sy.; ak. *kabāsu*, كَبَسَ treten, niedertreten, drücken (auch sexuell) *tread, tread down, press (also sexually)*; F כבס, כפשׁ:

qal: pf. כְּבָשׁוּ, impf. יִכְבּוֹשׁ, וְתִכְבְּשׁוּ, sf. וַיִּכְבְּשׁוּם Q Ir 34, 11, inf. לִכְבּוֹשׁ, לִכְבֹּשׁ, imp. sf. כִּבְשֻׁהָ, pt. כֹּבְשִׁים: 1. c. ac. **sich unterwerfen** *subdue*: Erde *earth* Gn 1, 28, Leute *man* Ir 34, 16, c. לַעֲבָדִים als Sklaven *into bondage* Ne 5, 5 2 C 28, 10 Ir 34, 11 (Q); 2. (Frau) **vergewaltigen** *rape (woman)* Est 7, 8; l יִכְבֹּס Mi 7, 19, l בָּשָׂר Sa 9, 15 (Sellin);†

nif: pf. נִכְבְּשָׁה, pt. pl. f. נִכְבָּשׁוֹת: (Land) **wird unterworfen** (*country*) *is subdued* Nu 32, 22. 29 Jos 18, 1 1 C 22, 18 (לִפְנֵי dem *for*); pt. **leibeigen gemacht** *brought into bondage* Ne 5, 5;†

pi: pf. כִּבֵּשׁ: (Völker) **unterwerfen** *subdue* (*nations*) 2 S 8, 11;†

hif: impf. ויכבישום l Q וַיִּכְבְּשׁוּם Ir 34, 11.†

Der. כֶּבֶשׁ, כִּבְשָׁן.

כֶּבֶשׁ: כבשׁ: **Fusschemel** *footstool* 2 C 9, 18 (Var. כֶּבֶשׂ ZAW 50, 28 f).†

כִּבְשָׁן: כבשׁ; lat. *subigere metalla*: **Schmelzofen** *kiln* Gn 19, 28 Ex 9, 8. 10 19, 18, cj Ps 68, 23. (מִכִּבְשַׁן אֵשׁ).†

כַּד: כדד: mhb., ja., sy. כַּדָּן, äga. כַּדָּא, pl. כדדן Eph 3, 23, sy. ܟܕܢܐ, ak. *kannu* < **kandu* westsem. Zimm. 33; > κάδος: sf. כַּדָּהּ, כַּדֵּךְ, pl. כַּדִּים: (Honeyman PEF 1939, 81 f) **Wasserkrug** *pitcher* Gn 24, 14—18. 20. 43. 45 f 1 K 18, 34 Ko 12, 6; für Mehl gebraucht *used to store flour* 1 K 17, 12—16; F Jd 7, 16. 19 f.†

כַּדּוּר: *כדר, كَدَرَ dick sein *be thick*; mhb., ja. כַּדּוּרָא: **Ball** *ball* Js 22, 18.†

כְּדַי: F דַּי.

כַּדְכֹּד Hs 27, 16 u. כַּדְכֹד! Js 54, 12: mhb. (ja. כרכדנא χαρχηδών); كَدْكَد starke Röte *bright redness*, ከርከዴ, Ruž. 161: e. Edelstein, **Rubin**? *a precious stone, ruby*?†

***כדר**: כִּידוֹר, כַּדּוּר.

כְּדָרְלָעֹמֶר: n. m.; Böhl AO 29, 1, 53[49]: elamit. *Kuti-r Laqamar-ri* Knecht der Göttin *servant of the goddess* Laqamar oder *or* Laqamal, König v. Elam; F Albr. BAS 88, 33 f: Gn 14, 1. 4 f. 9. 17 (כְּדָר־לָעֹמֶר).†

כֹּה: < **kahu* wie er, wie es = so *as he, as it = thus*: כֹּה in כָּכָה u. אֵיכָה, F כְּ; demonstr. enthalten *contained* in אָנֹכִי; mhb.; ak. *kā*; ph.

כ; pu. כא Eph. 1, 356; *F* ba. כָּה; Rosenthal VAG 41, 1, 82f; VG 1, 142. 323f: 1. **hier** *here* Nu 23, 15, cj 3; כֹּה hierhin *hither* כֹּה וָכֹה dahin u. dorthin *this way a. that way* Ex 2, 12, cj מִכֹּה אֶל von hier nach *from here towards* 2 S 17, 20; 2. **jetzt** *now*: עַד־כֹּה bisher *until now* Ex 7, 16 Jos 17, 14, עַד־כֹּה וְעַד־כֹּה unterdessen *meanwhile* 1 K 18, 45; כֹּל חַיו 1 S 25, 6; 3. כֹּה **so** *thus* (wie eben gesagt *as said before*) Gn 15, 5 Nu 22, 30 Jos 6, 3 Js 20, 6 (20 ×); 4. **so** *thus* (wie folgt *as follows*) Gn 24, 30 Ex 3, 14 1 K 2, 30 Js 24, 13 (50 ×), cj Ir 24, 1, l כֹּוֶה 23, 29; 5. כֹּה אָמַר **so sagt** *thus says* (Einleitung d. Botenspruchs *introducing a messenger's word*; Kl L 11—17); profan Gn 32, 5 Ex 5, 10 1 K 2, 30 (26 ×); כֹּה אָמַר יהוה Ex 4, 22—2 C 34, 26 (435 ×; Ir 157 ×, Hs 125 ×, Am 14 ×, Sa 19 ×), cj Js 49, 5, כֹּה נְאֻם י׳ Ir 9, 21 *F* נְאֻם; 6. כֹּה wiederholt *repeated*: כֹּה יַעֲשֶׂה וְכֹה יוֹסִיף 1 S 3, 17 (12 ×); זֶה בְּכֹה וְזֶה בְּכֹה d. eine so, d. andre so *one on this a. another on that manner* 1 K 22, 20 (:: 2 C 18, 19).

I כהה: mhb., ja. כהא mattfarbig, trüb, traurig sein *be mat, turbid, sad*, ak. *akū* schwach *weak*, كَهِيَ u. **Uh?** verzagt sein *be disheartened*; *F* II כהה;

qal: pf. כָּהֲתָה, impf. תִּכְהֶיןָ, וַתֵּכַהּ, יִכְהֶה, inf. כְּהוֹת: (Auge) **ausdruckslos, blöd werden** (*eye*) *grow dim, inexpressive* Gn 27, 1 Dt 34, 7 Js 42, 4 Sa 11, 17 Hi 17, 7, cj כְּהוֹת 1 S 3, 2; †

pi: pf. כִּהֲתָה, כֵּהָה: 1. (Hautfleck) **farblos** (*skin-spot*) *grow dull, colourless* Lv 13, 6. 56; 2. (Geist) **verzagt werden** (*spirit*) *become disheartened* Hs 21, 12. †

Der. *כֵּהֶה, כֵּהָה.

II כהה: *F* I. u. כאה; sy. ܟܐܐ, mnd. כהא, ja. כַּהוּתָא Schelten *scolding*; كَلَى (mit Worten) verletzen *give pain* (*by words*); **Uh?**; Joüon MFB 5, 433 ff:

pi: pf. כִּהָה: c. בְּ **zurechtweisen** *rebuke* 1 S 3, 13. †

***כֵּהֶה**: I כהה: f. כֵּהָה, pl. כֵּהוֹת: 1. (Hautstelle) **farblos** *dull, colourless* (*skin-spot*) Lv 13, 21. 26. 28. 39; 2. **lichtlos, glimmend** (Docht) *dim* (*wick*) Js 42, 3; (Geist) **zaghaft** (*spirit*) *disheartened* Js 61, 3; l כְּהוֹת 1 S 3, 2. †

כֵּהָה: I כהה: **Erlöschen, Linderung** *effacement, relief* Na 3, 19. †

כהן: denom. v. כֹּהֵן:

pi: pf. כִּהֵן, כִּהֲנוּ, impf. וַיְכַהֵן, וַיְכַהֲנוּ, inf. כַּהֵן, sf. כַּהֲנוֹ: **als Priester** (c. לְ des Gottes) **amten** *act as priest* (c. לְ *of a god*): Ex 28, 1. 3f. 41 29, 1. 44 30, 30 31, 10 35, 19 39, 41 40, 13. 15 Lv 7, 35 16, 32 Nu 3, 3f Dt 10, 6 Hs 44, 13 Ho 4, 6 1 C 5, 36 24, 2 2 C 11, 14 (*F* II זנח hif.) Si 45, 15; l יְכוֹנֵן Js 61, 10. †

כֹּהֵן (741 ×; Lv 187 ×, Nu 69 ×, 2 K 44 ×, Ir 40 ×, Ne 44 ×, 2 C 89 ×); ug. *khn*; mhb., *F* ba. *כָּהֵן; كَاهِن, **hህን** Nöld. NB 36; Etym. unbekannt *unknown*: pl. כֹּהֲנִים, cs. כֹּהֲנֵי, sf. כֹּהֲנַי: **Priester** *priest*: 1. כֹּהֵן אֹן Gn 41, 45. 50 46, 20; ägyptische *Egyptian pr.* 47, 22, כ׳ מִדְיָן Ex 2, 16 3, 1 18, 1, כֹּהֲנֵי דָגוֹן 1 S 5, 5, philistäische *of Philistines* 1 S 6, 2, כֹּהֲנֵי הַבָּמוֹת 1 K 12, 32, כֹּהֲנָיו v. בַּעַל 2 K 10, 19, כ׳ הַבַּעַל 11, 18; 2. אַדְמַת הַכֹּהֲנִים Gn 47, 22. 26, מַמְלֶכֶת כ׳ Ex 19, 6, תּוֹשַׁב כ׳ Lv 22, 10, עִיר הַכ׳ 1 S 22, 19, c. חֲצַר הַכ׳ 2 C 4, 9; c. מִשְׁפַּט Dt 18, 3 1 S 2, 13, c. בְּרִית Ne 13, 29, ? c. מְנָת 2 C 31, 4, c. תְּרוּמַת Ne 13, 5, c. מַחְלְקוֹת 2 C 8, 14 31, 2; הַכ׳ c. בְּנֵי Esr 10, 18 Ne 12, 35 1 C 9, 30, c. נַעַר

1 S 2, 13. 15; בַּת כֹּהֵן Lv 22, 12 f, אַלְמָנָה מִכֹּ׳ Hs 44, 22; כְּתֹנֶת כֹּ׳ Hs 48, 13; גְּבוּל הַכֹּ׳ Esr 2, 69 Ne 7, 69. 71; 3. אִישׁ כֹּהֵן e. Priester *a priest* Lv 21, 9, הָיָה לְכֹהֵן לְ Jd 17, 5—18, 27, הָיָה כֹ׳ לְ 2 C 13, 9; בָּחַר לְכֹ׳ 1 S 2, 28, מָשַׁח לְכֹ׳ 1 C 29, 22, עָשָׂה כֹ׳ 1 K 12, 31 u. נָתַן כֹ׳ Ir 29, 26 zum Priester machen *make priest*, הָיָה כֹ׳ 2 S 8, 18; 4. הַכֹּהֲנִים הַנִּגָּשִׁים אֶל־י׳ Ex 19, 22, הָעָם ... הַכֹּ׳ 19, 24, הַכֹּ׳ ... עַם הַקָּהָל Lv 16, 33, כֹּהֲנִים לַיהוה 1 S 1, 3, כֹּ׳ לְשֵׁבֶט הַדָּנִי Jd 18, 30, הַכֹּ׳ שֹׁמְרֵי הַסַּף 2 K 12, 10, זִקְנֵי הַכֹּ׳ 2 K 19, 2 Js 37, 2 Ir 19, 1, הַכֹּ׳ אֲשֶׁר בְּנֹב 1 S 22, 11, הַכֹּ׳ אֲ׳ בַּעֲנָתוֹת Ir 1, 1, כֹּ׳ יהוה 1 S 22, 17. 21 Js 61, 6 2 C 13, 9, הַכֹּהֵן לְאוּרִים וְתֻמִּים Esr 2, 63 Ne 7, 65, כֹּ׳ לְדָוִד 2 S 20, 26, הַכֹּ׳ שֹׁמְרֵי מִשְׁמֶרֶת Hs 40, 45 f, הַכֹּ׳ מְשָׁרְתֵי הַמִּקְדָּשׁ 45, 4, הַכֹּ׳ מְשָׁרְתֵי י׳ Jl 1, 9 כֹּהֵן הָרֹאשׁ Am 7, 10; 5. כֹּ׳ בֵּית אֵל 2, 17, d. **Hauptpriester** *the chief priest* 2 K 25, 18 Ir 52, 24 Esr 7, 5 1 C 27, 5 2 C 19, 11 24, 11 26, 20 31, 10, כֹּהֵן הַמִּשְׁנֶה der **stellvertretende Hauptpriester** *the representative of the chief priest* 2 K 25, 18 23, 4 (l כֹּהֵן) Ir 52, 24; הַכֹּהֵן הַגָּדוֹל d. **Hohepriester** *the high priest* Lv 21, 10 Nu 35, 25. 28 Jos 20, 6 (21, 1 22, 13) 2 K 12, 11 22, 4. 8 23, 4 Sa 3, 1. 8 6, 11 Hg 1, 1. 12. 14 2, 2. 4 Ne 3, 1. 20 2 C 34, 9; הַכֹּהֵן הַמָּשִׁיחַ d. **gesalbte Priester** *the anointed priest* Lv 4, 3. 5. 16 6, 15; הַכֹּהֲנִים הַלְוִיִּם Dt 17, 9. 18 18, 1 24, 8 27, 9 Jos 3, 3 8, 33 Js 66, 21 Ir 33, 18 Hs 43, 19 44, 15, הַלְוִיִּם, הַכֹּ׳ בְּנֵי לֵוִי Dt 21, 5 31, 9, הַכֹּהֲנִים וְהַלְוִיִּם Ir 33, 21 (2 C 19, 8); 1 K 8, 4 Esr 1, 5 Ne 7, 72 1 C 9, 2 2 C 5, 5! (47 ×), הַלְוִיִּם וְהַכֹּהֲנִים 2 C 31, 4; אַהֲרֹן הַכֹּהֵן Ex 31, 10 Lv 7, 34 Nu 3, 6 Jos 21, 4 (22 ×); בְּנֵי אַהֲרֹן הַכֹּ׳ Lv 1, 5 Nu 3, 3 Jos 21, 19 2 C 29, 21 (10 ×), הַכֹּהֲנִים בְּנֵי אַה׳ Lv 21, 1 2 C 26, 18 35, 14; 6. כֹּהֵן u. תּוֹרָה Mi 3, 11 Ir 18, 18 Hs 7, 26 22, 26 Ze 3, 4 Hg 2, 11 Ma 2, 7; כֹּהֵן מוֹרֶה 2 C 15, 3; כֹּהֵן u. נָבִיא Ir 6, 13 8, 10 14, 18 23, 11. 33 f 26, 7 f, etc.; 7. einzelne Priester *individual priests*: אֶלְעָזָר הַכֹּהֵן Nu 17, 4—34, 17 (22 ×) Jos 14, 1 17, 4 19, 51; מַלְכִּי־צֶדֶק Gn 14, 18, פִּנְחָס Jos 22, 30, צָדוֹק וַאֲחִימֶלֶךְ 1 S 23, 9, אֶבְיָתָר 1 S 1, 9, עֵלִי 2 S 8, 17, אוּרִיָּה 2 K 16, 10, יְהוֹיָדָע 11, 9, פַּשְׁחוּר Ir 20, 1, בּוּזִי Hs 1, 3 u. Andre *a. others*. Der. כְּהֻנָּה, כהן.

כְּהֻנָּה: כֹּהֵן, Gulk. Abstr. 30: cs. כְּהֻנַּת, sf. כְּהֻנַּתְכֶם, pl. כְּהֻנּוֹת: 1. **Priesterschaft** (e. Heiligtums) *priesthood* (*of a sanctuary*) 1 S 2, 36; 2. **Priesterstand** *priesthood* Ex 29, 9 Nu 3, 10 16, 10 18, 1. 7 Jos 18, 7 Esr 2, 62 Ne 7, 64 13, 29; כְּהֻנַּת עוֹלָם immerwährender P. *everlasting p.* Ex 40, 15 Nu 25, 13; כ׳ גדולה Hohepriesteramt *office of the high priest* Si 45, 24.†

כּוּב Hs 30, 5: l לוּב.†

כּוֹבַע: קוֹבַע = (also Fremdwort *therefore foreign word*) hethit. *Hittite kupaḫi* (Gaster, JRA Oct. 1933, 909; JAO 57, 73 ff.) mhb. ja. כּוֹבְעָא Turban *turban*: pl. כּוֹבָעִים: **Helm** *helmet* 1 S 17, 5 Js 59, 17 Ir 46, 4 Hs 27, 10 38, 5 2 C 26, 14.†

כוד*: כִּידוֹר.

כוה: mhb.; ja. u. sy. כְּוָא; كوى; ak. *ku'ū* brennen *burn*:

cj qal: pt. כֹּוֶה: **brennen, sengen** *burn, scorch* cj Ir 23, 29;†

nif: impf. תִּכָּוֶה, תִּכְוִינָה **versengt werden** *be scorched* Js 43, 2 Pr 6, 28.†

Der. כְּוִיָּה, I כִּי, מִכְוָה.

כְּוִיָּה: כוה: **Brandmal** *branding* Ex 21, 25†

כּוֹחַ Da 11 6,†: F כֹּחַ.

כּוֹכָב: < **kaukāb* < **kabkab*; ug. *kbkb*; mhb.; ja. כּוֹכְבָא, כּוֹכַבְתָּא, sy. ܟܘܟܒܐ, كَوْكَبٌ, asa. כוכב; ኮከብ, mehri *kebkīb*, *kobkīb*; ak. *kakkabu*: כבב?: cs. כּוֹכַב, pl. כּוֹכָבִים, cs. כּוֹכְבֵי, sf. כּוֹכְבֵיהֶם: **Stern** *star*: כּוֹכְבֵי הַשָּׁמַיִם Gn 22, 17 26, 4 Ex 32, 13 Dt 1, 10 10, 22 28, 62 Js 13, 10 Na 3, 16 Ne 9, 23 1 C 27, 23; הַכּוֹכָבִים Gn 1, 16 15, 5 Dt 4, 19 Jd 5, 20 Is 47, 13 (חָזָה בְּ) Ir 31, 35 Jl 2, 10 4, 15 Ob 4 Ps 8, 4 136, 9 147, 4 Hi 9, 7 22, 12 25, 5 Ko 12, 2 Da 8, 10 12, 3 Ne 4, 15; Hs 32, 7; כּוֹכְבֵי בֹקֶר Hi 38, 7, כּוֹכְבֵי אוֹר Ps 148, 3, כּוֹכְבֵי אֵל Js 14, 13, כּוֹ׳ נִשְׁפּוֹ Hi 3, 9; כּוֹכַב אֱלֹהֵיכֶם Am 5, 26; c. יָצָא aufgehn *appear* Ne 4, 15; כּוֹכָב מִיַּעֲקֹב Nu 24, 17.†

כול: ug. *kl*; mhb., ja. enthalten, messen *contain*, *measure*; sy. af. ܐܟܝܠ u. palm. Lidz. 295; كَالَ Korn messen *measure grain*; ak. *kullu* halten *contain*; phl. כיל; **F** יכל, I כלה u. ba. כהל: qal: pf. כָּל: **erfassen** *comprehend* Js 40, 12;† hif: impf. יָכִיל, יָכִלוּ, sf. יְכִילֶנּוּ, inf. הָכִיל: **erfassen, aufnehmen** (e. Quantum) *contain*, *hold in* (*a quantity*) 1 K 7, 26. 38 8, 64 Ir 2, 13 6, 11 10, 10 Hs 23, 32 Am 7, 10 Jl 2, 11 2 C 4, 5 7, 7; l לְכַלָּה Hs 21, 33;† pilp: pf. כִּלְכֵּל, כִּלְכַּלְתִּי, כִּלְכְּלוּ, sf. כִּלְכְּלָם, כִּלְכַּלְתָּם, impf. יְכַלְכֵּל, אֲכַלְכֵּל, sf. וַיְכַלְכְּלֵם, יְכַלְכְּלֶךָ, יְכַלְכְּלֵהוּ, inf. כַּלְכֵּל! Ir 20, 9: כַּלְכֵּל: 1 K 4, 7, sf. כַּלְכֶּלְךָ, לְכַלְכֶּלְךָ, pt. מְכַלְכֵּל: **1. umfassen, in sich aufnehmen** *comprehend*, *hold in*: Feuer *fire* Ir 20, 9, יוֹם יהוה Ma 3, 2, Gott *God* 1 K 8, 27 2 C 2, 5 6, 18, Krankheit *infirmity* Pr 18, 14; **2. versorgen** (mit Lebensmitteln) *supply* (*with food*) Gn 45, 11 50, 21 2 S 19, 33 f 20, 3 1 K 4, 7 5, 7 17, 4. 9 Ps 55, 23 Ru 4, 15 Ne 9, 21 Sa 11, 16, mit Brot *with bread* Gn 47, 12 1 K 18, 4. 13 (u. Wasser *a. water*); 3. c. דְּבָרָיו s. Sache **durchführen**? *sustain one's cause*? Ps 112, 5;† polp: pf. כָּלְכְּלוּ: **versorgt werden** *be supplied* 1 K 20, 27.† Der. כַּלָּה?

כּוּמָז: *כמז; كُمْزٌ d. Hand zusammenballen *clench one's fist*, كُمْزَةٌ Kügelchen *small ball*; Löw (brieflich *by letter*:) in Talmud Brusthalter *support of breasts*; AS 5, 349: weiblicher Schmuck *female ornament*: Brustplatten? *breastplates*? Ex 35, 22 Nu 31, 50 Si 35, 5.†

כון: ug. *kn*; ph. pf. 3. m. כן, 1. sg. כת sein *exist*, mhb. pi. u. ja. pa. gerad machen *make straight*, mhb. hif. bestimmen *fix*, sy. pa. richten *put right*; كَانَ (*u*), asa. כון werden, sein *occur*, *exist*, asa. וכן VI *stabilivit*; ኮነ geschehen, werden *occur*, *be*; ak. *kānu* fest stehn, recht sein *be firm*, *right*; ostkan. *jakun*, *ekun* in n. m. (Bauer 77): Grundbedeutung: **fest, gerad sein** *original meaning*: *be firm*, *straight*; **F** כנן (u. שׁכן): nif: pf. נָכוֹנָה, נָכֹנוּ, נָכוֹנוּ, impf. וְתִכֹּן, יִכּוֹן, יִכֹּנוּ, imp. הִכּוֹן, הִכּוֹנוּ, הִכֹּן K 2 C 35, 4, pt. נָכוֹן, cs. נְכוֹן, f. נְכוֹנָה, pl. נְכֹנִים: **1. fest stehn, prall sein** *be firm*, *taut* שָׁדַיִם Hs 16, 7; **fest stehn** *be firmly established*: בַּיִת Jd 16, 26. 29, מוֹצָא הַשַּׁחַר Ho 6, 3, עֵדָה Ir 30, 20; עַד־נְכוֹן הַיּוֹם (lat. *stabile diei*, ar. *quʾimatu-lnahāri*) bis d. Tag feststeht, bis es heller Tag ist *unto the day is firm*, *unto the perfect day* Pr 4, 18, שֹׁרֶשׁ cj תִּכּוֹן 12, 12, **F** 2 C 12, 1; **2. fest, gesichert sein** *be firm*, *be firmly established*: זֶרַע Hi 21, 8, מַלְכֻת 1 K 2, 12. 46 Ps 102, 29, דְּרָכִים Ps 119, 5 Pr 4, 26; נָכוֹן (dele אֶל) Sicheres, Gewissheit *evidence* 1 S 23, 23, (fester) Besitz *property* Ne 8, 10; הָיָה נָכוֹן עִם fest, zuverlässig sein gegenüber *be right with* Ps 78, 37 89, 22; רוּחַ נָכוֹן gefestigter G. *steadfast spirit* Ps 51, 12, לֵב נָכוֹן gefestigter Sinn *steadfast heart* 57, 8 108, 2 112, 7; תִּכּוֹן לְפָנֶיךָ dastehn vor (als) *stand forth before* (*as*) Ps 141, 2; **3. fest, gerüstet sein** *be firm*, *prepared* 2 C 8, 16 29, 35 35, 10. 16; **4. Bestand haben** *be established*, *enduring* 1 S 20, 31 Ps 89, 38. cj 3 93, 2 101, 7 140, 12 Pr 12, 3. 19. cj 12 16, 3. 12 20, 18 25, 5 29, 14; הָיָה נָכוֹן von Dauer sein *be enduring* 2 S 7, 16. 26 1 K 2, 45 Js 2, 2 Mi 4, 1 1 C 17, 14. 24; 5. **sich bereit halten** *be ready* Hs 38, 7 Am 4, 12 2 C 35, 4 K; c. לְ für *for* Ex 19, 11. 15 34, 2 Jos 8, 4 Ps 38, 18 Pr 19, 29 22, 18 Hi 15, 23 18, 12; 6. נָכוֹן הַדָּבָר d. Sache ist **entschieden** *it is established* (מֵעִם bei *by*) Gn 41, 32, es ist **zutreffend** *it is certain* Dt 13, 15 17, 4; נְכוֹנָה **Zuverlässiges, Wahres** *trustworthy, true things, words* Ps 5, 10 Hi 42, 7 f; נָכוֹן c. inf.: es ist **statthaft** zu ... *it is admissible to* Ex 8, 22; נָכוֹן Hi 12, 5 F נָכוֹן (נכה); l תִּכֵּן (תכן) Ps 93, 1 u. 96, 10 u. 1 C 16, 30; †

pol: pf. כּוֹנֵן, כּוֹנַנְתָּ, כּוֹנַנְתָּה, כּוֹנְנוּ, sf. כּוֹנְנָה, כּוֹנַנְתָּהוּ, impf. יְכוֹנֵן, sf. וַיְכוֹנְנֶהָ, וַיְכֹנְנֶךָ, כּוֹנְנָה, כּוֹנֵן, imp. Hi 31, 15, וַיְכוֹנְנֵנוּ l וַיְכוֹנְנוּנִי, sf. כּוֹנְנֵהוּ: 1. **hinstellen, bereiten** *set up, establish*: מִקְדָּשׁ Ex 15, 17, כִּסֵּא 2 S 7, 13 Ps 9, 8 1 C 17, 12; **gründen** *found*: עִיר Js 62, 7 Ha 2, 12 (// בָּנָה) Ps 48, 9 87, 5 107, 36, אֶרֶץ Js 45, 18 Ps 24, 2 (auf Strömen *upon rivers*) 119, 90, שָׁמַיִם Pr 3, 19; hinstellen, an ihren Ort stellen *set up, order at their place*: כּוֹכָבִים Ps 8, 4, die Menschen *mankind* Hi 31, 15, sich zum Volk bestellen *order to be oneself's people* 2 S 7, 24; d. Turban aufsetzen *put on the turban* cj Js 61, 10 (l יְכוֹנֵן); 2. **fest, dauernd hinstellen** *set up for duration, fix solidly*: Ps 7, 10 119, 73, cj כּוֹנָנוּ Ps 37, 23; c. מֵישָׁרִים feste Ordnung geben *establish a solid order* Ps 99, 4, c. אֲשֻׁרַי mir feste Schritte geben *establish my goings* 40, 3; c. מַעֲשֶׂה Festigkeit geben, fördern *establish solidly, promote* Ps 90, 17, aufrichten *revive* Ps 68, 10 (l כּוֹנַנְתָּהּ); (e. Volk) Bestand geben *give stability* (*to a nation*) Dt 32, 6; 3. term. techn. d. Pfeil fest auf d. Bogen legen *fix the arrow upon the bow* > **zielen** *take aim* Ps 11, 2 Js 51, 13 Ps 21, 13, (d. Bogen) schussfertig machen *make ready for shooting* (*the bow*) Ps 7, 13; l כּוֹנֵן Hi 8, 8; †

pol pass: pf. כּוֹנָנוּ: bereitet werden *be made ready* Hs 28, 13 (?); l כּוֹנָנוּ Ps 37, 23; †

hif (besonders häufig *especially frequent* in 1 u. 2 C, 42 ×): pf. הֵכִין, הֲכִינוֹתָ, הֲכִינוֹתָה, הֲכִינֹתִי, הֵכִינוּ, sf. 2 C 29, 19, הֵכַנּוּ! u. הֲכִינוֹנוּ, הֱכִינוּ, וַיָּכִינוּ, אָכִינָה, אָכִין, וַיָּכֶן, יָכִין, impf. הֱכִינֵנִי, sf. תְּכִינֶהָ, inf. הָכֵן, הָכִין, sf. הֲכִינוֹ, imp. הָכִין, הָכִינוּ, pt. מֵכִין; 1. **bereitstellen, zurüsten** *make ready, prepare*: בָּשָׂר Gn 43, 16 Ps 78, 20, לֶחֶם 1 C 9, 32, [Speise u. Trank *meat a. drink*] 12, 40, מִנְחָה Gn 43, 25, Speise *food* Ex 16, 5 Pr 6, 8 30, 25; andre Objekte *other objects* F Nu 23, 1. 29 2 C 35, 6. 14 f. cj 12, Jos 1, 11 Hi 38, 41, 1 K 5, 32 1 C 22, 3. 5. 14 29, 2 f. 16 2 C 2, 8 1 K 6, 19 2 C 31, 11, (יהוה) זֶבַח Ze 1, 7, מַטְבֵּחַ Js 14, 21; Js 40, 20 Ir 51, 12 Hs 7, 14 Ps 68, 11 7, 14 2 C 26, 14 29, 19, Hi 27, 16 f, Ps 57, 7, 147, 8, Hi 15, 35, Est 6, 4 7, 10 Hi 29, 7, מִזְבֵּחַ Esr 3, 3 2 C 33, 16 (l וַיָּכֶן), 31, 11; הָכֵן לְךָ **halt dich bereit** *be ready* Ir 46, 14 Hs 38, 7; 2. **festsetzen, bestimmen** *fix*: יוֹם Na 2, 4, מָקוֹם Ex 23, 20 1 C 15, 1. 3. 12 2 C 1, 4 3, 1; **lenken** *direct* Pr 16, 9; bestellen, **einsetzen** *appoint* Jos 4, 4 1 K 2, 24, c. לְמֶלֶךְ 2 S 5, 12 1 C 14, 2; 3. hinstellen, **bereiten** *set up, prepare* (= schaffen *create*; Gott *God*): עָב Hi 36, 29 (l יָכִין), תֵּבֵל Ir 10, 12 51, 15, אֶרֶץ 33, 2 Ps 65, 10, הָרִים 65, 7, מָאוֹר וָשֶׁמֶשׁ 74, 16, שָׁמַיִם Pr 8, 27, חָכְמָה Hi 28, 27; 2 C 29, 36; 4. **festigen** *make solid*: Ps 119, 133 1 S 13, 13 Js 9, 6 1 C 17, 11 28, 7, 2 S 7, 12 Ps 103, 19 1 C 22, 10 2 C 17, 5 Ps 78, 8; 5. **in Stand setzen** *repair*: Tempel *temple* 2 C 35, 20, דֶּרֶךְ Dt 19, 3 (Steuernagel: abmessen *measure*,; 6. **unbeweglich stehen** *stand immovable*: עָמַד הָכֵן bleibt unbeweglich stehen *stands firm* Jos 3, 17, הֵכִין לִבּוֹ אֶל richtet s. Sinn unbeweglich auf *directs his heart constantly towards* 1 S 7, 3, cj Pr 8, 5, Hi 11, 13 1 C 29, 18, c. לְ pro אֶל Esr 7, 10 2 C 12, 14 19, 3 20, 33 30, 19, ohne *without* לִבּוֹ 1 C 28, 2, c. פָּנָיו s. Gesicht *his face* Hs 4, 3. 7; c. אֱמוּנָתוֹ בְּ hält unerschütterlich s. Treue gegenüber *keeps his faithfulness unswerving towards* Ps 89, 3; הֵכִין זַרְעוֹ aufrecht halten *maintain, support* 89, 5; c. מְלַאכְתּוֹ s. Arbeit unbeirrt tun *do one's work unswervingly* Pr 24, 27, c. דַּרְכּוֹ s. Weg beharrlich gehn *go one's way unflinchingly* 21, 29 2 C 27, 6; beharrlich sein *persevere* 1 S 23, 22 Ir 10, 23 (l לְהָכִן = לְהָכִין); l יָבִין Jd 12, 6; l הִכּוֹנוּ K 2 C 35, 4; dele (dittogr.) Jos 4, 3 u. Ps 10, 17, l כְּהִכּוֹן 12, 1; †

hof: pf. הוּכַן, הֻכַן, הוּכָן, pt. מוּכָן, pl. מוּכָנִים: **unbeweglich hingestellt sein** *be set up immovable*: Js 16, 5 30, 33 Hs 40, 43 Na 2, 6 Sa 5, 11 Pr 21, 31; †

hitpol: impf. יִתְכּוֹנָן u. תִּכּוֹנֵן (<*תִּתְכּוֹנֵן), imp. cj הִכּוֹנוּ (<*הִתְכּוֹנוּ): 1. **Aufstellung nehmen** *take one's stand* Ps 59, 5, cj 2 C 35, 4; 2. **sich als fest gegründet erweisen** *prove firmly founded*: עִיר Nu 21, 27 Js 54, 14, בַּיִת Pr 24, 3. †

Der. *כִּיּוֹן, מָכוֹן, מְכוֹנָה, I u. II כֵּן, תְּכוּנָה; n. m. כּוֹנַנְיָהוּ, II נָכוֹן, יְהוֹיָכִין, יָכִין; n. l. מְכֹנָה.

כּוּן: n. l.; 1 C 18, 8 = בֵּרֹתִי 2 S 8, 8 (S auch *also* 1 C 18, 8); äg. *Kn*ʾ, *Kunu* BAS 83, 33; lat. *Cunnae*; (Furrer = *Kuna* zwischen *between* Laodicea u. Heliopolis, ZDP 8, 34) :: Lewy HUC 18, 446 = *Rās Baʿalbek*. †

***כַּוָּן**: ak. LW *kamānu* e. Art Brot *kind of bread* Zimm. 38 :: Jensen KB VI, 1, 511; G χαυῶνες: pl. כַּוָּנִים: **Opferkuchen** *sacrificial cake* (לִמְלֶכֶת הַשָּׁמַיִם) Ir 7, 18 44, 19. †

כּוֹנַנְיָהוּ: K כּוֹ׳, Q כָּ׳: n. m.; כון u. י׳; Levit *Levite* 2 C 31, 12f 35, 9. †

I כּוֹס: ug. *ks*; mhb.; ja., äga., sy. כָּסָא; ak. *kāsu* OLZ 16, 533 f; > كَأْس: sf. כּוֹסִי, pl. כֹּסוֹת, f.: (Hand-)**Becher, Trinkbecher** *cup, goblet*; עֲמֻקָּה u. רְחָבָה Hs 23, 32, רְוָיָה Ps 23, 5, זָהָב Ir 51, 7; שְׂפַת כּוֹס Becherrand *brim of cup* 1 K 7, 26 2 C 4, 5, c. נָתַן עַל־כַּף in d. Hand geben *give into one's hand* Gn 40, 21, c. עָבְרָה עַל kommt (der Reihe nach) an *passes through unto* Th 4, 21; כּוֹס תַּנְחוּמִים Trostbecher *cup of consolation* Ir 16, 7, כּוֹס יְשׁוּעוֹת Heilsb. *of salvation* Ps 116, 13, כּוֹס הַתַּרְעֵלָה Taumelb. *of staggering* Js 51, 22, כּוֹס חֵמָה Zornbecher *of wrath* (יהוה) 51, 17 Ir 25, 15; c. שַׁמָּה וּשְׁמָמָה Hs 23, 33; // גָּבִיעַ Ir 35, 5; gloss. קֻבַּעַת Js 51, 17. 22; בְּיַד י׳ Ps 75, 9, כּוֹס יְמִין י׳ Ha 2, 16; *F* Gn 40, 11. 13 2 S 12, 3 Ir 25, 17. 28 49, 12 Hs 23, 31 Ps 11, 6 16, 5 Pr 23, 31 (l בַּכּוֹס). †

II כּוֹס: ak. *kāsu* Jensen KB VI, 1, 476: unreiner, in Trümmern lebender Vogel *unclean bird, living in ruins*; Aharoni, Osiris 5, 471: kleine Eule, **Käuzchen** *little owl, owlet Athene noctua saharae* (Nicoll 358f): Lv 11, 17 Dt 14, 16 Ps 102, 7, cj Ze 2, 14 (pro קוֹל). †

***כור**: *F* מְכוּרָה.

כּוּר: כרר?: mhb., ja. u. sy. כּוּרָא; ak. *kūru*, *kīru* ZA 25, 295, كُور u. *kīr*, *čīr*; ከውር; *F* כִּיר: (kleiner) **Schmelzofen** (*little*) *furnace* (*for smelting metals*), Euting, Tagebuch 1, 84: Dt 4, 20 1 K 8, 51 Js 48, 10 Ir 11, 4 Hs 22, 18. 20. 22 Pr 17, 3 27, 21 Si 43, 4; cj Ir 1, 13 pro סִיר (Kl L 43 ff) u. Ps 37, 20 (l כִּיקֹד כֻּרִים) u. Hi 41, 12 pro דּוּד. †

כּוֹר עָשָׁן 1 S 30, 30: *F* בּוֹר עָשָׁן. †

כּוֹרֶשׁ: n. m.; Κῦρος, **Cyrus**: elamitischer Thronname *elamitic name of reigning prince*, *Kuraš* = Hirt *shepherd* (Wesendonk Lit. Or. 1933, 56, 2); bab. *Kuraš*, pers. *Kūruš*, äg. *Kawaruša*: Perserkönig *king of Persia*: Js 44, 28 45, 1 Esr 1, 1 f. 7 f 4, 3. 5 2 C 36, 22 f Da 1, 21 10, 1. †

I כּוּשׁ: n. t.; Αἰθιοπία, Αἰθίοπες; **Kusch** *Cush*: אֶרֶץ כּוּשׁ v. גִּיחוֹן umflossen *encompassed by* גִּיחוֹן; כּוּשׁ einer der *one of* בְּנֵי חָם Gn 10, 6 1 C 1, 8; בְּנֵי כוּשׁ Gn 10, 7 1 C 1, 9; V. v. נִמְרֹד Gn 10, 8 1 C 1, 10; מֶלֶךְ כּוּשׁ 2 K 19, 9 Js 37, 9; Sitz von Diasporajuden *abode of Jewish diaspora* Js 11, 11; //מִצְרַיִם 20, 3—5 43, 3 45, 14 Hs 30, 4. 9 Ps 68, 32; נַהֲרֵי כוּשׁ Js 18, 1 Ze 3, 10, //פּוּט Ir 46, 9 Na 3, 9 Hs 30, 5 38, 5, //פְּלֶשֶׁת וְצֹר Ps 87, 4; Fundort v. *place where* פִּטְדַת־כּוּשׁ *is found* Hi 28, 19; äusserster Punkt gegenüber *extreme limit opposite* סְוֵנֵה Hs 29, 10, gegenüber *opposite* הֹדּוּ Est 1, 1 8, 9; 1. ass. *Kūsu*, bab. *Kūšu*, EA *Kaši*; äg. *K3š* = die obern Nilländer s. Ägypten *the countries of Upper Nile s. Egypt*; 2. die Âl ᶜAmrān bezeichnen den Bereich von *Zebīd* (Jemen) mit *the tribe of Âl ᶜAmrān call the region of Zebid* (*Yaman*): *Kūš* (Landberg, Daṯīna 868); also *therefore* כּוּשׁ Gn 10 1 C 1 das Gebiet rittlings des südlichen Roten Meers *the country astride the southern Red Sea*; 3. Gn 2, 13: Delitzsch, Wo lag das Paradies? 51 ff 72 ff u. Andre *a. others suggest* = ak. *Kaššu*, Κοσσαῖοι, (Land am *region of* Araxes) u. Κίσσιοι; F כֻּשִׁי, כּוּשִׁי. †

II כּוּשׁ: n. m., בֶּן־יְמִינִי: Ps 7, 1. †

כּוּשִׁי, כּוּשִׁית: F כֻּשִׁי.

כּוּשִׁי: n. m.; ph. n. m. כשי; aus *from* I כּוּשׁ: 1. Ze 1, 1; 2. Ir 36, 14. †

כּוּשָׁן: n. p.; Nachbarstamm v. *neighbour tribe of* מִדְיָן Ha 3, 7. †

כּוּשַׁן רִשְׁעָתַיִם: n. m.; ungedeutete Entstellung e. historischen Namens *unexplained disfigurement of a historical name*, רִשְׁעָתַיִם du. v. רִשְׁעָה (pro נַהֲרַיִם?); Täubler HUC 20, 137—42: K. v. אֲרָם: Jd 3, 8. 10. †

*כּוֹשָׁרָה: כשׁר; ug. *kšrt* Name v. Göttinnen *name of goddesses*?: pl. כּוֹשָׁרוֹת: **Gedeihen** *prosperity* Ps 68, 7. †

כּוּת 2 K 17, 30 u. כּוּתָה 17, 24: n. l.; ak. *Kutū*, (Stadtgott *town-god* F נֵרְגַל) كُوثَى, = *T. Ibrahim*, 30 km nö. Babylon; heute *today* כּוּתִים bei den Juden *with the Jews* = d. Samaritaner *the Samaritans* (RLV 7, 199). †

כּוֹתֶרֶת: F כֹּתֶרֶת.

כזב: mhb.; F ba. *כְּדַב; ak. *kunzubu* (= *kuzzubu*) schmeicheln *flatter* (Ebeling, Tod u. Leben I, 13ᵇ), EA *kazābu* lügen *lie*, *kazbūtu* Lüge *lie*; كَذَبَ:

qal: pt. כֹּזֵב: **lügen** *lie* Ps 116, 11; †

nif: pf. נִכְזַבְתָּ, נִכְזָבָה: **sich als lügnerisch, erlogen erweisen** *be proven to be a liar, a lie* Pr 30, 6 Hi 41, 1; †

pi: pf. כִּזֵּב, impf. יְכַזֵּב, תְּכַזְּבִי, inf. sf. כַּזֶּבְכֶם: **lügen** *tell lies* Nu 23, 19 Js 57, 11 Mi 2, 11 Ha 2, 3 Pr 14, 5 Hi 34, 6, c. עַל פְּנֵי jmd ins Gesicht *to one's face* Hi 6, 28; c. בְּ jmd anlügen *tell a lie with a person* 2 K 4, 16, c. לְ jmd [etw.] vorlügen *lie to somebody* Hs 13, 19 Ps 78, 36 89, 36; **täuschen, trügen** (Wasser) *deceive, fail* (*water*) Js 58, 11; †

hif: impf. sf. יַכְזִיבֵנִי jmd zum Lügner machen *make one a liar* Hi 24, 25. †

Der. כָּזָב, אַכְזָב; n. l. כֹּזֵבָא, כְּזִיב. †

כָּזָב: כזב: pl. כְּזָבִים, sf. כִּזְבֵיהֶם: **Lüge** *lie* Jd 16, 10. 13 Js 28, 15. 17 Hs 13, 6—9. 19 21, 34 22, 28, cj 33, 31, Ho 7, 13 12, 2 Ze 3, 13 Ps 4, 3 5, 7 40, 5 58, 4 62, 5. 10 Pr 6, 19 14, 5. 25 19, 5. 9. 22 (אִישׁ כָּזָב) 21, 28 (עֵד כְּזָבִים) 23, 3 30, 8 Da 11, 27; **Täuschung, Trug** (falsche Götter) *imposture* (*false gods*) Am 2, 4. †

כֹּזֵבָא: n. l.; כזב (F Js 58, 11): Alt, PJ 22, 78 f: *Ch. ed-Dilbe* n. Hebron: 1 C 4, 22. †

כָּזְבִּי: n. f.; ak. *kuzābatum* (die Üppige *the luxuriant*) Stamm 249, bab. n. f. *Kuzbā*; מִדְיָנִית: Nu 25, 15. 18.†

כְּזִיב: n. l.; כזב: = אַכְזִיב; JBL 58, 253 ff; Gn 38, 5.†

***כזר**: ja. נַכְזְרָיָא, אַכְזְרָאָה grausam *cruel*: Der. אַכְזָר, אַכְזָרִי, אַכְזְרִיּוּת.

I **כֹּחַ** (124 ×) u. Da 11, 6† כּוֹחַ: כחח? כוח? mhb.; ja. כּוֹחָא; كاح besiegen *defeat*, وكح fest stampfen *batter down*, ከውሕ Fels *rock*: sg. tantum, sf. כֹּחוֹ, כֹּחֲךָ, כֹּחֶךָ, כֹּחֲכֶה Pr 24, 10: **Kraft** *strength*, *power*: 1. des Menschen *of man* Dt 8, 17 Jd 16, 5, d. Volks *of people* Jos 17, 17 Ho 7, 9, d. Königs *of king* Da 8, 24, d. Lastträgers *of burden-bearer* Ne 4, 4, d. Stiers *of bull* Pr 14, 4, d. Widders *of ram* Da 8, 7, der Steine *of stones* Hi 6, 12; d. Ackers = Ertrag *of soil* = *yield* Gn 4, 12 Hi 31, 39; כֹּחִי m. Manneskraft = m. Erstgeborner *my manly vigour* = *my firstborn son* Gn 49, 3; Arbeitskraft *working-power* Lv 26, 20; Fasten nimmt כֹּחַ *fasting takes off* כֹּחַ 1 S 28, 20, Essen gibt *eating procures* כֹּחַ 28, 22, כֹּחַ הָאֲכִילָה 1 K 19, 8; כֹּחַ לִבְכּוֹת 1 S 30, 4, כֹּחַ לְלֵדָה Js 37, 3; rufen *cry* בַּכֹּחַ Js 40, 9; מִכֹּחַ kraftlos *without strength* Ir 48, 45, = לֹא כֹחַ Hi 26, 2; 2. Kraft, **Gewalt** *power*, *force* Ko 4, 1; 3. Kraft, **Fähigkeit** *power*, *ability*: Ko 9, 10 Da 1, 4, Tauglichkeit *qualification* 1 C 26, 8, Können, Vermögen *faculty* 1 C 29, 2, > Können, Besitz *property* Esr 2, 69 Pr 5, 10 24, 10; נַעְצֹר כֹּחַ c. לְ c. inf. wir vermögen zu... *we retain strength to* = *we are in a position to*... 1 C 29, 14 2 C 2, 5; 4. **Kraft, Stärke** *power*, *strength*: (Gott *God*) zeigt *shows* כֹּחוֹ Ex 9, 16, ist herrlich *is glorious* בַּכֹּחַ 15, 6, handelt *acts* בְּכֹחַ גָּדוֹל 32, 11 Dt 4, 37 9, 29 2 K 17, 36 Ir 27, 5 32, 17 Ne 1, 10, hat *owns* כֹּחַ וּגְבוּרָה 1 C 29, 12 2 C 20, 6, schafft *creates* בְּכֹחוֹ Ir 10, 12 51, 15 Ps 65, 7, hat *owns* כֹּחַ וּמִשְׁפָּט וּגְבוּרָה Mi 3, 8; גְּדָל־כֹּחַ Na 1, 3, רַב כֹּחַ Ps 147, 5, כַּבִּיר כֹּחַ Hi 36, 5; כֹּחַ מַעֲשָׂיו Ps 111, 6; 1 יַחֲלִיפוּ כֹחַ Js 41, 1, 1 חִכִּי Ps 22, 16.

II **כֹּחַ**: J. J. Hess (mündlich *orally*): ar. *ḥukā'atun* = *Chalcides ocellatus Forskål*: e. Eidechsenart *a species of lizards*: Lv 11, 30.†

כחד: mhb., ja. itpa. vernichtet werden *be effaced*, sy. pa. beschämen *put to shame*; جحد ክሕደ (d. Glauben) verleugnen, abfallen *deny*, *apostatize* (Nöld. NB 191):

nif: pf. נִכְחַד, נִכְחֲדוּ, impf. יִכָּחֵד, pt. נִכְחֶדֶת, נִכְחָדוֹת: 1. **verborgen sein** *be hidden* 2 S 18, 13 (מִן vor *from*) Ho 5, 3 Ps 69, 6 139, 15; 2. **vertilgt werden** *be effaced* Ex 9, 15 (מִן von *from*) Hi 4, 7 15, 28 22, 20, **sich verlaufen, umkommen** *go astray*, *perish* (צֹאן) Sa 11, 9. 16;†

pi: pf. כִּחֵד, כִּחַדְתִּי, כִּחֲדוּ, כִּחֲדוּ, impf. תְּכַחֵד, תְּכַחֲדִי, אֲכַחֵד, תְּכַחֲדוּ: **verborgen halten, verhehlen** *hide*, *conceal* (מִן vor *from*) Gn 47, 18 Jos 7, 19 1 S 3, 17 f 2 S 14, 18 Ir 38, 14. 25 Ps 78, 4 Hi 6, 10 27, 11 15, 18 (1 כִּחֲדוּם אֲבֹ) Js 3, 9 Ir 50, 2 Ps 40, 11;†

hif: pf. sf. הִכְחַדְתִּיו, impf. וַיַּכְחֵד, sf. יַכְחִידֶנָּה, נַכְחִידֵם, inf. הַכְחִיד: **vertilgen** *efface* Ex 23, 23 1 K 13, 34 Sa 11, 8 Ps 83, 5 2 C 32, 21; cj נַכְחִיד Ps 74, 8; **vergehen lassen** *cause to melt away* (מָתוֹק) Hi 20, 12.†

***כחח**?: I כֹּחַ.

כחל: denom.: ak. *guḫlu*, ja., sy. כּוּחְלָא, ኵሕል, كُحْل Schwefelantimon *antimony trisulphide* Sb_2S_3 (Meissner, OLZ 17, 52 ff); (كُحْل > feines Präparat > feiner Weingeist > *refined compound* > *refined spirit of wine* = *alcool vini*, erste Erwähnung in Deutschland *first time mentioned in Germany* 1597); als Schminke gebraucht *used for paint of face, eyes*, Jacob, Beduinenleben 238 f (Meissner, Bab. 1, 244, Erman, Äg.

257 3–6, Lane, Manners 29f, Lucas, Ancient Egyptian Materials 146f); *F* פּוּךְ: mhb., ja., sy.: qal: pf. כָּחַלְתְּ: (d. Augen) **schminken** *paint* (eyes) Hs 23, 40.†

כחשׁ: ug. *ṯkḥ* (BAS 83, 40[7]); mhb. u. ja. abmagern *grow lean*; mhb. hif. u. ja. af. als Lügner überführen *convict of falsehood*:
qal: pf. כָּחַשׁ: **abmagern** *grow lean* Ps 109, 24;†
nif: impf. וַיִּכָּחֲשׁוּ: **sich verleugnen, Ergebung heucheln** *cringe, feign obedience* Dt 33, 29, cj Ps 66, 3 u. 81, 16;†
pi: pf. כִּחֵשׁ (= **kiḥḥēš*), כִּחֶשׁ! Lv 5, 22, כִּחֲשׁוּ, impf. יְכַחֵשׁ, וַתְּכַחֵשׁ, יְכַחֲשׁוּ, תְּכַחֲשׁוּן, inf. כַּחֵשׁ: 1. **leugnen, in Abrede stellen** *deny, disavow* Gn 18, 15 Ho 4, 2 Pr 30, 9; c. בְּ rei etwas *a thing* Lv 5, 22, c. בְּ pers. jmdem *against somebody* 5, 21 19, 11; 2. **verheimlichen** *keep (a thing) secret, dark* Jos 7, 11; 3. c. לְ: jmd **vorlügen** *tell lies unto* 1 K 13, 18 Hi 31, 28; 4. **trügerisch ausbleiben** *fallaciously fail to come* Ho 9, 2 (תִּירוֹשׁ) Ha 3, 17 (זַיִת); 5. **lügen, täuschen** *lie, deceit* Sa 13, 4 Si 7, 13; 6. c. בְּ (Gott) **verleugnen** *deny (God)* Jos 24, 27 Js 59, 13 Ir 5, 12, (e. Menschen *a man*) Hi 8, 18;†
hitp: impf. יִתְכַּחֲשׁוּ: **sich heuchlerisch verhalten** *act feigningly* (לְ gegen *to*) 2 S 22, 45, cj Ps 18, 45.†

כַּחַשׁ: כחשׁ: כַּחַשׁ, pl. sf. כַּחֲשֵׁיהֶם: 1. **Abmagerung, Verfall** *leanness, languishing state* Hi 16, 8; 2. **Lüge** *lying, lie* Ho 10, 13 12, 1 Na 3, 1 Ps 59, 13 Si 7, 13 41, 17, pl. Ho 7, 3.†

***כֶּחָשׁ** (< **kaḥḥāš*): כחשׁ: pl. כֶּחָשִׁים: **verlogen** *mendacious* Js 30, 9.†

I כִּי: < *כְּוִי v. כוה; كَيّ Ätzung *cauterisation*: **Brandmal** *branding* Js 3, 24.†

II כִּי: ug. *k-*; mhb.; ph. כ, mo. כי, altaram. *oldaram.* כי Zkr 13 Assurbr. 16; äga. nur Aḥiqar *only*; ak. *kī*, *kē*; äg. *k3*; verwandt mit *related to* כְּ *F* ba. דִּךְ: כִּי, ursprünglich deiktische Partikel = *so*, wird zur Konjunktion כִּי *is originally a deictic particle = thus a. develops into a conjunction*: I. כִּי als Partikel *as particle*: 1. hinweisend, bekräftigend *demonstrative, stressing*: כִּי רַבָּה **ja,** es ist gross *yea, it is great* Gn 18, 20, כִּי אַתֶּם ja, ihr *yea, you are* Hi 12, 2, וְכִי מִי u. ja, wer *a. yea, who* 1 C 29, 14; in Schwursätzen *in oaths*: כִּי יַעַן ja, deshalb *yea, therefore* Gn 22, 16, כִּי כְפֶשַׁע ja, es ist [nur] wie *yea, there is [but] like* 1 S 20, 3, כִּי מוֹת ja, sterben *yea, die* 1 S 14, 44; 2. Einleitung des Nachsatzes bei Vordersatz mit אִם לֹא *introducing the conclusion after a clause with* אִם לֹא: כִּי מְרַגְּלִים **ja, dann** seid ihr *surely you are* Gn 42, 16, כִּי לֹא **dann** bleibt ihr nicht *surely you shall not* Js 7, 9; 3. כִּי אָז leitet d. Nachsatz zu Vordersatz mit לוּלֵי, לוּלֵא ein *introducing the conclusion after a clause with* לוּלֵי, לוּלֵא: **ja dann** *surely then* 2 S 2, 27 Gn 31, 42, c. לוּ u. לֹא 2 S 19, 7 Nu 22, 29, c. אִם Hi 11, 14—15 22, 23. 26; 4. כִּי עַתָּה (d. Vordersatz ist bloss gedacht *the preceding condition is but supposed*) **Ja, dann** *surely then* Hi 3, 13 7, 21; 5. כִּי nach negativem Satz *following a phrase with negative*: vielmehr *on the contrary* Gn 3, 5 17, 5 24, 4 Js 7, 8; 1 S 27, 1 l כִּי אִם; 6. כִּי in widersprechender Antwort *in contesting reply*: nein! **sondern** *nay! but* Gn 18, 15b 19, 2 42, 12 Jos 5, 14 1 S 2, 16 (l לֹא) 2 S 16, 18 24, 24 1 K 2, 30; לֹא כִּי (durch Akzent zusammengehalten u. vom Folgenden abgesetzt *united by accent a. set apart from the following*, Nestle ZAW 26, 163f) **nicht so** *not thus* 1 K 3, 22. 23 Js 30, 16; 7. כִּי **nein!** vielmehr *no! on the contrary* Hi 22, 2 (nach Frage *after question*), Dt 13, 10 (nach *after* לֹא), (nach im Zusammenhang liegender Negation *the preceding negation being suggested by the context*) Gn 31, 16 Ps 44, 23 Ru 1, 10; l אָנֹכִי Ps 141, 8, l כֵּן Hi 6, 21 pro כִּי; 8. כִּי הַאֻמְנָם sollte wirklich? *should really?* (in selbst gemachtem Einwand *in the speaker's own objection*; ak. *kī-lā* Holma ZA 28, 102) 1 K 8, 27; II. die Demonstrativ-Partikel כִּי so, da wird zur Konjunktion *the demonstrative particle* כִּי *thus, there becomes conjunction*; Hypotaxe statt Parataxe *hypotaxis instead of parataxis*: 9. כִּי **weil** *because* Gn 3, 14; 10. wenn d. Kausalsatz nachsteht *if the clause of cause is put after the principal sentence*: **denn** *for* Ps 6, 3; cj כִּי שַׁד Js 13, 6 u. Jl 1, 15; e. Deutung einleitend *introducing an interpretation* Js 5, 7 51, 3; 2 Begründungen nach einander *two arguments* כִּי ... כִּי **denn... und** *for...for, for...and* Gn 3, 19 Js 6, 5 9, 3—5 Hi 3, 24 f Ko 4, 14; כִּי ... כִּי > וְכִי ... כִּי Gn 33, 11 Js 65, 16; 11. Der Grund, längst vorhanden, wird jetzt erst erkannt *the reason existing since a long time is only now found out* כִּי עַל־כֵּן **denn deswegen = denn ... ja** *for therefore* Gn 19, 8 Nu 10, 31 Ir 29, 28; Höflichkeitsformel *formula of politeness* Gn 18, 5; 12. כִּי von seiner Fortsetzung durch e. Satz mit אִם getrennt *a* אִם*-clause separating* כִּי *from its clause*: 2 S 18, 3; הֲכִי ist es so, dass? *is it that?* 2 S 9, 1 Hi 6, 22; die Antwort ist positiv gedacht *a positive answer is implied* Gn 27, 36 2 S 23, 19 (*F* הִנּוֹ pro כִּי 1 C 11, 25); הֲלֹא כִּי ist es nicht so, dass *is it not that* 1 S 10, 1; וְכִי e. irreale Frage einleitend *introducing a rhetorical question* ist es etwa so, dass *is it that* 1 S 24, 20 Js 36, 19 (Hi 39, 27 Text?); אַף כִּי *F* אַף; אַךְ כִּי nur dass *howbeit* 1 S 8, 9; 13. כִּי leitet den Objektsatz nach Verben des Sehens, Hörens, Sagens, Wissens, Glaubens, Erinnerns, Vergessens, der Freude, der Reue usw. ein *after verbs of seeing, hearing, saying, noticing, believing, remembering, forgetting, of joy or regretting* כִּי *introduces the content-clause*: **dass** *that*: Gn 1, 10, 1 K 21, 15 Hi 36, 10, Gn 22, 12, Ex 4, 5, Jd 9, 2, Hi 35, 15, Js 14, 29, Gn 6, 6; 14. das Subjekt des Objektsatzes ist als Objekt in den übergeordneten Satz genommen *the subject of the content-clause is made object of the principal sentence*: Gn 1, 4, ist durch הִיא usw. wiederaufgenommen *the object is represented by* הִיא *in the content-clause* Gn 12, 14; dieselbe Vorwegnahme bei Zeitbestimmung *the same transferring of a date* Dt 31, 29; כִּי in Fernstellung zum übergeordneten Verb *separated from its governing verb* Hi 20, 4—5; d. Subjekt von כִּי im übergeordneten Satz als Genetiv des Objekts *the subject of the* כִּי*-clause is genitive of the object of the governing clause* Hi 22, 12; 15. כִּי wie *like* ὅτι *recitativum* leitet direkte Rede ein *introducing direct speech*: וַתֹּאמֶר כִּי שָׁמַע sie sagte: er hat gehört *she said*: *he has heard* Gn 29, 33; 16. עֵקֶב כִּי, עַל־כִּי, עַד־כִּי, יַעַן כִּי, אֶפֶס כִּי, תַּחַת כִּי *F* אֶפֶס, יַעַן etc.; 17. כִּי leitet d. Satz ein, der den Anlass zu e. Handlung nennt כִּי *introducing the clause which tells the inducement for an action*: מְאוּמָה כִּי **etwas, das d. Anlass dafür bildete, dass** *something inducing for* Gn 40, 15; *F* Ps 44, 20 Gn 20, 10 31, 36 2 S 7, 18 Ma 3, 14 Js 29, 16 36, 5; 18. כִּי so, da > conjunctio temporis: **wann > wenn** כִּי *thus, there becomes conjunctio temporis*: *when* Nu 33, 51, **als** *when* Ho 11, 1 Ps 32, 3, **wenn** *when (if)* Gn 4, 12; d. Subjekt ist vorangestellt *the subject precedes* כִּי : בַּת אִישׁ כֹּהֵן כִּי **wenn** *if* Lv 21, 9; וַיְהִי כִּי **als** *when* Gn 6, 1, וְהָיָה כִּי **wann, wenn** *when, as* Gn 12, 12 Ex 1, 10; 19. כִּי temporal (lat. cum) > logische Konjunktion: **wenn, falls** temporal כִּי > *logical*: *if* (lat. *si*): כִּי אָמַרְתִּי angenommen, ich sage = wenn ich s. *supposed I say = if I say* Hi 7, 13 Nu 5, 20; כִּי::אִם: dann, **wenn** *then, when* כִּי du kaufst *you buy*, falls, **wenn** *in event that, if* אִם ... u. falls, wenn *a. in event that, if* וְאִם Ex 21, 2—5;

später besteht kaum mehr e. Unterschied zwischen אִם falls u. כִּי wenn *later on the difference between* אִם *if a.* כִּי *when vanishes* Nu 5, 19—20 Hi 38, 5 :: 4. 18; 20. כִּי wann, wenn *when, if* > *conjunctio concessiva*: כִּי wenn auch, wenn schon *(al)though* Ho 13, 15 Ps 21, 12 Pr 6, 35; כִּי גַם Ko 4, 14.

כִּי אִם: כִּי־אִם Gn 15, 4 Nu 35, 33 Ne 2, 2†, sonst *otherwise* כִּי אִם־: 1. in manchen Fällen leiten כִּי u. אִם zwei von einander unabhängige Sätze ein *in many cases the two clauses preceded by* אִם *a.* כִּי *respectively are independent of each other*: 1 S 20, 9 Gn 47, 18 Ex 8, 17 Jos 23, 12 Ko 11, 8 Th 3, 32 Ex 22, 22 Pr 2, 3; 2. כִּי אִם als logische Einheit *as logical unit* (140 ×); so meist nach Negation zur Einschränkung oder Richtigstellung *thus in most cases after a negative in order to limit or rectify*: es sei denn, dass = **ausser wenn** *unless, except* Gn 32, 27 Ru 3, 18, cj 1 S 27, 1, Lv 22, 6 2 S 5, 6 Js 55, 10, cj Gn 24, 4; vor blossem Nomen *preceding a noun*; **ausser** (nichts) **als** *(nothing) but* Gn 28, 17 39, 9 Est 2, 15 2 C 21, 17; מִי ... כִּי אִם wer ausser *who ... but* Js 42, 19, מַה ... כִּי אִם was ausser = **nichts als** *what ... but* Mi 6, 8; כִּי אִם **sondern** *but* Gn 32, 29, **vielmehr** *but* Dt 12, 14; לֹא כִּי אִם **nein! vielmehr** *nay, but* 1 S 8, 19; 3. כִּי אִם für sich *without preceding negative*: **jedoch** *but* Gn 40, 14, **nur** *only* Hi 42, 0; im Schwur *in oaths*: **fürwahr** *surely* Jd 15, 7 1 S 26, 10 21, 6; **und dennoch** *nevertheless* Nu 24, 22 (in solchen Fällen ist eine vorangehende Negation wohl nur gedacht *in those cases a preceding negative may be supposed*).

***כִּיד**: كَادَ war übel daran *was in an evil state*: sf. כִּידוֹ: **Verfall** *decay* Hi 21, 20.†

***כִּידוֹד**: *כוד wie *like* נִיחֹחַ v. נוח; كَادَ Funken hervorbringen *emit fire*: pl. cs. *כִּידוֹדֵי: **Funke** *spark* Hi 41, 11.†

כִּידוֹן: mhb.; كَدَّ, ḥḏ stossen *thrust*: **Wurfspeer** *dart* Jos 8, 18. 26 1 S 17, 6. 45 Ir 6, 23 50, 42 Hi 39, 23 41, 21 Si 46, 2; n. l. גֹּרֶן כִּידוֹן.†

כִּידוֹר: כדר; mhb. הִתְכַּדֵּר geschleudert werden *be thrusted*; sy. ܟܕܪܐ Raubvogel *bird of prey*; كَدَرَ VII. herabstossen (Falke) *rush down (hawk)*: **Angriff, Ansturm** *onset* Hi 15, 24.†

כִּידֹן: n. m.; = כִּידוֹן? JBL 39, 70 ff; 2 S 6, 6 l נָכוֹן: 1 C 13, 9.†

cj **כִּיּוּן**: כון; cj Merx, (Schenkels) Bibellexikon I, 1869, 518; βάσις: **Gestell** *stand*: cj 2 C 6, 13; F כִּיּוּן Am 5, 26.†

כִּיּוּן: Ραιφαν (Act 7, 43) < Καιφαν?: Am 5, 26; Sellin l F כִּיוָן: ak. *kajawānu*, sy. ܟܐܘܢ, ar. u. pers. كَيْوَان = Saturn; כִּיּוּן vokalisiert wie *vocalized like* שִׁקּוּץ; Baudissin PRE³ 16, 639—49, Zimmern KAT³ 409: d. Gott *God* **Saturn**.†

כִּיּוֹר u. **כִּיֹּר**: ak. *kiuru*, LW aus d. *from* Urartäisch. Friedrich, MVA 37, 3, 67: pl. כִּיֹּרוֹת, כִּיֹּרִים, כִּיֹּרֹת; (bronzne) **Becken** *basin (of bronze)*, z. Waschen *for washing* Ex 30, 18. 28 31, 9 35, 16 38, 8 39, 39 40, 7. 11. 30 Lv 8, 11; **Kessel** (z. Kochen) *pot (for cooking)* 1 S 2, 14; 10 Kessel *pots* (fahrbar *to be wheeled about*) 1 K 7, 30. 38. 43 2 K 16, 17 2 C 4, 6. 14, De Groot, d. Altäre im salom. Tempel, 1924, 24; כִּיּוֹר אֵשׁ **Feuerbecken** *fire-pot* Sa 12, 6; l הַסִּירוֹת 1 K 7, 40, l כִּיֹּרוֹת 2 C 6, 13.†

כִּילַי: Js 32, 5 > (Anklang an *alluding to* כִּלְיוֹן?) כֵּלַי 32, 7: נכל? Zusammenhang lässt an Betrüger (?) denken *context suggests something like knave (?)*.?

כֵּילַפּוֹת: (*כלב?); mhb. כֵּילוּף, ja., ܩܠܒܐ, κελεβιν, > πέλεκυς?; < ak. LW *kalapāti*

Zimm. 12: **Brechstangen** (mit Greifeisen an d. Spitze) *iron-tipped beams* Ps 74, 6.†

כִּימָה: mhb., ja., sy. כִּימָא; كوم Haufe, Herde (Kamele) *heap, herd (camels)*: Haufengestirn, **Siebengestirn, Plejaden** *star-heap, Pleiades* (AS 1, 497 ff) Am 5, 8 Hi 9, 9 38, 31.†

כִּיס: mhb.; ja., palm., sy. כִּיסָא; ak. *kīsu*; كيس, ከ-ስ: **Beutel** *bag, purse*: f. Gold *for gold* Js 46, 6, f. Gewichtsteine *for weights* אַבְנֵי כִיס (ak. *aban kīsi*) Pr 16, 11, אַבְנֵי מִרְמָה falsche Gew. *deceitful weights* Mi 6, 11, Dt 25, 13 Pr 1, 14; l כּוֹס 23, 31.†

כִּיר: F כּוּר: mhb. כִּירָה tragbarer Kochherd *portable cooking-furnace*; ak. (sum.) *kīru* Ofen *furnace*; كير Schmiedesse *forge* (Euting, Tagebuch 1, 83); Blasebalg *bellows* (Lane, Beaussier): du. כִּירַיִם: **kleiner Herd** *small hearth* Lv 11, 35 (du. für 2 Töpfe *supporting two pots*?; Honeyman, PEF 1939, 82 f: *potstand*).†

כִּיֹּר: F כִּיּוֹר.

כִּישׁוֹר: Boissier, PSB 35, 159 f, Landersdorfer, Sumer. Sprachgut 45: sum. *sur* spinnen *spin*: **Spinnwirtel** (kleine Scheibe unten a. d. Spindel, welche die Drehung fördet) *whorl (small disk at the lower end of the distaff to promote the turning)* AS 5, 50—2: Pr 31, 19.†

כָּכָה: Verdopplung von *doubling of* כֹּה = כָּה; VG 1, 142; mhb. כָּךְ; ak. *kīkī*; EA kikā: 1. so *thus* (auf folgende Weise *as will be said*) Ex 12, 11 1 K 1, 48 Ir 13, 9 19, 11; 2. so *thus* (auf die genannte Weise *as has been said*) Ex 29, 35 Nu 8, 26 11, 15 15, 11—13 Dt 25, 9 29, 23 Jos 10, 25 1 S 2, 14 19, 17 2 S 17, 21 1 K 1, 6 9, 8. Ir 22, 8 28, 11 51, 64 Hs 4, 13 Ho 10, 15 Hi 1, 5 Ct 5, 9 Est 6, 9. 11 Ne 5, 13; 3. so *thus* (in diesem Mass *in such a degree*) כָּכָה דַל so kleinlaut *thus downcast* 2 S 13, 4; שֶׁכָּכָה לוֹ um das es so steht *that is in such a case* Ps 144, 15; כַּאֲשֶׁר...כָּכָה wie..., so *as...*, (*even*) *so* Ko 11, 5; זֶה כָּכָה וְזֶה...כָּכָה d. eine so, d. andre so *one after this manner, another after that manner* 2 C 18, 19; עַל־כָּכָה deswegen *therefore* Est 9, 26; ? Hs 31, 18; F אֵיכָכָה.†

כִּכָּר: < *kirkar*, כרר; ph. ככר, pl. ככרם, F ba.; ϭΙΝϭⲰⲢ; κίγχαρες Jos. Antt. 3, 144; ak. Zimm. 21: cs. כִּכַּר (l Ex 37, 24), pl. כִּכָּרִים, cs. כִּכְּרֵי, f. cs. כִּכְּרוֹת, du. כִּכָּרַיִם, כִּכָּרַיִם: **runde Scheibe** *round disk*: 1. כִּכַּר לֶחֶם (scheibenförmiges) **Rundbrot** (*disk shaped*) *round loaf* Ex 29, 23 1 S 2, 36 Ir 37, 21 Pr 6, 26 1 C 16, 3; pl. כִּכְּרוֹת לֶחֶם Jd 8, 5 1 S 10, 3; 2. כִּכַּר עֹפֶרֶת runde Bleischeibe, **Bleideckel** *circular lid of lead* Sa 5, 7; 3. runde Scheibe aus Gold oder Silber als Gewicht oder Werteinheit: **Talent** *round disk of gold or silver used as weight or unit of value: talent* (BRL 174 ff): כִּכַּר זָהָב Gewicht *weight* 2 S 12, 30 1 C 20, 2 1 K 10, 10. 14 2 C 9, 9, Wert *value* Ex 25, 39 37, 24 1 K 9, 14 2 K 18, 14 23, 33 2 C 8, 18 36, 3; כִּכַּר כֶּסֶף 1 K 20, 39 2 K 5, 22 15, 19 1 C 19, 6 2 K 18, 14 23, 33 2 C 25, 6 27, 5 36, 3 Est 3, 9 1 C 29, 4, כִּכַּר הַכֶּסֶף Ex 38, 27; (100 000) זָהָב כִּכָּרִים 1 C 22, 14 29, 7, (7000) זָהָב טוֹב לְכִכָּרִים 29, 4, (600) כִּכְּרֵי זָהָב 2 C 3, 8; כִּכָּרַיִם כֶּסֶף 1 K 16, 24 2 K 5, 23; (10) כֶּסֶף כִּכָּרִים 5, 5; (650) כִּכְּרֵי כֶסֶף Esr 8, 26; כִּכָּרִים (100 000) כֶּסֶף 1 C 22, 14; (10 000) כֶּסֶף כִּכָּרִים 1 C 29, 7; ohne Angabe des Metalls *metal not named* Ex 38, 24 f. 27. 29 1 K 9, 28 2 K 5, 23 2 C 25, 9; 1 כִּכַּר כֶּסֶף = 3000 שֶׁקֶל Ex 38, 25 f, ebenso in *the same at* Ugarit Sy 1934, 141; 4. כִּכָּר **Kreis**, (irgendwie rund herum liegende) Umgebung *district, territory* (*around a place*) (enger als *smaller then* סְבִיבוֹת Ne 12, 28): כִּכַּר הַיַּרְדֵּן d. (ungefähr kreisrunde)

Gelände im untern Jordantal, (dessen Mitte etwa Jericho ist) *the (roughly circular) territory of Lower Jordan (around Jericho)* Gn 13, 10f 1 K 7, 46 2 C 4, 17, > הַכִּכָּר Gn 19, 17. 25 Dt 34, 3 2 S 18, 23 Ne 12, 28, אֶרֶץ הַכִּכָּר Gn 19, 28, עָרֵי הַכִּכָּר Gn 13, 12 19, 29, אַנְשֵׁי הַכִּכָּר Ne 3, 22.†

כֵּל : F כְּלִי.

כֹּל u. **כּוֹל** Ir 33, 8 K†: כלל: ug. *kl*; ak. *kullatu* Gesamtheit *the whole*; mhb., ph. mo., F ba. כֹּל, כּוֹל, كُلّ, asa. כל; ኵሉ: cs. כֹּל Gn 2, 5, meist *mostly* כָּל־, כָּל Ps 35, 10 Pr 19, 7; sf. כֻּלּוֹ, כֻּלֹּה, כֻּלָּהּ, כֻּלָּא (ante א) Hs 36, 5†, 2. m. כֻּלְּךָ Mi 2, 12†, 2. f. כֻּלֵּךְ Js 14, 29. 31†, כֻּלָּךְ Js 22, 1 Ct 4, 7, † כּוּלָּם, כֻּלָּם Ir 31, 34†, l כֻּלְהֶם Ir 15, 10†, כֻּלָּהֵם 2 S 23, 6†, f. כֻּלָּנָה Gn 42, 36 Pr 31, 29, F כֻּלְהֶנָה, † כֻּלָּנָה 1 K 7, 37†, כֻּלָּנוּ, כֻּלְּכֶם: **Gesamtheit** *the whole*: 1. כל vor e. Wort, das e. Einheit bezeichnet *preceding a noun expressing a unit*: **das Ganze** *the whole*: . כָּל־הָאָרֶץ d. Ganze der Erde, die ganze Erde *the whole of the earth, the whole earth* Gn 9, 19, כָּל־הַיּוֹם d. ganzen Tag *the whole day* Js 28, 24, כָּל־עַמִּי mein ganzes Volk *my whole people* Gn 41, 40, כֻּלָּהּ ihr Ganzes, sie ganz *the whole of her* Gn 13, 10; das ganze Übrige, alle Übrigen *all the others* Ex 14, 7 Lv 11, 23; cf. ak. *bēl kāla* (Tallquist, d. ass. Gott 52f) u. palm. מרא כל d. Herr des Universums *the lord of the universe* (Js 44, 24), Ferrier RÉS 1934, XV f; 2. כֹּל suffigiert nachgestellt *with suffix a. postponed*: יִשְׂרָאֵל כֻּלֹּה I., s. Ganzes = ganz Isr. *Isr., its whole = whole Isr.* 2 S 2, 9, כָּל־בֵּית הָעָם כֻּלּוֹ Js 9, 8; כֹּל doppelt *twice*: יִשְׂרָאֵל כֻּלֹּה Hs 11, 15; 3. כֹּל vor e. indeterminierten Wort *preceding an indeterminated noun*: כָּל־פֶּה d. ganze Maul *the whole mouth* Js 9, 11, (:: 9, 16 jedes M. *every m.*), בְּכָל־לֵב m. ganzem H. *with the whole heart* 2 K 23, 3; כָּל־עוֹד die ganze Dauer *the whole time*, = so lange noch *as long as ... still* Hi 27, 3, = da immer noch *because still* 2 S 1, 9; 4. כֹּל vor e. Wort, das e. Vielheit bedeutet *preceding word expressing plurality*: כָּל־בִּכּוּרֵי כֹל **alle** Erstlinge von Allem *all the firstfruits of every thing* Hs 44, 30, כָּל־אֲשֶׁר Alles, was *all that* Gn 39, 5, אֹמֵר לַכֹּל er sagt von Allem *he says of all* Ko 10, 3, כֹּל תּוּכָל kannst Alles *canst do all things* Hi 42, 2; 5. כֹּל zusammenfassend *comprehending*: **Gesamtheit, insgesamt** *the whole, all* כָּל־עָרִים עֶשֶׂר d. Gesamtheit d. St. war zehn, insgesamt waren es zehn St. *the whole of the towns were ten* Jos 21, 26; 6. כֹּל vor Plural *preceding plural*: **alle** *all*: כָּל־הַגּוֹיִם Js 2, 2, כֹּל אֲשֶׁר alle, die *all who* Gn 6, 2; zum Nachdruck mit doppelten כֹּל, כָּל־מ׳... כֻּלָּם *is doubled in order to stress* כֹּל alle K... insgesamt *all kings all of them* Js 14, 18; 7. כֹּל vor Kollektiv *preceding collective*: **alle** *all*: כָּל־הָאָדָם alle Menschen *every man* Gn 7, 21; 8. כֹּל vor Wort, dessen einzelne Glieder gemeint sind *preceding a word the individual members of which are aimed at*: **jeder** *every*: בַּכֹּל gegen jeden *against every man* Gn 16, 12, כָּל־הַבֵּן jeder, der e. Sohn war = jeder S. *every man, who was a son = every son* Ex 1, 22, כָּל־הָעִיר alles, was Stadt ist, jede Stadt *all what is a city, every city* Ir 4, 29, בְּכָל־הַמָּקוֹם an jedem Ort *in every place* Ex 20, 24, כָּל־הָאִישׁ jeder *every man* 2 S 15, 2, כֹּל הַיּוֹם jeden Tag *each day* Js 28, 24, כֻּלֹּו ein jeder *every one* 1, 23 9, 16 Ir 6, 13 Ha 1, 9 Ps 29, 9; בְּכָל־יַחֵם bei jedem Brünstigsein = **so oft** sie brünstig waren *at every getting hot = whensoever they got hot* Gn 30, 41, בְּכָל־קָרְאֵנוּ so oft wir rufen *whensoever we call* Dt 4, 7; 9. כֹּל vor Singular ohne Artikel *preceding singular without article*: **jeder** *every*: כָּל־עַם jedes Volk *every nation* Est 3, 8, כָּל־בַּיִת jedes H. *every h.* Js 24, 10; לְכֹל jeder, der *each who* Esr 1, 5,

בְּעַד כָּל־ 2 C 30, 18 f (in beiden Fällen folgt e. singularischer Relativ-satz *both are followed by a* אֲשֶׁר*-clause in the singular*); 10. כֹּל jeder = lauter *every = none but* כָּל־אִישׁ חָיִל Jd 3, 29; 11. כֹּל = παντοῖος: **von jeglicher Art, irgendein** *of every kind, any* (cf. πᾶν πονηρόν Mt 5, 11): כָּל־דָּבָר irgendeine Sache *any thing* Ru 4, 7, לְכָל־עָוֺן hinsichtlich irgendeiner Schuld *for any iniquity* Dt 19, 15; 12. כֹּל **von jeder Art, allerlei** *of all sorts*: כָּל־טוּב Gn 24, 10, כָּל־עֵץ Lv 19, 23, כָּל־מֶכֶר Ne 13, 16; 13. כֹּל mit (meist ferngestellter) Negation *with a negative* (*mostly separated from* כֹּל): **gar kein** *no ... whatever, no ... at all*: לֹא ... מִכֹּל von gar keinem *not of any* Gn 3, 1, כָּל־מְלָאכָה לֹא gar kein W. *no work at all* Ex 12, 16, כָּל־רוּחַ אֵין Ha 2, 19, אֵין־כֹּל garnichts *nothing whatever* 2 S 12, 3, אַל ... כָּל־טָמֵא ja nichts Unreines *not any unclean thing* Jd 13, 14, לֹא ... הַכֹּל garnichts *nothing at all* Ps 49, 18; 14. כֹּל **jeder, der; jedesmal, wenn** *each who, when any* 1 S 2, 13; 1 כְּלִי pro כָּל Gn 4, 22, 1 כְּעֻמַּת Ko 5, 15; **F** n.m. כָּל־חֹזֶה.

כלא: mhb.; äga., ja., sy. ܟܠܐ; ak. I *kalū*; كَلَأَ, ከልአ:

qal: pf. כָּלְאָה, כָּלָאוּ, sf. כְּלָאוֹ, impf. אֶכְלָא, תִּכְלָאִי, inf. כְּלוֹא, imp. sf. כְּלָאֵם, pt. כֹּלֵא; Formen im Übergang zu כלה *forms in transition to* כלה (BL 375): pf. כָּלוּ, כָּלָאתִי, sf. כְּלָתְנִי, impf. יִכְלֶה, imp. cj כַּלֵּה Ps 59, 14: 1. c. ac. **zurückhalten** *restrain, shut up* Nu 11, 28 1 S 6, 10 Ir 32, 3 Hg 1, 10 (טַל) Ps 40, 12, cj 74, 11 (1 בְּקֶרֶב u. תִּכְלֶה), 119, 101 (מִן von *from*) Ko 8, 8; כָּלָא שְׂפָתַיִם d. Lippen verschliessen *restrain my lips* Ps 40, 10; 2. כָּלָא בְּ **zurückhalten mit** *keep from* cj Ps 59, 14 (1 כְּלֵה); 3. c. ac. u. מִן: jm. etw. **vorenthalten** *withhold a thing from* Gn 23, 6; c. inf. jm. davon **abhalten** zu ... *prevent a person from* 1 S 25, 33; 4. abs. **zurückhalten** *keep back* Js 43, 6 Ir 32, 2 Ps 88, 9 (adde אֲנִי); †

nif: impf. וַיִּכָּלֵא, וַיִּכָּלְאוּ: **abgehalten werden** *be prevented* (מִן zu *from*) Ex 36, 6, **zurückgehalten werden** *be kept back, restrained* Gn 8, 2 Hs 31, 15. †

Der. כֶּלֶא, (כְּלִיא), מִכְלָה.

כֶּלֶא: כלא: sf. כִּלְאוֹ, pl. כְּלָאִים: Gefangenschaft *imprisonment*: בֵּית כ׳ **Gefängnis** *prison* 2 K 17, 4 25, 27 (1 כִּלְאוֹ) Js 42, 7; pl. בָּתֵּי כְלָאִים (doppelter *double* pl.!) Js 42, 22; בֵּית הַכֶּלֶא 1 K 22, 27 Ir 37, 15. 18 2 C 18, 26; בִּגְדֵי כִלְאוֹ s. Sträflingskleider *his prison garments* 2 K 25, 29 Ir 52, 33; **F** כְּלִיא. †

כֶּלֶא Hs 36, 5: 1 כֻּלָּהּ. †

כִּלְאָב: n. m.; Caspari 1 כָּלֵב, כְּלָאָב aus d. folgenden [לאב[יגל entstanden *originating in the following* [לאב[יגל: 2 S 3, 3. †

כִּלְאַיִם: ug. *kl'ṭ ydy* m. beiden Hände *both my hands*; mo. כלאי Mesa 23 (?); ak. *kilāte*, Holma N Kt 121, كِلَا, ክልኤ beide *both*: כִּלְאַיִם: **zweierlei** *of two kinds* Lv 19, 19 Dt 22, 9. †

כלב*: كَلِبَ packen, fassen *seize*: כֶּלֶב, n. m. כָּלֵב, I, II כְּלוּב; כֵּילַפּוֹת?

כֶּלֶב: *כלב: ug. *klb, klbt*; mhb, ph., aram. כַּלְבָּא; ak. f. *kalbatu*, كَلْبٌ, ከልብ; VG I, 418: כָּלֶב, pl. כְּלָבִים, cs. כַּלְבֵי, sf. כַּלְבֶּךָ: **Hund** *dog* (Bodenheimer 128 f): 1. Art zu trinken *manner of drinking* Jd 7, 5; 2. für die Herde *sheep-dogs* Js 56, 10 Hi 30, 1; 3. (herrenlose, unreine) Strassenhunde *dogs in the street* (*without master, unclean*) Ex 22, 30 1 K 14, 11 16, 4 21, 19. 23 f 22, 38 2 K 9, 10. 36 Ir 15, 3 Ps 22, 17. 21 59, 7. 15 68, 24 Pr 26, 11 (kehrt zu s. Gespei zurück *returns to his vomit*). 17; 4. Wachthund (bei Haus und Zelt) *watch-dog* (*with house a. tent*) Ex 11, 7; 5. Bild des

Verächtlichen *image of the despicable*, *mean* 1 S 17, 43 2 S 3, 8 Ko 9, 4; כֶּ׳ מֵת 1 S 24, 15 2 S 9, 8 16, 9; 6. Ausdruck d. Selbsterniedrigung *expression of humility* 2 K 8, 13, cf. Lkš 2, 4 5, 4 6, 3 u. EA; 7. Name für d. (kultischen?) Päderasten *name of the (ritual?) paederaste* (auch *also* ph. F CIPh I 86, B 10) Dt 23, 19; 8. Hundeopfer *sacrifice of dogs* Js 66, 3 WR Smith, R Sem[3] 596; l וְהַלְּבָאִים 56, 11.†

כָּלֵב: n. m.; nab. כלבו; v. כֶּלֶב d. Bissige, Abwehrende *the snappish, warding off* (Nöld. BS 79 f :: Bauer ZAW 48, 79 f); ug. n. m. *Klby* Albright BAS 82, 47[26], Maisler JPO 14, 261 ff; asa. n. m. כלב Ryck. 2, 77; كُلَيْب: Kaleb *Caleb*: 1. בֶּן־יְפֻנֶּה Nu 13, 6 14, 6. 30. 38 26, 65 32, 12 34, 19 Dt 1, 36 Jos 14, 6. 13 f 15, 13 21, 12 1 C 4, 15 6, 41 Si 46, 7, F Nu 13, 30 14, 24 Jos 15, 14. 16—18 Jd 1, 12—15. 20 3, 9; נֶגֶב כָּלֵב 1 S 30, 14; 2. בֶּן־חֶצְרוֹן 1 C 2, 18 f. 24 (l בָּא כָלֵב). 42. 46. 48—50; F כָּלִבִּי.†

כָּלִבִּי: ug. n. m. *Klby*; gntl. v. כָּלֵב 1; Alt RLV 6, 196: 1 S 25, 3 Q†.

I כלה (± 210 ×): ug. *kly*, ak. *kalū*; ph. כלי; mhb.; ja. כְּלָא; F כלא qal, כלל:

qal: pf. כָּלָה, כָּלְתָה, כָּלָתָה, כָּלִיתִי, כָּלוּ, כָּלוּ (BL 424), כָּלִינוּ, כְּלִיתֶם, impf. יִכְלֶה, יִכֶל, יִכְלְיוּן, יִכְלוּ, וַתֵּכֶל, (BL 424), תִּכְלֶה, תִּכְלָה, תִּכְלֶינָה, תִּכְלֶנָה, inf. כְּלוֹת, sf. כַּלֹּתוֹ, כְּלוֹתָם: 1. aufhören, zu Ende gehn, sein *cease, come to an end, be at an end*: מַיִם Gn 21, 15, Zeitraum *space of time* Gn 41, 53 Ir 8, 20 20, 18 Ps 31, 11 102, 4 Hi 7, 6 Da 11, 36, עֲבֹדָה Ex 39, 32, Nahrung *food* 1 K 17, 14. 16, Ernte *harvest* Js 24, 13 32, 10 Ru 2, 23, זַעַם Js 10, 25, כָּבוֹד 21, 16, אַף Hs 5, 13, רַחֲמִים Th 3, 22, die eschatologischen Dinge *the eschatological things* Da 12, 7, cj 12, 7 die Macht *the power* = יָד, cj כָּלוּ Ps 72, 20; 2. fertig werden *be finished, accomplished*: Hausbau *building* 1 K 6, 38 2 C 8, 16, Aufgabe *task* 1 C 28, 20 2 C 29, 34, Opfer *sacrifice* 29, 28; sich erfüllen *be accomplished* דְּבַר י׳ Esr 1, 1 2 C 36, 22; 3. **vergehn** *vanish* דֶּשֶׁא Js 15, 6, שֹׁד 16, 4, עָנָן Hi 7, 9, עָשָׁן Ps 37, 20, Menschen *man* 39, 11 71, 13 90, 7 Hi 4, 9, בָּשָׂר Ps 73, 26 Pr 5, 11 Hi 33, 21, כֹּחַ Ps 71, 9; 4. **zu Grund gehn** *perish* Js 1, 28 29, 20 31, 3 Ir 16, 4 44, 27 Hs 5, 12 13, 14; 5. **fertig, entschieden, beschlossen sein** *be completed, determined*: 1 S 20, 7. 9 (מֵעִם bei *with*). cj (l כָּלְתָה) 33 Est 7, 7 (מֵאֵת bei *with*) 1 S 25, 17; 6. כָּלוּ עֵינֵיהֶם ihre Augen **wurden schwach** *their eyes fail* Ir 14, 6 Ps 69, 4 Hi 11, 20 17, 5 Th 2, 11; כָּלוּ כִלְיוֹתַי m. Nieren **verschmachten** *my reins are consumed* Hi 19, 27; 7. כָּלָה c. לְ **sich verzehren nach** *long for*: נַפְשִׁי Ps 84, 3 119, 81, עֵינַי 119, 82. 123, cj (l כָּלוּ) Js 38, 14, c. אֶל Th 4, 17; כָּלָה c. לְ c. inf. sich danach verzehren zu ... *long to* Ps 143, 7, cj 2 S 13, 39; ?? Ma 3, 6 Pr 22, 8;

pi (140 ×): pf. כִּלָּה, כִּלָּתָה, כִּלִּית, כִּלִּיתִי, כִּלּוּ, sf. כִּלָּם, כִּלָּתוּ, כִּלִּיתָם, כִּלִּיתִים, כִּלּוּנִי, impf. וַיְכַל, תְּכַלֶּה, אֲכַלֶּה, וָאֲכַל, וִיכַלּוּ, וַיְכַלּוּ, sf. אֲכֶלְךָ < אֲכַלְּךָ, אֲכַלֵּם, תְּכַלֶּנָּה, וַיְכַלֵּהוּ Ex 33, 3 (BL 424), inf. כַּלֵּה = כַּלֵּא Da 9, 24 (BL 424), כַּלֹּת, כַּלּוֹת, sf. כַּלֹּתוֹ, כַּלּוֹתִי, imp. כַּלֵּה, pt. מְכַלֶּה, מְכַלּוֹת: 1. **vollenden** *bring to an end, finish*: מְלָאכָה Gn 2, 2, מַעֲשֶׂה Ex 5, 13, חֻקוֹ d. Aufgabe *his task* 5, 14, בַּיִת 1 K 6, 9, רָעָה Pr 16, 30, cj (l אֲכַלֶּה דְבָרַי) Ps 56, 5 u. 11; etc.; Redensart *idiomatic phrase*: הָחֵל וְכַלֵּה 1 S 3, 12, עַד־כַּלֵּה 2 K 13, 17. 19 Esr 9, 14, עַד־לְכַ׳ 2 C 24, 10; 2. **fertig werden** *finish*: Ne 3, 34 1 C 27, 24 2 C 24, 14 29, 17 31, 1. 7; c. בְּ zu Ende kommen mit *finished with* Esr 10, 17 2 C 20, 23; 3. **zu Ende brauchen, aufbrauchen** *use up* Dt 32, 23 Js 49, 4, חֲמָתִי Hs 6, 12 13, 15 Th 4,

11, אַפִּי Hs 5, 13 7, 8 20, 8. 13. 21; יָמִים T. **zu Ende führen** *accomplish days* Hs 4, 8. 6 43, 27 Hi 36, 11, שָׁנִים Ps 90, 9; כִּלָּה מִדּוֹת ganz vermessen *complete measuring* Hs 42, 15; **erledigen** *terminate* Esr 9, 1; 4. **zu Ende bringen, erschöpfen** *finish, consume*: e. Land aufreiben *consume a land* Gn 41, 30, Augen erlöschen lassen *consume the eyes* 1 S 2, 33 Hi 31, 16; 5. **vernichten, vertilgen** *exterminate, destroy* Ex 32, 10 33, 3 (Var. אֲכַלְךָ) (32 ×); cj וְכִלֵּם Ir 15, 16 (Duhm), cj יְכַלֵּם Ps 125, 5; 6. כִּלָּה c. לְ c. inf: **zu Ende führen** *fulfil* (50 ×): וַיְכַל לְדַבֵּר zu Ende reden *finish speaking* Gn 17, 22, כִּלָּה לִקְצֹר ganz abernten *reap wholly* Lv 19, 9, cj כְּכַלֹּתְךָ Js 33, 1 u. cj לֹא יְכַלֶּה לָשׁוֹן (Galling) Ko 1, 8; 7. כִּלָּה c. מִן c. inf.: **aufhören zu ...** *cease to ...* וַיְכַל מִדַּבֵּר Ex 34, 33; (7 ×); 8. כִּלָּה בְּ aufhören bei *leave, stop at* Gn 44, 12; l תִּכְלֶה (!כלא) Ps 74, 11, l וְכִכְלוֹת Da 12, 7, l יִכְלֶה Js 10, 18;

pu: † pf. כֻּלּוּ, impf. וַיְכֻלּוּ, cj יְכֻלֶּה Js 10, 18: **vollendet werden** *be finished* Gn 2, 1 Ps 72, 20; **vernichtet werden** *be destroyed* cj Js 10, 18.

Der. *כָּלֶה, כָּלָה, כִּלָּיוֹן, מִכְלוֹת, תִּכְלָה, תַּכְלִית; n. m. כִּלְיוֹן.

II *כלה: F כלא.

III *כלה: Der. כְּלִי.

*כָּלֶה: I כלה: pl. כָּלוֹת, cj כָּלִים: **schmachtend** *failing, longing* (אֶל nach *for*) Dt 28, 32, **schwindend** *failing* cj Hi 17, 7. †

כָּלָה: I כלה; H. Bauer ZDM 71, 411 f: v. כול, F Procksch, Jes. 172: **Vernichtung** *consumption, complete destruction*: Js 10, 23 28, 22 Hs 13, 13 Da 9, 27 Si 44, 17, cj Hs 21, 33 (לְכָלָה); e. **Ende**, d. **Garaus machen** *annihilate completely* Ir 4, 27 5, 10. 18 30, 11 46, 28 Hs 11, 13 20, 17 Na 1, 8 Ze 1, 18 Ne 9, 31 2 C 12, 12; l כַּלֹּתָה Gn 18, 21, l כָּלְתָה 1 S 20, 33, l וְכִלָּה Da 11, 16; ? Ex 11, 1. †

כַּלָּה: ug. *klt* Braut *bride*; ak. *kallatu*; mhb.; ja., sy. כַּלְּתָא, كَنَّة, Roberts. Smith, Kinship 136 f. 292 Vorbehaltne *reserved one*; v. Soden ZA 45, 46; Goetze Or. 16, 243 f: sf. כַּלָּתוֹ, כַּלֹּתֶיהָ.
1. **Braut** *bride (before marriage)* Js 49, 18 61, 10 (//חָתָן) 62, 5 Ir 2, 32 7, 34 16, 9 25, 10 33, 11 Jl 2, 16 Ct 4, 8—12 5, 1; 2. (junge) **Sohnsfrau** *(young) daughter-in-law* Gn 11, 31 38, 11. 16. 24 Lv 18, 15 20, 12 1 S 4, 19 Hs 22, 11 Ho 4, 13 f Mi 7, 6 Ru 1, 6—8. 22 4, 15 1 C 2, 4; 3. **Jungverheiratete** *newly-married woman* cj 2 S 17, 3. †
Der. כְּלוּלֹת.

כְּלָהִי: n. m.; Q כְּלָהוּ, K כְּלָהַי; Text?: Esr 10, 35. †

I כְּלוּב: כלב: mhb. כְּלוּב u. כְּלִיבָה; sy. ܟܠܘܒܐ (Trauben)Körbe *baskets for grapes*; altass. *kulubānum* ZA 38, 249; EA *kilūbu* gloss. v. *ḫuḫaru* Vogelkäfig *bird-cage*; ከረቦ, κλοβός, κλουβός: **Korb** *basket* (קַיִץ) Am 8, 1 f, **Käfig** *cage* (עוֹף) Ir 5, 27; Si 11, 30; F II. †

II כְּלוּב: n. m.; = I? F כְּלוּבָי: 1. 1 C 4, 11; 2. 1 C 27, 26. †

כְּלוּבָי: n. m.; v. כְּלוּב oder *or* ? כָּלֵב: 1 C 2, 9, cj כָּלְבִי pro כַּרְמִי 4, 1. †

*כְּלוּלֹת: כַּלָּה: sf. כְּלוּלֹתָיִךְ: **Braut-Stand, -Zeit** *betrothal-time, state of bride* Ir 2, 2. †

*כלח: I כֶּלַח.

I כֶּלַח: *כלח: כֶּלַח: **Vollkraft, Rüstigkeit** *firm strength, vigour* Hi 5, 26 30, 2. †

II *כֶּלַח: n. l.; ak. *Kalḫu*, modern *Nimrūd*, s. נִינְוֵה: RLV 6, 196: כָּלַח: Gn 10, 11 f.†

כָּל־חֹזֶה: n. m.; כֹּל u. חזה: Ne 3, 15 11, 5.†

כְּלִי (320 ×): III כלה fassen, enthalten *contain*; mhb. Gefäss, Gerät, Gewand *vessel*, *utensil*, *garment*; ak. *kalūtu* e. Gefäss *a vessel*; ʿoman. *kelāw* Krüge *jugs* (Vollers ZDM 49, 514): כֶּלִי, sf. כֶּלְיְךָ, pl. כֵּלִים (BL 619), cs. כְּלֵי, sf. כֵּלַי (BL 502), כְּלֵיהֶם, כֵּלֶיהָ: 1. **Gefäss, Geschirr** *vessel*, *receptacle*: Gn 31, 37, aus Holz *wooden* Lv 11, 32, כְּלִי מַשְׁקֶה 1 K 10, 21, כְּלִי חֶרֶשׂ Lv 6, 21, כְּלִי יוֹצֵר 2 S 17, 28, כְּלִי פָתוּחַ offenes *open* Nu 19, 15, zum Aufbewahren von Urkunden *to preserve documents* Ir 32, 14, v. Wein, Öl, Obst *of wine*, *oil*, *fruits* 40, 10, v. Speise *of food* Hs 4, 9, v. Trank *of beverage* Ru 2, 9, v. Getreide *of cereals* Gn 42, 25, Brotsack *bread-basket* 1 S 9, 7, Hirtentasche *shepherd's bag* 17, 40; 2. **Geschirr, Gerät** *vessel*, *utensil*: aus Metall *of metal* Gn 4, 22 (1 כְּלִי), aus Leder *of leather* Lv 13, 49, z. Schlachten *for slaughtering* Hs 40, 42, Hausrat *furniture* Gn 45, 20, Wohngerät *for dwelling* Ex 27, 19, Altargerät *for the altar* Ex 38, 3, f. d. Kult *for worshipping* Nu 3, 8 2 K 23, 4, im Zelt *in the tent* Nu 19, 18, Gepäck *luggage* 1 S 17, 22, zum Wandern *for travelling* Ir 46, 19, im Schiff *in the ship* Jon 1, 5, für Fahren u. Reiten *for riding* 1 S 8, 12; im Heerlager *in the camp* 1 S 10, 22, שֹׁמֵר הַכֵּלִים 17, 22; כְּלֵי הַבָּקָר Geschirr (Joch, Zugseile usw). *harness* 2 S 24, 22; 3. **Werkzeug** *implement*, *instrument*: Gn 49, 5, אִישׁ וְכֵלָיו Ir 22, 7, כְּלִי מַפָּצוֹ Hs 9, 2, כְּלִי מַשְׁחֵתוֹ 9, 1; כֵּלֶיךָ Jagdgerät *huntman's equipment* Gn 27, 3; 4. **Sachen** *things*: z. Schmuck *for ornament*: כֶּסֶף Gn 24, 53, זָהָב Ex 3, 22, der Braut *of the bride* Js 61, 10, כְּלֵי תִפְאַרְתֵּךְ Hs 16, 17; Kleider *garb*: כְּלִי גֶבֶר Dt 22, 5; 5. כֵּלִים **Waffen** *weapons*: 2 K 7, 15, נֹשֵׂא כֵלָיו Jd 9, 54 1 S 14, 1. 6 16, 21, בֵּית כֵּלָיו Zeughaus *armory* 2 K 20, 13 Js 39, 2, כְּלֵי מִלְחַמְתּוֹ Ko 9, 18, כְּלֵי קְרָב Dt 1, 41 Jd 18, 11 1 S 8, 12 Ir 21, 4 Hs 32, 27; כְּלֵי מָוֶת Mordwaffen *instruments of death* Ps 7, 14; 6. Gefäss = **Schiff** *vessel* (*French*: *vaisseau*) = *ship*, *boat* (cf. σκάφος) Js 18, 2, cj כְּלֵי 60, 9; 7. Einzelnes *particulars*: כְּלֵי יהוה d. heiligen Geräte *the holy vessels* Js 52, 11; כְּלֵי שִׁיר Musikgeräte *musical instruments* oder *or* Melodien *melodies*? (Buttenwieser JBL 45, 156—8) Am 6, 5 2 C 5, 13 7, 6 23, 13; נֶבֶל-Instrument *instrument of* נֶבֶל כְּלִי נֶבֶל Ps 71, 22; כְּלִי Ding = Leib (Penis?) *thing* = *body* (*penis*?) 1 S 21, 6; 1 כְּאֵילָיו Ir 25, 34, 1 בְּכָל־ 2 C 30, 21, 1 כְּלוֹ Pr 25, 4.

כִּלַי: F כִּילַי.

כְּלִיא: K כְּלִיא, Q כְּלוּא = כֶּלֶא: Ir 37, 4 52, 31.†

*כִּלְיָה: mhb. (pl.), ja. כּוּלְיָא, כֻּלְיָא (pl.), sy. ܟܘܠܝܬܐ, كُلْيَة, ኩሊት, ϭⲗⲟⲟⲧⲉ; ak. *kalītu*, Holma NKt 80: pl. כְּלָיוֹת, כִּלְיֹת, cs. כִּלְיוֹת, sf. כִּלְיוֹתַי, כִּלְיוֹתֵיהֶם: d. **Nieren** *the kidneys*: Ex 29, 13. 22 Lv 3, 4. 10. 15 4, 9 7, 4 8, 16. 25 9, 10. 19; als d. Innerste, Geheimste des Menschen *as the innermost*, *secretest part of man*: לְבוֹת וּכְלָיוֹת Ir 11, 20 20, 12, כְּלָיוֹת וָלֵב Ps 7, 10, כִלְיוֹתַי וְלִבִּי 26, 2, לֵב // Ir 17, 10; חֵלֶב כִּלְיוֹת Js 34, 6, vom Weizen gesagt *said of wheat* Dt 32, 14; F Ir 12, 2 (״ fern v. den Nieren *far from their reins*), Ps 16, 7 139, 13 Pr 23, 16 Hi 16, 13 19, 27 Th 3, 13.†

כִּלָּיוֹן: כלה: cs. כִּלְיוֹן: **Vernichtung** *annihilation* Js 10, 22; כִּלְיוֹן עֵינַיִם Erlöschen der Augen *failing of eyes* Dt 28, 65.†

כִּלְיוֹן: n. m.; כלה; Hinfälligkeit *frailty*: Ru 1, 2. 5 4, 9.†

כָּלִיל : כלל ; äg., koptisch F 2.: cs. כְּלִיל, f. cs. כְּלִילַת: 1. **völlig, vollkommen** *entire, whole* כְּלִיל הָעִיר d. ganze St. *the whole t.* Jd 20,40, כָּלִיל alles *every part* Js 2, 18 Si 37, 18; כְּלִיל תְּכֵלֶת ganz aus *all of* תְּ׳ Ex 28, 31 39,22 Nu 4,6; כְּלִיל יֹפִי von vollkommner Schönheit *perfect in beauty*, = fem. Hs 27,3 Th 2,15; כָּלִיל volkommen *perfect* Hs 16, 14; 2. כָּלִיל, äg. *krr* u. kopt. *glil* (Dussaud, Les origines can. du sacrifice isr., 1921, 159ff) EG 5,61: **Ganzopfer** (von dem d. Opfernde nichts geniesst; früh durch עוֹלָה zurückgedrängt) *whole-offering* (*of which the offerer does not eat; early repressed by* עוֹלָה): Lv 6,15f Dt 13,17 33,10 Si 45,14; gloss. pro עוֹלָה 1 S 7,9; עוֹלָה וְכָלִיל Ps 51,21.†

כַּלְכֹּל: n. m.; כלל? berühmter Weiser *famous sage*: 1 K 5,11 1 C 2,6.†

כלל: mhb. umfassen *comprehend*, כְּלָל allgemeine Regel *general rule*; F ba.; كَلَّ müde sein *be wearied*; ug. *kll*, ak. *šuklulu* F ba. asa. כלל Gesamtheit *the whole*; כול, כלה, כלא:
qal: pf. כָּלְלוּ: vollenden (jm. s. Schönheit) *perfect* (*the beauty of...*) Hs 27, 4. 11; pro כָּלוּ 1 כֻּלּוֹ Ps 72,20.†
Der. כֹּל, כָּלִיל; n. m. כַּלְכֹּל; כְּלָל, מִכְלוֹל, מִכְלָל, מִכְלָלִים.

כְּלָל: n. m.; כלל: Esr 10,30.†

כלם: mhb. hif., ja. af.; كَلَمَ verwunden *wound*; asa. כלם neosy. bestehlen *rob*:
nif: pf. נִכְלְמוּ, נִכְלַמְתִּי, נִכְלַמְתְּ, נִכְלְמָה, impf. תִּכָּלֵם, תִּכָּלְמִי, inf. הִכָּלֵם, imp. הִכָּלְמוּ, pt. נִכְלָם, נִכְלָמִים, נִכְלָמוֹת: 1. **gekränkt, beschimpft sein** *be humiliated*, F כְּלִמָּה: 2 S 10,5 1 C 19,5; 2. **sich beschimpft fühlen, sich schämen (müssen)** *feel humiliated, be put to shame* Nu 12,14 2 S 19,4 Js 41,11 45,16f Ir 3,3 8,12 22,22 31,19, cj 6,15, Hs 16,27.54 (מִן wegen *on account*). 61 43,10.11 (מִן) Ps 74,21 Esr 9,6 2 C 30,15; 3. **zu Schanden werden** *be dishonoured* Js 50,7 54,4 Ps 35,4 40,15 69,7 70,3;†
hif: pf. sf. הִכְלַמְנוּם, הִכְלִימוּ (BL 346), impf. יַכְלִים, sf. תַּכְלִימוּנִי, וַתַּכְלִימֵנוּ, pt. מַכְלִים: **belästigen** (eine Frau) *molest (a woman)*; **beschimpfen** *insult* 1 S 20,34 25,7 Ps 44,10 Pr 25,8 Si 3,13; **mit Schimpfrede widerlegen** *rebuke by insulting words* Hi 11,3 19,3; **in Schande bringen** *put to shame* Pr 28,7; 1 מַחְסוֹר כָּל־ Jd 18,7, 1 הָכְלֵם Ir 6,15.†
Der. כְּלִמָּה, כְּלִמּוּת.

כִּלְמַד: 1 כָּל־מָדַי Hs 27,23.†

כְּלִמָּה: כלם: sf. כְּלִמָּתְךָ, כְּלִמָּתָם, pl. כְּלִמּוֹת: (ursprünglich: tätlicher :: חֶרְפָּה wörtlicher Schimpf *originally: insult by deeds* :: חֶרְפָּה *insult by words*) **Schimpf** *insult* Js 30,3 45,16 61,7 Ir 3,25 20,11 51,51; נָשָׂא כְּלִמָּתוֹ Hs 16,52.54 32,24f.30 36,7 44,13; כְּלִמַּת גּוֹיִם Sch. von seiten der V. *insult done by the nations* Hs 34,29 36,6.15 (הַגּוֹיִם); בֹּשֶׁת וּכְ׳ Ps 35,26 69,20, בֹּשֶׁת // כְּ׳ Js 30,3 Ir 3,25 Ps 109,29; כָּבוֹד :: כְּ׳ Ps 4,3; F Hs 16,63 39,26 (1 וְנָשׂוּ) Ps 44,16 69,8 71,13 Pr 18,13, cj 9,13 (pro מָה), Hi 20,3; pl. כְּלִמּוֹת וָרֹק Js 50,6; 1 כְּלִמּוֹת Mi 2,6.†

כְּלִמּוּת: כלם: **Schimpf** *insult* Ir 23,40, cj Mi 2,6.†

כַּלְנֵה (Var. כַּלְנֶה): 1 כֻּלָּנָה pro וְכַ׳: sie alle *all of them* Albr. JNE 3, 244f: Gn 10,10.†

כַּלְנֵה Am 6, 2 u. כַּלְנוֹ Js 10, 9: n. l.; keilschr. n. l. *Kullanī*, *Kulnia* (Nordsyrien); E. Forrer, D. Provinzeinteilung..., 1920, 57 ff; Gelb AJS 51, 189 ff; Elliger, Eissfeldt-Festschr. 97; (bei *near* Aleppo). †

***כלף**: F *כלב; כֵּילַפּוֹת.

כמה: cp., sam., [syr.] blind sein *be blind*; كمه bleich, schwachsichtig sein *be pale, weak-eyed*, أكمه blind von Geburt *blind from birth*: qal: pf. כָּמַהּ: **schmachten** *faint* (*with longing*) (בְּשָׂרִי), c. לְ nach *for* Ps 63, 2. †

Der. כִּמְהָם.

כַּמָּה: F מָה.

כִּמְהָם 2 S 19, 38 f, כִּמְהָן 19, 41, וכמוהם l Q כמהם Ir 41, 17: n. m.; כמה; fahl *pale* (Nöld. EB 3297). †

כְּמוֹ (126 × u. cj F unten *below*): כְּ u. (indeterm. מָה >) מוֹ; ug. *km*, ak. *kīma*, ostkan. *kama* (?) Th. Bauer 69, 76; ph. כם; mhb. כְּמוֹ, כָּמוֹת, aram. כְּמָא; كما, [äth.], asa. כם: sf. כָּמוֹהוּ Ex 9, 18 (18 ×) u. כָּמוֹהוּ Hs 5, 9, כָּמוֹהָ Ex 30, 38 1 S 21, 10 Sa 5, 3, כָּמוֹךָ Gn 41, 39 (21 ×) u. כָּמֹכָה Ex 15, 11, כָּמוֹנִי Jd 9, 48 (9 ×) u. כָּמֹנִי Gn 44, 15, כְּמוֹהֶם Jd 8, 18 Ps 115, 8 135, 18, כְּמוֹכֶם Hi 12, 3, כָּמֹנוּ Gn 34, 15 (4 ×): 1. **gleichwie, wie** *like, as*: כְּמוֹ אֶבֶן Ex 15, 5. 8, cj Js 9, 18 (l כְּמוֹ אֵשׁ אֹכָלֶת) Ho 7, 4 8, 12 13, 7 Sa 9, 15 10, 2. 7 Ps 11, 2 (cj כְּמוֹ עוֹף), 29, 6 58, 5. 8. 8 (l כְּמוֹ חָצִיר). 9. 10 63, 6 73, 15 (l כְּמוֹ הֵנָּה dergleichen *such things*) 78, 13 79, 5 88, 6 89, 47 90, 9 92, 8 140, 4 Pr 23, 7, cj 27, 19 (l כְּמוֹ pro כַּמַּיִם) Hi 6, 15 10, 22 12, 3 14, 9 19, 22 28, 5 31, 37 38, 14 40, 17 41, 16 Ct 6, 10 7, 2 Th 4, 6 Ne 9, 11; 2. כְּמוֹ ... כְּ [wie] ... wie [*as*] ... *as* Gn 44, 18 Hg 2, 3, besonders oft mit sf. *especially c. sf.* כָּמוֹנִי כָמוֹךָ [wie ich wie du] ich bin wie du [*my likeness thy likeness*] *I am as thou art* 1 K 22, 4 2 K 3, 7 2 C 18, 3; 3. כְּמוֹ c. verbo: (vergleichend) wie (*comparing*) *as* Sa 10, 8, (zeitlich) als (*temporally*) *when* Gn 19, 15 38, 29 (l כְּמוֹ הֵשִׁיב), l כִּימֵי Ps 61, 7, l כְּמֻרְמִים 78, 69, l כִּימֵי Ir 15, 18, l כְּמַעֲרָמִים Ir 50, 26, l כְּמִין Ha 3, 14.

כְּמוֹהֶם: Ir 41, 17. l כִּמְהָם. †

כְּמוֹשׁ: n. d.; mo. כמש, in n. m. כמשיחי, כמשפלט, כמשצדק Aimé-Giron 13 Rs 4; keilschr. *Kamūšu*; *Kammuš* bab. Name f. *Bab. name for* Nergal; KAT 472, Deimel, Pantheon 1628; Χαμως, **Kamos** *Chemosh*, Gott der Moabiter *god of the Moabites*: 1 K 11, 7. 33 2 K 23, 13 Ir 48, 7 (K כמיש). 13; עַם־כְּמוֹשׁ Nu 21, 29 Ir 48, 46; Irrtum *error* Jd 11, 24. †

***כמז**: F כּוּמָז.

כְּמִישׁ: Ir 48, 7: F כְּמוֹשׁ.

***כמל**: F IV כַּרְמֶל.

***כמן**: F מִכְמַנִּים.

כַּמֹּן: mhb. כַּמּוֹן; ug. *kmn*; ak. *kamūnu* Zimm. 57 (sum. *gamun*); pu. χαμαν; ja. כַּמּוּנָא sy. [syr.]; كمّون; [äth.]; κύμινον, *cuminum*: [Pfeffer-] **Kümmel** *cummin cuminum cyminum L.* (Löw 3, 435-7): Js 28, 25. 27 †

כמס: mhb., [syr.] verbergen *conceal*, ja. כִּמְסָא Verborgenheit *concealment*; ak. *kamāsu* aufbewahren *store up*: qal: pt. כָּמֻס: **aufbewahren** *store up* Dt 32, 34. †

Der. n. l. מִכְמָס.

I כמר: mhb. u. ja. warm machen, dünsten *grow hot, stew*; ja. erregen *make warm* (רַחֲמִין);

mhb. pi. (Früchte) zur Reife, Weiche bringen *make ripe, tender (fruit)*; pal. ar. *kamr* Rösten des Haufs *steeping of hemp* (AS 5, 22); مَكْمُور Schmoren, Dünsten *stewing*, ak. *kimru* auf d. Darre ausgereifte Datteln *dates made ripe upon the drying-kiln* (Landsberger, Ana ittišu 1937, 199 ff):

nif: pf. נִכְמְרוּ, נִכְמָרוּ: **heiss werden** *grow hot* (עוֹר) Th 5, 10, **erregt werden** *grow excited* (רַחֲמִים) Gn 43, 30 1 K 3, 26 Ho 11, 8 (l רַחֲמַי).†

Der. כֹּמֶר.

cj II **כמר**: ak. *kamāru*, *nakmaru* Garn, Netz *net*; mhb. pi. hif. Netz auswerfen *cast net*: cj qal: pt. f. כֹּמֶרֶת: **umgarnen** *ensnare* Na 3, 4 (Sellin).†

Der. מִכְמֹרֶת, מִכְמָר.

***כֹּמֶר**: I כמר d. Erregte *the excited one* Mowinckel ZAW 36, 238 f: altaram., nab. כמר, sy., cp. כּוּמְרָא (Rosenthal, Aram. Forschung, 1939, 21 f): EK *kamiru* Priester *priest*, (*m*)·*k*[*a-m*]*a-ru* n. m. in Taʿanek ZDP 51, 202; äg. *ku-m*( )*-ru* Albr. Voc. 60, ph. כמר בעלשמם; mhb., ja., mnd. nur Götzenpriester *exclusively idol-priest*: Vincent 453 ff: pl. כְּמָרִים, sf. כְּמָרָיו: **Priester** (fremder Götter) *priest (of foreign gods)* 2 K 23, 5 Ho 10, 5 Ze 1, 4, cj Ho 4, 4.†

cj ***כַּמְרִיר**: sy. ܟܡܝܪܐ schwarz, düster *black, gloomy*: pl. cs. כַּמְרִירֵי: **Verdüsterung** *deep gloom* cj Hi 3, 5.†

I **כֵּן**: כון (כֵּן: כון = מֵת : מות): ak. *kēnu*, ug. *kn*, sy. כֵּאנָא: pl. כֵּנִים: **fest dastehend, aufrecht, gerade, richtig, wahr, recht** *firmly standing, erect, straight, correct, true, right*: 1. feststehend *firmly standing* Pr 11, 19; 2. richtig *correct* Jd 12, 6; 3. zutreffend *correct, exactly* יָדַע כֵּן 1 S 23, 17, הוֹדִיעַ כֵּן Ps 90, 12; 4. Hi 9, 35 l הוּא pro אָנֹכִי (Torczyner ZDM 1912, 403) er ist, er verfährt nicht recht mit mir *he is, he acts not correctly against me*; 5. rechtschaffen *honest, righteous* Gn 42, 11. 19. 31. 33 f; 6. recht *right*: עָשָׂה כֵּן recht handeln *do right* Ko 8, 10, לֹא־כֵן unrecht *not right* 2 K 7, 9 Ir 48, 30 2 K 17, 9 Ir 23, 10, cj 5, 2, Pr 15, 7; דִּבֶּר כֵּן recht haben *speak, be right* Nu 27, 7 36, 5; הָיָה כֵּן es kommt recht *it will be right* Am 5, 14; 7. כֵּן es ist recht = gewiss (bestätigende Antwort; > ja im heutigen Hebr.) *it is right = certainly (confirming answer; > yes in modern Hebr.)* Jos 2, 4; **F** II כֵּן.†

II **כֵּן** (340 ×): < I כֵּן : כֵּן־ Gn 44, 10: in d. rechten Weise > in der Weise > **so** *the right manner > this manner > thus*: 1. **so** (wie eben gesagt) *thus (as has been told)* Gn 1, 7 Js 10, 7 (122 ×); cj Hi 6, 21, l מִמֶּנּוּ Js 52, 15, l וְרַבִּים Na 1, 12; לֹא כֵן **nicht so** *not thus* Ex 10, 14 Nu 12, 7 2 C 1, 12; 2. **so** (wie jetzt gesagt wird) *thus (as will be told)* Gn 29, 26 Ex 8, 20 Nu 9, 16 1 K 13, 9 Hs 33, 10 Est 1, 8; 3. **eben so**, genau so *in the same manner, just thus*: Ex 7, 11. 22 Jd 7, 17 Hs 40, 16 (27 ×); 4. **so = denn** *thus = for* Ps 61, 9, = **darum** *therefore* 63, 5, = **so viel** *as many* 1 K 10, 12, = **so etwas** *such like* 10, 20, = **sosehr** *so much* Ir 5, 31 14, 10, = **so lange** *as long* Est 2, 12; כֵּן דִּבַּרְתָּ So, du sagst es = es gilt *thus you say it = (we are) agreed* Ex 10, 29; מָצְאוּ לָהֶם כֵּן sie reichten für sie aus *there were enough for them* Jd 21, 14; לֹא כֵן nicht so! (abwehrend) *not thus! (preventively)* Gn 48, 18 Ex 10, 11; לֹא־כֵן הַדָּבָר so ist es nicht gemeint *this is not the meaning* 2 S 20, 21; אִם־כֵּן wenn es so ist *if it be so* Gn 25, 22 43, 11; 5. wie ..., **so** *as ... so*: a) כְּ...כֵּן Lv 27, 12 Dt 8, 20 (60 ×), cj Ir 49, 19 u. 3, 20 (l אַךְ כְּבֶגֶד); (zeitlich *temporally*) 1 S 9, 13; b) כַּאֲשֶׁר...כֵּן Gn 41, 13 Ex 1, 12 (66 ×); c) כְּמוֹ...כֵּן Js 26, 17 Pr 23, 7; 6. ganz wie ..., so *perfectly as ..., thus*: כְּכֹל...כֵּן 2 S 7, 17, כְּכֹל אֲשֶׁר...כֵּן

Gn 6, 22 (10 ×), כְּכֹל אֲשֶׁר... וְכֵן Ex 25, 9; gerade wie..., so *exactly as ...*, *thus* כָּל־עֻמַּת כֵּן... Ko 5, 15; 7. so..., wie *thus..., as* a) כְּ... כֵּן Ex 10, 14, b) כֵּן... כַּאֲשֶׁר Gn 18, 5 50, 12 Ex 7, 10. 20 Nu 8, 3 Jos 4, 8 2 S 5, 25 Hs 12, 7 Ne 5, 12; 8. Einzelnes *particulars*: בְּכֵן **sodann** *upon that* (*withal*) Ko 8, 10 Est 4, 16; עַד־כֵּן **bis dahin** *as yet* Ne 2, 16; לֹא כֵן ist es nicht **so**? *is it not thus*? cj Gn 4, 15; לֹא כֵן nicht **so**! *not thus*! cj 1 K 22, 19 u. 2 C 18, 18; כֵּן... כַּאֲשֶׁר **so gewiss**..., wie *as certainly* ..., *as* Ex 10, 10; וְכֵן als Weiterführung *continuing the sentence* Nu 2, 34 Jos 11, 15; אֵיכָה... כֵּן wie?... **so** *how?... even so* Dt 12, 30; כְּ... כֵּן jemehr..., **destomehr** *the more*..., *the more* Ho 11, 2!; soviel (?) *as much* (?) Ps 127, 2; l לָכֵן 2 S 18, 14, l וּבְדָן 20, 18, וּמִן Hs 41, 7, l כְּנַעֲנִיִּי Sa 11, 11, l יָדְעָכוּן Pr 28, 2, l וְכֵן דַּי Est 1, 18; כֵּן F אַחַר; אַחֲרֵי F כֵּן; מֵאַחֲרֵי F כֵּן; F לָכֵן, F עַל־כֵּן.

III כֵּן: *כנן: cs. כֵּן־, sf. כַּנּוֹ, כַּנֶּךָ: 1. Gestell *stand, base* Ex 30, 18. 28 31, 9 35, 16 38, 8 39, 39 40, 11 Lv 8, 11 1 K 7, 31 Js 33, 23; 2. **Stelle** (an d. man sich befindet) *place* Da 11, 7 (l עַל־). 20 f. 38; 3. Stelle (die man einnimmt), **Amt** *office* Gn 40, 13 41, 13.†

IV כֵּן: F כִּנָּם: pl. כִּנִּים: **Mücke** *gnat* Js 51, 6, pl. Ex 8, 12. 13 b. 14 a Ps 105, 31.†

כנה: mhb. pi., ja., ܟܢܐ, äga. Eph 1, 83?; ph. כני, كَنَا:

pi: impf. אֲכַנֶּה, sf. אֲכַנְּךָ: **e. ehrenden Namen geben** *give a name of honour* Js 45, 4 Hi 32, 21 f Si 36, 17 44, 23 u. 45, 2 (margo) 47, 6; l יִכָּנֶה Js 44, 5;

cj pu: impf. יְכֻנֶּה: c. בְּשֵׁם: mit d. Namen... **benannt werden** *be given the name of*... cj Js 44, 5.†

כַּנֵּה: n. l.; Χαναα; ak. *Kannu*'? Vorderasiat. Schriftdenkmäler I, X,: Hs 27, 23.†

כַּנָּה Ps 80, 16: l גַּנָּה.†

כִּנּוֹר: ja. כִּנָּרָא, כִּנָּרָא, sy. كَنَّارَة ,كِنَار ; heth. *kinirri(laš)*; κινύρα; sanskrit *kinarī*, tulugu *kinnāra*, d. südindische Stabzither; e. Bambusstab trägt 2—4 über e. gezahnten Steg verschieden hoch gespannte Saiten; am Bambusstab hängen 3—4 Kalebassen *South-indian staff-zither*; *the staff of bamboo being equipped with 2—4 strings differently stretched on a dented bridge, a. 3—4 calabasks attached to staff* (C. Sachs, Musikinstrumente Indiens, 1914, 89; E. Kolari, Musikinstrum... im AT, Helsinki 1947, 64 ff): pl. sf. כִּנּוֹרֶיךָ; pl. f. כִּנֹּרוֹת, sf. כִּנֹּרוֹתֵינוּ: **Zither** *zither* (Leier *lyre*? F WHA fig. 28): Gn 4, 21 31, 27 1 S 10, 5 16, 16. 23 2 S 6, 5 1 K 10, 12 Js 5, 12 16, 11 23, 16 24, 8 30, 32 Hs 26, 13 Ps 33, 2 43, 4 49, 5 57, 9 71, 22 81, 3 92, 4 98, 5 108, 3 137, 2 147, 7 149, 3 150, 3 Hi 21, 12 30, 31 Ne 12, 27 1 C 13, 8 15, 16. 21. 28 16, 5 25, 1. 3. 6 2 C 5, 12 9, 11 20, 28 29, 25.†

כָּנְיָהוּ: F יְהוֹיָכִין.

כִּנָּם: IV כֵּן u. -*am* (Kollektivendung *collective-ending*) verwandt *related* ak. *kalmatu* Laus, Ungeziefer *louse, vermin*, ja. קַלְמְתָא u. כַּלְמְתָא, قَمْل, asa. קלמת, ቍምል, soq. *konem*: coll. Mücken *gnats* (Herodot. 2, 95) Ex 8, 13 a. 14 b.†

*כנן: NF v. כון: F III כֵּן, כְּנָנִי, כְּנַנְיָה(וּ).

כְּנָנִי: n. m.; KF v. כְּנַנְיָה: Ne 9, 4.†

כְּנַנְיָה: n. m.; < כְּנַנְיָהוּ: 1 C 15, 27.†

כְּנַנְיָהוּ: n. m.; *כנן u. יו; < כְּנַנְיָה, כְּנָנִי: 1 C 15, 22 26, 29.†

כנס: F cj כנשׁ; F ba. כנשׁ; כנס mhb., ja.; < كِنَاس Schlupfwinkel *recess* Nöld. NB 37:

qal: pf. כָּנַסְתִּי, inf. כְּנוֹס, pt. כֹּנֵס: **sammeln** *gather*: מַיִם Ps 33, 7, זָהָב, כֶּסֶף Ko 2, 8, אֲבָנִים 3, 5, Abgaben *duties* Ne 12, 44, Leute *people* Est 4, 16 1 C 22, 2; Ko 2, 26.†

pi: pf. כִּנַּסְתִּי, sf. כִּנַּסְתִּים, impf. יְכַנֵּס: **versammeln** *gather* Hs 22, 21 39, 28 Ps 147, 2;†

hitp: inf. הִתְכַּנֵּס: sich zusammenziehn (in e. Decke), **sich einhüllen** *wrap (in a cover)* Js 28, 20.†

Der. מִכְנָס.

כנע: ja. beugen *bow down*, itpe. sich demütigen *humiliate oneself*; cp. af. inf. = ἐντροπή; كَنَعَ (Flügel) zusammenlegen *fold (wings)*:

nif: pf. נִכְנַע, נִכְנְעוּ, נִכְנָעוּ, impf. יִכָּנַע, וַיִּכָּנְעוּ, יִכָּנְעוּ, inf. sf. הִכָּנְעוֹ: 1. **geduckt werden** *be subdued* 1 S 7, 13 1 C 20, 4, c. תַּחַת Jd 3, 30 Ps 106, 42, c. לִפְנֵי Jd 8, 28, c. מִפְּנֵי 11, 33; 2. **gedemütigt werden** *be humbled* Lv 26, 41 2 C 13, 18; **sich demütigen** *humble oneself* 2 C 7, 14 12, 6 f. 12 30, 11 32, 26 33, 12. 19. 23 34, 27, c. מִלִּפְנֵי 1 K 21, 29 2 C 33, 23 34, 27 36, 12, c. מִפְּנֵי 2 K 22, 19;†

hif: pf. הִכְנִיעַ, הִכְנַעְתִּי, impf. תַּכְנִיעַ, וַתַּכְנַע, sf. יַכְנִיעֵם, impf. sf. הַכְנִיעֵהוּ: jmd. **demütigen** *humble a person* 2 S 8, 1 Js 25, 5 Ps 81, 15 107, 12 Hi 40, 12 1 C 17, 10 18, 1 2 C 28, 19, c. לִפְנֵי Dt 9, 3 Jd 4, 23 Ne 9, 24; F *כִּנְעָה.†

***כִּנְעָה** vel ***כְּנָעָה**: sf. כִּנְעָתֵךְ Ir 10, 17: Σ ἐμπορία, Tg. סחורתא; v. *kinnaḫḫu* F כְּנַעַן Nuzi-Texte; **Traglast, Bündel** (ursprünglich v. roter Purpurwolle) *load, pack (originally of red purple wool)*.†

כְּנַעַן (90 ×): n. m., n. p., n. t.: **Kanaan** *Canaan*: 1. n. m.: S. v. חָם (Zusammenhang mit Ägypten? *connexion with Egypt?*) Gn 9, 18. 22. 25—27; Bruder v. *brother of* כּוּשׁ, מִצְרַיִם, פּוּט Gn 10, 6 1 C 1, 8, V. v. צִידֹן u. חֵת Gn 10, 15 1 C 1, 13 F Js 23, 11, E. Meyer, ZAW 49, 6; 2. n. t.: a) אֶרֶץ כְּנַעַן (62 ×); Ortschaften *sites*: חֶבְרוֹן Gn 23, 2. 19, מַמְרֵא 49, 30, שְׁכֶם 33, 18, בֵּית־אֵל 35, 6 48, 3, שִׁלֹה Jos 21, 2 22, 9, גְּלִילוֹת הַיַּרְדֵּן Jos 22, 10, בֵּית־לֶחֶם Gn 48, 7; das Westjordanland *the land west of Jordan* Gn 13, 12 16, 3—50, 13 Nu 13, 2. 17—35, 10. 14 Dt 32, 49 Jos 5, 12 14, 1 22, 11. 32 Jd 21, 12 (38 ×); allgemein *in general* Gn 11, 31 12, 5 Ex 6, 4 16, 35 Lv 14, 34 18, 3 25, 38 Jos 24, 3 Ps 105, 11 1 C 16, 18, Gn 17, 8 31, 18; 50, 13?: (metaph. = heidnisches Krämerland *country of heathen tradesmen*) Hs 16, 29 17, 4; b) יֹשְׁבֵי כְּנַעַן Ex 15, 15; 3. n. p.: מַלְכֵי כְנַעַן Jd 5, 19, מֶלֶךְ כְּ׳ 4, 2. 23 f; מִלְחֲמוֹת כְּ׳ 3, 1; מַמְלְכוֹת כְּ׳ Ps 135, 11; שְׂפַת כְּ׳ Js 19, 18; בְּנוֹת כְּ׳ Gn 28, 1. 6. 8 36, 2; עֲצַבֵּי כְּ׳ Ps 106, 38; 4. עַם כְּנַעַן d. Krämer-, Händlervolk *the people of tradesmen* Ze 1, 11; 5. כְּ׳ אֶרֶץ פְּלִשְׁתִּים Ze 2, 5; 6. כְּנַעַן = die Phönizier *the Phenicians* Js 23, 11 (F Gn 10, 15 1 C 1, 13); 7. כְּנַעַן = coll. die Händler *the tradesmen*? Ho 12, 8; Maisler, Canaan a. the Canaanites BAS 106, 7—12; keilschr. (*māt*) *Kinaḫ(ḫ)i*, (*māt*) *Kinaḫni/a*, äg. *Kynʿnw* (BAS 102, 9), ph. כנען („Canaan, Phoenicia" Harris 111), Sanchunjaton: Χνα = Phönizier *Phenicians*; Speiser (Language 12, 121 ff): *kinaḫḫu* in Nuzi-Texten = rote Purpurwolle *red purple wool*; also *therefore* (*māt*) *Kinaḫḫi* = אֶרֶץ כְּנַעַן das Land der roten Purpurwolle; Φοίνικες (bei *with* Homer neben *along with* Σιδόνες Ψ 743 f); v. φοίνιξ rote Purpur [wolle] *red purple [wool]*). כְּנַעַן das Land, d. rote Purpurwolle ausführt *the country exporting red purple wool*, ursprünglich Phönizien, auf Palästina übertragen *originally Phenicia, later on used for Palestine*.

Der. *כִּנְעָה; כְּנַעֲנִי, *כִּנְעָנִי; n. m. כְּנַעֲנָה.

כְּנַעֲנָה: n. m.; v. כְּנַעַן?: 1. 1 K 22, 11. 24 2 C 18, 10. 23; 2. 1 C 7, 10.†

כְּנַעֲנִי: כְּנַעַן; ug. *knʿnj*: f. כְּנַעֲנִית, pl. כְּנַעֲנִים: 1. **Händler** (urspr. mit roter Purpurwolle) *trades-*

man (*orig. of red purple wool*) Sa 14, 21 Pr 31, 24, Hi 40, 30, cj [הַצֹּאן] כְּנַעֲנֵיי Sa 11, 7 u. 11; † 2. coll. **Kanaanäer** *Canaanite* Gn 12, 6 Jos 16, 10 17, 12, Gn 50, 11, Nu 13, 29 21, 1. 3 33, 40 Dt 11, 30 Jd 1, 29 1 K 9, 16 Jd 1, 27 f Jos 16, 10 17, 13. 16. 18, Jd 1, 9 f. 17. 30. 32. 33, Jd 1, 1. 3 Jos 7, 9 11, 3 13, 3, Gn 13, 7 34, 30 Jd 1, 4 f Nu 14, 25. 43. 45 2 S 24, 7 Ex 23, 28, Jd 3, 3, Ex 13, 5, Ex 3, 8. 17 23, 23 33, 2 34, 11 Dt 20, 17 Jos 9, 1 12, 8 Jd 3, 5 Ne 9, 8, Dt 7, 1 Jos 3, 10 11, 3 24, 11 Esr 9, 1 Gn 15, 21; מִשְׁפְּחוֹת הַכְּנַעֲנִי Gn 10, 18, גְּבוּל הַכְּ׳ 10, 19, אֶרֶץ הַכְּ׳ 24, 3. 37, בְּנוֹת הַכְּ׳ Ex 13, 11 Dt 1, 7 11, 30 Jos 13, 4! Hs 16, 3 Ne 9, 8, מַלְכֵי הַכְּ׳ Jos 5, 1; sg. c. אִישׁ Gn 38, 2; fem. 46, 10 Ex 6, 15 1 C 2, 3; pl. Ob 20 Ne 9, 24. †

***כִּנְעָנִי**: Mischform v. *mixed form of* *כִּנְעָה u. כְּנַעֲנִי? BL 564: pl. sf. כִּנְעָנֶיהָ: **Händler** *tradesman* Js 23, 8. †

כנף: F כָּנָף; denom.:

nif: impf. יִכָּנֵף: **sich auf der Seite halten** *hide oneself* Js 30, 20. †

כָּנָף: ug. *knp*, ak. *kappu*; mhb., ja. כַּנְפָא, äga. כנפי לבש, ܟܢܦܐ; كَنَف, ክንፍ, asa. *extremum*; F כנף: cs. כְּנַף, sf. כְּנָפִי, pl. cs. כַּנְפֵיהֶם, du. כְּנָפַיִם, cs. כַּנְפֵי, sf. כְּנָפֶיךָ, כְּנָפוֹת f. (l אַרְבַּע Hs 7, 2, l מִגַּעַת 2 C 3, 11, l פֹּרְשׂוֹת 3, 13): 1. **Flügel** *wing*, v. נֶשֶׁר Ex 19, 4 Dt 32, 11 Ir 48, 40 49, 22 Hs 17, 3. 7 Pr 23, 5, v. חֲסִידָה Sa 5, 9, v. יוֹנָה Ps 68, 14 Lv 1, 17, v. רְנָנִים Hi 39, 13, v. נֵץ 39, 26; עוֹף כָּנָף geflügelte Tiere *winged animals* Gn 1, 21 Ps 78, 27, כָּל־כָּנָף alles, was Flügel hat *every winged animal* Gn 7, 14 Hs 17, 23 39, 4. 17, צִפּוֹר כָּנָף Vogel mit Flügeln *winged fowl* Dt 4, 17 Ps 148, 10, בַּעַל כָּנָף Pr 1, 17 u. בַּעַל כְּנָפַיִם Ko 10, 20 Geflügeltes *winged creatures*; נֹדֵד כָּנָף d. Flügeln regend *moving wings* Js 10, 14, צִלְצַל כְּנָפַיִם Flügelgeschwirr *rustling of wings* 18, 1; 2. Frauen mit Flügeln *women with wings* Sa 5, 9; Flügel *wings*, v. *of* כְּרוּב Ex 25, 20 37, 9 1 K 6, 24. 27 8, 6 f Hs 10, 5. 8. 12. 16. 19 11, 22 2 C 3, 11—13 5, 7, שָׂרָף Js 6, 2, חַיָּה Hs 1, 6. 8 f. 11. 23—25 3, 13 10, 21, רוּחַ 2 S 22, 11 Ho 4, 19 Ps 18, 11 104, 3, שֶׁמֶשׁ Ma 3, 20, שַׁחַר Ps 139, 9, יהוה Ps 17, 8 36, 8 57, 2 61, 5 63, 8 91, 4 Ru 2, 12; מֻטּוֹת כְּנָפָיו e. ausgetretnen Flusses *of an overflowing river* Js 8, 8: 3. **Flügel = Zipfel** (e. Gewands) *wing = skirt* (*of garment*) (F äga. u. asa.): כְּנַף בִּגְדוֹ Hg 2, 12, כְּנַף מְעִילוֹ 1 S 15, 27 24, 12, כְּנָפוֹ Hg 2, 12, כְּנַף אָבִיו Dt 23, 1 27, 20 F Nu 15, 38 Dt 22, 12 1 S 24, 5 f Hs 5, 3 16, 8 Sa 8, 23 Ru 3, 9; 4. **Flügel = Äusserstes, Rand** *wing = extremity, end*: [אַרְבַּע] כַּנְפוֹת הָאָרֶץ (ak. *kippat irbitti*) die [4] Ecken, Enden der Erde *the* [*4*] *ends of the earth* Js 11, 12 Hs 7, 2 Hi 37, 3 38, 13, כְּנַף הָאָרֶץ d. Rand der Erde *the uttermost part of the earth* Js 24, 16; בכנפי הונך so gut du vermagst *as best you may* Si 38, 11; ? Da 9, 27; l כַּפִּיךְ Ir 2, 34. †

***כנר**: כִּנֶּרֶת.

כִּנֶּרֶת: n. l.; *כנר; äg. *Knrt* ETL 217: 1. כִּנֶּרֶת Dt 3, 17, כִּנֶּרֶת Jos 19, 35 = *T. el-ʿOrēme* (Saarisalo 128) NW-ufer d. Sees Genesareth *NW-border of Sea of Galilee*; 2. כִּנְרוֹת NF v. 1. Jos 11, 2; 3. כָּל־כִּנְּרוֹת d. ganze Gebiet von *the whole region of* 1. ? 1 K 15, 20; 4. יָם כִּנֶּרֶת Nu 34, 11 Jos 13, 27 u. יָם כִּנְרוֹת Jos 12, 3; G Χενερεθ, -ρωθ; 1 Mk 11, 67 Γεννησαρ = Tg. גְּנֵיסַר, גִּנּסַר, גְּנֵיסַר, Mc 6, 53 Γεννησαρετ: **See Genesareth**, See von Tiberias (Ioh 21, 1) *Gennesareth*, *Sea of Galilee*, *of Tiberias*; بَحْر طَبَرِيَّة. †

cj **כנשׁ = כנס**:

qal: impf. וַתִּכְנֹשׁ: cj pro וַתַּעַשׂ (Gold) sammeln *gather* (*gold*) Hs 28, 4. †

***כְּנָת**: F ba.; aram. LW: pl. sf. כְּנָוֺתָו: **Gefährte** *companion* Esr 4, 7.†

כֶּסֶא Pr 7, 20 u. כֶּסֶה Ps 81, 4 cj Hi 26, 9: ph. כסא; mhb., sy. ܟܣܐܐ u. ܟܣܝܐ; < ak. *kusēu* = *agū* Mütze d. Mondgotts zur Vollmondzeit *headdress of the moongod at the time of full moon*, Zimmern ZA 24, 317: **Vollmond** *fullmoon*.†

כִּסֵּא (130×): ug. *ksʾ/ʾ/ʾ*, ak. *kussū*, ph. כסא; mhb. כִּסֵּא, > aram. כָּרְסֵא F ba.: כִּסֵּה 1 K 10, 19 (l כֶּסֶה Hi 26, 9), cs. כִּסֵּא, sf. כִּסְאִי, כִּסְאֲךָ, pl. כִּסְאוֹת, sf. כִּסְאוֹתָם: 1. **Sessel, Stuhl** *seat*: f. Besucher *for visitor* 1 K 2, 19, Gast *guest* 2 K 4, 10, alten Mann *old man* 1 S 1, 9, Richter *judge* Ps 9, 5, כִּסֵּא דִין Pr 20, 8, lauernde Buhlerin *waiting courtesan* Pr 9, 14, belagernde Soldaten *besieging soldiers* Ir 1, 15; 2. **Ehrensitz, Thron** *seat of honour, throne*: f. Pharao *for Pharaoh* Gn 41, 40, König *king* Jd 3, 20; כִּסֵּא מַמְלַכְתּוֹ Dt 17, 18, כִּסֵּא הַמַּמְלָכָה 2 C 23, 20, כִּסֵּא הַמְּלוּכָה 1 K 1, 46, F 2 K 11, 19 25, 28 Ir 33, 21 Hg 2, 22 Est 1, 2 5, 1; כִּסֵּא דָוִד 2 S 3, 10 1 K 1, 37 Js 9, 6 Ir 22, 2. 30 36, 30, כִּסֵּא יִשְׂרָאֵל 1 K 2, 4 8, 20. 25 9, 5 10, 9 2 K 10, 30 15, 12 2 C 6, 10. 16, כִּסֵּא בֵּית יִשְׂרָאֵל Ir 33, 17, כִּסֵּא בְּתוּלַת בָּבֶל Js 47, 1, כִּסֵּא פַּחַת וגו Ne 3, 7, כִּסֵּא (שְׁלֹמֹה) 1 K 10, 19 2 C 9, 18; כִּסֵּא שֵׁן גָּדוֹל gr. Thron aus Elfenbein *gr. throne of ivory* 1 K 10, 18 2 C 9, 17; יָשַׁב עַל־כִּסֵּא פ׳ = jmd als Herrscher nachfolgen *succeed a person as king* 1 K 1, 13 etc., הוֹשִׁיב עַל־כִּסְאוֹ 1 K 2, 24, שִׂים עַל־כִּסֵּא 2 K 10, 3, שִׁית עַל־כִּסֵּא Ps 132, 11, יָשַׁב לְכִסֵּא לְ 132, 12; 3. כִּסֵּא יהוה 1 K 22, 19 1 C 29, 23 2 C 18, 18 Js 6, 1 14, 13 66, 1 Hs 43, 7 Ps 11, 4 Th 5, 19; כִּסֵּא קָדְשׁוֹ Ps 47, 9, 89, 15. 45 93, 2 97, 2 103, 19; Jerusalem = כִּסֵּא י׳ Ir 3, 17; cj כֵּס יָהּ Ex 17, 16; l יְמִינוֹ Sa 6, 13b.

כסה: ug. *ksy*; ph. כסי; mhb. pi., äga., ja., sy. כסא; كَسَا, asa. כסו:

qal: pt. כֹּסֶה, pass. cs. כְּסוּי: **bedecken, verborgen halten** *cover, conceal* Ps 32, 1 Pr 12, 16. 23;†

nif: pf. נִכְסָתָה, inf. הִכָּסוֹת: **bedeckt werden** *be covered* Ir 51, 42 Hs 24, 8;†

pi: pf. כִּסָּה, כִּסְּתָה, כִּסִּיתִי, כִּסֵּתִי, כִּסּוּ, כִּסִּינוּ, sf. כִּסָּהוּ, כִּסָּמוֹ, כִּסַּתְנִי, כִּסִּיתִיךָ, כִּסִּיתוֹ, כִּסּוּךְ, impf. יְכַסֶּה, וַיְכַס, תְּכַסִּי, אֲכַסֶּה, וַיְכַסּוּ, sf. וַיְכַסֵּהוּ, יְכַסֵּנוּ, יְכַסֶּנָּה, יְכַסֶּךָּ, יְכַסֵּךְ, תְּכַסֶּהָ, תְּכַסְּךָ, תְּכַסֵּךְ, תְּכַסֵּנוּ · וַתְּכַסִּים, וַיְכַסֵּהוּ, יְכַסְיֻמוּ (BL 215. 424), יכסומו (K יְכַסּוּמוֹ, Q יְכַסֵּימוֹ BL 424) Ps 140, 10, inf. כַּסּוֹת, sf. כַּסֹּתוֹ, imp. sf. כַּסּוּנוּ, pt. מְכַסֶּה, pl. מְכַסִּים, מְכַסּוֹת: 1. **bedecken** *cover* Gn 9, 23 38, 15 (77×), Menschen bedecken *cover men* Ex 15, 10 Jd 4, 18 f (18×), e. Zisterne zudecken *cover a pit* Ex 21, 33, Fett bedeckt d. Innre *fat covers the inwards* Ex 29, 13. 22 Lv 3, 3. 9. 14 4, 8 7, 3 9, 19, Ausschlag die Haut *pustules the skin* Lv 13, 12; F Ex 24, 15 Lv 16, 13 Nu 17, 7 Hs 38, 9. 16, Js 60, 2, Ir 46, 8 Hs 26, 19; כִּסָּה עָרֹם e. Nackten bedecken, bekleiden *cover, clothe the naked* Js 58, 7 (23, 18); כִּסָּה דָם Blut zudecken, unsichtbar machen *cover, conceal blood* Gn 37, 26 Lv 17, 13 Hi 16, 18; 2. c. 2 ac.: jmd, etw. **bedecken mit etwas** *cover a person, thing with a thing* Hs 16, 10 18, 7. 16 Ps 140, 10, den Altar mit Tränen *the altar with tears* Ma 2, 13; 3. c. מִן **verbergen** *conceal* Gn 18, 17; 4. כִּסָּה עַל **zudecken** *cover, spread over* Lv 4, 8 (25 MSS אֶת) Nu 16, 33 Js 26, 21 Ps 44, 20 (בְּ mit *with*) 106, 17 Pr 10, 12 Hi 21, 26 36, 30 2 C 5, 8 Ne 3, 37 (Schuld *guilt*), in Schutz nehmen *cover protecting* Dt 13, 9; c. ac. u. עַל etw. auf jmd decken *spread a thing over* Hs 24, 7 31, 15 Ha 2, 14 Ma 2, 16; 5. c. ac. **zudecken, verbergen** *cover, conceal* Js 51, 16 Ps 32, 5 40, 11 Pr 17, 9 28, 13 Hi 31, 33, cj Ps 94, 20 (l מְכַסֶּה), **verbergen = vergeben** *conceal* =

forgive Ps 85, 3; 6. וַיְכַס שַׂק er bedeckte sich mit d. Leidschurz, **legte d. L. an** *he covered himself with the loin-covering of mourning, he put on the l.* Jon 3, 6; l מְכַסֵּךְ Hs 27, 7, l יְכַסֶּה Hi 33, 17, l נִפָּה 36, 32, *F* מְכַסֶּה; pu: pf. כֻּסּוּ (BL 424), impf. וַיְכֻסּוּ, יְכֻסֶּה, pt. pl. מְכֻסּוֹת, מְכֻסִּים: **bedeckt werden** *be covered* Gn 7, 19 f Ps 80, 11 Pr 24, 31 Ko 6, 4 1 C 21, 16; **verborgen sein** *be concealed* Si 12, 8; מְכֻסּוֹת (Wand-)**Verkleidungen** *wainscoting* Hs 41, 16 (Galling *F* Bertholet, Hes); †

hitp: impf. יִתְכַּסֶּה, וַיִּתְכַּסּוּ, וַיִּתְכַּס, pt. מִתְכַּסֶּה, pl. מִתְכַּסִּים: **sich bedecken** *cover, clothe oneself* Gn 24, 65 1 K 11, 29 2 K 19, 1 f Js 37, 1 f 59, 6 Jon 3, 8, cj Gn 38, 14 (l וַתִּתְכַּס בְּ'), cj Dt 22, 12 (l תִּתְכַּסֶּה בָּהּ), l מְכַסֶּה Pr 26, 26. †

Der. *כָּסוּי, כְּסוּת, מִכְסֶה, מְכַסֶּה.

כֶּסֶה: *F* כֶּסֶא.

כֵּסֶה: *F* כֵּסֶא.

כְּסוּחָה: *F* סוּחָה.

***כָּסוּי**: כסה: cs. כְּסוּי: **Decke** *covering* Nu 4, 6. 14. †

כְּסוּת: כסה: sf. כְּסוּתָהּ, כְּסוּתְהֹ: 1. **Bedeckung, Bekleidung** *covering, clothing* Ex 21, 10 22, 26 Dt 22, 12 Js 50, 3 Hi 24, 7 26, 6 31, 19, Hülle *envelop* cj כְּסוּתוֹ 2 S 22, 12 Ps 18, 12; 2. כְּסוּת עֵינַיִם Augendecke = **Erklärung unverletzter Frauenehre** *covering of eyes = declaration of undamaged womanly reputation* Gn 20, 16. †

כסח: mhb. abschneiden *cut off*, ja. sy., كَسَحَ: qal: pt. pass. כְּסוּחָה, כְּסוּחִים: **abhauen** (Gestrüpp) *cut off (brushwood)* Js 33, 12 Ps 80, 17, cj Hi 33, 17 (l יְכַסֶּה). †

כֵּסְיָה: l כֵּסֵא יָהּ Ex 17, 16. †

I **כְּסִיל**: כסל: pl. כְּסִילִים; *F* II: (religiös) **frech**, (praktisch) **töricht** *insolent (in religion), stupid, dull (in practical things)* Pr 1, 22—29, 20 (49 ×) Ko 2, 14—10, 12 (18 ×) Ps 49, 11 92, 7 94, 8. †

II **כְּסִיל**: = I; pl. כְּסִילֵיהֶם: auch *also* جَبَّار, sy. ܓܢܒܪܐ, ja. נְפִילָא bezeichnen Orion als gewalttätig, frech *say that Orion is outrageous, insolent*; AS 1, 497 ff: **Orion** Am 5, 8 Hi 9, 9 38, 31, pl. Orion mit zugehörigen Sternbildern *Orion a. its constellations* Js 13, 10. †

III **כְּסִיל**: n. l., l בְּתוּל: Jos 15, 30. †

כְּסִילוּת: כסל: **Frechheit, Torheit** *insolence, stupidity* Pr 9, 13. †

כסל: كَسِلَ u. neosy. schwerfällig (< fett?) sein *be sluggish (< fat?)*:

qal: impf. יִכְסָלוּ: **töricht sein** *be stupid* Ir 10, 8. †

Der. I u. II כְּסִיל, כְּסִילוּת, I u. II כֶּסֶל, כִּסְלָה, n. m. כִּסְלוֹן; n. l. הַכְּסָלוֹת, כְּסָלוֹן?

I **כֶּסֶל**: כסל: ug. *ksl* Rücken *back?*, mhb., ja., כִּסְלָא: כֶּסֶל, pl. כְּסָלִים, sf. כְּסָלַי: **Lende,** die fetten Lendenmuskeln bei d. Nieren *loins, the fat lumbar muscles*, ψόαι (cf. mnd. כוסיל ביסרא Fleischstücke *pieces of meat*) Lv 3, 4. 10. 15 4, 9 7, 4 Ps 38, 8 Hi 15, 27. †

II **כֶּסֶל**: כסל: sf. כִּסְלִי, כִּסְלָם: **Unerschütterlichkeit, Zuversicht** *imperturbability, confidence* Ps 78, 7 Hi 8, 14 31, 24; **Dummdreistheit** *stupidity* Ko 7, 25; l כִּסְפָּם Ps 49, 14, l בְּמִסְלוֹתֶיךָ Pr 3, 26. †

כִּסְלָה: כסל: sf. כִּסְלָתְךָ: **Zuversicht** *confidence* Ps 85, 9 Hi 4, 6; cj כִּסְלָתִי Ps 143, 9. †

כִּסְלֵו: < ak. *kis(i)limu, (kisliwu)*; mhb.; äga; Χασελευ 1 Mk 1, 54: **Name d. 9. Monats** *name of the 9th month* (Dezember) Sa 7, 1 Ne 1, 1. †

כִּסְלוֹן: n. m.; ug. n. m. *Ksln*; כסל; Noth: schwerfällig *slow*: Nu 34, 21. †

כְּסָלוֹן: n. l.; כסל: = *Keslā* 16 km w. Jerusalem: Jos 15, 10. †

כְּסֻלּוֹת: n. l., כסל: הַכְּסֻלּוֹת F כִּסְלֹת תָּבֹר: Jos 19, 18. †

כַּסְלֻחִים: n. p.; Müller OLZ 5, 474 1 נסמנים (G Χασμωνιιμ) = Νασαμῶνες Herodot 2, 32: S. v. מִצְרַיִם, Ausgangspunkt der *origin of* פְּלִשְׁתִּים: Gn 10, 14 1 C 1, 12. †

כִּסְלֹת תָּבֹר: n. l.; כֶּסֶל? = *Iksāl* 2 km n. *eṭ-Tire* (W-Rand der Ebene des Tabor *W-border of the plain of Tabor*), Alt PJ 22, 60; = הַכְּסֻלּוֹת: Jos 19, 12. †

כסם: > כרסם; ak. *kasāmu* zerschneiden *cut in pieces*; F גזם:
qal: impf. יִכְסְמוּ, inf. כָּסוֹם: (Haar) **stutzen** *c l i p* (*hair*) Hs 44, 20. †
Der. כֻּסֶּמֶת, כֻּסְּמִים.

כֻּסְּמִים: F כֻּסֶּמֶת.

כֻּסֶּמֶת Ex 9, 32 Js 28, 25 u. כֻּסְּמִים Hs 4, 9: כסם; ug. *ksmm*: d. Getreide mit gestutzten Grannen *the corn with clipped awn* (*aristulate*): **Emmer** *s p e l t T r i t i c u m s a t i v u m L a m.* (Löw. 1, 76 ff). †

כסס: mhb., ja. kauen *chew*, mhb. zählen *compute*; كَسَّ kauen *chew*; ak. *kasāsu*, sy. zerschneiden *cut small*, ak. *kissatu*, äga., ja. כִּסְּתָא, sy. ܟܣܬܐ Futter *fodder*:
qal: impf. תָּכֹסּוּ: c. עַל in Anteile zerlegen, **auf** (e. Lamm) **rechnen** *divide in portions, c o m p u t e f o r* (*a lamb*) Ex 12, 4. †

כסף: كَسَفَ farblos, fahl sein (Sonnen-, Mondfinsternis) *be colourless, pale* (*eclipse of sun or moon*); ja. (bleich sein =) sich schämen *be* (*pale* =) *ashamed*, mhb. hif. (zum Erbleichen bringen >) beschämen *cause to be* (*pale* >) *ashamed*:
qal: impf. יִכְסֹף, תִּכְסֹף: (vor Sehnsucht bleich sein) **verlangen** (*be pale by longing*) *l o n g* (לְ nach *for*) Ps 17, 12 Hi 14, 15; †
nif: pf. נִכְסְפָה, נִכְסַפְתָּה, inf. נִכְסֹף, pt. נִכְסָף, 1. **sich sehnen** *l o n g* (לְ nach *for*) Gn 31, 30 Ps 84, 3; 2. **sich schämen** *b e a s h a m e d* (?) Ze 2, 1. †
Der. כֶּסֶף.

כֶּסֶף (396 ×): כסף, d. fahle Metall *the pale metal* (:: זָהָב): ak. *kaspu*, ug. *ksp*; ph., mhb., aram. F ba. כְּסַף: כֶּסֶף, כַּסְפִּי, sf. כַּסְפֵּנוּ, כַּסְפֵּיהֶם (älter *in early texts* כֶּסֶף וְזָהָב, später *later on* זָהָב וָכֶסֶף): 1. **Silber** *s i l v e r* (das Metall *the metal*) Pr 25, 4 Hi 28, 1 Sa 13, 9 Ma 3, 3; 2. (als Werkstoff *as material*) Hs 27, 12, כְּלֵי כֶסֶף Silberschmuck *silver adornement* Gn 24, 53, אֱלִילֵי כַסְפּוֹ s. silbernen Götzen *his idols of silver* Js 2, 20; minder wert als Gold *of less value than gold* 1 K 10, 21; 3. Silber (als Wert u. Zahlmittel) *silver* (*as measure of value a. money*) כַּסְפֵּנוּ unser Silber = **Geld** *our silver* = *m o n e y* Gn 31, 15, כַּסְפֵּיהֶם ihre (nicht gemünzten) Silberstücke *their* (*not coined*) *pieces of silver* 42, 25. 35, אֵין לוֹ כֶּסֶף er hat kein Geld *he has no money* Js 55, 1, בְּלֹא כֶסֶף unentgeltlich *without money* Js 55, 1, בַּכֶּסֶף für Geld *for money* Dt 2, 28 Am 2, 6; בְּכֶסֶף מָלֵא (= ak. *ana kasap gamirti* Zimm. 18) um gutes Geld, für d. vollen Preis *full price* Gn 23, 9 1 C 21, 22. 24; c. שָׁקַל Ir 32, 9; 400 שֶׁקֶל כֶּסֶף 400 (Gewichtsstücke) Scheqel S. 400 (*weights, pieces*) *sheqel s.* Gn 23, 15, > אֶלֶף כֶּסֶף [שֶׁקֶל] 1000 Stück S. *pieces of s.* 20, 16; c. מָנָה 2 K 12, 11; כֶּסֶף כִּפֻּרִים Sühngeld *atonement money* Ex 30, 16; F צרף, זקק, *נְטִיל; 1 כֶּסֶף pro כֶּסֶל Ps 49, 14.

כַּסְפְיָא: n. l., in Babylon; unbekannt *unknown* (Rudolph S. 83): Esr 8, 17. 17. †

***כֶּסֶת**: ak. *kasū* binden, bannen *bind, ban* (?): pl. כְּסָתוֹת (BL 610), sf. כִּסְּתוֹתֵיכֶנָה: **Binden** (für Zauber?) *bands* (*of charm?*) Hs 13, 18. 20. †

כעס: כעשׂ F כַּעַס; mhb., äga. ja., unzufrieden sein *be vexed*: كَشِعَ angewidert sein *feel a loathing for*:

qal: pf. כָּעַס, כָּעָס, וַיִּכְעַס, אֶכְעַס, inf. כְּעוֹס: **Unmut empfinden** *be discontent* Hs 16, 42 Ps 112, 10 Ko 5, 16 7, 9 Ne 3, 33 2 C 16, 10 (אֶל gegenüber *against*); †

pi: pf. sf. כִּעֲסַתְהּ, כִּעֲסוּנִי: **zum Unmut reizen** *cause to be discontent* Dt 32, 31, c. כַּעַס sehr kränken *grieve sorely* 1 S 1, 6; †

hif: pf. הִכְעִיסוּ, הִכְעִסָה, הִכְעִיס, sf. הִכְעִיסוּ, הִכְעִסוּנִי, impf. וַיַּכְעֵס, תַּכְעִיסוּ, sf. תַּכְעִסֵנָה, יַכְעִיסֻהוּ, הִכְעִיסֻנִי, inf. הַכְעִיס, sf. הַכְעִיסוֹ, הַכְעִיסֵנִי (l Ir 25, 7), pt. מַכְעִיסִים, מַכְעִסִים: **unmutig machen, kränken** *make discontent, grieve*: Menschen *men* 1 S 1, 7 Hs 32, 9, **beleidigen** *offend*: Gott *God* Dt 4, 25 9, 18 31, 29 32, 16. 21 Jd 2, 12 1 K 14, 9. 15 15, 30 16, 2. 7. 13. 26. 33 22, 54 2 K 17, 11. 17 21, 6 (l לְהַכְעִיסוֹ). 15 22, 17 23, 19. 26 Js 65, 3 Ir 7, 18 f 8, 19 11, 17 25, 6 f 32, 29 f. 32 44, 3. 8 Hs 8, 17 16, 26 Ps 78, 58 106, 29 2 C 28, 25 33, 6 34, 25 Si 3, 16; הִכְעִיס כַּעַס schwer kränken (Gott) *grieve sorely* (*God*) 1 K 21, 22, הִכְעִיס תַּמְרוּרִים (Gott) bitter kränken *offend bitterly* (*God*) Ho 12, 15 (l הִכְעִיסוֹ?); Gott die Völker *God the nations* Hs 32, 9; abs. Unmut erregen *cause grief* (לְנֶגֶד durch d. Verhalten gegen *by acting against*) Ne 3, 37. † Der. כַּעַשׂ, כַּעַס.

כַּעַס u. **כַּעַשׂ** Hi 17, 7, cj Hs 12, 18: כעס: כַּעַס u. Hi 5, 2 כָּעַשׂ, sf. כַּעְסוֹ, כַּעֲסוֹ, כַּעַסְךָ u. Hi 10, 17 כַּעַשְׂךָ, כַּעְסִי u. Hi 6, 2 כַּעְשִׂי, pl. כְּעָסִים: **Unmut, Kränkung** (v. Menschen) *vexation, grief* (*of man*) 1 S 1, 6. 16, cj Hs 12, 18 (l בְּכַעַשׂ), Ps 6, 8 10, 14 (עָמָל וָכַעַס) 31, 10 Pr 12, 16 17, 25 21, 19 27, 3 Hi 5, 2 6, 2 17, 7 Ko 1, 18 2, 23 7, 3. 9 11, 10, (Gottes *of God*) Dt 32, 19 (בָּנָיו die s. S. verursachten *caused by his sons*). 27 1 K 15, 30 21, 22 (F כעס hif) Ps 85, 5 Hi 10, 17; pl. כָּל־הַכְּעָסִים all die Anlässe zum Unmut (Gottes) *all the causes of grief* (*of God*) 2 K 23, 26; כַּעַס קָרְבָּנָם ihre (Gottes) Unmut erregende Gabe *their offering causing* (*God's*) *grief* Hs 20, 28. †

***כעשׂ** u. **כַּעַשׂ**: F כעס u. כַּעַס.

כַּף (193 ×): כפף; ak. *kappu* hohle Hand *hollow of the hand*; ug. *kp*(*m*); mhb., äga., ja. u. sy. כַּפָּא, mnd. כאפא; كَفّ, [Ethiopic], äg. *kp*: כַּף, sf. כַּפִּי, כַּפְּךָ, כַּפֶּכָה Ps 139, 5, כַּפֶּךָ, du. כַּפַּיִם, כַּפַּי, sf. כַּפֵּיהֶם, כַּפֵּימוֹ, כַּפַּי Hi 27, 23 (l כַּפַּיִם), pl. כַּפּוֹת, sf. כַּפֹּתָיו, fem.: 1. **die hohle**, ausgebreitete **Hand, Handfläche** *the hollow, the flat of the hand, palm* (:: יָד Hand als Glied *hand als member of the body*): כַּף שְׂמָאלִית Lv 14, 15, כַּף פַּרְעֹה Gn 40, 11; כַּפּוֹת יָדָיו s. Handflächen, Handteller *the palms of his hands* 1 S 5, 4 2 K 9, 35, בְּכַפּוֹ in d. (hohlen) Hand *in* (*the hollow of*) *his hand* Ex 4, 4 Js 28, 4; פָּרַשׂ כַּפַּיִם אֶל d. Handflächen, offnen Hände ausbreiten, ausstrecken zu = beten *spread the palms towards = pray* Ex 9, 29; מְלֹא כַף Handvoll *an handful* 1 K 17, 12; בְּכַפּוֹ Stab *rod* Ex 4, 4, Frucht *fruit* Js 28, 4, etc.; שִׂים נַפְשׁוֹ בְכַפּוֹ Ps 91, 12, נָשָׂא עַל־כַּפַּיִם s. Leben (in Gefahr) in die H. nehmen = s. L. wagen *put* (*in danger*) *one's life in one's hand* Jd 12, 3, נַפְשִׁי בְכַפִּי = ich bin in Gefahr *I am in danger* Ps 119, 109; 2. מָחָא כַף Js 55, 12 Ps 98, 8 † u. הִכָּה כַף 2 K 11, 12 Hs 22, 13 u. הִכָּה כַפּוֹ עַל־כַּפּוֹ 21, 22 in d. Hände klatschen *clap one's hands*; שִׂים כַּף עַל־פֶּה Hi 29, 9; תָּקַע כַּף (beim Handel) Handschlag geben *promise by shaking hands (when trading)* Pr 6, 1 17, 18 22, 26, in d. Hände klatschen *clap one's hands* Ps 47, 2 Na 3, 19, = שָׂפַק כַּפַּיִם Hi 27, 23, = סָפַק כַּפַּיִם (Abwehrgestus *averting gesture*) Th 2, 15; שַׂכֹּתִי כַפִּי עָלֶיךָ ich (Gott) verflechte m. H. (schützend) über dir *I (God) am interlacing m. h. over thee* Ex 33, 22; 3. כַּף־רֶגֶל **Fussohle** *sole of the foot* Dt 2, 5 Jos 3, 13 (Priester *priest*) Gn 8, 9 (Taube *dove*), הֹלֵךְ עַל־כַּפַּיִם was auf Sohlen geht *going upon their soles* Lv 11, 27; מִכַּף רַגְלוֹ וְעַד־קָדְקֳדוֹ Hi 2, 7, מִכַּף רֶגֶל וְעַד־רֹאשׁ Js 1, 6; pl. כַּפּוֹת רַגְלַיִם 60, 14; כַּף פְּעָמַי m. Fusstapfen *my foot-prints* 2 K 19, 24, cj כַּף־פְּעָמָיו Ps 58, 11; 4. (v. d. hohlen Hand gebildeter Raum) **Schale** (*hollow formed by the open hand*) *bowl, pan*: כַּף־יָרֵךְ Hüftpfanne *socket of the hip-joint* Gn 32, 26; כַּפּוֹת מַנְעוּל die Vertiefung, die den Türriegel aufnimmt *the hollow into which the door-bolt is shooted* Ct 5, 5; כַּף קֶלַע Schleuderpfanne *hollow of a sling* 1 S 25, 29; כַּפּוֹת Schalen *pans, vessels* Ex 25, 29 Nu 7, 84. 86; כַּפּוֹת תְּמָרִים F כִּפָּה; l כַּתַּף Jd 8, 6 u. 15 pro הֲכַף; cj כַּף pro הָאַף Hs 29, 7, cj כַּפָּם נַחְפְּשָׁה Ps 57, 7.

***כֵּף**: ak. *kāpu* Fels *rock*; mhb., ja. כֵּיפָא (Κηφᾶς Gal 1, 18), sy. ܟܐܦܐ; Griffini, l'Arabo parlato della Libia, 1913, 177: *käf*, pl. *kīfān* alleinstehender Berg *isolated hill*; Beaussier, Dictionnaire, Alger, 1931, 884: *kaf* pl. *kīfān*, spitzer Fels *pointed rock*; pl. כֵּפִים: **Fels** *rock* Ir 4, 29 Hi 30, 6 Si 40, 14. †

כפה: mhb.; ja., sy. כפא, كَفَأَ auf d. Seite wenden *overturn, avert*; ak. *kipū* sich beugen *bend*:

qal: impf. יִכְפֶּה: **abwenden, beschwichtigen** (Zorn) *avert, subdue (anger)* Pr 21, 14. †

כִּפָּה: כפף; mhb.: sf. כִּפָּתוֹ: pl. כִּפּוֹת: (Löw 1, 666 f) **Stocksprosse** (des Schilfs) *shoot (of reeds)* Js 9, 13 19, 15 Hi 15, 32, pl. **Wedel** (d. Palme) *frond (of palm-tree)* Lv 23, 40. †

I **כְּפוֹר**: mhb.; ja.; sy. ܟܦܘܪܐ; ak. *kapru* Schale (f. Speisen) *bowl (for food)*: **Becher** *bowl*: כְּפוֹרֵי זָהָב Esr 1, 10 8, 27 1 C 28, 17, כְּסֶף Esr 1, 10 1 C 28, 17. †

II **כְּפוֹר** u. **כְּפֹר**: כפר; mhb., ja.: (Belag) **Reif** (*foil*) *hoar frost* Ex 16, 14 Ps 147, 16 Hi 38, 29 Si 3, 15 43, 19. †

כָּפִיס: < אֶלְגָּבִישׁ; andre Schreibung v. *different orthography of* גָּבִישׁ; ph. כפס (Gipser, Stuckateur *stucco-worker!*): **Stuck** (auf Holzplatten) *stucco-work (laid on panelling)* Ha 2, 11. †

כְּפִיר: כפר qal sich (mit e. Mähne) bedecken? *be covered (with the mane)?*; Nöld. BS 70[10]: pl. כְּפִירִים, sf. כְּפִירַיִךְ: **Jungleu, d. junge Löwe** (sucht selber sein Futter u. wird an d. beginnenden Mähnendecke erkannt) *young lion (looking himself for fodder a. to be specialized by the cover of a growing mane)*: שָׁאַג Jd 14, 5 Js 31, 4 Ir 2, 15 51, 38 Sa 11, 3 Ps 104, 21, lernt Beute machen *learns to catch the prey* Hs 19, 3; כְּפִיר אֲרָיוֹת Jd 14, 5; כְּפִיר גּוֹיִם (Eph. 1, 235) Hs 32, 2 (aber *but* Bertholet[2] l אוֹי לְךָ פַּרְעֹה מָה); F Js 5, 29 11, 6 31, 4 Ir 25, 38 (l כְּפִיר) Hs 19, 2. 5 f 41, 19 Ho 5, 14 Am 3, 4 Mi 5, 7 Na 2, 12. 14 Ps 17, 12 34, 11 35, 17 58, 7 91, 13 Pr 19, 12 20, 2 28, 1 Hi 4, 10 38, 39 Si 47, 3; l רְכָלֶיהָ Hs 38, 13, l בִּכְפָרִים Ne 6, 2. †

כְּפִירָה: הַכְּפִירָה n.l.; F כָּפָר: *Ch. Kefīre* 13 km nw. Jerusalem (Garstang, Joshua 369): Jos 9, 17 18, 26 Esr 2, 25 Ne 7, 29. †

כפל: mhb., ja., cp, neosy. verdoppeln *double*; nab. כפל d. Doppelte *the double*, = كِفْل; ak. *kapālu* wickeln, schlingen *coil, twist*:

qal: pf. כָּפַלְתָּ, pt. pss. כָּפוּל: **doppelt legen** *fold double* Ex 26, 9 28, 16 39, 9; †
nif: impf. תִּכָּפֵל: **verdoppelt werden** *be doubled* Hs 21, 19. †
Der. כֶּפֶל, (n.l.) מַכְפֵּלָה.

כֶּפֶל: כפל; ug. *kpl*; ja. כִּפְלָא, כּוּפְלָא, nab. כפל, كِفْل, d. Doppelte *the double*: du. (Torczyner, Sprachbau I, 173: adv.) כִּפְלַיִם: **Doppel** (-panzer) *the double* (*of his cuirass*) Hi 41, 5; du. **das Doppelte** *the double* Js 40, 2; l כִּפְלָאִים Hi 11, 6. †

כפן: aram., ja., sy. nab., mnd. hungern *be hungry*, äga. כפן Hunger *hunger*:
qal: pf. כָּפְנָה (Var. כנפה): **verlangend strecken**? *desire hungrily*? Hs 17, 7. †

כָּפָן: כפן; ja. u. sy. כַּפְנָא, mnd. כופנא: **Hunger** *hunger* Hi 5, 22 30, 3. †

כפף: ak. *kapāpu*, aram. כַּף, كَفَّ biegen, beugen *curve, bend*:
qal: inf. כֹּף, pt. pass. כְּפוּפִים: **beugen** *bend, bow down* Js 58, 5 Ps 145, 14 146, 8; l כַּפֵּם נַחְפְּשָׁה 57, 7; †
nif: impf. אִכַּף: **sich beugen** *bow oneself* (לְ vor *toward*) Mi 6, 6. †
Der. כַּף, כִּפָּה.

כפר: Etymologie **F** am Ende *etymology* **F** *at the end*:
qal: pf. וְכָפַרְתָּ: bedecken, **bestreichen** (Schiff) *cover, smear tar* (*ship*) Gn 6, 14; †
pi: pf. כִּפֶּר, כִּפַּרְתֶּם, sf. כִּפַּרְתִּהוּ, impf. יְכַפֵּר, תְּכַפְּרֵם, יְכַפְּרֶנָּה, אֲכַפְּרָה, אֲכַפֵּר, sf. inf. u. imp. כַּפֵּר, sf. כַּפְּרִי, כַּפְּרָה, כַּפֶּרְךָ: 1. Statistik: Gn 32, 21 Ex 29, 36 f 30, 10. 10. 15 f 32, 30 Lv 1, 4—23, 28 (48 ×) Nu 5, 8—31, 50 (15 ×) Dt 21, 8 32, 43 2 S 21, 3 Js 47, 11 Ir 18, 23 Hs 16, 63 43, 20. 26 45, 15. 17. 20 Ps 65, 4 78, 38 79, 9 Pr 16, 14 Da 9, 24 Ne 10, 34 1 C 6, 34 2 C 29, 24 30, 18 = 91 × (69 × in P = Ex—Nu ausser *save* Ex 32, 30); älteste Stellen *oldest quotations* Gn 32, 21 u. Ex 32, 30 (beide *both* E); 2. älterer Sprachgebrauch *older usage of the word*: a) כִּפֶּר פָּנָיו בְּ er bedeckt s. Gesicht mit (e. Gabe) = **stimmt ihn freundlich** *he covers his face with* (*a present*) = *he appeases him* Gn 32, 21; b) כִּפֶּר בְּ bedecken mit, **gutmachen** mit *cover with, make amends with* 2 S 21, 3; c) כִּפֶּר בְּעַד־חַטָּאת deckt e. Sünde zu, **macht sie gut** *covers a sin, makes amends for a sin* Ex 32, 30; d) כִּפֶּר c. ac. [Unheil] zudecken, **abwenden** *cover, avert* [*mischief*] Js 47, 11; e) כִּפֶּר c. עַל Hs 45, 15 u. c. בְּעַד 45, 17 zudecken [jmd. s. Sünden], **Sühne bewirken für** jmd *cover* [*somebody's sins*] *make atonement for somebody*; f) כִּפֶּר c. ac. zudecken, **entsühnen** *cover, make atonement for* Hs 43, 20. 26 45, 20 (Priester den Altar, Tempel *priest for altar, temple*); g) Gott *God*: כִּפֶּר לְ deckt zu zugunsten, **rechnet** ihm **nicht an** *covers for, does not set down to account of* Dt 21, 8 Hs 16, 63 (2. לְ = hinsichtlich *regarding*); h) Gott *God*: c. ac. (durch Rache) **entsündigen** *make expiation, atonement for* (*by revenging*) Dt 32, 43 (l אַדְמַת); j) Gott *God*: c. עַל **deckt** [Sünde] **zu** [sodass keine Strafe nötig wird] *covers* [*sin as to avert punishment*] Ir 18, 23; 3. Gebrauch in *usage in* P: a) ausführlich *at full length*: כִּפֶּר עָלָיו הַכֹּהֵן בְּ׳ לִפְנֵי י׳ עַל d. Priester schafft durch [e. Opfer] für ihn wegen [e. Sünde] vor J. Sühne *the priest makes atonement for him with* [*an offering*] *before Y. for* [*a sin*] Lv 19, 22; b) כִּפֶּר עַל jmd **Sühne schaffen** *make atonement for* Lv 4, 20—23, 28 (13 ×) Nu 5, 8—29, 5 (14 ×), עָלָיו für sich selber *for himself* Lv 1, 4, für e. Sache *for a thing* 14, 53 16, 16, c. מִן für *concerning* 4, 26 5, 6. 10 14, 19 15, 15. 30 16, 34 Nu 6, 11, c. עַל inbetreff *regarding* Lv 4, 35 5, 13. 18 19, 22; c. לִפְנֵי יהוה Lv 5, 26 10, 17 14, 18.

29.31 15,15.30 19,22 23,28 Nu 31,50; c) כִּפֶּר **Sühne schaffen** *make atonement* עַל־הַמִּזְבֵּחַ am A. *on the a.* Ex 29,36f 30,10 Lv 8,15 16,18, עַל־קַרְנֹתָיו Ex 30,10, הַשָּׂעִיר? Lv 10,16, עַל־נַפְשׁוֹ für *for* Ex 30,15f Lv 17,11 Nu 31,50, c. בְּ durch (Opfer) *with (offering)* Lv 5,16 7,7 19,22 Nu 5,8, c. בְּעַד für jmd *for a person* Lv 9,7 16,6.11.17.24; c. ac. Lv 16,20.33; d) כִּפֶּר abs. Sühne schaffen *make atonement* Lv 6,23 16,27.32; e) כִּפֶּר בַּנֶּפֶשׁ Blut schafft durch die Seele in ihm Sühne *blood makes atonement by the soul which is in it* Lv 17,11; 4. der spätre Sprachgebrauch v. *the later usage of* כִּפֶּר: a) c. ac. **zudecken, abwenden** *cover, avert* (הֵמָה) Pr 16,14; b) c. ac. **zudecken, sühnen** (Schuld durch Strafe) *cover, make good (for guilt punishment)* Da 9,24; c) c. עַל: zudecken, **Sühne schaffen** für *cover, make atonement for* Ne 10,34 1 C 6,34 2 C 29,24; d) Gott *God*: (e. Schuld) zudecken, **straffrei machen** *cover, make exempt from punishment (a guilt)*, c. ac. Ps 65,4 78,38, c. עַל 79,9; e) c. בְּעַד jmd **straffrei lassen** *leave a person exempt from punishment* 2 C 30,18 (l: בְּעַד־כֹּל);†

pu: pf. כֻּפַּר, impf. יְכֻפַּר, תְּכֻפַּר: 1. der Strafe entzogen, **gesühnt werden** *be made exempt from punishment, be atoned* Js 6,7 (חַטָּאת) 22,14 u. Pr 16,6 (עָוֹן), c. בְּ mittelst *with* Ex 29,33 Js 27,9, c. לְ hinsichtlich *regarding* Nu 35,33; 2. zugedeckt, **aufgehoben werden** *be covered, be dissolved* (בְּרִית) Js 28,18 (:: Driver JTS 34,34 ff);†

hitp. impf. יִתְכַּפֵּר: **zur Straffreiheit (Sühne) gebracht werden** *be brought to exemption from punishment, to atonement* (עָוֹן) 1 S 3,14;†

nitp (F Brgstr. II 108): pf. נִכַּפֵּר (<נִתְכַּפֵּר*): zugedeckt, (straffrei) **gesühnt werden** *be covered, be (exempt from punishment) atoned* Dt 21,8.†

Etymology: Stamm, Erlösen u. Vergeben im AT, 1940, 59 ff; das Hebräische für sich betrachtet legt an allen Stellen die Grundbedeutung zudecken nahe (cf. כִּסָּה עַל־עָוֹן Ne 3,37); auch die andern Sprachen stützen diesen Satz [a]); u. ebenso die Derivate. Das Ziel von כִּפֶּר, כָּפַר ist immer die Abwendung von Ungemach, meist von Strafe. Der Mensch erreicht dieses Ziel durch Mittel (Geschenk, Opfer, Sühnehandlung). Wo Gott Subjekt ist, fehlt d. Mittel; Gottes כִּפֶּר ist freie Gnade, doch handelt es sich dann weniger um väterliche Vergebung, als um richterliches Erlassen der Strafe. Wegen des Akkadischen [b]) hat man auch an abwischen, sühnen denken wollen. *The Hebrew, considered for itself, leads to cover as original meaning* (cf. כִּסָּה עַל־עָוֹן Ne 3,37); *this is supported by other languages* [a]) *a. by the derivates. The aim of* כִּפֶּר, כָּפַר *etc. always is to avert evil, especially punishment. Human beings accomplish this aim by expedients (gift, offering, act of atonement). Where God is the subject of* כִּפֶּר, *expedients are lacking. God covers guilt out of free grace, but his acting thus is less the pardon of a father than the releasing by a judge. On account of Akkadian* [b]) *to wipe off, to expiate has been suggested as original meaning of* כִּפֶּר. a) כִּפֶּר mhb., ja. pa. = hebr. כִּפֶּר. كَفَّرَ, asa. כפר zudecken *cover*. b) Driver JTS 34, 34—38; כפר ja. u. ak. *kapāru* abwischen *wipe off*, *kuppuru* sühnen *expiate* Zimm. 66 (:: Jensen KB VI, 1, 393). Der. II—IV כֹּפֶר, כִּפֻּרִים, כַּפֹּרֶת, II כְּפוֹר, כְּפִיר.

*כָּפָר: mhb., ja. u. sy. כַּפְרָא, כְּפַרְא; ak. LW *kapru*; > ar. *kafr*; asa. כפר: cs. כְּפַר, pl. כְּפָרִים: **Dorf** *village* 1 C 27,25; cj בַּכְּפָרִים (n.l.?) Ne 6,2; F I כֹּפֶר.†

I כֹּפֶר: = כָּפָר: כֹּפֶר (הַפְּרָזִי) :: (עִיר מִבְצָר) (mauerloses) **Dorf** *village (without wall)* 1 S 6,18.†

II **כֹּפֶר** : כפר qal; mhb.; ja. u. sy. כֻּפְרָא, ja. כֻּפְרָא; كُفْر, قُفْر (Einfluss v. *influenced by* ר); ak. *kupru* Erdpech *asphalt*: Schmiere (Zimm. 60), **Anstrich** *cover, coat* Gn 6, 14; F חֵמָר.†

III **כֹּפֶר**: mhb., ja. כּוּפְרָא, sy. ܟܘܦܪܐ, > κύπρος, **κογπρ**: כפר beschmieren > färben *smear* > *dye*?: pl. כְּפָרִים: **Henna** *henna*, pl. Hennablüten *flowers of henna*, (*Lawsonia alba*; Löw ZS 1, 136 ff, Dalm. AS 5, 353; in Palästina noch wild, Strauch mit Blütenstand mit aufwärts gerichteter Traube; *still wild in Palestine, shrub, the inflorescence of which like an ascending grape*), *Laws. inermis* u. *spinōsa* (Färberpflanze, mit der man Haare, Nägel, Finger u. Zehen orangegelb färbt *to dye hair, nails, fingers, toes orange*) Ct 1, 14 4, 13 7, 12.†

IV **כֹּפֶר**: כפר pi 2b; G: λύτρα 2, ἐξίλασμα 2, ἄλλαγμα 2, ἀνταλλάγματα 1, περικάθαρμα 1 ×; ja. כֻּפְרָא: Deckung, Gutmachung, *cover, reparation* > 1. **Schweigegeld** *hush-money* 1 S 12, 3 Am 5, 12 Pr 6, 35 (// שֹׁחַד) Si 46, 19; 2. **Lösegeld** *ransom*, um e. Strafe zu entgehn *to avoid punishment* Ex 21, 30 30, 12 Nu 35, 31 f Ps 49, 8 Pr 13, 8 21, 18 Hi 33, 24 36, 18, um v. Knechtschaft frei zu machen *to deliver from slavery* Js 43, 3.†

כִּפֻּרִים: כפר pi, pl. tantum, nur *only* P: **Sühnehandlung** *atonement* Ex 29, 36 30, 10. 16 Nu 5, 8 29, 11, c. יוֹם (Versöhnungstag *day of aton.*) Lv 23, 27 f 25, 9.†

כְּפִירִים n. l. (H. Bauer ZDM 74, 210): 1 כְּפָרִים Ne 6, 2.†

כַּפֹּרֶת: כפר pi, nur *only* 27 × P; G ἱλαστήριον u. 1 C 28, 11 ἐξιλασμός: **Deckplatte** (über d. Lade) *cover, lid* (*upon the ark*) Ex 25, 17—22 26, 34 30, 6 31, 7 35, 12 37, 6—9 39, 35 40, 20 Lv 16, 2. 13—15 Nu 7, 89; בֵּית הַכַּפֹּרֶת = d. Allerheiligste *the Holy of Holies* 1 C 28, 11.†

כפשׁ: NF v. כבשׁ; ak. *kabāšu* u. *kapāšu* in EA (Böhl, Sprache d. Amarnabr. § 9c):

hif: pf. sf. הִכְפִּישַׁנִי: **niederdrücken** *make cower* Th 3, 16.†

I **כַּפְתּוֹר, כַּפְתֹּר**: Hoffmann ZAW 3, 124, Holma Kl B 73: pl. sf. כַּפְתֹּרֶיהָ, כַּפְתֹּרֵיהֶם: (tradition.) 1. **Knauf** (d. Leuchters) *knob, bulb* (*of lampstand*) Ex 25, 31. 33—36 37, 17. 19—22; 2. **Kapitäl** (d. Säule) *capital* (*of pillar*) Am 9, 1 Ze 2, 14.†

II **כַּפְתּוֹר, כַּפְתֹּר** : n. t.; G Καππαδοκία Dt 2, 23 Am 9, 7; ug. *Kptr*; Keilschr. F כַּפְתֹּרִי; äg. *Kftj(w)* < **Kftjw-r*; Virolleaud RÉS 1937, 137 ff: wohl **Kreta** *probably Crete*: Am 9, 7 (Heimat d. Philister *home of the Philistines*) Dt 2, 23 Ir 47, 4; F כַּפְתֹּרִי.†

כַּפְתֹּר: F I u. II. כַּפְתּוֹר.

כַּפְתֹּרִי: gntl. v. II כַּפְתֹּר: pl. כַּפְתֹּרִים: Mari *Ka-ap-ta-ru-ú*; Sy 20, 111 f: Gn 10, 14 Dt 2, 23 1 C 1, 12.†

I **כַּר**: ak. *kirru* Lamm *lamb*, ug. *kr*; v. כרר hüpfen *skip*?: pl. כָּרִים: 1. (junger) **Widder** (als Schlachtvieh) (*young*) *ram* (*for slaughter*) Dt 32, 14 1 S 15, 9 2 K 3, 4 Js 34, 6 Ir 51, 40 Hs 27, 21 39, 18 Am 6, 4 Js 16, 1 (1 כָּרִים לְ), cj כְּבָרִים 14, 30; 2. **Widder, Sturmbock** (Belagerungsgerät) *battering-ram*, cf. lat. *aries*, كَبْش: Hs 4, 2 21, 27; F n. l. בֵּית כַּר.†

II ***כַּר**: ak. *kirū* Baumgarten *grove* Zimm. 40 f: **Weidegrund** *pasture* Js 30, 23; 1 כָּרִים Ps 37, 20, 1 הָרִים חָצִיר 65, 14.†

III **כַּר**: كُرّ, كُور, Teil d. Kamelsattels für Frauen *basket-saddle of camel, used by woman*: **Satteltasche** *basket-saddle* Gn 31, 34.†

כֹּר : pl. כֹּרִים: mhb., F ba. *כּוֹר, > κόρος; ak. (sum.) *kurru*: **Kor** *kor*, Hohlmass für Trocknes *dry measure* (1 בַּת ante שֶׁמֶן 1 K 5, 25) 1 K

5, 2. 25 Hs 45, 14. cj 14 (הַכֹּר), l וְהִכְרִי בְכֹר וְלֵתְךָ Js 57, 8, pl. 2 C 2, 9 27, 5.†

***כרב**: F כְּרוּב.

כרבל: denom. v. F ba. *כַּרְבְּלָא:
pu: pt. מְכֻרְבָּל eingehüllt *wrapped* 1 C 15, 27.†

I כרה: mhb., ja, كَرَا, ከረየ, asa. כרו:
qal: pf. כָּרָה, כָּרִיתָ, sf. כָּרוּהָ, impf. יִכְרֶה, וַיִּכְרוּ, pt. כֹּרֶה: aushöhlen, graben *hollow, dig*: Brunnen *well* Gn 26, 25 Nu 21, 18, Zisterne *cistern* Ex 21, 33 Ps 7, 16, Grube *pit* Ir 18, 20. 22 Ps 57, 7 119, 85 Pr 26, 27, Grab *grave* Gn 50, 5 2 C 16, 14, Ohren *ears* Ps 40, 7, (metaph.) Unheil *mischief* Pr 16, 27;†
nif: impf. יִכָּרֶה gegraben werden *be digged* Ps 94, 13 Si 50, 3.†
Der. *מִכְרֶה.

II כרה: Talmud: in d. Küstenstädten gebraucht *said in the seaside-towns*; كَرَا vermieten *let for hire* (Nöld. NB 73):
qal: impf. תִּכְרוּ, יִכְרוּ, sf. וָאֶכְּרֶהָ (wie von *as if* נכר): 1. c. בְּ einhandeln für *purchase for* Dt 2, 6 Ho 3, 2, cj Js 57, 8 (F כֹּר); 2. c. עַל feilschen um *barter for* Hi 6, 27 40, 30.†

III כרה: denom. v. כֵּרָה:
qal: impf. וַיִּכְרֶה: c. כֵּרָה לְ jmd e. Festmahl geben *make a feast for* 2 K 6, 23.†

IV *כרה: كَارَ:
qal: cj pf. כָּרוּ: zusammenbinden *bind together* (Driver ET 57, 193) cj Ps 22, 17.†

***כָּרָה**: pl. cs. כְּרֹת Ze 2, 6: l יִכְרְתִים dele?†

כֵּרָה: F III כרה; < ak. *kirētu* Zimm. 46: Festmahl *feast* 2 K 6, 23.†

I כְּרוּב: (91 ×): mhb., ja. כְּרוּבָא; ak. *karābu* beten *pray*, *kāribu*, *karūbu* Beter, Fürbitter *who prays, intercessor*, *karibi*, *kurībi*, *karibāti* Skulpturen v. missgestalteten Torhütern *sculptures of misshapen gate-keepers* (|| *šēdu*); asa. כרב opfern *sacrifice*; Dhorme et Vincent, RB 35, 328—58, Pfeiffer, JBL 41, 249 f: pl. כְּרֻבִים, כְּרוּבִים:
Cherub *Cherub*: 1. am *at the* גַּן־עֵדֶן Gn 3, 24, am *at the* הַר אֱלֹהִים Hs 28, 14. 16; יהוה: יֹשֵׁב הַכְּרֻבִים 1 S 4, 4 2 S 6, 2 2 K 19, 15 Js 37, 16 Ps 80, 2 99, 1 1 C 13, 6, וַיִּרְכַּב עַל־כְּרוּב 2 S 22, 11 Ps 18, 11, redet *speaks* מִבֵּין שְׁנֵי הַכְּרֻבִים Ex 25, 22 Nu 7, 89; כְּבוֹד אֱלֹהִים נַעֲלָה מֵעַל־הַכְּרוּב Hs 9, 3 10, 4. 18. 20 11, 22, F 10, 2. 5—9. 15 f; 2. (Nachbildungen v. Keruben *images of Cherubs*) aus Gold *of gold* עַל־הַכַּפֹּרֶת Ex 25, 18—20 37, 7—9 Nu 7, 89 1 C 28, 18; aus Holz *of wood* 1 K 6, 23—28 8, 6 f; mit Gold überzogen *plated with gold* 2 C 3, 10—13 5, 7 f; gewirkt *woven* Ex 26, 1. 31 36, 8. 35 2 C 3, 14; in Schnitzwerk *carved* 1 K 6, 29. 32. 35 Hs 41, 25 2 C 3, 7 Hs 41, 18. 20, עַל־הַמִּסְגְּרוֹת 1 K 7, 29. 36.†

II כְּרוּב: n. l.; in Babylonien: Esr 2, 59 Ne 7, 61.†

כָּרִי: n. p.; coll.; Κᾶρες; G Χορρι: Karer *Carians*: (SW v. Kleinasien *of Asia Minor*): Leibwache v. *body-guard of* עֲתַלְיָה (cf. Herodot 2, 154) 2 K 11, 4. 19, l הַכְּרֵתִי Q 2 S 20, 23; F bab. *Kar-sa*, altpers. *old-pers. kar-kā* OLZ 38, 201 ff, ZDM 94, 189 ff.†

כְּרִית: n. fl.; F כרת nif. Jos 3, 13?: G Χορραθ: Šanda I, 419: bei *near* Damaskus (?): 1 K 17, 3. 5.†

כְּרִיתוּת, כְּרִיתֻת: כרת: sf. כְּרִיתֻתֶיהָ (BL 606): סֵפֶר כְּ׳ Entlassungsschein, Scheidebrief *deed of dismissal, of divorcement* (später *later on* גֵּט < ak. *giṭṭu* Zimm. 19) Dt 24, 1. 3 Js 50, 1 Ir 3, 8.†

* כָּרַךְ: F תַּכְרִיךְ.

כַּרְכֹּב: Ruž. 119 < *כַּבְכֹּב, mhb. כַּבְכָּב Schale *bowl*, כַּרְכּוֹב Einfassung *rim*, כַּרְכֵּב (auch *also* mnd.) einfassen *enclose*: **Einfassung** *rim* Ex 27, 5 38, 4.†

כַּרְכֹּם: ja., sy. ܟܘܪܟܡܐ, ak. *kurkānū*, كُرْكُم (Tāğ 9, 45, 18 gelbe Wurzel *yellow root*) κρόκος < sanscr. *kurkuma*: **Gilbwurz** *Curcuma Curcuma* Longa L. u. **Safran** *saffron Crocus sativus L.* (Löw 2, 7—25): Ct 4, 14.†

כַּרְכְּמִישׁ: n. l.; bab. *Karkamis*, ass. *Kargamiš, Gargamiš*, Εὔρωπος = *Ǧerābiš*, Ostufer d. Eufrat *East bank of Euphrates* (Woolley, Lawrence a. Hogarth, Carchemish, Oxford, 1914—21): Js 10, 9 Ir 46, 2 (Χαρχαμις) 2 C 35, 20.†

כַּרְכַּס: n. m.; pers.? Scheft. 46: Est 1, 10.†

כִּרְכָּרוֹת: כרר; sg. *כִּרְכֶּרֶת?: pl. f. **schnell laufende Kamelstuten** *fleet she-camels* Js 66, 20.†

*כרם: F כֶּרֶם, כֹּרֵם, I u. II כַּרְמֶל.

כֶּרֶם: (92 ×): ug. *krm*; mhb., äga., ja., sy. כַּרְמָא, كَرْم, ከርም; äg. *k3m* Weinpflanzung, Weinstock *vineyard, vine*; ak. *karmu* Mél. Syr. 924[5]: כַּרְמוֹ, sf. כֶּרֶם, pl. כְּרָמִים, cs. כַּרְמֵי, sf. כַּרְמֵיכֶם, כְּרָמֶיהָ: **Rebenpflanzung, Weingarten** *vineyard* (Anlage u. Bearbeitung *planting a. working* Js 5, 1—7); c. נָטַע Gn 9, 20, זָמַר Lv 25, 3, עוֹלֵל u. פֶּרֶט 19, 10, בָּצַר Dt 24, 21, הִבְעִיר Ex 22, 4, חִלֵּל Dt 28, 30, עָבַד בְּ 28, 39, נָטַר Ct 1, 6, חִבֵּל 2, 15; כֶּרֶם חֶמֶר Am 5, 11, מַטָּעֵי כ׳ Mi 1, 6, מִשְׁעוֹל הַכְּרָמִים Nu 22, 24, תְּבוּאַת כ׳ Dt 22, 9, סֻכָּה בְכָרֶם Js 1, 8, שָׂדֶה וָכֶרֶם Nu 16, 14, לֶחֶם וּכְרָמִים Js 36, 17, צִמְדֵּי כ׳ 5, 10; כֶּרֶם in *at* בְּהָרֵי שֹׁמְרוֹן Jd 14, 5, יִזְרְעֶאל 1 K 21, 1, תִּמְנָתָה Ir 31, 5, עֵין גֶּדִי Ct 1, 14, בַּעַל הָמוֹן Ct 8, 11; (metaph.) כַּרְמִי Ct 1, 6 8, 12; cj כַּרְמְךָ (2 MSS) Hs 19, 10; כרם in n. l. Dir. 54. Der. כֹּרֵם.

כֹּרֵם: den. v. כֶּרֶם: pl. כֹּרְמִים, sf. כֹּרְמֵיכֶם: **Weinbauer, Winzer** *vinedresser* 2 K 25, 12 Js 61, 5 Ir 52, 16 Jl 1, 11 2 C 26, 10.†

כַּרְמִי: I. n. p.; כֶּרֶם?: 1. S. v. רְאוּבֵן Gn 46, 9 Ex 6, 14 Nu 26, 6 1 C 5, 3; 2. V. v. עָכָן Jos 7, 1. 18 1 C 2, 7; 1 כְּלֻבַי 4, 1; II. gntl. v. כַּרְמִי 1. Nu 26, 6.†

כַּרְמִיל: pers. *kirmis* v. *kärm* Wurm *worm*: spät für *late for* תּוֹלַעַת שָׁנִי: **Karmesin**(-farbe) *carmesine, crimson* 2 C 2, 6. 13 3, 14.†

I כַּרְמֶל: כֶּרֶם u. ל; I = II u. III: sf. כַּרְמִלּוֹ:
1. **Baumgarten** mit Wein u. Obst bestanden *orchard planted with vine a. fruittrees* Js 10, 18 16, 10 29, 17 32, 15 f Ir 2, 7 4, 26 48, 33 (gloss?) Mi 7, 14 2 C 26, 10;
2. (mit אֲרָזִים bestanden *planted with* אֲרָזִים 2 K 19, 23 Js 37, 24.†

II כַּרְמֶל: n. l.; = I: loc. הַכַּרְמֶלָה: *el Kirmil* 12 km s. Hebron Jos 15, 55, cj 1 S 30, 29 הַכַּרְמֶל 25, 2. 7, הַכַּרְמֶלָה 15, 12 25, 5. 40 F כַּרְמְלִי.†

III כַּרְמֶל: n. montis; = I; v. Mülinen ZDP 30, 117 ff 31, 1 ff: der **Karmel** *Carmel*: הַר הַכַּרְמֶל 1 K 18, 19 f 2 K 2, 25 4, 25, > הַכַּרְמֶל 1 K 18, 42 Js 35, 2 Ir 50, 19 Am 1, 2 9, 3 Ct 7, 6, > כַּרְמֶל Jos 19, 26 Js 33, 9 Ir 46, 18 Na 1, 4; יָקְנְעָם לַכַּרְמֶל J. am K. *J.* in *C.* Jos 12, 22.†

IV כַּרְמֶל: < *כַּמֶּל, כמל كَمَلَ ganz, fertig werden *become whole, perfect*: d. eben reif Gewordne *the newly ripened*, Th Z 2, 394; **Jungkorn** *new corn* (AS 1, 452): Lv 2, 14 23, 14 2 K 4, 42.†

כַּרְמְלִי: gntl. v. II כַּרְמֶל: f. כַּרְמְלִית: 1 S 30, 5 2 S 2, 2 3, 3 23, 35 1 C 11, 37, cj 1 S 27, 3; f. 1 C 3, 1.†

כְּרָן: n. m.; ZAW 44, 92: Gn 36, 26 1 C 1, 41.†

כרסם: < כסם Ruž. 185:
pi: impf. sf. יְכַרְסְמֶנָּה: **abfressen** *eat away* Ps 80, 14.†

כרע: ug. *krᶜ*; mhb., ja.; كَرَعَ sich niederbeugen *bow down*; denom. v. כְּרָעַיִם:
qal: pf. כָּרַע, כָּרְעוּ, impf. יִכְרַע, וָאֶכְרְעָה, יִכְרְעוּן, תִּכְרְעוּ, תִּכְרַעְנָה, נִכְרְעָה, inf. כְּרֹעַ, pt. כֹּרֵעַ, כֹּרְעוֹת: 1. freiwillig, mit Absicht das Knie beugen *kneel down (spontaneously, intentionally)*: **niedergehn** (Tiere, um zu lagern) *bow down (animals, to rest)* Gn 49, 9 Nu 24, 9; Menschen *man*: (betend) **niederknien** *kneel (for prayer)* Ps 22, 30 72, 9 95, 6 2 C 7, 3 29, 29 (c. לְ vor, huldigend *for, out of reverence*) Est 3, 2. 5; c. עַל־בִּרְכָּיו (zum Trinken *to drink*) Jd 7, 5 f, (z. Gebet *for prayer*) 1 K 8, 54 Esr 9, 5, (zum huldigenden Flehen *to implore reverently*) 2 K 1, 13; Subjekt *subject* בִּרְכַּיִם, בֶּרֶךְ **sich beugen** *bow down* 1 K 19, 18 Js 45, 23; c. עַל (z. Beischlaf auf e. Frau) **niederknien** *kneel down (over a woman in order to lie with her)* Hi 31, 10; 2. (unfreiwillig) **in die Knie brechen** *(unwillingly) bow down* Jd 5, 27 2 K 9, 24, **zusammenbrechen** *break down* Js 10, 4 (l כֹּרַעַת) 46, 1 f 65, 12 Ps 20, 9 Si 13, 4, Frau in Wehen *woman in childbirth* 1 S 4, 19 Hi 39, 3; בִּרְכַּיִם כֹּרְעוֹת (vor Erschöpfung) **brechende Knie** *knees giving way (by exhaustion)* Hi 4, 4;†
hif: pf. הִכְרִיעַ, sf. הִכְרַעְתַּנִי (2. f.!), impf. תַּכְרִיעַ, inf. הַכְרֵעַ, imp. sf. הַכְרִיעֵהוּ: 1. in die Knie sinken machen *cause to bow down* Jd 11, 35, **auf die Knie zwingen** *cause to bow down* 2 S 22, 40 Ps 17, 13 18, 40 78, 31.†

כְּרָעַיִם: ak. *kurītu* (Holma N Kt 137); mhb.; ja., sy. כַּרְעָא; كُرَاع, ኵርዕ: du., sf. כְּרָעָיו: **Schenkel, Wadenbein** *shank, splint-bone* Ex 12, 9 29, 17 Lv 1, 9. 13 4, 11 8, 21 9, 14 Am 3, 12, Springbein d. Heuschrecke *saltatorial leg of locusts* Lv 11, 21.†

כַּרְפַּס: sanskr. *kārpāsá-* Baumwolle *cotton*, pers. *kirpās* feines Gewebe *fine linen*; ja.; כַּרְפְּסָא > κάρπασος: **feines Gewebe** (Baumwolle, Leinen) *fine cotton, fine linen* Est 1, 6.†

כרר: mhb. כִּרְכֵּר sich hin und her wenden *move to and fro*; كَرْكَرَ II sich drehen *whirl about*, ከረከረ rollen *roll* (ursprünglich: כרר rund sein *originally be round*? F כּוּר); ug. *krr* verflechten (Finger) *intertwine (fingers)*, *karru* Griff (Dolch) *handle (dagger)*:
pil: pt. מְכַרְכֵּר **tanzen, springen** *dance, skip*, (= מְרַקֵּד 1 C 15, 29) 2 S 6, 14. 16.†
Der. I כַּר, כִּרְכָּרוֹת, כִּכָּר:

כרשׂ: *כָּרֵשׂ.

***כָּרֵשׂ**: ak. *kar(a)šu*, mhb. כְּרֵס, ja. u. sy. כַּרְסָא, mnd. כארסא, كَرِش, كِرْش, ከርሥ sf. כְּרֵשׂוֹ: **Bauch** *belly* Ir 51, 34 Si 36, 23.†

כַּרְשְׁנָא: n. m.; Gehman JBL 43, 324: Est 1, 14.†

כרת: ak. *kurrutu* abhauen *cut off*; mo.; mhb. abschneiden, scheiden *cut off, divorce*:
qal (130 ×): pf. כָּרַת, כָּרַתָּ, כָּרַתִּי, כָּרְתוּ, sf. כְּרָתוֹ, impf. יִכְרֹת, וַיִּכְרָת־, אֶכְרֹת, אֶכְרָת־, Jos 9, 7, יִכְרְתוּ, תִּכְרְתוּ, תִּכְרְתוּן, נִכְרֹת, נִכְרָת־, נִכְרְתָה, sf. וַיִּכְרְתֵהוּ, נִכְרְתֶנּוּ, inf. כְּרוֹת, כָּרוֹת, כְּרֹת, כְּרָת־, sf. כָּרְתִי 1 S 24, 12, imp. כְּרֹת, כִּרְתוּ, pt. כֹּרֵת, כֹּרְתוּ, כֹּרְתָה, ps. כָּרוּת, כְּרוּת־,

כְּרֻתוֹת: 1. **abschneiden** *cut off*: עָרְלָה Ex 4, 25, רֹאשׁ, יָד 1 S 5, 4, כְּנַף־מְעִיל 1 S 24, 5, שָׁפְכָה Dt 23, 2, > כְּרוּת einer, dem d. Harnröhre abgeschnitten ist *one with the urinal passage cut off* Lv 22, 24, etc.; 2. **abhauen** *cut down* Busch *wood* Jd 9, 48, אֲשֵׁרָה Ex 34, 13, מִפְלֶצֶת 1 K 15, 13, etc.; 3. **fällen** *fell*: יַעַר Ir 46, 23, עֵצִים 1 K 5, 20, עֵץ Dt 19, 5, כֹּרֵת **Holzer** *woodcutter* Js 14, 8, etc.; 4. כָּרַת זֶרַע **ausrotten** *exterminate* Ir 50, 16; 5. כָּרַת בְּרִית (alle Stellen *all quotations* F בְּרִית): כָּרְתוּ בְרִית sie **trafen e. Vereinbarung** *they came to an arrangement* (durch Zerschneiden e. Opfertiers *by cutting of a sacrificed animal?* Gn 15, 9f, cf. ὅρκια τέμνειν, *foedus icere, ferire, percutere*), F בְּרִית pp. 150, 151; 6. (ellipt.) כָּרַת לְ jmd e. **Abkommen gewähren** *grant a person an arrangement* 1 S 11, 2 (2 S 5, 3); כָּרַת עִם e. **Bund schliessen** mit *make a covenant with* 1 S 22, 8; 7. (mit Ersatz für בְּרִית *with substitute for* בְּרִית) כָּרַת דָּבָר אֶת etw. **vereinbaren** mit *conclude, arrange a thing with* Hg 2, 5; כָּרַת אֲמָנָה e. (feste) **Vereinbarung treffen** *come to an agreement (about)* Ne 10, 1;

nif (71 ×, nie *nowhere in* Dt): pf. נִכְרַת, נִכְרְתָה, נִכְרָתָה, נִכְרַתְּ, נִכְרְתוּ, נִכְרָתוּ, impf. יִכָּרֵת, יִכָּרֶת־, יִכָּרְתוּ, יִכָּרֵתוּן, inf. הִכָּרֵת: 1. **gefällt werden** *be felled* עֵץ Hi 14, 7; abgerissen, **entzwei gerissen werden** *be cut off* מַיִם Jos 3, 13. 16 4, 7; 2. **ausgerottet werden** *be exterminated* כָּל־בָּשָׂר Gn 9, 11, Menschen *man* Jos 9, 23 Js 11, 13 Ho 8, 4 (l יִכָּרֵתוּ), cj Ir 17, 13, מָשִׁיחַ Da 9, 26, cj Ps 58, 10, c. מִבֵּית aus e. Haus *from a house* 2 S 3, 29, בְּלִיַּעַל Na 2, 1, תַּהְפֻּכוֹת Pr 10, 31; 3. **vertilgt werden** *be cut off*: שֵׁם Js 48, 19 56, 5 Ru 4, 10, (cj) 1 S 20, 16†; מַשָּׂא Js 22, 25, אוֹת 55, 13, אֱמוּנָה Ir 7, 28, עָסִיס Jl 1, 5, אֹכֶל 1, 16, Waffen *weapons* Sa 9, 10, תִּקְוָה Pr 23, 18 24, 14; אֲשֶׁר פָּקַדְתִּי עָלֶיהָ Ze 3, 7; 4. †נִכְרְתָה הַנֶּפֶשׁ הַהִיא **wird vertilgt** *shall be cut off*: מֵעַמֶּיהָ Gn 17, 14 Lv 7, 20f. 25. 27 19, 8 23, 29 Nu 9, 13, מִקֶּרֶב עַמֶּיהָ Ex 31, 14, מִקֶּרֶב עַמָּם Lv 18, 29 20, 18, מִקֶּרֶב עַמָּהּ Nu 15, 30, מִיִּשְׂרָאֵל Ex 12, 15 Nu 19, 13, מֵעֲדַת יִשְׂרָאֵל Ex 12, 19, מִתּוֹךְ הַקָּהָל Nu 19, 20, מִלְּפָנַי Lv 22, 3, abs. Nu 15, 31; נִכְרַת אִישׁ מֵעַמָּיו Ex 30, 33. 38 Lv 17, 9, מִקֶּרֶב עַמּוֹ 17, 4; abs. 20, 17; 5. נִכְרְתָה בָּרָעָב **geht am Hunger zu grund** *perishes through the famine* Gn 41, 36; 6. בָּשָׂר **zerkaut werden** *be chewed* Nu 11, 33; 7. בְּרִית pass. v. qal 5: Si 44, 18;

pu†: pf. כֹּרְתָה, !כֹּרַת: **umgehauen werden** *be cut down* אֲשֵׁרָה Jd 6, 28, **abgeschnitten werden** *be cut off* Nabelschnur *navel string* Hs 16, 4;

hif: pf. הִכְרִית, הִכְרַתָּה, הִכְרַתִּי, הִכְרִיתוּ, sf. הִכְרַתִּיו, הִכְרַתִּיךָ, impf. יַכְרִית, יַכְרֵת, וַיַּכְרֵת, sf. נַכְרִיתֶנָּה, תַּכְרִיתֵךְ, וְאַכְרִיתָה, וְאַכְרִית, inf. הַכְרִית, sf. הַכְרִיתֵךְ: 1. c. ac. **ausrotten** *cut off, destroy* Lv 26, 22 Dt 19, 1 (17 ×), c. מִן aus *from* Ex 8, 5 1 S 28, 9 (23 ×), c. מִקֶּרֶב Lv 17, 10 20, 3. 5f Mi 5, 9, c. מִתּוֹךְ Nu 4, 18 Ir 44, 7 Hs 14, 8, c. מֵעִם 1 S 2, 33, c. מֵעַל 1 K 9, 7 Ze 1, 3, c. מִפְּנֵי angesichts *before* Dt 12, 29 2 S 7, 9; 2. Gott **rottet aus** *God cuts off* (49 ×): (עַם) Hs 25, 7. 16, כְּשָׁפִים Mi 5, 11, זֶרַע 1 S 24, 22 Ma 2, 12, הָמוֹן Hs 30, 15, שִׂפְתֵי חֲלָקוֹת Ps 12, 4; etc.; Gott **vernichtet** *annihilates* חַסְדּוֹ מֵעִם 1 S 20, 15, חַמָּנִים Lv 26, 30, טֶרֶף כְּפִרִים Na 2, 14; 3. הִכְרִית c. ac. u. לְ jmm. jmd., etwas **ausrotten** *cut off a person, something from* 1 K 14, 10 21, 21 2 K 9, 8 Js 14, 22 Ir 47, 4 Ma 2, 12; c. מִן־הַבְּהֵמָה e. Teil d. Viehs **töten müssen** *have to kill a part of the cattle* 1 K 18, 5;

umkommen lassen *let perish* Nu 4, 18; הָיָה לְהַכְרִית d. Vernichtung anheimfallen *to be cut off* Ps 109, 13; ? Ir 44, 8; hof†: pf. הָכְרַת: ausgerottet sein, ausbleiben *be cut off, fail to come* Jl 1, 9. Der. כְּרִיתוּת, כְּרֻתוֹת, כְּרִית?

כְּרֻתוֹת, כְּרֻתֹת: כרת: (behauene) Balken (*cut*) *beams* 1 K 6, 36 7, 2. 12.†

כְּרֵתִי, immer *always* הַכְּרֵתִי coll., pl. כְּרֵתִים: n. p.; mhb.: 1. הַכְּרֵתִי וְהַפְּלֵתִי Leibwache v. *body-guard of* David 2 S 8, 18 15, 18 20, 7. cj 23 (Q) 1 K 1, 38. 44 1 C 18, 17; 2. הַכְּרֵתִי 1 S 30, 14 (Dussaud RHR 108, 21 f, Alb, JPO 4, 134); 3. גּוֹי כְּרֵתִים Ze 2, 5 (. cj 6); 4. כְּרֵתִים // פְּלִשְׁתִּים Hs 25, 16; 5. cj [אֶרֶץ] הַכְּרֵתִי Hs 30, 5 (?); 6. G Χερεθθι 2 S 20, 7. 23 1 K 1, 38. 44 1 C 18, 17 > Χελεθθι 2 S 8, 18, > Χολθι 1 S 30, 14, > Χεττι 2 S 15, 18; wohl *probably* Kreter *Cretans*; cf. II כַּפְתּוֹר Am 9, 7.†

כֶּשֶׂב: < כֶּבֶשׂ: pl. כְּבָשִׂים: junger Widder *young ram* (:: עֵז) Lv 3, 7 4, 35 7, 23 17, 3 22, 27 Nu 18, 17, pl. Gn 30, 32 f. 35. 40 Lv 1, 10 22, 19 Dt 14, 4; F כִּשְׂבָּה.†

כִּשְׂבָּה: f. v. כֶּשֶׂב: junges Schaflamm *young ewe-lamb* Lv 5, 6.†

כֶּשֶׂד: n. m.; Eponymus v. כַּשְׂדִּים: S. v. נָחוֹר u. מִלְכָּה Gn 22, 22.†

כַּשְׂדִּים u. Hs 23, 14 2 C 36, 17 כַּשְׂדִּיִּים, loc. כַּשְׂדִּימָה: mhb. כַּשְׂדִּי; F ba. כַּשְׂדָּי; ak. *kašādu* erobern *conquer*; *sd* > *ld*: **kašdu* > *kaldu*, Χαλδαῖοι: 1. n. p. Chaldäer *Chaldeans*, P-W 3, 2045 ff: a) אוּר כַּשְׂדִּים Gn 11, 28. 31 15, 7 Ne 9, 7; b) כַּשְׂדִּים d. Volk Babyloniens unter *the people of Babylonia ruled by* נְבוּכַדְרֶאצַּר, F כֶּשֶׂד; fehlt noch in den Genealogien von *not yet mentioned in the genealogies of* Gn: 2 K 25, 4. 13. 26 Js 43, 14 48, 14. 20, Ir 50, 10. 35 52, 7. 17 Hs 23, 15 (בְּנֵי בָבֶל). 23 Hi 1, 17; c) הַכַּשְׂדִּים 2 K 25, 24 f Ir 21, 4. 9 22, 25 32, 4 f. 24 f. 28 f. 43 33, 5 37, 5. 8 f 13 f 38, 2. 18 f. 23 39, 8 40, 9 f 41, 3. 18 43, 3 51, 1 (Atbasch F לֵב 12) Ha 1, 6; d) אֶרֶץ כַּשְׂדִּים Js 23, 13 (?) Ir 24, 5 25, 12 50, 1. 8. 25. 45 51, 4. 54 Hs 1, 3 12, 13; e) חֵיל כַּשְׂדִּים 2 K 25, 5. 10 Ir 37, 10 39, 5 52, 8. 14; f) חֵיל הַכַּשְׂדִּים Ir 35, 11 37, 11; g) גְּדוּדֵי כַשְׂדִּים 2 K 24, 2; h) מֶלֶךְ כַּשְׂדִּים 2 C 36, 17; i) מַלְכוּת כַּשְׂדִּים Da 9, 1; j) לְשׁוֹן כַּשְׂדִּים 1, 4; k) בַּת כַּשְׂדִּים Js 47, 1. 5; l) יֹשְׁבֵי כַשְׂדִּים Ir 51, 24. 35; m) גְּאוֹן כַּשְׂדִּים Js 13, 19; 2. n. t. כַּשְׂדִּימָה nach Chaldaea *into Chaldea* Hs 11, 24 16, 29 23, 16; 3. הַכַּשְׂדִּים, palm. 4 × כלדיא (Berytus 1, 39), Χαλδαῖοι Standesbezeichnung *skilled class*: Weise, Astrologen *astrologers, sages* Da 2, 2. 4.†

כשׂה: ak. *kašū* sich reichlich vermehren *largely increase*; phl. כשון wachsen *grow*; كَشِيَ sich mit Speise füllen *be filled with food*: qal: pf. כָּשִׂיתָ: mastig sein, werden *grew fat, gorged* Dt 32, 15;† cj hif: impf. וַיַּכְשׂ: mastige (Wurzeln) bilden *strike fat (roots)* cj Ho 14, 6.†

cj ***כשׁח**: كَسِحَ verkrüppelt sein *be crippled*: qal: impf. תִּכְשַׁח: lahm werden *become lame* cj (Eitan JBL 47, 193—5) Ps 137, 5.†

כּוּשִׁי u. **כֻּשִׁי**: n. p.; ph. n. p. כשי; Inschr. Tell Halaf (1940) Nr. 108, 4: *Ku-sa-a-a*; F I כּוּשׁ: f. כֻּשִׁית, pl. כֻּשִׁיִּים, כֻּשִׁים Am 9, 7†, כּוּשִׁים: Kuschit (Nubier, Äthioper) *Cushite (Nubian, Ethiopian)*, Moritz, Arabien 124 f: 1. Einzelne *individuals*: הַכּוּשִׁי 2 S 18, 21 (1 הַכּ׳)—23. 31 f; עֶבֶד־מֶלֶךְ Ir 38, 7. 10. 12 39, 16; זֶרַח 2 C 14, 8; אִשָּׁה כֻשִׁית (des *of* Mose) Nu 12, 1; 2. typisch *typical*: הֲיַהֲפֹךְ עוֹרוֹ Ir 13, 23; 3. n. p. בְּנֵי כֻשִׁיִּים Am 9, 7, כּוּשִׁים Ze 2, 12,

הַכּוּשִׁים 2 C 14, 11 f; // לוּבִים 2 C 16, 8 Da 11, 43, // לוּבִים סֻכִּיִּים 2 C 21, 16, // עַרְבִים 12, 3.†

כַּשִּׁיל: כשל: mhb., ja.: (Holzfäller-) Axt *axe* (*of woodcutter*) BRL 62—68: Ps 74, 6.†

כשל: mhb.; ja. af. straucheln machen *cause to stumble*; sy., mnd. etpe. σκανδαλίζομαι:

qal: pf. כָּשַׁל, כָּשְׁלוּ, impf. יִכְשְׁלוּ (Pr 4, 16 יִכָּשֵׁלוּ 1 יכשולו), inf. כָּשׁוֹל, pt. כּוֹשֵׁל: כֹּשְׁלוֹת: **straucheln, stolpern** *stumble, stagger, totter*: Lv 26, 37 (בְּ über *at*) Js 3, 8 (//נפל) 5, 27 (עָיֵף) 8, 15 31, 3 35, 3 (בִּרְכַּיִם) 40, 30 59, 10. 14 (אֱמֶת), cj 63, 13, Ir 6, 21 46, 6. 12. 16 50, 32 Ho 4, 5 5, 5 14, 2 Na 3, 3 Ps 27, 2 31, 11 (כֹּחַ) 105, 37 107, 12 109, 24 Hi 4, 4 Th 5, 13 (בָּעֵץ unter d. Holzlast *under the wood*) Ne 4, 4 (כֹּחַ) 2 C 28, 15; כָּשַׁל אָחוֹר zurücktaumeln *stumble backward* Js 28, 13;†

nif: pf. נִכְשַׁל, נִכְשְׁלוּ, נִכְשָׁלוּ, impf. יִכָּשֵׁל־, תִּכָּשֵׁל, יִכָּשְׁלוּ, יִכָּשֵׁלוּ, inf. sf. הִכָּשְׁלָם, בִּכָּשְׁלוֹ <*בְּהִכָּשְׁלוֹ Pr 24, 17, pt. נִכְשָׁל, pl. נִכְשָׁלִים: zum Straucheln, Stolpern gebracht werden = **straucheln, stolpern** *be caused to stumble, stagger* = *stumble, stagger*: 1 S 2, 4 Js 40, 30 Ir 6, 15 8, 12 20, 11 Sa 12, 8 Ps 9, 4 Pr 4, 12. 19 24, 17 Da 11, 14. 19. 33—35. 41, c. בְּ über *at, over* Ir 31, 19 Hs 33, 12 Ho 5, 5 14, 10 Na 2, 6, c. בְּ durch *by* Pr 24, 16; וּבַבְּהֵמָה 1 יִכָּשֵׁל: Js 63, 13 f;†

[pi: תְּכַשְּׁלִי Hs 36, 14 1 תְּשַׁכְּלִי MSS.]

hif: הִכְשִׁיל, הִכְשַׁלְתֶּם, impf. תַּכְשִׁילוּ Pr 4, 16 Q, sf. יַכְשִׁילֻהוּ (1 וַיַּכְשִׁילֵמוֹ) וַיַּכְשִׁילוּם, יַכְשִׁילְךָ Ps 64, 9, inf. הַכְשִׁיל, sf. הַכְשִׁילוֹ: **zum Straucheln, Stolpern bringen** *cause to stumble, stagger* Ir 18, 15? cj Ze 1, 3 (הִכְשַׁלְתִּי), Ma 2, 8 (בְּ durch *by*) Ps 64, 9 Pr 4, 16, cj Hi 18, 7 (וְתַכְשִׁילֵהוּ) Th 1, 14 (obj. כֹּחַ) 2 C 25, 8 28, 23; 1 תְּשַׁכְּלִי Hs 36, 15;†

hof: pt. pl. מֻכְשָׁלִים: **zu Fall gebracht werden** *be overthrown* Ir 18, 23, cj Hs 21, 20.†

Der. מַכְשֵׁלָה, מִכְשׁוֹל, כִּשָּׁלוֹן, כַּשִּׁיל.

כִּשָּׁלוֹן: כשל: **Straucheln, Fall** *stumbling* Pr 16, 18 Si 25, 23.†

כשף: mhb. pi.; ak. *kuššupu* zaubern *practice sorcery*, *kaššapu*, Zauberer *sorcerer*, Zimm. 67:

pi: pf. כִּשֵּׁף, pt. מְכַשֵּׁף, מְכַשֵּׁפָה, pl. מְכַשְּׁפִים: **Zauberei treiben** *practice sorcery* Ex 7, 11 22, 17 Dt 18, 10 Ma 3, 5 Da 2, 2 2 C 33, 6.†

Der. *כֶּשֶׁף, כַּשָּׁף, n. l. אַכְשָׁף?

***כֶּשֶׁף**: כשף: pl. tant. כְּשָׁפִים, sf. כְּשָׁפֶיהָ, כְּשָׁפַיִךְ: **Zauberei, Zauberkünste** *sorceries* 2 K 9, 22 Js 47, 9. 12 Mi 5, 11 Na 3, 4.†

***כַּשָּׁף**: כשף: pl. sf. כַּשָּׁפֵיכֶם: **Zauberer** *sorcerer* Ir 27, 9.†

כשר: mhb., aram.; ug. *kṯr*; ak. *kašāru* Erfolg haben *succeed*:

qal: pf. כָּשֵׁר, impf. יִכְשַׁר: c. לִפְנֵי Est 8, 5 u. c. לוֹ Si 13, 4 es ist recht vor = **es beliebt ihm** *it is proper in his view, he is pleased with*; abs. **es gelingt** *it prospers* Ko 11, 6;†

[hif: inf. הַכְשִׁיר: 1 וְכִשְׁרוֹן Ko 10, 10.†]

Der. כּוֹשָׁרָה, כִּשְׁרוֹן.

כִּשְׁרוֹן: כשר: **Gelingen** *skill, success* Ko 2, 21 4, 4, cj 10, 10; **Gewinn** *advantage* 5, 10.†

כתב (203 ×): ph., aram. (altaram. Assurbrief 9) F ba., ph., nab., كَتَبَ; ጽሐፈ Buch *book*, sy. ܡܟܬܒܐ u. südar. مِكْتَب Pfriem *awl* u. كَتَبَ zusammennähen *sew together* führen auf *lead to* כתב = stecken, eingraben *stick, engrave*, cf. γράφειν:

qal: pf. כָּתַב, כָּתַבְתָּ, כָּתְבוּ, sf. כְּתַבְתָּם, impf. יִכְתֹּב, וַיִּכְתֹּב, וַיִּכְתָּב־, וָאֶכְתֹּב, אֶכְתּוֹב־ = אֶכְתָּב־ vel אֶכְתּוֹב־ Ho 8, 12, יִכְתְּבוּ, sf.

יִכְתְּבֵם, וַיִּכְתְּבוּהָ, אֶכְתֲּבֶנָּה (BL 346), inf. כָּתוֹב, כְּתוֹב, לִכְתֹּב imp. כְּתֹב, כְּתָב־, כְּתוֹב־, כִּתְבוּ, sf. כָּתְבֵן, כְּתָבָהּ, כָּתְבֵם, pt. כֹּתֵב, כֹּתְבִים, ps. כָּתוּב, כְּתוּבָה, כְּתֻבִים: 1. c. עַל **auf etwas schreiben** *write upon*: c. עֵץ Hs 37, 20, c. אֲבָנִים Dt 27, 3. 8 Jos 8, 32, c. לוּחַ Js 30, 8, c. גִּלָּיוֹן 8, 1, c. עַל־סֵפֶר Dt 17, 18 Jos 10, 13 2 S 1, 18 2 C 34, 21. 31 2 K 23, 3. 21. 24 Js 30, 8 Ir 30, 2 36, 18; כְּתֻבִים עַל־סֵפֶר דִּבְרֵי 1 K 11, 41 14, 19. 29 15, 7. 23. 31 16, 5. 14. 20. 27 22, 39. 46 2 K 1, 18 8, 23 10, 34 12, 20 13, 8. 12 14, 15. 18. 28 15, 6. 11. 15. 21. 26. 31. 36 16, 19 20, 20 21, 17. 25 23, 28 24, 5 Est 10, 2 (1 C 29, 29 2 C 9, 29 12, 15) 16, 11 (20, 34) u. עַל־מְגִלַּת־סֵפֶר Ir 36, 4. 2 (אֶל); c. בַּדְּיוֹ Ir 36, 18, c. בְּעֵט בַּרְזֶל Ir 17, 1, c. בְּחֶרֶט אֱנוֹשׁ Js 8, 1; 2. כָּתַב בַּסֵּפֶר in e. Buch **schreiben** *write in a book* Ex 17, 14, etc. (19 ×); 3. כָּתַב **mit Schrift bedecken** *cover with writing* Ex 31, 18 32, 15 Dt 9, 10; 4. כָּתַב סֵפֶר e. B. **schreiben** *write a. b.* Ex 32, 32 Hi 31, 35, = c. סְפָרִים 1 K 21, 8 (6 ×); c. אֶל 2 S 11, 14 2 K 10, 6; כָּתַב c. אִגְּרוֹת עַל 2 C 30, 1, c. שִׂטְנָה עַל Esr 4, 6, c. סֵפֶר כְּרִיתֻת Dt 24, 1. 3; 5. כָּתַב c. ac.: etwas **aufschreiben** *write down a thing* Ex 24, 4 (50 ×); l כָּתוּב Ko 12, 10; jmd *a person* Nu 11, 26 Jd 8, 14 1 C 9, 1 24, 6; Bäume *trees* Js 10, 19; c. 2 ac. jmd aufschreiben als *write down*, *record* Ir 22, 30 Ne 12, 22; 6. Einzelnes *particularities*: כָּתַב אֶרֶץ e. Land (schriftlich) **aufnehmen** *make a description (survey) of a country* Jos 18, 4. 6. 8 f; כָּתוּב לַחַיִּים zum Leben aufgeschrieben *written unto life* Js 4, 3; כְּתוּבָה לְפָנַי Js 65, 6; יִכְתֹּב יָדוֹ לַיהוה er schreibt auf s. Hand: „Für J." *he writes upon his hand*: *„For Y."* Js 44, 5; כְּתוּבָה פָּנִים וְאָחוֹר auf d. Vorderseite u. auf d. Rückseite beschrieben *written within a. without* Hs 2, 10, כָּתוּב אֲרָמִית auf. aram. beschrieben *written in Aramaic* Esr 4, 7; כָּתוּב Geschriebenes *written* Est 6, 2, כַּכָּתוּב Ne 8, 15 2 C 30, 5. 18 †; כַּכָּתוּב בְּתוֹרַת מֹשֶׁה 1 K 2, 3 2 K 14, 6 (22, 13 23, 21) Esr 3, 2. (4) Ne 10, 35. 37 1 C 16, 40 2 C 23, 18 25, 4 31, 3 35, 12 ! 26 †; 7. כָּתַב c. אֶל an *unto* Est 9, 23, c. עַל an *unto* Esr 4, 7; über *concerning* Est 8, 8, gegen *against* Hi 13, 26; 8. כָּתַב מִפִּי **nach d. Diktat schreiben** *write from dictation* Ir 36, 4. 6. 27. 32 45, 1 †; 9. כָּתַב **unterschreiben** *sign* Ne 10, 1; 10. כָּתַב מִכְתַּב פִּתּוּחֵי **eingravieren** *engrave* Ex 39, 30; Ps 87, 6 l בִּכְתָב;

nif †: pf. נִכְתַּב, impf. וַיִּכָּתֵב; יִכָּתְבוּ, יִכָּתֵבוּן, pt. נִכְתָּב: 1. **geschrieben werden** *be written* Ma 3, 16 Hi 19, 23; 2. **aufgeschrieben werden** *be written down, recorded* Hs 13, 9 Ps 69, 29 139, 16 Est 2, 23 9, 32, c. לְ für *for* Ps 102, 19; 3. **schriftlich aufgezeichnet werden** *be recorded by writing* Est 1, 19 8, 8 Esr 8, 34; l יִכָּרֵתוּ Ir 17, 13; 4. **schriftlich angeordnet werden** *be ordered by writing* Est 3, 9. 12 8, 5. 9;

pi †: pf. כִּתְּבוּ, pt. מְכַתְּבִים: **anhaltend schreiben** *write constantly* Js 10, 1.

Der. כְּתָב, כְּתֹבֶת, מִכְתָּב.

כְּתָב: כתב; spät *late*, aram., *F* ba.: כתב: cs. כְּתָב, sf. כְּתָבָם: 1. **Schriftstück** *writing, edict* Est 3, 14 4, 8 8, 8. 13 9, 27 Da 10, 21 Esr 4, 7; בִּכְתָב schriftlich *written* (מִיַּד יהוה) 1 C 28, 19 2 C 2, 10, nach d. Vorschrift *according to the order* 2 C 35, 4; 2. **Verzeichnis** *register* Hs 13, 9 Esr 2, 62 Ne 7, 64, cj כְּתָב עַמִּים Völkerbuch *register of nations* Ps 87, 6; 3. **Schreibweise, Schreibart** *mode of writing* Est 1, 22 3, 12 8, 9. †

כְּתֹבֶת: כתב: כְּ׳ קַעֲקַע Tätowierung *tattooing* Lv 19, 28. †

כִּתִּים, כִּתִּיִּים: n. p.: תַּרְשִׁישׁ // אֶרֶץ כִּתִּים Js 23, 1, אִיֵּי כִתִּיִּים Ir 2, 10, אִיֵּי כִתִּים Hs 27, 6;

כִּתִּים unter *among* בְּנֵי יָוָן Gn 10, 4 1 C 1, 7; כִּתִּיִּים Js 23, 12 K, כִּתִּים Nu 24, 24; צִיִּים כִּתִּים Da 11, 30: **Kittäer** *Kittim*: ph. כתי = Κίτιον = Larnaka, S.-Küste v. Cypern *S.-coast of Cyprus*: > **1.** Leute von Cypern im allgemeinen *Cypriotes in general* Js 23, 1. 12 Hs 27, 6 Gn 10, 4 1 C 1, 7; **2.** Bewohner des Archipels *inhabitants of Archipelago* Ir 2, 10 1 Mk 1, 1 8, 5 (Χεττιιμ, Κιτέες); 3. adj. **kittäisch** *of Kittim* (= Römer *the Roman*) Da 11, 30; Hab-Rolle *Scroll of Hab* 1, 6: כתיאים = כַּשְׂדִּים. †

כָּתִית: כתת: (im Mörser) **gestossen, lauter** *beaten (in a mortar), pure*: Öl *oil* Ex 27, 20 29, 40 Lv 24, 2 Nu 28, 5 1 K 5, 25. †

כֹּתֶל: ak. *kutallu*; mhb. כּוֹתֶל; *F* ba. כְּתַל; sf. כָּתְלֵנוּ, **Wand** *wall (of house)* Ct 2, 9. †

כִּתְלִישׁ: n. l.; Borée 116 ff.; Dir. (Alb.) 76: bei *near* לָכִישׁ Jos 15, 40. †

כתם: mhb. כֶּתֶם Fleck *(blood-)stain*, ja. כְּתַם beflecken *stain*, כִּתְמָא Fleck *stain*, ܟܬܡ schmutzig sein *be defiled*; ak. *katāmu* zudecken *cover*:

nif: pt. נִכְתָּם: **e. Schmutzfleck sein** *be stained, defiled* Ir 2, 22. †

Der. מִכְתָּם?

כֶּתֶם: äg. (nubisch? *Nubian?*) *ktm. t.*: כֶּתֶם: **Gold** *gold*, מֵאוֹפִיר Js 13, 12 Ps 45, 10 Hi 28, 16, 28, 19, כֶּ׳ טָהוֹר הַכֶּ׳ הַטּוֹב Th 4, 1, חֲלִי־כֶתֶם Pr 25, 12, 1 כֶּתֶם וּפָז Ct 5, 11 u. Da 10, 5; *F* Hi 31, 24, cj בְּכֶתֶם Ps 49, 14. †

כְּתֹנֶת, כֻּתֹּנֶת: ak. *kitū* Leinen *linen*, *kitinnu* u. *kitintu* Leinengewand *linen garment*; > כתנת mhb., aram. כִּתּוּנָא, ከታን, etc.; χιτών, *tunica* (<*ktun-ica* P. Katz mündlich *orally*): cs. כְּתֹנֶת, sf. כֻּתָּנְתּוֹ, pl. כֻּתֳּנֹת, cs. כָּתְנֹת, sf.: כָּתְנֹתָם: **Leibrock** *tunic* (langes, hemdartiges Gewand, Stoff nicht notwendig Leinen); *long shirt-like garment, material not only linen*): Laientracht *dress of layman* Gn 37, 3. 23. 31—33 (*F* פַּסִּים) 2 S 15, 32 Js 22, 21 Hi 30, 18 (פִּי Halsausschnitt *round the neck*), aus Fell *of skins* Gn 3, 21; Frauentracht *dress of women* 2 S 13, 18 f Ct 5, 3; Priestertracht *dress of priests* Ex 28, 4. 39 f 29, 5. 8 39, 27 40, 14 Lv 8, 7. 13 10, 5 16, 4 Esr 2, 69 Ne 7, 69. 71 Si 45, 8. †

כתף*: כָּתֵף.

כָּתֵף: *כתף: ug. *ktp*; mhb.; ja., sy. כַּתְפָּא, كتف: cs. כֶּתֶף (1 בְּכֶתֶף Js 11, 14), sf. כְּתֵפִי, pl. כְּתֵפֹת, כְּתֵפוֹת (mhb. auch *also* כְּתֵפִים), cs. כִּתְפוֹת, כִּתְפֹת, sf. כְּתֵפָיו, כְּתֵפֶיהָ (v. *of* *כְּתֵפִים), f.: **1. Schulterblatt, Schulter** *shoulder-blade, shoulder*: v. Menschen *of man* Ex 28, 12, v. Tieren *of animals* Js 30, 6; כָּתֵף :: שְׁכֶם Hi 31, 22, dient zum Tragen *used for carrying* Js 46, 7 49, 22 Hs 12, 6 f. 12 (1 עַל) Nu 7, 9 1 C 15, 15 Jd 16, 3 2 C 35, 3 1 S 17, 6, dient zum Stossen *used for thrusting* Hs 34, 21; נָתַן כָּתֵף סֹרֶרֶת e. störrische Sch. zeigen *turn a stubborn sh.* Sa 7, 11 Ne 9, 29; יָרֵךְ וְכָתֵף (als Speisefleisch *for meat*) Hs 24, 4, כ׳ מְרוּטָה Hs 29, 18; 1 כַּף 29, 7; **2.** כְּתֵפֹת **Schulterstücke** *shoulder-pieces* (אֵפֹד) Ex 28, 7. 12. 25. 27 39, 4. 7. 18. 20 †; 3. כְּתֵפוֹת (מְכֹנָה) **Seitenstücke, Ansätze** *supports* 1 K 7, 30. 34. cj 31; **Seitenwände** *wings* cj וְכִתְפוֹת Hs 41, 3; 4. כָּתֵף **Schulter, Berghang** *slope, side (of mountain)*: כֶּתֶף הַר יְעָרִים Jos 15, 10, כ׳ הַיְבוּסִי S.-Hang d. W.-Hügels v. Jerusalem *southern slope of West-hill of Jerusalem* Jos 15, 8 18, 16, כ׳ עֶקְרוֹן nw. *ʿAqir* (PJ 29, 33 ff) 15, 11, כ׳ לוּזָה 18, 12, כ׳ יְרִיחוֹ v. *Bētīn* nach *towards* SW 18, 13, כ׳ מוּל־הָעֲרָבָה 18, 18, כ׳ בֵית־חָגְלָה 18, 19, כ׳ פְּלִשְׁתִּים (M כָּתֵף) Westabfall des judäischen Berglands *western slopes of the Judaean hill-country* Js 11, 14,

כ׳ מוֹאָב Hs 25, 9, כ׳ יָם־כִּנֶּרֶת Osthang d. Sees Gen. *slopes east the Gal. Sea* Nu 34, 11; כְּתֵפָיו s. Berghänge *his slopes* (Benjamin) Dt 33, 12. †

כתר: ak. *kitru* Band, Bundesgenosse *band, associate*; äga., ja. wartend umstehn *surround waiting*; mhb. hif. krönen *crown*; كُتْر, Kamelbuckel, Kuppel, Würde *higher hump of camel, cupola, dignity*:

pi: pf. כִּתְּרוּ, sf. כִּתְּרוּנִי, imp. כַּתַּר: 1. **umstellen** *surround* Ps 22, 13 (// סבב) Jd 20, 43 (כִּתְּתוּ G?); 2. c. לְ auf jmd warten, **Geduld haben mit** *wait for, have patience with* Hi 36, 2; †

hif: impf. יַכְתִּירוּ, pt. מַכְתִּיר: 1. c. ac.: jmd **umstellen** *surround* Ha 1, 4; 2. c. בְּ **sich scharen** um *congregate around a person* Ps 142, 8; 3. den. v. כֶּתֶר: **als Kopfputz tragen** *bear as head-dress* Pr 14, 18. †

Der. *כֶּתֶר, כֹּתֶרֶת.

***כֶּתֶר**: כתר; mhb., ja. כִּתְרָא: cs. כֶּתֶר: **Kopfputz** *head-dress* Est 1, 11 u. 2, 17 (Königsfrau *wife of king*), 6, 8 (Pferd *horse*). †

כֹּתֶרֶת: כתר: pl. כֹּתָרֹת: **Kapitäl** (e. Säule) *capital* (*of pillar*) 1 K 7, 16—20. 41 f 2 K 25, 17 Ir 52, 22 2 C 4, 12 f; l לַכֹּתֶפֶת 1 K 7, 31. †

כתש: mhb., aram.; mnd. כדש:

qal: impf. יִכְתּוֹשׁ: (im Mörser) **zerstossen** *pound fine, bray* (*in the mortar*) Pr 27, 22. †

Der. מַכְתֵּשׁ.

כתת: mhb. pi., ja., pa.:

qal: pf. כַּתּוֹתִי, impf. וָאֶכֹּת, imp. כֹּתּוּ, pt. כָּתוּת: 1. **kleinschlagen** *crush fine* Jl 4, 10 Ps 89, 24, Dt 9, 21 Js 30, 14; כָּתוּת mit zerstossnen Hoden *of crushed testicles* Lv 22, 24; †

pi: pf. כִּתְּתוּ, כִּתַּת: **in Stücke schlagen** *crush to pieces* 2 K 18, 4 Js 2, 4 Mi 4, 3 Sa 11, 6 2 C 34, 7; †

pu: pf. כֻּתְּתוּ: **in Stücke geschlagen werden** *be crushed to pieces* 2 C 15, 6; †

hif: impf. וַיַּכְּתוּ (BL 434) sf. וַיַּכְּתוּם: (Feinde) **zersprengen** *scatter* (*enemies*) Nu 14, 45 Dt 1, 44; †

hof (pass. qal?): impf. יֻכַּת, יֻכַּתּוּ: **in Stücke zerschlagen werden** *be crushed to pieces* Js 24, 12 Mi 1, 7 Hi 4, 20, **zersprengt werden** (Krieger) *be scattered* (*warriors*) Ir 46, 5. †

Der. מְכִתָּה, כָּתִית.

ל

ל, לָמֶד (Driv. SW passim); später *later on* ל = 30. Der Konsonant *the consonant* l; wechselt mit *interchanging with* נ VG 1, 222 ff, Eph. 3, 99 f: לִשְׁכָּה u. נִשְׁכָּה, בֵּיתְאֵל = *Bētīn*, mit ר F חֲלָצַיִם, VG 1, 221 f; Spross-l *additional final* ל F שְׁאוֹל, כַּרְמֶל, גִּבְעֹל.

לְ: Sem; ug. *l*, لِ, ለ, ak. *la* in *lapān* (= לִפְנֵי), ostkan. *la*, *li* (Bauer 77a); Giesebrecht, Die hebr. Präp. Lamed, Halle, 1876; Eitan RÉJ 74, 1 ff; kaum *hardly* < אֶל, Nöld. ZDM 40, 739. לְ immer, ausser mit Suffix (לִי, לוֹ etc.), proklitisch; d. Vokal wechselt je nach d. Vokal d. folgenden Silbe a) *always, save with suffix* (לִי, לוֹ etc.), *as proclitic compound with the following word*; *its vowel shifts according to the vowel of the following syllable* a); a) לְמֶלֶךְ, לְבְרָכָה, לִכְתֹּב, לָזֶה, לָקַחַת, לַעֲמֹד, לֶאֱרֹם,

לְחָלִי (ŏ); לֵאמֹר < לְאֵמֹר , לַיהוָה = לַאדֹנָי ; gelegentlich *sometimes* לַמְּרוֹת u. לְהֵרָאוֹת < לֵרָאוֹת < לְהַמְּרוֹת; c. art. immer *always* לְהַמֶּלֶךְ* < לַמֶּלֶךְ, לְהָאוֹר* < לָאוֹר etc.;

לְ c. sf.: לוֹ, לֹו pro לֹא u. לֹא pro לוֹ *F* לֹא; לָה, לָהּ pro לָהּ Nu 32,42 Sa 5,11 Ru 2,14;† לְךָ, > לְכָה Gn 27,37 2 S 18,22 Js 3,6,† pausa לָךְ; f. לָךְ u. לָכִי 2 K 4,2 Ct 2,13† (l לְכִי vel לָךְ?); לִי; לָהֶם (*F* לָמוֹ) u. לָהֵמָּה Ir 14,16, לָהֶן u. לָהֵן Ru 1,13! u. לָכֶם, לָהֵנָּה, לָכֵנָה (לָכֶן fehlt *is missing*), לָנוּ; לְ ist immer Präposition (l לָתֵת 1 K 6,19) u. bedeutet, dass etwas auf etwas zu, gegenüber etwas, für etwas ist oder geschieht; לְ *is always preposition* (l לָתֵת 1 K 6,19) *a. indicates that a thing is existing or acting towards, in the presence of, or for another thing.* 1. (örtlich *locally*) **an — hin, zu — hin** *to, towards*: לַמִּזְרָח Ne 3,26, לְפָנִים nach vorn hin *forward* :: לְאָחוֹר nach hinten hin *backward* Ir 7,24, לְמַעְלָה Js 7,11 :: לְמַטָּה 37,31; so oft bei Ausdrücken der Bewegung *thus frequently where movement is expressed*: פָּנָה לְדַרְכּוֹ Js 53,6, פְּנֵיהֶם לַבַּיִת auf d. Haus zu *towards the house* 2 C 3,13, נִפְרֹשׂ לְאֵל nach e. G. hin *to a god* Ps 44,21, לָאָרֶץ Js 5,30, עֲלִי לְבֵיתֵךְ zu . . hinauf *up to* 1 S 25,35, בָּא לָעִיר in . . . hinein *into* 9,12; ellipt. לְאֹהָלֶיךָ zu . . . *to* . . . 1 K 12,16; 2. לְ gibt d. Ziel einer Bewegung an *indicates whither a movement is going*: מַגַּעַת לְקִיר d. Wand berührend *reaching to the wall* 2 C 3,11, דָּבְקָה לָאָרֶץ an d. Erde *unto the earth* Ps 44,26, קָרַב לַשַּׁחַת Hi 33,22, לְפֶתַח am *at* Nu 11,10, לְיַד zur Seite *besides* Pr 8,3, etc.; 3. (zeitlich *temporally*) an, bis zu *until*: לַבֹּקֶר bis *until* Dt 16,4, לַמּוֹעֵד bis zu *according to* 1 S 13,8, לְעוֹלָם für immer *for ever*; 4. (zeitlich *temporally*) an, um *at*: לְעֵת עֶרֶב um d. Abendzeit *at eventide* Gn 8,11; לַבֹּקֶר am M. *in the m.* Am 4,4, לָעֶרֶב Gn 49,27 (//בַּבֹּקֶר), לְרוּחַ הַיּוֹם um die Abendkühle *in the cool of the day* 3,8, לְיוֹם פְּקֻדָּה auf den Tag . . . *in the day* . . . Js 10,3, לַמָּטָר beim Regen *when it rains* Ir 10,13; לְ c. pl. *distributive*: לַבְּקָרִים Ps 73,14 u. לִבְקָרִים Hi 7,18 Morgen um Morgen *morning for morning; every m.*; 5. an e. Zeit hin > für e. Zeit > e. Zeit lang *for a time > during a time*: לְיָמִים עוֹד שִׁבְעָה nach noch 7 Tagen *after 7 more days* Gn 7,4, לִשְׁנָתַיִם nach 2 J. *after 2 y.* 2 S 13,23, לִשְׁלֹשֶׁת הַיָּמִים binnen der 3 Tage *during the 3 days* Esr 10,8, etc.; 6. לְ bezeichnet die Richtung, in der e. Handlung geht *indicates in which direction an action develops*: נִכְסַפְתָּה לְבֵית nach d. Haus *towards the house* Gn 31,30, חִכְּתָה לַיהוה nach J. *for Y.* Ps 33,20, הֶאֱמִין לָהֶם fühlte sich sicher nach ihnen hin = glaubte ihnen *felt safe towards them, believed them* Ir 40,14, תְּבַקֵּשׁ לַעֲוֹנִי forschest nach *searchest after* Hi 10,6, עֵינֶיךָ . . . לֶאֱמוּנָה gerichtet auf *look upon* Ir 5,3, שָׂמְחוּ לְךָ über dich *at thee* Js 14,8, לְמוֹאָב יִזְעָק schreit um *cries for* Js 15,5, etc.; 7. daher *therefore* לְ c. verbis dicendi = lat. *de*: **von, über** *of, concerning*: אִמְרִי לִי von mir *of me* Gn 20,13, לאדני [יְסַפְּרוּ] vom Herrn *concerning the lord*, Ps 22,31, נִבָּא . . לְעִתִּים Hs 12,27; daher in Überschriften *therefore in titles*, ug. *l*: לַנְּבִיאִים von *concerning* Ir 23,9. לְמוֹאָב über M. *concerning M.* Ir 48,1; 8 לְ bezeichnet die Absicht, das Ziel des Handelns *indicates the aim of an action*: עָשָׂה לְ Gn 12,2 u. נָתַן לְ 17,6 u. שָׂם לְ Js 5,20 machen zu *make (the object) something*, וַיִּבֶן לְ ausbauen zu *build as* Gn 2,22, נֶהְפַּךְ לְ gewandelt werden zu *be turned into* Jl 3,4, הֵקִים לְ erwecken zu *raise up for* Am 2,11, שָׂרַף לְ brennen zu *burn into* 2,1; לְעֵד als Zeuge *as witness* Dt 31,21, לְמִשְׂגָּב als *as* Ps 48,4, לְלֹא־לָהּ als nicht ihr gehörige *as not hers* Hi 39, 16, לְחֶרְפָּה zum Hohn *for a reproach* Da 9, 16, לְאַכְזָר wurde zur grausamen *has become cruel* Th 4, 3; 9. טוֹב לוֹ gut auf ihn hin = gut für ihn = ihm gut: לְ **drückt den Dativ aus;** טוֹב לוֹ *good towards him = good for him*: לְ *indicating dative*; טוֹב לָךְ Gewinn für dich *good unto thee* Hi 10, 3, מַר לָהּ bitter für sie *bitter for her* Th 1, 4, לְ יָנְעַם angenehm für *delightful to* Pr 24, 25; so steht לְ bei Verben, die geben, nehmen, antun, schicken usw. bedeuten *thus* לְ *is connected with words meaning to give, take (away), inflict upon, send etc.*; 10. לְ leitet d. dativus ethicus ein לְ *expressing dativus ethicus*: וַיֵּלֶךְ לוֹ ging (sich) *went (his way)* Ex 18, 27, יִתְהַלְּכוּ לָמוֹ verlaufen sich *melt away* Ps 58, 8; oft *frequently* c. imp.: לֶךְ־לְךָ geh! *go!* Gn 12, 1, בְּרַח לְךָ flieh! *flee!* 27, 43, סְעוּ לָכֶם brecht auf! *take your journey!* Dt 1, 7; in d. Erzählung *in the narrative*: וַתֵּשֶׁב לָהּ Gn 21, 16, וַתִּבְטַח לְךָ Js 36, 9; 11. לְ sagt, dass etwas zum Besten, zu Gunsten von jmd geschieht לְ *expresses that something is done for the best of somebody*: הָיָה לָנוּ war für uns *was on our side* Ps 124, 1, יֵלֶךְ־לָנוּ geht für uns *will go for us* Js 6, 8, לְאֵל zu Gunsten Gottes *for God* Hi 13, 7, לַיהוה Für J.! *For Y.!* Jd 7, 18; 12. Wie den Vorteil für, so drückt לְ die **Zugehörigkeit** zu aus *as* לְ *expresses „the best for", it expresses „belonging to"*: הַמֵּת לְיָרָבְעָם von [d. Leuten des] J. *of [the family of] J.* 1 K 14, 11; daher *therefore* יֵשׁ לִי ich habe *I have* u. אֵין לִי ich habe nicht *I have not*, > (ellipt.) לְ gehört mir *is mine* Ps 50, 10, לוֹ הַיָּם sein ist d. Meer *the sea is his* 95, 5; 13. Aus der Bezeichnung der Zugehörigkeit ergibt sich für לְ die der Bereitschaft, Verfügbarkeit u. Zuständigkeit für *as it expresses the belonging to* לְ *also expresses the readiness, availability a. competence for*: יוֹם לַיהוה bereit für *a day of Y.* Js 2, 12, לָכֶם לָדַעַת es ist eure Sache zu wissen *it is for you to know* Mi 3, 1, לֹא לָכֶם es ist nicht eure Sache *it is no business of yours* Esr 4, 3, לַיהוה הַיְשׁוּעָה d. Hilfe steht bei J. *salvation belongs to Y.* Ps 3, 9, לְאָדָם steht in d. Macht (Verfügung) d. M. *is to be disposed of by men* Ir 10, 23, לֹא לְהַזְכִּיר ist nicht ratsam zu... *is not commendable to...* Am 6, 10, אַל לַמְּלָכִים d. K. sollen nicht *the k. must not* Pr 31, 4, אֵין לִי כֶּסֶף es geht mir nicht um S. *is not a matter of s.* 2 S 21, 4; 14. לְ drückt e. Genitivverhältnis aus לְ *as notion of the genitive-relation*: בֵּן לְיִשַׁי ein Sohn des *a son of* 1 S 16, 18, אֹהֵב לְדָוִד ein Freund des *a friend of* 1 K 5, 15, עֲבָדִים לְשִׁמְעִי (2) Sklaven des (*2*) *servants of* 2, 39; so auch *thus also* מִזְמוֹר לְדָוִד ein Psalm des *a psalm of* Ps 3, 1, > לְדָוִד מִזְמוֹר 24, 1, > (ellipt.) לְדָוִד 25, 1 = zur Sammlung d. David-Ps gehörig *belonging to the collection of D.-ps.* (Registervermerk *note of register*); 15. nach e. Genitivverhältnis drückt לְ die Zugehörigkeit aus *after an expression in the genitive* לְ *expresses appertaining*: דִּבְרֵי הַיָּמִים לְמַלְכֵי der K. *of the k.* 1 K 15, 31, חֶלְקַת הַשָּׂדֶה לְבֹעַז des B. *of B.* Ru 2, 3; 16. לְ drückt d. Genitiv aus, wenn d. vorhergehende Wort nicht im cs. stehen kann לְ *expresses a genitive if the preceding word cannot be given in cs.*: שְׁכָבְתְּךָ לְזֶרַע d. Liegen zur Besamung *your lying for impregnation* Lv 18, 20, אַחַת לָהֶם eine von ihnen *one of them* Hs 1, 6, שְׁנַת שְׁתַּיִם לְדָרְיָוֶשׁ des D. *of D.* Hg 1, 1, דִּמְכֶם לְנַפְשֹׁתֵיכֶם eurer Seelen *of your souls* Gn 9, 5; 17. לְ verdeutlicht die Beziehung zwischen e. Präposition u. ihrem Genitiv לְ *marks the relation of a preposition to the depending noun*: תַּחַת לְ Ct 2, 6, מִתַּחַת לְ Gn Gn 1, 7, עַד לְ Esr 3, 13, סָבִיב לְ Ex 16, 13;

18. לְ drückt die Zugehörigkeit e. Objekts zu e. Verbum aus לְ *marks the belonging of the object to the preceding verb*: a) nach hif., das e. in sich geschlossnen Begriff darstellt *after hif. which contains a notion complete in itself*: הַחְשַׁכְתִּי לָאָרֶץ schaffe Finsternis für die Erde *I create darkness for the earth* Am 8, 9, הַצִּיקוֹתִי לְ bereite Drangsal für *I produce distress for* Js 29, 2, יָנִיחַ לְ schafft Ruhe für *gives rest for* Dt 3, 20, etc.; b) לְ (wie im Aramäischen Regel) ersetzt den ac. לְ *substitutes ac.* (*as common in Aramaic*): וַיִּקַּח לְ Ir 40, 2, הָאֹכְלִים לְ Th 4, 5, וָאֶשְׁלְחָה לְ Esr 8, 16, נִרְדְּף־לוֹ Hi 19, 28; 19. לְ bezeichnet die nähere Beziehung: **hinsichtlich, an** לְ *denoting the special relation*: *c o n c e r n i n g*, *i n*, *f o r*: לְעֹשֶׁר an R. *in riches* 1 K 10, 23, לְמָתוֹק an Süsse *for sweetness* Hs 3, 3, לְיָמִים an T. *in days* Hi 30, 1 32, 4, לַדָּבָר hinsichtlich der Sache *concerning this thing* Gn 19, 21, לָהֶם was sie betraf *as far as they were concerned* 42, 9. גָּדוֹל לְמַרְאֶה weithin sichtbar *visible from far away* Jos 22, 10, לַמּוּלֹת was angeht *concerning* Ex 4, 26; 20. Die Bedeutung hinsichtlich führt zur Bedeutung **nämlich** לְ *meaning concerning becomes n a m e l y*: לְכָל־ nämlich alle 2 C 28, 15, לְמַלְכֵי nämlich die K. (*to wit*) *the kings* Ir 1, 18, כִּי לְכֶלֶב (denn) nämlich (*for*) *namely a dog* Ko 9, 4; *F* Ex 27, 19 1 C 7, 1 24, 1 26, 1. 23, etc.; 21. לְ gliedert e Ganzes in seine Teile: **nach, gemäss** לְ *indicating the parts of a whole*: *a f t e r*, *by*: לְמִינוֹ nach *after* Gn 1, 11, לְמִשְׁפְּחוֹת nach *after*, *F* Nu 4, 29 1 S 10, 19 etc.; לִגְדוּד truppweise *by bands* 2 C 26, 11, לְמֵאוֹת nach *by* 1 S 29, 2, לִצְדָקָה d. G. gemäss *in r.* Ho 10, 12, לְרֶגֶל d. F. entsprechend *according to the pace* Gn 33, 14, לְכָל־ ganz wie *according to all* 1 S 23, 20; 22. So kann לְ e. Ursache oder e. Beweggrund einführen *thus* לְ *may introduce reasons or motives*: לְפִצְעִי wegen *for* Gn 4, 23, לָרֹב wegen *for* Js 36, 9; לָמָּה für was? > weshalb? *wherefore?* u. לָכֵן für so < deshalb *for thus > therefore*; 23. Bei Verben im Passiv wird mit לְ der Urheber der Handlung (d. Subjekt, wenn man den Satz ins Aktive umwandelt) genannt *if connected with a verb in the passive* לְ *indicates the author of an action* (*the subject when the clause is transformed into an active form*): בָּרוּךְ לְאֵל von Gott *by God* Gn 14, 19, נִשְׁמַע לְסַנְבַלַּט von S. gehört *heard by S.* Ne 6, 1, נִבְחַר לְכֹל von allen vorgezogen *preferred by all* Ir 8, 3, etc.; 24. לְ = hinsichtlich kann (muss) sehr verschiedenartig übersetzt werden לְ = *concerning may* (*must*) *be rendered in very different ways*: לִצְמָאִי als ich Durst hatte *when I was thirsty* Ps 69, 22; לְ vor Aufschriften wird am besten nicht übersetzt לְ *preceding titles is best left out*: לְמַהֵר Js 8, 1, לִיהוּדָה Hs 37, 16, etc.; 25. לְ c. inf. (hinsichtlich) bezeichnet לְ c. inf. (*concerning*) *means*: a) e. Absicht *an intention*: לִרְאוֹת um zu sehn *to see* Gn 11, 5, לִהְיוֹת damit sie (andres Subjekt!) seien *that they* (*the widows*; *subject changed!*) *may be* Js 10, 2; b) Ausfüllung unvollständiger Verba *completing the meaning of undefinite verbs*: nach *after* אָבָה Ex 10, 27, חָפֵץ Jd 13, 23, חָדַל Ps 36, 4, יָכֹל Gn 45, 1, etc.; c) e. nähere Bestimmung *an adverb* הֵיטִיב לִרְאוֹת sieht recht *has well seen* Ir 1, 12, הִרְבָּה לַעֲשׂוֹת tut viel, tat viel *wrought much* 2 K 21, 6, הִגְדִּיל לַעֲשׂוֹת tut Grosses *has done great things* Jl 2, 21; d) e. begleitenden Umstand *a qualifying statement*: לִשְׁאוֹל indem ihr begehrt *in asking* 1 S 12, 17, לָלֶדֶת sodass sie gebären könnte *to bring forth* Js 37, 3, לֵאמֹר indem er sagt, nämlich *by saying*, *namely* (meist am besten garnicht übersetzt *in most cases not to be translated*); e) לְ c. inf. nach *after* הָיָה,

וַיְהִי : וַיְהִי לִדְרוֹשׁ er war darauf aus zu suchen *he set himself to seek* 2 C 26, 5, (l וַתְּהִי) לְהַשְּׁאוֹת du musstest *that thou shouldest be to* Js 37, 26, וַיְהִי לִסְגּוֹר es sollte geschlossen werden *it ought to be shut* Jos 2, 5, וְהָיָה לְבָעֵר soll abgeweidet werden *shall be eaten* Js 5, 5; f) לְ c. inf. nach *after* יֵשׁ : יֵשׁ לְדַבֵּר es ist nötig, dass man redet *it is required that one speaks* 2 K 4, 13; g) c. לְ c. לֹא u. inf.: לֹא לָשֵׂאת keiner soll tr. *none ought to c.* 1 C 15, 2, c. מָה : מָה לַעֲשׂוֹת was kann man tun? *what is to be done?* 2 K 4, 13, was hätte man t. sollen? *what could have be done?* Js 5, 4; h) inf. c. לְ = Substantiv = *substantive*: לְהַקְשִׁיב Aufmerken *to hearken*, cf. לְהַשְׁמִיד Js 10, 7, לָלֶכֶת Ir 40, 4, עָלֵינוּ לַעֲשׂוֹת es ist unsre Sache zu *it is our task to* Esr 10, 12; 26) לְ c. inf. als Verbum e. selbständigen Satzes, der besagt, dass etwas geschehen wird, soll, muss לְ c. inf. *is predicative of an independent clause which states that something shall, or must be done*: לָבוֹא ist im Untergehn *is going down* Gn 15, 12, לְהַכּוֹת du hättest schlagen sollen *thou shouldest have smitten* 2 K 13, 19, לִכְבּוֹשׁ muss er Gewalt antun? *will he force?* Est 7, 8, לַעְזֹר musstest du helfen? *shouldest thou help?* 2 C 19, 2; ? Js 38, 20 2 S 4, 10; 27) לְ c. inf. gibt die Zeit an *indicates the time*: לִפְנוֹת עֶרֶב als es gegen Abend ging *at the eventide* Gn 24, 63; 28. l לָתֵת Ex 32, 29, l כְּשִׁלְחָהּ 2 S 18, 29, l וְלִבִּי רָאָה pro וְלָבוּר Ko 9, 1, l וִישָׁרִים Js 32, 1, l אַבְשָׁלוֹם 1 C 3, 2, l לֹא אוֹר Hi 24, 14; ? לְדַעְתּוֹ Js 7, 15; 29. Hi 6, 14 Js 1, 6 38, 20 לֹא affirmativ = لَ fürwahr! nein! *certainly! no!* ist sehr fraglich *is rather doubtful*; VG 2, 110b; F לָכֵן 3.

Der. n. m. לָאֵל; לָכֵן.

לֹא: ug. *l*, *l'*; ak. *lā*, aram. לָא, لا, asa. לא; (አላ = *'allā* sondern *but*: = ἀλλά?); לוֹא (Ir 5, 12) 35 ×, בְּלוֹא 6 × ; הֲלוֹא 141 × :: הֲלֹא 128 × ; לֹא pro לוֹ Ex 21, 8? Lv 11, 21 25, 30 (cj לָהּ) 1 S 2, 3. 16 20, 2 2 S 16, 18 2 K 8, 10 (l הַגִּילָה Js 9, 2) Js 49, 5 Ps 100, 3 Hi 13, 15 Pr 19, 7? Esr 4, 2 1 C 11, 20; l לָא pro לֹא Gn 23, 11 31, 27 Ps 55, 13. 13 Ru 2, 13 u. Hi 9, 33; l הֲלֹא pro הָלֹה Dt 3, 11; l לִי pro לֹא Hi 6, 21; l הֲלֹא pro לֹא 1 S 14, 30 u. וְלֹא pro הֲלֹא 20, 9; l לָכֵן pro לֹא־כֵן 2 S 18, 14; לֹא ist der sachliche, aussagende Ausdruck der Verneinung: **nicht, un—** לֹא *is stating the negation*: *no, un* — (:: אַל ;אַיִן): 1. לֹא שָׁלַוְתִּי ich bin nicht ruhig *I am not at ease* Hi 3, 26, לֹא אַמְטִיר ich lasse nicht regnen *I spend no rain* Am 4, 7, לֹא מוֹת תְּמֻתוּן ihr sterbt gewiss nicht *you shall certainly not die* Gn 3, 4; 2. לֹא c. impf. drückt das unbedingte Verbot aus *strictly forbidding*: לֹא תִרְצָח du tötest nicht = du sollst nicht töten! *thou willst do no murder = thou shalt do no murder* Ex 20, 13; 3. ebenso לֹא c. Jussiv *the same with* לֹא *c. jussive*: לֹא תֹסֵף du sollst nicht *thou shalt not* Dt 13, 1 (l אוֹסִף Ho 9, 15); 4. לֹא verneint e. einzelnes Wort des Satzes *the negative of a single word of the sentence*: לֹא מֹשֵׁל kein H. *no r.* Ha 1, 14, לֹא אֹתְךָ nicht dich *not thee* 1 S 8, 7, לֹא יַעֲקֹב nicht J. *not J.* Gn 32, 29, לֹא אִישׁ kein Mann, kein Mensch *not a man* Nu 23, 19; mit Nachdruck *stressing*: לֹא ... אִישׁ niemand *nobody* Dt 1, 17, כָּל־ ... לֹא garkein *not any, no manner of* Lv 16, 29, niemand *nobody* 16, 17; ... לֹא מִכֹּל von garkeinem *not of any* Gn 3, 1, לֹא ... כֹּל garnichts *not anything* Gn 11, 6; 5. לֹא die Verneinung des Nominalsatzes *the negation of clauses the predicative of which is a noun* (*or participle*): לֹא שֹׂנֵא er hasst nicht *he hates not* Dt 4, 42, לֹא בִי הִיא sie ist nicht in mir *it is not in me* Hi 28, 14; > (im Relativsatz) ohne > (*in the relative-clause*) *without*: לֹא דֶרֶךְ [der] ohne Weg [ist] [*which is*] *without way* Ps 107, 40, לֹא עָבוֹת ohne Wolken *without clouds* 2 S 23, 4; 6. לֹא bildet d. Prädikativ *the pre-*

dicative is formed by לא *only*: לֹא עֵת הֵאָסֵף es ist nicht die Zeit zu... *it is not the time that*... Gn 29, 7, וְלֹא דַעַת u. man hat nicht... *a. there is no*... Js 44, 19, לוֹא הוּא es ist nichts mit ihm *he is of no account* Ir 5, 12; 7. לֹא als Verneinung zweier sich folgender Verben לא *negation of two verbs following each other*: לֹא תַחְמֹד... וְלָקַחְתָּ... u. nicht nehmen... *nor take* Dt 7, 25 Js 28, 27; 8. לֹא als Einleitung e. untergeordneten Satzes *introducing a dependent clause*: sodass nicht *that not* Ex 28, 32 Js 41, 7; so häufiger *thus more frequently* וְלֹא Gn 42, 2 Ex 28, 35. 43 Dt 17, 17 Ir 10, 4; 9. לֹא vor e. Substantiv *preceding a noun*: לֹא פִשְׁעִי ohne m. Schuld *without my fault* Ps 59, 4, לֹא בָנִים ohne Söhne *without sons* 1 C 2, 30; 10. לֹא u. וְלֹא = הֲלֹא u. וַהֲלֹא, wenn schon d. Zusammenhang die Frage ausdrückt *if the question is expressed by the text itself*: Th 3, 36. 38; Ex 8, 22 1 S 20, 9 Ir 49, 9 Jon 4, 11 Hi 2, 10; 11. לֹא = Nein *no*; לֹא כִּי Nein; sondern *Nay*; *but* Gn 19, 2 18, 15 Jos 5, 14; לֹא Nein *Nay* Gn 42, 10; לֹא O, nein! *O, no* Hi 23, 6; 12. וְאִם לֹא Fortsetzung einer mit הֲ eröffneten abhängigen Frage *continuation of a dependent question beginning with* הֲ; oder ob nicht *or not* Gn 18, 21 42, 16; 13. וְלֹא Und wenn nicht, [dann...] *If not*, [*then*...] 2 S 13, 26 2 K 5, 17; 14. לֹא negirt e. Begriff לֹא *the negation of a notion* (F 5 u. 9): לֹא טוֹב ungut *not good* Ps 36, 5, לֹא טְהֹרָה unrein *unclean* Gn 7, 2, לֹא צֶדֶק Unrecht *unrighteousness* Ir 22, 13, לֹא עָם Unvolk *not a people* u. לֹא אֵל Nichtgötter *not gods* Dt 32, 21, לֹא־עֵץ Nichtholz *not wood* Js 10, 15, לֹא־אִישׁ u. לֹא־אָדָם Js 31, 8 (die meisten dieser Bildungen sind Augenblicksbildungen ohne Dauer *most of these formations are spontaneous a. not to be repeated*); 15. לֹא c. præfix.: בְּלֹא עֵת־ nicht in d. Zeit von *not in the time of* Lv 15, 25; בְּלֹא־יוֹמוֹ (ak. *ina lā ūmešu*) nicht an = vor s. Tag *not at* = *before his day* Hi 15, 32; בְּלֹא מִשְׁפָּט (ar. *bilā*, ak. *ina bali*, äth. *ʾenbala* VG 2, 376 f) widerrechtlich *wrongfully* Hs 22, 29; בְּלֹא nicht mit *not of* 1 C 12, 34, בְּלֹא כְ nicht wie *not as* 2 C 30, 18, בְּלֹא nicht für (*not for*) *without* Js 55, 1 Th 4, 14, בְּלֹא רְאוֹת ohne zu sehn *not seing him* Nu 35, 23; לֹא שִׂפְתֵי מִרְמָה m. L. ohne Trug *not out of feigned lips* Ps 17, 1, בְּלֹא לְשָׂבְעָה für d., w. nicht sättigt *for that which does not satisfy* Js 55, 2, בְּלֹא יוֹעִיל f. d., w. nicht hilft *f. a th. wh. does not profit* Ir 2, 11; 16. הֲלֹא, הֲלוֹא: הֲלֹא אַתָּה hast nicht du selbst? *hast not thou self?* Hi 1, 10; הֲלֹא צִוִּיתִךָ befehle ich dir nicht? *have not I commanded thee?* Jos 1, 9 F Gn 20, 5 1 K 1, 11 Ru 2, 8 1 S 20, 37, cj 4, 8, 2 S 15, 35 2 K 15, 21, cj 5, 26, Am 5, 20 Ps 85, 7 (dele אַתָּה). cj 9, Pr 8, 1 14, 22 22, 20 Hi 22, 12; הֲלֹא הֵם כְּתוּבִים 2 K 15, 36 etc. = הִנָּם כְּתוּבִים 2 C 27, 7 etc.; Mischform *both expressions mixed* 2 C 25, 26; הֲלוֹא אִם ist es nicht [so]: wenn *is it not* [*thus*]: *if* Gn 4, 7; l הֲלֹם Jd 14, 15, l כַּלֵּה (!כלא) Ps 56, 14; ? Ha 2, 13; 17. כְּלוֹא הָיוּ wie wenn sie nicht gewesen *as though they had not been* Ob 16; לְלוֹא תוֹרָה ohne Gesetz *without law* 2 C 15, 3; לְלֹא denen, die nicht *to those, who not* Js 65, 1; לְלֹא כֹחַ dem Kraftlosen *him who is without strength* Hi 26, 2, לְלֹא לָהּ die ihr nicht gehören *which are not hers* Hi 39, 16; לֹא bei *with* F טֶרֶם.

Der. לוּלֵא, אוּלַי.

לָא: F לוּ.

***לאב**: F תַּלְאֻבוֹת.

לא דבר: לֹא דָבָר 2 S 17, 27, לוֹ דְבָר Am 6, 13, 2 S 9, 4 f, cj Jos 13, 26: n. l.; unweit *near* מַחֲנַיִם Noth PJ 37, 87[4]. †

לאה: ak. *lā'ū* schwach *weak*; mhb.; ja., לְאִי, sy. לְאִי, لَأَى ermüden *be weary*:

qal: impf. וַיִּלְאוּ, וַתֵּלֶא, תִּלְאֶה: **müde werden, sein** *be, become weary* Hi 4, 2. 5, cj תִּלְאֶינָה עֵינַי (= תִּלְאֶן) 17, 2; c. לְ c. inf. **es aufgeben zu** *leave off to* Gn 19, 11;†

nif: pf. נִלְאָה, נִלְאֵית, נִלְאֵיתִי, נִלְאֵתִי, נִלְאוּ, pt. f. נִלְאָה: **1. müde gemacht werden, sich abmühen** *weary, be made weary* Js 16, 12, c. בְּ mit *by* Js 47, 13, c. inf. zu *to* Ir 6, 11; pt. Ermüdetes *wearied* Ps 68, 10, cj Mi 4, 7; **2.** [zu] **müde, erschöpft werden, es müde sein** *be* [*too much*] *wearied, exhausted, be tired of* Js 1, 14 Pr 26, 15; **3. nichtmehr im Stand sein** *no more be able*, c. inf. (l נִלְאוּ שׁוּב) Ir 9, 4, c. לְ c. inf. Ex 7, 18;†

hif: pf. sf. הֶלְאֵנִי, הֶלְאֵתִיךָ, impf. תַּלְאוּ, sf. וַיַּלְאוּךָ, inf. הַלְאוֹת: **müde machen** *make weary* Js 7, 13 Ir 12, 5 Mi 6, 3 Hi 16, 7; dele הֶלְאָת Hs 24, 12 (dittogr.)†

Der. תְּלָאָה.

לֵאָה: n. f.; ak. *littu*, لَأًى Kuh *cow*; ph. עבדלאת Epithet v. Ischtar (לאי, ak. *le'ū* stark *strong*), Haupt ZAW 29, 281 ff; Frau v. *wife of* יַעֲקֹב: Gn 29, 16—30, 20 (20 ×) 31, 4. 14. 33 33, 1 f. 7 34, 1 35, 23. 26 46, 15. 18 49, 31 Ru 4, 11.†

לְאוֹם: F לְאֹם.

לָאז: cj הַלָּאז 1 S 20, 19: der da *this one*: F הַלָּז†

לָאט Jd 4, 21: F לָט.

לאט: F לוט.

לָט, לְאַט: F אַט.

***לאך**: ug. *l'k*, لَأَكَ, ለአከ (Boten) senden *send* (*a messenger*).

Der. מַלְאָךְ, מְלָאכָה, מַלְאֲכוּת, n. m. מַלְאָכִי.

לָאֵל: n. m.; לְ u. אֵל, Nöld. BS 104, Noth S 153; Montg. 171[21] (7 Parallelen); F לְמוּאֵל: Nu 3, 24.†

לְאֹם, לְאוֹם: ug. *l3m* Volk *people*; ak. *li'mu* tausend *thousand*; sf. לְאֻמִּי (l לְאוּמִּים ?) Js 51, 4, pl. לְאֻמִּים: **Volk** *people, nation*: //גּוֹיִם Gn 25, 23 Js 34, 1 43, 9 Ps 2, 1 44, 3. 15 105, 44 149, 7. cj 117, 1; //עַמִּים Gn 27, 29 Js 17, 12 55, 4! Ir 51, 58 Ha 2, 13 Ps 47, 4 57, 10 67, 5 108, 4 Pr 24, 24; //אֲדָמוֹת! Js 43, 4, //אִיִּים 41, 1 49, 1, //תֵּבֵל Ps 9, 9, //אֶרֶץ Js 60, 2 Ps 148, 11, //גּוֹי Pr 14, 34; //עָם 14, 28; לְאֻמִּים ohne *without* //לְאֹם Js 17, 13 Ps 65, 8 67, 5; לְאֻמִּי (l לְאוּמִּים ?) //עַמִּי (l עַמִּים ?) Js 51, 4; עֲדַת לְאֻמִּים Ps 7, 8; לְאֹם die **Leute** *the folks* Pr 11, 26.†

לְאֻמִּים n. p.; nicht näher bekannter arabischer Stamm *Arabian tribe, not known*; Montg. 45: Sammelname für Scharen *generic term meaning hordes* Gn 25, 3.†

לֹא עַמִּי: symbol. Name *symbol. name*: Nichtmeinvolk *not my people*: Ho 1, 9; F 2, 25.†

לֹא רֻחָמָה: symbol. Name *symbol. name*: Ungeliebt *unbeloved*: Ho 1, 6. 8; F 2, 25.†

לֵב, לֵבָב F: ug. *lb*; ak. *libbu*; mhb.; F ba. *לֵב; لُبّ, asa. לב, ልብ; äg. *ib*; l לבב: (Briggs, Semitic studies Kohut, Berlin, 1897): לֵב 598 ×: לֵבָב 252 ×, in Gn 13 : 3, Ex 46 : 1, Lv 0 : 3, Nu 4 : 1, Dt 4 : 47, Jos 2 : 7, Jd 13 : 2, 1 S 16 : 14, 2 S 18 : 2, 1 K 14 : 23, 2 K 6 : 8, Js 31 : 18, Ir 57 : 8, Hs 41 : 6, Ps 101 : 34, Pr 97 : 2, Hi 20 : 9, Ko 41 : 1, Da 2 : 5, 1 C 8 : 12, 2 C 16 : 28; nur *only* לֵב in Am Ob Ma Ct Ru Est, nur *only* לֵבָב in Jl, Jon, Hg; לֵב u. לֵבָב im selben Vers (aus Stilgründen *stilistic reasons*) Hs 28, 6 Ko 9, 3: cs. לֶב־, sf. לִבּוֹ,

לְבָבְכֶם ,לִבְּךָ ,לִבְּךָ; pl. (selten *rare*; לֵב auch v. Mehreren gesagt לֵב *said of a plurality also* 2 S 15, 6. 13 Js 51, 7 etc.) לִבּוֹת, sf. לִבֹּתָם, לִבּוֹתָם: לֵב der zuckende (לבב), pumpende Körperteil, das **Herz** *the quivering* (לבב), *pumping organ, the h e a r t*: 1. d. Körperteil *the organ*: 1 S 25, 37 2 S 18, 14 2 K 9, 24, כְּלָיוֹת וָלֵב Ir 11, 20, לִבּוֹת וּכְלָיוֹת Ps 7, 10, לֵב בָּשָׂר Hs 11, 19, לִבִּי סְחַרְחַר Ps 38, 11, 39, 4, יָחִיל 55, 5, יִשְׁתּוֹמֵם 143, 4; חַם לִבִּי Herz d. Krokodils *heart of the crocodile* Hi 41, 16; קִירוֹת לֵב Ir 4, 19, סְגוֹר לֵב Ho 13, 8; עַל־לִבּוֹ auf d. Brust *upon the breast* Ex 28, 29 Na 2, 8; לִבִּי וּבְשָׂרִי Ps 84, 3; 2. לֵב Sitz d. Lebenskraft *seat of vital energy* Ps 22, 27, d. Krankheit *of sickness* Js 1, 5, F סְעַד לֵב; נָגַע עַד־לִבֵּךְ reicht dir ans Leben *reaches unto thy life* Ir 4, 18; 3. Herz = Inneres, Sitz v. Empfindungen u. Regungen *heart = inner man, seat of sensation a. emotion*: הִתְעַצֵּב אֶל־לִבּוֹ sich zu Herzen nehmen (Gott) *grieved him* (*God*) *at his heart* Gn 6, 6; שָׂמַח בְּלִבּוֹ Ex 4, 14, לֵב רַגָּז Dt 28, 65, טוֹב לִבָּם guter Dinge *in a pleasant mood* Jd 16, 25, יִיטַב לֵב zufrieden sein *be pleased* 18, 20, הֵיטִיב לִבּוֹ lässt sichs wohl sein *enjoy oneself* 19, 22, עָלַץ לִבִּי 1 S 2, 1, לֵב חָרֵד 4, 13; שָׂם אֶל־לִבּוֹ sich zu Herzen nehmen *take to one's heart* 2 S 19, 20, נִסְעַר לִבּוֹ wird unruhig *is troubled* 2 K 6, 11, נִמְהַר לֵב Js 35, 4, כְּאֵב לֵב 61, 1, נִשְׁבַּר לֵב 65, 14, טָפַשׁ לִבָּם Ps 45, 2, עָטַף לִבִּי 61, 3, רָחַשׁ לִבִּי 119, 70; 4. Herz = Sinn, Neigung *heart = mood, inclination, disposition*: מַחְשְׁבֹת לִבּוֹ Gn 6, 5, יֵצֶר לֵב 8, 21, חִזֵּק לִבּוֹ Ex 4, 21, הִקְשָׁה 7, 3, כָּבֵד לֵב 7, 14; נְשָׂאוֹ לִבּוֹ s. H. trieb ihn dazu *h. h. impelled him* 35, 21, = נָדַב 35, 29; נָגַע בְּלִבּוֹ bewegt s. Sinn *touches h. mind* 1 S 10, 26; הָיָה אַחֲרֵי s. Sinn hat sich zugewandt *h. h. is with* 2 S 15, 13; עָשָׂה בְּכָל־לִבּוֹ von ganzem Herzen *with all his heart* 1 K 8, 23; לִבִּי (Gottes *of God*) 9, 3; הִטָּה לִבּוֹ verführt s. Sinn *turns away h. heart* 11, 3, שָׁב לִבּוֹ אֶל wendet sich wieder zu *turns back unto* 12, 27; הֵסַב לִבּוֹ אֲחֹרַנִּית wendet herum *turns back again* 18, 37, רִחַק לִבּוֹ מִן Js 29, 13; נְדִיב :: לִבּוֹ 29, 13; לֵב שָׁלֵם Js 38, 3; שְׂפָתָיו :: לִבּוֹ Ex 35, 5; הָלַךְ לִבּוֹ אֶל er hangt mit d. H. an *is attached to* Hs 11, 21, = c. אַחֲרֵי 20, 16; לְקָחוֹ לִבּוֹ reisst ihn fort *carries him away* Hi 15, 12; עֵר לִבִּי Ct 5, 2; שָׂם לִבּוֹ אֶל kümmert sich um *cares for* Ex 9, 21, = c. לְ 1 S 9, 20; 5. Herz = Entschlossenheit, Mut *energy, courage*: יָצָא לִבּוֹ s. Mut entfällt ihm *his courage fails* Gn 42, 28, יִפֹּל לֵב lässt d. Mut sinken *h. cour. fails* 1 S 17, 32; לֵב הָאַרְיֵה beherzt wie e. Löwe *heart of a lion* 2 S 17, 10, יֹאבַד לֵב ist mutlos *the courage perishes* Ir 4, 9, נָמֵס לִבּוֹ schmilzt *melts* Hs 21, 12, עָמַד hält stand *endures* 22, 14; אַמִּיץ לִבּוֹ Am 2, 16, הֵרַךְ Ps 40, 13, הִכְנִיעַ 107, 12, עֲזָבוֹ לִבּוֹ macht s. Mut verzagt *makes h. h. timid, faint* Hi 23, 16; מָלֵא לִבּוֹ c. לְ c. inf. ihm wächst d. Mut zu... *his courage is embolded to...* Ko 8, 11; 6. Herz = Wille, Absicht *heart = will, intention*: נָתַן בְּלִבּוֹ c. לְ c. inf. gab ihm in d. Sinn zu.., *had put in his mind to...* Ex 35, 34; מִלִּבִּי von mir selbst aus, nach m. Willen *of my own mind* Nu 16, 28, מִלִּבִּי mit Absicht *willingly* Th 3, 33; מָצָא לִבּוֹ c. לְ c. inf fasst sich c. Herz, zu... *finds the courage, intention to* 2 S 7, 27, עָלָה עַל־לִבּוֹ es kommt ihm d. Wille *it comes into his will to* 2 K 12, 5; בִּלְבָבִי ich habe im Sinn (Plan) *it is my will* (*design*) Js 63, 4; יִשְׁרֵי לֵב Ps 7, 11; מִשְׁאֲלֹת לִבּוֹ Ps 37, 4, וְקֶרֶב לִבּוֹ Ps 55, 22; לֵב אֶחָד einmütig *unanimous* 1 C 12, 39, cj Ps 83, 6; נָטָה לִבּוֹ Ps 119, 112, שִׁית לִבּוֹ לְ Pr 22, 17; לִבּוֹ בַּל עִמָּךְ er meint es nicht gut mit dir *he has no good intentions towards thee* Pr 23, 7; cj כָּבֵד לֵב trotzig *obstinate* Hi 36, 5, חַנְפֵי לֵב 36, 13; נָתַן לִבּוֹ richtet s. Sinn darauf; hat im Sinn *he directs his intention* Ko 1, 13, מָנַע לִבּוֹ מִן versagt sich, verzichtet darauf, zu *denies himself to* 2, 10, מְלָאוֹ לִבּוֹ setzt sich vor *resolves* Est 7, 5, = שָׂם עַל־לִבּוֹ [אֲשֶׁר] Da 1, 8, = בָּא עַל־לִבּוֹ Ne 3, 38, = הָיָה לוֹ לֵב 2 C 7, 11, = הָיָה עִם לִבּוֹ 24, 4; 7. Herz = Sinn, Aufmerksamkeit, Beachtung, Verstand *heart = mind, attention, consideration, understanding, intelligence*: גָּנַב לִבּוֹ überlisten *outwit, deceive* Gn 31, 20; שָׁלַח אֶל־לִבּוֹ spüren lassen *cause to notice* Ex 9, 14; חֲכַם לֵב kunstsinnig *gifted with (artistic) taste* 31, 6, weise *wise* Pr 10, 8, לֵב לָדַעַת Sinn, der verständig wäre *mind to realise* Dt 29, 3; שִׁית לִבּוֹ achtet darauf *realises* 1 S 4, 20, = שָׂם לֵב אֶל 2 S 18, 3, = שָׂם עַל־לֵב Js 42, 25, = שִׁית לִבּוֹ אֶל Hi 7, 17; לֵב שֹׁמֵעַ verständiger Sinn *understanding heart* 1 K 3, 9, רֹחַב לֵב umfassender Verstand *ample understanding* 5, 9; אֵין לֵב ohne Verstand *without intelligence* Ir 5, 21, = חֲסַר לֵב Pr 6, 32, לֵב־אָיִן hat keinen Verstand *has no underst.* 17, 16; בְּלִבּוֹ auf. s. eignen Verstand *in his own intelligence* Pr 28, 26; 8. Herz = Sinn im Allgemeinen u. Ganzen *heart = the whole of mind a. mood, the self*: אָמַר אֶל־לִבּוֹ zu sich (selber) *to himself* Gn 8, 21, = בְּלִבּוֹ 17, 17, אֶל־לִבּוֹ 24, 45; דִּבֶּר עַל־לֵב פּ׳ redet freundlich zu *speaks kindly to* Gn 34, 3 Js 40, 2; שִׁית לִבּוֹ לְ nimmt zu Herzen *takes to heart* Ex 7, 23 = שָׂם לִבּוֹ Js 41, 22; כָּל־לִבּוֹ all s. Inneres *all his heart (mind)* Jd 16, 17; דִּבֶּר עַל־לִבּוֹ mit sich selbst *to himself* 1 S 1, 13; שָׂם אֶל־לִבּוֹ redet sich ein *takes into h. head* 2 S 13, 33; הֵשִׁיב אֶל־לִבּוֹ geht in sich *bethinks himself* 1 K 8, 47; נְשָׂאֲךָ לִבֶּךָ bist übermütig *be presumptuous* 2 K 14, 10; כְּלִבִּי nach m. Sinn *according to my heart* Ir 3, 15, לִבָּם הָרָע ihr böser Sinn *their evil mind* 7, 24; רָם לִבּוֹ s. Überhebung *h. haughtiness* 48, 29; גָּבַהּ לִבְּךָ d. Sinn überhebt sich *your mind is boasting* Hs 28, 2; אַבִּירֵי לֵב Ps 76, 6, עִקֵּשׁ לֵב Pr 11, 20, לֵב מַרְפֵּא 12, 8, נַעֲוֵה לֵב 14, 30, רְחַב לֵב 21, 4; בְּלֹא לֵב וָלֵב ohne geteilter Meinung zu sein *without being of double heart* 1 C 12, 34; 9. Herz = Gewissen *heart = conscience* 1 S 24, 6 2 S 24, 10 1 S 25, 31; 10. Herz = Inneres, Mitte *heart = the inner part, middle, midst*: בְּלֶב־יָם Ex 15, 8 Pr 23, 34, לֵב יַמִּים Hs 27, 4. 25—27 28, 2. 8 Ps 46, 3, לֵב־הַשָּׁמַיִם Dt 4, 11; 11. לִבּוֹ s. Leben *his life* Ir 30, 21; לִבִּי ich, selbst *I, myself* Ko 1, 16, מִלִּבְּךָ aus dir selber *out of thy own [heart]* Ne 6, 8; 12. Einzelnes *particulars*: Herz Gottes *God's heart* Hs 28, 2. 6; Gott gibt e. Herz *God gives a heart* 1 K 3, 9, G. prüft *G. tries* לִבּוֹת Pr 17, 3 21, 2 24, 12; לֵב אַחֵר 1 S 10, 9, cj Ir 32, 39, לֵב חָדָשׁ Hs 18, 31 36, 26, cj 11, 19, לֵב אֶבֶן 11, 19, 36, 26; לוּחַ לִבָּם Ir 17, 1; עֶרֶל לֵב Hs 44, 9; לֵב טָהוֹר Ps 51, 12, לֵב עָמֹק 64, 7; לֵב קָמָי (Versteckname *concealed name*; Atbasch: א = ת, ב = שׁ etc. gibt *results in* כַּשְׂדִּים G) Ir 51, 1; F שֵׁשַׁךְ; l לָבִיא Ps 38, 9, l כְּלִבְּכֶם 58, 3.

לָבָא* u. **לָבוֹא***: cs. לְבֹא, לְבוֹא: לְבֹא חֲמָת: Noth ZDP 58, 242—6 u. PJ 33, 36—51 :: Lewy HUC 18, 445 cf. 1 C 5, 9 2 C 26, 8: לְבָא* n. l. = ass. *Lab'u* im Ostjordanland *East of Jordan*; cf äg. *R3b'w* BAS 102, 9: מִלְּבוֹא חֲמָת Am 6, 14 2 K 14, 25 1 K 8, 65 = 2 C 7, 8, לְבֹא חֲמָת 1 C 13, 5 Jos 13, 5 Jd 3, 3, לְבוֹא חֲמָת Nu 34, 8, cj (adde חֲמָת) Hs 47, 15.†

לָבָא*: F לָבִיא: pl. לְבָאִים: Löwe *lion* Ps 57, 5, cj Js 56, 11; F* לְבָאָה. †

***לְבָאָה**: f. v. *לָבָא: pl. sf. לְבָאֹתָיו: Löwin *lioness* Na 2, 13; F n. l. לְבָאוֹת. †

לְבָאוֹת: n.l.; F *לְבָאָה: = בֵּית לְבָאוֹת Jos 19,6: H. Bauer ZAW 48,77: in S-Juda Jos 15,32.†

I לבב: ak. *labābu* wüten *be enraged*; mhb. לִבֵּב erregen *stir*:

pi: pf. sf. לִבַּבְתִּנִי: **machst mir Herzklopfen** *makest my heart beating* Ct 4,9;† nif. (denom. v. לֵב 7): impf. יִלָּבֵב: **verständig gemacht werden** (?) *be made intelligent, mindfull* (?) Hi 11,12.†

Der. לֵב, לֵבָב, לִבָּה*.

II לבב: den. v. *לְבִבָה:

pi: impf. וַתְּלַבֵּב: **Lebiboth-Kuchen backen** *bake lebiboth-shaped cakes* 2S 13,6.8.†

לֵבָב: mhb., aram.: Etym. u. Statistik F לֵב: cs. לְבַב, sf. לְבָבוֹ, לְבָבְךָ, לְבַבְכֶם, לְבַבְהֶן, pl. לְבָבוֹת 1C 28,9; sg. לֵבָב auch von Mehreren gesagt *said even of a plurality* Ex 14,5 Dt 10,16 20,8 Ir 4,4 etc.; לֵבָב **Herz** *heart* hat dieselben Bedeutungen wie *means the same as* F לֵב; Einzelheiten *particulars*: Gott kennt *God knows* לְבָבוֹ 1K 8,39, erforscht *searches* כָּל־לְבָבוֹת 1C 28,9; לְבָב עָרֵל Lv 26,41; יֵרַע לְבָבְךָ bist missmutig *thy heart is grieved* Dt 15,10; cj (אִתִּי לְבָבְךָ יָשָׁר) du meinst es aufrichtig mit mir *you mean it well with me* 2K 10,15; בַּר לֵבָב Ps 24,4; שְׁאֵרִי וּלְבָבִי 73,26 (wie *as* ak. *libbu* || *šēru*; לֵבָב **Gewissen** *conscience* Hi 27,6; דִּבֶּר עַל־לְבָבוֹ spricht ihm zu *speaks comforting to him* 2C 32,6.

***לְבִבָה**: לֵב; ak. *akal libbu* Art Gebäck *kind of cake*: pl. לְבִבוֹת, G κολλυρίς, Dölger, Antike u. Christentum 1,132ff: **Herzkuchen** (?) Krankenbrot (?) *heart-shaped cake* (?) *bread for patients* (?) 2S 13,6.8.10.†

לְבַד: F בַּד.

***לַבָּה**: cs. לַבַּת: l לַהֶבֶת Ex 3,2.†

***לִבָּה**: I לבב; ak. *libbātu* Wut *rage*; äga. לבתכם AP 37,11; Driv. ThS 32,366: sf. לִבָּתֵךְ **Wut gegen dich** *rage against thee* (l אֻמְלָה) Hs 16,30.†

לְבוֹנָה: n.l.; H. Bauer ZAW 48,74 < לְבָנָה; = *Lubban* n. שִׁלוֹ: Jd 21,19.†

לָבֻשׁ, לָבוּשׁ: לבשׁ: cs. לְבוּשׁ, לְבֻשׁ, pl. cs. לְבֻשֵׁי: c. ac.: **bekleidet mit** *clad with* 1S 17,5 Hs 9,2f. 11 10,2.6f 23,6.12 38,4 Sa 3,3 Pr 31,21 Da 10,5 12,6f; ? Js 14,19.†

לְבֻשׁ, לְבוּשׁ: לבשׁ; ug. *lbš*, ak. *lubūšu*; mhb., aram.; sf. לְבוּשׁוֹ, לְבֻשׁוֹ, pl. sf. לְבֻשֵׁיהֶם: **Kleid** (d. Manns) *garment, clothing* (*of men*) Gn 49,11 2S 20,8 Js 63,1f Ma 2,16 Ps 22,19 104,6 Hi 24,7.10 31,19 38,14 Th 4,14, (der Frau *of woman*) Ps 45,14 Pr 31,22.25; coll. Kleider *garments*: (v. Frauen *of women*) 2S 1,24 2K 10,22, (v. Männern *of men*) Js 14,19; aus Wolle *woollen* Pr 27,26; שַׂק Ps 35,13 69,12; c. הֶחֱלִיף 102,27; לְבוּשׁ Kleid = Haut *clothing* = *skin* Hi 30,18 41,5; Wolken das Kl. des Meers *clouds the garment of the sea* 38,9; Kl. der Götterbilder *garm. of idols* Ir 10,9; לְבוּשׁ מַלְכוּת (persische) Königstracht (*Persian*) *royal apparel* Est 6,8 8,15, cj 5,1, = הַלְּבוּשׁ 6,9—11; לְבוּשׁ שַׂק 4,2; לְבוּשׁוֹ (ältere Deutung *older interpretation*: s. Frau *his wife* wie *as* Sure 2,183) Ma 2,16.†

לבט: ak. *lubad/ṭu* Lähmung *paralysis*; mhb. beunruhigen *disturb*, sy. pa. aufreizen *incite*; sam. = עָנָה (Barth ES 62); لَبَطَ trampeln (Kamel) *trample* (*camel*):

nif: impf. יִלָּבֵט: **niedergetreten werden** *be thrust, trodden down* Ho 4,14 Pr 10,8.10.†

לָבִיא: mhb., ph. n. m. לבא u. לבי; äga. n. m. לבוא; ak. *labbu* u. *lābu* < *lab'u* (Landsb. 76[6]); ug. *lb3t*, n. dei in *ʿbdlb3t*; asa. n. m. לבא, לבאת, n. f. לבאתם; EA n. m. *Labaia* (BAS 89, 16); لَبُوءَة, sahr. u. afar. *lubāk*, somali *libāh*; äg. *rw*, λαβοι; > λέων, λέαινα, *leo*,; asianisches Wort *Asian word* (Koehler ZDP 62, 122—5), *F* אֲרִי: **Löwe** *lion* Gn 49, 9 Nu 23, 24 24, 9 Dt 33, 20 Js 5, 29 30, 6, cj וְהַלְּבָאִים 56, 11, Ho 13, 8 Jl 1, 6 Hi 38, 39, cj Ps 38, 9; בְּנֵי לָבִיא Hi 4, 11; l לְבוֹא Na 2, 12.†
Der. לְבִיָּא, *לָבָא*, *לְבָאָה*; n. l. לְבָאוֹת.

לְבִיָּא: l לְבִיאּ?: **Löwe (Löwin)** *lion* (*lioness*) Hs 19, 2.†

לְבִים: *F* לוּבִים.

I לבן: mhb., ja., ph. weiss *white*; لَبَن (weisse, saure) Milch (*white, sour*) *milk*; sokotri *libehon*, mehri *labōn* weiss *white*:
hif: pf. הִלְבִּינוּ, impf. יַלְבִּינוּ, אַלְבִּין, inf. *לְהַלְבִּין > וְלַלְבֵּן Da 11, 35: **1. weiss werden** *grow white* Js 1, 18 Jl 1, 7 Ps 51, 9 **2. weiss machen, reinigen** *make white, purify* Da 11, 35;†
hitp: impf. יִתְלַבְּנוּ sich als weiss, gereinigt erweisen *show oneself white, purified* Da 12, 10.†

II לבן: ug. *lbn*: den. v. לְבֵנָה: ak. *libittu*, cs. *libnat* v. *labānu* platt drücken *press flat, even*: qal: impf. נִלְבְּנָה, inf. לִלְבֹּן: **Ziegel streichen** *make brick* Gn 11, 3 Ex 5, 7. 14.†

I לָבָן: I לבן: cs. לְבֶן, f. לְבָנָה, pl. לְבָנִים, לְבָנוֹת: **weiss,** *white*: Zähne, Milch *teeth, milk* Gn 49, 12, geschälte Stäbe *wood under bark* 30, 37, Schafe *sheep* 30, 35, Kleider *garments* Ko 9, 8, I גַּד Ex 16, 31, Pferde *horses* Sa 1, 8 6, 3. 6, Haut, Haar *skin, hair* Lv 13, 3 f. 10. 13. 16 f. 20 f. 24. 26, Flecken *spots* 13, 4. 38, לָבָן אֲדַמְדָּם **rötlichweiss** *reddish white* 13, 42 f, כֵּהֶה לָבָן **mattweiss** *dull white* 13, 39.†
Der. I לְבָנָה; n. m. לָבָן.

II לָבָן: n. m.; = I; altass. Gottesname *name of god* Lewy RHR 110, 44 f: **Laban,** Bruder v. *brother of* רִבְקָה: Gn 24, 29, הָאֲרַמִּי 25, 20 28, 5 31, 20. 24; *F* 24, 50 27, 43 28, 2 29, 5—29 (14 ×) 30, 25—42 (8 ×) 31, 1—51 (19 ×) 32, 1. 5 46, 18. 25.†

III לָבָן: n. l.; = I?; = לִבְנָה Nu 33, 20?: Musil, AP 1, 211 = *el-Libben* 21 km s. חֶשְׁבּוֹן? Dt 1, 1.†

לִבְנֶה: I לבן: **Storaxbaum** (mit weissen Blütentrauben) *storax-tree* (*with white racemes*), ar. *lubnā*, *Styrax officinalis L.* (Löw 4, 394 ff) Gn 30, 37 Ho 4, 13, cj 14, 6. 7 u. Ct 4, 11.†

לִבְנָה: n. l.; I לבן?: **1.** Wüstenstation *station in the desert*, = III לָבָן?: Nu 33, 20 f; **2.** T. Bornaṭ 25 km nw. חֶבְרוֹן (PJ 30, 58 ff) Jos 10, 29. 31 f. 39 12, 15 15, 42 21, 13 2 K 8, 22 19, 8 23, 31 24, 18 Js 37, 8 Ir 52, 1 1 C 6, 42 2 C 21, 10 (Geschichte v. *history of* לִבְנָה ZDP 54, 145 ff).†

I לְבָנָה: f. v. I לָבָן; *F* II: die Weisse (Gottheit?), **Vollmond** *the white* (*goddess?*) *full-moon* Js 24, 23 30, 26 Ct 6, 10 (immer *always* // חַמָּה); *F* לְבוֹנָה.†

II לְבָנָה: n. m.; = I: Esr 2, 45 Ne 7, 48.†

לְבֵנָה: ak. *F* II לבן; ug. *lbnt*; mhb. לְבֵינָה; ja. לְבֵינְתָא, ܠܒܢܬܐ; altaram. pl. לבנן Lidz. 302; äga. לבנן; בי זי לבנן; asa. לבן שמש an d. Sonne getrocknete Z. *sun-baked tiles* (Zusatz v. Stroh *added straw F* Meissner, Bab. 1, 275) لَبِنَة; > πλίνθος?: cs. לִבְנַת, pl. לְבֵנִים, sf. לִבְנֵיכֶם: **1.** (ungebrannte, luftgetrocknete) **Ziegel** (*sun-baked*) *brick, tile* Gn 11, 3 Ex 1, 14 5, 7 f. 16. 18 f Js 9, 9 65, 3 (Pflaster des Opferplatzes? *pavement of place of offerings?*); für Zeichnung gebraucht *used for engraving a plan* Hs 4, 1; **2. Fliese, Steinplatte** *flagstone* (ak. *libittu*): לִבְנַת סַפִּיר Ex 24, 10.†

לְבֹנָה u. **לְבוֹנָה**: I לָבָן; f. v. *לבון (ThZ 4, 233 f): mhb., ph. לבנת, äga. u. ja. לבונתא; لُبَان, asa. לבנת; λίβανος, λιβανωτός: sf. לְבֹנָתָהּ: **Weihrauch**; d. weisse, an d. Bruchfläche goldgelbe Harz v. *Boswellia Carteri* u. *Frereana* (aus Hadramauth u. Somaliland); *frankincense, the white, a. at the fracture golden-yellow resin of Boswellia Carteri a. Frereana* (*Hadhramauth a. Somaliland*) (Löw 1, 312 f): aus *from* שְׁבָא Ir 6, 20 (älteste Erwähnung *oldest mention*) Js 60, 6; d. beste Sorte ist weiss *the best kind is white* לְ׳ זַכָּה Ex 30, 34 Lv 24, 7; *F* Lv 2, 1 f. 15 f 5, 11 6, 8 Nu 5, 15 Js 43, 23 66, 3 Ir 17, 26 41, 5 Ct 3, 6 4, 6! 14 Ne 13, 5. 9 1 C 9, 29. †

לְבָנוֹן: n. montis; I לבן (d. weisse Berg *the white mountain*); ug. *Lbnn*, keilschr. *Lab-na(a)-na*; heth. *La-ab-la-na*; ph. u. Suğ. Ba. 9 לבנן; mhb. לְבָנֹן; sy. ܠܒܢܢ, لُبْنَان, Λίβανος; הַלְּ׳ 36 ×, לְבָ׳ 29 ×; loc. לְבָנוֹנָה: der **Libanon** *Lebanon*, d. Gebirgszug zw. Mittelmeer u. *the mountain-range betw. the Mediterranean a. Nahr Kasimije*: הַר הַלְּ׳ Jd 3, 3, Heimat des *home of* אֶרֶז 9, 15 Js 2, 13 Ps 29, 5 1 K 5, 13. 20 2 K 14, 9 Esr 3, 7 2 C 2, 7 25, 18 Js 14, 8 Ps 104, 16 Hs 27, 5 Ps 92, 13, Heimat des *home of* חוֹחַ 2 K 14, 9 2 C 25, 18, des Schnees *of snow* Ir 18, 14; Nordgrenze Palästinas *northern border of Palestine* Dt 1, 7 3, 25 11, 24 Jos 1, 4 9, 1; בֵּית יַעַר הַלְּ׳ 1 K 7, 2 10, 17. 21 2 C 9, 16. 20, כְּבוֹד הַלְּ׳ Js 35, 2 60, 13, Weingegend *wine-country* Ho 14, 8; שִׂרְיוֹן // לְבָ׳ Sa 10, 10, אֶרֶץ גִּלְעָד וּלְבָ׳ Ps 29, 6, בִּקְעַת הַלְּבָ׳ heute *today el Beqā'* zwischen *between* לְבָנוֹן u. חֶרְמוֹן Jos 11, 17 12, 7; מִגְדַּל הַלְּבָ׳ Ct 7, 5; *F* Jos 13, 5 f 1 K 5, 23. 28 9, 19 2 K 19, 23 Js 10, 34 29, 17 33, 9 37, 24 40, 16 Ir 22, 6. 23 Hs 17, 3 31, 3. 15 f Na 1, 4 Ha 2, 17 Sa 11, 1 Ct 3, 9 4, 8. 15 5, 15 2 C 2, 7. 15; l לְבָנֶה Ho 14, 6 f u. Ct 4, 11; ? Ps 72, 16; † Honigmann, Libanon *F* P-W.

לִבְנִי: n. m.; gntl.: 1. S. v. גֵּרְשׁוֹן Ex 6, 17 Nu 3, 18 1 C 6, 2. 5. 14, *F* לַעְדָּן; 2. gntl. v. 1: Nu 3, 21 26, 58. †

לִבְנָת: *F* שִׁיחוֹר לִבְנָת.

לֵב קָמָי Ir 51, 1: *F* לֵב 12.

לבשׁ: ug. *lbš*; ak. *labāšu*, mhb., aram., لَبِسَ, ልብሰ:

qal: pf. לָבַשׁ Ps 93, 1 u. 7 × לָבֵשׁ, לָבְשָׁה, לָבַשְׁתִּי, לְבֵשָׁם, sf. לְבֵשָׁם Lv 16, 4, impf. וַיִּלְבַּשׁ, תִּלְבַּשְׁנָה, תִּלְבְּשׁוּ, יִלְבְּשׁוּ, תִּלְבָּשִׁי, תִּלְבְּשִׁי, יִלְבַּשׁ, אֶלְבָּשֶׁנָּה, וַיִּלְבָּשֵׁנִי, sf. יִלְבָּשֵׁם Ex 29, 30, נִלְבַּשׁ, inf. לִלְבֹּשׁ, לְבוֹשׁ, imp. לְבַשׁ, לִבְשִׁי, pt. לְבֻשִׁים: 1. c. ac. (e. Kleid) **anziehen** *put on* (*garment*) Gn 28, 20 38, 19 Ex 29, 30 Lv 6, 3 f 16, 4. 23 f. 32 21, 10 Dt 22, 5. 11 1 S 28, 8 2 S 14, 2 1 K 22, 30 Js 4, 1 52, 1 59, 17 Ir 4, 30 Hs 26, 16 (l חֲגוֹרוֹת) 34, 3 42, 14 44, 17. 19 Jon 3, 5 Ze 1, 8 Sa 13, 4 Hi 27, 17 Ct 5, 3 Est 4, 1 5, 1 2 C 18, 29 Si 6, 31; e. Rüstung (anlegen) *armour* Js 59, 17 Ir 46, 4; (metaph.) Menschen wie Schmuck *people like ornament* Js 49, 18; 2. (metaph.) c. ac. **sich kleiden mit** *be clothed with*: עֹז Js 51, 9 52, 1, צְדָקָה 59, 17, צֶדֶק Ps 132, 9 Hi 29, 14, גֵּאוּת Ps 93, 1, הוֹד וְהָדָר Ps 104, 1 Hi 40, 10, כְּלִמָּה Ps 109, 29, בֹּשֶׁת Ps 35, 26 Hi 8, 22, רִמָּה Hs 7, 27, תְּשׁוּעָה 2 C 6, 41, שְׁמָמָה Hi 7, 5, קְלָלָה Ps 109, 18; cj הָרִים חָצִיר die Berge mit Grün *the mountains with green grass* Ps 65, 14; 3. לָבֵשׁ v. bekleidenden Stoff *said of the clothing material* (cf. ἐνδύσασθε κύριον Ro 13, 14): **bekleiden** *clothe*: רוּחַ יהוה Jd 6, 34 1 C 12, 19 2 C 24, 20, Hi 29, 14; 4. לָבֵשׁ בְּ **sich bekleiden mit** *be clothed with* Est 6, 8; לָבֵשׁ abs. **sich bekleiden** *be clothed* 2 S 13, 18 Hg 1, 6; †

pu: pt. מְלֻבָּשִׁים: c. ac. **bekleidet mit** *clothed with* 1 K 22, 10 (*F* II בֶּגֶד) 2 C 5, 12 18, 9;

abs. im **Ornat** *in the official garb* Esr 3, 10;†
hif: pf. הִלְבִּישָׁה, הִלְבַּשְׁתָּ, הִלְבִּישׁוּ, הִלְבִּשׁוּ, sf. הִלְבַּשְׁתִּיו, הִלְבִּישַׁנִי, הִלְבַּשְׁתָּם, impf. וַיַּלְבֵּשׁ, וַיַּלְבִּשֵׁהוּ, וַיַּלְבִּשׁוּם, אַלְבִּשֵׁךְ, וַיַּלְבִּשֵׁם, sf. אַלְבִּישׁ, תַּלְבִּישֵׁנִי, inf. הַלְבֵּשׁ, cs. הַלְבִּישׁ, pt. sf. מַלְבִּשְׁכֶם: 1. c ac. pers.: jm. **bekleiden** *clothe a person* Gn 3, 21 27, 15 Ex 28, 41 Est 4, 4 6, 9. 11 2 C 28, 15; 2. c. ac. rei: **bekleiden** mit *clothe with* Pr 23, 21; 3. c. ac. pers. et ac. rei: jmd **bekleiden mit** *clothe a person with* Gn 41, 42 Ex 29, 5. 8 40, 13 f Lv 8, 7. 13 Nu 20, 26. 28 1 S 17, 38 2 S 1, 24 Js 22, 21 50, 3 61, 10 Hs 16, 10 Sa 3, 4 f Ps 132, 16. 18 Hi 10, 11 39, 19, 4. c. עַל pers. et ac. rei: jmd etw. **anlegen, überlegen** *put a thing upon* Gn 27, 16;†
hitp התלבשו: **sich bekleiden** *clothe oneself* Si 50, 11.†
Der. תִּלְבֹּשֶׁת, מַלְבּוּשׁ, לָבוּשׁ, לְבוּשׁ.

לְבִשׁ u. **לְבֻשׁ**: F לְבוּשׁ u. לָבוּשׁ.

לֹג: ug. *lg*; Dir. 286 f; äga. Eph 3, 25 f; AP 81, 62 ff; mhb. לוֹג, ja. לוּגָא; sy. ܠܓܬܐ Schüsselchen *small bowl*: **Log** (Flüssigkeitsmass; Flasche?) *log* (*liquid measure*; *bottle?*) = $\frac{1}{12}$ הִין: Lv 14, 10. 12. 15. 21. 24.†

לֹד: n. l.; äg. *R(w)tu* (ETL 210; ZDP 47, 169 ff); Λυδδα, *Lydda*, = *Ludd* (PJ 37, 30) sö. יָפוֹ: Esr 2, 33 Ne 7, 37 11, 35 1 C 8, 12.†

לִדְבִר: n. l., Jos 13, 26: l לֹא דְבָר F.†

לֵדָה: ילד: **Gebären** *bringing forth, birth* 2 K 19, 3 Js 37, 3 Ho 9, 11, אֵשֶׁת לֵדָה Gebärende *woman in labour* Ir 13, 21.†

לה: Dt 3, 11 הֲלֹה, הֲלֹה, l (40 MSS) הֲלֹא.

***להב**: ak. *la'bu* Fieber *fever*; ja. שַׁלְהֵב verbrennen *burn*; لَهِبَ vor Durst brennen *burn with thurst*; ልህበ flammen *blaze up*: Der. שַׁלְהֶבֶת, לַהֶבֶת, לֶהָבָה, לַהַב.

לַהַב: להב; ja. לַהֲבָא: pl. לְהָבִים, cs. לַהֲבֵי: **Flamme** *flame*: Jd 13, 20 Hi 41, 13; לַהַב אֵשׁ Feuerflamme *flame of fire* Js 29, 6 30, 30 Jl 2, 5, pl. לַהֲבֵי אֵשׁ Js 66, 15; פְּנֵי לְהָבִים flammende, glühende Gesichter *burning faces*, *faces of fire* Js 13, 8; > **Klinge** *blade* v. חֶרֶב Jd 3, 22 Na 3, 3, v. חֲנִית Hi 39, 23.†

לֶהָבָה (*lähhābā*), לֶהָבֶת (*lahhäbät*): להב: pl. לֶהָבוֹת, cs. לַהֲבוֹת: 1. Flamme *flame* Js 5, 24 10, 17 43, 2 47, 14, // אֵשׁ Nu 21, 28 Ir 48, 45 Jl 1, 19 2, 3 Ob 18 Ps 83, 15 106, 18 Hs 21, 3; cj לַהֶבֶת אֵשׁ Ex 3, 2; לַהֲבוֹת אֵשׁ Ps 29, 7; אֵשׁ לֶהָבָה Js 4, 5 Ho 7, 6 Th 2, 3, אֵשׁ לֶהָבוֹת Ps 105, 32; > **Klinge** *blade* (חֲנִית) 1 S 17, 7.†

לְהָבִים: n. p.; 3. S. v. מִצְרַיִם; wohl *probably* = לוּבִים F: Gn 10, 13 1 C 1, 11.†

לַהֶבֶת: F לֶהָבָה.

***לַהַג**: F לַהַג.

לַהַג: *להג: لَهِجَ hingegeben sein an *be devoted to*: **Hingebung** *devotion* Ko 12, 12.†

לַהַד: n. m.; Noth S. 227: 1 C 4, 2.†

להה: sy. ܡܠܗܠܗܐ verwirrt *confused*, *crazy*: [qal: impf. וַתֵּלַהּ Gn 47, 13: F ילה;†]
hitpalp.: pt. מִתְלַהְלֵהַּ: **der sich unsinnig aufführt** *behaving as madman* Pr 26, 18 Si 35, 15.†

לְהוֹדְוָה Ne 7, 43: Q, MSS לְהוֹדְיָה, F הוֹדַוְיָה.†

I להט: ak. *la'ātu* verzehren (Feuer) *consume* (*fire*); mhb. u. ja. לְהַט verbrennen *burn*; sy. etpa. brennen *burn*; لَهَطَ gierig schlingen *bolt* JTS 33, 39; F לעט:
qal: pt. pl. לֹהֲטִים: **verzehren** *devour* Ps 57, 5; l וַיְלַהֵט Ps 104, 4:†

pi: pf. לִהַט, לִהֲטָה, impf. תְּלַהֵט, sf. וַתְּלַהֲטֵהוּ: **verzehren, versengen** *devour, scorch*, Feuer *fire* Dt 32, 22 Ps 97, 3, Flamme *flame* Jl 1, 19 2, 3 Ps 83, 15 106, 18, Atem *breath* Hi 41, 13, מִלְחָמָה Js 42, 25, הַיּוֹם הַבָּא Ma 3, 19.†
Der. לַהַט.

לַהַט: I להט: לָהַט: **Flamme, Lohe** *flame, blaze*: cj Ps 104, 4; לַהַט הַחֶרֶב Gn 3, 24.†

***לְהָטִים**: NF v. לָטִים, F לָט; mhb.: sf. לַהֲטֵיהֶם: **Heimlichkeiten, Geheimkünste, Zaubereien** *secrets, mysteries, enchantments* Ex 7, 11.†

להם: لَهِمَ gierig verschlingen *swallow greedily*: hitp: pt. pl. מִתְלַהֲמִים **sich gierig verschlingen lassen** *be swallowed greedily*: Pr 18, 8 26, 22.†

לָהֵן: F ba. I לָהֵן: **deshalb** *therefore* Ru 1, 13; ?? לָהֵן Hi 30, 24.†

***להק**: F *לַהֲקָה.

***לַהֲקָה**: *להק: 1 S 19, 20 לַהֲקַת הַנְּבִיאִים (ἐκκλησία, *cuneus*; cj קְהִלַּת) Driv. JTS 29, 390-6: ሌሀቀ betagt sein *be aged*; cf. لَهِقَ schneeweiss *snow-white*: **die Ältesten** *the seniors*.†

לוֹ: F לְ; l לֹא 1 S 2, 16 20, 2, l לִי Hi 6, 21.

לוּ, לֻא 2 S 18, 12 19, 7, לוּא 1 S 14, 30 Js 48, 18 63, 19; לֻא pro לֹא cj Gn 23, 11 1 S 13, 13 20, 14 Hi 9, 33 u. Ps 55, 13. 13: ak. *lū* fürwahr, sei es! *surely, be it!*, لَوْ; altaram. לו Lidz. 302; F אִלּוּ; sy. ܠܘ, ܐܠܘ, *utinam*: 1. c. impf.: **wenn doch** *O that, if only*: לוּ יִחְיֶה Gn 17, 18, 30, 34 Hi 6, 2, cj Ru 2, 13; > **wenn nun** *it may be that* Gn 50, 15, cj 1 S 20, 14; 2. c. pf.: **o! dass** *would that* לוּ מַתְנוּ Nu 14, 2, 20, 3 Dt 32, 29 Jos 7, 7 Jd 8, 19 1 S 14, 30, cj 13, 13, Js 48, 18, 63, 19, cj 64, 3—4, cj Ps 55, 13. 13; וְלֻא cj Gn 31, 27; > **wenn doch** *if only* Jd 13, 23; 3. c. pt.: 2 S 18, 12 Mi 2, 11 Ps 81, 14 u. c. יֵשׁ Hi 16, 4, cj 9, 33, u. in Nominalsatz *in substantive clause* 2 S 19, 7: **wenn doch** *if only*; 4. c. imp. לוּ שְׁמָעֵנִי **O, höre** *nay, hear* Gn 23, 13, cj 11 u. 5—6 u. 14—15; l אוֹ Hs 14, 15.†
Der. לוּלֵא, אִלּוּ.

***לוּב**, pl. לוּבִים u. לֻבִים (Var. לְבִים) Da 11, 43: äg. *Rbw*, Λίβυες; > לְהָבִים: **Libyer** *Libyans*, d. weissen Afrikaner v. Nordägypten *the white-skinned Africans of North Egypt*: Na 3, 9 Da 11, 43 2 C 12, 3 16, 8; cj וְלוּב Hs 30, 5.†

לוּד: F אֲחִילוּד.

לוּד: pl. לוּדִים: (n. m.) n. p.; ak. *Luddu, Luda-a-a* Weidner Mél. Syr. 934; Λύδοι: **Lyder** *Lydian* (Götze, Kleinasien, 1933, 193—5): 1. S. v. מִצְרַיִם Gn 10, 13 Ir 46, 9 1 C 1, 11 (Q לוּדִיִּים); // אֲרָם Gn 10, 22 1 C 1, 17; Js 66, 19; Hs 30, 5 (in Afrika?).†

לוֹ דְבָר 2 S 9, 4f, cj Jos 13, 26: F לֹא דְבָר.

I לוה: mhb. לָוֵי begleitet *accompanied*, לִוָּה zugesellen *add*; ja., sy. begleiten *accompany*; لَوَى winden *twist*, asa. לוא Priester *priest* F לֵוִי:
qal: impf. sf. יִלְוֵנוּ: **begleiten** *accompany* Ko 8, 15;†
nif: pf. נִלְוָה, נִלְווּ, impf. יִלָּוֶה, יִלָּווּ, pt. pl. נִלְוִים, cj sg. נִלְוָה Js 56, 3: c. אֶל, עַל, עִם: **sich anschliessen an, gebunden sein an** *be joined unto*: Gatte *husband* Gn 29, 34, Stammgenossen *members of tribe* Nu 18, 2. 4, גֵּר Js 14, 1, Verehrer an Jahwe *worshippers unto Yahwe* 56, 3. 6 Ir 50, 5 Sa 2, 15 Da 11, 34, Verbündete *allies* Ps 83, 9.†
Der. לִוְיָה, לִוְיָתָן, n. p. לֵוִי.

II לוה: mhb. leihen *borrow*; لوى mit d. Bezahlung zögern *delay payment of debt*:
qal: pf. לָוִינוּ, impf. תִּלְוֶה, pt. לֹוֶה: (für sich) entlehnen *borrow (of)* Dt 28, 12 Js 24, 2 Ps 37, 21 Pr 22, 7 Ne 5, 4;
hif: pf. הִלְוִית, impf. תַּלְוֶה, sf. יַלְוְךָ, תַּלְוֶנּוּ, pt. מַלְוֶה, cs. מַלְוֵה: c. ac. **ausleihen an** *lend to* Ex 22, 24 Dt 28, 12. 44 Js 24, 2 Ps 37, 26 112, 5 Pr 22, 7, an *to* יהוה 19, 17.†

לוז: mhb. nif. verkehrt sein *be devious*, hif. verkehren *cause to be devious*; لاذ sich abwenden *turn aside*:
qal: impf. יָלֻזוּ: c. מֵעֵינֶי **aus den Augen kommen** *depart from the eyes* Pr 3, 21;†
nif: pt. נָלוֹז, cs. נְלוֹז, pl. נְלוֹזִים: 1. **verkehrt** *devious, crooked* Pr 3, 32, נְלוֹז דְּרָכָיו **auf verkehrten Wegen** *crooked in his ways* 14, 2; 2. Verkehrtes **Rinke** *crookedness, cunning* Js 30, 12 cj Ps 62, 11; pl. **Irrwege** *wrong ways* Pr 2, 15; pt. נלוז c. אחר **sich verirren** hinter *go astray behind* Si 34, 8;†
hif: impf. יַלִּיזוּ: c. מֵעֵינֶי **aus den Augen gehn** *depart from the eyes* Pr 4, 21.†
Der. לָזוּת.

I לוּז: mhb., ja. u. sy. לוּזָא, לוּזְא < لوز, ለውዝ; Nöld. NB 43; F שָׁקֵד **Mandelbaum** *almond-tree, Amygdalis communis L.* (Löw 3, 142 ff) Gn 30, 37; F II לוּז.

II לוּז: nach I benannt *named after* I: 1. später gleichgesetzt mit *later equalized with* בֵּית־אֵל (PJ 31, 13 f; loc. לוּזָה; bei *near* Bethel Gn 28, 19 35, 6 48, 3 Jos 16, 2 18, 13 Jd 1, 23; 2. בְּאֶרֶץ הַחִתִּים Jd 1, 26.†

לוּחַ: *לחח; ug. *lḥ*; ak. *lēʾu* Holztafel *wooden tablet*; mhb.; äga. לוח, ja. u. sy. לוּחָא; لوح, ሌውሕ: pl. לֻחֹת, לֻחוֹת, לוּחֹת, du. לֻחֹתַיִם Hs 27, 5 (I לֻחֹתַיִךְ?): 1. **Tafel** (aus Stein) *tablet (of stone)* Ex 24, 12 31, 18 34, 1. 4 Dt 4, 13 5, 22 9, 9—11 10, 1. 3 1 K 8, 9, auch *also* Ex 32, 15 f. 19 34, 1. 28 Dt 9, 17 10, 2—4 2 C 5, 10; לֻחֹת הָעֵדֻת Ex 31, 18 32, 15 34, 29, לוּחֹת הַבְּרִית Dt 9, 9. 11. 15, cj 1 K 8, 9; Ha 2, 2; לוּחַ לִבְּךָ Js 30, 8; סֵפֶר // לוּחַ לִבָּם Ir 17, 1, לוּחַ לִבֶּךָ Pr 3, 3 7, 3; 2. **Planke, Brett** (*wooden*) *board, plank*: (Altar) Ex 27, 8 38, 7 F נבב, (Schiff *ship*) Hs 27, 5, אֶרֶז Ct 8, 9; aus *of* נְחֹשֶׁת 1 K 7, 36; F לוּחִית.|

לוּחִית (מַעֲלֵה) הַלֻּחוֹת (מ׳) Js 15, 5, Ir 48, 5: n. l., nab. לחיתו CIA 196; v. לוּחַ Platte, Terrasse *plank, terrace*: bei *near* מֵידְבָא, Musil AP 1, 75.†

לוֹחֵשׁ: הַלּוֹחֵשׁ; n. m.; לחש; bab. n. m. *Laḫišu*: Ne 3, 12 10, 25.†

לוט: ak. *liṭu* Vorhang *curtain*; لاط festkleben *cleave*:
qal: pf. לָאַט (BL 403), pt. pss. f. לוּטָה, cj masc. לוט Js 25, 7: verhüllen, **einwickeln** *enwrap* 1 S 21, 10 2 S 19, 5, cj Js 25, 7;†
hif (qal?): impf. וַיָּלֶט: **verhüllen** *envelop* 1 K 19, 13.†
Der. I לוֹט, לָט, לֹט.

I לוֹט: לוט: **Hülle** *envelope, covering* Js 25, 7.†

II לוֹט: n. m.; Etym.?: 1. Brudersohn *brother's-son of* Abraham Gn 11, 27. 31 12, 4 f 13, 1—14 14, 12. 16 19, 1—30; בְּנוֹת לוֹט 19, 36; 2. בְּנֵי לוֹט = Moab Dt 2, 9, = Ammon 2, 19, = beide *both* Ps 83, 9; F לוֹטָן.†

לוֹטָן: n. m.; II לוֹט; ZAW 44, 90: S. v. שֵׂעִיר Gn 36, 20. 22. 29 1 C 1, 38 f.†

לֵוִי: n. m., gntl.: Albr. Voc. 8[16] KF v. *לויאל, äg. *Ra-wi-ʾi-ra* (= *Lawiʾel*) Anhänger Els *client of El*; I לוה; asa. לוא Priester *priest*, לואת

Priesterin *priestess*; Hölscher P-W 12, 2125 ff: 1. n. m., S. v. יַעֲקֹב u. לֵאָה: **Levi**; Gn 29, 34 34, 25. 30 35, 23 46, 11 49, 5 Ex 1, 2 6, 16 Nu 16, 1 26, 59 Esr 8, 18 1 C 2, 1 5, 27 6, 1. 23. 28. 32 23, 6; † 2. בְּנֵי לֵוִי Ex 32, 26. 28 Nu 3, 15. 17 4, 2 16, 7 f. 10 18, 21 Dt 21, 5 31, 9 Jos 21, 10 1 K 12, 31 Hs 40, 46 Ma 3, 3 Esr 8, 15 Ne 12, 23 1 C 9, 18 23, 24, 27 24, 20, בְּנֵי הַלֵּוִי Ne 10, 40 1 C 12, 27, מַטֵּה לֵוִי Nu 1, 49 3, 6 17, 18 18, 2; שֵׁבֶט הַלֵּוִי Dt 10, 8 18, 1 Jos 13, 14. 33 1 C 23, 14; לֵוִי d. Stamm *the tribe* Levi Dt 10, 9 27, 12 33, 8 Hs 48, 31 Ma 2, 4 1 C 21, 6 27, 17; הַלֵּוִי Nu 18, 23 Dt 12, 12. 18 f 14, 27. 29 16, 11. 14 18, 6 26, 11—13 1 C 24, 6; מִשְׁפַּחַת הַלֵּוִי Ex 6, 19 Nu 3, 20 1 C 6, 4; מִשְׁפְּחֹת לֵוִי Nu 26, 58, מִשְׁפַּחַת בֵּית־לֵוִי Sa 12, 13; בֵּית הַלֵּוִי Ps 135, 20; בְּרִית הַלֵּוִי Ma 2, 8; 3. Einzelne *individuals*: הַלֵּוִי Jd 17, 10—13; אִישׁ לֵוִי 19, 1 20, 4, נַעַר לֵוִי 18, 3. 15; לֵוִי e. Levit *a Levite* 17, 7. 9; בַּת לֵוִי Ex 2, 1 Nu 26, 59; אַהֲרֹן הַלֵּוִי Ex 4, 14; andre mit Namen *names of others*: Esr 10, 15; 2 C 31, 12; 31, 14; 20, 14; 4. pl. לְוִיִּם, sf. לְוִיֵּנוּ Ne 10, 1†: **Leviten** *Levites* Ex 6, 25 38, 21 Lv 25, 32 f Nu 1, 47—35, 8 (55×) Dt 18, 7 27, 14 31, 25 Jos 14, 3—21, 41 (12×) 1 S 6, 15 2 S 15, 24 1 K 8, 4 Ir 33, 21 f Hs 44, 10 45, 5 48, 11—13. 22 Esr 1, 5—10, 23 (17×, 1 וְהַלְוִיִּם) Ne 3, 17—13, 30 (42×) 1 C 6, 33—28, 21 (31×) 2 C 5, 4—35, 18 (62×; zusammen *in all* 239×); הַכֹּהֲנִים הַלְוִיִּם *F* כֹּהֵן 5; רָאשֵׁי אֲבוֹת הַלְוִיִּם Ex 6, 25, עֲבֹדַת הַלְוִיִּם 38, 21 Esr 8, 20, עָרֵי הַלְוִיִּם Lv 25, 32 f, מַחֲנֵה הַלְוִיִּם Nu 2, 17; הַלְוִיִּם *F* נְתוּנִים Nu 3, 9 8, 19; פְּקוּדֵי הַלְוִיִּם 3, 39, בֶּהֱמַת הַלְוִיִּם 3, 41, פְּדוּיֵי הַלְוִיִּם 3, 49; Dienst *service* von 20 Jahren an *up from 20 years* Esr 3, 8, 25 Jahren *years* Nu 8, 24, 30 Jahren *years* 1 C 23, 3; Zadok וְכָל־הַלְוִיִּם 2 S 15, 24; הַלְוִיִּם הַכֹּהֲנִים Ir 33, 21! שָׂרֵי הַלְוִיִּם 1 C 15, 16 2 C 35, 9.†

*לִוְיָה: I לוה: cs. לִוְיַת: **Kranz** *wreath* Pr 1, 9 4, 9, cj 14, 24; *F* *לָיָה.†

לִוְיָתָן: I לוה; *לִוְיָת u. *-ān*; ug. *ltn*: **Schlange, Leviathan** (Meerungeheuer) *serpent, Leviathan (sea monster)* Js 27, 1 Ps 74, 14 104, 26 Hi 3, 8; = Krokodil *crocodile* 40, 25.†

*לוּל: pl. לוּלִים: unerklärt *unexplained* 1 K 6, 8.†

לוּלֵא Gn 43, 10 Jd 14, 18 2 S 2, 27† u. לוּלֵי: < *לוּלֹא: **1. wenn nicht; es sei denn, dass** *if not, unless* (im irrealen Satz *unreal condition*): c. pf. לוּלֵא הָיָה wenn nicht gewesen wäre *if not had been* Gn 31, 42, so *thus* 43, 10, cj Nu 22, 33, Jd 14, 18 1 S 25, 34 2 S 2, 27 Js 1, 9 Ps 106, 23; c. impf. לוּלֵי אָגוּר wenn ich nicht fürchtete *unless I feared* Dt 32, 27; c. pt. 2 K 3, 14; in Nominalsatz *subject preceding predicative* Ps 94, 17 119, 92 124, 1 f; 2. affirmativ (ak. *lūlā* RA 27, 90 f): **sicherlich** *surely* Ps 27, 13.†

לון: nur *only* Ex 15—17 Nu 14—17 Jos 9, 18, cj Ps 59, 16; Nöld. BS 42: לנן?; لَامَ tadeln *blame*:

nif: impf. וַיִּלֹּנוּ, K תִּלּוֹנוּ Nu 16, 11 *F* Ex 16, 7, Q וַיִּלּוֹנוּ Ex 16, 2, K Nu 14, 36: c. עַל: **murren gegen** *murmur against* Ex 15, 24 16, 2. 7 Nu 14, 2. 36 16, 11 17, 6 Jos 9, 18;†

hif (BL 400): pf. הֲלִינֹתֶם, impf. וַיָּלֶן, K וַיַּלִּינוּ Ex 16, 2, תַּלִּינוּ 16, 7, pt. pl. מַלִּינִים: c. עַל: **murren** gegen *murmur against* Ex 16, 8 17, 3 Nu 14, 27. 29 17, 20; abs. cj Ps 59, 16 (l וַיַּלִּינוּ).†

Der. תְּלוּנּוֹת.

לוע: *F* לעע.

לוץ: *F* ליץ.

לוש: ug. *lš*; ak. *lāšu*; mhb., äga. Vincent 267 f, ja. u. sy. לוּשׁ äth. ለሰ:

qal: impf. וַתָּלָשׁ, K וַתָּלוֹשׁ 2 S 13, 8, inf. לוּשׁ, imp. לוּשִׁי, pt. f. pl. לָשׁוֹת: (Teig) kneten *knead (dough)* Gn 18, 6 1 S 28, 24 2 S 13, 8 Ir 7, 18 Ho 7, 4.†

לוּשׁ: n. m.; K לוּשׁ, Q לַיִשׁ, F לַיִשׁ: 2 S 3, 15.†

לָז, לָזֶה, לָזוּ: F הַלָּז, הַלָּזֶה, הַלֵּזוּ.

***לָזוּת**: לוז: cs. לְזוּת: **Verkehrtheit** *crookedness (metaph.)* Pr 4, 24.†

לַח: *לחח: לַח, pl. לַחִים: **noch feucht, noch frisch** *still moist, still fresh*: Rute, Stecken *twig, rod*, Gn 30, 37, Trauben *grapes* Nu 6, 3, Strick *rope* Jd 16, 7 f, Holz *wood* Hs 17, 24 21, 3.†

***לֵחַ**: *לחח: sf. לֵחֹה (Lebens-) **Saft** *(life-) sap, vital strength* Dt 34, 7, cj בְּלֵחוֹ (Baum *tree*) Ir 11, 19.†

***לחה**: F I לְחִי.

לחם, לְחוּם: pro חֲבָלִים l בִּלְחוּמוֹ Hi 20, 23; pro וְרַחֲמֵיהֶם l וּלְחָמָם Ze 1, 17.†

***לחח**: *lḫḫ* feucht, kräftig sein *be moist, vigorous* BAS 94. 32[7]; mhb. לַח feucht *moist*, לַחְלוּחִית Jugendkraft *vital strength*; ja. לַחְלוּחָא Saft *sap*, cp. ליחא Feuchtigkeit *moisture*; ḥḥḥ feucht sein *be moist*:
Der. לַח, *לֵחַ u. (feucht = glatt *moist = smooth*) לוּחַ, n. l. לוּחִית.

I לְחִי: *לחה: ug. du. *lḥm*; ak. *laḫū* (*ḫ*!); ja. לוֹחָא; لَحْي, öt. *el-liḥī*: לְחִי, sf. לֶחֱיוֹ, לְחָיֶהָ, du. לְחָיַיִם, cs. לְחָיֵי, sf. לְחָיָיו, לְחָיֶיךָ, לְחָיֵי, לְחָיֵהֶם, fem.: **Kinnlade, Kinnbacke** *jaw, cheek*: חֲמוֹר Jd 15, 15—17. 19, אִישׁ 1 K 22, 24 Js 50, 6 Hs 29, 4 38, 4 Ho 11, 4 Mi 4, 14 Ps 3, 8 Hi 16, 10 Ct 1, 10 5, 13 Th 1, 2 3, 30 2 C 18, 23, עַמִּים Js 30, 28, לִוְיָתָן Hi 40, 26; l וְהַחֲלָבִים (Dussaud) Dt 18, 3 cj Gn 16, 14 F רֹאִי.†

II *לְחִי: n. l.; = I? הַלְּחִי Jd 15, 9. 19, loc. לֶחְיָה cj 2 S 23, 11, רָמַת לְחִי Jd 15, 17, לֶחִי 15, 14; Lage unbekannt *site unknown*.†

לְחַי רֹאִי: Gn 16, 14: F רֹאִי.

לְחִית: F לוּחִית.

לחך: mhb., ja. u. sy. לְחַךְ; لَحِكَ:
qal: inf. לְחֹךְ: **auflecken, abfressen** (Rind das Gras) *lick up, eat (ox the grass)* Nu 22, 4;†
pi: pf. לִחֲכָה, impf. יְלַחֲכוּ, יְלַחֵכוּ: **auflecken, weglecken** *lick up*: אֵשׁ 1 K 18, 38, נָחָשׁ Mi 7, 17, Unterworfne *subdued people* Js 49, 23 Mi 7, 17 Ps 72, 9; **auffressen** *lick up, eat* Nu 22, 4.†

I לחם: لَحَمَ zusammendrängen *fit close together*, ܠܚܡ pa. *conjunxit*; Grundbedeutung: dicht, an einander gedrängt sein, daher: nif. handgemein werden, לחם feste Speise, bei Nomaden (arabisch) = Fleisch, bei Bauern (kanaanäisch, hebräisch) = Brot; *original meaning: be closely packed, therefore: nif. come to close quarters, fight hand to hand*, לחם *compact food, with nomads (Arabs) = meat, with peasants (Canaanaeans, Hebrews) = bread*; Guidi, Della sede prim. 33:
qal (sekundär aus nif., *derived from nif.*): imp. לְחַם, pt. לֹחֵם, pl. לֹחֲמִים: **bekämpfen** *fight*, c. ac. Ps 35, 1 56, 2, c. לְ 56, 3;†
nif (167 ×): pf. נִלְחַם, נִלְחַמְתִּי, נִלְחֲמוּ, נִלְחַמְנוּ, impf. יִלָּחֵם, וַיִּלָּחֶם, וַיִּלָּחֲמוּ, תִּלָּחֲמוּן, inf. נִלְחַם, הִלָּחֵם, הִלָּחֶם, sf. וַיִּלָּחֲמוּנִי, נִלְחֲמָה, imp. הִלָּחֲמוּ, sf. הִלָּחֲמוּ, pt. נִלְחָם, pl. נִלְחָמִים: sich zusammendrängen, **handgemein werden, kämpfen** *be closely packed, come to blows, fight*: c. עִם Ex 17, 8 (28 ×), c. אֶת־ Jos 10, 25 (21 ×), c. עַל gegen *against* Dt 20, 10 (20 ×), c. בְּ gegen *against* Ex 1, 10 (60 ×);

c. לְ zu gunsten *for* Ex 14, 14 (10 ×); abs. Dt 1, 41 (20 ×); c. אֶל (l עַל?) Ir 1, 19 15, 20 33, 5; נִלְחַם מִלְחֲמֹת פּ׳ jmd.s Kämpfe kämpfen *fight one's battles* 1 S 8, 20 18, 17 25, 28 2 C 32, 8; נִלָּחֲמָה יַחַד lasst uns mit einander kämpfen! *let us fight together!* 1 S 17, 10; Gott als Subjekt *God is the subject*: יהוה Ex 14, 14. 25 Dt 1, 30 3, 22 20, 4 Jos 10, 14. 42 23, 3. 10, אֱלֹהִים Ne 4, 14; l נִחְלוּ (Procksch) Js 30, 32.

Der. מִלְחָמָה, לֶחֶם.

II לחם: denom. v. לֶחֶם:

qal: pf. לָחֲמוּ, impf. אֶלְחַם, תִּלְחַם, inf. לְחוֹם, imp. לַחֲמוּ, pt. pass. cs. לְחֻמֵי: 1. c. ac. jmd **speisen** *feed a person* Pr 23, 1. 6; cj כָּל־לֹחֲמֶיךָ alle, die mit dir speisen *all the eating with thee* Ob 7; 2. c. בְּ von etw. **kosten** *taste (a dish)* Ps 141, 4 Pr 9, 5; 3. **essen** *eat* Pr 4, 17; 4. pass. verspeist, **verzehrt werden** *be eaten (by)* Dt 32, 24.†

לָחֶם: unerklärt *unexplained* Jd 5, 8.†

לֶחֶם (297 ×): I לחם; ug. *lḥm*; mhb.; ja., sy. לַחְמָא, F ba. לְחֶם; ph.; لَحْم Fleisch *meat*: לָחֶם, sf. לַחְמוֹ, לַחְמֵנוּ: **Brot** *bread*: כִּכַּר ל׳ Ex 29, 23, חַלַּת ל׳ 29, 23, פַּת ל׳ Gn 18, 5, ל׳ קְלֹקֵל Hs 13, 19; פִּתּוּתֵי ל׳ Lv 7, 13, ל׳ חָמֵץ Nu 21, 5, ל׳ חֹם Jos 9, 5, ל׳ יָבֵשׁ 9, 12, 1 S 21, 7; Gerstenbrot *barley bread* Jd 7, 13 2 K 4, 42, Weizenbr. *wheat bread* Ex 29, 2; ל׳ חֹל u. ל׳ קֹדֶשׁ 1 S 21, 5; עֲשָׂרָה ל׳ 10 Laib Brot *10 loaves of bread* 1 S 17, 17; עֲשָׂה ל׳ Gn 27, 17, אֵפָה ל׳ Js 44, 15; ל׳ וְיַיִן Gn 14, 18 Jd 19, 19 Ne 5, 15; ל׳ וְחֵמַת מַיִם Gn 21, 14, ל׳ וָמַיִם 25, 34, ל׳ וּנְזִיד עֲדָשִׁים 1 K 18, 4. 13 2 K 6, 22 Hs 4, 17, בָּר וָל׳ Gn 45, 23, ל׳ וְשִׂמְלָה Dt 10, 18; F מַטֶּה 2 u. מִשְׁעָן; Brot im Kult *bread in worship*: ל׳ פָּנִים Ex 40, 23, עֵרֶךְ ל׳ u. ל׳ הַפָּנִים Ex 25, 30 35, 13 39, 36 1 S 21, 7 1 K 7, 48 2 C 4, 19, ל׳ מַצּוֹת Ex 29, 2, ל׳ אִשֶּׁה Brot > **Speise** *bread* > *food* Lv 3, 11. 16 Nu 28, 24, ל׳ אֱלֹהִים Lv 21, 6. 8. 17. 21 f 22, 25, ל׳ הַבִּכֻּרִים 23, 17, ל׳ תְּנוּפָה 23, 20 2 K 4, 42, ל׳ תָּמִיד Nu 4, 7 2 K 25, 29, ל׳ הַמַּעֲרֶכֶת Ne 10, 34 1 C 9, 32 23, 29; gelegentliche Ausdrücke *occasional expressions*: ל׳ שָׁמַיִם Ps 105, 40 Ne 9, 15, ל׳ עֹנִי Dt 16, 3, ל׳ לַחַץ 1 K 22, 27 2 C 18, 26, ל׳ צַר Js 30, 20, ל׳ אוֹנִים Ho 9, 4, cj Hs 24, 17 u. 22, ל׳ הָעֲצָבִים Ps 127, 2, ל׳ חֻקִּי Pr 30, 8, ל׳ חֲמֻדוֹת Da 10, 3, F I ברה; לֶחֶם = Speise *food* אָכַל ל׳ Gn 3, 19 31, 54 37, 25 43, 32 Ex 2, 20 1 S 28, 20. 22; לַחְמֵנוּ Nu 14, 9; ל׳ für Vieh *for beast* Ps 147, 9; ל׳ פוק (l לַחְמְךָ) לְ Js 58, 10; לֶחֶם cj Ir 16, 7; l לֹחֲמֶיךָ Ob 7; l לְחֻמָם (חמם) Js 47, 14 u. Hi 30, 4 F בֵּית לֶחֶם; denom. II לחם.

לַחְמִי: n. m. 1 C 20, 5: l בֵּית הַלַּחְמִי ut 2 S 21, 19.†

לַחְמָס: n. l.; l לַחְמָם (MSS)? = *Ch. el Laḥm* bei *near* לָכִישׁ: Jos 15, 40.†

לחץ: mhb., sam., cp.; لَحَصَ:

qal: pf. לָחַץ, impf. יִלְחַץ, תִּלְחַץ, sf. יִלְחָצוּ, לֹחֲצֵיהֶם, לֹחֲצִים, pt. וַיִּלְחֲצוּם, תִּלְחָצֵנוּ, יִלְחָצֵנִי: 1. c. ac. jmd **drängen, drücken** (in eine Richtung) *squeeze, press a person (in a direction)* c. אֶל nach *towards* Nu 22, 25, c. בְּ mit *with* 2 K 6, 32; 2. c. ac. **bedrängen, bedrücken, quälen** *oppress, vex* Ex 3, 9 22, 20 23, 9 Jd 2, 18 4, 3 6, 9 10, 12 1 S 10, 18 2 K 13, 4. 22 Js 19, 20 Ir 30, 20 Am 6, 14 Ps 56, 2 106, 42, cj וְלֹחֲצָיו Nu 24, 8;

nif: impf. וַתִּלָּחֵץ: **sich drücken** *squeeze oneself* Nu 22, 25.†

Der. לַחַץ.

לַחַץ: לחץ; mnd. u. neosy. חלץ: לַחַץ, sf. לַחֲצֵנוּ: **Bedrängnis** *oppression* Ex 3, 9 Dt 26, 7 2 K 13, 4 Ps 42, 10 43, 2 44, 25 Hi 36, 15;

לֶחֶם לַחַץ verkürzte Brotration *diminished allowance of bread* 1 K 22, 27 2 C 18, 26, מַיִם לַחַץ verkürzte Wasserration *diminished allowance of water* 1 K 22, 27 Js 30, 20 2 C 18, 26.†

לחשׁ: ak. *luḫḫušu* flüstern (beschwören) *whisper (charm)* Zimm. 67; mhb.; äga., ja., sy. mnd. נחשׁ; ለሐሰ:
pi: pt. מְלַחֲשִׁים: beschwörend flüstern *whisper (charmer)* Ps 58, 6; †
hitp: impf. יִתְלַחֲשׁוּ, pt. מִתְלַחֲשִׁים: mit einander flüstern *whisper together* 2 S 12, 19 Ps 41, 8.†
Der. לַחַשׁ, n. m. לוֹחֵשׁ.

לַחַשׁ: לחשׁ; ug. *lḫšt*; לַחַשׁ; pl. לְחָשִׁים: 1. **Flüstern, Beschwörung** (v. Schlangen) *whispering, serpent-charming* Js 3, 3 Ir 8, 17 Ko 10, 11; **Gezisch** *hissing* (ἀποτροπικῶς) Si 12, 18; 2. **summende Muscheln** (Frauenschmuck) *humming shells (ornament of women)* Js 3, 20 (?); ? 26, 16.†

לָט: לוט: pl. sf. לָטֵיהֶם: 1. בַּלָּט **heimlich** *secretly* 1 S 18, 22 24, 5 Ru 3, 7, > בַּלָּאט Jd 4, 21; 2. **geheime Künste** *secret arts, enchantments* Ex 7, 22 8, 3. 14; F *לְהָטִים.†

לֹט: לוט: لِبِطٌ: d. harzreiche Rinde v. *the resinous bark of* Pistacia mutica, **Mastix** rinde *mastic-bark* Gn 37, 25 43, 11.†

***לטא**: F לְטָאָה.

לְטָאָה: *לטא; mhb. הַלְטָאָה, ja. הַלְטְתָא; لَصَاِ anhaften *cleave (to)*: **Gecko** *gecko Platydactylus muralis* (Hess ZAW 35, 129) Bodenheimer 194f; unrein *unclean*: Lv 11, 30.†

לְטוּשִׁים: n. p.; לטשׁ: בְּנֵי דְדָן; unbekannt *unknown*: Gn 25, 3.†

לטשׁ: ug. *ltš*: mhb., ja., sy. hämmern, schärfen *hammer, sharpen*; نَطَسَ klopfen *tap*:
qal: impf. יִלְטוֹשׁ, inf. לְטוֹשׁ, pt. לֹטֵשׁ: 1. **schärfen** *sharpen* מַחֲרֶשֶׁת 1 S 13, 20, חֶרֶב Ps 7, 13; pt. **Schmied** *hammerer* Gn 4, 22 Si 34, 26; 2. (metaph.) c. עֵינָיו לְ d. Augen **wetzen** gegen *wet the eyes against* Hi 16, 9.†
pu: pt. מְלֻטָּשׁ: geschärft *sharpened* Ps 52, 4.†

***לָיָה**: pl. לֹיוֹת: wohl Schreibfehler für *probably scribal error for* לְוָיוֹת (לִוְיָה) Šanda: **Kränze** *wreaths* 1 K 7, 29. 36.†

לַיִל, cs. לֵיל u. (> לֵיל) לֵיל: F לַיְלָה: **Nacht** *night*: abs. לֵיל Js 15, 1 21, 11 30, 29, לַיִל Js 16, 3 Pr 31, 18 (Q לַיְלָה) Th 2, 19 (Q לַיְלָה); לֵיל שִׁמֻּרִים Ex 12, 42.†

לַיְלָה (227 ×); masc.: < לַיְלַי* (F לִין); ug. *ll*; ak. *līlātu*; mhb., mo. (ללה), ja. לֵילְיָא, sy. ܠܠܝܐ; لَيْلٌ, asa. לל; ሌሊት: לַיְלָה, pl. לֵילוֹת: **Nacht** *night*: יוֹם וָלַיְלָה Gn 8, 22, לַיְלָה (:: יוֹמָם) nachts *by night* Ex 13, 21, יוֹמָם וָלַיְלָה Lv 8, 35, לַיְלָה וְיוֹמָם Dt 28, 66 Ir 14, 17, לַיְלָה וָיוֹם 1 K 8, 29 Js 27, 3 Est 4, 16; הַלַּיְלָה heute Nacht *this night* Gn 19, 5, בַּלַּיְלָה in der Nacht *that night* 19, 33, בְּלַיְלָה bei Nacht *by night* Ne 9, 19, עַד־לַיְלָה bis in d. N. *until n.* 2 C 35, 14, בְּעוֹד לַיְלָה noch bei N. *while it is yet night* Pr 31, 15; חֲצוֹת הַלַּיְלָה Ex 11, 4 u. חֲצִי הַלַּ׳ 12, 29 um Mitternacht *at midnight*, בְּתוֹךְ הַלַּיְלָה mitten in d. N. *in the middle of the n.* 1 K 3, 20, מַה־מִּלַּיְלָה wie spät in d. N.? *what hour of the n. is it?* Js 21, 11; בִּן־לַיְלָה binnen e. N. *in a n.* Jon 4, 10, לֵילוֹת die Nächte hindurch *during the nights* Ps 16, 7; שְׁלֹשָׁה לֵילוֹת Gn 40, 5, לַ׳ אֶחָד 1 S 30, 12, אַרְבָּעִים לַיְלָה Dt 9, 9; חֲלֹם לַיְלָה c. Gn 20, 3, c. מַרְאֹת 46, 2, c. חֲזוֹן Js 29, 7, c. חֶזְיֹנוֹת Hi 4, 13, c. קָרֶה Dt 23, 11, c. פַּחַד Ps 91, 5; לֵילוֹת עָמָל Hi 7, 3.

לִילִית: ak. *lilū, lilītu* (böser) **Dämon** *wicked demon* (Anklang an *resemblance to* לַיְלָה zufällig *incidental*) Zimm. 69; MAO 4, 110 ff; mhb.; **לִילִיתָא**: Lilith *Lilith* Js 34, 14.†

לין: mhb.; Nöld. BS 42:
qal: pf. לָן, 3 f. לָנָה (BL 403) Sa 5, 4, לַנּוּ, impf. יָלִין, יָלֵן, וַיָּלֶן, תָּלִין, תָּלֶן, תָּלַן Jd 19, 20, תָּלִינִי, נָלִינָה, נָלִין, תָּלִינוּ, וַיָּלִנוּ, יָלִינוּ, אָלִין, inf. לוּן Gn 24, 25 u. לִין 24, 23, imp. לִין, לִינוּ, לִינִי, pt. לָן Gn 32, 22: **1. die Nacht über bleiben** *pass the night* Ex 23, 18 34, 25 Lv 19, 13 Dt 16, 4 21, 23 Js 1, 21 Ir 4, 14 Sa 5, 4 Ps 30, 6 Pr 15, 31 Hi 19, 4 (אֶת bei *with*) 29, 19 41, 14 Ct 1, 13, cj Esr 10, 6; **2. übernachten** *spend the night* Gn 19, 2 24, 23. 25. 54 28, 11 31, 54, 32, 14. 22 Nu 22, 8 Jos 3, 1 4, 3 6, 11 8, 9. cj 13 Jd 18, 2 19, 4—15 (9×). 20 20, 4 2 S 12, 16 17, 8. 16 19, 8 1 K 19, 9 Js 21, 13 65, 4 Ir 14, 8 Ze 2, 14 Ps 25, 13 55, 8 Pr 19, 23 Hi 24, 7 31, 32 39, 9 Ct 7, 12 Ru 1, 16 3, 13 Ne 4, 16 13, 20 1 C 9, 27; 3. לִינוּ בַשַּׂקִּים verbringt die Nacht im Leidschurz *pass the night in the mourning-garb* Jl 1, 13 cf. AP 30, 15, 20; l יָבִין Ps 49, 13, l וַיָּלִינוּ 59, 16, l תְּלָאֵן = תְּלָאֶינָה Hi 19, 4; †
hitpol: impf. יִתְלוֹנָן **sich die Nacht über aufhalten** *abide during the night* Ps 91, 1 Hi 39, 28, cj אֶתְלוֹנָן Ps 63, 8.†
Der. *לֵיל (לַיְלָה ,לַיִל) מְלוּנָה, מָלוֹן, לֵן.

ליץ (vel לוץ): Buhl, Studien … Wellhausen, 1914, 81 ff; Albr. AJS 40, 35 ff; mhb. לוץ spotten *mock*, לֵיצָן Spötter *mocker*; ja. לֵיצָנוּתָא = hbr. לָצוֹן; ph. מליץ Dolmetsch *interpreter*; لاص abbiegen *turn aside*; Grundbedeutung wohl das (grosse) Wort führen *original meaning probably be the spokesman*; oder *or* wiederholen *repeat*, O.T.S. 3, 165:
qal: pf. לַצְתָּ (:: חָכַמְתָּ); F לֵץ: d. (grosse) Wort führen, **grosssprecherisch sein** *talk big* Pr 9, 12; †
hif: pf. sf. הֱלִיצֻנִי, impf. יָלִיץ, pt. מֵלִיץ, pl. cs. מְלִיצֵי, sf. מְלִיצֶיךָ ,מְלִיצַי: **1. d. Wort führen,** *be the spokesman* Hi 16, 20 (מְלִיצִים רֵעִים רֵעָי Peters) Js 43, 27 Hi 33, 23 2 C 32, 31 Si 10, 2; > **Dolmetscher** *interpreter* Gn 42, 23; **2. c. ac. spotten** über, **lächerlich machen** *deride* Ps 119, 51 Pr 19, 28; abs. Pr 3, 34 Gott *God* (l עִם לֵצִים); ? Pr 14, 9; †
pil: pt. לֹצְצִים (< *מְלֹצְצִים): unerklärt *unexplained* Ho 7, 5; †
hitpol: impf. תִּתְלוֹצָצוּ: **sich als dummen Redner, Spötter erweisen** *shew oneself a stupid speaker, a mocker* Js 28, 22.†
Der. מְלִיצָה, לָצוֹן, לֵץ.

I **לַיִשׁ**: ak. *nēšu* VG 1, 231; ja. לֵיתָא, لَيْث, λίς, λεῖς; F II, III, לַיְשָׁה; F אַרְיֵה, לָבִיא, כְּפִיר: **Löwe** *lion* Js 30, 6 Hi 4, 11 Pr 30, 30.†

II **לַיִשׁ**: n. m.; = I: 1 S 25, 44 2 S 3, 15 Q.†

III **לַיִשׁ**: n. l.; = I, F לֶשֶׁם; äg. *R-w-š* ETL 209: loc. לַיְשָׁה; später *later on* F דָּן 3 b: Jd 18, 7. 27. 29 (Garstang, Jos. 392).†

לַיְשָׁה: n. l.; I לַיִשׁ: n. Jerusalem; Dalm. ZDP 28, 172 = *el-ᶜĒsawīje* (Féderlin RB 1906, 273 = *Ch. Kaᶜkūl*) Js 10, 30.†

לכד: ja. ergreifen *seize*; ph. fangen *capture*; لَكَدَ عَلَى sich stürzen auf *rush upon*:
qal (85×): pf. לָכַד, לָכְדָה, impf. יִלְכֹּד, וַיִּלְכֹּד, יִלְכְּדֵנָה, וַיִּלְכְּדָה, וַיִּלְכְּדוּנוּ, יִלְכְּדוּ, וַיִּלְכְּדוּ, יִלְכְּדֻנוֹ, וַיִּלְכְּדָה, וַיִּלְכְּדֵהוּ! Pr 5, 22, inf. לְכוֹד, sf. לָכְדוֹ, לָכְדֵנִי, לָכְדָהּ, imp. לִכְדוּ, לִכְדָה, pt. לֹכֵד: **1. fangen** (in Falle) *catch* (*in trap*) Am 3, 4 f, (in Netz *in net*) Ps 35, 8; Tiere *beasts* Jd 15, 4, Vögel *birds* Ir 5, 26, Menschen *men* Jd 7, 25; **2. nehmen, einnehmen** *capture, seize*: Stadt *town* Nu 21, 32 Dt 2, 34, Land *country* Jos 10, 42; e. Furt **besetzen,** abschneiden *seize a ford* Jd 3, 28, d. Wasser **abschneiden** *cut off the waters* 7, 24; 3. לָכַד יהוה J. **nimmt** (bezeichnet durchs Loos) e. Stamm *Y. takes*

a tribe (*by lot*) Jos 7, 14. 17; לָכַד הַמְּלוּכָה **übernimmt, bekommt** *seizes, takes over* 1 S 14, 47; לָכַד מִן **abnehmen** *take from* 2 S 8, 4;

nif†: pf. נִלְכַּד, נִלְכְּדָה, נִלְכְּדוּ, impf. יִלָּכֵד, יִלָּכְדוּ, יִלָּכֵדוּן, יִלָּכְדוּ, יִלָּכֶד, pt. נִלְכָּד: 1. **gefangen werden** *be caught* (in Falle *in trap*) Js 8, 15 24, 18 28, 13 Ir 48, 44, (in Netz *in net*) Ps 9, 16 50, 2. 9, (vom Feind *by the enemy*) Ir 6, 11 8, 9 51, 56, (von e. Frau *by a woman*) Ko 7, 26 Si 9, 4, durch Worte *with words* Pr 6, 2, בְּהַוָּה 11, 6, בִּגְאוֹנָם Ps 59, 13; **gefangen gehalten werden** *be captured* vom Elend *by misery* Hi 36, 8 Th 4, 20; 2. **eingenommen werden** *be seized*: Stadt *town* 1 K 16, 18 2 K 18, 10 Ir 38, 28 48, 1. 41; 3. vom Loos, Bann **getroffen werden** *be taken by lot, ban* Jos 7, 15—18. cj 17 1 S 10, 20 f 14, 41 f; †

hitp: impf. יִתְלַכְּדוּ, יִתְלַכָּדוּ: **sich in einander verfangen, fest gefügt sein** *grasp each other, be compact* Hi 38, 30 41, 9.

Der. מַלְכֹּדֶת, לֶכֶד.

לֶכֶד: לכד: לֶכֶד: **Fang** *capture* Pr 3, 26.†

לְכָה: = לְךָ F לְ.

לֵכָה: n. l.: in Juda 1 C 4, 21.†

לָכִישׁ: n. l., loc. לָכִישָׁה: EA *Lakiša*, ass. *Lakisu*; BRL 345—7; assyr. Relief PJ 25, 70; Torczyner, The Lachish Letters, 1938, לכש: = T. ed-Duwēr בַּשְּׁפֵלָה: Jos 10, 3. 5. 23. 31—35 12, 11 15, 39 2 K 14, 19 18, 14. 17 19, 8 Js 36, 2 37, 8 Ir 34, 7 Mi 1, 13 Ne 11, 30 2 C 11, 9 25, 27 32, 9 †

לָכֵן (188 ×): לְ u. II כֵּן; Eitan AJS 45, 197 ff: 1. **darum** *therefore* Ex 6, 6 (82 ×), cj 2 S 18, 14; לָכֵן כֹּה אָמַר יהוה 2 K 19, 32 Am 3, 11 (66 ×, 27 × Ir); וְלָכֵן 1 S 3, 14 Js 30, 18; וְלָכֵן כֹּה אָמַר י׳ 2 K 1, 4; לָכֵן אֱמֹר Hs 12, 23 (8 ×), לָכֵן הִנָּבֵא Hs 11, 4 36, 3. 6 37, 12 38, 14 †; לָכֵן דַּבֵּר Hs 14, 4 20, 27 †; לָכֵן שְׁמַע (שִׁמְעוּ) Js 28, 14 (12 ×); לָכֵן נְאֻם יהוה 1 S 2, 30 Js 1, 24; לָכֵן הִנֵּה Js 29, 14 (12 ×); לָכֵן הִנֵּה יָמִים בָּאִים Ir 7, 32 16, 14 19, 6 23, 7 48, 12 49, 2 51, 52 †; לָכֵן חַי אָנִי נְאֻם י׳ Hs 5, 11 35, 6. 11 Ze 2, 9 †; לָכֵן (ellipt.) Hi 34, 25; יַעַן ... לָכֵן weil ..., **darum** *because ... therefore* Nu 20, 12 2 K 1, 16 22, 20 Js 8, 7 (dele וְ) Hs 21, 9; 2. לָכֵן **dafür** *for this* Gn 30, 15 Js 61, 7; 3. לָכֵן (F לְ 27) **fürwahr, wohlan** *surely, therefore* Jd 8, 7 1 S 28, 2; l לֹא כֵן Gn 4, 15 u. 1 K 22, 19 u. 2 C 18, 18 u. Ir 5, 2; l לִכְנַעֲנִיִּ Sa 11, 7.

לֻלָאֹת: *לולו (לוה) zu *to* ak. *lamū, lawū* umgeben *surround* Holma ZA 28, 156 f: cs. לֻלְאֹת: **Schlingen, Schleifen** *loops, nooses* Ex 26, 4 f. 10 f 36, 11 f. 17.†

למד: ug. *lmd*; mhb., aram. sich gewöhnen, lernen, sy. anhaften *cleave to* (Torczyner, Bundeslade[2], 34); ak. *lamādu* lernen *learn*; [Ethiopic] gewohnt sein *be accustomed*; لَبَدَ, asa. למד überziehn, überkleben *paste over*:

qal: pf. לָמַדְתִּי, לָמְדוּ, impf. אֶלְמְדָה, יִלְמַד, תִּלְמְדוּ, יִלְמְדוּן, inf. sf. לָמְדִי, imp. לִמְדוּ, pt. pass. לִמּוּדֵי: sich an etw. gewöhnen, sich ververtraut machen = **lernen** *get accustomed, exercise in = learn*: מִלְחָמָה Js 2, 4 Mi 4, 3 1 C 5, 18, לֶקַח Js 29, 24 Si 8, 8, דֶּרֶךְ (l אֶת) Ir 10, 2, הֵיטֵב Js 1, 17, צֶדֶק 26, 9 f; Gebote *commandements* Dt 5, 1 Ps 119, 7. 71. 73, Taten *acts* 106, 35, חָכְמָה Pr 30, 3, דַּרְכֵי עַמִּי Ir 12, 16; abs. Dt 31, 12; c. לְ objecti: Dt 4, 10 14, 23 17, 19 31, 13; c. לְ c. inf. lernen, zu ... *learn to* ... 18, 9 Hs 19, 3. 6; †

cj nif: impf. יִלָּמֵד: **belehrt werden** *be taught* cj Hi 11, 12; †

pi: pf. לִמַּד, לִמַּדְתָּ, לִמַּדְתִּי (= 2 sg. f. לִמַּדְתְּ vel לִמַּדְתִּי) Ir 2, 33, sf. לִמַּדְתַּנִי, לִמְּדוּם, impf. יְלַמֵּד, יְלַמֵּדוּ, אֲלַמְּדָה, יְלַמְּדוּן, sf. יְלַמְּדֵהוּ,

יְלַמְּדָה, תְּלַמְּדֵנוּ, אֲלַמֶּדְכֶם, inf. לַמֵּד, imp. pl. f. לַמֵּדְנָה Ir 9, 19, sf. לַמְּדֵנִי, pt. מְלַמֵּד, sf. מְלַמֶּדְךָ: c. 2 acc. jmd etwas **lehren** *teach a person something* Dt 4, 1. 5. 10. 14 5, 31 6, 1 11, 19 31, 19. 22 2 S 1, 18 22, 35 Ir 2, 33 9, 4. 13. 19 13, 21 31, 34 32, 33 Ps 18, 35 25, 4 f. 9 34, 12 51, 15 60, 1 71, 17 94, 10. 12 119, 12. 26. 64. 66. 99. 108. 124. 135. 171 132, 12 144, 1 Pr 5, 13 Ct 8, 2 Ko 12, 9 Da 1, 4 Esr 7, 10; c. לְ c. inf. **lehren, zu ...** *teach to ...* Dt 20, 18 Ir 12, 16 Ps 143, 10; לַמֵּד מלחמה d. Kampf lehren *teach fight* Jd 3, 2; c. לְ hinsichtlich *concerning* Js 48, 17; c. בְּ **unterweisen in** *teach in* 40, 14; c. ac. u. לְ pers. jmd etw. **beibringen** *teach a person something* Hi 21, 22; abs. 2 C 17, 7. 9; †

pu: pf. לֻמַּד, pt. מְלֻמָּדָה, pl. cs. מְלֻמְּדֵי: **unterwiesen, belehrt sein** *be taught, trained* Js 29, 13, Ct 3, 8 1 C 25, 7, **gewöhnt sein** *be accustomed* (עֵגֶל) Ir 31, 18, עֶגְלָה Ho 10, 11. †

Der. לָמֵד, מַלְמָד, תַּלְמִיד.

לִמֻּד, לִמּוּד: למד; ug. *lmd* Schüler *disciple*: pl. לִמּוּדִים, cs. לִמּוּדֵי, לִמֻּדֵי, sf. לִמֻּדָי: **Anhänger, Schüler** *follower, disciple* Js 50, 4 54, 13 (v. *of* יהוה); לִמֻּדֵי הָרֵעַ mit Schlechtigkeit Vertraute *accustomed to do evil* Ir 13, 23; Js 8, 16 gewöhnlich *usually* Schüler *disciples* (Torczyner, Lachish Letters 16: Bänder *ties*), aber *but* l יְלָדַי (v. 18!); Ir 2, 24 l פִּרְצָהּ לְמִדְבָּר (Kl L 45 ff). †

לָמָה, לָמָּה, לָמֶה: F מָה.

לָמוֹ: = לָהֶם vel coll. לוֹ (50 ×; cj Ps 74, 5 Js 56, 5): Gn 9, 26 f, שֵׂעִיר לָמוֹ denen S. gehört *whose country is S.* Dt 33, 2 (ZDM 92, 332), חֲמַת לָמוֹ sie haben Gift *they have venom* Ps 58, 5; l לָנוּ Js 44, 7 u. Hi 22, 17, l לְעָם Js 30, 5, l לְעַמּוֹ Js 35, 8 u. Ps 28, 8, l לַמָּוֶת Js 53, 8; Nyberg ZDM 92, 324 ff.

לְמוּאֵל: Pr 31, 1, לְמוֹאֵל 31, 4: n. m.; לְ u. אֵל, מו eingeschobne Sprossilbe *inserted additional syllable*; F לָאֵל; n. m. *Lama-il* Bauer, Ostkan. 57; l לְשְׁמוּאֵל Ne 12, 38. †

לֶמֶךְ: n. m.: לָמֶךְ: **Lamech**: 1. S. v. מְתוּשָׁאֵל Gn 4, 18 f. 23 f; 2. S. v. מְתוּשֶׁלַח Gn 5, 25 f. 28. 30 f 1 C 1, 3. †

לְמִן: F מִן.

לְמַעַן: F מַעַן.

***לָן**: לין: pl. לָנִים: **übernachtend** *spending the night* Ne 13, 21. †

***לֹעַ**: II לעע; mhb. לוֹעַ, ja. לוֹעָא, ܠܘܥܐ Kiefer *jaw*; ak. *lū'u* Holma N Kt 31: sf. לֹעֶךָ: (Nöld. NB 162) **Kehle** *throat* Pr 23, 2. †

לעב: mhb. hif. u. ja. itpa. Mutwillen treiben *jest*, sy. etpa. s. Lust haben, gierig sein *delight oneself, be greedy*, لَعِبَ u. asa. לעב spielen *play*:

hif: pt. מַלְעִבִים: c. בְּ **sein Spiel treiben mit** *make jest at* 2 C 36, 16. †

לעג: mhb. hif. u. ja. af. verspotten *mock*; ܠܥܓ stottern *stutter*; ܥܠܓ; لَجْلَجَ, ja., sy. לַגְלֵג: F עלג:

qal: pf. לָעֲגָה, impf. יִלְעַג, יִלְעַג, יִלְעֲגוּ, pt. לֹעֵג: c. לְ jmd ins Gesicht stottern, jmd **verspotten** *stutter in the face of a person, mock, have in derision* 2 K 19, 21 Js 37, 22 Ir 20, 7 Ps 2, 4 (Gott *God*), cj 25, 2 (l יִלְעֲגוּ) u. 35, 16 (יִלְעֲגוּ לָעוֹג), 59, 9 80, 7 Pr 1, 26 17, 5 30, 17 Hi 9, 23 11, 3 22, 19; †

nif: pt. cs. נִלְעַג: נִלְעַג לָשׁוֹן **mit stammelnder Zunge, ausländisch, fremd redend** *speaking stammering of tongue, as a foreigner,* *stranger* (βάρβαρος) Js 33, 19, l נִלְעַג pro מֻעָם Ho 7, 16;†

hif: impf. וַיַּלְעַג, יַלְעִיג, pt. מַלְעִיג: **nachäffen, verhöhnen** *mimic, mock, deride* Hi 21, 3, c. לְ jmd *a person* Ps 22, 8 Ne 2, 19, c. עַל 3, 33, c. בְּ 2 C 30, 10.†

Der. לַעַג, *לָעֵג.

לַעַג: לעג: sf. לַעְגָם ? Ho 7, 16: **Stottern, Verspottung** *stammering, derision* Hs 23, 32 36, 4 Ps 44, 14 79, 4 123, 4 Hi 34, 7; Ho 7, 16.†

*לָעֵג: לעג: pl. cs. לַעֲגֵי: לַעֲגֵי שָׂפָה Leute mit **stammelnder Lippe** *people of stammering lips* Js 28, 11.†

*לעד: F n. m. לַעְדָּן, לַעְדָּה.

לַעְדָּה: n. m.; *לעד; Noth S. 227: 1 C 4, 21.†

לַעְדָּן: n. m.; *לעד: 1. 1 C 7, 26; 2. 1 C 23, 7—9 26, 21 (sonst *otherwise* לִבְנִי).†

לעז: mhb. e. fremde Sprache (griechisch) reden, Übles nachsagen *speak a foreign language* (*Greek*), *speak ill of*, לַעֲוֹז Fremdsprachiger *man of foreign language* = ja. u. sy. לָעוֹזָא; لغز unverständlich reden *talk indistinctly*, entstellen *distort*:

qal: לֹעֵז: (> נוֹעָז ? Js 33, 19): **unverständlich redend** *speaking unintelligibly* Ps 114, 1.†

לעט: mhb.; ܠܘܥܬܐ Kinnbacken *jaw*; لَقَطَ unklare Laute machen *utter indistinct sounds*; F להט:

hif: imp. sf. הַלְעִיטֵנִי: **rasch verschlingen lassen** *let swallow hastily* Gn 25, 30.†

לַעֲנָה: לען; لَعَنَ Fluch *curse*: Tradition: = **Wermut** *wormwood* (so *thus* mhb.), *Artemisia* (Löw 1, 386 f) Dt 29, 17 Am 5, 7 (l לְמַעְלָה ? Budde, G) 6, 12 Ir 9, 14 23, 15 Pr 5, 4 Th 3, 15. 19.†

I לעע: لَغَا unnötig reden *talk wildly*:

qal: pf. לָעוּ, impf. יָלַע: **unbedacht reden** *talk inconsiderately* Hi 6, 3 Pr 20, 25.†

II לעע: ܠܥ, وَلَغَ schlürfen *lick, sip*; Nöld. NB 162:

qal: pf. וְלָעוּ: **schlürfen** *sip* Ob 16;†

cj pal: impf. יְלַעְלְעוּ: **schlürfen** *sip* cj Hi 39, 30.†

*לפא: ja. af., لَفَّا reihen, schichten, *range, put in layers* (Honeyman JTS 50, 51 f): F תַּלְפִּיּוֹת.

לַפִּיד: mhb., ja. לַפִּידָא; Zimm. 36 < ak. *dipāru* (metat. u. ל pro r); ܠܡܦܐܕܐ (Einfluss v. *influenced by* λαμπάς): pl. לַפִּדִים, לַפִּידִם, cs. לַפִּידֵי: **Fackel** *torch* (BRL 149 f): Jd 15, 4 Js 62, 1, pl. Jd 7, 16. 20 15, 4 f Hs 1, 13 Na 2, 5 Hi 41, 11; לַפִּיד אֵשׁ Gn 15, 17 Sa 12, 6, pl. Da 10, 6, cj כְּאֵשׁ לַפִּדֹת Na 2, 4; לַפִּדִים = Blitze *lightning-flashes* Ex 20, 18; Hi 12, 5 F פִּיד; F לַפִּידוֹת.†

לַפִּידוֹת: n. m.; pl. v. לַפִּיד: Jd 4, 4.†

לפת: ak. *labātu* vereinigen *unite*, لَفَتَ winden *twist*:

qal: impf. וַיִּלְפֹּת: **umfassen** *grasp* Jd 16, 29;†

nif: impf. וַיִּלָּפֵת, וַיִּלָּפְתוּ: **sich vorbeugen** *bend oneself forward* Ru 3, 8; **abgebogen werden** *be turned aside* Hi 6, 18.†

לֵץ: pt. v. ליץ: pl. לֵצִים: **Schwätzer, Spötter** *prattler, scorner*, // עָרִיץ Js 29, 20, // פֶּתִי Pr 1, 22 19, 25 21, 11, כְּסִיל 19, 29, :: חָכָם 9, 8 13, 1 15, 12, :: נָבוֹן 14, 6; v. Wein gesagt *said of wine* 20, 1; F Ps 1, 1 Pr 3, 34 (l עִם לֵצִים) 9, 7 21, 24 22, 10 24, 9.†

לָצוֹן: ליץ: **grosstuerisches Geschwätz** *boasting prattle* Pr 1, 22, אַנְשֵׁי לָצוֹן Js 28, 14 Pr 29, 8.†

לקה: لَقِيَ: treffen *meet*: Der. n. l. אֶלְתְּקֵה/א Jos 19, 44 21, 23 Treffplatz *place of meeting* u. אֶלְתְּקֹן Jos 15, 59: Honeyman JTS 50, 50 f (Nachtrag *correction of* Lex. p. 57 a!).

לַקּוּם: n. l.; לקם ?*לקה?: Nordgrenze v. *northern border of* נַפְתָּלִי: Jos 19, 33. †

לקח: ug. *lqḥ*; ak. *leqū* (EA auch *also laqāḫu*); mhb., mo., pun., (altaram. Lidz. 302), äga., ja.; لَقِحَ empfangen (Kamel) *conceive* (*she-camel*), asa. לקח, ለቀሐ; äg. *mrqḥt* = מַלְקוֹחַ:

qal (938 ×): pf. לָקַח, לָקַח, לָקַחְתָּ, לָקְחוּ, impf. יִקַּח, יִקַּח, אֶקַּח, אֶקְחָה, תִּקְחוּ, נִקְחָה, sf. יִקָּחֵנִי, יִקָּחֶנּוּ, תִּקָּחֲךָ, inf. לָקוֹחַ, קַחַת, (קְחַת ? 2 K 12, 9), לָקַחַת, sf. קַחְתִּי, imp. קַח Ex 29, 1 u. קַח, קְחָה, קְחִי (l קְחִי לָהּ pro לִקְחִי 1 K 17, 11), קְחוּ, קְחוּ, sf. קָחֶנּוּ, קָחֶנָּה, קָחֵם, קָחֵהוּ, pt. לֹקֵחַ, לֹקְחִים, לֹקְחֵי, pass. לְקֻחִים: 1. **nehmen, fassen, ergreifen** *take, grasp, seize*: קַח בְּיָדְךָ Ex 17, 5, לָקַח בְּ ergrift an *took by* Hs 8, 3; וַיִּקַּח ... וַיַּנִּחֵהוּ nahm ... u. setzte hin *took ... a. put* Gn 2, 15; 2. **wegnehmen, mit sich, an sich nehmen** *take off, take with, unto oneself*: וַיִּקַּח בֶּן־בָּקָר Gn 18, 7, וַיִּקַּח Gn 12, 5 u. לָקַח בְּיָדוֹ (ak. *ṣabātu ina qātišu*) nahm mit sich *took with him* Ir 38, 10; 3. **annehmen** *take*: לָקַח שֹׁחַד Ps 15, 5; 4. **aufnehmen** *take* (Vogel s. Junges *bird the young one*) Dt 32, 11; 5. **holen, bringen** *take* קַח לִי Gn 27, 13; לָקַח אֶל bringen zu *bring* 2 K 2, 20; לְקֻחִים לַמָּוֶת zum Tod geschleppte *carried away unto death* Pr 24, 11; לָקַח עַל nahm [u. lud] auf *took upon* Jd 19, 28, nahm [u. streute] auf *put on* 2 S 13, 19; 6. **entgegennehmen, sich geben lassen** *take of*: וַיִּקַּח מִיָּדוֹ 2 K 5, 20; וַתִּקָּחֶהָ erwarb, erstand es *buy* Pr 31, 16; 7. c. ac. u. לְ: לָקַח לוֹ לַעֲבָדִים holt sich als Skl. *takes to be* לָקַח לְעֶבֶד 2 K 4, 1, Hi 40, 28, לְקָחָהּ לוֹ לְבַת nimmt sie als s. Tochter an *took her for his daughter* Est 2, 7; 8. לָקַח לוֹ נָשִׁים (ak. *aḫāzu aššata*) sich zu Frauen nehmen *take unto oneself as wives* Gn 4, 19, ohne *without* נָשִׁים zu Frauen nehmen *take as wives* Ex 34, 16; 9. **wegnehmen** *take away, carry off*: בֶּגֶד Pr 27, 13, בְּרָכָה Gn 27, 35, דָּגָן Ho 2, 11, נַפְשִׁי m. Leben *my life* Ps 31, 14; עִיר 1 C 18, 1 1 S 7, 14, לֵב Ho 4, 11; daher v. Gott *therefore said of God*: (ak. *leqū* KAT[3] 551[2]): לָקַח אֹתוֹ **entrücken** *take* Gn 5, 24 2 K 2, 3 Ps 49, 16 73, 24; 10. Einzelnes *particulars*: לָקַח נָקָם Js 47, 3, לָקַח נְקָמָה Ir 20, 10; לָקַח חֶרְפָּה Schmach auf sich nehmen *receive reproach* Hs 36, 30; לָקַח אֲמָרִים Pr 2, 1 u. c. תְּפִלָּה Ps 6, 10 entgegennehmen *receive*; לָקַח דָּבָר W. vernehmen *receive words* Ir 9, 19 (F לֻקַּח); e. Frau nimmt = fängt e. Mann ein *a woman takes = captures a man* Pr 6, 25; יִקָּחֲךָ לִבֶּךָ d. Herz reisst dich fort *thy heart carries thee away* Hi 15, 12; l וַיָּקָם Nu 16, 1, l וַיַּקְרֵב Ex 18, 12;

nif †: pf. נִלְקַח, נִלְקָח, נִלְקְחָה, impf. וַתִּלָּקַח, אֶלָּקַח, inf. הִלָּקַח, sf. הִלָּקְחוֹ: 1. **weggenommen werden** *be taken, carried away*: אֲרוֹן 1 S 4, 11. 17. 19. 21 f, לֶחֶם 21, 7, (durch d. Tod *by dying*) 2 K 2, 9 Hs 33, 6; 2. **geholt werden** *be fetched, brought unto* Est 2, 8. 16; †

pu (pass. qal) †: pf. לֻקָּחָה, לֻקַּח, לֻקַּח (BL 212), לֻקְּחוּ, לֻקָּחְתְּ, impf. וַתִּקַּח, יֻקַּח, יֻקַּח־: 1. **genommen werden** *be taken* Gn 2, 23 3, 19. 23 Jd 17, 2 (= gestohlen werden *be stolen*) Js 49, 24 f Hs 15, 3, c. מֵאֵת fort von *from* 2 K 2, 10 (durch d. Tod *by dying*), Js 52, 5 (= geraubt werden *be taken captive*); hinweggenommen werden (= sterben) *be taken away* (= *die*) Js 53, 8; als Fluchformel genommen werden *be taken as curse-formula* Ir 29, 22; 2. geholt, **gebracht werden** *be brought* Gn 12, 15 (Harem *harem*) 18, 4 Ir 48, 46 Hi 28, 2; †

hitp †: pt. f. מִתְלַקַּחַת: (Feuerschein *flare of fire*) hin u. her genommen werden, zucken *be taken hither a. thither, quiver* Ex 9, 24 Hs 1, 4.† Der. לִקְחִי ,מַלְקָחַיִם ,מַלְקוֹחַ ,מִקָּחוֹת ,מִקַּח ,לֶקַח, n. m. לִקְחִי.

לֶקַח: לקח; wie *like* קַבָּלָה (Geheim-) Lehre (*secret*) *teaching* v. קבל entgegennehmen *receive*: sf. לִקְחִי ,לִקְחָהּ: 1. **Lehre** *teaching, instruction* Dt 32, 2 Pr 4, 2 16, 21. 23 Hi 11, 4; 2. **Überredung** *persuasiveness* Pr 7, 21; 3. **Einsicht** *understanding* Js 29, 24 Pr 1, 5 9, 9 Si 8, 8.†

לִקְחִי: n. m.; לקח; KF v. *לִקְחִיָּה (Gn 5, 24)?: 1 C 7, 19.†

לקט: ak. *laqātu*; ug. *lāqiṭ* (De L. 2, 382); mhb. (auch *also* נקט), aram. (auch *also* נקט), mnd. לגט; لَقَطَ:

qal: pf. יִלְקְטוּן ,וַיִּלְקְטוּ ,לָקְטוּ ,לָקְטוּ, sf. תִּלְקְטֵהוּ, inf. לְקֹט, imp. לִקְטוּ: 1. **sammeln, auflesen** *gather, pick up*: אֲבָנִים Gn 31, 46. cj. 46, מָן Ex 16, 4 f. 16 f. 21. 26 f. Nu 11, 8, Nahrung *food* Ps 104, 28, Blumen *flowers* Ct 6, 2; 2. **Ähren lesen** *glean* Ru 2, 8;†

pi: pf. וַיְלַקֵּט ,לִקַּטְתְּ ,לִקְּטָה ,לִקֵּטָה, impf. תְּלַקֵּט ,אֲלַקְּטָה, pt. מְלַקְּטִים: 1. **sammeln** *gather*: עֵצִים Ir 7, 18, אֹרֹת 2 K 4, 39; **Ähren lesen** *glean* Js 17, 5 Ru 2, 2 (בְּ). 3. 7. 15—19. 23; 2. **zusammenlesen** *gather up*: Speisereste *fallen food* Jd 1, 7, חִצִּים 1 S 20, 38; 3. לֶקֶט לִקֵּט **Nachlese halten** *glean* Lv 19, 9 23, 22, פֶּרֶט לִקֵּט d. gefallnen Trauben **auflesen** *pick up the fallen grapes* 19, 10; 4. **zusammenbringen** *collect* (Geld *money*) Gn 47, 14;†

pu: impf. תְּלֻקְּטוּ: **aufgelesen werden** *be picked up* Js 27, 12;†

hitp: impf. וַיִּתְלַקְּטוּ: c. אֶל **sich sammeln** bei *gather about* Jd 11, 3.†

Der. *יַלְקוּט ,לֶקֶט.

***לֶקֶט**: לקט: cs. לֶקֶט: **Nachlese** *gleaning* Lv 19, 9 23, 22.†

לקק: mhb. pi.; لَقَّ läppern (Hund) *lap* (*dog*): qal: pf. לָקְקוּ, impf. יָלֹק ,יָלֹקּוּ: **auflecken, läppern** (Hund) *lick, lap* (*dog*) Jd 7, 5 1 K 21, 19 22, 38, בִּלְשׁוֹנוֹ Jd 7, 5;†

pi: pt. מְלַקְקִים **läppern** (wie Hund) *lap* (*like dog*) Jd 7, 6 f.†

I *לקשׁ: mhb. hif. spät sein *be late*, ja., sy. pa. spät tun *do late*; لَقِسَ spät sein *be late*: Der. לֶקֶשׁ ,מַלְקוֹשׁ.

II לקשׁ: لَقَشَ hastig u. gründlich nehmen *take with haste and thoroughly*:

pi: impf. יְלַקֵּשׁוּ: (Weingarten) **rasch ausplündern** *despoil with haste* (*vineyard*) Hi 24, 6.†

לֶקֶשׁ: I לקשׁ; Kalender v. Geser *lqš*; mhb. לְקִישׁ Spätsaat *late sowing*; ja. לַקִּישָׁא Spätregen *latter-rain*; ܠܩܫܐ u. pal.-ar. *laqši*: **Spätsaat** *late sowing* (Januar-Februar ZAW 22, 222 ff, Power Bibl. 8, 87 ff) Am 7, 1.†

***לְשַׁד**: *לשׁד; لَسَدَ lutschen *suck*; ሰለጰ Butter *butter*: cs. לְשַׁד: **Backwerk** *dainty* (ἐγκρίς, *panis oleatus*) Nu 11, 8; pro sf. לְשַׁדִּי l לְשׁוֹנִי Ps 32, 4.†

לָשׁוֹן ,לָשֹׁן (115 ×, cj Ps 32, 4 Ko 1, 8): *לִשָּׁן; ug. *lšn*; ak. *lišānu*; mhb., F ba. לִשָּׁן; ph. *לשׁן; لِسَان, ልሳን; äg. *nś*, ⲗⲁⲥ, berber. *ils*: cs. לְשׁוֹן, sf. לְשׁוֹנוֹ ,לְשֹׁנוֹ, pl. לְשֹׁנוֹת, sf. לְשֹׁנֹתָם, m. u. f. (ZAW 16, 78 f): 1. **Zunge** (Körperteil) *tongue* (*organ of body*); v. Mensch *of man* Th 4, 4 Ct 4, 11, Hund *dog* Ex 11, 7, Schlange *serpent* Ps 140, 4 Hi 20, 16, Krokodil *crocodile* 40, 25; v. *of* יהוה Js 30, 27; c. חרץ Ex 11, 7, לקק Jd 7, 5, דבק Ps 137, 6, הֶאֱרִיךְ Js 57, 4, מקק Sa 14, 12, נשׁת Js 41, 17; 2. **Zunge** (Form) *tongue* (*shape*): לְשׁוֹן זָהָב (ak. *lišān ḫurāṣi* ZAW 23, 151 f) Goldbarre *bar of gold* Jos 7, 21. 24; לְשׁוֹן אֵשׁ (ak. *lišān girri*) Feuerzunge *tongue of fire* Js 5, 24; לְשׁוֹן הַיָּם Meerzunge, -busen *bay of the sea* Jos 15, 5 18, 19 Js 11, 15, > לָשׁוֹן Jos 15, 2; 3. Zunge (Werkzeug der Sprache) *tongue* (*organ of speech*): עַל־לְשׁוֹנִי: כְּבַד לָשׁוֹן 2 S 23, 2, unberedt *not eloquent* Ex 4, 10 Hs 3, 5 f; c. לעג Js 33, 19, c. רנן 35, 6, הֶחֱלִיק Ps 5, 10, הגה Js 59, 3, דִּבֵּר Ps 12, 4, etc.; לְשׁוֹן עִלְּגִ Js 32, 4, *F* שֶׁקֶר Ps 109, 2 Pr 6, 17, רְמִיָּה Ps 120, 2 f; אִישׁ לָשׁוֹן Zungen-, Wortheld *big talker* (cf. Mari (Jean, RÉS 1937, 110) (*amel*) *ša lišānim*) Ps 140, 12, בַּעַל הַלָּשׁוֹן Beschwörer *conjurer* Ko 10, 11; etc.; 4. Zunge = **Sprache** *tongue = language*: לְשֹׁנוֹת הַגּוֹיִם Sa 8, 23, לְשׁוֹן כַּשְׂדִּים Da 1, 4, לְשׁוֹן עַם וָעָם Sprache der einzelnen, betreffenden Völker *language of the respective nations* Ne 13, 24, לָשׁוֹן אַחֶרֶת Js 28, 11; *F* Gn 10, 5. 20. 31 Dt 28, 49 Js 66, 18 Ir 5, 15 Est 1, 22 3, 12 8, 9; l לְשׁוֹנָאַי Ps 66, 17; *F* *לשׁן.

לִשְׁכָּה: *לשׁך?; mhb., ja.; *F* נִשְׁכָּה: cs. לִשְׁכַּת, pl. לְשָׁכוֹת, cs. לִשְׁכוֹת: Raum, **Halle**, dessen 4. Seite auf e. Hof oder Platz hin offen ist, an den 3 Wänden Steinbänke, wo die Opfernden essen *room, hall, the 4. side of which is left open towards a court or place, along the 3 walls are rows of stone benches where the sacrificing people eat their meals* 1 S 9, 22, cj 1, 9 u. 18 (G): am Tempelhof *at the court of the temple* Ir 35, 2 Hs 40, 17—42, 13 Ne 10, 38. 40 13, 4. 9 1 C 9, 26. 33 23, 28 28, 12 2 C 31, 11; לִשְׁכַּת נְתַן־מֶלֶךְ 2 K 23, 11, לְ׳ הַשָּׂרִים u. לְ׳ מַעֲשֵׂיָהוּ u. בְּ׳ חָ׳ Ir 35, 4, לְ׳ גְּמַרְיָהוּ Ir 36, 10, לְ׳ יְהוֹחָנָן Esr 10, 6 *F* Ne 13, 5. 8; לִשְׁכוֹת הַקֹּדֶשׁ Hs 42, 13 44, 19; 46, 19; לִשְׁכוֹת בֵּית יהוה Esr 8, 29, הַלְּשָׁכוֹת לְבֵית הָאוֹצָר Ne 10, 39; לִשְׁכַּת הַסֹּפֵר Ir 36, 12. 20 (Galling PJ 27, 51 ff); לִשְׁכָּה גְדֹלָה Ne 13, 5; l עָרִים לָשָׁבֶת Hs 45, 5. †

I **לֶשֶׁם**: unbestimmter Edelstein *not identified precious stone* Ex 28, 19 39, 12. †

II **לֶשֶׁם**: n. l.; *F* III לַיִשׁ; l לֶשֶׁם (לַיִשׁ u. *-ām*) Jos 19, 47. †

***לשׁן**: denom. v. לָשׁוֹן; mhb. hif. u. ja. af., لَسَنَ:

hif: impf. תַּלְשֵׁן: **verleumden** *slander* (אֶל bei *unto*) Pr 30, 10; †

po: pt. מְלָשְׁנִי (K מְלוֹשְׁנִי, Q מְלָשְׁנִי) l מַלְשִׁין pt. hif. **verleumden** *slander* Ps 101, 5. †

לֶשַׁע, לָשַׁע: Neubauer 254 = Καλλιρροή Antt. 17, 6. 5 Plin. 5, 16, ö. Totes Meer *east Dead Sea*, beim *near W. Zerqā Mā*ᶜ*īn* (לעשׁ in N-Syrien Zkr b 17 f *F* Eph. 3, 176[2]; Noth ZDP 52, 124 ff): Gn 10, 19. †

לַשָּׁרוֹן Jos 12, 18: *F* שָׁרוֹן.

לֵת: *F* ילד qal.

לֶתֶךְ: ug. *lth* (De L. 2, 413 f) mhb.: Getreidemass *cornmeasure* (V: = ½ כֹּר oder *or* חֹמֶר): Ho 3, 2, cj Js 57, 8 (l וַתִּמְכְּרִי בְּכֹר וָלֶתֶךְ Koehler). †

***לתע**: *F* מְתַלְּעוֹת.

מ

מ, final ם, מֵם (Driv. SW passim); später *later on* מ = 40; m; wechselt mit נ, *changing into* נ: מ: ב F p. 102; F אָם, בֹּהֶן, בְּטָנִים, דֶּשֶׁן etc.

·מַ: F מָה.

·מִ: F מִן.

-מָ-: in אֲבִימָאֵל: eingeschobne Sprossilbe *inserted additional syllable*; F -מו-.

***מַאֲבוּס**: אבס: pl. sf. מַאֲבֻסֶיהָ: Speicher *granary* Ir 50, 26.†

***מאד**: ak. *ma'ādu*, *mādu* viel sein, werden *be, become many*, ug. nom. *m3d* u. *m3d*; مَأَدَ wachsen *increase*, asa. מאד hinzufügen *add*: Der. מְאֹד.

מְאֹד (300 ×): *מאד: sf. מְאֹדֶךָ, מְאֹדוֹ: **1. Kraft, Vermögen,** *force, might* Dt 6, 5 2 K 23, 25;† 2. (adverb.): **sehr** *very, exceedingly* טוֹב מְאֹד Gn 1, 31, חַטָּאִים לַיהוה מְאֹד im höchsten Mass Sünder gegen J. *sinners against Y. exceedingly* Gn 13, 13, רָבָה מְאֹד sehr stark werden *increase greatly* Gn 7, 18; (in Voranstellung *preceding*) מְאֹד נַעֲלָה Ps 47, 10, מְאֹד עָמְקוּ 92, 6; (in Fernstellung *separated*) Jd 12, 2 1 K 11, 19 Ps 46, 2 (?); מְאֹד מְאֹד überaus sehr *much exceedingly* Gn 7, 19, בִּמְאֹד מְאֹד Gn 17, 2, הַרְבֵּה מְאֹד sehr gross *very greatly* Gn 15, 1, לְהַרְבֵּה מְאֹד 2 C 11, 12, עַד מְאֹד Gn 27, 33, עַד לִמְאֹד 2 C 16, 14; מְאֹד cj תִּפָּקֵד wirst recht vermisst werden *shallst be missed strongly* 1 S 20, 19; l מָנוֹד Ps 31, 12, l מֵאָז 139, 14.

I מֵאָה (580 ×): Sem, Nöld. NB 152 ff; ug. *m3t*, pl. *m't*; EA *metim* = 200; mhb., ph. מאת, du. מאתם; aram. F ba. מְאָה; مِائَة, asa. מאת; ***מאי**: ursprünglich Haufe, Menge? *originally crowd, multitude?*: cs. מְאַת, pl. מֵאוֹת, מֵאֹת Gn 5, 4. 30† u. מֵאיוֹת 2 K 11, 4. 9 f. 15†, du. מָאתַיִם (< *מְאָתַיִם): 1. sg. **hundert** *hundred*: מֵאָה שָׁנָה Gn 17, 17, מְאַת שָׁנָה 5, 3, מֵאָה שְׁעָרִים 26, 12; מֵאָה אֶלֶף = 100.000 1 K 20, 29; (später *later on*) הָרִמֹּנִים מֵאָה Ir 52, 23, מֵאָה אַמּוֹת! Hs 42, 2; מֵאָה hundertmal *a hundred times* Pr 17, 10; 2. du. = 200: מָאתַיִם אִישׁ 1 S 18, 27, מָאתַיִם אֶלֶף = 200.000 1 S 15, 4, מָאתַיִם שְׁקָלִים Jos 7, 21, מָאתַיִם אֲנָשִׁים 1 S 30, 21, עִזִּים מָאתַיִם Gn 32, 15; 3. pl. מֵאוֹת **Hunderte** *hundreds*: לְמֵאוֹת 1 S 29, 2, שָׂרֵי מֵאוֹת Anführer der Hundertschaften *chief of groups of hundred* Ex 18, 21. 25 2 K 11, 4. 9. 10. 15; שְׁלֹשׁ מֵאוֹת אִישׁ 300 Mann *300 men* Jd 7, 6, שְׁלֹשׁ מֵאוֹת שׁוּעָלִים 300 Füchse *300 foxes* Jd 15, 4, חֲמֵשׁ מֵאוֹת אֲתוֹנוֹת Hi 1, 3, (später *later on*) פִּלַגְשִׁים שְׁלֹשׁ מֵאוֹת 1 K 11, 3, בָּקָר חֲמֵשׁ מֵאוֹת 2 C 35, 9; 4. Beispiele verschiedener Zahlen *exemples of divers numbers*: 105 Gn 5, 6, 162 5, 18, 403 11, 13, 777 5, 31, 895 5, 17; 5. l מַשָּׂאת Ne 5, 11 l מֵאוֹת אַמּוֹת Hs 42, 16, l וְאַת יָמָיו Ko 8, 12.

II מֵאָה: = I?; n. l. מִגְדַּל הַמֵּאָה in Jerusalem Ne 3, 1 12, 39. †

*מָאוֹד: *אוד, أَوْدٌ beugen, belasten *bend, load*: Last *load* cj Ps 31, 12 (Driv. JTS 32, 256). †

*מַאֲוַיִּים: אוה: cs. מַאֲוַיֵּי (Var: מַאֲוַיֵּ): **Gelüst** *desire* Ps 140, 9. †

מאום (Var. מאום et מום) Da 1, 4†, מאום (Var. מְאוּמָה) Hi 31, 7†, sonst *otherwise* מוּם: mhb. מוּם, ja. sy., mnd. מוּמָא; Torrey JAO 43, 229 Da 1, 4 u. Hi 31, 7 contaminatio v. מום u. מְאוּמָה; Zimm. etwas *something*: sf. מוּמוֹ, מוּמָם: **etwas, Makel, Flecken** *something, blemish, defect*: 1. körperlich *corporeal* Lv 21, 17 f. 21. 23 22, 20 f. 25 Nu 19, 2 Dt 15, 21 17, 1 2 S 14, 25 Ct 4, 7 Da 1, 4; נָתַן מוּם בְּ jmd e. Schaden, Makel zufügen *cause a blemish in* Lv 24, 19 f; 2. sittlich *moral* Pr 9, 7 Hi 11, 15 31, 7; ?? Dt 32, 5; F מְאוּמָה. †

מְאוּמָה: ak. *minmā, mimmā(na)* etwas *something*; Torczyner, Sprachbildung 1, 137 Weiterbildung v. *evolution of* מָה: **irgendetwas** *something* Nu 22, 38 1 S 21, 3 2 S 13, 2 1 K 10, 21 2 K 5, 20 Hi 31, 7 (K Or.) Ko 9, 5 2 C 9, 20; מְ׳ רָע etwas Böses *something evil* Ir 39, 12, מַשַּׁאת מְ׳ irgendein Pfand *any kind of loan* Dt 24, 10, cj מְעַט מְ׳ etwas Geringes *something small* Mi 2, 10; לֹא ... מְ׳ **garnichts** *nothing at all* Gn 30, 31 39, 6. 9 40, 15 Dt 13, 18 1 S 12, 4 f 20, 26. 39 25, 7. 15. 21 29, 3 Ko 7, 14; אַל ... מְ׳ ja nichts *not any thing* Gn 22, 12 Jon 3, 7; כָּל־מְ׳ überhaupt irgendetwas *any thing* Gn 39, 23 2 S 3, 35, מְ׳ לֹא garnichts *nothing at all* Ko 5, 14, מְ׳ אֵין garnichts war da *there was absolutely nothing* Jd 14, 6 Si 18, 33, = אֵין מְ׳ 1 K 18, 43 Ko 5, 13, אֵין לָהֶם מְ׳ sie hatten garnichts *they had absolutely nothing* Ir 39, 10. †

מָאוֹר: אור: cs. מְאוֹר, pl. מְאוֹרִים Hs 32, 8 u. מְאֹרֹת Gn 1, 15, מְאוֹרֹת 1, 16, m.: **Lichtort** *place of light* Hs 32, 8; 2. **Leuchte, Lichtkörper** *luminary, light-bearer*: Sonne *sun* Ps 74, 16, Sonne, Mond *sun, moon* Gn 1, 14—16; **Leuchte** *lamp* Ex 25, 6 27, 20 35, 8. 14. 28 39, 37 Lv 24, 2 Nu 4, 9. 16; 3. מְאוֹר עֵינַיִם **leuchtende Augen** *bright eyes* Pr 15, 30, מְאוֹר פָּנִים **leuchtendes Antlitz** *bright face* Ps 90, 8. †

*מְאוּרָה: ak. *mūru* (Perles JSO 1925, 126 f): cs. מְאוּרַת: **das Junge** *the young one* Js 11, 8. †

מֹאזְנַיִם: ug. *mznm*; mhb., F ba.; I אזן, וזן; وَزَنَ e. Last tragen *bear a load*: du. מֹאזְנַיִם, cs. מֹאזְנֵי: **d. 2 Wagschalen, Wage** *the two scales, balances* (BRL 531): Js 40, 12. 15 Ir 32, 10 Ps 62, 10 Hi 6, 2, מֹאזְנֵי c. מִשְׁקָל Hs 5, 1, c. מִשְׁפָּט Pr 16, 11, c. צֶדֶק Lv 19, 36 Hs 45, 10 Hi 31, 6, c. מִרְמָה Ho 12, 8 Am 8, 5 Pr 11, 1 20, 23, c. רֶשַׁע Mi 6, 11; F פֶּלֶס. †

מֵאָיוֹת: F מֵאָה.

מֵאַיִן: F II אַיִן.

מַאֲכָל: אכל, mhb.: cs. מַאֲכַל, sf. מַאֲכָלוֹ: **Speise, Nahrung** *food*: f. Menschen u. Tiere *for man a. beast* Gn 6, 21 Dt 28, 26 Jd 14, 14 Js 62, 8 Ir 7, 33 16, 4 19, 7 34, 20 Hs 4, 10 Ha 1, 16 Hg 2, 12 Ps 74, 14 79, 2 Pr 6, 8 Da 1, 10 Esr 3, 7 2 C 11, 11; מְ׳ פַּרְעֹה die Speisen für Ph. *the food for Ph.* Gn 40, 17, מְ׳ שֻׁלְחָנוֹ d. Speisen für s. Tafel *the dishes of his table* 1 K 10, 5 2 C 9, 4; טוֹב לְמַאֲכָל gut zum Essen *good for food* Gn 2, 9 3, 6, עֵץ מְ׳ Obstbaum *tree for food* Lv 19, 23 Dt 20, 20 Hs 47, 12 Ne 9, 25, צֹאן מְ׳ Kleinvieh zum Schlachten *sheep for meat* Ps 44, 12; מַאֲכַל תַּאֲוָה Lieblingsspeise *dainty meat* Hi 33, 20, מַאֲכַל קֶמַח Mehl f. Speisen *victual of meal* 1 C 12, 41.†

מַאֲכֶלֶת: pt. hif. f. אכל; mhb.: pl. מַאֲכָלוֹת: (cf. צֹאן מַאֲכָל) **Schlachtmesser** *slaughter's knife* Gn 22, 6 Jd 19, 29, pl. Pr 30, 14.†

מַאֲכֹלֶת: אכל: **Frass, Speise** *food* Js 9, 4; 18 l כְּמוֹ אֵשׁ אֹכֶלֶת 9, 18.†

***מַאֲמָץ**: אמץ: pl. cs. מַאֲמַצֵּי: **Anstrengungen** *efforts* (cf. אַמִּיץ כֹּחַ) Hi 36, 19.†

***מַאֲמָר**: אמר; mhb.; *F* ba. מֵאמַר: (spät *late*) **Wort, Befehl** *word, command* Est 1, 15 2, 20 9, 32 Si 3, 8 37, 16 (marg.).†

מאן: mhb. pi. verweigern (Mädchen die Ehe) *refuse* (*girl marriage*); [Syriac] *taeduit*; [Arabic] verwerfen *reject*:
pi: pf. מֵאֵן, מֵאֲנָה, מֵאַנְתְּ, מֵאֲנוּ, impf. יְמָאֵן, וַיְמָאֲנוּ, inf. מָאֵן, pt. מָאֵן (< *מְמָאֵן), pl. מֵאֲנִים (BL 356) Ir 13, 10: 1. abs. **sich weigern** *refuse* 2 K 5, 16 Js 1, 20 Pr 1, 24; וַיְמָאֵן וַיֹּאמֶר Gn 39, 8 48, 19 1 S 28, 23; 2. c. inf. **sich weigern zu** *refuse to...* Nu 20, 21 22, 14 Ir 3, 3 5, 3 9, 5 15, 18 50, 33 Ps 77, 3, cj וַיְמָאֵן ס׳ תֵּת אֶת Jd 11, 20; c. לְ c. inf. sich weigern zu *refuse to...* Gn 37, 35 Ex 4, 23 7, 14. 27 9, 2 10, 3 f 16, 28 22, 16 Nu 22, 13 Dt 25, 7 1 S 8, 19 2 S 2, 23 13, 9 1 K 20, 35 21, 15 Ir 8, 5 11, 10 13, 10 25, 28 31, 15 Ho 11, 5 Sa 7, 11 Ps 78, 10 Pr 21, 7. 25 Hi 6, 7 Est 1, 12 Ne 9, 17.†

I **מאס**: mhb. u. ja.; ak. *māšu* abwehren *avert*:
qal: pf. מָאַס, מָאָסוּ, מְאַסְתֶּם, sf. מְאָסוּם, impf. יִמְאַס, תִּמְאַס, sf. אֶמְאָסְאךָ (l אֶמְאָסְךָ) Ho 4, 6, יִמְאָסוּן, inf. מָאוֹס, מָאֹס, cs. sf. מָאֳסְכֶם, pt. מֹאֵס, מֹאֶסֶת: 1. abs. **ablehnen, widerrufen** *reject, retract* Hi 42, 6; 2. c. בְּ **ablehnen, verwerfen** *reject, despise* Nu 14, 31 Jd 9, 38 Js 7, 15 u. 16 (:: בָּחַר) Ps 106, 24 obj. בֶּצַע Js 33, 15, Männer eine Frau *men a woman* Ir 4, 30, Leute den Hiob *people Job* Hi 19, 18, Israel Gottes Weisungen *Israel God's orders* Ir 6, 19, Gottes Worte *God's words* Js 30, 12 Ir 8, 9, s. Gebote *his commands* Lv 26, 15. 43 Hs 5, 6 20, 13. 16; Gott verwirft *God rejects* 2 K 17, 20 Ir 2, 37 6, 30 31, 37 Ps 78, 59. 67; 3. c. ac. **ablehnen, verwerfen** *reject, refuse* Hi 30, 1 10, 3 9, 21 7, 16 (obj. מָוֶת in 15) 31, 13. 16 (?) Ps 36, 5 Pr 15, 32 Hi 5, 17 Pr 3, 11; obj. אֱלִילִים Js 31, 7, obj. אֶבֶן הַבּוֹנִים Ps 118, 22, obj. מֵי הַשִּׁלֹחַ Js 8, 6; Israel verwirft *rejects* Gott *God* 1 S 10, 19, אֶת־דְּבַר יהוה Nu 11, 20 1 S 8, 7, Saul 1 S 15, 23. 26, Israel Gottes Gebote *God's orders* 2 K 17, 15 (וְאֶת־בְּרִיתוֹ) Js 5, 24 Hs 20, 24 Am 2, 4, דַּעַת Ho 4, 6; Gott verwirft *God rejects*: Israel Lv 26, 44 Ir 7, 29 14, 19 33, 24 (:: בחר). 26 Ho 4, 6 9, 17 Th 5, 22, Saul 1 S 15, 23 16, 1 (מִן sodass er nichtmehr *from being king*). 7, Jerusalem 2 K 23, 27, כַּבִּיר Hi 36, 5, עֲבָדוֹ Js 41, 9, חַגֵּיכֶם Am 5, 21, d. Sünder *the sinners* Ps 53, 6, מְשִׁיחוֹ Ps 89, 39; *F* Hi 8, 20 Js 33, 8; 4. inf. מָאֹס **Verwerfung** *refuse* Th 3, 45; ? Hs 21, 15. 18;†
nif: impf. יִמָּאֵס, תִּמָּאֵס, pt. נִמְאָס: **verworfen werden** *be rejected* Js 54, 6 Ir 6, 30 Ps 15, 4; cj נִמְאֶסֶת 1 S 15, 9.†

II **מאס**: NF v. מסס:
nif: impf. יִמָּאֲסוּ, וַיִּמָּאֵס: **vergehn** *dissolve* Ps 58, 8 Hi 7, 5.†

מַאֲפֶה: אפה; mhb., ja. מַאֲפְיָא: cs. מַאֲפֵה: **Gebäck** *thing baked* Lv 2, 4.†

מַאֲפֵל: l אֹפֶל (ZAW 44, 62): Jos 24, 7.†

מַאְפֵּלְיָה: l צַמָּא לָהּ (ZAW 44, 62): Ir 2, 31.†

מאר: מָאַר aufbrechen (Wunde) *break open (wound)*:
hif: pt. מַמְאִיר, f. מַמְאֶרֶת: schmerzhaft, bösartig *painful, malignant* Lv 13, 51f 14, 44 Hs 28, 24.†

מֶאֱרָב: ארב: cs. מַאֲרַב: Hinterhalt *ambush* Jd 9, 35 Jos 8, 9 Ps 10, 8, (Leute im) Hinterhalt *(men in the) ambush* 2 C 13, 13.†

מְאֵרָה: ארר; mhb.: cs. מְאֵרַת, pl. מְארוֹת: Verfluchung *curse* Dt 28, 20 Ma 2, 2 3, 9, cj Ps 9, 21, מארת יהוה Verfl. durch J. *curse by Y.* Pr 3, 33; pl. 28, 27.†

מֵאֵת: מִן u. אֵת, F מִן.

מְבָא: F מוֹבָא.

מִבְדָּלוֹת: בדל: Enklaven *enclaves* Jos 16, 9 (1 הַמִּבְדָּלוֹת vel הַנִּבְדָּלוֹת?)†

מָבוֹא: בוא; mhb. מְבוֹאָה Zugang *entrance*: cs. מְבוֹא u. מְבָא, sf. מְבוֹאוֹ, pl. מְבוֹאוֹת, cs. מְבוֹאֵי: 1. Eingang(sstelle) *(place of) entrance* Jd 1, 24f 2 K 11, 16 16, 18 Ir 38, 14 Hs 27, 3 42, 9 46, 19 Pr 8, 3 1 C 4, 39 9, 19 2 C 23, 13. 15; 2. מְבוֹא הַשֶּׁמֶשׁ Sonnenuntergang *sunset* Dt 11, 30 Jos 1, 4 23, 4 (= Westen *west*) Sa 8, 7 Ma 1, 11 Ps 50, 1 113, 3 (:: מִזְרַח שֶׁמֶשׁ) 104, 19; 3. Hineingehn *entering* Hs 26, 10 33, 31 44, 5 (הַבַּיִת in d. H. *in the h.*); F מוֹבָא.†

מְבוּכָה: בוך: sf. מְבוּכָתָם: Verwirrung *confusion* Js 22, 5 Mi 7, 4.†

מַבּוּל: נָבַל; mhb., ja. מַבּוּלָא: Begrich ZS 6, 135—153; Albr. JBL 58, 98: (d. himmlische) Wasserkruglager *(the heavenly) store of water-jars*: Himmelsozean *heavenly ocean* Gn 6, 17 7, 6. 7. 10. 17 Ps 29, 10 > Sintflut *deluge* Gn 9, 11. 15. 28 10, 1. 32 11, 10 Si 44, 17.†

מבונים 2 C 35, 3: 1 מְבִינִים.

מְבוּסָה: בוס: Zertretung *down-treading, subjugation* Js 18, 2. 7.†

מַבּוּעַ: נבע; mhb., ja., sy., mnd. מַבּוּעָא: pl. cs. מַבּוּעֵי: Quell *spring* Js 35, 7 49, 10 Ko 12, 6.†

מְבוּקָה: בוק: Öde, Verheerung *emptiness* Na 2, 11.†

מְבוּשִׁים*: בוש: pl. tant.; sf. מְבֻשָׁיו: *pudenda*, Schamteile (d. Manns) *privates (of man)* Dt 25, 11.†

מִבְחוֹר: II בחר: Auslese, Bestes *choice* 2 K 3, 19 19, 23.†

I מִבְחָר*: II בחר; ja. מִבְחֲרָא: cs. מִבְחַר, pl. cs. מִבְחָרָיו: Auslese, Bestes *choice* Gn 23, 6 Ex 15, 4 Dt 12, 11 Js 22, 7 Hs 23, 7 24, 4f 31, 16 Da 11, 15, cj מִבְחָרָיו (MSS) Hs 17, 21; F II.†

II מִבְחָר: n. m.; = I: 1 C 11, 38.†

מַבָּט*: נבט; nab. מבט: sf. מַבָּטָהּ: Hoffnung, nach der man ausblickt *hope to which is looked forward* Js 20, 5f Sa 9, 5.†

מִבְטָא: בטא: Übereilung, unbedachtes Versprechen *rashness, inconsiderate promise* Nu 30, 7.†

מִבְטָח: בטח: cs. מִבְטָח, מִבְטַח (? Pr 25, 19) Ps 65, 6†, sf. מִבְטַחוֹ *(mibṭaḥo)*, מִבְטַחָם, pl. מִבְטַחִים, sf. מִבְטַחַיִךְ: Vertrauen, Verlass *confidence, trust* Ir 17, 7 48, 13 Hs 29, 16 Ps 40, 5 65, 6 71, 5 Pr 14, 26 21, 22 22, 19 25, 19 Hi 8, 14 18, 14 31, 24, pl. Js 32, 18 Jr 2, 37; Der. n.m. מבטחיהו Lkš 1, 4.†

מַבְכִּי*: בכה: Sickerstelle (in Bergwerk) *place of trickling (in mine)* cj Peters Hi 28, 11.†

מַבְלִינִית Ir 8, 18: *F* גהה.

***מִבְנֶה**: בנה; ph. מבנת: cs. מִבְנֵה: **Aufbau** *structure* Hs 40, 2.†

מְבֻנַּי 2 S 23, 27: l סִבְּכַי.

I מִבְצָר: III בצר: cs. מִבְצַר, pl. מבצרות Da 11, 15† u. מִבְצָרִים, cs. מִבְצְרֵי, sf. מִבְצָרָיו, מִבְצְרֵיהֶם: **fester Platz** *fortification*:: מַחֲנֶה Nu 13, 19, עיר מִבְצָר **befestigte Stadt** *fortified city* Jos 19, 29 1 S 6, 18 2 K 3, 19 10, 2 17, 9 18, 8 Ir 1, 18 Ps 108, 11, pl. עָרֵי מִבְצָר Nu 32, 17. 36 Jos 10, 20 19, 35 Ir 4, 5 8, 14 34, 7 2 C 17, 19, > מִבְצָר **feste Stadt** *fortified city* Js 17, 3 25, 12 Am 5, 9 Ha 1, 10, pl. Nu 13, 19 Da 11, 24, Th 2, 2, 2 K 8, 12 Js 34, 13 Ir 48, 18 Na 3, 12. 14 Ho 10, 14 Mi 5, 10 Ps 89, 41 Th 2, 5; doppelter *double* pl. עָרֵי מִבְצָרֶיךָ Ir 5, 17; עיר מבצרות Da 11, 39; מבצרי מָעֻזִּים Stadt mit **Festungswerken** *city with fortifications* Da 11, 15; l מְבֻצָּר (I בצר) Ir 6, 27; *F* II.†

II מִבְצָר: n. m.; = I?: Edomiterfürst *prince of Edomites* Gn 36, 42 1 C 1, 53.†

***מִבְרָח**: מִבְרָחָו Hs 17, 21: l מִבְחָרָיו.

מִבְשָׂם: n. m.; בֹּשֶׂם, *F* יִבְשָׂם: 1. S. v. יִשְׁמָעֵאל Gn 25, 13 1 C 1, 29; 2. V. v. מִשְׁמָע 4, 25.†

מְבֻשִׁים: *F* מְבוּשִׁים.

מְבַשְּׁלוֹת: בשל: **Kochplätze** *cooking-places* Hs 46, 23.†

מָג: in רַב־מָג Ir 39, 3. 13: *F* Zimm. 6; *rabmugu* Klauber, Beamtentum 52²; in aram.-griech. Bilinguis = στρατηγός Benveniste, RÉJ 82, 55 ff.†

מַגְבִּישׁ: n. m.: Esr 2, 30.†

מִגְבָּלֹת II גבל: **Schnüre** *cords* Ex 28, 14.†

***מִגְבָּעָה**: גָּבִיעַ ?: pl. מִגְבָּעוֹת: (gewundne חבש) **Kopftracht** (der Priester) (*twisted* חבש) *headgear* (*of priests*) Ex 28, 40 29, 9 39, 28 Lv 8, 13.†

***מֶגֶד**: mhb. מגד gute Frucht *good fruit*, ja. מִגְדָּא, [Syriac] = mhb. u. Kostbarkeit *precious thing*; מגד palm. pa. beschenken *present*; مَجَدَ edel sein *be noble*, مَجَّدَ beschenken *present*, asa. n. m. ימגד; Der. מֶגֶד, n. m. מַגְדִּיאֵל; מִגְדָּנוֹת; n. l. מְגִדּוֹ.

מֶגֶד: מגד: cs. מֶגֶד, pl. מְגָדִים, sf. מְגָדָיו: **Spende, Bestes** *present, choice things* (immer Gaben der Natur *always gifts of nature*) Dt 33, 13—16; פְּרִי מְגָדִים köstliche Früchte *excellent fruits* Ct 4, 13, sf. 4, 16, כָּל־מְגָדִים alle köstlichen Früchte *all excellent fruits* 7, 14.†

מְגִדּוֹ u. **מְגִדּוֹן** Sa 12, 11†: מגד: äg. *Mkt(y)* ETL 207; EA *Magiddu*, ass. *Magidū*; Borée 65 ff; BRL 374 ff; Garstang Jd 394 f; B Arch 13, 28 ff, Alt ZAW 60, 67 ff: **Megiddo** = *T. el-Mutesellim* S.-Rand d. Kisonebene *south-border of plain of Kishon* Jos 12, 21 17, 11 Jd 1, 27 1 K 4, 12 9, 15 2 K 9, 27 23, 29 f 1 C 7, 29; בִּקְעַת מְגִדּוֹן (ʿΑρμαγεδων Apk 16, 16) Sa 12, 11, 2 C 35, 22; מֵי מְגִדּוֹ Jd 5, 19.†

מִגְדּוֹל Q 2 S 22, 51: l מַגְדִּיל.

מְגִדּוֹן: *F* מגדו.

מַגְדִּיאֵל: n. m.; מֶגֶד u. אֵל: Gn 36, 43 1 C 1, 54.†

I מִגְדָּל: ug. *mgdl*; גדל; mhb., ja. מִגְדְּלָא, [Syriac]; asa. מגדל; < مِجْدَل, ⲙⲉⲅⲧⲱⲗ, berber. *mogador*: cs. מִגְדַּל, pl. מִגְדָּלִים, מִגְדָּלוֹת, cs. מִגְדְּלוֹת: 1. **Turm** *tower*, in כֶּרֶם Js 5, 2, עיר וּמִגְדָּל Gn 11, 4 f, בַּמִּדְבָּר 2 C 26, 10; מִגְדַּל שְׁכֶם Jd 9, 46 f. 49, 2 K 9, 17, Wachttürme *watchtowers* 2 K 17, 9 18, 8 2 C 26, 9, Türme in d. Mauer *towers in the wall* 2 C 14, 6 32, 5, bewehrt *armed* 26, 15; Einzeltürme in d. Landschaft *isolated towers in the country* 1 C 27, 25; מִגְדַּל גָּבֹהַ Js 2, 15, מ׳ עֹז Jd 9, 51 Ps 61, 4 Pr 18, 10, מ׳ הַשֵּׁן Ct 7, 5; F פָּתַח Jd 9, 52, גָּג 9, 51; c. נתץ 8, 9 Hs 26, 9, הרס 26, 4, נפל Js 30, 25, ספר Ps 48, 13; F Jd 9, 52 Hs 27, 11 Ct 8, 10 2 C 27, 4; benannte Türme *named towers*: מ׳ פְּנוּאֵל Jd 8, 17, מ׳ חֲנַנְאֵל Ir 31, 38 Sa 14, 10 Ne 3, 1 12, 39, מ׳ עֵדֶר Mi 4, 8, מ׳ דָּוִיד Ct 4, 4, מ׳ הַלְּבָנוֹן 7, 5, מ׳ הַתַּנּוּרִים Ne 3, 11 12, 38, מ׳ הַמֵּאָה Ne 3, 1 12, 39, הַמּ׳ הַיּוֹצֵא 3, 25. 27; 2. מִגְדַּל עֵץ **Podium** aus Holz *wooden podium* Ne 8, 4; l מִגְדְּלוֹת Ct 5, 13; F II מִגְדָּל.†

II מִגְדָּל: n. l.; = I: 1. מִגְדַּל־אֵל, *Ch. el-Meǧdel* (?) 6 km nw. Qedes in Naftali Jos 19, 38; 2. מִגְדַּל־גָּד, *Ch. el-Meǧdele* (?) ZDP 57, 113[1] :: Alt JPO 12, 133: *T. el-Meǧādil* 10 km sw. *T. Bet Mirsim*, in Juda Jos 15, 37; 3. מִגְדַּל־עֵדֶר F II עֵדֶר, unbekannt *unknown* Gn 35, 21.†

מִגְדֹּל u. **מִגְדּוֹל** Ir 46, 14: n. l.; = מִגְדָּל: EA 234, 29 *Ma-ag-da-li ina Mi-iṣ-ri*: ein oder mehrere Orte in Ägypten *one or several places in Egypt* Ex 14, 2 Nu 33, 7 Ir 44, 1 46, 14; מִגְדֹּל סְוֵנֵה Hs 29, 10 u. 30, 6 (wenn *if* l loc. סְוֵנָה = bis *until* S., dann *then T. es Samūt* ö. *Kantara* ?)

מִגְדָּנוֹת: מֶגֶד u. *-dān*: pl. tant. **gute Sachen** (zum Essen u. Schenken) *choice things* (*for food a. gifts*) Gn 24, 53 Esr 1, 6 2 C 21, 3 32, 23.†

מָגוֹג: n. t. (künstliche Bildung = Heimat von גּוֹג *artificial form = home of* גּוֹג): Hs 38, 2 (l מ׳ אַרְצָה) 39, 6; = 2. S. v. יֶפֶת Gn 10, 2 1 C 1, 5.†

מָגוֹר: III גור: **Grauen** *horror* Js 31, 9 Ir 6, 25 20, 3 f. 10 46, 5 49, 29 Ps 31, 14; F *מְגוֹרָה.†

***מְגוֹרָה**: fem. v. מָגוֹר: cs. מְגוֹרַת, pl. sf. מְגוּרֹתַי, מְגוּרֹתָם: **Grauen** *horror* Pr 10, 24, cj Ha 1, 9 (מְגוֹרַת פְּנֵיהֶם קָדִימָה), pl. Js 66, 4 Ps 34, 5.†

מְגוּרָה: mhb. Vorratsraum *store-room*; مَاجُور (II אגר) Trog *trough* (Sprengling JBL 38, 136 ff: **Getreidegrube** *corn-pit* (AS 3, 195) Hg 2, 19, pl. cj (l מְגֻרוֹת) Jl 1, 17.†

***מְגוּרִים**: I גור; mhb. Nachbarschaft *neighbourhood*: pl. tant., cs. מְגוּרֵי, sf. מְגוּרֶיהָ, מְגוּרֵיהֶם: 1. **Schutzbürgerschaft** *state of sojourner* Gn 17, 8 28, 4 36, 7 37, 1 47, 9 Ex 6, 4 Hs 20, 38 Ps 119, 54; 2. **Ort, wo einer Schutzbürger ist** *place where one dwells as sojourner* Hi 18, 19 Th 2, 22 Si 16, 8.†

מְגוּרָם Ps 55, 16: ungedeutet *unexplained*.

***מְגֵזֵרָה**: I גזר: pl. cs. מְגֵזְרוֹת: **Axt** *axe* 2 S 12, 31, cj וּבִמְגֵזְרוֹת 1 C 20, 3.†

מַגָּל: mhb. מַגָּל u. ja. u. sy. מַגְּלָא: مِنْجَل *נגל ? גלל ?: **Sichel** *sickle* (BRL 475 f) Ir 50, 16 Jl 4, 13.†

מְגִלָּה: גלל; mhb., F ba. מְגִלָּה: (Buch-) **Rolle** *roll* (*book, writing*) Ir 36, 2—32 Hs 2, 9 3, 1—3 Sa 5, 1 f Ps 40, 8.†

מְגַמַּת: Ha 1, 9: l מְגֹרַת ... קָדִימָה.

I מגן: ug. *mgn* bitten *beseech*; ph. schenken *offer*; ja. u. sy. מַגָּן, مَجَّانًا geschenkweise *gratis*; ak. *magāru* Gunst erweisen *show kindness* ZS 5, 35:
pi: pf. מִגֵּן, impf. sf. אֲמַגֶּנְךָ, תְּמַגֶּנְךָּ, cj וַתְּמַגְּנֵנוּ: c. ac. **ausliefern, preisgeben** *deliver up* Gn 14, 20 Ho 11, 8, cj Js 64, 6; c. 2 ac. jmd mit etw. **beschenken** *give a person a thing* Pr 4, 9.†

II *מגן: II מָגֵן, *מְגִנָּה.

I מָגֵן: גנן; mhb., ja. מְגִנָּא, ܡܓܢܐ, مِجَنّ: cs. מָגֵן, sf. מָגִנִּי, מָגִנָּם, pl. מָגִנִּים, cs. מָגִנֵּי, sf. מָגִנָּיו; l מָגִנִּים pro מְגִנּוֹת 2 C 23, 9: 1. **Schild** (als Waffe) *shield* (*weapon*), c. רֹמַח Jd 5, 8, aus Leder, mit Öl eingerieben *leathern, greased with oil* 2 S 1, 21 Js 21, 5, c. צִנָּה Hs 23, 24 38, 4 Ir 46, 3 Ps 35, 2, :: צִנָּה 1 K 10, 16 f 2 C 9, 15 f, gerötelt *reddened* Na 2, 4, in Hülle befördert *carried in cover* Js 22, 6, מָגִנֵּי נְחֹשֶׁת 1 K 14, 27 2 C 12, 10, קֶשֶׁת וּמָגֵן 2 C 17, 17, מָגֵן וְחֶרֶב Ps 76, 4 1 C 5, 18, מָגֵן וְכוֹבַע Hs 27, 10 38, 5, מָגֵן u. חֵץ 2 K 19, 32 Js 37, 33, c. שֶׁלַח 2 C 32, 5, cj וּמְגִנּוֹ Ne 4, 17, F Hs 39, 9 Ne 4, 10 2 C 23, 9 26, 14; c. תָּלָה Hs 27, 10 Ct 4, 4, c. נָשָׂא 1 C 5, 18 2 C 14, 7, c. הֶחֱזִיק Ps 35, 2 Ne 4, 10, c. תפשׂ Ir 46, 9, c. שִׂים עַל Hs 23, 24, F 2 S 1, 21 Hi 15, 26; 2. **Schild** aus Gold (Zier) *shield of gold* (*ornament*) 1 K 10, 17 14, 26 2 C 9, 16 12, 9, als Staatsschatz *as treasure of the state* 2 C 32, 27; 3. Schild, **Schuppe** (d. Krokodils) *shield, scale* (*of crocodile*) Hi 41, 7; 4. **Schild** als Bild des Schutzes *shield as metapher of protection*: d. König *the king* Ps 84, 10 89, 19, Gott *God* Gn 15, 1 Dt 33, 29 2 S 22, 3. 31. 36 Ps 3, 4 7, 11 18, 3. 31. 36 28, 7 33, 20 84, 12 (שֶׁמֶשׁ וּמָגֵן) 115, 9—11 119, 114 144, 2 Pr 2, 7 30, 5. †

II מָגֵן: II *מגן; مَجَنَ (gegenüber Nachrede) unbekümmert sein *be indifferent about slander* Driv. JTS 34, 383 f: pl. cs. מָגִנֵּי, sf. מָגִנֶּיהָ: **unverschämt** *insolent* אִישׁ מ׳ Pr 6, 11 24, 34, מָגִנֵּי אֶרֶץ Ps 47, 10, F Ho 4, 18; ? Ps 59, 12. †

*מְגִנָּה: II *מגן: cs. מְגִנַּת: **Unverschämtheit** *insolence* Th 3, 65. †

מִגְעֶרֶת: גער: **Bescheltung, Bedrohung** *rebuke, menace* Dt 28, 20. †

מַגֵּפָה: נגף: cs. מַגֵּפַת, pl. sf. מַגֵּפֹתַי: (v. Gott gewirkte) **Plage** *blow* (*worked by God*) Ex 9, 14 2 C 21, 14, = Tod *death* Nu 14, 37 17, 13. 15 25, 8 f. 18 f 31, 16 Hs 24, 16 Ps 106, 29 f, = Pest *pestilence* 1 S 6, 4 Si 48, 21, = Niederlage *defeat* 1 S 4, 17 2 S 17, 9 18, 7, = Seuche *plague* 2 S 24, 21. 25 1 C 21, 17. 22, = grausige Krankheit *abominable disease* Sa 14, 12. 15. 18. †

מַגְפִּיעָשׁ: n. m.; äg. ?: Ne 10, 21. †

מגר: F ba.:
qal: pt. pass. מְגוּרֵי: l מְגֻרֵי (נגר) Hs 21, 17; †
pi: pf. מִגַּרְתָּה: c. לְ **niederwerfen auf** *hurl to* Ps 89, 45. †

מְגֵרָה: גרר: **Steinsäge** *stone-saw* 2 S 12, 31 1 K 7, 9 1 C 20, 3; l וּבְמַגְזְרוֹת pro וּבַמְּגֵרוֹת 20, 3. †

מִגְרוֹן: n. l.; גרן; < *מִגְרָן: s. עַי (PJ 12, 47 f; Dalm. PJ 21, 85[2]: pone Js 10, 28 a β post 29 a) 1 S 14, 2 Js 10, 28. †

מִגְרָעוֹת: גרע: **Absätze, Verjüngungen** (d. Mauer) *recesses* (*of a wall*) 1 K 6, 6. †

*מַגְרֵפָה: גרף; mhb. מַגְרֵיף, מַגְרוֹפִית Gerät zum Zusammenscharren *tool for raking*; ܡܓܪܦܬܐ Löffel *spoon*, ܡܓܪܘܦܝܬܐ Schaufel *shovel* (F Sprengling JBL 38, 138): pl. sf. מֶגְרְפֹתֵיהֶם: **Schaufel** *shovel* Jl 1, 17. †

מִגְרָשׁ: גרשׁ: cs. מִגְרַשׁ, pl. cs. מִגְרְשֵׁי, sf. מִגְרָשֶׁהָ, מִגְרָשֶׁיהָ, מִגְרְשֵׁיהֶם u. (Jos 21) מִגְרָשֶׁהָ: **Weideland, unbestelltes Land** *pasture-ground, untilled ground* :: מוֹשָׁב Hs 48, 15. 17, מִגְרַשׁ לֶעָרִים d. Weideland, das zu d. Städten gehört *the pasture-grounds belonging to the towns* Nu 35, 2, F Lv 25, 34 Nu 35, 3—5. 7 Jos 14, 4

21,2—39 (53×) Hs 45,2. cj 4b 1 C 5,16 6,40—66 (42×) 13,2 2 C 11,14 31,19; l לְמוֹרָשָׁה Hs 36,5.†

מְגְרָשׁוֹת: ungedeutet *unexplained* Hs 27,28.†

***מַד**: מדד; ug. *md*; ja. מַדָּא Ehrenkleid *robe of honour*: sf. מִדּוֹ, pl. מַדִּים, sf. מַדָּיו; מִדּוֹת, sf. מִדּוֹתָיו: **Gewand** (im Allgemeinen) *cloth, garment* Lv 6,3 Jd 3,16 1 S 4,12 17,38 f 18,4 Ps 109,18 133,2; fraglich *doubtful* (pl. מִדִּין) Jd 5,10 2 S 20,8 Ir 13,25; *F* *מַדְוֶה, מַדּוּ*.†

I מִדְבָּר (270×): I דבר: ug. *mdbr*, ak. (west-sem. LW) *madbaru, mudbaru*, ja. מַדְבְּרָא, ܡܕܒܪܐ; safat. מבדר; Bäntsch, Die Wüste in d. alttestl. Schriften, 1883, 27 ff: abs. Var. מִדְבָּר Ir 2,31, cs. מִדְבַּר, loc. מִדְבָּרָה, מִדְבָּרָה, sf. מִדְבָּרָהּ: **Trift, Wildernis, Steppe, Wüste** *pasturage, wilderness, steppe*: נְאוֹת מ׳ Jl 2,22 Ps 65,13 Ir 23,10, wo sich befinden *where there are*: עָרִים Jos 15,61 f, אֹרְחִים Ir 9,1, Hi 24,5, פֶּרֶא Ma 1,3, תַּנּוֹת Ps 102,7, קָאַת Th 4,3, יְעֵנִים Jd 8,7, קוֹצִים עֲרָבֵי Ir 3,2, בּוֹר Gn 37,22, צֹאן 1 S 17,28; = אֶרֶץ לֹא־אִישׁ Ir 2,2, אֶרֶץ לֹא זְרוּעָה Hi 38,26, // תֹּהוּ Dt 32,10; הַמִּדְבָּר bezeichnet oft e. bestimmte Wüste *frequently means a defined tract of wilderness*: Nu 14,16, Jd 11,22, oder die Wüste einer bestimmten Gegend *or the wilderness of a particular region*: *F* אֱדוֹם, יְהוּדָה, זִיף, דַּמֶּשֶׂק, גִּבְעוֹן, בְּאֵר שֶׁבַע, אֵתָם, פָּארָן, עֵין־גֶּדִי, סִינַי, סִין, מָעוֹן, מוֹאָב, יְרוּאֵל, קְדֵמוֹת, קָדֵשׁ, שׁוּר, תְּקוֹעַ; מִדְבַּר־יָם Js 21,1 *F* Dhorme RB 1922, 403 ff, Dougherty JAS 1930, 15 ff u. Montg. 80[9]: יָם metaph. pro Sandland *sandy wastes*.

II *מִדְבָּר: III דבר: sf. מִדְבָּרֵיךְ K, מִדְבָּרֵךְ Q: **Reden** *speaking* Ct 4,3.†

מדד: mhb.; ak. *madādu* *F* Zimm. 23; ph. מדד, למדת gemäss *in proportion to*, כמדת entsprechend *according to, as*; مدّ strecken *stretch*, مُدّ Kornmass *corn-measure*, asa. מדד:

qal: pf. מָדַד, מָדַד, מַדֹּתִי, מַדֹּתֶם, sf. מְדָדוֹ, impf. יָמֹד, וַיָּמָד, תָּמוֹד, וַיָּמֹדּוּ, inf. (לְ)מֹד: (e. Strecke, Fläche) **abmessen** *measure* (*a distance, surface*) Nu 35,5 Dt 21,2 Hs 40,5—47,5 (33×) Sa 2,6; (Getreide) **abmessen** *measure* (*corn*) Ru 3,15; c. בְּ in Ex 16,18 Js 40,12; מָדַד פְּעֻלָּה Lohn **zumessen** *measure requital* Js 65,7;†

nif: impf. יִמַּד, יִמַּדּוּ: **gemessen werden** *be measured* Ir 31,37 33,22 Ho 2,1; cj יִמַּד בַּחֶבֶל Mi 2,4;†

pi: impf. אֲמַדֵּד, sf. וַיְמַדְּדֵם: **abmessen** *measure* 2 S 8,2, **ausmessen** *measure* Ps 60,8 108,8; l וּמִתַּי Hi 7,4;†

po: וַיְמֹדֵד Ha 3,6: *F* מוד;†

hitpo: impf. וַיִּתְמֹדֵד: c. עַל (*F* مدّ) **sich hinstrecken über** *stretch oneself upon* 1 K 17,21.†

Der. I מִדָּה, מֵמַד, *מַד.

I מִדָּה: מדד: cs. מִדַּת, pl. מִדּוֹת, sf. מִדּוֹתֶיהָ: 1. **Messtrecke** *measured stretch* :: מְשׂוּרָה 1 C 23,29, מִדָּה אַחַת einerlei **Mass** *one measure* Ex 26,2.8 36,9.15 1 K 6,25 7,37 Hs 40,10 46,22, בַּמִּדָּה an Mass *by measure* Jos 3,4 2 C 3,3, קְוֵה הַמִּדָּה Ir 31,39, קְנֵה הַמִּדָּה Sa 2,5, חֶבֶל מִדָּה Hs 40,3.5 42,16—19, תִּכֵּן בְּמִדָּה mit e. Mass begrenzen *confine by measure* Hi 28,25, מִדַּת הַשַּׁעַר Hs 40,21 f; מִדָּה was d. Mass betrifft *concerning the measure* Hs 48,30.33 Hi 11,9 (l מִדָּה); מִדַּת יָמַי Ps 39,5; pl. מִדּוֹת הַמִּזְבֵּחַ d. Masse d. A. *the measurements of the a.* Hs 43,13; 2. **Messung, Abmessung** *measurement, act of measuring*: בַּמִּדָּה beim Messen *in measuring* Lv 19,35; מִדָּה שֵׁנִית zweites abgemessnes Stück *second measured portion* Ne 3,11.19.21.24.27.30; כַּמִּדּוֹת הָאֵלֶּה nach diesen Abmessungen *according to these measures* Hs 40,24.28 f.32 f.

35, הַמִּדָּה הַזֹּאת 45, 3; כִּלָּה מִדּוֹת 42, 15; מִדּוֹתֶיהָ 48, 16; מִדּוֹת גָּזִית im Mass v. Quadern *in the measures of ashlars* 1 K 7, 9. 11; ? Hs 41, 17; 3. (nachgestellt *in postposition*) von ungewöhnlichem Mass, **hochgewachsen** *of extraordinary measure*, *of high growth*, *tall*: אִישׁ מִדָּה 1 C 11, 23 20, 6, cj 2 S 21, 20 u. 23, 21, אַנְשֵׁי מִדָּה, Js 45, 14, אַנְשֵׁי מִדּוֹת Nu 13, 32; בֵּית מִדּוֹת geräumiges H. *wide h.* Ir 22, 14; מִדּוֹתָיו Ps 133, 2 F *מַד. †

II מִדָּה: < ak. *ma(n)dattu* (*nadānu* = נתן); mhb., F ba. מִנְדָּה, מִדָּה: **Abgabe** *tribute* Ne 5, 4. †

מַדְהֵבָה Js 14, 4: l מַרְהֵבָה.

*מַדו vel l *מַדְוֶה: NF v. *מַד: pl. cs. מַדְוֵיהֶם: **Gewand** *garment* 2 S 10, 4 1 C 19, 4. †

I *מַדְוֶה: F *מַדו.

II *מַדְוֶה: דוה, ug. *mdw*; mhb.: cs. מַדְוֵה, pl. cs. מַדְוֵי: **Krankheit, Seuche** *sickness* Dt 7, 15 28, 60. †

מַדּוּחִים: נדח: **Verleitung** *enticement* Th 2, 14. †

I מָדוֹן: דין: pl. מְדָנִים K Pr 6, 14 18, 19 † u. מְדוֹנִים K Pr 21, 9 23, 29 26, 21 †; מְדָנִים (BL 501) K, Q מִדְיָנִים Pr 6, 14 (F I מִדְיָן): **Streit, Zank** *strife*, *contention* Pr 17, 14, רִיב וּמָדוֹן Ha 1, 3, c. גֵּרָה Pr 15, 18 28, 25 29, 22, c. שִׁלַּח stiften *create* 16, 28, יָצָא weichen *cease* 22, 10, c. שָׁתַק 26, 20; אִישׁ מָדוֹן Ir 15, 10; pl. **Streitigkeiten** *contentions* Pr 23, 29, c. שִׁלַּח 6, 14. 19, c. עוֹרֵר anzetteln *stir up* 10, 12; l מִדָּה 2 S 21, 20, l מָנוֹד Ps 80, 7; F I *מִדְיָן. †

II מָדוֹן: n. l.; דין: (Garstang, Jos. 187 ff l מָרוֹן G); gewöhnlich *usually* = Qarn Ḥaṭṭin (PJ 25, 50) Jos 11, 1 12, 9. †

מַדּוּעַ: (70 ×, Ir 16 ×) u. מַדֻּעַ Hs 18, 19: < מַה־יָּדוּעַ: **warum**? *wherefore*? negat. מַדּוּעַ לֹא Ex 3, 3 u. מַדּוּעַ אֵין 2 K 12, 8 warum nicht? *wherefore not*?, l וּמַדּוּעַ Hi 21, 4.

מְדוּרָה: דור: sf. מְדֻרָתָהּ (kreisförmiger) **Holzstoss** (*circular*) **pile** (*of wood*) Js 30, 33 Hs 24, 9. †

מִדְחֶה: דחה: **Sturz** *overthrow*, *downfall* Pr 26, 28. †

*מַדְחֵפָה: דחף: pl. לְמַדְחֵפֹת **Stoss** auf Stoss *thrust upon thrust* Ps 140, 12. †

מָדַי: I. n. m., Eponymus v. III: S. v. יֶפֶת Gn 10, 2 1 C 1, 5; II. n. t., v. III: **Medien** *Media*: עָרֵי מָדָי 2 K 17, 6 18, 11; III. n. p. **Meder** *Medes*: pers. keilschr. *Māda*, ak. *Madai*, F ba. מָדַי, asa. מדי; A. Christensen, Kulturgeschichte d. Alten Orients, III, 1, 3, 1913, 232 ff,; F. W. König, Älteste Geschichte der Meder = AO 33, 3/4; G. C. Cameron, History of Early Iran (1936): Js 13, 17 21, 2 Ir 25, 25 51, 11. 28 Da 9, 1, פָּרַס וּמָדַי Est 1, 3. 14. 18 f, מָדַי וּפָרַס 10, 2 Da 8, 20. † Der. מָדִי Da 11, 1 = מָדַי. †

מַדַּי 2 C 30, 3 † u. מִדֵּי: F דַּי.

מִדִּין: fraglich *doubtful* Jd 5, 10.

מִדִּין: n. l.; in Juda Jos 15, 61. †

I *מִדְיָן: דין; mhb.: pl. מִדְיָנִים, מְדָנִים, cs. מִדְיָנֵי, F מָדוֹן: **Streit, Zank** *strife*, *contention* Pr 18, 18 23, 29, מִדְיְנֵי אִשָּׁה 19, 13, אִישׁ מְדָנִים; שִׁלַּח (Q) מִדְיָנִים 6, 14; 26, 21 u. אֵשֶׁת מ׳ 21, 9. 19 25, 24 27, 15 **zänkisch** *contentious*; ? 18, 19. †

II מִדְיָן: Μαδιαμ: I n. m., Eponymus v. II, S. v. אַבְרָהָם u. קְטוּרָה: Gn 25, 2. 4 1 C 1, 32 f;

II n. p., arabischer Stamm *Arabian tribe*; s. Rotes Meer *Red Sea*, reicht bis *stretches until* מוֹאָב u. סִינַי u. עֵיפָה: Gn 36, 35 Ex 2, 16 3, 1 18, 1 Nu 22, 4. 7 25, 18 31, 3. 7—9 Jos 13, 21 Jd 6, 1—9, 17 (30 ×) Ps 83, 10 1 C 1, 46, בִּכְרֵי מִדְיָן Js 9, 3, מַכַּת מִדְיָן 10, 26, יוֹם מִדְיָן 60, 6; Musil, The Northern Heǧaz I 278 ff; III. n. t. Ex 2, 15 4, 19 Nu 25, 15. 18 1 K 11, 18 Ha 3, 7. † Der. מִדְיָנִי.

מְדִינָה: דין; aram.; mhb., *F* ba. ja. מְדִינְתָּא, ܡܕܝܢܬܐ; مدينة; Torrey HThR 17, 83 ff: pl. מְדִינוֹת: **Gerichts-, Amtsbezirk, Satrapie** *district of jurisdiction, administration, satrapy*; שָׂרֵי הַמְּדִינוֹת 1 K 20, 14—19 Est 1, 3 8, 9 9, 3, שָׂרָתִי בַּמְּדִינוֹת Th 1, 1; 127 מְדִינָה 127 Satrapien *satrapies* Est 1, 1 8, 9 9, 30, מְדִינוֹת הַמֶּלֶךְ Est 1, 16. 22 3, 13 4, 11 8, 5. 12 9, 2. 16. 20, מְדִינוֹת מַלְכוּתוֹ 2, 3 3, 8, הַמְּ׳ 2, 18 9, 4, מְדִינָה וּמְ׳ 3, 12. 14 4, 3 8, 9. 13 9, 28 עֵילָם הַמְּדִינָה 8, 11, עַם וּמְדִינָה Da 8, 2; בְּנֵי הַמְּ׳ d. Einwohner d. S. *the inhabitants of the satr.* Esr 2, 1 Ne 7, 6, רָאשֵׁי הַמְּ׳ Häupter der Sat. *chiefs of the sat.* 11, 3; בַּמְּדִינָה im **Lande** *in the country* Ko 5, 7, מְדִינוֹת Länder *countries* 2, 8; מְדִינָה Landschaft *country* Da 11, 24; l מְצוּדוֹת Hs 19, 8. †

מִדְיָנִי: gntl. v. II מִדְיָן: f. מִדְיָנִית, pl. מִדְיָנִים: **Midjaniter** *Midianite* Nu 10, 29, f. 25, 6. 14 f, pl. Gn 37, 28 Nu 25, 17 31, 2, cj Gn 37, 36. †

מְדֹכָה: דוך; ak. *madāku*; mhb. מָדוֹךְ: **Mörser** *mortar* Nu 11, 8. †

מַדְמֵן: n. l.; in מוֹאָב (l דִּימוֹן): Ir 48, 2; *F* n. l. II מַדְמֵנָה, מַדְמֵנָה.

I **מַדְמֵנָה**: דמן: **Misthaufen** *dung-place* Js 25, 10. †

II **מַדְמֵנָה**: n. l.; *F* מַדְמֵן: in Benjamin bei *near* Jerusalem (ö. עֲנָתוֹת JPO 13, 90 ff): Js 10, 31. †

I **מַדְמַנָּה**: n. m.: 1 C 2, 49. †

II **מַדְמַנָּה**: n. l., *F* מַדְמֵן: *Umm Dēmne* in SW-Juda: Jos 15, 31. †

מְדָן: n. m.; *דנן (ak. *danānu* stark sein *be strong*) wie *as* מְהֹם v. תמם: Gn 25, 2 1 C 1, 32. †

מְדָנִים: *F* מָדוֹן; l מִדְיָנִים Gn 37, 36. †

מַדָּע, מַדַּע: ידע; mhb., *F* ba. מַנְדַּע: sf. מַדָּעֲךָ: 1. **Verständnis** *knowledge* Da 1, 4. 17 2 C 1, 10—12 Si 3, 13 13, 8; 2. **Schlafgemach** *bedroom* (ידע sexuell?), l בְּמַצָּעֲךָ? Ko 10, 20. †

מֹדָע, מוֹדָע Q Ru 2, 1 (K מְיֻדָּע): ידע < *מוֹדָע: Bekannter, **entfernter Verwandter** *kinsman* Pr 7, 4 Ru 2, 1; *F* *מֹדַעַת. †

***מֹדַעַת**: f. v. מֹדָע; altsin. *mdʿt* BAS 110, 19; sf. מֹדַעְתָּנוּ: **entfernter** Verwandter *kinsman* Ru 3, 2. †

***מַדְקֵרָה**: דקר: pl. cs. מַדְקְרוֹת: **Stich** (d. Schwerts) *stab (of sword)* Pr 12, 18. †

מדר: *F* סְמָדַר.

מַדְרֵגָה: דרג; ak. *durgu* Weg *way* (ZA 42, 167); ja. דַּרְגָּא Stufe *step*; ar. *madraǧā* holpriger Weg zwischen Bergen *rugged way between mountains*: pl. מַדְרֵגוֹת: **Felsensteige** *steep way in the rocks* (cf. Κλῖμαξ Τυρίων) Hs 38, 20 Ct 2, 14. †

מִדְרָךְ: דרך: Trittspur, **Fussbreit** *footstep, a foot wide* Dt 2, 5. †

***מִדְרָשׁ**: דרשׁ (forschen *inquire*); mhb., ja.: cs. מִדְרַשׁ: **Auslegung, Erörterung** *exposition*, *midrash* 2 C 13, 22 24, 27 (בית מדרשׁי m. Lehrhaus *house of study*, *teaching* Si 51, 23).†

***מִרְשָׁה**: דושׁ: sf. מְדֻשָׁתִי: **beim Dreschen niedergetreten** *trampled down by threshing* (metaph. = d. Volk *the people*) Js 21, 10.†

מָה, selten *rarely* מָה־ (Gn 31, 43 Jos 22, 16 Jd 8, 1 Hs 12, 22 etc.), מֶה, מַה־, מַה·, מַ· (Ex 4, 2 Js 3, 15 Ma 1, 13 1 C 15, 13 2 C 30, 3†) u. מָ in מָהֵם (Q מָה הֵם) Hs 8, 6,† *F* II מַי: <*מַן?; mhb. מָה, *F* ba. מָה; ܡܳܐ, مَا; ug. *mh*, ph., ug. ם in לם damit nicht *lest* u. ph. מאשׁ das was *that which*; ak. *mannu* wer *who*, *minū*, *min* was *what*; VG 1, 326f; *F* II מַי.

A. pronomen: **was?** *what?* 1. מָה רָאִיתָ Gn 20, 10, מַה־פִּשְׁעִי 31, 36, חָכְמַת־מֶה W. in was? = was für eine W.? *w. of what?* = *what kind of w.?* Ir 8, 9; verwundert, vorwurfsvoll *astonished*, *reproachful*: מָה הַחֲלוֹם was soll d. T. *what means the dream?* Gn 37, 10, מָה הַמַּעַל Jos 22, 16; zögernd *hesitating*: מֶה עָשׂוּ was mögen sie getan haben? *what then have they done?* Est 9, 12; c. מִן: מַה־מִּלַּיְלָה wieviel von, wie spät [ist es] in d. Nacht *how much of*, *how late [is it] in the night?* Js 21, 11; 2. abhängige Frage *dependent question*: לִרְאוֹת מַה־יִּקְרָא Gn 2, 19; 3. מָה c. זֶה: מַזֶּה בְיָדֶךָ was hast du da in d. H? *what is that in th. h.?* Ex 4, 2; מָה = was an > **was für ein** *what of* > *what kind*, *amount of* מַה־בֶּצַע Gn 37, 26; in Fernstellung מָה *separated from its word of relation*: מַה־יֶּשׁ־לִי עוֹד צְדָקָה was für e. Anspruch ...? *what right ...?* 2 S 19, 29; 4. מָה elliptisch: מַה־לָּךְ was hast du? *what is it [with thee]?* Jd 1, 14; c. כִּי: מַה־לָּעָם כִּי was hat d. V., dass es? *what aileth the p. that they* 1 S 11, 5; ohne *without* כִּי: מַלָּכֶם תְּדַכְּאוּ was habt ihr, dass ihr? *what mean you that you?* Js 3, 15; c. לְ c. inf: מַה־לְּךָ לְסַפֵּר dass du *that you* Ps 50, 16, c. pt.: מַה־לְּךָ נִרְדָּם dass du *that you* Jon 1, 6; Redensart *peculiar phrase*: מַה־לִּי וָלָךְ was habe ich mit dir zu tun? *what have I to do with thee?* Jd 11, 12; מַה־לְּךָ וּלְשָׁלוֹם was kümmert es dich, ob es gut steht? *what business of yours is it whether things are alright?* 2 K 9, 18; c. אֶת: מַה־לַתֶּבֶן אֶת־הַבָּר was hat zu tun mit? *what is ... to* Ir 23, 28; 5. מָה was? nach e. Wort des Fragens, Prüfens, Zusehns, Mitteilens usw. > **das, was** מָה *following an expression of inquiring*, *observing*, *telling etc.* > *that which*: רְאֵה מָה הֵמָּה Ir 7, 17, הִגִּיד מַה־טּוֹב Mi 6, 8, mit verschränkter Stellung *the order of words crossed*: מָה רְאִיתֶם עָשִׂיתִי was ihr mich tun seht *what you see me do* Jd 9, 48; 6. negativ: לֹא ... מָה Gn 39, 8 2 S 18, 29 u. בַּל ... מָה Pr 9, 13 **(gar) nicht was** (*absolutely*) *not what*; 7. Redensarten *peculiar phrases*: וִיהִי מָה werde, was will! *come what may!* 2 S 18, 22f; רָאָה מָה sieht, was wird *sees what happens* 1 S 19, 3; דְּבַר־מָה was auch *whatsoever* Nu 23, 3, מַה־שֶּׁ was immer *whatever* Ko 1, 9 3, 15 6, 10;

B. adverbium: was? > **wie?** *what?* > *how?* מַה־נַּעֲבֹד Ex 10, 26, מַה־נּוֹרָא Gn 28, 17; מַה־טֹּב Nu 24, 5; **wie sehr** *how much* מָה־אָהַבְתִּי Ps 119, 97; ironisch *ironically* Hi 26, 2, klagend *complaining* Hs 19, 2; מַה־זֶּה wie doch! *how then?* Gn 27, 20; מַה־ warum *why?* Gn 3, 13 12, 18 26, 10 Ex 14, 15 Ps 42, 6. 12 43, 5 52, 3 Hi 7, 21; מַה־זֶּה warum doch? *why then?* Jd 18, 24 1 K 21, 5 2 K 1, 5;

C. מָה was? *what?* wird dem Sinn nach zur Verneinung *becomes meaning a negation*: מַה־נִּשְׁתֶּה wir haben nichts zu trinken *we have nothing to drink* Ex 15, 24, מַה־לָּנוּ חֵלֶק wir haben keinen Anteil *we have nothing in common* 1 K 12, 16; מַה־תָּעִירוּ weckt doch nicht! *do not stir up!* Ct 8, 4;

D. מָה cum praepositione: 1. בַּמֶּה mit was? *wherewith?* Mi 6, 6, = בַּמָּה Ex 22, 26, woran? *whereby?* Gn 15, 8, wodurch? *wherein?* Jd 16, 5, wofür? Js 2, 22, weshalb? *wherefore?* 2 C 7, 21, wie? *wherewith?* 1 S 6, 2, wie so? Mi 6, 6; 2. כַּמֶּה, כַּמָּה (Torczyner, Sprachbildung 1, 145 = betontes *stressed* (כְּמוֹ): wie gross? *how large?* Sa 2, 6, wie lange? *how long?* Ps 35, 17 Hi 7, 19, wie viele? *how many?* Gn 47, 8, wie wenige? *how few?* 2 S 19, 35, עַד־כַּמֶּה פְעָמִים wie manches Mal? *how many times?* 1 K 22, 16, זֶה כַּמֶּה שָׁנִים wie viele Jahre schon? *how many years already?* Sa 7, 3, כַּמָּה wie manches Mal? *how many times?* Ps 78, 40 Hi 21, 17; 3. לָמָּה, לָמָה, לָמֶה > לָמָּה (BL 639) für was? > warum? *for what > why, wherefore?* Hi 7, 20 1 S 1, 8 Gn 12, 18; הַיָדַעְתָּ לָמָּה Da 10, 20; abwehrend *defensive*: לָמָּה אֶשְׁכַּל warum soll ich? *wherefore should I?* Gn 27, 45; לָמָּה זֶּה warum doch? *wherefore then?* Gn 18, 13 25, 22 (insere הָרָה); > conjunctio: אֲשֶׁר לָמָּה Da 1, 10 u. שַׁלָּמָה Ct 1, 7 dass nicht *lest*; nachgestellt *postponed*: לָמָּה לִּי was soll mir? *whereto have I it?* Hi 30, 2; לְמַבָּרִאשׁוֹנָה < לָמָה בָּר׳ (= אֲשֶׁר בָּר׳) weil im A. *because in the beg.* 1 C 15, 13; לְמַה־דַּי > לְמַדַּי genügend *in sufficient number* 2 C 30, 3; dele לָמָּה Pr 22, 27; 4. עַד־מָה wie lange noch? *how long a time?* Nu 24, 22 Ps 74, 9; 5. עַל־מָה worauf? *upon what?* Js 1, 5, wozu? *wherefore?* Nu 22, 32; dittogr. Hi 13, 14; אִם יֵשׁ l 1 S 21, 4, l מָה ... אוֹי לָךְ Hs 32, 2 (Bertholet), l בְּמִי 1 S 14, 38, l אִם pro אוֹ מָה 20, 10, l אַתֶּם הַמַּשָּׂא Ir 23, 33 b, l חֵמָה Hi 13, 13, l מְהִתְבּוֹנֵן Hi 31, 1.

Der. מַהוּעַ, בְּלִימָה.

מהה, מהמה: مَهَلٌ langsamer Gang, *slow walk, delay*:

hitpalp: pf. הִתְמַהְמָהּ, הִתְמַהְמַהְתִּי, יִתְמַהְמָהוּ, הִתְמַהְמָהוּ, impf. יִתְמַהְמָה, וַיִּתְמַהְמָהּ, inf. sf. הִתְמַהְמְהֵנוּ, הִתְמַהְמְהָם, pt. מִתְמַהְמֵהַּ: **zögern, säumen** *linger, tarry* Gn 19, 16 43, 10 Ex 12, 39 Jd 3, 26 19, 8 2 S 15, 28 Js 29, 9 Ha 2, 3 Ps 119, 60 Si 14, 12.†

מְהוּמָה: הום: cs. מְהוּמַת, pl. מְהוּמֹת: **Bestürzung** *discomfiture* Dt 7, 23 28, 20 1 S 5, 9 14, 20 Js 22, 5 Hs 7, 7 22, 5 Pr 15, 16; pl. Am 3, 9 2 C 15, 5; מְהוּמַת מָוֶת tödliche Best. *deadly disc.* 1 S 5, 11; מְהוּמַת־יהוה von J. gewirkt *caused by Y.* Sa 14, 13.†

מְהוּמָן: n. m.; Gehman JBL 43, 323: Est 1, 10.†

מְהֵיטַבְאֵל: יטב u. אֵל: Noth S. 31: 1. n. m. Ne 6, 10; 2. n. f. Gn 36, 39 1 C 1, 50.†

מָהִיר, מָהֵר*: I מהר; kan. gl. in Papyrus Anastasi I Gressmann ZAW 42, 294 f: : Humbert, Recherches sur les sources égypt., 1929, 105[1]; *F* Schaeder, Esra d. Schreiber, 1930, 40: cs. מְהַר Js 16, 5: **behend, geschickt** *quick, skilled*: אִישׁ מָ׳ Pr 22, 29, מְהַר צֶדֶק gerechtigkeitsbeflissen *prompt in justice* Js 16, 5, סוֹפֵר מָ׳ Ps 45, 2 Esr 7, 6.†

מהל mhb. u. ja. beschneiden *circumcise*, *F* מול; مَهِنَ (Milch, im Geschmack) verdorben *vitiated (in taste, milk)* Tağ 9, 355, 1 (J. J. Hess); *F* n. m. בְּמַהַל:

qal: pt. pass. מָהוּל: (durch Zusatz v. Wasser), versetzt, gepantscht *weakened, vitiated (by adding water)*, Wein, Bier *wine, beer* Js 1, 22.†

מַהֲלָךְ: הלך; mhb., ja., cp.: cs. מַהֲלַךְ, sf. מַהֲלָכֶךָ, pl. מַהְלְכִים Sa 3, 7: 1. **Gangweg** *passage* Hs 42, 4; 2. **Wegstrecke** *distance* Jon 3, 3 f; 3. **Reise** *journey* Ne 2, 6; 4. pl. **Zutritt** *access* Sa 3, 7.†

מַהֲלָל*: II הלל: sf. מַהֲלָלוֹ: **Ruf, Anerkennung (durch andre)** *fame, praise (given to him)* Pr 27, 21.†

מַהֲלַלְאֵל: n. m.; מַהֲלַל u. אֵל; Noth S. 31: 1. Gn 5, 12—17 1 C 1, 2; 2. Ne 11, 4.†

מַהֲלֻמוֹת: הלם: **Schläge, Prügel** *strokes, blows* Pr 18, 6 19, 29.†

מַהֲמֹרוֹת: המר; إِنْهَمَرَ es goss (Regen) *it is pouring (rain)*, هَمْرٌ Regenfall *rain*, asa. המר: **Löcher voll Regen** *pits filled with rain* Ps 140, 11.†

מַהְפֵּכָה: הפך; VG 1, 104: cs. מַהְפֵּכַת: מַהְפֵּכַת אֱלֹהִים אֶת־סְדֹם als Gott S. umstürzte, **Umsturz** *overthrow* Js 13, 19 Ir 50, 40 Am 4, 11; > מַהְפֵּכַת סְדֹם als S. umgestürzt wurde *when S. was overthrown* Dt 29, 22 Js 1, 7 (cj סְדֹם) Ir 49, 18.†

מַהְפֶּכֶת: הפך; pt. hif. fem.: **Block**, Balkengerüst um Gefangne krumm zu schliessen *stocks, scaffold to keep prisoners in a crooked posture*: Ir 20, 2 f 29, 21; בֵּית הַמַּהְ׳ 2 C 16, 60; c. נָתַן c. עַל oder *or* אֶל in d. Bl. legen *put into the stocks*.†

I מהר: mhb. pi.: F מָהִיר:

pi: pf. מִהַר, מִהֲרָה, מִהַרְתְּ, impf. יְמַהֵר, יְמַהֲרוּ, וַתְּמַהֵרְנָה, inf. מַהֵר, imp. מַהֵר, מַהֲרָה, מַהֲרִי, מַהֲרוּ, pt. מְמַהֵר > מַהֵר (BL 217) Js 8, 1. 3 Ze 1, 14, מְמַהֲרוֹת: 1. (wohin) **eilen** *hasten (to a place)* Gn 18, 6 43, 30 45, 9. 13 Jos 4, 10 1 S 4, 14 Js 5, 19 8, 1. 3 (ZAW 50, 91 f) 49, 17 59, 7 Na 2, 6 Ze 1, 14 Ma 3, 5 Ps 79, 8 Pr 1, 16 7, 23 (אֶל) 1 C 12, 9 2 C 24, 5 (לְ hinsichtlich); 2. imp. **rasch!** *make haste!*: מַהֲרִי קֶמַח rasch! (nimm) Feinmehl! *make haste! (take) flour!* Gn 18, 6 1 K 22, 9 Est 5, 5 2 C 18, 8; neben *beside* 2. imp.: מַהֵר הִמָּלֵט rette dich **eilends!** *escape hastily!* Gn 19, 22 Jd 9, 48 Ps 69, 18 102, 3 143, 7 Est 6, 10, cj נוּדִי מַהֲרִי Ps 11, 1; c. וְ: מַהֲרָה וְלֵכָה 1 S 23, 27; 3. מַהֵר u. יְמַהֵר neben anderm Verb, um **„rasch, eilends"** auszudrücken *beside another verb, to express „hastily, quickly"*: וַתְּמַהֵר וַתּוֹרֶד sie nahm rasch herunter *she took down hastily* Gn 24, 18. 20. 46 44, 11 Ex 34, 8 Jos 8, 14. 19 Jd 13, 10 1 S 17, 48 25, 18. 23. 34 (1 בָּאתִי) 28, 20. 24 2 S 19, 17 1 K 20, 33. 41 2 K 9, 13 Ir 9, 17 Ps 106, 13; 4. c. inf. Ex 2, 18, c. לְ c. inf. Gn 18, 7 27, 20 41, 32 Ex 10, 16 12, 33 2 S 15, 14 Js 32, 4 51, 14 Ko 5, 1 etw. **rasch tun** *do something with haste*; 1 לְפָנֵיכֶם pro לְפָנֶיךָ מַהֵר 1 S 9, 12;†

nif: pf. נִמְהָרָה, pt. נִמְהָר, pl. נִמְהָרִים, cs. נִמְהֲרֵי: **sich überstürzen** *be carried headlong* Hi 5, 13; pt. **voreilig** *overhasty* Js 32, 4, **ungestüm** *impetuous* Ha 1, 6, (c. לֵב) **bestürzt** *disturbed* Js 35, 4.†

Der. מְהֵרָה, מָהִיר; n. m. מַהֲרַי?

II מהר: den. v. מֹהַר; äga.; ug. *mhr*:

qal: impf. sf. יִמְהָרֶנָּה, inf. מָהֹר: **gegen das Heiratsgeld erwerben** *obtain for* (מֹהַר) *the purchase-price* Ex 22, 15; 1 אַחֵר מָהָרוּ Ps 16, 4.†

מֹהַר: ja. מֹהֲרָא, sy. ܡܗܪܐ, ph. n. m. בעלמהר u. מהרבעל; F n. m. מַהֲרַי; مَهْرٌ; asa. מהרת; Zimm. 18 *maḫīru* Kaufpreis *purchase-money* v. *maḫāru* einnehmen *receive* (?); VG 1, 194: d. **Heiratsgeld**, das d. Bräutigam dem Vater (der Familie) der Braut entrichtet, **Brautabstandsgeld** *the marriage-money, purchase-money given by the bridegroom to the father (the family) of the bride; compensation for the daughter*; (Dussaud, CRAI 1935, 142 ff): Gn 34, 12 Ex 22, 16 1 S 18, 25; F II מהר.†

מְהֵרָה: I מהר: **Eile** *haste*: בִּמְהֵרָה Ko 4, 12, cj עַל־מְהֵ׳ Ps 147, 15; adv. **eilends** *in haste* Nu 17, 11 Dt 11, 17 Jos 8, 19 10, 6 23, 16 Jd 9, 54 2 S 17, 16. 18. 21 2 K 1, 11 Js 58, 8 Ir 27, 16 Ps 31, 3 37, 2 Ko 8, 11; עַתָּה מְהֵרָה

nun bald *now soon* Ir 27, 16; קַל מְהֵ׳ Jl 4, 4 u. קַל מְהֵ׳ Js 5, 26 **eilend, rasch** *with speed, swiftly*; cj מְהֵרָה **eilends** *in haste* 1 S 23, 22 (pone post וּרְאוּ).†

מַהֲרַי: n. m.; KF v. *מַהֲרְיָהוּ? cf. ph. מהרבעל *F* מַהֲרַ: 2 S 23, 28 1 C 11, 30 27, 13.†

מַהֲתַלּוֹת: תלל: **Täuschung** *deceit* Js 30, 10.†

־מוּר in לְמוּאֵל, לְמוֹאֵל: *F* ־מַר.

מוֹאָב: mo. מאב, nab. n. p. מוביא, ak. *Ma'aba, Ma'ab, Mu'aba*; äg. *M-'-b* ETL 205; 1. (n. m.; Eponymus; abgeleitet von *derived from* מֵאָב) Gn 19, 37; 2. n. t., n. p.: ö. Totes Meer, bis z. Arnon *e. Dead Sea, until river Arnon*; später *later on* Moabitis; Glueck, The Other Side of the Jordan, (1945): **Moab**: c. שְׂדֵה Gn 36, 35 Nu 21, 20 Ru 1, 1 f. 6. 22 2, 6 4, 3 1 C 1, 46 8, 8, c. אֶרֶץ Dt 1, 5 28, 69 32, 49 34, 5 f Jd 11, 15. 18 Ir 48, 33, c. גְּבוּל Nu 21, 13. 15 33, 44 Dt 2, 18 Jd 11, 18 Js 15, 8, c. עַרְבוֹת (Noth, ZAW 60, 18) Nu 22, 1 26, 3. 63 31, 12 33, 48—50 35, 1 36, 13 Dt 34, 1. 8 Jos 13, 32, מֵעַבְרוֹת הַיַּרְדֵּן ? Jd 3, 28, c. מִדְבַּר Dt 2, 8, c. קִיר Js 15, 1, c. עָר Nu 21, 28, c. עִיר 22, 36, c. מִצְפֵּה 1 S 22, 3, c. אֲרִיאֵל 2 S 23, 20 1 C 11, 22, c. כָּתֵף Hs 25, 9; c. אֵילֵי Ex 15, 15, c. בְּנֵי 2 C 20, 1, c. בְּנוֹת Nu 25, 1, c. גְּדוּדֵי 2 K 13, 20 24, 2, c. זִקְנֵי Nu 22, 7, c. שָׂרֵי Nu 22, 8. 14. 21 23, 6. 17, c. פַּאֲתֵי Nu 24, 17, c. מֶלֶךְ Nu 21, 26 22, 10 23, 7 Jos 24, 9 Jd 3, 12. 14 f. 17 1 S 12, 9 22, 3 f 2 K 3, 5. 7. 26 Ir 27, 3 Mi 6, 5; *F* בָּלָק, מֵישַׁע; c. אֱלֹהֵי Jd 10, 6 1 K 11, 33, c. שִׁקֻּץ 1 K 11, 7 2 K 23, 13, c. מִשְׁפָּט Ir 48, 47; עַם כְּמוֹשׁ//מוֹאָב Nu 21, 29; *F* Nu 21, 11. 13 22, 3 f Jd 3, 28—30 11, 17 f. 25 1 S 14, 47 2 S 8, 2. 12 2 K 1, 1 3, 7. 10. 13. 18. 21—24 Js 11, 14 15, 1—5 16, 2—14 Ir 9, 25 25, 21 40, 11 48, 1—47 Hs 25, 8. 11 Am 2, 1 f Ze 2, 8 f Ps 60, 10 83, 7 108, 10 Da 11, 41 1 C 4, 22 18, 2. 11 2 C 20, 10. 22 f; *F* n. m. פַּחַת מוֹאָב.†

Der. מוֹאָבִי.

מוֹאָבִי: gntl. v. מוֹאָב; nab. מוביא: f. מוֹאֲבִיָּה, מוֹאֲבִית, pl. מוֹאָבִים, מֹאָבִים, מוֹאֲבִיּוֹת; **moabitisch** *Moabitish*: Dt 2, 11. 29 23, 4 1 K 11, 1 Ru 1, 4. 22 2, 2. 6. 21 4, 5. 10 Esr 9, 1 Ne 13, 1. 23 1 C 11, 46 2 C 24, 26.†

מוּבָא: < מָבוֹא unter Einfluss v. *influenced by* מוֹצָא: sf. מוֹבָאֶךָ Q, pl. sf. מוֹבָאָיו: 1. **Hineingehen** *coming in* 2 S 3, 25; 2. **Eingang** *entrance* Hs 43, 11.†

מוג: mhb. מוג Weiches *soft things*; ja. af. zerfliessen lassen *cause to melt*; ܡܘܓܐ Woge *wave*: qal: impf. וַתָּמוֹג, תָּמוּג, inf. מוֹג: **wanken** *melt, faint* Am 9, 5 Ps 46, 7; l וַתְּמַגְּגֵנוּ Js 64, 6, l הִמּוֹג Hs 21, 20; †

nif: pf. נָמוֹג, נָמֹגוּ, pt. pl. נְמוֹגִים, cj inf. הִמּוֹג: 1. **wogen, hin u. her wanken** *wave to a. fro, swerve* 1 S 14, 16 (l הַמַּחֲנֶה) Ir 49, 23 (l הַיָּם) Ps 75, 4 Na 2, 7, cj Hs 21, 20; 2. **verzagt sein** *be disheartened* Ex 15, 15 Jos 2, 9. 24 Js 14, 31;†

pil: impf. sf. תְּמֹגְגֵנִי, תְּמֹגְגֶנָּה: **aufweichen, zergehn lassen** *soften, dissolve* Ps 65, 11 Hi 30, 22;†

hitpal: pf. הִתְמֹגְגוּ, impf. תִּתְמוֹגָג, תִּתְמֹגַגְנָה: **sich auflösen, in Bewegung geraten** *be dissolved, flow* Am 9, 13 Na 1, 5 Ps 107, 26.†

מוֹדַע: *F* מֹדַע.

I מוֹד: *F* תָּמִיד.

II מוד: ماد heftig bewegt sein *be heavily moved* Driv. ZAW 52, 54 f:

pol: impf. וַיְמֹדֶד: **erschüttern** *shake (up), stir up* Ha 3, 6.†

מוט: mhb., ja., sy., palm.; مَاطَ (i) abweichen *deviate from right course*; **Ϥⲙ** wenden *turn*: qal: pf. מָט, מָטוּ, מָטָה, impf. תָּמוּט, תְּמוּטֶינָה, inf. מוֹט, l לָמוֹט pro לַמּוֹט Ps 66, 9 u. 121, 3, pt. מָט, pl. מָטִים: **1. wanken** *totter*: גְּבָעוֹת Js 54, 10, הָרִים Ps 46, 3, אֶרֶץ 60, 4, cj 99, 1, מַמְלָכוֹת 46, 7, רֶגֶל Dt 32, 35 Ps 38, 17 66, 9 94, 18 121, 3, בְּרִית Js 54, 10, צַדִּיק Ps 55, 23 Pr 25, 26; inf. c. hitpal Js 24, 19; **2.** מָטָה יָדוֹ s. H. wankt = er **ist wirtschaftlich schwach** *h. h. totters = he is financially weak* Lv 25, 35; מָטִים Pr 24, 11 *F* *מָטֶה;†
nif: pf. נָמוֹטוּ, impf. אֶמּוֹט, יִמּוֹט, יִמּוֹטוּ: **1. ins Wanken gebracht sein** *be caused to totter*: Mensch *man* Ps 10, 6 13, 5 15, 5 16, 8 21, 8 30, 7 62, 3. 7 112, 6 Pr 10, 30, פְּעָמִים Ps 17, 5, עִיר 46, 6, מוֹסְדֵי אָרֶץ 82, 5 93, 1 96, 10 104, 5 1 C 16, 30, הַר Ps 125, 1, שֹׁרֶשׁ צַדִּיקִים Pr 12, 3; **2. zum Wackeln gebracht werden** *be caused to reel, stagger* פֶּסֶל Js 40, 20 41, 7, Fleisch (d. Krokodils) *body* (*of crocodile*) Hi 41, 15; l יַמְטִיר Ps 140, 11;†
[hif: impf. יָמִיטוּ: l יָעִיטוּ Ps 55, 4;†]
hitpal: pf. הִתְמוֹטְטָה: **sich beständig im Wanken befinden** *be tottering constantly* Js 24, 19.†
Der. מוֹט, מוֹטָה.

מוֹט: מוט: **Traggestell** *bar* Nu 4, 10. 12; **Stange** *bar* 13, 23; l מַטֵּהוּ Na 1, 13, l לָמוֹט Ps 66, 9 u. 121, 3.†

מוֹטָה: fem. v. מוֹט: pl. מוֹטֹת, מוֹטוֹת, מֹטֹת: **Jochholz** *bar of yoke* sg Js 58, 6. 9 Ir 28, 10. 12, cj מֹטַת Js 9, 3, pl. Lv 26, 13 Ir 27, 2 28, 13 Hs 34, 27, **Traghölzer** *carrying-poles* 1 C 15, 15; l מַטּוֹת Hs 30, 18.†

מוּךְ: NF v. מכך; mhb., ja. sinken *sink*: qal: pf. מָךְ, impf. יָמוּךְ: herunterkommen, verarmen *be depressed, grow poor* Lv 25, 25. 35. 39. 47 27, 8.†

I מול: mhb. מול u. מהל, ja. מהל, targ. מול abschneiden (Gras usw.) *cut off* (grass etc.); NF II מלל; *F* מוּל, מהל:
qal: pf. מָל, מָלוֹ, וּמַלְתָּה, וּמַלְתֶּם, impf. וַיָּמָל, pt. pass. מוּל, pl. מֻלִים: **beschneiden** *circumcise*: בְּשַׂר־עָרְלָה Gn 17, 23, jmd. *a person* 21, 4 Ex 12, 44 Jos 5, 3. 5. 7; abs. Jos 5, 4; עָרְלַת לֵבָב Dt 10, 16, לֵבָב 30, 6 (יהוה); pt. pass. **beschnitten** *circumcised* Jos 5, 5, c. בְּעָרְלָה Ir 9, 24;†
nif: pf. נִמּוֹל, נִמֹּלוּ, נִמַּלְתֶּם, impf. יִמּוֹל, וַיִּמֹּלוּ, inf. הִמּוֹל, הִמֹּל, sf. הִמֹּלוֹ, imp. הִמֹּלוּ, pt. pl. נִמֹּלִים: **sich beschneiden lassen** *be circumcised* Gn 17, 10—14. 24 f 34, 15. 17. 22. 24 Ex 12, 48 Lv 12, 3 Jos 5, 8, c. לַיהוה Ir 4, 4.†
Der. *מוּלָה.

II מול: مَالَ (i) IV abwehren *keep off* Driv. ZAW 52, 54:
hif: impf. sf. אֲמִילַם (BL 403): **abwehren** *keep off* Ps 118, 10—12.†

מוּל, מוֹל, Dt 1, 1†, מוֹאל Ne 12, 38†: mhb. gegenüber *in front of*: *F* II *אול: sf. מֻלִי Nu 22, 5: **1.** מוּל פָּנִים **Vorderseite** *forefront* Ex 26, 9 28, 25. 27. 37 34, 3 39, 18. 20 Lv 8, 9 Nu 8, 2 f Jos 8, 33 9, 1 22, 11 2 S 5, 23 11, 15 1 K 7, 5 1 C 14, 14; **2. vorn gegenüber, gerade gegenüber** *in front of* Nu 22, 5 Dt 1, 1 3, 29 4, 46 11, 30 34, 6 Jos 19, 46 1 S 14, 5; vor, **gegenüber** *facing* Ex 18, 19 Dt 2, 19; מִמּוּל **vorn an** *in the front of* Lv 5, 8; אֶל־מוּל **zu . . . hin** *towards* 1 S 17, 30 1 K 7, 39 2 C 4, 10; l לִשְׂמֹאל Ne 12, 38, l בֵּית Jos 18, 18; ? מִמּוּל וְאַתֶּם לֹא Mi 2, 8, 1 Mi 2, 8.†

מוֹלָדָה: n. l.; in SW-Juda; *T. el-Milḥ*? Jos 15, 26 19, 2 Ne 11, 26 1 C 4, 28.†

מוֹלֶדֶת: ילד: sf. מוֹלַדְתּוֹ, pl. מֹלְדֹת, sf. מוֹלְדוֹתַיִךְ, מֹלְדֹתַיִךְ: 1. **Nachkommenschaft** *offspring* (אֲשֶׁר הוֹלַדְתָּ) Gn 48, 6; 2. **Verwandtschaft** *kindred, parentage* Gn 12, 1 24, 4 31, 3 32, 10 43, 7 Nu 10, 30 Est 2, 10. 20 8, 6; מ׳ בַּיִת Verw., die im gleichen Haushalt geboren ist *kindred born in the same house(-hold)* :: מ׳ חוּץ Verw., nicht im gleichen Haushalt geboren *kindr. born not in the same household* Lv 18, 9; מ׳ אָבִיךָ Verw., mit der du den Vater gemeinsam hast *thy kindr. of the same father* 18, 11; 3. pl. מֹלְדֹת **Verwandte, Herkunft** *kindred, descent* Hs 16, 3 f; 4. אֶרֶץ מוֹלַדְתּוֹ d. **Land, wo er seine Verwandten hat** *the country where his kindred live* Gn 11, 28 24, 7 31, 13 Ir 22, 10 46, 16 Hs 23, 15 Ru 2, 11.†

***מוּלָה**: I מול: pl. מוּלֹת: **Beschneidung** *circumcision* Ex 4, 26.†

מוֹלִיד: n. m.; ילד: 1 C 2, 29.†

מוּם: F מְאוּם.

מוּמָה: F מְאוּמָה.

מוּסַב Hs 41, 7: l מְסִבֹּת.

***מוּסָד**: יסד: **Grundlegung** *foundation-laying* Js 28, 16 2 C 8, 16; F *מוּסָדָה.†

***מוֹסָד**: יסד; pl. cs. מוֹסְדֵי: 1. **Grundmauer** *foundation* Js 58, 12; 2. **Grundlage** *foundation*: v. הָרִים Dt 32, 22 Ps 18, 8, v. אֶרֶץ (ug. *msdt ʿrṣ*) Ir 31, 37 Mi 6, 2 Ps 82, 5 Pr 8, 29; F *מוֹסָדָה.†

***מוּסָדָה**: f. v. *מוּסָד: cs. pl. מוּסְדוֹת Q Hs 41, 8: **Grundmauer** *foundation*; l מוּסָרָה Js 30, 32.†

***מוֹסָדָה**: f. v. *מוֹסָד: pl. מוֹסָדוֹת, cs. מוֹסְדוֹת: 1. **Grundmauer** *foundation* Ir 51, 26; 2. **Grundlage** *foundation*: v. שָׁמַיִם 2 S 22, 8, v. תֵּבֵל 2 S 22, 16 Ps 18, 16; l מְיֻסָּדוֹת Js 40, 21.†

מוֹסֵר: < *מַאְסֵר, אסר: pl. cs. מוֹסְרֵי, sf. מוֹסֵרַי, מוֹסְרֵיכֶם: **Fesseln** *bands* Js 28, 22 52, 2 Ps 116, 16, cj Pr 7, 22 u. Hi 12, 18; F I *מוֹסֵרָה.†

מוּסָר, cj מֻסָר Hi 33, 16†: יסר; mhb.: cs. מוּסַר, sf. מוּסָרְךָ: 1. **Züchtigung** *chastening* Pr 13, 24 23, 13, שֵׁבֶט מ׳ 22, 15, cj (מַטֵּה) מוּסָרָה Js 30, 32; מ׳ שְׁלוֹמֵנוּ Z. zu unserm Heil *chastisement for our peace* Js 53, 5, מ׳ יהוה Z. von J. *chast. by Y.* Dt 11, 2 Pr 3, 11; מוּסָרְךָ Z. von dir (Gott) *chast. given by thee (God)* Js 26, 16; c. לָקַח annehmen, beherzigen *accept, take to heart* Ir 2, 30 5, 3 7, 28 17, 23 32, 33 35, 13 Ze 3, 2. 7 Pr 1, 3 8, 10 24, 32; מ׳ חָכְמָה Z., die zur W. führt *chast. leading to insight* Pr 15, 33; מ׳ אַכְזָרִי Ir 30, 14, מ׳ רָע Pr 15, 10; cj Hs 20, 37; 2. **Zucht** *discipline (moral)* Ps 50, 17 Pr 1, 2. 7 4, 13 5, 12. 23 6, 23 10, 17 12, 1 13, 1. 18 15, 5. 32 16, 22 19, 20. 27 23, 23 Hi 5, 17 (שַׁדַּי); 3. **Mahnung, Warnung** *exhortation, premonition* Hs 5, 15 Pr 1, 8 4, 1 8, 33 15, 32 23, 12 Hi 20, 3 36, 10, cj 33, 16; l מוֹסֵר Pr 7, 22 u. Hi 12, 18, l מְיַסֵּר Ho 5, 2; ? Ir 10, 8.†

I ***מוֹסֵרָה**: f. v. מוֹסֵר; mhb.: pl. מוֹסֵרוֹת, cs. מוֹסְרוֹת, sf. מוֹסְרוֹתֵימוֹ, מוֹסְרוֹתֶיךָ: **Fesseln** *bands* Ir 2, 20 5, 5 27, 2 30, 8 Na 1, 13 Ps 2, 3 107, 14 Hi 39, 5.†

מֹעֵד, מוֹעֵד Dt 31, 10†: יעד; F 2 S 20, 5 u. Ex 30, 36; mhb.; ja. מוֹעֲדָא; cp. מועד: sf. מוֹעֲדוֹ, מוֹעֲדָהּ, מוֹעַדְךָ, pl. מוֹעֲדִים, cs. מוֹעֲדֵי, sf. מוֹעֲדַי, מוֹעֲדֵיכֶם: Ort, wohin man jmd bestellt יעד, **Treffpunkt, Versammlungsplatz** *appointed place, place of meeting* Jos 8, 14, הַר מוֹעֵד Versammlungsberg *mountain of meeting* (der Götter *of the Gods*) Js 14, 13,

בֵּית מוֹעֵד Hi 30.23, מוֹעֲדֵי אֵל Ps 74, 8, מוֹעֲדוֹ Th 2, 6, מוֹעֲדֶךָ Ps 74, 4 (von *said of* יהוה), קְרִיאֵי מוֹעֵד Nu 16, 2; 2. **Versammlung, Begegnung** *meeting*: אֹהֶל מוֹעֵד (*F* 5); מוֹעֲדֵי בֵּית יִשְׂרָאֵל Hs 45, 17, יוֹם מוֹעֵד Ho 9, 5 Th 2, 7. 22, מוֹעֵד cj יְמֵי Ze 3, 18, cj מוֹעֵד הָעִיר Mi 6, 9, מוֹעֲדִים טוֹבִים frohe Vers. *joyful meetings* Sa 8, 19, קָרָא מוֹעֵד עַל Th 1, 15; 3. **verabredeter Zeitpunkt, Termin** *appointed time*: וַיָּשֶׂם מוֹעֵד Ex 9, 5, מוֹעֲדָהּ der ihr bestimmte Zeitpunkt *the term, season for it* 13, 10; לְמוֹעֵד חֹדֶשׁ הָאָבִיב zur bestimmten Zeit des *at the appointed day of* 23, 15 34, 18, מוֹעֲדוֹ des *of* פֶּסַח Nu 9, 2f, d. festgesetzte Zeit *the appointed term (day)* des *of* קָרְבַּן יהוה 9, 7. 13 28, 2; מוֹעֲדֶיהָ des Zugvogels *of the bird of passage* Ir 8, 7; הֶעֱבִיר הַמּוֹעֵד die rechte Zeit verpassen *miss the term (opportunity)* 46, 17; מ׳ des *of* תִּירוֹשׁ Ho 2, 11; לַמּוֹעֵד auf die bestimmte Z. *at the appointed time* 1 S 9, 24 13, 8 Da 11, 27. 29. 35, = לְמוֹעֵד יָמִים 1 S 13, 11; מוֹעֵד דָּוִד die mit D. abgemachte Z. *the hour appointed with D.* 1 S 20, 35, אֲשֶׁר יְעָדוֹ 2 S 20, 5; לַמּוֹעֵד הַזֶּה um diese Z. (des Jahrs) *at this season (of the year)* Gn 17, 21 2 K 4, 16 Gn 18, 14 (adde הַזֶּה), לַמּוֹעֵד אֲשֶׁר um die Z., wo *at the set time which* 21, 2 2 K 4, 17; מוֹעֵד Termin *fixed date* Lv 23, 4 Ha 2, 3 Ps 102, 14 104, 19 (v. יָרֵחַ); לְמוֹעֵד קֵץ zur festgesetzten Zeit des Endes *fixed time of the end* Da 8, 19; 4. מוֹעֲדִים **festgesetzte Zeiten, Festzeiten** *appointed dates, seasons of feast* Gn 1, 14 Nu 10, 10 15, 3 29, 39 Js 1, 14 Hs 36, 38 46, 9. 11 Ne 10, 34 1 C 23, 31 2 C 8, 13 31, 3; מוֹעֲדֵי יהוה Lv 23, 2. 4. 37. 44 Esr 3, 5 2 C 2, 3; מוֹעֲדֵי (v. יהוה) Lv 23, 2 Hs 44, 24; sg. **Festzeit** *feast* Js 33, 20 Ho 2, 13 Th 1, 4 2, 6 2 C 30, 22; 5. אֹהֶל מוֹעֵד (139 ×) Zelt der Begegnung, **Stiftshütte** *tent of meeting, tabernacle*: אֲשֶׁר אִוָּעֵד Ex 30, 36: Ex 27, 21—40, 35 (33 ×) Lv 1, 1—19, 21 (39 ×) Nu 1, 1—31, 54 (55 ×) Dt 31, 14 Jos 18, 1 19, 51 1 S 2, 22 1 K 8, 4 1 C 6, 17 9, 21 23, 32 2 C 1, 3. 6. 13 5, 5; † 6. Einzelnes *particulars*: מוֹעֵד c. gen. zur Zeit von *at the season of* Dt 16, 6 31, 10; הָיָה הַמּוֹעֵד לוֹ עִם er hat mit ... e. Abrede getroffen *he has made an arrangement with* ... Jd 20, 38; עֵת מוֹעֵד ? 2 S 24, 15; לָקַח מוֹעֵד e. Zeitpunkt wählen ? sich Zeit lassen ? *choose a term ? take one's time ?* Ps 75, 3; eschatol. לְמוֹעֵד מוֹעֲדִים Zeitspanne *space of time* Da 12, 7; cj (שָׂם) מוֹעֵד (עַל) setzt ihm e. Frist *fixes a term for him* Hi 34, 23. †

*מוֹעָד : יעד : pl. sf. מוֹעָדָיו : **Sammelplatz ?** *place of assemblage ?* Js 14, 31. †

מוּעָדָה : יעד : Festsetzung *appointing*; עָרֵי הַמּוּ׳ die **festgesetzten** St. *the appointed cities* Jos 20, 9. †

מוֹעַדְיָה : *F* מַעַדְיָה.

מוּעָף : II עוף : **Finsternis** *darkness* Js 8, 23, cj 22. †

מוֹפַעַת : *F* מֵיפַעַת.

*מוֹעֵצָה : יעץ : sf. מוֹעֲצָתִי Hi 29, 21 (MSS), pl. מ׳עֵצוֹת, sf. מוֹעֲצוֹתָם, מוֹעֲצוֹתֵיהֶם : 1. **Ratschlag** *counsel* Pr 22, 20 Hi 29, 21; 2. **Plan** *device* Ir 7, 24 Mi 6, 16 Ps 5, 11, cj 10, 10 (בְּמוֹעֲצֹתָיו), 81, 13 Pr 1, 31. †

מוּעָקָה : unerklärt *unexplained* Ps 66, 11. †

מוּפָז : *F* פזז.

מוֹפֵת : Etym. ?; mhb. מוֹפְתָא : sf. מוֹפְתֵכֶם, pl. מוֹפְתִים, מֹפְתִים, sf. מוֹפְתַי : **Wahrzeichen** *sign, token* (27 × τέρας), gegeben durch *given by*: Menschen *man* Hs 12, 6. 11 24, 24. 27 Ps 71, 7, Himmelserscheinung *phenomenon on heaven* Jl 3, 3; // אוֹת Ex 7, 3 Dt 6, 22 13, 2 f 26, 8 28, 46 34, 11 Js 8, 18 20, 3 Ir 32, 20 f Ps 78, 43 135, 9 Ne 9, 10, // אוֹת u. מַסָּה Dt 4, 34 7, 19 29, 2, // נִפְלָאָה u. מִשְׁפָּטִים Ps 105, 5 1 C 16, 12; נָתַן מוֹפֵת W. geben *give a token* Ex 7, 9 2 C 32, 24, W. anbieten *offer a token* Dt 13, 2, W. anzeigen *announce a token* 1 K 13, 3. 5; דִּבֶּר מוֹפֵת W. ansagen *announce a token* 1 K 13, 3; אַנְשֵׁי מוֹפֵת M., die e. Wahrzeichen darstellen *men representing a token* Sa 3, 8; *F* Ex 4, 21 11, 9 2 C 32, 31.†

I **מוֹצָא, מֹצָא**: יצא; mhb.; EA *mūṣu* (Sonnen)-aufgang, Erzeugnis (*sun*)*rise, product* (= ak. *ṣīt* צֵאת): cs. מוֹצָא, pl. cs. מוֹצָאֵי, sf. מוֹצָאֲךָ, מוֹצָאָיו, מוֹצָאֵיהֶן: 1. **Ausgangsort** *issue*: מַיִם 2 K 2, 21 Js 41, 18 58, 11 Ps 107, 33. 35 2 C 32, 30, שֶׁמֶשׁ Ps 19, 7 75, 7 (= **Osten** *east* :: מַעֲרָב); **Fundort** *place where is found*: כֶּסֶף Hi 28, 1; 2. **Ausgang** *way out, exit* (:: מוֹבָא Hs 43, 11) Hs 42, 11 43, 11 44, 5; für Wanderungen *for travels*: Ausgangspunkt *place of departure* Nu 33, 2; 3. **Äusserung** *utterance*: דָּבָר Nu 30, 13 Dt 23, 24 Ir 17, 16 Ps 89, 35 Da 9, 25 Dt 8, 3 Si 39, 17; 4. d. Vorgang des Ausgehns, **Aufbruch** *the going* (*coming*) *forth, rise*: בֹּקֶר וָעֶרֶב Ps 65, 9, יהוה Ho 6, 3; 2 S 3, 25; > **Einfuhr** (v. Pferden) *import* (*of horses*) 1 K 10, 28 2 C 1, 16; 1 כְּמוֹצָאֵי Hs 12, 4, 1 מְצִיָּה Hi 38, 27; *F* II מוֹצָא; *מוֹצָאָה.†

II **מוֹצָא**: = I (Ps 19, 7): n. pr. 1. 1 C 8, 36 f 9, 42 f; 2. 2, 46.†

***מוֹצָאָה**: יצא: 1. pl. sf. מוֹצָאֹתָיו: pl. tant. **Ursprung** *origin* Mi 5, 1; 2. pl. מֹצָאוֹת 2 K 10, 27 Q (K מַחֲרָאוֹת), cf. مَتَوَضَّأ **Abtritt** *privy*.†

I **מוּצָק**: יצק: (Metall-) **Guss** *casting* (*of metal*) 1 K 7, 37 Hi 38, 38; Si 43, 4; *F* *מוּצָקָה.†

II **מוּצָק**: צוק: **Bedrängnis** *constraint* Js 8, 23 Hi 36, 16 37, 10.†

***מוּצָקָה**: f. v. I מוּצָק: sf. מוּצַקְתּוֹ, pl. מוּצָקוֹת: 1. **Guss** *casting* 2 C 4, 3; 2. pl. (Giess-) **Röhren** (*pouring*) *pipes* (:: Möhlenbrinck ZDP 52, 285: (Lampen) **Schnauzen** *spouts of lamps*, v. צוק) Sa 4, 2.†

מוק: impf. יָמִיקוּ Ps 73, 8, 1 יַעֲמִיקוּ.†

מוֹקֵד: יקד: pl. cs. מוֹקְדֵי: **Feuerstelle** *hearth* Lv 6, 2 (1 sg. sf. מוֹקְדָה) Js 33, 14 Ps 102, 4.†

מוֹקְדָה Lv 6, 2: *F* מוֹקֵד.†

מוֹקֵשׁ, מֹקֵשׁ: יקשׁ; mhb.; Gehman JBL 56, 277 ff: pl. מוֹקְשִׁים, מֹקְשׁוֹת, cs. מוֹקְשֵׁי, מֹקְשֵׁי: **Stellholz** (d. Vogelstellers), **Falle** *bait, lure* (*of fowler*), *bird-trap* Am 3, 5 Ps 64, 6, cj מוֹקְשֵׁי 73, 17 141, 9 Pr 18, 7 20, 25 22, 25; שַׁת מ׳ לְ Ps 140, 6, נָתַן מ׳ Pr 29, 25; הָיָה לְמ׳ לְ zum Fallstrick werden für *be a snare unto* Ex 10, 7 23, 33 34, 12 Dt 7, 16 Jd 2, 3 8, 27 1 S 18, 21 Ps 69, 23 106, 36 Jos 23, 13 Js 8, 14, cj Ir 3, 3 (1 וּלְמ׳ לָךְ הָיוּ); מֹקְשֵׁי־מָוֶת (Scheft., Schlingenmotiv 10) 2 S 22, 6 Ps 18, 6 Pr 13, 14 14, 27, cj 21, 6; 1 Pr 12, 13 u. 29, 6 נוֹקֵשׁ ut 6, 2; ? Hi 34, 30 u. 40, 24.†

מוֹר: *F* מֹר.

מור: mhb. hif., ja. af. vertauschen *change*; מיר Getreide einhandeln *buy food*; مار (j) Getreide einführen *procure, import food*; ak. *māru* (*mjr*) Zimm. 17:

hif: pf. הֵמִיר (pro הַהֵימִיר 1 הֲיָמִיר Ir 2, 11), impf. יָמִיר, יָמֵר, יָמֵר, אָמִיר, וַיְמִירוּ, sf. יְמִירֶנּוּ, inf. הָמֵר: **vertauschen** *exchange*, c. בְּ

gegen *for* Lv 27, 10. 33 Ir 2, 11 Hs 48, 14 (l יָמִרוּ) Ho 4, 7 Ps 106, 20, ändern *alter* 15, 4; l יָמַד Mi 2, 4, l בְּהָמִישׁ Ps 46, 3; cj [קָלוֹן] מְמִירִים eintauschen *barter* Pr 3, 35; †
nif: pf. נָמַר: **sich ändern** *be changed* Ir 48, 11. †
Der. תְּמוּרָה.

מוֹרָא, מֹרָא: ירא; mhb., ja. מוֹרָאָה: sf. מוֹרָאוֹ, מוֹרַאֲכֶם, pl. מוֹרָאִים: 1. c. sf. **Furcht** vor *fear of* Gn 9, 2 Dt 11, 25 Js 8, 12 Ma 1, 6 (יהוה); 2. **Furcht**, die man empfindet *fear which one feels* Js 8, 13 (ist *is* יהוה); 3. **Schrecken** (den J. erregt) *awe* (*inspired by* יהוה) Dt 26, 8 34, 12 Ir 32, 21, pl. Dt 4, 34; 4. **Ehrfurcht** *reverence* (vor *of* יהוה) Ma 2, 5; ? Ps 76, 12. †

מוֹרַג (Var. מוֹרָג): mhb., ja.; südar. نَوْرَج, modern مورج: pl. מוֹרַגִּים, מֹרִגִּים: **Dreschschlitten** (schwere Holzplatte, vorn nach oben gekrümmt, unten mit vorstehenden Steinen oder Schneideisen besetzt) *threshing-sledge heavy wooden slab, turned up in front, set with sharp stones or pieces of iron*) BRL 137 ff: Js 41, 15, pl. 2 S 24, 22 1 C 21, 23. †

מוֹרָד: ירד; mhb.: cs. מוֹרַד: **Berghang, Abhang** *slope, descent* Jos 7, 5 10, 11 Ir 48, 5 Mi 1, 4; l מוֹרָד 1 K 7, 29. †

cj ***מוֹרָד**: רדד, cf. מֹרֶךְ v. רכך: מַעֲשֵׂה מ׳ **Punzwerk** *punch-work* (*metal*) cj 1 K 7, 29. †

מוֹרֶה: pt. hif. III ירה: pl. sf. מוֹרֶיךָ, מוֹרָי: **Lehrer** *teacher* Js 30, 20 Pr 5, 13 Hi 36, 22; l יוֹרֶה (34 MSS) Jl 2, 23; ? Ps 84, 7; in n. l.: c. אֵלוֹן Gn 12, 6, c. אֵלוֹנֵי Dt 11, 30, c. גִּבְעַת Jd 7, 1. †

I **מוֹרָה**: < *מַעֲרָה, I ערה; mhb.: **Schermesser** *razor* Jd 13, 5 16, 17 1 S 1, 11. †

II **מוֹרָה** Ps 9, 21: l מֹאֲרָה. †

I **מוֹרָשׁ**: ירשׁ: cs. מוֹרַשׁ: **Besitztum** *possession* Js 14, 23; l מוֹרִישֵׁיהֶם Ob 17; F מוֹרָשָׁה. †

II ***מוֹרָשׁ**: *ארשׁ: pl. cs. מוֹרָשֵׁי: **Wunsch** *desire* Hi 17, 11. †

מוֹרָשָׁה: f. v. I מוֹרָשׁ: **Erwerb, Besitz** *possession* Ex 6, 8 Dt 33, 4 Hs 11, 15 25, 4. 10 33, 24 36, 2 f. 5. cj 5. †

מוֹרֶשֶׁת גַּת: n. l.; = מו׳ bei *near* גַּת: = *T. ed-Ǧudēde* ZDP 57, 167 ff: Mi 1, 14; F מוֹרַשְׁתִּי, מֹרַשְׁתִּי. †

מֹרַשְׁתִּי, מוֹרַשְׁתִּי: gntl. v. מוֹרֶשֶׁת גַּת: Ir 26, 18 Mi 1, 1. †

I **מוּשׁ**: NF v. משׁשׁ:
qal: impf. sf. אֲמֻשְׁךָ: **betasten** *feel* Gn 27, 21; †
hif: impf. יָמֵשׁ, יְמִישׁוּן, imp. sf. הֲמִשֵׁנִי Jd 16, 26 Q (K הֵימִשֵׁנִי wie *as* v. *ימשׁ): 1. **betasten lassen** *let feel, touch* Jd 16, 26; 2. **betasten, greifen können** *be able to feel, seize* Ex 10, 21 Ps 115, 7. †

II **מוּשׁ** u. **מִישׁ**: mhb.:
qal: pf. מָשׁ, מַשְׁתִּי, מָשׁוּ, impf. יָמוּשׁ, תָּמֹשׁ, תָּמוּשׁ, יָמֻשׁוּ u. יָמִישׁ Ex 13, 22, תָּמִישׁ K Pr 17, 13: **von der Stelle weichen** *depart, be removed* (*from its given place*): עַמּוּד הֶעָנָן Ex 13, 22, סֵפֶר Jos 1, 8, יָתֵד Js 22, 25, יְהוֹשֻׁעַ (פֶּסֶל) אֶל 46, 7, הָרִים 54, 10 Sa 14, 4, מַלְאַךְ יהוה Ex 33, 11, אֲרוֹן ומֹשֶׁה Nu 14, 44, הַחֻקִּים Jd 6, 18, חַסְדִּי Js 54, 10, דְּבָרַי 59, 21, Ir 31, 36, טֶרֶף Na 3, 1, מִרְמָה Ps 55, 12, רָעָה Pr 17, 13; c. מִן c. inf. **davon ablassen zu...** *cease from* Ir 17, 8; l ומחיתי Sa 3, 9; †
hif: impf. אָמִישׁ, תָּמִישׁוּ, cj inf. הָמִישׁ Ps 46, 3: 1. **weichen lassen** *let depart* Hi 23, 12 (l לֹא), cj Ps 46, 3; 2. **entfernen** *remove* Mi 2, 3; l מֵשִׁיב Mi 2, 4. †

מוֹשָׁב: ישׁב; mhb., ja. מוֹתְבָא; מיתב CIS 2, 114[1], 117 (ar.-aram.); nab. מותב; ug. *mṯb*, pl. *mṯbt*; asa. מותב: cs. מוֹשַׁב, sf. מוֹשָׁבִי, מוֹשָׁבֶךָ, pl. cs. מוֹשְׁבֵי, sf. מוֹשְׁבֹתָם, מֹשְׁבֹתָם, מוֹשְׁבֹתֵיכֶם: 1. **Sitz, Sitzplatz** *seat* 1 S 20, 18. 25 Ps 1, 1 107, 32 Hi 29, 7 Si 7, 4, מוֹשַׁב אֱלֹהִים Göttersitz *seat of the gods* Hs 28, 2; **Sitzordnung** *sitting* 1 K 10, 5 2 C 9, 4: מ׳ עִיר **Lage** e. Stadt *situation of a city* 2 K 2, 19; 2. **Wohnsitz** *dwelling-place* Gn 10, 30 27, 39 36, 43 Nu 24, 21 35, 29, pl. Ex 10, 23 12, 20 35, 3 Lv 3, 17 7, 26 23, 3. 14. 17. 21. 31 Nu 15, 2 31, 10 Hs 6, 6. 14 34, 13 1 C 4, 33 6, 39 7, 28; **Wohnstätte** *dwelling* Hs 48, 15; 3. **Aufenthaltsort** *dwelling* Lv 13, 46 Ps 132, 13 (Gottes *of God*); 4. > **Aufenthaltszeit** *sojourning* Ex 12, 40; 5. **Standplatz** *stand* Hs 8, 3; 6. בֵּית מוֹשָׁב **Wohnhaus** *dwelling house* Lv 25, 29, עִיר מוֹשָׁב **bewohnte Stadt** *city of habitation* Ps 107, 4. 7. 36; 7. כָּל־מוֹשַׁב בַּיִת **alle Hausgenossen** *all living in the (same) house* 2 S 9, 12; l מְשׁוּבוֹתֵיהֶם Hs 37, 23.†

מוּשִׁי u. **מֻשִׁי** 1 C 6, 4: asa. מות Ryck. 2, 83: 1. n. m. Ex 6, 19 Nu 3, 20 1 C 6, 4. 32 23, 21. 23 24, 26. 30; 2. gntl. v. 1. Nu 3, 33 26, 58.†

מוֹשְׁכוֹת: משׁך: pl. tant.: unerklärte Erscheinung am Sternbild des *unexplained phenomenon in the constellation of* כְּסִיל: Hi 38, 31.†

מוֹשָׁעוֹת: ישׁע: **Hilfeerweisungen** *saving acts* Ps 68, 21.†

מוּת: Sem.; ug. *mt*; **F** ba.; äg. *mwt*:

qal: pf. מֵת, מֵתָה, מֵתָה, מֵתִי, מֵתוּ, מַתְנוּ, impf. יָמוּת, יָמֹת, וַיָּמָת, תָּמוּת, וַתָּמָת, מָתְנוּ, יוּמַת, תְּמוּתֶינָה, תְּמֻתוּן, יָמֻתוּ, אָמוּתָה, אָמוּת, l יָמוּת Pr 19, 16, inf. מוֹת, לָמוּת, sf. מוֹתִי, מֻתְךָ, imp. מֻת, pt. מֵת, sf. מֵתִי, pl. מֵתִים, cs. מֵתֵי, sf. מֵתֶיךָ: 1. **sterben** *die*: natürlicher Tod *of natural causes* Gn 5, 8 1 C 29, 28 Js 66, 24 (Tier *animal*) Hi 14, 8 (Pflanze *plant*) 12, 2 (חָכְמָה); gewaltsamer Tod *die by violence* Hi 1, 19, v. Todesstrafe *of penalty* Dt 19, 12, מֵת בַּחֶרֶב Ir 11, 22, מֵתֵי מִלְחָמָה Js 22, 2, מֵת בָּרָעָב Ir 11, 22, מֵת בַּעֲוֹנוֹ 31, 30; מֵת תַּחְתָּיו starb auf dem Platz, an Ort u. Stelle *died on the spot* 38, 9; מוֹת תָּמוּת du stirbst unbedingt *unquestioningly you die* Gn 2, 17; 2. pt. מֵת: sterbend *dying* Gn 20, 3, gestorben *dead* Dt 25, 5, einer, der sterben wird *one who will die* 4, 22, totgeboren *still-born* Nu 12, 12, Leiche, Toter (Frau) *a dead one (woman)* Gn 23, 3 ff; volkstümlich *popular saying*: פִּגְרִים מֵתִים 2 K 19, 35 Js 37, 36; זִבְחֵי מֵתִים Totenopfer *sacrif. of the dead* Ps 106, 28; Ps 9, 1 48, 15 **F** עֲלָמוֹת;

pilp†: pf. מֹתַתִּי, sf. מוֹתְתָנִי, impf. תְּמוֹתֵת, cj תְּמוֹתֵתְנָה Hs 13, 18 pro תְּצוֹדֵדְנָה, אֲמוֹתְתֵהוּ, imp. sf. מֹתְתֵנִי, מוֹתְתֵנִי, pt. מְמוֹתֵת: 1. **vollends töten, den Todesstoss geben** *kill definitely, put to death* Jd 9, 54 1 S 14, 13 17, 51 2 S 1, 9 f. 16; 2. **umbringen** *slay* Ir 20, 17 Ps 34, 22, cj Hs 13, 18; l לָמוּת Ps 109, 16;

hif: pf. הֵמִית, הֵמַתָּה, הֵמַתִּי, הֵמִיתוּ, הֲמִתֶּן, sf. הֱמִיתָךְ, הֱמִיתָנִי, הֱמִיתוֹ, הֱמִיתַתְהוּ, הֱמִיתָהּ, יְמִיתֵנוּ, impf. יָמִית, וַיָּמֶת, וַיְמִתֵהוּ, sf. הֲמִיתֵהוּ, תְּמִיתֵהוּ, נְמִיתֵם, אֲמִיתֶךָ, אֲמִיתֵךְ, תְּמִיתֵנוּ, וַיְמִיתֵם, inf. הָמֵת, הָמִית, sf. הֲמִיתוֹ, הֲמִיתָם, imp. הֲמִיתֵנִי, sf. הֲמִיתוּ, pt. מֵמִית, מְמִיתִים: 1. **töten** *kill*: subj. Menschen *men* Gn 37, 18 Ex 1, 16, Tiere *beasts* Ex 21, 29 1 K 13, 24, Gott *God* Gn 18, 25 38, 7 Ex 4, 24 Nu 14, 15 Dt 32, 39 1 S 2, 6 2 K 5, 7 Js 11, 4, אֲרוֹן הָאֱלֹהִים 1 S 5, 10 f; Fluchformel *formula of curse*: הֱמִיתְךָ יהוה Js 65, 15; subj. קִנְאָה Hi 5, 2, cj הֲמִיתֵם pro מְמֹתִים[1] Ps 17, 14; 2. **hinrichten lassen** *have put to death* 2 K 14, 6 Est 4, 11; den Tod bringen *cause to die* Pr 21, 25; l לְמוֹ מֵתִים Hi 33, 22;

hof: pf. הוּמַת, הֻמְתוּ, impf. יוּמַת, יוּמָת,

51, 94—96: in n. m. אֲחִימוֹת, n. l. חֲצַרְמָוֶת; F מָוֶת 4.

מוֹתָר: יתר; ja; מוֹתְרָא: cs. מוֹתַר: Vorteil, Vorzug *advantage, superiority* Pr 14, 23 u. 21, 5 (:: מַחְסוֹר) Ko 3, 19. †

מִזְבֵּחַ: זבח; mhb., ja. u. sy. מַדְבְּחָא; ph. מזבח; مذبح, asa. מדבח: cs. מִזְבַּח, sf. מִזְבְּחִי, loc. מִזְבֵּחָה, pl. מִזְבְּחֹת, sf. מִזְבְּחֹתָיו, מִזְבְּחֹתֶיךָ, מִזְבְּחוֹתֵיהֶם, מִזְבְּחֹתָו 2 C 34, 5 K מִזְבְּחוֹתִים l Q מִזְבְּחוֹתָם; 396 × (Ex 58, Lv 87, Nu 29, 1 K 35, 2 K 27, Js 8, Ir 4, Hs 18, Ps 5, 2 C 38 ×): Stelle, wo d. זֶבַח vollzogen wird *place where* זֶבַח *is done* > allgemein *in general*: Altar *altar*: aus Erde *of earth* Ex 20, 24, aus Steinen *of stones* 20, 25 27, 5 Dt 27, 5. f Jos 8, 31 Js 27, 9, aus *of* נְחֹשֶׁת Ex 38, 30, aus *of* זָהָב 39, 38; עָשָׂה מ׳ בָּנָה מ׳ Gn 8, 20, 13, 4, הִצִּיב מ׳ 33, 20, קִדֵּשׁ מ׳ Ex 29, 44, חִטֵּא מ׳ הֵקִים מ׳ Nu 23, 4, עָרַךְ מ׳ 2 S 24, 18, Lv 8, 15, דִּשֵּׁן מ׳ Nu 4, 13, רִפָּא מ׳ 1 K 18, 30, הָרַס מ׳ 2 C 15, 8, טִמֵּא מ׳ 2 K 23, 16, חִדֵּשׁ מ׳ 1 K 19, 10, קָרַע מ׳ 13, 3; מְקוֹם c. מִזְבֵּחַ Gn 13, 4, כַּרְכֹּב Ex 27, 5, צֵלָעֹת 27, 7, קַרְנֹת u. אֵשׁ 1, 15, קִיר Lv 1, 11, יָרֵךְ 29, 12, יְסוֹד 6, 2; מ׳ לַיהוה Gn 8, 20 Dt 27, 5, מִזְבַּח יהוה Lv 17, 6 Dt 12, 27 16, 21 26, 4 27, 6 Jos 9, 27 22, 19. 28 f 1 K 8, 22. 54 18, 30 2 K 23, 9 Ma 2, 13 Ne 10, 35 2 C 6, 12 8, 12 15, 8 29, 19. 21 33, 16 35, 16, מ׳ אֱלֹהִים Ps 43, 4, מ׳ אֱלֹהֵי יִשְׂרָאֵל Esr 3, 2; nichtisraelitische Altäre *altars of Non-Israelites* Ex 34, 13 Nu 23 Dt 7, 5 12, 3 Jd 2, 2 1 K 16, 32 2 K 16, 10 2 C 14, 2; מ׳ הַבַּעַל Jd 6, 25. 28. 30, מִזְבְּחוֹת 2 C 34, 4, מִזְבְּחוֹת הַנֵּכָר 14, 2; מִזְבֵּחַ הַבְּעָלִים c. הָעֹלָה Ex 30, 27 1 C 6, 34 28, 18, c. קְטֹרֶת Ex 30, 28 1 C 6, 34 16, 40 21, 26. 29 2 C 29, 18; c. עָשָׂה עַל מ׳ herrichten auf *prepare, offer upon* Ex 29, 38, c. זָרַק 29, 16, c. כִּפֵּר

מוּמָתִים: מוּמָת, pt. יוּמָתוּ, יוּמַתוּ, וְהוּמַת, 1. getötet werden *be killed, put to death*: Ex 21, 29 (שׁוֹר) 35, 2 Lv 19, 20 24, 16. 21 Nu 1, 51 3, 10. 38 18, 7 Dt 13, 6 17, 6 21, 22 Jos 1, 18 Jd 6, 31 1 S 11, 13 19, 6. 11 20, 32 2 S 19, 22 f 21, 9 1 K 2, 24 2 K 11, 8. 15 f. cj 2 14, 6 Ir 38, 4 Pr 19, 16 K 2 C 15, 13 23, 7. 14; pt. pl. die getötet werden sollten *who were to be killed* 2 K 11, 2 Q 2 C 22, 11; 2. (מוֹת יוּמַת) d. Tod erleiden, mit d. Tod büssen *be put to death* Gn 26, 11 Ex 19, 12 21, 12. 15—17 22, 18 31, 14 f Lv 20, 2. 9—13. 15 f. 27 24, 16 f 27, 29 Nu 15, 35 35, 16—18. 21. 31 Jd 21, 5; l יָמוּת Hs 18, 13.

Der. מָוֶת*, מְמוֹתִים, תְּמוּתָה.

מָוֶת: מות: cs. מוֹת (oder *or* inf. cs. v. מות!), sf. מוֹתוֹ, מֹתוֹ, pl. cs. מוֹתֵי, sf. מֹתָיו: 1. Tod, Sterben *death* Gn 21, 16 1 S 15, 32, מָוֶת וְחַיִּים Pr 18, 21, אֲבַדּוֹן וָמָוֶת Hi 28, 22, הַמָּוֶת :: הַחַיִּים Dt 30, 15; וּמְשַׁכֶּלֶת 2 K 2, 21, בֶּן־מָוֶת d. Tod verfallen *destined for death* 1 S 20, 31, pl. 26, 16, אִישׁ מָוֶת hat d. T. verdient *deserves death* 1 K 2, 26, pl. 2 S 19, 29; יוֹם מוֹת c. Gn 27, 2, c. מִשְׁפַּט Dt 19, 6, c. מֹקְשֵׁי 22, 26, c. מְהוּמַת 1 S 5, 11, c. חֵטְא 2 S 22, 6, c. דֶּרֶךְ Ir 21, 8, c. כְּלֵי Ps 7, 14, c. חֶבְלֵי 18, 5, c. עָפָר 22, 16, c. אֵימוֹת 55, 5, c. מַלְאֲכֵי Pr 16, 14, etc.; לְקֻחִים לַמָּוֶת Pr 24, 11, הֲרֻגֵי מָוֶת Ir 18, 21, בִּלַּע הַמָּוֶת Js 25, 8; זְבוּבֵי מָוֶת tödliche, giftige Fl. *lethiferous, poisonous fl.* (זְבוּב מֵת?) Ko 10, 1; 2. Sterben, Pest *death, plague* Ir 15, 2 18, 21 43, 11 Th 1, 20 (l מָוֶת); 3. בְּכוֹר מָוֶת (F Hölscher) Hi 18, 13; pl. מוֹתֵי עֲרֵלִים d. Tod der *the death of*... Hs 28, 10, בְּמֹתָיו Js 53, 9; 4. שְׁאוֹל//מָוֶת: Totenreich *realm of the dead*: F מות* Js 28, 15 38, 18, שַׁעֲרֵי מָוֶת Ps 9, 14 107, 18 Hi 38, 17, חַדְרֵי מָוֶת Pr 7, 27; l מַיִם 2 S 22, 5.

מות*: ug. *mt* Gott *god* Mōt; H. Bauer, ZAW

29, 37, c. הָעֲלָה Lv 2, 12, c. קָרֵב Lv 9, 7, c. הִקְרִיב לִפְנֵי Nu 7, 10, c. הִקְטִיר Lv 9, 13, c. נִגַּשׁ 21, 23, c. הִגִּישׁ עַל Ma 1, 7, c. עָמַד עַל stehen vor *stand by* 1 K 13, 1, c. פָּסַח עַל 18, 26, c. סוֹבֵב Ps 26, 6; F חֲנֻכָּה, מִשְׁמֶרֶת, לִדְבִיר, זָוִית, שָׁרֵת, צִפּוּי, תַּבְנִית; Altar *altar* 1 K 6, 22, עַל־הַגַּג 2 K 23, 12.

***מֶזֶג**: mhb., ja. מִזְגָא; palm. ממזגנא Mundschenk (Mischer) *cup bearer (mixer)* Sy. 7, 129; ak. *mazāqu* schlürfen *sip*, *munziqu* heller Wein *clear wine*; aram. מְזַג (Wein) mischen (würzen) *mix (spice) (wine)*: מֶזֶג **Mischwein, Würzwein** *mixed, spiced wine*: Ct 7, 3.†

***מָזֶה**: *מזה; مَزَّ aussaugen *suck out*: cs. מְזֵה (1 MS), pl. cs. מְזֵי (מְזֵה) רָעָב: מְזֵי vom Hunger **entkräftet** *empty from hunger* Dt 32, 24, cj Js 5, 13.†

מַזֶּה, < מַה־זֶּה Ex 4, 2.

מִזָּה: n. m.; Μοζε; ZAW 44, 87: Gn 36, 13 1 C 1, 37.†

***מָזו**: pl. sf. מְזָוֵינוּ Ps 144, 13; Sinn **Speicher** *meaning garner*; aber *but* Etym.? *זוה = زوى auf die Seite legen *put aside*? Haupt AJS 26, 10 f l מְזוּדֵינוּ cf. مِزْوَد lederner Beutel für Vorräte *leathern pouch for provisions*; Wellhausen l מְזוֹנֵינוּ F מָזוֹן.†

מְזוּזָה, מְזֻזָה: ak. *manzāzu*, *mazazu*: cs. מְזוּזַת, sf. מְזוּזָתִי, pl. מְזוּזוֹת: **Türpfosten** *door-post* Ex 12, 7. 22 f 21, 6 Dt 6, 9 11, 20 Jd 16, 3 1 S 1, 9 1 K 6, 31. 33 Js 57, 8 Hs 41, 21 43, 8 45, 19 46, 2 Pr 8, 34; cj מְזוּזוֹת רְבֻעוֹת 1 K 6, 33, l וְהַמֶּחֱזוֹת 7, 5.†

מָזוֹן: זון; F ba.: **Speise** *food* Gn 45, 23 2 C 11, 23, cj מָזוֹן עַל־מָזוֹן (u. מְזוֹנֵינוּ) Ps 144, 13.†

I מָזוֹר: מזר, مَذَرَ, ܡܙܪ verfaulen *putrify*: sf. מְזֹרוֹ: **Eiterwunde, Geschwür** *ulcer, boil* Ir 30, 13 Ho 5, 13.†

II מָזוֹר: unerklärt *unexplained* Ob 7 (Epstein u. Peiser OLZ 20, 274—8; ak. *mazūru* Walkerstock *fuller's stick*).†

I מֵזַח: äg. *mdḥ* Schiffe zimmern *build ships*; *mdḥ.t* Zimmerwerk *carpenter's work* EG 2, 190 f: **Werft** *shipyard* Js 23, 10; F *מָחוֹז.†

II מֵזַח: äg. *mdḥ* in *ts mdḥ* d. Gürtel umbinden = mannbar werden *put on the girdle = have attained puberty* EG 2, 189; ak. *meziḫu*, *mezaḫ*, Gürtel, حِزَام: **Gürtel** *girdle*, מֵזַח תָּמִיד (d. ar. *barīm*, e. Ledergürtel, beständig u. auf blossem Leib getragen *a leathern girdle worn always on the bare skin*, J. J. Hess ZAW 35, 131): Ps 109, 19; F מְזִיחַ.†

מְזִיחַ: = II מֵזַח: **Gürtel** *girdle* Hi 12, 21.†

מַזְכִּיר: F זכר hif.

***מַזְלֵג**: זלג; mhb. מַזְלֵג Gabel *fork*; زَلَجَ gleiten *glide*, مِزْلاج Türriegel *sliding bolt*: pl. מִזְלָגוֹת, מִזְלָגֹת, sf. מִזְלְגֹתָיו: **Fleischgabel** *fork* Ex 27, 3 38, 3 Nu 4, 14 1 C 28, 17 2 C 4, 16; F מַזְלֵג.†

מַזְלֵג: = *מַזְלֵג: **Fleischgabel** *fork* 1 S 2, 13 f.†

מַזָּלוֹת: ak. *manzastu* > *manzaltu* Mondphase *phase of the moon* v. *nazāzu* sich stellen *station*; G μαζουρωθ = מַזָּרוֹת Hi 38, 32; Berakhot 32 b u. Šabbat 75 a: מַזָּל Sternbild des Tierkreises > Schicksal *constellation of the zodiac* > *fate*, ph. CIS 1, 95 למזל נעם ἀγαθῇ τύχῃ; ja. מַזָּלָא Glücksstern *star of fortune*, Schicksal *fate*; ܡܘܠܬܐ Tierkreis *zodiac*: **Tierkreisbilder** *constellation of the zodiac* 2 K 23, 5.†

מְזִמָּה: I זמם: (הַמְזִמָּתָה Ir 11, 15), sf. מְזִמָּתוֹ, מְזִמּוֹת, sf. מְזִמּוֹתָיו: 1. **Sinnen, Plan**, *purpose, device*, v. Menschen *of man* Pr 5, 2, cj מְזִמֹּתָם Js 5, 12, v. יהוה Ir 23, 20 30, 24 51, 11 Hi 42, 2; 2. **böser Plan, Anschlag** *evil device* Ir 11, 15 (l מְזִמָּה, עָשָׂה ausführen *carry out*); 3. **Ränke** *evil thoughts* Ps 10, 2. 4 21, 12 37, 7 Pr 12, 2 24, 8 Hi 21, 27; לִמְזִמָּה ränkevoll *wickedly* Ps 139, 20; 4. **Besonnenheit** *discretion* Pr 1, 4 2, 11 3, 21 8, 12 14, 17 Si 44, 4.†

מִזְמוֹר: I זמר; ʿöteb. *el-mizmāre* kleine Pfeifen aus *Asphodelus tennifolius* oder *Cladium mariscus small pipes made of Asphodelus tennifolius or Cladium mariscus*, J. J. Hess: 1. Lied *song* Si 49, 1; 2. > (techn.) **Psalm** *psalm*: v. *of* Ps 3—6. 8 f. 12 f. 15. 19—24. 29—31. 38—41. 47—51. 62—68. 73. 75—77. 79 f. 82—85. 87—88. 92. 98. 100 f. 108—110. 139—141. 143 Si 44, 5.†

***מַזְמֵרָה**: II זמר: pl. מַזְמֵרוֹת, sf. מַזְמְרוֹתֵיכֶם: **Winzermesser** *pruning-knife* Js 2, 4 Mi 4, 3 Js 18, 5 Jl 4, 10.†

***מְזַמֶּרֶת**: II זמר: pl. מְזַמְּרוֹת: **Lichtscheere** *snuffers* 1 K 7, 50 2 K 12, 14 25, 14 Ir 52, 18 2 C 4, 22.†

מִזְעָר: זער: **Kleinigkeit, ein wenig** *a trifle, a few* Si 48, 15 Js 10, 25 16, 14 29, 17, אֱנוֹשׁ מִזְעָר wenig M. *few men* 24, 6.†

cj I **מזר**: bab. מצר MGJ 1921, 361: ausdehnen *extend*; [Syriac] ausgedehnt *extended*: qal: pt. pass. f. מְזֹרָה: **ausspannen** (Netz) *spread (net)* cj Pr 1, 17.†

II **מזר**: I מָזוֹר.

III **מזר**: מַמְזֵר.

מִזְרֶה: I זרה: **Worfschaufel** *pitch-fork* BRL 139: Js 30, 24 Ir 15, 7.†

מַזָּרוֹת: Μαζουρωθ *lucifer* Tg שטרי מזליא; offenbar e. Gestirn *evidently a constellation*: Schiaparelli, Astronomie im AT 68—80 = Venus als Abend- u. Morgenstern *Venus the evening-star a. the morning-star*; Hölscher (Hiob S. 89 f) = Hyaden *hyades* (als Regensterne *bringing rain*); J. J. Hess (mündlich *orally*) = die südlichen Tierkreisbilder *the southern constellations of the zodiac*: Hi 38, 32; F מַזָּלוֹת.†

מִזְרָח: זרח; mhb.: cs. מִזְרַח, loc. מִזְרָ֫חָה, cs. מִזְרְחָה (BL 182. 527): Ort des Sonnenaufgangs *place of sunrise*: 1. מִזְרַח שֶׁמֶשׁ **Sonnenaufgang** *sunrise* Dt 4, 47 Jd 20, 43 Js 41, 25 45, 6 59, 19 Ma 1, 11 (:: מְבֹאוֹ) Ps 50, 1 113, 3, = מִזְרַח הַשֶּׁמֶשׁ Nu 21, 11 Jos 1, 15 13, 5 (. 8. 27. 32 16, 1. 5 f) 19, 12. 27. 34 2 K 10, 33, מִזְרְחָה הַשֶּׁמֶשׁ nach S. hin *towards sunrise* Jos 12, 1 Jd 21, 19, cj Dt 4, 41, = מִזְרָחָה Ex 27, 13 38, 13 Nu 2, 3 3, 38 32, 19 34, 15 Dt 3, 17, 27 4, 49 Jos 11, 8 12, 1. 3 18, 7 19, 13 20, 8 1 K 7, 25 Ir 31, 40 Sa 14, 4 1 C 9, 18 26, 14, עַד־מִזְרָח bis zum *unto* Am 8, 12; אֶרֶץ מִזְרָח Sa 8, 7; **Osten** *East* Jos 11, 3 17, 10 Js 41, 2 43, 5 46, 11 Da 8, 9 11, 44 Ps 103, 12 (:: מַעֲרָב) 107, 3 2 C 29, 4, מִזְרָח im Osten *in the East* Ne 12, 37, nach O. *towards E.* 1 C 9, 24, מִמִּזְרַח שֶׁמֶשׁ לְ östlich von *east of* Jd 11, 18, = מִזְרְחָה הַשֶּׁמֶשׁ לְ Jd 21, 19; מִזְרַח יְרִיחוֹ Ostseite v. Jer. *east border of Jer.* Jos 4, 19, מִמִּזְרַח יָנוֹחָה östlich nach J. hin *on the east of J.* 16, 6; שַׁעַר הַמִּזְרָח Osttor *east gate* Ne 3, 29, לַמִּזְרָח im Osten *toward the east* Ne 3, 26 1 C 5, 9 7, 28 12, 16 26, 17; מִזְרָח לְ östlich von *east of* 2 C 5, 12, = לְמִזְרַח 1 C 6, 63; עַד לְמִזְרַח bis östlich von *unto the east of* 1 C 4, 39, לַמִּזְרָחָה im O. *in the east* 2 C 31, 14; פְּנֵי מִזְרָח לְ die Ostseite von *the country east of* 1 C 5, 10.†

מְזָרִים: I זרה; pl. pt. pi: die zerstreuenden *the scatterers* (Qoran 51, 1); ebenso *the same* Kimchi (Gesenius, Thesaurus): רוּחוֹת נוֹשְׁבִים וּמְזָרִים: (die zerstreuenden, Kälte bringenden) **Nordwinde** *the (scattering) north-winds bringing cold* (:: AS 1, 15: die Hyaden *hyades*; F זֵרֶם) Hi 37, 9.†

***מִזְרָע**: זרע; ug. *mdrʿ*: cs. מִזְרַע: **Saatland** *seedland* Js 19, 7.†

מִזְרָק: I זרק; mhb.; äga. מזרקיא; Honeyman PEF 1939, 83 f: pl. מִזְרָקִים, cs. מִזְרְקֵי, מִזְרָקוֹת, sf. מִזְרְקֹתָיו: 1. **Weinschale** *bowl* Am 6, 6; 2. (metallne) **Sprengschale** *bowl (for tossing; of metal)* Ex 27, 3 38, 3 Nu 4, 14 7, 13—85 (14×) 1 K 7, 40. 45. 50 2 K 12, 14 25, 15 Ir 52, 18 f Sa 14, 20 Ne 7, 69 1 C 28, 17 2 C 4, 8. 11. 22; ? Sa 9, 15.†

***מֵחַ**: מחח: pl. מֵחִים: **Fettschafe** *fatlings* Ps 66, 15; l מְחִיִם (I מחה) Js 5, 17.†

מֹחַ: מחח; mhb. מוֹחַ, ja. מוֹחָא, ܡܘܚܐ; مخ; ug. *mḫ r3š* Gehirn *brain*: **Mark** *marrow* Hi 21, 24.†

I מחא: F ba. מחא; F II מחה:
qal: impf. יִמְחֲאוּ, inf. sf. מַחְאֲךָ: (in die Hände) **klatschen** (frohlockend) *clap (the hands, rejoicingly)* Js 55, 12 Hs 25, 6 Ps 98, 8.†

II מחא: מְמֻחָאִים Q Js 25, 6: F III מחה.

***מַחֲבֵא**: חבא: **Versteck** (vor d. Wind) *hiding-place (from wind)* Js 32, 2.†

מַחֲבֹאִים: חבא: pl.; **Verstecke** *hiding-places* אֲשֶׁר יִתְחַבֵּא שָׁם 1 S 23, 23.†

מְחַבְּרוֹת II חבר; pt. pi.: **Binder, Klammern** *binder, clamp* 1 C 22, 3 (aus Eisen *of iron*), 2 C 34, 11 (aus Holz *of wood*).†

מַחְבֶּרֶת: II חבר: מַחְבֶּרֶת, sf. מַחְבַּרְתּוֹ: 1. **Stelle, wo** 2 Stoffteile **zusammentreffen** *place of joining (of curtains, parts of dress)* Ex 28, 27 39, 20; 2. **Reihe** (v. Teppichen) *junction (of curtains)* Ex 26, 4 f 36, 11 f.†

מַחֲבַת: < *מַחְבַּתְתְּ, חבת, mhb.: (metallne) **Platte** (z. Rösten u. Backen) *griddle (of metal; for frying a. baking)* Lv 2, 5 6, 14 7, 9 Hs 4, 3 1 C 23, 29.†

מַחֲגֹרֶת: חגר: **Umgürtung** *girding* Js 3, 24.†

I מחה: mhb.; ph. מחי; محا:
qal: pf. מָחָה, מָחִיתָה, מָחִיתִי, impf. יִמְחֶה, וַיִּמַח Gn 7, 23, אֶמְחֶה, sf. אֶמְחֶנּוּ, inf. מְחָה, מְחוֹת, imp. מְחֵה, sf. מְחֵנִי, pt. מֹחֶה, cj pl. f. מֹחוֹת, cj pass. pl. מְחֻיִם Js 5, 17: 1. **abwischen** *wipe*: Mund *mouth* Pr 30, 20, Thränen *tears* Js 25, 8, Schüssel (Stadt) *dish (city)* 2 K 21, 13, Geschriebenes *written curse* Nu 5, 23; 2. **wegwischen, vertilgen** *blot out, exterminate*: Namen *name* Dt 9, 14 29, 19 2 K 14, 27 Ps 9, 6, Andenken *memory* Ex 17, 14 Dt 25, 19, Sünden *sins* Js 43, 25 44, 22 Ps 51, 3. 11, cj Ir 18, 23 (l תֶּמַח) u. Sa 3, 9 (l וּמָחִיתִי), Lebewesen *existing beings* Gn 6, 7 7, 4, cj 23; cj מְחֻיִם Vertilgte *exterminated ones* Js 5, 17; 3. **zu Grund richten** *destroy* Si 31, 1, cj Pr 31, 3 (l לְמֹחוֹת) u. Hi 12, 23 (l וַיִּמְחֵם);†
nif: pf. נִמְחוּ, impf. יִמָּחֶה, יִמַּח (BL 424), תִּמַּח, יִמָּחוּ: 1. **ausgewischt werden** *be blotted out*: Name *name* Dt 25, 6 Ps 109, 13; 2. **vertilgt werden** *be exterminated*: Lebewesen *existing beings* Gn 7, 23, Stamm *tribe* Jd 21, 17, Taten *acts* Hs 6, 6, Sünde *sin* Ps 109, 14 Ne 3, 37, Schande *dishonour* Pr 6, 33, Wohlverhalten *good conduct* Si 3, 14;†
hif: impf. apoc. תֶּמַח (BL 424): **tilgen lassen** *get blotted out* Ne 13, 14; l תִּמַּח Ir 18, 23, l לְמֹחוֹת Pr 31, 3.†

II מחה: = I מחא u. מחץ: qal: pf. מָחָה: c. עַל, stossen, treffen auf *strike upon* Nu 34, 11.† Der מְחִי.

III מחה: NF v. *מחח: pu: pt. pl. שְׁמָנִים מְמֻ׳: מְמֻחָים: mit Mark gewürzte Fettspeisen *fat dishes filled with marrow* (AS 6, 89) Js 25, 6.†

מְחוּגָה: חוג: Zirkel *circle-instrument, compass* Js 44, 13.†

*מָחוֹז: ak. *maḫāzu* Stadt *city*, > mhb., ja., palm., מְחוֹזָא: cs. מְחוֹז: 1 מַחֲזֶה Metathesis v. *of* מֵזַח: Werft *shipyard* Ps 107, 30.†

מְחוּיָאֵל: n. m.; (II מחה =) I מחא u. אֵל; = מְחִיָּיאֵל: Gn 4, 18.†

מַחֲוִים: gntl.; *Mahumites*; 1 מַחֲנִי?: 1 C 11, 46.†

I מָחוֹל: חול: cs. מְחוֹל, sf. מְחוֹלֵנוּ: (Tanzplatz >) **Reigentanz** (*place of dancing* >) *round dance* Ir 31, 13 Ps 30, 12 149, 3 150, 4 Th 5, 15; יצא במ׳ Ir 31, 4; F II מָחוֹל u. מְחֹלָה.†

II מָחוֹל: n. m.; = I: 1 K 5, 11.†

*מַחַז: F מָחוֹז.

מַחֲזֶה: חזה: cs. מַחֲזֵה: **Gesicht, Erscheinung** *vision* Gn 15, 1 Nu 24, 4. 16 Hs 13, 7.†

מֶחֱזָה: חזה: **Lichtöffnung** *opening for light* 1 K 7, 4, cj pl. מֶחֱזוֹת 5; 1 פֶּתַח 7, 5. 5.†

מַחֲזִיאָה: חזה: pl. מַחֲזִיאֹת: **Gesicht, Erscheinung** *vision*; in MT n. m!: 1 C 25, 4.† Der. מַחֲזִיאוֹת n. m.

מַחֲזִיאוֹת: מַחֲזִיאָה: n. m. 1 C 25, 30.†

*מחח: ak. *muḫḫu* Hirn *brain*, ph. מח fett sein *be fat*; F מֹחַ, III מחה, *מֵחַ.

מְחִי: II מחה: **Stoss** *stroke* Hs 26, 19.†

מְחִידָא: n. m.; KF?: Esr 2, 52 Ne 7, 54.†

מִחְיָה: חיה: cs. מִחְיַת, sf. מִחְיָתְךָ: 1. **Erhaltung des Lebens** *preservation of life* Gn 45, 5 Si 38, 14; 2. Lebendigwerden, **Bildung** (von neuem Fleisch) *the quick of the flesh* Lv 13, 10. 24; 3. Lebensmittel, **Lebensunterhalt** *sustenance* Jd 6, 4 17, 10, cj Ps 68, 11 (1 מִחְיָתְךָ); 4. Belebung, **Aufleben** *reviving* Esr 9, 8 f; 5. **Lebendes** *living beings* 2 C 14, 12.†

מְחִיָּיאֵל: n. m.; חיה u. אֵל; 1 מְחוּיָאֵל?: Gn 4, 18.†

I מְחִיר: mhb.; ak. *maḫāru* empfangen, entsprechen *get, match*, *maḫīru* Gegenwert *price*, Zim. 18; > äg. *mḫr* Kaufmann? *tradesman?*: sf. מְחִירָהּ, pl. מְחִירֵיהֶם: **Gegenwert, Kaufpreis, Lohn** *price, hire*: Dt 23, 19 2 S 24, 24 1 K 10, 28 21, 2 Js 45, 13 55, 1 Ir 15, 13 Mi 3, 11 Ps 44, 13 Pr 27, 26 Hi 28, 15 Th 5, 4 2 C 1, 16 Si 6, 15 7, 18 34, 5, בִּמְחִיר als Lohn *for a price* Da 11, 39; F II.†

II מְחִיר: n. m.; = I; ak. *Maḫur-ili* Tallq. APN 123a: 1 C 4, 11.†

cj *מַחֲלֵב: n. l.; Taylor-Zylinder II, 39 *Maḫalliba* // *Akzibi*: *Maḫālib* (s. Mündung des *S. mouth of Nahr el-Qāsimīje* (// אַכְזִיב) cj Jos 19, 29 Jd 1, 31.†

מַחֲלֶה: חלה pt. hif.: cs. מַחֲלֵה, sf. מַחֲלֵהוּ: **Krankheit** *sickness, disease* 2 C 21, 15 Pr 18, 14 (G מַחֲלֵהוּ); Si 10, 10; F מַחֲלָה.†

מַחְלָה: n. m. 1 C 7, 18; n. f. Nu 26, 33 27, 1 36, 11 Jos 17, 3.†

מַחֲלָה: fem. v. מַחֲלֶה: **Krankheit** *sickness, disease* Ex 15, 26 23, 25 1 K 8, 37 2 C 6, 28.†

מְחֹלָה: fem. v. I מָחוֹל: cs. מְחֹלַת, pl. מחלת, מְחֹלוֹת: **Reigentanz** *round dance* Ex 15, 20

32, 19 Jd 11, 34 21, 21 1 S 21, 12 29, 5 Ct 7, 1, 1 וְהַמְּחֹלְלוֹת 1 S 18, 6, cj Js 30, 32 (מְחֹלוֹת תְּנוּפָה); F n.l. אָבֵל. †

*מְחִלָּה: II חלל: pl. מְחִלּוֹת: **Höhlen** *holes* Js 2, 19. †

מַחְלוֹן: n. m.; חלה ?: Ru 1, 2. 5 4, 9. †

מַחְלִי: חלה ?: n. m.; KF ?: 1. 1 C 23, 23 24, 30; 2. Esr 8, 18; 3. gntl. Nu 3, 33 26, 58. †

מַחֲלֻיִים: חלה: **Krankheiten** *diseases* 2 C 24, 25. †

*מַחֲלָף: I חלף: pl. מַחֲלָפִים: **Ersatzstücke** *duplicates* Esr 1, 9. †

*מַחְלָפוֹת: I חלף; ug. *mḫlpt*; ph. מחלפת Iraq 6, 105 f: cs. מַחְלְפוֹת: **Zöpfe** *plaits* Jd 16, 13. 19. †

מַחֲלָצוֹת: *חלץ; ak. *ḫalṣu* rein *clean*; خَلَصَ rein, weiss sein *be clear, pure, white*: besonders feine, weisse? **Gewänder** (*extra fine, white?*) *robes* Js 3, 22 Sa 3, 4. †

מַחֲלֹקֶת: II חלק: מַחֲלֻקְתּוֹ, pl. cs. מַחְלְקוֹת, sf. מַחְלְקוֹתֵיהֶם: 1. **Anteil** (am Grundbesitz) *share* (*of landed property*) Hs 48, 29 Jos 11, 23 (כְּמַחְלְקֹתָם adverb. in Teilen *in shares* Torcz. Entst. I, 124) 12, 7 18, 10; 2. **Abteilung** (von Funktionären) *division, group* (*of officials*) Ne 11, 36 1 C 23, 6 24, 1 26, 1. 12. 19 27, 1 f. 4—15 2 C 5, 11 8, 14 23, 8 31, 2. 15 f; 3. סֶלַע הַמַּחְלְקוֹת (mit Anspielung auf חלק glatt sein *alluding to* חלק *be smooth*): n. l. 1 S 23, 28. †

I מַחֲלַת (BL 511): עַל־מ׳ technische, musikalische Angabe *technical musical term* (zu *related to* מְחוֹלָה ?) Ps 53, 1 88, 1. †

II מַחֲלַת, מָחֲלַת, מַחְלַת: n. f. (מְחוֹלָה ?): Frau v. *wife of* 1. Esau Gn 28, 9; 2. König *king* רְחַבְעָם 2 C 11, 18. †

מְחֹלָתִי: gntl., v. אָבֵל מְחֹלָה ? 1 S 18, 19 2 S 21, 8. †

מַחְמָאֹת Ps 55, 22: l מֵחֶמְאָה. †

*מַחְמָד: חמד; ug. *mḫmd*: cs. מַחְמַד, pl. מַחְמַדִּים, cs. מַחְמַדֵּי, sf. מַחֲמַדֵּי; מַחֲמַדֵּיהֶם Q, מַחֲמוּדֵיהֶם K Th 1, 11: 1. **Begehrenswertes, Kostbarkeit** *desirable, precious thing(s)* Js 64, 10 (l ־דֵינוּ) Ho 9, 6 (l כַּסְפָּם). 16 Jl 4, 5 Th 1, 10 f Ct 5, 16 2 C 36, 19, cj מַחֲמַדִּים (אֶרֶץ) Js 33, 17; 2. מַחְמַדֵּי עֵינַיִם **Augenweide, Lieblingshabe** *desire of the eyes* Hs 24, 16 (die Frau des Propheten *the prophet's wife*). 21 (Jerusalem); cj (נַפְשָׁם) מַחְמַד 24, 21. †

*מַחְמֹד: חמד: pl. sf. מַחֲמֹדֶיהָ: **Kostbarkeit** *precious thing* Th 1, 7; K 1, 11 F *מַחְמָד. †

מַחְמַל Hs 24, 21: l מַחְמַד. †

מַחְמֶצֶת: F I חמץ hif. †

מַחֲנֶה (214 ×, παρεμβολή 193 ×): I חנה: cs. מַחֲנֵה, sf. מַחֲנֶךָ u. מַחֲנֶיךָ! Dt 23, 15, מַחֲנֵהוּ, מַחֲנֵיכֶם sg! Am 4, 10, pl. מַחֲנִים Nu 13, 19, sonst *otherwise* מַחֲנוֹת, du. מַחֲנָיִם; masc. Gn 50, 9 1 C 12, 23, aber *but* fem. Ps 27, 3 1 C 11, 15 2 K 7, 7: 1. **Lagerplatz** *encampment* (:: מִבְצָר) Nu 13, 19 Ex 29, 14; **Kriegslager** *camp of warriors* Dt 23, 10 Jd 7, 10, **Wanderlager** *camp of travellers* Gn 32, 8; 2. Leute u. Tiere eines Lagers *men a. beasts of a camp*: **Wanderer** *travellers* Gn 32, 8 2 K 5, 15, **Belagernde** *beleaguerers* Hs 4, 2, etc.,; 3. מַחֲנֵה אֱלֹהִים Gn 32, 3 1 C 12, 23, מַחֲנֵה יהוה 1 C 9, 19, מַחֲנוֹת יהוה 2 C 31, 2; 4. מְחֹלַת הַמַּחֲנָיִם l הַמַּחֲנִים מ׳ ? Kriegstanz? *war-dance?* Ct 7, 1; l לִמְנוּחָה pro לְמַחֲנוֹת, pone post הֵנָּה 1 C 9, 18.

מַחֲנֵה־דָן: n. l. bei *near* צָרְעָה (F Garstang 393) Jd 13, 25 18, 12. †

מַחֲנַיִם: n. l.; du. v. מַחֲנֶה: loc. מַחֲנַיְמָה: wohl *probably Tulūl eḏ-Ḏahab* (PJ 9, 68 ff) vel *Ch. Maḥneh* am *on the* יַבֹּק: : Noth PJ 37, 82 ff, Glueck AAS XVIII—XIX, 234 f: Gn 32, 3 (Aetiologie d. Namens *aetiology of the name*) Jos 13, 26. 30 21, 38 2 S 2, 8. 12. 29 17, 24. 27 19, 33 1 K 2, 8 4, 14 1 C 6, 65; Ct 7, 1 F מַחֲנֶה 4.†

מַחֲנָק: חנק: **Erstickung** *suffocation* Hi 7, 15.†

מַחְסֶה u. Jl 4, 16 Ps 46, 2 62, 9 **מַחֲסֶה**: חסה: cs. מַחְסֵה, sf. מַחְסִי u. Ir 17, 17 Ps 71, 7 מַחֲסִי, מַחְסֵנוּ, מַחֲסֵהוּ: **Zuflucht** *refuge, shelter*: f. Menschen *for people* Hi 24, 8, f. Tiere *for animals* Ps 104, 18, c. מִן vor *from* Js 4, 6 25, 4; מַחְסֵה כָזָב falsche Z. *false ref.* Js 28, 17; Gott ist *God is* מַחְסֶה Ir 17, 17 Jl 4, 16 Ps 14, 6 (l מְאָסוֹ?) 46, 2 61, 4 62, 8 f 71, 7 73, 28 91, 2. 9 142, 6, cj 144, 2, Pr 14, 26; צוּר מַחְסִי Ps 94, 22; Lüge als *lie as* מ׳ Js 28, 15; ℓ מַחְסֵיָה.†

מַחְסוֹם: חסם; ph. מחסם Gesichtsmaske *mouth-cover*: **Zaum** *muzzle* Ps 39, 2 (l אֲשִׁימָה).†

מַחְסוֹר, מַחְסֹר: חסר; mhb., ph,: sf. מַחְסֹרוֹ, מַחְסוֹרְךָ: **Mangel**, *need, lack* Dt 15, 8 Jd 18, 10. cj 7 19, 19 Ps 34, 10 Pr 11, 24 14, 23 21, 17 22, 16 24, 34 (l sg.) 28, 27; מַחְסֹרְךָ was dir fehlt *what you are lacking* Jd 19, 20 Pr 6, 11; **Verlust** *loss* (: : מוֹתָר) Pr 21, 5.†

מַחְסֵיָה: n. m.; מַחְסֶה u. יָ׳; äga. מחסה u. מחסיה; *Maḫsiāu* Tallq. APN 123a: Ir 32, 12 51, 59.†

מחץ: ug. *mḫṣ* in Stücke schlagen *break to pieces*; ak. *maḫāṣu* schlagen *smite*, EA 245, 14 kan. Gl. *ma-aḫ-zu-ú*; mhb., F ba. מחא; ܡܚܨ; asa. מחט:

qal: pf. מָחַץ, מָחֲצָה, impf. יִמְחַץ, יִמְחָץ, sf. אֶמְחָצֵם, imp. מְחַץ, pt. cj מֹחֶצֶת Js 51, 9: **zerschlagen** *break to pieces* Nu 24, 8. 17 Dt 32, 39 33, 11 Jd 5, 26 2 S 22, 39 Ha 3, 13 Ps 18, 39 68, 22 110, 5 f Hi 5, 18 26, 12, cj Js 51, 9; l תִּרְחַץ Ps 68, 24.†

Der. מַחַץ.

מַחַץ: מחץ: **Zerschlagung, schwere Wunde** *breaking to pieces, severe wound* Js 30, 26; cj sf. מַחְצִי Hi 34, 6 †

מַחְצֵב: חצב; ph. מחצב u. mhb. מַחְצָב u. ja. מַחְצְבָא Steinbruch *quarry*: Aushau *hewing*; אַבְנֵי מ׳ **Hau-, Bruchsteine** *hewn stones* 2 K 12, 13 22, 6 2 C 34, 11.†

מֶחֱצָה: חצה; mhb., ph. מחץ: cs. מֶחֱצַת: **Hälfte** *half* Nu 31, 36. 43.†

מַחֲצִית: חצה: cs. מַחֲצִת u. מַחֲצִית, sf. מַחֲצִיתוֹ: **Hälfte, Mitte** *half, middle* Ex 30, 13. 15. 23 38, 26 Lv 6, 13 Nu 31, 29 f. 42. 47 Jos 21, 25 1 K 16, 9 1 C 6, 46 (dele חֲצִי). 55; מַחֲצִית הַיּוֹם **Mittag** *noon* Ne 8, 3.†

מחק: mhb. pi. abreiben (Gerber) *rub off (leather-tanner)* AS 5, 192; ja. wegwischen *wipe*: F ba: qal: pf. מָחֲקָה: abreiben, **schinden** *skin* Jd 5, 26.†

***מֶחְקָר**: pl. cs. מֶחְקְרֵי Ps 95, 4: l מֶרְחַקֵּי.†

מָחָר (52 ×): אחר; Ableitung *derivation?* Gesenius: < יוֹם אַחֵר; Olshausen (Grammatik § 38c): < pt. pu. מְאֻחָר; Brockelmann VG 1, 241: <*ma'ḥār*; mhb.; ja. מְחָרָא, äga. מחר, sy. ܡܚܪ, phl. מחאר; ak. (Taanek) *umi maḫari*: **andern Tags, morgen** *the next day, to-morrow* Ex 8, 25 (33 ×); = יוֹם מָחָר Gn 30, 33 Js 56, 12 Pr 27, 1, = לְמָחָר Ex 8, 6 (5 ×); הַיּוֹם וּמָחָר **heute u. morgen** *to-day a. to-morrow* Ex 19, 10 2 S 11, 12; כָּעֵת מָחָר **morgen um diese Zeit** *to-morrow about this time* Ex 9, 18 1 S 9, 16 20, 12 1 K 19, 2 20, 6 2 K 7, 1. 18 10, 6.

מַחֲרָאוֹת : חרא; MT מַחֲרָאוֹת, Q מוֹצָאוֹת : pl. Abtritte *draught-houses, privies* 2 K 10, 27.†

***מַחֲרֵשָׁה, *מַחֲרֶשֶׁת** : חרשׁ : sf. מַחֲרַשְׁתּוֹ, pl. מַחֲרֵשֹׁת : Pflugschar *ploughshare* (BRL 427 ff) 1 S 13, 20 f; l חֶרְמֵשׁוֹ f. מַחֲרַשְׁתּוֹ 13, 20.†

מָחֳרָת : אחר, F מָחָר; adv. VG 1, 409; mhb., sy. מַחְרְתָא : cs. מָחֳרַת : מִמָּחֳרָת andern Tags, am folgenden Tag *on the next day, on the morrow* Gn 19, 34 (22 ×); = לְמָחֳרַת הַיּוֹם Nu 11, 32, = יוֹם הַמָּחֳרָת 1 C 29, 21, = לְמָחֳרָת Jon 4, 7; מִמָּחֳרַת am Tage nach *the day after* c. הַשַּׁבָּת Lv 23, 11. 15 f, c. הַפֶּסַח Nu 33, 3 Jos 5, 11, c. הַחֹדֶשׁ 1 S 20, 27; abs. am folgenden Tag *the next day* cj 2 K 6, 15; l לְהַחֲרִימָם 1 S 30, 17.

מַחְשֹׂף : חשׂף : Aufdeckung, Sichtbarmachung (des Holzes unter der Rinde) *laying bare, stripping* (*the bark upon the wood*) Gn 30, 37.†

מַחֲשָׁבָה, מַחֲשֶׁבֶת, מַחְשֶׁבֶת : חשׁב : sf. מַחֲשַׁבְתּוֹ, pl. מַחֲשָׁבוֹת, cs. מַחְשְׁבוֹת, sf. מַחְשְׁבֹתָיו, מַחְשְׁבוֹתֵיכֶם : 1. Gedanke, Vorhaben *thought, device*: v. Menschen *of men* Js 55, 7—9 59, 7 65, 2 66, 18 Ir 4, 14 6, 19 Ps 56, 6 94, 11 Pr 6, 18 (חרשׁ) 12, 5 15, 22. 26 16, 3 19, 21 20, 18 21, 5 Hi 5, 12 21, 27 Th 3, 60 f Est 8, 3. 5 1 C 28, 9 29, 18, מַחְשֶׁבֶת לִבּוֹ Gn 6, 5; von Gott *of God* Js 55, 8 f Ps 92, 6 (עָמְקוּ); מַחְשְׁבוֹת שָׁלוֹם Gedanken (Gottes), die Heil bringen *thoughts (of God) leading to salvation* Ir 29, 11; מַחְ' יהוה Ir 51, 29 (15 MSS sg.) Mi 4, 12; 2. Plan *device* (d. Übergang von Gedanke zu Plan ist fliessend *the transition from thought to device is gradual*): חשׁב qal 8; מַחְשָׁבוֹת F חָשַׁב מַחֲשָׁבָה, מַחְשָׁבוֹת עַמִּים Ps 33, 10, מַחְשְׁבֹתֶיךָ (Gottes *of God*) אֵלֵינוּ uns gegenüber *for us* Ps 40, 6; 3. Ersinnung, Erfindung *device, invention* Ex 31, 4 35, 32. 35 2 C 2, 13; מַחֲשֶׁבֶת חוֹשֵׁב kunstvoll Ausgedachtes *artificially devised things* 2 C 26, 15; מְלֶאכֶת מַחֲשָׁבֶת kunstreiche Arbeiten *ingenious works* Ex 35, 33.†

מַחְשָׁךְ : חשׁך : pl. מַחֲשַׁכִּים, cs. מַחֲשַׁכֵּי : sg. finstre Stelle *dark place* Js 29, 15 42, 16 Ps 88, 19; pl. finstre Stätten *dark places* Ps 88, 7 143, 3 Th 3, 6; Schlupfwinkel *hiding places* Ps 74, 20.†

מַחַת : n. m.; חתת? n. m. äga.: 1. 1 C 6, 20; F אֲחִימוֹת 6, 10; 2. 2 C 29, 12; 3. 2 C 31, 13.†

מְחִתָּה : חתת : cs. מְחִתַּת : 1. Schrecken *terror* Js 54, 14 Ir 17, 17 Pr 21, 15; 2. Trümmer *ruin* Ps 89, 41; Verderben *ruin* Pr 10, 14 f 13, 3 14, 28 18, 7.†

מַחְתָּה : II חתה; mhb.: sf. מַחְתָּתוֹ, pl. מַחְתּוֹת, מַחְתֹּת, sf. מַחְתֹּתָיו : Feuerbecken *fire-holder* (JPO 15, 14 ff) Ex 27, 3 38, 3 Lv 10, 1 16, 12 Nu 4, 14 16, 6. 17 f 17, 2—4. 11 1 K 7, 50 (זָהָב) 2 K 25, 15 Ir 52, 19 2 C 4, 22.†

מַחְתֶּרֶת : חתר; mhb.: Einbruch (in e. Haus) *breaking in* Ex 22, 1 Ir 2, 34.†

מַטְאֲטֵא : טאטא; ja. מְטַאֲטְאָה : Besen *broom* Js 14, 23.†

מַטְבֵּחַ : טבח; ph.: Schlachtplatz, -bank *slaughtering-place* Js 14, 21.†

***מטה** : *מֻטֶּה.

***מֻטֶּה** : F ba. מְטָא; Driv. ZAW 50, 146: pl. מֻטִּים : c. לַהֶרֶג : die zur Tötung gelangen *those coming to death* Pr 24, 11.†

מַטֶּה : (247 ×; Nu 1, 4—36, 12 108 ×; Jos 7, 1—22, 14 58 ×; Ex 4, 2—38, 23 27 ×;

1 C 6, 45—65 12, 32 23 ×; = 216 ×; und *and* Gn 38, 18. 25 Lv 24, 11 26, 26 1 S 14, 27. 43 1 K 7, 14 8, 1 Js 10, 5. 24. 26 14, 5 28, 27 30, 32 Ir 48, 17 Hs 4, 16 7, 10 f 14, 13 19, 11 f. 14 Mi 6, 9 Ha 3, 9. 14 Ps 105, 16 110, 2 2 C 5, 2, cj Hs 30, 18 u. Na 1, 13; 1 מֹטַת Js 9, 3); F שֵׁבֶט: נטה: cs. מַטֵּה, sf. מַטֵּהוּ, מַטְּךָ, pl. מַטּוֹת, מַטֹּת, sf. מַטֹּתָם; **1. Stab, Stock** *staff, rod*: Gn 38, 18. 25, v. *of* מֹשֶׁה Ex 4, 2. 4. 17 7, 15. 17. 20 9, 23 10, 13 14, 16 17, 5 Nu 20, 8 f. 11, v. *of* אַהֲרֹן Ex 7, 9 f. 12. 19 8, 1. 12 f Nu 17, 21. 23. 25, der äg. Zauberer *of the Egyptian sorcerers* Ex 7, 12; e. Stab für jeden Stamm *a rod for each tribe* Nu 17, 17—25, מַטֵּה v. *of* יוֹנָתָן 1 S 14, 27. 43; zum Ausklopfen von *to beat out* קֶצַח Js 28, 27; מַטֵּה הָאֱלֹהִים Ex 4, 20 17, 9, מַטֵּה עֹז Ir 48, 17 Ps 110, 2, מַטּוֹת עֹז Hs 19, 11; von *of* יהוה: מַטֵּה זַעְמִי Js 10, 5, מַטֵּהוּ Js 10, 26, cj (Sellin) Mi 6, 9; v. *of* אַשּׁוּר Js 10, 24, מַטֵּה רְשָׁעִים Js 14, 5, מַטֵּה רֶשַׁע Hs 7, 11 (l קָמַל); מַטֵּה Stock, Stamm der Rebe *rod, stalk of vine* Hs 19, 12. 14 (l מִמַּטֶּהָ); מַטּוֹת מִצְרַיִם cj die Szepter Äg. *the sceptres of Eg.* cj Hs 30, 18; pl. Stöcke = Pfeile *staves = arrows* Ha 3, 9. 14; **2.** מַטֵּה לֶחֶם Lv 26, 26 Hs 4, 16 5, 16 14, 13 Ps 105, 16† (cf. מִשְׁעַן לֶחֶם Js 3, 1) **Brotstab, Brotstapel** (Stöcke, an denen die (ringförmigen F חַלָּה) Brote zum Schutz vor Mäusen usw. aufgehängt sind) *staff of bread* (*staves round which the ring-shaped* (F חַלָּה) *loaves are suspended to preserve them from mice etc.*) KL 25 ff; **3.** מַטֵּה (מַטֶּה: שֵׁבֶט Driver JPh 11, 213 f) **Stamm** *tribe*; an allen nicht unter 1. u. 2. genannten Stellen *in all quotations save those mentioned sub 1. a. 2.*

מַטָּה: נטה; c.-*ā* loc.; ph. למט abwärts *downwards*: מַטָּה: **1. drunten** *beneath* Pr 15, 24; מַטָּה מַטָּה immer tiefer *lower and lower* Dt 28, 43 (ירד); **2.** לְמַטָּה (:: לְמַעְלָה) **abwärts, herunter** *downwards* Dt 28, 13 2 K 19, 30 Js 37, 31 Hs 1, 27 8, 2 1 C 27, 23 2 C 32, 30; לְמַטָּה לְ **herunter zu** *downwards to* Ko 3, 21; חָשַׂךְ לְמַטָּה מִן **hält unten,** hält niedrig *keeps downward, keeps low* Esr 9, 13; **3.** מִלְּמַטָּה **von unten herauf** *from below, beneath* Ex 26, 24 27, 5 28, 27 36, 29 38, 4 39, 20.†

מִטָּה: נטה, wie *as* κλίνη von *from* κλίνειν; ug. *mṭt*: cs. מִטַּת, sf. מִטָּתוֹ, pl. מִטּוֹת: **Lager** (ausgebreitete Decken, Tücher, Kissen) *couch* (*covers, pieces of cloth, cushions spread out*): zum Schlafen *for sleepers* Ex 7, 28 2 K 4, 10 Ps 6, 7, f. Kranke *for sick people* Gn 47, 31 48, 2 49, 33 1 S 19, 13. 15. 16 (tragbar *portable*) 1 K 17, 19 21, 4 2 K 1, 4. 6. 16 2 C 24, 25, zum Ruhen *for rest* 1 S 28, 23 2 S 4, 7 Pr 26, 14, für Tote *for dead ones* 2 S 3, 31 (tragbar *portable*) 2 K 4, 21. 32, für Gelage *for feasts* Hs 23, 41 Am 3, 12 6, 4 (Gestell mit Elfenbeinzier *frame-work with ivories*) Est 1, 6 (Gestell aus Silber u. Gold *frame-work of silver a. gold*) 7, 8; Lager Salomos *couch of Salomon* Ct 3, 7; חֲדַר הַמִּטּוֹת Kammer, in der Decken, Tücher für מִטָּה aufbewahrt werden *room in which materials of* מִטָּה *are stored* 2 K 11, 2 2 C 22, 11; F עֶרֶשׂ, מִשְׁכָּב.†

מֻטֶּה: נטה: **Beugung** (des Rechts) *crookedness* (*of law*) Hs 9, 9, cj 7, 10.†

***מֻטָּה**: נטה: pl. מֻטּוֹת: **Spannung** (v. Flügeln) *outspreading* (*of wings*) Js 8, 8.†

מַטְוֶה: טוה: **Gespinst** *that which is spun, yarn* Ex 35, 25.†

***מְטִיל**: *מטל; ja. מַטְלָא; مَطَلَ platt, lang schmieden *extend metal by beating*; = μέταλλον?: cs. מְטִיל בַּרְזֶל: מְטִיל Stange aus Eisen *wrought iron rod* Hi 40, 18.†

***מטל**: *מָטִיל.

מַטְמֹן: טמן; mhb. מַטְמֹנֶת; Zusammenhang mit *related to* μαμωνᾶς?: pl. מַטְמֹנִים, מַטְמוֹנִים, cs. מַטְמֹנֵי: (verborgner) **Schatz** (*hidden*) *treasure* Gn 43, 23, pl. Pr 2, 4 Hi 3, 21 Js 45, 3 Ir 41, 8.†

מַטָּע: נטע: cs. מַטַּע, sf. מַטָּעָהּ, pl. מַטָּעֵי: **Pflanzung** *planting-place* Hs 17, 7 31, 4 34, 29 Mi 1, 6; מטע יהוה Js 61, 3, cj 60, 21.†

מַטְעַמִּים: טעם: sf. מַטְעַמּוֹתָיו: gutes Gericht, **Zungenschmaus** *savoury food* Gn 27, 4. 7. 9. 14. 17. 31, **Leckerbissen** *dainties* Pr 23, 3. 6.†

מִטְפַּחַת: טפח: pl. מִטְפָּחוֹת: **Umschlagtuch, Überwurf** *cloak* Js 3, 22 Ru 3, 15.†

מטר: F מָטָר; ug. *mṭr*, مطر; ja. אמטר, sy. pe.: nif: impf. תִּמָּטֵר: **Regen erhalten, beregnet werden** *be rained upon* Am 4, 7;† hif: pf. הִמְטִיר, הִמְטַרְתִּי, impf. יַמְטֵר, אַמְטִיר, inf. הַמְטִיר, pt. מַמְטִיר: 1. הִמְטִיר מָטָר עַל **Regen fallen lassen auf** *send rain upon* Js 5, 6; 2. (עַל) הִמְטִיר **regnen lassen** (auf) *send rain* (*upon*) Gn 2, 5 7, 4 Am 4, 7 Hi 20, 23 38, 26; c. obj. גָּפְרִית וָאֵשׁ Gn 19, 24 Hs 38, 22 Ps 11, 6, בָּרָד Ex 9, 18. 23, לֶחֶם 16, 4, מָן Ps 78, 24, שְׁאֵר 78, 27;† cj hof: pf. הֻמְטְרָה **vom Regen betroffen werden** *be rained upon* cj Hs 22, 24.†

מָטָר: ug. *mṭr*, ak. *miṭru*, mhb., ja. מִטְרָא, ܡܛܪܐ, مطر: cs. מְטַר, pl. cs. מִטְרוֹת: **Regen** *rain* (F מַלְקוֹשׁ, יוֹרֶה, זֶרֶם, גֶּשֶׁם): נָתַן מ׳ Dt 11, 14 28, 12 1 S 12, 18 1 K 8, 36 18, 1 Hi 5, 10 2 C 6, 27, הִמְטִיר מ׳ Js 5, 6, נִתַּךְ מ׳ Ex 9, 33, הָיָה מ׳ Dt 11, 17 1 K 8, 35 2 C 6, 26 7, 13, חָדַל מ׳ Ex 9, 34, עָרַף מ׳ Dt 32, 2, יָרַד מ׳ Ps 72, 6, זָקַק מ׳ Hi 36, 27, זֶרֶם וּמ׳ Js 4, 6, קֹלוֹת וּמ׳ 1 S 12, 17 f, cj גֶּשֶׁם וּמָטָר Hi 37, 6, מְטַר־גֶּשֶׁם Gussregen *downpour* Sa 10, 1, מ׳ סֹחֵף Pr 28, 3, מ׳ בַּקָּצִיר 26, 1, מ׳, בָּרָד, קֹלוֹת Ex 9, 34, מ׳ הַשָּׁמַיִם Dt 11, 11, מ׳ אֶרֶץ 11, 14 28, 12. 24, מ׳ זֶרַע Js 30, 23; טַל // מָטָר 2 S 1, 21 Hi 38, 28, טַל וּמ׳ 1 K 17, 1; מ׳ aus Blitzen *from lightnings* Ir 10, 13 51, 16 Ps 135, 7; מִמּ׳ nach d. R. (?) *after the rain* (?) 2 S 23, 4; שַׁאֲלוּ מ׳ מֵיהוה Sa 10, 1; Gott ist *God is* מֵכִין מ׳ Ps 147, 8; Gott setzt *God orders* לַמָּטָר חֹק Hi 28, 26; יחל מ׳ Hi 29, 23; dele גֶּשֶׁם מִטְרוֹת (dubl.) 37, 6; מָטָר = Schneefall *snowfall* Si 43, 18.† Der. מטר; n. m. מַטְרִי.

מַטָּרָא Th 3, 12† u. **מַטָּרָה**: נטר: 1. **Ziel** (-scheibe) *target* 1 S 20, 20 Hi 16, 12 Th 3, 12; 2. **Wache, Bewachung** *guard, ward*: חֲצַר הַמַּטָּרָה Wachthof *court of guard* Ir 32, 2, F חָצֵר; שַׁעַר הַמַּטָּרָה Wachttor *gate of the guard* Ne 12, 39.†

מַטְרֵד: n. f.; טרד: Gn 36, 39 1 C 1, 50.†

מַטְרִי: gntl.; מָטָר; cf. ar. n. m. *Muṭar*, *Māṭir*: 1 S 10, 21.†

I *מַי, pl. tant. מַיִם (± 580 ×): Sem, Nöld. NBS 166 ff; ug. *my* u. *mym*, sf. *mmh*; asa. מו u. מה: מַיִם, cs. מֵי u. מֵימֵי, sf. מֵימָיו, מֵימֶיךָ, מֵימֵיהֶם, מֵימֵינוּ, loc. הַמַּיְמָה, הַמָּיְמָה: **Wasser, Gewässer** *water, waters* (Gn 9, 15 Nu 19, 13. 20 c. sg., sonst *otherwise* c. pl.): 1. **Wasser** (als Urstoff) *water* (*as primary matter*) Gn 1, 2, הַמַּיִם über u. unter *above a. under* רָקִיעַ Gn 1, 7, מִתַּחַת לָאָרֶץ Ex 20, 4, מֵי הַמַּבּוּל Gn 7, 10; 2. Wasser *water* in *in*: יָם Am 5, 8, נָהָר Js 8, 7, בְּאֵר Nu 20, 17, בְּרֵכָה Js 22, 9, מַדְמֵנָה 25, 10; מֵימֵי שֶׁלֶג Schneewasser *snow-water* Hi 24, 19; (חֲמַת) מַיִם Trinkwasser *drinking-water* Gn 21, 14; מַיִם רַבִּים **F** I רַב; **F** שָׁתָה Dt 11, 11, **F** שָׁאַב 1 S 7, 6, **F** מָתַק Ex 15, 25, **F** לַחַץ 1 K 22, 27; מַיִם חַיִּים **F** חַי; 3. מַיִם = Flüssigkeit *liquid*: **F** ראשׁ Ir 8, 14; מֵימֵי רַגְלַיִם Harn *urin* 2 K 18, 27 Q Js 36, 12 Q, = מַיִם IIs 7, 17 21, 12, äg. *mu-ja-t* (Albr. Voc. 44); 4. Wasser im Kult *religious use of water* **F** נִדָּה, חַטָּאת, יצק, זרק; 5. מַיִם bildlich *metaphorically*: = Gefahr *danger* Ps 18, 17 32, 6 69, 2 f. 16, = Schwäche *weakness* Jos 7, 5, = Reichlichkeit *abundance* Am 5, 24 Th 2, 19; 6. מַיִם in n. l.: מֵי דִימוֹן Js 15, 9, מֵי יְרִיחוֹ Jos 16, 1, מֵי מְגִדּוֹ Jd 5, 19, מֵי מְרִיבָה Nu 20, 13, מֵי נִמְרִים Js 15, 6, מֵי עֵין שֶׁמֶשׁ Jos 15, 7, **F** I שַׁעַר 4, 12); 7. l בְּעַמִּים Nu 24, 7, l וּמִמְּעֵי Js 48, 1, l בַּיּוֹם Hi 27, 20, l כִּימֵי Js 54, 9, l מִיָּם Hi 36, 27; **F** n. l. מֵי זָהָב u. מֵי הַיַּרְקוֹן.

II מַי: מַי־לִי Js 52, 5, = מַה־לִי.

מִי (± 420 ×): ug. *mj*; mhb., **F** ba. מַן; ph. Klmw 11 מִי; ܡܢ was? wie? *what? how?*; EA *mija* wer? was? *who? what?*; مَنْ, asa. מן, ak. *mannu*; VG 1, 326 f; auch *the same* äg., kopt. *min*, *man* *τις*: 1. wer? *who?* (persönlich *of persons*: מַה sachlich *of things*): מִי הָאִישׁ wer ist der Mann? *who is that man?* Gn 24, 65; מִי אַתְּ Ru 3, 9, מִי אַתֶּם 2 K 10, 13; in genit. שׁוֹר מִי wessen Rind? *whose ox?* 1 S 12, 3; in dat. לְמִי wem? *to whom?* Gn 32, 18; in ac. אֶת־מִי wen? *whom?* 1 S 12, 3; fast neutrisch *nearly neuter*: מִי פֶשַׁע welches ist? *what is?* Mi 1, 5, מִי שְׁמֶךָ Jd 13, 17; gedoppelt *doubled*: מִי וָמִי wer im Einzelnen? wer alles? *who especially? who of all?* Ex 10, 8; mit folgendem Relativsatz *followed by a relative clause*: מִי אַתָּה קָרָאתָ wer bist du, der du...? *who art thou that...?* 1 S 26, 14, מִי אֵל אֲשֶׁר wer (= wo) ist ein Gott, der *what god is there that* Dt 3, 24, מִי כָל־בָּשָׂר אֲשֶׁר wer (= wo) ist e. Sterblicher, der ...? *who is there of all flesh that ...?* 5, 26; 2. wer? *who?* (im abhängigen Satz *in subordinate clause*): יָדַעְנוּ מִי wir wissen, wer *we know who* Gn 43, 22, רְאוּ מִי 1 S 14, 17; 3. מִי בְכָל wer von allen? *who among all?* 1 S 22, 14, מִי בָהֶם Js 48, 14; מִי אֶחָד מִשִּׁבְטֵי wer (wo) ist einer von? *what one is there of?* Jd 21, 8; מִי מִנּוֹשַׁי wer ist unter? *which of... is it?* Js 50, 1; 4. מִי אָנֹכִי כִּי wer bin ich, dass ich? *who am I, that I?* Ex 3, 11, מִי אַתְּ וַתִּירְאִי wer bist du, dass du? *who art thou, that thou?* Js 51, 12; מִי יֹאמַר wer dürfte sagen? *who will say?* Hi 9, 12; מִי יִתֵּן wer gibt? > o, dass doch! *who is giving? > would that* **F** נתן; מִי יְשִׂמֵנִי wer macht mich? = o, dass mich einer machte! *who makes me? = oh, that I were made!* 2 S 15, 4; beachte *note*: מִי יָקוּם als wer besteht? = wie kann bestehn? *as who shall he stand? = how shall he stand* Am 7, 2; 5. מִי *τίς* > *τις*: wer immer *whosoever*: מִי לַיהוה wer zu J. hält *whoso is on Y. s. side* Ex 32, 26; מִי בַעַל דְּבָרִים wer e. Rechtshandel hat *whosoever has a cause* 24, 14; מִי גָר Js 54, 15; מִי הוּא **F** הוּא 5, מִי זֶה **F** זֶה 15; cj בְּמִי 1 S 14, 38, l לִי 2 S 18, 12.

Der. n. m. מִיכָא, מִיכָאֵל, מִיכָה, מִיכָיְהוּ, מִיכָיָהוּ, מִישָׁאֵל.

מֵידְבָא: n. l.; mo. מהדבא: *Mādebā* s. חֶשְׁבּוֹן: Jos 13, 9. 16 Js 15, 2 1 C 19, 7.†

מֵידָד: n. m.; *Mudada* Tallq. APN 139a; Μωδαδ: Nu 11, 26 f.†

מֵי זָהָב: n. m? vel n. l?: Gn 36, 39 1 C 1, 50.†

מֵי הַיַּרְקוֹן: n. l.; Noth (ad Jos 19, 46) וּמִיָּם הַיַּרְקוֹן = n. fl. הַיַּרְקוֹן (ירק) = *Nahr el-Bāride* ö. יָפוֹ: Jos 19, 46.†

מֵיטָב*: יטב: cs. מֵיטַב: **das Beste** *the best (of a thing)*: אֶרֶץ Gn 47, 6. 11, שָׂדֶה, כֶּרֶם Ex 22, 4, בָּקָר, צֹאן 1 S 15, 9. 15.†

מִיכָא: n. m.; Dir. 141 f (?); palm. n. m.; KF v. מִיכָאֵל?: 1. 2 S 9, 12; 2. Ne 10, 12; 3. Ne 11, 17. 22, = מִיכָיָה 12, 35; 4. 1 C 9, 15.†

מִיכָאֵל: n. m.; מִי, כְּ u. אֵל; cf. ak. *Mannu-ki-Aššur* (etc.), Gemser 44 f: **Michael**: 1. Engel, Schutzherr Israels *patron-angel of Israel* Da 10, 13. 21 12, 1; 2.—11.: Nu 13, 13; 1 C 5, 13; 5, 14; 6, 25; 7, 3; 8, 16; 12, 21; 27, 18; 2 C 21, 2; Esr 8, 8; F n. m. מִיכָא u. מִיכָה.†

מִיכָה: n. m.; < מִיכָא, KF v. מִיכָאֵל; vel KF v. מִיכָיָהוּ: **Micha** *Micah*: 1. Mi 1, 1 = מִיכָיָה Ir 26, 18; 2. 2 C 34, 20 = מִיכָיָה 3.; 3.—5. 1 C 5, 5; 8, 34 f 9, 40 f; 23, 20 24, 25; 6. Jd 17, 5—18, 31 (19 ×) = מִיכָיְהוּ 1.; 7. 2 C 18, 14 = מִיכָיְהוּ 2.†

מִיכָהוּ: n. m.; מִי, כְּ u. הוּא: 2 C 18, 8, = מִיכָיְהוּ 2.†

מִיכָיָה: n. m.; < מִיכָיָהוּ: 1. Ne 12, 35, = מִיכָא 3; 2. Ne 12, 41; 3. 2 K 22, 12, = מִיכָה 2; 4. Ir 26, 18 K, = מִיכָה 1.†

מִיכָיָהוּ: n. m.; מִי, כְּ u. יָהוּ; ak. *Manu-kī-šu* (ZAW 51, 84[2]); > מִיכָיְהוּ, מִיכָיָה u. מִיכָה: 2 C 17, 7; 1 מַעֲכָה 13, 2.†

מִיכָיְהוּ: n. m.; < מִיכָיָהוּ: 1. Jd 17, 1. 4, = מִיכָה 6; 2. בֶּן־יִמְלָה d. Prophet *the prophet* 1 K 22, 8—28 2 C 18, 7. 8 (מִיכָהוּ). 12 f. 23—25. 27, = מִיכָה 7; 3. Ir 36, 11. 13.†

מִיכָל, מִיכַל 2 S 17, 20: 1 מִכֹּה אֶל.

מִיכַל: מִיכָל: n. f. Noth S. 144: **Michal**; Tochter v. *daughter of* Saul 1 S 14, 49 18, 20. 27 f 19, 17 25, 44 2 S 3, 13 f 6, 16. 20. 23 1 C 15, 29, Davids Frau *wife of David* (Morgenstern, ZAW 49, 54 f) 1 S 19, 11—13 2 S 6, 21; 1 מֵרַב 2 S 21, 8.†

מַיִם: F מַי.

מִיָּמִין, מִיָּמִן: n. m.; Noth S. 224: 1. Esr 10, 25; 2. Ne 10, 8 12, 5 1 C 24, 9; F מִנְיָמִין.†

***מִין**: *מון, F תְּמוּנָה: مَانَ (j) erdichten *think out, invent*: sf. מִינוֹ u. מִינֵהוּ (Gn 1, 11: 12), מִינָה, מִינֵהֶם (BL 534): **Art** (naturwissenschaftliche Spezies) *kind, species*: Gn 1, 11 f. 21. 24 f 6, 20 7, 14 Lv 11, 14—16. 19. 22. 29 Dt 14, 13—15. 18 Si 13, 15 f 43, 25; ? Hs 47, 10; > mhb. Sektierer, Judenchrist *schismatic, (christian) heretic.*†

מֵינֶקֶת: ינק, pt. hif. f.: sf. מֵינִקְתּוֹ, מֵנִקְתָּהּ, pl. sf. מֵינִיקֹתַיִךְ: **Stillende, Säugamme** *nursing woman, wet-nurse* Gn 24, 59 35, 8 Ex 2, 7 2 K 11, 2 Js 49, 23 2 C 22, 11.†

מֵיסַךְ: Q מוּסַךְ, K מֵיסַךְ (G θεμέλιον = מוּסַד): unerklärt *unexplained* 2 K 16, 18.†

מֵיפַעַת 1 C 6, 64, מֵיפָעַת Jos 21, 37, מֵפָעַת Jos 13, 18, מוֹפַעַת Ir 48, 21: n. l.: *Ch. Nēfaʿa* s. *ʿAmmān* (PJ 29, 28 f).†

מִיץ: *מוץ; ja. מוּץ saugen *suckle*, mhb. מִיץ Saft *sap*; F מֵצַח, מִצָּה: das **Pressen** (v. Milch, Nase, Zorn) *the squeezing* (*of milk, nose, anger*) Pr 30, 33.†

מֵיצִיאִים: F יצא.

מֵישָׁא: n. m.; ak. *Meʾ-sa-a* Tallq. APN 136 b; Noth S. 155: 1 C 8, 9.†

מִישׁ: F I מוּשׁ.

מִישָׁאֵל: n. m.; מִי, שֶׁ u. אֵל Wer gehört zu Gott? *Who belongs to God?* Noth S. 249::

Montgomery (ad Da 1, 6) < *מִישַׁעְאֵל (ישע): 1. Gefährte v. *companion of* Daniel Da 1, 6f. 11. 19 2, 17; F מֵישַׁךְ; 2. Ex 6, 22 Lv 10, 4; 3. Ne 8, 4.†

מִישׁוֹר, מִישֹׁר: ישר: 1. **Geradheit, Billigkeit** *uprightness, fairness* Js 11, 4 Ma 2, 6, שֵׁבֶט מִישֹׁר Ps 45, 7, שָׁפַט מִישֹׁר recht entscheiden *decide in fairness* 67, 5; 2. **Ebenes** *level*: אֹרַח מִישׁוֹר ebener Weg *level way* Ps 27, 11, אֶרֶץ מִישׁוֹר ebenes Land *level ground* 143, 10; 3. **Ebene** *plain* (:: הָרִים) 1 K 20, 23. 25, (:: עָקֹב) Js 40, 4, (:: מַעֲקַשִּׁים) 42, 16; F Sa 4, 7 Ir 48, 8 Ps 26, 12 2 C 26, 10; הַמִּ׳ „die fruchtbare Hochebene n. des Arnon" *the fertile table-land n. Arnon* (Noth, Jos. S. 51) Jos 13, 9. 16f. 21 20, 8, F Dt 3, 10 u. אֶרֶץ הַמִּישׁוֹר Dt 4, 43 Ir 48, 21; צוּר הַמִּישׁוֹר = Jerusalem (Furrer, Bibellexikon 3, 217) Ir 21, 13.†

מֵישַׁךְ: n. m.; neuer Name des *new name of* מִישָׁאֵל; undeutbar *unexplained*, „von d. Überlieferung bewusst entstellt" *disfigured intentionally by the tradition* v. Soden ZAW 53, 83[1]: Da 1, 7 2, 49 3, 12—29 (11 ×).†

מֵישַׁע: n. m.; ישע; moab. משע; Μωσα: **Mesa** *Mesha*, מֶלֶךְ־מוֹאָב: 2 K 3, 4.†

מֵישָׁע: n. m.; ישע: 1 C 2, 42.†

מֵישָׁרִים u. מֵשָׁרִים Pr 1, 3†: ישר; mhb. מֵישָׁר Ebene, Beet *plain, (seed-) bed*: ja. מֵישְׁרָא Ebene *plain*, מֵישָׁרָא Beet *(seed-) bed*: pl. tant.: 1. **Geradheit** *uprightness* Js 26, 7 Ps 9, 9 17, 2 96, 10 Pr 2, 9 8, 6 1 C 29, 17, cj Pr 16, 13; 2. **Gerades, Aufrichtiges** *upright, sincere (words)* Js 33, 15 45, 19 Pr 23, 16; 3. **Billigkeit**, adv. **billigerweise** *equity*, adv. *in fairness* Ps 99, 4 Pr 1, 3 Ct 1, 4 (verdientermassen *deservedly*); c. שָׁפַט billig, recht entscheiden *decide in fairness* Ps 58, 2 75, 3 98, 9; 4. Geradheit, **Glätte** *eveness, smoothness* (Wein *wine*) Pr 23, 31 Ct 7, 10; 5. עָשָׂה מֵי׳ **Ausgleich schaffen**, Frieden herstellen *make an equitable arrangement* Da 11, 6, cj 17.†

מֵיתָר: יתר; mhb.; ja., sy. יַתְרָא, ὑ̆τ̆ꞔ; ᎧᏃ; Bogensehne *bow-string*: pl. sf. מֵיתָרֶיהֶם, מֵיתָרַי: 1. **Bogensehne** *bow-string* (BRL 114) Ps 21, 13; 2. **Zeltstrick** *tent-chord* Ex 35, 18 Nu 3, 26. 37 4, 26. 32 Js 54, 2 Ir 10, 20.†

מַכְאוֹב: כאב: sf. מַכְאֹבוֹ, pl. מַכְאֹבִים, מַכְאוֹבִים u. מַכְאֹבוֹת, sf. מַכְאֹבָיו: 1. **Schmerz** *pain* Js 53, 4 Ir 30, 15 45, 3 51, 8 Ps 32, 10 38, 18, cj (מַכְאֹבוֹ) 41, 4, 69, 27 Hi 33, 19 Th 1, 12. 18 Ko 1, 18 2, 23 2 C 6, 29; אִישׁ מַכְאֹבוֹת Mann der Schmerzen *man of sorrows* Js 53, 3; 2. **Leiden** *pains* Ex 3, 7 Si 3, 27.†

מַכְבִּיר: F I כבר hif.

מַכְבֵּנָה: n. m.; cf. מַכְבַּנַּי: 1 C 2, 49.†

מַכְבַּנַּי: n. m.; cf. מַכְבֵּנָה: 1 C 12, 14.†

מַכְבֵּר: כבר; Decke? *cover?* 2 K 8, 15.†

מִכְבָּר: II כבר: cs. מִכְבַּר: **Gitterwerk** *grating, lattice-work* Ex 27, 4 35, 16 38, 4f. 30 39, 39.†

מַכָּה: נכה: cs. מַכַּת, sf. מַכָּתוֹ, מַכָּתֵךְ, pl. מַכִּים u. מַכּוֹת, sf. מַכּוֹתָם, מַכּוֹתֶיהָ, מַכֹּתֶיךָ l מַכֹּתֶיךָ Dt 28, 59, l מַכּוֹתֶיהָ Ir 49, 17: 1. **Schlag** *blow* Dt 25, 3 Pr 20, 30; 2. **Wunde** *wound* 1 K 22, 35 Js 1, 6 30, 26 Ir 10, 19 14, 17 15, 18 30, 12 Na 3, 19, pl. מַכִּים 2 K 8, 29 9, 15 2 C 22, 6, מַכּוֹת Ir 30, 17 Mi 1, 9 Sa 13, 6 Ps 64, 8; 3. **Plage** *plague (disease as punishment)*, cf. ak. *lipit ilim*: Lv 26, 21 Dt 28, 61 Js 14, 6 27, 7 Ir 6, 7 30, 14, pl. Dt 28, 59 29, 21 Ir 19, 8 49, 17 50, 13;

4. **Niederlage** *defeat* 1 S 14,14.30 Js 10,26; הִכָּה מַ׳ בְּ e. Niederlage anrichten unter *smite with a slaughter* Nu 11,33 1 S 6,19 19,8 23,5 1 K 20,21 Est 9,5 2 C 13,17 28,5; הִכָּה מַ׳ c. ac. jmd e. Niederlage beibringen *slay with a slaughter* Jos 10,10.20 Jd 11,33 15,8, = abs. 1 S 14,14, = הִכָּה בְּמַ׳ 1 S 4,8; 1 מַכֹּלֶת 2 C 2,9.†

מִכְוָה: כוה: cs. מִכְוַת: **Brandwunde** *scar of a burn* Lv 13,24—28.†

מָכוֹן: כון; mhb.: cs. מְכוֹן, sf. מְכוֹנוֹ, pl. sf. מְכוֹנֶיהָ: **Stätte, Standort** *established place, site*: J.s *of Y.* Ex 15,17 1 K 8,13.39.43.49 Js 18,4 Ps 33,14 2 C 6,2.30.33.39, v. *of* הַר צִיּוֹן Js 4,5, v. *of* בֵּית הָאֱלֹהִים Esr 2,68, v. *of* הַמִּקְדָּשׁ Da 8,11, v. *of* כִּסֵּא יהוה Ps 89,15 97,2; pl. **Grundlagen** d. Erde *the foundations of the earth* Ps 104,5.†

מְכֹנָה, מְכוֹנָה: כון; mhb.; ja. מְכוֹנְתָא **Aufenthaltsort** *residence*: sf. מְכֻנָתָהּ Sa 5,11, pl. מְכֹנוֹת, sf. מְכוֹנֹתָיו Esr 3,3: 1. **gebührende Stätte, Platz** *proper place* Sa 5,11 Esr 3,3; 2. (Tempelgerät *a temple apparatus*; asa. *mknt*): **Fahrgestell, Kesselwagen** *base, wheeled cart* 1 K 7,27—43 2 K 16,17 25,13? 16 Ir 27,19 52,17.20 2 C 4,14.†

מְכוּרָה: *כור = I כרה graben *dig?*: sf. מְכוּרֹתָם, pl. sf. מְכֹרֹתַיִךְ, מְכוּרֹתַיִךְ: **Herkunft** *origin* sg. Hs 29,14, pl. 16,3 21,35.†

מָכִי: n. m.; KF; AP 1,11 מכי: Nu 13,15.†

מָכִיר: n. m.; n. tr.: I. n. m.: 1) S. v. מְנַשֶּׁה Gn 50,23 Nu 26,29 27,1 32,39f 36,1 Dt 3,15 Jos 13,31 17,1.3 1 C 2,21.23 7,14—17; 2) 2 S 9,4f 17,27; II. n. tr.: e. Stamm *a tribe* (= מְנַשֶּׁה) nur erwähnt *only once mentioned* Jd 5,14 (Meyer, IN 516ff); F מָכִירִי.†

מָכִירִי: gntl. v. מָכִיר: Nu 26,29.†

מכך: ug. *mk*; mhb.; aram. מַךְ; F מוּךְ: [qal: impf. וַיָּמֹכּוּ Ps 106,43, 1 וַיִּמַּקּוּ]; nif: impf. יִמַּךְ Ko 10,18, cj אָמַךְ Ps 88,16, cj וָאֶמַּכָה Ps 69,11: 1. **sich senken** (Gebälk) *sink (in decay, house-timbers)* Ko 10,18; 2. **sich ducken** *bow one's head* cj Ps 69,11 88,16;† hof: pf. וְהֻמְּכוּ: **geduckt, erniedrigt sein** *be brought low* Hi 24,24.†

*מִכְלָא, מִכְלָה: כלא: pl. cs. מִכְלְאֹת, sf. מִכְלְאֹתֶיךָ: **Hürde** *fold, pen* Ha 3,17 Ps 50,9 78,70; cj מִכְלָאֹת Ct 5,12.†

מִכְלוֹל: כלל: **Vollkommenheit** *perfection*, לְבֻשֵׁי מִ׳ vollkommen, prächtig gekleidet *clothed gorgeously* Hs 23,12 38,4.†

מִכְלוֹת: I כלה; Endung *ending -ōt*: **Vollendung** *perfection*: מִ׳ זָהָב lauteres Gold *perfect, pure gold* 2 C 4,21.†

מִכְלָל: כלל: **Vollkommenheit** *perfection* Ps 50,2, cj cs. מִכְלַל Js 33,17.†

מַכְלֻלִים: כלל: **Prachtgewänder** *gorgeous garments* Hs 27,24.†

מַכֹּלֶת: < *מַאֲכֹלֶת, אכל: **Speise** *food* 1 K 5,25, cj 2 C 2,9.†

*מִכְמַנִּים: *כמן; ja., sy.; كمن sich versteckt halten, auflauern *be hidden, lie in ambush*: cs. מִכְמַנֵּי **verborgne Schätze** *hidden treasures* Da 11,43.†

מִכְמָס Esr 2,27 Ne 7,31, מִכְמָשׂ 1 S 13,2.5.11.16.23 14,5.31 Js 10,28 Ne 11,31 (Var. מִכְמָשׁ 1 S 13,2.5.11.16 Js 10,28, מִכְמַשׁ Ne 11,31): n. l.; כמס: *Muḫmas* 11 km nnö. Jerusalem.†

מִכְמָר Js 51, 20, *מִכְמֹר Ps 141, 10: cj II כמר: pl. sf. מַכְמֹרָיו: **Stellnetz** (für Wild) *net, snare* (*for game*).†

***מִכְמֶרֶת** Ha 1, 15 f, מִכְמֹרֶת Js 19, 8; cj II כמר: sf. מִכְמַרְתּוֹ: **Fischnetz, Schleppnetz,** *fishing-net* (F Humbert ZAW 62, 201).†

מִכְמָשׂ: F מִכְמָס.

הַמִּכְמְתָת: n. l.; כמת?: *Ch. Ǧulēǧil* sö. שְׁכֶם (Elliger ZDP 53, 285 ff) Jos 16, 6 17, 7.†

מַכְנַדְבַי: n. m.?: Esr 10, 40.†

מְכֹנָה: n. l.; כון: bei *near* צִקְלַג Ne 11, 28.†

מִכְנָס: כנס: pl. cs. מִכְנְסֵי; Lutz JAO 42, 209: **Beinhüllen** (der Priester) *drawers* (*of the priests*); aus *of* בַּד Ex 28, 42 39, 28 Lv 6, 3 16, 4, aus *of* פִּשְׁתִּים Hs 44, 18; F Si 45, 8.†

מֶכֶס: < ak. *miksu* (Zimm. 10); mhb.; äga., palm., ja. מִכְסָא, ܡܟܣܐ; > مَكْس, armen. *makʿs*: (kultische) **Abgabe** *tax* (*of worship*) Nu 31, 28. 37—41; F *מִכְסָה.†

***מִכְסָה**: f. v. מֶכֶס: cs. מִכְסַת: **Betrag** *amount* Ex 12, 4 Lv 27, 23.†

מִכְסֶה: כסה; ug. *mks*; mhb.: cs. מִכְסֵה, sf. מִכְסֵהוּ: **Decke** *covering*: der Arche *of the ark* Gn 8, 13, v. Zelt *of tent* Ex 26, 14 35, 11 36, 19 40, 19 Nu 3, 25, aus Fell *made of skin* Nu 4, 8. 10—12, aus Fellen *of skins* Ex 39, 34; cj Hs 27, 7.†

מְכַסֶּה: pt. pi. כסה: sf. מְכַסֵּךְ (66 MS pro מְכַסַּיִךְ) Js 14, 11, מְכַסֵּךְ: 1. **Decke** *covering* Js 14, 11 23, 18; 2. Bedachung, **Deck** (Schiff) *deck* (*of a ship*) Hs 27, 7; 3. (anatom.) Decke (v. Fett über d. Eingeweiden) *covering* (*of fat upon the intestines*; = הַמ׳ עַל־הַקֶּרֶב Lv 4, 8 *omentum*) die **fette Netzhaut** *the fat covering* Lv 9, 19.†

מַכְפֵּלָה: מְעָרַת הַמ׳: die Höhle **Machpela** *the cave of Machpelah* Gn 23, 9. 17. 19 25, 9 49, 30 50, 13 Grabstätte *place of burial* v. Sarah, Abraham, Jakob, NO der Flur von *in the NE field of* Hebron (BRL 278), gewöhnlich als n. l. angesehn *usually taken for a n. l.*, aber *but* מַכְפֵּלָה Der. v. כפל: מְעָרַת הַמ׳: **Doppelhöhle** *double cave*.†

מכר: mhb.; ak. *makāru* Handel treiben *trade*; pu. מכר מכר Verkäufer *seller*; ܙܒܢ kaufen *purchase*; ja. af. verloben *marry*; F Zimm. 16. 20 (*tamkaru*, ug. *mkr* Kaufmann *tradesman*): qal: pf. מָכַר, sf. מְכָרוֹ, מְכָרָנוּ, impf. יִמְכֹּר, יִמְכָּר־, תִּמְכְּרוּ, sf. תִּמְכְּרֵם, נִמְכְּרֵנוּ, inf. מְכֹר, לִמְכּוֹר, sf. מָכְרָם; imp. מִכְרָה, מִכְרִי, pt. מֹכֵר, מוֹכֵר, מוֹכְרִים, מֹכְרֵי, sf. מֹכְרֵיהֶן: 1. **verkaufen** *sell*: Grundstück *plot of land* Gn 47, 20. 22 Lv 25, 25. 27 27, 20 Hs 48, 14 Ru 4, 3, Vieh *cattle* Ex 21, 35. 37 Sa 11, 5, Öl *oil* 2 K 4, 7, Getreide *cereals* Ne 10, 32, Fische *fish* 13, 15 f, Waren *merchandise* 13, 20, Hemden *shirts* Pr 31, 24, Gestohlenes *stolen things* Ex 21, 16. 37, Haus *house* Lv 25, 29, Kadaver *dead body* Dt 14, 21, etwas *something* Lv 25, 14—16, Erstgeburtsrecht *birthright* Gn 25, 31. 33: e. Vater verkauft s. Tochter (als Frau) *father sells daughter* (*as wife*) cf. ja. Gn 31, 15; als Sklave verkaufen *sell as slave* Gn 37, 27 f. 36 45, 4 f Am 2, 6 Ne 5, 8, Vater s. Tochter als Sklavin *father his daughter as female slave* Ex 21, 7; verkaufen *sell*: Sklaven *slaves* 21, 8, Kriegsgefangne *prisoners of war* Dt 21, 14 Jl 4, 3. 6 f, e. geraubten Menschen *a stolen person* Dt 24, 7, Weisheit *wisdom* Pr 23, 23; abs. Js 24, 2 (:: קנה) Hs 7, 12 f; 2. **an andre ausliefern, preisgeben** *give in other hands, power*: Gott sein Volk *God his people* Dt 32, 30 Jd 2, 14 3, 8 4, 2 10, 7 1 S 12, 9 Js 50, 1 Ps 44, 13, sein Land *his country* Hs 30, 12, e. Einzelnen

an individual Jd 4, 9, cj 1 S 23, 7; l הַכִּמֶּרֶת Na 3, 4; †
nif: pf. נִמְכַּרְנוּ, נִמְכַּר, impf. יִמָּכֵר, inf. sf. הִמָּכְרוֹ, pt. pl. נִמְכָּרִים: **verkauft werden** *be sold*, c. בְּ für *for*: Ex 22, 2 Lv 25, 23. 34. 42. 48. 50 27, 27 f Js 52, 3 Est 7, 4 Ne 5, 8; c. לְ an *to* Lv 25, 39. 47 Dt 15, 12 Ir 34, 14, c. לְעֶבֶד als Sklave *as slave* Ps 105, 17, c. בְּ wegen *for* Js 50, 1; †
hitp: pf. הִתְמַכֵּר, impf. וַיִּתְמַכְּרוּ, inf. sf. הִתְמַכֶּרְךָ: 1. c. לְ **sich verkaufen lassen als** *sell oneself as* Dt 28, 68; 2. c. לְ c. inf. **sich dazu verkaufen, hergeben, zu...** *sell oneself to..., lend oneself to...* 1 K 21, 20. 25 2 K 17, 17 Si 47, 24. †
Der. מֶכֶר; n. m. מָכִיר; מִמְכָּרֶת, מִמְכָּר.

מֶכֶר: מכר: sf. מִכְרָהּ: 1. **Kaufpreis** *value, price* Nu 20, 19 Pr 31, 10; 2. **käufliche Ware** *merchandise* Ne 13, 16. †

***מַכָּר**: נכר ?: sf. מַכָּרוֹ, pl. sf. מַכָּרֵיהֶם: **Bekannter, Klient**? *acquaintance, client*? 2 K 12, 6. 8. †

***מִכְרֶה**: I כרה: cs. מִכְרֵה: (Salz-) **Grube** (*salt-*) *pit* Ze 2, 9, †

***מְכֵרָה**: pl. מְכֵרֹתֵיהֶם: ungedeutet *unexplained* Gn 49, 5. †

מִכְרִי: n. m.: 1 C 9, 8. †

מְכֵרָתִי: gntl., von ?: 1 C 11, 36. †

מִכְשׁוֹל ,מִכְשֹׁל: כשׁל; mhb.: pl. מִכְשֹׁלִים: 1. etwas, worüber man strauchelt; **Hindernis, Anstoss** *means or occasion of stumbling; obstacle, stumbling-block*: Lv 19, 14 Js 57, 14 Hs 3, 20 Ps 119, 165, pl. Ir 6, 21; מִ׳ עָוֹן Anlass zu Verschuldung *cause for guilt* Hs 7, 19 14, 4. 7 18, 30 44, 12 Si 4, 22; מִ׳ לֵב Gewissensvorwurf *offence of heart* 1 S 25, 31; צוּר מִ׳ Fels, über den man strauchelt *rock of offence* Js 8, 14; l הַמַּכְשֵׁלִים Hs 21, 20. †

מַכְשֵׁלָה: כשׁל: **Verfall** *decay, ruin* Js 3, 6; pro pl. מַכְשֵׁלוֹת l הִכְשַׁלְתִּי Ze 1, 3. †

מִכְתָּב: כתב; mhb., ja. מִכְתָּבָא: cs. מִכְתַּב: 1. **Schrift** *writing*: Gottes *of God* Ex 32, 16, d. Siegelstechers *of seal-engraver* 39, 30, *F* Dt 10, 4; בְּמִ׳ schriftlich *in writing* Esr 1, 1 2 C 36, 22; 2. **Schriftstück** *thing written* 2 C 21, 12, schriftliche Anordnung *written order* 35, 4; l מִכְתָּם Js 38, 9. †

***מְכִתָּה**: כתת: sf. מְכִתָּתוֹ: das Zerschlagen, **zerschlagne Stücke** *crushing, crushed fragments* Js 30, 14. †

מִכְתָּם: כתם? ak. *katāmu* zudecken *cover*, daher *therefore* Mowinckel, Ps-Studien IV, 4 f „Sühneps" „*psalm of expiation*" (?): Ps 16, 1 56, 1 57, 1 58, 1 59, 1 60, 1, cj Js 38, 9. †

מַכְתֵּשׁ: כתשׁ; mhb.: 1. **Backenzahn** *molar (tooth), grinder* (Dürr OLZ 29, 646) Jd 15, 19; 2. **Mörser** *mortar* Pr 27, 22; 3. = 2. n. l., Stadtteil v. *part of* Jerusalem Ze 1, 11. †

מלא: Sem; alt-aram. Assurbrief 19 f, *F* ba., ug. *ml'*, ak. *malū*, مَلَأَ füllen *fill*, مَلِيَ voll sein *be full*; NF מלה:
qal (100 ×): pf. מָלֵא, מָלְאָה, מָלֵאתִי > מָלֵתִי Hi 32, 18, מָלְאוּ, מָלֵאוּ (> מָלוּ!) Hs 28, 16 l מִלְאַכְתְּךָ), sf. מְלָאוֹ, impf. יִמְלְאוּ, sf. תְּמַלָּאֵמוֹ, inf. מְלֹאת Lv 8, 33 u. מְלֹאות Ir 25, 12 u. מְלוֹאת Est 1, 5 (wie von *as if of* *מְלָה BL 375), imp. מִלְאוּ, sf. מַלְאוּהָ, pt. מָלֵא (auch *also* adj.!), pl. מְלֵאִים: 1. **voll sein** *be full* 2 K 4, 6 Jl 4, 13 Hi 20, 22, v. Tagen *of days* (ak. *ūmē imlū*) **vollzählig sein, werden, zu Ende sein** *be accomplished, ended*

Gn 25, 24 Lv 8, 33 1 S 18, 26 Ir 25, 12 (19 ×); 2. c. ac. **anfüllen** *fill* Gn 1, 22 Ex 10, 6 Js 6, 1 Ps 10, 7 (l מְלָאוּ) (20 ×, cj Nu 14, 21 u. Ps 72, 19); 3. c. ac. materiae **voll sein von** *be filled with* Gn 6, 13 Ex 8, 17 Dt 34, 9 Js 1, 15 (42 ×); 4. c. ac. materiae **anfüllen** mit *fill with* 1 K 18, 34 Js 14, 21 (7 ×); 5. Einzelnes *particulars*: מָלְאָה צְבָאָהּ hat vollendet *has accomplished* Js 40, 2; מ׳ עַל־גְּדוֹתָיו (Fluss) ist über s. Ufer getreten *(river) has overflowed the banks* Jos 3, 15; מָלֵא שְׁלָטִים ergreifen *hold firm* Ir 51, 11; מָלֵא יָדוֹ לַיהוה weiht sich d. Dienst J.s *consecrates himself to Y.* Ex 32, 29; מָלֵא לֵב c. לְ c. inf. fasst Mut, zu... *takes courage, to...* Ko 8, 11 Est 7, 5; l אֲמַלְּאוּ Ex 15, 9;

nif†: impf. יִמָּלֵא, וַתִּמָּלֵא, תִּמָּלְאִי, יִמָּלְאוּ, יִמָּלְאוּן, pt. נִמְלָא: 1. c. ac. materiae: **angefüllt werden mit** *be filled with* Gn 6, 11 Ex 1, 7 1 K 7, 14 2 K 3, 17. 20 Js 2, 7 f 6, 4 Ir 13, 12 Hs 9, 9 10, 4 23, 33 Ha 2, 14 Sa 8, 5 Ps 71, 8 126, 2 Pr 3, 10 20, 17 Ct 5, 2 Ko 11, 3 Est 3, 5 5, 9, cj Ps 17, 14; 2. v. Tagen *of days* ganz vorübergehn *be fulfilled* Ex 7, 25; 3. abs. angefüllt werden *be filled* 2 K 10, 21 Hs 27, 25 32, 6 Pr 24, 4 Ko 1, 8 (מִן von *with*) 6, 7 (נֶפֶשׁ Begierde *appetite*); l וַיִּמָּלֵא Nu 14, 21 u. Ps 72, 19; l אִם־לֹא 2 S 23, 7; l הַמְּלֵאָה Hs 26, 2, l תְּמַלֵּא Hi 15, 32;

pi (BL 375): pf. מִלֵּא u. מִלָּא Ir 51, 34 (BL 375), מִלֵּאתָ, (מִלְּאוּ* >) מִלְאוּ Nu 32, 11 (BL 375), מִלֵּאנוּ, sf. מִלֵּאתִיו, מִלֵּאתִיךָ, impf. תְּמַלֵּא, אֲמַלֵּא, וַיְמַלְאוּ Gn 42, 25, וַתְּמַלֶּאנָה Ex 2, 16, sf. וַיְמַלְאוּם, inf. מַלֵּא, מַלֹּאת u. מַלֹּאות, sf. מַלְּאָם, imp. מַלֵּא, מַלְאוּ, pt. מְמַלֵּא, pl. מְמַלְּאִים; יְמַלֵּא Hi 8, 21 (Mischform aus *blend of* יְמַלֵּא u. יְמַלֶּה): 1. c. 2 ac.: etw. **anfüllen mit** etw. *fill something with something* 1 S 16, 1 Js 33, 5 (34 ×); 2. c. ac. etw. **füllen** *fill something* Gn 24, 16 Ex 2, 16 Hs 7, 19 (14 ×), c. בְּ mit *with* Hi 40, 31; **vollzählig vorlegen** *give in full tale* 1 S 18, 27; v. Tagen *of days* **vollenden lassen** *fulfill (a number)* Ex 23, 26 2 C 36, 21; **zu Ende verbringen** *fulfill* Gn 29, 27 f Js 65, 20 Hi 39, 2 Da 9, 2; 3. c. ac. pers. et ac. rei: jmd mit etw. **erfüllen** *fill a person with a thing* Ex 28, 3 31, 3 35, 31. 35 Ir 15, 17: 4. מִלֵּא יַד פְּלֹנִי (ak. *mullū qātā* belehnen *invest*): jmd [als Priester] **einsetzen** *institute to a [priestly] office*, F מִלֻּאִים: Ex 28, 41 29, 29. 33. 35 Lv 8, 33 16, 32 21, 10 Nu 3, 3 Jd 17, 5. 12 1 K 13, 33 2 C 13, 9; מִלֵּא יָדוֹ לַיהוה weiht sich J. *consecrates himself unto Y.* 2 C 29, 31; מִלֵּא יָדִי **einweihen** *consecrate* Hs 43, 26; 5. מִלֵּא **erfüllen, ausführen** *fulfill*: Wort *saying* Ir 44, 25, Bitte *petition* Ps 20, 6, עֵצָה 20, 5, דְּבַר יהוה 2 C 36, 21, דָּבָר 1 K 2, 27 8, 15. 24 2 C 6, 4. 15; **bestätigen** *confirm* 1 K 1, 14; 6. מִלֵּא יָדוֹ לְ **füllt** s. Hand [mit e. Gabe] für *fills his hand [with a gift] for* 1 C 29, 5; מִלֵּא חַיַּת פ׳ **stillt** jmd.s Begier *satisfies the appetite of* Hi 38, 39; מִלֵּא כַפּוֹ מִן **nimmt e. Handvoll** von *takes the fill of a hand of* Lv 9, 17 Si 33, 19 b; 7. מִלֵּא אַחֲרֵי **treu halten** zu *follow wholly* Nu 14, 24 32, 11 f Dt 1, 36 Jos 14, 8 f 14 1 K 11, 6; 8. c. בְּ obj. et ac. materiae: (Zimm. 27) etw. **besetzen** mit *fill in, set with* Ex 28, 17 39, 10, abs. besetzen *set* 31, 5 35, 33; F מִלֻּאִים, מִלֻּאָה; מִלֵּא יָדוֹ בַקֶּשֶׁת d. Pfeil auf d. Bogen legen *put the arrow upon the bow* 2 K 9, 24; מִלֵּא c. ac. als Pfeil auflegen *put as arrow* Sa 9, 13; קָרָא מִלֵּא mit voller Stimme rufen *cry aloud* Ir 4, 5, cj מִלֵּא 12, 6; מִלֵּא überschwemmen (Fluss) *overflow (river)* 1 C 12, 16; מִלֵּא נֶפֶשׁ e. S. sättigen *satiate a soul* Ir 31, 25 Pr 6, 30, cj אֲמַלֵּא Ex 15, 9; (מִמְסָךְ) מִלֵּא einfüllen *fill up* Js 65, 11; l מַלְאָכָיו Js 23, 2, l תְּמַלֵּא Ps 17, 14;

pu†: pt. pl. מְמֻלָּאִים: besetzt *set* (בְּ mit *with*) Ct 5, 14; †

hitp†: impf. יִתְמַלָּאוּן: sich anhäufen *aggregate* Hi 16, 10.†
Der. מְלוֹא, מְלֵאִים, מְלֻאָה, מְלֵאָה, מָלֵא, מְלֹא, n. m. יִמְלָא.

מָלֵא (adj., cf. מָלֵא pf. qal!): מלא: cs. מְלֵא, f. מְלֵאָה, cs. מְלֵאתִי (BL 526. 600) Js 1, 21, pl. m. מְלֵאִים, f. מְלֵאת u. מְלֵאוֹת: 1. **voll** *full*: שִׁבֳּלִים Gn 41, 7. 22, כֵּלִי 2 K 4, 4, עֲגָלָה Am 2, 13, מְזָוֵינוּ Ps 144, 13, בֶּטֶן Ko 11, 5, Wind *wind* Ir 4, 12; vollgültig *of full value* כֶּסֶף Gn 23, 9 1 C 21, 22. 24; 2. adj. > subst.: מְלֵאָה **Volle** (Frau, die Mann u. Söhne hat) *full* (*woman who owns husband a. sons*) Ru 1, 21; 3. מָלֵא mit Ergänzung *with complement*: **voll von** *full of* Nu 7, 13—86 (25 ×); Dt 6, 11 Ne 9, 25; Dt 33, 23, 34, 9, 2 S 23, 11 1 C 11, 13, 2 K 7, 15, Js 51, 20, Ir 5, 27, 35, 5, Hs 1, 18 10, 12 17, 3 28, 12 36, 38 37, 1 Ps 75, 9 Pr 17, 1 Ko 9, 3; 4. מָלֵא folgt auf die Ergänzung *following its complement*: voll von *full of*: תְּשֻׁאוֹת מְלֵאָה Js 22, 2, פֶּרֶק מְ׳ Na 3, 1; 5. die Ergänzung folgt auf cs. *complement after cs.*: Js 1, 21 Ir 6, 11; 6. מָלֵא prädikativ: Ko 1, 7; l מַלֵּא Ir 12, 6, l מְלֹא Na 1, 10, l וּמְלֵיהֶם יִמָּצוּ Ps 73, 10; F מְלֵאָה.†

מְלֹא, **מְלוֹא** u. **מְלוֹ** Hs 41, 8†: מלא: sf. מְלֹאוֹ, מְלֹאָהּ: das, **was anfüllt, voll macht** *that which fills*: מְלֹא בֵיתוֹ sein Haus voll *his house full* Nu 22, 18 24, 13, מְלֹא הַסֵּפֶל Jd 6, 38, so *thus* Ex 9, 8 16, 33 Lv 2, 2 5, 12 16, 12 1 K 17, 12 2 K 4, 39 Ko 4, 6; הַיָּם וּמְלֹאוֹ d. Meer u. **alles, was darin ist** *the sea, a. all that is therein* Js 42, 10 Ps 96, 11 98, 7 1 C 16, 32, אֶרֶץ וּמְלֹאָהּ Dt 33, 16 Js 34, 1 Ir 8, 16 47, 2 Hs 12, 19 19, 7 30, 12 32, 15 Mi 1, 2 Ps 24, 1, תֵּבֵל וּמְ׳ Ps 50, 12 89, 12; עִיר וּמְ׳ Am 6, 8; 2. **Fülle, volle Zahl, Menge, Ausdehnung** *fulness, full number, quantity, extension*: c. הַגּוֹיִם Gn 48, 19, c. קוֹמָתוֹ seiner ganzen Länge nach *in his full length* 1 S 28, 20, c. הַחֶבֶל 2 S 8, 2, c. רֹחַב Js 8, 8, c. הַקָּנֶה Hs 41, 8; cj מְלֹא יָמֶיךָ all deine Tage *all thy days* Na 1, 10f; l מְלֹאוֹ Ex 16, 32, l מְלֹאָהּ Js 6, 3.†

מְלֵאָה: f. v. adj. מָלֵא: sf. מְלֵאָתְךָ: was anfüllt, volle Menge, **voller Ertrag** *that which is the full, full produce*: v. גֹּרֶן u. יֶקֶב Ex 22, 28 Nu 18, 27, F Dt 22, 9.†

מִלֻּאָה*: מלא pi. 8; Zimm. 27: cs. מִלֻּאַת, pl. sf. מִלּוּאֹתָם, מִלֻּאֹתָם: **Besatz** (mit Steinen) *setting (of jewels)* Ex 28, 17. 20 39, 13; F מִלֻּאִים.†

מִלֻּאִים, **מִלּוּאִים**: מלא pi 4 u. 8: sf. מִלֻּאֵיכֶם: 1. **Einweihung** *installation* Ex 29, 22. 26 f. 31. 34 Lv 7, 37 8, 22. 28 f. 31. 33; 2. **Besatz** (mit Steinen) *setting (of jewels)* F מִלֻּאָה* Ex 25, 7 35, 9. 27 1 C 29, 2.†

מַלְאָךְ: *לאך; mhb., ja. מַלְאֲכָא; ug. *ml'k* Bote *messenger*: cs. מַלְאַךְ, sf. מַלְאָכוֹ, מַלְאָכִי, pl. מַלְאָכִים, cs. מַלְאֲכֵי, sf. מַלְאָכָיו, מַלְאָכֶיךָ; Na 2, 14 l מַלְאָכַיִךְ (ה dittogr.): 1. (menschlicher) **Bote** (*human*) *messenger* c. שָׁלַח Hs 23, 40 Ne 6, 3; sg. 1 S 23, 27 2 S 11, 19 (17 ×); pl. meist mehrere Boten, die zusammen geschickt werden *usually some messengers sent together* Js 18, 2 (צִירִים//), v. יַעֲקֹב Gn 32, 4. 7, מֹשֶׁה Nu 20, 14, שָׁאוּל 1 S 11, 7, etc. (67 ×); מַלְאָכִים קַלִּים Js 18, 2, מַלְאֲכֵי שָׁלוֹם 33, 7, מַ׳ מָוֶת Pr 16, 14, גּוֹיִם (MS גּוֹי) מַ׳ Js 14, 32, cj מַלְאָכָיו 23, 2; l הַמְּלָכִים 2 S 11, 1, l הַמֶּלֶךְ 2 K 6, 33 1 C 21, 20; 2. die Propheten als Boten Gottes *the prophets as God's messengers* 2 C 36, 15. 16; חַגַּי ist *is* מַלְאַךְ יהוה Hg 1, 13; die Winde *the winds* מַלְאָכָיו Ps 104, 4; fraglich *dubious* Ko 5, 5; 3. nicht menschliche, überirdische Boten, **Engel** *superhuman messen-*

gers, *angels*†: wohl schon *rather already* Gn 19, 1. 15; מַלְאָךְ e. Engel *an angel* Ex 23, 20 33, 2 Nu 20, 16 1 K 13, 18 19, 5 (= מַ׳ יהוה 19, 7) Js 63, 9 1 C 21, 15 2 C 32, 21; מַ׳ אֱלֹהִים Gn 21, 17 1 S 29, 9, מַ׳ הָאֱלֹהִים Gn 31, 11 Ex 14, 19 Jd 6, 20 13, 6. 9 2 S 14, 17. 20 19, 28, מַלְאֲכֵי אֱלֹהִים Gn 28, 12 32, 2; מַלְאַךְ יהוה (W. Baumgartner, Schweiz. Theol. Umschau 14, 99 ff) (Hg 1, 13 **F** 2.) Gn 16, 7. 9—11 22, 11. 15 Ex 3, 2 Nu 22, 22—35 (10×) Jd 2, 1. 4 5, 23 6, 11 f. 21 f 13, 3. 13. 15—21 (8×) 2 S 24, 16 1 K 19, 7 2 K 1, 3. 15 19, 35 Js 37, 36 Sa 1, 11. 12! 3, 1. 5 f Ma 2, 7! Ps 34, 8 35, 5 f 1 C 21, 12. 15 f. 18. 30; הַמַּלְאָךְ Sa 6, 5 1 C 21, 27; מַלְאָכוֹ (v. יהוה) Gn 24, 7. 40, מַלְאָכִי (Gottes *of God*) Ex 23. 23 32, 34 Js 42, 19 Ma 1, 1 (? vel n. m.?) 3, 1, מַלְאָכָיו (Gottes *of God*) Js 44, 26 Ps 91, 11 103, 20 148, 2 Hi 4, 18; מ׳ הַבְּרִית (1 מֶלֶךְ?) Ma 3, 1, הַמַּלְאָךְ הַדֹּבֵר בִּי Gn 48, 16; הַמַּ׳ הַגֹּאֵל אֹתִי Sa 1, 9. 13 f 2, 2. 7 4, 1. 4 f 5, 5. 10 6, 4; הַמַּ׳ מ׳ אַחֵר Sa 2, 7; הַמַּ׳ הַמַּשְׁחִית 1 C 21, 15; der d. Volk schlägt *who has to destroy the people* 2 S 24, 16 f; מַלְאָכִים Hs 30, 9, מַלְאָךְ Ho 12, 5, מַ׳ מֵלִיץ Hi 33, 23, מַלְאֲכֵי רָעִים Ps 78, 49.

מְלָאכָה: <לאך, מַלְאָכָה*>; mhb. Arbeit *labour*; ph. מלאכת, מלכת Arbeit *labour, work*; Assurbr. 10: מְלָאכֶת (Var. מַלְאֶכֶת) 2 C 13, 10; cs. מְלֶאכֶת, sf. מְלַאכְתּוֹ, מְלַאכְתְּךָ, מְלַאכְתֶּךָ; pl. cs. מַלְאֲכוֹת, sf. מַלְאֲכוֹתֶיךָ: Botschaft, Sendung > Auftrag > Unternehmung, Geschäft > Arbeit, Dienst > Sache, Ware, etwas *message, sending* > *commission* > *occupation, business* > *work, service* > *matter, merchandise, something*: 1. **Sendung, Auftrag** *sending, commission* Jon 1, 8 Pr 18, 9 22, 29; 2. **Unternehmung** *undertaking* (*work*) מְלֶאכֶת י׳ Ir 48, 10, מְ׳ לאדני 50, 25, **F** Ps 73, 28 1 C 26, 30; 3. **Aufgabe, Geschäft, Werk** *business, work* Pr 24, 27, Geschäfte *business* Da 8, 27; עֹשֵׂי מְ׳ Gesch. treiben *do bus.* Ps 107, 23, עָשָׂה לִמְלַאכְתּוֹ für seine Gesch. verwenden *put to one's work* 1 S 8, 16; עָשָׂה מְלַאכְתּוֹ sein Werk verrichten *make one's work*: Gott *God* Gn 2, 2 f, Menschen *men* 39, 11 Ex 20, 9 36, 4 Dt 5, 13 1 K 7, 14; 4. **Aufgabe, Arbeit, Hantierung** *task, occupation, work* Ex 31, 3. 5 35, 31 38, 24 39, 43 Ne 4, 9. 16 5, 16 6, 3. 9 13, 30 1 C 22, 15 28, 21 29, 1; עָשָׂה מְ׳ e. Arbeit ausführen *do a work* (*a job*) Ex 35, 35 36, 2. 5. 7 f Ne 6, 16 2 C 4, 11 5, 1 34, 13, arbeiten (*to*) *work* Ex 20, 10 31, 14 f 35, 2 Lv 16, 29 23, 3. 28. 30 f Nu 29, 7 Dt 5, 14 16, 8 Ir 17, 22. 24 18, 3 Hg 1, 14 Ne 2, 16; נעשה מְ׳ es wird gearbeitet *work is done* Ex 12, 16 31, 15 35, 2 Lv 23, 3 Jd 16, 11; כִּלָּה מְ׳ e. Arbeit vollenden *finish a work* Ex 40, 33; מְלֶאכֶת הַחוֹמָה Arbeit an der M. *work of the wall* Ne 5, 16, מְ׳ חָרָשׁ Ex 35, 35; מְלֶאכֶת c. gen. Arbeit für *work for* Ex 36, 1. 3 f 38, 24 1 C 28, 20; עָשָׂה מְלֶאכֶת עֲבֹדָה Werktagsarbeit tun *do work of labour* Lv 23, 7 f. 21. 25. 35 f Nu 28, 18. 25 f 29, 1. 12. 35; עָשָׂה מְ׳ בְּ Dienst tun an *do service at* Nu 4, 3; מְ׳ coll. Arbeiten *work* 1 K 7, 40. 51 Ne 4, 5 1 C 29, 5 2 C 8, 9. 16 16, 5 24, 13 29, 34 34, 12; c. gen. an *at* Esr 3, 8 f (בְּ) 6, 22; הַמְּ׳ die Arbeiten *the work* Ex 35, 29 1 K 5, 30 9, 23 2 C 13, 10; עֹשִׂים בַּמְּ׳ bei den Arb. beschäftigt *that wrought in the work* 1 K 5, 30 9, 23 11, 28 Ne 4, 10 f. 15; עֹשֵׂי הַמְּ׳ Arbeiter *workmen* Esr 3, 9 1 C 22, 15 2 C 34, 10. 17, Vorarbeiter *formen* 2 K 12, 12. 15 f 22, 5. 9 2 C 24, 13 34, 10, beschäftigte *the doing work* 1 C 23, 24, Beauftragte *the having charge* Est 3, 9 9, 3; הַמְּ׳ הַרְבֵּה וּרְחָבָה Arbeit *work* Ne 4, 13; מְלֶאכֶת c. gen. Arbeit an Ex 35, 21. 24 1 C 9, 19 1 K 7, 22; מְלָאכָה בְּ Arbeiten in [Erz] *works in* [*brass*] 1 K 7, 14; מְלֶאכֶת הַשָּׂדֶה Feldarbeit *field-labour* 1 C 27, 26; מַלְאֲכוֹת הַתַּבְנִית **F** 1 C 28, 13. 20 2 C 24, 12; dem Plan gemässe Arb. *works of the pattern* 1 C 28, 19; מְלֶאכֶת עוֹר in Leder Gearbeitetes *wrought of skin* Lv 13, 48. 51; עָשָׂה לִמְ׳ verarbeiten, verwenden zu *work up, into* Hs 15, 3, pass. 15, 5; מְלֶאכֶת מַחֲשָׁבָה Ausführung e. Plans *execution of a design* Ex 35, 33; 5. **Arbeit, Geschäft, etwas** *work, business, something*: Geschäft, Sache *business, thing* Esr 10, 13, Ware, Sache *goods, thing* 1 S 15, 9 2 C 17, 13, Sache, Vieh *thing, cattle* Gn 33, 14, Sache *stuff, thing* Ex 22, 7. 10 36, 7; etwas *something* Ex 36, 6 Lv 11, 32 Hs 15, 4, כָּל־מְ׳ alles Mögliche *anything conceivable* Lv 7, 24; 6. Geschäft, **Dienst** *business service*: 1 C 4, 23 23, 4 Ne 10, 34 11, 22 1 C 6, 34 9, 13, הַמְּ׳ הַחִיצֹנָה d. äussere D. *the outward s.* Ne 11, 16 1 C 26, 29, אַנְשֵׁי מְ׳ in D. gestellte *commissioned ones, officials* 25, 1; הַמְּלָאכָה d. Gottesdienst *service (of worship)* Esr 2, 69 Ne 7, 69 f. 11, 12 13, 10 1 C 9, 33 (l הַמְּ׳); מְלֶאכֶת הַמֶּלֶךְ die königliche Hofhaltung *the king's household* 29, 6; 7. cj מְלַאכְתֵּךְ pro מְלוֹ תוֹכֵךְ dein **Treiben** *thy doings* Hs 28, 16; ? 28, 13; cj לִמְלָאכָה zum (Liebes-) Geschäft *for the (love-) affair* Hs 16, 13; F מְלֶכֶת.†

*מַלְאָכוּת: לאך; Gulk. Abstr. 43: cs. מַלְאֲכוּת: **Botenamt** *messenger's commission* Hg 1, 13.†

מַלְאָכִי: n. m? vel (G ἄγγελος αὐτοῦ) m. Bote *my messenger?* מַלְאָךְ; Μαλαχίας *Malachias*: **Maleachi** *Malachi*: Ma 1, 1.†

מלאכת: F מְלָאכָה.

[מִלֵּאת Ct 5, 12: l מְכַלְאֹת (Kuhn, Erklärung d. Hohen Liedes, 1926, 35[1]).]

מַלְבּוּשׁ: לבשׁ; mhb., mnd.: sf. מַלְבּוּשֶׁךָ, pl. sf. מַלְבֻּשֵׁיהֶם, מַלְבּוּשָׁיו: **Gewand** *attire, garment* 1 K 10, 5 2 K 10, 22 Js 63, 3 Hs 16, 13 Ze 1, 8 Hi 27, 16 2 C 9, 4.†

מַלְבֵּן: II לבן; ak. *nalbanu*: 1. **Ziegelform** *brick-moula* (Mallon, Les Hébreux en Égypte, fig. 35, p. 136 f) Na 3, 14; 2. **Ziegelei** *brick-making* 2 S 12, 31 Q (l והֶעֱבִיד); 3. **Ziegelterrasse, Mastaba** *terrace of bricks, mastaba* (Spiegelb. 24. 38) Ir 43, 9.†

מִלָּה: NF v. מלא F Formen v. *forms of* qal, pi: pi: impf. יְמַלֵּה anfüllen *fill* Hi 8, 21;† cj nif: impf. cj אִמָּלֵה Hs 16, 30, inf. cj הִמָּלוֹת Ko 1, 15: **angefüllt werden** *be filled*.†

מִלָּה: III מלל; aram. = hebr. דָּבָר F ba.: 2 S 23, 2 Ps 19, 5, cj 73, 10, 139, 4 Pr 23, 9 u. Hi 4, 2—38, 2 (34 ×) u. cj 42, 3: sf. מִלָּתוֹ, pl. מִלִּים (10 × Hi) u. מִלִּין (13 × Hi), sf. מִלֶּיךָ, מִלַּי, מִלֵּיהֶם: **Wort** *word*: v. יהוה (als Rechtsgegner *as opponent in judicial cause*) Hi 23, 5†; הֵשִׁיב מִלִּין אֶת jmd erwidern *answer a person* Hi 35, 4; הָיָה לְמִלָּה לְ für jmd zum **blossen Wort,** zum **Gerede werden** *become a byword unto* Hi 30, 9; l וּמִלֵּיהֶם יָמֹצּוּ Ps 73, 10.†

מִלֹּא, מִלֹּו: F מְלֹא.

מִלּוֹא: מלא; ak. *tamlū* Aufschüttung, Terrasse *mound, terrace*: **Aufschüttung, Akropolis** *mound, acropolis* (ZAW 42, 222 ff, AJS 46, 52 f; BRL 7. 300): in Jerusalem 2 S 5, 9 1 K 9, 15. 24 11, 27 1 C 11, 8 2 C 32, 5, in Sichem Jd 9, 6. 20.†

מִלּוּאִים: F מִלֻּאִים.

מַלּוּחַ: II מֶלַח: J. J. Hess bei Löw 1, 648: *Mesembrianthemum Forskalii* (e. salzig schmekkendes Kraut *a herb tasting salt*; Seetzen 2, 307 3, 115); „Salzkraut" „*salt-herb*" Hi 30, 4 (Hölscher).†

מַלּוּךְ: n. m.; = מֶלֶךְ; Spätform *young form*, Noth 38; cf. KAT 472 *Ba'al-maluku*: 1.—5. Esr 10, 29; 10, 32; Ne 10, 5 12, 2. cj 14; 10, 28; 1 C 6, 29.†

מְלֻכָה, מְלוּכָה: 1 S 10, 25†: מלך; mhb.:
1. **Stellung als König, Königtum** *position of king, kingship* 1 S 10, 16 11, 14 14, 47 (לכד) 18, 8 2 S 16, 8 1 K 2, 15. 22 11, 35 12, 21 1 C 10, 14, לִיהוה הַמְ׳ Ob 21 Ps 22, 29; 2. עָשָׂה מְ׳ עַל (ak. *šarrūta epēšu*) als König herrschen über *exercise kingship over* 1 K 21, 7; קָרָא מְ׳ d. Königtum ausrufen *proclaim as king* Js 34, 12; מִשְׁפַּט הַמְ׳ Königsrecht *rights of the king* 1 S 10, 25; כִּסֵּא הַמְ׳ 1 K 1, 46; זֶרַע הַמְ׳ Nachkommen des K. *offspring of the K.* 2 K 25, 25 Ir 41, 1 Hs 17, 13 Da 1, 3; צְנִיף מְ׳ Js 62, 3; l הַמַּיִם 2 S 12, 26, l לַמְּלָאכָה Hs 16, 13.†

מַלּוּכִי Ne 12, 14: Q מְלִיכוּ, K מַלּוּכִי, l מַלּוּךְ.†

מָלוֹן: לין; mhb.: cs. מְלוֹן: **Platz, wo man über Nacht bleibt** *place where one stays for the night* Gn 42, 27 43, 21 Ex 4, 24 Jos 4, 3. 8 2 K 19, 23 Js 10, 29, cj 37, 24, Ir 9, 1.†

מְלוּנָה: לין: **Gestell, auf dem d. Feldhüter nachts Wache hält** *structure upon which the field-watchman keeps look-out during the night* Js 1, 8 24, 20.†

מַלּוֹתִי: n. m.; F III מלל pi: 1 C 25, 4. 26.†

I מלח: مَلَخَ zerren, zergliedern *tear, dismember*, መልኀ:
nif: pf. נִמְלָחוּ: **zerrissen werden** *be dispersed in fragments* Js 51, 6.†
Der. I *מֶלַח.

II מלח: den. v. II מֶלַח; mhb., F ba.:
qal: impf. תִּמְלָח: (Opfer) **salzen** *salt (offering)* Lv 2, 13;†
pu: pt. מְמֻלָּח: **gesalzen werden** (Räucherwerk) *be salted (incense)* Ex 30, 35 Si 49, 1;†
hof: pf. הָמְלַחַתְּ (הֻמְלַחַת) vel הָמְלַחַתְּ (הֻמְלַחַת), inf. הָמְלֵחַ: **mit Salzwasser abgerieben werden** (Neugebornes) *be rubbed with saltwater (newborn child)* Hs 16, 4; F II מֶלַח.†

I *מֶלַח: I מלח: pl. מְלָחִים: **Kleiderfetzen** *rags* Ir 38, 11 f.†

II מֶלַח: mhb.; aram. מלחא F ba.; ph., ak. *milʾu*; مِلْح: **Salz** *salt*: aus Lagunen *produced in lagoons* Hs 47, 11, מִכְרֵה מְ׳ Ze 2, 9; נְצִיב מְ׳ Gn 19, 26; als Speisezutat *for seasoning food* Hi 6, 6 Hs 47, 11, z. Verbesserung v. Wasser *used in purifying waters* 2 K 2, 20 f, Zusatz z. Opfer *seasoning offerings* Lv 2, 13 Hs 43, 24; auf gebanntes Land gestreut *strewn on devoted land* Dt 29, 22 (גָּפְרִית) Jd 9, 45 F מְלֵחָה; בְּרִית מְ׳ Lv 2, 13 u. בְּרִית מְ׳ Nu 18, 19 2 C 13, 5 (Mahlgemeinschaft *communion of food*); in n. l. F גֵּיא, יָם, עִיר, תֵּל; F II מלח, מְלֵחָה.†

***מַלָּח**: ak. (sum.) *malāḫu*; mhb., ja. u. sy. מַלָּחָא; ph. מלח; مَلَّاح: pl. מַלָּחִים, sf. מַלָּחַיִךְ: **Schiffer, Seemann** *mariner* Hs 27, 9. 27. 29 Jon 1, 5.†

מְלֵחָה: f. v. *מָלֵחַ; II מֶלַח: מְ׳ < אֶרֶץ מְ׳: **Salzhaltiges, unfruchtbares Land** *salt-country, barren country* Ir 17, 6 (אֶרֶץ מְ׳) Ps 107, 34 Hi 39, 6 Si 39, 23.†

מִלְחָמָה (315 ×), מִלְחֶמֶת 1 S 13, 22†: לחם; ug. *mlḥmt*: sf. מִלְחַמְתִּי, pl. מִלְחָמוֹת, cs. מִלְחֲמוֹת, sf. מִלְחֲמֹתָיו: 1. **Gedräng, Handgemenge > Kampf** *scrimmage, close encounter > fight, battle*: עָשָׂה מִלְחָמָה Gn 14, 2 Dt 20, 12, עָרַךְ מְ׳ Jd 20, 20, יָצָא לַמְ׳ Ex 1, 10, קָרָא מְ׳ Nu 21, 33, etc.; F אסר, גרה, דבק hif., למד, לחם nif., נטש, עמד, קִדֵּשׁ, שָׁמַע, תְּרוּעָה; וַתִּכְבַּד מְ׳ war heftig *was heavy* 1 S 31, 3, מְ׳ כְּבֵדָה Jd 20, 34, מְ׳ חֲזָקָה 2 K 3, 26, כֹּבֶד מְ׳ Js 21, 15; מְ׳ חֲזָקָה 1 S 14, 52; מִלְחָמוֹת גְּדֹלוֹת 1 C 22, 8, מְ׳ קָשָׁה

2 S 2, 17, מ׳ אַרְכָּה 3, 1, פְּנֵי הַמּ׳ 2 S 10, 9 11, 15 1 C 19, 10, מ׳ נָפְצָת 2 S 18, 8; אִישׁ מ׳ Kämpfer *warrior* Ex 15, 3 (9×), אַנְשֵׁי מ׳ Nu 31, 28 (29×), אִישׁ מִלְחָמוֹת kampfgewohnt *trained in war* 2 S 8, 10 Js 42, 13 1 C 18, 10 28, 3, עָרוּךְ מ׳ Jl 2, 5, עִזּוּז מ׳ Js 42, 25, עַם מ׳ Jos 8, 1. 3. 11 10, 7, צְבָא מ׳ Nu 31, 14 etc., עֹזְרֵי מ׳ 1 C 12, 1, תֹּפְשֵׂי מ׳ Nu 31, 27, גִּבּוֹרֵי מ׳ 2 C 13, 3, מְשִׁיבֵי מ׳ Js 28, 6, שָׂרֵי מִלְחָמוֹת 2 C 32, 6; l מחלות Js 30, 32; 2. יהוה u. מִלְחָמָה (H. Fredriksson, Jahwe als Krieger, Lund, 1945): מ׳ לַיהוה Ex 17, 16 1 S 17, 47, יהוה ist *is* אִישׁ מ׳ 15, 3, גִּבּוֹר מ׳ Ps 24, 8; מִלְחֲמוֹת יהוה (wie *as* מִלְחֲמוֹת כְּנַעַן Jd 3, 1) Nu 21, 14 1 S 18, 17 25, 28; לִפְנֵי יהוה לַמּ׳ Nu 32, 20. 27. 29 Jos 4, 13; יהוה ist *is* מַשְׁבִּית מ׳ Ps 46, 10; 3. שְׁלוֹם הַמּ׳ d. Ergebnis des Kampfes, wie es um d. K. steht *the result of the battle* 2 S 11, 7; בֵּית מִלְחַמְתִּי mein Kampfgebiet *my sphere of battle* (Hjelt, Festschr. Marti 146) : : m. Front *my front* (Lewy MVA 29, 2, 21) 2 C 35, 21; 4. מ׳ e. bestimmte Waffe? *a special weapon?* Ps 76, 4 (Gunkel).

I מלט: < פלט; mhb. pi. retten *save*; ja. itp. entkommen *escape*:

nif (60×): pf. נִמְלַט, נִמְלַטְתִּי, נִמְלָטוּ, נִמְלָטוּ, impf. יִמָּלֵט, אִמָּלְטָה, יִמָּלְטוּ, inf. הִמָּלֵט, imp. הִמָּלְטִי, pt. נִמְלָט, f. נִמְלָטָה: sich in Sicherheit bringen, entrinnen *save oneself*, *escape* Gn 19, 17 Jd 3, 26, cj Ir 2, 37—3, 1 (l לְהִמָּלֵט pro לאמר: להם), cj Am 2, 15a u. Ps 33, 17 u. Hi 20, 20; l אִם (pro הִמָּלֵט) 1 S 27, 1, l יִמָּלֵט 2 K 10, 24;

pi†: pf. מִלֵּט, מִלַּט, sf. מִלְּטָנוּ, impf. יְמַלֵּט, אֲמַלֵּט, יְמַלְּטוּ, יְמַלְּטֵהוּ, אֲמַלֶּטְךָ, sf. inf. מַלֵּט, imp. מַלְּטָה, מַלְּטוּ, sf. מַלְּטוּנִי, pt. מְמַלֵּט, מְמַלְּטִים: 1. c. ac. jmd retten *save*, *deliver* 2 S 19, 6. 10 Js 46, 2 Ir 39, 18 Ps 41, 2 107, 20 (l מִשַּׁחַת חַיָּתָם) 116, 4 Hi 6, 23 22, 30 29, 12 Ko 8, 8 9, 15; 2. מִלֵּט נַפְשׁוֹ sich retten *save oneself* 1 S 19, 11 1 K 1, 12 Ir 48, 6 51, 6. 45 Hs 33, 5 Am 2, 14 f Ps 89, 49; 3. c. ac. etw. unbehelligt lassen *leave alone something* 2 K 23, 18; 4. cj c. ac. entrinnen lassen *let escape* cj 2 K 10, 24; 5. abs. retten *save* Js 46, 4; l יִמָּלֵט Am 2, 15a u. Ps 33, 17 u. Hi 20, 20 (*F* Hölscher); ? Js 34, 15;

hif†: pf. הִמְלִיטָה, הִמְלִיט: davonbringen *deliver* Js 31, 5 (l inf. וְהִמְלִיט), = gebären *give birth* 66, 7;

hitp†: impf. יִתְמַלְּטוּ: sich davonmachen, hervorsprühen *leap forth*, *sparkle* Hi 41, 11. Der. n. m. מְלַטְיָה; gr. n. l. Μελίττη Malta.

II מלט: مَلَطَ schwach behaart sein *have scanty hair*, ምላጠ enthaaren, kahl machen *depilate*, *make bald*:

hitp: impf. וְאֶתְמַלְּטָה: sich kahl erweisen *prove bald*, *hairless* Hi 19, 20.†

מֶלֶט: ܡܠܛܐ; II מלט? مَلَطَ überstreichen *smear*: Mörtel *mortar* Ir 43, 9.†

מְלַטְיָה: n. m.; I מלט u. ״: Ne 3, 7.†

מְלִיכוּ: *F* מלוכי.†

***מְלִילָה**: I מלל; mhb., ja. מְלִילְתָא: pl. מְלִילֹת: Reibähren *rubbed ears (of wheat)*; AS 1, 438 f: Dt 23, 26.†

מְלִיצָה: ליץ, mhb.: anspielender Spruch *alluding saying* Ha 2, 6 Pr 1, 6 Si 47, 17.†

I מלך (346×): ug. *mlk*; ak. *malāku* beraten *advice*, *mal(i)ku* Fürst, Berater *prince*, *counsellor* (Zim. 7); amor. *mlk* regieren *govern*; מלך mo., ph., *F* ba. *מְלַךְ Rat *counsel*; מָלַךְ den. v. מֶלֶךְ (Zimm.) oder *or* מֶלֶךְ der. v. מָלַךְ = besitzen, Herr sein *possess*, *be master*; ምለከ besitzen *own exclusively*; asa. מלך Besitz *possession*, מלכת Herrin *mistress*, oder *or* מָלַךְ = II מלך; Nöld. ZDM 40, 727 Ruž. WZK 27, 15 f:

qal (296 ×): pf. מָלַךְ, מָלָךְ, מָלַכְתָּ, מָלְכוּ, impf. יִמְלוֹךְ, יִמְלָךְ־, תִּמְלֹךְ, אֶמְלוֹךְ, inf. מְלֹךְ, מָלְכָה, מְלָךְ־, sf. מָלְכוֹ, imp. מְלֹךְ, מְלָךְ־, (K מְלוּכָה Jd 9, 8), מָלְכִי (K מְלוֹכִי 9, 12), pt. f. מֹלֶכֶת: **1. König sein, herrschen** *be king, reign*: c. עַל Jd 9, 8, Frau Königin *woman queen* 2 K 11, 3, c. בְּ in *in* Gn 36, 31, an e. Ort *at a place* Jos 13, 12; c. בְּ König werden über *become king of* Gn 36, 32, c. לְ bei *over* 36, 31; בְּמָלְכוֹ als er K. wurde *when he began to reign* 1 S 13, 1; שְׁנַת מָלְכוֹ sein [erstes] Jahr als K. *his [first] year of reigning* (MVA 1924, 2, 25[5]) 2 K 25, 27, cj Ir 52, 31; 2. von Gott gesagt *said of God*: **König sein** *be king*: Ex 15, 18 1 S 8, 7 Js 24, 23 52, 7 Hs 20, 33 (מלך sonst nicht *otherwise not used in Hs*) Mi 4, 7 Ps 47, 9 93, 1 96, 10 97, 1 99, 1 146, 10 1 C 16, 31 †; 3. **Königin heissen** *be titled queen* Est 2, 4 †; 4. **zur Herrschaft kommen** *become reigning* Pr 30, 22 †;

hif (47 ×): pf. הִמְלִיךְ, הִמְלַכְתִּי, sf. הִמְלַכְתַּנִי, הִמְלַכְתִּיךָ, impf. וַיַּמְלֵךְ, וַיַּמְלִיכוּ, וָאַמְלִיךְ, וַיַּמְלֵךְ, נַמְלֵךְ, נַמְלִיךְ, sf. וַיַּמְלִיכֻהָ, וַיַּמְלִכֵהוּ, inf. הַמְלִיךְ, sf. הַמְלִיכוֹ, pt. מַמְלִיךְ: 1. c. ac. (oft mit *often with*: לְמֶלֶךְ): **als König einsetzen** *make king*: subj. יהוה 1 S 15, 35 1 K 3, 7 2 C 1, 8. 11, d. Volk *the people* Jd 9, 16 etc., מֶלֶךְ בָּבֶל 2 K 24, 17 Ir 37, 1 Hs 17, 16 2 C 36, 10, מֶלֶךְ מִצְרַיִם 36, 4, דָּוִד 1 K 1, 43, אַבְנֵר 2 S 2, 9; **2. zur Königin machen** *make queen* Est 2, 17; 3. c. שֵׁנִית: **als König bestätigen** *make king the second time* 1 C 29, 22;

hof †: pf. הָמְלַךְ: **z. König gemacht werden** *be made king* Da 9, 1.

Der. I מֶלֶךְ, מֹלֶךְ, מַלְכָּה, מַלְכוּת; מַמְלָכָה; מַמְלָכוּת; n. m. II מֶלֶךְ, יַמְלֵךְ, מַלְכִּיאֵל, מַלְכִּיָּה(וּ), מַלְכָּם, מַלְכִּישׁוּעַ, מַלְכִּירָם, מַלְכִּי־צֶדֶק, n. f. מִלְכָּה, n. dei מִלְכֹּם, מֹלֶכֶת.

II מלך: *F* I מלך; *F* ba.; ܡܠܟܐ Ratschlag *counsel*:

nif: impf. וַיִּמָּלֵךְ: c. לִבִּי עָלַי **ich ging mit mir zu Rat** *I considered carefully* Ne 5, 7. †

I מֶלֶךְ (2500 ×): *F* I מלך; mhb., ug., mo., ph., Znğ.; *F* ba.; ak. *maliku*, *malku* Fürst, Stadtkönig *prince, king of town or small territory* (: : *šarru* König e. Lands, Reichs *king of a nation, empire*); مَلِك, asa. מלך König *king*: sf. מַלְכִּי, pl. מְלָכִים, מְלָכִין (BL 517) Pr 31, 3 †, cs. מַלְכֵי, sf. מַלְכֵיהֶם, מְלָכֶיהָ: **König** *king*: 1. (v. Menschen *said of men*): הִמְלִיךְ לְמֶלֶךְ Jd 9, 6, הִמְלִיךְ מֶלֶךְ לְ 1 S 8, 22, *F* כון, משׁח, קום, שׂים; K. e. Volks *K. of a people* מֶ׳ פְּלִשְׁתִּים Gn 26, 1, e. Landes *of a country* מֶ׳ עֵילָם 14, 1, e. Stadt *of a town* מֶ׳ יְרוּשָׁלֵם Jos 10, 1, מֶ׳ בִּירוּשָׁלֵם Ko 1, 1 †, מֶ׳ גְּרָר Gn 20, 2, e. Reichs *of an empire* מֶ׳ אַשּׁוּר Js 36, 4; pl. מַלְכֵי כְנַעַן Jd 5, 19; Titel *titles*: מֶלֶךְ der König *the king* Ps 21, 2, אֲדֹנִי הַמֶּלֶךְ 2 S 3, 21, הַמֶּלֶךְ דָּוִד 2 S 3, 31 1 C 17, 16 > (besonders später *especially later*) דָּוִד הַמֶּלֶךְ 24, 31, הַמֶּלֶךְ הַגָּדוֹל der Grosskönig *the great king* (= d. assyrische K. *the Assyrian k.*, ak. *šarru rabū*) 2 K 18, 19. 28 Js 36, 4. 13, מֶ׳ מְלָכִים (K. v. *k. of* בָּבֶל) Hs 26, 7; יְחִי הַמֶּלֶךְ 1 S 10, 24 2 S 16, 16 1 K 1, 34. 39 2 K 11, 12 2 C 23, 11;

2. von Gott gesagt *said of God* †: הַמֶּלֶךְ Js 6, 5 Ir 46, 18 48, 15 51, 57 Ps 98, 6 145, 1; מַלְכְּכֶם 1 S 12, 12 Js 43, 15, מַלְכֵּנוּ Js 33, 22; מֶ׳ יַעֲקֹב 41, 21, מֶ׳ יִשְׂרָאֵל 44, 6 Ze 3, 15, מֶ׳ הַכָּבוֹד Ps 24, 7—10, מֶ׳ עוֹלָם 10, 10, מֶ׳ הַגּוֹיִם Ir 10, 7; מֶ׳ גָּדוֹל Ma 1, 14 Ps 47, 3 (.8) 95, 3; מֶ׳ יהוה Sa 14, 16 f; *F* Nu 23, 21 Dt 33, 5 Ir 8, 19 Mi 2, 13 Sa 14, 9 Ps 5, 3 44, 5 84, 4 29, 10 48, 3 68, 25 74, 12 149, 2 47, 7 99, 4 (?) (Da 4, 34); Eissfeldt ZAW 46, 81 ff;

3. בֶּן־מֶלֶךְ Ir 36, 26, בְּנֵי הַמֶּ׳ Ze 1, 8; מִשְׁתֵּה הַמֶּ׳ 1 S 25, 36, מַעֲדַנֵּי מֶ׳ Gn 49, 20, מִקְדַּשׁ מֶ׳

Am 7, 13; אֶבֶן הַמֶּ׳ königliches Gewicht *the king's weight* 2 S 14, 26; דֶּרֶךְ הַמֶּ׳ Reichsstrasse *the king's highway* (*et-Ṭarīq es-Sulṭāni*, v. *from* Aqaba nach *into Syria*) Nu 20, 17 21, 22; כְּיַד הַמֶּ׳ mit königlicher Freigiebigkeit *with kingly liberality, bounty* 1 K 10, 13 Est 1, 7 2, 18; 4. Einzelnes *particulars*: a) מֶ׳ 37 × in Hs, nie v. Gott gesagt *never said of God*, 37, 22. 24 = der künftige *the coming* David; b) metaph.: Pflanzen *plants* Jd 9, 8. 15, Tiere *animals* Hi 41, 26 Pr 30, 27; מֶ׳ בַּלָּהוֹת = Tod *death* Hi 18, 14; c) מֶ׳ v. Göttern gesagt *said of foreign gods* Am 5, 26 Ze 1, 5 Js 57, 9 (?), n. m. נְתַן־מֶלֶךְ; d) cj הַמְּלָכִים 2 S 11, 1, cj הַמֶּלֶךְ 2 K 6, 33 u. 1 C 21, 20; l מִלְכֹּם 2 S 12, 30 u. 1 C 20, 2, l מוֹלִיךְ Pr 30, 31.

Der. n. m. אֱלִימֶלֶךְ, אֲחִימֶלֶךְ, אֲבִימֶלֶךְ, מַלְּךְ, מַלּוּךְ; n. dei עֲנַמֶּלֶךְ.

II מֶלֶךְ: n. m.; = I; asa. Ryck 2, 85: 1 C 8, 35 9, 41.†

מֹלֶךְ: לַמֹּלֶךְ Lv 18, 21 20, 2. 3. 4 2 K 23, 10 Ir 32, 35; הַמֹּלֶךְ Lv 20, 5; l וּלְמִלְכֹּם 1 K 11, 7 (ut 11, 5. 33); G Lv 18, 21 20, 2—4 ἄρχων, 20, 5 ἄρχοντες, Ir μολοχ βασιλεύς, 2 K μολοχ (daher Moloch *whence Moloch*): seit *since* A. Geiger, Urschrift, 1857, 299—308: מֹלֶךְ = n. dei מֶלֶךְ vokalisiert wie *vocalized as* בֹּשֶׁת (Lit. *F* Baudissin, Moloch PRE³, XIII, 269 ff); O. Eissfeldt, Molk als Opferbegriff, 1935: pro לַמֹּלֶךְ l לְמֹלֶךְ, cj Js 30, 33; מֹלֶךְ = pu. *molch* [*omor*] מלכ[אמר] e. besondrer Opferterminus, לְמֹלֶךְ gebildet wie לְעֹלָה Gn 22, 2 u. לְאָשָׁם Lv 5, 18 *a special term of offering*, לְמֹלֶךְ *formed like* לְעֹלָה Gn 22, 2 *a.* לְאָשָׁם Lv 5, 18; Albr., ARS 162 ff (Mari: n. d. *Muluk*).†

מַלְכֹּדֶת: לכד: sf. מַלְכֻּדְתּוֹ: die **Schlinge** für ihn *the snare for him* (AS 6, 337) Hi 18, 10.†

מַלְכָּה: f. v. I מֶלֶךְ; *F* ba.: cs. מַלְכַּת, pl. מְלָכוֹת: 1. **Königsfrau** *wife of a king* pl. Ct 6, 8 f; 2. (ausserhebräische *foreign*) **Königin** *queen*: מַלְכַּת שְׁבָא 1 K 10, 1. 4. 10. 13 2 C 9, 1. 3. 9. 12; וַשְׁתִּי הַמַּ׳ Est 1, 9. 11. 16 f, אֶסְתֵּר הַמַּ׳ 2, 22 5, 2 f. 12 7, 1—3. 5. 7 8, 1. 7 9, 12. 29. 31, הַמַּ׳ 1, 18 4, 4 7, 6. 8; *F* מְלֶכֶת u. n. f. מִלְכָּה.†

מִלְכָּה: n. f.; = מַלְכָּה: 1. Frau v. *wife of* נָחוֹר Gn 11, 29 22, 20. 23 24, 15. 24. 47; 2. בַּת צְלָפְחָד Nu 26, 33 27, 1 36, 11 Jos 17, 3.†

מַלְכוּת, מַלְכֻת (3 ×): I מֶלֶךְ; *F* ba.; Est 22 ×, 1 C 11 ×, 2 C 27 ×, Da 13 ×, Esr 6 ×, Ne 2 ×, Ps 6 ×, vereinzelt *isolated quotations in* Nu 1 S 1 K Ir (l 52, 31 מַלְכוֹ) Ko: sf. מַלְכוּתוֹ, pl. מַלְכֻיּוֹת: 1. **Königsherrschaft** *royal power, reign* 1 S 20, 31 u. 1 K 2, 12 (תִּכּוֹן מ׳ cf. ak. *kun šarrūti*), Nu 24, 7 Ps 45, 7 145, 13 Est 1, 4 Da 11, 21 1 C 12, 24 14, 2 17, 11 28, 7 2 C 1, 1 11, 17 12, 1, l מַלְכֵיהֶם Ir 10, 7; 2. **Königswürde** *royal dignity*: v. David 1 C 11, 10, v. Esther Est 4, 14, v. e. Armen *of a poor man* Ko 4, 14 (l לְמַ׳), v. Israels Königen *of Israel's kings* Ne 9, 35; 3. **Regierungstätigkeit** *reign* 1 C 29, 30; 4. **Regierungszeit** *reign* Ir 49, 34 Est 2, 16 Da 1, 1 2, 1 8, 1 Esr 4, 5 f 7, 1 8, 1 Ne 12, 22 1 C 26, 31 2 C 3, 2 15, 10. 19 16, 1. 12 20, 30 29, 19 35, 19; 5. **Königreich** *kingdom* Est 1, 14. 20 2, 3 3, 6. 8 5, 3. 6 7, 2 9, 30 Da 11, 4. 9. 17. 20, מ׳ פָּרַס 9, 1, מ׳ כַּשְׂדִּים 10, 13 2 C 36, 20, מ׳ יָוָן Da 11, 2; pl. 8, 22; 6. **königlich** *royal*: כִּסֵּא Est 1, 2 1 C 22, 10 2 C 7, 18, יַיִן Est 1, 7, כֶּתֶר 1, 11 2, 17, דְּבַר 1, 19, לְבוּשׁ 6, 8 8, 15 5, 1 (adde לְבוּשׁ), בֵּית לְמַ׳ :: בֵּית 1, 9 2, 16 2 C 1, 18 2, 11, הוֹד Da 11, 21 1 C 29, 25; 7. von י׳ **gesagt** *said of* י׳: Königsherrschaft *royal power* Ps 103, 19 145, 11—13, 1 C 17, 14 (Davids Nachkommen gegeben *given to David's offspring*); 1 C 28, 5 כִּסֵּא מַלְכוּת יהוה עַל־יִשְׂרָאֵל.†

מַלְכִּיאֵל: n. m.; I מֶלֶךְ u. אֵל; amor. u. EA *Mil-*

kili; asa. מלכאל Ryck. 2, 85; *F* אֱלִימֶלֶךְ: Gn 46, 17 Nu 26, 45 1 C 7, 31; *F* מַלְכִּיאֵלִי.†

מַלְכִּיאֵלִי: gntl. v. מַלְכִּיאֵל: Nu 26, 45.†

מַלְכִּיָּה: n. m.; < מַלְכִּיָּהוּ; äga. AP: 1. Esr 10, 31 Ne 3, 11; 2. 8, 4; 3. Ir 21, 1 38, 1; *F* 1 C 6, 25 9, 12 24, 9 Esr 10, 25 Ne 3, 14. 31 10, 4 11, 12 12, 42.†

מַלְכִּיָּהוּ: n. m.; > מַלְכִּיָּה; I מֶלֶךְ u. יי: ein *a* בֶּן־הַמֶּלֶךְ Ir 38, 6.†

מַלְכִּי־צֶדֶק: n. m.; Μελχισεδεκ; I מֶלֶךְ u. צֶדֶק, ph. n. m. צדקמלך Lidz. 357, Noth S. 161[4]: **Melchisedek** *Melchizedek*, K. v. *king of* שָׁלֵם Gn 14, 18 Ps 110, 4; z. Tradition RB 1927, 25 ff; JPO 7, 109 ff.†

*מַלְכִּירָב: *F* יָרֵב.

מַלְכִּירָם: n. m.; I מֶלֶךְ u. רום; *Milkirāmu* APN 137; ph. n. m. מלכרם; Dir. 352: 1 C 3, 18.†

מַלְכִּישׁוּעַ, מַלְכִּי־שׁוּעַ: n. m.; I מֶלֶךְ u. שׁוּעַ Noth S. 154[2]. Sohn v. *son of* שָׁאוּל 1 S 14, 49 31, 2 1 C 8, 33 9, 39 10, 2.†

מַלְכָּם: n. m.; I מֶלֶךְ u. *-ām* (Mimation): 1 C 8, 9; *F* מִלְכֹּם.†

מִלְכֹּם: n. dei: I מֶלֶךְ u. *-ōm* (Mimation; ug. *mlkm*; *F* מַלְכָּם): Gott der *God of* בְּנֵי־עַמּוֹן: 1 K 11, 5. 33. cj 7 2 K 23, 13, cj 2 S 12, 30 u. 1 C 20, 2 u. Ir 49, 1 u. 3 u. Ze 1, 5.†

מַלְכֵּן: 2 S 12, 31: l מַלְבֵּן Q.†

מְלֶכֶת: künstliche Bildung *artificial form* (MS מלאכת) pro מַלְכַּת: (G Ir 44, 17): מְלֶכֶת השׁמים: die **Himmelskönigin** *the queen of heaven* (Ischtar *Ishtar*, Venus) Ir 7, 18 44, 17—19. 25.†

הַמֹּלֶכֶת: n. f.; pt. fem. hif. הלך; Morgenstern ZAW 49, 58: 1 C 7, 18.†

I מלל: NF v. אמל:

qal: impf. יִמַּל, יִמָּלוּ, cj תִּמַּל: **welken** *wither* Ps 37, 2 Hi 18, 16, cj Hi 15, 32;†

pol: impf. יְמוֹלֵל: **zusammensinken** *wither, fade* Ps 90, 6;†

hitpol: impf. יִתְמֹלָלוּ: **in sich zusammensinken** *collapse* (l כְּמוֹ חָצִיר בְּדֶרֶךְ) Ps 58, 8.†

Der. *מְלִילָה.

II מלל; NF v. מול; Haupt ZDM 64, 710:

qal: imp. מֹל: **beschneiden** *circumcise* Jos 5, 2;†

nif: pf. נִמַּלְתֶּם (BL 431) impf. יִמַּל, יִמָּלוּ: 1. **abgeschnitten werden** *be cut off* Hi 14, 2 24, 24; 2. **sich beschneiden lassen** *be circumcised* Gn 17, 11.†

III מלל: aram., *F* ba.; مَلَّ IV diktieren *dictate* (*letter*):

qal: pt. מֹלֵל: c. בְּרַגְלוֹ: (mit d. Fuss) deuten, **Zeichen geben** *make signs* (*with the foot*) Pr 6, 13;†

pi: pf. מִלֵּל, מִלְּלוּ, impf. יְמַלֵּל, יְמַלֶּל־, inf. sf. מַלּוֹתִי 1 C 25, 4 u. 26 (wenn nicht *if not* n. m.!): **sagen, künden** *say, utter* Gn 21, 7 Ps 106, 2 Hi 8, 2 33, 3 (1 C 25, 4 u. 6).†

Der. מִלָּה.

מִלְלַי: n. m.; (dittogr.?): Ne 12, 36.†

*מַלְמָד: למד: cs. מַלְמַד: **Treibstecken** *ox-goad* (Pflugsterz? Pflugbaum? *plough-head? plough-beam?* Löw ZA 23, 283 f, Vogelstein, Landwirtschaft 32); Schröder OLZ 14, 479 l בְּמַלְמֵלָה דָּקַר tötete mit d. Wurfgeschoss *killed with the missile*, ak. (sum.) *mulmullu*) Jd 3, 31.†

מלץ: مَلَصَ gleiten *slip*, ܡܠܨ glatt sein *be slippery*:

nif: pf. נִמְלְצוּ: glatt sein, leicht eingehn (Rede) *be smooth, pleasant (speech)* Ps 119, 103 (F מרץ nif.). †
Der. *עמלץ.

מֶלְצַר: < ak. *maṣṣāru* (Zim. 7); *מַצָּר > *מַצְּר > *מַלְצַר > מֶלְצַר (Ruž. KD 195): **Aufseher** *guardian* Da 1, 11. 16. †

מלק: mhb., ja.; ak. *marāqu* zerkleinern *make small pieces of*; M. Gaster, The Samaritans, 1923, 69:
qal: pf. מָלַק: e. Vogel (mit d. Fingernagel den Kopf) **abkneipen** (ohne ihn ganz abzureissen) *nip off (a bird's head with the finger-nail without severing the head from the body)* Lv 1, 15 5, 8. †

מַלְקוֹחַ: לקח: das, **was man** (im Krieg an Menschen, Tieren, Sachen) **fängt, nimmt** *people, animals, things taken (in warfare)* Nu 31, 11 f. 26 f. 32. †

מַלְקוֹשׁ: I לקשׁ; mhb., ja. מַלְקוֹשָׁא: **Spätregen** *latter-rain, spring-rain* (März—April *March—April*) Dt 11, 14 Ir 5, 24 Ho 6, 3 Jl 2, 23 Sa 10, 1 Pr 16, 15 Hi 29, 23; l וּלְמוֹקֵשׁ Ir 3, 3. †

***מַלְקָחַיִם**: (לקח ?) Holma NKt 25 حَلْقٌ, حُلْقُوم, ak. *lāq[pī]*: du., sf. מַלְקוֹחִי: **Gaumen** *jaw*, lat. *fauces* (zweiteilig gedacht *thought to be bipartite* MVG 1916, 234) Ps 22, 16. †

מֶלְקָחַיִם: לקח; mhb.: du., fs. מֶלְקָחֶיהָ: **Dochtscheere** *snuffers* Ex 25, 38 37, 23 Nu 4, 9 1 K 7, 49 Js 6, 6 2 C 4, 21. †

מֶלְתָּחָה: ak. *maštaku, maštaktu* (Zim. 32); *מֶלְתָּחָה > מֶתָּחָה ?: cs. מֶלְתַּחַת: **Kleiderkammer** *wardrobe* 2 K 10, 22, cj Ir 38, 11. †

***מַמְּגֻרָה**: pl. מַמְּגֻרוֹת (dagesch dirimens!): Sprengling JBL 38, 136 ff cf. مَاجُور (Dozy 1, 10 2, 596) = Teich, Wassergrube *pond, tank*; l מְגֻרוֹת (F מְגוּרָה) Jl 1, 17. †

***מֵמַד**: מדד, Bildung wie *form as* מֵחַם: pl. sf. מְמַדֶּיהָ: **Mass** *measurement* Hi 38, 5. †

מְמוּכָן: n. m.; pers.? Scheft. 48: Est 1, 14. 16 (K מומכן). 21. †

***מְמוֹתִים**: מות; cf. مَمَات: pl. tant., cs. ממותי: **Tod** *death* Ir 16, 4 Hs 28, 8; l המומתים Q 2 K 11, 2. †

מַמְזֵר < *מַנְזֵר > מַזֵּר v. III מזר verdorben sein *be rotten*, مَذِرَ u. mhb. מזר verdorben sein (Ei) *be rotten (egg)*, [Syriac] (etw.) verderben *corrupt (a thing)*, Nöld. NB 45 f; מַמְזֵר mhb., ja. מַמְזֵרָא Kind aus verbotner Ehemischung *child of illegitimate intercourse*: **Bastard** *bastard* Dt 23, 3 Sa 9, 6 (Feigin AJS 43, 50 ff). †

מִמְכָּר: מכר: cs. מִמְכַּר, sf. מִמְכָּרוֹ, pl. sf. מִמְכָּרָיו: 1. **Verkauftes** *sold things* Lv 25, 25. 28 Hs 7, 13; 2. **Verkäufliches, Ware** *merchandise* Lv 25, 14 Ne 13, 20; 3. **Verkauf** *sale* Lv 25, 27. 29. 33. 50; ? Dt 18, 8. †

***מִמְכֶּרֶת**: = cs.; מכר: **Verkauf** *sale* Lv 25, 42. †

מַמְלָכָה: (116 ×): I מלך; Gulk. Abstr. 26: cs. מַמְלֶכֶת, sf. מַמְלַכְתּוֹ, pl. מַמְלָכוֹת, cs. מַמְלְכוֹת: 1. **Herrschaftsbereich, Königtum** *dominion, kingdom* Gn 10, 10, pl. Ps 135, 11, ממלכות הָאָרֶץ Dt 28, 25 (15 ×), Js 19, 2, בָּבֶל ist *is* צְבִי מַמְלָכוֹת 13, 19 u. גְּבֶרֶת מ׳ 47, 5; מ׳ גדלה Ir 28, 8, מ׳ שְׁפָלָה Hs 17, 14 29, 14; David: בֵּיתְךָ וּמַמְלַכְתְּךָ 7, 16; אָנֹכִי וּמַמְלַכְתִּי 2 S 3, 28, גּוֹי וּמַמְ׳ 1 K 18, 10 (7 ×); שְׁתֵּי מַמְלָכוֹת = Israel u. Juda Hs 37, 22; 2. **Königswürde, -herrschaft** *royal sovereignty, dominion*:

1 S 28, 17 Js 17, 3 Ir 27, 1; עִיר הַמַּמְ׳ Königsstadt *royal city* 1 S 27, 5, pl. Jos 10, 2; בֵּית מַמְ׳ Reichstempel *king's sanctuary* Am 7, 13; כִּסֵּא מַמְלַכְתּוֹ s. Königsthron *the throne of his kingdom* Dt 17, 18, pl. Hg 2, 22, 3. Theologisches *theological use*: לְךָ יהוה הַמַּמְלָכָה 1 C 29, 11; נָתַן יהוה מַמְ׳ לְ 2 C 13, 5; F הֵכִין, קָרַע, הֶעֱבִיר; מַמְלֶכֶת כֹּהֲנִים (Caspari Th Bl 8, 105 ff Scott OTS 8, 213 ff) Königreich von Priestern *kingdom of priests* Ex 19, 6.

מַמְלָכוּת: I מלך; contaminatio v. מַמְלָכָה u. מַלְכוּת: cs. מַמְלְכוּת: 1. **Königsherrschaft** *royal dominion* Jos 13, 12. 21. 27. 30 f 1 S 15, 28 2 S 16, 3 Ir 26, 1; 2. **Königreich** *kingdom* Ho 1, 4. †

מִמְסָךְ: מסך; mhb. Mischung *mixture*: **Würzwein** (Wein mit Zusatz v. Wasser u. Honig u. Pfeffer) *mixed wine* (*wine with addition of water a. honey a. pepper*) AS 6, 129: Js 65, 11 Pr 23, 30. †

מֶמֶר: < *מֶמֶר (Bildung *form* F מֶרֶד); I מרר: **Bitterkeit, Verdruss** *bitterness, grief* Pr 17, 25. †

I **מַמְרֵא**: n. m.; III מרא?: אֱמֹרִי Gn 14, 13. 24; F II. †

II **מַמְרֵא**: n. l.; F I: *Rāmet el-Ḫalīl* bei *near* Hebron; Mader RB 1930, 84 ff; Sy. 11, 16 ff, BRL 275 ff: Gn 23, 17. 19 25, 9 35, 27 49, 30 50, 13, אֵלֹנֵי מַמְ׳ 13, 18 18, 1. †

מַמְּרוֹרִים (dagesch dirimens, BL 212): I מרר; pl. tant.; **Bitterkeit** *bitter things* (*experiences*) Hi 9, 18. †

מִמְשַׁח: ungedeutet *unexplained*; ak. *mašāḫu* glänzen *be bright* Torcz. JPO 16, 5: Hs 28, 14. †

מִמְשָׁל: II משל: pl. מִמְשָׁלִים: 1. **Herrschaft** *dominion* Da 11, 3. 5; 2. pl. > concr. **Oberhäupter** *rulers* (l הֵם מֹשְׁלִים) 1 C 26, 6. †

מֶמְשָׁלָה: II משל: cs. מֶמְשֶׁלֶת, sf. מֶמְשַׁלְתּוֹ, pl. sf. מֶמְשְׁלוֹתָיו (BL 614): 1. **Herrschaft** *dominion*, c. gen. über *over* Gn 1, 16, c. בְּ über *over* Ps 136, 8 f, abs. Js 22, 21 Mi 4, 8 Ps 103, 22 145, 13 (Jahwäs *of Yahve*) Da 11, 5 Si 7, 4 43, 6; 2. אֶרֶץ מֶמְ׳ Herrschaftsgebiet *land of dominion* 1 K 9, 19 Ir 34, 1 51, 28 2 C 8, 6, > מֶמְ׳ 2 K 20, 13 Js 39, 2, pl. Ps 114, 2; 2. **Macht** *might* 2 C 32, 9. †

***מִמְשָׁק**: משק: cs. מִמְשַׁק: ungedeuted *unexplained* Ze 2, 9. †

מַמְתַקִּים (תַ ohne *without* dagesch): מתק: pl. tant.: **Süssigkeiten** *sweet things* Ct 5, 16 Ne 8, 10. †

I **מָן**: sf. מַנְךָ (BL 547) Ne 9, 20: G *μαν, μαννα*, S ܡܢܢܐ: **Manna** *manna*: heisst *named* מָן Ex 16, 31; Beschreibung *description* Ex 16, 31 Nu 11, 7; Namengebung *name given* Ex 16, 15; F Ex 16, 33. 35 Nu 11, 6. 9 Dt 8, 3. 16 Jos 5, 12 Ps 78, 24 Ne 9, 20, = לֶחֶם שָׁמַיִם Ps 105, 40; Plin. XII, 62: (ar. ?) *manna* = lat. *mica* Körnchen *little grain*; es ist ungewiss, ob מָן Exsudat v. Pflanzen (Mannaflechte Secaura esculenta Ev. = Sphaerothallia esc. Nees oder Alhagi camelorum Fisch. oder Tamarix mannifera Ehrenb.) oder Ausscheidung von Blattläusen ist *it is uncertain whether* מָן *is exsudated by plants* (Secaura esculenta Ev. = Sphaerotallia esc. Nees, *or* Alhagi camelorum Fisch. مَن (ar. *ʿāqūl*), *or* Tamarix mannifera Ehrenb.) *or produced by tree-lice*, F Baumgartner u. Eglin ThZ 4, 235 ff (dort *there* Lit.). †

II **מָן**: = מָה; EA 286, 5 *manna*; amor. *mana* was *what*, Th. Bauer, Ostkan. 64; asa. מן pron. indeterm. et interrog.: **was?** *what?* Ex 16, 15. †

מָן: dele (2 MS): Ps 61, 8. †

***מֵן**: sf. מִנֵּהוּ Ps 68, 24 verderbt *corrupt*. †

*מֵן: ܡܢܬܐ, pl. מְנָא, ug. *mnm* (?); ak. *manāni* (Holma NKt 6 f) Haar *hair*: pl. מִנִּים: **Saite** *string* Ps 150, 4 45, 9 (l מִנִּים) (Si 39, 5). †

מִן Sem (nicht *not* ak. ug.), **F** ba.; ph. asa., מן, בן, ug. בן? Zerweck, Die hebr. Präp. Min, 1893, Molin, Om prepos. Min, 1893: v. מנה = Teil *part?*: ן v. מִן gewöhnlich assimiliert *usually assimilated*: מִבֵּן, vor Guttural u. ר meist *before guttural or* ר *mostly* מֵ: מֵאָב; *מִיְּדֵי > מִידֵי etc., aber *but* מִיְּשֵׁנֵי Da 12, 2 u. מִיַּרְשָׁתְךָ 2 C 20, 11; ältre Formen *older forms*: מִנִּי Jd 5, 14 (30 ×, 19 × Hi), לְמִנִּי Mi 7, 12, מִנִּי־ Js 30, 11; c. suff. meist v. *mostly from* **minman* > **mimman*: מִמֶּנִּי, מִמְּךָ, מִמֶּנּוּ, מִמֶּנָּה, aber *but* מִמֶּךָּ, מִמְּךָ, auch *also* מִנִּי Js 22, 4 30, 1 38, 12 Hi 16, 6, מֶנִּי (von *from* **man*) Ps 18, 23 65, 4 139, 19 Hi 21, 16 22, 18 30, 10, מֶנְהוּ 4, 12; מִכֶּם, מֵהֶם, מֵהֵמָּה, מִנְהֶם Hi 11, 20, מֵהֵן Hs 16, 47. 52; מִן praep., Grundbedeutung: Teil von > **von ... aus, von ... weg** *original meaning*: *part of* > *out of*, *from*, *off*: 1. nennt den Ausgangspunkt einer Bewegung *indicates the starting-point of a movement*: **von ... aus** *from*, c. יָצָא, הוֹצִיא etc. Hi 1, 21 Jd 11, 36 Ex 12, 42, c. הִמְשָׁה Ps 18, 17, c. הִצִּיל 1 S 17, 35 u. in verwandten Ausdrücken *a. in analogous expressions*; מִן־הַחוֹר aus = durch *from* = *through* Ct 2, 9 5, 4; 2. zusammen mit אֶל bezeichnet מִן die Richtung einer Bewegung *combined with* אֶל *it indicates the direction of a movement*: מִזַּן אֶל־זַן Ps 144, 13, c. עַד Ex 22, 3, c. וְעַד Lv 13, 12; cf. מִמְּךָ וָהֵנָּה von dir aus herwärts *on this side of thee* 1 S 20, 21, מִמְּךָ וָהָלְאָה von dir aus nach d. andern Seite, hinwärts, hinter dir *on the side thereof*, *behind thee* 20, 22; 3. מִן zeigt d. Ort an, in dessen Richtung, wo etwas ist מִן *indicates the place in the direction of which, where something is to be found*: מִקֶּדֶם ostwärts, im Osten *eastwards*, *in the east* Gn 2, 8, מֵרָחוֹק von fern her = in der Ferne *from far* Js 5, 26, מִמַּעַל oberhalb *above*, מִתַּחַת unten *from beneath*, מִיָּמִין rechts befindlich *at the right*, מִצַּד, מֵאֵצֶל auf d. Seite *on the side*, cf. מִחוּץ, מִבַּיִת, מִפְּנֵי, מִסָּבִיב, מִמּוּל, מֵאַחֲרֵי etc.; aber *but* c. verb. motionis: מֵרָחוֹק Js 22, 3 u. מִמֶּרְחָק 17, 13 weithin *far off*; 4. מִן zeitlich gewendet *used temporally*: **von** (e. Zeit) **an** *since*: מִנְּעֻרִים 1 S 12, 2; מִבֶּטֶן אִמִּי Jd 16, 17, מִן־הִתְחַבְּרוּת Da 11, 23; der Anfangspunkt ist eingeschlossen *the time of beginning is included*: מִיָּמֶיךָ vom Anfang d. Tage an *from the beginning of thy days* Hi 38, 12, מִשְּׁנַת הַיֹּבֵל v. Anfang d. J. an *from the beginning of* Lv 27, 17 (:: אַחַר הַיֹּבֵל 27, 18); 5. cf. *ex itinere* u. ἐξ ἀρίστου: **gleich nach** *immediately after*: מֵהָקִיץ Ps 73, 20, מֵרֶחֶם gleich als ich aus .... kam *as soon as I came from ...* Hi 3, 11, מִמָּחֳרָת gleich andern Tags *instantly the next morning* Gn 19, 34 Ex 9, 6; 6. מִן > seit, **nach** *since*, *after*: מִקֵּץ יָמִים einige Tage darauf *some days thereafter* Gn 4, 3, מִיֹּמִים nach 2 T. *after 2 d.* Ho 6, 2, מִיָּמִים nach einiger Zeit *some time later* Jd 11, 4; auch von zukünftiger Zeit *even applied to the future* Js 24, 22 Hs 38, 8; מִן wird bedeutungslos *looses its significance*: מֵחֹרֶף im Herbst *in harvest* Pr 20, 4; **F** מֵאָז u. מִטֶּרֶם; 7. מִן bezeichnet d. Stoff, aus d. etwas gemacht wird *indicates the matter of which a thing is made*: מִן־הָאֲדָמָה Gn 2, 19, oder d. Ursprungsort *or the origin* מִצָּרְעָה Jd 13, 2; 8. מִן von (e. Seite) her bezeichnet Urheber oder Ursache מִן *from* (*the side of*) *names author or cause*: מֵהַמֶּלֶךְ 2 S 3, 37, מִמֶּנִּי Ir 44, 28, מִכֶּם von eurer Seite *from your side* Hi 6, 25, מֵרִיחַ 14, 9 Hs 19, 10, מֶחֱזִינוֹת

Hi 7, 14; מֵרֹב durch die Menge *by the multitude* Hs 28, 18; c. verb. pass. מִן = von (Seiten) *by (the part of)* מִמֵּי Gn 9, 11; 9. מִן bezeichnet den Standpunkt, von dem aus e. Eigenschaft erkannt wird, so besonders im Komparativ מִן *indicates the point of view from which a quality is recognised, thus especially in the comparative*: נָקִי מִן rein vor *guiltless towards (in the eyes of)* Nu 32, 22, צדק מִן Hi 4, 17; comparativ: טוֹב מִמֶּנּוּ gut von ihm aus gesehen = besser als er *good seen (judged) from his state = better than he* 1 S 9, 2, מֵאֲבוֹתָם von ... aus = mehr als *seen from = more than* Jd 2, 19; 10. מִן wird, von 8. aus, zu: **wegen** *developes, from 8 out, into*: *o n a c c o u n t o f*: מִקּוֹל wegen, von d. Stimme *by the voice* Js 6, 4, מִכֶּם euretwegen *for your sakes* Ru 1, 13; daher *thus* מִבְּלִי, מִבְּלְתִּי weil nicht ist *because there is not*, מִפִּי יהוה wegen, nach J. s. Befehl *on account of, according to Y.'s order* 2 C 36, 12; 11. מִן aus ... her > von, vor *out ... of > from, for* c. עלה, ברח, סור, גֵּרֵשׁ, רחק etc. u. bei Verben des Fürchtens, Verbergens, sich Hütens, Warnens *a. with verbs such as to fear, to hide, to guard against, to warn etc.*: חָפְשִׁי מִן Hi 3, 19, צֵל מִן Js 4, 8, אבר מִן, בגר מִן; daher *thus* מִן = **fern von, ohne** *f a r f r o m, w i t h o u t* מֵרִיב Pr 20, 3, מֵעֵינֵי הָעֵדָה ohne Wahrnehmung d. Gem. *without the knowledge of the com.* Nu 15, 24, מִפַּחַד Hi 21, 9, מֵאַחֶרֶת von d. and. abgesehen *not counted the other* 2 S 13, 16; 12. מִן (Teil) drückt den Teil eines Ganzen aus, מִן *(part) expresses the part of a whole*: מִכָּל־ von ganz *of all* Ex 18, 25, מֵהַרְבֵּה von vielen *of many* Ir 42, 2, מִכֹּל הָעַמִּים unter allen V. *among all the p.* Dt 14, 2; 13. מִן nach *following* adject. = superlativus: הַטּוֹב מִבְּנֵי d. beste von *the best of* 2 K 10, 3; 14. d. Teil, die Grösse, die für sich genommen sind, werden nicht mit Worten ausgedrückt *the part or quantity which is taken off are not named*: מִזִּקְנֵי einige von *some of* Ex 17, 5, מִנְּשִׁיקוֹת mit Küssen *with kisses* Ct 1, 2, מִבְּנוֹת eine von *one of* Ex 6, 25; c. negat.: מֵעֲבָדֵי keiner von *none of* 2 K 10, 23; 15. מִן bezogen auf e. Ganzes *related to a whole*: **etwas davon** *a p a r t o f i t*: מִדָּם (etwas) von d. Bl. [*some*] *of the blood* Lv 5, 9, מֵעֲוֹנֶךָ e. Teil d. Schuld *a p a r t o f t h y g u i l t* Hi 11, 6; c. אַחַת, אֶחָד: **irgendein** *a n y o n e* מֵאַחַת מֵהֵנָּה Lv 4, 2; 16. מִן vor *before* inf.: **weil** *b e c a u s e* מֵאַהֲבַת weil er liebt *because he loves* Dt 7, 8; **sodass nicht** *s o t h a t n o t* מֵרְאֹת Gn 27, 1; gelegentlich wird הְיוֹת ausgelassen *sometimes* הְיוֹת *is left out*: מִמֶּלֶךְ (= מִהְיוֹת מֶלֶךְ) 1 S 15, 23, מִגּוֹי sodass kein V. mehr ist *from being a nation* Ir 48, 2; מִן c. inf. = seitdem, dass *since* 1 C 8, 8; 17. מִן > conjunctio: *F* מֵאֲשֶׁר; מִן־יְקוּמוּן sodass sie nicht *so that they not* Dt 33, 11; 18. מִן c. andern *other* praepos.: מֵעַל, מִבַּעַד, מִבֵּין, מֵאַחַר, מֵאֵת, מֵעִם, מִתַּחַת *F* אַחַר, בֵּין etc.; 19. לְמִן: von ... her *f r o m (... out)*: לְמֵרָחוֹק Hi 36, 3, (tempor.) von lange her *long ago* Js 37, 26, :: (לְ hin *towards*) fernhin *far off* Hi 39, 29; לְמִבֵּית לְ innerhalb von *within* Nu 18, 7; לְמִתַּחַת לְ unterhalb von *underneath* 1 K 7, 32; לְמִבֵּן von ... an *from* 1 C 27, 23 *F* 17, 10 Js 7, 17 2 S 7, 11 Ma 3, 7; לְמִנִּי ... וְעַד (local.) von ... an ... bis *from ... to* Mi 7, 12, (tempor.) Ex 9, 18; > sowohl ... als auch *as ... as* Ex 11, 7.

מְנָאוֹת: *F* מְנָת.

*מַנְגִּינָה: נגן: sf. מַנְגִּינָתָם: **Spottlied** *m o c k i n g s o n g* Th 3, 63. †

מנה: Sem; ug. *mnt*; *F* ba.:
qal: pf. מָנָה, מָנִיתִי, impf. תִּמְנֶה, יִמְנוּ, inf. מְנוֹת, imp. מְנֵה, pt. מוֹנֶה: (in Teile zerlegen)

zählen (*divide in parts*) *count*: Staubkörner *grains of dust* Gn 13, 16 Nu 23, 10, Tage *days* Ps 90, 12, Sterne *stars* Ps 147, 4, Vieh *cattle* Ir 33, 13, Volk *people* 2 S 24, 1 1 C 21, 1 27, 24, Geld *money* 2 K 12, 11; sich ein Heer auszählen *number oneself an army* 1 K 20, 25; c. לֶחָרֶב für d. Schwert auszählen *count (destine) for the sword* Js 65, 12, c. בָּעָם im Volk Zählung halten *number the people* 1 C 21, 17; למנות חיים als Leben rechnen *count as life* Si 40, 29; †

nif: pf. נִמְנָה, impf. יִמָּנֶה, יִמָּנוּ, inf. הִמָּנוֹת: **gezählt werden, zählbar sein** *be counted, be countable* Gn 13, 16 1 K 3, 8 8, 5 2 C 5, 6, c. אֶת־ **zusammengezählt werden mit** *be summed up with* Js 53, 12; l לְהִמָּלוֹת Ko 1, 15; †

pi: pf. מִנָּה, מִנּוּ, impf. וַיְמַן: **zuteilen, bestimmen, bestellen** *appoint, ordain*: Jon 2, 1 4, 6—8 Da 1, 5. 10f, cj Ps 16, 5 (l מְנִיתָ), c. לְ zu *for* Hi 7, 3; ? Ps 61, 8; †

pu: pt. מְמֻנִּים: **bestellt** *appointed* 1 C 9, 29. †

Der. מָן, מָנֶה, מָנָה, מְנָת*, מֹנֶה*, מְנִי, n. m. יִמְנָה.

מָנֶה: ug. *mn* (Eissfeldt, Bertholet-Festschr. 153[2]); F ba. מְנֵא; altsum. *mn* (BAS 110, 21, ak. *manū* (Zim. 20f); مَنًا, äg. *mnu*, > μνᾶ: pl. מָנִים: **Mine** *mine* (Gewichtseinheit f. Edelmetall *unit of weight for precious metal*): 3 מ׳ Gold *gold* 1 K 10, 17; 5000 מ׳ Silber *silver* Esr 2, 69; 2000 Ne 7, 71; 2200 7, 70; הַמָּנֶה = 50 שֶׁקֶל Hs 45, 12 (BRL 185). †

מָנָה: מנה; F *מְנָת: pl. מָנוֹת, sf. מְנוֹתֶיהָ: 1. **Anteil, Portion** (Opferfleisch, Speise) *part, portion (sacrificial meat, food)* Ex 29, 26 Lv 7, 33 8, 29 1 S 1, 4f 9, 23 Est 9, 19. 22 Ne 8, 10, 12 2 C 31, 19 Si 41, 21; 2. **zuträgliche, gebührende Speise** *appropriate food* Est 2, 9. †

***מֹנֶה**: מנה: pl. מֹנִים: Anteile, **Male** *portions, times* Gn 31, 7. 41. †

מִנְהָג: נהג; mhb. Brauch *usage*: cs. מִנְהַג: **Art [, e. Wagen] zu lenken** *driving* 2 K 9, 20. †

***מִנְהָרָה**: III נהר, Karge, Rephaim, 1917, 4[1]: נְהַר, נָהַר nach Wasser graben *dig for water*: pl. מִנְהָרוֹת: **Behälter unter der Erde** *subterranean store* Jd 6, 2. †

***מָנוֹד**: נוד: cs. מְנוֹד: c. רֹאשׁ: (abwehrendes) **Kopfschütteln** *head-shaking (apotropaic gesture)* Ps 44, 15; cj מָנוֹד 31, 12 u. 80, 7 (F מָנוֹן). †

I **מָנוֹחַ**: נוח; ug. *mnḥ*?: cs. מְנוֹחַ, pl. sf. מְנוּחָיְכִי (BL 538) Ps 116, 7: **Rastplatz** *resting-place*: für *for*: Tiere *animals* Gn 8, 9, Vertriebne *expelled people* Dt 28, 65 Th 1, 3, Familienlose *people without relatives* Ru 3, 1, לִילִית Js 34, 14, נֶפֶשׁ Ps 116, 7, הָאָרוֹן 1 C 6, 16; F II. †

II **מָנוֹחַ**: n. m.; = I: V. v. שִׁמְשׁוֹן Jd 13, 2—16, 31. †

מְנוּחָה: f. v. I מָנוֹחַ: sf. מְנֻחָתוֹ, מְנוּחָתֶךָ, pl. pl. מְנוּחֹת: 1. **Rastplatz** *resting-place* Gn 49, 15 Nu 10, 33 Dt 12, 9 1 K 8, 56 Js 11, 10 28, 12 32, 18 66, 1 Ir 45, 3 Mi 2, 10 Sa 9, 1 Ps 95, 11 132, 8. 14 Ru 1, 9; מֵי מְנוּחֹת Rastplatz am Wasser *resting-place with water (on river, brook, well, lake)* Ps 23, 2; בֵּית מְנוּחָה Rasthaus *resting-house* 1 C 28, 2; = ohne *without* בֵּית cj 9, 18 (Richter ZAW 50, 139); שַׂר מְנוּחָה Quartiermeister *quartermaster* Ir 51, 59; 2. **Beruhigung** *comfort, calming* 2 S 14, 17; אִישׁ מְנוּחָה ruhiger, gelassener Mann *calm, imperturbable man* 1 C 22, 9; l הַמְּנֻחִתִי 1 C 2, 52; ? Jd 20, 43. †

מָנוֹן: unerklärt *unexplained* (l מָנוֹד ?) Pr 29, 21. †

מָנוֹס: נוס; mhb.; sf. מְנוּסִי: **Zufluchtsstätte Zuflucht** *place of escape, refuge* 2 S 22, 3

Ir 16, 19 46, 5? Ps 59, 17; c. אבד geht verloren *is lost* Ir 25, 35 Am 2, 14 Ps 142, 5 Hi 11, 20; **F** מְנוּסָה.†

מְנֻסָה, מְנוּסָה: f. v. מָנוֹס; mhb.: cs. מְנֻסַת: **Flucht** *flight* Lv 26, 36 Js 52, 12.†

מָנוֹר: I נִיר; mhb. נִיר, ja. נִירָא, ak. *nîru* Joch *yoke* (Zim. 42): cs. מְנוֹר (אֹרְגִים): **Weberbaum** *beam of weavers* (AS 5, 112ff) 1 S 17, 7 2 S 21, 19 1 C 11, 23 20, 5.†

מְנֹרָה, מְנוֹרָה: נור; mhb.: cs. מְנוֹרַת, pl. מְנוֹרוֹת: **Leuchter** *lampstand*: im Haus *in house* 2 K 4, 10, in Stiftshütte, Tempel *in the tent a. temple* Ex 25, 31—35 26, 35 30, 27 31, 8 35, 14 37, 17—20 39, 37 40, 4. 24 Lv 24, 4 Nu 3, 31 4, 9 8, 2—4 1 K 7, 49 Ir 52, 19 Sa 4, 2. 11 1 C 28, 15 2 C 4, 7. 20 13, 11.†

***מִנְּזָרִים** (dagesch dirimens); < ak. *manzāzu* (Zim. 7): sf. מִנְּזָרַיִךְ: (Torcz. JPO 16, 7): **Wächter** *guardsman* Na 3, 17.†

***מנח**: מִנְחָה.

מִנְחָה (211×; 37× in bürgerlichem Sinn *in civil meaning*): mhb., **F** ba.; ph. מנחת Opfer *offering*; منح Gabe bringen *give a gift*: cs. מִנְחַת, sf. מִנְחָתִי, pl. sf. מִנְחֹתֵיכֶם, מִנְחֹתֶיךָ:

I†: **Gabe**, **Geschenk**, um Verehrung, Dank, Huldigung, Freundschaft, Abhängigkeit auszudrücken *gift*, *present offered to express reverence, thank, homage, friendship, allegiance*: 1. Verehrung *reverence*: Gideon-Engel *angel* Jd 6, 18, Volk-König *people-king* 1 S 10, 27, König-Prophet *king-prophet* 2 K 8, 8f; 2. Dank *thank*: Völker *nations*-יהוה Ps 96, 8 1 C 16, 29, Judäer *Judaeans*-יהוה 2 C 32, 23, Judäer-König *Judaeans-king* 17, 5; 3. Huldigung *homage*: Jakob-Esau Gn 32, 14. 19. 21f 33, 10, Brüder *brethren*-Josef 43, 11. 15. 25f; 4. (politische) Freundschaft (*political*) *friendship*: מֶלֶךְ בָּבֶל—מֶלֶךְ יְהוּדָה 2 K 20, 12 Js 39, 1; Königreiche *kingdoms* 1 K 5, 1 u. Könige *kings* 1 K 10, 25 2 C 9, 24 —שְׁלֹמֹה; צֹר Ps 45, 13 u. Könige *kings* 72, 10—מֶלֶךְ יְהוּדָה; 5. Unterwerfung, Tribut *allegiance, tribute*: Israel—Moab Jd 3, 15. 17f; Moab-David 2 S 8, 2 1 C 18, 2; Aram—David 2 S 8, 6 1 C 18, 6; K. Hosea—מֶלֶךְ אַשּׁוּר 2 K 17, 3f; Israel-Assur Ho 10, 6, עֻזִּיָּה–עַמּוֹנִים 26, 8; יְהוֹשָׁפָט–פְּלִשְׁתִּים 2 C 17, 11, מִנְחָה c. כִּפֶּר Gn 32, 21, c. הִקְרִיב Jd 3, 17, c. הִגִּישׁ 1 K 5, 1, c. חִלָּה פְּנֵי 6, 18, c. הֵנִיחַ Ps 45, 13;

II מִנְחָה **Opfer** *offering* (174×): 1. ältre Stellen *older passages*: Huldigungsopfer (gleichgiltig, ob Fleisch oder Brotfrucht) *offering of allegiance* (*both meat and cereals*) Gn 4, 3—5 Jd 13, 19. 23 1 S 2, 17 (מִנְחַת י׳); יָרַח מ׳ 1 S 26, 19; **F** Js 1, 13 Am 5, 22. 25, מ׳ וָנֶסֶךְ Jl 1, 9. 13 2, 14; vielleicht auch *also probably* 1 S 2, 29 Js 19, 21 Ir 14, 12 (עֹלָה וּמ׳) 17, 26 (מַקְטִיר מ׳) 33, 18 (לְבֹנָה ,מ׳ ,זֶבַח ,עֹלָה) 41, 5 (מ׳ וּלְבֹנָה) Ze 3, 10; 2. מִנְחָה in den Gesetzen *in the law* (Ex 29, 41 30, 9 40, 29 Lv 2, 1—23, 37 (35×) Nu 4, 16—29, 39 (62×), nie in *nowhere in* Dt; Hs 42, 13—46, 20 (15×): **Speisopfer** (Brotfrucht) *grain offering raw, roasted, ground, as bread a. cake*), **F** בִּכּוּרִים, מַחֲבַת, מַאֲפֶה, זִכָּרוֹן, עֶרֶב u. בֹּקֶר, בלל, תָּמִיד, קָרְבָּן, קְנָאָה, פַּת, סֹלֶת, מַרְחֶשֶׁת; מ׳ חֲדָשָׁה, מִנְחַת כֹּהֵן 6, 16, מִנְחָה לַיהוה Lv 2, 1, 23, 16 Nu 28, 26; c. לְבֹנָה Lv 6, 8; Reste verwendet als *remainders used as* מַצּוֹת 10, 12; c. עָשָׂה Hs 45, 17 46, 7. 14f, c. הֶעֱלָה Js 57, 6 66, 3 Ir 14, 12 17, 26, c. הֵבִיא Gn 4, 3 Js 1, 13 66, 20 Ir 41, 5 Ma 1, 13? c. אָפָה Hs 46, 20, c. הִקְטִיר 2 K 16, 13, c. הִגִּישׁ Am 5, 25 Ma 2, 12 3, 3; חַטָּאת//מִנְחָה u. אָשָׁם Nu 18, 9 Hs 42, 13 44, 29, //עֹלָה Nu 28, 20. 31 29, 6 u. oft *a. often*, //זֶבַח 1 S 3, 14 Js 19, 21 Da 9, 27, עֹלָה וּמִנְחָה Ex 30, 9 (18×),

עֹלָה// u. זֶבַח Jos 22, 29 Ir 17, 26 33, 18; זֶבַח וּמִנְחָה Ps 40, 7; 3. übrige Stellen *remaining passages*: Jos 22, 23 1 K 8, 64, עֲלוֹת הַמִּנְחָה als Zeitbestimmung *as indicating a fixed hour* 1 K 18, 29. 36 2 K 3, 20; 2 K 16, 13. 15 Js 43, 23 Ma 1, 10. 11 (מ׳ טְהוֹרָה) 2, 13 3, 4 Ps 20, 4 141, 2 Da 9, 21 Esr 9, 4 f Ne 10, 34 13, 5. 9 1 C 21, 23 23, 29 2 C 7, 7.

מְנַחֵם: n. m.; נחם pi.; Dir. 352; keilschr. *Minḫimmu, Minaḫimi, Minaḫimmu* etc. APN 138a; „der für d. Verlust eines Angehörigen tröstet *consoling about a relative's death*" Eph 2, 123: **Menahem** (ass. *Meniḫimme*) K. v. Israel 2 K 15, 14—23.†

I **מָנַחַת**: n. m.; נוח; edomit. Stamm *Edomite tribe*, Meyer IN 340, Moritz ZAW 44, 91: Gn 36, 23 1 C 1, 40.†

II **מָנַחַת**: n. l.; נוח; Clauss ZDP 30, 42 (EA 292, 30: *Manḫate*), = *Mālḥa* 1 C 8, 6; F מְנַחְתִּי†

מְנַחְתִּי: gntl. v. II מָנַחַת: 1 C 2, 54. cj 52.†

מְנִי: מנה: n. dei = Zuteilung, **Schicksal** *apportionment, fate*, nab. מנותו (מנתו); ṣafat.; n. m. עבדמנותו; cf. n. dei مَنِيَّة u. مَنوة (Wellh. Reste 25 ff); Band. Kyr. 3, 472: *Js 65, 11.†

I **מִנִּי**: n. t.; ass. *Mannai*, s. Urmiasce Streck, Assurbanipal 796: Ir 51, 27.†

II **מִנִּי** u. **מִנֵּי** F מִן.

מְנָיוֹת: F *מְנָת.

מִנִּים: F *מֵן.

מִנְיָמִין: n. m.; > מִיָּמִין; keilschr. *Minjamīni, Minjamê, Minjāmen* BEU 9, 27. 63 10, 55 UMB II, 1, 28; rabbin. oft *often*, = Μόνιμος Perles OLZ 25, 28; RB 45, 400 ff: 1. Ne 12, 17, 41, F מִיָּמִין; 2. 2 C 31, 15 (Var.! בְּנֵי).†

מִנִּית: n. l.; in Ammon (Euseb. Onom. 4 Meilen *miles from* חֶשְׁבּוֹן Jd 11, 33, חִטֵּי מִנִּית (cf. 2 C 27, 5) Hs 27, 17.†

מִנְלָם: unerklärt *unexplained* Hi 15, 29.†

מנע: mhb., Znğ. fernhalten *keep off*; äga. versagen *withhold*, ja., asa. u. مَنَعَ zurückhalten *hold back*, nab. untersagen *forbid*, ṣafat.: qal: pf. מָנַע, מָנַעְתִּי, sf. מְנָעֲךָ, impf. יִמְנַע, אֶמְנַע, sf. יִמְנָעֵנִי, יִמְנָעֶנָּה, imp. מְנַע, מִנְעִי, pt. מֹנֵעַ: 1. **zurückhalten** *hold back* Hs 31, 15 Hi 20, 13, cj (F nif.) Ir 3, 3; 2. c. מִן: **vorenthalten, abschlagen** *withhold, deny* Gn 30, 2 2 S 13, 13 1 K 20, 7 Ir 42, 4 Am 4, 7 Pr 3, 27 23, 13 30, 7 Hi 22, 7 31, 16 Ne 9, 20; **abhalten von** *withhold from* 1 S 25, 26. 34 Ir 2, 25 31, 16 Pr 1, 15 Ko 2, 10; **fernhalten von** *withhold from* Nu 24, 11 Ir 5, 25 48, 10; 3. **versagen** *deny* Ps 21, 3 84, 12 (לְ); 4. מֹנֵעַ בַּר **Brotfrucht zurückhalten, dem Verkauf entziehn** *withhold breadstuffs from sale* Pr 11, 26;†
nif: pf. נִמְנַע, impf. יִמָּנַע, וַיִּמָּנְעוּ: 1. **vorenthalten werden** *be withholden* Jl 1, 13 Hi 38, 15; 2. **sich abhalten lassen** *be prevented* Nu 22, 16; l וַתִּמָּנְעִי Ir 3, 3.†
Der. n. m. יִמְנָע.

מַנְעוּל: נעל: pl. sf. מַנְעוּלָיו: (Tor-, Tür-) **Verschluss, Riegel** *lock, bolt* Ct 5, 5 Ne 3, 3. 6. 13—15.†

***מִנְעָל**; נעל: sf. מִנְעָלֶךָ **Schloss** *lock* Dt 33, 25.†

מַנְעַמִּים: נעם: sf. מַנְעַמֵּיהֶם: **Leckerbissen** *dainties* Ps 141, 4.†

מְנַעַנְעִים: נוע: **Sistrum, Rassel** *sistrum, rattle* (ZDP 50, 161 f, BRL 393): 2 S 6, 5.†

מְנַקִּית*: ak. *naqū* e. Sprengopfer bringen *offer a libation* (Zim. 66), > sy. cp. נְקָא, נוּקָיָא Libation *libation*, מְנַקִּיתָא: pl. מְנַקִּיּוֹת, sf. מְנַקִּיֹּתָיו: **Giess-Schale** *sacrificial bowl* Ex 25, 29 37, 16 Nu 4, 7 Ir 52, 19.†

מֵינֶקֶת: F ינק hif.

מְנַשֶּׁה: n. m.; n. tribus; ph. מנשי u. Μνασιας; נשה Gn 41, 51; (l מֹשֶׁה Jd 18, 30): **Manasse(h)**:

I. n. m. 1. S. v. Josef Gn 41, 51 46, 20 48, 1—20 50, 23 Nu 1, 10 27, 1 32, 39—41 36, 1 Dt 3, 14 Jos 13, 31 16, 4 17, 1—3 1 K 4, 13 1 C 7, 14. 17; 2. K. v. Juda 2 K 20, 21 21, 1—20 24, 3 Ir 15, 4 2 C 32, 33 33, 1—23; 3. Esr 10, 30; 4. 10, 33;†

II. der Stamm *the tribe*: מְנַשֶּׁה Nu 26, 28. 34 Dt 33, 17 34, 2 Jos 17, 5—11 Jd 1, 27 6, 15. 35 7, 23 11, 29 12, 4 Js 9, 20 Hs 48, 4 Ps 60, 9 80, 3 108, 9 1 C 12, 20f 2 C 15, 9 30, 1. 10f. 18 31, 1 34, 6. 9; בְּנֵי מְ׳ Nu 1, 34 2, 20 7, 54 26, 29 36, 12 Jos 16, 9 17, 2. 6. 12 22, 30f; מַטֵּה מְ׳ Nu 1, 35 2, 20 13, 11 Jos 17, 1 20, 8 1 C 6, 47; מַטֵּה בְנֵי מְ׳ Nu 10, 23 34, 23; חֲצִי מַטֵּה מְ׳ Nu 34, 14 Jos 21, 5f. 25. 27 22, 1. 7 1 C 6, 46. 55f 12, 32; חֲצִי שֵׁבֶט מְ׳ Nu 32, 33 Dt 3, 13 Jos 1, 12 4, 12 12, 6 13, 7. 29 18, 7 22, 9—11. 13. 15. 21 1 C 5, 18. 23. 26 12, 38 26, 32 27, 20; מַטּוֹת מְ׳ וְאֶפְרַיִם Jos 14, 4; גְּבוּל מְ׳ Jos 17, 6; בְּנוֹת מְ׳ 17, 7—9 Hs 48, 5; עָרֵי מְ׳ Jos 17, 9; F מְנַשִּׁי.†

מְנַשִּׁי: gntl. v. מְנַשֶּׁה: Dt 4, 43 29, 7 2 K 10, 33 1 C 26, 32.†

מְנָת*: מנה: äga., ja., palm., cp., mnd., sy. מְנָתָא; ug. *mnt* Geschick *destiny*: cs. מְנָת, pl. מְנָיוֹת > מְנָאוֹת: **Anteil** *portion, share* Ir 13, 25 Ps 11, 6 63, 11 2 C 31, 3f, pl. Ne 12, 44. 47 13, 10; l מְנִיתָ Ps 16, 5.†

מַס: לָמָּס Hi 6, 14 (Var. למאס): ungedeutet *unexplained*.

מַס: mhb., ja. מַסָּא; äg. *ms* Träger *bearer* EG 2, 135; ak. *awēlūti mazza* RA 19, 97, F Alt PJ 20, 37, Fronarbeiter *forced labourers*: paus. מָס Jos 17, 13, pl. מִסִּים; Mendelsohn BAS 85, 17: 1. **Zwangsarbeit** *forced service, task-work*, c. הָיָה לְ׳ Zw. leisten müssen *be forced to task-work*: Jd 1, 30. 35 Js 31, 8 Pr 12, 24 Th 1, 1, c. לְ für *for* Dt 20, 11 Jd 1, 33; הֶעֱלָה לְמַס zum Zwangsdienst ausheben *raise for forced service* 2 C 8, 8 1 K 9, 21 (עֹבֵד F unten *below*); שׂוּם לָמַס נָתַן לָמַס Jos 17, 13 u. Jd 1, 28 c. ac.: jmd in Zwangsdienst nehmen *take a person for task-work*; 2. מַס zu **Zwangsarbeit Aufgebotne** *those levied to task-work* 1 K 5, 27 Est 10, 1; עַל־הַמַּס Aufseher über die zu Zw. Aufgebot. *overseer of those lev. to task-work* 2 S 20, 24 1 K 4, 6 5, 28 12, 18 2 C 10, 18; (c. 2 pl.) שָׂרֵי מִסִּים Ex 1, 11; הֶעֱלָה מַס für d. Zwangsdienst ausheben *raise for task-work* 1 K 5, 27 9, 15; מַס עֹבֵד **Zwangsarbeiter** *forced labourer* (Mendelsohn: völlige Versklavung *total enslavement*) Gn 49, 15 Jos 16, 10 1 K 9, 21, cj (adde עֹבֵד) 2 C 8, 8.†

מֵסַב: סבב: sf. מְסִבּוֹ, pl. cs. מְסִבֵּי, sf. מְסִבָּי: 1. **Tafelrunde** *round table* Ct 1, 12, pl. **Umgebung** *surroundings* 2 K 23, 5; 2. **rundum** *round about* 1 K 6, 29, pl. Ps 140, 10 (l רֹאשָׁם); F מְסִבָּה*.†

מְסִבָּה*: f. v. מֵסַב: pl. מְסִבּוֹת: 1. **rundum** *round about* Hi 37, 12; 2. Galling cj הַמְסִבָּה pro מְסִבַּת הַבַּיִת pro וְנָסַבָּה u. מוּסַב (Middot 4, 7): **Umgang, Gang** *circular passage* Hs 41, 7. 7.†

I **מַסְגֵּר**: ak. (sum.) *šigāru* Verschluss, Käfig *shutting up, cage*, F סגר: **Block, Gefängnis** *dungeon* Js 24, 22 42, 7 Ps 142, 8.†

II מַסְגֵּר : F *šigarru* I מַסְגֵּר : // חָרָשׁ : **Ersteller von Bollwerk u. Schanzen** (?) *builder of bulwarks a. trenches* (?), F מַסְגֶּרֶת : coll. 2 K 24, 14. 16 Ir 24, 1 29, 2.†

מִסְגֶּרֶת : סגר ; F II מַסְגֵּר : sf. מִסְגַּרְתּוֹ , pl. מִסְגְּרוֹת , מִסְגְּרֹתֵיהֶם , מִסְגְּרֹתֶיהָ : 1. **Bollwerk** *bulwark* 2 S 22, 46 Mi 7, 17 Ps 18, 46; 2. **Leiste** (an Tisch, Gestell) *rim* (*of table a. base*) Ex 25, 25. 27 37, 12. 14 1 K 7, 28 f. 31 f. 35 f 2 K 16, 17.†

מַסָּד : יסד : **Grundlage** *foundation* 1 K 7, 9.†

*מִסְדְּרוֹן : סדר ? : loc. מִסְדְּרוֹנָה : **Vorhalle** ? *porch*?, **Abort** ? *privy*? (Glaser ZDP 55, 81 f), **Luftloch** ? *air-hole*? (OLZ 29, 645) Jd 3, 23.†

מסה : aram. מסא , ܡܣܐ ; مَسْوَة geronnene Milch *curds*; NF v. מסס :
hif: pf. sf. הִמְסִיו (BL 424), impf. אַמְסֶה , וַתְּמֶס , sf. יַמְסֵם : 1. **auflösen, schmelzen machen** (Herz) *dissolve, melt* (= *intimidate the heart*) Jos 14, 8, Eis *ice* Ps 147, 18; 2. **schwemmen** (mit Thränen) *overflow* (*with tears*) Ps 6, 7; 3. auflösen, **verzehren** *dissolve, consumate* Ps 39, 12.†

I מַסָּה : נסה : pl. מַסּוֹת : **Erprobung, Versuchung** *proving, trial* Dt 4, 34 7, 19 29, 2; F n. l. III מַסָּה .†

II *מַסָּה : מסס : cs. מַסַּת : **Verzagen** *despair* Hi 9, 23.†

III מַסָּה : n. l., = I ? Wüstenstation *station in the desert* Ex 17, 7 Dt 9, 22 33, 8, = הַמַּסָּה 6, 16.†

*מִסָּה : mhb. מִסַּת genügend *sufficient*; aram. מִסַּת , ܡܣܬܐ ; äga. כמסת ; so viele als *as many as*: Etym. ? : cs. מִסַּת nach **Massgabe, je nach** *according to, as much as* Dt 16, 10.†

מַסְוֶה : *סוה ; F סוּת : **Decke, Hülle, Larve** *veil, mask* Ex 34, 33—35.†

מְסוּכָה : I סוך ; F מְשׂוּכָה : **Dornhecke** *hedge* Mi 7, 4.†

מסח : Driv. JTS 34, 376 ak. *nasāḫu* herausholen *fetch forth*, *nisiḫtu* Auszug *extract*, نَسَخَ ersetzen *substitute*: Ablösung *relieving*, < adv. **abwechselnd** *alternately* 2 K 11, 6.†

מִסְחַר : l מִסְחַר 1 K 10, 15.†

מסך : ug. *msk*; aram. מזג ; مَزَجَ u. مَشَجَ ; Holma ABP 72 f: v. *mussuku* gestört *reserved*:
qal: pf. מָסַךְ , מָסַכְתִּי , inf. מְסֹךְ : mit Zusatz (Gewürz, Honig) versehen, **mischen** *mix* (*drinks by adding spices, honey*) Js 5, 22 19, 14 Pr 9, 2. 5.†
Der. מִמְסָךְ , מֶסֶךְ .

מֶסֶךְ : מסך : **Würzzusatz** (zu Getränk) *mixture* (*of spices, honey*) Ps 75, 9.†

מָסָךְ : סכך : cs. מְסַךְ : 1. **Decke**, *covering*, 2 S 17, 19, z. Schutz auf Juda *protecting Judah* Js 22, 8, (Gewölk *clouds*) Ps 105, 39; 2. **Vorhang** *screen* (Zelteingang *entrance of tabernacle*) Ex 26, 36 f 35, 15 36, 37 39, 38 40, 5. 28 Nu 3, 25 4, 25, (am Hoftor *at the gate*) Ex 27, 16 35, 17 38, 18 39, 40 40, 8. 33 Nu 3, 26 4, 26; פָּרֹכֶת הַמָּסָךְ Ex 35, 12 39, 34 40, 21 Nu 4, 5; (am Allerheiligsten *at the most holy place*) Nu 3, 31.†

מְסֻכָּה : < *מְסֻכָּה , סכך : sf. מְסֻכָתֶךָ : **Decke** *covering* Hs 28, 13.†

I מַסֵּכָה : I נסך : cs. מַסֵּכַת , pl. מַסֵּכוֹת , sf. מַסֵּכֹתָם : **Metallguss, Gussbild** *molten* *metal, molten image*: פֶּסֶל וּמַסֵּכָה Dt 27, 15 Jd 17, 3 f 18, 14 Na 1, 14; צַלְמֵי מַ׳ gegossne Bilder *molten statues* Nu 33, 52; מַסֵּכַת זָהָב goldnes Gussbild *molten image of gold* Js 30, 22, עֵגֶל מַ׳ gegossnes Stierbild *molten statue of (young) bull* Ex 32, 4. 8 Dt 9, 16 Ne 9, 18, אֱלֹהֵי מַ׳ gegossne Götterbilder (Amulette?) *molten idols (amulets?)* Ex 34, 17 Lv 19, 4; מַ׳ gegossnes Idol *molten idol* Dt 9, 12 Jd 18, 17 f 2 K 17, 16 Js 42, 17 Ho 13, 2 Ha 2, 18 Ps 106, 19, pl. 1 K 14, 9 2 C 28, 2 (לַבְּעָלִים) 34, 3 f.†

II **מַסֵּכָה**: II נסך: **Decke** *covering* Js 25, 7 28, 20.†

III **מַסֵּכָה**: in לִנְסֹךְ מַסֵּכָה: offenbar: um e. **Bündnis** abzuschliessen *apparently: to enter into an alliance* (cf. σπονδὰς σπένδειν). *F* נֶסֶךְ u. II נֶסֶךְ.†

מִסְכֵּן: mhb., ja. מִסְכֵּן, مِسْكِين, ምስኪን, it. *meschino*, frz. *mesquin*; < ak. *muškēnu* (Zim. 47. Cavaignac RA 20, 45 ff) **bedürftig** *needy one*: arm *poor* Ko 4, 13 9, 15 f.† Der. מִסְכֵּנֻת.

מִסְכְּנוֹת: < ak. *maškanu* (Zim. 18[1]) Lagerhaus *magazine* v. *šakānu* niederlegen *store up*: עָרֵי הַמִּ׳ 1 K 9, 19 2 C 8, 4. 6, עָרֵי מִ׳ Ex 1, 11 2 C 17, 12, > מִסְכְּנוֹת 2 C 16, 4 32, 28: **Vorratsstädte, Proviantstädte** *storage-places*.†

מִסְכֵּנֻת: מִסְכֵּן; ja., sy., sam.; Gulk. Abstr. 31 f: **Armut** *poverty* Dt 8, 9.†

מַסֶּכֶת: II נסך: מַסֶּכֶת: **Kettenfäden** (des liegenden Webstuhls) *warp-threads (of the horizontal weaving-loom)* AS 5, 101: Jd 16, 13 f.†

מְסִלָּה: סלל; mo. מסלת: cs. מְסִלַּת, sf. מְסִלָּתוֹ, pl. מְסִלּוֹת, מְסִלֹּת, sf. מְסִלֹּתָם: (durch Steinbelag, Aufschüttung usw. hergestellte) **Strasse** *highway (raised with pavement, dikes etc.)* Jd 21, 19 20, 31 f. 45 Js 19, 23 (אַשּׁוּר—מִצְרַיִם), in Jerusalem 2 K 18, 17 Js 7, 3 36, 2 1 C 26, 16. 18; c. סלל Js 62, 10, יַשֵּׁר 40, 3, רום 49, 11; עָלָה בַמְּ׳ Nu 20, 19; מְסִלָּה: שָׂדֶה 2 S 20, 12 f; בִּמְ׳ אַחַת auf d. gleichen Strasse *on the same highway* 1 S 6, 12; מְ׳ל בְּתוֹךְ הַמְ׳ 2 S 20, 12; מְסִלַּת יְשָׁרִים Js 11, 16; נָשְׁמוּ הַמְסִלּוֹת 33, 8; Pr 16, 17; Strasse, **Bahn der Sterne** *course of the stars* Jd 5, 20; *F* Jl 2, 8 Js 59, 7 Ir 31, 21; l מַעֲלוֹת Ps 84, 6 u. 2 C 9, 11; cj בִּמְסִלָּתֶךָ Pr 3, 26.†

מַסְלוּל: סלל; ak. *mušlalu* Meissner TLZ 1929, 148?: **Strasse** *highway* = מְסִלָּה Js 35, 8.†

*__מַסְמֵר__ u. **מַסְמֵר**: שׁמר, סמר; *F* מִשְׁמְרָה: pl. מַסְמְרִים Js 41, 7, מִסְמְרִים 1 C 22, 3, מַסְמְרוֹת 2 C 3, 9: **Nagel** *nail*.†

*__מַסְמְרָה__: *F* *מַסְמֵר.

מסס: mhb. nif. zerfliessen *dissolve*, ja. itpe. verzagen *faint*; NF מסה u. II מאס; مَسَّ (= מִשֵּׁשׁ!) in Wasser auflösen *dissolve in water*: qal: inf. מְסוֹס *F* מָשׁוֹשׁ;†

nif: pf. נָמֵס, נָמַס, נָמָס, נָמַסּוּ, impf. יִמַּס, יִמָּס, יִמַּסּוּ, inf. הִמֵּס, pt. נָמֵס: 1. **zerfliessen** *melt*: מָן Ex 16, 21, דּוֹנַג Ps 68, 3; (metaph.) הָרִים Js 34, 3 Mi 1, 4 Ps 97, 5; **flüssig werden** *become liquid* cj (וַיִּמַּס) Hi 7, 5; **zergehn**, sich auflösen *dissolve*: לֵב = Mut *heart* Jos 2, 11 5, 1 7, 5 Js 13, 7 19, 1 Hs 21, 12 Na 2, 11 Ps 22, 15; 2. **schwach werden** *become weak*: רָשָׁע Ps 112, 10; l נְמִאָסָה 1 S 15, 9; בֶּן־חַיִל 2 S 17, 10, אֵסוּר Jd 15, 14, Dt 20, 8 *F* hif;†

hif: pf. הֵמַסּוּ, impf. cj יַמֵּס Dt 20, 8: **zerfliessen machen** *cause to melt* Dt 1, 28, cj 20, 8.†

Der. II *מַסָּה, תֶּמֶס.

מַסַּע : נסע : pl. cs. מַסְעֵי, sf. מַסָּעָיו, מַסְעֵיהֶם; 1. (als Infinitiv gebraucht *used as infinitive*) c. ac.: **Abbruch** (d. Lagers) *breaking* (*camp*) Nu 10, 2, **Aufbruch** *setting out* Dt 10, 11; pl. לְמַסְעֵיהֶם jedesmal wenn sie aufbrechen sollen *each time when they have to set out* Nu 10, 6; בְּכָל־מַס' jedesmal, wenn sie aufbrachen *each time they set out* Ex 40, 36. 38; 2. pl. >**Wegstrecke, Wanderung** *stage, journey*: לְמַסָּעָיו Strecke um Strecke *journey for journey* Gn 13, 3, לְמַסְעֵיהֶם von e. **Halt** zum andern *from station to station* Ex 17, 1 Nu 10, 12 33, 2, מַסְעֵי פ' die Stationen *the stations* Nu 10, 28 33, 1.†

מַסָּע : נסע : Ausbruch (v. Steinen) *breaking* (*of stones*), *quarrying*: אֶבֶן מַסָּע (unbehauene) **Bruchsteine** (*undressed*) *quarry-stones* 1 K 6, 7; Hi 41, 18 unerklärt *unexplained*.†

מִסְעָד : סעד : unerklärt *unexplained* 1 K 10, 12.†

מִסְפֵּד : ספד ; mhb.: cs. מִסְפַּד, sf. מִסְפְּדִי : **Trauerfeier, Trauerbräuche** *wailing, costums of mourning*: ספד מ' Gn 50, 10, קָרָא לְמ' Js 22, 12, עָשָׂה מ' Mi 1, 8, c. על wegen *for* Sa 12, 10; F Ir 48, 38 Hs 27, 31 Jl 2, 12 Am 5, 16f Sa 12, 10f Est 4, 3; l מִיסֹדוֹ Mi 1, 11.†

מִסְפּוֹא : ספא, NF v. ספה ; ug. *sp'* essen *eat*, ja. ספא sammeln *collect*: **Futter** *fodder*: f. Kamele *for camels* Gn 24, 25. 32, f. Esel *for donkeys* 42, 27 43, 24 Jd 19, 19.†

מִסְפָּחוֹת : I ספח : sf. מִסְפְּחֹתֵיכֶם : **Hüllen** *veils* Hs 13, 18. 21.†

מִסְפַּחַת : II ספח : (gutartiger) **Hautausschlag** (*harmless*) *scab* Lv 13, 6—8.†

I **מִסְפָּר** (132 ×, Nu 34 ×) : II ספר ; mhb.: cs. מִסְפַּר, sf. מִסְפָּרָם, מִסְפַּרְכֶם, pl. cs. מִסְפְּרֵי 1 C 12, 24:

I. Zahl *number*; מִסְפַּר שֵׁמוֹת Nu 1, 2, מִסְפַּר נַפְשֹׁתֵיכֶם nach der Zahl... *according to the number*... Ex 16, 16; מִסְפַּר תְּבוּאֹת Anzahl *number* Lv 25, 16; מִסְפָּר nachgestellt *following*: יָמִים מ' **einige, wenige** T. *some, a few days* Nu 9, 20, אַנְשֵׁי מ' wenige M. *a few men* Hs 12, 16, שְׁנוֹת מ' Hi 16, 22; מְתֵי מ' nur wenig Leute *few in number* Gn 34, 30 (5 ×); aber *but* עֶשְׂרִים וְאַרְבַּע מ' 24 an d. Zahl *24 in number* 2 S 21, 20; מִסְפָּר **e. geringe Zahl** *a small number* Dt 33, 6 Js 10, 19; בְּמ' entsprechend d. Z. *according to the n.* Nu 14, 34, nach ihrer Anzahl *accord. to their n.* 29, 18, abgezählt *by number* Js 40, 26 Esr 8, 34 1 C 9, 28, abgemessen *by number* Dt 25, 2, nach der vorgeschriebnen Z. *by the prescribed n.* Esr 3, 4 1 C 23, 31; לְכָל־מִסְפַּרְכֶם eure volle Z. *your full n.* Nu 14, 29, לְמ' nach d. Z. von *accord. to the n. of* Dt 32, 8 Jos 4, 5. 8; לְמִסְפָּרָם soviele sie (selber) zählten *as was their* (*own*) *number* Jd 21, 23; לְמ' in d. Z. von *to the n. of* 2 C 35, 7; אֵין מִסְפָּר unzählig *without number* Gn 41, 49 (12 ×), עַד־אֵין מ' Ps 40, 13 Hi 5, 9 9, 10, לְאֵין מ' ohne Z. *without n.* 1 C 22, 4; עָבַר בְּמ' abgezählt werden *be counted* 2 S 2, 15, נָתַן מ' e. Z. angeben *give up a. n.* (*the sum*) 2 S 24, 9 1 C 21, 5, מָנָה מ' לְ Ps 147, 4; נשא מ' e. Zahl aufnehmen *take the number* 1 C 27, 23, עָלָה מ' e. Zahl wird (in e. Buch) aufgenommen *a number is put into the account* 1 C 27, 24; Einzelnes *particulars*: מ' c. gen. **soviele es gibt** *as many as there are* Ir 11, 13 2, 28 Hs 4, 4, מ' הָעָם wieviele Leute es sind *how many people there are* 2 S 24, 2, הֲיֵשׁ מ' לְ können (sie) gezählt werden? *is it possible to count* [*them*]? Hi 25, 3; מ' Aufzählung *list* 1 C 11, 11 Esr 1, 9, pl. d. Zahlen der *the numbers of* 1 C 12, 24†; l מִי סָפַר Nu 23, 10, l בְּסֵפֶר 1 C 27, 24, l כְּמִסְפַּר Ir 2, 28;

II. מִסְפָּר **Erzählung** *tale* Jd 7, 15.

II **מִסְפָּר**: n. m.; = I? Noth S. 250: Gefährte von *companion of* זְרֻבָּבֶל: Esr 2, 2, = מִסְפֶּרֶת.†

מִסְפֶּרֶת: n. m.; F II מִסְפָּר: Ne 7, 7.†

מסר: mhb., ja. מְסַר: überliefern *deliver up*; d. hebr. Wort ist zweifelhaft *the hebrew word is dubious* F ZAW 29, 73 f. 218—20:

[qal: לִמְסָר־, l לִמְעָל־ Nu 31, 16;]

nif: impf. וַיִּמָּסְרוּ: ausgehoben werden *be assigned to*; l וַיִּסָּפְרוּ Nu 31, 5.†

מֹסֵרוֹת: F מוֹסֵר.†

מסרם Hi 33, 16: l מֹסְרָם F מוּסָר.†

מָסֹרֶת: < *מַאֲסֹרֶת v. אסר? vel v. מסר?: מָסֹרֶת הַבְּרִית: Bindung, Pflicht des Bundes? *bond, obligation of the covenant?* aber wahrscheinlich ist *but probably* בְּרִית dittogr. v. וּבָרוֹתִי Hs 20, 37—38; l מוּסָר?†

מִסְתּוֹר: סתר: **Versteck, Obdach** *hiding-place, shelter* Js 4, 6.†

מַסְתֵּר: pt. hif. סתר; cf. הִסְתִּיר פָּנִים מִן: **einer, vor dem man** (aus Abscheu) **das Gesicht verbirgt** *one who causes people* (*by fear, abhorrence*) *to hide their faces* Js 53, 3.†

מִסְתָּר: סתר: pl. מִסְתָּרִים, sf. מִסְתָּרָיו: **Versteck** *hiding-place* Ha 3, 14 Ps 10, 9, pl. Js 45, 3 Ir 13, 17 23, 24 49, 10 Ps 10, 8 17, 12 64, 5 Th 3, 10.†

*__מַעְבָּד__: עבד; F ba.: pl. sf. מַעְבָּדֵיהֶם: **Tat** *work* Hi 34, 25.†

מַעֲבֶה 1 K 7, 46: l מַעֲבַר: עבר: **Giesserei** *foundry* (Glueck BAS 90, 13).†

*__מַעֲבָר__: עבר: c. מַעֲבַר: 1. **Bewegung, Hieb** (e. Stocks) *passing, sweep* (*of a rod*) Js 30, 32 (l מַעֲבַר מַטֵּה); 2. **Furt** *ford* Gn 32, 23, cj 1 K 7, 46 u. 2 C 4, 17; 3. **Durchgang, Schlucht** *passage, ravine* 1 S 13, 23.†

מַעְבָּרָה: עבר; F *מַעֲבָר: pl. מַעְבָּרוֹת, מַעְבְּרוֹת: 1. **Furt** *ford* Jos 2, 7 Jd 3, 28 (ZAW 51, 50) 12, 5 f Js 16, 2 Ir 51, 32; 2. **Durchgang, Schlucht** *passage, ravine* 1 S 14, 4 Js 10, 29.†

I **מַעְגָּל**: עגל: **Lagerrund** *circle of a camp* 1 S 17, 20 26, 5. 7, F OTS 1, 90.†

II **מַעְגָּל**: עֲגָלָה: cs. מַעְגַּל, pl. cs. מַעְגְּלֵי, sf. מַעְגְּלֹתֶיךָ u. מַעְגָּלֶיךָ: **Wagenspur, Geleise, Bahn** (auch übertragen) *track* (*of wagon*), *course* (*properly a. metaph.*): Js 26, 7 59, 8 Ps 17, 5 23, 3 65, 12 140, 6 Pr 2, 9. 15. 18 4, 11. 26 5, 6. 21.†

מעד: (nur hebr. *only Hebr.*):

qal: pf. מָעֲדוּ, impf. תִּמְעַד, אֶמְעַד, pt. pl. cs. מוֹעֲדֵי, cj מוֹעֶדֶת: **wanken** *totter, shake* 2 S 22, 37 Ps 18, 37 26, 1 37, 31 Hi 12, 5, cj Pr 25, 19;†

[pu: מוּעָדֶת: l מוֹעֶדֶת Pr 25, 19];

hif: imp. הַמְעַד, cj pf. הִמְעַדְתָּ, cj impf. וַיַּמְעַד: **wanken machen** *cause to shake* Ps 69, 24, cj Hs 29, 7 u. Ha 3, 6 (l וַיַּמְעַד Marti).†

מַעַדַי: n. m.; < מַעַדְיָה: Esr 10, 34.†

מַעַדְיָה: n. m. *מעד u. יָ; asa. מעד Versprechen *promise*, n. m. מעדאל, מעדן; cf. keilschr. *Auma'adi* (APN 293); > מַעַדַי: Ne 12, 5.†

מַעֲדַנִּים: עדן; mhb.: pl. tant. cs. מַעֲדַנֵּי, sf. cj מַעֲדַנַּי: 1. **Leckerbissen** *dainties* Gn 49, 20 Th 4, 5, cj Ir 51, 34; 2. **Labsal** *comfort, delight* Pr 29, 17.†

מַעֲדַנּוֹת: < *מַעֲנַדֹּת, ענד; عَانَدَ widerstreben *act obstinately*: **Widerstreben** *reluctance* Hi 38, 31, adverb. 1 S 15, 32.†

מַעֲדֵר: II עדר; mhb.: **Hacke** *hoe* Js 7, 25.†

***מָעָה**: mhb. Körnchen *grain*; [Syriac] kleines Gewicht, kleine Münze *small weight, coin*: pl. sf. מְעֹתָיו: (Sand-) **Korn** *grain* (*of sand*) Js 48, 19, cj (?) Pr 10, 20.†

מָעוֹג: עוג; عَوِجَ krumm sein *be crooked*, مَعَاجٌ Ort, wohin man sich wendet *place to which one turns*, Th Z 6, 472 f: **Ort, wohin man sich** (um Vorrat) **wendet** *place to which one turns* (*for provisions*) 1 K 17, 12; l לָעוּג Ps 35, 16.†

מָעוֹז: eher v. עזז als v. עוז, *rather of* עזז *than of* עוז: cs. מָעוֹז (מָ!), sf. מָעוּזּוֹ, מָעֻזָּה, מָעֻזְּכֶן, מָעֻזְּכֶם, מָעֻזָּם (BL 193), מָעוּזִּי, מָעֻזֵּךְ, pl. מָעֻזִּים, cs. מָעוּזֵּי, sf. cj מָעֻזֶּיהָ Js 23, 11: **Zufluchtstätte, Bergfeste** *place of safety, mountain-fort* Jd 6, 26 Js 17, 10 23, 14, cj מָעֻזֶּיהָ 11, 25, 4 27, 5 Hs 24, 25 Jl 4, 16 Na 1, 7 3, 11 (מִן vor *against*) Ps 27, 1 28, 8 31, 3, cj 71, 3, 37, 39 52, 9 60, 9, cj 90, 1 u. 91, 9, 108, 9 Pr 10, 29 Da 11, 1 Ne 8, 10; עָרֵי מָעֻזּוֹ s. festen Städte *his strong cities* Js 17, 9; מָעוֹז Festung *stronghold* Da 11, 7. 10. 31, pl. 11, 19. 39, אֱלוֹהַּ מָעֻזִּים 11, 38, מ׳ מִצְרַיִם (סִין) Hs 30, 15, מ׳ הַיָּם (am Meer *on the sea*; צִידֹן) Js 23, 4; מ׳ פַּרְעֹה (welche Ph. bietet *consisting in Ph.*) 30, 2 f; Gott ist *God is* מ׳ Ir 16, 19 Ps 31, 5 43, 2; l מְאַזְּרֵנִי 2 S 22, 33; F n. m. מַעַזְיָה(ו).†

מָעוֹךְ: n. m.; (= מַעֲכָה II, 21 K 2, 39); K. v. גַּת: 1 S 27, 2.†

I מָעוֹן: I עון, غَانَ decken, verbergen *cover, conceal*; Andre *others*: v. עַיִן Wasserstelle *water-place, spring*; mhb., [Syriac]: cs. מְעוֹן, sf. מְעוֹנוֹ: 1. **Versteck, Aufenthalt** *hiding-place, dwelling*: v. Löwen *lions* Na 2, 12, Schakale *jackals* Ir 9, 10 10, 22 49, 33 51, 37 (// שְׁמָמָה 10, 22 49, 33); 2. Aufenthaltsort, **Wohnung** Gottes *dwelling of God*: מְעוֹן קָדְשְׁךָ Dt 26, 15 Ir 25, 30 Sa 2, 17 Ps 68, 6 2 C 30, 27, מְעוֹן בֵּיתֶךָ Ort, Stätte *place, habitation* Ps 26, 8, מְעוֹנוֹ 2 C 36, 15; 1 S 2, 29 u. 32 l B. Duhm (H. Duhm, Verkehr Gottes, 1926, 41[5]) צַר מָעוֹן „Ort neben d. Wohnung (Gottes) *place close to* (*God's*) *the habitation*"; l מְעֻנָּהּ Ze 3, 7, l מָעוֹז Ps 71, 3 (MS), l מָעֻזֶּךָ 91, 9.†

Der. מְעוֹנָה; II u. III מָעוֹן; בֵּית מְעוֹן.

II מָעוֹן: n. m.; = I: 1 C 2, 45.†

III מָעוֹן: n. l.; = I: = *T. Maʿīn* 13 km s. Hebron (Noth PJ 30, 35): Jos 15, 55 1 S 25, 2, מִדְבַּר מ׳ 1 S 23, 24 f, cj 25, 1; l מִדְיָן Jd 10, 12.†

מְעוּנִים: n. tribus; הַמְּ׳ 1 C 4, 41 (K הַמְּעִינִים) 2 C 26, 7, cj 20, 1 u. 26, 8; בְּנֵי מ׳ Esr 2. 50 Ne 7, 52; meist mit Maʿān sö. Petra zusammengebracht *usually connected with Maʿān* S.E. *Petra*; F Musil, The northern Heǧas, 1926, I 243 ff; G: Μειναῖοι; asa. מען Conte Rossini 179 f; F Hartmann, Die arab. Frage 379 ff.†

מְעוֹנֹתַי: n. m.: 1 C 4, 14. cj 13.†

מְעוּף Js 8, 22: l מוּעָף **Finsternis** *darkness*†.

***מָעוֹר**: II עור: pl. sf. מְעוֹרֵיהֶם **Scham** *nakedness*; *pudendum* Ha 2, 15.†

מָעֹז: F מָעוֹז.

מַעַזְיָה: n. m.; < מַעַזְיָהוּ: Ne 10, 9.†

מַעַזְיָהוּ: n. m.; > מַעַזְיָה; *מַעֲזְיָהוּ ?: 1 C 24, 18.†

***מָעֹזֶן**: sf. מָעֻזְנֶיהָ Js 23, 11: l מָעֻזֶּיהָ.†

מעט: mhb., ja.; مَعَطَ ausfallen, weniger werden (Haar) *become few* (*hair*); ak. *māṭu* geringer werden, abnehmen *diminish, become less*:

qal: יִמְעַט, יִמְעַט, יִמְעֲטוּ, תִּמְעֲטוּ, inf. מְעֹט: **wenig sein** *be few* Lv 25, 16 Js 21, 17, **wenig werden, abnehmen** *become few, diminish* Ir 29, 6 30, 19 Ps 107, 39 Pr 13, 11, **zu klein sein** *be too small* Ex 12, 4, **klein, gering erscheinen** *seem little* Ne 9, 32; †

pi: pf. מִעֲטוּ: **wenig werden** (Zähne) *become few* (*teeth*) Ko 12, 3; מעט נפשו **bescheiden sein** *be humble* Si 3, 18; †

hif: pf. הִמְעִיטָה, sf. הִמְעַטְתִּים, impf. יַמְעִיט, תַּמְעִיטִי, sf. תַּמְעִטֵנִי, pt. מַמְעִיט: 1. **wenig zustande, zusammen bringen** *make, collect little* Ex 16, 17 (:: הִרְבָּה). 18 Nu 11, 32; **weniger geben** *give less* Ex 30, 15; 2. c. מִקְנָה: d. Kaufpreis herabsetzen *diminish the price* Lv 25, 16; 3. c. ac. an Zahl klein machen *diminish the number* Lv 26, 22 Ps 107, 38 (ZDP 38, 55); e. kleines geben *give less* Nu 26, 54 33, 54, e. kleine Zahl nehmen *take few* 35, 8, wenige (Gefässe) verwenden *use few* (*vessels*) 2 K 4, 3; 4. (durch Züchtigung) jm. **zunichte machen** *bring to nothing* (*by correcting a person*) Ir 10, 24 Hs 29, 15. †
Der. מְעַט.

מְעַט (101 ×): מעט: מְעַט Hs 11, 16 † u. מְעָט Ho 8, 10, cs. מְעַט, pl. מְעַטִּים Ps 109, 8 Ko 5, 1 †: 1. subst. מְעַט **ein Weniges, e. Kleinigkeit** *a fewness, a little* Gn 30, 30 47, 9 Lv 25, 52 Ps 8, 6, wenig *few* (:: רַב) Nu 13, 18 Hi 10, 20; מְעַט בְּמִסְפָּר einige wenige *some* Hs 5, 3; 2. cs. מְעַט: מְ׳ צֳרִי **ein wenig** Salbe *a little balm* Gn 43, 11; מְ׳ הַצֹּאן die paar Kleintiere *those few sheep* 1 S 17, 28; 3. מְעַט nachgestellt *following*: מְתֵי מְעַט wenig Leute *a few people* Dt 26, 5 28, 62, אֲנָשִׁים מְעַט Ne 2, 12 Ko 9, 14, עֵזֶר מְעָט e. kleine Hilfe *a little help* Da 11, 34; 4. pl. דְּבָרִים מְעַטִּים wenig W. *a few w.* Ko 5, 1, וִיהְיוּ יָמָיו מְ׳ Ps 109, 8; 5. מְעַט adverb. in geringem Mass, ein **wenig** *in a small way, a few*: 2 K 10, 18 (:: הִרְבָּה) 2 S 16, 1, עוֹד מְעַט noch e. wenig, **beinahe** *almost* Ex 17, 4; (tempor.) Ir 51, 33 Ho 8, 10 Hi 24, 24 Ru 2, 7; 6. Zusammensetzungen *compounds*: מְעַט מְעַט ganz allmählich *little by little* Ex 23, 30 Dt 7, 22; כִּמְעַט beinahe *almost* Gn 26, 10 Js 1, 9, in Bälde *soon* 2 C 12, 7, **leicht** *easily* Ps 2, 12 Hi 32, 22, erst kurze Zeit *only a short time* Ps 105, 12 1 C 16, 19; כִּמְעַט שֶׁ׳ kaum, dass *but a little that* Ct 3, 4; לִמְעַט zu wenige *too few* 2 C 29, 34; 7. elativ: מְעַט **zu wenig** *too little* 2 S 12, 8 Gn 30, 15, c. מִכֶּם für euch *for you* Nu 16, 9 Js 7, 13, מְעַט לָנוּ noch nicht genug für uns *too little for us* Jos 22, 17; 8. Einzelnes *particulars*: הַמְעַט מִכָּל־ d. kleinste, volksärmste von allen *the fewest of all* Dt 7, 7; מִקְדָּשׁ מְעַט (ZAW 50, 271 f u. Komm.) Hs 11, 16; הַמְעַט ist nicht genug? *not enough?* Hs 16, 20; l כְּמַעֵה Pr 10, 20.

מְעֻטָּה Hs 21, 20: l מְרֻטָּה. †

***מַעֲטֶה**: I עטה: cs. מַעֲטֵה: **Hülle** *wrap, mantle* Js 61, 3. †

***מַעֲטֶפֶת**: I עטף; mhb.; עִטְפָּא pl. מַעֲטָפוֹת: **Überkleider?** *overtunics?* Js 3, 22. †

מְעִי Js 17, 1: verderbt *corrupt.* †

מַעַי: n. m.: Ne 12, 36. †

מְעִיל: II *מעל; mhb., ja.: sf. מְעִלוֹ, מְעִילוֹ, pl. sf. מְעִילֵיהֶם: ärmelloses **Obergewand** *sleeveless coat* (AS 5, 228 ff): 1 S 2, 19 15, 27 28, 14 24, 5. 12 18, 4 Hs 26, 16 Hi 29, 14 1 C 15, 27; עֹטֶה מְ׳ 1 S 28, 14 Js 59, 17 61, 10 Ps 109, 29; c. קָרַע Hi 1, 20 2, 12 Esr 9, 3. 5; Tracht des Hohenpriesters *robe of high priest*: כְּתֹנֶת, מְעִיל u. אֵפוֹד Ex 28, 4; מְעִיל הָאֵפוֹד Obergewand zum Efod *robe of the ephod* Ex 28, 31 29, 5 39, 22, am Saum mit Glöckchen besetzt *the skirts studded with bells* Ex 28,34 39,24—26; *F* 39,23 Lv 8,7; l מְעוֹלָם 2 S 13,18.†

***מֵעִים** (pl. vel du.) *מֵעִים (Torcz. Entst. I, 162 substant. adverb.): mhb. מֵעֶה, מֵעִים, מֵעַיִם; aram. מְעָא, מְעָיָא, מְעָא, *F* ba., ܡܥܝܐ, مِعًى, አምዑት; ak. *amūtu* Holma N Kt 88f: cs. מְעֵי, aber *but* sf. (BL 588) מֵעָיו, מֵעֶיךָ, מֵעַי, מֵעֵיהֶם: 1. **Eingeweide** *bowels* 2 S 20,10 2 C 21,15.18f; 2. (Sitz d. Entstehung des Menschen) **Leib, Inneres** (*place of origin of man*) *belly, inward parts* (בֶּטֶן) Gn 15,4 25,23 Nu 5,22 2 S 7,12 16,11 Js 48,19 49,1, cj 48,1 u. 58,12/11 (Festschr. Marti 177), Hs 3,3 7,19 Jon 2,1f (Fisch *fish*) Ps 22,15 40,9 71,6 Hi 20,14 Ru 1,11 2 C 32,21; 3. **Inneres** (Sitz d. Gefühle, Erregungen) *inwards* (*seat of emotions*) Js 16,11 63,15 Ir 4,19 31,20 Hi 30,27 Ct 5,4 Th 1,20 2,11; 4. **Bauch** (als Körperform) *outer belly* Ct 5,14.†

מַעְיָן: עַיִן; mhb., ja. מַעְיָנָא, sy. מְעִינָא: cs. מַעְיַן u. מַעְיְנוֹ (BL 547) Ps 114,8†, sf. מַעְיָנוֹ, pl. מַעְיָנִים, cs. מַעְיְנֵי, sf. מַעְיָנַי, u. pl. מַעְיָנוֹת, cs. מַעְיְנוֹת, sf. מַעְיְנֹתֶיךָ: Quellort, **Quell** *place of spring, spring*: מ׳ וּבוֹר Lv 11,36, c. מַיִם Jos 15,9 18,15 1 K 18,5 2 K 3,19.25 Ps 114,8, מ׳ וְנַחַל 74,15; c. יָצָא Jl 4,18, c. שִׁלַּח Ps 104,10; c. בָּקַע Ps 74,15, c. סתם 2 C 32,4, c. מַעְיְנוֹת תְּהוֹם Gn 7,11 8,2; מַעְיַן גַּנִּים Ct 4,12; c. נִפְרַשׂ Pr 25,26, מ׳ חָתוּם 4,15; *F* Js 41,18 Ho 13,15 Pr 8,24; (metaph.) מַעַיְנֵי הַיְשׁוּעָה Js 12,3; v. Geschlechtsleben *concerning sexual intercourse* Pr 5,16; l מַעְיָן Ps 84,7, l כֻּלָּם עָנִי 87,7.†

מעך: mhb., ja. sy.; مَعَكَ auf d. Boden reiben *rub upon the ground*:

qal: pt. pass. מָעוּךְ, מְעוּכָה: 1. mit **zerquetschten** Hoden (Stier, Bock) *the testicles squeezed* (*bull, ram*) Lv 22,24; c. בְּ: in die Erde **gestossen** (Speer) *pressed into the ground* (*spear*) 1 S 26,7;†

pu: pf. מֹעֲכוּ: **gepresst, betastet werden** (Brüste) *be squeezed* (*breasts*) Hs 23,3;†

cj pi: inf. מַעֵךְ: **betasten** *squeeze* *F* pu: cj Hs 23,21.†

I מַעֲכָה: n. t.; Gebiet *region* s. חֶרְמוֹן: 2 S 10,6.8 1 C 19,7, אֲרַם מַעֲכָה 19,6; *F* בֵּית מ׳.†

Der. מַעֲכָתִי.

II מַעֲכָה: n. m. et fem.: I. n. m.: 1. Gn 22,24; 2. מָעוֹךְ = 1 K 2,39 פְּלִשְׁתִּי 1 S 27,2; 3. 1 C 11,43; 4. 27,16; II. n. fem. 1. אֵם אַבְשָׁלוֹם 2 S 3,3 1 C 3,2; 2. בַּת אבשלום 1 K 15,2 2 C 11,20—22, cj 13,2 (Albr. ARI 157f); 3. 1 K 15,13 2 C 15,16; 4. 1 C 2,48; 5. 7,15f; 6. 8,29 9,35.†

מַעֲכָתִי: gntl. v. I מַעֲכָה (Elliger PJ 31,56f): 1. Dt 3,14 Jos 12,5 13,11.13 (= מַעֲכָת 13b) 2 S 23,34; 2. 2 K 25,23 Ir 40,8; 3. 1 C 4,19.†

I מעל (nur Hs u. spät *only Hs a. late*): mhb., ja.; مَغَلَ verderbt sein *be perfid*:

qal: pf. מָעַל, מָעַל־ Hs 17,20, מָעֲלָה, מָעֲלָה, מָעַלְנוּ, מְעָלָם, impf. יִמְעֹל Pr 16,10, תִּמְעֹל, תִּמְעֲלוּ, וַיִּמְעֲלוּ, inf. מָעוֹל, cs. מְעָל, מְעָל־ = מָעוֹל K u. מְעָל־ Q 2 C 36,14, לִמְעָל־, sf. מַעֲלָם: (מַעַל) מָעַל **pflichtwidrig handeln, untreu sein** *act undutifully, be unfaithful*: c. בְּ: gegen Gott *against God* Lv 5,15.21 26,40 Nu 5,6, cj 31,16, Dt 32,51 Jos 22,16.31 Hs 14,13 15,8 (implicite) 17,20 20,27 39,23.26 Da 9,7 Esr 10,2 Ne 13,27 1 C 5,25 10,13 2 C 12,2 26,16 28,19.22 30,7, gegen d. Ehemann *against husband* Nu 5,12.27; sich an Banngut vergreifen *lay hands on devoted things* Jos 7,1 22,20 1 C 2,7; מָעַל (מַעַל) abs. Hs 18,24 Pr 16,10 Esr 10,10 Ne 1,8 2 C 26,18 29,6 36,14.†

Der. I מַעַל.

I מַעַל: מעל: mhb. מְעִילָה: מַעַל, מָעַל, sf. מַעֲלָם, מַעֲלוֹ: **Pflichtwidrigkeit, Untreue** (immer gegen Gott gerichtet; sacrilegium) *unduti-fulness, unfaithfulness* (*always directed against God; sacrilegium*): Jos 22, 22 Da 9, 7 Hi 21, 34 Esr 9, 2. 4 10, 6 1 C 9, 1 2 C 29, 19 39, 19; F מָעַל.†

II מַעַל (140 ×): I עלה; Barth OS 790: מַעַל geformt wie *formed as* תַּחַת; ph. למעל: loc. מַעְלָה, מָעְלָה: 1. מַעְלָה **nach oben** *up-wards*; מַעְלָה מַעְלָה immer höher *higher a. higher* Dt 28, 43, וָמ׳ [מִן . . .] (loc.) u. darüber hinaus *a. upwards* Jd 1, 36 1 S 9, 2, (temp.) *a. onwards* 1 S 16, 13 Hg 2, 15; 2. לְמַעְלָה **nach oben** *upwards* Ex 25, 20 Js 7, 11; הָפַךְ לְמ׳ nach oben kehren, über d. Haufen werfen *turn upside down* Jd 7, 13 (Am 5, 7 F לַעֲנָה); עָלָה לְמ׳ (:: לְמַטָּה) Dt 28, 13, נָשָׂא לְמ׳ 1 C 14, 2; גִּדֵּל לְמ׳ hoch auszeichnen *magnify exceedingly* 2 C 1, 1; עַד־לְמ׳ in hohem Mass *exceedingly* 2 C 16, 12; (ר׳!) לְמַעְלָה רֹאשׁ über d. Kopf hinaus *over the head* Esr 9, 6, וּלְמ׳ [מִן . . .] u. darüber hinaus *a. upward* 1 C 23, 27; לְמַעְלָה מִן hinaus über *over* 29, 3, לְמ׳ מֵעַל oberhalb von *above* 2 C 34, 4; l לְמוֹ עָלָה Ps 74, 5; l מִמַּעְלָה לְמַעְלָה Hs 41, 7; 3. מִמַּעַל: **oben, droben** *on the top of, above*: בַּשָּׁמַיִם מִמ׳ Ex 20, 4 Dt 4, 39 Js 45, 8; אֱלוֹהַּ מִמ׳ Gott droben *God in the high* Hi 3, 4; מִמַּעַל לְ oberhalb von *above* Ir 52, 32, cj 1 K 7, 29, oben auf *upon* Gn 22, 9 Ir 43, 10; = מִמַּעַל עַל 1 K 7, 3; c. מִלְמַעְלָה 1 K 7, 20; 4. מִלְמַעְלָה **von oberhalb her** *from above* Jos 3, 13. 16, oben Gn 6, 16 Hs 1, 11; עַל . . . מִלְמַעְלָה oben auf *above upon* Ex 25, 21 1 K 7, 25; l לְמַעְלָה Ir 31, 37.

מֹעַל: I עלה: **Aufheben** (der Hände) *lifting up* (*the hands*) Ne 8, 6.†

מֵעַל: F עַל.

מַעֲלֶה: I עלה, ak. *mēlū* Treppe *stairs*: cs. מַעֲלֵה, sf. מַעֲלָו l מַעֲלוֹ Hs 40, 31. 34. 37†: 1. **Anstieg, Aufgang**: *ascent, rise*: מַעֲלוֹ A. zu ihm *asc. to it* Hs 40, 31. 34, 37, מַ׳ [חוֹל] [sandiger] A. *asc.* [*over soil*] Si 25, 20; מַעֲלֵה c. gen.: Aufgang zu *ascent to* 1 S 9, 11 2 S 15, 30 2 C 32, 33, = מַ׳ לְ c. Ne 12, 37; 2. **Tribüne, Podium** (f. Leviten) *stand, platform* (*for the levites*) Ne 9, 4; 3. cj **Stockwerk** *story* מִמַּעֲלָה לְמַעֲלָה cj Hs 41, 7 (Galling); 4. in gen. c. n. l. **Steig, Pass** *defile, pass* F עַקְרַבִּים, הַלּוּחִית, הַחֶרֶס, גוּר, בֵּית חֹרוֹן, אֲדֻמִּים, הַצִּיץ.†

מַעֲלָה: I עלה: pl. מַעֲלוֹת, cs. מַעֲלֹת, sf. מַעֲלוֹתָו = מַעֲלֹתָו vel מַעֲלוֹתָיו Hs 40, 6, מַעֲלֹתֵהוּ = מַעֲלֹתָיו Hs 43, 17: **Hinaufzug, Heimkehr** *ascent, return home* (מִבָּבֶל) Esr 7, 9; מַעֲלוֹת רוּחַ (l מַעֲלַת) was in e. Geist **aufsteigt** *what comes up in one's thoughts* Hs 11, 5; 2. **Stufe** *step, stair*: מִזְבֵּחַ Ex 20, 26; כִּסֵּא 1 K 10, 19 f 2 C 9, 18 f, שַׁעַר Hs 40, 6. 22. 26 2 K 9, 13, אֵילָם Hs 40, 31. 34. 37. 49, אֲרִיאֵל 43, 17; Treppenstufen *steps of a stair* (de Groot, Altäre d. salom. Tempelhofes, 1924, 74; tradit. der Sonnenuhr *of a sun-dial*) 2 K 20, 9—11 Js 38, 8; 3. cj מַעֲלוֹת **Hinaufzüge, Wallfahrten** *processions* Ps 84, 6, so auch v. d. Festkarawanen nach Jerusalem *thus also said of the pilgrimages to the feasts up to Jerusalem*: in שִׁיר הַמַּעֲלוֹת in Ps 120, 122—34 (1. *verse*) u. שִׁיר לַמַּ׳ Ps 121, 1; l עֲלִיָּתוֹ Am 9, 6; ? 1 C 17, 17.†

מַעְלָה: F II מַעַל.

מַעֲלִיל*: F מַעֲלָל.

מַעֲלָל*: I עלל: pl. tant. מַעֲלָלִים, cs. מַעַלְלֵי, sf. מַעַלְלֵיכֶם, מַעֲלָלֶיךָ, מַעֲלָלָיו; Sa 1, 4 K מַעֲלִילֵיכֶם.

1 Q מַעֲלָלֵיכֶם: (gute, schlechte) **Taten** (*good, evil*) *deeds, practices*: v. Menschen *of man*: c. רֹעַ Ho 9, 15 Js 1, 16 Dt 28, 20 Ir 4, 4 21, 12 23, 2. 22 25, 5 26, 3 44, 22 Ps 28, 4, c. הֵרֵעוּ Mi 3, 4, c. הֵיטִיבוּ Ir 7, 3. 5 18, 11 26, 13 35, 15; c. לֹא טוֹבִים Hs 36, 31, c. רָעִים Sa 1, 4 Ne 9, 35; *F* Ho 4, 9 5, 4 7, 2 12, 3 Js 3, 8 Ir 4, 18 11, 18 Jd 2, 19 1 S 25, 3 Sa 1, 6 Ps 106, 29. 39 Pr 20, 11; פְּרִי מַ׳ Js 3, 10 Ir 17, 10 21, 14 32, 19 Mi 7, 13; Taten Gottes *deeds of God* Mi 2, 7 Ps 77, 12 78, 7.†

מַעֲמָד*: v. עָמַד לִפְנֵי jem. bedienen, aufwarten *wait at one's table*: cs. מַעֲמַד, sf. מַעֲמָדְךָ, מַעֲמָדָם: 1. **Aufwartung** *waiting at table* 1 K 10, 5 2 C 9, 4; 2. **Posten, Stellung** (in jmd.s Dienst) *office, function* (*in someone's service*) Js 22, 19 1 C 23, 28 2 C 35, 15.†

מָעֳמָד: עמד: **Standort, (fester) Stand** *standing-ground, foothold* Ps 69, 3.†

מַעֲמָסָה: עמס: אֶבֶן מַ׳ (Hieronymus: junge Palästiner üben sich im Steinstemmen *young Palestinians compete in lifting heavy stones*) **Stemmstein** *heavy stone* (*for competition*) Sa 12, 3; cf. λίθος δοκιμασίας Si 6, 21.†

מַעֲמַקִּים: עמק: cs. מַעֲמַקֵּי: **Tiefen** *depths* Js 51, 10 Hs 27, 34 Ps 69, 3. 15 130, 1.†

מַעַן: immer *always* c. לְ (270×): III ענה; Bildung *form F* מַעַל; aram. Nerab 2, 7: sf. לְמַעֲנִי, לְמַעַנְךָ, לְמַעַנְכֶם: **in Rücksicht auf, um ... willen, wegen** *for the sake of, on account of*: 1. praep.: לְמַעַן שְׁמוֹ um seines Namens willen *for the sake of his name* Ps 23, 3 *F* 25, 11 31, 4 79, 9 106, 8 109, 21 143, 11 Ir 14, 7. 21 Hs 20, 9. 14. 22. 44 Js 48, 9†, לְמַ׳ צִדְקוֹ Ps 6, 5 44, 27†, לְמַעַן חַסְדֶּךָ Js 42, 21†, לְמַ׳ יהוה Js 49, 7, לְמַעֲנִי (Gott *God*) 2 K 19, 34 20, 6 Js 37, 35 43, 25 48, 11; לְמַעַן זֹאת deswegen *therefore* 1 K 11, 39; 2. conj. **um zu** *in order that*: c. inf. לְמַ׳ הַצִּיל um zu retten *that he might save* Gn 37, 22, לְמַ׳ הֱיוֹתְכֶם damit ihr seid *that you may be* Ir 44, 8, לְמַ׳ שִׁתִי (sf. überflüssig *superfluous*) damit ich *that I* Ex 10, 1, לְמַ׳ רְבוֹת (subject. wechselnd *shifting*) damit sie *that they* Ex 11, 9; l הָמוֹג pro לְמוּג Hs 21, 20, l בָּרָק 21, 33, l הֱיוֹת 21, 15, l לְמַעַךְ 23, 21; 3. לְמַעַן אֲשֶׁר **damit** *in order that* Gn 18, 19 Dt 20, 18 2 S 13, 5 Ir 42, 6, etc.; > gekürzt *shortened*: לְמַעַן יִיטַב Gn 12, 13 Ex 4, 5 Js 5, 19, etc.; c. לֹא: לְמַעַן לֹא Hs 14, 11 Sa 12, 7, etc.; l לְמַעַן יִרְאָתָם Jos 4, 24; nota: in manchen Fällen ist die Folge als Absicht ausgedrückt *in many cases causation is expressed as intention*: Dt 29, 18 Ir 27, 15, oder לְמַעַן ist ironisch gebraucht *or* לְמַעַן *is used in grim irony*.

I **מַעֲנֶה**: I ענה; ug. *m'n*: cs. מַעֲנֵה: **Bescheid, Antwort** *information, answer* Mi 3, 7 Pr 15, 1 (רַךְ). 23 16, 1 Hi 32, 3. 5.†

II **מַעֲנֶה***: III ענה: sf. מַעֲנֵהוּ: **Zweck** *purpose* Pr 16, 4 (l לְמַ׳).†

מַעֲנָה: III ענה; mhb.; مَعْنَاة: pl. sf. מַעֲנוֹתָם (Q מַעֲנִיתָם): **Pflugbahn** (die Strecke, an deren Enden der Pflug in die entgegengesetzte Richtung gewendet wird) *ploughing-line* (*the extent at the two ends of which the plough is turned into the opposite direction*) 1 S 14, 14 (Text?) Ps 129, 3.†

מְעֹנָה: fem. v. מָעוֹן: sf. מְעֹנָתוֹ, pl. מְעֹנוֹת, sf. מְעוֹנֹתֶיהָ, מְעוֹנֹתָם: **Versteck, Aufenthalt** *hiding-place, dwelling*: für Löwen *for lions* Am 3, 4 Ps 104, 22 Hi 38, 40 Ct 4, 8, Ps 76, 3 יהוה = Löwe *lion*, Raubwild *wild beasts* Hi 37, 8, Menschen *man* Ir 21, 3 Dt 33, 27 (Gott ist *God is* מְעֹנָה).†

*מַעֲנִית Ps 129,3: F מַעֲנָה.

*מַעַץ: n. m. מַעַץ u. אֲחִימַעַץ.

מַעַץ: n. m., KF; *מעץ: 1 C 2,27.†

מַעֲצֵבָה: II עצב: (Ort der) **Qual** (*place of*) *pain* Js 50,11.†

מַעֲצָד: *עצד, mhb.; ירח עצד פשת Kal. Gezer 3; asa. חטד Monatsname *name of month*; ak. *eṣēdu*, [Syriac], [Arabic] Frucht schneiden *reap corn*:: عضد schneiden *cut off*; معضد, [Ethiopic]: (gekrümmtes Strauch-) **Messer, Gertel, Hippe** (*crooked*) *billhook* (*for wood-cutting*) Js 44,12 Ir 10,3; cj Js 10,33.†

מַעְצוֹר 1 S 14,6 Si 39,18 u. מַעְצָר Pr 25,28: עצר: **Hindernis, Schranke** *hindrance, limit*.†

מַעֲקֶה: עקה; NF v. עוק; عقا zurückhalten *hold back*; ph. מעק; mhb.: **Geländer, Brüstung** *parapet* Dt 22,8.†

מַעֲקַשִּׁים: עקשׁ: **holpriges Gelände** *rugged country* Js 42,16.†

מַעַר: < מַעֲרֶה F II מַעַל; I ערה: sf. מַעֲרֵךְ: **Blösse** *nakedness*, pudenda Na 3,5; ungedeutet *unexplained* 1 K 7,36.†

I *מַעֲרָב: I ערב; sf. מַעֲרָבֵךְ, pl. sf. מַעֲרָבַיִךְ: **Tauschware** *articles of exchange* Hs 27,9.13 (1 בְּמַ׳). 17.19.25.27.34, cj 16 u. 18, pl. 27,33.†

II מַעֲרָב: IV ערב; ug. *mʿrb*; mhb., ja. מַעֲרְבָא: cs. מַעֲרַב, loc. מַעֲרָבָה: **Sonnenuntergang, Westen** *sunset, west* Js 43,5 (:: מִזְרָח) 45,6 (1 מִמַּעֲרָבָה) 59,19 Ps 103,12 107,3, (:: מוֹצָא) 75,7, Da 8,5 1 C 7,28 12,16 26,16.18; loc. nach Westen hin *westward* 1 C 26,30, c. לְ nach d. Westseite von *to the west of* 2 C 32,30 33,14.†

מַעֲרָבָה Js 45,6: 1 מִמַּעֲרָב.

*מַעֲרֶה: II ערה (Driv. WO 1,30): cs. מַעֲרֵה: **Umgebung, Nähe** *approaches, vicinity* Jd 20,33.†

I מְעָרָה: = *mᵉarrā*; II ערר; ph. מערת; mhb.; ja. מְעָרְתָא, palm., [Syriac]; > äg. LW *bgrt* u. *mgrt*: cs. מְעָרַת, pl. abs. u. cs. מְעָרוֹת: **Höhle** *cave* Gn 19,30 Jos 10,16—27 (8×) Jd 6,2 1 S 13,6 24,4 (יַרְכְּתֵי הַמְּ׳). 8.11 Ps 57,1 142,1 1 K 18,4.13 19,9.13 (פֶּתַח הַמְּ׳) Js 2,19 (מְעָרוֹת צֻרִים) Ir 7,11 Hs 33,27, cj Na 2,12 (für Löwen *for lions*); F מְעָרַת הַמַּכְפֵּלָה Gn 23,9 25,9 = מְעָרַת שְׂדֵה הַמַּכְ׳ 23,19 50,13 = הַמְּ׳ 23,11.17.20 49,29 f. 32; ? Jos 13,4 (F Noth); 1 מִמַּעַרְכוֹת 1 S 17,23 anders *differently* O.T.S. 1,91; 1 מְצֻדַת 1 S 22,1 u. 2 S 23,13 u. 1 C 11,15.†

II *מְעָרָה: I ערה: pl. מְעָרוֹת: **kahles Feld** *barren field* Js 32,14.†

מַעֲרִיץ: F ערץ hif.

*מַעֲרָךְ: ערך: pl. cs. מַעַרְכֵי: **Zurechtlegung** *arrangement* Pr 16,1.†

מַעֲרָכָה: ערך: pl. cs. מַעַרְכוֹת, מַעַרְכֹת: 1. **Reihe, Schicht** *row, layer* Ex 39,37 (Lampen *lamps*) Jd 6,26 (Steine *stones*); 2. Kampfreihe, **geschlossene Aufstellung** (*closed*) *battle-line* 1 S 4,2.12.16 17,20—22.48 1 C 12,39, v. יִשְׂרָאֵל 1 S 17,8.10.45, פְּלִשְׁתִּים cj 17,23 23,3; v. Gott *God's* 17,26.36.†

מַעֲרֶכֶת: ערך: מַעֲרֶכֶת, pl. מַעַרְכוֹת: **Reihe, Schicht, Lage** *row, layer* Lv 24,6f 2 C 29,18, מ׳ לֶחֶם Brotreihe *layer of breads* 2 C 13,11, לֶחֶם הַמְּ׳ Reihenbrot *layer-bread* Ne

10,34 1 C 9,32 23, 29; מַעֲרֶכֶת תָּמִיד täg-liches Reihenbrot *daily layer-bread* 2 C 2, 3; שֻׁלְחֲנוֹת הַמַּ׳ Tische für *tables for* 1 C 28, 16; nota: לֶחֶם הַמַּ׳ gewöhnlich übersetzt: Schaubrot *usually translated*: *shew-bread*.†

מַעֲרֻמִּים*: עָרוֹם: sf. מַעֲרֻמֵּיהֶם: Blössen = **Nackte** *nakednesses* = *naked persons* 2 C 28, 15.†

מַעֲרָצָה: I ערץ: Schrecken *terror*; l מַעֲצָד Js 10, 33.†

מַעֲרָת: n.l., = II מְעָרָה? bei *near* Hebron (Elliger ZDP 57, 129[1]): Jos 15, 59.†

מַעֲשֶׂה (220 ×): I עשה: cs. מַעֲשֵׂה, sf. מַעֲשֵׂהוּ, מַעֲשֵׂנוּ, מַעֲשֶׂךָ, pl. מַעֲשִׂים, cs. מַעֲשֵׂי, sf. מַעֲשָׂיו, מַעֲשֶׂיךָ, מַעֲשַׂי, מַעֲשֵׂיכֶם: 1. **Tat, Verhalten** *deed, behaviour* Gn 44, 15 Ex 23, 24; pl. Ps 106, 35. 39 Esr 9, 13 (הָרָעִים), כְּמַעֲשֵׂה nach d. Verhalten in *after the doings in* Lv 18, 3, מַ׳ אִשָּׁה זוֹנָה Js 59, 6, מַעֲשֵׂי אָוֶן Hs 16, 30; 2. **Werke, Taten Gottes** *God's deeds, works* Ex 34, 10 Dt 3, 24 11, 7 Jos 24, 31 Jd 2, 7. 10 Js 5, 19 10, 12 28, 21 Ir 51, 10 Ps 33, 4 64, 10 Pr 16, 11 Hi 37, 7 Da 9, 14, Ps 107, 24 111, 2 118, 17 Ko 3, 11 7, 13 8, 17 11, 5 etc.; מַעֲשֵׂה יָדָיו Js 5, 12 Ps 19, 2 28, 5 111, 7 Hi 34, 19, מַ׳ יָדַי Js 19, 25 29, 23, יָדֶיךָ Ko 5, 5; Gott tut *God works* מַעֲשֵׂינוּ לָנוּ Js 26, 12; Werk *work* Js 29, 16, יִשְׂרָאֵל ist *is* מַ׳ יָדוֹ (Gottes *God's*) Js 60, 21, מַ׳ יְדֵיכֶם 64, 7, מַ׳ יָדֶךָ Ir 25, 6 f 44, 8 Hg 2, 17; Götzen sind *idols are* מַ׳ יְדֵיהֶם Ho 14, 4; מַ׳ יָדֶיךָ Mi 5, 12, מַ׳ יָדֵינוּ 2 C 34, 25; Gottes Werk *work of God* Ps 8, 4. 7 92, 5 102, 26 138, 8, pl. 143, 5 Hi 14, 15, etc.; מַ׳ הַצְּדָקָה Js 32, 17; מַ׳ תַּעְתֻּעִים Taumelwerk *work of mockery* Ir 10, 15 51, 18; 3. **Arbeit** *work* Gn 5, 29, pl. Ex 5, 4. 13 23, 12; Feldarbeit *field-labour* Ex 23, 16; מַ׳ חֹשֵׁב Ex 26, 1. 31, מַ׳ רֹקֵם Ex 26, 36 27, 16, מַ׳ רֹקֵחַ 28, 32, מַ׳ אֹרֵג 28, 11, מַ׳ חָרָשׁ אֶבֶן 30, 25, etc.; 4. Werk = **Ergebnis** e. technischen Verrichtung *work, execution* = *produce of technical doings*: מַ׳ אֹפֶה Backwerk *baker's ware* Gn 40, 17, מַ׳ חֲבִתִּים Zubereitung von *the baking in* 1 C 9, 31, Gussarbeit *casting* 2 C 3, 10; מַ׳ צַעֲצֻעִים Arbeit in *work of* מַ׳ לִבְנַת סַפִּיר Ex 24, 10, מַ׳ רֶשֶׁת Gitterwerk *grating of network* 27, 4; כְּלֵי מַ׳ Geschmeide *jewellery* Nu 31, 51, כְּמַעֲשֵׂהוּ von d. gleichen Arbeit *of the same execution* Ex 28, 8 39, 5; מַ׳ הָאֵפֹד wie d. E. gemacht ist *as the e. is made* 28, 15; מַ׳ (הַמְּכֹנָה) Machart *pattern* Nu 8, 4 1 K 7, 28—33 2 K 16, 10; מַ׳ עִזִּים aus Ziegenhaar gemacht *work of goat's hair* Nu 31, 20, מַ׳ (מִרְקַחַת) kunstgerechte (Salbenmischung) *prepared according the rules* 2 C 16, 14; כְּמַ׳ שְׂפַת כּוֹס wie e. B. gemacht *wrought like* 1 K 7, 26 2 C 4, 5; מַ׳ Bauart *structure* 1 K 7, 8. 17. 19. 22; מַ׳ מִקְשֶׁה Haargekräusel *artificially set hair* Js 3, 24; 5. Einzelnes *particulars*: עָשָׂה מַעֲשִׂים עִם an jmd handeln *do deeds unto, act towards* Gn 20, 9; מַ׳ עֲבֹדַת was beim Dienst zu tun ist *the work of the service of* 1 C 23, 28; מַ׳ תָקְפּוֹ Erweis s. Macht *the acts of his power* Est 10, 2; מַ׳ הָעֹלָה was beim Br. gebraucht wird *things as belong to* 2 C 4, 6; מַעֲשֵׂהוּ s. Behandlung *his treatment* Jd 13, 12; sein Betrieb, s. Tätigkeit *his business* 1 S 25, 2 Pr 16, 3; מַ׳ זַיִת Ertrag *labour, fruits* Ha 3, 17; מַעֲשַׂי m. Lied *my song, poem* Ps 45, 2; l בְּמִצְוֹתַיִךְ Ir 48, 7, l מַעֲרָבֵךְ Hs 27, 16. 18, l מְרִי אֲסָמֶיךָ Ps 104, 13 (F רִי), l מַעֲשֶׂה Ko 8, 11.

מַעֲשַׂי: n. m., KF < מַעֲשֵׂיָהוּ: 1 C 9, 12.†

מַעֲשֵׂיָה: n. m. < מַעֲשֵׂיָהוּ: 1. Priester *priest* Ir 21, 1 29, 25 37, 3; 2. 29, 21; 3. Verschiedene *several persons* Esr 10, 18. 21 f. 30 Ne 3, 23 8, 4. 7 10. 26 11, 5. 7 12, 41 f, cj 1 C 6, 25.†

מַעֲשֵׂיָהוּ: n. m.; < מַעֲשֵׂיָהוּ*, מַעֲשֶׂה u. ׳י; > מַעֲשֵׂיָה u. מַעְשַׂי; Dir. 208. 212: 1.—6.: Ir 35, 4; 1 C 15, 18. 20; 2 C 23, 1; 26, 11; 28, 7; 34, 8.†

מַעֲשֵׂר: עשר, asa. מעשר: cs. מַעְשַׂר, מַעֲשַׂר, sf. מַעַשְׂרוֹ, pl. מַעַשְׂרוֹת, sf. מַעְשְׂרֹתֵיכֶם: 1. **zehnter Teil** *tenth part* Hs 45, 14; 2. **Zehnte** (als Abgabe) *tithe* (*duty*) Am 4, 4, נתן מעשר מן d. Zehnten von etwas geben *give a tithe of* Gn 14, 20, גָּאַל מַ׳ Lv 27, 31, לָקַח מ׳ מֵאֵת Nu 18, 26, c. הֵבִיא Ma 3, 10; מַ׳ neben *along with* עֹלָה, זֶבַח, תְּרוּמָה Dt 12, 6. 11, קֳדָשִׁים 2 C 31, 12, הַמַּ׳ וְהַתְּרוּמָה Ma 3, 8; שְׁנַת הַמַּ׳ d. Jahr, in dem d. Zehnten gegeben wird *the year in which the tithe is delivered* Dt 26, 12; F Dt 12, 17 14, 23. 28 Lv 27, 30—32 Nu 18, 21—28 Ne 10, 38 f 12, 44 13, 5. 12 2 C 31, 5 f. 12; l לַעֲשִׂירִית Hs 45, 11.†

מַעֲשַׁקּוֹת: עשק: **Erpressung** *extortions* Js 33, 15 Pr 28, 16.†

מֹף: n. l.; äga. מנפי; äg. *Mn-nfr*; ak. *Mēmpi, Mimpi*; Μέμφις; > F נֹף; **Memphis**, s. Alt-Kairo *on the western border of Nile*: Ho 9, 6.†

מִפְגָּע: פגע: **Zielscheibe** *target* Hi 7, 20, cj 36, 32.†

מַפָּח*: נפח, ja. מַפַּחְתָּא: cs. מַפַּח in מַפַּח־נָפֶשׁ **Aushauchen** (der Seele) *expiring* (*of the soul*) Hi 11, 20.†

מַפֻּחַ: נפח; mhb. מַפּוּחַ, ja., sy. מַפּוּחָא; ug. *mpḥm* (dual.): **Blasbalg** *bellows* Ir 6, 29 (l מַפֻּחִם).†

מְפִיבֹשֶׁת, מְפִבֹשֶׁת: n. m.; absichtlich entstellt aus *intentionally changed from* מְרִיבַּעַל F אִישׁ־בֹּשֶׁת; Albr. BAS 87, 35: 1. S. v. יְהוֹנָתָן 2 S 4, 4 9, 6—13 16, 1. 4 19, 26. 31 21, 7; 2. S. v. שָׁאוּל 2 S 21, 8.†

מֻפִּים: n. m.: Gn 46, 21.†

מֵפִיץ Pr 25, 18: l מַפֵּץ.†

מַפָּל: נפל; mhb. מַפָּלָה: cs. מַפַּל, pl. cs. מַפְּלֵי: 1. **Abfall** (vom Getreide) *refuse* (*of wheat*) Am 8, 6; 2. מַפְּלֵי בְשָׂרוֹ sein **fleischiger Wampen** (Krokodil) *its fleshy paunch* (*crocodile*) Hi 41, 15; F מַפָּלָה.†

מִפְלָאוֹת Hi 37, 16: l נִפְלְאוֹת.†

מִפְלַגָּה: I פלג: pl. מִפְלַגּוֹת: **Abteilung** *division* 2 C 35, 12.†

מַפָּלָה, מַפֵּלָה: fem. v. מַפָּל; ph. מפלת: **zerfallende Trümmer** *decaying ruins* Js 17, 1; 2. **Verfall** *decay* 23, 13 25, 2, cj Ps 141, 7.†

מִפְלָט: פלט: **Zufluchtsort** *place of escape* Ps 55, 9, cj sf. מִפְלָטִי 18, 3.†

מִפְלֶצֶת: פלץ: מִפְלַצְתָּהּ, sf. מִפְלַצְתָּהּ: **Schauerbild, abscheuliches Kultbild** *horrible things, horrible idol* (V: *simulacrum Priapi*) 1 K 15, 13 2 C 15, 16.†

מִפְלָשׁ*: פלש: pl. cs. מִפְלְשֵׂי: **Schweben, Schicht** (der Wolken) *poise, layer* (*of clouds*) Hi 37, 16.†

מַפֶּלֶת: נפל: sf. מַפַּלְתּוֹ, מַפַּלְתֵּךְ: 1. **Gefallenes, Kadaver** *carcass* Jd 14, 8; 2. **gefällter Stamm** *trunk hewn down* Hs 31, 13; 3. **Fall, Sturz** *ruin, overthrow* Hs 26, 15. 18 27, 27 31, 16 32, 10 Pr 29, 16.†

מִפְעָל: פעל: pl. cs. מִפְעֲלוֹת, sf. מִפְעָלָי: **Tat** (Gottes) *deed, work* (*of God*) Ps 46, 9 66, 5 Pr 8, 22.†

מֵפַעַת: F מֵיפַעַת.

***מַפָּץ**: נפץ: sf. מַפָּצוֹ: **Zerstörung** *shattering* Hs 9, 2.†

מַפֵּץ: נפץ: (Kriegs-) **Hammer** (*war-*) *club* Ir 51, 20, cj Pr 25, 18.†

מִפְקָד: פקד: cs. מִפְקַד: 1. **Anweisung** *order* 2 C 31, 13; 2. **Musterung, Zählung** *muster* (*of people*) 2 S 24, 9 1 C 21, 5; מִפְקַד הַבַּיִת Hs 43, 21 u. שַׁעַר הַמִּפְקָד Ne 3, 31 **Musterungsplatz** *place of muster*.†

***מִפְרָץ**: פרץ: فُرْضَة: pl. sf. מִפְרָצָיו: **Anlegeplatz** *landing-place* Jd 5, 17.†

***מַפְרֶקֶת**: פרק; mhb., ja. פִּרְקָא, פְּרִיקְתָא, ܦܪܘܡܬܐ: sf. מַפְרַקְתּוֹ: **Genick** *neck* 1 S 4, 18.†

מִפְרָשׂ: פרשׂ: sf. מִפְרָשֵׂךְ, pl. cs. מִפְרְשֵׂי: 1. **Segel** *sail* (*canvas spread out*) Hs 27, 7; 2. **Schicht** (v. Wolken) *layer* (*clouds*) Hi 36, 29 (l יָבִין).†

מִפְשָׂעָה: *פשׂע, فَشَغَ bedecken *cover* ZAW 58, 228: Ort der Bedeckung, **Gesässgegend** *place of covering*, *posterior* 1 C 19, 4.†

***מִפְתָּח**: פתח: cs. מִפְתַּח: Auftun (d. Lippen) *opening* (*of lips*) Pr 8, 6.†

מַפְתֵּחַ: פתח: ak. *niptū* u. *naptētu*: **Schlüssel** *key* Jd 3, 25 Js 22, 22 (als Amtszeichen auf d. Schulter getragen *carried upon the shoulder*, *sign of office*) 1 C 9, 27.†

מִפְתָּן: F *פֹּת, ak. *pūtu* Stirn *front*: **Podium** für d. Gottesbild *podium of idol* (Winckler, Altorient. Forschungen, III, 381 ff; Gerleman, Zephanja, 9 f): Hs 9, 3 10, 4. 18 46, 2 47, 1 Ze 1, 9.†

מֵץ: הַמֵּץ Js 16, 4, l הָמֵץ.†

מֹץ: mhb. מוֹץ; مُوص Stroh *straw*: ausgedroschne Ähren, **Spreu** *chaff* Js 17, 13 29, 5 41, 15 Ho 13, 3 Ze 2, 2 Ps 1, 4 35, 5 Hi 21, 18, cj Ha 3, 14.†

מצא: ak. *maṣū*; mhb., ja. מְטָא, מְצָא, F ba. מְטָא, [מְצִי(ת)] Aimé-Giron 90; ܡܛܐ, ܡܨܐ, أنطى < امطى; asa. מטא u. מטו; ተመጠወ:

qal (310 ×): pf. מָצָא, מָצְאָה, מָצָאתָ, מָצָאת, מָצָאתִי, מָצְאוּ, מָצָאנוּ, מְצָאתֶם, sf. מְצָתִי!, מְצָאתַנוּ, מְצָאתִיו, מְצָאתִיהוּ, מְצָאתַנִי, מְצָאתָם, מְצָאתְנוּ, הִמְצָאן, יִמְצָאוּ, תִּמְצָאִי, יִמְצָא, impf. מְצָאנֻהוּ, sf. יִמְצָאוּנְהָ, יִמְצָאֻנְנִי, יִמְצָאֵהוּ, תִּמְצָאֵךְ, inf. מְצֹא, מְצוֹא, sf. מְצֹאֲכֶם (< *מֹצַאֲכֶם BL 375) Gn 32, 20, imp. מְצָא, מְצָא־ Pr 3, 4, מְצָאִי, מְצָאן, pt. מוֹצֵא u. מוֹצָא (wie von *as of* ל״ה) Ko 7, 26, מוֹצֵאת (Var. מוֹצָאת) Ct 8, 10, מֹצְאִים, מֹצְאֵי, מֹצְאוֹת, sf. מֹצְאַי: **erreichen, antreffen, finden** *attain to, meet, find*: 1. erreichen *attain to* c. לְ Js 10, 10, c. ac. 1 S 23, 17, c. עַד gelangen bis *arrive at* Hi 11, 7, ausreichen für *suffice* Nu 11, 22 Jd 21, 14 Ho 12, 9; 2. antreffen *meet*: c. ac. Gn 4, 14 1 S 9, 11, auf etw. stossen *encounter* Ex 22, 5 Dt 19, 5, finden *find* Gn 11, 2 Ex 5, 11, zufällig finden *happen to find* 2 K 22, 8, Gesuchtes f. *find things looked for* Gn 2, 20, ausfindig machen *find out* 1 S 31, 3; c. לְ bei *with* Dt 22, 14, zu finden suchen *try to find* 1 S 20, 21; c. עַל gegen *against* Hi 33, 10; ertappen *surprise, catch* Nu 15, 32 Ir 2, 34; c. בְּיַד finden an *find in one's hand* 1 S 12, 5, c. בְּ finden von *find of* 2 K 9, 35; Gott finden *find God* Dt 4, 29, Schuld ausfinden *find out guilt* Gn 44, 16; מָצָא דָבָר e. Antwort finden *find an answer* Ne 5, 8; מָצָא חָזוֹן e. Gesicht erlangen *find vision* Th 2, 9; מָצָא לִבּוֹ לוֹ fasst sich e. Herz, zu *be bold to* 2 S 7, 27; 3. **finden** > **erlangen, erzielen** *find* > *reach, attain, get*: Ernte *harvest* Gn 26, 12, Beute *booty* Nu 31, 50 Jd 5, 30, c. לוֹ für sich *for him* 2 S 20, 6 Ho 12, 9; מָצְאוּ יְדֵיהֶם wissen ihre H. zu gebrauchen *use their strength* Ps 76, 6;

תִּמְצָא יָדְךָ hast zur Hand *is at thy disposal* 1 S 25, 8, es bietet sich dir, ist dir möglich *thou shalt find occasion* Jd 9, 33 1 S 10, 7 Ko 9, 10; l מְצֵאת (יצא) 2 S 18, 22;

nif (135 ×): pf. נִמְצָא, נִמְצְאָה, נִמְצֵאתִי, נִמְצְאוּ, impf. יִמָּצֵא, תִּמָּצְאִי, יִמָּצְאוּ, יִמָּצְאוּן, תִּמָּצֶאנָה. inf. הִמָּצֵא, sf. הִמָּצְאוֹ, pt. נִמְצָא, נִמְצָאָה, נִמְצָאִים 1 S 13, 15 u. נִמְצְאִים Esr 8, 25, נִמְצָאוֹת, sf. נִמְצָאֶיךָ; pro נִמְצְאָה l נִמְצָא Ir 48, 27: **1. gefunden werden, sich vorfinden** *be found* Gn 18, 29, c. לְ bei *with* Dt 22, 20 1 S 13, 22; **2.** (auf Suchen hin) **gefunden werden** *be found (by seeking)* Gn 44, 9; 3. angetroffen, **ertappt werden** *be caught* Ex 22, 1 Dt 17, 2 22, 22. 28 24, 7 Ir 2, 26 48, 27 Pr 6, 31; 4. gelegentlich, **zufällig gefunden werden** *be found accidentally* Dt 21, 1 Ir 2, 34 Mi 1, 13 Ze 3, 13 2 C 34, 21. 30; c. עַל bei *with* 2 C 36, 8; 5. **sich finden lassen** (Gott) *let himself be found (God)* Js 55, 6 65, 1 Ir 29, 14 Ps 46, 2 (dele וְעֹז) 1 C 28, 9 2 C 15, 2. 4. 15; 6. נִמְצָא לְ **reicht aus für** *is enough for* Jos 17, 16 Sa 10, 10; l מְנִצְאֵי Ir 15, 16, l אֲמִיצַיִךְ Js 22, 3;

hif†: pf. הִמְצִיאוּ, sf. הִמְצִיתִךָ, impf. יַמְצִיאוּ, sf. יַמְצִאֵהוּ, יַמְצִאֶנּוּ, pt. מַמְצִיא: **1. gelangen, kommen lassen** *cause to attain* Lv 9, 12 f. 18; **2.** c. 2 ac. **finden lassen** *cause to come upon* Hi 34, 11; 3. c. ac. et בְּ jmd. **geraten lassen in** *cause to encounter a thing* 2 S 3, 8 Sa 11, 6; 4. treffen lassen? verwirklichen? *cause to meet? effect?* F Komm. Hi 37, 13.

מְצָאוֹת*: Q 2 K 10, 27: F מוֹצָאָה*.

מַצָּב: נצב: cs. מַצַּב, sf. מַצָּבְךָ: **1. Standort** (d. Füsse) *standing-place (of feet)* Jos 4, 3. 9; **2. Posten,** *post, outpost* 1 S 13, 23 14, 1. 4. 6. 11. 15 2 S 23, 14; 3. Stelle, **Amt** *office* Js 22, 19; F מַצָּבָה. †

מֻצָּב: נצב: unklarer militärischer Ausdruck: Posten? *unintelligible military term: post, outpost?* Js 29, 3; l הַמַּצֵּבָה Jd 9, 6. †

מַצָּבָה: fem. v. מַצָּב: **Posten, Wache** *guard, watch* 1 S 14, 12, cj Sa 9, 8. †

מַצֵּבָה u. II מַצֶּבֶת 2 S 18, 18: נצב; ug. *nṣbt*, ph. מנצבת u. מצבת, altaram. נצבת, palm. מצבא, nab. נצב; نُصُب, safat. מצבת, ak. pl. *naṣabāti*: cs. מַצֶּבֶת u. מַצְּבַת 2 K 3, 2, sf. מַצַּבְתָּהּ, pl. מַצֵּבוֹת, cs. מַצְּבוֹת, sf. מַצְּבוֹתֶיךָ, מַצְּבֹתֵיהֶם, מַצְּבֹתָם: **Massebe, Malstein;** aufrecht hingestellter Kult- u. Denkstein *maṣṣēbā, pillar; stone set up for worship or memorial* (BRL 368—71): Gn 28, 18. 22 31, 13 35, 14, kan. Ex 23, 24 34, 13 Dt 7, 5 12, 3, pl. v. Mose bei e. Altar errichtet *set up by Moses near an altar* Ex 24, 4, v. Israel errichtet *set up by Israel* 1 K 14, 23 2 17, 10 Ho 3, 4 10, 1, v. *by* Ahab für *to* בַּעַל 2 K 3, 2; in Ägypten für יהוה *in Egypt to* יהוה Js 19, 19; im Tempel v. *at the temple of* צֹר Hs 26, 11; in äg. Kult *in Egyptian worship* Ir 43, 13; in Israel verboten *forbidden in Israel* Lv 26, 1 Dt 16, 22, vernichtet *destroyed* 2 K 3, 2 10, 27 18, 4 23, 14 2 C 14, 2 31, 1, sollen vernichtet werden *to be destroyed* Ho 10, 2 Mi 5, 12; Denkstein beim Bundschluss *memorial of the covenant* Gn 31, 45; מַצֵּבָה zusammen mit *together with* גַּל 31, 51 f; an Rahel's Grab *at Rachel's grave* 35, 20, v. Absalom für sich selber errichtet *set up by Absalom for himself* 2 S 18, 18; שִׂים מַצֵּבָה c. Gn 28, 18. 22, c. מָשַׁח 31, 13, c. הֵקִים Lv 26, 1 Dt 16, 22, c. הִצִּיב Gn 35, 14. 20; מַצֶּבֶת אֶבֶן Gn 35, 14, פֶּסֶל וּמ׳ Lv 26, 1, pl. Mi 5, 12; מ׳ u. בָּמוֹת u. אֲשֵׁרִים 1 K 14, 23, מ׳ u. אֲשֵׁרִים 2 K 17, 10; cj אֵלוֹן הַמַּצֵּבָה Jd 9, 6, l אֲשֵׁרַת 2 K 10, 26. †

מְצֹבָיָה: הַמְּ׳ n. m. (Text?) 1 C 11, 47. †

I מַצֶּבֶת : נצב : sf. מַצַּבְתָּהּ : **Baumstumpf** *stump (of a tree)* Js 6, 13. 13.†

II מַצֶּבֶת 2 S 18, 18: F מַצֵּבָה.†

מָצָד : צוד ; مَصَادٌ : cs. מְצַד, pl. abs. u. cs. מְצָדוֹת: Anstand, Lauerplatz d. Jägers > *stand of the hunter* > **schwer zugänglicher Ort** (für Kämpfende, Flüchtige, Wegelagerer) *place difficult to approach* (*for fighting, fugitive, waylaying people*) Jd 6, 2 1 S 23, 14. 19 24, 1 Js 33, 16 Ir 48, 41 51, 30 Hs 33, 27 1 C 11, 7 (= מְצֻדָה 2 S 5, 9) 12, 9. 17.; cj מְרַד Jos 3, 16 Glück BAS 90, 6.†

מְצֹדָה, מְצָדָה : F מְצוּדָה, מְצוּדָה.

מצה : mhb.; ja., sy. מצא ; ܡܨܐ II bis zum Letzten auspressen *drain to the last drop* (Dozy); amhar. *maṭammaṭa* auspressen *drain out*; NF מוץ: qal: pf. מָצִית, impf. יִמְצוּ, וַיִּמֶץ: 1. **auspressen** (nasses Fell) *drain out* (*wet fleece*) Jd 6, 38; **ausschlürfen** (Becher) *drain out* (*cup*) Js 51, 17 Hs 23, 34 Ps 75, 9;† nif: pf. נִמְצָה, impf. יִמָּצֶה (wie *like* יִמָּצֵא F מצא hif. Lv 9, 12 f): **ausgepresst werden** (Blut) *be drained out* (*blood*) Lv 1, 15 5, 9; l וּמְלֵיהֶם יִמְצוּ Ps 73, 10.†

מֹצָה : הַמֹּצָה : n. l.; Noth Jos S. 118: in Benjamin; kaum *rather not Bēt Mizze* n. Kalōnije PJ 14, 34: Jos 18, 26.†

I מַצָּה : I מצץ ; مَزّ geschmacklos, zwischen süss u. sauer sein (Wein) *be without taste, be between sweet and sour* (*wine*): pl. מַצּוֹת, מַצֹּת: **Fadbrot**, eilig u. ohne Säuerung bereitet, **Mazze** *tasteless bread, unleavened bread, prepared in haste a. unleavened*, ἄζυμον: אָפָה מַצּוֹת Gn 19, 3 1 S 28, 24, gegessen zu *eaten with* מְרֹרִים Ex 12, 8 Nu 9, 11, מ׳ וְקָלוּי Lv 2, 5, מַצָּה = סֹלֶת בְּלוּלָה בַשֶּׁמֶן Jos 5, 11, קֶמַח מ׳ Jd 6, 19; עֻגֹת מַצּוֹת Ex 12, 39, לֶחֶם מ׳ 29, 2, חַלּוֹת מ׳ 29, 2 Lv 2, 4 7, 12, חַלַּת מ׳ Nu 6, 19, רְקִיק מ׳ Nu 6, 19 u. רְקִיקֵי מ׳ Ex 29, 2 Lv 2, 4 7, 12 Nu 6, 15 1 C 23, 29; לֶחֶם עֹנִי מ׳ Dt 16, 3; מ׳ sollen 7 Tage gegessen werden *to be eaten during 7 days* Ex 12, 15 13, 6 f 34, 18 Lv 23, 6 Nu 28, 17 Dt 16, 3, 6 Tage lang *during 6 days* 16, 8; d. Essen beginnt am Abend des 14. I. *the eating begins in the evening of the 14.* I. Ex 12, 18; חַג הַמַּצּוֹת 23, 15 34, 18 Lv 23, 6 Dt 16, 16 Esr 6, 22 2 C 8, 13 30, 13. 21 35, 17; שָׁמַר הַמ׳ Ex 12, 17, סַל הַמ׳ 29, 23 Lv 8, 2. 26 Nu 6, 15. 17; d. Priester sollen d. Reste der מִנְחָה als מַצּוֹת essen *the priests have to eat the remainder of* מִנְחָה *as* מַצּוֹת Lv 6, 9 10, 12; מַצּוֹת u. כֹּהֲנֵי ? חַג שָׁבֻעוֹת Hs 45, 21; מַצּוֹת für *for* הַבָּמוֹת 2 K 23, 9; F Ex 12, 20 Jd 6, 20 f.†

II מַצָּה : נצה : **Streit, Hader** *strife, contention* Js 58, 4 Pr 13, 10 17, 19.†

מִצְהָלוֹת* : I צהל : cs. מִצְהֲלוֹת, sf. מִצְהֲלוֹתַיִךְ: **Wiehern** *neighing* Ir 8, 16 13, 27.†

מָצוֹד : צוד ; F I מְצוּדָה : cs. מְצוֹד, sf. מְצוֹדוֹ, pl. מְצוֹדִים: **Fangseil** *hunting-net*, Pr 12, 12 Hi 19, 6 Ko 7, 26, cj Ps 116, 3 (l מְצוּדֵי//חֶבְלֵי); l מְצוֹדִים (2 MS) Ko 9, 14.†

I מְצוּדָה : fem. v. מָצוֹד ; mhb. מְצוּדָה, ja. מְצוּדְתָא : 1. **Jagdgarn** *hunting-net* Hs 12, 13 (//רֶשֶׁת) 17, 20, cj pl. מְצוּדוֹת Hs 19, 8; l בְּמָצוֹר 19, 9; 2. **Jagdbeute** *prey* Hs 13, 21.†

II מְצוּדָה u. מְצֻדָה : צוד ? F מָצַד : cs. מְצֻדַת, sf. מְצוּדָתִי, cj pl. sf. מְצוּדוֹתַיִךְ Ir 48, 7: **unzugänglicher Ort** *place difficult to approach* 1 S 22, 4 f 24, 23 2 S 5, 17 23, 14, pl. cj Ir 48, 7 (Moab); מְצֻדַת צִיּוֹן 2 S 5, 7 1 C 11, 5, = עִיר דָּוִד 2 S 5, 9; מְצֻדַת

[עֲדֻלָּם] cj 1 S 22, 1 u. 2 S 23, 13 u. 1 C 11, 15; בֵּית יהוה ist *is* שֶׁן־סֶלַע//מְצוּדָה Hi 39, 28; מְצוּדוֹת Ps 31, 3, cj 71, 3 u. מְצֻדָתִי 2 S 22, 2 Ps 18, 3 31, 4 71, 3 91, 2 144, 2; l בְּמָצוֹר 66, 11. †

מְצוֹדָה: צוד; *F* I מְצוּדָה: **Netz** *net* Ko 9, 12; l מְצָרוֹת Js 29, 7. †

מִצְוָה (180 ×, Dt 43 ×; Gn—Dt immer *always* — 63 × — Gottes *God's* מִצְוָה: צוה: cs. מִצְוַת, pl. מִצְוֹת u. מִצְוֹת, sf. מִצְוֹתָיו: **Auftrag, Befehl, (einzelnes) Gebot, (Summe aller) Gebote, Anrecht** *order, commandment (particular commandment), (sum of the) commandments; right to which one is entitled*: 1. v. Menschen erteilt *given by man*: מִצְוַת הַמֶּלֶךְ 1 K 2, 43 (שְׁלֹמֹה) צִוָּה מִצְוָה 2 K 18, 36 Est 3, 3 Ne 11, 23 (11 ×); מִצְוַת אֲנָשִׁים Menschensatzung *commandment of men* Js 29, 13; מ׳ des *given by* יוֹנָדָב Ir 35, 14—18, אָב Pr 4, 4 6, 20 7, 1 f, חָכְמָה 2, 1 3, 1 (ZAW 51, 181[1]); מִצְוַת דָּוִד (d. Kult betreffend *concerning worship*) Ne 12, 24. 45 2 C 8, 14 29, 25 35, 15 †; מִצְוָה v. Mose gegeben *given by Moses* Jos 22, 5 2 C 8, 13; תּוֹרָה//מ׳ Pr 6, 23; יְרֵא מִצְוָה 13, 13; שֹׁמֵר מ׳ 19, 16 Ko 8, 5: הֶעֱמִיד עָלָיו מִצְוֹת nimmt **Verpflichtungen** auf sich *put oneself under obligations* Ne 10, 33; 2. von Gott gegeben *given by God*: a) pl.: מִצְוֹת יהוה Nu 15, 39 Dt 4, 2 1 K 18, 18 (22 ×), c. אֲשֶׁר לֹא תֵעָשֶׂינָה Lv 4, 2. 13. 22. 27 5, 17 †; מ׳ אֱלֹהֵינוּ Ps 119, 115, מ׳ אֱלֹהַי Esr 10, 3, מִצְוֹתָיו Ex 15, 26 Dt 4, 40 1 K 2, 3 (31 ×), מִצְוֹתֶיךָ Dt 26, 13 Ps 119, 6 1 C 29, 19 (26 ×), מִצְוֹתַי Gn 26, 5 Ex 16, 28 Js 48, 18 (21 ×), הַמִּ׳ הָאֵלֶּה Lv 26, 14 Nu 15, 22, הַמִּ׳ Lv 27, 34 Nu 36, 13 Ne 1, 7, חֻקִּים וּמִצְוֹת לֹא טוֹבִים Ne 9, 13, מִצְוֹת וְחֻקִּים 9, 14; b) sg. הַמִּצְוָה das Gebot *the commandment* Ex 24, 12 Dt 5, 31 1 K 13, 21 Ir 32, 11 (21 ×), מִצְוָתוֹ Nu 15, 31, מִצְוָתְךָ Dt 26, 13 Ps 119, 96. cj 98, מִצְוַת שְׂפָתָיו Ps 19, 9, pl. Esr 7, 11, מִצְוַת יהוה Hi 23, 12, הַמִּצְוָה הַזֹּאת Ma 2, 1. 4; לְמִצְוָה hinsichtlich e. Gebots *concerning a comm.* 2 C 19, 10; 3. מִצְוַת הַלְוִיִּם was d. Leviten zukommt *to what the Levites are entitled* Ne 13, 5; l אִמְרָתְךָ Ps 119, 19.

מְצוֹלָה, מְצֻלָה, מְצוּלָה u. **מְצֹלָה**: צול, NF v. צלל: pl. מְצוֹלֹת, מְצוֹלוֹת, מְצֻלוֹת, מְצֻלוֹת (nur *only* Sa 1, 8 c. art. בַּמְּצֻ׳): 1. sg. **Tiefe** *depth*: v. יָם Jon 2, 4 Ps 107, 24 Hi 41, 23, v. Abgrund *abyss* Ps 69, 3. 16 Sa 1, 8 (kaum Ort bei Jerusalem *hardly spot near Jerusalem*); 2. pl. **Tiefe, Tiefen** *depth, depths*: v. Nil *of Nile* Ex 15, 5 Sa 10, 11 Ne 9, 11, יָם Mi 7, 19 Ps 68, 23, Abgrund *abyss* Ps 88, 7. †

מָצוֹק: צוק; *F* מְצוּקָה: **Drangsal** *stress* Dt 28, 53. 55. 57 Ir 19, 9 Ps 119, 143; אִישׁ מָ׳ **Bedrängter** *man in distress* 1 S 22, 2. †

מָצוּק: pl. cs. מְצֻקֵי: מָצוּק 1 S 14, 5 dele, dittogr.; מְצֻקֵי אֶרֶץ 2, 8 die **Stützen** der Erde? *the supports of the earth?* (Etym.?). †.

מְצוּקָה: fem. v. מָצוֹק: pl. sf. מְצוּקוֹתַי, מְצוּקוֹתֵיהֶם: **Bedrängnis** *stress* Ze 1, 15 Hi 15, 24; pl. Ps 25, 17 107, 6. 13. 19. 28. †

I מָצוֹר: I צור: **Bedrängnis** *stress* Dt 28, 53, 55. 57 Ir 10, 17 19, 9 Ps 31, 22 (l בְּעֵת), cj 32, 6 (לְעֵת) u. 66, 11 (l בַּמָּ׳) *F* II u. III. †;

II מָצוֹר: I צור; = I: cs. מְצוֹר, sf. מְצוֹרֵךְ: 1. **Belagerung** *siege*; בּוֹא בַּמָּ׳ belagert werden *be besieged* Dt 20, 19 2 K 24, 10 25, 2 Ir 52, 5; יָשַׁב בַּמָּ׳ ruhig sich belagern lassen *remain indolent being besieged* 2 C 32, 10; בָּנָה מָ׳ עַל Belagerungswerke bauen gegen *build bulwarks against* Dt 20, 20; נָתַן מָ׳ עַל Hs 4, 2 u. שִׂים מָ׳ עַל Mi 4, 14 Belagerung verhängen über *lay siege against*; הָיָה בַּמָּ׳ unter Belagerung sein *be besieged* Hs 4, 3 Sa 12, 2; מֵי מָ׳ Hs 4, 7, יְמֵי מָ׳ 4, 8 5, 2; מְצוֹר יְרוּשָׁלַםִ Wasser für die Belagerung *water for the siege* Na 3, 14; בָּנָה עָרִים לְמָ׳ Städte zu Festungen ausbauen *build fortified places* 2 C 11, 5, עָרֵי מָ׳ Festungen *fortified places* 8, 5; F מְצוּרָה.†

III מָצוֹר: I צור; = I: cj Gewahrsam *lock-up, custody* cj Hs 19, 9 (בַּמָּצוֹר).†

IV מָצוֹר: n. t.; = F מִצְרַיִם: Ägypten *Egypt*: יְאוֹרֵי מָ׳ 2 K 19, 24 = Js 37, 25 19, 6, cj חַכְמֵי מָצוֹר Hs 27, 8, מָצוֹר Mi 7, 12 (l וְעָדֵי) Ps 60, 11 (l עַד pro עִיר); l צוֹר Mi 7, 12b; in 2 K 19, 24 Js 37, 25 leiten historische Erwägungen dazu, an Muṣri in Arabien zu denken *historical considerations suggest Muṣri in Arabia*, F מִצְרַיִם; Torczyner, Bundeslade[2] 67f: מָצוֹר v. מצר = ar. *mudāratu-llabani* = Molken *whey*, also *therefore* יְאוֹרֵי מָ׳ Gletscherströme *glacier-rivulets* u. מֵי מָ׳ Kalkmilch *slaked lime*??†

מְצֻרָה, מְצוּרָה: fem. v. II מָצוֹר: pl. מְצוּרוֹת: עָרֵי מְצוּרָה 2 C 14, 5 u. עָרֵי מְצוּרוֹת 11, 10. 23 12, 4 21, 3 befestigte Städte *fortified places*; > מְצוּרוֹת Festungen *fortified places* 2 C 11, 11; l מְצֻרָה Na 2, 2, l מְצֻרוֹת Js 29, 3.†

מֵצַח: ?צחח; F מִצְחָה: sf. מִצְחוֹ, מִצְחֲךָ, מִצְחֵךְ, pl. cs. מִצְחוֹת: Stirn *forehead* Ex 28, 38 1 S 17, 49, trägt *shows* צָרַעַת 2 C 26, 19f, Hs 9, 4, verrät *betrays* זוֹנָה Ir 3, 3, ist *is* נְחוּשָׁה Js 48, 4, חָזָק Hs 3, 7f.†

*מִצְחָה: F מֵצַח: cs. מִצְחַת: Stirnseite > Beinschiene *frontside* > *greave(s)* (BRL 89f) 1 S 17, 6 (l pl. מִצְחֹת).†

*מְצִלָּה: I צלל: pl. cs. מְצִלּוֹת: Schelle (an Pferd; apotropäisch?) *bell* (*upon horse*; *apotropaic?*) Sa 14, 20.†

מְצִלְתַּיִם: I צלל; ug. *mṣltm*: du. Zimbeln, Becken *cymbals* (BRL 393) Esr 3, 10 Ne 12, 27 1 C 13, 8 15, 16. 19. 28 16, 5. 42 25, 1 2 C 5, 12f 29, 25.†

מִצְנֶפֶת: צנף; sy. מַצְנַפְתָּא, Jos. Antt. 3, 157 μασναεφθης: מִצְנֶפֶת: Kopfbund, Turban *turban*: d. Königs *sign of royalty* Hs 21, 31, d. Hohenpriesters *of high priest* Ex 28, 4. 37. 39 29, 6 39, 28. 31 Lv 8, 9 16, 4.†

מַצָּע: יצע: (Ruhe-) Lager *couch* Js 28, 20, cj sf. מַצָּעֲךָ Ko 10, 20.†

*מִצְעָד: צעד: pl. cs. מִצְעֲדֵי, sf. מִצְעָדָיו: Schritt *step* Ps 37, 23 Pr 20, 24; pl. Gefolge *train* Da 11, 43.†

מִצְעָר: צער: cs. מִצְעַר: kleine Menge *small quantity* (:: שגה Hi 8, 7) Gn 19, 20 Hi 8, 7 2 C 24, 24; הַר מִצְעָר n. l.? (Dalm. PJ 5, 101ff; Lippl, BZ 11, 150ff l הַר צִיּוֹן; F H. Schmidt) Ps 42, 7; l לָמָּה צְעָרוּ Js 63, 18.†

I מִצְפֶּה: I צפה: Warte, Beobachtungsstelle *watch-tower, outlook-point* Js 21, 8 2 C 20, 24 Si 37, 14.† Der. n. l. II מִצְפֶּה, n. l. מִצְפָּה.

II מִצְפֶּה: = I: cs. מִצְפֵּה: 1. הַמִּ׳ in Juda, bei *near* לָכִישׁ Jos 15, 38; 2. הַמִּ׳ in Benjamin *En-nabi-Samwil* n. Jerusalem Jos 18, 26 F הַמִּצְפָּה 2.; 3. בִּקְעַת מִ׳ (= אֶרֶץ הַמִּצְפָּה Jos 11, 3) *Qalaʿt es-Subeibeh?* bei *near* Banjas (Garstang, Jos S. 396) Jos 11, 8; 4. רָמַת הַמִּ׳ Jos 13, 26 = מִצְפֵּה גִלְעָד Jd 11, 29, cj 12. 7, Ch. eṣ-Ṣār 16 km n. חֶשְׁבּוֹן (PJ 34, 26ff :: PJ 37, 70f); 5. מִצְפֵּה מוֹאָב, unbekannt *unknown*, 1 S 22, 3.†

מִצְפָּה: n. l.; Bedeutung *meaning* = I מִצְפָּה: loc. הַמִּצְפָּתָה: 1. הַמִּ׳ in גִּלְעָד Gn 31, 49 Jd 10, 17 11, 11. 34 Ho 5, 1 (מִ׳); 2. הַמִּ׳ in Benjamin Jd 20, 1. 3 21, 1. 5. 8 1 S 7, 5—16 10, 17 Ne 3, 7. 15. 19, befestigt *fortified* 1 K 15, 22 2 C 16, 6, Sitz *seat* v. גְּדַלְיָה 2 K 25, 23. 25 Ir 40, 6—15 41, 1—16; = הַמִּצְפֶּה 2? 3. אֶרֶץ הַמִּצְפָּה F מִצְפֶּה 3.†

***מַצְפּוּנִים**: צפן: pl. tant.; sf. מַצְפֻּנָיו: versteckte Güter *hidden treasures* Ob 6.†

I מֵצִין: F I מַצָּה.

II מצץ: NF v. מצה; ug. *mṣṣ*; mhb., ja. sy. מְצַץ; مَصَّ:
qal: impf. תָּמֹצּוּ: **schlürfen** *sip* Js 66, 11, cj Ps 73, 10 (l וּמִלֵּיהֶם יָמֹצּוּ).†

מֵצַר: I צרר: pl. מְצָרִים: **Bedrängnis** *straits, distress* Ps 118, 5, pl. Th 1, 3; l מְצוֹרֵי Ps 116, 3.†

cj **מַצָּרָה**: נצר: pl. מַצָּרֹת: **Wache** *guard, watch* cj Na 2, 2, cj pl. Js 29, 3.†

מִצְרִי: gntl. v. מִצְרַיִם; ug. *mṣry*; nab. מִצְרִי: fem. מִצְרִית, pl. מִצְרִים, fem. מִצְרִיּת: **Ägypter** *Egyptian* Dt 23, 8, הַמִּ׳ der Äg. *the Egyptian* Gn 39, 5 Ex 2, 12. 14 2 S 23, 21 1 C 11, 23, coll. die Äg. *the Egyptians* Esr 9, 1; = pl. Gn 12, 12. 14 43, 32 Dt 26, 6 Jos 24, 7; sg. fem. Gn 16, 3 (Hagar) 21, 9 25, 12; ägyptisch *Egyptian* Gn 39, 1 f Ex 2, 11. 19 Lv 24, 10 1 S 30, 11. 13 2 S 23, 21 1 C 2, 34 11, 23, fem. Gn 16, 1, pl. Ex 1, 19.†

מִצְרַיִם (680×): n. p., n. t.; ug. *mṣr*; ph. מצרם; aram. מצרין, [syr.]; ak. *Muṣur*, *Muṣru*, *Miṣir*; مِصْر; asa. מצר; F IV מָצוֹר: **Ägypten** *Egypt* (Αἴγυπτος < d. Kultnamen *from the religious name*: *Ḫi-ku-ptaḥ* = Haus des Wesens des (Gottes) Ptah *house of the being of (the God) Ptah*; genau so *exactly thus* מִצְרַיִם aus *from* *מצר = اَلْمِصْر = die Stadt *the town*, cf. *Urbs* = *Roma* u. Πόλις in Stambul (Byzanz) < εἰς τὴν πόλιν (Ableitung v. *derivation from* ak. *miṣru*, mnd. מצרא Grenze, Gebiet *border, district* Zimm. 9 liegt weniger nah *is less obvious*): 1. das Land, Reich Ägypten (mit nach der Zeit wechselnder Ausdehnung) *the country, empire of Egypt* (*the extension of which is changing according to the times*) Gn 12, 10, אֶרֶץ מִ׳ 13, 10 Js 19, 18, אַדְמַת מִ׳ Gn 25, 18, עַל־פְּנֵי מִ׳ 47, 20, נַחַל מִ׳ Jos 15, 4; F אָבֵל, אֵטוּן, תּוֹעֵבָה, נַחַל, יָם, יְאֹר, חֶרְפָּה, חַרְטֹם, אֱלִיל, etc.; מִצְרַיִם Unterägypten *Lower Egypt* neben *along with* פַּתְרוֹס Oberägypten *Upper Egypt* Js 11, 11; Beschreibendes *describing matter* Js 19; 2. das Volk der **Ägypter** *the nation of the Egyptians* Gn 45, 2 Ex 1, 13 3, 9 12, 33 u. oft *a. often* (c. sg. u. pl. verbi); 3. an mehreren Stellen, besonders, wenn von Pferden die Rede ist *at some places, especially where horses are mentioned* (1 K 10, 28 2 K 7, 6 2 C 1, 16 f) meinen einige seit Winckler KAT 238 f, d. Land Muṣri = n. Ninive sei gemeint *since Winckler some suggest the country of Muṣri = N of Niniveh* F ZA 37, 76, RLA 1, 255a. Der. מִצְרִי.

מַצְרֵף: I צרף: **Schmelztiegel** *melting pot* // כּוּר Pr 17, 3 27, 21.†

***מַצָּת**: נצה; mhb., ja. מַצּוּת: sf. מַצֻּתֶךָ: **Streit, Anfechtung** *strife, contention* Js 41, 12.†

מַק, מָק: מקק: **Moderduft** *musty smell* (:: בֹּשֶׂם) Js 3, 24 5. 24.†

I מַקֶּבֶת: II נקב: pl. מַקָּבוֹת: **Hammer** *hammer* (Name *name* Μακκαβαῖοι F Schürer, Gesch. d. jüd. Volks I, 204 u. Bevan, JTS 30, 191 ff: Js 62, 2) Jd 4, 21 1 K 6, 7 Js 44, 12 Ir 10, 4.†

מַקֶּהֵלֹת: n. l.; קהל; Sammelplatz *place of assembly*: Wüstenstation *station of the wilderness* Nu 33, 25 f. †

מִקְוֵא 2 C 1, 16: *F* קוה n. t. †

I **מִקְוֶה**: I קוה: cs. מִקְוֵה: **Hoffnung** *hope* Ir 14, 8 17, 13 Esr 10, 2 (לְ für *for*) 1 C 29, 15. †

II **מִקְוֶה**: II קוה: cs. מִקְוֵה: **Ansammlung** *collected mass* Gn 1, 10 Ex 7, 19, cj Js 33, 21; מִקְוֵה 1 K 10, 28 *F* n. t. קוה. †

מִקְוָה: II קוה: **Sammelgraben** *collecting ditch, reservoir* Js 22, 11. †

מָקוֹם (400×): קום; ph. u. altaram. מקם; mhb., مَقَام, asa. מקם: cs. מְקוֹם, sf. מְקוֹמוֹ u. מְקֹמוֹ, pl. מְקֹמוֹת u. מְקוֹמוֹת, sf. מְקֹמֹתָם, מְקוֹמֹתֵיכֶם, masc., pl. fem. Jd 19, 13: 1. **Standort** *standing-place* 1 S 5, 3, מְקוֹם הַשֶּׁבֶת **Sitz** *seat* 1 K 10, 19, (סַפִּיר) מְקוֹם Fundstätte *place where is found* Hi 28, 6; 2. **Ort, Stelle** *place, spot* מָ׳ אֶחָד einzige Stelle *one place* Gn 1, 9, בְּכָל־הַמָּ׳ an jedem Ort *at each place* Ex 20, 24, בְּכָל־מָ׳ überall *everywhere* Am 8, 3, נָתַן מָ׳ e. Platz anweisen *show to a seat* 1 S 9, 22, c. שִׂים 1 K 8, 21; מָ׳ לְשֶׁבֶת Wohnstätte *dwelling-place* 2 K 6, 1, מָ׳ לַחֲנוֹת *place of encampement* Dt 1, 33, etc.; 3. **Platz, Posten** *place, space*: c. לְבָתִּים Hs 45, 4, c. זֶרַע zum Säen *of seed* Nu 20, 5, c. הַגֹּרֶן 1 C 21, 22, מְ׳ דָּוִד Tischplatz *place at table* 1 S 20, 25, מָ׳ לְ Raum zum *space to* Ne 2, 14; etc.; 4. **Gegend, Raum** *country, region, space*: מָ׳ Gegend *region* Jd 18, 10, מָ׳ מִקְנֶה Gegend f. Viehzucht *region of (for breeding) cattle* Nu 32, 1; מָ׳ הַכְּנַעֲנִי Gebiet *country* Ex 3, 8, מָ׳ בֵּין Raum zwischen *space between* 1 S 26, 13; etc.; 5. **Ort, Ortschaft** *place*: מָ׳ הַמִּשְׁפָּט

II **מַקֶּבֶת**: I נקב: **Höhlung, Zisternenmund** *hole, opening of cistern* Js 51, 1. †

מַקֵּדָה: נקד*: n. l.; Lage? *position? F* Elliger PJ 30, 55 ff, Noth, Jos. S. 68, Garstang (Jos.) 394: Jos 10, 10—29 15, 41. †

מִקְדָּשׁ: קדש; ph., mhb., ja. מַקְדְּשָׁא: cs. מִקְדַּשׁ, sf. מִקְדָּשׁוֹ, מִקְדְּשׁוֹ Nu 18, 29 (BL 547), מִקְדָּשֶׁךָ, מִקְדָּשֵׁנוּ, pl. מִקְדָּשִׁים, cs. מִקְדְּשֵׁי, sf. מִקְדָּשַׁי, מִקְדְּשֵׁיכֶם: **heilige Stätte, Heiligtum** *sacred place, sanctuary*: in Moab Js 16, 12, in Jerusalem Th 1, 10, מִקְ׳ מֶלֶךְ in Bethel Am 7, 13, מִקְדְּשֵׁי יִשְׂרָאֵל 7, 9; הַמִּקְדָּשׁ = Stiftshütte *tabernacle* Ex 25, 8 Lv 12, 4 21, 12 Nu 3, 38 10, 21 (c. נֹשְׂאֵי) 18, 1, = Tempel *temple* Hs 45, 3 f (l 4 b מִגְרָשׁ לְמִקְנֶה). 18 47, 12 Da 11, 31 2 C 20, 8 26, 18 29, 21, מִקְדַּשׁ יהוה Nu 19, 20 Jos 24, 26 Hs 48, 10 1 C 22, 19, מִ׳ אֲדֹנָי Th 2, 20, מִ׳ אֱלֹהָיו Lv 21, 12, מִקְדָּשַׁי (v. *of* יהוה) Lv 19, 30 20, 3 21, 23 (pl.) 26, 2 Hs 5, 11 8, 6 9, 6 23, 38 f 25, 3 37, 26. 28 44, 7—9. 11. 15 f; מִקְדָּשֶׁךָ (v. *of* יהוה) Js 63, 18 Ps 68, 36 74, 7 Da 9, 17, מִקְדָּשׁוֹ (v. *of* יהוה) Ps 78, 69 96, 6 Th 2, 7 2 C 30, 8, מְכוֹן מִקְדָּשׁוֹ Da 8, 11; Israels *of Israel*: מִקְדָּשֵׁנוּ (4 MSS) Hs 21, 7, מִקְדָּשָׁם Ir 17, 12, מִקְדְּשֵׁכֶם (53 MSS) Lv 26, 31, cj מִקְדְּשֵׁיהֶם Hs 7, 24; מִקְדָּשׁ ein Heiligtum = der Tempel *a sanctuary = the temple* Ex 15, 17; מִקְדַּשׁ הַקֹּדֶשׁ Lv 16, 33; מְקוֹם מִקְדָּשִׁי Js 60, 13, מוֹצָאֵי Hs 43, 21, שַׁעַר הַמִּ׳ 44, 1, מִחוּץ לַמִּ׳ מִקְדְּשֵׁי בֵּית יהוה Ne 10, 40, כְּלֵי הַמִּ׳ 44, 5, הַמִּ׳ Ir 51, 51, בֵּית לַמִּקְדָּשׁ 1 C 28, 10, בֵּית מִקְדָּשָׁם 2 C 36, 17; יהוה ist *is* לְמִקְדָּשׁ Hs 11, 16; מִקְדָּשׁוֹ? Nu 18, 29 u. מִקְדָּשֶׁיךָ Hs 28, 18; l קֶשֶׁר Js 8, 14; l מוֹקְשֵׁי Ps 73, 17. †

***מַקְהֵל**: קהל: pl. מַקְהֵלִים Ps 26, 12 u. מַקְהֵלוֹת 68, 27: **Zusammenkunft** *assembly*. †

Stätte. *place* Ko 3, 16, מָקוֹם Ortschaft *place* (*city*) Gn 18, 24, אַנְשֵׁי הַמָּ' 26, 7, שֵׁם מַמָּ' 22, 14, לִמְקוֹמוֹ in s. Ortschaft *into his place* (*village*, *city*) 32, 1; etc.; 6. Einzelnes *particulars*: מָקוֹם Platz = Aufgabe *place* = *task* Ko 10, 4; מְקוֹם אֲשֶׁר Ort wohin *place wither* Ex 21, 13; מְקוֹם vor Relativsatz *preceding relative clause*: מְקוֹם לֹא יָדַע Stätte dessen, der *place of him that* Hi 18, 21; מְקוֹם אֲשֶׁר dort, wo *place where* Gn 39, 20 Hs 6, 13, = בִּמְקוֹם אֲשֶׁר Lv 4, 24 Ir 22, 12; בִּמְקוֹם אֲשֶׁר statt dass *instead of* Ho 2, 1; מְקוֹם שֶׁ' Ort, wo *place where* Ko 1, 7 11, 3; אֶל־מְקוֹם זֶה an den Ort, den *the place which* Ps 104, 8; אֶל־מָ' אַחֵר anderswohin *to some other place* Nu 23, 13; 7. **besondrer Ort, heilige Stätte** *specific place*, *holy place* (fast *nearly* = مَقَام Kultort *place of worship*): von Gott gesagt *said of God*: מְקוֹמִי Ho 5, 15 Ir 7, 12, מְקוֹמוֹ Js 26, 21 Mi 1, 3, הַמָּקוֹם הַזֶּה = Jerusalem 1 K 8, 30 2 K 22, 16 Ir 7, 3 19, 3; מְ' שְׁכֶם Gn 12, 6; הַמָּקוֹם die (heilige) Stätte *the* (*holy*) *place* Gn 22, 3f 28, 11. 19, pl. 1 S 7, 16, (heidnische *heathenish*) Dt 12, 2; מְ' שֵׁם יהוה Js 18, 7; הַמָּ', den J. erwählt *which Y. chooses out* Dt 12, 5 14, 23. 25 1 K 8, 29; מָ' מִקְדָּשִׁי Js 60, 13, מְ' קָדְשׁוֹ Ps 24, 3 Esr 9, 8, מָ' קָדֹשׁ Ex 29, 31 Lv 6, 9. 19f; מְ' הַקֹּדֶשׁ 14, 13, etc.; 8. umschreibend *periphrastically*: מִמָּקוֹם אַחֵר = von Gott her *from God* Est 4, 14 (so später *thus later on* מָקוֹם = Gott *God*); l מִקְוֵה Js 33, 21; l בְּקָמָיו Na 1, 8.

מָקוֹר: I קור; ug. *qr* u. *mqr* Brunnen *fountain*; äg. *qrr. t* Höhlung, Loch *hole* EG 5, 62: cs. מְקוֹר; מְקֹר, sf. מְקֹרָהּ, מְקוֹרוֹ: Quellort, Quell *place of well*, *well*: Ho 13, 15 (//מַעְיָן); יהוה ist *is* מְקוֹר מַיִם חַיִּים Ir 2, 13 17, 13; Quell v. *well of*: Tränen *tears* 8, 23, Leben *life* Ps 36, 10 Pr 10, 11 13, 14 14, 27 16, 22 18, 4 (MSS); מָ' (coll.) v. *of* בָּבֶל Ir 51, 36; מָ' f. *for* בֵּית דָּוִיד Sa 13, 1; Quell d. Bluts der Menstruierenden *source of menstruous blood* Lv 20, 18. 18, d. Gebärenden *in child-birth* 12, 7; מָ' מָשְׁחָת Pr 25, 26; metaph. = Ehefrau *wife* 5, 18; (זָדוֹן) מְקוֹרוֹ Si 10, 13; l בְּמִקְרָאֵי Ps 68, 27.†

*מִקָּח: לקח: cs. מַקַּח: **Entgegennahme** *taking* 2 C 19, 7.†

מַקָּחוֹת: לקח: pl. tant. **Waren** *wares* Ne 10, 32.†

*מִקְטָר: קטר: cs. מִקְטַר: **Verbrennungsplatz** *place of burning* Ex 30, 1.†

מְקַטְּרוֹת: קטר pt. pi: pl. Räuchergestelle, **Räucheraltäre** *incense-altars* 2 C 30, 14.†

מִקְטֶרֶת: קטר: sf. מִקְטַרְתּוֹ: **Räucherpfanne** *censer* Hs 8, 11 2 C 26, 19.†

מַקֵּל: Etym.? በቀልት Stamm *stem* (?); äg. *ma-qi-ra* (Albr. Voc. 45): cs. מַקֵּל u. מַקַּל (BL 195), sf. מַקְלוֹ, מַקְלִי, מַקֶּלְכֶם, pl. מַקְלוֹת Gn 30, 37 1 S 17, 43; msc. (Gn 30, 37 בָּהֶן neutr. = daran *thereat*), aber *but* mhb. fem.: **Rute, Zweig, Stab** *rod*, *twig*, *staff*: מַקֵּל שָׁקֵד Ir 1, 11, מַקַּל לִבְנֶה וְלוּז וְעַרְמוֹן Gn 30, 37—41; Stab *staff*: des Wandrers *of wanderer* Gn 32, 11 Ex 12, 11, Reiters *of riding man* Nu 22, 27, des Hüters *of keeper* 1 S 17, 40. 43; מַקֵּל תִּפְאָרָה Prachtsstock *beautiful rod* Ir 48, 17; מַקֵּל יָד Schlagstock (Waffe) *handstaff* (*weapon*) Hs 39, 9; für Orakel gebraucht *used for oracles* (ῥαβδομαντεία) Ho 4, 12; als Symbol gebraucht *used symbolically* Sa 11, 7. 10. 14.†

מִקְלוֹת: n.m.: 1. 1 C 8, 32 9, 37f; 2. 27, 4.†

מִקְלָט: קלט; mhb.: cs. מִקְלַט, sf. מִקְלָטוֹ:

Zuflucht, Asyl *refuge*, *asylum* Nu 35, 6. 11—15 Jos 20, 2 f 1 C 6, 42. 52; עִיר מִקְלַט הָרֹצֵחַ Asylstadt für d. Totschläger *city of refuge for the manslayer* Jos 21, 13. 27. 32. 38; F Nu 35, 25—28. 32.†

מִקְלַעַת*: II קלע: cs. מִקְלַעַת, pl. מִקְלָעוֹת, cs. מִקְלְעוֹת: **Schnitzerei, Schnitzwerk** *carving* 1 K 6, 18. 29. 32 7, 31.†

מִקְנֶה (75 ×): קנה; ph. מקנא: cs. מִקְנֵה, sf. מִקְנֵהוּ, מִקְנְךָ, מִקְנֵנוּ, aber ebenfalls sg. *but also* sg. מִקְנַי Ex 17, 3, מִקְנֶיךָ Js 30, 23, מִקְנֵיהֶם Gn 36, 7, מִקְנֵיכֶם 47, 16: **Erwerb, Besitz** *purchase*, *possession*: מִקְנֵה הַשָּׂדֶה d. **Grundbesitz** *the landed property*; *the field purchased* Gn 49, 32, מִקְנֵה הַבְּהֵמָה Besitz an Vieh *cattle one owns* Gn 47, 18; > meistens *in most cases*: **Viehbesitz** *possession of cattle*, *live stock* Gn 4, 20 30, 29, רְכֻשׁ וּמִקְנֶה 1 C 28, 1, מִקְנֶה (:: רְכֻשׁ) Gn 31, 18, F Ex 9, 3 Dt 3, 19 Jd 6, 5 Js 30, 23 1 C 5, 9 (49 ×); **Viehbestand** *stock of cattle* Gn 13, 2 34, 5 Ir 9, 9 Hs 38, 12 f, cj מִמִּקְנֵה Hs 45, 15; מִקְנֶה besteht aus *composed of* בָּקָר u. צֹאן Gn 26, 14 2 C 32, 29, aus *of* בָּקָר, גְּמַלִּים, צֹאן, חֲמוֹרִים, צֹאן, גְּמַלִּים, אֲתוֹנוֹת Hi 1, 3, aus *of* 1 C 5, 21; מִקְנֵה בָקָר u. מִקְנֵה צֹאן Gn 26, 14 47, 17; מְקוֹם מ׳, אֶרֶץ Gegend für Viehzucht *region apt for cattle-breeding* Nu 32, 1. 4; אָהֳלֵי מ׳ Zelte mit Viehbestand *tents with cattle* 2 C 14, 14; אַנְשֵׁי מ׳ Viehzüchter *stock-farmer* Gn 46, 32. 34, רֹעֵי מ׳ Viehhirten *herdsmen* Gn 13, 7, שָׂרֵי מ׳ Aufseher über d. Vieh *overseer of the cattle* 47, 6; מ׳ קִנְיָנוֹ s. erworbnes Vieh *his gained cattle* 31, 18; מִקְנֵיכֶם וּבְהֶמְתְּכֶם Schlachtvieh u. Lasttiere *cattle a. beasts* 2 K 3, 17; cj מִגְרַשׁ לְמִקְנֶה Hs 45, 4 b; l מִקְנֶה = מְקַנֵּא Hi 36, 33.

Der. n. m. מִקְנֵיָהוּ.

מִקְנָה: קנה: cs. מִקְנַת: sf. מִקְנָתוֹ: **Erwerb** (durch Kauf, Geld) *purchase*: שְׂדֵה מִקְנָה gekauftes Feld *field which is bought* (:: שְׂדֵה אֲחֻזָּה) Lv 27, 22; מִקְנַת כֶּסֶף um Geld gekauft *bought with money* (:: יְלִיד בַּיִת) Gn 17, 12 f. 23. 27 Ex 12, 44; כֶּסֶף מ׳ Kaufpreis *purchase-price* Lv 25, 51, > מִקְנָה 25, 16 (הִרְבָּה heraufsetzen *raise*, הִמְעִיט heruntersetzen *lower*); סֵפֶר מ׳ Kaufbrief *document of purchase* Ir 32, 11 f. 14. 16; קוּם לְמִקְנָה לְ käuflich übergehn an (mit Kaufformel) *be acquired by purchase* (*with formula of sale*) Gn 23, 17—18.†

מִקְנֵיָהוּ: n. m.; מִקְנֶה u. יָ׳: 1 C 15, 18. 21.†

מִקְסָם*: קסם: cs. מִקְסַם: **Befragung des Losorakels** *divination* Hs 12, 24 13, 7, cj מִקְסַם (מִקְּדָם) Js 2, 6.†

מָקַץ: n. l.; unbekannt *unknown* 1 K 4, 9.†

מִקְצוֹעַ, מִקְצֹעַ F* זָוִית: II קצע: pl. cs. מִקְצֹעֵי, pl. fem. מִקְצֹעֹת, sf. מִקְצְעוֹתָיו: **Ecke** (d. Altars) *corner-post* (*of altar*) Ex 26, 24 36, 29 Hs 41, 22, (d. Hofs *of a court*) Hs 46, 21 f; Gegend in Jerusalem („Winkel") *place in Jerusalem* Ne 3, 19 f. 24 f 2 C 26, 9.†

מַקְצֻעָה*: I קצע: pl. מַקְצֻעוֹת: **Holzschaber** *wood-scraper* Js 44, 13.†

מִקְצָת: F קָצָה.

מקק: mhb. nif. faulen *putrefy*, = ja. itpalp. אִתְמַקְמַק zerfliessen *melt away*: nif: pf. נָמַקּוּ, נְמַקֹּתֶם, impf. יִמַּקּוּ, יִמַּקּוּ, תִּמַּקְנָה, pt. pl. נְמַקִּים: **faulen, eitern** (Wunden) *putrefy*, *fester* (*wounds*) Ps 38, 6, (Augen *eyes*) Sa 14, 12; **verfaulen, verkommen** *decay*, *rot away* Lv 26, 39 Hs 4, 17 24, 23 33, 10, cj Ps 106, 43, zergehn (Hügel) *moulder* (*hills*) Js 34, 4.†

hif: inf. הָמֵק: **faulen machen** (Fleisch) *cause to rot* (*flesh*) Sa 14, 12.†
Der. מַק.

מָקֹר: F מָקוֹר.

מִקְרָא I קרא: pl. cs. מִקְרָאֵי, sf. מִקְרָאֶיהָ: 1. (v. קרא = rufen *call*) **Einberufung** *convoking* Nu 10, 2, **Versammlung** *convocation* Ex 12, 16 Lv 23, 2—37 Nu 28, 18. 25 f 29, 1. 7. 12 Js 1, 13, cj Ps 68, 27, **Sammelplatz** *place of assembly* Js 4, 5; 2. (v. קרא = lesen *read*) **Vorlesung** *reading* Ne 8, 8.†

מִקְרֶה: קרה: cs. מִקְרֵה, sf. מִקְרֶהָ: was von selbst, ohne d. Willen des Betroffenen u. ohne bekannten Urheber, vorfällt *what happens by itself, without the will of the concerned or any known author* (F Dt 23, 11): 1. **Zufall, Widerfahrnis** *accident, thing happening* 1 S 6, 9, וַיִּקֶר מִקְרֶהָ zufällig traf sie *she happened to come on* Ru 2, 3; **Zufall** *chance* 1 S 20, 26; 2. **Geschick, Ergehen** *fortune* Ko 2, 14 f 3, 19 (1 מִקְרֵה 2 ×) 9, 2 f.†

מְקָרֶה: קרה pt. pi: **Gebälk** *beam-work* Ko 10, 18.†

מְקֵרָה: קרר: **Kühlung, kühler Raum** *coolness, cool room* Jd 3, 20.†

מִקְשֶׁה: קשה: **Haargekräusel** *artificially set hair* (AS 5, 337) Js 3, 24.†

I מִקְשָׁה: קשה: **gedrehte, getriebne Arbeit** (in Gold u. Silber) *hammered work* (*of gold a. silver*) Ex 25, 18. 31. 36 37, 7. 17. 22 Nu 8, 4 10, 2.†

II מִקְשָׁה: קשא; mhb., pl. מִקְשָׁאוֹת; مَقْثَأَة: **Gurkenfeld** *field of cucumbers* Js 1, 8 Ir 10, 5.†

מִקְשׁוֹת: F מוֹקֵשׁ

I מַר: II *מרר: **Tropfen** *drop* Js 40, 15.†

II מַר: I מרר: מָר, f. מָרָה u. מָרָא Ru 1, 20†, cs. מָרַת, pl. מָרִים, cs. מָרֵי: 1. **bitter** *bitter* (Geschmack *taste*; :: מָתוֹק Js 5, 20 Pr 27, 7): מַיִם Ex 15, 23 Nu 5, 18 f. 23 f. 27, לַעֲנָה Pr 5, 4; 2. **bitter** *bitter* (Erfahrung *experience*): מָוֶת 1 S 15, 32 Ko 7, 26, Bitteres *bitter things, bitterness* 2 S 2, 26 Ir 2, 19 4, 18 (1 מְרִירִי), יוֹם Am 8, 10 Ze 1, 14 (1 הַמַּר), דָּבָר Ps 64, 4, צְעָקָה Gn 27, 34 Est 4, 1, עָנִי 2 K 14, 26 (1 הַמַּר); זָעַק מָרָה bitter klagen *cry bitterly* Hs 27, 30, בָּכָה מַר bitterlich weinen *weep bitterly* Js 33, 7; 3. **bitter** *bitter* (Gefühl *feeling*) נֶפֶשׁ מָרָה F נֶפֶשׁ IV 1, bittre Kehle *bitterness of throat* Hi 21, 25; מַר נֶפֶשׁ erbittert *embittered* Jd 18, 25 2 S 17, 8 Pr 31, 6 Hi 3, 20, verbittert *in bitterness of throat* 1 S 1, 10 22, 2, > מַר Hs 3, 14 Ha 1, 6 Ru 1, 20; מַר נֶפֶשׁ Bitterkeit Hs 27, 31 Js 38, 15 Hi 7, 11 10, 1; מַר רוּחַ Si 4, 1 7, 1; cj וְהָיָה מַר לִי Js 38, 17.†

מֹר, מוֹר: cs. מָר־; I מרר: ug. *šmn mr*, ak. *murru* (westsem. LW Zimm. 58), mhb, מוֹר, ja. מוּרָא, ܡܘܪܐ, مُرّ, asa. מרת (fehlt *wanting* äth.) > σμύρνη, *myrrha*: **Myrrhe** *myrrh*, d. Harz v. *resin of Commiphora abessinica* (Arabien): Geschmack bitter *taste bitter* (I מרר), Geruch würzig *smell aromatic*; als Gewürzpulver durch Händler nach Palästina, *brought as powder of spices by tradesmen into Palestine* אַבְקַת רוֹכֵל Ct 3, 6; von Frauen in Duftbeutelchen zwischen den Brüsten getragen *women keep it in scent-pouches between their breasts* Ct 1, 13; man beräuchert damit *used to perfume*: sich selbst *oneself* 3, 6, s. Kleider *the garments* Ps 45, 9, s. Betten *the beds* Pr 7, 17; flüssig gemacht träufelt es *trickling when liquified* עֹבֵר Ct 5, 5. 13; in Wasser geweicht gibt es zur Massage gebrauchtes שֶׁמֶן הַמֹּר *soakened in water it is* *used for massage* שֶׁמֶן הַמֹּר **Myrrhenöl** *oil of myrrh* Est 2, 12; d. Harzkörner u. -klumpen, gelblichrot bis braun, sind besonders geschätzt *the grains a. small lumps of the resin, yellowish-red to brown, are particularly valued*: מָר־דְּרוֹר **Perlenmyrrhe** *myrrh of pearls*, für Salböl gebraucht *used for sacred oil* Ex 30, 23; erotischer Terminus *erotic term* הַר הַמֹּר Ct 4, 6; F 4, 14 5, 1.†

I **מרא**: tradit.: NF v. מרה; aber *but* Grätz: zu *related to* mhb. רְאִי Kot *excrement*:

qal: pt. f. מֹרְאָה: **widerspenstig sein** *be rebellious*; Grätz: **beschmutzt sein** *be dirty* Ze 3, 1.†

II **מרא**: Aharoni RÉS 1938, 38: مرى d. Boden schlagen (Hufe) *batter the ground* (*hooves*):

hif: impf. תַּמְרִיא: c. בַּמָּרוֹם: Hölscher: **schnellt in die Höhe** (Strauss) *tosses up* (*ostrich*) Hi 39, 18.†

III **מרא**: ug. *mr'* (caus.) füttern *feed*: mhb. מרא u. מרה hif. sich mästen *fatten*; ak. *marū* fett *fat*; مَرِئَ bekömmlich sein (Speise) *agree with* (*of food*):

cj qal: impf. יִמְרְאוּ: **sich mästen** *fatten* cj Js 11, 6.†

Der. מְרִיא; n. f. מְרִים ? מַמְרֵא ?

מַרְאֶה: ראה: cs. מַרְאֵה, sf. מַרְאֵהוּ, מַרְאֶהָ, מַרְאֵינוּ, מַרְאָיו, aber *but* מַרְאַיִךְ (מַרְאֵךְ Ct 2, 14), (alle *all* sg!): 1. **das Sehen** *sight*: לְכָל־מַרְאֵה עֵינֵי was die Augen auch sehen *whatever the eyes see* Lv 13, 12, מַרְאֵה עֵינֶיךָ Dt 28, 34. 67; גָּדוֹל לְמַרְאֶה weithin sichtbar *visible from afar* Jos 22, 10; לְמַ׳ עֵינָיו nach d. Augenschein *after the sight of his eyes* Js 11, 3, לְמַ׳ עֵינֶיהָ als sie sah *when she saw* Hs 23, 16; 2. **Aussehn** *appearance*: c. נֶחְמָד לְ Gn 2, 9, c. יְפֵה Gn 39, 6 1 S 17, 42 (David), c. יְפַת Gn 12, 11 29, 17 2 S 14, 27, c. יְפוֹת Gn 41, 2. 4, c. טוֹבַת 24, 16 26, 7 2 S 11, 2 Est 1, 11 2, 3. 7, c. טוֹבֵי Da 1, 4, c. טֹבַת Est 2, 2, c. רַע Gn 41, 21, c. רָעוֹת 41, 3. 4; מַרְאֵה הַנֶּגַע d. Aussehn des Mals = d. Mal sieht aus *the app. of the plague* Lv 13, 3 (9 × in Lv 13 u. 14, 37); (gesundheitliches) Aussehn (*healthy*) *look, countenance* Da 1, 13. 15; **Aussehn, Anblick** *appearance, sight* Jd 13, 6 1 S 16, 7 Js 52, 14 Hs 1, 5—28 (15 ×) 8, 2. 4 10, 1. 9 f. 22 11, 24 23, 15 40, 3 41, 21 43, 3. cj 10 Jl 2, 4 Na 2, 5 Hi 4, 16 41, 1 Da 10, 18; לֹא מַרְאֶה unansehnlich, **unbedeutend** *insignificant, unimportant* Js 53, 2; 3. **Erscheinung**, (übernatürliches) **Gesicht** (*supernatural*) *vision* Ex 3, 3 24, 17 Nu 8, 4 12, 8 Da 8, 15 f. 26 f 9, 23 10, 1. 16, cj // חָזוֹן Ho 12, 11; 4. **Gestalt** (*visible*) *form* Ct 2, 14 5, 15; מַרְאֵה אֵשׁ Feuerschein *flare of fire* Nu 9, 15 f, מַ׳ בָּרָק **Schein** d. Blitzes *flare of lightning* Da 10, 6; — l מִדָּה 2 S 23, 21.†

מַרְאָה: ראה: pl. cs. מַרְאֹות: 1. Erscheinung, **Gesicht** *appearance, vision* Nu 12, 6 1 S 3, 15 Da 10, 7 f. 16, pl. c. הַלַּיְלָה Gn 46, 2, c. אֱלֹהִים Hs 1, 1 8, 3 40, 2, l וְכַמַּרְאֶה 43, 3; 2. pl. **Spiegel** *mirror* Ex 38, 8, cf. AP 15, 11 מחזי זי נחש.†

***מֻרְאָה**: F mhb. רְאִי sub I מרא; mhb. מֻרְאָה Kropf (d. Vogels) *crop* (*of bird*): sf. מֻרְאָתוֹ: **Kropf** (d. Vogels) *crop* (*of bird*) Lv 1, 16.†

מַרְאוֹן Jos 12, 20: dele, dittogr.†

מָרֵאשָׁה Jos 15, 44 u. מָרֵשָׁה Mi 1, 15 1 C 4, 21 2 C 11, 8 14, 8 f 20, 37: n. l.; ראשׁ: **Maresa** *Mareshah*, Μαρίσ(σ)α = T. Sandahanna (BRL 361 ff) 2 km s. Bēt Gibrin.†

***מְרַאֲשׁוֹת**: ראשׁ, F מַרְגְּלוֹת; mhb.: cs. cj מְרַאֲשֹׁתֵי (BL 516) 1 S 26, 12, sf. מְרַאֲשֹׁתָיו: was **beim Kopf, zu Häupten ist** *place at the head, head-place* (H. Winckler. AFO 7, 159 f: Kopfstütze *head-supporter*; ph. מראש Kopfhülle *head-covering*): Gn 28, 11. 18 1 S 19, 13. 16 26, 7. 11 f. 16 1 K 19, 6; l מְרַאֲשֹׁתָם Ir 13, 18. †

מֵרַב: n. f.; רבב Form *form* F מֵרַד: älteste Tochter v. *oldest daughter of* שָׁאוּל 1 S 14, 49 18, 17. 19. †

מַרְבַדִּים (ב ohne *without* dagesch): רבד; cf. ﻗﺎﺭِﺑﺔ, Satteldecke *saddle-cloth*: **Decken** *coverlets* Pr 7, 16 31, 22, cj 2 S 17, 28. †

מַרְבָּה Hs 23, 32: l מַרְבָּה v. רבה hif. †

מַרְבֶּה: רבה pt. hif: **Menge** *abundance* Js 33, 23; l רַבָּה 9, 6. †

מַרְבִּית: רבה: sf. מַרְבִּיתָם: **Mehrzahl** *great number* 1 S 2, 33 1 C 12, 30 2 C 30, 18, חֲצִי מ׳ **grössere Hälfte** *greater half* 2 C 9, 6; l תַּרְבִּית Lv 25, 37. †

***מִרְבָּץ**: רבץ: cs. מִרְבַּץ: Lagerstätte (f. צֹאן) *resting-place* (*of* צֹאן) Hs 25, 5. †

מַרְבֵּץ: רבץ: **Lagerstätte** (für Wild) *resting-place* (*of wild beasts*) Ze 2, 15. †

מַרְבֵּק: רבק; ﺭَﺑَﻖ, fest binden *tie fast*; ja. רִבְקָא Mästung *fattening*: עֵגֶל מ׳ **Mastrind** *fatted calf* 1 S 28, 24 Ir 46, 21 Am 6, 4 Ma 3, 20; כלה מ׳ Mast beenden *finish the fattening* Si 38, 26. †

מַרְגּוֹעַ: רגע: **Ruheplatz** (f. Seele) *rest* (*for soul*) Ir 6, 16. †

***מַרְגְּלֹת**: רֶגֶל; mhb.; F *מְרַאֲשֹׁת: sf. מַרְגְּלֹתָיו: **Platz zu Füssen, Fussende** *place at the feet* Ru 3, 4. 7 f. 14 Da 10, 6. †

מַרְגֵּמָה: רגם: **Steinhaufen** *heap of stones* Pr 26, 8. †

מַרְגֵּעָה: רגע: **Ruheplatz** *place of rest* Js 28, 12. †

מרד: mhb.; F ba.; ﻣَﺮَﺩَ sich auflehnen, *be bold in rebellion*, asa. מרד aufständisch *rebellious*, መረድ Aufruhr *rebellion*:

qal: pf. מָרַד, מָרַדְנוּ, מָרָדוּ, impf. וַיִּמְרֹד, וַיִּמְרְדוּ, inf. מְרוֹד, מְרֹד, sf. מָרְדְכֶם, תִּמְרְדוּ, pt. מוֹרְדִים, מֹרְדֵי: **sich auflehnen, empören** *rebel, revolt* Gn 14, 4 Hs 2, 3 20, 38 Ne 6, 6 Da 9, 5, c. בְּ gegen *against* Nu 14, 9 Jos 22, 16. 18 f. 29 2 K 18, 7 24, 1. 20 Js 36, 5 Ir 52, 3 Hs 2, 3 17, 15 Da 9, 9 Ne 9, 26 2 C 36, 13, c. עַל gegen *against* Ne 2, 19 2 C 13, 6; c. ac. gegen *against* Jos 22, 19; מֹרְדֵי אוֹר (l אֵל pro אוֹר?) Hi 24, 13. †

Der. I מֶרֶד u. II n. m.?; מַרְדוּת.

I מֶרֶד: מרד: **Auflehnung** *rebellion* (בַּיהוָה) Jos 22, 22; F II. †

II מֶרֶד: n. m.; n. m. asa. = *audax*: מֶרֶד: 1 C 4, 17 f. †

cj ***מִרְדָּה**: I רדה: cs. מִרְדַּת (pro מֻרְדָּף) **Tritt** *kick* cj Js 14, 6. †

מַרְדּוּת: מרד: **Auflehnung** *revolt* (l נַעֲרַת) 1 S 20, 30. † F OTS. 6, 29 f.

מְרֹדָךְ: (euphemistische Vokalisation *euphemistic vocalisation* = מְבֹרָךְ verflucht *cursed*?) pro: *מַרְדֻּךְ: (der Gott *the god*) **Marduk** (Deimel, Pantheon nr. 2078) Ir 50, 2. †

מְרֹדַךְ בַּלְאֲדָן (Var. מְרֹדַאךְ): n. m.; F מְרֹדָךְ; = ak. *Marduk-aplā-idin* (Tallq. APN 128 b) Marduk gab e. Sohn *Marduk has given a son*; chald. Fürst, 2 × zeitweilig K. v. Babylon *Chald. prince, twice temporarily K. of Babylon*, ca. 700: Js 39, 1; pro מ׳ 2 K 20, 12 בְּרֹאדַךְ. †

מָרְדֳּכַי, מָרְדֳּכָי: n. m., F מְרֹדָךְ u. Tallq. APN 128a; bab. n. m. *Mardukā* (ZAW 58, 243): 1. Est 2, 5—10, 3 (58 ×); 2. Esr 2, 2 Ne 7, 7. †

מֻרְדָּף Js 14, 6: l מִרְדַּת. †

מרה: mhb. widerspenstig sein *be rebellious*, hif. erregen *irritate*; ja. af. zornig machen *irritate*, **مرى**, wetteifern mit *contend with*; مَرَى anspornen *stimulate*; F I מרא:

qal: pf. מָרָה, מָרְתָה, מָרִית, מָרוּ, מָרִינוּ, inf. מְרוֹ, pt. מוֹרֶה, מֹרִים: **widerspenstig sein** *be disobedient, rebellious* Nu 20, 10 Js 1, 20 50, 5 63, 10, cj מֹרָה Hs 2, 8, Th 1, 20 3, 42 Si 16, 7; סוֹרֵר וּמוֹרֶה Dt 21, 18. 20, cj Js 65, 2, Ir 5, 23 Ps 78, 8, c. בְּ gegen *against* Ho 14, 1 Ps 5, 11 Si 30, 12, c. אֶת־ gegen *against* Ir 4, 17, c. אֶת־פִּי gegen d. Befehl *against the order* Nu 20, 24 27, 14 1 S 12, 15 1 K 13, 21. 26 Th 1, 18 Si 39, 31; l הַמְּרִ 2 K 14, 26, l שָׁמְרוּ Ps 105, 28; †

hif: pf. הִמְרוּ, impf. יַמְרֶה, וְהִמֵּר, תַּמְרוּ, sf. הִמְרוּהוּ, יַמְרוּהוּ, inf. לַמְרוֹת < לְהַמְרוֹת*, sf. הַמְרוֹתָם < *הַמְרוֹתָם (BL 212), pt. מַמְרִים: **sich widerspenstig zeigen** *behave disobedient, rebellious* Hi 17, 2 Ne 9, 26, cj Hs 5, 7 (הַמְרוֹתְכֶם), c. בְּ gegen *against* Hs 20, 8. 13. 21 Ps 106, 43, cj Ex 23, 21, c. עִם gegenüber *towards* Dt 9, 7. 24 31, 27, c. ac. gegen *against* Hs 5, 6 Ps 78, 17. 40. 56 106, 7 (l עֶלְיוֹן) 107, 11, cj 139, 20 (יַמְרוּךָ), c. אֶת־פִּי gegen d. Befehl *against the order* Dt 1, 26. 43 9, 23 Jos 1, 18 1 S 12, 14, c. עֵינֵי (l לְעֵינֵי?) angesichts *in the eyes of* Js 3, 8; l הֵמֵרוּ Ps 106, 33; Si 3, 23 F OS 611. †

Der. מְרִי, מְרָתַיִם; n. m. יִמְרָה.

I מָרָה: F מַר.

II מָרָה: n. l., מרר; Wasserstelle mit bitterm, ungeniessbarem Wasser *waterhole of bitter, unpalatable water*: loc. מָרָתָה: Wüstenstation *station of the wilderness* (RB 10, 429 ff: *ʿAin Ḥaūāra*): Ex 15, 23 Nu 33, 8. †

***מֹרָה**: מרר: cs. מֹרַת Gn 26, 35 u. מָרַּת (BL 222) Pr 14, 10: **Bitterkeit, Gram** *bitterness, grief*. †

***מַרְהֵבָה**: רהב: **Ansturm** *assault* Js 14, 4. †

***מָרוּד**: רוד, رَادَ, rastlos sein *be restless*: sf. מְרוּדִי, pl. מְרוּדִים, sf. מְרוּדֶיהָ: **Heimatlosigkeit** *homelessness, outcast state* Th 3, 19; pl. concret.: **Heimatlose** *homeless people* Js 58, 7 Th 1, 7 (l מְרוּדָהּ Nöld. ZDM 37, 539). †

מֵרוֹז: n. l.; Alt ZAW 58, 244 ff: Jd 5, 23. †

***מְרוֹחַ**: cs. מְרוֹחַ אָשֶׁךְ: מ׳ *μόνορχις*: l מְרוּחַ? pt. pass. v. מרח zerreiben *rub to powder* oder *or* מָרוּחַ v. רוח weit sein *be large*: **mit beschädigten Hoden** *who has his stones broken* Lv 21, 20. †

מָרוֹם: רום; ug. *mrjm*, asa. מרים: cs. מְרוֹם, pl. מְרוֹמִים, מְרֹמִים, cs. מְרוֹמֵי, מְרֹמֵי, sf. מְרוֹמָיו: **Höhe** *height*: 1. Erhebung des Bodens, Geländes *elevation of ground, country* Jd 5, 18 2 K 19, 23 Js 37, 24 Ir 31, 12 (מְרוֹם צִיּוֹן) 49, 16 51, 53 Hs 17, 23 20, 40 34, 14 Pr 8, 2 9, 3. 14; 2. hochgelegne Stelle, überlegner Platz, **hoch** *high place, position* Js 22, 16 26, 5 33, 16 (pl.) Ha 2, 9 Ps 7, 8 68, 19 75, 6, cj 78, 69 (בַּמְּרוֹמִים), 92, 9 Hi 39, 18; 3. נָשָׂא מָרוֹם עֵינָיו erhebt s. A. **nach oben** *lifts his eyes on high* 2 K 19, 22 Js 37, 23 40, 26; 4. (von d. sozialen Stellung *concerning the social position*) **hoch** *high* Js 24, 4 Hi 5, 11 Ko 10, 6 (l בַּמָּרוֹם); 5. (moralisch *morally*) **überlegen** *superior* Ps 73, 8; 6. **Höhe** (als Wohnort Gottes, „Himmel") *high* (*abode of God*, „*heaven*") Js 33, 5 57, 15 Ir 25, 30 Mi 6, 6 (אֱלֹהֵי מָ׳) Ps 102, 20 Hi 25, 2; 2 S 22, 17 Js 24, 18. 21 32, 15 (רוּחַ מִמָּ׳) 38, 14 58, 4 Ps 18, 17 71, 19 93, 4 144, 7 148, 1 Hi 16, 19 31, 2 Th 1, 13; 7. l מְלוֹן Js 37, 24b, l מוֹרָם Ir 17, 12, l מֵרִים Ob 3, l סָרוּ Ps 10, 5, l רֹמְמֵנִי 56, 3. †

מֵרוֹם: n. l.; רום; äg. *M-r-m* ETL 206: *Mērōn* in Obergaliläa *in Upper Galilee*; מֵי מֵ׳ *W. Mērōn* nach SO abfliessend *running SE.*: Jos 11, 5. 7.†

מֵרוֹץ: רוץ: das **Laufen** *running* Ko 9, 11.†

I ***מְרוּצָה**: רוץ: cs. מְרוּצַת, מְרֻצַת, sf. מְרוּצָתָם: **Art wie einer läuft** *mode of running* 2 S 18, 27, **Laufen** *course* Ir 8, 6 Q 23, 10.†

II **מְרוּצָה**: <*מְרֻצָּה; רצץ: **Erpressung** *extortion* Ir 22, 17.†

***מְרוּקִים**: מרק, pl. tant.: sf. מְרוּקֵיהֶן: **Knet-, Massagebehandlung** *procedure of massage* Est 2, 12.†

מָרוֹת: n. l., cf. II מָרָה: in Juda: Mi 1, 12.†

***מַרְזֵחַ** u. **מִרְזַח**: רזח; Gressmann ZAW 20, 228; mhb. מַרְזֵחַ; ph. מרזח, ja. u. äga. מרזחא Eph 3, 119 ff, nab. Cantineau 2, 118: cs. מִרְזַח: **Gelage, Kultfeier** *banquet, cult festival* Am 6, 7 Ir 16, 5; besonders *especially* palm., Février, La Rel. des Palmyréniens, 1931, 201 ff.†

מרח: mhb. pi. reiben *rub*; ja. pa. glätten *polish*; مَرْخٌ Holz, durch dessen Reiben Feuer erzeugt wird *wood by rubbing of which fire is produced*; ak. *marāḫu* glätten? *polish?*, äg. *mrḥt* Salbe *ointment*, Albr. BAS 93, 24:
qal: impf. יִמְרְחוּ: **aufstreichen** *rub in* Js 38, 21.†
Der. *מָרוֹחַ.

מֶרְחָב: רחב: pl. cs. מֶרְחֲבֵי: **weiter Raum, Weite** *roomy place* 2 S 22, 20 Ho 4, 16 Ha 1, 6 Ps 18, 20 31, 9 118, 5.†

מֶרְחַבְיָה Ps 118, 5: l מֶרְחָב יָה.†

מֶרְחָק u. **מֶרְחָק** Ps 138, 6: רחק; mhb. Entfernung *distance*: pl. מֶרְחַקִּים, cs. מֶרְחַקֵּי: **Ferne, Weite** *distance*, מִמֶּ׳ Js 10, 3 17, 13 30, 27 Ir 5, 15 31, 10 Hs 23, 40 Ps 138, 6 Pr 31, 14; אֶרֶץ מֶ׳ fernes Land *distant land* Js 13, 5 46, 11 Ir 6, 20 Pr 25, 25, אֶרֶץ הַמֶּ׳ Ir 4, 16, אֶרֶץ מֶרְחַקִּים 8, 19; בְּמֶרְחַקִּים in der Ferne *in far countries* Sa 10, 9; מֶרְחַקֵּי אָרֶץ Js 8, 9, cj Ps 95, 4; בֵּית הַמֶּרְחָק d. äusserste, letzte H. *the most remote h.* 2 S 15, 17; l מַחֲמַדִּים Js 33, 17.†

מַרְחֶשֶׁת: רחש; mhb.: **Kochpfanne** mit Deckel *lidded cooking-pan* Lv 2, 7 7, 9.†

מרט: ak. *marāṭu* einreiben *rub in*; mhb., ja. kahl machen *make bald*, F ba.; مَرَطَ Haar ausraufen *pluck out hair*:
qal: impf. אֶמְרְטָה, sf. אֶמְרְטֵם, inf. מָרְטָה, pt. מֹרְטִים, pass. מְרוּטָה: 1. **raufen** (Haar) *pluck, pull off* (*hair*) Js 50, 6 Esr 9, 3 Ne 13, 25; 2. **fegen, wetzen** (Schwert) *polish* (*sword*) Hs 21, 33; l מֹרְטָה 21, 14; ? 21, 16;†
nif: impf. יִמָּרֵט: **kahl werden** *grow bald* Lv 13, 40 f;†
pu: pf. מֹרָטָה (BL 357), pt. מוֹרָט < מְמֹרָט: **blank gefegt** *polished*: נְחֹשֶׁת 1 K 7, 45, חֶרֶב Hs 21, 15. 16. cj 14; **blank, glatt** *smooth, scoured* (menschliche Haut *human skin*) Js 18, 2. 7.†

מְרִי: מרה: מֶרִי, sf. מֶרְיְךָ, cj מֶרְיֵךְ Ir 13, 25: **Widerspenstigkeit, Widerspruch** *rebellion, gainsaying* Dt 31, 27 1 S 15, 23 Hs 44, 6 Pr 17, 11 Hi 23, 2, cj Ir 13, 25; עַם מְרִי Js 30, 9, בְּנֵי מֶרִי Nu 17, 25; בֵּית מְרִי Hs 2, 5 f. cj 7 3, 9. 26 f 12, 2 f, בֵּית הַמֶּרִי Hs 2, 8 12, 2. 9. 25 17, 12 24, 3; l בְּמִצְרַיִם Ne 9, 17; l מֹרֶה Hs 2, 8; l מֶרְיֵךְ? Ir 4, 18.†

מְרִיא: III מרא; ug. *mr3*: pl. מְרִיאִים, cs. מְרִיאֵי, sf. מְרִיאֵיכֶם: **Mastvieh** (Vieh, das zur Fleischgewinnung besonders gehalten u. gefüttert wird) *fatling, fatlings* (*cattle intentionally raised a. fed for meat*), nach *according to* 2 S 6, 13 1 K 1, 9. 19. 25 vornehmlich Rinder *chiefly neat* (Aharoni, Osiris 5, 464 ff: Büffel *buffalo Bu-*

balus buffalus) 2 S 6, 13 1 K 1, 9. 19. 25 Js 1, 11 Am 5, 22 Hs 39, 18; l וְיִמְרְאוּ Js 11, 6.†

מְרִיב בַּעַל: F מְרִיבַעַל.

I מְרִיבָה: ריב: cs. מְרִיבַת: **Streit** *quarrel* Gn 13, 8 Nu 27, 14; F II מְרִיבָה.†

II מְרִיבָה: n.l.; = I; unbekannte Wüstenstation *unknown station in the wilderness* Ex 17, 7 Ps 95, 8; מֵי מְ׳ Nu 20, 13. 24 Dt 33, 8 Ps 81, 8 106, 32; F מֵי מְרִיבַת קָדֵשׁ Nu 27, 14 Dt 32, 51 Hs 48, 28, cj 47, 19; cj מְרִיבַת קָדֵשׁ Dt 33, 2.†

***מְרִיבַעַל** > מְרִיב בַּעַל: n. m., 1 C 8, 34 9, 40; Dir. 46 f; Humbert ZAW 38, 86: äg. *mrj* geliebt *loved by* u. בַּעַל, l מְרִי־בַעַל :: Spiegelberg ZAW 38, 172.†

מְרָיָה: n.m. Ne 12, 12; Humbert ZAW 38, 86: < *מְרִיָה = äg. *mrj* geliebt *loved by* u. יָה; F *מְרִיבַעַל.†

מֹרִיָּה: 1. אֶרֶץ הַמּ׳ Gn 22, 2 (S הָאֱמֹרִי, Jos Antt. 1, 13, 1 τὸ Μώριον ὄρος); 2. הַר הַמּ׳ 2 C 3, 1 der Tempelberg *site of the temple*.†

מְרָיוֹת: n.m., מרה ?: 1. Esr 7, 3 1 C 5, 32 f 6, 37; 2. 9, 11; 3. Ne 12, 15, = מְרֵמוֹת 12, 3?.†

מִרְיָם: n. f.; Μαριαμ > *Maria*; v. III מרא die Beleibte *the corpulent one?*; H. Bauer ZAW 51, 87[2] u. 53, 69 Wunsch (-kind) *wished* (*child*); äg. *mrjt* Geliebte *beloved one* Gardiner JAO 56, 194 f; מרים = Μαριάμη Ossuar Eph. 3, 50: 1. Ex 15, 20 Nu 12, 1—15 20, 1 26, 59 Dt 24, 9 Mi 6, 4 1 C 5, 29; 2. (n.m.?) 1 C 4, 17.†

מְרִירוּת: מרר: **Bitterkeit, Betrübnis** *bitterness*, בִּמְ׳ *bitterly* Hs 21, 11.†

מְרִירִי: מרר: **bitter** *bitter* Dt 32, 24 Si 11, 4; כַּמְרִירֵי Hi 3, 5.†

מֹרֶךְ: רכך: **Verzagtheit** *timidity* Lv 26, 36.†

מֶרְכָּב: רכב: sf. מֶרְכָּבוֹ: 1. **Wagenpark** *train of chariots* F מֶרְכָּבָה 1 K 5, 6; 2. **Sattelsitz** *saddle* Lv 15, 9, **Sitz** *seat* (*of litter*) Ct 3, 10.†

מֶרְכָּבָה: רכב; ug. *mrkbt*; mhb.; ja., sy. מַרְכַּבְתָּא; ak. *narkabtu*; > äg. *mrkbt*: cs. מִרְכֶּבֶת, sf. מֶרְכַּבְתּוֹ, pl. מַרְכָּבוֹת, cs. מַרְכְּבוֹת: 1. **Streitwagen** *war-chariot* (BRL 532 f): ägyptische *Egyptian* Ex 14, 25 15, 4 1 K 10, 29 2 C 1, 17, kanaanäische *Canaanaean* Jos 11, 6. 9 Jd 4, 15 5, 28, v. *of* כּוּשׁ 2 C 14, 8, hebräische *Hebrew* 1 K 12, 18 20, 33 22, 35 Js 2, 7 Mi 5, 9 2 C 9, 25 10, 18 18, 34 35, 24, v. *of* צָפוֹן Ir 4, 13, v. *of* יהוה Js 66, 15; F Mi 1, 13 Na 3, 2 Ha 3, 8 Hg 2, 22 Sa 6, 1—3; 2. **Prunk-, Ehrenwagen** *chariot of honour* Gn 41, 43 1 S 8, 11 2 S 15, 1 Js 22, 18; 3. **Reisewagen** *travelling-coach* 2 K 5, 21. 26 9, 27 10, 15; 4. אֹפַן מְ׳ Gn 46, 29, אֹסֶר מְ׳ 1 K 7, 33, קוֹל מְ׳ Jl 2, 5; 5. **Kultgerät** *used in worship*: מַרְכְּבוֹת הַשֶּׁמֶשׁ 2 K 23, 11; תַּבְנִית הַמְּ׳ 1 C 28, 18; 6. ? Ct 6, 12; מֶרְכָּבָה Si 49, 8 Bezeichnung für *name of* Hs 1; F n.l. בֵּית מַרְכָּבוֹת.†

מַרְכֹּלֶת Hs 27, 24: l בָּם רְכֻלָּתֵךְ.†

I מִרְמָה: II רמה: pl. מִרְמוֹת: **Hinterlist, Trug** *deceit* Gn 27, 35 34, 13 (l וַיְדַבְּרוּ בְמִרְמָה) Js 53, 9 Ir 5, 27 9, 7 Ho 12, 1 Ze 1, 9 Ps 5, 7 17, 1 34, 14 36, 4 43, 1 50, 19 55, 12. 24 109, 2 Pr 12, 5. 17 Hi 15, 35 31, 5 Da 8, 25 11, 23, **Verrat** *treachery* 2 K 9, 23; מִרְמָה בְּמִרְמָה Trug über Trug *deceit after deceit* Ir 9, 5; c. מֹאזְנֵי מְ׳ falsche Wage *balances of deceit* Ho 12, 8 Am 8, 5 Pr 11, 1 20, 23, c. אַבְנֵי falsche Gewichte *deceitful weights* Mi 6, 11, c. לָשׁוֹן Ps 52, 6; לְמִ׳ betrüglich *deceitfully* Ps 24, 4; pl. **Trug** *deceit* Ps 10, 7 35, 20 38, 13; l מִרְמָה Pr 14, 25.†

II מִרְמָה: n. m.; = I? (S ימנא): 1 C 8, 10.†

מְרֵמוֹת: n. m.; Noth 905: 1. Priester *priest* Esr 8, 33 Ne 3, 4. 21 10, 6; מְרֵמֹת Ne 12, 3 = מְרָיוֹת 12, 15?; 2. Esr 10, 36.†

מִרְמָס: רמס: cs. מִרְמַס: **zertretenes Weideland** *trampled down pasture ground* Js 5, 5 7, 25 10, 6 28, 18 Hs 34, 19 Mi 7, 10 Da 8, 13.|

מֵרֹנֹתִי: gntl. v. *מֵרֹנֹת unbekannt, bei *unknown*, *near* גִּבְעוֹן: Ne 3, 7 1 C 27, 30.†

מֶרֶס: n. m.; pers? Scheft. 48f: Est 1, 14.†

מַרְסְנָא: n. m.; pers? Scheft. 48f: Est 1, 14.†

*מֵרַע: רעע: מֵרָע: **Böses, Untat** *evil deed* Da 11, 27.†

*מֵרֵעַ: *רעע = II רעה?: sf. מֵרֵעֵהוּ u. (BL 534) Pr 19, 7, מֵרֵעֶךָ, pl. מֵרֵעִים: 1. **Leibfreund**, der als Hochzeitsleiter dient *confidential friend*, *bridegroom's escort, best man* Gn 26, 26 Jd 14, 20 15, 2. 6; 2. pl. die **nächsten Freunde**, die Begleiter (Gefolge) e. Manns *the personal friends*, *companions (escort) of a man* Jd 14, 11; die Gefreundeten über die אַחִים Verwandten hinaus *the friends besides the* אחים *kinsmen* 2 S 3, 8 Pr 19, 7; l מֵרֵעֵה Pr 12, 26; Pr 19, 4 u. Hi 6, 14 מֵרֵעֵהוּ = מִן־רֵעֵהוּ (רֵעַ).†

מִרְעֶה: I רעה: cs. מִרְעֵה, sf. מִרְעֵהוּ, מִרְעֵיכֶם: **Weide, Futter** *pasture*, *pasturage* (F I נָוֶה) Gn 47, 4 Js 32, 14 Hs 34, 14. 18 Jl 1, 18 Hi 39, 8 Th 1, 6 1 C 4, 39—41, cj Pr 12, 26; l מְעָרָה Na 2, 12.†

מַרְעִית: I רעה: sf. מַרְעִיתוֹ: **Weideplatz** *pasturage* Js 49, 9 Ir 10, 21 25, 36 Hs 34, 31 Ps 74, 1 79, 13 95, 7 100, 3; l כְּרְעוֹתָם Ho 13, 6.†

מַרְעֲלָה: n. l.; רעל; (S רמת תעלא): in Sebulon Jos 19, 11.†

I מַרְפֵּא u. Ir 8, 15 מַרְפֵּה (wie v. *as of* רפה; MS מַרְפֵּא): רפא: **Heilung** *healing* Ir 8, 15 14, 19 33, 6 Ma 3, 20 Pr 4, 22 6, 15 12, 18 13, 17 16, 24 29, 1.†

II מַרְפֵּא: < *מַרְפֶּה, רפה: **Gelassenheit**, *calmness* Pr 14, 30 15, 4 Ko 10, 4.†

מַרְפֵּה Ir 8, 15: F I מַרְפֵּא.†

*מִרְפָּשׂ: רפשׂ: cs. מִרְפַּשׂ: Zerstampftes, **durch Betreten getrübte Wasserlache** *water befouled by trampling* Hs 34, 19.†

מרץ: ak. *marāṣu* Schmerz empfinden u. Schmerz bereiten *feel a. cause pain*; ug. *mrṣ*, aram. מרע, asa. מרצ̄, مَرِضَ krank sein *to be sick*:

nif: pf. נִמְרְצוּ, pt. נִמְרֶצֶת, נִמְרָץ: **schmerzlich, kränkend sein** *be painful, offending* 1 K 2, 8 Mi 2, 10 Hi 6, 25 (מַה wie? = nicht *how? = not*).†

hif: impf. sf. יַמְרִיצְךָ: **aufreizen** *instigate* Hi 16, 3.†

*מְרֻצָה: sf. מְרֻצוֹתָם Ir 8, 6: F I מְרוּצָה.†

מַרְצֵעַ: רצע: **Pfrieme** *awl* Ex 21, 6 Dt 15, 17.†

מַרְצֶפֶת: I רצף: (Stein-) **Pflaster** *pavement* 2 K 16, 17.†

מרק: ak. *marāqu* zerreiben (Heilkräuter usw.) *rub (medicinal herbs, etc.)*; mhb., ja, sy. reiben, glätten *rub, polish*:

qal: imp. מִרְקוּ, pt. מָרוּק: **glätten, polieren** *polish* Ir 46, 4 2 C 4, 16;†

pu: pf. מֹרַק: **ausgerieben werden** *be (carefully) scoured* Lv 6, 21;†

hif: impf. תַּמְרִיק, c. בְּ **glätten** *polish* Pr 20, 30 (l בְּרָע).†

Der. מָרָק, *מְרוּקִים, תַּמְרוּק.

מָרָק u. Jd 6, 20 מְרַק: מרק: مَرَق: Brühe (mit eingeriebnen Kräutern) *juice, broth (into which herbs are rubbed)* Jd 6, 19f Js 65, 4Q, cj Hs 24, 10.†

***מֶרְקָח**: רקח: pl. מֶרְקָחִים, מֶרְקָחִים: Würzkräuter, *scented herbs* Ct 5, 13.†

מֶרְקָחָה: רקח: Salbentopf *ointment-pot* Hi 41, 23; l מֵרָק Hs 24, 10.†

מִרְקַחַת: רקח: Salbengemisch *ointment-mixture* Ex 30, 25 1 C 9, 30 2 C 16, 14 Si 38, 8.†

מרר: bitter sein *be bitter*; ak. *marāru*; mhb., äga., ja., sy. מַר; ar., äth. *marra*, asa. מרת = hebr. מֹר:

qal: pf. מַר, מַר, מָרָה, impf. יֵמַר: 1. bitter sein *be bitter* Js 24,9 (שֵׁכָר); 2. מרה נֶפֶשׁ verzweifelt sein *be in despair* 1 S 30, 6 2 K 4, 27; 3. מַר לִי ich bin im Leid *I am distressed* Ru 1, 13 (מִכֶּם mehr als ihr *more than you*) Th 1, 4; 4. מַר es steht bitter *it is bitter, bad* Ir 4, 18;†

pi: impf. יְמָרֲרֻהוּ, sf. וַיְמָרְרוּ, אֲמָרֵר (BL 437): bitter machen *make bitter*, d. Leben *the life* Ex 1, 14, ihn *him* = reizen, *irritate* Gn 49, 23; c. בַּבֶּכִי bitterlich weinen *weep bitterly* Js 22, 4;†

hif: pf. הֵמַר, הֵמֵרוּ, inf. הָמֵר: Bitternis bereiten, betrüben *make bitter, grieve* Hi 27, 2 Ru 1, 20, erbittern *embitter* cj Ps 106, 33; c. עַל bitter klagen um *lament bitterly over* Sa 12, 10; murren *growl* cj Ps 4, 5 (הָמֵרוּ);†

hitpalp: impf. יִתְמַרְמַר: sich erbittern, ergrimmen *embitter oneself, be enraged* Da 8, 7 11, 11.†

Der. II מַר, מֹר, מָרֹר, מְרֵרָה*, מְרֹרָה*, מֶמֶר, מַמְרוֹרִים, מְרִירוּת, מְרִירִי, *מֹרָה; II n.l. מָרָה; I תַּמְרוּרִים.

II ***מרר**: I מַר.

***מָרֹר**: I מרר: pl. מְרֹרִים, מְרוֹרִים, מְרוֹרֹת, מְרֹרוֹת: bitter *bitter*: 1. bittre Kräuter *bitter herbs* (beim Passamahl *in Passover meal*) Ex 12, 8 Nu 9, 11 Th 3, 15; 2. bittre Trauben *bitter grapes* Dt 32, 32; 3. bittre Erfahrungen *bitter experiences* Hi 13, 26; F מְרוֹרָה.†

***מְרֵרָה**: I מרר; ak. *martu* Holma NKt 79f; ja. מְרִירְתָא, ܡܪܬܐ, مَرَّة: sf. מְרֵרָתִי: Gallenblase *gall-bladder* Hi 16, 13.†

***מְרֹרָה**: I מרר; fem. v. מָרֹר: cs. מְרֹרַת, sf. מְרֹרָתוֹ: Galle *gall* Hi 20, 14. 25.†

I **מְרָרִי**: n. m.; Noth S. 225: S. v. לֵוִי Gn 46, 11 Ex 6, 16. 19 Nu 3, 17—20 4, 29. 33. 42. 45 7, 8 10, 17 26, 57 Jos 21, 7. 34. 40 Esr 8, 19 1 C 5, 27 6, 1. 4. 14. 29. 32. 48. 62 9, 14 15, 6. 17 23, 6. 21 24, 26f 26, 10. 19 2 C 29, 12 34, 12; F II מְרָרִי.†

II **מְרָרִי**: gntl. v. I: Nu 3, 33. 35 26, 57.†

I **מָרֵשָׁה**: n. l. F מָרֵאשָׁה.

II **מָרֵשָׁה**: n. m.; = I?: 1 C 2, 42.†

מִרְשַׁעַת: רשע: Ruchlosigkeit = das ruchlose Weib *wickedness = the wicked woman* 2 C 24, 7.†

מְרָתַיִם: du. v. *מְרָה, מרה: „Doppeltrotz" „*double rebellion*"; Bezeichnung für *name for* אֶרֶץ בָּבֶל; Anklang an *allusion to* ak. *Marratim* = die grosse Lagune in Südbabylonien *the large lagoon in South Babylonia* Streck, Assurbanipal 337[15]: Ir 50, 21.†

I **מַשָּׂא**: נשא: sf. מַשָּׂאוֹ, משאכם: 1. Last, Traglast *load, burden*: für *for* Esel *ass* Ex 23, 5, 2 Maultiere *mules* 2 K 5, 17, 40 Kamele *camels* 8, 9, יַחַד Js 22, 25; F Nu 4, 15. 19. 24. 27. 31f. 47. 49 1 C 15, 22. 27 Js 46, 1f

2 C 35, 3; מַ׳כָּבֵד Ps 38, 5; נָשָׂא מַ׳ Ir 17, 21. 27, 17, 24 Ne 13, 15, הֵבִיא מַ׳ בָּא מַ׳ 13, 19, הוֹצִיא מַ׳ Ir 17, 22; **2. Last, Beschwer** *burden, hardship* Nu 11, 11. 17 Dt 1, 12, הָיָה לְמַ׳ עַל jmd zur Last fallen *be a hardship for* 2 S 15, 33 19, 36 Hi 7, 20; לְאֵין מַ׳ sodass man nicht tragen konnte *more than they could carry* 2 C 20, 25; אֶבֶן מַ׳ lastender St. *heavy st.* Si 6, 21; **3. Abgabe** *tribute* 2 C 17, 11; **4.** מַשָּׂא נַפְשָׁם (F Ir 22, 27 44, 14) **Sehnsucht** ihrer Seele *longing of their soul* Hs 24, 25. cj 21; **5.** im Doppelsinn von I Last u. II Ausspruch *in the double meaning of I load a. II utterance* Ir 23, 33 f. 36. 38 (33 b l אַתֶּם הַמַּשָּׂא); Torczyner MGJ 1932, 273 ff l מַשָּׂא Pfand *pledge*; l מִמְשָׁח Ho 8. 10.†

II מַשָּׂא: נשא; v. נָשָׂא קוֹל die Stimme erheben, e. Ausspruch tun *lift the voice, utter*; de Boer, OTS 5, 197—214 u. Gehman JQR 31, 107 ff: מַשָּׂא überall = I Last (Gericht) *everywhere* = *I load, burden (judgement)*: pl. cs. מַשְׂאוֹת: **Ausspruch** *utterance*: נָשָׂא מַשָּׂא עַל 2 K 9, 25, חָזָה מַשָּׂא (in d. Prophetie münden alle Gesichte in Wortverkündigung *with the prophets all visions lead into utterances*: Koehler, Theologie 86 ff) Js 13, 1 Ha 1, 1 Th 2, 14; מַשָּׂא מַשָּׂא דְבַר יהוה Sa 9, 1 12, 1 Ma 1, 1, מַשָּׂא מוֹאָב עַל 2 C 24, 27, cj Hs 12, 10; Ausspruch über M. *utterance about M.* (de Boer: Last auf *burden upon M.*) Js 15, 1, F 17, 1 19, 1 21, 1. 11. 13 22, 1 23, 1 30, 6 Na 1, 1; הָיָה הַמַּ׳ Js 14, 28; doppelsinnig u. verboten *in double meaning a. forbidden* Ir 23, 33—38 F I מַשָּׂא 5; F מַשְׂאָה.†

III מַשָּׂא: n. m.; keilschr. *Masʾu* Name e. nordarab. Stamms *name of a Northarabian tribe* Delitzsch, Paradies 302 f: S. v. יִשְׁמָעֵאל Gn 25, 14 1 C 1, 30, cj Ps 120, 5; מֶלֶךְ מַשָּׂא Pr 31, 1; ? 30, 1; F מֵשָׁא.†

מַשֹּׂא: נשא; mhb. מַשּׂוֹא: מַשֹּׂא פָנִים **Parteilichkeit** *partiality* 2 C 19, 7.†

מַשָּׂאָה: נשא: **Erhebung** *lifting up* (wuchtige Wolken *heavy clouds*, כָּבֵד, F Jd 20, 38. 40) Js 30, 27 (l מַשָּׂאָה?).†

מַשֻּׂאוֹת: F מַשּׁוּאוֹת.

מַשְׂאֵת: נשא; ph. משאת, pl. משאתת Abgabe *tribute*: cs. מַשְׂאַת, pl. מַשְׂאֹת, sf. מַשְׂאֹתֵיכֶם: **1. Erhebung, Hochheben** *lifting up*, der Hände *of hands* Ps 141, 2; מַ׳ עָשָׁן **aufsteigende** Rauchwolke *uprising of smoke* Jd 20, 38. 40, (Rauch-) **Zeichen** *fire-signal* Ir 6, 1 (Lkš 4, 10); **2. Spende** *present* 2 S 11, 8 Ir 40, 5 Hs 20, 40 Si 38, 2, נָתַן מַ׳ (Korn-) Spende bewilligen *concede, order gifts* Est 2, 18; מַ׳ מֹשֶׁה von M. befohlene Spende *gifts ordered by M.* 2 C 24, 6. 9; **3.** (Ess-) **Portion** *portion (of food)* Gn 43, 34; **4. Abgabe** *tribute* Am 5, 11; l מַשְׂאֹת Ze 3, 18.†

מִשְׂגָּב: שׂגב; cs. מִשְׂגַּב, sf. מִשְׂגַּבּוֹ: **Anhöhe, die Zuflucht bietet** *secure height*: Felsen *rocks* Js 33, 16, מַ׳ חוֹמֹת ragende, schützende Mauern *towering, protecting walls* Js 25, 12; v. Gott: **Zuflucht** *said of God*: *refuge* 2 S 22, 3 Ps 9, 10 18, 3 46, 8. 12 48, 4 59, 10. 17 f 62, 3. 7 94, 22 144, 2; l הַפִּסְגָּה Ir 48, 1.†

מַשֶּׂגֶת: F נשׂג hif.

*מְשׂוּכָה: שׂוך: מְשֻׂכָּה < מְסוּכָה F, מְסוּכָה: sf. מְשׂוּכָּתוֹ: **Dornhecke** *hedge* Js 5, 5.†

מַשּׂוֹר: נשׂר; mhb. מַסָּר: **Säge** *saw* Js 10, 15.†

מְשׂוּרָה: mhb.; שׂוּר?: **Mass** (f. Flüssigkeit) *measure (of liquids)* Lv 19, 35 Hs 4, 11. 16 1 C 23, 29.†

מָשׂוֹשׂ: שׂושׂ: cs. מְשׂוֹשׂ: sf. מְשׂוֹשִׂי: **Freude** *exultation, joy* Js 24, 8. 11 32, 13 f 60, 15

62, 5 (des *of* חָתָן) 65, 18 66, 10 Ir 49, 25 (v. *of* יהוה) Hs 24, 25 Ho 2, 13 Th 2, 15 5, 15 Ps 48, 3; Hi 8, 19 מְשׂוֹשׂ = מְסוֹס Zerfliessen *melting*; ? Js 8, 6 = מְסוֹס (adde מְשֹׂאת Budde ZAW 44, 65 ff) Verzagen? *despair?* (Honeyman JBL 63, 49 l וּמָשׁוֹ herausziehn *draw out?*). †

מִשְׂחָק: שׂחק: **Gelächter** *laughter* Ha 1, 10. †

מַשְׂטֵמָה: שׂטם: **Anfeindung** *animosity* Ho 9, 7 f. †

***מְשֻׂכָה**: < מְשׂוּכָה (מסוכה): **Dornhecke** *hedge* Pr 15, 19. †

מַשְׂכִּיל: I שׂכל hif 2 C 30, 22: **unverständlicher** Fachausdruck *uncertain term*: 1. Vers *1st verse* Ps 32. 42. 44 f. 52—55. 74. 78. 88 f. 142; l מַשְׂכִּילִים (שׂכל hif) Ps 47, 8; Maag, Schweiz. Theol. Umschau 1943, 108 ff. †

מַשְׂכִּית: שׂכה: sf. מַשְׂכִּיתוֹ, מַשְׂכִּתוֹ, pl. מַשְׂכִּיּוֹת, sf. מַשְׂכִּיֹּתָם: **Gebilde, Bild** *show-piece* aus Stein *of stone* Lv 26, 1 Nu 33, 52 Hs 8, 12; **Gebilde** *figure* (fraglich *doubtful*, F Komm.) Ps 73, 7 Pr 25, 11; **Einbildung** *imagination* (fraglich *doubtful*, F Komm.) Pr 18, 11. †

מַשְׂכֹּרֶת: שׂכר: sf. מַשְׂכֻּרְתִּי, מַשְׂכֻּרְתֶּךָ: **Lohn** *wages* Gn 29, 15 31, 7. 41 Ru 2, 12. †

***מַשְׂמְרָה**, ***מַסְמְרָה**: *שׂמר, סמר: mhb. מַסְמֵר, מַסְמֵר; ja. מַסְמְרָא, cp. מסמריא: pl. מַשְׂמְרוֹת, Ko 12, 11, מַסְמְרוֹת Ir 10, 4: **Nagel** *nail*; F *מַסְמֵר. †

מִשְׂפָּח: < *מִפְשָׂח; *פשׂח; فَسَخَ, فَشَخَ abbiegen *deviate*; ἀνομία, *iniquitas*: **Abweichung, Rechtsbruch** *deviation, break of law* Js 5, 7. †

מִשְׂרָה: II שׂרה = שׂרר: **Herrschaft** *dominion* Js 9, 5 f. †

***מִשְׂרְפוֹת**: שׂרף: pl. cs.: c. שִׂיד **Kalkbrennen** *burning of lime* Js 33, 12, c. אֲבוֹתֶיךָ Totenfeuer, **Verbrennung** von Spezereien **zur Ehren der** toten **Väter** *fire for the dead ones, burning of spices in honour of the dead fathers* Ir 34, 5. †

מִשְׂרְפוֹת מַיִם n. l.; שׂרף: Kalkbrennerei am Wasser? *lime-burning at the water?*: *Ch. el-Meschērefe s. Rās en-Naqūra* (mit warmen Quellen *with warm springs* Garstang, Josh. 190): Jos 11, 8 13, 6. †

מַשְׂרֵקָה: n. l.; II שׂרק: in Edom: Gn 36, 36 1 C 1, 47. †

מַשְׂרֵת: ja. מַסְרֵיתָא; Geiger, Urschrift 382 < *מַשְׁאֶרֶת (שׁאר): Teigtrog *kneading trough*, **Pfanne** *pan* 2 S 13, 9; F מִשְׁאֶרֶת. †

מַשׁ: n. m., n. tribus: Sam. משא, Μοσοχ, *Mons Masius* = *Ṭūr ʿAbdīn* in Nordmesopotamien? *in North Mesopotamia?* aram. Stamm *Aramaic tribe* Gn 10, 23, cj 1 C 1, 17. †

מַשָּׁא: I נשׁא: **Schuldforderung** *claim, debt* Ne 5, 10 10, 32; נָשָׁא מַשָּׁא בְּ **Wucher** treiben gegenüber *exact usury of* Ne 5, 7; F I מַשָּׁא 5. †

מֵשָׁא: n. l.; Μασση; cf. *Bīšā jaqṭāni* bei *Edrīsi*; F Komm.; = III מַשָּׂא? Gn 10, 30. †

***מַשְׁאָב**: שׁאב: pl. מַשְׁאַבִּים: **Tränkrinne** *watering-channel* Jd 5, 11. †

***מַשָּׁאָה**: I נשׁא: cs. מַשַּׁאת, pl. מַשָּׁאוֹת: Darlehen (gegen Pfand) *loan* (*on pledge*) Dt 24, 10 Pr 22, 26, cj מַשַּׁאת Ne 5, 11. †

מְשֹׁאָה: F מְשׁוֹאָה.

cj ***מַשָּׁאָה**: II נשׁא: pl. מַשָּׁאוֹת: **Täuschung** *deceiving* cj Ps 62, 5; F מַשּׁוּאוֹת. †

מַשָּׁאוֹן: II נשׁא: **Täuschung** *deceiving* Pr 26, 26. †

מַשְׂאוֹת: F מַשְׂאָה; Ps 74, 3 F מְשׁוֹאָה.†

מִשְׁאָל: n.l.; äg. Mš'ʾ3' BAS 88, 33; > מָשָׁל 1 C 6, 59; bei *near Ǧenin*: Jos 19, 26 21, 30.†

***מִשְׁאָלָה**: שׁאל: pl. cs. מִשְׁאֲלֹת, sf. מִשְׁאֲלוֹתֶיךָ: **Begehren** *request* Ps 20, 6 37, 4.†

מִשְׁאֶרֶת: <*מִשְׁאֶרֶת, שׁאר; Geiger, Urschrift 381 f; F מַשְׂרֵת: sf. מִשְׁאַרְתֶּךָ, pl. sf. מִשְׁאֲרֹתָם, מִשְׁאֲרוֹתֶיךָ: **Backtrog** *kneading-trough* Ex 7, 28 12, 34 Dt 28, 5. 17.†

מִשְׁבְּצוֹת: שׁבץ: pl. **Fassungen** (gewirkte?) *settings* (*plaited?*) Ex 28, 11. 13 f. 25 39, 6. 13. 16. 18; l מִשְׁבְּצוֹת Ps 45, 14.†

מַשְׁבֵּר: I שׁבר: Stelle des Durchbruchs (bei d. Geburt) **Muttermund** *place of breach*, *mouth of womb* 2 K 19, 3 Js 37, 3 Ho 13, 13.†

***מִשְׁבָּר**: I שׁבר: pl. cs. מִשְׁבְּרֵי, sf. מִשְׁבָּרֶיךָ: Brechung, **Brandung,** sich überschlagende Wellen *breakers* Jon 2, 4 Ps 42, 8 88, 8 93, 4 2 S 22, 5 (l מַיִם pro מָוֶת).†

***מִשְׁבָּת**: שׁבת: pf. sf. מִשְׁבַּתֶּהָ (MSS; Var. מִשְׁבַּתֶּהָ) **Beendigung, Verfall** *cessation*, *ruin* Th 1, 7.†

מִשְׁגֶּה: שׁגה: **Versehen** *mistake* Gn 43, 12.†

משׁה: مَسَّ:

qal: pf. sf. מְשִׁיתִהוּ **herausziehn** (aus d. Wasser) *draw out* (*from the water*) Ex 2, 10, F מָשׁוֹשׁ Js 8, 6; F n. m. מֹשֶׁה;†

hif: impf. sf. יַמְשֵׁנִי: **herausziehn lassen** *cause to draw out* 2 S 22, 17.†

מֹשֶׁה: n. m.; Μωυσῆς ZAW 27, 111 ff: **Mose** *Moses*: Ex 2, 10—Jos 24, 5 706 × (Ex 290, Nu 233 ×); Jd 1, 16. 20 3, 4 4, 11 1 S 12, 6. 8 1 K 2, 3 8, 9. 53. 56 2 K 14, 6 18, 4. 6. 12 21, 8 23, 25 Js 63, 11 f Ir 15, 1 Mi 6, 4 Ma 3, 22 Ps 8 × Da 9, 11. 13 Esr 3, 2 6, 18 7, 6 Ne 7 × 1 C 9 × 2 C 12 ×; מְנַשֶּׁה pro מֹשֶׁה Jd 18, 30; יהוה עָשָׂה אֶת־מ׳ 1 S 12, 6, תּוֹרַת מֹשֶׁה 1 K 2, 3 וַיִּשְׁלַח י׳ אֶת־מ׳ 12, 8; 2 K 23, 25 Ma 3, 22 Da 9, 11. 13 Esr 3, 2 (6, 18) 7, 6 2 C 23, 18 30, 16 34, 14; סֵפֶר תּוֹרַת מ׳ 2 K 14, 6 Ne 8, 1; סֵפֶר מ׳ Ne 13, 1 2 C 25, 4 35, 12; מִצְוַת מ׳ 2 C 8, 13; עַבְדִּי מֹשֶׁה 2 K 21, 8, מ׳ עַבְדּוֹ Ps 105, 26; מֹשֶׁה וּשְׁמוּאֵל Ir 15, 1, (וּמִרְיָם) מֹשֶׁה אַהֲרֹן Mi 6, 4 1 C 5, 29 23, 13; מ׳ אִישׁ הָאֱלֹהִים Ps 90, 1 1 C 23, 14; מ׳ בְחִירוֹ Ps 106, 23; hebräische Volksetymologie *popular Hebrew etymology* (משׁה) Ex 2, 10; מֹשֶׁה äg., aber nicht *but not* *mś(w)*, *mesu* Kind *child*; vielmehr *rather* KF e. theophoren Namens *of a theophoric name* wie *as Ḥar-mose* (EA 20, 33 *Ḫa-a-ra-ma-aš-ši*) Horus ist geboren *Horus is born* u. *Amen-mose* (EA 113, 36 114, 51 *A-ma-an-ma-ša* (Amon ist geboren *Amon is born*, etc. (Ranke, Die äg. Personennamen, 1935, 1, 338a. 340a); KF Mśj F Äg. Z. 58, 135.

***מַשֶּׁה**: II נשׁה: cs. מַשֵּׁה: **Darlehen** *loan* Dt 15, 2.†

מְשׁוֹאָה, מְשֹׁאָה: künstliche Erweiterungsform von שֹׁאָה *artificial amplified form of* שֹׁאָה: **Verödung** *desolation* Ze 1, 15 Hi 30, 3 38, 27; cj pl. מְשֹׁאוֹת Ps 74, 3.†

מַשּׁוּאוֹת: II נשׁא: pl. **Täuschungen** *deceptions* Ps 73, 18; l מְשֹׁאוֹת 74, 3.†

מְשׁוֹבָב: n. m.; שׁוב; Nöld. BS 100: (Text?) 1 C 4, 34.†

מְשׁוּבָה u. מְשֻׁבָה: שׁוב: cs. מְשׁוּבַת, sf. מְשׁוּבָתָם, pl. sf. מְשׁוּבֹתֵיכֶם, מְשֻׁבוֹתַיִךְ: **Abwendung, Abtrünnigkeit** *backturning*, *apostasy* Ho 11, 7? 14, 5 Ir 8, 5 Pr 1, 32, cj 12, 28; מ׳ als Apposition vorangestellt *as preceding apposition*: מְשֻׁבָה יִשְׂרָאֵל die Abtrünnigkeit, Israel *the apostasy, Israel* Ir 3, 6. 8. 11 f; pl. **Treulosigkeiten** *perfidies* Ir 2, 19 3, 22 5, 6 14, 7, cj מְשֻׁבֹתֵיהֶם Hs 37, 23.†

מְשׁוּגָה* : שׁוג : sf. מְשׁוּגָתִי : **Irrtum** *error* Hi 19, 4.†

מְשׁוֹט, מִשּׁוֹט* : I שׁוט : pl. sf. מִשּׁוֹטַיִךְ (BL 538): **Ruder** *oar* Hs 27, 6. 29.†

מְשׁוֹסָה Js 42, 24: F מְשִׁסָּה.

I משׁח : ug. *mšḥ*; ak. *mašā'u*; mhb., aram. F ba., palm. משׁחא Öl *oil*; مَسَحَ mit d. Hand hinstreichen über *stroke with the hand*; asa. משׁח Messias:

qal: pf. מָשַׁח, sf. מְשָׁחוֹ, יִמְשַׁח, תִּמְשַׁח, sf. יִמְשָׁחֵהוּ, inf. מְשֹׁחַ, מָשְׁחָה, מִשְׁחָה Ex 29, 29, sf. מָשְׁחוֹ, לְמָשְׁחֲךָ, 1 S 15, 1 u. מָשְׁחָתָם Ex 40, 15, imp. מְשָׁחוֹ, sf. מְשָׁחֵהוּ, pt. מֹשְׁחִים, pass. מָשׁוּחַ, מְשֻׁחִים : 1. (mit flüssigem Stoff, Öl, Farbe) **bestreichen** *smear (with a liquid: oil, paint)*: Brote *loafs* Ex 29, 2 Lv 2, 4 7, 12 Nu 6, 15, Schild *shield* Js 21, 5, cj 2 S 1, 21 (l מָשׁוּחַ), Haus *house* Ir 22, 14; Am 6, 6 (Körperpflege *physical culture*), Ps 45, 8; 2. (Kultgegenstände) **salben** *anoint (objects of worship)* Gn 31, 13 Ex 30, 26 40, 9—11 Lv 8, 10 f Nu 7, 1 Da 9, 24; 3. (zum König) **salben** *anoint a king*: c. לְמֶלֶךְ עַל 1 S 15, 1. 17 2 S 2, 4. 7 5, 3. 17 12, 7 1 K 1, 34 19, 15 f 2 K 9, 3 u. 6. 12 (l עַל) 1 C 11, 3, c. מֶלֶךְ עַל Jd 9, 8. 15, c. לְמֶלֶךְ 1 K 1, 45 5, 15, c. obj. מֶלֶךְ cj Ho 7, 3 u. 8, 10; absol. 1 S 16, 12 f 1 K 1, 39 2 K 11, 12 23, 30 2 C 22, 7 23, 11, c. עַל 2 S 19, 11, c. לְנָגִיד עַל 1 S 9, 16 10, 1 1 C 29, 22 (ohne *without* עַל), c. לִי = לַיהוָה 1 S 16, 3; 4. (analog *in analogy with* 3.) zum Propheten **salben** *anoint a prophet* 1 K 19, 16; c. לְ c. inf. seiner Tätigkeit *of his task* Js 61, 1 2 C 22, 7; zum Priester **salben** *anoint a priest* Ex 28, 41 29, 7 40, 15 Lv 7, 36 16, 32 1 C 29, 22 (לְכֹהֵן); c. כֹּהֲנִים בְּשֶׁמֶן הַקֹּדֶשׁ Nu 35, 25 Ps 89, 21; מְשֻׁחִים Nu 3, 3; מָשַׁח וְקִדֵּשׁ Ex 30, 30 40, 13 Lv 8, 12; Opfertiere **salben** *anoint victims* מ׳ לְקַדְּשׁ Ex 29, 36; ? 2 S 3, 39;†

nif: pf. נִמְשַׁח, inf. הִמָּשַׁח : **gesalbt werden** *be anointed*: König *king* 1 C 14, 8, Priester *priest* Lv 6, 13, Altar *altar* Nu 7, 10. 84. 88.† Der. I מִשְׁחָה, I מָשְׁחָה, מָשִׁיחַ.

II משׁח* : F II מִשְׁחָה*, II מָשְׁחָה.

I מִשְׁחָה : I משׁח : cs. מִשְׁחַת : **Salbung** *anointment*, c. קֹדֶשׁ Ex 30, 25. 31, c. יהוה Lv 10, 7, c. אֱלֹהָיו 21, 12; שֶׁמֶן הַמּ׳ **Salböl** *anointing oil* Ex 25, 6 29, 7. 21 31, 11 35, 8. 15. 28 37, 29 39, 38 40, 9 Lv 8, 2. 10. 12. 30 21, 10 Nu 4, 16; F מִשְׁחִית 4.†

II מִשְׁחָה* : II משׁח*, ak. *mašāḫu* messen *measure* Zimm. 22 f; mhb.; äga. משחת u. ja. משחתא Mass *measure*, ja. מְשִׁחָא Messen *measuring*; مَسَحَ zumessen *measure out to*: cs. מִשְׁחַת : **Anteil** *portion* (מִן an *of*) Lv 7, 35.†

I מָשְׁחָה : I משׁח : sf. מָשְׁחָתָם : **Salbung** *anointment* Ex 29, 29 40, 15.†

II מָשְׁחָה : II משׁח* : **Anteil** *portion* Nu 18, 8.†

מַשְׁחִית : pt. hif. שׁחת F : 1. (militärisch *military*) coll. Verderber, **Plündererschaft** *destroyers, band of pillagers* 1 S 13, 17 14, 15, auch *also* Js 54, 16 Ir 22, 7?; 2. **Verderben** *destruction* Ex 12, 13. 23 Hs 5, 16 9, 6 25, 15 Da 10, 8 2 C 20, 23 22, 4; בַּעַל מַשְׁחִית Verderber *destructor, destroyer* Pr 18, 9; חָרָשֵׁי מ׳ Verderbensschmiede *men skilled to destroy* Hs 21, 36; 3. Verderben = **Vogelfalle** *destruction = trap (of birds)* (AS 6, 335. 339) Ir 5, 26; 4. הַר הַמַּשְׁחִית = בָּבֶל Ir 51, 25; l הַר הַמִּשְׁחָה = Ölberg *Mount of Olives* (Middot 2, 4) 2 K 23, 13.†

מִשְׁחָר Ps 110, 3: l שַׁחַר vel מִשְׁחַר.†

***מַשְׁחֵת**: שחת: sf. מַשְׁחֵתוֹ: **Vernichtung** *destruction* Hs 9, 1.†

***מִשְׁחָת**: שחת: cs. מִשְׁחַת: Verderbtes, **Entstellung** *destroyed things, disfigurement* (מֵאִישׁ nichtmehr menschlich *not more that of man*) Js 52, 14.†

***מָשְׁחָת**: שחת; sf. מָשְׁחָתָם: Schaden *corruption* Lv 22, 25.†

מִשְׁטוֹחַ, *מִשְׁטָח: שטח: cs. מִשְׁטַח: 1. Aufschüttung, **locker Ausgebreitetes** *not compactly spread things* cj Nu 11, 32; 2. **Trockenplatz** (f. Netze) *drying-yard* (*for nets*) Hs 26, 5. 14 47, 10.†

***מִשְׁטָר**: שטר; ak. *maštāru* Schrift *writing*: sf. מִשְׁטָרוֹ: **Schrift** *writing* (cf. ak. *šiṭir šamē* Himmelsschrift = Sternhimmel *heavenly writing = starry sky*; F Torczyner Arch. Or. 17, II, 419 ff) Hi 38, 33.†

מֶשִׁי: τρίχαπτον; äg. *mśj* Art Kleid *kind of garment* EG 2, 143: feines (unbestimmbares) Gewebe *costly* (*not definable*) *material for garments* Hs 16, 10. 13.†

מֻשִׁי: F מוּשִׁי.†

מְשֵׁיזַבְאֵל: n. m.; F ba. שֵׁיזִב; ak. *Mušēzib* (er rettet *he saves*; Stamm 221) u. אֵל; צלמשזב Lidz. 358, äga. עמשזב: 1.—3. Ne 3, 4; 10, 22; 11, 24.†

מָשִׁיחַ: I משׁח; 38 ×; G χριστός (ausser *not* Lv 4, 3 Da 9, 25); V *christus* (ausser *not* Lv 4, 3. 5. 16 6, 15); S [Syriac] (ausser *not* Lv 6, 15) > μεσσιας: cs. מְשִׁיחַ, sf. מְשִׁיחוֹ, pl. sf. מְשִׁיחָי: **Gesalbter** *anointed* 1. d. König Israels *the king of Israel*: מְשִׁיחַ יהוה 1 S 24, 7. 7. 11 26, 9. 11. 16. 23 2 S 1, 14. 16 19, 22 Th 4, 20, = מְשִׁיחוֹ 1 S 2, 10 12, 3. 5 16, 6 2 S 22, 51 Ps 2, 2 20, 7 28, 8, מְשִׁיחִי (v. *of* יהוה) 1 S 2, 35, מְשִׁיחֶךָ Ps 84, 10; מְשִׁיחַ אֱלֹהֵי יַעֲקֹב 2 S 23, 1; 2. כּוֹרֶשׁ Js 45, 1; 3. David u. s. Nachkommen *David a. his sons* Ps 18, 51 89, 39. 52 132, 10. 17; 4. das Volk? *the nation?* Ha 3, 13; 5. שְׁלֹמֹה 2 C 6, 42 (l מְשִׁיחֶךָ) 6. d. König oder d. Hohepriester *the king or the highpriest* Da 9, 25 f; 7. pl. die Patriarchen (?) *the patriarchs* (?) Ps 105, 15 1 C 16, 22; 8. הַכֹּהֵן הַמָּשִׁיחַ (cf. הַכֹּהֲנִים הַמְּשֻׁחִים Nu 3, 3) Lv 4, 3. 5. 16 6, 15; l מָשׁוּחַ 2 S 1, 21.†

משׁך: ug. *mšk* fest zupacken, ziehen *seize firmly, drag*; mhb., ja.; مسك packen, halten *grasp a. hold*, asa. משך; [Ethiopic] (e. Bogen) spannen *bend* (*the bow*):

qal: pf. מָשַׁךְ, מָשַׁכְתִּי, sf. מְשַׁכְתִּיךָ, impf. יִמְשֹׁךְ, תִּמְשְׁכוּ, sf. תִּמְשְׁכֵנִי, אֶמְשְׁכֵם, inf. מְשֹׁךְ, sf. מָשְׁכוֹ, imp. מִשְׁכוּ Ex 12, 21 u. מָשְׁכוּ Hs 32, 20, sf. מָשְׁכֵנִי, pt. מֹשֵׁךְ, pl. מֹשְׁכִים, מֹשְׁכֵי: 1. ziehen *draw, drag*: c. ac. Jd 4, 6 f (F Komm.) Js 5, 18 Hs 32, 20 Ho 7, 5 11, 4 Ps 28, 3 Hi 24, 22 40, 25, c. אַחֲרֵי mit *with* Hi 21, 33 Ct 1, 4 Si 14, 19, c. מִן aus *out of* Gn 37, 28 Ir 38, 13; c. בְּ an *in* Dt 21, 3; מָ׳ בַּקֶּשֶׁת d. Bogen **spannen** *bend the bow* 1 K 22, 34; מָ׳ בְּקֶרֶן e. Horn **blasen** *blow a horn* Jos 6, 5, > מָ׳ הַיֹּבֵל d. Jobelhorn blasen *blow the ram's horn* Ex 19, 13; מָ׳ בְּרֶשֶׁת e. Netz zuziehn *close a net* Ps 10, 9; 2. hinziehen, (lang) **erhalten** *draw out, continue*: חֶסֶד, צְדָקָה Ps 36, 11 109, 12, אַפּוֹ 85, 6; מָשַׁךְ עַל es hinziehen gegenüber, **Geduld haben** mit *continue with, bear with* Ne 9, 30; 3. sich beharrlich zeigen, **sich entschlossen an e. Sache machen** *show endurance, handle resolvedly* Ex 12, 21 Jd 5, 14 20, 37; 4. den. v. מֶשֶׁךְ: (im Saatbeutel) tragen *carry* (*in the seed-bag*) Am 9, 13; l מֹשֵׁךְ וֹרשׁ Js 66, 19; l לִשְׁמוֹךְ Ko 2, 3;†

nif: impf. יִמָּשֵׁכוּ, תִּמָּשֵׁךְ: sich hinziehn, verziehn, sich verzögern (Zeit) *be prolonged*,

postponed (*time*) Js 13, 2; Hs 12, 25. 28; †
pu: pt. מְמֻשָּׁךְ, מְמֻשָּׁכָה: 1. hingehalten *postponed, deferred* Pr 13, 12; 2. **langgestreckt** (Volksschlag) *long, drawn out* (*stock of people*) Js 18, 2. 7. †
Der. I מֶשֶׁךְ; מֹשְׁכוֹת.

I מֶשֶׁךְ: משך abziehn (Haut) *to skin*; ak. *mašku* Haut, Leder *skin, leather*, ja. מַשְׁכָּא, ܡܫܟܐ, مَسْك, > äg. *mśk3*, *mśq* (cf. δέρμα-δείρω): Haut, Leder > **Beutel** *skin, leather > bag* (ZAW 55, 161 f) Ps 126, 6 Hi 28, 18; den. משך qal 4. †

II מֶשֶׁךְ: n. p.; Μοσοχ, *Mosoch*; Ps 120, 5 l מַשָּׂא, 1 C 1, 17 l וָמַשׁ; immer neben *always along with* תֻּבַל, auch *also* cj מֶשֶׁךְ וְרֹשׁ Js 66, 19 (cf. Herodot 3, 94 7, 78 Μόσχοι . . . Τιβαρηνοί): Moscher *Meschek*; keilschr. *Mušku, Muskāja*, heth. *Musakaia* Sy 14, 356; ZDM 94, 205[4]; Götze, Kleinasien 168 f. 186 f; Prašek, Geschichte d. Meder u. Perser, Streck VAB VII, 799; Gebirgsvolk sö Schwarzes Meer *mountain people s.e. Black Sea*: Gn 10, 2 Hs 27, 13 32, 26 38, 2 f 39, 1 1 C 1, 5, cj Js 66, 19. †

מִשְׁכָּב: שכב; ph. משכב: cs. מִשְׁכַּב, sf. מִשְׁכָּבוֹ, pl. cs. מִשְׁכְּבֵי, sf. מִשְׁכְּבוֹתָם: 1. **Lagerstatt** *place of lying, couch* Lv 15, 4 f. 21. 23 f. 26 2 S 4, 11 11, 2. 13 13, 5 1 K 1, 47 Js 57, 2 Hs 32, 25 Ho 7, 14 Mi 2, 1 Ps 4, 5 36, 5 149, 5 Pr 7, 17 22, 27 Hi 7, 13 33, 15. 19 Ct 3, 1 2 C 16, 14; נָפַל לְמִשְׁכָּב **bettlägerig werden** *take to one's bed* Ex 21, 18; שִׂים מ׳ L. bereiten *prepare a couch* Js 57, 7, גִּלָּה מ׳ (Decken für d. L.) ausbreiten *spread* (*blankets of a. couch*) 57, 8, הֶעֱלָה מ׳ e. hohe L. bereiten *build a high couch* u. הִרְחִיב מ׳ e. breite L. *a broad c.* 57, 8; עֶרֶשׂ מ׳ cj 2 S 17, 28; חֲדַר מ׳ Schlafkammer *bed-chamber* Ex 7, 28 2 S 4, 7 2 K 6, 12 Ko 10, 20; עָלָה מִשְׁכְּבֵי jmd.s L. besteigen *to go up to one's bed* Gn 49, 4; 2. **Liegen, Beilager** *act of lying* Js 57, 8; מִשְׁכַּב זָכָר B. mit e. Mann *l. with a male* Nu 31, 17 f. 35 Jd 21, 11 f; מִשְׁכְּבֵי אִשָּׁה B. mit e. Frau *l. with a female* Lv 18, 22 20, 13; מ׳ דּוֹדִים Liebeslager *bed of love* Hs 23, 17; 3. מ׳ צָהֳרַיִם Mittagsschlaf *noonday siesta* 2 S 4, 5; l מַכְאֹבִי Ps 41, 4. †

מֹשְׁכוֹת: مَسَكَة Bande, Fesseln: pl. **Fesseln** *chains, cords* Hi 38, 31. †

מִשְׁכָּן: שכן; ug. *mšknt*: cs. מִשְׁכַּן, sf. מִשְׁכָּנוֹ, pl. m. cs. מִשְׁכְּנֵי, sf. מִשְׁכְּנֵיהֶם, pl. f. מִשְׁכְּנוֹת, sf. מִשְׁכְּנוֹתֵינוּ, מִשְׁכְּנוֹתָיו: 1. **Wohnstätte** *dwelling-place*: v. *of* קֹרַח Nu 16, 24. 27, Israel Nu 24, 5 Js 32, 18 Ir 30, 18 Ps 78, 28 87, 2, Zion Js 54, 2 Ir 9, 18., Babel Ir 51, 30, בְּנֵי קֶדֶם Hs 25, 4, v. Fremden *of strangers* Ha 1, 6, Ct 1, 8, רֹעִים רְשָׁעִים Hi 18, 21 21, 28, v. *of* פֶּרֶא u. עָרוֹד 39, 6; 2. = קֶבֶר Grab *grave* Ps 49, 12 Js 22, 16; 3. **Wohnstatt** v. *dwelling-place of* יהוה: Lv 15, 31 26, 11 Hs 37, 27 Jos 22, 29, l קֹדֶשׁ מִשְׁכָּנוֹ Ps 46, 5; für sein *of his* כְּבוֹד Ps 26, 8, שְׁמוֹ 74, 7; pl. Ps 43, 3 84, 2 132, 5. 7; מִשְׁכַּן יהוה Lv 17, 4 Nu 16, 9 17, 28 19, 13 31, 30. 47 2 C 1, 5 29, 6, in גִּבְעוֹן 1 C 16, 39 21, 29; מִשְׁכַּן שִׁלוֹ Ps 78, 60; מ׳ אֹהֶל מוֹעֵד Ex 39, 32 40, 2. 6. 28 1 C 6, 17; מ׳ הָעֵדֻת Ex 38, 21 Nu 1, 50. 53 10, 11; מ׳ בֵּית הָאֱלֹהִים 1 C 6, 33; בְּאֹהֶל וּבְמִשְׁכָּן 2 S 7, 6, F 1 C 17, 5; 4. הַמִּשְׁכָּן das (Zentral-) **Heiligtum** *the* (*central*) *shrine, tabernacle* (74 × von *out of* 130 ×): Ex 25, 9 26, 1. 6 (אֶחָד)—35 (16 ×) 27, 9 36, 8—32 (12 ×) 38, 21. 31 40, 5—38 (14 ×) Lv 8, 10 Nu 1, 50 f 3, 7—38 (9 ×) 4, 16. 26. 31 5, 17 7, 1. 3 9, 15—20 (5 ×) 10, 17. 21 1 C 23, 26. †

I משל: ak. *mašālu* ähnlich, gleich sein *be resembling, be like*, *mišlu* Hälfte *half*; mhb.; ja., sy. מתל; ܡܬܠ Gleiches *likeness*; asa. מתל Abbild *image*; ምስል:

qal: impf. יִמְשֹׁל, יִמְשְׁלוּ, imp. מְשֹׁל, מְשָׁל־, pt. מֹשֵׁל, מֹשְׁלִים, מֹשְׁלֵי: e. Gleiches, Gleichnis, e. Spruch machen *say a like one, a likeness, a saying, proverb*: מָשַׁל מָשָׁל Hs 12, 23 18, 2f, c. אֶל über *concerning* 17, 2 24, 3; מָשַׁל עַל Spottverse sagen über *say mock-verses concerning* 16, 44, abs. 16, 44; c. בְּ auf *against* Jl 2, 17; pt. Spottredner, Rhapsode *mocker, rhapsodist* Nu 21, 27 Si 44, 4; = מֹשְׁלֵי הָעָם (oder *or* Herrscher *rulers?* II מֹשֵׁל) Js 28, 14; 1 לִמְשֹׁל Hi 17, 6; †

nif: pf. נִמְשַׁל, נִמְשַׁלְתִּי, נִמְשְׁלָה: gleich gesetzt sein, gleich werden *be likened, be like*, c. כְּ wie *as* Ps 49, 13. 21, c. עִם mit *with* 28, 1 143, 7, c. אֶל mit *with* Js 14, 10; †

pi: pt. מְמַשֵּׁל: c. מָשָׁל anhaltend Sprüche machen, sagen *say sayings, likenesses continually* Hs 21, 5; †

hitp: impf. אֶתְמַשֵּׁל: sich als gleich zeigen *show oneself like* Hi 30, 19; †

hif: impf. sf. תַּמְשִׁלוּנִי: c. לְ: vergleichen mit *compare to* Js 46, 5. †

Der. I מָשָׁל, I* מֹשֶׁל.

II מָשַׁל: mhb., ph.:

qal: pf. מָשַׁל, מָשָׁל, מָשְׁלוּ, impf. יִמְשֹׁל, יִמְשָׁל־, יִמְשְׁלוּ, תִּמְשׁוֹל, inf. מְשֹׁל, מְשׁוֹל, sf. מָשְׁלוֹ, imp. מְשָׁל־, pt. מֹשֵׁל, מוֹשֵׁל, f. מֹשְׁלָה, pl. מֹשְׁלִים, מֹשְׁלֵי; sf. מֹשְׁלוֹ, מֹשְׁלָו (Q מֹשְׁלָיו) Js 52, 5: 1. c. בְּ herrschen über *rule, have dominion over*: Gestirne über Tag u. Nacht *celestial bodies over day a. night* Gn 1, 18, Gatte über Frau *husband over wife* 3, 16, Mensch über Sünde *man over sin* 4, 7, Sklave über Besitz des Herrn *slave over master's property* 24, 2, Josef über Ägypten *Joseph over Egypt* 45, 8. 26, Frauen über Volk *women over nation* Js 3, 12; רֶמֶשׂ Ha 1, 14 u. Ameise *ant* Pr 6, 7 haben keinen *have no* מֹשֵׁל; מֹשֵׁל abs. herrschen *rule* 2 S 23, 3 Sa 6, 13 Pr 29, 2 Da 11, 4f; Herrschaft gewinnen *obtain dominion* Pr 12, 24; מֹשְׁלִים Gewalthaber *rulers, tyrants* Js 14, 5 52, 5, sg. Pr 28, 15 29, 12 Ko 10, 4, מֹשֵׁל־אֶרֶץ Js 16, 1; מֹשֵׁל עַמִּים = פַּרְעֹה Ps 105, 20; מוֹשֵׁל grosser Herr *great person* Pr 23, 1; מָשַׁל מִמְשָׁל d. Herrschaft führen *rule and reign* Da 11, 3. 5; מָשַׁל עַל Ne 9, 37; מֹשֵׁל בְּרוּחוֹ der sich selbst beherrscht *who has command over himself* Pr 16, 32; מָשַׁל c. לְ c. inf. befugt sein zu *be entitled to* Ex 21, 8; 2. מֹשֵׁל von Gott gesagt *said of God* (Buber, Königtum Gottes², 1936): Jd 8, 23 Ps 59, 14 66, 7 89, 10 1 C 29, 12, זְרֹעוֹ Js 40, 10, מַלְכוּתוֹ Ps 103, 19; 3. מָשַׁל noch *moreover* Gn 37, 8 Dt 15, 6 Jos 12, 2. 5 Jd 8, 22f 9, 2 14, 4 15, 11 1 K 5, 1 Js 3, 4 19, 4 28, 14 (F I משל qal) 49, 7 63, 19 Ir 22, 30 30, 21 33, 26 51, 46 Hs 19, 11. 14 Mi 5, 1 Ps 19, 14 105, 21 106, 41 Pr 12, 24 17, 2 19, 10 22, 7 29, 26 Th 5, 8 Ko 9, 17 (בְּ unter *among*) Da 11, 43 2 C 7, 18 9, 26 20, 6 23, 20. †

Der. II* מֹשֶׁל, מִמְשָׁל, מֶמְשָׁלָה.

I מָשָׁל: I מֹשֵׁל; מושל Si 50, 27: cs. מְשַׁל, sf. מְשָׁלוֹ, pl. מְשָׁלִים, cs. מִשְׁלֵי: (Boström, Paronomasi i den äldre hebr. maschallitteraturen, 1928) (Gleichsetzung, Vergleich) Spruch (*simile, comparison*) *proverbial saying*: // חִידָה Hs 17, 2 24, 3 Ha 2, 6 Ps 49, 5 78, 2; Spruch (der Lebenserfahrung) *saying* (*out of experience*) 1 K 5, 12 Hs 12, 22f 18, 2f Mi 2, 4 Pr 1, 1. 6 10, 1 25, 1 26, 7. 9 Hi 27, 1 29, 1 Ko 12, 9; (spöttischer) Spruch (*mocking*) *saying* Dt 28, 37 1 S 10, 12 1 K 9, 7 Js 14, 4 Ir 24, 9 Ps 69, 12 2 C 7, 20, pl. Hs 14, 8; מְשַׁל הַקַּדְמֹנִי 1 S 24, 14; 3000 מָשָׁל v. *of* שְׁלֹמֹה 1 K 5, 12, מִשְׁלֵי שְׁלֹמֹה Pr 1, 1 10, 1 25, 1, מִשְׁלֵי אֵפֶר Hi 13, 12, משלי חכמים Si 3, 29; cj מְשַׁל עַמִּים Spruch für die Leute *saying for the people* Hi 17, 6; נָשָׂא מָ׳ עַל e. Spr. anheben über *take up a parable against* Js 14, 4 Mi 2, 4 Ha 2, 6, נָשָׂא מְשָׁלוֹ sein. Spr. sagen *utter one's* *parable, saying* Nu 23, 7. 18 24, 3. 15. 20 f. 23 Hi 27, 1 29, 1; תִּקֵּן מְשָׁלִים: F מְשַׁל מְשָׁלִים, F מְשַׁל מ׳ Sprüche formen *shape sayings* Ko 12, 9; הָיָה לְמָשָׁל z. Sprichwort werden *become a proverbial saying* Dt 28, 37 1 S 10, 12 Ps 69, 12; נָתַן לְמָשָׁל בְּ c. ac. jmd. z. Sprichwort machen bei *make a person a proverbial saying among* Ir 24, 9, = שִׂים מָשָׁל Ps 44, 15. †

II **מָשָׁל**: n. l.; F מִשְׁאָל.

I* **מֹשֶׁל**: I משל: sf. מָשְׁלוֹ: (seines) Gleichen (*his*) *likeness* Hi 41, 25. †

II* **מֹשֶׁל**: II משל: sf. מָשְׁלוֹ: Herrschaft *dominion* Sa 9, 10 Da 11, 4. †

מִשְׁלָחַ, מִשְׁלוֹחַ: II שׁלח: Aussenden, Ausstrecken: 1. Zusenden (v. Speisen) *sending* (*of portions*) Est 9, 19. 22: 2. מִשְׁלוֹחַ אָדָם woran sie die Hand legen *whereupon they put their hands* Js 11, 14; F* מִשְׁלָח. †

* **מִשְׁלָח**: II שׁלח: cs. מִשְׁלַח = מִשְׁלוֹחַ: 1. מִשְׁלַח יָד woran (man) die Hand legt *whereupon one puts his hands* = Erwerb *gain* Dt 12, 7. 18; = Unternehmen *undertaking* Dt 15, 10 23, 21 28, 8. 20; 2. Ort, wohin man (Rinder) treibt *place where* (*cattle*) *is driven* Js 7, 25. †

מִשְׁלַחַת: II שׁלח: 1. Entlassung *discharge* Ko 8, 8; 2. Abordnung, Schar *deputation* Ps 78, 49. †

מְשֻׁלָּם: n. m.; שׁלם, Dir. 352; „Ersatz *restitution*" Noth S. 174: 1.—9.: 2 K 22, 3; Esr 8, 16; 10, 15. 29 Ne 8, 4 10, 8. 21 12, 13. 16. 25 (= שַׁלּוּם 1 C 9, 17). 33 1 C 3, 19 8, 17 2 C 34, 12 Ne 3, 4 = 3, 30? 6, 18?; Ne 3, 6; 11, 7 = 1 C 9, 7?; Ne 11, 11 1 C 9, 11. 12 (= שַׁלּוּם 5, 38); 1 C 5, 13; 9, 8. †

מְשִׁלֵּמוֹת: n. m.; שׁלם; „Ersatz *restitution*" Noth S. 250: 1. Ne 11, 13 = מְשִׁלֵּמִית 1 C 9, 12; 2. 2 C 28, 12. †

מְשֶׁלֶמְיָה: n. m.; < מְשֶׁלֶמְיָהוּ: 1 C 9, 21. †

מְשֶׁלֶמְיָהוּ: n. m.; מְשֻׁלָּם u. י׳, „י׳ giebt Ersatz *gives restitution*"; > מְשֶׁלֶמְיָה u. שְׁלֶמְיָהוּ: 1 C 26. 1 f. 9. †

מְשִׁלֵּמִית: n. m. 1 C 9, 12; F מְשִׁלֵּמוֹת. †

מְשֻׁלֶּמֶת: n. f.; שׁלם, AP 298; „Ersatz *restitution*" Noth S. 174: 2 K 21, 19. †

מְשַׁמָּה: שׁמם: pl. מְשַׁמּוֹת: Verheerung, Grausen *devastation, horror* Hs 5, 15, שְׁמָמָה וּמְשַׁמָּה Hs 6, 14 33, 28 f 35, 3; pl. verheertes Gebiet *devastated country* Js 15, 6 Ir 48, 34; cj מְשַׁמָּה Hs 7, 27 u. Mi 1, 7, cj וּמְשַׁמָּה Hs 23, 33 u. 35, 7. †

* **מִשְׁמָן**: I שׁמן: cs. מִשְׁמַן, pl. cs. מִשְׁמַנֵּי, sf. מִשְׁמַנָּיו, מִשְׁמַנֵּיהֶם: 1. Fettheit, Feiste *fatness* Js 17, 4; pl. concret. fette, stattliche Leute *fat, stout ones* (سمين e. Edler *a noble man*) Js 10, 16 Ps 78, 31, fette Landstriche *fat, fertile spots* Da 11, 24; Gn 27, 28. 39 F שֶׁמֶן. †

* **מִשְׁמַנָּה**: n. m.; I שׁמן; „fetter, leckrer Bissen *fat, tit-bit*": 1 C 12, 11. †

מַשְׁמַנִּים: I שׁמן; pl. v. מַשְׁמַנָּה: mit viel Öl, lecker bereitete, Festspeisen *festival dishes, prepared with much oil, delicately* Ne 8, 10. †

I* **מִשְׁמָע**: שׁמע: cs. מִשְׁמַע: Gehörtes, Gerücht *thing heard, rumour* Js 11, 3; F II מִשְׁמָע. †

II **מִשְׁמָע**: n. m.; = I: 1. 1 C 4, 25 f; 2. 1, 30; 3. Gn 25, 14 בֶּן יִשְׁמָעֵאל, cf. ar. Stamm *Arabian tribe Isammeʾ* (VAB VII, 788). †

*מִשְׁמַעַת: שמע; mo. משמעת Untertanen *body of subjects*: sf. מִשְׁמַעְתֶּךָ, מִשְׁמַעְתּוֹ: 1. **Untertanen, Gehorsamspflichtige** *subjects* Js 11, 14; 2. **Leibwache** *body-guard* 1 S 22, 14 2 S 23, 23 1 C 11, 25. †

מִשְׁמָר: שמר: cs. מִשְׁמַר, sf. מִשְׁמַרְכֶם, pl. sf. מִשְׁמָרָיו: 1. **Bewachung, Gewahrsam** *guard, confinement* Gn 40, 3 f. 7 41, 10 42, 17. cj 30 Lv 24, 12 Nu 15, 34, **Hut** *watch* Pr 4, 23, בֵּית מ׳ **Gefängnis** *gaol* Gn 42, 19; 2. **Wache, Wachtposten** *guard, guardpost* Hi 7, 12 Ne 4, 3. 16 7, 3, אַנְשֵׁי מ׳ **Wachtmannschaft** *men on guard* 4, 17; הֶחֱזִיק מ׳ starke Wachen aufstellen *make the watch strong* Ir 51, 12; הָיָה לְמ׳ als **Deckung** dienen *give cover* Hs 38, 7; 3. **Dienstabteilung** *group of attendants* Ne 12, 24 1 C 26, 16; pl. **Dienst** (am Tempel) *services (of temple)* Ne 13, 14; dele 12, 25 (dittogr.). †

מִשְׁמֶרֶת: שמר: מִשְׁמֶרֶת, sf. מִשְׁמַרְתּוֹ, pl. מִשְׁמָרוֹת, cs. מִשְׁמְרוֹת, sf. מִשְׁמְרוֹתָם, מִשְׁמְרוֹתֵיהֶם: 1. **was bewacht, behütet werden muss** *things which need guarding, protecting*, Ex 12, 6 16, 23. 32—34 Nu 17, 25 18, 8 19, 9 1 S 22, 23; בֵּית מ׳ **Gewahrsam** *confinement, ward* 2 S 20, 3; שָׁמַר מ׳ die **Wache** übernehmen *keep the watch* 2 K 11, 5—7 1 C 12, 30; מ׳ **Wache, Wachtposten** *guard, guardpost* Js 21, 8 Ha 2, 1 1 C 9, 27, pl. **Wachthaltende** *men on guard* Ne 7, 3 12, 9 1 C 9, 23; 2. **was gegenüber jmd zu beobachten ist, Obliegenheit, Dienst** *things to be observed with regard to a person, obligation, service*: מִשְׁמַרְתִּי was mir gegenüber zu beobachten ist *what is to be observed in regard to me* Gn 26, 5 Dt 11, 1, cj (adde) Ma 3, 7; מִשְׁמֶרֶת יהוה gegenüber J. *in regard to Y.* Lv 8, 35 18, 30 22, 9 Nu 9, 19. 23 1 K 2, 3 Hs 44, 8. 16 48, 11 Sa 3, 7 Ma 3, 14 Ne 12, 45 2 C 13, 11 23, 6, מ׳ אֱלֹהִים Ne 12, 45, מ׳ מִצְוַת י׳ **Beobachtung** d. Gebotes J.s *performing the order of Y.* Jos 22, 3, מ׳ הַטָּהֳרָה Beob. d. Reinheitsgesetzes *perf. the law of purification* Ne 12, 45; **Obliegenheit, Dienst** *obligation, service* Nu 3, 25. 31. 38 4, 28 1 C 23, 32; מ׳ c. gen. Dienst an *service due to* Nu 1, 53 31, 30. 47 18, 3 f 1 C 23, 32 Nu 3, 28. 32 18, 5 1 C 23, 32 Nu 18, 5 Hs 40, 46 Nu 3, 38 Hs 44, 15 40, 45 44, 14. 8; מִשְׁמֶרֶת was zu besorgen ist *what has to be done* Nu 3, 7 f. 36; was jmd obliegt *what is somebody's duty* Nu 8, 26 1 C 25, 8, pl. 26, 12 2 C 7, 6 8, 14 31, 16 f 35, 2; מ׳ מַשָּׂאָם ihre Aufgabe beim Tragen *their obligation to carry* Nu 4, 31 f; pl. Dienstordnungen *divisions for service* Ne 13, 30; l בְּשֵׁמוֹת Nu 4, 27. †

מִשְׁנֶה: I שנה; ph. שנא Eph 2, 62: cs. מִשְׁנֵה, sf. מִשְׁנֵהוּ, pl. מִשְׁנִים: was an Stelle eines Ersten tritt: **Zweites, Doppel** *what replaces a first one: second, double*: 1. רֶכֶב הַמִּשְׁנֶה d. (im Rang) **zweite Wagen** *the second (in rank) chariot* 2 C 35, 24, so *thus* Gn 41, 43 2 K 23, 4 (l כֹּהֵן) 25, 18 Ir 52, 24; הָיָה לְמ׳ d. 2. sein *be the second* (לְ nach *after*) 1 S 23, 17, מ׳ לְ Est 10, 3; מ׳ zweiter *second* Ne 11, 9 1 C 5, 12 2 C 31, 12, c. מִן inmitten von *among* Ne 11, 17; מִשְׁנֵהוּ s. 2. Sohn *his second son* 1 S 8, 2 17, 13; מִשְׁנֵה הַמֶּלֶךְ d. **Erste nach** dem K. *the next to the king* 2 C 28, 7; הַמִּשְׁנֶה **der 2. Stadtteil**, die Neustadt *the second quarter of the city* 2 K 22, 14 Ze 1, 10 2 C 34, 22; pl. הַמִּשְׁנִים die von d. 2. Ordnung *those of the second division* 1 C 15, 18; הַמִּשְׁנִים die Tiere **vom** (höher geschätzten) 2. **Wurf** *the cattle of the second (more valued) litter; so thus Qimchi, alii* l הַשְּׁמֵנִים 1 S 15, 9; 2. מִשְׁנֵה הַתּוֹרָה das **Doppel**, die **Abschrift** *the double, the copy* Dt 17, 18 Jos 8, 32; מ׳ **das Doppelte** *the double amount* Js 61, 7b (61, 7a l הַמִּשְׁנָה) Sa 9, 12, c. appos: GK 131 q: מִשְׁנֵה כֶסֶף d.

Doppelte an *a double amount in* Gn 43, 15 Ir 17, 18; מִ׳ עַל doppelt soviel wie *the double above what* Ex 16, 5; מִ׳ nachgestellt *following*: das Doppelte *the double amount* Ex 16, 22 Gn 43, 12, לְמִשְׁנֶה im doppelten Betrag *the double amount* Hi 42, 10; cs. מִשְׁנֵה d. Doppelte von *the double of* Dt 15, 18 Ir 16, 18; ? Esr 1, 10.†

מְשִׁסָּה: שׁסס: pl. מְשִׁסּוֹת: **Plünderung** *booty, plunder* 2 K 21, 14 Js 42, 22 Ir 30, 16 Ze 1, 13, pl. Ha 2, 7; Js 42, 24 Q.†

מִשְׁעוֹל: שׁעל: **Hohlweg** *hollow way* Nu 22, 24.†

מִשְׁעִי: Hs 16, 4: unerklärt *unexplained.*†

מִשְׁעָם: n. m.; = mo. משׁע?: 1 C 8, 12.†

מִשְׁעָן: שׁען: cs. מִשְׁעַן: **Stütze** *support* Js 3, 1, v. *said of* יהוה 2 S 22, 19 Ps 18, 19.†

מַשְׁעֵן: שׁען; **Stütze** *support* Js 3, 1.†

מַשְׁעֵנָה: שׁען; Weiterbildung v. *amplification of* מַשְׁעֵן: **Stützung** *support* Js 3, 1.†

מִשְׁעֶנֶת: שׁען: sf. מִשְׁעַנְתּוֹ, pl. sf. מִשְׁעֲנֹתָם: **Stütze, Stab** *support, staff*; für *of* Kranke *sick people* Ex 21, 19, Alte *old people* Sa 8, 4, Herrscher *ruler* Nu 21, 18, Engel *angel* Jd 6, 21; *F* 2 K 4, 29. 31 18, 21 Js 36, 6 Hs 29, 6 Ps 23, 4.†

מִשְׁפָּחָה (300 ×; Nu 154 ×, Jos 42 ×, Sa 12. 14 11 ×): שׁפח: pu. שפח u. ug. *šph* Sippe family *clan*: cs. מִשְׁפַּחַת, מִשְׁפַּחְתּוֹ, pl. מִשְׁפָּחוֹת, cs. מִשְׁפְּחוֹת, sf. מִשְׁפְּחֹתָיו, מִשְׁפְּחֹתֵיהֶם: **Grossfamilie, Sippe** (der Kreis, in dem Blutsverwandtschaft noch empfunden wird) *(larger) family, clan (the circle of relatives in which consanguinity is felt)*: Dt 29, 17 Jos 6, 23 7, 14; Unterteil v. *subdivision of* שֵׁבֶט Jd 18, 19 21, 24 1 S 9, 21, v. *of* עַם Nu 11, 10, v. *of* מַטֶּה Jos 21, 5 Nu 36, 6; מִשְׁפַּחַת אָבִי 1 S 18, 18; זֶבַח מִ׳ 1 S 20, 29; מִ׳ als Bluträcher *as avenger of bloodshed* 2 S 14, 7; מִשְׁפָּחָה Sippen, **Arten** d. Tiere *species of animals* Gn 8, 19, Unterteile der Völkerwelt *subdivisions of the whole of nations* Gn 10, 5. 20. 31, מִשְׁפְּחוֹת גּוֹיִם Ps 22, 28, מִ׳ עַמִּים Ps 96, 7 1 C 16, 28; מִ׳ הָאֲדָמָה Gn 12, 3 28, 14 Am 3, 2, מִ׳ הָאָרֶץ Sa 14, 17, מִ׳ הָאֲרָצוֹת Hs 20, 32; מִשְׁפַּחְתִּי Sippe, Verwandtschaft e. Einzelnen *family, consanguinity of an individual* Gn 24, 38. 40 f Lv 25, 49 Nu 27, 11; metaph.: 4 מִשְׁפָּחוֹת Schwert, Hunde, Vögel, Raubwild *sword, dogs, birds, beasts* Ir 15, 3; מִ׳ Zunft *guild* 1 C 2, 55 4, 21 (BAS 80, 18).

מִשְׁפָּט: (425 ×): שׁפט; ug. *mṯpṭ*: cs. מִשְׁפַּט, sf. מִשְׁפָּטוֹ, pl. מִשְׁפָּטִים, cs. מִשְׁפְּטֵי, sf. מִשְׁפָּטַי, מִשְׁפְּטֵיהֶם (van der Ploeg, OTS 2, 151 f): Schiedsspruch > Rechtsentscheid > Rechtssache > Recht, Anrecht, Anspruch > was einer Sache gemäss ist *umpire's decision > decision, judgement > case presented for judgement > (legal) right, claim, due > proper, fitting*: 1. **Schiedsspruch, Rechtsentscheid** *umpire's decision, decision, judgement*: יהוה giebt *delivers* מִשְׁפָּטוֹ Ze 2, 3, אֱלֹהֵי הַמִּשְׁפָּט Ma 2, 17, cj Ps 50, 6; שָׁאַל מִ׳ Js 58, 2, מִשְׁפַּט הָאוּרִים Nu 27, 21; עָשָׂה צְדָקָה וּמִ׳ Gn 18, 19 Pr 21, 3. 15, עָשָׂה מִ׳ Gn 18, 25, c. בֵּין...וּבֵין Ir 7, 5; מִשְׁפַּט צֶדֶק gerechter Entscheid, Spruch *righteous, fair decision* Dt 16, 18, נִגַּשׁ אֶל־הַמִּ׳ Dt 25, 1; שָׁפַט מִ׳ Js 1, 17; דִּין מִ׳ Ir 21, 12, דָּרַשׁ מִ׳ Dt 16, 18 1 K 3, 28, pl. **Rechtsentscheidungen > Rechtsbestimmungen** *decisions > prescription, order*: Ex 21, 1 (30 ×), מִשְׁפְּטֵי יהוה Ps 19, 10, מִשְׁפָּטַי (v. *of* יהוה) Lv 18, 4 (28 ×), מִשְׁפָּטֶיךָ (v. *of* יהוה) Js 26, 8 (24 ×), מִשְׁפְּטֵי פִיו (v. *of* יהוה) Ps 18, 23 (4 ×), Ps 105, 5 1 C 16, 12; מִשְׁפַּט מָוֶת Rechtsentscheid, der den Tod fordert *decision leading to capital punishment* Dt 19, 6 21, 22 Ir 26, 11. 16;

2. **Rechtssache, Recht** *case presented for judgement, (legal) right*: עָשָׂה מִשְׁפָּטוֹ setzt s. Recht durch *effects his right* Hs 39, 21; שָׂם מ׳ נָתַן setzt fest *establishes* Ex 15, 25; מ׳ לִפְנֵי legt die Rechtssache vor *presents his case to* Hs 23, 24; מ׳ נֹאֲפוֹת d. Recht gegenüber Ehebr. *judgement of adult.* Hs 16, 38, מ׳ שֹׁפְכוֹת דָּם 23, 45; אֹרַח מ׳ Rechtsweg *legal steps* Js 40, 14; בַּעַל מ׳ Rechtsgegner *opponent, antagonist* Js 50, 8; מ׳ כָּתוּב Ps 149, 9; 3. **Rechtsanspruch** *right, claim, due*: מ׳ הַבָּנוֹת מִשְׁפַּט הַמֶּלֶךְ 1 S 8, 9. 11, מ׳ יָתוֹם וְאַלְמָנָה Ex 21, 9, מ׳ עַבְדּוֹ 1 K 8, 59, Dt 10, 18, מ׳ גֵּר 27, 19, מ׳ הַבְּכֹרָה 21, 17, מ׳ אֱלֹהָיו Js 58, 2, מ׳ אֶבְיוֹנִים Ir 5, 28 Ps 140, 13; מ׳ הַגְּאֻלָּה **Anspruch auf** *claim to* Ir 32, 7, מ׳ הַיְרֻשָּׁה 32, 8; כְּמִשְׁפַּט לְ wie es denen zusteht, die *as is the claim of those who* Ps 119, 132; מִשְׁפַּט הַכֹּהֵן מֵאֵת Anspruch d. Pr. gegenüber *claim of the pr. with* 1 S 2, 13; הִטָּה מִשְׁפָּט Ex 23, 6; דִּבֶּר מ׳ s. Anspr. kund tun *tell one's claim* Js 32, 7; עָבַר מ׳ מִן d. Anspruch entgeht (ihm) *the claim escapes (his) notice* Js 40, 27; 4. **Gemässheit** *proper, fitting*: מִשְׁפָּט **Bauplan** *plan, sketch* Ex 26, 30 1 K 6, 38; מ׳ הַנַּעַר **Lebensweise** *mode of life* Jd 13, 12; מ׳ צִדֹנִים **Art** *fashion* 18, 7; מִשְׁפָּטוֹ s. **Verhalten** *his attitude* 1 S 27, 11, s. **Aufgabe** *commission* 1 K 5, 8; כְּמִשְׁפָּטָם wie es bei ihnen **Brauch** ist *as is their custom* 1 K 18, 28, כַּמִּשְׁפָּט nach d. Brauch *after the custom* 2 K 11, 14; מ׳ הָאִישׁ **Aussehn** *appearance* 2 K 1, 7; מ׳ הַגּוֹיִם **Religion** *religion* 17, 33; 5. מִשְׁפָּט begegnet oft zusammen mit *occurs frequently together with* חֹק וּמ׳ ;תּוֹרָה ,צְדָקָה ,עֵדֹת ,מִצְוָה ,חֹק Ex 15, 25; רִיב וּמ׳ 2 S 15, 4; צֶדֶק וּמ׳ Ps 89, 15; חֶסֶד וּמ׳ 111, 7, אֱמֶת וּמ׳ 101, 1; etc.; מִשְׁפָּטוֹ l Lv 24, 22, כַּמִּשְׁפָּט l Nu 29, 33, מִשְׁפָּט l Ps 94, 15, מִשְׁפָּטַי l Ex 28, 30, בַּאֲשֵׁפָה l Dt 32, 41, שְׁפָטִים l Hs 5, 8.

מִשְׁפְּתַיִם: שׁפת: מִשְׁפְּתַיִם: du.: die beiden **Sattelkörbe** (des Packesels, mit denen er sich oft störrisch zu Boden legt) *the both saddle-bags (of an ass of burden with which he likes to lie down stubbornly)* Saarisalo 92: Gn 49, 14 Jd 5, 16.†

***מֶשֶׁק**: F מֶשֶׁק, AJS 34, 66 ff.

מֶשֶׁק: בֶּן־מ׳: *משׁק: unerklärt *unexplained* Gn 15, 2.†

***מַשָּׁק**: שׁקק; מֶשֶׁק l wie *like* מַמַּד?: cs. מַשַּׁק: **Ansturm** *rushing, assault* Js 33, 4.†

***מְשֻׁקָּד**: שָׁקֵד: pl. מְשֻׁקָּדִים: **mandelblütenförmig gestaltet** *shaped like flowers of almond* Ex 25, 33 f 37, 19 f.†

מַשְׁקֶה: שׁקה, pt. hif.: cs. מַשְׁקֵה, sf. מַשְׁקֵהוּ, pl. sf. מַשְׁקָיו: 1. **Mundschenk** *butler, cupbearer*, F שׁקה; 2. **wasserreich** (Land) *well-irrigated (country)* Gn 13, 10; 3. **Trank, Getränk** *drink* Js 32, 6 Lv 11, 34, pl. 1 K 10, 5 2 C 9, 4; 4. c. כְּלֵי **Trinkgefäss** *drinking-vessel* 1 K 10, 21 2 C 9, 20; 5. **Schenkamt** *butlership* Gn 40, 21; מִמִּקְנֵה l Hs 45, 15.†

מִשְׁקוֹל: שׁקל: **Gewicht** *weight*; בְּמ׳ genau abgewogen *carefully weighted* Hs 4, 10.†

מַשְׁקוֹף: שׁקף: **Oberschwelle** *lintel* Ex 12, 7. 22 f, cj רִבְעֵי מַשְׁקֹף 1 K 7, 5 (Šanda).†

מִשְׁקָל: שׁקל: מִשְׁקַל, sf. מִשְׁקָלוֹ: **Gewicht** *weight* Gn 24, 22 43, 21 Lv 19, 35 (// מִדָּה u. מְשׂוּרָה) Nu 7, 13—79 (12 ×) Jos 7, 21 Jd 8, 26 1 S 17, 5 2 S 12, 30 1 C 20, 2 2 S 21, 16 1 K 7, 47 2 C 4, 18 1 K 10, 14 2 C 9, 13 Hs 5, 1 Hi 28, 25 Esr 8, 30. 34 (הַקָּהָל l?) 1 C 21, 25 28, 14—18 (9 ×) 2 C 3, 9; בְּמִשְׁקָל Lv 26, 26 u. בְּמ׳ Hs 4, 16 genau abgewogen *care-*

fully weighted; לֹא הָיָה מִ׳ לְ es war nicht zu wägen *impossible to tell the weight of it* 2 K 25, 16 Ir 52, 20; אֵין מִ׳ unwägbar viel (*in abundance*) *without weight* 1 C 22, 3. 14; l שְׁקָל 2 S 21, 16. †

מִשְׁקֹלֶת Js 28, 17 u. **מִשְׁקֶלֶת** 2 K 21, 13: **Setzwage** *levelling instrument* (*for horizontal accuracy*). †

***מִשְׁקָע**: שׁקע: cs. מִשְׁקַע, c. מַיִם: **klares Wasser** (das sich gesetzt hat) *clear* (*settled*) *water* Hs 34, 18. †

***מִשְׁרָה**: שׁרה: cs. מִשְׁרַת: c. עֲנָבִים: was an **Flüssigkeit** aus Trauben gemacht wird *the liquid produced out of grapes* Nu 6, 3. †

מֵשָׁרִים: F מֵישָׁרִים.

מִשְׁרָעִי: gntl. v. *מִשְׁרָע: 1 C 2, 53. †

משׁשׁ: mhb. pilp., ja. pa., [syr.]; ak. *mašāšu* bestreichen, abwischen *spread over*, *wipe off*; مَسّ fühlen *feel*, asa. מסס [äth.]; NF I מושׁ: qal: impf. יְמֻשֵּׁנִי, יְמֻשֵּׁהוּ: **betasten** *feel through*, *grope* Gn 27, 12. 22; † pi: pf. מִשַּׁשְׁתָּ, impf. יְמַשֵּׁשׁ, יְמַשְׁשׁוּ, pt. מְמַשֵּׁשׁ: 1. c. ac. **abtasten, durchsuchen** *feel through*, *search* Gn 31, 34. 37; 2. abs. **umhertasten** *grope* Dt 28, 29 Hi 5, 14 12, 25; † hif: impf. יָמֵשׁ, imp. sf. הֲמִישֵׁנִי l הֲמִשֵּׁנִי Jd 16, 26; 1. **betasten lassen** *let feel*, *touch* Jd 16, 26; 2. **umhertasten machen** *make feel*, *grope* Ex 10, 21. †

מִשְׁתֶּה: שׁתה, F ba.: cs. מִשְׁתֵּה, sf. מִשְׁתָּיו, מִשְׁתֵּיהֶם: 1. **das Trinken** *the drinking* מִשְׁתֵּה הַיַּיִן = **Trinkgelage** *banquet* Est 5, 6 7, 2. 7 f Si 49, 1; 2. das (zukommende) **Getränk** *the* (*due*) *drink* Da 1, 5. 8. 10. 16 Esr 3, 7; 3. **Gastmahl** mit Wein *feast with wine*: עָשָׂה מִ׳ e. Mahl rüsten *prepare a feast* Gn 19, 3 26, 30, e. Fest veranstalten *make a feast* Gn 21, 8 29, 22 40, 20 Jd 14, 10 2 S 3, 20 1 K 3, 15 Hi 1, 4 Est 1, 3. 5. 9 2, 18 5, 4 f. 8. 12 6, 14; מִ׳ **Fest** *feast* Jd 14, 12. 17 1 S 25, 36 Pr 15, 15 Hi 1, 5 Est 8, 17 9, 19, מִ׳ גָּדוֹל Gn 21, 8 Est 2, 18; מִ׳ הַמֶּלֶךְ 1 S 25, 36; מִ׳ שְׁמָנִים u. מִ׳ שְׁמָרִים Festmahl *feast* Js 25, 6, מִ׳ נָשִׁים Frauenfest *feast for the women* Est 1, 9; הֵבִיא אֶל־מִ׳ Est 5, 4 f. 8, בּוֹא אֶל־מִ׳ z. F. einladen *invite to the f.* 5, 12, ans F. geleiten *escort to the f.* 6, 14; יוֹם מִ׳ **Festtag** *holiday*, *day of feast* Est 9, 17 f, pl. 9, 22 Hi 1, 5; מִ׳ **Gelage** *banquet* Ir 51, 39; בֵּית־מִ׳ Haus d. Gelages *house of feasting* (Rudolph, ZAW 59, 189 ff) Ir 16, 8 Ko 7, 2; l מְזוּמָּתָם Js 5, 12. †

מִשְׁתִּין: F שׁין.

מֵת: Toter, Leiche *dead one*, *corpse*: F מות.

***מַת**: ug. *mt* Mann, Gatte *man*, *husband*, ak. *mutu* Gatte *husband*, *Mutu* in *Mu-ti-et-na-ta* etc. Bauer, Ostkan. 57; [äth.]; äg. *mt* Mann *man*; Nöld. NB 146: sg. (מְתוּ) in n.m. מְתוּשָׁאֵל, מְתוּשֶׁלַח, בְּתוּאֵל; pl. מְתִים, cs. מְתֵי, sf. מְתָיו; מְתֶיךָ: **Männer, Leute** (einer Truppe) *men*: מְתֵי מִסְפָּר Leute, die man zählen kann, wenig Leute *men to be numbered*, *few in number* Gn 34, 30 Dt 4, 27 Ir 44, 28 Ps 105, 12 1 C 16, 19; בִּמְתֵי מְעָט mit ganz wenig Leuten *with very few in number* Dt 26, 5 28, 62; מְתֵי שָׁוְא Ps 26, 4 Hi 11, 11 Si 15, 7; מְתֵי אָוֶן Hi 22, 15, מְתֵי אָהֳלִי Hi 31, 31, מתי עם Si 7, 16; מְתִים Männer *men* :: נָשִׁים u. טַף Dt 2, 34 3, 6, cj Jd 20, 48; F Dt 33, 6 Js 3, 25, cj בִּמְתֵי רֵעַ Ps 49, 6; l מְזֵי Js 5, 13, l רָמוֹת 41, 14, l בַּחִים Hi 24, 12, l הַמְּתִם u. הַמְּתֹם Ps 17, 14. †

מַתְבֵּן: תֶּבֶן: **Strohhaufen** *straw-heap* Js 25, 10. †

***מַתְנ**: F מָתְנַיִם.

מֶתֶג: *מתג; mhb. מתג pi. zäumen *bridle*, ja. מִתְגָא: sf. מִתְגִי: Zaum *bridle* 2S 8, 1 2 K 19, 28 Js 37, 29 Ps 32, 9 Pr 26, 3; l מַתְגָה Js 30, 28 pro מַתְעָה. †

***מְתוֹ**: *F* *מַת.

מָתוֹק: מתק: f. מְתוּקָה u. pl. מְתוּקִים (BL 538): süss *sweet* (:: מַר) Jd 14, 14. 18 Js 5, 20 Ps 19, 11 (מִשְׁפְּטֵי יהוה) Pr 16, 24 24, 13 27, 7 Ct 2, 3 Ko 5, 11 (שֵׁנָה) 11, 7 (אוֹר), לְמָתוֹק an Süsse *for sweetness* Hs 3, 3. †

מְתוּשָׁאֵל: n.m.; *מַת u. שֶׁ u. אֵל „Mann Gottes *man of God*"; ak. n.m. *Mutum-ilum* Stamm 298: Μαθουσαλα (<-σααλ?): Gn 4, 18. †

מְתוּשֶׁלַח: n.m.; *מַת u. שֶׁלַח (n. dei?) vel I שֶׁלַח?; ZAW 40, 154 f: מְתוּשָׁלַח: *Mathusalam* (> Methusalem): Gn 5, 21 f. 25—27 1 C 1, 3. †

מתח: mhb., ja., sy. ausdehnen *spread out*; مَتَحَ lang *long*:

qal: impf. sf. וַיִּמְתָּחֵם: ausdehnen *spread out* Js 40, 22 (// נטה). †

Der. מִתְחָה, *אַמְתַּחַת.

cj ***מְתָחָה**: מתח: cs. מִתְחַת: cj (pro מִתַּחַת) Dt 33, 27 Ausbreiten (der Hände) *spreading out* (*of hands*) (Gordis JTS 34, 391 f.). †

מָתַי: ak. *immati* < *in*(*a*) *mati*, *mati* bis wann, wann *until when*, *when*; مَتَى, asa. מת: 𐩣𐩩𐩩; ܐܡܬܝ ja. אֵמָתַי, neo-aram. *emmat*, phl. אמת,

1. c. impf. wann? *when?* Gn 30, 30 Am 8, 5 Ps 41, 6 42, 3 94, 8 119, 82. 84 Pr 6, 9 23, 35 Hi 7, 4; 2. לְמָתַי c. impf. auf wann? *against when?* Ex 8, 5; 3. עַד־מָתַי c. pf. bis wann? wie lange? *until when? how long?* Ex 10, 3 Ps 80, 5; 4. עַד־מָתַי c. impf. bis wann? wie lange? *until when? how long?* Ex 10, 7 1 S 1, 14 2 S 2, 26 Ir 4, 14. 21 12, 4 31, 22 47, 5 Ps 74, 10 82, 2 94, 3 Pr 1, 22 6, 9 Ne 2, 6 Si 51, 24, c. לֹא Ho 8, 5 Sa 1, 12; (das Verb ist weggelassen *the verb is dropped*) Nu 14, 27 Js 6, 11 Ha 2, 6 Ps 6, 4 90, 13 94, 3 Da 8, 13 12, 6, cj Hi 7, 4 (וּמָתַי); 5. עַד־מָתַי c. pron. u. pt. bis wann? wie lange? *until when? how long?* 1 S 16, 1 1 K 18, 21; ? Ir 13, 27 u. 23, 26; l אֱמֹת Ps 101, 2. †

מַתְכֹּנֶת: תכן (BL 493); sf. מַתְכֻּנְתּוֹ: Abmessung, Verhältnis *measurement*, *proportion*: Ex 5, 8, Zusammensetzung *composition* 30, 32. 37, Gewichtsreihe *series of weights* Hs 45, 11, Bau *building* 2 C 24, 13 Si 34, 27. †

מַתְּלָאָה Ma 1, 13: < מַה־תְּלָאָה.

מְתַלְּעוֹת: pt. pi. v. תלע; لَتَغَ = لَسَعَ beissen; 𐩣𐩩𐩡𐩲𐩩: sf. מְתַלְּעֹתָיו: Kinnladen *jawbones* Jl 1, 6 Ps 58, 7 Hi 29, 17 Pr 30, 14. †

מְתֹם: תמם (BL 493): heile Stelle *sound spot* Js 1, 6 Ps 38, 4. 8; l מְתִם (*מַת) Jd 20, 48. †

***מַתָּן**: *F* מַתְּנַי, מְתָנִים.

I **מַתָּן**: נתן; ug.; mhb., ja. מַתְּנָא: Gabe, Geschenk *gift*, *present* Gn 34, 12 Pr 18, 16 21, 14 Si 4, 3, coll. Nu 18, 11; אִישׁ מ׳ freigebig *openhanded* Pr 19, 6, חיי מ׳ Schmarotzerleben *life of a parasite* Si 40, 28. †

Der. n.m. II מַתָּן, מַתְּנַי, מַתַּנְיָה(וּ).

II **מַתָּן**: n.m.; = I; ph. n. m. et f.: 1. 2 K 11, 18 2 C 23, 17; 2. Ir 38, 1. †

I **מַתָּנָה**: נתן; *F* ba. מַתְּנָה: cs. מַתְּנַת, pl. מַתָּנוֹת, מַתְּנוֹתֵיכֶם, מַתְּנוֹתָם, cs. מַתְּנֹת, sf. מַתְּנֹת:

1. Geschenk, Gabe *present*, *gift* Nu 18, 7. 29 Hs 46, 16 f Ps 68, 19 2 C 21, 3 Si 3, 17; Geschenk als Abfindung *present for indemnification* Gn 25, 6, zur Beeinflüssung *pres. to influence a person* Pr 15, 27 Ko 7, 7, an die Armen *to the poor* Est 9, 22, Gabe ans Heilig-

tum *gift to the sanctuary* Ex 28, 38 Lv 23, 38 Nu 18, 6 Dt 16, 17 Hs 20, 26. 31. 39. †

II **מַתָּנָה**: n. l.; = I?; ö. Moab, Lage unbekannt *site unknown* Nu 21, 18f. †

מִתְנִי: gntl.; zu *מתן gehörig *belonging* to *מתן 1 C 11, 43. †

מַתְּנַי: n.m.; K F v. מַתַּנְיָה; aram. RB 45, 76: 1.—3. Esr 10, 33; 10, 37; Ne 12, 19. †

מַתַּנְיָה: n.m.; < מַתַּנְיָהוּ: 1. K. v. Juda 2 K 24, 17; 2.—10. Ne 11, 17. 22 1 C 9, 15; 2 C 20, 14; Esr 10, 26; 10, 27; 10, 30; 10, 37; Ne 12. 8; 12, 25; 13, 13. †

מַתַּנְיָהוּ: n.m.; keilschr. *Ma-at-tan-nu-Ja-a-ma* = *Mattanjāma* ZDM 94, 207; Lkš 1, 5; I מַתָּן u. יו; > מַתַּנְיָה, מַתְּנַי: 1. 1 C 25, 4. 16; 2. 2 C 29, 13. †

מָתְנַיִם: *מתן? ak. *matnu* Sehne *sinew* Holma NKt 6; ja. מַתְנָיָא, ܡܬܢܬܐ; مَتْنٌ d. Muskeln der Lendengegend *muscles of lumbar-region*, öt. *el-méten* Schulterhöhe *acromion*, neuar. *met(e)n* Schulter *shoulder*: du., cs. מָתְנֵי, sf. מָתְנָיו, מָתְנֵיכֶם: die (äussere) **Lendengegend, Hüften und Kreuz** *the (exterior) lumbar-region, hips and small of the back* Gn 37, 34 Ex 12, 11 28, 42 Dt 33, 11 2 S 20, 8 1 K 2, 5 12, 10 2 C 10, 10 1 K 18, 46 20, 31 f 2 K 1, 8 4, 29 9, 1 Js 11, 5 20, 2 21, 3 45, 1 Ir 1, 17 13, 1f. 4. 11 48, 37 Am 8, 10 Hs 1, 27 8, 2 9, 2f 21, 11 23, 15 29, 7 44, 18 Na 2, 2. 11 Ps 66, 11 69, 24 Pr 31, 17 Hi 12, 18 40, 16 Da 10, 5 Ne 4, 12; מֵי מָתְנַיִם Hs 47, 4; l מִתְנַשֵּׂא Pr 30, 31 (Bewer JBL 67, 61). †

מתק: ug. *mtq* süss *sweet*; ak. *matqu* Süssigkeit *sweetness*, ja., sy. מתק mit Lust saugen *suck with pleasure*, تَمَطَّقَ (ط bei *with* ق) schmatzen *smack the lips with pleasure*; ምጡቅ süss *sweet*:

qal: pf. מָתְקוּ, impf. יִמְתְּקוּ, יִמְתָּקוּ: **süss sein, werden** *be, become sweet*: Wasser *water* Ex 15, 25 Pr 9, 17 Hi 21, 33; l מְקֹמוֹ 24, 20; †

hif: impf. נַמְתִּיק, תַּמְתִּיק: 1. **süss schmecken** *give a sweet taste* Hi 20, 12 Si 38, 5 40, 30 49, 1; c. סוֹד **süsse Gemeinschaft pflegen** *make sweet one's intimacy* Ps 55, 15. †

Der. מָתוֹק, *מֶתֶק, *מֹתֶק, מַמְתַּקִּים, n. l. מִתְקָה.

***מֹתֶק**: מתק: מָתְקִי: **Süsse** *sweetness* Jd 9, 11. †

***מֶתֶק**: מתק: cs. מֶתֶק (cf. כָּבֵד, cs. כְּבַד): **süss** *sweet* Pr 16, 21; l וּמִתְקָרֵעַ 27, 9. †

מִתְקָה: n. l.; מתק?: unbekannte Wüstenstation *unknown station in the wilderness* Nu 33, 28 f. †

מִתְרְדָת: n. m.; Μιθραδάτης; keilschr. *Mitradāti*; pers. „Gabe des *gift of* Mithra", Scheft. 89; ܡܗܪܕܬ Rahlfs Th LZ 49, 10: 1. Esr 1, 8; 2. 4, 7. †

***מַתָּת**: נתן; *pgi*; מַתַּת: **Gabe** *gift* 1 K 13, 7 Pr 25, 14 Ko 3, 13 5, 18; מַתַּת יָד soviel er geben kann *as he is able to give* Hs 46, 5. 11. †

מַתַּתָּה: n. m.; נתן; *Mtt*; Dir. 352: Esr 10, 33. †

מַתִּתְיָה: n. m.; < מַתִּתְיָהוּ: 1.—3. Esr 10, 43; Ne 8, 4; 1 C 9, 31 16, 5. †

מַתִּתְיָהוּ: n. m.; מַתַּת u. יו; > מַתִּתְיָה: 1 C 15, 18. 21 25, 3. 21. †

נ

נ, am Wortende *at the end of words* ן, נוּן, Driv. SW 215, später *later on* = 50. נ wechselt mit *is changing with* י (F יצב, נצב), mit *with* F מ und mit *and with* (aram.) ר: בֵּן > בַּר, זרח > דנח; נ assimiliert sich leicht *is frequently assimilated*: יִתֵּן < *jintēn*, הִבִּיט < *hinbīṭ* etc.; נ fällt leicht fort *is easily dropped*: נגשׁ, imp. גַּשׁ, inf. גֶּשֶׁת; F Grammatiken *grammars*, Nöld. NB 139, Ruž. KD 24 f. 66, VG 1, 243 f.

I נָא (180×): immer unbetontes Anhängsel *always stressless enclitic*; ܢܐ, ܢܐ ; [illegible] wohlan! komm! *now! come!*: 1. שָׂא נָא erhebe doch! *lift up now!* Gn 13, 14 (45×); אִמְרִי נָא sage doch! *say, I pray thee!* Gn 12, 13 (8×); תְּנוּ נָא gebt doch! *I pray you give!* Gn 34, 8 (16×); 2. הַגִּידָה־נָּא teile doch mit! *tell me, I pray thee!* Gn 32, 30 (11×); 3. nach *after* Suffixe: ספחני נא geselle mich doch bei! *put me, I pray thee!* 1 S 2, 36 (6×); 4. יֻקַּח נָא es möge doch genommen werden! *let now be fetched* Gn 18, 4 (13×); יְדַבֶּר־נָא er möge doch reden dürfen! *let him, I pray thee, speak* Gn 44, 18 2 S 14, 12, יֹאמְרוּ נָא sie sollen doch sagen! *let them now say* Ps 118, 3 (7×); 5. אֵרְדָה־נָּא ich will doch hinuntergehn! *I will go down now!* Gn 18, 21 (11×); נֵלְכָה־נָּא wir wollen doch gehn! *now let us go, I pray thee!* Ex 3, 18 (3×); 6. אִיעָצְךָ נָא עֵצָה ich will dir doch e. Rat geben *let me, I pray thee, give thee counsel* 1 K 1, 12; 7. הִנֵּה־נָא siehe doch! *behold now!* Gn 12, 11 (21×); 8. אַל־נָא c. impf.: אַל־נָא תְהִי es soll doch nicht sein! *let there be no* Gn 13, 8, F 18, 3, cj Js 63, 15, Gn 19, 7 Hi 32, 21 2 S 13, 25 (16×); 9. אַל־נָא allein *isolated*: nicht doch! *oh, not so!* Gn 19, 18 33, 10, cj Nu 12, 13; 10. c. אם: אם־נא מצאתי möge ich doch finden! *if now I have found* Gn 18, 3, (8×); 11. אוֹי־נָא weh doch! *Woe is me now!* Jr 4, 31 45, 3 Th 5, 16; 12. אַיֵּה־נָא wo doch? *where now?* Ps 115, 2; 13. אִם יֶשְׁךָ־נָּא מַצְלִיחַ Gn 24, 42, אִם עֲשִׂיתָ־נָּא 40, 14 wenn doch *if now*; 14. נֶגְדָה־נָּא לְ ja doch vor *yea, in the presence of* Ps 116, 14. 18; F אָנָּא.

II נָא: mhb.; pt. v. *ניא, نَاءَ (med. *j.*) halb gekocht *half done*, neuar. *nīje* rohes Fleisch *raw flesh*: roh, ungar (Fleisch) *raw (flesh)* Ex 12, 9. †

נֹא: n. l.; äg. *n-i-y*, *nw.t* (Lesung unsicher *reading uncertain* EG 2, 210), Ναυ(κρατις) keilschr. *Niʾi*, heth. *Niya*; AP 24, 36 מדינת נא Bezirk v. *district of* נא; = Stadt *city*, z.B. Stadt des *city of* Amon: נֹא אָמוֹן F אָמוֹן Na 3, 8, > נֹא Jr 46, 25 Hs 30, 14—16 (1 נֹף? 30, 15): das äg. Theben, *the Eg. Thebes*, Διόσπολις (V: *Alexandria!*).

נֹאד, נאוד Jd 4, 19, נֹד: mhb. נוֹד, ja. נוֹדָא; ak. *nādu* Wasserschlauch *water-skin*: sf. נֹאדְךָ, pl. נֹאדוֹת: Schlauch (Haut e. Tiers, vernäht u. verpicht) *skin-bottle* (*skin of animal, sewn up a. pitched*): für Wein *for wine* Jos 9, 4. 13 1 S

16, 20, cj Ps 33, 7 כַּנֵּד, für Milch *for milk* Jd 4, 19 (l נֹאד) Ps 56, 9, im Rauch *in the smoke* 119, 83.†

נאה: mhb. pi. schmücken *adorn*, hitp. sich schmücken, *adorn oneself* F II נוה; Nöld. NB 191 cf. ja., sy., cp. יָאֶא schön *comely*; mhb. נוֹי, sf. נוֹאוֹ u. נוֹיוֹ Schönheit *beauty*:

cj pi: impf. יַנְאֶה (< *יְנָאֶה) schmücken *adorn* Ps 141, 5;†

pa: pf. נָאוָה, נָאווּ: schön, lieblich sein *be comely, lovely* Js 52, 7 Ct 1, 10; c. לְ sich ziemen für *be befitting for* Ps 93, 5.†

Der. נָאוֶה.

נָאוֶה: נאה: f. נָאוָה: 1. schön, lieblich *comely, lovely* Ps 147, 1 Ct 1, 5 2, 14 4, 3 6, 4; 2. c. לְ passend, geziemend *fitting, seemly* Ps 33, 1 Pr 17, 7 19, 10 26, 1; l הַלְנָוֶה Ir 6, 2.†

נאות: F נָוֶה.

נאם: mhb. נום sprechen *speak*, نَأَمَ flüstern *whisper*:

qal: impf. וַיִּנְאֲמוּ: sprechen *speak* Ir 23, 31.†

Der. נְאֻם.

נְאֻם (361×; 167× Ir, 83× Hs, 23× Js, 21× Am, 20× Sa, 11× Hg; cj Js 58, 6): נאם; pt. pass. vel cs. v. נְאֻם: נְאֻם יהוה Ausspruch Jahwäs *utterance of Yahveh*; in der Regel Schlussformel *as a rule at the end of a saying*; Am 2, 11 Zwischenformel *in the middle of a saying*; ausserhalb der Propheten (F oben) *outside the prophets* (F *above*): Gn 22, 16 Nu 14, 28 1 S 2, 30 2 K 9, 26 19, 33 22, 19 Ps 110, 1 (Einleitungsformel *at the beginning*) 2 C 34, 27; נְאֻם הַגֶּבֶר Nu 24, 3. 15 2 S 23, 1 Pr 30, 1; נְאֻם בִּלְעָם Nu 24, 3. 15; נְאֻם שֹׁמֵעַ אִמְרֵי אֵל Nu 24, 4. 16; נְאֻם דָּוִד 2 S 23, 1; נְאֻם פֶּשַׁע? Ps 36, 2.

נאף: mhb. pi., ja. pa., F נוף; äg. *nhp* u. ar. نَحَبَ sich begatten *copulate*:

qal: impf. וַיִּנְאֲפוּ, תִּנְאָף, יִנְאַף, inf. נָאֹף, נָאוֹף, pt. נֹאֵף, נֹאֶפֶת, נֹאֲפוֹת: 1. abs. et c. ac.: mit d. Frau oder Verlobten eines andern Manns Geschlechtsverkehr haben, **Ehebruch treiben** *have sexual intercourse with the wife or betrothed of an other man, commit adultery* Ex 20, 14 Lv 20, 10 Dt 5, 18 Ir 5, 7 7, 9 23, 14 Ho 4, 2 Pr 6, 32 Hi 24, 15; fem. **sich auf Ehebruch einlassen** *engage in adultery* Lv 20, 10 Hs 16, 38 23, 45; 2. (metaph.) **Ehebruch treiben** (mit e. Idol gegenüber J.) *commit adultery* (*with idols against Y.*) Ir 3, 9;†

pi: pf. נִאֵף, נִאֲפוּ, impf. וַיְנָאֲפוּ, תְּנָאַפְנָה, pt. מְנָאֵף, מְנָאֶפֶת, מְנָאֲפִים: c. אֶת: **Ehebruch treiben** mit (e. Frau) *commit adultery with* (*a woman*) Ir 29, 23; abs. Ir 3, 8 Hs 23, 37, (v. Frauen *said of women*) Ho 4, 13 f; pt. **ehebrecherisch** *adulterous* masc. Ir 9, 1 23, 10 Ho 7, 4 Ma 3, 5 Ps 50, 18, fem. Js 57, 3 (l מְנָאֶפֶת) Hs 16, 32 Ho 3, 1 Pr 30, 20.†

Der. נִאֻפִים, *נַאֲפוּפִים.

נִאֻפִים: נאף: sf. נִאֻפַיִךְ: **ehebrecherisches Treiben** *adultery* Ir 13, 27 Hs 23, 43.†

***נַאֲפוּפִים**: נאף: sf. נַאֲפוּפֶיהָ: **ehebrecherisches Wesen** *adulterous demeanour* Ho 2, 4.†

נאץ: ak. *naʾāṣu* kauen, verkleinern, verachten *chew, belittle, despise*; mhb.:

qal: pf. נָאַץ, נָאֲצוּ, נָאָצוּ, impf. יִנְאַץ, יִנְאָץ, יִנְאָצוּן: **verschmähen** *contemn* Dt 32, 19 Ir 14, 21, cj 15, 16 (l מְנַאֲצֵי), 33, 24 (c. מִן c. inf. *zu to*) Ps 107, 11 Pr 1, 30 5, 12 (//שָׂנֵא) 15, 5 (Var. יְנַאֵץ) Th 2, 6;†

pi: pf. נִאֵץ, נִאֲצוּ, נִאַצְתָּ, נִאֲצוּ, sf. נִאֲצוּנִי, impf. יְנָאֵץ, sf. יְנַאֲצֻנִי, inf. נַאֵץ (BL 366; l נָאֵץ?) 2 S 12, 14, pt. sf. מְנַאֲצַי, מְנַאֲצַיִךְ: **unehrerbietig behandeln** *treat without respect*: Gott *God* Nu 14, 11 (//לֹא הֶאֱמִין). 23 16, 30 Dt 31, 20 2 S 12, 14 (dele אֹיְבֵי) Js 1, 4 Ps 10, 3. 13, מִנְחַת י״ 1 S 2, 17, אִמְרַת קְדוֹשׁ

יִשְׂרָאֵל Js 5, 24, דְּבַר י׳ Ir 23, 17 (l מְנַאֲצֵי דְבַר), צִיּוֹן, יִשְׂרָאֵל Js 60, 14, שֵׁם י׳ Ps 74, 10. 18; †
hitpo: pt. מִנֹּאָץ < *מִתְנֹאָץ: verschmäht, gelästert werden *be contemned, reviled* Js 52, 5. †
Der. נְאָצָה, *נֶאָצָה.

נְאָצָה: נאץ: Schmach *contumely* 2 K 19, 3 Js 37, 3. †

***נֶאָצָה**: נאץ; (*qattālā*): pl. נֶאָצוֹת, > sf. נֶאָצוֹתֶיךָ: Schmähung *contumely* Hs 35, 12 Ne 9, 18. 26. †

נאק: ak. *nāqu*, schreien *cry*, ja. נְאַק, ak. *nāqu*; F אנק:
qal: pf. נָאַק, impf. יִנְאֲקוּ: stöhnen *groan* Hs 30, 24 Hi 24, 12. †
Der. *נְאָקָה.

***נְאָקָה**: נאק: cs. נַאֲקַת, sf. נַאֲקָתָם, pl. cs. נַאֲקוֹת: Gestöhn *groaning* Ex 2, 24 6, 5 Jd 2, 18 Hs 30, 24. †

נאר: ak. *nāru* töten *kill*:
pi: pf. נֵאַר, נֵאַרְתָּה (נ׳!): preisgeben? *abandon?* Ps 89, 40 (//חִלֵּל) Th 2, 7 (//זָנַח). †

נֹב: n. l.; loc. נֹבֶה 1 S 21, 2: *Rās el-Mešārif* 3 km n. Jerusalem (PJ 21, 87 ff): 1 S 21, 2. 9. 11 Js 10, 32 Ne 11, 32, עִיר הַכֹּהֲנִים 1 S 22, 19; 2 S 21, 16 l גֹּב?, = נְבוֹ 3.? †

נבא: hebr. נבא ist Denominativ von *is denominative of* נָבִיא; נָבִיא kommt von *derives of* *נבא = ak. *nabū* rufen *call*:
nif (86 ×; 35 × Ir, 34 × Hs, 6 × Am, nicht in *not with* Js): pf. נִבָּא, נִבֵּאתָ, נִבֵּיתָ, נִבְּאוּ, נִבָּאוּ, impf. יִנָּבֵא, יִנָּבְאוּ, inf. u. imp. הִנָּבֵא, inf. sf. הִנָּבְאִי, הִנָּבְאוֹ Sa 13, 4 < הִנָּבְאוֹ u. הִנָּבֵא אֹתוֹ, pt. נִבָּא, pl. נִבְּאִים, cs. נִבְּאֵי, l הַנִּבְּאִים pro הַנְּבִיאִים 1 C 25, 1: 1. נִבָּא absol.: in prophetischer Verzückung sein, sich als Prophet zeigen, aufführen *be in prophetic ecstasy, behave as (ecstatic) prophet* 1 S 10, 11 19, 20 1 K 22, 12 Ir 19, 14 23, 21 26, 18 28, 6 32, 3 Hs 11, 4. 13 12, 27 21, 14. 19. 33 30, 2 34, 2 37, 7. 9. 12 38, 14. 17 Jl 3, 1 Am 2, 12 3, 8 7, 12 f Sa 13, 3 f 2 C 18, 11; c. בְּשֵׁם יהוה (unter Anrufung d. Namens J.s *by naming Y.*) Ir 11, 21 14, 14 f 23, 25 26, 9 27, 15 29, 9. 21, c. בַּבַּעַל (von בַּ׳ getrieben *incited by* בַּ׳) Ir 2, 8; c. לַשֶּׁקֶר 27, 15, c. בַּשֶּׁקֶר 5, 31 20, 6; dass נִבָּא nicht notwendig Reden bedeutet, zeigt *that* נבא *not necessarily means an uttering is shown by* הִנָּבֵא וְאָמַרְתָּ Hs 21, 14. 33 30, 2 34, 2 36, 1. 6 37, 4. 9. 12 38, 14 39, 1, cj 13, 2; 2. נִבָּא abs. sich als Prophet äussern *speak as prophet* (לְ gegenüber *to*) Ir 14, 16 20, 6 23, 16 27, 10. 14—16 29, 9. 21 37, 19, (עַל gegen *against*) Ir 25, 13 26, 11 f. 20 28, 8 Hs 4, 7 6, 2 11, 4 13, 17 21, 2. 7 25, 2 28, 21 29, 2 34, 2 35, 2 36, 1. 6 37, 4. 9 38, 2 39, 1 Am 7, 16 (c. עַל pro אֶל: Ir 26, 11 f Hs 6, 2 21, 2. 7 36, 1 37, 9; בֶּן־אָדָם richte dein Gesicht gegen ... וְהִנָּבֵא *set thy face towards ...* וְהִנָּבֵא Hs 6, 2 13, 17 21, 2. 7 25, 2 28, 21 29, 2 35, 2 38, 2); c. אֶל hinsichtlich *regarding* Ir 25, 30 Am 7, 15; 3. נִבָּא c. ac. als Prophet sagen *speak as prophet*: שֶׁקֶר Ir 14, 14 23, 25 f 27, 10. 14. 16 29, 9 (MS). 21, דְּבָרִים 20, 1 26, 12, תַּרְמִית 23, 26 (l נִבְּאֵי), חֲלֹמוֹת שֶׁקֶר 23, 32; 4. Einzelnes *particulars*: נִבָּא לְ sich als Pr. äussern hinsichtlich *speak as pr. regarding*: רָעָה Ir 28, 8, שָׁלוֹם 28, 9, עִתִּים Hs 12, 27; נִבָּא בְּ in prophetischer Erregung e. Instrument spielen *play on instrument in prophetic ecstasy* 1 C 25, 1. 3 (l הַנִּבָּא בַּכִּנּוֹר), ohne Angabe des Instruments *instrument not indicated* 25, 2; †
hitp: pf. הִתְנַבִּיתָ (wie von נבה *as if of* נבה), הִתְנַבְּאוּ < *הִתְנַבֵּאתִי, הִנַּבְּאוּ < הִנַּבֵּאתִי, impf. יִתְנַבֵּא, inf. הִתְנַבּוֹת (F הִתְנַבֵּיתָ), pt. מתנבא,

pl. f. מִתְנַבְּאוֹת: 1. sich als Prophet gebärden *behave, act as prophet* Nu 11, 25—27 1 S 10, 5 f. 10. 13 18, 10 (= rasen *rush about*) 19, 20—24 1 K 18, 29 22, 10 Ir 29, 26 2 C 18, 9; 2. sich als Prophet äussern *speak as prophet* Hs 37, 10, c. לְ gegenüber *to* Ir 29, 27, c. טוֹב (רַע) עַל mit Gutem (Bösem) über *good (evil) things over* 1 K 22, 8. 18 2 C 18, 17, חֲזוֹן שֶׁקֶר Ir 14, 14, עַל gegen *against* 2 C 20, 37, בַּבַּעַל (v. בְּ' getrieben *incited by* בְּ') Ir 23, 13, בְּשֵׁם יהוה (unter Anrufung J.s *by naming Y.*) 26, 20, מִלִּבָּן Hs 13, 17.†

נבב: mhb. נָבוּב, cp. אנבובא, mnd. אמבובא hohl *hollow*, أُنْبُوبٌ hohles Schilfstück zwischen 2 Knoten *hollow piece of reed between two knots*, cf. ak. *embūbu* (< *enbūbu*) > *ebūbu*, ja., sy. אַבּוּבָא, אַבּוּבָא Flöte *flute* (cf. lat. *ambubaja* Flötenspielerin *flutist*); also *therefore* נבב hohl sein *be hollow*:

qal: pt. pass. נָבוּב, cs. נְבוּב: innen hohl *hollowed* Ir 52, 21, נְבוּב לֻחֹת hohler Bretterkasten *hollow chest of boards* Ex 27, 8 38, 7; נָבוּב Hohlkopf *hollow-minded man* Hi 11, 12.†

I נְבוֹ: n. l., n. montis; mo. נבה; نَبَاوَةٌ Berghöhe *height*: 1. Berg Nebo *Mt Nebo*; *en Neba'*, 838 m, in Moab, 19 km ö. Jordanmündung *mouth of Jordan*; Alt PJ 30, 28 ff, Glueck AAS 15, 109 ff, RB vol. 40 u. 43: Nu 33, 47 Dt 32, 49 34, 1; 2. n. l.; in רְאוּבֵן, später in *later in* Moab, am Hang des Berges Nebo *on the slope of the Mt Nebo* Nu 32, 3. 38 Js 15, 2 Ir 48, 1. 22 1 C 5, 8; 3. n. l., bei *near Jerusalem*; = נֹב?: Esr 2, 29 10, 43, נְבוֹ אַחֵר (z. Unterscheidung v. 2. *to distinguish it from 2.*) Ne 7, 33.†

II נְבוֹ: n. d.; ak. *Nabū*; der babylonische Gott *the Babylonian god* Nebo Js 46, 1.†
Der. n. m. נְבוּשַׁזְבָּן, נְבוּכַדְרֶאצַּר, נְבוּזַרְאֲדָן.

נְבוֹ: Ir 39, 3: F סַמְגַּר נְבוֹ.

נְבוּאָה: נָבִיא, spätes Wort *late*: cs. נְבוּאַת: Prophetenwort *word of prophet* Ne 6, 12 (:: אֱלֹהִים!) 2 C 15, 8; (schriftlich aufgezeichnet *written down*) 9, 29.†

נְבוּזַרְאֲדָן: n. m.; äga. (נבוזראדן); ak. *Nabū-zēr-iddin* (N. gibt Nachkommen *N. gives offspring*) Th LZ 50, 481, Stamm 139: 2 K 25, 8. 11. 20 Ir 39, 9—13 40, 1 41, 10 43, 6 52, 15 f. 26. 30.†

נְבוּכַדְנֶאצַּר: נְבוּכַדְרֶאצַּר.

נְבוּכַדְרֶאצַּר: n. m.; ak. *Nabū-kudurri-uṣur* (N. schütze den Sohn! *N. protect the son!*) Stamm 43; die hebräische Schreibung *the spelling in Hebrew is varying*: נבוכדראצור Ir 49, 28 Esr 2, 1, נְבוּכַדְרֶאצַּר Ir 21, 2 (30 ×), > נְבוּכַדְנֶאצַּר 2 K 25, 22 (14 ×), נְבֻכַדְנֶאצַּר 2 K 24, 1 (7 ×), נְבוּכַד־נֶאצַּר 1 C 5, 41, נבכדנצר Da 1, 18 2, 1: d. babylonische König Nebukadnezar *the Babylonian king Nebuchadrezzar(-nessar)* (605—562), Ναβουχοδονοσορ: 59 × (2 K 24. 25 Ir 21, 2. 7 22, 25 25, 1. 9 27, 6. 8. 20 28, 3. 11. 14 29, 1. 3. 21 32, 1. 28 34, 1 35, 11 37, 1 39, 1. 5. 11 43, 10 44, 30 46, 2. 13. 26 49, 28. 30 50, 17 51, 34 52, 4. 12. 28—30 Hs 26, 7 29, 18 f 30, 10 Est 2, 6 Da 1, 18 2, 1 (F ba.) Esr 1, 7 2, 1 Ne 7, 6 1 C 5, 41 2 C 36, 6—13.†

נְבוּשַׁזְבָּן: n. m.; ak. *Nabū-šēzibanni* (N. rette mich *save me!*) APN 152 f: Ir 39, 13.†

נָבוֹת: n. m.; نَبْوَةٌ Erhöhung *elevation*: הַיִּזְרְעֵאלִי 1 K 21, 1—19 (19 ×) 2 K 9, 21. 25 f.†

נבח: Sem. (ar., äth. *h*, ak. *ḫ*):
qal: inf. לִנְבֹּחַ: bellen (Hund) *bark (dog)* Js 56, 10.†

I נֹבַח: n. m.; נבח?: Nu 32, 42.†

II נֹבַח: n. l.: 1. in גִּלְעָד; F קְנָת, Nu 32, 42; 2. bei *near* יָגְבְּהָה Jd 8, 11.†

נִבְחַז (Var. נִבְחַן): < מבחז < מִזְבֵּחַ d. zum Gott gemachte Altar *the deified altar* Montg.-Gehman p. 474: n. d.; 2 K 17, 31.†

נבט: ak. *nabāṭu* aufleuchten, funkeln *shine*; mhb. pi.; ja., mnd. emporkommen *rise*; asa. in n. m. נבטאל, נבטם (Gott sieht an *god looks at*), אלמנבט:

pi: pf. נִבַּט: c. לְ **blicken auf** *look at* Js 5, 30;†

hif: pf. הִבִּיט, הִבִּיטוּ, הִבַּטְתֶּם, impf. יַבִּיט, תַּבֵּט, אַבִּיטָה, inf. הַבִּיט, sf. הַבִּיטָם, imp. הַבֵּט, הַבֵּיט, (BL 366) Ps 142, 5, הַבֶּט־, הַבִּיטָה (הַבִּיטָ Th 5, 1), הַבִּיטִי, pt. מַבִּיט: 1. (in e. Richtung) **blicken** *look* (*in a direction*) Gn 15, 5 1 K 18, 43 Ps 142, 5 Pr 4, 25 Hi 6, 19 35, 5 39, 29; **hinsehn** *glance towards* 1 S 17, 42 1 K 19, 6 Ha 1, 5 Si 16, 19, **hersehn** *look this way* Js 63, 15 64, 8 Ps 13, 4 33, 13 80, 15 Th 1, 11 f 2, 20 5, 1, **aufblicken** *lift up one's eyes to* Js 42, 18 63, 5 1 C 21, 21, **zusehn** *look on* Js 18, 4 Ps 22, 18, **sehen können** *be able to look* Ps 94, 9, **Ausschau halten** *watch for* cj Jd 5, 28; c. בְּעֵינָיו **mit eignen Augen sehn** *look with one's own eyes* Ps 91, 8, c. אַחֲרָיו **sich umsehn** *look round* Gn 19, 17 1 S 24, 9, c. מֵאַחֲרָיו **sie sah sich hinter ihm um** *she looked round behind his back* Gn 19, 26; 2. c. אַחֲרֵי **jmd nachsehn** *follow a person with one's eyes* Ex 33, 8, c. אֶל **hinsehn auf** *look at* Ex 3, 6 Nu 21, 9 1 S 16, 7 2 K 3, 14 Js 8, 22 22, 8. 11 51, 1 f. 6 66, 2 Ha 1, 13 Jon 2, 5 Sa 12, 10 Ps 34, 6 102, 20 119, 6; c. ac. **erblicken** *behold* Nu 12, 8 23, 21 Js 38, 11 Hi 36, 25 Ha 1, 3 (l אַבִּיט); (billigend) **ansehn** *regard* (*approvingly*) Am 5, 22 Ps 84, 10 Th 4, 16; **beachten** *heed* Js 5, 12 Ps 10, 14 (Text?) 119, 15. 18 Th 3, 63; c. בְּ (mit Lust) **sehen** (*be pleased to*) *see* Ps 92, 12 Si 51, 19, (mit Unlust) **sehn** (*be displeased to*) *see* 1 S 2, 32. cj 29; c. לְ **blicken auf** *look at* Ps 74, 20 104, 32 Hi 28, 24; c. עַל **sehen auf** *look on* Ha 2, 15.†

Der. מַבָּט, n. m. נְבָט.

נְבָט: n. m.; KF; נבט; asa. n. m. נבטאל, נבטעם, נבטכרב etc.: V. v. יָרָבְעָם: 1 K 11, 26—22, 53 (9 ×) 2 K 3, 3—23, 15 (12 ×) 2 C 9, 29 10, 2. 15 13, 6.†

נָבִיא: 309 ×; 92 × Ir, 46 × 1 K, 32 × 2 K, 26 × 2 C, 15 × Hs (l נְשִׂיאֶיהָ 22, 25); Lkš 3, 20 הנבא: Ableitung unsicher *etymology uncertain*; *נבא, ak. *nabū* rufen, berufen *call, appoint* (hebr. נבא ist *is* denom.!) führt auf *leads to* a) passiv: Berufener *the appointed one* oder *or* b) activ: Rufer, Sprecher *caller, speaker*; *F* Haeussermann, Wortempfang 1932, 8—11; נָבִיא LW in andern semit Sprachen *in other Semitic languages*: pl. נְבִיאִים, cs. נְבִיאֵי, sf. נְבִיאָיו, נְבִיאֵיכֶם: **Prophet** *prophet* Dt 13, 2 1 K 22, 7; נָבִיא לִיהוה 1 K 18, 22 22, 7 2 K 3, 11 2 C 28, 9†; Aaron נָבִיא für *for* מֹשֶׁה, der selber *who is* אֱלֹהִים für *for* פַּרְעֹה Ex 7, 1; Jahwäs Kundgebung an die *Yahve's manifestation unto the* נְבִיאִים Nu 12, 6; אִישׁ נָבִיא Jd 6, 8; נֶאֱמָן לְנָ׳ 1 S 3, 20, הֵקִים לְנָ׳ Am 2, 11 *F* Dt 18, 15. 18; נָבִיא :: רֹאֶה 1 S 9, 9; חֶבֶל נְבִיאִים 10, 5. 10, לַהֲקַת נְ׳ 19, 20; עָנָה בַּנְּ׳ י׳ 28, 6. 15, מָשַׁח לְנָ׳ 1 K 19, 16 u. מְשִׁיחַי//נְבִיאַי Ps 105, 15 1 C 16, 22; כָּל־עַם יהוה נְבִיאִים Nu 11, 29; נְבִיאֵי י׳ 1 K 18, 4. 13 19, 10. 14, נְ׳ הַבַּעַל 1 K 18, 19. 22. 25. 40 (450 Mann *men*). 2 K 10, 19, נְ׳ הָאֲשֵׁרָה 1 K 18, 19 (400 Mann *men*); בְּנֵי הַנְּבִיאִים 1 K 20, 35 2 K 2, 3. 5. 7. 15 4, 1. 38 9, 1; ihre Frauen *their wifes* 2 K 4, 1; נְ׳ e. Königs *of a king* 1 K 22, 22 f 2 K 3, 13 2 C 18, 21 f, einer Königin *of a queen* 2 K 3, 13, Israels *of Israel* Hs 13, 2. 4. 16 38, 17, Samarias *of Samaria* Ir 23, 13, Jerusalems *of Jerusalem* 23, 14 f Ze 3, 4; נְבִיאֵי מִלִּבָּם Hs 13, 2; אִישׁ הָרוּחַ//נָבִיא Ho 9, 7; עֲבָדַי הַנְּ׳ Ir 7, 25 25, 4 26, 5 29, 19 35, 15 44, 4 Sa 1, 6 *F* Am 3, 7; נְ׳ הַשֶּׁקֶר Ir 23, 26; נָבִיא in ungünstigem Sinn *in unfavorable meaning* Am 7, 14 Ir 23, 37 28, 9, ebenso *the same for*

בֶּן־נָ׳ Am 7, 14; als Propheten werden bezeichnet *the name of prophet is given to*: אַבְרָהָם Gn 20, 7, מֹשֶׁה Ho 12, 14 Dt 18, 15 34, 10, גָּד 1 S 22, 5, נָתָן 2 S 7, 2, אֲחִיָּה 1 K 11, 29, יֵהוּא 16, 7, אֱלִישָׁע 2 K 6, 12, יוֹנָה 14, 25, יְשַׁעְיָהוּ 19, 2, יִרְמְיָה Ir 20, 2, חֲנַנְיָה 28, 1, חֲבַקּוּק Ha 1, 1, חַגַּי Hg 1, 1, זְכַרְיָה Sa 1, 1, אֵלִיָּה Ma 3, 23 2 C 21, 12, שְׁמַעְיָה 2 C 12, 5, עִדּוֹ 13, 22, עֹדֵד 15, 8, שְׁמוּאֵל 35, 18; Tempelmusiker *musicians of the temple* 1 C 25, 1; 1 וּנְבָאִי Ir 23, 26.

Der. נבא, נְבוּאָה, נְבִיאָה.

נְבִיאָה: f. v. נָבִיא: **Prophetin** *prophetess*: מִרְיָם Ex 15, 20, חֻלְדָּה 2 K 22, 14 2 C 34, 22, die Frau v. *the wife of* יְשַׁעְיָהוּ Js 8, 3, נוֹעַדְיָה Ne 6, 14; דְּבוֹרָה אִשָּׁה נְבִיאָה Jd 4, 4.†

נְבָיוֹת u. **נְבָיֹת** Gn 25, 13: n. p. (n. m.); Ναβαιώθ: Söhne *sons of* יִשְׁמָעֵאל Gn 25, 13 נְ׳ וְקֵדָר 1 C 1, 29, נְ׳//קֵדָר Js 60, 7, מָחֲלַת Schwester v. *sister of* נְ׳ Gn 28, 9 36, 3; keilschr. *Nabajāti*, *Nibaʾāti*; nicht die Nabataër *not the Nabataeans* = נבטו (ט!) *F* J. Cantineau, Le Nabatéen, 1930.1932; Montg. 31. 45.†

***נֵבֶךְ**: *F* *נֶבֶךְ.

***נֶבֶךְ**: *נֵבֶךְ; algerisch-arab. *nabk* Treibsand *quicksand* JTS 34, 379: pl. cs. נִבְכֵי, c. יָם: **Sandboden** *sandy ground* vel ug. *npk* Quelle *source*, cf. ja., sy., mnd. נבג hervorkommen *come forth*: Quelle *source*: Hi 38, 16, cj Pr 8, 24.†

נבל: mhb. welken *wither*, ja. verächtlich sein *be contemptible*, ja. pi. u. sy. pa. schimpfen *despise*; نَبْل elendes Zeug *wretched things*; *F* בלל, בלה: qal: pf. נָבֵל, נָבְלָה, נָבֵלָה, impf. יִבּוֹל, תִּבֹּל, יִבֹּלוּ, יִבּוֹלוּן, inf. נָבֹל, נְבֹל, pt. נֹבֵל, נֹבֶלֶת: 1. **welken** *wither*: Laub *foliage* Js 1, 30 34, 4, cj 64, 5 (1 וַנִּבּוֹל) Ir 8, 13 Hs 47, 12 Ps 1, 3, Blumen *flowers* Js 28, 1. 4 40, 7 f, Gras *grass* Ps 37, 2, נֹבֶלֶת geschrumpfte Feige *shrivelled fig* Js 34, 4; **zerfallen** *fade, decay*: Erde *earth* Js 24, 4, Menschen *mankind* Ex 18, 18 2 S 22, 46 Ps 18, 46, cj Js 64, 5 u. Pr 11, 28; 2. **nichtig, töricht sein** *be senseless, foolish* Pr 30, 32; 1 יִפּוֹל Hi 14, 18; †

pi: pf. sf. נִבַּלְתִּיךְ, impf. תְּנַבֵּל, pt. מְנַבֵּל: **verächtlich behandeln** *treat with contumely* Dt 32, 15 Ir 14, 21 Mi 7, 6 Na 3, 6.†

Der. I, II נָבָל n. m., נְבָלָה, נִבְלָה, *נַבְלוּת.

I **נָבָל**: נבל: pl. נְבָלִים, f. נְבָלוֹת: **nichtig, töricht** *senseless, foolish* (sowohl intellektuell wie moralisch *both: intellectually and morally*; daher *therefore*:) **unverständig = gottlos** *stupid = impious*: Volk *people* Dt 32, 21 Ps 74, 18; Einzelner *individual* 2 S 3, 33 Js 32, 5 f Ir 17, 11 Ps 14, 1 39, 9 53, 2 74, 22 Pr 17, 7. 21. 30, 22 Hi 30, 8, הַנְּבָלוֹת 2 S 13, 13, הַנְּבָלִים Hi 2, 10; adj. הַנְּבִיאִים הַנְּבָלִים Hs 13, 3; *F* II u. נְבָלָה.†

II **נָבָל**: n. m.; = I; Name erklärt *name expounded* 1 S 25, 25; ph. n. m.: Mann v. *husband of* Abigail 1 S 25, 3—39 27, 3 30, 5 2 S 2, 2 3, 3.†

I **נֵבֶל**: (بَلَّ anfeuchten *moisten* = בלל v. „Schwitzen' des porösen Krugs? *said of the „sweating" of a porous vessel?*): pl. נְבָלִים, cs. נִבְלֵי, sf. נִבְלֵיהֶם: grosser (Vorrats-) **Krug** *large (storage-) jar* (Honeyman, PEF 1939, 84 f): aus Ton *earthen* Th 4, 2 Js 30, 14, f. Wein *for wine* 1 S 1, 24 10, 3 25, 18 2 S 16, 1 Ir 13, 12, נִבְלֵי שָׁמַיִם Hi 38, 37 (*F* מַבּוּל); *F* Js 22, 24 Ir 48, 12.†

Der. מַבּוּל.

II **נֵבֶל** u. **נֶבֶל**: = I נֵבֶל? von der Form *according the shape of the instrument?*; νάβλα > ναῦλα, ja. נִבְלָא: נֶבֶל, pl. נְבָלִים, sf. נְבָלֶיךָ: Saiteninstrument *string-instrument* Am 6, 5, mit 10 Saiten *with 10 strings* נֵבֶל עָשׂוֹר Ps 33, 2 *F* 92, 4 144, 9; **Harfe?** *harp?* BRL 391, Gressmann, Musik 23 f, Kolari, Musikinstrumente, 1947, 58—64; 1 S 10, 5 2 S 6, 5 1 K 10, 12 Js 5, 12 14, 11 Am 5, 23 6, 5 Ps 33, 2 57, 9 71, 22 81, 3 92, 4 108, 3 144, 9 150, 3 Ne 12, 27 1 C 13, 8 15, 16. 20. 28 16, 5 2 C 5, 12 9, 11 20, 28 29, 25. †

נְבָלָה: I נבל: 1. **Dummheit** (mit d. Nebensinn der Verfehlung gegen Gott) *senselessness* (*shewn in disregard of God's will*) 1 S 25, 25; 2. Euphemismus für **arge Sünde** *euphemism for heavy sin*, c. עָשָׂה Gn 34, 7 Dt 22, 21 Jos 7, 15 Jd 19, 23 20, 6. 10 2 S 13, 12 Ir 29, 23; עָשָׂה דְּבַר נְ׳ Jd 19, 24, c. דבר Js 9, 16 32, 6. †

נְבֵלָה: I נבל, mhb. נְבִילָה, ja. נְבִילְתָא: cs. נִבְלַת, sf. נִבְלָתָם: **Leiche** *corpse*, v. Menschen *of man* Dt 21, 23 Jos 8, 29 1 K 13, 22—30 2 K 9, 37 Ir 36, 30, coll. Dt 28, 26 Js 5, 25 26, 19? Ir 7, 33 9, 21 16, 4 19, 7 34, 20 Ps 79, 2, v. Tieren *of animals* Lv 5, 2 7, 24 11, 11. 24—40 17, 15 22, 8 Dt 14, 8. 21 Hs 4, 14 44, 31, v. Götzen *of idols* Ir 16, 18. †

***נַבְלוּת**: נבל; VG 1, 382: sf. נַבְלֻתָהּ: (weibliche) **Scham** (*womanly*) *privy parts* Ho 2, 12. †

נְבַלָּט: n. l.; *Bēt Nabālā* 7 km nö Lydda: Ne 11, 34. †

נבע: ak. *namba'u* Sprudel *bubbling spring*; mhb., ja., sy., نَبَع, [illegible] sprudeln *bubble*:
qal: pt. נֹבֵעַ **sprudeln** (Bach) *bubble, flow* (*brook*) Pr 18, 4; †
hif: impf. תַּבַּעְנָה, יַבִּיעוּן, אַבִּיעָה, יַבִּיעַ: **sprudeln lassen, fliessend hervorbringen** *cause to bubble, pour forth*: Geist *spirit* Pr 1, 23 Si 16, 25, Rede *speech* Ps 19, 3, חִידָה 78, 2, תְּהִלָּה 119, 171, זֵכֶר 145, 7, אִוֶּלֶת Pr 15, 2, רָעוֹת 15, 28, אָוֶן cj 19, 28 (l יַבִּיעַ), חֶרְפָּה Si 42, 14, זִמָּה 10, 13, גְּבוּרוֹת cj Ps 71, 16 (l אַבִּיעַ), dele יַבִּיעַ (dittogr.) Ko 10, 1. †
Der. מַבּוּעַ, אֲבַעְבֻּעוֹת.

נִבְשָׁן: הַנִּ׳ n. l.; in Südjuda *in southern Juda*: Jos 15, 62. †

נֶגֶב: *נגב, mhb. u. aram. נגב austrocknen *be parched*; soq. *ngb* trocknen *dry*; ug. n. t. *Ngb*; De L. 2, 125 ff; äg. *N(g)b* n. l? ETL 208: loc. נֶגְבָּה: d. Trockenland *the dry country*; d. regenarme Gebiet südlich v. Juda, dessen Nordgrenze je nach d. Regenperioden schwankt *the rainless stretches s. Juda the northern border of which varies according to the periods of rich or poor rain*: 1. d. **Trockenland**, Südland *the dry country, the south-country*, **Negeb**: אֶרֶץ הַנֶּגֶב Gn 24, 62 Nu 13, 29 Jos 15, 19 Jd 1, 15; c. אַרְצָה Gn 20, 1; הַנֶּגֶב Nu 21, 1 Dt 34, 3 Jos 10, 40 11, 16 Jd 1, 9 Ir 17, 26 Ob 19 Sa 7, 7 2 C 28, 18; עָרֵי הַנֶּ׳ Ir 13, 19 32, 44 33, 13 Ob 20; בַּנֶּגֶב Nu 13, 17. 22 33, 40 Dt 1, 7 Jos 12, 8 Js 21, 1 Ps 126, 4; נֶגְבָּה Jos 15, 1 f, הַנֶּגְבָּה Gn 12, 9 13, 1, בַּנֶּגְבָּה Jos 15, 21; נֶגֶב d. Südland von *the southern part of*: יְהוּדָה 1 S 27, 10 2 S 24, 7, עֲרָד Jd 1, 16, הַקֵּינִי u. הַיְרַחְמְאֵלִי 1 S 27, 10, כָּלֵב u. הַכְּרֵתִי 30 14; נֶגֶב **Negeb** Gn 13, 3 1 S 30, 1 Js 30, 6 Hs 21, 3. 9; 2. הַנֶּגֶב d. Südland = Ägypten *the south-country = Egypt* Da 11, 15. 29, מֶלֶךְ הַנֶּגֶב = d. über Ägypten herrschende Ptolemäer *the Ptolemean ruling Egypt* Da 11, 5 f. 9. 11. 14. 25. 40; 3. נֶגֶב **Süden** (Himmelsrichtung) *south* (*quarter of the compass*): פְּאַת נֶ׳ Südseite *south quarter* Nu 34, 3 35, 5 Hs 48, 16 = פְּ׳ נֶגְבָּה Jos 18, 15 Hs 48, 33, c. תֵּימָנָה Ex 26, 18 27, 9 36, 23 38, 9 Hs 47, 19 48, 28; גְּבוּל נֶגֶב Süd-grenze *south border* Nu 34, 3 Jos 15, 2. 4 18, 19, שַׁעַר נֶגֶב Hs 46, 9; נֶגֶב c. gen. südlich von *south of* Sa 14, 10; נֶגְבָּה nach Süden *south-ward* Gn 13, 14 28, 14 Ex 40, 24 Jos 15, 2 18, 13 f. 16. 19 1 K 7, 25 Hs 47, 19 48, 10 Sa 14, 4 Da 8, 4 1 C 9, 24 26, 15 2 C 4, 4, = לְנֶגְבָּה 1 C 26, 17; נֶגְבָּה לְ südlich von *south* *of* Jos 17, 9 f, = נֶ׳ מִן 18, 14, = מִנֶּגֶב לְ Nu 34, 4 Jos 15, 3. 8 18, 13 Jd 21, 19 Hs 47, 1; מִנֶּגֶב im Süden *on the south* Jos 18, 5 19, 34 1 S 14, 5; אֶל־הַנֶּגֶב nach Süden *toward the south* Da 8, 9, קֵדְמָה מִמּוּל נֶגֶב 1 K 7, 39 = קֵ׳ מִ׳ נֶגְבָּה 2 C 4, 10 gegen Südosten *eastward toward the south*; l נֶגֶד Jos 11, 2; ? Jos 15, 1 u. Hs 21, 2; *F* n. l. רָאמַת נֶגֶב u. רָמוֹת נֶגֶב. †

נגד: ja. נְגִידָא u. נַגְדָא u. ܢܓܘܕܐ Führer *leader*, cf. ph. n. m. נגד; نَجْد Hochland *high land*, نَجَدَ überragen, in die Augen fallen *be conspicuous*:

hif (328 ×): pf. הִגִּיד, הִגִּידָה, הִגַּדְתָּ, impf. יַגִּיד, וַיַּגֵּד, יַגֶּד־, אַגִּידָה, יַגִּדוּ, תַּגִּידוּ, sf. יַגִּידֶהָ, יַגִּדָהּ, יַגֶּדְךָ Dt 32, 7 (BL 367), אַגִּידֶנּוּ, נַגִּידֶנּוּ, inf. הַגֵּד, הַגִּיד, cs. לְהַגִּיד = לַגִּיד, הַגִּיד 2 K 9, 15, imp. הַגֵּד, הַגֶּד־, הַגִּידָה, הַגִּידִי, pt. מַגִּיד, f. מַגֶּדֶת: e. Sache hoch, deutlich vor jmd. hinstellen = **vorbringen, berichten, erzählen, mitteilen** *place a matter high, conspicuously before a person* = *make known, report, tell*: הִגִּיד לוֹ teilte ihm mit *told him* Gn 3, 11, c. ac. etwas *a thing* 1 S 3, 15, jmd. *a person* Hi 31, 37 2 K 7, 9. 11 Hi 17, 5 (l לְחַלֵּק), c. עַל über *about* 1 S 27, 11, c. אֶל an *unto* Ex 19, 9, c. אֶת zusammen mit *together with* Hi 26, 4; הִגִּיד כִּי teilt mit, dass *tells that* Gn 3, 11, c. מַה was *what* 29, 15 Am 4, 13, c. הֲ ob *whether* Gn 43, 6; c. חֲלוֹם Gn 41, 24 u. c. חִידָה Jd 14, 12 **deuten, auflösen** *explain, solve*; c. 2 ac. jmd. über etw. unterrichten *inform a person of a thing* Hs 43, 10; מַגִּיד **Bote, Melder** *messenger* 2 S 15, 13 Ir 51, 31; l וּלְדָוִד הֻגַּד 2 S 15, 31, l הֻגַּד Mi 6, 8, l אָגִיל Ps 75, 10, l הִגְדַּלְתָּ 1 S 24, 19, l הִגְדִּילְךָ 2 S 7, 11; l תָּעִידוּ Js 48, 6;

hof †: pf. הֻגַּד, impf. וַיֻּגַּד, inf. הֻגֵּד: **mitgeteilt werden** *be reported, told*: Dt 17, 4 Jd 9, 25 2 S 10, 17 1 K 10, 7 Js 21, 2 40, 21 Ru 2, 11 1 C 19, 17 2 C 9, 6, c. לְ an *to* Gn 22, 20, c. אֶת rei etwas *a thing* Gn 27, 42 Jos 9, 24 2 S 21, 11 1 K 18, 13, c. לֵאמֹר (dass *that*) Gn 22, 20 38, 13. 24 Jos 10, 17, cj Jd 16, 2, 1 S 15, 12 19, 19 2 S 6, 12, cj 15, 31, 1 K 1, 51 2 K 6, 13 8, 7 Js 7, 2; c. כִּי dass *that* Gn 31, 22 Ex 14, 5 Jd 9, 47 1 S 23, 7. 13 27, 4 1 K 2, 29. 41, c. הִנֵּה 2 S 19, 2, c. מַה cj Mi 6, 8.

Der. נָגִיד, נֶגֶד.

נֶגֶד (150 ×, l נֶגְדּ 1 S 16, 6, l אַגִּיד Ps 51, 5): נגד: loc. נֶגְדָּה (ohne *without* dāgēsch!), sf. נֶגְדְּךָ, נֶגְדּוֹ: 1. subst. (nur noch Reste ältern häufigern Gebrauchs *only remainders of an earlier more frequent use*) **Gegenüber, Entsprechung** *counterpart*: כְּנֶגְדּוֹ wie s. Gegenstück > zu ihm passend *as his counterpart > fitting him, suiting him* Gn 2, 18. 20, נֶגֶד הַשֶּׁמֶשׁ im hellen Sonnenlicht *right in the sun* Nu 25, 4 2 S 12, 12; רָעָה נֶגֶד פְּנֵיכֶם ihr habt Böses im Sinn *evil is your purpose* Ex 10, 10; נֶגֶד פְּנֵיכֶם nach eur. eignen Urteil *in your own sight* Js 5, 21; > 2. praep. c. gen. vel sf.: a) **angesichts, vor** *in sight of, before* Gn 31, 32 (u. oft *a. often*); b) **gegenüber von** *in front of* Ex 19, 2 Jos 3, 16 Hs 40, 23 Ne 3, 10 (l נֶגֶד), etc.; c) **vor, nach d. Urteil von** *before, in the eyes of* Js 40, 17; d) c. עֵינֵינוּ **sodass wir es mitansehen mussten** *a. we have to eye it* Jl 1, 16; e) נֶגְדְּךָ, נֶגְדָּהּ, נֶגְדּוֹ **gerade vor** sich, dich hin *straight before him, her, thee* Jos 6, 5. 20 Ir 31, 39 Am 4, 3; 3. לְנֶגֶד praep. a) **vor ... her** *in front of* Gn 33, 12; b) **gegenüber, vor** *before* 2 K 1, 13 Ha 1, 3, etc.; c) לְנֶגְדִּי **gegen m. Willen** *against my will* Nu 22, 32; d) לְנֶגְדִּי **mir gegenwärtig** *present for me* 2 S 22, 23 Ps 16, 8 18, 23; לְנֶגְדְּכֶם **vor eur. Augen** *in your presence* Js 1, 7, e) לְנֶגֶד **vor ... hin** *before* Ps 54, 5 86, 14 90, 8 101, 3; f) לְנֶגְדָּם **gerade**

vor sich hin *straight before them* Ne 12, 37; g) לְנֶגֶד hinsichtlich *concerning* Ne 11, 22; 4. מִנֶּגֶד adverb. a) **gegenüber** *over the way* Gn 21, 16 Dt 28, 66 32, 52 2 K 2, 7. 15 3, 22 4, 25, cj Hs 40, 2 (Text!), Ps 38, 12?; b) **abseits** *aside* 2 S 18, 13 Ob 11; 5. מִנֶּגֶד praep. a) **fort von** *away from* Js 1, 16 Am 9, 3 Jon 2, 5 Ct 6, 5; b) **fern von** *far from* 1 S 26, 20 Ps 10, 5 31, 23; הִשְׁלִיךְ נַפְשׁוֹ מִנֶּגֶדוֹ (l מִנֶּגְדּוֹ) wagt s. Leben daran *risks his life* Jd 9, 17; c) **gegenüber von** *in front of* Ne 3, 25. 27; d) = מִנֶּגֶד לְ Jd 20, 34; מִנֶּגֶד סָבִיב לְ rundum gegenüber von *round about in front of* Nu 2, 2; מִנֶּגֶד לְ **aus d. Weg** *out of the way of* Pr 14, 7; 6. עַד־נֶגֶד **bis gegenüber** *unto in front of* Ne 3, 16. 26; † 7. נֶגְדָה־נָּא לְ **angesichts von** *in the eyes of* Ps 116, 14. 18; fraglich *doubtful* Ps 18, 13 u. Ne 3, 19; cj pl. נְגָדִים Gerades, Richtiges *straight*, *right words* Pr 8, 6 (Grolhenberg briefl. *by letter*).

נגה: ug. *ngh*; ak. *nigū*; fröhlich sein *be joyful*; *F* ba. נְגַהּ; ܢܓܗ u. [illegible] strahlen *shine*; cf. نَجَهَ entgegentreten *step up* Nöld. NB 196:
qal: pf. נָגַהּ, impf. יִגַּהּ: **aufleuchten, glänzen** *shine* Js 9, 1 Hi 18, 5 22, 28; †
hif: impf. יַגִּיהַּ: **aufleuchten lassen** *cause to shine* 2 S 22, 29 Ps 18, 29 Js 13, 10. †
Der. I נֹגַהּ, II n. m., *נְגֹהָה.

I **נֹגַהּ**: נגה; mhb. נֹגַהּ Venusstern *Venus (star)*: sf. נָגְהָם: **Glanz, heller Schein** *brightness* 2 S 22, 13 Ps 18, 13 Js 4, 5 50, 10 60, 3. 19 62, 1 Hs 1, 4. 13. 27 f 10, 4 Am 5, 20 Jl 2, 10 4, 15 Ha 3, 4 (l וְנָגְהוֹ). 11 Pr 4, 18, cj מִנֹּגַהּ ohne Gl. *without br.* Js 8, 22; pro מְנֻדָּח; 2 S 23, 4 l מַגִּיהַ; *F* II. †

II **נֹגַהּ**: n. m.; = I: S. v. דָּוִד: 1 C 3, 7 14, 6. †

***נְגֹהָה**: נגה: pl. tant. נְגֹהוֹת: **Lichtglanz** *brightness* Js 59, 9. †

נגח: mhb., ja. stossen *push*; ug. *ngḥ*:
qal: impf. יִגַּח, יִגָּח: **stossen** (Rind) *gore (ox)* Ex 21, 28. 31 f; †
pi: impf. יְנַגַּח, תְּנַגְּחוּ, נְנַגֵּחַ, pt. מְנַגֵּחַ: **stossen, niederstossen** *push, thrust at* Dt 33, 17 1 K 22, 11 Hs 34, 21 Ps 44, 6 Da 8, 4 2 C 18, 10; †
hitp: impf. יִתְנַגַּח: **zusammenstossen mit** (עִם) *engage in thrusting with* (עִם) Da 11, 40. †
Der. נַגָּח.

נַגָּח: נגח: **stössig** (Rind) *addicted to goring (ox)* Ex 21, 29. †

נָגִיד: נגד: cs. נְגִיד, נְגִד, pl. נְגִידִים: **Vorsteher, Anführer** *chief, leader*; Alt, Staatenbildung 29: 1. v. צֹר Hs 28, 2, sg. collect. v. אַשּׁוּר 2 C 32, 21, pl. // מַלְכֵי אֶרֶץ Ps 76, 13; sg. Pr 28, 16 Hi 31, 37, pl. Hi 29, 10, Unterführer *minor leader* v. דָּוִד 1 C 13, 1; 2. (in kleinerm Bereich *in a smaller domain*) נָ׳ בְּבֵית י׳ Ir 20, 1, נְ׳ בֵּית הָאֱלֹהִים Ne 11, 11 1 C 9, 11 2 C 31, 13, pl. 35, 8; נְ׳ הַבַּיִת (Palast *palace*) 2 C 28, 7, עַל־הָאֹצָרוֹת 1 C 26, 24, לְכֹל־דְּבַר הַמֶּלֶךְ 2 C 19, 11, *F* 31, 12; 3. sg. Familienhaupt *head of family* 2 C 11, 22, Oberhaupt (über Kultdiener) *head (of staff)* 1 C 9, 20; pl. Befehlshaber *captain* 2 C 11, 11 Si 46, 13; Titel *title* 1 C 27, 4. 16; 4. d. **Anführer** Israels, v. Jahwä bestellt *the leader of Israel appointed by Yahveh*: David 1 S 9, 16 10, 1 (משׁח) 13, 14 25, 30 2 S 5, 3 (:: מֶלֶךְ) 6, 21 7, 8 1 C 5, 2 11, 2 17, 7 28, 4 2 C 6, 5, Salomo 1 K 1, 35 1 C 29, 22 (משׁח), יָרָבְעָם 1 K 14, 7, חִזְקִיָּהוּ 2 K 20, 5, יֵהוּא 1 K 16, 2; David ist *is* נָגִיד וּמְצַוֵּה לְאֻמִּים Js 55, 4; cj (יהוה) נְגִד 1 S 16, 6; 5. Einzelnes *particulars*: מָשִׁיחַ נָגִיד Da 9, 25. *F* 26; נְגִיד בְּרִית (d. Hohepriester *the High Priest*) Da 11, 22; Pr 8, 6 *F* נֶגֶד. †

***נְגִינָה** u. **נְגִינַת** (BL 511) Ps 61, 1 †: נגן: sf. נְגִינָתָם; pro נְגִינָתִי l הָגִיתִי Ps 77, 7, pl. נְגִינוֹת; in נְגִינוֹתַי Js 38, 20, נְגִינוֹתָי Ha 3, 19

-aj, āj ist Ableitungsendung *are endings of derivation*: 1. **Saitenspiel** *music (of stringed instruments)* Js 38, 20 Ps 69, 13 Th 5, 14 Si 47, 9; 2. **Spottlied** *mocking song* Hi 30, 9 Th 3, 14; 3. musikalischer Terminus: Saiteninstrument? *musical term: stringed instrument?* Ha 3, 19 Ps 4, 1 6, 1 54, 1 55, 1 61, 1 67, 1 76, 1. †

*נגל: F מַגָּל.

נגן: ak. *nigūtu* Spiel, Musik *music*; mhb. pi. u. ja. pa. spielen *play (an instrument)*:
qal: pt. נֹגְנִים: **Saitenspieler** *players* Ps 68, 26; †
pi: pf. נִגֵּן, impf. נְנַגֵּן, pt. מְנַגֵּן, inf. נַגֵּן: e. Saiteninstrument **spielen** *play a stringed instrument* 1 S 16, 16 (1 נַגֵּן) 18. 23 18, 10 19, 9 2 K 3, 15 Js 23, 16 38, 20 Hs 33, 32 Ps 33, 3; pt. fem. מנגינת Musikantin *female musician* Si 9, 4. †
Der. נְגִינָה, מַנְגִּינָה*.

נגע: mhb., äga., ja. berühren *touch*; ph. BAS 116, 12:
qal (107 ×): pf. נָגַע, נָגְעָה, נָגְעוּ, sf. נְגָעֲנוּךָ, impf. יִגַּע, יִגְּעוּ, תִּגָּעוּ, inf. נְגוֹעַ, לִנְגֹּעַ u. נַגַּעַת, לָגַעַת, sf. נָגְעֵךְ, imp. גַּע, pt. נֹגֵעַ, נֹגַעַת, נֹגְעֹת, pass. נָגוּעַ: 1. **berühren** *touch*, c. בְּ Gn 3, 3, c. אֶל 1 K 6, 27, c. עַל Js 6, 7, c. ac. 52, 11; 2. Besonderes *particulars*: נָגַע בְּ jmd etw. **zu Leid tun** *injury, wrong* (vb.) Gn 26, 11; נָגַע אֶל e. Frau **anrühren** *harm a woman* 20, 6, נָגַע אֶת jmd. antasten *touch a person* 26, 29, נָגַע בְּ jmd. (feindlich) **antasten** *hurt a person* Jos 9, 19 2 S 14, 10; נָגוּעַ angerührt, **getroffen** *touched, hurt(ed)* // מֻכֵּה Js 53, 4 Ps 73, 14; 3. נָגַע עַד **reichen bis** *reach unto* Js 16, 8 Ir 4, 10, נָגַע אֶל **rühren** (bis) an *extend (un)to* Ir 51, 9; וַיִּגַּע הַדָּבָר אֶל kam bis zu *reached, spread to* Jon 3, 6; וַיִּגַּע הַחֹדֶשׁ d. M. kam herbei *the m. came* Esr 3, 1 Ne 7, 73; יִגַּע 2 S 5, 8 F יגע pi;
nif: pt. נִגָּע getroffen *touched, hurt(ed)* Si 30, 14; †
pi: pf. sf. נִגְּעוֹ, impf. וַיְנַגַּע: **schlagen, treffen** *strike* (subj. יהוה) Gn 12, 17 2 K 15, 5 2 C 26, 20; †
pu: impf. יְנֻגָּעוּ: **betroffen, geschlagen werden** *be stricken* Ps 73, 5; †
hif: pf. הִגִּיעַ, הִגַּעַתְּ, הִגַּעַת (= הִגַּעַתְּ vel הִגַּעַת) Est 4, 14, הִגִּיעוּ, הִגַּעְתָּם, sf. הִגַּעְתִּיהוּ, impf. יַגִּיעַ, וַיַּגַּע, יַגִּיעוּ, sf. יַגִּיעֶנָּה, inf. הַגִּיעַ, sf. הַגִּיעֵנוּ, pt. מַגִּיעַ, pl. cs. מַגִּיעֵי, f. מַגַּעַת: 1. c. ac. **berühren** *touch* Gn 28, 12, **erreichen** *reach, come to* Da 12, 12 Js 30, 4; c. ac. et בְּ **etw. an etw. rühren lassen** *cause a thing to touch a thing, join* Js 5, 8; כִּי יַגִּיעַ Sa 14, 5 F גַּעְהּ; 2. c. אֶל an etw. **rühren lassen** *cause to touch a thing* Ex 12, 22 Hs 13, 14 Ps 32, 6, = c. לְ Ex 4, 25, = c. עַל Js 6, 7 Ir 1, 9; 3. c. עַד **reichen an** *reach to* Js 8, 8 25, 12 26, 5 Ps 107, 18 2 C 28, 9, = c. לְ Ps 88, 4 Hi 20, 6 Th 2, 2 2 C 3, 11 (1 מַגַּעַת). 12 Si 13, 23 51, 6; c. אֶל **gelangen zu** *come to* 1 S 14, 9 Ko 8, 14 Si 50, 19; 4. absol. **eintreffen, herankommen** *arrive, come* Est 6, 14 Da 8, 7 Hs 7, 12 (יוֹם) Ct 2, 12 (עֵת) Ko 12, 1 (שָׁנִים) Est 2, 12 u. 15 (תֹּר); **hinkommen** *come* Est 4, 3 8, 17 9, 1; 5. הִגִּיעַ יָדוֹ s. **Hand kann erschwingen, leisten** *his hand is able to reach, he can afford* Lv 5, 7; הִגִּיעַ לְמַלְכוּת **kommt zur** Herrschaft *comes to the kingdom* Est 4, 14; הִגִּיעַ אֶל **betrifft** jmd. *comes upon a person* Est 9, 26; †
cj hof: pf. הֻגַּע: הֻגַּע לַמָּוֶת **ist** zu Tod **getroffen worden** *is struck deadly* cj Js 53, 8 (:: Nyberg ZDM 92, 331 f). †
Der. נֶגַע.

נֶגַע: נֶגַע, נִגְעוֹ, נִגְעֵךְ, pl. נְגָעִים, cs. נִגְעֵי: **Berührung, Plage** *stroke, plague*; 1. (allgemein) Plage, Heimsuchung *stroke, affliction(s)* Gn 12, 17 Ex 11, 1 1 K 8, 37 f Ps 39, 11 89, 33

91, 10, cj 30, 6, 2 C 6, 28 f; 2. **Schlag, Gewalttat** *stroke, deed of violence* Dt 17, 8 21, 5 2 S 7, 14 (zur Züchtigung *for correction*) Pr 6, 33; 3. **Plage, Mal** (durch Hautkrankheit) *plague, mark* (*by skin-disease*) נֶגַע הַצָּרַעַת Dt 24, 8, an Menschen, Kleidern, Stoffen, Häusern *on human bodies, garments, materials, buildings* Lv 13, 2—59 14, 3. 34 f. 54; fraglich *doubtful* Ps 38, 12; l הֻגַּע לַמָּוֶת Js 53, 8? †

נגף: mhb., ja.; F נקף; £76. schütteln *shake*; Nöld. NB 197 وَجَفَ; Robinson AJS 46, 198 ff:
qal: pf. נָגַף, נְגָפוֹ, sf. נְגָפוֹ, נְגָפָנוּ, impf. יִגֹּף, אֶגּוֹף, sf. וַיִּגְּפֵהוּ, יִגְּפֵנוּ, inf. נָגֹף, לִנְגֹּף, sf. נָגְפוֹ, pt. נֹגֵף: stossen, schlagen *strike, smite*: 1. c. ac. **stossen** *hurt* Ex 21, 22. 35, **schlagen** (mit Plage, Tod, Niederlage) *smite* (*with plague, death, defeat*) Ex 12, 23. 27 32, 35 Jos 24, 5 Jd 20, 35 1 S 4, 3 25, 38 26, 10 2 S 12, 15 Js 19, 22 Sa 14, 12. 18 Ps 89, 24 2 C 13, 15. 20 14, 11; 2. c. ac. et בְּ: jmd **schlagen mit** *smite a person with* Ex 7, 27 2 C 21, 18; 3. c. בְּ jmd **schlagen** *smite a person* 2 C 21, 14; 4. תִּגֹּף רַגְלוֹ בְּ s. Fuss **stösst an** *h. foot dashes against* Ps 91, 12 Pr 3, 23; †
nif: pf. נִגַּף, נִגְּפוּ, נִגְּפוּ, impf. וַיִּנָּגֶף, וַיִּנָּגְפוּ: **geschlagen werden** *be smitten* (לִפְנֵי angesichts *in front of*) Lv 26, 17 Nu 14, 42 Dt 1, 42 Jd 20, 32. 39 1 S 4, 2 7, 10 2 S 2, 17 10, 15. 19 18, 7 1 K 8, 33 2 K 14, 12 1 C 19, 16. 19 2 C 6, 24 25, 22, Jd 20, 36 1 S 4, 10 2 C 20, 22; נָתַן נִגָּפִים לִפְנֵי angesichts jmd. s **geschlagen werden lassen** *cause to be smitten before* Dt 28, 7. 25; †
hitp: impf. יִתְנַגְּפוּ: **sich aneinander stossen** *hurt one another* Ir 13, 16. †
Der. נֶגֶף, מַגֵּפָה.

נֶגֶף: נגף: נֶגֶף: 1. **Anstoss** *striking* Js 8, 14; 2. **Stoss, Plage** *blow, plague* Ex 12, 13 30, 12 Nu 8, 19 17, 11 f. †

נגר: F גרר; ja., sy. lang sein (Zeit) *be long* (*time*), ja. fliessen *flow*:
nif: pf. נִגְּרָה, pt. נִגָּרִים, נִגָּרוֹת: **rinnen, sich ergiessen** *run, flow, be poured* 2 S 14, 14 Ps 77, 3 (נֶפֶשׁ) Th 3, 49 (Auge *eye*); sich ergiessendes Wasser *water poured out* (Dhorme) Hi 20, 28; †
hif: pf. הִגַּרְתִּי, impf. וַיַּגֵּר, sf. יַגִּירֵהוּ, imp. sf. הַגִּרֵם: **hingiessen** *pour down* Menschen *men* Ir 18, 21 Hs 35, 5 Ps 63, 11, Wein *wine* Ps 75, 9, l וְהִגְלוֹתִי (Budde) Mi 1, 6; †
hof: pt. מֻגָּרִים, cs. cj מֻגְּרֵי: **hingegossen werden** *be poured down* Mi 1, 4, cj Hs 21, 17. †

נגשׂ: F נגשׂ; نَجَشَ (Jagdwild) scheuchen *rouse* (*a. drive game*); asa. נגשׂ Abgabe auferlegen *impose tribute*:
qal: pf. נָגַשׂ, impf. יִגֹּשׂ, תִּנְגְּשׂוּ, pt. נֹגֵשׂ, נֹגְשִׂים, sf. נֹגְשָׂיו, נֹגְשֵׂיהֶם: 1. **aufjagen** *stalk* Hi 39, 7; 2. (Abgaben) **eintreiben** *exact* (*tribute*) 2 K 23, 35 (l מֵאֵת עַם) Da 11, 20; 3. c. בְּ (Menschen) **treiben** *drive to work* (*men*) Ex 5, 6 Js 9, 3, Ex 3, 7 5, 10. 13 f Sa 9, 8 Hi 3, 18; 4. (Schuldner) **drängen** *press* (*debtors*) Dt 15, 2 f Js 58, 3; 5. pt. **Gewalthaber** *oppressor, tyrant* Js 14, 2. 4 Sa 10, 4; pl. **Obrigkeit** *government* Js 3, 12 60, 17; †
nif: pf. נִגַּשׂ: 1. **sich drängen** *jostle one another* Js 3, 5; 2. **bedrängt werden** *be hard pressed* 1 S 13, 6 Js 53, 7; ? 1 S 14, 24. †

נגשׁ: F נגשׁ; ug. *ngš/ṯ* pi. antreiben *drive* (*to work*); Streck, Babyloniaca 1, 50, Torczyner ZDM 66, 392:
qal: pf. u. pt. durch nif. ausgedrückt *expressed by nif*; impf. יִגַּשׁ, יִגַּשׁ, יִגְּשׁוּ, יִגָּשׁוּ (BL 233) Hi 41, 8 u. יִגָּשׁוּ Ex 24, 2, וַתִּגַּשְׁןָ Gn 33, 6, inf. גֶּשֶׁת, sf. גִּשְׁתּוֹ, imp. גַּשׁ, גֶּשׁ־ Gn 19, 9, גְּשָׁה, fem. גֹּשִׁי Ru 2, 14, גְּשׁוּ Gn 45, 4 u. גֹּשׁוּ (BL 367) Jos 3, 9: 1. **herzutreten, sich nähern**

draw near, approach Gn 18, 23 19, 9 27, 21. 26f. 29, 10 33, 6f. 45, 4 Ex 24, 2 Lv 21, 21 Jos 3, 9 1 S 14, 38 2 S 1, 15 1 K 18, 36 20, 28 22, 24 2 K 4, 27 5, 13 Js 41, 1 Ir 42, 1 Hs 9, 6 Jl 4, 9 Ru 2, 14 2 C 18, 23 29, 31; גֶּשׁ־הָלְאָה **mach dich fort!** *get away!* Gn 19, 9; 2. c. אֶל: **sich nähern** *approach* Gn 27, 22 43, 19 44, 18 45, 4 Ex 34, 30; Ir 30, 21 Hs 44, 13 (zu Gott *God*); **herantreten an** *step up to* Ex 24, 14 Nu 32, 16 Jos 14, 6 21, 1 1 S 9, 18 (l אֶל) 17, 40 30, 21 (l אֶל) 1 K 18, 21. 30 20, 22 2 K 2, 5 Js 50, 8 Ps 91, 7 Esr 4, 2, an e. Sache *to a thing* Ex 28, 43 30, 20 Lv 21, 23 Nu 4, 19 8, 19 Hs 44, 13 (l אֶל); **sich** jmd (im Rechtstreit) **stellen** *present oneself* (*before a court*) Js 50, 8; c. אֶל־אִשָּׁה mit e. Frau **zu tun haben** *come near a woman* Ex 19, 15; 3. c. עַד **nahe herankommen** an *come near to* Gn 33, 3 Jd 9, 52, cj Am 9, 10; 4. c. לְ jmd **rücken** (Platz machen) *make room, draw close together* Js 49, 20; 5. (militär.) **anrücken** *come up, draw near* Jos 8, 11, c. לַמִּלְחָמָה Jd 20, 23 2 S 10, 13 Ir 46, 3 1 C 19, 14; 6. c. בְּ **sich anfügen an** *fit closely together* Hi 41, 8; †

nif (steht für *used instead of* pf. u. pt. qal): pf. נִגַּשׁ, נִגְּשׁוּ, pt. נִגָּשִׁים: **sich nähern, herzutreten** *draw near, approach* Gn 33, 7 Ex 34, 32 Dt 20, 2 21, 5 Js 29, 13, c. אֶל Dt 25, 9 1 K 20, 13 Esr 9, 1, Ex 20, 21 2 S 11, 21, c. אֶל־יהוה Ex 19, 22 24, 2 Ir 30, 21, c. אֶל־מִשְׁפָּט **vor Gericht gehn** *come before the judges* Dt 25, 1, c. לַמִּלְחָמָה **zum Kampf anrücken** *draw near to battle* 1 S 7, 10, c. אֶל־עִיר **vor e. Stadt ziehn** *approach a town* 2 S 11, 20, c. בְּ dicht an jmd rücken, jmd **einholen** *overtake a person* Am 9, 13; †

hif: pf. הִגִּישׁוּ, sf. הִגִּישׁוֹ, impf. יַגִּשׁ, וַיַּגֵּשׁ, יַגִּישׁוּ, תַּגִּישׁ, תַּגִּישׁוּן, תַּגִּשׁוּן, וַיַּגֵּשׁ Jd 6, 19, imp. הַגִּישָׁה, הַגִּישׁוּ, pt. מַגִּישׁ, מַגִּשִׁים, מַגִּישֵׁי: **herbeibringen** *bring near, bring* Gn 27, 25 48, 10. 13 Ex 21, 6 Jd 6, 19 1 S 14, 34 15, 32 28, 25 (לִפְנֵי) 2 S 17, 29 1 K 5, 1 2 K 4, 5f Hi 40, 19(?); (Opfer) **darbringen** *bring* (*sacrifice*): זֶבַח Am 5, 25, שְׁלָמִים Ex 32, 6, מִנְחָה Lv 2, 8 Ma 2, 12 3, 3 חַטָּאת Lv 8, 14 2 C 29, 23, עֹלָה 1 S 13, 9, *F* Ma 1, 7f; **herbeibringen** *bring*: אֵפֹד 1 S 14, 18! 23, 9 30, 7; c. לֶאֱכֹל אֶל jmd zu essen **bringen** *bring to eat for* 2 S 13, 11, c. עֲצֻמוֹת Beweise **beibringen** *produce proofs* Js 41, 21, etw. **vorbringen** *bring forth* (*tell*) *a thing* 41, 22 45, 21; (cj שְׁנַת) **herbeiführen** *bring on* Am 6, 3; l תִּגַּשׁ 9, 10; †

hof: pf. הֻגָּשׁוּ, pt. מֻגָּשׁ: c. לְ **an etw. gebracht werden** *be put into* 2 S 3, 34, pt. **dargebracht** (Opfer) *brought* (*offering*) Ma 1, 11; †

hitp: imp. הִתְנַגְּשׁוּ: **sich heranmachen** *draw near* Js 45, 20. †

נֵד: II *נדד; نَدّ hoher Hügel *high hill*: **Damm, Wall** *dam, barrier* Ex 15, 8 Jos 3, 13. 16 Ps 78, 13; l כַּנֵּד 33, 7; l נֵד (נדד) Js 17, 11. †

נֹד: *F* נֹאד.

נדא: NF v. נדה; نَدَأَ antreiben (Vieh) *drive* (*cattle*): וַיַּדַּא 2 K 17, 21 (Q. u. MSS וַיַּדַּח): l impf. qal וַיִּדָּא vel hif. וַיַּדָּא: c. מֵאַחֲרֵי: **trennen, abbringen von** *detach, remove from*. †

נדב: mhb., ja. pa. freiwillig tun *do willingly*; *F* ba. hitp.; نَدَبَ rufen, antreiben *call, incite*, نَدُبَ edel, bereitwillig sein *be noble, willing*:

qal: pf. נָדַב, נְדָבָה, impf. sf. יִדְּבֶנּוּ: **antreiben** *incite*, subj. לֵב Ex 25, 2 35, 29, רוּחַ 35, 21; †

hitp: pf. הִתְנַדְּבוּ, impf. וַיִּתְנַדְּבוּ, inf. הִתְנַדֵּב, הִתְנַדֶּב־, pt. מִתְנַדֵּב: 1. **sich willig zeigen** *volunteer* Ne 11, 2 1 C 29, 6, **sich freiwillig erbieten** *volunteer* 1 C 29, 5, **sich freiwillig** (z. Krieg) **stellen** *volunteer* (*for war*) Jd 5, 2. 9, (z. Kult *for temple service*) 2 C 17, 16;

2. **freiwillig geben** *offer free will-offerings* Esr 1, 6 2, 68 3, 5 1 C 29, 9. 14. 17. †
Der. נְדָבָה, נָדִיב, נְדִיבָה; ה. m. נָדָב, נְדַבְיָה, עַמִּינָדָב, יְהוֹנָדָב, אֲחִינָדָב, אֲבִינָדָב.

נָדָב: n. m., KF < נְדַבְיָה; amor. *Nadubum*, mo. כמש-*nadbi*; asa. נדב, נדבן Ryck. 2, 92: 1. K. v. Israel 1 K 14, 20 15, 25. 27. 31; 2. S. v. אַהֲרֹן (stets *always* // אֲבִיהוּא) Ex 6, 23 24, 1. 9 28, 1 Lv 10, 1 Nu 3, 2. 4 26, 60 f 1 C 5, 29 24, 1 f; 3. 1 C 2, 28. 30; 4. 1 C 8, 30 9, 36. †

נְדָבָה: נדב: cs. נִדְבַת, pl. נְדָבוֹת, cs. נִדְבוֹת, sf. נִדְבוֹתֶיךָ, נִדְבוֹתֵיכֶם: 1. **freier Antrieb** *impulse, free will*, adv. aus fr. Antrieb *of one's own will* Ho 14, 5, = בְּנ׳ Ps 54, 8; גֶּשֶׁם נְדָבוֹת **ausgiebiger Regen** *copious rain* Ps 68, 10; 2. **freiwillige Gabe** (unter plötzlichem Antrieb gegeben) *voluntary offering (given by an impulse)*: : נֶדֶר Lv 7, 16 : Ex 35, 29 36, 3 Lv 7, 16 22, 18. 23 23, 38 Nu 29, 39 Dt 12, 6. 17 23, 24 Hs 46, 12 Am 4, 5 Ps 119, 108 Esr 1, 4 3, 5 8, 28 2 C 31, 14, לִנ׳ als freiw. G. *for a free will offer.* Lv 22, 21 2 C 35, 8, = בִּנ׳ Nu 15, 3; נִדְבַת יָדְךָ freie Gabe v. d. Hand *voluntary gift of th. h.* Dt 16, 10; ? Ps 110, 3. †

נְדַבְיָה: n. m.; נדב u. י׳; > נָדָב; נדבאל Dir. 352; palm. נדבאל Sy 11, 243; keilschr. *Nadbijāu* APN 165; Νεδεβαῖος Jos. Antt. 20, 103: 1 C 3, 18. †

נדד: *F* נוד, נדה, נדר; *F* ba. נדד; mhb., ندّ fliehen *flee*:
qal: pf. נָדְדָה, נָדְדוּ, impf. יִדּוֹד, וַתִּדַּד, inf. נְדֹד, pt. נוֹדֵד, נוֹדֶדֶת, נֹדְדִים: 1. **fliehen, flüchten** *flee, run away* Gn 31, 40 Js 10, 31 16, 2 f 21, 14 f 22, 3 33, 3 Ir 4, 25 9, 9 49, 5, cj Hs 31, 12 (l וַיִּדְּדוּ), Ho 7, 13 9, 17 Na 3, 7 Ps 31, 12 55, 8 Pr 27, 8 Est 6, 1, cj Da 2, 1 (l נָדְדָה); cj נַד Js 17, 11; 2. c. ac.: כָּנָף **mit d. Flügel schlagen** *flutter wings* Js 10, 14; 3. c. לְ: **umherirren nach** *wander, stray searching* Hi 15, 23; 4. l יִנָּדוּן Ps 68, 13. 13 *F* hif; †
po'el: pf. נוֹדֵד: **flüchten** *flee away* Na 3, 17 (l ונודדו); †
hif: impf. cj יַנְדּוּן Ps 68, 13, sf. יְנִדֻּהוּ: **verjagen** *chase away* Hi 18, 18, cj Ps 68, 13. 13; †
hof: impf. יֻדַּד, pt. מֻנָד: **verscheucht werden** *be chased away* Hi 20, 8, **verweht werden** *be tossed about* (Dochtreste *snuffs*) 2 S 23, 6. †

II *נדר: *F* נֵד.

נְדֻדִים: Abstraktform v. *abstract of* נדד, wie *like F* גְּאוּלִים, זְקֻנִים: **Unrast** *restlessness* Hi 7, 4, cj Ps 56, 9 (l נְדֻדַי). †

I **נדה**: ak. *nadū* werfen *throw*; Si 6, 11 hitp. abrücken von *move off from*; = ja. pe.; mhb. pi. ausstossen *excommunicate*; *F* נדא, נוד, נדד: pi: pt. מְנַדִּים, sf. מְנַדֵּיכֶם: 1. **ausschliessen** *exclude* Js 66, 5; c. לְ **fern wähnen** *refuse to think of* Am 6, 3. †
Der. נִדָּה.

II *נדה: *F* נֵדֶה.

נֵדֶה (Var. נֵדָה): II *נדה; ندى Gabe *gift*: **Geschenk, Lohn** *gift, reward* Hs 16, 33. †

נִדָּה u. **נִידָה** Th 1, 8 †: I נדה; < **nidajat*: cs. נִדַּת, sf. נִדָּתָהּ: 1. Ausscheidung, **Abscheuliches** *excretion, abhorrent thing* Lv 20, 21 Hs 7, 19 f Sa 13, 1 Th 1, 8. 17 2 C 29, 5; אֶרֶץ נִדָּה beflecktes Land *impure country* Esr 9, 11; 2. Unreinheit, **Blutgang** (der Frau) *impurity, menstruation* Lv 12, 2 15, 19—33 (9 ×) 18, 19 Hs 22, 10 36, 17; מֵי נִדָּה beim Blutgang gebrauchtes Wasser *water used in case of menstruation* Nu 19, 9. 13. 20 f 31, 23; אִשָּׁה נִדָּה Frau, die Unreinigkeit = unrein ist *woman who is impurity = impure* (S l בְּנִדָּה) Hs 18, 6. †

נדה: ja. wegstossen *push away*; mhb. hif. verführen *beguile*; ነደደ stossen *thrust*; نَدَخَ (Schiff ans Land) *push (a ship ashore)*; F דחה, דוח, דחח:

qal: inf. לִנְדֹּחַ: (Axt) **schwingen** *wield (an axe)* Dt 20, 19; †

nif: pf. נִדַּחְתָּ, נִדַּחְתָּ, נִדַּחוּ, sf. נִדָּחוּ, impf. F nif. דחה u. דחח, pt. נִדָּח, sf. נִדַּחֲכֶם, pl. נִדָּחִים, נִדְּחֵי u. (Js 11, 12 56, 8 Ps 147, 2 נִדְחֵי), sf. נִדָּחַי, fem. נִדָּחָה u. נִדַּחַת: 1. **versprengt werden** (Tiere) *be scattered (animals)* Dt 22, 1 Hs 34, 4. 16 Mi 4, 6, (Menschen *people*) Dt 30, 4 (coll.) 2 S 14, 13 f Js 16, 3. 4 (l נִדָּחַי) 27, 13 Ir 30, 17 40, 12 43, 5 49, 5. 36 Ze 3, 19 Ne 1, 9; נִדְחֵי יִשְׂרָאֵל Js 11, 12 56, 8 Ps 147, 2; verscheucht werden *be chased away* Hi 6, 13; 2. **sich abbringen, verleiten lassen** *be guiled* Dt 4, 19 30, 17; 3. נִדְּחָה יָדוֹ s. H. lässt sich treiben = holt aus *his hand is thrust = is raised for striking* Dt 19, 5; †

pu: pt. מְנֻדָּח: l מְנֻגָּה Js 8, 22; †

hif: pf. הִדִּיחַ, הִדַּחְתִּי, הִדִּיחוּ, sf. הִדִּיחֲךָ, הִדַּחְתִּים, הִדַּחְתִּיו, impf. יַדִּיחוּ, וַיַּדַּח, sf. אַדִּיחֵם, וְהִדַּחְתִּים, inf. הַדִּיחַ, sf. הַדִּיחִי, הַדִּיחֲמוֹ, וְהַדִּחוּם: 1. **versprengen, auseinanderjagen** *scatter*: Tiere *animals* Ir 23, 2 f 50, 17, Volk, Leute *people* Dt 30, 1 Ir 8, 3 16, 15 23, 8 24, 9 27, 10. 15 29, 14. 18 32, 37 46, 28 Hs 4, 13 Jl 2, 20 Ps 5, 11 Da 9, 7 2 C 21, 11; vom Weg **abbringen** *turn from the way* Dt 13, 6, c. מֵעַל von Gott **abbringen** *turn from God* Dt 13, 11 2 K 17, 21 Q (מֵאַחֲרֵי); **forttreiben** *chase away* Si 8, 19, cj Ir 51, 34 (l הִדִּיחָנִי); 2. **verleiten** *mislead, seduce* Dt 13, 14 Ps 62, 5 Pr 7, 21 (Frau den Liebhaber *woman her lover*); 3. **verstossen** (Priester) *drive out (priests)* 2 C 13, 9; 4. הִדִּיחַ רָעָה עַל Unglück **bringen** über *bring down evil upon* 2 S 15, 14; †

hof: pt. מֻדָּח: **verscheucht** *chased away* (צְבִי) Js 13, 14. †

Der. מַדּוּחִים.

נדי Ps 56, 9: l נֹדִי.

נָדִיב: נדב: cs. נְדִיב, f. נְדִיבָה, pl. נְדִיבִים, cs. נְדִיבֵי, sf. נְדִיבֵמוֹ: 1. **willig** *willing*: רוּחַ Ps 51, 14, לֵב Ex 35, 5. 22 2 C 29, 31, **bereitwillig** *inclined* 1 C 28, 21; 2. **d. aus freiem Entschluss Spendende, der Edle** *he who gives generously, the noble*: נְדִיבֵי הָעָם Nu 21, 18 Ps 47, 10 (עַמִּים) 113, 8, בַּת־נָדִיב Ct 7, 2; נָדִיב Edler *noble one* 1 S 2, 8 Js 13, 2 32, 5 (:: נָבָל). 8 Ps 83, 12 107, 40 113, 8 118, 9 146, 3 Pr 8, 16 17, 7 (:: נָבָל). 26 19, 6 25, 7 Hi 12, 21 21, 28 34, 18 Ct 6, 12? †

נְדִיבָה: נָדִיב 2: sf. נְדִיבָתִי, pl. נְדִיבוֹת: 1. pl. **Edles** *noble deeds* Js 32, 8; 2. **Würde** *noble bearing* sg. Hi 30, 15, pl. cj עַמְּךָ נְדִיבֹת Ps 110, 3. †

I נָדָן: mhb., ja. נִדְנָא: (pers.) sanskr. *nidhāna* Behälter *container* Nöld. GGA 1884, 1022: sf. נְדָנָהּ: **Scheide** *sheath* 1 C 21, 27. †

II *נָדָן: ak. *nudunnū* (Zimm. 46) Geschenke des Ehemanns an s. Frau nach vollzogner Hochzeit *presents given by the husband to his wife after the marriage has been consummated*; ja. נְדוּנְיָא: pl. sf. נְדָנַיִךְ: **Geschenk, Liebeslohn** *gift, reward (for love)* Hs 16, 33. †

נדף: mhb., ja. duften *be diffused (odour)*, ندف (Baumwolle) krempeln *card (cotton)*; ነደፈ werfen *throw*:

qal: impf. תִּנְדֹּף, sf. יִדְּפֶנּוּ: **verwehen, zerstreuen** *drive away, scatter* Ps 1, 4 68, 3? l יַלְפֶנּוּ? Hi 32, 13; †

nif: pf. נִדַּף, inf. cj הִנָּדֵף (MS הִנָּדֹף BL 367) Ps 68, 3, pt. נִדָּף: **verweht werden** *be driven* *about* Js 19, 7 41, 2 Ps 68, 3 Lv 26, 36 Hi 13, 25; l רֹדֵף Pr 21, 6. †

נדר: ug., ph., mhb., aram., نَذَرَ, asa. נדר; F נזר: qal: pf. נָדַר, נָדַרְנוּ, נָדַרְתָּה, impf. יִדֹּר, וַיִּדַּר, תִּדֹּר, תִּדְּרוּ, inf. לִנְדֹּר, imp. נִדְרוּ, pt. נֹדֵר: נָדַר נֶדֶר e. **Gelübde** (e. Versprechen einer besondern Leistung) **tun** *vow a vow* (*promise a special accomplishment*) Gn 28, 20 Nu 6, 2. 21 30, 3 f Dt 12, 17 Jd 11, 39 1 S 1, 11 2 S 15, 8 Ir 44, 25, c. לְ gegenüber *unto* Gn 31, 13 Nu 21, 2 Dt 12, 11 23, 22 Jd 11, 30 2 S 15, 7 Js 19, 21 Ko 5, 3; נָדַר נְדָרִים Jon 1, 16; > נָדַר (ohne *without* נֶדֶר) **geloben** *vow* Lv 27, 8 Nu 6, 21 30, 11 Dt 23, 23 f Jon 2, 10 Ma 1, 14 Ps 76, 12 Ko 5, 3 f, c. לְ gegenüber *unto* Ps 132, 2. †
Der. נֶדֶר.

נֶדֶר, נֵדֶר: נדר; ug. *ndr*: sf. נִדְרוֹ, pl. נְדָרִים, cs. נִדְרֵי, sf. נְדָרַי, נִדְרֵיכֶם: **Gelübde** *vow*; Formeln *formulas* Gn 28, 20—22 Nu 21, 2 Jd 11, 30. 31 1 S 1, 11 2 S 15, 8, F נָדַר נֶדֶר u. נ׳; נְדָרִים: נְדָבָה :: נֶדֶר Lv 7, 16 22, 18; נְדָרִים u. קָדָשִׁים Dt 12, 26; נֶדֶר :: שְׁבֻעַת אִסָּר Nu 30, 14; נ׳ in Reihen *in series* Lv 23, 38 Nu 29, 39 Dt 12, 6. 11. 17; נ׳ אַלְמָנָה v. Witwe getan *vowed by widow* Nu 30, 10, נ׳ v. geretteten Seefahrern *vowed by saved mariners* Jon 1, 16; Objekt *object*: זֶבַח Lv 7, 16 22, 21, אָדָם 27, 2, זֶבַח u. עֹלָה Nu 15, 8; verkrüppelte Tiere *crippled animals* Lv 22, 23 u. Prostitutionsgelder *a. money earned by prostitution* Dt 23, 19 als נ׳ verboten *not allowed as* נ׳; קָם נֶדֶר d. Gel. gilt *the vow is valid* Nu 30, 5. 8. 12; הֵקִים נ׳ lässt gültig sein *makes valid* Nu 30, 14 f, hält es aufrecht *performs* Ir 44, 25; הֵפֵר נ׳ hebt es auf *makes void* Nu 30, 9, עָשָׂה נ׳ vollzieht es *fulfilles* Jd 11, 39 (לָהּ an ihr *on her*) Ir 44, 25; שִׁלֵּם נ׳ erfüllt *fulfilles* Dt 23, 22 Js 19, 21 Na 2, 1 Ps 22, 26 50, 14 61, 9 65, 2 66, 13 116, 14. 18 Hi 22, 27; אַחַר נְדָרִים nachdem die Gel. gesprochen sind *after the vows have been vowed* Pr 20, 25; בַּר נְדָרַי bei dessen Geburt ich Gel. getan habe *at whose birth I have vowed vows* Pr 31, 2; נְדָרֶיךָ Gel. gegenüber dir *the vows vowed unto thee* Ps 56, 13; F Nu 15, 3 30, 5—7 1 S 1, 11 Ps 61, 6; cj הַנְּדָרִים Ir 11, 15. †

נֹהַ Hs 7, 11: ungedeutet *unexplained*.

I נהג: mhb., ja. führen *lead*; نَهْجٌ Weg *road*; ܕܒܪ treiben (Vieh) *drive* (*cattle*): qal: pf. נָהַג, נָהֲגוּ, impf. יִנְהַג, יִנְהָג, יִנְהֲגוּ, וַיִּנְהֲגוּ, sf. אֶנְהָגְךָ, imp. נְהַג, pt. נֹהֵג, pl. נֹהֲגִים: 1. **treiben** *drive*: Vieh *cattle* Gn 31, 18 Ex 3, 1 1 S 30, 20 Ps 80, 2, נָהַג וְהָלַךְ treibt u. geht nebenher *drives a. walks beside it* 1 S 30, 2. 22 2 K 4, 24; wegtreiben *drive away*: Vieh *cattle* 1 S 23, 5 Hi 24, 3, Gefangne *prisoners* Js 20, 4 Th 3, 2, cj נְהוּגוֹת Th 1, 4; Pferd antreiben *drive a horse* 2 K 9, 20; 2. **leiten** *lead*: Menschen *men* Js 60, 11 (l נוֹהֲגִים) Ct 8, 2, Wagen *cart* 2 S 6, 3 1 C 13, 7; c. בְּ Leiter (v. Tieren) sein *be leader* (*of animals*) Js 11, 6; **anführen** *lead* 1 C 20, 1 2 C 25, 11; נֹהֵג בַּחָכְמָה weislich leiten *lead with wisdom* Ko 2, 3; †
pi: pf. נִהַג, נִהַגְתָּ, impf. יְנַהֵג, sf. וַיְנַהֲגֵהוּ, יְנַהֶגְךָ: 1. **fortführen** (Menschen) *lead away* (*men*) Gn 31, 26 Dt 4, 27 28, 37; 2. **leiten** (Menschen) *lead* (*men*) Js 49, 10 63, 14 Ps 48, 15; 3. **wehen lassen** (Wind) *cause to blow* (*wind*) Ex 10, 13 Ps 78, 26; נ׳ בִּכְבֵדֻת (e. Wagen) **mühsam fahren lassen** *cause to drive heavily* (*cart*) Ex 14, 25. †
Der. מִנְהָג.

II נהג: sy. stöhnen *sigh*, نَهَجَ keuchen *pant*; F נהק; cf. ak. *nagāgu* schreien *shout*: pi: pt. pl. f. מְנַהֲגוֹת: **stöhnen** *moan* Na 2, 8. †

I נהה: sy. (Lex.) נהא seufzen *sigh*, ܢܗܐ sich erleichtern *relieve oneself*:

qal: pf. נָהָה, impf. cj וָאֶנְהֶה Ps 102, 8, imp. נְהֵה: **wehklagen** *lament* Hs 32, 18 Mi 2, 4, cj Ps 102, 8.†
Der. נְהִי.

II נהה: نَهَا (*j*) kommen *come* (Driv. JTS 34, 377):
nif: impf. וַיִּנָּהוּ: c. אַחֲרֵי **sich halten zu** *hold with* 1 S 7, 2.†

נְהִי: I נהה: נְהִי: **Wehklage** *lamentation* Ir 9, 9. 17—19 31, 15 Am 5, 16 Mi 2, 4.†

נהל: mhb. pi. leiten *lead*; مَنْهَلٌ Tränkplatz *watering-place*:
pi: pf. נֵהַלְתָּ, impf. יְנַהֵל, sf. יְנַהֲלֵם, יְנַהֲלוּם, pt. מְנַהֵל: 1. **(sorglich) geleiten** *lead (with care)* Ex 15, 13 Js 40, 11 49, 10 51, 18 Ps 23, 2 31, 4; 2. c. בַּחֲמֹרִים auf Eseln **befördern** *transport on donkeys* 2 C 28, 15, c. בַּלֶּחֶם mit Brot **durchbringen** (durch Hungersnot) *get through with bread* (*through famine*) Gn 47, 17; l וַיָּנַח לָהֶם 2 C 32, 22;†
hitp impf. אֶתְנַהֲלָה: c. לְאִטִּי: **sich gemächlich weiterbewegen** *continue the journey with leisure* Gn 33, 14.†
Der. n. l. נַהֲלָל, נַהֲלֹל.

נַהֲלָל: n. l.; *F* مَنْهَلٌ sub נהל: in זְבֻלוּן: Jos 19, 15 21, 35.†

I *נַהֲלֹל: נהל: pl. נַהֲלֹלִים: **Tränkplatz** *watering-place* Js 7, 19; *F* II.†

II נַהֲלֹל: n. l.; = I: = *T. el Nahl* s. עַכּוֹ? *F* Garstang Jos. 396 f: Jd 1, 30.†

I נהם: mhb., ja., sy.; نَهَمَ knurren (Löwe) *growl (lion)*; äg. *nhm* jauchzen *exult* Humbert ZAW 62, 201:
qal: pf. נָהֲמָה, נְהַמְתֶּם, impf. יִנְהֹם, pt. נֹהֵם: 1. **knurren** (Löwe) *growl (lion)*:: שׁאג Js 5, 29 f Pr 28, 15; 2. **seufzen** *groan* Hs 24, 23 Pr 5, 11.†
Der. נַהַם, נְהָמָה.

נַהַם: נהם: **Knurren** *growling* Pr 19, 12 20, 2.†

נְהָמָה: נהם: cs. נַהֲמַת: **Knurren** *growling* (l לָבִיא) Ps 38, 9, **Tosen** (d. Meers) *roaring (of sea)* Js 5, 30.†

נהק: ug. *nhqt* Brähen des Esels *braying of ass*; mhb., ja., نَهَقَ, ⲛⲟϩϥ brähen *bray*, *F* II נהג:
qal: impf. יִנְהָק, יִנְהָקוּ: **schreien** *cry out* Hi 6, 5 (פֶּרֶא) 30, 7 (Gesindel *rabble*).†

I נהר: denom. v. נָהָר wie *like* نَهَرَ fliessen *flow* v. *from* نَهْرٌ Strom *river*:
qal: pf. נָהֲרוּ, impf. ינהרו (metaph.) **strömen** *stream* Js 2, 2 Ir 51, 44 Mi 4, 1; *F* נָהָר.†

II נהר: aram. = hbr. נור; *F* ba. נְהִירוּ, נְהוֹרָא; نَهَارٌ Tag *daytime*; *F* נור:
qal: pf. נָהָרְתְּ, cj imp. נְהָרוּ Ps 34, 6: **leuchten** (vor Freude) *beam* (*with joy*) Js 60, 5 Ir 31, 12 (l עַל) Ps 34, 6 (l וּנְהָרוּ).†
Der. נְהָרָה.

III נהר: מִנְהָרָה*.

נָהָר (120 ×): ug. *nhr*, ak. *nāru*; mhb., *F* ba. נְהַר; نَهْرٌ, asa. נהר; *F* I נהר: cs. נְהַר, pl. נְהָרִים u. נְהָרוֹת, cs. נַהֲרֵי u. (häufiger *oftener*) נַהֲרוֹת, sf. נַהֲרֹתָם, נַהֲרֹתַיִךְ; *F* נְהָרִים: ständiger Wasserlauf *permanent watercourse*: 1. **Strom, Fluss** *stream, river* Gn 2, 10 Nu 24, 6, etc., pl. Js 41, 18 Ct 8, 7, etc.; נְהַר צָר Js 59, 19, נַהֲרוֹת אֵיתָן Ps 74, 15; נְהָרִים gloss. v. יְאֹרִים Js 33, 21, שַׁעֲרֵי הַנְּהָרוֹת Na 2, 7; נָהָר **Strömung** (im Meer) *current* (*in the sea*) Jon 2, 4; נְהָרוֹת im Erdinnern *in the interior of the earth* Hi 28, 11, in תְּהוֹם Hs 31, 15; Gott stellt die Welt auf *God puts the world upon* נְהָרוֹת Ps 24, 2, נָהָר פְּלָגָיו 46, 5, Hymnus der *hymn of* נְהָרוֹת 93, 3 98, 8; נְהָרוֹת werden

become אִיִּים Js 42, 15 u. מִדְבָּר Ps 107, 33, das Umgekehrte *the reverse* Js 41, 18 43, 19; 2. Namen von *names of* נְהָרִים: F אֲבָנָה, אַהֲוָא, פְּרָת, פַּרְפַּר, פִּישׁוֹן, כְּבָר, חִדֶּקֶל, גִּיחוֹן, גּוֹזָן; F כּוּשׁ (נַהֲרֵי); נַהֲרוֹת בָּבֶל Ps 137, 1; 3. הַנָּהָר הַגָּדוֹל (F פְּרָת) = **Euphrat** Gn 15, 18 Dt 1, 7 11, 24 Jos 1, 4, = **Tigris** Da 10, 4; הַנָּהָר = **Euphrat** Gn 31, 21 36, 37, (עֵבֶר) הַנָּהָר Jos 24, 2, = נָהָר Sa 9, 10 (zusammen *in all* 28 ×); 4. l בְּנַחֲרֹתֶךָ Hs 32, 2, l מִנַּחַל Gn 15, 18.
Der. נַהֲרַיִם.

נְהָרָה: II נהר; ug. *nhrm* Lichtzeit, Morgen *daylight, morning*: **Licht, heller Schein** *light, daylight* Hi 3, 4, cj 10, 22. pro סְדָרִים. †

נַהֲרַיִם: נָהָר: —*ajim* nicht Dual, sondern Lokalendung *not ending of dual., but of casus localis*, F Torcz. Entst. 1, 181: EA *Na'rima*, *Nārima*, äg. *Nhrn* = *Naharina* (Albr. Voc. 45 : : ETL 17): נַהֲרַיִם: die Flusslandschaft *the river-country* אֲרַם נ׳ **Euphrat-Aram** *Mesopotamia* = d. von Aramäern besiedelte mittlere Euphrattal *the middle valley of Euphrates inhabited by Aramaeans*; O'Callaghan, Aram Naharaim, 1948, 131 ff: Gn 24, 10 Dt 23, 5 Jd 3, 8 Ps 60, 2 1 C 19, 6. †

נוא: ak. *ne'ū* wenden *turn*; نَاءَ sich weigern *refuse*:
qal: impf. תְּנִיאוּן 1 Q תנואון Nu 32, 7; †
hif: pf. הֵנִיא, impf. יָנִיא, pro יָנִי Ps 141, 5 l יָנָא (נאה), תְּנִיאוּן, וַיָּנִיאוּ: c. ac. jmdm wehren *forbid a person* Nu 30, 6. 9. 12 32, 9, cj 7, Ps 33, 10 (י׳), **verhindern** *hinder* cj Ko 10, 4 (l יָנִיא). †
Der. *תְּנוּאָה.

נוב: targ. נוֹבָא Frucht *fruit*; نَبَأَ sich erheben *rise*:
qal: impf. יְנוּבוּן, יָנוּב: **gedeihen** *thrive* Ps 62, 11 92, 15, cj יָנוּבוּ 58, 10, c. חָכְמָה zu Weisheit *unto wisdom* Pr 10, 31; †
po'el: impf. יְנוֹבֵב: **lässt gedeihen** *causes to thrive* Sa 9, 17 (בַּחוּרִים u. בְּתוּלוֹת gloss.). †
Der. תְּנוּבָה.

נֹב Js 57, 19: F ניב.

נוֹבַי Ne 10, 20: F נֵיבָי.

***נוּג**: cs. pl. נוּגֵי Ze 3, 18 l כִּימֵי; pl. f. נוגות Th 1, 4 l נְהוּגוֹת. †

נוד: mhb., ja. schwanken *move to a. fro*; F ba.; نَاَدَ sich hin u. her bewegen (Kopf d. Einschlafenden) *move to a. fro* (*head of one falling asleep*):
qal: pf. נָדוּ, impf. יָנוּד, תָּנֹד, וַיָּנֻדוּ, inf. לָנוּד, imp. נֻדוּ, נוּדוּ, pt. נָד: 1. **schwanken** (Schilf) *waver* (*reed*) 1 K 14, 15; 2. **ziellos, heimatlos sein, werden** *become, be aimless, homeless* Gn 4, 12. 14 Ir 4, 1 (l לֹא) 49, 30 50, 3. 8 Si 36, 30, Vögel *birds* Ps 11, 1 Pr 26, 2; 3. (*gestus apotropaicus*) (sc. ראשו) יָנוּד לוֹ: (d. Kopf) schütteln bei ihm, ihm **Teilnahme bekunden** *shake* (*the head*) *with him, condole with him* Js 51, 19 Ir 15, 5 16, 5 22, 10 48, 17 Na 3, 7 Hi 2, 11 42, 11 Ps 69, 21 (l לָנֻד); †
hif: impf. יָנִיד, sf. תְּנִידֵנִי, inf. הָנִיד: 1. **heimatlos machen** *make homeless* 2 K 21, 8 Ps 36, 12; 2. (F qal 3): c. בְּרֹאשׁוֹ: (abwehrend) **d. Kopf schütteln** *shake the head* (*preventingly*) Ir 18, 16; †
hitpol.: pf. הִתְנוֹדְדָה, impf. תִּתְנוֹדָד, יִתְנוֹדְדוּ, pt. מִתְנוֹדֵד: 1. **hin u. her schwanken** *be shaken to a. fro* Js 24, 20; 2. **sich** (abweisend) **schütteln** *shake oneself* (*disapprovingly*) Ir 48, 27 (בְּ über *on account of*) Ps 64, 9; 3. **sich selbst bedauern** *bemoan oneself* Ir 31, 18. †
Der. נִיד, (n. t.) נוֹד, מָנוֹד.

נוֹד: inf. v. נוד: (n. t.): אֶרֶץ נוֹד Land der Heimatlosigkeit *country of homelessness* Gn 4, 16. †

נוֹדָב: (n. m.) arab. Stamm *Arab tribe*, Ναδαβαῖοι: 1 C 5, 19.†

I נוה: نوى hinwollen, hinwandern (Nomaden zum Weideplatz) *move, walk to a place (nomads to pasture)*, F I נָוֶה; Nöld. NB 189f:
qal: impf. יִנְוֶה zum Ziel kommen? *reach one's aim?* Ha 2, 5.†
Der. I נָוֶה, *נָוָה.

II נוה: NF v. נאה; نَوَّهَ laut, anerkennend nennen *call loud, approvingly* Nöld. NB 191:
hif: impf. sf. אַנְוֵהוּ (l pi. אֲנַוֵּהוּ?): preisen *praise* Ex 15, 2.†
Der. II *נָוֶה.

I נָוֶה: I נוה; asa. נוי: cs. נְוֵה, sf. נָוֵהוּ, נָוֵהֶן: נָוֶה ist der **Ort**, wo man weidet *is the place, where one pastures*:: מִרְעֶה ist die Tatsache, dass man weidet *is the fact that one pastures*: Wanderziel, Aufenthaltsort *aim of wandering, station*: **1. Weideplatz** *pasture-ground*: 2 S 7, 8 Hi 5, 24 1 C 17, 7; für *for* צֹאן Js 65, 10 Ir 23, 3, cj 4, 25 (l רָאִיתִי הַנָּוֶה), 49, 20 50, 45 (נוהם) Hs 34, 14, für Kamele *for camels* Hs 25, 5; נְוֵה טוֹב Hs 34, 14, נ׳ שַׁאֲנָן Js 33, 20, נ׳ מְשֻׁלָּח וְנֶעֱזָב Ir 49, 19 50, 44, נ׳ אֵיתָן Js 27, 10; נְוֵה רֹעִים Ir 33, 12, נְוֵה תַנִּים Js 34, 13 35, 7; **2.** > **Stätte**, *place, abode*: v. *of* יהוה Ex 15, 13 2 S 15, 25 Ir 25, 30, cj נָוֵהוּ Ps 74, 8; v. *of* יַעֲקֹב, יִשְׂרָאֵל Ir 50, 19 Ps 79, 7, צֶדֶק Ir 10, 25; נְוֵה c. שָׁלוֹם Js 32, 18, c. צַדִּיק Ir 31, 23 50, 7, c. צַדִּיקִים Pr 24, 15, c. חֲכָם 3, 33, c. אֱוִיל 21, 20, c. רָשָׁע Hi 5, 3, c. 18, 15; l בָּנָיו Ho 9, 13; F נָוֶה.†

II *נָוֶה: f. נָוָה, cs. נְוַת, als adj. v. II נוה erklärt *explained as adj. of* II נוה; aber *but* l הַלְּנָוָה pro הַנָּוָה Ir 6, 2, l בֵּית נְכֹת pro נְוַת־בַּיִת Ps 68, 13.†

***נָוָה**: f. v. I נָוֶה, ug. *n3t?*, ܢܘܬܐ: cs. נְוַת, pl. cs. נְאוֹת u. נְוֹת > נְאוֹת: **1. Weideplatz** *pasture-ground* cj הַלְּנָוָה Ir 6, 2, pl. נְאוֹת מִדְבָּר Ir 9, 9 23, 10 Jl 1, 19f 2, 22, cj Ma 1, 3, Ps 65, 13, נ׳ רֹעִים Am 1, 2 Ze 2, 6, נ׳ דֶשֶׁא Ps 23, 2 (reich an Gras *full of grass*); **2. Stätte** *place, abode*: נ׳ הַשָּׁלוֹם Ir 25, 37, נ׳ חָמָס Th 2, 2, נ׳ אֱלֹהִים Ps 83, 13, נ׳ יַעֲקֹב Ps 74, 20; F נְוֹת.†

I נוח: ug. *nḥ*, subst. *nḥt*; ak. *nāḫu* (*inūḫ*) ruhen *rest*; ph. Lidz. 322 b; mhb., aram.; IV نَاخَ (Kamel) niederknien lassen *make (camel) knees down*; ܢܚ sich dehnen, (selten) ruhen *be extended, (rarely) rest*:
qal: pf. נָחָה, נָחָה, נַחְתִּי Js 11, 2, נָחוּ, נָחוּ Js 7, 19, נָחְנוּ, impf. יָנוּחַ, וַיָּנַח! Ex 10, 14 20, 11 †, inf. נוֹחַ, לָנוּחַ, sf. נֻחֹה: **1.** (Berry JBL 50, 207 ff) **sich niederlassen auf** *settle down upon* Gn 8, 4 Ex 10, 14 Jos 3, 13, רוּחַ Nu 11, 25 f 2 K 2, 15 Js 11, 2, 2 S 21, 10 Js 7, 19, 2 S 17, 12, cj Ps 38, 3 (וַתְּנַח); **2. niedergelassen sein, bleiben, ruhen** *be settled down, remain, rest* Nu 10, 36 Si 44, 23 Js 25, 10 (יד־י׳) Js 57, 2 Si 46, 19 Ps 125, 3 Si 5, 6 (רגזי״); **3. ausruhen** *repose* Ex 20, 11 (יהוה) 23, 12 Dt 5, 14 Js 14, 7 (//שקט), c. בְּ in *in* Pr 14, 33 21, 16 Ko 7, 9 Est 9, 22 Da 12, 13; **4.** impers. יָנוּחַ לִי **ich habe Ruhe** *I am at rest* Hi 3, 13, F Js 23, 12 Ne 9, 28; F = c. subj. person. Hi 3, 17. 26; **5.** ruhen = **abwarten** *rest = wait* 1 S 25, 9; †
hif (2 Formen 2 *forms*: הֵנִיחַ u. הִנִּיחַ, BL 400):
I הֵנִיחַ: pf. הֵנִיחַ, הֲנִיחֹתִי, הֲנִיחוֹתִי, הֲנִחֹתִי, impf. יָנִיחַ, וַיָּנַח, sf. יְנִיחֵנוּ, תְּנִיחֵנוּ, inf. הָנִיחַ, sf. הֲנִיחִי, imp. הָנִיחוּ, pt. מֵנִיחַ: **1. sich lagern lassen** *cause to settle down, to rest* Ex 17, 11 Js 63, 14 (l תַּנְחֵם) Hs 37, 1 40, 2 44, 30 (בְּרָכָה, l עֲלֵ?), cj Gn 5, 29? cj Ps 38, 3 (l וַתָּנַח) Js 30, 32, cj 57, 18 (וַאֲנִחֵהוּ),

cj הֵנִיחַ Ho 4, 17; 2. c. לְ Rast, Ruhe verschaffen *give rest* Ex 33, 14 Dt 3, 20 12, 10 25, 19 Jos 1, 13. 15 21, 44 22, 4 23, 1 2 S 7, 1. 11 1 K 5, 18 Js 14, 3 28, 12 1 C 22, 9. 18 23, 25 2 C 14, 5 f 15, 15 20, 30, cj 32, 22 (l וַיָּנַח לָהֶם); 3. beschwichtigen, befriedigen *make quiet, appease, satisfy*: Hs 5, 13 16, 42 21, 22 24, 13 Sa 6, 8 Pr 29, 17; †

II הִנִּיחַ: pf. הִנִּיחַ u. הִנַּח, הִנַּחְתָּ, הִנִּיחוּ, sf. הִנִּיחוּךָ, הִנַּחְתִּיו, הִנַּחְתּוֹ, הִנִּיחָם, הִנִּיחוֹ, impf. וַיַּנִּחֵהוּ, אַנִּיחֶנּוּ, תַּנִּחֵנוּ, sf. יַנִּיחוּ, וַיַּנַּח, יַנִּיחַ u. וַיַּנִּיחֵהוּ, cj נַנִּיחָה Jl 1, 18, inf. sf. הַנִּיחוֹ, imp. הַנַּח, הַנִּיחוּ, pt. מַנִּיחַ: 1. (wohin) stellen, setzen, legen *lay, deposit* (*on a spot*) Gn 2, 15 39, 16 Ex 16, 33 f Lv 16, 23 Nu 17, 19. 22 19, 9 Dt 26, 4. 10 Jos 6, 23 Jd 6, 18. 20 1 S 6, 18 10, 25 1 K 8, 9 13, 29—31 2 K 17, 29 Js 14, 1 46, 7 Hs 37, 14 40, 42 42, 13 f 44, 19, cj Sa 5, 11, 2 C 4, 8; beiseite legen *save up* Ex 16, 23 f Lv 7, 15, hinterlegen *deposit* Dt 14, 28; c. בְּמִשְׁמָר in Gewahrsam legen Lv 24, 12 Nu 15, 34, (Truppen wohin) legen *place* (*troops*) 2 C 1, 14 9, 25, cj 1 K 10, 26; c. לָאָרֶץ zu Boden werfen *cast down to the earth* Js 28, 2 Am 5, 7; 2. (irgendwo) liegen lassen *let lie* (*on a place*) Gn 19, 16 42, 33 Nu 32, 15 Jos 4, 3. 8 Ir 27, 11 43, 6, cj 1 S 22, 4, cj 2 K 18, 11, cj Ps 61, 3, zurücklassen *leave behind* 2 S 16, 21 20, 3 1 K 19, 3 Ir 14, 9 Hs 16, 39, hinterlassen *leave* Js 65, 15 Ps 17, 14, c. לְ für *to* Ps 119, 121 Ko 2, 18; zulassen *allow* Ps 105, 14 (Gunkel) Ko 5, 11 1 C 16, 21; bestehen lassen *let remain* Jd 2, 23 3, 1 1 K 7, 47 Est 3, 8; machen, handeln lassen *let do* Ex 32, 10 Jd 16, 26 2 S 16, 11 2 K 23, 18; Ho 4, 17 l הַנִּיחַ Sellin; הִנִּיחַ יָדוֹ מִן lässt s. Hand von *leaves h. hand off from, lets alone* Ko 7, 18 11, 6; הִנִּיחַ מְקוֹמוֹ s. Pl. aufgeben *leave one's place* Ko 10, 4; 3. cj [מַה־] נַנִּחָה בְהֵמָה hineintun in *put, lay into* Jl 1, 18; l וְנִפַּחְתִּי Hs 22, 20, l יָנִיא Ko 10, 4 b; †

hof: I: pf. הוּנַח: c. לְ (F qal 1, 4) in Ruhe gelassen werden *be left alone, quiet* Th 5, 5; l וְהֻנִּיחָה Sa 5, 11; †

hof: II: pt. מֻנָּח frei, leer gelassen *left empty, open* Hs 41, 9. 11. †

Der. נוֹחַ, הֲנָחָה, נִיחֹחַ, II u. n. m. III נַחַת; יָנוֹחַ, מְנוּחָה, n. l. מָנוֹחַ I u. II n. p., מְנוֹחַ.

II נוח: NF v. אנח; ar. *nāḥ(u)* Driv. JTS 34, 377:

qal: impf. אָנוּחַ: jammern *lament, wail* (לְ gegenüber *before*) Ha 3, 16. †

נֹחַ: I נוח: sf. נוּחֶךָ: Ruhe (v. Arbeit, Verfolgung) *rest* (*from work, persecution*) Est 9, 17 f 2 C 6, 41, cj Ps 22, 10 (l נֹחִי); l וְנָקוֹם Est 9, 16. †

נוֹחָה: n. m.; fem. v. נוֹחַ? ZDP 51, 203: 1 C 8, 2. †

נוט: impf. תָּנוּט Ps 99, 1; l תָּמוּט †

נָוִית: F נָיוֹת.

*** נוֹל**: F *נָוֶל.

*** נָוֶל**: *נול; ja. נול weben *weave*; ja., sy. נוּלָא Gewebe *web*, ja. נוּל חַיָּא Lebensfaden *thread of life* (Perles OLZ 12, 251 f): sf. נוֹלֵנוּ: cj Lebensfaden *thread of life* Hs 37, 11 (l נִגְזַר). †

*** נום**: mhb., ja., sy.; نَام, ϩⲱⲙ:

qal: pf. נָמוּ, impf. יָנוּם, inf. נוּם: schlummern, schläfrig sein *slumber, be drowsy* Js 5, 27 56, 10 (כְּלָב) Na 3, 18 Ps 121, 3 (יהוה). 4; c. שְׁנָתָם Ps 76, 6; cj וַתָּנָם 2 S 4, 6. †

Der. נוּמָה, תְּנוּמָה.

נוּמָה: נום: schläfriges Wesen *somnolence* Pr 23, 21. †

נוּן u. **נוֹן** 1 C 7, 27; n. m.; Nave < NAYH verlesen aus *misspelled from* *NAYN; ak. *nūnu* Fisch *fish* (Zimm. 52), > aram. נוּנָא; ak. n. m. *Nūnu*, *Nunna*, *Nunija*, *Nunā* (Tallq. APN 177): V. v. יְהוֹשֻׁעַ Ex 33, 11 Nu 13, 8. 16 Dt 32, 44 34, 9 u. F יְהוֹשׁוּעַ 1. †

נוס: ug. *ns*; beben *tremble*, نَاسَ bewegt sein *be in commotion*; ויהנסנה Zkr 2, 20 F Nöld. ZA 21, 583:

qal (150 ×): pf. נָס, נָסָה, נַסְתֶּם, נַסְנוּ, impf. יָנוּס, וַיָּנָס, וַיָּנָס, יָנוּסוּ, יְנוּסוּן, יָנֻסוּ, נָנוּס, נְנוּסָה, inf. נוֹס, cs. נוּס, נֻס, sf. נֻסָם, נֻסְךָ, imp. נֻסוּ, pt. נָס, pro הַנִּיס Ir 48, 44 l הַנָּס, נָסִים: **fliehen** *flee (away)*: Menschen *men* Gn 19, 20, Meer *sea* Ps 114, 3, Schatten *shadows* Ct 2, 17, Kummer *sorrow* Js 35, 10, Lebenssaft *sap of life* Dt 34, 7; fliehen vor *flee from*: Feind *enemy* Ex 14, 25, cj נִסְכָּה 1 C 21, 12, Tieren *beasts* Am 5, 19, Gefahr *danger* 1 S 19, 10, Versuchung *temptation* Gn 39, 12, Gottes Schelten *God's scolding* Ps 104, 7, etc.; נָס לוֹ er flieht *he shall flee* Js 31, 8; l נִסְתַּם (3 ×, G S) Sa 14, 5; cj נָס חַף Ir 46, 15;

pil: pf. נֹסְסָה: c. בְּ: etw. vorwärtstreiben, drücken *drive on a thing* Js 59, 19; †

hif: pf. הֵנִיס, impf. יָנִיסוּ, inf. הָנִיס: 1. in **die Flucht treiben** *put to flight* Dt 32, 30; 2. c. ac. **mit etw. flüchten** *save by flight* Ex 9, 20 Jd 6, 11; l וַיָּנוּסוּ Jd 7, 21, l הַנָּס (K הָנִיס) Ir 48, 44; הִתְנוֹסֵס Ps 60, 6 F נסס. †

Der. נִיס, מְנוּסָה, מָנוֹס.

נוע: ja. sich bewegen *move*; mhb. u. ja. נענע schütteln *shake*, نَاعَ schwanken (Zweig) *waver (twig)*, نَعْنَعَ baumeln *dangle*:

qal: pf. נָעוּ, impf. וַיָּנַע, תָּנוּעַ! Js 7, 2, יָנוּעוּ, יְנוּעוּן K Ps 59, 16, inf. נוֹעַ, לָנוּעַ, pt. נָע, pl. fem. נָעוֹת: 1. **schwanken, sich haltlos bewegen** *quiver, wave, move unsteadily*: Ex 20, 18 Js 19, 1 6, 4 7, 2 (Bäume *trees*) 24, 20 29, 9 Ps 107, 27, Blinde *sightless ones* Th 4, 14 f, Hilfesuchende *looking ones for support* Am 4, 8 8, 12; **baumeln** (Bergleute) *dangle (miners)* Hi 28, 4; **beben** (Lippen) *quiver (lips)* 1 S 1, 13; 2. **haltlos, heimatlos sein** *be unstable, without home* Gn 4, 12. 14 Jd 9, 9. 11. 13 Ps 59, 16 109, 10 Pr 5, 6 Si 36, 30; l אֲנִיעֲךָ 2 S 15, 20, l לָנִיעַ < לְהָנִיעַ Ir 14, 10; †

nif: impf. יִנּוֹעַ, יִנּוֹעוּ: geschüttelt werden (Korn, Feigen) *be tossed about (corn, figs)* Am 9, 9 Na 3, 12; †

hif: pf. הֵנִיעָה, הֲנִיעוֹתִי, impf. יָנִיעַ, יָנַע 2 K 23, 18, אָנִיעָה, יָנִיעוּ, יָנִעוּ, sf. יְנִעֵם, תְּנִיעֵנִי, אֲנִיעֲךָ Q 2 S 15, 20, imp. sf. הֲנִיעֵמוֹ: 1. **taumeln lassen** *cause to stagger* Nu 32, 13; 2. **schütteln** *toss about* Am 9, 9, **aufstören, aufrütteln** *disturb, stir up* 2 K 23, 18 Da 10, 10; 3. הֵנִיעַ רֹאשׁ **d. Kopf** (zum Hohn) **schütteln** *wag the head (in mockery)* 2 K 19, 21 Js 37, 22 Ps 22, 8 109, 25 Th 2, 15 Si 12, 18, = הֵנִיעַ בְּרֹאשׁ Hi 16, 4 Si 13, 7; הֵנִיעַ יָדוֹ (*gestus apotropaicus*) **d. Hand schütteln** *wag the hand* Ze 2, 15; 4. **heimatlos machen** *make homeless* 2 S 15, 20; ? Ps 59, 12. †

Der. מְנַעַנְעִים.

נוֹעַדְיָה: n. m. et. fem.; יעד u. יְ: 1. Levit Esr 8, 33; 2. Prophetin *prophetess* Ne 6, 14. †

I **נוף**: ja. sich hin u. her bewegen *move to a. fro*, ja. af. u. sy. af. u. mhb. hif. schwingen *fan*; cf. mhb. נפה, ja. נפא u. sieben *sift*:

hif: pf. הֵנִיף, הֵנַפְתָּ, הֲנִיפוֹתִי, impf. תָּנִיף, וַיָּנֶף, sf. יְנִיפֶהוּ, נְנִיפֶנּוּ, inf. הָנִיף, sf. הֲנִיפְכֶם, imp. הָנִיפוּ, pt. מֵנִיף, sf. מְנִיפוֹ: **hin u. her bewegen, schwingen** *move to a. fro, swing, wield*: בַּרְזֶל Dt 27, 5 Jos 8, 31, חֶרֶב Ex 20, 25, חֶרְמֵשׁ Dt 23, 26, כידון Si 46, 2, יָד (heilend *healing*) 2 K 5, 11, (strafbewirkend *evoking punishment*) Js 11, 15 19, 16 Sa 2, 13

Si 33, 3; c. מִשּׁוֹר hin u. her ziehen *move to a. fro* Js 10, 15; הֵנִיף יָד mit d. Hand winken *wave one's hand* Js 13, 2 Hi 31, 21 (drohend *threatening*); c. ידו על קלע schwingt s. H. über d. Schleuder *waves his hand upon the sling* Si 47, 4; 2. c. תְּנוּפָה (vor d. Altar) weihend hin u. her bewegen, **d. Webeopfer darbringen** *wave offering (toward altar a. back)*, *present the wave-offering* Ex 29, 24. 26 35, 22 Lv 7, 30 8, 27. 29 9, 21 10, 15 14, 12. 24 23, 20 Nu 6, 20 8, 11. 13. 15. 21; c. עֹמֶר Lv 23, 11 f u. מִנְחַת הַקְּנָאֹת Nu 5, 25 **webend, hin u. her schwingend darbringen** *present by waving*; †

hof: pf. הוּנַף: **weihend hin u. her geschwungen werden** *be presented by waving* Ex 29, 27; †

palp: impf. יְנוֹפֵף: c. יָדוֹ s. Hand drohend **schwingen** *wave one's hand threateningly* Js 10, 32. †

Der. תְּנוּפָה, הֲנָפָה.

II נוף: نف sich neigen *bend*, نَفَّ bestreuen *besprinkle*, نُفَاف Sprühregen *drizzling rain*, ܢܦܢܦ betauen *bedew*, Driv. ZAW 50, 142 f:

qal: pf. נַפְתִּי: **besprengen** *besprinkle* Pr 7, 17; †

hif: impf. יניף, תָּנִיף: (Regen, Schnee) **fallen lassen** *cause to fall (rain, snow)* Ps 68, 10 Si 43, 17. †

Der. נֹפֶת.

III *נוף: نَافَ hoch sein, überragen *be high, overtop*; asa. n. m. נופן u. ינף- in n. m. erhaben *exalted*:

Der. נוֹף, נָפָה, *נֶפֶת.

נוֹף: III *נוף; mhb. נוֹף u. ja. נוֹפָא (Baum-) Wipfel *tree-top*: **Höhe**? *height*? Ps 48, 3. †

נוץ: نَاصَ Driv. JTS 34, 378:

qal: pf. נָצוּ: **sich entfernen, aufbrechen** *leave, depart* Th 4, 15. †

נוֹצָה u. **נֹצָה** Hi 39, 13: mhb. נוֹצָה Gefieder *plumage*, ja. נוֹצִיצָא Schwungfeder *pinions*; ak. *nāṣu* Holma N Kt 145: **Gefieder** *plumage* Hs 17, 3. 7 Hi 39, 13; Lv 1, 16 F נֹצָה.

***נוק**: וַתְּנִיקֵהוּ Ex 2, 9; l וַתֵּינִקֵהוּ (ינק). †

***נור**: F II נהר; ba. נוּר; نَار u. asa. נור leuchten *shine*, ak. *nūru* Helle *light*, etc.: Der. מְנוֹרָה, I נִיר, I u. II נֵר n. m., n. m. נֵרִיָּה(וּ); סַנְוֵרִים?

נוש: וָאָנוּשָׁה Ps 69, 21: l וָאָנוּשָׁה (F אָנוּשׁ). †

נזה: mhb. hif. sprengen *sprinkle*, ja. u. sy. נדא, mnd. נזא spritzen *spatter*, ja. af. = mhb. hif.; ak. *nizū* spritzen *spatter* (Holma N Kt 68); F Vriezen OTS 7, 201—35!:

qal: impf. יִזֶּה, וַיֵּז, l יֵז Js 63, 3: **spritzen** *spatter* Lv 6, 20 2 K 9, 33 Js 63, 3; †

hif: pf. הִזָּה, הִזֵּיתָ, impf. וַיַּז, inf. הַזֹּת: **sprengen** *sprinkle* (F Vriezen 205 ff): c. עַל auf *upon* Ex 29, 21 Lv 5, 9 8, 11. 30 14, 7 16, 14 f. 19 Nu 8, 7 19, 18 f, c. אֶל Lv 14, 51 Nu 19, 4, c. לִפְנֵי Lv 14, 16. 27 16, 14 f; c. ac. **besprengen** *(be)sprinkle* Lv 4, 6. 17; l יִשְׁעוּ (Koehler) Js 52, 15 (:: Vriezen 203 f). †

נָזִיד: זיד, Stade Gr. 163: cs. נְזִיד: **gekochtes Gericht** *boiled food* 2 K 4, 40 Hg 2, 12, Linsen *lentils* Gn 25, 34, בַּשֵּׁל נְ׳ 2 K 4, 38, זִיד נְ׳ Gn 25, 29, סִיר הַנְּ׳ **Kochtopf** *pot for cooking* 2 K 4, 39. †

נָזִיר: נזר: cs. נְזִיר, sf. נְזִירֶךָ, pl. נְזִירִים, נְזִרִים, sf. נְזִירֶיהָ: 1. **Besondrer, Vornehmer** *one singled out, of high rank* Gn 49, 26 Dt 33, 16 Th 4, 7; 2. ausgesondert, der Bearbeitung entzogen, freiem Wachstum überlassen, **geweiht** *singled out, withhold from cultivation, left to unfettered growth, consecrated*: (כֶּרֶם) Lv 25, 5. 11; Männer *men* (verpflichtet, Berauschendes u. Leichen zu meiden, d. Haar frei wachsen zu lassen *devoted to avoid intoxi-*

cants a. corpses a. cutting hair) Nu 6, 2. 13. 18. 21 Am 2, 11 f; נְזִיר אֱלֹהִים Jd 13, 5. 7 16, 17; *F* נזר hif. 3.†

נזל: mhb. u. ja. fliessen, نَزَل hinabsteigen *descend*; sy. pa. herunterlassen (Haar) *let down (hair)*:

qal: impf. יִזַּל, יִזְּלוּ, pt. נֹזְלִים, sf. נֹזְלֵיהֶם: **rieseln, fliessen,** *trickle, flow*: Nu 24, 7 Dt 32, 2 Ir 18, 14 Ps 147, 18 Ct 4, 16, נֹזְלִים **Fluten** *floods, streams* Ex 15, 8 Js 44, 3 Ps 78, 16. 44 Pr 5, 15 Ct 4, 15; c. ac. **von etw. fliessen** *distil in a thing* Js 45, 8 Ir 9, 17 Hi 36, 28; נָזְלוּ Jd 5, 5 *F* I זלל;†

hif: pf. הִזִּיל: **fliessen lassen** *cause to flow* Js 48, 21.†

נֶזֶם: זמם, cf. נָזִיר v. זיר; ܙܡܡܐ Zaum *bridle*; ja. זם u. زَمّ zäumen *bridle*; زِمَام Nasenring *nose-ring*: sf. נִזְמָהּ, pl. נְזָמִים, cs. נִזְמֵי: **Nasenring** *nose-ring* (v. Frauen *women's*) Gn 24, 22 (זָהָב). 30. 47 Js 3, 21 Hs 16, 12, **Ohrring** *ear-ring* (v. Frauen *women's*) Gn 35, 4 Ex 32, 2 f, **Ring** (allgemein) *ring (in general)* Ex 35, 22 Ho 2, 15, v. Mann *man's* Hi 42, 11, Tracht der *ornament of* יִשְׁמְעֵאלִים Jd 8, 24—26.†

נֵזֶק (Var. נֶזֶק): *F* ba. נזק: **Belästigung** *injury, damage* Est 7, 4.†

נזר: *F* נדר; ak. *nazāru* verwünschen *curse*; ja. נדר geloben *vow*, ܢܙܪ sich enthalten *abstain from*; نَذَرَ geloben *vow*, نَزِرَ zurückhaltend sein *show (great) reserve*; asa. נדר VIII bereuen *repent*; Wellh. RaH 143, RS I, 463 f; Grundbedeutung wohl: dem üblichen Gebrauch entziehn *original meaning probably*: *withhold from wonted use*:

nif: impf. יִנָּזֵר, inf. הִנָּזֵר: 1. **Enthaltungen auf sich nehmen, sich weihen** *submit oneself to abstentions, dedicate oneself* (לְ für *unto*) Ho 9, 10; 2. c. מֵאַחֲרֵי: **sich jmd entziehen,** entfremden *withdraw oneself from, become a stranger for* Hs 14, 7; 3. **sich zurückhaltend zeigen** *hold (sacredly) aloof* (מִן gegenüber *from*) Lv 22, 2; 4. adverb. הִנָּזֵר **unter Enthaltungen** *keeping abstentions* Sa 7, 3;†

hif: pf. הִזִּיר, הִזַּרְתֶּם, impf. יַזִּיר, inf. הַזִּיר, sf. הַזִּירוֹ: 1. **zurückhalten** (*F* qal 3) *hold aloof, keep (sacredly) separate* Lv 15, 31; 2. cj וְשָׁאוּל הִזִּיר נֵזֶר **S. weihte sich mit Enthaltungen** *S. devoted himself to abstentions* 1 S 14, 24; 3. denom. v. נָזִיר: **als** נָזִיר **leben** *live as* נָזִיר Nu 6, 2. 5 f. 12.†

Der. נֵזֶר, נָזִיר.

נֵזֶר: נזר: sf. נִזְרוֹ: 1. **Weihe, Weihung** *consecretion* Lv 21, 12 Nu 6, 7. 21, cj הִזִּיר נֵזֶר 1 S 14, 24, יְמֵי נִזְרוֹ Nu 6, 4. 8. 12 f; נֵדֶר נִזְרוֹ s. Weihegelübde *the wow of his cons.* Nu 6, 5, רֹאשׁ נִזְרוֹ s. geweihtes Haupt(haar) *his consecrated head (unshorn hair)* 6, 9. 18, > נִזְרוֹ 6, 12. 19. 21, נִזְרֵךְ d. geweihtes, freiwachsendes Haar? *your consecrated, not shorn hair?* Ir 7, 29; 2. נֵזֶר (BRL 125 ff): **Stirnreif, Diadem** (Zeichen d. Geweihtheit *diadem (sign of consecration)*: des Königs *of the king* 2 S 1, 10 2 K 11, 12 2 C 23, 11 Ps 89, 40. cj 20 132, 18, des Hohenpriesters *of the high priest* Ex 29, 6 39, 30 Lv 8, 9; אַבְנֵי נֵזֶר (Wellh.: die Edelsteine d. Stirnreifens *the precious stones of the diadem*) Sa 9, 16; l אוֹצָר Pr 27, 24.†

נֹחַ: n. m.; Etym. Gn 5, 29, E. G. Kraeling JBL 48, 138 ff l יניחנו, Νωε; cf. ak. *Nūḫ-ilum* u. *Nūḫi-mātum* Stamm 346 u. *Ḫaua*: *Mu-ut-na-ḫa* Mel. Syr. 273 ff; Haupt, Purim 27: v. *nḥḥ*, ar; *naḥāhe* Freigebigkeit *openhandedness*: **Noah**: Gn 5, 29—10, 1 Hs 14, 14. 20 1 C 1, 4; מֵי נֹחַ u. יְמֵי נֹחַ Js 54, 9.†

נַחְבִּי: n. m., KF; Noth S. 229: Nu 13, 14.†

I נחה: mhb. leiten *guide*, نَحَا in e. Richtung gehn *go in direction of*, asa. מנחי gegen-hin *towards*:
qal: pf. נָחִיתָ, sf. נָחַנִי, נָחָם, נָחֲךָ, imp. נְחֵה, sf. נְחֵנִי: führen, leiten *lead* Gn 24, 27 Ex 13, 17 15, 13 32, 34 Js 58, 11 Ps 5, 9 27, 11 77, 21 (כַּצֹּאן) 108, 11 139, 24; l יַנְחֵנִי 60, 11; †
hif: pf. sf. הִנְחִיתָם, הִנְחָנִי, impf. תַּנְחֶה, sf. יַנְחֵנִי, יַנְחֶנּוּ, יַנְחוּנִי, אַנְחֶנָּה, inf. sf. לְהַנְחֹתָם > לַנְחֹתָם: führen, lenken *lead*, *guide* Nu 23, 7 Ps 43, 3 Pr 6, 22 11, 3 18, 16 Hi 31, 18 38, 32; v. Gottes Führung *said of God's guidance* Gn 24, 48 Ex 13, 21 Dt 32, 12 Ps 23, 3 31, 4, cj 60, 11, 67, 5 73, 24 78, 14. 53. 72 107, 30 143, 10; l וַיְנַחֵם 1 S 22, 4 u. 1 K 10, 26 u 2 K 18, 11; l וָאֲנַחֵהוּ Js 57, 18, l תַּנְחֵנִי Ps 61, 3, l וַיְמַחֵם Hi 12, 23; l תִּקָּחֵנִי? Ps 139, 10. †

II נחה: أَنْحَى عَلَو sich lehnen auf *recline against* Driv. JTS 34, 377:
qal: pf. נָחָה: c. עַל: sich stützen auf *lean upon* Js 7, 2. †

נְחוּם: F רְחוּם.

נַחוּם: n. m.; נחם; Dir. 124; ph. n. m.; Nöld. BS 99 f: **Nahum**: Na 1, 1. †

נִחוּמִים: F נִחֻמִים.

נָחוֹר: n. m.; altass. n. l. *Naḫur* RHR 110, 45 f; n. m. *Naḫaran*, *Niḫaru*, *Niḫaran* Tallq. APN 166. 173; Kraeling ZAW 40, 153: < *Til-Naḫiri* = עִיר נָחוֹר Gn 24, 10; Material *materials* F Moritz ZAW 40, 153 f, KAT 477: **Nahor**: 1. V. v. תֶּרַח Gn 11, 22—25 1 C 1, 26; 2. Bruder v. *brother of* אַבְרָהָם Gn 11, 27. 29 22, 20. 23 24, 15. 47 29, 5 31, 53 Jos 24, 2. †

נָחוּשׁ: F נְחֹשֶׁת: aus Bronze (ehern) *of bronce* Hi 6, 12. †

נְחוּשָׁה u. **נְחֻשָׁה**: F נְחֹשֶׁת: **Bronze** (Kupfer) *bronce* (*copper*) Lv 26, 19 Hi 28, 2 41, 19; als gen. **aus Bronze** (ehern) *of bronze*: Bogen *arrow* 2 S 22, 35 Ps 18, 35 Hi 20, 24, Türen *doors* Js 45, 2, Stirn *forehead* 48, 4, Hufe *hoofs* Mi 4, 13, Röhren *bones* Hi 40, 18. †

נְחִילוֹת: unverständlicher hymnischer oder musikalischer Ausdruck *unexplained hymnical or musical term* (verwandt mit *connected with* I חָלִיל Flöte? *flute?* oder *or* mhb. נָחִיל نَحْل Bienenschwarm *swarm of bees?*), AJS 34, 131: Ps 5, 1. †

נְחִירַיִם: נחר: ak. *nāḫiru*, Potwal *cachalot* Landsb. 142, ja. u. sy. נְחִירָא Nüster *nostril*; soq. *naḥrir* Nase *nose*: du.; sf. נְחִירָיו: **Nüstern** *nostrils* Hi 41, 12. †

I נחל: ug. *nḥl*, *nḥlt* erben, Erbschaft *inherit*, *inheritance*; ph. Friedr., Ph. Gr. § 151; mhb. besitzen *own*; نَحَلَ u. asa. zu eigen geben *give as a property*:
qal: pf. נָחַל, נָחֲלוּ, נְחַלְתֶּם, sf. נְחַלְתָּנוּ, impf. יִנְחַל, תִּנְחַל, יִנְחֲלוּ, יִנְחָלוּ, sf. יִנְחָלוּם,: 1. abs. **als Besitz erhalten** *get as a property*, *possession* Nu 18, 20 26, 55 32, 19 Jos 16, 4 19, 9 Jd 11, 2; = נָחַל נַחֲלָה Nu 18, 23 f 35, 8 Dt 19, 14 Jos 17, 6; 2. נָחַל אֶרֶץ **Land in Besitz nehmen** *take possession of land* Ex 23, 30 32, 13 Jos 14, 1 Js 57, 13 Hs 47, 14 Sa 2, 16 Ps 69, 37; נָחַל **in Besitz nehmen** *take possession of* c. שֶׁקֶר Ir 16, 19, c. כָּבוֹד Pr 3, 35, c. רוּחַ 11, 29, c. אִוֶּלֶת 14, 18, c. טוֹב 28, 10, c. רָמָה Si 10, 11, e. Volk *a nation* Ze 2, 9; Gott nimmt Israel z. Eigentum *God takes Israel as his possession* Ex 34, 9; l יַנְחִלוּ Nu 34, 17, l לְנַחֵל 34, 18 u. Jos 19, 49, l נִחַלְתִּי Ps 119, 111; 3. נָחַל בְּ **Eigentum haben an** (Gott) *have possession* (*landed property*) *of* (*God*) Ps 82, 8; †
pi: pf. נִחַל, נִחֲלוּ, cj impf. יְנַחֲלוּ Nu 34, 17, inf. נַחֵל: 1. נַחֵל אֶרֶץ לְ **Land als Besitz ver-**

teilen an *divide land for a possession unto* cj Nu 34, 17 u. 18 u. Jos 19, 49, cj יְנַחֲלוּ אוֹתָם 14, 2; 2. נָחַל בְּאֶרֶץ c. ac. pers. jmd **zu Besitz bringen** in *make a person owner of land in a country* Nu 34, 29 Jos 13, 32 14, 1; 3. נִחַל נְחָלוֹת לְ **Besitz zuteilen an** *divide shares of landed property unto* Jos 19, 51;†

hitp: pf. הִתְנַחַלְתֶּם, sf. הִתְנַחֲלוּם, impf. תִּתְנַחֲלוּ, תִּתְנַחָלוּ, inf. הִתְנַחֵל: 1. c. נַחֲלָתוֹ: **sich s. Grundbesitz verschaffen** *provide oneself with landed property* Nu 32, 18; 2. c. ac. **sich** etw. **als s. Besitz** (durch d. Loos) **zuweisen** *apportion to oneself as possession (by lot)* Nu 33, 54 34, 13 Hs 47, 13; 3. **als Besitz weitergeben, vererben** *pass on, entail as possession* (לְ an *unto, upon*) Lv 25, 46 (עֶבֶד); 4. c. ac. u. לְ: **sich** jmd **in Erbbesitz zuweisen** als *entail a person to oneself as inheritance* Js 14, 2; 5. abs. **in Erbbesitz nehmen** *take as inheritance* Si 36, 16;†

hif: pf. הִנְחַלְתִּי, impf. יַנְחִיל, יַנְחִל, sf. יַנְחִלֵם, יַנְחִילֶךָ, תַּנְחִילֶנָּה, inf. הַנְחִיל, הַנְחֵל (BL 367) Dt 32, 8, sf. הַנְחִילוֹ, pt. מַנְחִיל: 1. c. 2 ac.: jmd etw. **als Besitz geben** *give to a person a thing as a possession* Dt 1, 38 3, 28 12, 10 19, 3 21, 16 31, 7 Jos 1, 6 Ir 3, 18 12, 14 Sa 8, 12 1 S 2, 8 Pr 8, 21 13, 22; 2. c. ac. jmd **mit Besitz ausstatten** *fit out with a possession* Hs 46, 18; 3. c. ac. **ins Erbe einsetzen** *cause to inherit* Dt 32, 8 Si 44, 21; 4. **als Erbe übergeben** *pass on as inheritance* 1 C 28, 8; 5. הִנְחִיל נְחָלוֹת **als Erbanteil geben** *give as share of inheritance* Js 49, 8;†

hof: pf. הָנְחַלְתִּי: **bin** (unfreiwillig) **zum Besitzer gemacht worden** *am made to possess (against my will)* Hi 7, 3.†

Der. נַחֲלָה.

II *נחל: נָחַל.

נַחַל (140 ×): ug. *nḫl*, ak. *naḫlu, naḫallu*; mhb., ja. u. sy. נַחְלָא; (نَخْلٌ Palme *palm-tree*, asa. נחל Palmpflanzung *grove of palm-trees*): נָחַל, loc. נַחְלָה (> nomin. Ps 124, 4, BL 528), pl. נְחָלִים, cs. נַחֲלֵי, sf. נְחָלֶיהָ, du. נַחֲלַיִם Hs 47, 9† l נַחְלָם: 1. **Bachtal, Wasserlauf** *torrent-valley, wady* Gn 26, 19 2 K 3, 17, נַחַל חַלְּקֵי Js 57, 6, צוּר נְחָלִים Hi 22, 24, עֹרְבֵי נַחַל Pr 30, 17, עַרְבֵי נָחַל Lv 23, 40, הָעִיר אֲשֶׁר (בְּתוֹךְ) בַּנַּחַל Dt 2, 36 Jos 13, 9. 16 2 S 24, 5 (Noth, Josua S. 51), etc.; 2. **Wasserlauf, Bach** *wady, torrent*: = יַבֹּק Gn 32, 24, Lv 11, 9f Ko 1, 7 Th 2, 18, נַחַל נֹבֵעַ Pr 18, 4, נַחֲלֵי מַיִם Dt 8, 7 10, 7 Ir 31, 9 (Bäche voll Wasser *torrents running with water*), נַחַל אֵיתָן Dt 21, 4 Am 5, 24, v. Regen gespeist *filled by rain* 1 K 17, 7, נַחַל שֹׁטֵף Js 30, 28, פְּרָת in 7 Bäche zerteilt *divided into 7 wadies* Js 11, 15, מַעְיָן וָנָחַל Ps 74, 15; 3. **Schacht** (im Bergwerk) *(miner's) shaft* Hi 28, 4 (l נְחָלִים עַם גָּר); 4. (metaph.) נַחֲלֵי בְלִיַּעַל 2 S 22, 5 Ps 18, 5, נַחַל גָּפְרִית Js 30, 33, נַחֲלֵי שָׁמֶן (Ströme v. *streams of*) Mi 6, 7, נַחַל עֲדָנֶיךָ Ps 36, 9, נַחֲלֵי דְבַשׁ וְחֶמְאָה Hi 20, 17; נַחַל in n. l. u. n. fl.: F אַרְנוֹן, III אֶשְׁכֹּל, בְּשׂוֹר, גַּעַשׁ, גְּרָר, זֶרֶד, יַבֹּק, כְּרִית, I u. II עֲרָבָה, קִדְרוֹן, קִישׁוֹן, קָנָה, שׂוֹרֵק, שִׁטִּים; נַחַל מִצְרַיִם, ak. *naḫal (māt) Muṣri* KAT 147, *W. el ʿArīš* (Dalm. PJ 20, 54 ff; Musil AP 2, 1, 230 f; :: 2, 47 zu *about* Nu 34, 5) cj Gn 15, 18, Nu 34, 5 Jos 15, 4. 47 1 K 8, 65 2 K 24, 7 Js 27, 12 (G Ῥινοκόρουρα) 2 C 7, 8; auch gemeint *also meant* Hs 47, 19 48, 28; NB: Nu 24, 6 Ct 6, 11 denkt man an *some suggest* נַחַל = نَخْلٌ Palme *palm-tree.*

נַחֲלָה (220 ×; 47 × Jos, 45 × Nu, 24 × Dt, 22 × Ps): I נחל; ug. *nḥlt*: cs. נַחֲלַת, sf. נַחֲלָתוֹ, נַחֲלָתָן, pl. נְחָלֹת (pro נַחֲלַת Ps 16, 6 l נַחֲלָתִי): 1. נַחֲלָה ist der bei Erbteilung, Eroberung, Beute dem Einzelnen (der Familie) zufallende **Besitz** (-anteil) an Boden, Habe u. sonstigem Gut *share of possession of landed property, inheritance, or any goods apportionned to an individual (or family)*: נַחֲלַת אֲבֹתַי Erbbesitz *hereditary property* 1 K 21, 3f; נַחֲלַת שָׂדֶה וָכֶרֶם Nu 16, 14; Hiobs Töchter haben נַחֲלָה wie ihre Brüder *Job's daughters own* נַחֲלָה *like their brothers* Hi 42, 15; e. Toter hinterlässt *a deceased one leaves* נַחֲלָתוֹ Ru 4, 5. 10; erobertes Land wird verteilt *conquered territory is apportionned*, daher *therefore* חֵלֶק // נ׳ 2 S 20, 1 1 K 12, 16 Ir 10, 16 etc., חֵלֶק וְנ׳ Gn 31, 14 Nu 18, 20 Dt 10, 9 12, 12 etc.; F l נחל u. II חלק; נָתַן לְנַחֲלָה Nu 18, 21. 24 2 C 6, 27, נָתַן אֶרֶץ נ׳ Nu 36, 2, נָתַן בְּנ׳ Dt 4, 21, הֶעֱבִיר נ׳ לְ übergehn lassen an *cause to devolve to* Nu 27, 7f, תִּפּוֹל אֶרֶץ בְּנ׳ fällt (als Erbe) zu *accrues to* Nu 34, 2 Jd 18, 1 Hs 47, 14. 22, הִבְדִּיל לְנ׳ Jos 13, 6 Hs 45, 1, הִפִּיל בְּנ׳ לְ als Besitz absondern *separate as possession* 1 K 8, 53, בָּחַר לְנ׳ Ps 33, 12, נֶהֶפְכָה נ׳ לְ fällt an *is turned unto* Th 5, 2, etc.; 2. Besondres *particulars*: יהוה ist *is* חֵלֶק וְנַחֲלָה für *for* אַהֲרֹן Nu 18, 20, der Leviten *of the Levites* Dt 10, 9 18, 2 Jos 13, 33, die Lev. haben kein *the Levites own no* נ׳ Nu 26, 62; כְּהֻנַּת י׳ ist *is* [נַחֲלַת לֵוִי] Jos 18, 7; נַחֲלַת יהוה Dt 32, 9 1 S 10, 1 Ps 78, 71 Js 19, 25 47, 6, 1 S 26, 19 2 S 20, 19 21, 3; נַחֲלַת אֱלֹהִים 2 S 14, 16; Israel ist *is* עַם נַחֲלָה für Gott *for God* Dt 4, 20, ist *is* עַמְּךָ וְנַחֲלָתְךָ Dt 9, 26. 29 1 K 8, 51; מְנוּחָה // נַחֲלָה Dt 12, 9; נַחֲלָתִי (v. *of* י׳) Ir 2, 7 12, 7—9. 14, cj 12, 10a, 16, 18 50, 11 Jl 4, 2, נַחֲלָתְךָ (v. *of* י׳) Jl 2, 17 Ps 79, 1 (יְרוּשָׁלַםִ); Söhne sind *sons are* נַחֲלַת י׳ (= gegeben von *given by* י׳) Ps 127, 3; צֹאן נַחֲלָתֶךָ Mi 7, 14; l נַחֲלָה (חלה) Ps 68, 10, l נַחֲלַת pro נַחֲלָה Jos 14, 2; l נַחֲלוֹ אֹתָם Hs 46, 17, l נַחֲלָתוֹ Js 17, 11 F חלה; cj נַחֲלָתִי Ps 119, 111; *נַחַל: masc. v. *of* נַחֲלָה F נַחֲלִיאֵל.

נַחֲלִיאֵל: n. l.; *נַחַל = נַחֲלָה u. אֵל: Wüstenstation, unbekannt *station in the desert, unknown* Nu 21, 19. †

נֶחֱלָמִי: gntl. v. *נֶחֱלָם: Ir 29, 24. 31 f. †

נחם: نَحَمَ heftig atmen (Pferd) *breath pantingly*; Nöld. NB 86; mhb. pi., ja. pa., cp. pa., ph. in n.m. trösten *console*; NB: nif. bereuen *be sorry* u. pi. trösten *console* haben denselben Ursprung: seelisch erleichtern *have the same origin*: *ease one's soul*:

nif: pf. נִחַם, נִחַם, נִחַמְתִּי, impf. וַיִּנָּחֶם, וַיִּנָּחֵם, יִנָּחֲמוּ, אֶנָּחֵם, inf. הִנָּחֵם, pt. נִחָם: 1. **reuig werden** *be sorry, repent* Ex 13, 17 Jd 2, 18 (מִן wegen *for*) 1 S 15, 29 Ir 4, 28 15, 6 20, 16 Hs 24, 14 Jl 2, 14 Jon 3, 9 Sa 8, 14 Ps 106, 45 110, 4; c. כִּי dass *that* Gn 6, 6f (Gott *God*) 1 S 15, 11. 35; 2. **נִחַם עַל sich etw. reuen lassen** *be sorry for* Ex 32, 12. 14 Js 57, 6 Ir 8, 6 18, 8. 10 Jl 2, 13 Am 7, 3. 6 Jon 3, 10 4, 2 1 C 21, 15; = נִחַם אֶל 2 S 24, 16 Ir 26, 3. 13. 19 42, 10; 3. abs. **bereuen** *repent* Hi 42, 6; 4. abs. **es sich leid sein lassen** *rue* Ir 31, 19 Ps 90, 13 (עַל wegen *for*); 5. **נִחַם אֶל es tat ihm leid um** *he was sorry for* Jd 21, 6, = c. לְ 21, 15; 6. **נִחַם Trost finden** *be comforted* Gn 24, 67 Hs 31, 16, c. עַל wegen *concerning* 2 S 13, 39 Hs 14, 22 32, 31; 7. **נִחַם מִן sich Trost schaffen, sich letzen an** *comfort oneself, ease oneself of* Js 1, 24; 8. **sich trösten lassen** *be comforted* Ir 31, 15 Ps 77, 3; 9. die **Trauerzeit halten** *keep the time of mourning* Gn 38, 12; † NB: Gott ist immer Subjekt ausser *subject is always God save* Gn 24, 67 38, 12 Ex 13, 17 Jd 21, 6. 15 2 S 13, 39 Ir 8, 6 31, 15. 19 Hs 14, 22 31, 16 32, 31 Ps 77, 3 Hi 42, 6; G braucht für 47 Stellen *for 47 passages G uses* 16 verschiedene Übersetzungen *16 different translations* (Hs 14, 22 fehlt *wanting in* G);

pi: pf. נִחַם, נִחֲמוּ, sf. נִחַמְתָּנִי, נִחַמְתִּים, impf. יְנַחֵם, יְנַחֲמוּן, sf. יְנַחֲמֵנִי, אֲנַחֶמְכֶם, יְנַחֲמֵנוּ, inf. נַחֵם, sf. נַחֲמוֹ, imp. נַחֲמוּ, sf. נַחֲמֵנִי, pt. מְנַחֵם, מְנַחֲמִים, sf. מְנַחֶמְכֶם: (mit Worten) **trösten** *console* (*by speaking*) Gn 5, 29 37, 35 50, 21 (//דִּבֶּר עַל־לֵב), 2 S 10, 2 f u. 1 C 19, 2 f (bei Todesfall *in case of death*), 2 S 12, 24 Js 22, 4 40, 1 51, 19 (1 יְנ׳) 61, 2 66, 13 (Mutter ihr Kind *mother her child*) Ir 16, 7 (עַל־מֵת) Hs 14, 23 16, 54 Na 3, 7 Ps 69, 21 23, 4 (1 יַנְהִגֵנִי?) Hi 2, 11 7, 13 29, 25 42, 11 Ru 2, 13 (Bekümmerte *people in sorrow*) Th 1, 2. 9. 16 f. 21 Ko 4, 1 1 C 7, 22; c. הֶבֶל nichtig *in vain* Sa 10, 2 Hi 21, 34, מְנַחֲמֵי עָמָל lästige Tröster *troublesome comforters* Hi 16, 2; Gott tröstet *God is consoling*: Js 12, 1 Ps 71, 21 86, 17 119, 82, s. Volk *his people* Js 49, 13 52, 9 66, 13, Zion 51, 3 Sa 1, 17, die Seinen *his owns* Js 51, 12 Ir 31, 13 (//שִׂמַּח) Th 2, 13; Gottes *God's* חֶסֶד Ps 119, 76; †

pu: pf. נֻחָמָה, impf. תְּנֻחָמוּ **getröstet werden** *be consoled* Js 54, 11 66, 13; †

hitp: pf. הִנֶּחָמְתִּי (< הִתְנַחַמְתִּי*), הִתְנַחֵם, impf. יִתְנֶחָם, וְאֶתְנֶחָם, pt. מִתְנַחֵם: **1. sich Trost, Rache verschaffen** *comfort oneself* (*by vengeance*) Gn 27, 42 (לְ an *upon*) Gn 27, 42 Hs 5, 13; **2. es sich leid sein lassen** *be sorry* Nu 23, 19 Dt 32, 36 (עַל wegen *on account*) Ps 135, 14; **3. seinen Trost finden** *be comforted, find oneself's comfort* Gn 37, 35 Ps 119, 52. †

Der. נַחַם, נֶחָמָה, נִחֻמִים, תַּנְחוּמִים, תַּנְחוּמוֹת; n. m. נַחַם, נְחֶמְיָה, נַחֲמָנִי, מְנַחֵם, נַחוּם, תַּנְחֻמֶת.

נַחַם: n. m.; נחם; Dir. 124 f: 1 C 4, 19. †

נֹחַם: נחם: **Mitleid** *compassion*: Ho 13, 14. †

נֶחָמָה: נחם; < *naḫḫāmā*; mhb.; sf. נֶחָמָתִי: **Trost** *comfort* Ps 119, 50 Hi 6, 10, cj 30, 28. †

נְחֶמְיָה: n. m.; נחם u. י׳; mhb., Dir 191: *Nehemia(h)*: 1. Ne 1, 1 8, 9 10, 2 12, 26. 47; 2. 3, 16; 3. Esr 2, 2 Ne 7, 7. †

נִחֻמִים: נחם; pl. tantum: **Trost** *comfort* Js 57, 18 Sa 1, 13; 1 רַחֲמַי Ho 11, 8. †

נַחֲמָנִי: n. m.; aram. RB 45, 76; נחם u. (Doppelendung *double ending*) — *ani*: Ne 7, 7. †

נַחְנוּ: אֲנַחְנוּ; ak. *nīnu*; Lkš; ja. נַחְנָא, نَحْنُ, ܚܢܢ; Harris Developm. 78, Rosenthal Or 11, 183: נַחְנוּ: **wir** *we* Gn 42, 11 Ex 16, 7 f Nu 32, 32 Th 3, 42. †

נַחֲנוּ, **נַחֲנָתִי** Ir 22, 23: F אנח.

נחץ: Gesenius نَحَصَ drängen *urge* (?); F לחץ: qal: pt. pass. נָחוּץ: dringend *urgent*? 1 S 21, 9. †

נחר: ug. *anḫr* Delphin *dolphin*; ak. *naḫāru*, mhb., ja., sy., نَخَرَ, ܢܚܪ schnauben, schnarchen *snort*:

qal: pf. נָחַר: F חרר nif! Ir 6, 29; †

pi: pf. נִחֲרוּ: **schnauben** *snort* (בְּ gegen *against*) Ct 1, 6 (Driv. JTS 34, 380 f). †

Der. *נַחַר, *נַחֲרָה, *נְחִירִים.

***נַחַר**: נחר: sf. נַחְרוֹ: **Schnauben** (d. Pferds) *snorting* (*of horse*) Hi 39, 20. †

***נַחֲרָה**: נחר: cs. נַחֲרַת: **Schnauben** (d. Pferds) *snorting* (*of horse*) Ir 8, 16, cj בְּנַחֲרֹתֶיךָ Hs 32, 2. †

נַחְרַי u. **נַחֲרַי**: n. m.; *Naḫara'u* APN 166; Noth S. 228: 2 S 23, 37 1 C 11, 39. †

נחש: mhb. pi., ja. u. sy. pa. wahrsagen *divine*; نَحِسَ unglücklich sein *be unlucky*; (F Wellh. RaH 200 f, R. Smith, J. of Philol. 14, 114 ff); F לחש:

pi: pf. נִחֵשׁ, נִחַשְׁתִּי, impf. יְנַחֵשׁ, inf. נַחֵשׁ, pt. מְנַחֵשׁ: **1. Vorzeichen suchen, wahr-**

sagen *look for omen, divine* Gn 44, 15 Lv 19, 26 Dt 18, 10 2 K 17, 17 21, 6 2 C 33, 6, c. בַּגָּבִיעַ aus d. Becher *by means of a cup* (*hydromancy*) Gn 44, 5; **2. als (gutes) Zeichen nehmen** *take for an* (*lucky*) *omen* 1 K 20, 33; †

nif (Torcz. OLZ 20, 10 ff): pf. נִחַשְׁתִּי: **unter e. (bösen) Zeichen stehn** *be under an* (*unlucky*) *omen* Gn 30, 27. †

Der. נַחַשׁ.

נַחַשׁ: נחש; نَحْسَةٌ (Torcz. OLZ 20, 11) (böses) Zeichen (*unlucky*) *omen*: pl. נְחָשִׁים: **Bannspruch** *spell* Nu 23, 23 24, 1. †

I נָחָשׁ: Etym.?; حَنَشٌ Schlange *serpent* Lag. Übersicht 188; VG 1, 275, Nöld. BS 133[4]; cs. נְחַשׁ, pl. נְחָשִׁים: **Schlange** *serpent*: frisst *eats* עָפָר Js 65, 25 Mi 7, 17, beisst *bites* Nu 21, 6. 9 Am 5, 19 Pr 23, 32 Ko 10, 8. 11, lauert am Weg *lies in wait at the road* Gn 49, 17, auf Felsen *upon rocks* Pr 30, 19, in d. Wand *in the wall* Am 5, 19 Ko 10, 8; F Ex 4, 3 7, 15 Nu 21, 7 (coll.) Js 14, 29 Ps 140, 4; die Schlange (hebr. masc.!) im Paradies *the Serpent in Paradise* Gn 3, 1—4. 13 f; F נָחָשׁ שָׂרָף Dt 8, 15, pl. Nu 21, 6; נָחָשׁ בָּרִחַ Js 27, 1. 1 Hi 26, 13, F נְחָשִׁים צִפְעֹנִים Ir 8, 17, [cj נָחָשׁ [זֹחֵל Ir 46, 22; נָחָשׁ im Meer *in the sea* (Aharoni, Osiris 5, 473: = *Crocodilus vulgaris*) Am 9, 3; bronzenes Schlangenbild *bronze image of serpent* Nu 21, 9. 9 2 K 18, 4; F n. m. III נָחָשׁ u. n. m. נַחְשׁוֹן u. עֲקַלָּתוֹן.†

II נָחָשׁ: F נְחֹשֶׁת: n. l. עִיר נָחָשׁ d. kupferreiche *Hirbet Naḥas abounding in copper*, Nordende v. *northern end of W. el-ʿArabah*: 1 C 4, 12.†

III נָחָשׁ: n. m.; = I; keilschr. *Nuḫšaia* APN 176: 1. 1 S 11, 1 f 12, 12 2 S 10, 2 1 C 19, 1 f; 2. 2 S 17, 27; 17, 25 l יִשַׁי.†

נַחְשׁוֹן: n. m.; I נָחָשׁ u. *-ōn*: Ex 6, 23 Nu 1, 7 2, 3 7, 12. 17 10, 14 Ru 4, 20 1 C 2, 10 f.†

I נְחֹשֶׁת (136 ×, G meist *mostly* χαλκός, χαλκοῦς): Etym.? F II נָחָשׁ: EA 69, 28 *nuḫuštum* gloss. v. ak. (*w*)*erū* Kupfer *copper*; ph. נחשת; F ba. נְחָשׁ; نُحَاسٌ; ንሐስ: sf. נְחֻשְׁתִּי Th 3, 7, נְחֻשְׁתָּהּ, נְחֻשְׁתָּם, du. נְחֻשְׁתַּיִם Jd 16, 21: **Kupfer, Bronze** (Kupfer, durch Zusatz v. Zinn gehärtet) *copper, bronze* (*copper hardened with alloy*); נְחֹשֶׁת in Reihen v. Metallen *in series of metals*: כֶּסֶף וּנ׳ Gn 4, 22, בַּרְזֶל וּנ׳ Dt 33, 25, נ׳ וּבַרְזֶל Ex 35, 24; Reihe v. 3 Met. *series of 3 met.* Ex 25, 3 2 S 8, 10 1 C 18, 10, v. 4 Met. *of 4 met.* Jos 6, 19 1 C 22, 16 Hs 22, 18, v. 5 Met. *of 5 met.* Hs 22, 20, v. 6 Met. *of 6 met.* Nu 31, 22; נְחֹשֶׁת als Stoff *as material* Ex 27, 2 2 S 8, 8 1 C 18, 8 1 K 7, 14 1 C 22, 3 Js 60, 17 Hs 40, 3 Sa 6, 1 2 K 25, 13; Herkunft u. Bearbeitung v. *origin a. manufacture of* נְחֹשֶׁת Dt 8, 9 1 K 7, 14. 16. 45 2 C 4, 16; Beschreibendes *description* Dt 28, 23 Hs 1, 7 Da 10, 6 Hs 40, 3 Esr 8, 27; Geräte aus נ׳ *things made of* נ׳: אַדְנֵי נ׳ Ex 26, 11, קַרְסֵי נ׳ 26, 37, מִזְבַּח הַנ׳ 30, 18, כַּן נ׳ u. כִּיּוֹר נ׳ 38, 30, יָם הַנ׳ 2 K 25, 13 Ir 52, 17 1 C 18, 8, etc.; נְחֹשֶׁת הַתְּנוּפָה Ex 38, 29; נ׳ **Fesseln aus Bronze** *fetters of bronze* Th 3, 7, dual. Jd 16, 21 2 S 3, 34 2 K 25, 7 Ir 39, 7 2 C 33, 11 36, 6; F נְחוּשָׁה, נָחוּשׁ, נְחֻשְׁתָּן.

II *נְחֹשֶׁת: < ak. *naḫšatu*: sf. נְחֻשְׁתֵּךְ: **Menstruation** *menstruation* Hs 16, 36. †

נְחֻשְׁתָּא: n. f.; KF; Etym.?: 2 K 24, 8. †

נְחֻשְׁתָּן: Mischform aus *form mixed of* נָחָשׁ Schlange *serpent* u. נְחֹשֶׁת Bronze *bronze* plus *-ān*; Νεεσθαν: **bronzenes Schlangenidol** *serpent-idol of bronze*; Gressmann Altorient. Bilder Nr. 398; Grohmann, Göttersymbole ... auf südarab. Denkmälern, 1914, 71 ff: 2 K 18, 4. †

נחת: ug. *nḥt*; aram. *F* ba.:

qal: impf. יִחַת, תֵּחַת, cj יִחֲתוּ Hi 21, 13 u. תִּנְחָתוּ 2 K 6, 8 u. נָחַת Hi 17, 16; cj pt. נְחִתִּים 2 K 6, 9: 1. **hinabziehen** *descend* Ir 21, 13, cj 2 K 6, 8 u. 9; 2. **niedersinken** *go down, drop down* cj Ps 49, 15 (l יֵחַתּוּ pro יָשׁתוּ), cj Hi 17, 16 u. 21, 13; 3. c. מִן: **tiefer wirken** *work deeper, more* Pr 17, 10; l וַתִּנְחַת Ps 38, 3 b; †

nif: pf. נִחֲתוּ: c. בְּ: **sich senken in** *be dropped down into* Ps 38, 3; †

pi: pf. נִחַת 2 S 22, 35, נִחֲתָה Ps 18, 35, l beide Male *in both passages* inf. נַחֵת: **herabdrücken** (d. Bogen) *press down (arrow)*; **senken, ebnen** (Schollen) *cause to go down, make level (furrows)* Ps 65, 11; †

hif: imp. הַנְחַת (BL 367): **hinabführen** *bring down* ? Jl 4, 11. †

Der. I נַחַת.

I נַחַת: נחת: **Niederfahren** (d. Arms) *descent (of God's arm)* Js 30, 30. †

II נַחַת: נוח; ph. נחת לב Karatepe 2, 6: נַחַת: **Ruhe, Gelassenheit** *rest, quietness* Js 30, 15 Pr 29, 9 Ko 4, 6 6, 5 9, 17 Si 11, 19; l נָחַת Hi 17, 16; dele 36, 16 (dittogr.), *F* III. †

III נַחַת: n. m.; = II: 1. Gn 36, 13. 17 1 C 1, 37; 2. 6, 11; 3. 2 C 31, 13. †

***נָחֵת**, pl. נְחִתִּים: l נְחִתִּים 2 K 6, 9. †

נטה: mhb., ja.; ak. *naṭû* sich anpassen, entsprechen *conform to, correspond to*; نَطَّ, ausstrecken *stretch out*:

qal (135 ×): pf. נָטָה, נָטִיתָ, נָטִיתִי, נָטוּ, נָטְיוּ (BL 411. 441) Ps 73, 2, impf. יִטֶּה, יֵט, וַיֵּט, וַיֵּטְ, וַיִּטּוּ, inf. נְטוֹת, נְטֹה, sf. נְטוֹתוֹ, imp. נְטֵה, pt. נֹטֶה, נוֹטֶה, sf. נוֹטֵיהֶם sg! Js 42, 5, pass. נָטוּי, נְטוּיָה, נְטוּיוֹת (BL 441. 599), נְטֻיוֹת Q Js 3, 16: 1. **vorwärts strecken, ausstrecken** *stretch out, extend*: Stab *rod* Ex 9, 23, Schwert *sword* Hs 30, 25, Hand *hand* Ex 7, 19, יָמִין 15, 12; Gott handelt *God is acting* בְּיָד נְטוּיָה Ir 21, 5 Js 14, 26, בִּזְרוֹעַ נְטוּיָה Ex 6, 6 *F* זְרוֹעַ, וְעוֹד יָדוֹ נְטוּיָה Js 9, 11. 16. 20 10, 4 †, cf. 14, 27; נָטָה יָדוֹ בְמַטֵּהוּ str. d. H. mit d. Stab aus *str. out h. hand with h. rod* Ex 8, 1; > נָטָה בַּכִּידוֹן str. d. Lanze aus *str. out the dart* Jos 8, 18. 26; נְטֻוֹת גָּרוֹן mit gereckter Nacken *outstretched of neck* Js 3, 16; 2. **ausstrecken, spannen, aufschlagen,** (Zelt) *extend, pitch (tent)*: אֹהֶל Gn 12, 8, cj Da 11, 45 (Katz), ohne *without* אֹהֶל Ir 14, 8, שַׁפְרִיר Ir 43, 10, נ׳ קָו **Messschnur spannen** *stretch measuring-line* Js 44, 13, נ׳ שָׁמַיִם (Gott) **breitet d. H. aus** (wie Zelt) *(God) spreads out the h. (like tent)* Js 40, 22 Ps 104, 2 Js 42, 5 44, 24 45, 12 51, 13. cj 16 Ir 10, 12 51, 15 Sa 12, 1 Hi 9, 8; נ׳ צָפוֹן Hi 26, 7; sich ausstrecken > **lang werden** *extend > grow long*: צֵל 2 K 20, 10 Ps 109, 23, צֵל נָטוּי 102, 12; 3. **abwärts strecken, nach unten neigen** *stretch down, bend down*: שְׁכֶם Gn 49, 15, שָׁמַיִם Ps 18, 10; קִיר נָטוּי **überhängende** Mauer *wall leaning over* Ps 62, 4; נָטָה אֶל **sich zu jmd neigen** *bend down towards* Ps 40, 2; נָטָה לְ **sich hinziehen gegen** *stretch towards* Nu 21, 15; נ׳ רֶגֶל Bein neigt sich, **gleitet aus** *leg is bent, slips* Ps 73, 2; נְטוֹת יוֹם d. Tag neigt sich *day (sun) is going, bending down* Jd 19, 8; נָטָה **sich anstemmen** *bend, set against* Jd 16, 30; 4. **seitwärts strecken, abbiegen** *turn aside, bend, incline*: נָטָה יָמִין biegt nach rechts ab *turns to the right* Nu 20, 17, נְטֵה לְךָ עַל wende dich nach *turn aside to* 2 S 2, 21; נ׳ מִן Nu 22, 23 u. נ׳ מֵעַל Nu 20, 21 u. נ׳ מִפְּנֵי Nu 22, 33 sich abwenden von *turn aside from*; נָטָה sich abwenden *turn aside*, c. לִפְנֵי vor *before* Nu 22, 33, c. עַד zu . . . hin *towards* Gn 38, 1, = c. אֶל

38, 16, c. בְּ in ... hinein *into* Nu 21, 22, נ׳ abbiegen *bend*, c. מִן von *from* Hi 31, 7, c. אַחֲרֵי hinter = zusammen mit *after* = *together with* Ex 23, 2, hinter ... her *following* 1 S 8, 3, zu *towards* Jd 9, 3, c. לְ sich zuwenden *turn towards* (לְבָבְךָ נֹטֶה לוֹ 1) 1 S 14, 7; c. לְ c. inf. geneigt sein zu ... *be inclined to* ... Ps 119, 112; נָטָה sich wenden *turn round* (וַיֵּט לְבַב 1) 2 S 19, 15; gelegentlich geht der Gedanke des Abbiegens ganz verloren *in some cases the notion of turning aside vanishes perfectly*: נָטָה אֶל hinlenken zu *direct towards* Js 66, 12, = c. עַל Ps 21, 12 1 C 21, 10; ? Ps 17, 11;

nif†: pf. נִטָּיו, impf. יִנָּטֶה, יִנָּטוּ: **gespannt werden** *be stretched out* Sa 1, 16, **sich lang hinziehn** *be extended a long way*: Täler *valleys* Nu 24, 6, Schatten *shadows* Ir 6, 4;

hif (75 ×): pf. הִטָּה, הִטְּתָה, הִטּוּ, sf. הִטָּהוּ, הִטֵּהוּ, impf. יַטֶּה, וַיֵּט, תֵּט, אֵט, וָאֵט, יַטּוּ, sf. וַיַּטֵּהוּ, יַטְּךָ, יַטֶּנּוּ, inf. הַטּוֹת, הַטֹּת, sf. הַטֹּתָהּ, imp. הַטֵּה, הַט, הַטִּי, pt. מַטֶּה, מַטִּים, מַטֵּי: **1. ausstrecken** *stretch out*: Hand *hand* Js 31, 3, עַל gegen *against* Ir 6, 12 15, 6; intrans. **sich ausstrecken, sich hinlagern** *recline, stretch one's limbs* Am 2, 8; ? Ho 11, 4; **2. ausbreiten** *spread out*: שַׂק 2 S 21, 10, יְרִיעוֹת Js 54, 2 (הַטִּי 1), c. אֹהֶל **Zelt schlagen** *pitch a tent* 2 S 16, 22; **3. zuwenden** *turn towards*: חֶסֶד עַל Esr 7, 28 9, 9, חֶסֶד אֶל Gn 39, 21 (וַיֵּט 1); **4.** (herab) **neigen** *incline, turn down*: כַּד Gn 24, 14, שָׁמַיִם Ps 144, 5, לֵב Jos 24, 23, אֹזֶן 2 K 19, 16 (יהוה) Js 55, 3 Ir 7, 24 Ps 31, 3 49, 5; **5. beugen** *bend*: דֶּרֶךְ Am 2, 7 Pr 17, 13, מִשְׁפָּט Dt 16, 19; ? Ex 23, 2; **6. seitwärts lenken, ablenken** *turn aside*: אָתוֹן Nu 22, 23, לֵב Pr 21, 1; **verleiten** *lead astray* Js 44, 20 Hi 36, 18, **herumbringen, verführen** *turn round, seduce* Pr 7, 21; (auf die Seite) **hinschaffen** *carry aside* 2 S 6, 10; **hinlenken** *incline*: c. אֶל Ps 119, 36, c. לְ (zu *towards*) 141, 4 Pr 2, 2, c. אַחֲרֵי 1 K 11, 2. 4; **abwenden** *turn away* Ir 5, 25; **zur Seite treiben** *turn aside* Hi 24, 4 Am 5, 12 Ma 3, 5; c. מִן **verdrängen von** *push aside from* Js 10, 2 29, 21; fort-, **abweisen** *repel* Pr 18, 5 Ps 27, 9; intrans. **abweichen** *turn away* Hi 23, 11 Js 30, 11 (מִן von *from*); **abbiegen** *turn aside* Ps 125, 5;

hof†: pt. מֻטָּה, מֻטּוֹת: **ausgespannt** *outspread* Js 8, 8, **abgewiesen** *repelled* (**F** Pr 18, 5 hif 6) Hs 9, 9.

Der. מַטֶּה, מִטָּה, מֻטֶּה, מַטָּה.

נְטוֹפָתִי u. **נְטֹפָתִי**: gntl. v. נְטֹפָה: 2 S 23, 28 f 2 K 25, 23 Ir 40, 8 1 C 11, 30 27, 13. 15, coll. Ne 12, 28 1 C 2, 54 9, 16. †

***נָטִיל**: נטל: pl. cs. נְטִילֵי: **darwägend** *weighing*: Ze 1, 11. †

***נָטִיעַ**: נטע: pl. נְטִעִים: **Pflanzreis** *plantlet* Ps 144, 12. †

נְטִיפוֹת: **F** נְטִפָה.

נְטִישׁוֹת: נטשׁ: pl. tant., sf. נְטִישׁוֹתֶיהָ: **wucherndes Gerank** *luxuriating shoots* (Rebe *vine*) Js 18, 5 Ir 5, 10 48, 32. †

נטל: ak. *naṭālu* heben *lift*; mhb.; **F** ba.:

qal: pf. נָטַל, impf. יִטּוֹל, pt. נוֹטֵל: 1. c. עַל: **auferlegen** *lay upon* 2 S 24, 12 Th 3, 28; 2 S 24, 12 Th 3, 28; 2. **wiegen** *weigh* Js 40, 15 (וַיִּטּוֹלוּ 1); †

pi: impf. sf. וַיְנַטְּלֵם: **aufheben** *lift* Js 63, 9. †

Der. נֵטֶל, *נָטִיל.

נֵטֶל: נטל: **Last** *load, burden* Pr 27, 3. †

נטע: mhb.; asa. נטע V pflanzen *plant*:

qal: pf. נָטַע, נָטַע, נָטַעְ! Pr 31, 16, נָטַעְתָּ, נְטַעְתֶּם, נְטַעְתִּים, sf. נְטַעְתִּים, impf. יִטַּע, יִטְּעוּ, תִּטָּעוּ, sf. תִּטָּעֵמוֹ, וַיִּטָּעֵהוּ, inf. לִנְטוֹעַ, לָטַעַת Ko 3, 2, imp. נִטְעוּ, pt. נוֹטֵעַ, cs. נֹטַע Ps

94, 9, pass. נְטוּעִים: **pflanzen** *plant*: absol. Js 65, 22 Ir 1, 10 18, 9 31, 5. 28 45, 4 Ko 3, 2; c. ac.: גַּן Gn 2, 8 Ir 29, 5. 28 Ps 80, 16 (cj גַּנָּה), כֶּרֶם Gn 9, 20 Dt 6, 11 20, 6 28, 30. 39 Jos 24, 13 2 K 19, 29 Js 5, 2 37, 30 65, 21 Ir 31, 5 (l נְטָעִים נִטְעֵי) Hs 28, 26 Am 5, 11 9, 14 Ze 1, 13 Ps 107, 37 Pr 31, 16 Ko 2, 4, אֵשֶׁל Gn 21, 33, עֵץ Lv 19, 23 Ko 2, 5, אֲהָלִים Nu 24, 6, זַיִת Dt 6, 11 Jos 24, 13 Ir 11, 17, אֶרֶז Js 44, 14, גֶּפֶן Ps 80, 9, אֶרֶז 104, 16, אֲשֵׁרָה Dt 16, 21; metaph.: Menschen *men* Ir 12, 2 11, 17 24, 6 32, 41 42, 10 Am 9, 15; l וַיִּטֵּה Da 11, 45, אֹזֶן Ps 94, 9; e. Volk **einpflanzen** *establish a people* Ex 15, 17 2 S 7, 10 Ps 44, 3 1 C 17, 9; נָטַע נְטָעִים e. Pflanzung anlegen *plant a plantation* Js 17, 10; c. 2 ac. als etw. pflanzen *plant as (a vine)* Ir 2, 21; c. ac. bepflanzen *plant (with)* Hs 36, 36; **einschlagen** (Nägel) *fix in (nails)* Ko 12, 11; l לִנְטוֹת Js 51, 16; †

nif: pf. נִטְּעוּ: **gepflanzt werden** *be planted* Js 40, 24. †

Der. מַטָּע, נֶטַע*, נְטִיעַ*.

נֶטַע* : נטע: cs. נֶטַע, sf. נִטְעִי: 1. Pflanzung *plantation* Js 5, 7 17, 10 f, cj נְטָעִים Ir 31, 5; 2. Pflanzreis *plantlet* Hi 14, 9 Si 3, 9. †

נְטָעִים: n. l.; נטע: *Hirbet en-Nuweiṭī* (שְׁפֵלָה; Albr. JPO 5, 50): 1 C 4, 23. †

נטף: mhb. טִפָּה, ja. טִפָּא Tropfen *drop*; aram. נטף tropfen *drip*, ܢܛܦܐ Tropfen *drop*; نَطَفَ tropfen, *naṭūf* Tropfstein *stalactite* ZDP 30, 130; asa. מנטף Wasserbehälter, *reservoir of water*; ነጠበ träufeln *trickle*:

qal: pf. נָטְפוּ, נָטָפוּ, impf. תִּטֹּף, יִטְּפוּ, תִּטֹּפְנָה, pt. נֹטְפוֹת: **tropfen, triefen** *drop, drip* Jd 5, 4 Ps 68, 9 Hi 29, 22 (מִלָּה); c. ac. von etw. tr. *drop a thing* Jl 4, 18 Pr 5, 3 Ct 4, 11 5, 5. 13; †

hif: pf. הִטִּיפוּ, impf. תַּטִּיף, אַטִּף, יַטִּיפוּן, תַּטִּיפוּ, imp. הַטֵּף, pt. מַטִּיף: **triefen lassen, fliessen lassen** *drip* Am 9, 13; (Worte) **fliessen lassen** (von Propheten gesagt) *drip (words) (said of prophets)* Hs 21, 2. 7 Am 7, 16 Mi 2, 6. 11 (לְ über *concerning*). 11, cj תַּטִּיף Pr 15, 2. †

Der. נָטָף, נֶטֶף*, נְטִיפָה, טוֹטָפֹת; n. l. נְטֹפָה.

נָטָף: נטף: **Staktetropfen** *drops of stacte* (Harz von *gum of Pistacia lentiscus*; AS 1, 541 f) Ex 30, 34. †

נֶטֶף*: נטף: pl. cs. נִטְפֵי: **Tropfen** *drop* Hi 36, 27 (l נִטְפִים מַיִם). †

נְטֹפָה: n. l.; נטף: *Hirbet Bedd Fālūḥ*, 5 km ssö Bethlehem PJ 28, 52 ff 31, 46 f: Esr 2, 22 Ne 7, 26; F נְטוֹפָתִי. †

נְטִיפָה u. **נְטִפָה***: נטף; نُطْفَة, σταλάγμιον: pl. נְטִיפוֹת, נטפות: **Ohrgehänge** *ear-drops* (Gressm., Altorient. Bilder 636 [7]) Jd 8, 26 (מִדְיָן) Js 3, 19 (Frauen *women*). †

I נטר: NF v. נצר, asa. נטר // נצר; mhb., F ba.; ja., sy., نَطَرَ:

qal: נָטַרְתִּי, pt. נֹטֵר, נֹטְרָה, pl. נֹטְרִים: 1. **bewachen, bewahren** *keep, guard* Ct 1, 6 8, 11 f; 2. נטר אפו s. Zorn **bewahren** *keep one's anger* cj Am 1, 11 (l וַיִּטֹּר). †

Der. מַטָּרָה.

II נטר: ak. *nadāru* zornig, wütend sein *be angry, furious* (Driv. JTS 32, 361 f):

qal: impf. אֶטּוֹר, תִּטֹּר, יִנְטוֹר, pt. נוֹטֵר: **zürnen, grollen** *be angry, have a grudge* Ir 3, 5. 12 Ps 103, 9, c. לְ jmd *against* Na 1, 2, = c. אֶת Lv 19, 18. †

נטש: mhb., ja. hinstrecken, aufgeben *fell to the ground, leave*:

qal: pf. נָטַשׁ, נְטַשְׁתָּה, נָטַשְׁתָּ, sf. נְטַשְׁנוּ, יִטְּשֵׁהוּ, impf. נְטַשְׁתָּהּ, וַיִּטֹּשׁ, נִטֹּשׁ, sf. יִטְּשֵׁנוּ,

pt. נְטֻשִׁים: sich selber überlassen, aufgeben *leave to one's own resources, abandon*: 1. c. אֶרֶץ unbestellt, brach liegen lassen *leave untilled, fallow* Ex 23, 11; 2. liegen lassen (ohne sich darum zu kümmern) *leave (not caring for it)* Hs 31, 12 32, 4; 3. c. עַל jmd. überlassen *leave with* 1 S 17, 20. 28, = c. עַל־יַד 17, 22; 4. aufgeben, fallen lassen *let fall* (der Wind Wachteln *the wind quails*) Nu 11, 31; 5. aufgeben (ohne sich mehr darum zu kümmern) *abandon* (*without caring for him, it furthermore*) der Mensch seinen Gott *man his god* Dt 32, 15 Ir 15, 6, cj תִּטְּשֵׁנִי Js 44, 21; Gott sein Volk *God his people* Jd 6, 13 1 S 12, 22 1 K 8, 57 2 K 21, 14 Js 2, 6 Ir 7, 29 23, 33. 39 Ps 27, 9 Ps 94, 14; 6. etw. aufgeben *forsake, abandon a thing*: נחלתי (Gott *God*) Ir 12, 7, מִשְׁכַּן (Gott *God*) Ps 78, 60, את־דִּבְרֵי die Sache mit *the affair of* 1 S 10, 2; (Tiere) frei laufen lassen *leave, set free* (*animals*) Hs 29, 5; נְטֻשִׁים aufgelöst *dishevelled* גְּדוּד 1 S 30, 16; 7. חֶרֶב נְטוּשָׁה gezognes Schw. *drawn sw.* Js 21, 15; 8. נ׳ דָּמָיו עָלָיו überlässt s. Blutschuld seiner Verantwortung *leaves it him to answer for his guilt of blood* Ho 12, 15; 9. unbeachtet lassen *leave unheeded* Pr 1, 8 6, 20 Si 8, 8; 10. ablassen von *desist from, let alone* Pr 17, 14; verzichten (Schulden nicht eintreiben) *forgo (exaction of debt)* Ne 10, 32; 11. c. לְ c. inf. jmd Gelegenheit, Möglichkeit geben, zu ... *permit one, give one a chance to ...* Gn 31, 28; 12. וַתִּטֹּשׁ הַמִּלְחָמָה 1 S 4, 2 (Driv. JTS 34, 379: v. יטש = وطس, تواطس zusammenprallen (Wellen) *dash together (waves)*)?; †

nif: pf. נִטְּשָׁה, נִטְּשׁוּ, impf. וַיִּנָּטְשׁוּ: sich selber überlassen sein: *be let alone*: umherstreifen *tramp about* Jd 15, 9 2 S 5, 18. 22, wuchern (Ranken) *luxuriate (shoots)* Js 16, 8, schlaff hängen (Tau) *droop (rope)* 33, 23, unbeachtet daliegen *lie unnoticed* Am 5, 2; †

pu: pf. נֻטָּשׁ: unbeachtet sein *be unnoticed* Js 32 14.†

Der. נְטִישׁוֹת.

***ני**: נהי <, sf. נִיהֶם: Klagelied *wailing*; aber *but* l בְּנֵיהֶם (gloss.) Hs 27, 32.†

ניא: F II נָא.

ניב u. נוב K נוֹב, Q נִיב Js 57, 19: targ. נוֹב Frucht *fruit*: sf. נִיבוֹ: Frucht *fruit* Js 57, 19 Ma 1, 12 (gloss.); e. Schmuckstück *piece of adornement* Si 35, 5.†

***ניבי**, נוּבַי Q u. נוֹבַי K Ne 10, 20 (ō-ā > ē-ā): gntl. v. נוב?†

ניד: נוד: Beileid *condolence* Hi 16, 5.†

נידה Th 1, 8: F נִדָּה.

ניות Q, נָוִית K, נָוֹת 1 S 20, 1: *ναυαθ, ναυιωθ, naioth*: Friedr. Delitzsch, Lese- u. Schreibfehler § 57 b: ursprünglich *originally* נות; F נָוֶה: 1 S 19, 18 f. 22 f 20, 1.†

ניחח u. נִיחֹחַ: נוח; F כִּידוֹד; F ba.: sf. נִיחֹחִי, נִיחֹחֲכֶם, pl. sf. נִיחֹחֵיהֶם: Beschwichtigung *appeasement* (cf. הֲנִחֹתִי חֲמָתִי ich beschwichtige m. Grimm *I will appease my anger* Hs 5, 13): immer *always* רֵיחַ נִיחֹחַ (*ὀσμὴ εὐωδίας odor suavitatis*) **Beschwichtigungsgeruch** *smell of appeasement* Gn 8, 21 (J. riecht ihn *Y. smells it* וירח) Ex 29, 18. 25. 41 Lv 1, 9. 13. 17 2, 2. 9. 12 3, 5. 16 4, 31 6, 8. 14 8, 21. 28 17, 6 23, 13. 18 26, 31 Nu 15, 3. 7. 10. 13 f. 24 18, 17 28, 2 (l אִשֵּׁי לְרֵיחַ). 6. 8. 13. 24. 27 29, 2. 6. 8. 13. 36 Hs 6, 13 16, 19 20, 28. 41 Si 45, 16; c. לַיהוה Lv 1, 9 u. 23 ×, cj 3, 16.†

נין: יִנּוֹן Ps 72, 17: K יָנִין, Q יִנּוֹן (nif.), 1 MS יִכּוֹן: F נִין: Bedeutung: sprossen? *meaning*: *sprout forth?*†

נִין: Etym.?; mhb.: sf. נִינִי: **Spross, Nachkommen** *offspring, posterity* Gn 21, 23 Js 14, 22 Hi 18, 19 Si 41, 5 47, 22 (stets *all* //נֶכֶד); l נֶכְחִיד נָוֵהוּ Ps 74, 8.†

נִינְוֵה: n. l.; ak. (ZAW 35, 246 f) *Ninua, Ninā*, heth. *Ninuwa*, Νινευη, Herodot ἡ Νῖνος, نينوى: **Ninive** *Nineveh*, **Hauptstadt v. Assyrien** *capital of Assyria*; *Nebi Junus* u. *Kujunğik* am linken Ufer d. Tigris *on E. bank of Tigris*, gegenüber *opposite* Mosul (Lit. ↗ BRL 396 f): Gn 10, 11 f 2 K 19, 36 Js 37, 37 Na 1, 1 2, 9 3, 7 Ze 2, 13 Jon 1, 2 3, 3—7 4, 11.†

נִיס K, נָס Q Ir 48, 44: נוס: **auf d. Flucht befindlich** *fleeing*.†

נִיסָן: ak. *nisannu*, *nisānu*; mhb., äga., nab., palm.: **Nisan**; 1. Monat = März-April *first month = March-April* (älter *old texts* ↗ אביב); Arch Or 11, 7 ff 17, 330 ff 18, 1/2, 83 f: Est 3, 7 Ne 2, 1.†

נִיצוֹץ: נצץ; mhb.: **Funke** *spark* Js 1, 31 Si 11, 32†

I נִיר: ↗ מְנוֹרָה.

II נִיר: mhb.:
qal: imp. נִירוּ: **zum 1. Mal pflügen, urbar machen** *till for the first time* Ho 10, 12 Ir 4, 3; ↗ II נִיר.†

I נִיר: נור: **Leuchte (= dauernder Bestand)** *lamp* (= *lasting existence*) 1 K 11, 36 15, 4 2 K 8, 19 2 C 21, 7 Pr 21, 4 (נֵר = נִיר).†

II נִיר: II ניר: **neu umgebrochner, zum 1. Mal gepflügter Acker** *for the first time tilled, ploughed ground* Ho 10, 12 Ir 4, 3 Pr 13, 23.†

נִיר: ↗ נֵר.

נכא: NF v. נכה:
nif: pf. נִכְּאוּ: c. מִן: **hinausgepeitscht werden aus** *be scourged out of* Hi 30, 8.†
Der. *נָכֵא, *נָכָא.

***נָכָא**: נכא: pl. נְכָאִים: **zerschlagen** *smitten, stricken* Js 16, 7.†

***נָכֵא**: נכא: cj cs. נְכֵא, f. נְכֵאָה: **zerschlagen, niedergeschlagen** *smitten, stricken*: רוּחַ (:: שְׂמֵחָה) Pr 15, 13 17, 22 18, 14, cj נְכֵא הַלֵּבָב Ps 109, 16.†

נְכֹאת: ar. *nak'atun*, ZAW 58, 232 ff: **Ladanumharz (der Cistusrose)** *ladanum* (*resin of cistus*) Gn 37, 25 43, 11.†

***נכד**: נֶכֶד.

נֶכֶד: *נכד; sam. נגר, ነገድ Stamm *tribe*, Geschlecht *family*: sf. נֶכְדִּי: **Nachkommen** *progeny*: ↗ נִין.†

נכה: NF נכא: mhb. hif.; ja. af. u. sy. נכא; نكأ, نكى, ንከየ; asa. נכי Wunde *wound*:
nif†: pf. נִכָּה: **erschlagen werden** *be smitten* 2 S 11, 15;
pu†: pf. נֻכְּתָה, נֻכּוּ: **zerschlagen werden** (v. Hagel) *be smitten down* (*by hail*) Ex 9, 31 f;
hif (480×): pf. הִכָּה, הִכִּית, הִכִּיתִי, הִכּוּ, sf. הִכָּהוּ, הִכִּיתִיךָ, הִכִּיתָנוּ, הִכְּךָ, הִכַּנִי, הִכָּהוּ, הִכּוּנִי, impf. יַכֶּה, אַךְ, וַיַּךְ, אַכֶּה, וָאַכֶּה, וָאַךְ, וַיַּכּוּ, sf. נַכֶּנּוּ, אַכֶּנּוּ, יַכְּכָה, וַיַּכֵּהוּ u. וַיַּכּוּ, inf. הַכּוֹת, sf. הַכֹּתִי, imp. הַךְ, הַכֵּה, הַכּוּ, sf. הַכּוֹתָם, הַכֵּנִי, pt. מַכֶּה, cs. מַכֵּה, sf. מַכֵּהוּ, pl. מַכִּים; הִכּוּהוּ;
1. **schlagen** *strike, smite* Ex 2, 11 1 K 20, 35, Gott alles Lebendige *God every thing living* Gn 8, 21, d. Gegner *the adversary* 14, 5, Wasser *water* Ex 7, 20, Tier *animal* Nu 22, 28, e. Land *a country* 1 S 4, 8 27, 9, e. Stadt *a city* 2 K 3, 19, e. Volk *a people* 2 K 14, 7, e. Schweifende *a strolling girl* Ct 5, 7; בִּן הַכּוֹת wer Schläge verdient *who deserves to be beaten* Dt 25, 2; 2. הִכָּה בְּ **auf jmd, etw. schlagen** *smite a person, a thing* Ex 17, 6 Nu 22, 6 1 S 18, 7; = strafen *punish*

2 S 24, 17; 3. הִכָּה בְ mit etw. schlagen *smite with a thing*: בַּמַּטֶּה Ex 7, 17, בַּסַּנְוֵרִים Gn 19, 11, בְּנִפְלְאוֹת Ex 3, 20, בַּדֶּבֶר 9, 15, בְּאֶבֶן 21, 18, בֶּחָרֶב Jos 11, 10, etc.; Gott *God* בְּעֶבְרָה Js 14, 6, בְּקִצְפִּי 60, 10; 4. schlagen > erschlagen *smite* > *smite fatally*: Gn 4, 15 Ex 9, 25 12, 12, Tiere erlegen *slay animals* 1 S 17, 36; treffen, verwunden *hit, wound* 2 S 10, 18, mit Pfeil *with arrow* 1 K 22, 34 2 K 9, 24, m. Schleuder *with sling-stone* 2 K 3, 25; niederschiessen *smite down* 2 K 9, 27; (e. Stadt) verheeren *smite (a town)* 2 K 15, 16; treffen, stechen (Sonne, Mond) *smite, strike (sun, moon)* Js 49, 10 Ps 121, 6 Jon 4, 8 (עַל־רֹאשׁ); stechen (Wurm e. Pflanze) *smite (worm a plant)* Jon 4, 7, stossen *smite, butt* Da 8, 7; zerschlagen (Haus) *smite to pieces (house)* Am 3, 15; Gott schlägt, züchtigt *God smites, scourges* Ir 2, 30 14, 19; etc.; 5. הִכָּה נֶפֶשׁ: jmd ans Leben gehn *attempt a person's life* Gn 37, 21, totschlagen *slay* Lv 24, 18 Dt 19, 6; הִכָּה לְחִי auf d. Backe schlagen *smite upon the cheek* Ps 3, 8 Hi 16, 10; הִכָּה חֵרֶם mit d. Bann schlagen *smite with a ban* Ma 3, 24; הִכָּה בְ in... hinein stossen *thrust into* 1 S 2, 14 19, 10; 6. הִכָּה מַכָּה בְ heftig schlagen *beat severely* Nu 11, 33; הִכָּה אַרְצָה auf d. Boden schlagen *strike on ground* 2 K 13, 18, הִכָּה מִיַּד aus der H. schlagen *smite out of the hand* Hs 39, 3; הִכָּה בַיָּם ins Meer werfen *sm. into the sea* Sa 9, 4; הִכָּה מַכַּת־חֶרֶב בְ e. Blutbad anrichten unter *make a slaughter among* Est 9, 5, = הִכָּה מַכָּה בְ 2 C 13, 17; הִכָּה כַף 2 K 11, 12 u. הִכָּה בְכַף Hs 6, 11 u. הִכָּה (אֶל) עַל־כַּף Hs 21, 19. 21 in d. Hände klatschen (Beifall, Schadenfreude) *clap hands (applause, mockery)*; הִכָּה שָׁרָשִׁים Wurzel schlagen *strike roots* Ho 14, 6; ה׳ בְּדָוִד וּבַקִּיר spiesst D. an die Wand *pins D. to the wall* 1 S 18, 11 26, 8; ה׳ לֵב־דָּוִד אֹתוֹ D. schlug d. Gewissen *D.'s conscience was stirred* 1 S 24, 6 2 S 24, 10; l וְהִכּוּ Hs 9, 7, l וַיִּקַּח 1 K 20, 21;

hof†: pf. הוּכָּה, הֻכָּה Ps 102, 5, הֻכְּתָה, impf. יֻכּוּ, וַיֻּכּוּ, הֻכּוּ, הֻכֵּיתִי, pt. מֻכֶּה, cs. מֻכֵּה, fem. מֻכָּה, pl. מֻכִּים, cs. מֻכֵּי: geschlagen werden *be beaten* Ex 5, 14. 16 22, 1 Js 1, 5 Sa 13, 6, עָם Ho 9, 16; *be smitten* c. בעפלים 1 S 5, 12; מֻכֵּה אֱלֹהִים von Gott geschlagen *smitten of God* Js 53, 4; erschlagen werden *be slain* Nu 25, 14 f. 18, מֻכֵּי חֶרֶב Ir 18, 21; הֻכְּתָה הָעִיר überwältigt w. *be captured* Hs 33, 21 40, 1; הוּכָּה לַבִּי ist getroffen *is smitten* Ps 102, 5.

Der. I נָכֶה*, מַכָּה, נָכוֹן.

נכה *נָכֶה: נכה: cs. נְכֵה: geschlagen, gelähmt *smitten, lamed* 2 S 4, 4 9, 3; zerschlagen *contrite* (רוּחַ) Js 66, 2.†

נכה *נֵכֶה: pl. נֵכִים Ps 35, 15: l כְּנָכְרִים.†

נְכֹה: n. m.; äg. *Nk3w*; keilschr. *Nik(k)ū* Tallq. APN 173; G Νεχαυω, Herodot (2, 158 f 4, 42) u. Diodor. (1, 33) Νεκως: d. Pharao Necho (II) (609—593), Nachfolger v. *successor of* Psammetich II: 2 K 23, 29. 33—35; F נְכוֹ†

נְכוֹ: n. m.; = נְכֹה: Ir 46, 2 2 C 35, 20. 22 36, 4.†

I נָכוֹן: נכה: Stoss *push, thrust* Hi 12, 5.†

II נָכוֹן: n. m.; כון: 2 S 6, 6, = כִּידֹן 1 C 13, 9.†

נכח*: F נֹכַח*, נָכֹחַ*.

נֹכַח: נכח*; نكح Erfolg haben *succeed*, Nöld. NB 190 f; [Syriac] sanft *gentle*: sf. נִכְחוֹ: 1. subst. נִכְחוֹ: sein Gegenüber, geradeaus *what is in front of himself, straightforward* Hs 46, 9, ihm gerade gegenüber *in front of it* Ex 14, 2, gerade auf ihn zu *straight towards him* cj אֶל־נִכְחוֹ 1 S 26, 4, cj נִכְחִי gerade vor mir *in front of me* Js 41, 1; 2. > adv. לְנֹכַח **geradeaus** *straightforward* Pr 4, 25; 3. > praep. נֹכַח **gegenüber von** *in front of* Ex 26, 35 40, 24 Jos 18, 17 1 K 20, 29 22, 35 Est 5, 1 2 C 18, 34; **vor, angesichts** *before* Jd 18, 6 Ir 17, 16 Pr 5, 21 Th 2, 19; נָתַן נֹכַח פָּנָיו stellt vor sich hin *puts before himself* Hs 14, 3. 7; הָלַךְ נֹכַח פָּנָיו gebt (unbedacht) geradeaus *marches (carelessly) straightforward* Si 8, 15; אֶל־נֹכַח **gerade gegen hin** *straight towards* Nu 19, 4, לְנֹכַח gerade vor *in front of* Gn 30, 38, **ausdrücklich für** *especially for* Gn 25, 21; (Nöldeke: richtig, De Boer, OTS 3, 50 gerade vor, *in front of*); עַד־נֹכַח bis gerade gegenüber von *exactly in front of* Jd 19, 10 20, 43 Hs 47, 20; נֹכַח לְ gerade gegenüber von *precisely in front of* Jos 15, 7. †

נָכֹחַ*: נכח, *F* נֹכַח: sf. נִכחוֹ, fem. נְכֹחָה, pl. נְכֹחוֹת, נְכֹחִים: **geradeaus liegend** *what is in front (of), straight*: הָלַךְ נְכֹחוֹ geht s. geraden Weg *walks straightforwardly* Js 57, 2; adj. **gerade, recht** *straight, right* 2 S 15, 3 Pr 8, 9 24, 26; נְכֹחָה d. Grade, **Rechte** *straightforwardness, what is right* Js 59, 14 Am 3, 10, cj Pr 26, 28; = נְכֹחוֹת Js 26, 10 30, 10; [בעיני] נכח recht, **beliebt** *right, liked* Si 11, 21, c. לְ bei *with* 6, 22. †

נכל: ak. *nakālu* geschickt, anschlägig sein *be crafty, cunning*; ja. pa. u. sy. mnd. qal täuschen *deceive*:

qal: pt. נוֹכֵל: geschickt, **arglistig handeln** *act cunningly* Ma 1, 14; †

pi: pf. נִכְּלוּ: **arglistig handeln** (*act cunningly* (לְ an *against*) Nu 25, 18; †

hitp: impf. וַיִּתְנַכְּלוּ, inf. הִתְנַכֵּל: **sich arglistig benehmen** *behave cunningly* Gn 37, 18 c. acc. an *against*, = c. בְּ Ps 105, 25. †

Der. *נֵכֶל.

נֵכֶל*: נכל: pl. sf. נִכְלֵיהֶם: **Arglist** *cunning* Nu 25, 18. †

נְכָסִים: ak. *nikasu* Vermögen *wealth*, Zimm. 20; mhb. נֶכֶס, *F* ba. נִכְסִין, asa. נשׁך?; pl. tant.: **Vermögen** *riches* Jos 22, 8 Ko 5, 18 6, 2 2 C 1, 11 f. †

נכר: ug. *nkr* Fremder *stranger*; ak. *nakāru* fremd, feind sein *be stranger, enemy*; mhb. pi. ja. u. cp. af. als fremd behandeln *treat as a stranger*; äga. נכריא, ja. נוּכְרִי, [Syriac] Fremder *stranger*; نكر nicht kennen *not know*, asa. נכר fremd behandeln *treat as strange*; [Ethiopic] für fremd, neu halten *consider as strange, new*: Grundbedeutung: fremd, unbekannt, auffällig sein > beachtet, erkannt werden *original meaning*: *be strange, new, conspicuous > be remarked, known*:

nif: pf. נִכְּרוּ, impf. יִנָּכֵר: 1. **sich fremd stellen, sich verstellen** *behave as stranger, disguise oneself* Pr 26, 24; 2. (als fremd behandelt, genau betrachtet) **erkannt werden** *be (treated as strange, inspected carefully) realised, known* Th 4, 8 Si 11, 28: †

pi: pf. נִכַּר, impf. יְנַכְּרוּ, תְּנַכְּרוּ: 1. **falsch darstellen** *misconstrue* Dt 32, 27; 2. **unkenntlich machen** *make unrecognizable* Ir 19, 4; 3. (als unbekannt) **genau betrachten** *inspect carefully (because it is strange)* Hi 21, 29 34, 19; l מָכַר 1 S 23, 7; †

hitp: impf. יִתְנַכֵּר, וַיִּתְנַכֵּר, pt. מִתְנַכֵּרָה: 1. **sich unkenntlich machen** *make oneself unrecognizable* 1 K 14, 5 f; 2. sich nicht zu erkennen geben, **sich fremd stellen** *not make known oneself, act as a stranger* Gn 42, 7; 3. **sich** (als fremd behandeln) **erkennen lassen** *make oneself recognized (let oneself be inspected carefully)* Pr 20, 11; †

hif: pf. הִכִּיר, sf. הִכִּירוֹ, הִכִּירָהוּ, impf. יַכִּיר, יַכִּירוּם, יַכִּירֵנוּ, sf. וַיַּכִּירֵם, יַכִּירֶנּוּ, וָאַכִּירָה, וַיַּכֵּר, inf. הַכֵּר־, sf. הַכִּירֵנִי, imp. הַכֶּר־, pt. מַכִּיר, pl. מַכִּירִים, sf. מַכִּירֵךְ; Da 11, 39 K הִכִּיר, Q יַכִּיר: 1. (als unbekannt) **untersuchen, durch-**

sehen *investigate, inspect* (*unknown things*) Gn 31, 32 37, 32 f 38, 25 f; 2. erkennen *recognize* Gn 27, 23 42, 7 f 1 K 18, 7 20, 41 Js 61, 9 Hi 2, 12 4, 16 Ru 3, 14 Esr 3, 13 Ne 6, 12; קוֹל e. Stimme *a voice* 1 S 26, 17; הִכִּיר פָּנִים d. Person ansehen, **parteiisch sein** *be partial* Dt 1, 17 16, 19 Pr 24, 23 28, 21; c. לְטוֹבָה zu Gutem, freundlich ansehen *regard for good* Ir 24, 5; **anerkennen** *acknowledge* Da 11, 39 (l יַכִּיר); 3. erkannt haben, **kennen** *have recognized, acknowledge* Dt 33, 9 Js 63, 16 Hi 24, 17 34, 25, **wissen von** *know* Ps 103, 16 Hi 7, 10; 4. **zu wissen bekommen** *take notice* 2 S 3, 36, **wissen wollen** *want to know* Ps 142, 5 Hi 24, 13 Ru 2, 10. 19; 5. c. לְ c. inf.: wissen, können *know, be able to* Ne 13, 24. †
Der. נֵכָר, נָכְרִי, הַכָּרָה*, נֹכֶר*, ?מַכָּר*.

נֵכֶר, נֹכֶר*: נכר: sf. נָכְרוֹ: Gefühl der Unvertrautheit, Unbehagen, **Missgeschick** *uneasiness, misfortune* Ob 12 Hi 31, 3. †

נֵכָר: נכר: Fremde, **Ausland** *foreign country*: בֶּן־נֵכָר **Ausländer** *foreigner* Gn 17, 12. 27 Ex 12, 43 Lv 22, 25 Js 56, 3 Hs 44, 9, pl. בְּנֵי נֵכָר 2 S 22, 45 f Js 56, 6 60, 10 61, 5 62, 8 Hs 44, 7 Ps 18, 45 f 144, 7. 11 Ne 9, 2; אַדְמַת נֵכָר fremder, **ausländischer Boden** *foreign country*, Ps 137, 4, אֵל נֵכָר **ausländischer Gott** *foreign god* Dt 32, 12 Ma 2, 11 Ps 81, 10, pl. אֱלֹהֵי נֵכָר Gn 35, 2. 4 Dt 31, 16 Jos 24, 20. 23 Jd 10, 16 1 S 7, 3 Ir 5, 19, אֱלוֹהַּ נֵכָר Da 11, 39, הַבְלֵי נֵכָר Ir 8, 19; מזבחות הנכר ausländ., fremde Altäre *foreign altars* 2 C 14, 2; כָּל־נֵכָר alles, was Ausland ist = **alle Ausländischen** *every thing foreign = all of foreign country* Ne 13, 30. †

נָכְרִי: נכר: f. נכריה, pl. נכרים, נכריות: **ausländisch, fremd** *foreign, alien* (:: גר, זר HUA 3, 1—20): אִישׁ נָכְרִי **Ausländer** *foreigner* Dt 17, 15, > נָכְרִי Dt 14, 21 15, 3 23, 21 29, 21 2 S 15, 19 1 K 8, 41. 43 Pr 5, 10 2 C 13, 32 f, pl. Js 2, 6 Ob 11 Th 5, 2; נָשִׁים נָכְרִיּוֹת **Ausländerinnen** *foreign women* 1 K 11, 1. 8 Esr 10, 2. cj 3. 10 f. 14. 17 f. 44 Ne 13, 26 f, נָכְרִיָּה **Ausländerin** *foreign woman* Pr 2, 16 5, 20 6, 24 7, 5 23, 27 Ru 2, 10, pl. Gn 31, 15; **ausländisch** *from foreign country*: גֶּפֶן Ir 2, 21, עַם Ex 21, 8, מַלְבּוּשׁ Ze 1, 8; אֶרֶץ נָכְרִיָּה **Ausland** *foreign country* Ex 2, 22 18, 3; עִיר נָכְרִי (MS נָכְרִים) Stadt von Ausländern *city of foreigners* (לֹא מִבְּנֵי יִשְׂרָאֵל) Jd 19, 12; נָכְרִי; **fremd** *alien* Ps 69, 9, cj 35, 15 (כנכרים), Pr 20, 16 (l נכרים) 27, 2. 13 (l נכרים) Hi 19, 15; fem. fremdartig, **befremdlich** *strange* Js 28, 21. †

***נְכֹת**: ak. *bīt nakāmti*, pl. *bīt nakāmati* gesprochen *pronounced nakawāti* Zimm. 8: sf. נְכֹתֹה: בֵּית נכתה s. Schatzhaus *his treasure-house* 2 K 20, 13 Js 39, 2, cj בֵּית נְכֹת Ps 68, 13. †

נלה: Js 33, 1: l כַּכַּלֹּתְךָ. †

נְמִבְזָה 1 S 15, 9: l נְבְזָה. †

נמו*: F נְמוּאֵל.

נְמוּאֵל: n. m.; *נמו u. אֵל: 1. Nu 26, 9; 2. Nu 26, 12 1 C 4, 24, = יְמוּאֵל Gn 46, 10 Ex 6, 15; F נְמוּאֵלִי. †

נְמוּאֵלִי: gntl. v. נְמוּאֵל 2: Nu 26, 12. †

נמל*: F נמלה.

נְמָלָה: *נמל; EA 252, 16 *na-am-lu* Albr. BAS 89, 31[14]; ak. *lamattu*; mhb. נְמָלָה, נמלא; نَمْل, mehri *no-umil*: pl. נמלים: **Ameise** *ant* Pr 6, 6 30, 25. †

נמר*: F נָמֵר.

נָמֵר: *נמר; F ba. נְמַר; nab. n. m. נמרו: ak. *nimru*,

ja. נִמְרָא, ܢܡܪܐ; نَمِر, asa. נמר; ነምር: pl. נְמֵרִים: **Leopard**, „Panther" *leopard Felis pardus nimr* (bis 1911 in Palästina gesehn *found in Palestine until 1911*, ZDP 49,251) Js 11,6 Ir 5,6 13,23 Ho 13,7 Ha 1,8 Ct 4,8, cj pl. Ir 4,16; F n.l. נִמְרָה? u. נִמְרִים?.†

נִמְרֹד u. **נִמְרוֹד**: n. m.; **Nimrod**, S. v. כּוּשׁ Gn 10,8f 1 C 1,10, אֶרֶץ אַשּׁוּר = אֶרֶץ נִמְרֹד Mi 5,5; = assyr. Gott *god* Nimurta (NIN-IB) = *Ninurta* (Jagd u. Krieg *hunting a. war*) Zimm. 15, Böhl ZAW 42, 277, Ungnad OLZ 20, 359[3], Kraeling AJS 38, 214 ff.†

נִמְרָה: n. l.; F בֵּית נִמְרָה; asa. נמרי Bassin mit klarem Wasser *basin of limpid water*, cf. ak. *namru* hell *bright*.: Nu 32,3.†

נִמְרִים: n. l.; F נִמְרָה: in Moab; *Sejl en-Numēra* Musil AP 1,68.74: Js 15,6 Ir 48,34.†

נִמְשִׁי: n. m.; ak. Numušum APN 169. 324; ug. n.m. *nmš*; Noth S.230 ar. *nims* Ichneumon: Grossvater v. *grandfather of* Jehu 1 K 19,16 2 K 9,2.14.20 2 C 22,7.†

נֵס: נסס: mhb. נֵס, ja. u. cp. נִסָּא, ܢܣܐ, sf. נִסִּי: **Signalstange** *standard, signal* (ZDP 9,232): Nu 21,8f, נָשָׂא נֵס Js 5,26 11,12 13,2 18,3 30,17 (הָרֶן) Ir 4,6 50,2 51,12.27, הֵרִים נֵס Js 49,22 62,10; **2. Signal, Feldzeichen** *sign, insign* (BRL 160 f) Ex 17,15 (יהוה נִסִּי Name e. Altars *name of an altar*), cj נֵס יָהּ Ex 17,16, Js 31,9, עָמַד לְנֵס 11,10; **Segel, Flagge** *sail, pennon* Js 33,23 Hs 27,7.†

נְסִבָּה: pt. nif. סבב: **Wendung, Fügung** *turn of affairs, dispensation* 2 C 10,15.†

נִסָּה Ps 4,7: = נָשָׂא.

נסה: mhb.; ja. u. sy. נַסִּי; መንሱት Versuchung *temptation*:

pi: pf. נִסָּה, נִסְּתָה, נִסִּיתִי, sf. נִסָּהוּ, נִסִּתוֹ, נִסּוּנִי, impf. אֲנַסֶּה, וַיְנַסּוּ, תְּנַסּוּן, sf. אֲנַסֶּנּוּ, אֲנַסְּכָה, וַיְנַסֵּם, inf. נַסּוֹת, sf. נַסֹּתְכֶם, imp. נַס, sf. נַסֵּנִי, pt. מְנַסֶּה: **1. auf die Probe stellen, versuchen** *test, try*: a) d. Volk *the people* אַהֲרֹן Dt 33,8, die Königin v. Saba *the queen of Sheba* שְׁלֹמֹה 1 K 10,1 2 C 9,1; b) Menschen Gott *men God* Ex 17,2.7 Nu 14,22 Dt 6,16 Js 7,12 Ps 78,18.41.56 95,9 106,14; c) Gott Menschen *God men* Gn 22,1 Ex 15,25 16,4 20,20 Dt 8,2 (לָדַעַת um zu erfahren *in order to know*). 16 13,4 Jd 2,22 3,1.4 Ps 26,2 2 C 32,31; **2. e. Versuch machen, versuchen** *attempt, try*: c. לְ c. inf. Dt 4,34, c. inf. Dt 28,56, c. בְּ mit *with* Jd 6,39 Ko 2,1 (l אֲנַסְּכָה), c. ac. etw. *a thing* Ko 7,23 Da 1,12.14; Si 37,27; abs. es versuchen *try* 1 S 17,39; נִסָּה Hi 4,2, cj 36,32: F נשא.†
Der. I מַסָּה.

נסח: mhb. hif., F ba.; ak. *nasāḫu* (Pflanzen) ausreissen > verpflanzen, deportieren *uproot (plants) > transplant, deport* = Zimm. 11; نسخ ungültig machen *annul*:

qal: impf. יִסַּח, sf. יִסָּחֲךָ: (e. Haus) **einreissen** *tear down (house)* Pr 15,25; **herausreissen** *tear away* (מִן aus *from*) Ps 52,7; l יִסְּחוּ (סחה) Pr 2,22;†

nif: pf. נִסַּחְתֶּם: **ausgerissen werden** *be torn away* Dt 28,63 Si 48,15.†

I *נָסִיךְ: I נסך: sf. נְסִיכָם, pl. cs. נְסִיכֵי, sf. נְסִיכֵמוֹ, נְסִיכֵיהֶם: **1. Weinspende, Trankopfer** *libation, drink-offering* Dt 32,38; **2. Gussbild, Götterbild** *molten image* Da 11,8; F II.†

II *נָסִיךְ: = I *נָסִיךְ; ak. *nasīku* Anführer, Fürst *leader, prince*; F I נסך qal 2: **Geweihter > Anführer** *consecrated one > leader* Jos 13,21 Hs 32,30 Mi 5,4 Ps 83,12.†

I נסך: *F* II סוך; *F* ba.; ug. *nsk*; mhb., ja., sy.; ph. (Metall) giessen *cast (metal)*; نَسَكَ ausgiessen *pour*; ak. *F* II *נָסִיךְ:
qal: pf. נָסַךְ, נָסַךְ, impf. יִסְּכוּ, inf. נְסֹךְ:
1. **ausgiessen** *pour*: (לַיהוה) יַיִן Ho 9,4, נֶסֶךְ Ex 30,9, מַסֵּכָה Js 30,1, רוּחַ 29,10; cj נוֹסֵךְ דָּם (Marti) Js 66,3; 2. ellipt. (unter Trankopfer) jmd **weihen** *consecrate a person* (*by pouring libations*), *F* II *נָסִיךְ Ps 2,6; 3. **giessen**, e. Gussbild erstellen *cast metal images* Js 40,19 44,10;†
nif: pf. נִסַּכְתִּי, l נִסַּכְתִּי (סכך) Pr 8,23;†
pi: impf. וַיְנַסֵּךְ (als Weihegabe Wasser) **ausgiessen** (*pour out*) (*water as libation*) לַיהוה 1 C 11,18;†
hif: pf. הִסִּיכוּ, impf. וַיַּסֵּךְ, אַסִּיךְ, וַיַּסִּיכוּ, inf. הַסֵּךְ, הַסִּיךְ: c. נֶסֶךְ: (Trankopfer) **spenden** *pour out, offer (libations)* Gn 35,14 Nu 28,7 2 K 16,13 Hs 20,28 Ps 16,4, = c. נְסָכִים Ir 7,18 19,13 32,29 44,17—19. 25, c. מַיִם als Spende **giessen** *pour out as libation* 2 S 23,16;†
hof: impf. יֻסַּךְ: **als Spende gegossen werden** *be poured out (as libation)* Ex 25,29 37,16.†
Der. I u. II *נָסִיךְ, I u. II נֶסֶךְ, I מַסֵּכָה.

II נסך; NF v. סכך:
qal: pt. pass. נְסוּכָה: **flechten** *interweave* Js 25,7.†
Der. II מַסֵּכָה, מַסֶּכֶת.

I נֶסֶךְ, נֵסֶךְ: I נסך: נֶסֶךְ, sf. נִסְכּוֹ, נִסְכֹּה; pl. נְסָכִים, sf. נִסְכֵּיהֶם, נְסָכֶיהָ (BL 581): **Gussspende** *libation, drink-offering*: Ps 16,4 von Blut *of blood*, sonst Wein *in all other cases wine* (u. immer Zusatz zu andern Opfern *a. always addition to other offerings*): הִסִּיךְ נֶסֶךְ עַל Gn 35,14; in unstatthaften Kulten *in forbidden worship* Js 57,6 (שׁפך) Ir 7,18 19,13 32,29 44,17—19. 25 Hs 20,28; im rechten Kult *in lawful worship* Ex 29,40 30,9 Lv 23,13. 18 Nu 4,7 15,5. 7. 10 28,7 (נֶסֶךְ שֵׁכָר)—9. 15. 24; c. מִנְחָה Ex 29,41 Nu 6,15. 17 15,24 29,31. 33 f. 38 Hs 45,17 Jl 1,9. 13 2,14, c. עֹלָה Nu 28,10. 15. 24 29,16. 22. 25. 28 2 C 29,35, c. אִשֶּׁה Nu 28,7—9, in e. Reihe *in a series* Lv 23,37 Nu 29,39; v. König dargebracht *offered by the king* 2 K 16,13. 15; נסכיהם Nu 28,14. 31 29,6—37 (9 ×) 1 C 29,21.†

II *נֶסֶךְ: I נסך: sg. נִסְכּוֹ, pl. sf. נִסְכֵּיהֶם (BL 581): **Gussbild** *molten image* Js 41,29 48,5 Ir 10,14 (l נְסָכָיו) 51,17.†

נסס: ak. *nasāsu* sich hin u. her bewegen, zittern *move to a. fro, vibrate* Driv. JTS 34, 375:
qal: pt. נֹסֵס **schwanken** *falter* Js 10,18;†
hitpo: inf. הִתְנוֹסֵס, pt. pl. f. מִתְנוֹסְסוֹת: 1. **im Zickzack laufen** *run zigzag* Ps 60,6; 2. **glitzern** *glitter, twinkle* (אַבְנֵי נֵזֶר) Sa 9,16.†
Der. נֵס.

נסע: ak. *nisū* entfernen *remove*; mhb., ja., نَزَعَ, ነዐ herauszieh *pull out*:
qal (134 ×): pf. נָסַע, נָסְעוּ, נָסָעוּ, impf. יִסַּע, יִסָּעוּ u. יִסְעוּ (BL 367), וַנִּסַּע, וַנִּסְעָה, נִסְעָה, sf. וַיִּסָּעֵם, inf. נְסוֹעַ, sf. נָסְעוֹ, נָסְעָם, imp. סְעוּ, pt. נֹסֵעַ, נֹסְעִים: 1. **herausreissen** *pull out* Torflügel *city-gate* Jd 16,3, Pflock *peg* 16,14 Js 33,20; 2. Zeltpflöcke ausreissen > (Lager abbrechen >) **aufbrechen, weiterziehen** (*pull out tent-pegs > strike tent >*) *set out, journey*: Gn 33,12 u. oft *a. often*; **abziehen** (Heer) *depart (army)* 2 K 3,27, **losbrechen** (Wind) *burst forth (wind)* Nu 11,31; נֹסְעֵי בַעֵדֶר die mit d. Herden **ziehen** *those marching with the flocks* Ir 31,24 (l וְנֹסְעֵי); l נָחְעוּ Sa 10,2;
nif†: pf. נִסַּע: **ausgerissen werden** *be pulled out* Js 38,12 Hi 4,21;
hif†: impf. יַסַּע, תַּסִּיעַ, תַּסִּיעִי, וַיַּסִּעוּ, pt. מַסִּיעַ:
1. (Pflanze von ihrem Platz) **wegnehmen**

remove (*plant from its place*) Ps 80, 9 Hi 19, 10, (Steine) brechen *quarry* (*stones*) 1 K 5, 31 Ko 10, 9, (Krüge) **wegstellen** *set aside* (*jars*) 2 K 4, 4; **2. aufbrechen lassen** *cause to set out* Ex 15, 22 Ps 78, 52, (Wind) **losbrechen lassen** *cause to burst forth* (*wind*) Ps 78, 26.
Der. מַסָּע, מַסַּע.

נִסְרֹךְ: Name e. assyr. Gottes *name of Assyr. god*; unerklärt *unexplained*; F Jeremias, AT u. Alt. Orient[4] 597, Ungnad OLZ 20, 359, Landsberger u. Th. Bauer ZA 37, 70; G Νεσεραχ: 2 K 19, 37 Js 37, 38.†

נֵעָה: n.l. הַנֵּעָה: beim *near* חִבּוֹר: Jos 19, 13.†

נֹעָה: n. f.; נעה Dir. 54 f: Nu 26, 33 27, 1 36, 11 Jos 17, 3.†

נְעוּרִים u. **נְעֻרִים**: נער; pl. tant: sf. נְעֻרָיו, נְעוּרַיִךְ, נְעוּרֵיהֶן, (BL 534): die Altersstufe v. *the age a. stage of life of* נַעַר u. נַעֲרָה: **1. Jugendzeit** *youth* Ir 31, 19 Ps 25, 7 103, 5 127, 4 Hi 13, 26; בִּנְעֻ׳ so lange einer jung ist *as long as he is young* Th 3, 27, מִנְּעֻ׳ seit meiner, deiner usw. Jugend *since I, you etc. was young* Gn 8, 21 46, 34 1 S 12, 2 17, 33 2 S 19, 8 1 K 18, 12 Js 47, 12. 15 Ir 3, 24 f 22, 21 48, 11 Hs 4, 14 Sa 13, 5 Ps 71, 5. 17 129, 1 f Hi 31, 18; 2. von d. *said of* נַעֲרָה: **die Zeit, wo sie ledig u. auch nicht verlobt ist** *the age, stage, where she is neither married nor betrothed*: כִּנְעֻ׳ wie in ihr. ledigen Tagen *as in her girlhood* Lv 22, 13, solange sie ledig ist *as long as she is not betrothed* Nu 30, 4. 17, als sie noch ledig *when she was not yet betrothed* Hs 23, 3. 8; אֵשֶׁת נְעֻ׳ die als Ledige (Unberührte) Geheiratete *the woman married when she was a virgin* (:: *widow or divorced* etc.) Js 54, 6 Ma 2, 14 f Pr 5, 18; בַּעַל נְעֻ׳ der die Ledige geheiratet hat *who has married a virgin* Jl 1, 8, אַלּוּף נְעֻ׳ Vertrauter der als ledig Geheirateten *confident who married the virgin, confident from boyhood* Ir 3, 4 Pr 2, 17; נְעוּרִים ledige Zeit einer Frau *time of being an unmarried woman* Ir 2, 2 Hs 16, 22. 43. 60 23, 19. 21 Ho 2, 17; l בַּעֲרוּגֹתָם Ps 144, 12.†

נְעִיאֵל: n.l.; *נעוּ? u. אֵל: Jos 19, 27.†

נעם **נָעִים**: נעם; ug. *n'm*: cs. נְעִים, pl. נְעִימִים, נְעִמִים, f. נְעִמוֹת: **angenehm, lieblich, hold** *pleasant, delightful, lovely*: Freunde *friends* 2 S 1, 23, דּוֹד Ct 1, 16, כִּנּוֹר Ps 81, 3, Zustand *state* Ps 133, 1, Gottes Name *God's name* 135, 3, F Ps 147, 1 Pr 22, 18 23, 8 24, 4; pl. m. **lieblicher Boden** *pleasant place* Ps 16, 6, **Wonne** *pleasantness* Hi 36, 11, = pl. fem. Ps 16, 11; נְעִים זְמִרוֹת **Liebling der Lieder** *darling of the songs* 2 S 23, 1.†

נעל: I. mhb. verschliessen *bolt, lock*; II (F נַעַל) mhb. u. ja. Schuh, Sandale anziehen *bind on shoe, sandal*, sy. pa. u. نَعَلَ beschlagen (Pferd, Kamel) *shoe* (*horse, camel*):
qal: pf. נָעַל, נָעַל, impf. sf. וָאֶנְעָלֵךְ, imp. נְעֹל, pt. pass. נָעוּל, נְעֻלוֹת: **1.** (Tür mit Riemen) **zubinden** *lock* (*door with straps*) Jd 3, 23 f 2 S 13, 17 f, (Gartentor) **zubinden** *bar* (*garden*) Ct 4, 12; **2.** c. 2 ac. jmd etw. (als Sandale) **unterbinden** *shoe a person with a thing* (*as sandal*) Hs 16, 10;†
hif (denom. v. נַעַל): impf. sf. וַיַּנְעִלוּם: mit **Sandalen versehn** *furnish with sandals* 2 C 28, 15.†
Der. מִנְעָל, *מַנְעוּל; F נַעַל.

נַעַל: F נעל: mhb., sy. u. neosy. נַעְלָא Hufeisen *horse-shoe*; نَعْل Sandale *sandal*: נַעַל, sf. נַעֲלוֹ, du. נַעֲלַיִם, pl. נְעָלִים, sf. נַעֲלָיו, נַעֲלֵיכֶם, fem. נְעָלוֹת Jos 9, 5 †, fem. (weil paarweise *because regularly a pair*): **Sandale**, die mit Riemen, Nesteln festgebunden wird *sandal fixed* *with straps, laced* (AS 5, 289ff) Ex 12, 11 1 K 2, 5 Js 11, 15 Hs 24, 23 Ct 7, 2, נְעָלִים e. Paar Sandalen *a pair of sandals* Am 2, 6 8, 6; שְׂרוֹךְ־נַעַל Gn 14, 23 Js 5, 27; שִׂים נַעַל בְּרַגְלוֹ S. anlegen *put on s.* Hs 24, 17; שָׁלַף נַעֲלוֹ Ru 4, 7 f u. נְשַׁל נַעַל Ex 3, 5 Jos 5, 15 S. ablegen *put off s.*; בָּלְתָה נַעַל S. wird abgenutzt *s. is worn out* Dt 29, 4 Jos 9, 13, נ׳ מְטֻלָּאָה geflickte S. *patched s.* Jos 9, 5; הִשְׁלִיךְ נַעֲלוֹ עַל Gestus d. Besitznahme *gesture of taking possession* (Gunkel, Ps S. 257f) Ps 60, 10 108, 10; חָלַץ נַעֲלוֹ מֵעַל רַגְלוֹ Gestus des Verzichts auf e. Anspruch *gesture of disclaimer* Dt 25, 9f Js 20, 2 (Goldziher, Abhandl. z. ar. Phil. 1, 47f.)†

נעם: ug. *nʿm* subst. u. adj.; mhb. hif. u. ph. נעם angenehm sein *be pleasant*; = نَعِمَ u. asa. נעם; asa. n. m. נעמגד, נעמוד etc. Ryck. 2, 95; ostkan. (Th. Bauer 78) n. m. *Binaḥme*; :: sy. pa., نَغَمَ singen *sing*:

qal: pf. נָעֵמוּ, נָעֵמְתְּ, נָעַמְתָּ, נָעֲמָה, impf. יִנְעַם: **angenehm, hold sein** *be pleasant, lovely* Gn 49, 15 2 S 1, 26 (לְ für *for*) Ps 141, 6 Pr 2, 10 9, 17 Ct 7, 7; c. לְ wohl ergehn *be delight for* Pr 24, 25; c. מִן Liebliches voraus haben vor *be more lovely than* Hs 32, 19.†

Der. n. m. *נַעַם, נָעִים, נֹעַם, נַעֲמָנִים, מַנְעַמִּים; n. m. נַעֲמָן; n. f. I נַעֲמָה, נָעֳמִי; n. l. II נַעֲמָה; gntl. נַעֲמִי.

***נַעַם**: n. m.; נעם: 1 C 4, 15; ־נַעַם in n. m. אֶלְנַעַם.†

נֹעַם: נעם, F *נַעַם; בת נעם n. f. Byblos-Inschr. Kemi 2, 152; ug. *nʿm* Lieblichkeit *grace*: **Freundlichkeit** *kindness* (Jahwäs *of Yahveh*) Ps 27, 4 90, 17; Name e. Stabs *name of a rod* Sa 11, 7. 10; דַּרְכֵי נֹעַם Pr 3, 17 u. אִמְרֵי נֹעַם 15, 26 16, 24 **freundlich** *kind*.†

Der. n. m. אֲחִינֹעַם, אֲבִינֹעַם, אֶלְנַעַם (*Nʿm*. Dir. 352).

I נַעֲמָה: n. f.; נעם; pu. n. f. בת נעמת Eph 1, 36: 1. Gn 4, 22; 2. הָעַמֹּנִית 1 K 14, 21. 31 2 C 12, 13; F II.†

II נַעֲמָה: n. l.; = I: bei *near* לָכִישׁ: Jos 15, 41.†

נָעֳמִי: n. f.; נעם; ZAW 48, 761: Naemi *Naomi*: Ru 1, 2—4, 17 (20×).†

נַעֲמִי: gntl. v. נַעֲמָן 1. Nu 26, 40.†

נַעֲמָן: n. m.; נעם u. — *ān*; ug. *nʿmn* n. m. u. Epitheton; äg. Albr. Voc. 44: 1. Gn 46, 21 Nu 26, 40 (F נַעֲמִי) 1 C 8, 4. 7; 2. שַׂר־צְבָא מֶלֶךְ־אֲרָם 2 K 5, 1—27 (10×).†

נַעֲמָנִים: נעם u. — *ān*: pl. tant. vel Doppelplural *double plural* v. נַעֲמָן; נטע נעמן = Adonis Wellh. Ra H 10; נִטְעֵי נַעֲמָנִים Js 17, 10: **Adonisgärten** *gardens of Adonis* Ἀδώνιδος κῆποι Baumgartner, Schweiz. Arch. f. Volkskunde 43, 122 ff; F Komm.†

נַעֲמָתִי: gntl. v. unbekanntem *of unknown* n. l. *נַעֲמָה (F Musil, *The Northern Heǧaz* 1, 251 ff; Peters, Hiob 7 f): Hi 2, 11 11, 1 20, 1 42, 9.†

***נעץ**: F נַעֲצוּץ.

נַעֲצוּץ: *נעץ mhb. u. ja. hineinstecken *stick into*: pl נַעֲצוּצִים: **Kameldorn** *thorn-bush* (*Alhagi camelorum Fisch*, Löw 2, 416 f) Js 7, 19 55, 13.†

I נער: ak. *nēru* brüllen (Löwe) *growl* (*lion*); mhb. u. ja. schreien, brähen (Esel) *cry, bray* (*donkey*); نَعَرَ schnarren *rattle*:

qal: pf. נָעֲרוּ: **knurren** *growl* Ir 51, 38.†

II נער; mhb. pi., ja. pa. schütteln, abschütteln *shake, shake off*; نَغِرَ sehr zornig sein *be very angry*:

qal: pf. נָעַרְתִּי, pt. נֹעֵר: abschütteln *shake off* (Laub *leaves*) Js 33, 9; (ablehnend) schütteln *shake* (*gesture of refusing*) Js 33, 15 (Hände *hands*) Ne 5, 13 (חִצְן); †

nif: pf. נִנְעַרְתִּי, נִנְעֲרוּ, impf. אִנָּעֵר: 1. sich losschütteln *shake oneself free* Jd 16, 20; 2. abgeschüttelt werden *be shaken off, out* Ps 109, 23 Hi 38, 13; †

pi: pf. נִעֵר, impf. וַיְנַעֵר: 1. abschütteln *shake off* (בְּ in ... hinein *into*) Ex 14, 27 Ps 136, 15; 2. herausschütteln *shake out* (מִן aus *from*) Ne 5, 13; †

hitp: imp. fem. הִתְנַעֲרִי: sich frei schütteln *shake oneself free* Js 52, 2. †

Der. נְעֹרֶת.

נַעַר (235 ×): I נער? v. Stimmbruch? *breaking of the voice?* (Fleischer, Kleinere Schriften); ug. *n*ʿ*r*, f. *n*ʿ*rt*; Albr. AFO 6, 221: äg. *na*ʿ*ar-ma* bewaffnete Diener *armed retainers*: נָעַר, sf. נַעַרְךָ, נַעֲרוֹ, pl. נְעָרִים, cs. נַעֲרֵי, sf. נְעָרָיו, נַעֲרֵיהֶם: נַעַר ist der mannbare, männliche Mensch, solange er ledig ist *is the marriageable male as long as he is bachelor*: 1. Knabe, Jüngling *lad, youth*: נַעַר :: זָקֵן Gn 19, 4, :: יָשִׁישׁ Hi 29, 8, Knabe *boy* Gn 22, 12, jung *young one* Ir 1, 6, עוֹדֶנּוּ־נַעַר Jd 8, 20, = עֶלֶם 1 S 20, 21 u. 22, נַעַר קָטֹן 1 S 22, 35, נַעַר קָטֹן 1 K 11, 17, pl. 2 K 2, 23; נַעַר וָרַךְ 1 C 22, 5; 2. junger Mann, pl. junge Leute *young man*, pl. *young people* Gn 14, 24 Jd 8, 14 1 S 25, 5, 400 אִישׁ־נַעַר 30, 17, Absalom 2 S 18, 5. 12; 3. Bursche, Begleiter, Gefolgsmann, Knecht *lad, retainer, attendant, servant*: 2. v. *of* אַבְרָהָם Gn 22, 3, v. *of* בִּלְעָם Nu 22, 22, נַעַר v. *of* גִּדְעוֹן Jd 7, 10; Waffenträger *armour-bearer* Jd 9, 54 1 S 14, 1; נַעַר :: אֲדֹנָיו Jd 19, 11; נַעֲרוֹ מְשָׁרְתוֹ 2 S 13, 17; הַנְּעָרִים die Knechte *the servants* Hi 1, 15; נַעֲרֵי הַמֶּלֶךְ Est 2, 2, אִישׁ וְנַעֲרוֹ Ne 4, 16; נַעַר bringt Brief *bringing letter* Ne 6, 5; נער Titel *title* Dir. 126 (Albr. JBL 51, 82 ff); 4. נַעַר = נַעֲרָה Gn 24, 14. 16. 28. 55. 57 34, 3. 12 Dt 22, 15 f. 20. 0 f. 23—29; הַנְּעָרִים Ru 2, 21 (1 הַנְּעָרוֹת?) u. Hi 1, 19 die jungen Leute (beiderlei Geschlechts) *the young people (of both sexes)*; 1 הַנְּעָרִים Sa 11, 16.

Der. נֹעַר, I u. II נַעֲרָה, נְעוּרִים, נְעֻרוֹת.

נֹעַר: נער: Jugend *youth* Ps 88, 16 Pr 29, 21 Hi 33, 25 36, 14. †

I נַעֲרָה u. נַעַר (*F* 4. נַעַר): נַעַר: pl. נְעָרוֹת, cs. נַעֲרוֹת, sf. נַעֲרֹתֶיךָ: 1. (mannbares, lediges) junges Mädchen (*marriagable, not married*) *young girl* 1 S 9, 11 1 K 1, 3 f 2 K 5, 2 Hi 40, 29 Est 2, 4. 7—9. 12 f *F* 4. נַעַר; נַעֲרָה בְתוּלָה 1 K 1, 2, coll. Jd 21, 12 Est 2, 3; נְעָרוֹת בְּתוּלוֹת Est 2, 2; 2. (junge Verheiratete heisst für die Eltern) Mädchen (*parents call a newly married woman*) *girl* Jd 19, 3—6. 8 f; 3. (Gefährtin, Dienerin im Gefolge einer Andern) Mädchen (*attendant, companion in another woman's train*) *maid* Gn 24, 61 Ex 2, 5 1 S 25, 42 Pr 9, 3 27, 27 31, 15 Est 4, 4. 16; Mägde (e. Bauern) *maids (of a farmer)* Ru 2, 8. 22 f 3, 2; 4. junge Frau *young married woman* Ru 2, 5 f 4, 12; 5. נַעֲרָה „Mädchen", Dirne (?) *lass, strumpet* (?) Am 2, 7; *F* II. †

II נַעֲרָה: n. f.; = I: 1 C 4, 5 f. †

III *נַעֲרָה: n. l.: loc. נַעֲרָתָה, = נַעֲרָן 1 C 7, 28: *T. el-Ǧisr* bei *near* ʿ*Ēn-ed-Dōq* (PJ 21, 24 f) Jos 16, 7. †

***נְעֻרוֹת**: נער: sf. נְעֻרוֹתֵיהֶם: Jugend *youth* Ir 32, 30. †

נַעֲרַי: n. m.; KF < נַעֲרְיָה?: = פַּעֲרַי 2 S 23 35: 1 C 11. 37. †

נְעַרְיָה: n. m.; נַעַר u. ׳יָ; > נְעַרְיָ?: 1. 1 C 3, 22 f; 2. 4, 42. †

נְעָרִים: F נעורים.

נַעֲרָן: n. l.; F III *נַעֲרָה: 1 C 7, 28. †

נְעֹרֶת: II נער: das beim Hecheln des Hanfs Abgeschüttelte: **Werg** *the material shaken off from flax when beaten*: *tow* (AS 5, 28): Jd 16, 9 Js 1, 31. †

נַעֲרָתָה: F III *נַעֲרָה.

נֹף: n. l.; F מֹף; ph. נף: Js 19, 13 Ir 2, 16 44, 1 46, 14. 19 Hs 30, 13. cj 15; ? 16. †

נֶפֶג: n. m.; *נפג, Noth S. 227: 1. Ex 6, 21; 2. 2 S 5, 15 1 C 3, 7 14, 6. †

***נָפָה**: III נוף; نَافَ u. نُوفٌ Joch *yoke* H. L. Ginsberg JQR 22, 143 ff: cs. נָפַת: 1. **Joch** *yoke* Js 30, 28; 2. **Bergrücken** *mountain-ridge* Jos 11, 2 (l וּבְנָפַת) 12, 23 1 K 4, 11. †

נְפוּסִים: n. m.: Q Esr 2, 50, K נְפִיסִים, = K נְפוּשְׁסִים, Q נְפִישְׁסִים Ne 7, 52. †

נְפוּשְׁסִים Ne 7, 52: l נְפוּסִים (Honeyman JBL 63, 48). †

נפח: ak. *napāḫu* Zimm. 27; mhb., ja, sy.; نَفَخَ u. نَفَحَ, asa. נפח; [äth.] u. [äth.]; NF I פוח:

qal: pf. נָפְחָה, נָפַחְתִּי, impf. וַיִּפַּח, inf. פַּחַת, imp. פְּחִי, pt. נֹפֵחַ, pass. נָפוּחַ: 1. **blasen** *blow* Gn 2, 7 Js 54, 16, c. בְּ **anblasen** *blow upon* Hs 22, 21 37, 9 Hg 1, 9; 2. **schwer atmen, keuchen** *breathe heavily, pant* Ir 15, 9; 3. **anfachen** *set aflame* Ir 1, 13 (l כּוּר) Hs 22, 20 Hi 41, 12 (l כּוּר); †

pu: pf. נֻפַּח l נֻפְּחָה: **angefacht werden** *be set aflame* Hi 20, 26; †

hif: pf. הִפַּחְתִּי, הִפַּחְתֶּם: **zum Keuchen bringen** *cause to pant* Ma 1, 13 Hi 31, 39; cj מַפִּיחָם **zum Anfachen bringen** *cause to set aflame* (Duhm) Ir 6, 29. †

Der. תַּפּוּחַ, מַפָּח, מַפֻּחַ.

נֹפַח: n. l.; in Moab: (Text ?) Nu 21, 30. †

נְפִלִים u. נְפִילִים Gn 6, 4 †: pl. v. *נָפִיל, נפל: 1. cj für die **Fehlgeburt** *for the miscarriage* (F נֵפֶל) Ex 21, 22; 2. G γίγαντες; **Riesen** *giants* (Riesen = übermenschliche Wesen, die aus Fehlgeburten hervorgehn *giants = superhuman beings emerging from miscarriages*) Gn 6, 4 Nu 13, 33, cj Hs 32, 27. †

נְפִיסִים: F נְפוּסִים.

נָפִישׁ: n. m.; נפשׁ; نَفِيسَةٌ grosser Reichtum *big wealth*: Gn 25, 15 1 C 1, 31 5, 19. †

נֹפֶךְ: äg. *mfkȝt*: grüner, am Sinai gefundner Halbedelstein *green half-precious stone found on Sinai*: **Türkis**? Malachit? *turquoise? malachite?* EG 2, 56: Ex 28, 18 39, 11 Hs 28, 13, l נֶשֶׁק 27, 16. †

נפל: F ba.; mhb.; ug. *npl*; EA 252, 25 *nu-bul-me?* ph. מפלת Trümmer *ruin*; نَفَّلَ als Beute zufallen *fall to one's share (booty)*:

qal (365 ×): pf. נָפַל, נָפָל, נָפְלָה, נָפְלוּ, impf. יִפּוֹל, וַיִּפֹּל, וַיִּפֹּל, יִפְּלוּ, תִּפֹּלְנָה, נִפְּלָה, inf. נְפֹל, נְפוֹל, sf. נָפְלוֹ u. נִפְלוֹ (BL 368), נָפְלָם, pt. נֹפֵל, נֹפֶלֶת, נֹפְלִים: 1. (unwillkürlich) **fallen** *fall (unintendedly)*: 1. Jd 5, 27 Dt 22, 4 Na 3, 12 Sa 11, 2 Gn 15, 12, c. לָאָרֶץ Am 3, 14, etc.; 2. c. מִן **herunterfallen** *fall down* Dt 22, 8; im Kampf fallen *fall fighting* 1 S 4, 10, בַּחֶרֶב 2 S 1, 12; fallen, stürzen (Reich) *fall (kingdom)* Js 3, 8 21, 9, zu Fall kommen *fall* Js 8, 15, c. עַל an *because of* 54, 15, c. מִן wegen *by, from* Ps 5, 11, c. מֵעַל jmd entfallen *fall from* 2 K 2, 13; c. בְּ hineinfallen in *fall into* Ps 57, 7; c. לְ jmd zufallen *fall unto*

Nu 34, 2; 3. נָפַל מִן **abfallen gegen,** zurückstehn hinter *lay behind, be inferior unto* Hi 12, 3 13, 2; נָפַל **ausfallen** *turn out* Ru 3, 18; וַיִּפְּלוּ בְּעֵינֵיהֶם sie verloren d. Mut *were cast down in their own eyes* Ne 6, 16; 4. **einfallen, einstürzen** *fall down, collapse*: אֹהֶל Jd 7, 13, חוֹמָה 1 K 20, 30, לְבָנוֹן Js 10, 34, הַר Hi 14, 18, קִיר Hs 13, 12, סֻכָּה Am 9, 11, פֶּרֶץ Js 30, 13; einfallen **schrumpfen** *fall away, wrinkle*: יָרֵךְ Nu 5, 21, פָּנָיו Gn 4, 5; metaph. נָפַל דָּבָר **wird hinfällig** *becomes shaky, untenable* Jos 21, 45 1 K 8, 56 2 K 10, 10; יָמִים **verfallen,** nicht zählen *be void, be not to be counted* Nu 6, 12; 5. **fallen = geboren werden** *fall = be born* (*F* hif. 8, נָפַל, נְפִילִים) Js 26, 18; 6. **fallen, zu liegen kommen** *fall, lay*: נ׳ לְמִשְׁכָּב bettlägerig werden *keep one's bed* Ex 21, 18, נ׳ אַרְצָה auf d. Erde liegen *lay on the earth* Jd 3, 25; etc.; II (willkürlich) **sich fallen lassen, sich hinwerfen** *fall (intendedly), lay down, prostrate*: 7. c. עַל־פָּנָיו: **sich auf s. Ges. werfen, sich mit d. Gesicht zur Erde hinlegen** *fall on one's face, lay down the face downwards* Gn 17, 3, c. אַרְצָה 44, 14; c. מֵעַל (eilig, achtungsvoll) **absteigen** von *dismount (speedily, respectfully) from* Gn 24, 64 2 K 5, 21; c. עַל־צַוָּארוֹ um d. Hals **fallen** *fall on one's neck* Gn 33, 4; נָפַל בְּ **herfallen** über *rush in upon* Jos 11, 7; נָפַל אֶל **einfallen in** *invade* 2 K 7, 4, **abfallen** zu *desert unto* 1 S 29, 3; c. עַל **überlaufen** zu *go over to* Ir 21, 9 37, 13 (אֶל), daher *thus* נֹפְלִים **Überläufer** *runaways, deserters* Ir 39, 9 52, 15; נָפַל absol. e. **Einfall (Raubzug) machen** *raid* Hi 1, 15; נָפַל עַל־הַחֶרֶב sich ins Schwert stürzen 1 S 31, 4; נ׳ עַל־פְּנֵי **sich festsetzen** gegenüber *settle against* Gn 25, 18; נ׳ בְּ **gelagert sein in** *lay in* Jd 7, 12; נ׳ עַל **sich legen** auf *fall, come down upon* Hs 8, 1 (יַד י׳),

11, 5 (רוּחַ) Ko 9, 12 (רָעָה); נָפוֹל יִפּוֹל l Hi 14, 18, l יִפֹּל Pr 13, 17, l יִפְּלוּ Hs 47, 22, l נְפִלִים Hs 32, 27, l יִפּוֹל Pr 11, 28;

hif †: pf. הִפִּיל, הִפַּל, הִפַּלְתִּי, הִפִּילוּ, sf. הִפִּלְתִּיו, impf. יַפִּיל, וַיַּפֵּל, תַּפֵּל, יַפִּילוּ, יַפִּלוּן, sf. יַפִּלֵם, inf. הַפִּיל, לִנְפֹּל (BL 228. 368) Nu 5, 22, sf. הַפִּלָה, הַפִּילְכֶם, imp. הַפִּילוּ, pt. מַפִּיל, מַפִּילִים: 1. **fallen lassen** *cause to fall* Gn 2, 21 Nu 35, 23 Ir 15, 8 1 S 18, 25 (בְּיַד) Ps 73, 18 (בְּ in) 78, 28 140, 11 Pr 19, 15 (תַּרְדֵּמָה), cj יַפִּיל בְּרָע Pr 13, 17; c. לְ an *unto* Jos 13, 6 Hs 45, 1 47, 22, cj 22, 48, 29 Jos 23, 4; 2. **zu Fall bringen** *cause to fall* Hs 32, 12 Ps 37, 14 106, 26 Pr 7, 26 Da 11, 12, **fällen** *fell* (עֵץ) 2 K 3, 19. 25 6, 5; c. בַּחֶרֶב 2 K 19, 7 Js 37, 7 Ir 19, 7 2 C 32, 21; **zum Einsturz bringen** *throw down* 2 S 20, 15; 3. **hinfallen lassen** *cast down*, c. לִפְנֵי Hs 6, 4, c. תְּחִנָּתוֹ (**vorbringen** *present*) Ir 38, 26 42, 9 Da 9, 18. 20; 4. **hinwerfen lassen** *lay prostrate* Dt 25, 2, c. עַל־הָאֵשׁ sinken lassen in *cast, drop in* Ir 22, 7; c. מִיַּד aus d. Hand schlagen *knock out of the hand* Hs 30, 22 39, 3; c. גּוֹרָל **Loos werfen** *cast lot* Ps 22, 19, c. לְ für *for* Js 34, 17, Pr 1, 14 Jon 1, 7 Ne 10, 35 11, 1 1 C 24, 31 25, 8 26, 13 f, c. פּוּר Est 3, 7 9, 24, ohne *without* גּוֹרָל Hi 6, 27 (עַל um *upon*), c. בֵּין ... וּבֵין d. Loos entscheiden lassen *cause the lot to decide between* 1 S 14, 42; c. ac. u. בְּחֶבֶל mit d. Messchnur verteilen *allot by the measuring-line* Ps 78, 55; 5. **hinabwerfen** *throw down* Da 8, 10; c. שֵׁן **ausschlagen** *knock out* Ex 21, 27; 6. **zum Einsturz bringen** *cause to collapse* (*F* qal 4) Nu 5, 22; c. פָּנָיו בְּ s. Gesicht fallen lassen = **finster blicken** gegen *cause to drop one's face = look in anger upon* Ir 3, 12; 7. הִפִּיל מִן unterlassen, **aufgeben** *let drop, abandon* Jd 2, 19 Est 6, 10; c. אַרְצָה **unerfüllt bleiben lassen** *cause to fail* 1 S 3, 19 (י׳); 8. fallen lassen = **gebären** *let drop* =

bear (*F* qal 5) Js 26, 29; Hi 19, 24 *F* Komm.; Ps 106, 27 l לְהָפִיץ;

hitp: pf. הִתְנַפַּלְתִּי, impf. וָאֶתְנַפַּל, inf. הִתְנַפֵּל, pt. מִתְנַפֵּל: 1. c. עַל **herfallen** über *throw oneself upon* = *attack* Gn 43, 18; 2. **sich niederwerfen** *prostrate oneself* Dt 9, 18. 25 Esr 10, 1;

pil†: נִפְלַל Hs 28, 23: l נָפַל.

Der. מַפֶּלֶת, מַפָּלָה, מַפָּל, נֵפֶל, נְפִילִים.

נֵפֶל: נפל qal 5, hif 8: נֵפֶל: Gefallenes = Geborenes, Euphemismus für **Fehlgeburt** *dropped being* = *being born, euphemism for miscarriage* Ps 58, 9 Hi 3, 16 Ko 6, 3. †

נְפִלִים: *F* נְפִילִים.

נפץ: ak. *napāṣu* zerschlagen *shatter*; = ja. pa., sy. pe. u. pa., mnd. pe.; mhb. נפץ *F* פוץ:

qal: pf. נָפַץ, נָפְצוּ, inf. נָפוֹץ, pt. נֹפֵץ, pass. נָפוּץ: 1. **zerschlagen** *shatter*: כַּדִּים Jd 7, 19, עָצֵב Ir 22, 28, cj Da 12, 7 (l יַד נֹפֵץ); 2. intrans. (*F* פוץ qal): **zerschlagen sein**, in Teile aufgelöst sein, **sich zerstreuen** *be scattered, dissolved, disperse*: Gn 9, 19 (> sich bevölkern *become inhabited*) 1 S 13, 11 Js 33, 3; †

pi: pf. נִפֵּץ, נִפַּצְתִּי, sf. נִפְּצָתִים, impf. יְנַפְּצוּ, sf. תְּנַפְּצֵם: **zerschlagen** *dash to pieces*: נְבָלִים Ir 48, 12, כְּלִי Ps 2, 9, אִישׁ, כְּלִי Ir 13, 14 51, 20—23, עֹלָלַיִךְ Ps 137, 9, Flösse *rafts* 1 K 5, 23; l נֹפֵץ pro נַפֵּץ Da 12, 7; †

pu: pt. מְנֻפָּצוֹת: **zermalmt werden** *be pulverized* אַבְנֵים Js 27, 9. †

Der. מַפֵּץ, מַפָּץ*, נֶפֶץ.

נֶפֶץ: נפץ: **Prasseln** (des Regens) *bursting* (*of clouds*), *pattering* (*of rain*) Js 30, 30. †

נפשׁ: ak. *napāšu* sich weiten *enlarge*; atmen *breathe*:

nif: impf. יִנָּפֵשׁ, וַיִּנָּפַשׁ: **aufatmen**, Atem **schöpfen**, sich erholen *take breath, refresh oneself* Ex 23, 12 31, 17 2 S 16, 14. †

Der. נֶפֶשׁ, נָפִישׁ.

נֶפֶשׁ: נפשׁ: I. Statistik *statistics*: 755 ×; G ψυχή 600 ×; Gn—Dt 205 ×, Pss 144 × (105 × נַפְשִׁי): נֶפֶשׁ, sf. נַפְשׁוֹ, נַפְשְׁךָ, נַפְשֵׁנוּ; pl. נְפָשׁוֹת, נַפְשׁוֹת, cs. נַפְשׁוֹת, sf. נַפְשֹׁתֵינוּ, נַפְשֹׁתָם; pl. zusammen nur *in all only* 44 × (in P 20 ×; 2 S 23, 17! = 1 C 11, 19. 19 Ir 2, 34 (älteste Stelle für pl.? *oldest quotation of pl.?*) 26, 19 37, 9 44, 7 42, 20 Hs 13, 18—20 18, 4 22, 27 Jos 2, 13 9, 24 Ps 72, 13 (aber *but* sg. in 14!) 97, 10 Pr 1, 18 11, 30 14, 25; pro נְפָשִׁים Hs 13, 20 † l חָפְשִׁים);

II. Lit.: Briggs JBL 1897, 17 ff (alle Stellen *all quotations*); Dussaud, Sy 16, 267 ff; Dhorme, RB 29, 482 ff; Jean, Mél. Syr. 708 ff; Dürr, נֶפֶשׁ = Gurgel, Kehle ZAW 43, 262 ff; H. Wheeler Robinson, The People a. the Book, 1925, 353 ff; Pedersen, Israel I, 1926, 99 ff; (Driv.) von Soden ZAW 53, 291 f.:

III. Etym.: ak. *napištu*, ug. *npš*; ph. נפשׁ; mhb.; ja., äga., nab., נפשא; palm. נמשא u. נשמתא; Znğ. נבש u. נפש Eph. 325; نَفْس, asa. נפשׁ; [Ethiopic]; VG 1, 337; offenbar v. נפשׁ tief atmen, also zum Atmen geöffneter Schlund > Verlangen, Atem, (Atem-) Seele, Leben, Selbst, = Ich *evidently deriving from* נפשׁ *breathe, draw a deep breath, thus throat, gullet opened for breathing* > *desire, breath, (breathing-) soul, life, self* = *I*; P. van Imschoot, RB 44, 483[1]: *la nephesh est la force vitale qui se manifeste dans le souffle*; *F* נשׁם, נְשָׁמָה:

IV. Bedeutung *meaning*: 1. (Dürr ZAW 43, 262 ff) **Kehle** *throat* (ak. *napištu*): //פֶּה Js 5, 14 Ko 6, 7 Ps 63, 6, c. הִרְחִיב Js 5, 14 Ha 2, 5, c. רֵיקָה Js 29, 8, c. רְעֵבָה Ps 107, 9 Pr 27, 7, c. דָּאֲבָה Ir 31, 25, c. הִשְׂבִּיעַ Js 58, 11, c. שְׂבֵעָה Pr 27, 7, c. תִּמָּלֵא Ko 6, 7, //גַּרְגְּרֹתֶיךָ Pr 3, 22; *F* Gn 42, 21 Nu 21, 5 1 S 2, 33 (l לְהַדִיב) 28, 9 Js 32, 6 51, 23 (//גֵּו) 55, 2 58, 10 Ir 2, 24 31, 12. 14. 25. 25 Ps 44, 26 107, 9. 18 119, 25 143, 6 Pr 10, 3 (//הַוָּה) 16, 24 25, 25 Hi 6, 7 10, 1; עַד־נֶפֶשׁ bis zur

Kehle *up to the neck* Jon 2, 6 Ps 69, 2, *F* Ps 124, 4 f; תּוֹעֲבַת 3 ;מַר F II מַר (מָרַת ,מָרֵי) נֶפֶשׁ (י') נַפְשׁוֹ in d. Kehle zuwider *of disgusting taste* Pr 6, 16; בַּעַל־נֶפֶשׁ gierig *greedy* Pr 23, 2; רְחַב־נֶפֶשׁ habsüchtig *avaricious* Pr 28, 25;

2. נֶפֶשׁ: Atem Hi 41, 13, Hauch, was Mensch u. Tier zu lebendem Wesen macht Gn 1, 20, **Seele** (streng zu unterscheiden vom Begriff der Seele bei den Griechen), deren Sitz das Blut ist Gn 9, 4 f Lv 17, 11 Dt 12, 23 *breath* Hi 41, 13, *the breathing substance*, *making man a. animal living beings* Gn 1, 20, *the soul* (*strictly distinct from the greek notion of soul*) *the seat of which is the blood* Gn 9, 4 f Lv 17, 11 Dt 12, 23: (249 ×): 3. נֶפֶשׁ חַיָּה lebendes **Wesen** *living being*: Gn 1, 20. 24 (= Tiere *animals*) 2, 19 (gloss?) 2, 7 9, 10. 16 (בְּכָל־בָּשָׂר) Lv 11, 10. 46 Hs 47, 9 (כֹּל allerlei *of all sorts*);

4. Seele = Leben, **Menschen**, **Leute**, *soul* = *living being*, *individual*, *person*: נֶפֶשׁ אָדָם (einzelner) Mensch *individual* Lv 24, 17 Nu 9, 6 f 19, 11 31, 35 (מִן־הַנָּשִׁים). 40. 46 1 C 5, 21 Hs 27, 13 (Sklaven *slaves*); הֹרֵג נֶפֶשׁ wer e. Menschen tötet *who kills a person* Nu 31, 19, = c. מַכֵּה 35, 11. 15. 30 Jos 20, 3. 9 *F* Dt 27, 25, c. עָנָה בְ Nu 35, 30, c. גָּנַב Dt 24, 7; אִבֵּד נְפָשׁוֹת Menschenleben vernichten *destroy lifes*, *persons* Hs 22, 27; כָּל־נַפְשׁוֹת בֵּיתוֹ alle Leute s. Hauses *all the souls* = *all the people of h. house* Gn 36, 6; עָשָׂה נֶפֶשׁ Leute erwerben, (Sklaven?) sich aufziehn *get*, *raise people* (*slaves?*) Gn 12, 5, קָנָה נֶפֶשׁ jmd (e. Sklaven) kaufen *buy a person* (*a slave*) Lv 22, 11; הַנֶּפֶשׁ die Leute, Menschen *the persons* Gn 14, 21, נְפָשׁוֹת Menschen *persons* Lv 27, 2; Seelenzahl *number of souls*: כָּל־נֶפֶשׁ alle Seelen = alle Leute, alle *all souls*, *all individuals*, *all* Gn 46, 15, *F* 46, 22. 25—27 Nu 31, 35 Ex 1, 5 Ir 52, 29 f, 16 נֶפֶשׁ Gn 46, 18, 100.000 נֶפֶשׁ אָדָם 1 C 5, 21; מִכְסַת נְפָשֹׁת Ex 12, 4, נַפְשֹׁתֵיכֶם 16, 16; נֶפֶשׁ בְּהֵמָה Stück Vieh *a beast* Lv 24, 18, etc.;

5. נֶפֶשׁ Atem, Seele, Persönlichkeit *breath*, *soul*, *personality* (223 ×): נַפְשִׁי **ich** *I* Gn 27, 4. 25 Js 1, 14 (Gott *God*) Jd 5, 21 Lv 26, 11. 30 u. oft *a. often*; נַפְשְׁךָ Gn 27, 19. 31 Js 43, 4 u. נַפְשֵׁךְ Js 51, 23 **du** *thou*; נַפְשׁוֹ **er**, **er selbst** *he*, *himself* Js 53, 10 Nu 30, 3, נַפְשָׁהּ **sie**, **sie selbst** *she*, *herself* Nu 30, 5—12; נַפְשֵׁנוּ **wir** *we*, *ourself* Ps 124, 7; נַפְשְׁכֶם ihr *you* Lv 26, 15; נַפְשָׁם **sie** *they*, *themselves* Js 46, 2 47, 14; 6. כָּל־נֶפֶשׁ **jedermann** *every man* Ex 12, 16, כָּל־נֶפֶשׁ אֲשֶׁר jeder, der, **wer immer** *whosoever* Lv 7, 27 17, 15 23, 29; הַנֶּפֶשׁ אֲשֶׁר **derjenige, der** *who*, *the man who* Lv 7, 20. 27 Nu 15, 30; הַנֶּפֶשׁ c. part. **derjenige, der**... *he who*... Lv 7, 18 Nu 15, 28 19, 22;, נֶפֶשׁ אֲשֶׁר **einer, der** *a person who* Lv 5, 2 22, 6, נֶפֶשׁ כִּי **wenn jemand** *when any one*, *when a person* Lv 2, 1 4, 2 5, 1, 4. 15. 17 (1 וְנֶפֶשׁ). 21 7, 21; נֶפֶשׁ אַחַת **ein Einzelner** *an individual* Lv 4, 27 Nu 15, 27;

7. נֶפֶשׁ Atem = **Leben** *breath* = *life* (282 ×): נֶפֶשׁ הָאָדָם d. Leben der Menschen *the life of man* Gn 9, 5; עַל־נַפְשֶׁךָ es geht um d. Leben *thy life is at stake* Gn 19, 17; בְּצֵאת נַפְשָׁהּ als ihr (Atem) Leben entfloh *as her* (*breath*) *life was departing* Gn 35, 18; בְּנֶפֶשׁ אָחִיו für d. Leben s. Bruders *for the life of his brother* 2 S 14, 7; רָצַח נֶפֶשׁ totschlagen *put to death* Dt 22, 26, = הִכָּה נֶפֶשׁ Gn 37, 21 Dt 19, 6. 11 (+ וָמֵת) Ir 40, 14 f; נֶפֶשׁ הַיֶּלֶד (Atem) Leben (*breath*) *life* 1 K 17, 21 f; נָשָׂא נֶפֶשׁ d. Leben wegnehmen (Gott) *take life away* (*God*) 2 S 14, 14; בְּנַפְשׁוֹתָם um d. Preis ihres Lebens *in jeopardy of their lives* 2 S 23, 17 1 C 11, 19; הֵשִׁיב נֶפֶשׁ neues, frisches Leben geben *restore the life* Ru 4, 15 Th 1, 11. 16. 19;

8. נֶפֶשׁ Atem > Seele als Sitz u. Träger von Stimmungen u. Empfindungen *breath* = *soul*, *seat of moods*, *emotions a. passions*: a) נֶפֶשׁ

Verlangen *desire* Ct 1, 7 3, 1—4 5, 6 Hi 23, 13 Ko 6, 3 Ho 9, 4, נָשָׂא נֶפֶשׁ אֶל (l sic) Verlangen haben nach *set one's heart on, want* Ho 4, 8; נָשָׂא נַפְשׁוֹ c. ל c. inf. sich sehnen zu *is longing to* Ir 22, 27 44, 14; b) Empfinden, **Stimmung** *mood* Ex 23, 9, אַגְמֵי־נֶפֶשׁ Js 19, 10, עֲמַל נַפְשׁוֹ Js 53, 11, Js 61, 10 66, 3 Ir 13, 17 Hs 25, 6; c) **Empfinden** (Geschmack) *emotion, feeling* Nu 21, 5 Ir 14, 19 Sa 11, 8 Ir 6, 8 Hs 23, 17 f. 22; d) **Wille** *purpose*: יֵשׁ אֶת־נַפְשְׁכֶם **ihr seid willens** *it is your purpose* Gn 23, 8 2 K 9, 15; 9. Einzelnes *special expressions*: צָרַת נַפְשׁוֹ Gn 42, 21; כָּל־נֶפֶשׁ בֵּית אָבִיךָ **alle,** die zum H. gehören *all belonging to ...* 1 S 22, 22 (pl. spät *late* F Pedersen sub II); עֱנוּת נֶפֶשׁ Nu 30, 14; מַפַּח נֶפֶשׁ Hi 11, 20; מַשָּׂא נַפְשָׁם Hs 24, 25; נֶפֶשׁ **e. Toter** (< e. Person) *a dead one* (< *a person*) Lv 21, 1 Nu 6, 11 9, 10 Lv 22, 4 Hg 2, 13 Nu 5, 2 9, 6 f 19, 11. 13; אֶחָד נֶפֶשׁ je ein Stück, **je einer von** *one (piece, person) of* Nu 31, 28; בִּקֵּשׁ נֶפֶשׁ **nach d. Leben trachten** *seek one's life* 1 S 20, 1 1 K 19, 10 Ir 4, 30 (30 ×); F צְרוֹר; בָּתֵּי הַנֶּפֶשׁ Riechfläschchen? Halstücher? *perfume boxes? neckerchieves?* Js 3, 20.

***נֶפֶת**: III נוף: נָפֶת: **Anhöhe?** *hill?* (Dahl JBL 53, 381 ff): Jos 17, 11 (Text?). †

נֹפֶת: II נוף Driv. ZAW 50, 143; ug. *ṅbt*; ak. *nūb/ptu* u. ንህብ Biene *bee*; mhb. נוֹפֶת; ph. נפת?: (Schleuderhonig: Armbruster, Archiv f. Bienenkunde 13, 1 ff) **Honigseim** *honey of (the) combs* Ps 19, 11 Pr 5, 3 24, 13 27, 7 Ct 4, 11. †

נֶפְתּוֹחַ: n. l.; l מינפתח pro מי נפתוח (Calice OLZ 6, 224 = Pharao) Merneptah; Äg. Z. 70, 88 f: מַעְיַן מינפתח (M. s Quelle *spring of M.*) = ʿĒn Sifta 4 km wnw Jerusalem (Alt PJ 32, 29) Jos 15, 9 18, 15. †

***נַפְתּוּלִים**: פתל; < *מִפְתּוּלִים VG 1, 382: cs. נַפְתּוּלֵי: **Kampf** *wrestling* Gn 30, 8. †

נַפְתֻּחִים: n. p.: die **Unterägypter** *the people of Lower Egypt*: äg. *t3-mḥw* c. art. *p3* = Unterägypten, d. Delta *Lower Egypt, the Delta* EG 5, 224 (Erman ZAW 10, 118 f l פתחמים) Gn 10, 13 1 C 1, 11, cj Ir 46, 9 post וְלוּדִים. †

נַפְתָּלִי: n. m., n. p.; Deutung *explained* Gn 30, 8; פתל; Lewy HUC 18, 452: 1. S. v. רָחֵל (בִּלְהָה) Gn 30, 8 35, 25 46, 24 49, 21 Ex 1, 4 1 C 2, 2; 2. d. Stamm *the tribe*: Nu 1, 15 Dt 27, 13 33, 23 34, 2 Jd 1, 33 4, 10 5, 18 6, 35 7, 23 1 K 4, 15 Hs 48, 3 1 C 12, 35. 41 27, 19 2 C 34, 6, c. מַטֵּה Nu 1, 43 2, 29 Jos 21, 6. 32 1 K 7, 14 1 C 6, 47. 61, c. בְּנֵי Nu 2, 29 7, 78 26, 48 Jos 19, 32 Jd 4, 6 1 C 7, 13, c. מַטֵּה בְנֵי Nu 10, 27 34, 28 Jos 19, 39, c. מִשְׁפְּחוֹת Nu 26, 50, c. אֶרֶץ 1 K 15, 20 2 K 15, 29 Js 8, 23, c. גְּבוּל Hs 48, 4, c. הַר Jos 20, 7, c. עָרֵי 2 C 16, 4, c. שַׁעַר Hs 48, 34, c. שָׂרֵי Ps 68, 28, c. קֶדֶשׁ Jd 4, 6. †

I **נֵץ**: mhb.; ja. נַצָּא u. בַּר נִצְצָא, ܢܨܐ; ph. n. l. אינצם = Ἱεράκων νῆσος (Cooke 108): **Falke** *falcon Falco peregrinus pelegrinoides* (Hi 39, 26) Nicoll 366: unreiner Vogel *unclean bird*: Lv 11, 16 Dt 14, 15 Hi 39, 26. †

II ***נֵץ**: נצץ; ug. *nṣ?*; mhb.; ja. נִצָּא: sf. נִצָּהּ: **Blütenstand** *blossom* Gn 40, 10, cj Js 18, 5 נִצֹּה, Si 50, 8. †

Der. נִצָּה, נִצָּנִים.

נצא Ir 48, 9: l נֹצָה.

נצב: NF יצב, v. נצב nif. u. hif., v. יצב hitp.; ug. *nṣb*, subst. *nṣbt*; EA 147, 11 *ittaṣab*; mhb.; aram. נצב (altaram. Lidz. 325, Zkr נצבא נצב, nab. נציב, saf. מצבת heilig. Stein *holy stone*), ostkan. in n. m. *Jaṣṣib-Dagan* (Bauer 79); نَصَبَ:

nif: pf. נִצַּבְתָּ, נִצְּבוּ, נִצָּבָה, pt. נִצָּב, נִצָּבָה, נִצֶּבֶת, נִצָּבוֹת, נִצָּבִים: 1. **sich hinstellen** *take one's stand* Ex 17, 9 33, 21 34, 2 Js 21, 8; 2. **hingestellt sein, stehen** *be sta-*

tioned, stand Nu 22, 23 Jd 18, 16 f Ps 82, 1 119, 89 Pr 8, 2, c. עַל vor *before* Gn 18, 2 24, 13. 43 28, 13 45, 1 Ex 18, 14 Nu 23, 6. 17 1 S 4, 20 19, 20 22, 6 f. 9. 17 2 S 13, 31 Am 7, 7 9, 1, c. לִפְנֵי Dt 29, 9, c. עִם bei *with* 1 S 1, 26: 3. stehn bleiben *stand upright* Gn 37, 7 Ex 15, 8 33, 8 Nu 16, 27; 4. c. לִקְרַאת entgegentreten *step up to* Ex 5, 20 7, 15 Nu 22, 34; 5. dastehn *stand firm* Ps 39, 6 45, 10 (l נִצְּבָה) Th 2, 4 ? c. לְ c. inf. bereit stehn, um ... *stand ready to* ... Js 3, 13; 6. pt. c. עַל vorgesetzt über *appointed over* Ru 2, 5 f; Bestellter, Statthalter *deputy, prefect* 1 K 4, 5. 7 5, 7 22, 48 (Text?), שָׂרֵי הַנִּצָּבִים die Oberstatthalter *the heads of the prefects* 1 K 5, 30 9, 23 2 C 8, 10; l הרעבה Sa 11, 16 (:: Barth ZAW 36, 117 ff); †

hif: pf. הִצִּיב, הִצַּבְתָּ, הִצִּיבוּ, impf. יַצִּיב, וַיַּצֶּב־, וַיַּצֵּב, sf. וַיַּצִּיבֵנִי, inf. הַצִּיב, imp. הַצִּיבִי, pt. מַצִּיב: hinstellen, aufrichten *set up, erect*: מִזְבֵּחַ Gn 33, 20, מַצֵּבָה 35, 14. 20 2 S 18, 18 2 K 17, 10 (ואשׁרים), Denkstein *monument* יָד 1 S 15, 12, Steinhaufen *heap of stones* 2 S 18, 17, יָדוֹ s. Herrschaft *his dominion* 1 C 18, 3; (Türen) einsetzen *set up* (*gates*) Jos 6, 26 1 K 16, 34; aufstellen *set up*: כִּבְשׂוֹת Gn 21, 28 f, יְקוּשִׁים Ir 5, 26, צִיֻּנִים 31, 21, עַמּוּד cj Pr 9, 1 (l הִצִּיבָה); c. sf. als Ziel nehmen *set as target* Th 3, 12; (Grenze) festlegen *fix* (*boundary*) Dt 32, 8 Ps 74, 17 Pr 15, 25; z. Stehen bringen (Wasser) *cause to stand* (*water*) Ps 78, 13; c. לִפְנֵי: (Gott) stellt vor sich hin (*God*) *sets before him* Ps 41, 13; cj (Propheten) einsetzen *appoint* (*prophets*) cj הִצַּבְתִּי (Humbert AOF 1929, 175) Ho 6, 5; ? 1 S 13, 21; †

hof: pf. הֻצַּב, pt. מֻצָּב: hingestellt werden *be set up* (סֻלָּם) Gn 28, 12; l והצאה Na 2, 8. †

Der. נִצָּב, I u. II נְצִיב, מַצָּב, מַצָּבָה, מַצֵּבָה, I u. II מַצֶּבֶת.

נִצָּב: נצב; نِصَابٌ: Griff, Heft (Messer, Dolch) *handle* (*of knife, dagger*) (aus Holz v. *of wood of* שִׁטָּה Mallon, Hébreux 36) Jd 3, 22. †

נִצָּבֵי 1 S 10, 5: l נְצִיב.

נצג: hif. הִצִּיג: F יצג.

נצה: mhb. hitp. sich streiten *quarrel*; ja. sy. נְצָא; نَصَا, asa. נצו zerstören *destroy*:

qal: impf. תִּצֶּינָה, cj תִּצֶּה, inf. cj נָצֹה: verfallen *fall in ruins* Ir 4, 7, cj נָצֹה תִצֶּה 48, 9; l נָדוּ pro נָצוּ Th 4, 15; †

nif: pf. נִצְּתָה, cj נִצּוּ, impf. יִנָּצוּ, pt. pl. נִצִּים: 1. sich streiten *struggle with each other* Ex 2, 13 21, 22 Lv 24, 10 Dt 25, 11 2 S 14, 6; 2. verfallen sein *be fallen in ruins* 2 K 19, 25 Js 37, 26 Ir 2, 15 (K) 9, 11 46, 19, cj 9, 9 pro נִצְּתָה: †

hif: pf. הִצּוּ, inf. sf. הַצֹּתוֹ, הַצֹּתָם: 1. c. אֶת Streit führen mit *engage in struggle with* Ps 60, 2; c. עַל gegen *against* Nu 26, 9. †

Der. II מַצָּה, מַצּוּת.

***נִצָּה**: fem. v. II נֵץ: sf. נִצָּתוֹ: Blüte *blossom* Hi 15, 33, l נִצָּה Js 18, 5. †

***נֹצָה**: sf. נֹצָתָהּ, l נוֹצָתָהּ; mhb. נוֹצָה Mist *dung*: Gewöll (im Vogelkropf) *filth* (*in bird's crop*) Lv 1, 16. †

נְצוּרִים: נצר: Wachthütten? *watch-huts?* G ἐν τοῖς σπηλαίοις l בֵּין צוּרִים ? Js 65, 4. †

I נצח: mhb. siegen *conquer*; ja. u. sy. leuchten, hervorragen, sieghaft sein *shine, be illustrious, victorious*; Behistun 60 אתנצחו sie ragten hervor *they were distinguished*; ph. pi. נצח überlegen sein *prevail* (*over*); نَصَحَ u. ነጽሐ lauter sein *be pure*:

pi: inf. נַצֵּחַ, pt. מְנַצְּחִים, מְנַצֵּחַ: 1. c. עַל: leiten, Aufsicht haben über *act as overseer, director of* Esr 3, 8 1 C 23, 4 2 C 2, 1. 17, absol. 34, 12 f; 2. לְנַצֵּחַ 1 C 15, 21

u. לַמְנַצֵּחַ Ha 3, 19 Pss 4—6. 8 f. 11—14. 18—22. 31. 36. 39—42. 44—47. 49. 51—62. 64—70. 75—77. 80 f. 84 f. 88. 109. 139 f (immer *always* versus 1): Mowinckel, Ps-studien 4, 17 ff: ungedeuteter t. t. *unexplained t. t.*†

nif: pt. נִצַּחַת **dauernd, beharrlich** *enduring* Ir 8, 5.†

Der. I נֵצַח, n. m. נְצִיחַ.

II נצח: *F* נֵצַח.

I נֵצַח u. I נֵצַח: I נצח: לָנֶצַח, sf. נִצְחִי, pl. נְצָחִים: 1. **Glanz** (Gottes) *eminence, glory* (*of God*) 1 C 29, 11, נִצְחִי Th 3, 18; 2. הָיָה נֶצַח **immer dauern** *be enduring* Ir 15, 18; נֶצַח **für immer** *for ever* Am 1, 11 Ps 13, 2 16, 11; נֶצַח (מַשֻּׁאוֹת) **uralte** *everlasting, perpetual* Ps 74, 3; 3. לָנֶצַח **für immer, anhaltend**, c. negat. **niemals** *for ever, enduring*, c. negat. *never* 2 S 2, 26 Js 13, 20 25, 8 28, 28 33, 20 57, 16 Ir 3, 5 50, 39 Am 8, 7 Ha 1, 4 Ps 9, 7. 19 10, 11 44, 24 49, 10 52, 7 68, 17 74, 1. 10. 19 77, 9 79, 5 89, 47 103, 9 Pr 21, 28 (ZAW 50, 145) Hi 4, 20 14, 20 20, 7 23, 7 36, 7 Th 5, 20; לְנֶצַח נְצָחִים **für alle Dauer** *for ever a. ever* Js 34, 10, עַד־נֶצַח **für immer** *for ever* Ps 49, 20 Hi 34, 36; 4. נֵצַח יִשְׂרָאֵל ungedeutet *unexplained* 1 S 15, 29.†

II *נֵצַח: II נצח: Nöld. BS 194 نَضَحَ spritzen *spirt*; asa. נצח: sf. נִצְחָם: **Blutstrahl** *blood-spout* Js 63, 3. 6.†

I נְצִיב: נצב: pl. נְצִיבִים: 1. (Salz-) **Säule** *pillar* Gn 19, 26; 2. **Posten, Besatzung** *garrison* 1 S 10, 5 (l נְצִיב) 13, 3 f 2 S 8, 6. 14 1 K 4, 19 1 C 11, 16 2 C 8, 10 K 17, 2; *F* II.†

II נְצִיב: n. l.; = I: *Ch. bēt Naṣīf* (Saarisalo JPO 11, 101 f) 30 km sw Jerusalem: Jos 15, 43.†

נְצִיחַ: n. m.; I נצח, Noth S. 228: Esr 2, 54 Ne 7, 56.†

***נָצִיר**: pl. cs. נְצִירֵי Js 49, 6 K: l נְצוּרֵי.

נצל: mhb. nif. gerettet werden *be delivered*; *F* ba.; نَصَلَ, ‎𐩬𐩮𐩡 abfallen (Hufeisen) *be dropped* (*horseshoe*):

nif†: pf. נִצַּלְנוּ, impf. יִנָּצֵל, תִּנָּצְלִי, אִנָּצְלָה, יִנָּצְלוּ, יִנָּצֵלוּ inf. u. imp. הִנָּצֵל: 1. **gerettet werden** *be delivered* Gn 32, 31 2 K 19, 11 Js 20, 6 (מִפְּנֵי) 37, 11 Ir 7, 10 Hs 14, 16. 18 Am 3, 12 Mi 4, 10 Ps 33, 16 69, 15; 2. **sich retten** *deliver oneself* Dt 23, 16 (אֶל), Ha 2, 9 Pr 6, 3. 5 (מִן vor *from*);

pi†: pf. נִצַּלְתֶּם, impf. יְנַצְּלוּ: 1. **ausrauben** *strip off, spoil* Ex 3, 22 12, 36 2 C 20, 25 (לְ für *for*); 2. **herausreissen, retten** *tear away, deliver* Hs 14, 14;

hif (190 ×): pf. הִצִּיל, הִצַּלְתָּ, הִצַּלְנוּ, sf. הִצִּילָם, הִצִּילָנוּ, impf. יַצִּיל, יַצֵּל, וַיַּצֵּל, sf. יַצִּילְךָ, וַיַּצִּלֵהוּ, inf. הַצִּיל, הַצֵּל, sf. הַצִּילוֹ, הַצִּילְךָ, imp. הַצֵּל, הַצִּילָה, pt. מַצִּיל: 1. **entreissen** *snatch away* 2 S 20, 6 (לְעֵינֵינוּ vor u. A. *before our eyes*) Hs 34, 10 Am 3, 12 Pr 2, 12; 2. **entziehen** *take away* Gn 31, 9. 16 Ps 119, 43; 3. **herausreissen, retten** *tear away, deliver* Ex 5, 23 u. oft *a. often*, cj Js 53, 10 (l יַצִּילֵהוּ;) הִצִּיל נַפְשׁוֹ rettet sich selbst *delivers himself* Js 44, 20 Hs 3, 19; וְאֵין מַצִּיל ohne dass einer rettet, rettungslos *there is (was) no deliverer* Jd 18, 28 Js 5, 29 u. oft *a. often*; absol. **retten** *deliver* 1 S 12, 21 30, 8 2 S 14, 6; אִם תַּצִּיל wenn du retten willst *if thou willst deliver* Pr 19, 19; l לְהַצִּל (צלל) Jon 4, 6;

hof†: pt. מֻצָּל: **entrissen werden** *be plucked out* Am 4, 11 Sa 3, 2;

hitp†: impf. וַיִּתְנַצְּלוּ: **sich einer Sache entledigen** *strip oneself of a thing* Ex 33, 6.

Der. הַצָּלָה; n. m. הצליהו Lkš 1, 1.

נצם: F צמת nif. Torcz.

נִצָּנִים: II נֵץ u. pl. diversitatis — *ānim* (cf. זֵרְעֹנִים BL 517. 599): **Blütenstand** *blossom* Ct 2, 12 Si 50, 8.†

נצע: F יצע.

נצץ: mhb., ja. נַצְנֵץ: ja. blühen *blossom*, palp. glänzen *sparkle*; نَاصَ glänzen *splash* (cf. زَهَا Blüte *flower* v. *from* زَهَا glänzen *shine*): qal: pt. נֹצְצִים: **funkeln** *sparkle* Hs 1, 7;† hif: הֵנֵצוּ, impf. יָנֵאץ (BL 437): blühen *bloom*, *blossom* Ct 6, 11 Ko 12, 5.† Der. II נֵץ, נִיצוֹץ, נִצָּה, נִצָּנִים.

נצר: F I נטר; ak. *naṣāru*; ph. נצר; mhb., > aram. נטר; نَظَرَ, ነጸረ; asa. נטר: qal (BL 368): pf. נָצַרְתִּי, נְצָרוּ, sf. נְצָרָתַם, impf. יִנְצְרוּ, יִצְּרוּ, אֶצֳּרָה, אֶצְּרָה, אֶצֹּר, תִּצֹּר, sf. אֶצָּרְךָ, תִּצְּרֶךָּ u. תִּנְצְרֶכָּה, תִּנְצְרֵנִי, תִּצְּרֵנִי, יִנְצְּרֶהוּ, יִצְּרֻנִהוּ, יִצְּרוּנִי, inf. נְצוֹר, inf. u. imp. נְצֹר, נִצְרָה, sf. נִצְּרֶהָ, pt. נֹצֵר, נֹצְרִים, נֹצְרִי, sf. נֹצְרָהּ, pass. נְצוּרָה, נְצוּרֵי (l Js 49, 6), נְצֻרוֹת: 1. **Wacht halten, bewachen, behüten** *watch, guard, keep* Na 2, 2 Dt 32, 10 Js 42, 6 Ps 12, 8 25, 21 31, 24 32, 7 40, 12 61, 8 64, 2 140, 2. 5 Pr 2, 11 4, 6. 13. 23 5, 2 13, 3. 6 16, 17 20, 28 22, 12 23, 26 24, 12 27, 18 Si 7, 24, c. כֶּרֶם Js 27, 3, c. לָשׁוֹן Ps 34, 14: נֹצְרִים **Wächter** *watchmen* 2 K 17, 9 18, 8 Ir 31, 6 Hi 27, 18; Gott ist *God is* נֹצֵר הָאָדָם Hi 7, 20; cj נֹצֵר Pr 20, 27; 2. **bewachen, bewahren** *watch, keep*: חֶסֶד לְ Ex 34, 7, שָׁלוֹם Js 26, 3; 3. bewachen, beobachten, **befolgen** *watch, guard with fidelity, observe*: מִצְוֹת Ps 78, 7 119, 115 Pr 3, 1 6, 20, תּוֹרָה Ps 105, 45 119, 34 Pr 28, 7, עֵדֹתָיו Ps 119, 2, חֻקִּים 119, 22. 33. 129. 145, פִּקֻּדֶיךָ 119, 56. 69. 100, אָרְחוֹת מִשְׁפָּט Pr 2, 8, תּוּשִׁיָּה 3, 21; 4. **innehalten** *keep* Dt 33, 9 Ps 25, 10; 5. נָצוּר **aufbewahrt** *preserved* (// נְשׁוּאֵר) Hs 6, 12 Js 49, 6 Q; **Aufgespartes** *things (events) kept in reserve* Js 48, 6; נְצֻרַת לֵב Frau mit verschmitztem, verschlagnem Sinn *woman of cunning disposition* Pr 7, 10; l נְצוּרָה (צוּר) Js 1, 8; l נְמֵרִים Ir 4, 16.† Der. *מַצָּרָה, נְצוּרִים.

II ***נצר**: F נֵצֶר.

נֵצֶר: II *נצר; نَضُرَ; glänzen, grünen *be bright, grow green*: **Spross, Schoss** (v. Pflanze) *sprout, shoot (of plant)* Js 11, 1 60, 21 Da 11, 7 Si 40, 15; l נֶשֶׁר Js 14, 19.†

***נצת**: F יצת.

I **נקב**: ak. *naqbu* Quelle *spring*, Siloah-Inschr. הנקבה der Durchbruch *the piercing through*; mhb., ja., sy. durchlochen *pierce through*; نَقَبَ Pass *defile*; asa. נקבת unterirdischer Gang *subterraneous passage*; F II קבב u. יקב: qal: pf. נָקַבְתָּ, sf. נְקָבָהּ, impf. תִּקֹּב, יִנְקָבֵ־, sf. יִקֳּבֶנּוּ, imp. נָקְבָה, pt. נֹקֵב, נָקוּב, נֹקְבֵי: 1. (e. Loch) **bohren** *bore (a hole)* 2 K 12, 10; durchbohren *pierce* 2 K 18, 21 Js 36, 6 Ha 3, 14 (בְּ mit *with*) Hi 40, 24. 26; נָקוּב löcherig *with holes* Hg 1, 6; 2. (durchlochen, punktieren) bestimmen, **festsetzen** (*pierce, prick*) *designate*: Lohn *wages* Gn 30, 28, Name *name* Js 62, 2; 3. (durchbohren) **auszeichnen** (*pierce*) *distinguish* (cf. نَقِيب Vornehmer *chief*): נְקֻבֵי **Vornehme** *chiefs* Am 6, 1; ungünstig auszeichnen > **lästern** *distinguish as bad* > *slander, abuse* Lv 24, 11 u. 16 (הַשֵּׁם) F קבב u. Geiger, Urschrift 274;† nif: pf. נִקְּבוּ: c. בְּשֵׁמוֹת: **bezeichnet werden** *be designated* Nu 1, 17 Esr 8, 20 1 C 12, 32 16, 41 2 C 28, 15 31, 19.† Der. מַקֶּבֶת, נְקֵבָה, נֶקֶב, II נְקֵבָה.

II ***נקב**: F I מַקֶּבֶת.

נֶקֶב: נקב: pl. sf. נְקָבֶיךָ: 1. **Pass** *defile*

(نَقْبٌ) Jos 19, 33; **2. Mine** *mine* (altsinait., Albr. BAS 110, 13. 15, dele נֶקֶב) Hs 28, 13.†

נְקֵבָה: I נקב; mhb., ja. נוּקְבָא, ܢܩܒܬܐ; nab. נקבתא: **Weib, weiblich** *female* (d. Geschlecht betreffend *regarding sex* :: אִשָּׁה im Geschlechtsleben stehend *regarding sexual life* Nu 31, 15) Dt 4, 16 Ir 31, 22 u. in P: Gn 1, 27—5, 2 Lv 12, 5. 7 15, 33 27, 4—7 Nu 5, 3 31, 15, v. Tieren *said of animals* Gn 6, 19 7, 3. 9. 16 Lv 3, 1. 6 4, 28. 32 5, 6.†

I *נקד: *F* Der. נָקֹד, נְקֻדָּה*, נִקֻּדִים.

II *נקד: *F* Der. נֹקֵד.

נָקֹד: I *נקד; mhb. נקד, ܢܩܕ, نقط punktieren *puncture*: pl. נְקֻדּוֹת, נְקֻדִּים: **gesprenkelt** *speckled* (צֹאן) Gn 30, 32 f. 35. 39 31, 8. 10. 12.†

נֹקֵד: II *נקד: ug. *nqd*; ak. *nāqidu* (Zim. 41), > ܢܩܕܐ نَقَدٌ Art Schafe *kind of sheep*: נֹקְדִים: **Schafzüchter** *sheep-raiser* Am 1, 1 2 K 3, 4.†

***נְקֻדָּה**: I *נקד: pl. נְקֻדּוֹת: **Glasperlen** *glass beads* Ct 1, 11.†

נִקֻּדִים (V. נְקֻדִּים): I *נקד: **verkrümmeltes Brot** *bread become crumbs* Jo 9, 5. 12; Gebäckart, Kuchen mit etwas bestreut *kind of baked ware, cakes strewn with something* 1 K 14, 3.†

נקה: نَقِيَ rein, blank (bloss) sein *be clean (of), bare*; mhb. נקה pi. rein machen *clean*; = ja. נקי pa.; *F* ba. נְקֵא; ak. *naqū* ausgiessen (Trankopfer) *pour out (libation)*:

qal: inf. נָקֹה Ir 49, 12 (inf. zu *to* תִּנָּקֶה);†

nif: pf. נִקָּה, נִקְּתָה, נִקֵּית, נִקֵּיתִי, impf. יִנָּקֶה, תִּנָּקוּ, inf. הִנָּקֵה, imp. הִנָּקִי: **1.** c. מִן: **frei, ledig sein** *be clean, free*: v. *from*: eidlicher Verpflichtung *obligation by oath* Gn 24, 8, Fluch *curse* 24, 41, Schuld *guilt* Nu 5, 31, Schuld u. Strafe *guilt a. punishment* Ex 21, 19, Wirkung des Fluchwassers *effect of drinking the bitter water* Nu 5, 19. 28; **2.** c. מִן: **keine Schuld haben** gegenüber *be out of guilt* (*responsibility*) *against* Jd 15, 3; **3. straflos bleiben** *be free from punishment* Ir 25, 29 49, 12 (נָקֹה תִנָּקֶה) Sa 5, 3 Pr 6, 29 11, 21 16, 5 17, 5 19, 5. 9 28, 20; **ohne Schuld sein** *be innocent* 1 S 26, 9 Ir 2, 35 Ps 19, 14; **4.** (Stadt *town*): (der Männer) **beraubt sein** *be deprived* (*of the men*) Js 3, 26;†

pi: (pf. נִקֵּיתִי), impf. יְנַקֶּה, sf. תְּנַקֵּנִי, אֲנַקֶּךָּ, inf. נַקֵּה, imp. sf. נַקֵּנִי: **ungestraft lassen** *leave unpunished* Ex 20, 7 34, 7 Nu 14, 18 Dt 5, 11 1 K 2, 9 Ir 30, 11 46, 28 Na 1, 3; **für straffrei erklären** *acquit, hold exempt from punishment* (מִן hinsichtlich *concerning*) Ps 19, 13 Hi 9, 28 10, 14; 1 נִקַּמְתִּי Jl 4, 21. 21.†

Der. נָקִי, נָקִיא, נִקָּיוֹן, *מְנַקִּית.

נְקוֹדָא: n. m.; ak. n. m. *Niqud(d)u* (Sumpfhuhn *moorhen*) Stamm 371: Esr 2, 48. 60 Ne 7, 50. 62.†

נָקִי u. **נָקִיא** Jl 4, 19 Jon 1, 14†: נקה; ug. *nqy*: cs. נְקִי, pl. נְקִיִּם: **1.** c. מִן: **ledig, frei von** *exempt, free from* Gn 24, 41 Jos 2, 17. 20; **2.** c. מִן: **ohne Verantwortung, ohne Schuld** gegenüber *free from responsibility, guilt against* Nu 32, 22 2 S 3, 28; **3. ohne Schuld, schuldlos** *free from guilt, innocent* Ex 21, 28, Jos 2, 19 2 S 14, 9 Ps 10, 8 15, 5 Pr 1, 11 Hi 4, 7 17, 8 22, 19. 30 27, 17, pl. Gn 44, 10 Ir 2, 34 Hi 9, 23; **4.** דַּם הַנָּקִי Dt 19, 13 2 K 24, 4 Ir 22, 17, דַּם נְקִיִּם Ir 19, 4, דַּם נָקִי Dt 19, 10 21, 8 f 27, 25 1 S 19, 5 2 K 21, 16 24, 4 Js 59, 7 Ir 7, 6 22, 3 26, 15 Jl 4, 19 Jon 1, 14 Ps 94, 21 (?) 106, 38 Pr 6, 17; **5.** נְקִי כַפַּיִם mit reinen Händen *clean hands* Ps 24, 4.†

נִקָּיוֹן: נקה: cs. נִקְיוֹן, נִקְּיוֹן: **Blankheit**, Blösse *bareness*: נ׳ שִׁנַּיִם blanke Z. (nichts zu beissen) *bare t.* (*nothing to eat*) Am 4, 6; **Schuldlosigkeit** (d. Hände) *innocency* (*of hands*) Gn 20, 5 Ps 26, 6 73, 13; F Ho 8, 5.†

***נָקִיק**: נקק, ንቅቅ: pl. cs. נְקִיקֵי Spalte (im Felsen) *cleft* (*of rock*) Js 7, 19 Ir 13, 4 16, 16.†

נקם: ug. *nqm*; amor. verb. u. subst. *niqmu* Sy 20, 174 f; mhb., ja., cp. sy. (etp.); نَقَمَ, asa. נקם; F ቀም:

qal: pf. sf. נְקָמַנִי, impf. יִקֹּם, תִּקֹּם; inf. נְקֹם, נָקֹם, pt. נֹקֵם, נֹקֶמֶת: **Rache nehmen, sich rächen** *take vengeance, avenge* Lv 19, 18 Na 1, 2. 2, נָקַם נָקָם Lv 26, 25 Hs 24, 8 25, 12, נְקֹם נִקְמָה Nu 31, 2; c. ac. jmd., etw. **rächen** *avenge a person, a thing* Dt 32, 43, c. מִן an *of* 1 S 24, 13 Jos 10, 13 (l מְגוֹיו), = c. מֵאֵת Nu 31, 2; c. עַל Ps 99, 8; cj נָקַם Hs 25, 12 u. 15 F nif;†

nif: pf. נִקַּמְתִּי, נִקְּמוּ, impf. יִנָּקֵם, אִנָּקְמָה, וַיִּנָּקְמוּ, inf. הִנָּקֵם u. cj נָקוֹם Est 9, 16, imp. הִנָּקְמוּ, הִנָּקֵם: **gerächt werden** *be avenged* Ex 21, 20, **sich rächen** *avenge oneself* Hs 25, 15 (l נקם pro נָקָם). 12 (l נקם pro בָּהֶם), c. מִן ,בְּ an *of* Jd 15, 7 1 S 18, 25 Ir 50, 15, c. מִן an *of* Jd 16, 28 1 S 14, 24 Js 1, 24 Ir 46, 10 Est 8, 13, cj 9, 16 (l וְנִקּוֹם); c. לְ מִן jmd **Rache schaffen an** *avenge a person of* Ir 15, 15;†

pi: pf. נִקַּמְתִּי: **rächen** *avenge* 2 K 9, 7, cj Jl 4, 21. 21; c. נְקָמָה (seine) **Rache üben** *take vengeance* Ir 51, 36;†

pu (hof?): impf. יֻקַּם, יֻקָּם: 1. **gerächt werden** *be avenged* Gn 4, 24; 2. **der Rache verfallen** *fall to one's vengeance* Gn 4, 15 Ex 21, 21;†

hitp: impf. תִּתְנַקֵּם: **seine Rache nehmen** *take oneself's vengeance* Ir 5, 9. 29 9, 8; pro pt. מִתְנַקֵּם l מִתְקוֹמֵם Ps 8, 3 u. 44, 17.†

Der. נָקָם, נְקָמָה.

נָקָם: נקם: cs. נְקַם: Rache *vengeance*: menschliche R. *v. taken by man* Jd 16, 28 Hs 25, 12 Pr 6, 34, göttliche R. *v. taken by God*: לִי נ׳ Dt 32, 35, יוֹם נ׳ Js 34, 8 61, 2 63, 4, לָקַח נ׳ Js 47, 3, נְקַם נ׳ Hs 24. 8, עָשָׂה נ׳ Mi 5, 14, הֵשִׁיב נ׳ Dt 32, 41. 43; F Lv 26, 25 Js 35, 4 59, 17 Ps 58, 11; l נָקַם Hs 25, 15.†

נְקָמָה: fem. v. נָקָם: cs. נִקְמַת, sf. נִקְמָתְךָ, נִקְמָתָם, pl. נְקָמוֹת: Rache *vengeance*; v. Menschen *taken by man* לָקַח נ׳ Ir 20, 10, עָשָׂה נ׳ Hs 25, 15 (?); נִקְמָתָם ihre Rachgier *their vindictiveness* Th 3, 60; v. Gott *taken by God* נִקְמַת דָּם R. für Blut *revenging of blood* Ps 79, 10, נְקַם נ׳ Nu 31, 2, נְקַם נ׳ Ir 51, 36, נָתַן נִקְמַת יהוה Nu 31, 3, נָתַן נ׳ Hs 25, 14, עָשָׂה נ׳ Ps 149, 7, רָאָה נ׳ Ir 11, 20 20, 12, יוֹם נ׳ Ir 50, 15. 28 51, 11, נִקְמַת יהוה Ir 46, 10, עֵת נ׳ Ir 51, 6; pl. נְקָמוֹת Rache (taten) (*acts of*) *vengeance*: אֵל נְקָמוֹת Ps 94, 1. 1, נְקָמוֹת c. עָשָׂה Jd 11, 36 2 S 4, 8 22, 48 Hs 25, 17, c. נָתַן Ps 18, 48.†

נקע: NF v. יקע; نَقَعَ u. ነቀወ spalten *split*; mhb. נֶקַע, ܢܩܥܐ Spalt *cleft*:

qal: pf. נָקְעָה, impf. וַתֵּקַע: sich loslösen, abwenden von, jmds überdrüssig werden *become separated, estranged from, disgusted with*, c. מִן Hs 23, 17. 22. 28, c. מֵעַל 23, 18.†

I נקף: mhb., ja. stossen, schlagen *strike*; نَقَفَ (d. Kopf) zerschlagen *smash* (*the head*), ነቀፈ abschälen *peel*:

pi: pf. נִקַּף, נִקְּפוּ: **abhauen** (Gestrüpp) *strike down* (*thickets*) (F Löw 2, 416) Js 10, 34; l נִקַּף (nif) Hi 19, 26;†

cj nif: pt. נִקָּף: **geschunden werden** *be skinned* (F ነቀፈ.) l נִקַּף כָּזֹאת Hi 19, 26.†

Der. נֹקֶף.

II **נקף**: mhb. hif. u. ja. af. kreisen, umgeben *surround*; ܢܩܦ anhaften *cling to*, وقف stehn bleiben *stand still*; M. Höfner ZDM 87, 256: nif v. קוף, asa. קיף (F תְּקוּפָה):

qal: impf. יִנְקֹפוּ: **sich im Kreis reihen** *go round*, *run the round (of the year)* Js 29, 1; †

hif: pf. הִקִּיף, הִקִּיפָה, הִקַּפְתֶּם, sf. הִקִּיפוּנִי, impf. וַיַּקֵּף, יַקִּפוּ, יַקִּיפוּ, inf. הַקֵּף u. הַקִּיף, pt. מַקִּפִים: 1. umkreisen, **rund herumziehen** um *go around of*: עִיר Jos 6, 3. 11 Ps 48, 13; **im Kreis umgeben** *surround*, *enclose* 1 K 7, 24 Ps 22, 17 2 C 4, 3 23, 7; **im Kreis durchwandern, überall hindringen** *go around*, *go everywhere* Js 15, 8; 2. c. עַל **umzingeln** *encircle*, *close in upon* 2 K 6, 14 11, 8 Ps 17, 9 88, 18 Hi 19, 6; 3. **rund herumführen** *set up round about* Th 3, 5; 4. הִקִּיף פֵּאָה **rundum stutzen** *cut short around* Lv 19, 27; 5. **im Kreis herumgehn** (Tage) *complete the circuit* (*days*) Hi 1, 5. †

Der. נִקְפָּה.

נֹקֶף: I נקף: **Abschlagen** (Oliven vom Baum) *striking off (olives from the trees)* Js 17, 6 24, 13. †

נִקְפָּה: II נקף: **Strick** (um d. Leib) *rope (around the waist)* Js 3, 24. †

***נקק**: F *נָקִיק.

נקר: ak. *naqāru* zerstören, *destroy*: mhb., ja, sy. ausstechen *dig*; نَقَرَ aushöhlen *hollow out*; ነቈረ einäugig sein *be one-eyed*; Nöld. NB 184 f:

qal: impf. sf. יִקְּרוּהָ, inf. נְקוֹר: (Auge) **ausstechen** *bore out (eye)* 1 S 11, 2, **aushacken** *pick out* Pr 30, 17; †

pi: pf. נִקַּר, impf. תְּנַקֵּר: (Augen) **ausstechen** *bore out (eyes)* Nu 16, 14 Jd 16, 21; (Knochen) **ausbohren** *bore (bones)* Hi 30, 17; †

pu: pf. נֻקַּרְתֶּם: **ausgebohrt werden** *be bored*, *digged* Js 51, 1. †

Der. נְקָרָה.

נְקָרָה: נקר: نُقْرَةٌ: cs. נִקְרַת, pl. cs. נִקְרוֹת: **Felshöhle** *hole (in rock)* Ex 33, 22 Js 2, 21. †

נקשׁ: mhb.; F ba.; نَقَشَ schnitzen *carve*; F מוֹקֵשׁ; cf. יקשׁ u. I קושׁ; Nöld. NB 188:

[qal: pt. נוֹקֵשׁ Ps 9, 17, l נֹקֵשׁ (יקשׁ)]; †

nif: impf. תִּנָּקֵשׁ: **sich fangen, bestricken lassen** *be caught*, *ensnared* Dt 12, 30; †

pi: impf. וַיְנַקְשׁוּ: **Schlingen legen** *lay out snares* Ps 38, 13, l יְבַקֵּשׁ Ps 109, 11; †

hitp: pt. מִתְנַקֵּשׁ: **sich als einer, der Schlingen legt, verhalten** *behave as one laying out snares* 1 S 28, 9. †

I **נֵר**: נור: sf. נֵרָהּ, נֵירִי 2 S 22, 29 †, pl. נֵרֹת, sf. נֵרֹתֶיהָ: 1. **Leuchte** (kleine Tonlampe, mit Öl gefüllt, meist nur eine Schnauze, in der ein Docht; gelegentlich kunstvollere Formen) *lamp (small vessel of clay, filled with oil, provided with one spout in which one wick; sometimes more artificial forms)*, Galling ZDP 46, 1 ff, BRL 347 ff: im Haus *in house* Ir 25, 10 Ze 1, 12 Pr 13, 9 20, 20 24, 20 31, 18 Hi 21, 17, Zelt *tent* Hi 18, 6, אֹהֶל מוֹעֵד Ex 25, 37 27, 20 30, 7 f 35, 14 37, 23 39, 37 40, 4. 25 Lv 24, 2. 4 Nu 4, 9 8, 2 f, Tempel *temple* 1 K 7, 49 1 C 28, 15 2 C 4, 20 f 13, 11 29, 7; נֵר אֱלֹהִים in שִׁלֹה 1 S 3, 3, בַּמְּרָאָה Sa 4, 2; 2. (metaph.): דָּוִד = נֵר יִשְׂרָאֵל 2 S 21, 17; Gott *God* = נֵר 2 S 22, 29; sein Wort *his word* = נֵר Ps 119, 105; נֵר = מִצְוָה Pr 6, 23; l נֹצֵר Pr 20, 27; נֵרוֹ = Gottes Huld *God's affection* Hi 29, 3; נֵר des Frommen *of the pious one* Ps 18, 29; נֵר לִמְשִׁיחִי Ps 132, 17. †

Der. n. m. II נֵר, אֲבִינֵר, אַבְנֵר u. נֵרִיָּהוּ.

II **נֵר**: n. m.; = I: 1. V. v. אַבְנֵר 1 S 14, 50 f 26,

5. 14 2 S 2, 8. 12 3, 23. 25. 28. 37 1 K 2, 5. 32 1 C 26, 28; 2. V. v. קִישׁ 1 C 8, 33 9, 36. †

נֵר: F נִיר.

נֵרְגַל: n. d.; ak. *Nergal*, ph. נרגל: Stadtgott v. *town-god of* כּוּת; KAT 412 ff; Böllenrücher, Gebete . . an N. 1904; Deimel, Pantheon 2332: 2 K 17, 30. †

נֵרְגַל שַׂרְאֶצֶר: n. m. (d. neubab. K.) ak. *Nergal-šarri-uṣur* N. schütze den König! *may N. protect the king!* Berosus Νηριγλίσαρος; Unger, Bab. (1931), 282 ff. 290[5]: Ir 39, 3. 13. †

נֵרְדְּ (sprich *spell*: *nērdᵉ*): < sanskr. *naladā* duftgebend *exhaling scent*, pers. *nārdin*: sf. נִרְדִּי, pl. נְרָדִים: Narde *nard* (Fett parfümiert mit Rhizom von *fat scented with rhizome of* Nardos *tachys Jatamansi* u. *N. grandiflora*, später auch mit *later also with Ferula Sambul* Hook. u. d. Wurzel v. *a. roots of Valeriana celtica;* Löw 3, 482 ff): Ct 1, 12 4, 13 f. †

נֵרִיָּה: n. m.; < נֵרִיָּהוּ: 1. V. v. בָּרוּךְ Ir 32, 12. 16 36, 4. 8 43, 3 45, 1; 2. V. v. שְׂרָיָה Ir 51, 59. †

נֵרִיָּהוּ: n. m.; Lkš 1, 5, Dir. 352 f; keilschr. *Niriiau* Tallq. APN 176; נֵר u. יְ; > נֵרִיָּה = נֵרִיָּה 1: Ir 36, 14. 32 43, 6. †

נשׂא: F ba.; ak. *našū*; ug. *nš*ʾ; amor. in n. m. *Jasi-* (Bauer 78 b); ph., mo., mhb.; F ba.; نَشَأَ, asa. נשא; 𐩬𐩦𐩱; נשא.
qal (600 ×): pf. נָשָׂא, נָשְׂאָה, נָשָׂאתָ, נָשְׂאוּ, (1 נָשׂוּ Hs 39, 26, 1 נָשְׂאוּ Ps 139, 20), sf. נְשָׂאֲךָ, נְשָׂאתִים 2. fem! Hs 16, 58, נְשָׂאתַנִי, נְשָׂאתְנִי, impf. יִשָּׂא, יִשְׂאוּ (BL 220 m), יִשָּׂאוּ, תִּשָּׂאוּן, תִּשֶּׂנָה > תִּשָּׂאנָה (BL 441) Ir 9, 17 u. תִּשֶּׂאינָה (BL 441) Hs 23, 49, sf. יִשָּׂאֵהוּ, יִשָּׂאֶהָ, יִשָּׂאֶנָּה, יִשָּׂאוּם, יִשָּׂאוּנְךָ, inf. נְשֹׂא, נָשׂוֹא, cs. שְׂאֵת, בִּשְׂאֵת, aber stets *but always* לָשֵׂאת, sf. שְׂאֵתִי, selten *rarely* נְשֹׂא, נְשׂוֹא, sf. נָשְׂאִי 1 בִּשְׂאוֹן Ps 89, 10, 1 לְהַשִּׂיאוֹת Hs 17, 9, imp. נְשָׂה (= נְשָׂא) Ps 4, 7 (BL 441 c), שָׂא, שְׂאִי, שְׂאוּ, sf. שָׂאֵהוּ, שָׂאוּנִי, (1 אַל יִנָּשֵׂא דָּךְ Ps 10, 12), pt. נֹשֵׂא, fem. נֹשֵׂאת > נֹשֵׂאת > נֹשְׂאת, pass. cs. נְשֻׂא, נְשׂוּא, u. נְשׂוּי (wie wenn *as if* ל״ה): **1. heben, hochheben** *lift*: Ir 4, 6, נֵס Gn 7, 17, תֵּבָה Hs 10, 16, כָּנָף, רַגְלַיִם (= sich auf d. Weg machen *set out*) Gn 29, 1; **2. נָשָׂא יָד die Hand erheben** *lift up the hand*, בְּ gegen *against* 2 S 20, 21, zum Schwur *for taking an oath* (ak. *nišu* Eid *oath*) Dt 32, 40 Ex 6, 8 Hs 20, 6, zur Bitte *for imploring* Ps 28, 2, z. Gebet *in prayer* Ps 63, 5 (ak. *našū qātā* beten *pray*; Zkr נשא יד אל), zum Winken *for beckoning* Js 49, 22; **3. נָשָׂא רֹאשׁוֹ d. Kopf hoch heben** *lift up the head* (Ausdruck d. Unabhängigkeit *expression of independence*) Sa 2, 4; נָשָׂא רֹאשׁ פּ׳ (ak. *našū rēša*) **wieder zu Ehren bringen** *restore one's repute* Gn 40, 13; נָשָׂא רֹאשׁ Ex 30, 12 Nu 1, 2 26, 2 (ak. *našū rēša*, OLZ 23, 153) **die Summe aufnehmen, zählen** *take the sum*; נָשָׂא מִסְפָּר e. Zahl aufnehmen *count the number* Nu 3, 40; **4. נָשָׂא פָּנָיו s. Gesicht erheben** *lift up one's face*: drückt Gewissheit, Heiterkeit aus *expresses assurance, hilarity* Hi 11, 15, ohne *without* פָּנִים (:: נָפְלוּ פָנָיו 4, 6) Gn 4, 7, c. אֶל zu *towards* 2 K 9, 32, mit gutem Gewissen *with a light conscience* 2 S 2, 22; von Gott gesagt *said of God*: drückt Geneigtheit aus *expresses God's favour* Nu 6, 26 (ak. *našū ēnā*); נָשָׂא (נסה) אוֹר פָּנִים עַל Ps 4, 7; **5. נָשָׂא פְּנֵי פ׳ = jmd freundlich aufnehmen** *accept, receive kindly* Gn 32, 21 Ma 1, 8 Th 4, 16 (1 נָשָׂא), **Rücksicht nehmen auf** *have consideration for* 2 K 3, 14 Gn 19, 21 (לְ hinsichtlich *concerning*) Pr 6, 35; נְשׂוּא פָנִים berücksichtigt > beachtet, **angesehen** *distinguished, esteemed* 2 K 5, 1 Js 3, 3 9, 14 Hi 22, 8; = e. Unterschied machen mit, **parteiisch, ungünstig behandeln** *discriminate, treat with partiality, be ill-disposed towards*

Lv 19, 15 Dt 10, 17 Ps 82, 2 Hi 13, 10 Ma 2, 9 (בַּתּוֹרָה wenn ihr תּוֹ' mitteilt *when delivering* תּוֹ'); 6. נָשָׂא עֵינַיִם (ak. *našū ēnā*) **aufblicken, hinsehn** *raise one's eyes to, glance towards* Gn 13, 10; 7. נָשָׂא קוֹל **die Stimme erheben** *lift up voice*: zum Ruf *to cry* Jd 9, 7, z. Jubel *to rejoice* Js 24, 14, z. Weinen *for weeping* Gn 27, 38; † ohne *without* קוֹל Nu 14, 1 Js 3, 7 42, 2 (l יִשְׂשׂוּ 42, 11) Hi 21, 12; 8. קוֹל ersetzt durch *represented by* מָשָׁל anstimmen *take up* Nu 23, 7, זִמְרָה Ps 81, 3, קִינָה Am 5, 1, תְּפִלָּה Js 37, 4, מַשָּׂא 2 K 9, 25; נָשָׂא c. שֵׁם aussprechen *pronounce* Ex 20, 7, c. שֵׁמַע Ex 23, 1, c. חֶרְפָּה Ps 15, 3; 9. נָשָׂא עַל־פִּיו **in d. Mund nehmen** *take in the mouth* Ps 50, 16, c. עַל־שְׂפָתָיו auf d. Lippen *upon the lips* Ps 16, 4; c. בכתב schriftlich aufnehmen *write down* Si 44, 5; 10. נָשָׂא נַפְשׁוֹ sich sehnen, **verlangen nach** *long for, have great desire*, c. אֶל Dt 24, 15 Ho 4, 8 (l נַפְשָׁם) Pr 19, 18, c. לְ Ps 24, 4 (l נַפְשׁוֹ), c. אֶל־יהוה Ps 25, 1 86, 4 143, 8; 11. נְשָׂאוֹ לִבּוֹ s. Herz treibt ihn, **er ist willig** *his heart incites him, he is willing* Ex 35, 21. 26 36, 2 (ak. *niš libbi* Herzenstrieb *heart's impulse*) :: נְשָׂאֲךָ לִבֶּךָ d. Herz erhebt, **verleitet** dich *your heart lifts you up, seduces you* 2 K 14, 10; 12. נָשָׂא **tragen** *bear, carry*: יֶלֶד 2 K 4, 19, עֹל Th 3, 27, אֲרוֹן 2 S 6, 13, חֶרְפָּה Ir 15, 15 (= ertragen *suffer*; עַל wegen *for*), חֶסֶד Est 2, 9 (davontragen, gewinnen *gain*), חֵן 2, 15 5, 2; etc.; נָשָׂא פְּרִי Frucht bringen *yield fruit* Hs 36, 8; נָשָׂא בְּ tragen helfen *help to carry* Hi 7, 13 Nu 11, 17, נָשָׂא אֵת mittragen *bear with* Ex 18, 22; 13. **ertragen** *bear, stand, suffer*: Gn 13, 6 Dt 1, 9 Mi 7, 9 Hi 21, 3; [es] ertragen *bear [it]* Js 1, 14 Ir 44, 22 Pr 30, 21; 14. נָשָׂא עֲוֹנוֹ (ak. *našū arna*) Schuld auf sich laden, **Schuld tragen** *bear guilt* Ex 28, 43 Lv 5, 1 7, 18 17, 16 19, 8 Nu 5, 31; נָשָׂא חֶטְאוֹ Lv 20, 20 22, 9 Nu 9, 13; :: נָשָׂא עֲוֹנוֹ hat s. Schuld zu tragen, ist verantwortlich, muss **büssen** *has to bear his guilt, is responsible, must atone for* Ex 28, 38 Nu 14, 34 18, 1 Hs 44, 10, נָשָׂא זִמָּתוֹ Hs 23, 35; **die Schuld eines andern zu tragen haben** *have to bear the guilt of an other* Nu 14, 33 Js 53, 12 Hs 4, 4—6; c. בְּ Hs 18, 19 f; נָשָׂא עֹנֶשׁ **Busse zahlen** *bear penalty* Pr 19, 19; 15. **tragen, bringen** *carry, bring*: רוּחַ Ex 10, 13, אֳנִי 1 K 10, 11, darbringen *offer* Hs 20, 31; 16. **davontragen** *carry away* (*receive*) Ps 24, 5 Ko 5, 18, > **nehmen** *take* Gn 27, 3 45, 19 Jd 16, 31 1 S 17, 34 Ho 5, 14 Ps 102, 11; נָשָׂא אִשָּׁה nimmt sich e. Frau *takes himself a wife* Ru 1, 4 Esr 10, 44 2 C 11, 21 13, 21 24, 3 Si 7, 23 (älter, *older*: לָקַח אִשָּׁה), ohne *without* אִשָּׁה Esr 9, 2. 12 Ne 13, 25; 17. **wegnehmen** *take away* Jd 21, 23 2 S 5, 21 Mi 2, 2 Ct 5, 7, Da 1, 16; נָשָׂא רֹאשׁ מֵעַל nimmt ihm d. Kopf ab *takes off his head* (Wortspiel mit *play upon words with* 40, 13. 20 נָשָׂא רֹאשׁ d. Kopf erhöhen *lift up the head*) Gn 40, 19; נָשָׂא עֲוֹן פְּ' jmds **Schuld hinwegnehmen** *take away one's guilt* Lv 10, 17 Ps 85, 3, ebenso *the same* c. פֶּשַׁע Gn 50, 17 Hi 7, 21, c. חַטָּאת Ps 32, 5, c. לְפֶשַׁע hinsichtlich *concerning* Gn 50, 17 Ex 23, 21 Jos 24, 19, F Ps 25, 18; > נָשָׂא לְ d. Schuld wegnehmen, **vergeben** *take away the guilt, forgive* Gn 18, 24. 26 Js 2, 9 Ho 1, 6 (?) Si 16, 7; daher *therefore* נְשֻׂא עָוֹן dem d. Schuld vergeben ist *whose guilt is forgiven* Js 33, 24 u. נְשׂוּי פֶּשַׁע Ps 32, 1; l הִשֵּׂאתִי Hi 34, 31; l לַשְׂאֵת (F סְאָה) Hs 45, 11; †

nif †: pf. נִשָּׂא, נִשֵּׂאת, impf. יִנָּשֵׂא, יִנָּשְׂאוּ, תִּנָּשֶׂאנָה, יִנָּשֵׂאוּ, inf. הִנָּשֵׂא, u. נִשֵּׂאת 2 S 19, 43 †, sf. הִנָּשְׂאָם, imp. הִנָּשְׂאוּ, pt. נִשָּׂא, נִשָּׂאָה u. נִשֵּׂאת Sa 5, 7, pl. נִשָּׂאִים, נִשָּׂאוֹת: 1. **getragen werden** *be borne, carried* Ex 25, 28 (בְּ an *with*) Js 49, 22 66, 12 Ir

10, 5 (יִנָּשְׂאוּ MS), weggetragen werden *be carried away* 2 S 19, 43 2 K 20, 17 Js 39, 6 Da 11, 12; 2. **sich erheben** *rise up* (*lift oneself up*) Js 33, 10 Hs 1, 19—21 Ps 7, 7 94, 2 Si 11, 6; **sich in die Höhe heben** *lift oneself up* Ps 24, 7. cj 9 Js 40, 4 Sa 5, 7, cj Nu 24, 7; 3. **emporgebracht sein** *be exalted*, מַלְכוּת 1 C 14, 2; c. מִן überragen *be exalted above* Js 2, 2 Mi 4, 1, **hoch ragen** *be lifted up* Js 52, 13 Ir 51, 9 2 C 32, 23 (l וַיִּנָּשֵׂא); pt. Js 2, 12—14 30, 25 57, 7, **erhaben** *lifted up* Js 6, 1 57, 15 (Gott *God*); **hochgezogen sein** (Wimpern) *be lifted up* (*eyelids*) Pr 30, 13;

pi†: pf. נִשֵּׂא, נִשָּׂא, נִשְּׂאוּ, sf. נִשְּׂאוּ, impf. sf. יְנַשְּׂאֵם, יְנַשְּׂאוּהוּ, יְנַשְּׂאֵהוּ, imp. sf. נַשְּׂאֵם, pt. מְנַשְּׂאִים: 1. **hoch heben** *lift up* Am 4, 2, **emporbringen** *exalt* 2 S 5, 12, cj נִשְּׂאַנִי Ps 69, 15; **erhöhen**, hochstellen (im Rang) *raise* (*in position*) Est 3, 1 5, 11; 2. **dahintragen** *carry*, *bear continuously* Js 63, 9 Ps 28, 9; 3. **beistehn** *assist* 1 K 9, 11 (בְּ mit *with*) Est 9, 3 Esr 1, 4 8, 36; 4. נִשָּׂא נַפְשׁוֹ c. לְ c. inf: **trägt Verlangen**, zu ... *desires to ...* Ir 22, 27 44, 14;

hif†: pf. הִשִּׂיאוּ, pt. משאת Si 4, 21, cj inf. לְהַשְּׂאוֹת Hs 17, 9: 1. c. 2 ac. jmd etw. **aufladen** *cause to bear* Lv 22, 16; 2. **zu tragen geben** *cause to carry*, *to bring* 2 S 17, 13(?) Si 4, 21; 3. **in die Höhe heben** *cause to rise*(?) Hs 17, 9;

hitp†: impf. יִנַּשְּׂאוּ, יִנַּשֵּׂא, יִתְנַשָּׂא, הִתְנַשֵּׂא > (BL 441 c), inf. הִתְנַשֵּׂא, pt. מִתְנַשֵּׂא: **sich erheben** *lift oneself up* Nu 23, 24 (כַּאֲרִי) 1 K 1, 5 Hs 17, 14 Pr 30, 32 Da 11, 14, 1 C 29, 11, c. עַל Nu 16, 3 Hs 29, 15, cj מִתְנַשֵּׂא Pr 30, 31 (F מִתְנַיִם); l וְתִנַּשֵּׂא Nu 24, 7; l וַיִּנָּשֵׂא 2 C 32, 23.

Der. *נְשׂוּאָה, I, II נָשִׂיא, I, II מַשָּׂא, מַשּׂא, מַשְׂאָה, מַשְׂאֵת, I, II שְׂאֵת, *שִׂיא, n. montis שִׂיאֹן.

נשׂג (vel ?ישׂג): Haupt AJS 26, 210 = وشج? verwickeln *entangle*, **זיין** mit e. Bolzen befestigen *fix with a peg*:

(nur *only*) hif: pf. הִשִּׂיג, הִשִּׂיגָה, sf. הִשִּׂיגוּ, הִשִּׂיגֻנוּ, הִשִּׂיגָם, הִשִּׂיגְךָ, impf. וַיַּשֵּׂג, יַשִּׂיג, וַיַּשִּׂגוּ, וַיַּשִּׂיגוּ, תַּשִּׂיגֵהוּ, יַשִּׂיגֻם, sf. אַשִּׂגֵנּוּ, יַשִּׂיגוּן, inf. הַשֵּׂג, pt. מַשִּׂיג, מַשֶּׂגֶת: 1. **einholen, erreichen** *overtake* Gn 31, 25 44, 4. 6 47, 9 Ex 14, 9 15, 9 Lv 26, 5 Dt 19, 6 Jos 2, 5 1 S 30, 8 2 S 15, 14 2 K 25, 5 Js 59, 9 Ir 39, 5 52, 8 Ho 2, 9 10, 9 Ps 7, 6 18, 38 40, 13 Pr 2, 19, cj 13, 21 (l יַשִּׂגֵם), Th 1, 3 Si 12, 5; subj. בְּרָכָה Dt 28, 2 Si 3, 8, קְלָלָה Dt 28, 15. 45, חֶרֶב Ir 42, 16 Hi 41, 18 1 C 21, 12, חָרוֹן Ps 69, 25, בַּלָּהוֹת Hi 27, 20, דִּבְרֵי י׳ Sa 1, 6, כְּלִמָּה cj (תַּשִּׂיג) Mi 2, 6; 2. **erreichen, aufbringen können** *reach*, *be able to afford* Lv 5, 11 14, 21 f. 30—32 25, 26. 49 27, 8 Nu 6, 21 Hs 46, 7 Si 32, 12; תַּשִּׂיג יָדוֹ er bringt es zu etwas, **wird wohlhabend** *becomes wealthy* Lv 25, 47; 3. eintreffen, **ankommen** *attain* (:: נוס) Js 35, 10 51, 11; יַשִּׂיגוּ Hi 24, 2 = (סוג) יַסִּיגוּ; l מֵשִׁיב 1 S 14, 26.†

נְשׂוּאָה*: נשׂא: pl. נְשֻׂאֹתֵיכֶם: **Lasten** (tragbare Götterbilder) *loads* (*portable idols*) Js 46, 1.†

I נָשִׂיא: נשׂא; ph. נשא Vorsteher *chief*; mhb.; Noth, D. System d. 12 Stämme, 1930, 151—62: cs. נְשִׂיא, pl. נְשִׂאִים, נְשִׂיאִים, cs. נְשִׂיאֵי: 129 × u. cj Nu 7, 12 u. cj Hs נְשִׂיאֶיהָ 22, 25, l נָשִׂא Hs 12, 10; Hs 37 × u. cj 22, 25, Nu 63 × u. cj 7, 12, Jos 13 × (in P 83 ×); älteste Belege *oldest quotations* Ex 22, 27 Gn 34, 2: (Noth S. 158 ff: ursprünglich Stammesvertreter d. hebr. Amphiktyonie *originally deputies of the tribes in the Hebrew amphictyony*) (gewählter) **Vertreter, Vorsteher** (*elected*) *deputy*, *chief*: in יִשְׁמָעֵאל Gn 17, 20 25, 16, (אַבְרָהָם) נְשִׂיא אֱלֹהִים Gn 23, 6, נְשִׂיא הָאָרֶץ 34, 2, נְשִׂיאֵי הַיָּם Nu 25, 18, pl. Jos 13, 21, נ׳ מִדְיָן

Hs 26, 16, נ׳ קֵדָר 27, 21, in מִצְרַיִם 30, 13, in אֱדוֹם 32, 29, *F* 38, 2f 39, 1; sonst in *otherwise in* נְשִׂיאֵי הָעֵדָה; יִשְׂרָאֵל Ex 16, 22 Nu 4, 34 31, 13 32, 2 Jos 9, 15. 18 22, 30; הַנְּשִׂאִים בָּעֵדָה Ex 34, 31; *F* van d. Ploeg, RB 1950, 42 ff.

II **נָשִׂיא*** : נשׂא; נَشْء ? schwebende Wolken *hovering clouds*: pl. נְשִׂאִים: **Nebelschwaden** *damp, fog* Ir 10, 13 51, 16 Ps 135, 7 Pr 25, 14.†

נשׂק: aber *but* Briggs-Brown-Driver, Lexikon 969 v. שׂלק *F* ba. סלק; שׂלק causat. (in Flammen) aufsteigen lassen *cause to go up (in flame)*:

nif: pf. נִשְּׂקָה: **sich entzünden** (Feuer) *be kindled* (*fire*) Ps 78, 21;†

hif: pf. הִשִּׂיק, impf. יַשִּׂיק: **anzünden** *make a fire* Js 44, 15 Hs 39, 9; **versengen** *burn* Si 43, 4. 21.†

נשׂר*: ph. mhb. u. ja., נסר; وَشَرَ, نَشَرَ; ܢܣܪ: sägen *saw*: Der. מַשּׂוֹר.

I **נשׁא** u. II **נשׁה**: mhb. נשׁה, < نَسَأَ; Zim. 17 < ak. *rāšû* Gläubiger *creditor*, *rašûtu* Darlehen *loan*, cf. äga. רשׁי Anspruch erheben *lay claim*; mhb. רָשַׁי berechtigt *entitled*; ja. רשׁא Darlehen nehmen *take a loan*:

qal: pf. נָשִׁיתִי, נָשׁוּ, pt. נֹשֶׁא (BL 441 c), נֹשֶׁה, נוֹשֶׁה, cs. נֹשֵׁא, pl. נֹשִׁים u. K נשׁאים Ne 5, 7, pl. sf. נֹשַׁי: 1. c. בְּ **leihen an** *give a loan to* Dt 24, 11 Ir 15, 10 Ne 5, 10 f; absol. Ir 15, 10; **der leiht** נֹשֶׁא בוֹ *who takes a loan* Js 24, 2; 2. pt. נֹשֶׁא **Gläubiger** *creditor* 1 S 22, 2, = נֹשֶׁה 2 K 4, 1 Js 24, 2 50, 1; wer aus Gewinnsucht ausleiht, **Wucherer** *who gives loan by covetousness, usurer* Ex 22, 24 Ps 109, 11; 3. נָשָׁא מַשָּׁא בְ **Wucher treiben an** *exact usury of* Ne 5, 7; l נֹשֶׁא 1 K 8, 31 u. 2 C 6, 22; l וְנָשִׁיתִי נָשָׁא (MS) Ir 23, 39;†

hif: impf. תַּשֶּׁה, יַשֶּׁה, pt. cs. מַשֵּׁה: c. בְּ pers. et ac. rei: etwas an jmd **ausleihen** *lend a thing to* Dt 15, 2 24, 10, cj (בַּעַל) מַשֵּׁה **Schuldherr, Gläubiger** *creditor* Dt 15, 2.†

Der. *נְשִׁי, מַשָּׁא, מַשָּׁאָה.

II **נשׁא**: NF v. שׁוא ?:

nif: נִשְּׁאוּ: **betrogen sein** *be beguiled* Js 19, 13, cj Hi 34, 31 (l נִשֵּׁאתִי);†

hif: pf. הִשִּׁיא, הִשֵּׁאתָ, הִשִּׁיאַנִי, sf. הִשִּׁיאֲךָ, impf. יַשִּׁיא, יַשִּׁא, יַשִּׁאוּ, sf. יַשִּׁאֲךָ, הִשִּׁיאוּךְ, inf. הַשֵּׁא: 1. c. ac.: **betrügen, täuschen** *beguile* Gn 3, 13 2 K 19, 10 Js 37, 10, (l הִשִּׁיאֲךָ) Ir 49, 16 Ob 3. 7, cj והשאתיך Hs 39, 2; הִשִּׁיא נַפְשׁוֹ betrügt sich selbst *deceives himself* Ir 37, 9; 2. c. לְ: **betrügen, täuschen** *beguile* 2 K 18, 29 Js 36, 14 Ir 4, 10 29, 8; l וְנָשַׁם אֵשׁ Nu 21, 30; יַשִּׁי Q Ps 55, 16 u. יַשִּׁא Ps 89, 23 *F* שׁוא.†

Der. *מַשָּׁאָה, מַשָּׁאוֹן, מַשּׁוּאוֹת.

III **נשׁא**: *F* II שׁאה.

נשׁב: NF נשׁף (< נשׁם Ruž. KD 9c); mhb., ja., cp., ܢܫܒ; ak. *našāpu* II, 1 fortblasen *blow away*; نَسَبَ wehen (Wind) *blow (wind)* Lisān 2, 253, 10, *manšab* (*š*!) Blasbalg *bellows* Euting 1, 84[2]:

qal: pf. נָשְׁבָה **wehen** *blow* Js 40, 7;†

hif: impf. יַשֵּׁב, Si 43, 20 ישׁיב: 1. **wehen lassen** *cause to blow* Ps 147, 18 Si 43, 20; 2. **verscheuchen** (*blow*) *drive away* Gn 15, 11 (Driv. JTS 34, 379 = وَثَبَ aufspringen *bounce up*).†

Der. אֶשְׁנָב.

I **נשׁה**: ak. *mašû* (VG 1, 160; Haupt AJS 22, 199); mhb. נשׁה, ja., sy. נשׁא; نَسِيَ:

qal: pf. נָשִׁיתִי: **vergessen** *forget* Th 3, 17, cj תָּשִׁי Ha 3, 10, cj ונשׁו Hs 39, 26, cj נָשָׁה Dt 32, 18;†

nif: impf. sf. תִּנָּשֵׁנִי Js 44, 21 l תְּנַשֵּׁנִי; cj

נָשָׂא = יִנָּשֶׁה Ps 10, 12: **vergessen werden** *be forgotten*; †

pi: pf. sf. נַשַּׁנִי (BL 442 e); **vergessen machen, lassen** *make forget* Gn 41, 51; †

hif: pf. sf. הִשָּׁהּ, impf. יַשֶּׁה: **vergessen lassen** *cause to forget* Hi 39, 17; c. לְ pers. et מִן jmd **Vergessen von etw. gewähren** *allow a thing to be forgotten for a person* Hi 11, 6. †

Der. נְשִׁיָּה.

II נשה: F נשא; מַשֶּׁה.

נָשֶׁה: ug. ʾ*nš* (Goetze JAO 1938, 298); ak. *nušū* Holma N Kt 6; mhb.; ܓܝܕܢܫܝܐ < *גִּיד נַשְׁיָא; نَسًا: גִּיד הַנָּשֶׁה der **nervus ischiadicus, Hauptnerv der Hüftgegend** (*the part of the principal vein of the leg which is in the thigh*) *sciatic vein* (Wellh. Ra H 168; F Komm.) Gn 32, 33. †

*נְשִׁי: I נשא: sf. נִשְׁיֵכִי: (Q נִשְׁיֵךְ) **Schuld** *debt* 2 K 4, 7. †

נְשִׁיָּה: I נשה: **Vergessen** *oblivion* Ps 88, 13. †

נָשִׁים: **Frauen** *women*: F אִשָּׁה.

*נְשִׁיקָה: I נשק: pl. נְשִׁיקוֹת: **Kuss** *kiss* Pr 27, 6 Ct 1, 2. †

I נָשַׁךְ: ug. *nšk* beissen *bite*; ak. *našāku*; mhb. נשך u. hif.; ja. נכש pa. u. נכת; ܢܟܬ, نَكَتَ; ነከሰ, መንከስ Kinnlade *jaw*; VG 1, 277:

qal: pf. נָשַׁךְ, sf. נְשָׁכוֹ, impf. יִשֹּׁךְ, יִשָּׁךְ, sf. יִשְּׁכֶנּוּ, pt. נֹשֵׁךְ, pass. נָשׁוּךְ: **beissen** *bite*: Schlange *serpent* Gn 49, 17 Nu 21, 8 f Am 5, 19 9, 3 Pr 23, 32 Ko 10, 8. 11, (Menschen *men*) Mi 3, 5; †

pi: pf. נִשְּׁכוּ, impf. יְנַשְּׁכוּ: (heftig) **beissen** (Schlange) *bite (impetuously) (serpent)* Nu 21, 6 Jr 8, 17. †

II נשך: denom. v. נֶשֶׁךְ.

qal: impf. יַשִּׁךְ, pt. sf. נֹשְׁכֶיךָ: **auf Zins Anspruch machen** *claim interest* Dt 23, 20 Ha 2, 7; †

hif: impf. תַשִּׁיךְ: **auf Zins geben** *make one give interest* Dt 23, 20 f. †

נֶשֶׁךְ: LW; ak. *nikāsu* Abrechnung *settling of accounts*: **Zuschlag** bei Abrechnung einer Schuld, *Zins increase in paying a debt, interest*: für Geld *for money* Ex 22, 24 Lv 25, 37 Dt 23, 20 Ps 15, 5, für Speisen *for food* Dt 23, 20, für allerlei *for various things* 23, 20; F Lv 25, 36 Hs 18, 13. 17 22, 12 Pr 28, 8 (G stets *always* τόκος; F תַּרְבִּית). †

Denom. II נשך.

נִשְׁכָּה: F לִשְׁכָּה: sf. נִשְׁכָּתוֹ, pl. נְשָׁכוֹת: **Halle, Zelle** *hall, cell* Ne 3, 30 12, 44 13, 7. †

נשל: mhb. abfallen *drop off*, pi. u. hif. u. ja. af. abwerfen *cast off*; نَسَلَ ausfallen (Haar, Federn) *fall off (hair, feathers)*:

qal: pf. נָשַׁל, impf. יִשַּׁל, imp. שַׁל: 1. **lösen, abziehen** (Sandale) *draw off (sandal)* Ex 3, 5 Jos 5, 15; **loslösen, vertreiben** (Volk) *clear away (nations)* Dt 7, 1 22; 2. intr. **sich loslösen** *slip off* Dt 19, 5 28, 40; †

pi: impf. וַיְנַשֵּׁל: **loslösen, vertreiben** *clear out* 2 K 16, 6. †

נשם: mhb. subst. נְשָׁמָה, נְשִׁימָה; ja. sy. schnaufen *breathe*, F ba. *נִשְׁמָה; نَسَمَ sanft wehen *gently breathe*; F נשב, נשף:

qal: impf. אֶשֹּׁם: **schnauben** *pant* Js 42, 14. †

Der. נְשָׁמָה, I u II תִּנְשֶׁמֶת.

נְשָׁמָה: נשם; F ba. *נִשְׁמָה: cs. נִשְׁמַת, sf. נִשְׁמָתוֹ, pl. נְשָׁמוֹת: 1. **Wehen** *blast* נִשְׁמַת רוּחַ 2 S 22, 16 Ps 18, 16; 2. **Atem** *breath* 1 K 17, 17 Js 2, 22 42, 5 Hi 27, 3 34, 14 Pr 20, 27 Da 10, 17 Si 9, 13; כָּל־נְשָׁמָה alles, was Atem hat *every breathing thing* Dt 20, 16 1 K 15, 29 Jos 11, 11. 14, = כָּל־הַנְּשָׁמָה Jos 10, 40 Ps 150, 6; 3. נִשְׁמַת חַיִּים **Lebensodem** *breath of life* Gn 2, 7, נִשְׁמַת רוּחַ חַיִּים (נִשְׁמַת u. רוּחַ Wechselausdrücke? *variants?*) Gn 7, 22; 4. pl. נְשָׁמוֹת die Atemträger, Wesen, **Seelen** *the breathing beings, souls* Js 57, 16; 5. נִשְׁמַת אֵל **Atem, Hauch** Gottes *breath of God* Hi 37, 10, נ׳ שַׁדַּי 32, 8 33, 4, נ׳ אֱלוֹהַּ 4, 9, נ׳ יהוה Js 30, 33; נִשְׁמַת מִי Hi 26, 4.†

נשף: NF v. נשב, *F* נשם:
qal: pf. נָשַׁף, נָשַׁפְתָּ: 1. **blasen** *blow* Ex 15, 10; 2. c. בְּ **anblasen** *blow upon* Js 40, 24.†
Der. נֶשֶׁף, יַנְשׁוּף.

נֶשֶׁף: נשף: נֶשֶׁף, sf. נִשְׁפּוֹ: Zeit d. Winds = **abendliches Dunkel** *breeze* = *evening darkness* (AS 1, 630) 2 K 7, 5. 7 Js 5, 11 (:: בֹּקֶר) 59, 10 Pr 7, 9 Hi 24, 15; **morgendliches Dunkel** *morning darkness* (AS 1, 640) Ps 119, 147 Hi 7, 4 1 S 30, 17 (:: עֶרֶב); נֶשֶׁף חִשְׁקִי Js 21, 4, הָרֵי נֶשֶׁף Berge, die im Dunkel liegen *mountains in the dark* Ir 13, 16, כּוֹכְבֵי נִשְׁפּוֹ d. Sterne s. morgendlich. Dunkels *the stars of his morning darkness* (?) Hi 3, 9.†

I נשק: ug. *nšq*, ak. *našāqu*; mhb., ja., sy.; نَشِقَ (!ش) riechen *smell*, نَسَقَ an einander befestigen *fasten together*:
qal: pf. נָשַׁק, נָשְׁקָה, נָשְׁקוּ, impf. יִשַּׁק, יִשָּׁק, אֶשְׁקָה, יִשְׁקוּ, sf. וַיִּשָּׁקֵהוּ, יִשָּׁקֵנִי, אֶשָּׁקְךָ, inf. נְשָׁק־, imp. וּשְׁקָה־: 1. c. ac.: **küssen** *kiss* Gn 33, 4 1 S 10, 1 20, 41 Pr 24, 26 Ct 8, 1; 2. c. לְ: **küssen** *kiss* Gn 27, 26 f 29, 11 48, 10 50, 1 Ex 4, 27 18, 7 2 S 14, 33 15, 5 19, 40 20, 9 1 K 19, 18. 20 Pr 7, 13 Hi 31, 27 Ru 1, 9. 14; 3. Küsse gibt man *kisses are given to*: אָב Gn 27, 26 f 50, 1, אָב u. אֵם 1 K 19, 20, בֵּן 2 S 14, 33, der Gattin *the wife* Gn 29, 21, אָח 33, 4 Ex 4, 27, בְּנֵי־בֵן Gn 48, 10, Schwiegervater *father-in-law* Ex 18, 7, רֵעַ 1 S 20, 41 2 S 20, 9, Schwiegermutter *mother-in-law* Ru 1, 14, Sohnsfrauen *wives of the sons* Ru 1, 9, e. Volksgenossen *a fellow country-man* 2 S 15, 5, Liebhaber *lover* Ct 8, 1 Pr 7, 13, Samuel d. neu gesalbten Saul *Samuel to the newly anointed Saul* 1 S 10, 1, beim Abschied *on parting* 2 S 19, 40; kultischer Kuss *kiss in worship* 1 K 19, 18 Ho 13, 2; וַתִּשַּׁק יָדִי לְפִי warf Kusshände zu *my hand kissed my mouth* Hi 31, 27; l נִשָּׁקוּ Ps 85, 11; l הַשְׁקֵנִי Ct 1, 2; ? Gn 41, 40 (l יַקְשִׁיב?); †
pi: pf. cj נִשְּׁקוּ, impf. וַיְנַשֵּׁק, וַיְנַשֶּׁק־, inf. נַשֵּׁק, imp. נַשְּׁקוּ: **heftig küssen, abküssen** *kiss repeatedly*: Gn 29, 13 31, 28 32, 1 45, 15, cj Ps 85, 11 (נִשָּׁקוּ); = c. בְּ Ps 2, 12 *F* I בַּר (ak. *našāqu šēpē* die Füsse küssen *kiss the feet* Zim. 11).†
hif: pt. pl. fem. מַשִּׁיקוֹת: c. אֶל **dicht berühren** *touch closely* Hs 3, 13, cj 1, 23 (pro יְשָׁרוֹת).†
Der. נְשִׁיקָה.

II נשק: denom. v. נֶשֶׁק:
qal: pt. pl. cs. נֹשְׁקֵי: **als Rüstung tragen** *be equipped with* 1 C 12, 2 2 C 17, 17; l מְשַׁקְּרִים Ps 78, 9 (Gu).†
F נֶשֶׁק.

נֶשֶׁק u. **נֵשֶׁק**: ug. *nšq* Waffe *weapon?*; ak. *nisqu* Auslese *choice*: נשק: **Rüstzeug** *equipment, armory* 1 K 10, 25 2 K 10, 2 Js 22, 8 Hs 39, 9 f, cj 27, 16 (pro נֹפֶךְ), , Ps 140, 8 Hi 20, 24 39, 21 2 C 9, 24; ? Ne 3, 19.†
Denom. II נשק.

נֶשֶׁר: ug. *nšr*, ak. *našru*; mhb.; *F* ba.; نَسْرٌ, نُسُورٌ, asa. נשר; ንስር; ⲛⲟϣⲣ: נֶשֶׁר, pl.

נְשָׁרִים, cs. נִשְׁרֵי: **Adler u. Geier** *eagle a. vulture* (Aharoni, Osiris 5, 471: *Gyps fulvus*) Ex 19, 4 Dt 28, 49 32, 11, cj 1 S 26, 20, 2 S 1, 23 (קלל) Ir 4, 13 48, 40 49, 16. 22 Hs 1, 10 10, 14 17, 3. 7 Ho 8, 1 Ob 4 Mi 1, 16 (קָרְחָה) Ha 1, 8 Pr 23, 5 30, 17. 19 Hi 9, 26 39, 27 Th 4, 19; unrein *unclean* Lv 11, 13 Dt 14, 12 u. cj Js 14, 19; erneuert sich *renewing youth* Js 40, 31 Ps 103, 5.†

נשׁת: ug. *nšt* trans. austrocknen *dry* (?):
qal: pf. נָשְׁתָה, נָשָׁתָּה (BL 368): **austrocknen** *dry* Js 41, 17 Ir 51, 30;†
nif: pf. נִשְּׁתוּ, impf. (metathet.) יִנַּתְּשׁוּ: **ausgetrocknet werden** *be dried up* Js 19, 5 Ir 18, 14.†

נִשְׁתְּוָן: *F* ba.; iran., Andreas, Nachr. Gesellsch. d. Wissensch. Göttingen, phil.-hist. Kl. 1931, 14 f: *ništo-* (sprich *spell*: *niston-*) Befehl *order*; in נִשְׁתְּוָן vermengt mit *blended with* neopers. *nivištän* schreiben *write*: **Brief** *letter* Esr 4, 7 7, 11.†

***נתב**: נְתִיבָה, נָתִיב.

נְתוּנִים Esr 8, 17 K: *F* נָתִין.

נתח: mhb. pi. zerlegen *cut up*; ja. pa. wegreissen *tear away*; نتح ausreissen *tear out* Nöld. NB 197:
pi: pf. נִתַּח, impf. תְּנַתֵּחַ, וַיְנַתַּח, sf. וַיְנַתְּחֵהוּ, וַיְנַתְּחֶהָ, וָאֲנַתְּחֶהָ: (Fleisch) **in Stücke schneiden** *cut in pieces* (*meat*) Ex 29, 17 Lv 1, 6. 12 8, 20 Jd 19, 29 (לְ bis auf *unto*) 20, 6 1 S 11, 7 1 K 18, 23. 33.†
Der. נֵתַח.

נֵתַח: נתח: pl. נְתָחִים, sf. נְתָחָיו, נְתָחֶיהָ: (Fleisch-) **Stück** *piece* (*of meat, carcass*) Ex 29, 17 Lv 1, 6. 8. 12 8, 20 9, 13 Jd 19, 29 Hs 24, 4. 6, cj 24, 5, Si 50, 12.†

נָתִיב: *נתב; ug. *ntb*: **Pfad** *path* Ps 78, 50 119, 35 Hi 18, 10 28, 7 41, 24, cj נְתִיבָה Pr 2, 18.†

נְתִיבָה: fem. v. נָתִיב: sf. נְתִיבָתִי, pl. נְתִיבֹת, נְתִיבוֹת, sf. נְתִיבֹתָיו, נְתִיבוֹתֵיהֶם: **Pfad** (den einer physisch oder moralisch geht) *path, way* (*which one physically or morally goes*) Jd 5, 6 Js 42, 16 43, 16 58, 12 (l נְתִיצוֹת?) 59, 8 Ir 6, 16 18, 15 Ho 2, 8 Ps 119, 105 142, 4 Pr 1, 15 3, 17 7, 25 8, 20 Hi 19, 8 24, 13 30, 13 38, 20 Th 3, 9; בֵּית נְתִיבוֹת wo die Pfade sich kreuzen *where paths* (*roads*) *are crossing* Pr 8, 2; l מְשׁוּבָה Pr 12, 28.†

***נָתִין**: נתן; ug. *jtnm*; *F* ba. *נְתִינִין: pl. נְתִינִים (= נְתוּנִים Nu 3, 9 8, 19), stets *always* pl.: Geschenkte, **Tempelsklaven** *those given* (*to the temple*), *temple-slaves* *F* נתן qal 3, Esr 2, 43. 58. 70 7, 7 8, 17 (K נתונים). 20 Ne 3, 26. 31 7, 46. 60. 72 10, 29 11, 3. 21 1 C 9, 2.†

נתך: ug. *ntk* ausgiessen *pour*, ak. *natāku* tropfen *drip*; mhb., ja. schmelzen *melt*; aram. Lidz. 502:
qal: impf. תִּתַּךְ, וַיִּתְּכוּ: **sich ergiessen** *pour forth*: שַׁאֲגֹת מַיִם Hi 3, 24, אַף Ir 42, 18 44, 6, אָלָה Da 9, 11, נֶחֱרָצָה 9, 27, חֵמָה 2 C 12, 7 34, 25;†
nif: pf. נִתַּךְ, נִתְּכָה, נִתַּכְתֶּם, pt. f. נִתֶּכֶת:
1. **sich ergiessen** *be poured out* מָטָר Ex 9, 33, מַיִם 2 S 21, 10, אַף, חֵמָה Ir 7, 20 42, 18 Na 1, 6 2 C 34, 21 (בְּ gegen *against*);
2. **zum Schmelzen gebracht werden** *be melted* Hs 22, 21 24, 11;†
hif: pf. הִתִּיכוּ, הִתַּכְתִּי, impf. וַיַּתִּיכוּ, sf. תַּתִּיכֵנִי, inf. הַנְתִּיךְ: 1. **hingiessen** (wie Milch) *pour out* (*as milk*) Hi 10, 10, **hinschütten** (Geld) *pour out* (*money*) 2 K 22, 9. cj 4 2 C 34, 17;
2. **zum Schmelzen bringen** *cause to melt* Hs 22, 20;†
hof: impf. תֻּתְּכוּ: **geschmolzen werden** *be melted* Hs 22, 22.†
Der. הִתּוּךְ.

נתן: ak. *nadānu* **F** II *נָדָן; ug. *jtn*; ostkan. n. m. *Jantin*-AN, *Jantinum*, *Jatinu* (Bauer 79); ph. יתן, 1. sg. יתת, impf. 3. sg. m. יתן, f. תתן; altaram. נתן, impf. ינתן u. יתן, nab. impf. ינתן; **F** ba. impf. יִנְתֵּן, ja. impf. יִתֵּין, inf. מִתַּן, cp. impf. יתן, מתונא Gabe *gift*, sy. impf. נֶתֶּל < נֶתֶּן לְ (aber *but* pf. יהב); Nöld. NB 192 f:

qal (1900×): pf. נָתַן, נָתָן, נָתְנָה, נָתָנָה, נָתַתָּ, נָתַתָּה (l נָתַתָּה 2 S 22, 41), נָתַתְּ, נָתַתִּי, נָתְנוּ, נָתָנוּ (BL 218. 365), נְתַתֶּם, נָתַנּוּ, sf. נְתָנוֹ, נְתָנְךָ, נְתָנַנִי, נְתַתִּיהוּ, נְתַתִּיו, impf. יִתֵּן, יִתֶּן־, וַיִּתֵּן, sf. יִתְּנֶנּוּ, יִתֶּנְךָ, אֶתֵּן, נִתֵּן, נִתַּן Jd 16, 5, inf. נָתוֹן, נָתֹן, cs. נְתֹן (BL 29), נְתָן־, aber meist *but mostly* תֵּת < *tint*, לָתֵת, לָתֶת־, l לָתֵת 1 K 6, 19, sf. תִּתּוֹ, תִּתִּי, imp. תֵּן, תֵּן־, תֶּן־, תְּנָה (BL 368), תְּנִי, תֵּנִי, תְּנִי, תְּנוּ, sf. תְּנֵהוּ, תְּנֶנָּה, תְּנֵם, pt. נֹתֵן, נוֹתֵן, sf. נֹתֶנְךָ, pass. נָתוּן, נְתוּנִים, נְתֻנִים, נְתֻנוֹת: 1. **geben** *give*, c. לְ jmdm *to* Gn 3, 6, Geschenk *gift* 23, 11, Zahlung *payment* Ps 49, 8, c. אֶל an *to* Gn 18, 7, etc.; 2. c. 2 ac. jmd etw. geben, jmd. mit etw. **beschenken** *give a thing to*, *make a person a gift of a thing* Jos 15, 19 Js 27, 4 Ir 9, 1 Esr 9, 8; c. אוֹת אֶל **anbieten** *offer* Dt 13, 2, c. מַשְׂאֵת **gewähren** *accord*, *allow* Est 2, 18, c. שְׁאֵלָה **erfüllen** *grant* 1 S 1, 17, c. חֵילוֹ **ergeben**, bringen *yield* Jl 2, 22, c. פִּרְיוֹ Sa 8, 12 Ps 1, 3, c. יְבוּלוֹ Sa 8, 12, c. עֲנַפְכֶם **treiben** *shoot forth* Hs 36, 8, etc.; 3. c. תְּרוּמָה Ex 30, 14, זֶבַח Ko 4, 17, בֵּן לַיהוה 1 S 1, 11 **darbringen** *offer*; **zu eigen geben** *give in serfdom* (**F** *נָתִין) Nu 3, 9 8, 16 1 C 6, 33; 4. נָתַן לְאִשָּׁה **zur Frau geben** *give to wife* Gn 30, 4; נָתַן לְ **überlassen** *leave to one's discretion* Est 3, 11; נָ׳ עִמָּד **beigesellen** *associate with* Gn 3, 12; נָ׳ לְ **vergelten** *repay* Ir 17, 10; נָ׳ בַּכֶּסֶף **in Geld umsetzen** *turn into money* Dt 14, 25; נָ׳ בְּ **hingeben für** *give for* Jl 4, 3 Hs 27, 16. cj 13 (l נֶפֶשׁ u. בְּמַ׳). cj 14 (l בְּעַ׳). cj 17 (l חֵטְי u. בְּמַ׳), = נָ׳ בְּעַד Hi 2, 4; 5. c. שִׁבְתּוֹ **entschädigen für** *pay for* Ex 21, 19; **F** יָד u. שְׁכֶבֶת; 6. מִי יִתֵּן wer gibt? = **o, dass doch** *who gives? = o that (he had)* (ak. *mannu inamdin*): מִי יִתֵּן עֶרֶב wäre es doch Abend! *would God it were even!* Dt 28, 67, מִי יִתֶּן־לִי gäbe mir doch jemand! *oh that I had!* Ps 55, 7, מִי־יִתְּנֵנִי gäbe man mir doch! *oh that I were given!* Ir 9, 1, מִי יִתֵּן מוּתֵנוּ wären wir doch tot! *would that we had died!* Ex 16, 3 etc.; anders *differently* Hi 14, 4 31, 31 **wer** bringt (**weiss**) **einen** der? *who brings (knows) one who?*; 7. נָתַן **überliefern** (Kenntnis) *hand down (knowledge)* Pr 9, 9, **ankündigen** *announce* מוֹפֵת 1 K 13, 3. 5; 8. נָתַן c. ac. u. לְ c. inf.: נְתַתִּיךָ לִנְגֹּעַ **liess dir zu, dass** du *allowed thee to* Gn 20, 6 **F** 31, 7 Ex 3, 19 etc., l לַעֲבֹר Nu 20, 21 u. 21, 23, l יִתְּנוּם Ho 5, 4; יִתְּנֵנִי הָשֵׁב רוּחִי **lässt** mich Atem schöpfen *suffers me to take my breath* Hi 9, 18; = נָתַן לְ c. לְ c. inf. Est 8, 11 Ps 55, 23 2 C 20, 10; נָתַן בְּיַד c. לְ c. inf. **trug ihm auf, zu** ... *he commissions him to* ... 1 C 16, 7; 9. נָ׳ לְ ihm **preisgeben** *expose to him* Th 3, 30; נָ׳ בְּכַף **liefern** in *deliver in* Jd 6, 13, = נָ׳ בְּיַד 4, 7; נָ׳ לִפְנֵי **preisgeben** an *abandon to* Dt 2, 31 Jd 11, 9; נָ׳ c. ac. **ausliefern** *deliver* Ps 44, 12 Mi 5, 2; נָ׳ לִבּוֹ u. נָ׳ נַפְשׁוֹ c. לְ c. inf. **sich hingeben**, um zu *set one's heart (soul) to*; *devote oneself to* 1 C 22, 19; 10. נָ׳ רֵיחוֹ s. Geruch **von sich geben** *sends forth its fragrance* Ct 1, 12, נָ׳ עֵינוֹ s. Glanz **geben** *gives its colour* Pr 23, 31; נָ׳ תֹּף d. Paucke **schlagen** *play the timbrel* Ps 81, 3; 11. נָתַן פָּנָיו אֶל **richtet** s. Ges. **auf** *directs h. f. unto* Da 9, 3, c. בְּ gegen *against* Lv 17, 10; נָ׳ רֹאשׁ c. לְ c. inf..

setzt sich in d. Kopf, zu... *puts into h. head to* Ne 9, 17; :: absol. נָ׳ רֹאשׁ sich e. Führer geben *make (choose) a chief* Nu 14, 4; נָ׳ לִבּוֹ c. לְ c. inf. sich vornehmen zu *design doing* Ko 1, 13. 17 8, 16, c. לְ Acht haben auf *take heed* 7, 21 8, 9; נָ׳ תִּפְלָה לְ e. Vorwurf machen *reproach* Hi 1, 22; l יִתֵּן Pr 10, 24 u. Hi 37, 10, l אֵיתָן Pr 12, 12 u. רַע pro רַק Pr 13, 10; 12. נָתַן geben *give* = setzen, legen, stellen *put, set*: נָתַן עַל־פִּיהֶם er (gibt) steckt ihnen etwas in d. Mund *he (gives) puts something in their mouth* Mi 3, 5; כִּסֵּא Ir 1, 15, בֵּית הָאֵסוּר 37, 15, c. בֵּין Ex 30, 18, שָׁמָּה 30, 18, c. בְּ Gn 1, 17 9, 13, לְרֹאשׁוֹ sich auf d. K. *upon h. head* Pr 4, 9; aufrichten *rear up* Lv 26, 1; c. בְּ bringen in *bring into* Gn 41, 48; stecken in *thrust through (into)* Dt 15, 17, nehmen in *take into* Ps 10, 14, anlegen (Feuer) *set (fire)* Hs 30, 8. 14, ansetzen gegen *set against* 26, 9, etc. etc.; c. עַל Nu 5, 18, c. אֶל Ir 29, 26; c. עַל beifügen *add* Lv 2, 15; נָ׳ בְּקוֹלוֹ עַל erhebt s. Stimme gegen *raises h. voice against* Ir 12, 8; נָ׳ קְהִלָּה hält e. Versammlung ab *holds an assembly* Ne 5, 7; נָ׳ תּוֹעֵבָה עַל legt [Strafe für] Greuel auf *brings [punishment for] abomination upon* Hs 7, 3; נָ׳ דָּם בְּ bringt Blut auf *brings blood [-guilt] upon* Dt 21, 8; נָתַן עַל sich stellen gegen *set against* Hs 19, 8; נָ׳ תַּחַת anstelle von setzen *put in the place of* 1 K 2, 35; etc.; 13. נָתַן c. 2 ac. jmd zu etw. machen *make a person for*, אַב־נְתַתִּיךָ.. ich mache dich zum Vater *I make thee [for] a father* Gn 17, 5, F Ex 7, 1 Dt 28, 7 Ir 1, 5 u. oft *a. often*; = נָ׳ אֶת־ לְ Gn 17, 20 48, 4 Js 49, 6 Ir 1, 18 etc.; נָ׳ לְאָלָה zur Fluchformel werden lassen *cause to be a [formula of] curse* Nu 5, 21 Ir 24, 9, נָ׳ אֶת־ כְּ jmd machen wie *make a person like* Ru 4, 11 Js 41, 2 (l תִּתְּנֵם) 1 K 10, 27; נָ׳ אֶת־ לְרַחֲמִים לִפְנֵי jmd Erbarmen finden lassen bei *cause a person to find compassion before* 1 K 8, 50 Ps 106, 46 Da 1, 9 Ne 1, 11; l וַאַתֵּר Ps 18, 33;

nif (80×): pf. נִתַּן, נִתְּנָה, נִתְּנָה, נִתְּנוּ, נִתַּתֶּם, impf. יִנָּתֵן, יִנָּתֵן, inf. הִנָּתֵן, הִנָּתֹן, pt. נִתָּנוּ; l יִתֵּן, F *יתן Js 33, 16: 1. gegeben werden *be given* Ex 5, 16 u. oft *a. often*, l נִתְּנוּ Ne 13, 10; jmd in die Hand (Gewalt) gegeben werden *be delivered in one's hand (power)* Gn 9, 2 u. oft *a. often*; נִתְּנָה לְאִשָּׁה לְ zur Frau gegeben werden *be given for wife* Gn 38, 14 1 S 18, 19; l אֶל Js 29, 12; 2. c. עַל־יַד eingehändigt werden *be entrusted* 2 K 22, 7, c. לְ als, zu... gegeben werden *be given for, to* Hs 11, 15 15, 4; c. לְ jmd aufgetragen werden *be commissioned* 2 C 2, 13, = c. בְּיַד 2 C 34, 16; 3. dahingegeben werden als *be given away as* Js 51, 12, preisgegeben werden *be delivered* Hs 31, 14, c. לְ gemacht werden zu *be made to* Hs 47, 11, c. עַל gelegt werden auf *be laid upon* Da 8, 12; bewilligt werden *be permitted* Est 2, 13, gewährt werden *be accorded* Est 5, 3. 6; gelegt, untergebracht sein *be set in* Hs 32, 23; ? 32, 20;

hof (pass. qal?) †: impf. יֻתַּן: gegeben werden *be given* Nu 26, 54 32, 5 (אֶת!) 2 S 21, 6 Q 2 K 5, 17 Hi 28, 15; יֻתַּן לְאִשָּׁה (c. אֶת!) zur Frau gegeben werden *be given for wife* 1 K 2, 21; c. עַל daraufgegeben werden *be put upon* Lv 11, 38; cj יֻתַּן gewährt werden *be accorded* Pr 10, 24; gebracht werden, geraten *be brought, come* 2 S 18, 9 (l יֻתַּל?); cj יֻתַּן bereitet werden *be given, prepared* Hi 37, 10.

Der. *מַתַּת, מַתָּנָה I, מַתָּן I, II, אֶתְנַן, נָתִין; n. m. מַתַּנְיָה(וּ), מַתְּנַי, יוֹנָתָן, יְהוֹנָתָן, אֶלְנָתָן, נָתָן, נָתָן־מֶלֶךְ, נְתַנְיָה(וּ), נְתַנְאֵל, מַתִּתְיָה(וּ), מַתִּתָּה, n. l. II מַתָּנָה.

נָתָן: נתן; n. m. KF F אֶלְנָתָן, יְהוֹנָתָן; Dir. 353; keilschr. *Ntn* APN 168; asa. נתן; tham. Grimme, Texte ... z. safat.-ar. Rel. 1929, 67; cf. ph. יתן; keilschr. *Ja-a-tu-na*: 1. Prophet *prophet* 2 S 7, 2—4. 17 12, 1. 5. 7. 13. 15. 25 1 K 1, 8—45 1 C 17, 1—3. 15 29, 29 2 C 9, 29 29, 25 Ps 51, 2; 2. S. v. דָּוִד 2 S 5, 14 1 C 3, 5 14, 4; 3.—9. 2 S 23, 36; 1 K 4, 5; 1 C 2, 36; 11, 38; Esr 8, 16; 10, 39; Sa 12, 12.†

נְתַנְאֵל: n. m.; נתן u. אֵל; keilschr. *Natan(ni)-el*; mhb.; Ναθαναηλ: 1. Nu 1, 8 2, 5 7, 18. 23 10, 15; 2. Verschiedene *several individuals* Esr 10, 22 Ne 12, 21. 36 1 C 2, 14 15, 24 24, 6 26, 4 2 C 17, 7 35, 9. †

נְתַנְיָה: n. m.; <נְתַנְיָהוּ: 1. 1 C 25, 2, = נְתַנְיָהוּ 1.; 2. 2 K 25, 23. 25 Ir 40, 14 f, = נְתַנְיָהוּ 2.†

נְתַנְיָהוּ: n. m.; נתן u. יָהוּ; > נְתַנְיָה (u. נָתָן?); keilschr. *Natanujāma* APN 169; Dir. 353: 1. 1 C 25, 12, = נְתַנְיָה 1.; 2. Ir 40, 8, = נְתַנְיָה 2.; 3. Ir 36, 14; 4. 2 C 17, 8.†

נְתַן־מֶלֶךְ: n. m.; נתן u. (Gott *god*) מֶלֶךְ; cf. *Iddin-Irra* Stamm 257: 2 K 23, 11. †

נתס: NF v. נתץ:
qal: pf. נָתְסוּ: **aufreissen** *tear down* Hi 30, 13. †

נתע: 𐡍𐡕𐡏 verschwinden *disappear* Eitan, JPO 3, 139 f; F נתץ:
nif: pf. נִתָּעוּ: **ausgeschlagen werden** *be broken down, out* (שִׁנַּיִם) Hi 4, 10. †

נתץ: mhb. hi. u. ho.; 𐡍𐡕𐡑; F נתשׁ, נתס, נתע:
qal: pf. נָתַץ, נָתַץ, נָתְצוּ, נָתַצוּ, impf. יִתֹּץ, תִּתֹּצוּן, תִּתֹּצוּ, וַתִּתְּצוּ (BL 368), וַיִּתְּצוּ, אֶתֹּץ, sf. יִתְּצֵנִי, יִתָּצְךָ, יִתְּצֵהוּ, inf. נְתוֹץ, imp. נְתֹץ, pt. pass. נְתֻצִים: **einreissen, abbrechen, niederlegen** *pull down, break down*: מִזְבֵּחַ Ex 34, 13 Dt 7, 5 Jd 2, 2 6, 30—32 2 K 23, 12. 15, בַּיִת Lv 14, 45 2 K 10, 27 11, 18 23, 7 Js 22, 10 Ir 33, 4 Hs 26, 12 2 C 23, 17, מִגְדָּל Jd 8, 9. 17 Hs 26, 9, עִיר Jd 9, 45, cj Ps 9, 7, מַצֵּבָה 2 K 10, 27, בָּמָה 2 K 23, 8. 15, חוֹמָה 2 K 25, 10 Ir 39, 8 52, 14; abs. Ir 1, 10 18, 7 31, 28; (metaph.) אָדָם Ps 52, 7 Hi 19, 10; **zerschlagen** *break out* (שִׁנַּיִם) Ps 58, 7 F נתע; †
nif: pf. נִתְּצוּ: **eingerissen, zerstört werden** *be pulled down, destroyed* Hs 16, 39 Ir 4, 26, cj 2, 15; l נִצְּתוּ Na 1, 6, l נִצּוּ Ir 9, 9; †
pi: pf. נִתַּצְתֶּם, נִתַּץ, impf. יְנַתֵּצוּ: **einreissen** *pull down*: מִזְבֵּחַ Dt 12, 3 2 C 31, 1 34, 4. 7, בָּמָה 2 C 33, 3, **niederlegen** (Mauer) *tear down (wall)* 2 C 36, 19; †
pu: pf. נֻתַּץ: **niedergerissen werden** *be pulled down* Jd 6, 28; †
hof (pass. qal): impf. יֻתַּץ: **eingerissen werden** *be broken down* Lv 11, 35. †

נתק: mhb., ja. losreissen *tear away*, cp. abschütteln *shake off*; نتق ablösen, schütteln *pull off, shake*, 𐡍𐡕𐡒:
qal: pf. sf. נְתַקְנוּהוּ < *נְתַקְנֻהוּ (BL 368), impf. sf. אֶתְּקֶנְךָּ, pt. pass. נָתוּק: 1. **wegreissen** (Ring von Finger) *pull off (ring from finger)* Ir 22, 24, Hoden *testicles* Lv 22, 24; 2. (milit.) **fortlocken, abziehen** *draw away* Jd 20, 32; †
nif: pf. נִתַּק, נִתְּקוּ, נִתָּקוּ, impf. יִנָּתֵק, וַיִּנָּתְקוּ, יִנָּתֵקוּ: 1. **entzweigerissen werden** *be torn in two*: פְּתִיל Jd 16, 9, שְׂרוֹךְ Js 5, 27, חֶבֶל Js 33, 20, חוּט Ko 4, 12, cj 12, 6 (חֶבֶל), מֵיתָר Ir 10, 20; זִמּוֹת Hi 17, 11; 2. **losgetrennt werden** *be separated* Ir 6, 29 Hi 18, 14; 3. (milit., F qal 2) **sich abziehen lassen** *be drawn away* Jos 8, 16; 4. **sich loslösen** *be drawn out* (רַגְלַיִם) Jos 4, 18; †
pi: pf. נִתַּקְתִּי, נִתְּקוּ, נִתַּקְתִּי, impf. יְנַתֵּק, תְּנַתְּקִי, אֲנַתֵּק, וַיְנַתְּקֶה, sf וַיְנַתְּקֵם: 1. **zerreissen** *tear apart*: יְתָרִים Jd 16, 9, עֲבֹתִים 16, 12, מוֹטָה

Js 58, 6. Brüste *breasts* Hs 23, 24, מוֹסֵרוֹת Ir 2, 20 5, 5 30, 8 Na 1, 13 Ps 2, 3 107, 14; **2. ausreissen** *tear out* שֹׁרֶשׁ Hs 17, 9; †
hif: inf. sf. הַתִּיקֵנוּ, imp. sf. הַתִּקֵם: **1. lostrennen, aussondern** *drag away, single out* (צֹאן לְטִבְחָה) Ir 12, 3; **2.** (milit.) **abziehen** *draw away* (F qal 2) Jos 8, 6; †
hof: pf. הָנְתְּקוּ: (milit.) **abgezogen werden** *be drawn away* (F qal 2) Jd 20, 31. †
Der. נֶתֶק.

נֶתֶק: נתק; nab. n. m. נתק; äg. *nšśq*; θραῦσμα: **Krätze, krankhafter Haarausfall** *scab, abnormal falling off of hair* (*Alopecia areata*; Äg. Z. 59, 57) Lv 13, 30—37 14, 54. †

נתר: mhb. נשר; F ba. נתר; Barth ZDM 43, 188 نَثَل aus d. Reihe springen *leap out of the row*:
qal: impf. יִתַּר, cj אֶתַּר: **1. aufspringen** *start up* Hi 37, 1; **2. davonspringen** *run off* cj 2 S 22, 33 u. Ps 18, 33 (l דְּרָכַי Q); †
pi: inf. נַתֵּר: **springen, hüpfen** *leap, jump* (שֶׁרֶץ הָעוֹף) Lv 11, 21; †
hif: impf. יַתֵּר, וַיַּתֵּר, sf. יַתִּירֵהוּ, inf. הַתֵּר, pt. מַתִּיר: **1. springen lassen, freigeben** *cause to leap, set free* Js 58, 6 Ps 105, 20 146, 7, cj 79, 11 (הַתֵּר); **2. zum Auffahren bringen** *cause to start up* Ha 3, 6; **3.** יַתֵּר יָדוֹ er möge s. Hand **abziehen** *he might take off h. hand* (Hölscher) Hi 6, 9. †

נֶתֶר: ak. *nitiru* Zimm. 60 f; mhb., ja. נִתְרָא, ܢܬܪܐ; äg. *ntrj*, νίτρον: **Natron** (dient zur Seifenbereitung) *natron* (*used for making soap*) (mineralisch *mineral* :: בֹּר) Ir 2, 22 Pr 25, 20. †

נתשׁ: mhb.; ja. u. sy. נְתַשׁ, äga. נדש; نتش, F נתץ:
qal: pf. נָתַשׁ, sf. נְתַשְׁתִּים, impf. אֶתּוֹשׁ, sf. וַיִּתְּשֵׁם, inf. נָתוֹשׁ, נְתוֹשׁ, sf. נָתְשִׁי, pt. נֹתֵשׁ, sf. נֹתְשָׁם: **ausreissen** *root out* (נטע) Si 3, 9; **austreiben** *pull up*: Gott das Volk *God the people* Dt 29, 27 1 K 14, 15 Ir 12, 14 f. 17 2 C 7, 20, Gott *God* אֲשֵׁרִים Mi 5, 13; absol. Ir 1, 10 18, 7 24, 6 31, 28 42, 10 45, 4; l נָתַצְתָּ Ps 9, 7; †
nif: impf. יִנָּתֵשׁ, יִנָּתְשׁוּ: **ausgerissen werden** *be rooted up* Ir 31, 40 Am 9, 15 Da 11, 4; l יִנָּשְׁתוּ Ir 18, 14; †
hof (pass. qal): impf. וַתֻּתַּשׁ: **ausgerissen werden** *be rooted up* Hs 19, 12. †

ס

ס, סָמֶךְ (Driv. SW 215), später Zahlzeichen = 60 *later on = number* 60; wie sich ס lautlich zu שׂ (mit dem es gelegentlich wechselt) verhält (im Syrischen ist שׂ zugunsten von ס aufgegeben), ist unbekannt; ס wechselt mit ז, mit צ; Belege F die Wurzeln, die mit ס beginnen u. z. B. אסר, סרר, מסר, חסן, חסף, חצף, פסח; asa. F M. Höfner, asa. Gramm. S. 18 f, ug. F De Langhe I, 275; *in which manner* ס *sounds differently from* שׂ (ס *a.* שׂ *interchanging sometimes*), *is unknown* (*in Syriac* שׂ *has been dropped*); ס *interchanges with* ז *a.* צ; F *the roots beginning with* ס *a. for instance* אסר, מסר, חסן, חסף, חצף, פסח; asa. F Albr. BAS 110, 15, Driv. Altt. St. für Nötscher, 59; ug. F De Langhe I, 275; F סַבֶּלֶת.

סְאָה: mhb., ja. סָאתָא, ܣܐܬܐ (äga. שׂא =

סאה fraglich *doubtful*; Delaporte, Epigraphes aram. 1912, 15), LW < ak. *sūtu*, pl. *sātu* e. Hohlmass *a measure of capacity*: pl. סְאִים, du. *סָאתַיִם > סָאתַיִם: **Sea** (Getreidemass) *sᵉāh*, *measure* (*of grain*) Gn 18, 6 1 S 25, 18 1 K 18, 32 (בֵּית Fläche, Umfang *extent*, *circumference*) 2 K 7, 1. 16. 18; cj לַשְּׂאָת = pl. v. סְאָה Hs 45, 11 (Torcz. OLZ 15, 402); Jos. Ant. IX 85: σάτον = 1½ ital. *modius* — ca. 12 l; Js 27, 8 סַאסְאָה F סאסא. †

סְאוֹן: < ak. *šēnu* Schuh *shoe*; äga. (Achiq. 206) שאן, ja. סֵינָא, ܣܐܢܐ u. ܣܐܘܢܐ; ሣእን: **Stiefel** *boot* Js 9, 4; F סאן. †

סאן: denom. v. סְאוֹן; sy.:
qal: pt. סֹאֵן: Stiefel tragen, **einherstampfen** *wear boots*, *tramp* Js 9, 4. †

סאסא: Js 27, 8 בְּסַאסְּאָה (Q, MSS בְּסַסְּאָה), // בְּשַׁלְחָהּ (l בְּסַאסְאָה?); Schulthess ZS 2, 15: *ša*, *sa* Zurufe an Kleinvieh *shouts to stir sheep a. goats* (Driv. JTS 30, 371 ff): also: sa-sa rufen, **aufscheuchen**, *therefore*: *cry sa-sa*, *scare*, *stir*. †

סבא: mhb., ja. zechen *drink largely*; denom. v. סֹבֶא:
qal: impf. נִסְבְּאָה, pt. סֹבֵא: zechen *drink largely* Js 56, 12, d. **Trunk ergeben sein** *be a drunkard* Dt 21, 20 Pr 23, 20 f, cj pl. סֹבְאִים Ho 4, 18 u. Ps 49, 6; dele Hs 23, 42 (dittogr.); l סְבוּכִים pro סְבוּאִים Na 1, 10. †

***סֹבֶא**: J. J. Hess, MGJ 78, 6—9; ak. *sabū*, *sību* Getränkart *kind of beverage*; ar. *sūbjeh*: sf. סָבְאֵךְ: **Weizenbier** *beer of wheat* Js 1, 22; l סֹבְאִים [סָר] Ho 4, 18; סָבְאָם Na 1, 10 F *סָבָא. † Der. סבא.

***סָבָא**: Na 1, 10 כְּסָבְאָם סְבוּאִים; G ὡς σμῖλαξ περιπλεκομένη u. Kontext führen auf *lead to* cj כְּסִבְכִים סְבוּכִים: *סֹבֶב (סבב) Winde *bindweed* (*Convolvulus*; Post, Flora, 1896, 559: „*shrubby plants with spinescent or persistent twigs*"; ZDP 34, 171, Löw 1, 450); dele סְוּבָאִים (dittogr.) Hs 23, 42. †

סְבָא: (n. m.) n. p. 1. S. v. כּוּשׁ Gn 10, 7 1 C 1, 9; 2. Volk u. Land, v. כּוּשׁ abstammend *people a. region*, *descendent from* כּוּשׁ: in NO-Afrika *in NE.-Africa* Js 43, 3 (G Σοήνη) u. Arabien Ps 72, 10; Jos. Ant. 2, 249 Μερόη. Hölscher, Drei Erdkarten, 1949, 48: סבא — שְׁבָא (asa. סבא); F סְבָאִים. †

סְבָאִים: n. p.: die Leute v. *the people of* סְבָא: Js 45, 14. †

סבב: ug. *sb*; mhb. herumgehn *go around*, hif. sich wenden *turn*, zu Tische sitzen *sit down to a meal*; ja. סוֹבְבָא Umfassung *rim*, *border*; سَبَبٌ Seil *rope*; ak. *šibbu* Gürtel *girdle* Zimm. 38:
qal: pf. סָבַב, סַבֹּתֶם, סַבּוֹתִי, סְבָבוּ, sf. סְבָבֻהוּ, סְבָבֻהוּ, סַבּוּנִי, סְבָבוּנִי (1 K 5, 17 1 MS); impf. תְּסֻבֶּינָה, וַנָּסָב, נָסֹב, וַיָּסֹבּוּ, יָסֹב u. וַיִּסֹּב, תִּסֹּב, sf. יְסֻבֶּנּוּ, יְסֻבֶהוּ, inf. סֹב, סְבוֹב cj Hi 10, 8; imp. סֹבּוּ, סֹבִּי; pt. סֹבֵב: Grundbedeutung: von der geraden Richtung abbiegen *original meaning*: *take a turning*: 1. **sich drehen**, **wenden** *turn*: דֶּלֶת Pr 26, 14, רוּחַ Ko 1, 6; **sich umsehn** *look back* Ko 7, 25; **sich umdrehen**, **abwenden** *turn around*, *turn aside* 1 S 15, 12, cj 14, 21 (סָבְבוּ), Ir 41, 14 1 S 15, 27 1 C 16, 43 Gn 42, 24 1 S 17, 30, cj 1 C 14, 14 (סֹב); 2. herumgehn um: **die Runde machen** *march around*: *make a round*, *go about* 1 S 7, 16 Js 23, 16 Ha 2, 16 Ct 3, 2 5, 7 Ko 12, 5 2 C 17, 9 23, 2; **den** (kultischen) **Umgang vollziehn** *march around* (*in cultic procession*) Gn 37, 7 Jos 6, 3 f. 7. 14 f, cj 6, 11, 1 S 16, 11 (oder *or* **zu Tisch sitzen** *sit down to a meal* cf. mhb. hif.) Ps 48, 13 2 C 33, 14 (לְ obj.); **umstellen** *surround* Jd 16, 2 20, 5, **umzingeln** *encircle* 2 K 8, 21 2 C 21, 9, **umfliessen** *encompass* Gn 2, 11. 13, **umgeben** *be round about* 2 S 22, 6 1 K 5, 17 7, 15. 23 f 2 K

6, 15 Ir 52, 21 Ho 7, 2 12, 1 Ps 17, 11 18, 6 22, 13. 17 88, 18 109, 3 118, 10—12 Ko 9, 14 Hi 40, 22 2 C 4, 2 f 18, 31, c. עַל Hi 16, 13; (ausweichend) umgehn *compass* (*in order to avoid*) Nu 21, 4 Dt 2, 1. 3 Jd 11, 18; auf d. Seite treten *turn aside* 1 S 18, 11 2 S 18, 30; c. לְאָחוֹר zurückfluten *be driven back* Ps 114, 3. 5; c. אֶל־אַחֲרֵי in jmds Gefolge treten *turn to one's escort* 2 K 9, 18 f; jmd in d. Rücken schwenken *attack in the rear* cj 2 S 5, 23 (l סֹב); 3. die Richtung ändern *change the direction*: sich wohin wenden *turn towards* 2 S 14, 24, cj 24, 6 (וַיָּסֹבּוּ), 1 S 5, 8 Nu 36, 7. 9 Hs 42, 19 Ko 2, 20; e. Strecke durchstreifen *roam through a country* 2 K 3, 9; hintreten, herzutreten *turn, go* 1 S 22, 17 f 2 S 18, 15 2 K 3, 25 Ct 2, 17, cj Hi 10, 8 (סַבֹּתָ); סָבַב וְהָיָה לְ in jmds Besitz übergehn *turn over into one's hand, possession* 1 K 2, 15; sich umwandeln *be turned* (Albr. BAS 50, 17 cf ug.) Sa 14, 10 (l וְתִסֹּב); l חֲבֵרַי 1 S 22, 22 anders *differently* De Boer, OTS 6, 43, l סֹבְאִים Ps 49, 6; ? Ps 71, 21; †

nif: pf. נָסַב, נָסַבָּה, נָסַבּוּ, impf. יִסַּבּוּ: 1. die Richtung ändern, umbiegen *change direction, turn round* Nu 34, 4 f Jos 15, 3. 10 16, 6 18, 14 19, 14 Ir 31, 39 Hs 1, 9. 12. 17 10, 11. 16, c. עַל Jos 7, 9, c. אֶל Hs 26, 2; sich ringsum aufstellen, umzingeln *stand around, encircle*, c. עַל Gn 19, 4, c. אֶל Jd 19, 22; נָסַב לְ in jmds Besitz übergeben werden *be turned over into one's possession* Ir 6, 12; l הַמְּסִבָּה Hs 41, 7; †

pi: inf. סַבֵּב: c. אֶת־פְּנֵי einer Sache e. andres Gesicht geben *change the aspect of a matter* 2 S 14, 20; †

po: impf. יְסֹבְבֶנְהוּ, אֲסֹבְבָה, תְּסֹבֵב, sf. יְסֹבְבֵנִי, תְּסוֹבְבֶךָ: (schützend) umwandeln *encompass* (*with protection*) Dt 32, 10 Ir 31, 22 Ps 32, 7. 10, (kultisch) umwandeln *march around* (*in cult*) Ps 26, 6, (rings) umfliessen *enclose* (*waters*) Jon 2, 4. 6, (rings) umstehen *stand around* Ps 7, 8, (anhaltend) durchstreifen *roam freely around* Ps 55, 11 59, 7. 15, cj Am 3, 11 (יְסֹבֵב), herumstreifen *go about* Ct 3, 2; †

hif: pf. הֵסֵב, הֲסִבֹּתָ, הֵסַבּוּ, impf. וַיַּסֵּב, וַיַּסֵּבּוּ, נָסֵב, נַסֵּבָּה, sf. וַיְסִבֵּנִי, inf. הָסֵב, imp. הָסֵבִּי, pt. מֵסֵב, pl. sf. מְסִבַּי: die Richtung einer Bewegung ändern *change the direction of a movement*: abschwenken, e. Umweg machen *turn aside, go out of one's way* Ex 13, 18 Hs 47, 2 2 C 13, 13; fortschaffen *clear away* 1 S 5, 8—10 2 S 20, 12 1 C 13, 3 Si 9, 6; e. Mauer herumziehn *make walls around* 2 C 14, 6; (Waffen) umwenden *turn back* Ir 21, 4; d. Blick abwenden *turn away the eyes* Ct 6, 5, d. Gesicht, sich abwenden *turn away* 1 K 21, 4 2 K 20, 2 Js 38, 2 Hs 7, 22 2 C 29, 6 35, 22; sich umwenden *turn one's face* Jd 18, 23 1 K 8, 14 2 C 6, 3; c. אֶל jmdm etwas zuwenden, zu ihn übergehn lassen *turn to one's side* 2 S 3, 12 1 C 10, 14 12, 24; c. לֵב jmds Sinn wenden *turn one's heart back* 1 K 18, 37 Esr 6, 22; c. n. m. u. שְׁמוֹ jmds Namen ändern in *change one's name into* ... 2 K 23, 34 24, 17 2 C 36, 4; 2 K 16, 18 l הֵסֵב מִבֵּית schaffte aus d. Haus *removed from the h.*; l וַיַּסֵּב Jos 6, 11; †

hof (pass. qal?): impf. יוּסַּב, pt. pl. fem. מֻסַבֹּת u. מוּסַבֹּת: zum Drehen gebracht werden *be turned* Js 28, 27 (Rad *wheel*) Hs 41, 24 (Tür *door*); geändert werden *be changed* (שֵׁם) Nu 32, 38, eingefasst werden *be surrounded, set* (אֲבָנִים) Ex 28, 11 39, 6. 13. †

Der. סִבָּה, סָבִיב, מֵסַב, מְסִבָּה*, נְסִבָּה; חַבָּא*?

סִבָּה: סבב: Wendung, Fügung (v. Gott her) *turn* (*of affairs; from* יי) 1 K 12, 15, cj 2 C 22, 7 10, 15 (ZAW 50, 171). †

סָבִיב (335 ×): סבב: (cs. סְבִיב Am 3, 11 † l מְסַבִּיב), pl. סְבִיבַי, sf. סְבִיבָיו u. סְבִיבוֹת, סְבִיבֹת, sf. סְבִיבוֹתָיו: I. sg. 1. subst. הַסָּבִיב: Umkreis *surrounding* 1 C 11, 8 (Text?);

2. abs. ringsum *round about*, c. עָשָׂה Ex 25, 11, c. זָרַק Lv 1, 5, c. שָׁלַח 1 S 31, 9, etc.; סָבִיב סָבִיב ringsherum *round about* (*emphasized*) Hs 8, 10 37, 2 40, 5 41, 10. 16 2 C 4, 3; 3. מִסָּבִיב von allen Seiten, ringsum *from every side, from round about* Nu 16, 27 Dt 12, 10 u. oft *a. often*; 4. סָבִיב לְ rund um ... her *round about* ... Ex 16, 13 u. oft *a. often*; l סָבְבוּ גַם 1 S 14, 21, l וַיָּסֹבּוּ 2 S 24, 6, l וְאַחַר סַבּוֹת Hi 10, 8; II. pl. m.: 1. Umgebung *surroundings*, סְבִיבֵי יְרוּשָׁלַםִ Ir 32, 44 33, 13, סְבִיבֶיהָ Ir 21, 14, סְבִיבָיו seine Umwohnenden *those round about him* Ir 48, 17. 39 Ps 76, 12 89, 8 Th 1, 17; סְבִיבָיו ringsum ihn her *round about him* Ps 50, 3 97, 2; III. pl. fem.: Umgebung *surroundings* Ex 7, 24 Gn 41, 48 Ir 17, 26; c. gen. vel sf. ringsum ... *round about* ..., סְבִיבֹת הָאֹהֶל Nu 11, 24, כָּל־סְבִיבֹתֵינוּ Nu 22, 4, חֹנִים סְבִיבֹתָיו um ihn her lagernd *camping round about him* 1 S 26, 5, etc.; 2. Kreislauf (des Winds) *circular course, revolution* (*of wind*) Ko 1, 6.

סבך: F שׂבך:
qal: pt. pass. סְבֻכִים: verflochten sein *be interwoven* Na 1, 10, cj pro סבואים 10; †
pu: impf. יְסֻבָּכוּ: verflochten sein *be interwoven* Hi 8, 17. †
Der. סְבָךְ, *סֹבֶךְ.

סְבָךְ (Var. סְבַךְ): סבך: pl. cs. סִבְכֵי: Gestrüpp *thicket* Gn 22, 13 Js 9, 17 10, 34. †

***סֹבֶךְ**: סבך: cs. סְבָךְ־, sf. סֻבְּכוֹ (BL 580): Gestrüpp *thicket* Ir 4, 7 Ps 74, 5. †

סִבְּכַי: n. m.: 2 S 21, 18, cj 23, 27, 1 C 11, 29 20, 4 27, 11. †

סבל: mhb., F ba., ja., sy.; ak. *zabālu* Zimm. 11; F זבל:
qal: pf. סָבָלְנוּ, sf. סְבָלָם, impf. יִסְבֹּל, אֶסְבֹּל, sf. יִסְבְּלֵהוּ, inf. לִסְבֹּל: tragen *bear*: Lasten *loads* Gn 49, 15 Js 46, 4. 7, Schmerzen *sorrows* 53, 4, Strafe für Schuld *punishment of guilt* Th 5, 7; †
pu: pt. מְסֻבָּלִים: (GVS fett *fat*) beladen *laden* Ps 144, 14; †
hitp.: impf. יִסְתַּבֵּל: sich dahinschleppen *drag oneself along, as a burden* Ko 12, 5. †
Der. סֵבֶל, *סֹבֶל, סַבָּל, *סִבְלוֹת.

סֵבֶל: סבל: Last, Frondienst *load, compulsory service* 1 K 11, 28 Ps 81, 7 Ne 4, 11. †

***סֹבֶל**: סבל: sf. סֻבֳּלוֹ (BL 581): Last, *load, burden* Js 9, 3 10, 27 14, 25. †

סַבָּל: סבל: pl. סַבָּלִים: Lastträger *burden-bearer* 1 K 5, 29 (נֹשֵׂא gloss.) Ne 4, 4 2 C 2, 1. 17 34, 13. †

***סִבְלוֹת**: סבל: pl. tant.; cs. סִבְלֹת, sf. סִבְלֹתָם, סִבְלֹתֵיכֶם: Frondienst, Lasttragen *compulsory service, burden-bearing* Ex 1, 11 2, 11 5, 4 f 6, 6 f. †

סִבֹּלֶת ephraimitische Aussprache v. *Ephraimitic spelling of* F שִׁבֹּלֶת: Jd 12, 6. †

סִבְרַיִם: n. l.; v. Kasteren RB 1895, 33 f = *Ch. Sanbarīje* w. *Banjās*; cf. *Sabara'in* Bab. Chron. 1, 28; unbekannt *unknown*: Hs 47, 16. †

סַבְתָּא 1 C 1, 9 u. **סַבְתָּה** Gn 10, 7: n. p., n. t.; S. v. כּוּשׁ: Hölscher, 3 Erdkarten, 1949, 46: Sabota in חֲצַרְמָוֶת (?). †

סַבְתְּכָא Gn 10, 7 1 C 1, 9: n. p., n. t.; S. v. כּוּשׁ: unbekannt *unknown*. †

סגד: aram., F ba.; سَجَدَ unterwürfig sein *be*

submissive; مسجد Moschee *mosque*; ሰገደ; Vincent 324f:
qal: impf. יִסְגֹּד, אֶסְגּוֹד, יִסְגְּדוּ: sich (anbetend) beugen *prostrate oneself* (*in worship*): לְ vor *before* Js 44, 15. 17. 19 46, 6. †

סְגוֹר: סגר: Verschluss *enclosure*, סְגוֹר לִבָּם Ho 13, 8; cj סְגוֹרוֹ Hi 41, 7; l סָגוּר Hi 28, 15. †

סְגוֹר: ak. (*ḫurāṣu*) *sakru* = *sagiru*, *sagru* gediegenes Gold *pure gold* (Šanda zu 1 K 6, 20):
1. Press- oder **Blattgold**, für Vergoldung ganz dünn gehämmerte Blättchen aus lauterstem Gold *press-gold or gold foil*, *pure gold hammered to thin foils*, *used for gilding* 1 K 6, 20f; 2. lauteres Gold *pure gold* 1 K 7, 49f 10, 21 2 C 4, 20. 22 9, 20. †

סִגִים: F סִיג.

***סגל**: סְגֻלָּה.

סְגֻלָּה: *סגל: mhb.; ja. סְגוּלְתָא Besitz *property*, ak. *sugullu* Rinderherde *herd of cattle*; סגל mhb. pi. u. ja. pa. aufhäufen *hoard up*: cs. סְגֻלַּת, sf. סְגֻלָּתוֹ: (persönliches) **Eigentum** (private) *property*: Davids *of David* 1 C 29, 3, d. Könige *of the kings* Ko 2, 8; Israel das besondre Eigentum Gottes *Israel God's peculiar property* Ex 19, 5 Ma 3, 17 Ps 135, 4, Israel für Gott *Israel God's* עַם סְגֻלָּה Dt 7, 6 14, 2 26, 18. †

***סָגָן** vel ***סֶגֶן**: F I סכן; ak. *šakun* Statthalter *prefect* Zimm. 6; ph. סכן קרתחדשת; äga. סגן AP 35c 47, 2. 7, F ba.: pl. סְגָנִים, sf. סְגָנֶיהָ: 1. **Statthalter**, Beamter (d. babyl. Reichs) *prefect*, *official* (*of the Babyl. Empire*) Js 41, 25 Ir 51, 23. 28. 57 Hs 23, 6. 12. 23; 2. **Vorsteher** (d. jüdisch. Gemeinde) *head* (*of the Jewish Community*) Esr 9, 2 Ne 2, 16 4, 8. 13 5, 7. 17 7, 5 12, 40 13, 11. †

I סגר: ug. *sgr* u. ak. *sakāru* schliessen *close*; mhb.; ja., F ba., sy.; ph. preisgeben *abandon*; Znǧ. מסגרת Gefängnis *prison*; F I סכר:
qal: pf. סָגַר, סָגַרְתָּ, סָגְרוּ, impf. יִסְגֹּר, נִסְגְּרָה, inf. לִסְגּוֹר, imp. סְגֹר, סִגְרוּ, pt. סֹגֵר, סֹגֶרֶת, pss. סָגוּר: 1. סָגַר בְּעַד **zutun, schliessen** hinter *shut*, *close upon*, *behind* Gn 7, 16 Jd 3, 23 9, 51 1 S 1, 6 2 K 4, 4f. 21. 33 Js 26, 20; 2. c. ac. **schliessen** *close*: דֶּלֶת Gn 19, 6. 10 Jos 2, 5 Jd 3, 23 2 K 4, 4f. 33 6, 32 Js 26, 20 Ma 1, 10 Ps 17, 10 Hi 3, 10 Ne 6, 10 2 C 28, 24 29, 7, שַׁעַר Jos 2, 5. 7 Hs 46, 12, רֶחֶם 1 S 1, 5, פֶּרֶץ 1 K 11, 27; 3. סָגַר עַל jmd **einschliessen** *close in upon* Ex 14, 3 Hi 12, 14; 4. סָגַר בָּשָׂר תַּחְתֶּנָּה verschloss es mit Fleisch *flesh closed in* Gn 2, 21; 5. abs. **verschliessen, zumachen** *close*, *shut* Js 22, 22 Hs 44, 1. 2. 2 46, 1; **sich schliessen** *be shut up* Jos 6, 1 Jd 3, 22; l סְגוֹרוֹ (סָגוֹר) Hi 41, 7; F סָגוּר זָהָב סָגוּר; l וַיִּסָּגְרוּ Ps 35, 3; †
nif: pf. נִסְגַּר, impf. יִסָּגֵר, יִסָּגְרוּ, imp. הִסָּגֵר: 1. **geschlossen werden** *be closed* Js 45, 1 60, 11 Hs 46, 2 Ne 13, 19; 2. **sich einschliessen** *be shut up* 1 S 23, 7 Hs 3, 24; 3. c. מִן **ausgeschlossen werden** aus *be shut out from* Nu 12, 14f;
pi: pf. סִגַּר, sf. סִגְּרַנִי, impf. יְסַגֶּרְךָ: **ausliefern** *deliver up* 1 S 17, 46 24, 19 26, 8, abs. 2 S 18, 28; †
pu: pf. סֻגַּר, סֻגְּרוּ, pt. מְסֻגֶּרֶת: **verschlossen werden** *be shut up* Jos 6, 1 Js 24, 10. 22 Ir 13, 19 Ko 12, 4; †
hif: pf. הִסְגִּיר, הִסְגַּרְתִּי, sf. הִסְגִּירוּ, הִסְגַּרְתַּנִי, impf. יַסְגִּיר, תַּסְגֵּר, יַסְגִּרוּ, יַסְגִּירֵנִי, sf. יַסְגִּרֵנוּ, יַסְגִּרֵנִי, inf. הַסְגִּיר, sf. הַסְגִּירָם: 1. in jmds **Gewalt geben, ausliefern** *deliver up*, *give in one's power* Ob 14, c. אֶל Dt 23, 16 Hi 16, 11, c. בְּיַד Jos 20, 5 1 S 23, 11f. 20 30, 15 Ps 31, 9 Th 2, 7, c. לְ Am 1, 6. 9 Ps 78, 48. 50. 62; **preisgeben** *abandon* Dt 32, 30 Am 6, 8; **festnehmen** (zu Handen der Rechtsgemeinde) *hand over* (*to the court*) Hi 11, 10; 2. **absondern, dem Verkehr entziehen** *shut up*, *confine* Lv 13, 4—54 (9 ×), (e. Haus)

absperren *shut off* (*house*) 14, 38. 46.† Der. סְגוֹר, מִסְגֶּרֶת; F סוּגַר.

II *סגר: F סַגְרִיר.

*סָגָר: ak. *šikru* Klinge *blade* (?); σάγαρις Doppelbeil d. Skythen u. Perser *double axe of Scythians a. Persians*, Herodot 1, 215: cj [חֲנִית] וּסְגָר: Doppelbeil *double axe* Ps 35, 3.†

סַגְרִיר: II סגר; Barth § 144; ساجر mit Wasser füllen *fill with water*; mhb., ja.; ܣܓܪܝܪܐ u. sam. אַסְגָּר heftiger Regen *heavy rain*: heftiger Regen *steady rain* (ZDP 37, 227) Pr 27, 15.†

סַד: *סדד: mhb., ja. u. sy. סַדָּא: Fussblock (Pfosten, in dessen Kerben die Füsse des Gefangnen mit eisernen Riegeln festgehalten werden) *stocks* (*post in the notches of which the prisoner's feet are held fast with iron bolts*) Hi 33, 11 (Act 16, 24); l בַּסִּיד 13, 27.†

*סדד: F סַד.

סָדִין: ak. *saddinu* e. Kleidungsstück *a garment* Zimm. 36 f; mhb.; ja. סְדִינָא: pl. סְדִינִים: Untergewand *wrapper* (AS 5, 168. 219) Jd 14, 12 f Js 3, 23 Pr 31, 24.†

סְדֹם: n. l.; Σοδομα: loc. סְדֹמָה: Sodom; am S-Ende des Toten Meers *at the s. end of Dead Sea* BRL 491 f, am N-Ende *at the n. end* Simons OTS 5, 92 ff; Kyle, Explorations at Sodom, 1928; Vincent, RB 41, 489 ff; Köppel, ZDP 55, 26 ff; Bibl. 11, 23 ff. 149 ff: אַנְשֵׁי ס׳ Gn 13, 13 19, 4, מֶלֶךְ ס׳ Gn 14, 2. 8. 10. 17. 21 f; רְכֻשׁ ס׳ 14, 11, גֶּפֶן ס׳ Dt 32, 32, קְצִינֵי ס׳ Js 1, 10, עֲוֹן ס׳ Hs 16, 49, חַטַּאת ס׳ Th 4, 6; F Gn 10, 19 13, 10. 12 14, 12 18, 16. 20. 22. 26 19, 1. 24. 28 Dt 29, 22 Js 1, 9. cj 7 3, 9 13, 19 Ir 23, 14 49, 18 50, 40 Hs 16, 46. 48. 53. 55 f Am 4, 11 Ze 2, 9; F עֲמֹרָה, אַדְמָה.; מַהְפֵּכָה.†

*סדר: mhb., ja., sam., sy. ordnen *arrange, order*: F *סֵדֶר, *שְׂדֵרָה.

*סֵדֶר: *סדר: ak. *sadāru* reihen *arrange in order*; סדר Si 10, 1 50, 14, mhb., sy.: pl. סְדָרִים: Ordnung *arrangement, order*, aber *but* l נְהָרָה Hi 10, 22.†

*סהר: F סַהַר, סֹהַר.

סַהַר: *סהר; ak. *sa'ru* Ring, *ring*; mhb. runde Einfriedung (für Tiere) *round enclosure* (*for cattle*): אַגַּן הַסַּהַר Ct 7, 3, F Komm.†

סֹהַר: *סהר; F סַהַר: בֵּית הַסֹּהַר Gefängnis *prison* Gn 39, 20—40, 5 (8 ×).†

סוֹא: n. m.; Σηγωρ, Σωα: wohl *perhaps* keilschr. *Sib'u* (APN 195) *turtānu* (*māt*) *Muṣuri* סוֹא < סבא?: Kittel, GVI [5.6] II 365. 368, Alt, Israel u. Ägypten 57: 2 K 17, 4.†

I סוג: F I שׂוג; wenn סוג ursprünglich = abtrennen, dann I סוג u. II סוג eine einzige Wurzel *if* סוג *originally = separate, then* I סוג *a.* II סוג *one root*; ساج gehen u. kommen *go and come*:

qal: pf. סָג, impf. נָסוֹג, inf. (adj. verbale?) סוּג: abweichen, abtrünnig sein *backslide, prove recreant* (מִן) Ps 53, 4 80, 19, סוּג לֵב Abfall des Sinns *backsliding in his heart* Pr 14, 14;†

nif: pf. נָסוֹג (Var. נָשׂוֹג) 2 S 1, 22, נְסוּגֹתִי (BL 193), נָסֹגוּ, נָסוֹגוּ, impf. יִסֹּגוּ, pro יַסַּג (BL 404) l Mi 2, 6 יַשִּׂיג, inf. נָסוֹג, pt. pl. נְסוֹגִים: נָסוֹג אָחוֹר sich zurückziehen *turn back* 2 S 1, 22 (נְסוּגָה) Js 42, 17 50, 5 Ir 38, 22 46, 5 Ps 35, 4 40, 15 44, 19 70, 3 78, 57 (von ׳י *from* ׳י) 129, 5, נָסֹג c. מֵאַחַר Js 59, 13 u. c. מֵאַחֲרֵי Ze 1, 6 abfallen, abtrünnig werden *backslide, prove faithless*;†

hif: impf. יַסִּיגוּ (!שׂ), תַּסֵּג, תַּסִּיג, pt. מַסִּיג, pl. cs. מַסִּיגֵי: c. גְּבוּל: Grenze versetzen, verrücken *displace, move back a boundery mark* Dt 19, 14 27, 17 Ho 5, 10 Pr 22, 28 23, 10 Hi 24, 2, (ellipt. ohne *without* גְּבוּל) Mi 6, 14 (aliter Torcz. ZDM 1916, 508);†

hof: pf. הֻסַּג (BL 400): fortgetrieben werden *be driven back* Js 59, 14.†
Der. סִיג.

II סוג: F I; ja. סוג, ܣܓ umzäunen *fence*, mhb. סְיָג, ja. u. sy. סְיָגָא, سِيَاج Zaun *fence*: qal: pt. pass. סוּגָה: umhegt *fenced about* Ct 7, 3.†

סוג K Hs 22, 18: F סִיג.

סוּגַר: LW < ak. *šigaru* Zimm. 15; äg. Albr. Voc. 61. 65: Käfig *cage* Hs 19, 9.†

*סוד: F סוֹד, II יסד.

סוֹד: *סוד; sy. סוּדָא u. סַוְדָא vertrauliches Gespräch *confidential speech*; הסתיד Si 8, 17 9, 4. 14 42, 12 sich anvertrauen *be confiding*; ساود heimlich reden *speak in secret*; mhb. סוד Geheimnis *secret*: sf. סוֹדוֹ, סוֹדָם: 1. vertrauliche Besprechung *confidential talk* Ps 64, 3 83, 4 Am 3, 7 Pr 11, 13 15, 22 20, 19 25, 9 Si 3, 19 8, 17 15, 20; בעל סודך Vertrauter *intimate, special friend* Si 6, 6; 2. Kreis von Vertrauten *group of intimates* Gn 49, 6 Ir 6, 11 15, 17 23, 18 (סוֹד יהוה). 22 Hs 13, 9, cj Ho 4, 18, Ps 25, 14 (סוֹד יהוה) 89, 8 111, 1 (//עֵדָה) Pr 3, 32 (von *of* י') Hi 15, 8 (סוֹד אֱלוֹהַּ) 19, 19; הַמְתִּיקוּ סוֹד traute Gemeinschaft pflegen *be in real harmony* Ps 55, 15; l בְּסוּךְ Hi 29, 4.†
Der. n. m. בְּסוֹדְיָה.

סוֹדִי: n. m.; ug. *Sdj* De L. 2, 286 f. 304; palm. שדי; < *סוֹדִיָּה?: Nu 13, 10.†

*סוה: F מַסְוֶה, *סוּת.

*סוח: F סוּחָה.

סוּחַ; n. m.; altbab. *Suḫum* Ranke, Pers. Nam. 166: 1 C 7, 36.†

סוּחָה: *סוח = סחה: Unrat *offal* Js 5, 25, cj pl. בְּשֻׁחֹת = בְּסֻחֹת Hi 9, 31.†

סוֹטַי: n. m. Ne 7, 57 u. סֹטַי n. m.: Esr. 2, 55.†

I סוך: F שׂוך; شَوْك, ܣܘܟܐ Dornen *thorns*: pil: pf. סִכְסַכְתִּי, impf. יְסַכְסֵךְ: aufstacheln, aufreizen *stir up, incite* (בְּ gegen *against*) Js 9, 10 19, 2.†
Der. מְסוּכָה.

II סוך: NF v. נסך; ph. יסך; ak. *sâku* salben *anoint*; mhb., ja.: qal: pf. סַכְתִּי, סָכְתָּ, impf. תָּסוּךְ, תָּסוּכִי, sf. וַיְסֻכוּם, וָאֲסֻכֵךְ, inf. סוּךְ: 1. סוּךְ שֶׁמֶן sich mit Öl einfetten, sich salben *grease oneself with oil, anoint oneself* Dt 28, 40 2 S 14, 2 Mi 6, 15, = ohne *without* שֶׁמֶן Ru 3, 3 Da 10, 3 2C 28, 15; l פַּךְ pro אָסוּךְ 2 K 4, 2; 2. סוּךְ בְּשֶׁמֶן c. ac. jmd mit Öl einfetten, salben *grease somebody with oil, anoint with oil* Hs 16, 9;†
hif: impf. וַיָּסֶךְ: sich einfetten, salben *grease oneself, anoint oneself* 2 S 12, 20;†
hof (pass. qal?): impf. יִיסָךְ (Sam יוּסַךְ) (BL 201. 286. 404): eingerieben werden *be rubbed in* Ex 30, 32.†
Der. אָסוּךְ.

סוֹלְלָה: F סֹלְלָה.

סְוֵנֵה: n. l.; l loc. סְוֵנָה? Hs 29, 10, cj 30, 6; cj סְוֵן 30, 6: AP סון; äg. *Swn*; أسوان; Συήνη: Syene *Assuan* südlichste Grenzstadt Ägyptens am 1. Katarakt *southern border-town of Egypt on the 1. cataract*; Jos. Bell. 4, 608; Herodot. 2, 29; Strabo 32. 118. 693. 783; Plin. NH 5, 10 f; cj סְוֵנִים F סִינִים.†

I סוּס Js 38, 14 Ir 8, 7: F סִיס.

II סוּס (138×): ug. *ssw*, ak. *sîsû*, äg. *ssm.t* EG 3, 474 u. *śśm.t* EG 4, 276 (seit d. 18. Dynastie *since 18. dynasty*); mhb.; äga. סוס; ja. u. sy. סוסיא; mnd. סוסיא; < ind. *śiśu* Junges *young one* ZAW 51, 61: pl. סוּסִים, סֻסִים, cs. סוּסֵי, sf. סוּסַי, סוּסֵיהֶם, F סוּסָה: Pferd *horse* (BRL

419—27; Ungnad ZDM 77, 89 ff): in Reihen *in series* Gn 47, 17 Ex 9, 3 Sa 14, 15 Esr 2, 66, Beschreibung *description* Hi 39, 19—25, Farben *colours* Sa 1, 8 6, 2 f. 6; Futter *forage* 1 K 5, 8; Preis e. Pferds *price of horse* 10, 29; סוּס וָפֶרֶד 18, 5; Pferde in *horses in* מִצְרַיִם Gn 47, 17 Ex 9, 3 14, 9. 23 15, 1. 19. 21 Dt 11, 4 17, 16, eingeführt aus *imported from* מִצְרַיִם Dt 17, 16 Hs 17, 15, סוּסִים von *of* אַשּׁוּר 2 K 18, 23 Js 5, 28 36, 8, von *of* בָּבֶל Ir 4, 13 6, 23 Hs 26, 7. 10 f, von *of* הַכְּנַעֲנִי Jos 11, 4. 6. 9 Jd 5, 22, von *of* אֲרָם 1 K 20, 1 2 K 5, 9 6, 14 f 7, 7. 10. 13, von *of* שְׁלֹמֹה 1 K 5, 6. 8 10, 25. 28 f 2 C 9, 24 f. 28, von *of* יְהוּדָה 1 K 22, 4 2 K 3, 7, von *of* יִשְׂרָאֵל 1 K 22, 4 2 K 3, 7, 9, 33 10, 2; 732 Pferde der *horses of* הַגּוֹלָה Esr 2, 66; Pferde als falsche Sicherheit *horses as false security* Js 31, 1. 3 Ho 1, 7 14, 4 Hg 2, 22 Ps 20, 8 33, 17; Pferdereichtum getadelt *profusion of horses reprehended* Js 2, 7; Pferde ausgerottet *horses exterminated* Mi 5, 9 Sa 9, 10; Wagenpferde *carriage-horses* Ex 14, 9 Jos 11, 4 1 K 20, 1 2 K 6, 15 etc.; Reitpferd *mount* 1 K 20, 20 Jr 46, 9 Est 6, 8—11; Postpferde *post-horses* Est 8, 10; סוּסֵי אֵשׁ 2 K 2, 11; סוּס וָרֶכֶב *F* רֶכֶב, *F* מֶרְכָּבָה; 1 סִיס Js 38, 14 Ir 8, 7; Wiesner, Fahren u. Reiten, Alte Orient, 38, 2 ff; Potratz, D. Pferd in d. Frühzeit, 1938. Der. *סוּסָה; n. l. מְבוֹא הַסּוּסִים u. שַׁעַר הַסּוּסִים.

***סוּסָה**: fem. v. II סוּס; mhb.: sf. סֻסָתִי: **Stute** *mare* Ct 1, 9; n. l. חֲצַר סוּסָה.†

סוּסִי: n. m.; KF?: Nu 13, 11.†

סוף: mhb.; *F* ba.; ja. vernichten *destroy*, sy. zu Grunde gehen *come to an end*; ساف schwinden *grow less*; verwandt *related* אסף?:
qal: pf. סָפוּ, וְסָפוּ Am 3, 15, impf. יָסוּף, יָסֻפוּ: **ein Ende finden** *come to an end* Js 66, 17 Am 3, 15 Ps 73, 19 Est 9, 28 (מִן bei *with*), cj Nu 11, 25 u. Ps 12, 2;†
hif: pro אֲסִיפֵם Ir 8, 13 1 אָסֹף (אָסִיף), pro אָסֵף Ze 1, 2. 3. 3 1 אָסֹף.†
Der. סוֹף, I סוּפָה.

סוֹף: סוף; mhb.; aram. = hebr. קֵץ; ja. סוֹפָא: sf. סוֹפוֹ: **Ende** *end* (:: רֹאשׁ) Ko 3, 11 7, 2 12, 13 2 C 20, 16; **Nachhut** *rear guard* (:: פָּנִים) Jl 2, 20.†

I סוּף: äg. *ṯwfj* (Albr. Voc. 65); cp. סוּף: 1. **Schilf** *rushes* Ex 2, 3. 5 Js 19, 6; **Wasserpflanzen** *waterplants* (ET 42, 286 f) Jon 2, 6; 2. יַם־סוּף, loc. יָמָּה סוּף Ex 10, 19: Schilfmeer *Sea of Rushes*: gewöhnlich als n. l. betrachtet *commonly considerated as n. l.*; aber wahrscheinlich Bezeichnung verschiedener mit Schilf bestandner Buchten *but probably name for divers bays covered with rushes*: Ex 10, 19 13, 18 15, 4. 22 23, 31 Nu 33, 10 f Dt 11, 4 Jos 2, 10 4, 23 24, 6 Ne 9, 9 Ps 106, 7. 9. 22 136, 13. 15; 1 K 9, 26; Nu 14, 25 21, 4 Dt 1, 40 2, 1 Jd 11, 16 Ir 49, 21.†

II סוּף: n. l.; *F* I: Musil AP 1, 211 = *Sūfa* s. Madeba (?); < יַם סוּף?: Dt 1, 1.†

I סוּפָה: סוּף: סוּפָתָה (BL 528), st. סוּפַת, pl. סוּפוֹת: (verderblicher) **Windsturm, Windsbraut** (*destructive*) *storm-wind*: c. עָבַר Pr 10, 25, c. גָּנַב forttragen *carry off* Hi 21, 18 27, 20, בַּגְּנָב Js 21, 1, v. Sternen bewirkt *caused by stars* Hi 37, 9; *F* Js 5, 28 17, 13 29, 6 66, 15 Ir 4, 13 Ho 8, 7 (:: רוּחַ) Am 1, 14 Na 1, 3 Ps 83, 16 (J. s *of* יי) Pr 1, 27 Hi 27, 20 Si 43, 17.†

II סוּפָה: n. l.; in Moab: Nu 21, 14.†

סור: ph.; mhb. weichen *turn aside*:
qal (160 ×): pf. סָר, סָרָה, סַרְתִּי, סָרוּ, סַרְתֶּם, impf. יָסוּר, יָסַר, וַיָּסַר (BL 207. 401), תָּסוּר, אָסוּר, אָסֻרָה, יָסוּרוּ, תָּסֻרוּ, נָסוּר, נָסוּרָה; inf. סוּר, סוּר, sf. שׂוּרִי (BL 404) Ho 9, 12, imp. סוּר, סוּרָה, סוּרוּ, סֻרוּ, pt. סָר, סָרָה, סָרַת, סָרֵי:

von der Richtung abbiegen *turn aside out of one's course*; 1. c. אֶל einkehren bei *turn aside into* Gn 19, 2 Jd 4, 18 etc.; 2. c. מִן fortgehn von, sich entfernen von *turn aside from*, *depart from* Gn 49, 10 Ex 8, 7 u. oft *a. often*; 3. סָר abs. vom Weg abbiegen *take a turning* Ex 3, 3f Ir 5, 23 15, 5; (milit.) aus der Reihe treten *leave the line* 1 K 20, 39; c. מִן־הַדֶּרֶךְ vom rechten Weg (der Religion) abweiden *turn aside from the right (religious) way* Ex 32, 8 Dt 9, 12 etc.; (von Gott) abfallen *forsake (God)* Dt 11, 16 Ps 14, 3; 4. c. מֵעַל sich entfernen von *deviate*, *withdraw from* Nu 12, 10 Jd 16, 20 Js 7, 17 u. oft *a. often*; סָר צִלָּם מֵעֲלֵיהֶם Nu 14, 9 F צֵל; 5. יָמִין (שְׂמֹאל) סָר nach rechts (links) abbiegen *turn aside to the right (left)* Dt 2, 27 1 S 6, 12 etc.; סָר שָׁם sich dorthin wenden *t. as. thither* Jd 18, 3 19, 15 etc.; סָר לְבֵיתוֹ heimgehen *go home* Jd 20, 8; 6. weichen, fortgehen *depart*: כֹּחַ Jd 16, 17. 19, יהוה 16, 20, יַד־י׳ 1 S 6, 3; 7. ausweichen *step aside* Th 4, 15; herkommen *come on* Ru 4, 1, c. מִן fortgehen aus *depart from* 1 S 15, 6, = abs. 15, 32; 8. c. מֵאַחֲרֵי ablassen von *leave off* 2 S 2, 21—23 2 K 10, 29, abfallen *break away* 1 S 12, 20 2 K 18, 6 Hi 34, 27 2 C 25, 27; 9. c. מֵעִם weichen von *turn aside from* 1 S 16, 14, sich abwenden von *break away from* 1 S 18, 12 (י׳), = c. מֵעַל 28, 15f; 10. c. עַל sich wenden gegen *turn against* 1 K 22, 32; 11. c. מִן sich fernhalten von *keep off from* Js 59, 15 Ho 9, 12, cj סָרוּ Js 22, 3, Pr 13, 14. 19 14, 16. 27 15, 24 16, 6. 17 Hi 1, 8 2, 3 28, 28; 12. abs. sich entfernen, verschwinden *depart*, *disappear* 1 K 15, 14 22, 44 Js 11, 13 Am 6, 7 etc. 13. סָר לְבָבוֹ s. H. wird abtrünnig *h. heart turns away* Dt 17, 17; סָר מִלְּבָבוֹ kommt ihm aus d. Sinn *departs from h. heart* 4, 9; רוּחֲךָ סָרָה du bist missmutig *thy spirit is sad* 1 K 21, 5; סָרַת טַעַם e. Zuchtlose *turning aside from discretion*, *without delicacy* Pr 11, 22; l אָסִיר 2 S 7, 15, l וְשַׂר כָּל 1 S 22, 14, l סֹד Ho 4, 18, l וִיסַעַר Hi 15, 30b; dele סָרֵי Ir 6, 28 (dittogr.); l אֲסוּרָה? Js 49, 21;

hif (130 ×): pf. הֵסִיר, הֵסִ֫ירָה, הֲסִירֹתִי, sf. הֱסִירָהּ, הֱסִירְךָ, impf. יָסִיר, יָסֵר, וַיָּסַר, אָסִיר, אֲסִירָה, וַיְסִירוּ, sf. וַיְסִרֵהוּ, יְסִירֶנָּה, inf. הָסֵר, הָסִיר, sf. הֲסִירָהּ, הֲסִירְכֶם, imp. הָסֵר, הָסִירִי, הָסִרוּ, pt. מֵסִיר: 1. wegschaffen, entfernen *take away*, *remove*, c. מִן, מֵעַל von *from*: Gn 8, 13 Ex 8, 4 Js 1, 16 u. sehr oft *a. very often*, cj 2 S 22, 23; e. Menschen beseitigen *remove a man* Jd 9, 29; c. יֵינֵךְ erbrechen *vomit* 1 S 1, 14, c. רֹאשׁוֹ Kopf abhauen *take the head off* 1 S 17, 46 2 S 4, 7 16, 9 2 K 6, 32, c. אַף, אָזְנַיִם abschneiden *cut off*; c. מֵעִמּוֹ aus s. Nähe entfernen *remove from h. company* 1 S 18, 13; c. חַסְדּוֹ מֵעִם s. Gemeinschaft entziehen *withhold one's solidarity from* 2 S 7, 15 Ps 66, 20 (מֵאֵת), cj Ps 89, 34, 1 C 17, 13; c. מֵעַל־פָּנָיו entfernen *remove* (Gott *God*) 2 K 17, 18. 23 23, 27 24, 3 Ir 32, 31; c. מִמְּקוֹמוֹ (e. König) absetzen *dethrone (a king)* 1 K 15, 13 2 C 15, 16; 2. c. מֵאַחֲרֵי abwendig machen *estrange* Dt 7, 4; c. מִן fernhalten *keep out of the way* Pr 4, 24. 27 28, 9; c. לְ jmdm entziehen *take away* Hi 12, 20. 24 (l לְרָאשֵׁי); c. מִן (l מִמַּעֲשֶׂה) abbringen von *withdraw from* Hi 33, 17, cj Js 8, 11; c. דְּבָרָיו rückgängig machen *call back* Js 31, 2; c. מִשְׁפָּט d. Recht entziehen *take away the right* Hi 27, 2 34, 5; c. ac. aufheben, abschaffen *abolish*, *do away with* Da 11, 31 2 C 14, 2. 4 30, 14 32, 12; 3. אֵלָיו zu sich bringen lassen *have brought to oneself* 2 S 6, 10 1 C 13, 13; l וַיֶּאְסֹר Ex 14, 25, l וַיָּכִינוּ 2 C 35, 12;

hof: pf. הוּסַר, impf. יוּסַר, pt. מוּסָר: 1. entfernt werden *be removed*, c. מֵעַל von *from* Lv 4, 31. 35, c. מִן 1 S 21, 7 (l הַמּוּסָר); 2. aufgehoben werden *be abolished* Da 12, 11; 3. מוּסָר מֵעִיר (l מוּסָרָה) hört auf, e. Stadt zu sein *is removed, ceases to be a city* Js 17, 1; †

pil: pf. סוֹרֵר: durch einander machen *dis-arrange* Th 3, 11. †

Der. *סוּר, I סָרָה.

***סוּר**: סור: fem. סוּרָה, pl. סוּרִים, cs. סוּרֵי: abtrünnig *backsliding* Ir 17, 13 (l וְסוּרַי); sonst fraglich *rest of passages doubtful*: l הָאֲסוּרָה Js 49, 21, l הָאֲסוּרִים Ko 4, 14, l לְסוּרִיָּה Ir 2, 21, l הַיְסוֹד (?) 2 K 11, 6. †

***סרה**: F *סוּרִי.

***סוּרִי**: *סרה; ja. סרי stinken *stink*, ሥሪዶ Gift *poison*: fem. סוּרִיָּה: stinkend, faulig *stinking, putrid* cj (l לְסוּרִיָּה גֶּפֶן pro לִי סוּרֵי הַגֶּפֶן Duhm) Ir 2, 21. †

סות: mhb.; ph. Kemi 2, 152:
hif (BL 400): הֵסִיתְךָ, הֵסִיתְךָ, sf. הֲסִתָּה!, וַהֲסִיתָהוּ, וַיְסִיתֵם, sf. וַיָּסֶת, יַסִּית, impf. הִסִּיתוּךָ!, pt. מַסִּית: 1. verleiten, anstiften *allure, incite* Dt 13, 7 Jos 15, 18 Jd 1, 14 1 K 21, 25 2 K 18, 32 Js 36, 18 Ir 38, 22 Hi 36, 16. 18 1 C 21, 1 2 C 18, 2 32, 11. 15; 2. c. מִן fortlocken von *allure away from* 2 C 18, 31; 3. c. בְּ aufreizen gegen *instigate against* 1 S 26, 19 (י') 2 S 24, 1 (אַף י') Ir 43, 3 Hi 2, 3. †

***סוּת**: *סוה: ph. סות: sf. סוּתֹה (//לְבֻשׁוֹ) Gewand *garment* Gn 49, 11. †

סחב: ph., mo.; سَحَبَ, ሰሐበ:
qal: pf. סְחָבוּם, impf. יִסְחָבוּם, inf. סָחוֹב, לִסְחֹב: umherzerren *drag about* Ir 15, 3 22, 19; (e. Ort) schleifen *drag (town)* 2 S 17, 13; l יִסָּחֲבוּ Ir 49, 20 u. 50, 45; †

cj nif: impf. יִסָּחֲבוּ: umhergezerrt werden *be dragged about* cj Ir 49, 20 50, 45. †

Der. סְחָבוֹת.

סְחָבוֹת: סחב: zerschlissne Kleider, Lumpen *garments dragged about, rags* Ir 38, 11 f. †

סחה: ja. סָחוּתָא Unrat *refuse*; سَحَا wegfegen *scrap away*; NF סוח:
cj nif: impf. יִסָּחוּ: weggefegt werden *be scraped away* cj Pr 2, 22. †
pi: pf. סִחֵיתִי: wegfegen *scrap clean* Hs 26, 4. †
Der. סְחִי.

סְחִי: סחה: Kehricht *refuse, offscouring* Th 3, 45. †

cj **סְחִיפָה**: סחף: Gussregen *downpour* cj Hi 14, 19. †

סָחִישׁ: : סחשׁ; cf. ak. *suḫuššu* junge Dattelpalme *young date-tree*: was nach d. Getreideernte von selbst nachwächst *grain that shoots up of itself in second year* 2 K 19, 29, = metath. שָׁחִיס Js 37, 30. †

סחף: mhb., ja., sy.; ak. *saḫāpu* niederwerfen *overwhelm*; سَحِيفَة den Boden fortschwemmender Regen *rain which washes away ground*:
qal: pt. סֹחֵף: fortschwemmen (Regen) *wash away (rain)* Pr 28, 3; †
nif: pf. נִסְחַף: l נָס חַף Ir 46, 15. †
Der. cj סְחִיפָה.

סחר: ak. *saḫāru* sich wenden, drehen *turn*; ja. im Kreis herumgehn, Handel treiben *go around, go about as merchant*; mhb. סוֹחֵר Hausierer *pedlar*; sy., cp. (pa.) als Bettler herumziehn *go about as beggar*; ph. סחר Händler *merchant*; asa. סחר *amuletum*; L. Koehler JBL 59, 38:

qal: pf. סָחֲרוּ, impf. יִסְחֲרוּ, תִּסְחֲרוּ, imp. sf. סְחָרוּהָ, pt. סֹחֵר, סוֹחֵר, סֹחֲרִים, סֹחֲרֵי, sf. סֹחֲרָיִךְ, סֹחֲרֶיהָ, f. sf. סֹחַרְתֵּךְ: 1. c. ac. sich frei im Land bewegen *go about, to and fro in* Gn 34, 10. 21 42, 34; Ir 14, 18?; 2. pt. **Aufkäufer** (die d. Land nach Waare absuchen [> Späher]) *buyer* (*who goes about looking for goods to buy* [> *spy*]) Gn 23, 16 37, 28 Hs 27, 36 38, 13 Pr 31, 14 2 C 9, 14, cj Js 45, 14, סֹחֲרֵי הַמֶּלֶךְ Aufk. im Dienst des Königs *buy. in the king's service* 1 K 10, 28 2 C 1, 16; ס' צִידוֹן aus *from* צ' Js 23, 2. 8 (שָׂרִים Handelsherren *principals*); סֹחַרְתֵּךְ Aufk. für dich *buy. in your service* Hs 27, 12. 16. 18. 21, u. סֹחֲרֵי יָדֵךְ in deinem Dienst *in your service* Hs 27, 21. cj 15; l שֹׁחֲרַיִךְ Js 47, 15; †

peʿalʿal: pf. סְחַרְחַר: sich beständig hin u. her wegen, **heftig pochen** *continually turn about, palpitate heavily* (לֵב) Ps 38, 11. †

Der. סַחַר.

סַחַר: סחר: cs. סְחַר, סַחַר, sf. סַחְרָהּ: **Handelsgewinn, Erwerb** *gain* (*by buying a. selling*) Js 23, 3. 18 Pr 3, 14 31, 18, cj מִסְחַר 1 K 10, 15; l סֹחֵר Js 45, 14. †

***סְחֹרָה**: cs. סְחֹרַת Hs 27, 15: l סֹחֲרֵי יָדֵךְ ut 27, 21. †

סֹחֵרָה: ak. *sihirtu* Umfassung *enclosure*; sy. סַחֲרְתָא Burg *stronghold*; mnd. סאהרא Turm *tower*: **Schutzwehr**? *bulwark*? Ps 91, 4. †

סֹחָרֶת: ak. *sihru* Rand, Kuppe (e. Siegelzylinders) *brim, top* (*of seal*); äg. *shr.t* Mineral f. Amulette u. kleine Figuren benutzt *mineral used for amulets a. small sculptures* EG 4, 208 u. *shr* Art Holz *kind of wood* EG 4, 270: kostbare Art v. **Bodenbelag** *precious kind of pavement* Est 1, 6. †

סחש: *F* סָחִישׁ.

סֵטִים: παραβάσεις *praevaricationes*: unbekannt *unknown* Ps 101, 3. †

סִיג; I סוג: pl. סִגִים, סִיגִים, sf. סִיגַיִךְ: L. Koehler, Th Z 3, 232 ff: **Bleiglätte, Silberschaum** *oxide of lead, silver-leaf* (PbO): Js 1, 22 (הָיָה לְ übergehn in *pass on to*) 1, 25 (בֹּר als Flussmittel beim Schmelzen *as flux in melting*) Hs 22, 18. 19 (*F* Js 1, 22) Ps 119, 119 Pr 25, 4; 2. > **Glasur**, כֶּסֶף סִיגִים Silberglasur (Bleiglätte wird z. Glasieren von Tongefässen benutzt) > *glazing*, כֶּסֶף סִיגִים *silver-glazing* (*oxide of lead used in glazing pottery*) Pr 26, 23; *F* שִׁיג. †

cj ***סִיד**: = שִׂיד: **Kalk** *lime* cj Hi 13, 27; *F* סמם. †

סִיוָן: LW < ak. *Simānu* Zimm. 64 f; nab. סיון: **Siwan** (d. 3. Monat *the 3. month* = Juni-Juli *June-July*) Est 8, 9. †

סִיחוֹן, סִיחֹן: n. m.; amor.; *Šīhān* n. montis in Transjordania, Musil AP 1, 376; *F* AOB² 617, RB 41, 417 ff, AAS 14, 53 ff: מֶלֶךְ הָאֱמֹרִי Sihon Nu 21, 21—34 (8 ×) 32, 33 Dt 1, 4 2, 24—4, 46 (8 ×) 29, 6 31, 4 Jos 2, 10 9, 10 12, 2. 5 13, 10. 21. 27 Jd 11, 19—21 1 K 4, 19 Ir 48, 45 (l מִבֵּית) Ps 135, 11 136, 19 Ne 9, 22; חֶשְׁבּוֹן = עִיר סִי' Nu 21, 27 f. †

I סִין: n. l.; äg. *Śwnj* Name v. Pelusium als Weingegend *name of Pelusium as wine-country* EG 4, 69: Pelusium am Ostrand des Deltas *at e. border of Delta* Hs 30, 15; l סְוֵן 30, 16. †

II סִין: n. l.; מִדְבַּר־סִין zwischen *between* אֵילִם u. סִינַי; nicht bekannt *unknown* Ex 16, 1 17, 1 Nu 33, 11 f. †

סִינִי: (n. m.) n. p.: הַסִּינִי, S. v. כְּנַעַן Gn 10, 17 1 C 1, 15: Strabo 16, 2, 8 n. l. Sinna, Hieron. quaest. in Gen. *civitas Sini*; KAT 42 *Šiana* in N-Phönikien *N-Phœnicia*; Lage? *site?* †

סִינַי, סִינָי: n. l. Sinai: Ex 16, 1 Nu 1, 19 9,5 10,12 26,64 33,15f Si 48,7; מִדְבַּר סִינַי Ex 19,2. Lv 7,38 27,34 Nu 1,1 3,4.14 9,1; הַר סִינַי Ex 19, 11. 18. 20. 23 24, 16 31, 18 34, 2. 4. 29. 32 Lv 7, 38 25, 1 26, 46 Nu 28, 6 Ne 9, 13; י׳ kommt *comes* מִסִּינַי //שֵׂעִיר Dt 33,2; 1 בָּא מִסִּינַי Ps 68,18, (זֶה) סִינַי Jd 5, 5 Ps 68, 9; (הַר) סִינַי vielleicht kein Bergname, sondern = der Berg in מִדְבַּר סִינַי; (הַר) סִינַי *might be no mountain-name at all, but = the mountain in* מִדְבַּר סִינַי; סִינַי cf. Mondgott *Moon-god Sin?* vel סְנֶה? ältre Lokalisierungen *older localisations* F Guthe PRE³. 18, 381 ff; Noth, D. Wallfahrtsweg z. Sinai PJ 36, 5—28; üb. d. Sinai-Halbinsel *about the Peninsula of Sinai* F A. Kaiser, Die Sinaiwüste (Mitteil. d. Thurgauischen Naturforsch. Gesellsch., Heft 24, 1922); Bodenheimer u. Theodor, Die Ergebnisse d. Sinai Expedition d. Hebr. Univ., Jerusalem, 1927; Albr. BAS 109, 5 ff; Oberhummer, Mitteilgn Geogr. Gesellsch. Wien, 1911, 628 ff. †

סִינִים: n. t.; Land, von dem Exilierte heimkommen sollen *country from which exiles shall be brought back* Js 49, 12; unbekannt *unknown*; G γῆ Περσῶν; andre *others*: Phönikien *Phœnicia*, China! Gegend v. *region of* Pelusium, סְוֵנֵה vel *סְוֵנִים (Hölscher, Drei Erdkarten 25¹). †

סִיס: schallnachahmend wie Kuckuck *sound-imitating as cuckoo*, דּוּכִיפַת, בַּרְבֻּר; F Kl L 35 ff: **Mauersegler** *swift, Apus apus L.* (Nicoll 317 f); ar. *sis* nach s. Ruf *according to its cry*: si-si-si: Ir 8, 7 Q, cj Js 38, 14. †

סִיסְרָא: n. m.; H. Bauer ZAW 51, 83⁴; illyrisch? Alt ZAW 60, 78³: 1. kan. Feldherr *general* Jd 4, 2—22 5, 20—30 1 S 12, 9 Ps 83, 10; 2. Esr 2, 53 Ne 7, 55. †

סִיעָא: n. m.; KF: Ne 7, 47; סִיעֲהָא Esr 2, 44 1 סִיעָא vel סִיעָה. †

סִיר: äg. *swr* Trinkschale *shallow cup* EG 3, 429; > זִיר grosser Krug *large jar?*: pl. סִירוֹת, סִירֹת, sf. סִירֹתָיו: 1. **Kochtopf** (f. Fleisch) *pot (for boiling meat)* Ex 16, 3 2 K 4, 38—41 Hs 11, 3. 7. 11 24, 3 (1 בָּהּ) 6 Mi 3, 3 Hi 41, 23 Ko 7, 6 2 C 35, 13; 2. סִיר רַחְצִי Wanne (für Fussbad) *tub (f. foot-bath)* F BRL 79, 4: Ps 60, 10 108, 10; 3. (kultisch *in cult*) Wanne (f. Asche) *tub (for ashes)* Ex 27, 3 38, 3 1 K 7, 45. cj 40 2 K 25, 14 Ir 52, 18 f Sa 14, 20 f 2 C 4, 11. 16; 1 כּוּר Ir 1, 13, 1 יִכְרְתוּ כְּמוֹ Ps 58, 10; F *סִירָה. †

***סִירָה**: סִיר: pl. סִירִים (cf. שָׁנָה pl. שָׁנִים) u. סִירוֹת Am 4, 2 †: 1. (die dornige, strauchartige) **Becherblume** *Thorny Burnet (a shrub)* Poterium (ποτήριον = סִיר) spinosum L. (Löw 3, 191 f) Js 34, 13 Ho 2, 8 Na 1, 10 Ko 7, 6; 2. **Dorn, Haken, Angel** (v. Pot. spin. genommen) *thorn, hook (taken from Pot. spin.)* Am 4, 2. †

סָךְ Ps 42, 5: 1 סֹךְ. †

***סֹךְ** u. **שֹׂךְ** Th 2, 6 †: סכך; soq. *sak* Dach *roof*: sf. סֻכֹּה, שֻׂכּוֹ, סֻכּוֹ: **Laubdach, Versteck** (des Löwen) *covert (of foliage; of the lion)* Ir 25, 38 Ps 10, 9, cj 42, 5 (בְּסֹךְ אַדִּירִים) vorbei an d. Versteck der Mächtigen *passing by the covert of the mighty*); י׳ als Löwe *as lion* Ps 27, 5 76, 3 (//מְעֹנָה) Th 2, 6; F סֻכָּה. †

סֻכָּה: fem. v. סֹךְ; mhb.: pl. סֻכּוֹת, סֻכֹּת: **Laubdach** *covert of foliage*: natürliches *natural* Hi 38, 40 (Löwe *lion*); künstliches *artificial*: für Vieh *for cattle* Gn 33, 17, f. Wächter *f. guardian* Js 1, 8 Hi 27, 18, f. Wanderer *f. traveller* Lv 23, 43, f. Soldaten *f. soldiers* 2 S 11, 11, f. Jona *f. Jonah* Jon 4, 5, f. Gelage *f. banquet* (F Benzinger, Arch.³, 121) 1 K 20, 12. 16, f. Versteck *f. hiding-place* Ps 31, 21, f. Schatten *f. shadow* Js 4, 6; metaph. f. Reich *f. empire* Am 9, 11; שָׁמַיִם ist *is* סֻכָּה f. Gott *f. God* Hi 36, 29; für Kultfeier *for worship* Ne 8, 15—17; חַג הַסֻּכּוֹת

d. Laubhüttenfest *the feast of booths* (*tabernacles*) Lv 23, 34 Dt 16, 13. 16 31, 10 Sa 14, 16. 18 f Esr 3, 4 2 C 8, 13, יָשַׁב בַּסֻּכּוֹת Lv 23, 42 Ne 8, 14. 17; 1 פִּתְחוֹ 2 S 22, 12 u. Ps 18, 12; סֻכֹּה K סֻכָּה Ps 27, 5 F סֹךְ; F סֻכּוֹת. Der. n. l. סֻכּוֹת.†

סֻכּוֹת: n. l.; סֻכָּה; loc. סֻכֹּתָה: 1. in Gad *T. Dēr*ʿ*allā* (am untern *at the lower* Nahr ez-Zerqā PJ 9, 72, BAS 90, 15, Garstang, Jos. 400) Gn 33, 17 Jos 13, 27 Jd 8, 5—16, F עֵמֶק ס׳, 1 K 7, 46 2 C 4, 17; 2. Ex 12, 37 13, 20 Nu 33, 5 f *T. el Mashūṭa*, O-Delta; (kaum *hardly*, Mallon, L. Hébreux 165: äg. *Tkw* profaner Name für *profane name of* פִּתֹם).†

סִכּוּת: Am 5, 26: n. d. F Deimel, Panth. 2830: Vocalis. v. *of* שִׁקּוּץ?; KAT³ 410³ bab. Gott *god Sakkut*; Burrows JTS 28, 184; Sellin 1 סֻכַּת, Weiser 1 מַסֵּכוֹת.†

סֻכּוֹת בְּנוֹת: n. d.; Σοκχωθβαινωθ: 2 K 17, 30 verehrt in *worshipped in* בָּבֶל; Šanda: die Göttin *the goddess Ṣar-pa-ni-tu* (Var. *Zēr-banītu*); *Suk* verlesen aus *misread for Ṣar* (?).†

סֻכִּיִּים n. p.; Τρωγλοδύται: zwischen *between* לוּבִים u. כּוּשִׁים 2 C 12, 3; Eph 2, 232 äga. סכיא.†

סכך: NF שׂכך; mhb. pi. decken, überdachen *cover, roof over*, hif. flechten, weben *intertwine, weave*; ak. *sakāku* verstopft sein *be choked up*, *sakku* taub *deaf*; سَكَّ zustopfen *choke up*:

qal: pf. סַכֹּתָ, סַכּוֹתָה, cj סַךְ [מִי] Hi 38, 8, impf. יָסֹךְ, sf. תְּסֻכֵּנִי, יְסֻכֵּהוּ, cj inf. סוּךְ Hi 29, 4, pt. סֹכֵךְ, סוֹכְכִים, F סֹכֵךְ: 1. absperren, d. Zugang versperren *block, stop the approach*: abs. Hs 28, 14 u. 16 (כְּרוּב), c. בְּ zu *towards* cj Hi 38, 8, c. בְּעַד zu *towards* Hi 1, 10 MS, = c. לְ Ps 140, 8, = c. עַל Ex 25, 20 37, 9 1 K 8, 7 1 C 28, 18, cj Hi 29, 4; 2. unzugänglich sein *be unapproachable* (אֶל) Th 3, 43 f; 3. c. ac. u. עַל etw. versperrend anbringen vor *shut off a thing from* Ex 40, 3; 4. c. ac. abgesperrt, verborgen halten *keep blocked, hidden* Ps 139, 13 Hi 40, 22;†

cj nif: נְסֻכֹּתִי: abgesperrt, verborgen gehalten werden *be kept blocked, hidden* cj Pr 8, 23;†

hif: impf. תָּסֵךְ, יָסֵךְ, וַיָּסֶךְ, inf. הָסֵךְ, pt. מֵסִיךְ: 1. absperren, unzugänglich machen *shut up, make unapproachable*: c. בְּעַד etwas *a thing* Hi 3, 23, = c. עַל Ex 40, 21 Ps 5, 12, = c. לְ Ps 91, 4; 2. = ak. *sakāku* spreizen *sprawl* OLZ 29, 645: הֵסֵךְ רַגְלָיו spreizt s. Beine = Notdurft verrichten *sprawls his legs = ease nature* Jd 3, 24 1 S 24, 4.†

Der. סֹךְ, סֻכָּה, סֹכֵךְ, מָסָךְ, *מְסֻכָּה; n. l. סֻכּוֹת, סְכָכָה.

סֹכֵךְ: סכך: Sperre, Barrikade *closing, barricade* Na 2, 6.†

סְכָכָה: n. l.; סכך: unbekannt *unknown* Jos 15, 61.†

סכל; aram.; ak. *saklu* töricht *foolish*:

pi: impf. יְסַכֵּל, imp. סַכֶּל־: töricht sein lassen *turn into foolishness* 2 S 15, 31 Js 44, 25 (Var. יְשַׂכֵּל), cj שִׂכֵּל pro סִכֵּל Hi 12, 17 (pro שׁוֹלָל);†

nif: pf. נִסְכַּלְתָּ, נִסְכַּלְתִּי: sich töricht verhalten *act foolishly* 1 S 13, 13 2 S 24, 10 1 C 21, 8 2 C 16, 9 (עַל inbetreff *concerning*)†;

hif: pf. הִסְכַּלְתָּ: töricht handeln *do foolishly* Gn 31, 28 1 S 26, 21.†

Der. סָכָל, סֶכֶל, סִכְלוּת.

סָכָל: סכל: pl. סְכָלִים: töricht *fool(ish)* Ir 4, 22 5, 21 Ko 2, 19 (:: חָכָם) 10, 3. 14.†

סֶכֶל: סכל: Torheit = Tor *folly = fool* Ko 10, 6.†

סִכְלוּת: סכל (aram.): Torheit *folly* Ko

2, 3. 12f 7, 25 10, 1. 13; = שִׂכְלוּת (MS 'סכ) 1, 17. †

I סכן: mhb.; EA *sakānu ana* sorgen für *care for* (256, 9 gloss. *zu-ki-ni*); ph. סכן Vorsteher *prefect* F *סָגָן, סֹכֵן:

qal: impf. יִסְכּוֹן, יִסְכָּן־, יִסְכָּן: Aufmerksamkeit wert sein *deserve care* > **Nutzen bringen** *be of use, service*: Hi 15, 3, c. לְ Hi 22, 2 35, 3 (l לִי), c. עַל für *for* Hi 22, 2 (l עָלָיו), c. בְּ c. inf. dadurch, dass *by (doing)* Hi 34, 9; †

nif: impf. יִסָּכֶן: **sich Sorge tragen** müssen *have to be careful* Ko 10, 9; †

hif: pf. הִסְכַּנְתָּה, הִסְכַּנְתִּי, inf. הַסְכֵּן, imp. הַסְכֶּן־: sorgfältig umgehen mit > **e. Gewohnheit, Art haben** *act carefully* > *be used, wont* Nu 22, 30, c. ac. **vertraut sein** mit *be familiar with* Ps 139, 3; c. עִם **sich vertraut halten** mit *acquaint oneself with* Hi 22, 21. †

Der. סֹכֵן (*סָגָן).

II סכן: F מִסְכֵּן.

III סכן: pt. pu. מְסֻכָּן: ak. *musukkānu* (Zimm. 53) Baumart *kind of tree*; Stummer JPO 8, 37f; unerklärt *unexplained* Js 40, 20. †

סֹכֵן: F *סגן u. I סכן: LW, ak. *šākinu* Gärtner *gardener* Zimm. 40; EA 256, 9 *rabizi* / (gloss.) *zukini*; ph. סכן (*Aḥiram* 2): fem. סֹכֶנֶת: 1. masc. **Verwalter** *steward* Js 22, 15 (s. Amt *his function* 22, 21 f); 2. fem. **Pflegerin** *nurse*, Dienerin *(maid-)servant* 1 K 1, 2. 4. †

סכסך: F I סוך.

I סכר: ak. *sekēru* verstopfen, verschliessen *dam up, close* u. *sikkūru* Riegel *bolt* Zimm. 30; äga., ja., sy.; سكر abdämmen *dam up*, asa. שכר; F סגר:

nif: impf. יִסָּכֵר, וַיִּסָּכְרוּ: **verstopft werden** *be shut up* Gn 8, 2, *be stopped* Ps 63, 12, cj Ps 59, 13; †

pi: pf. סִכַּרְתִּי: (= סִגַּרְתִּי) **ausliefern** *deliver* Js 19, 4. †

II סכר: = שׂכר:

qal: pf. סֹכְרִים: **erkaufen, bestechen** *hire* Esr 4, 5. †

סכת: ak. *sakātu*; amor. *Jaškit-ilu* Bauer (Ostkan.) 81; سكت, asa. שכת:

hif: imp. הַסְכֵּת: **sich still halten** *keep silence* Dt 27, 9. †

סַל: ak. *sallu* Zimm. 34; mhb.; ja., sy., mnd. סַלָּא; سَلَّة: סַל, pl. סַלִּים, cs. סַלֵּי: **Korb** *basket* Gn 40, 16—18 Ex 29, 3. 23. 32 Lv 8, 2. 26. 31 Nu 6, 15. 17. 19 Jd 6, 19. †

סלא: מְסֻלָּאִים Th 4, 2: F II סלה; F סִלּוֹן u. n. m. סַלּוּא u. סַלּוּא.

סִלָּא: n. l.; Text?: 2 K 12, 21. †

סַלֻּא: F סַלּוּא.

סלד: mhb.; cf. صَلَدَ im Rennen d. Boden schlagen *beat the ground in running*:

pi: impf. אֲסַלְּדָה: hüpfen *jump (for joy)* Hi 6, 10; F סֶלֶד. †

סֶלֶד: n. m.; סלד?: 1 C 2, 30. †

I סלה: ak. *salū* abschütteln (Joch) *shake off (yoke)*; ja., sy. סלא verschmähen *despise*; سلو sorglos sein *be neglectful*:

qal: pf. סָלִיתָ, cj pt. סוֹלִים: **abweisen** (Gott) *toss aside (God)* Ps 119, 118, cj Hs 2, 6; †

pi: pf. סִלָּה: **verwerfen** (Gott) *reject (God)* Th 1, 15. †

II סלה: سَلَّفَ schnell bezahlen *pay promptly*; F סלא:

pu: impf. תְּסֻלֶּה, pt. מְסֻלָּאִים (wie von *as if* ל״א): **bezahlt werden** *be paid* Hi 28, 16. 19 Th 4, 2. †

סֶלָה: Ha 3, 3. 9. 13 u. 71 (G 92!) × in Ps 3 f. 7. 9. 20 f. 24. 32. 39. 44. 46—50. 52. 54 f. 57. 59—62. 66—68. 75—77. 81—85. 87—89. 140. 143, cj Ps 55,20 f l כָּלָה pro כָּלוֹ; Ps 68, 33 l סֹלּוּ: ungedeuteter t. t. für Musik oder Rezitation *unexplained t. t. of music or recitation*; Deutungsversuche *suggestions*: 1. v. סלל Erhebung der Stimme, höhere Tonlage *raising of voice, higher tone*; 2. v. סלה Pause *pause* (Zwischenspiel der Instrumente *interlude of instruments*, G *διάψαλμα*); 3. Akrostichon: = סִימָן לְשַׁנּוֹת הַקּוֹל Stimmänderung *change of voices*; 4. Akrostichon: סֹב לְמַעְלָה הַשָּׁר = *da capo!* Lit.: Neue Kirchl. Zeitschr. 40, 832[1]; Stieb, ZAW 57,102 ff 62,317 ff; Gyllenberg, ZAW 58,153 ff. Eerdmans OTS 4, 80 ff.; Mowinckel Offersang, 1951, 494 f. †

סַלּוּא: n. m.; סלא = סלה? Noth S. 174: Nu 25, 14. †

סַלּוּא: n. m., KF? = סַלּוּא? 1 C 9, 7, = סַלַּי Ne 11, 7. †

סִלּוֹן: סלא? mhb., ja. סַלְוָא, ܣܠܘܐ, mnd. סיליתא; سُلَّاء: **Dorn** *prickle* (ZDM 31, 537) Hs 28, 24; pl. סַלּוֹנִים l סוֹלִים (סלה) 2, 6. †

סלח: ug. *slḥ* vergeben *forgive*; mhb.; äga. n. m. יסלח; ja.; ak. *salāḫu* besprengen *asperse* > ja., sy. זלח Zimm. 66, Stamm, Erlösen 57 f: qal: pf. סָלַחְתָּ, סָלַחְתְּ, impf. יִסְלַח, אֶסְלַח, אֶסְלוֹחַ Ir 5, 7 (BL 361) = אֶסְלַח Q u. אסלוח K, inf. סְלֹחַ, סְלוֹחַ, imp. סְלַח, סְלָחָה, pt. סֹלֵחַ: **verzeihen** (nur von Gott gesagt) *forgive, pardon* (*always of God*): abs. 1 K 8, 30. 39 2 K 24, 4 Js 55, 7 Am 7, 2 Th 3, 42 Da 9, 19 2 C 6, 21. 30; c. לְ pers. Nu 30, 6. 9. 13 Dt 29, 19 1 K 8, 50 2 K 5, 18 Ir 5, 1. 7 50, 20 2 C 6, 39, c. לְ rei Ex 34, 9 Nu 14, 19 1 K 8, 34. 36 Ir 31, 34 33, 8 36, 3 Ps 25, 11 103, 3 2 C 6, 25. 27 7, 14; c. לְ pers. et בְּ rei 2 K 5, 18 †;

nif: pf. נִסְלַח c. לְ (nur P *only*): **ihm wird** (von Gott) **verziehen** *it is forgiven him* (*by God*) Lv 4, 20. 26. 31. 35 5, 10. 13. 16. 18. 26 19, 22 Nu 15, 25 f. 28. †

Der. סַלָּח, סְלִיחָה.

סַלָּח: סלח: **bereit zu verzeihen** (Gott) *ready to forgive* (*God*) Ps 86, 5. †

סַלַּי: n. m.; = סַלּוּ Ne 12, 7: Ne 12, 20; l [גִּבּוֹרֵי] חָיִל pro סַלָּי 11, 8. †

סְלִיחָה: סלח; mhb., ja. סְלִיחוּתָא: pl. סְלִיחוֹת: **Verzeihung** (Gottes) *forgiveness* (*of God*) Ps 130, 4, = pl. Da 9, 9 Ne 9, 17. †

סַלְכָה: n. l.; nab. צלחד = ar. *Ṣalḫad* auf S-Ausläufer des *on S.spur of* Haurān:: Noth PJ 37, 55, Dunand Mél. Syr. 561: Dt 3, 10 Jos 12, 5 13, 11 1 C 5, 11. †

סלל: denom. v. ak. *sulū* (Kunst-)Strasse *highway* (*via strata*) Zimm. 43; *F* סֹלְלָה:

qal: impf. וַיָּסֹלּוּ, imp. סֹלּוּ, sf. סָלּוּהָ, pt. סְלוּלָה, סֹלְלָה: **e. Strasse aufschütten, anlegen** *cast up, build a* (*high*)*way* 1. מְסִלָּה Js 62, 10, דֶּרֶךְ Ir 18, 15 Js 57, 14 Hi 19, 12, סלל [לָרֹכֵב] אֹרַח Pr 15, 19, אָרְחֹת Hi 30, 12; (unter Gesang) d. **Weg herrichten** für *cast up* (*singing*) *a highway for* Ps 68, 5. cj 33; 2. (Garben) **aufschütten, anhäufen** *cast up, heap up* (*sheaves*) Ir 50, 26; †

pilp: imp. sf. סַלְסְלֶהָ: **hochhalten** *esteem highly* (//רוֹמְמֶ)? vel *F* *סַלְסֵלָה umschlingen *embrace, hug* (//חָבַק)? Pr 4, 8; †

hitpol: pt. מִסְתּוֹלֵל: **sich hochfahrend verhalten** *behave haughtily* (בְּ gegen *against*) Ex 9, 17. †

Der. סֹלְלָה, מְסִלָּה, מַסְלוּל; סֻלָּם.

סֹלְלָה, סוֹלְלָה: סלל; äg. LW *ṯrrj*: **Belagerungs-, Sturmwall** (mit Pflasterwegen d. schweren Geräte) *siege, assault-rampart* (*paved on account of the weight of engines*): c. שָׁפַךְ aufschütten *cast up* 2 S 20, 15 2 K

19, 32 Js 37, 33 Ir 6, 6 Hs 4, 2 17, 17 21, 27 26, 8 Da 11, 15; pl. טְלָלוֹת Ir 32, 24 33, 4.†

סֻלָּם: סלל u. *-ām*; mhb., ja.; ph. pl. סלמת; > sy. סֶבֶּלְתָא: ak. *simmiltu* ZA 41, 230f: neuaram. *semla*, mnd. סומבילתא: aufsteigernde Reihe v. Steinen, **Stiege** (Leiter) *rising flight of stones*, *stair* (*ladder*) Gn 28, 12.†

***סַלְסִלָּה**: = *זַלְזַלָּה? ak. *susullu* Korb? Ranke? *basket? tendril?* F סלל pilp: pl. סַלְסִלּוֹת: **Schoss** *shoot* Ir 6, 9.†

סֶלַע: mhb., (ja., sy., nab. Gewicht, Münze *weight, coin*; cf. engl. *stone*); سَلْع Felsspalt *cleft*; ሰለዐ; VG 1, 169 Fels *rock*: סֶלַע, sf. סַלְעִי, סַלְעוֹ, pl. סְלָעִים: 1. (alleinstehender) **Fels** *crag*, *cliff* (F צוּר) Jd 15, 13 1 S 23, 25 Js 22, 16 (für Grabkammer *for tomb*) Ps 40, 3; Wasser aus d. Felsen *water from crag* Nu 20, 8. 10f Ne 9, 15 Ps 78, 16, Honig *honey* Dt 32, 13, Fleisch u. Mazzen auf Felsen *meat a.* מַצּוֹת *upon rock* Jd 6, 20; F *חָגוּ, נָקִיק, חזק מִסֶּלַע Js 32, 2, סֶלַע כָּבֵד; צְחִיחַ, סְעִיף Ir 5, 3, שֵׁן הַסֶּלַע Felszahn *sharp crag* 1 S 14, 4 Hi 39, 28, רֹאשׁ הַסֶּלַע Felsgipfel *top of rock* 2 C 25, 12; 2. **Felsen** *crags* Ir 51, 25 Am 6, 12, Wohnstatt *dwelling-place* Js 42, 11 Ir 48, 28, Zuflucht, Versteck *shelter, hiding-place* Nu 24, 21 1 S 13, 6 Js 33, 16, Platz f. *site for* נֶשֶׁר Hi 39, 28, יוֹנָה Ct 2, 14, שְׁפַנִּים Ps 104, 18 Pr 30, 26; סַלְעוֹ (v. *of* אַשּׁוּר) Js 31, 9; Gott zerschlägt *God breaks asunder* סְלָעִים 1 K 19, 11 (רוּחַ) Ir 23, 29 Ps 137, 9; Gott ist *God is* סֶלַע 2 S 22, 2 Ps 18, 3 31, 4 42, 10 71, 3; 3. סֶלַע in n. l.: a) הַסֶּלַע (dele מֵ) d. Felsenburg *the rock-castle Umm el-Bijārā* in Petra Jd 1, 36; b) הַסֶּלַע in Edom (= Petra? Komm.) 2 K 14, 7; c) סֶלַע in Moab (= a?) Js 16, 1; d) סֶלַע הַמַּחְלְקוֹת in מִדְבַּר מָעוֹן 1 S 23, 28; e) סֶלַע רִמּוֹן Jd 20, 47 = סֶלַע הָרִמּוֹן 20, 45. 47 = *Rammūn* 5 km ö. Bethel; סֶלַע Ps 141, 6.†

סָלְעָם: סֶלַע?: essbare Heuschrecke *edible locust* (Aharoni, Osiris 5, 477: *Tryxalis nasuta*, = *Acridella nasuta* Bodenheimer 320?) Lv 11, 22.†

סלף: mhb., pi, ja. umdrehen *turn round*; سَلَفَ umpflügen *plough up*, ak. *suluppu* (zum Trocknen) gewendete Datteln *dates turned about* (*for drying*):

pi: impf. יְסַלֵּף, pt. מְסַלֵּף: 1. **verdrehen** *distort* (דְּבַר) Ex 23, 8 Dt 16, 19; **zu Fall bringen** *pervert*, *ruin*: דְּבַר Pr 22, 12, רָשָׁע 21, 12, חַטָּאָה 13, 6; c. דְּרָכוֹ irre führen *mislead* 19, 3; für falsch ansehen *consider wrong* Si 11, 7; 2. (سَلَفَ = verschwinden *pass away*) **versiegen lassen** *cause to run dry* Hi 12, 19.†

Der. סֶלֶף.

סֶלֶף: סלף: **Verdrehtheit, Falschheit** *crookedness*, *falsehood* Pr 11, 3 15, 4.†

סלק: aram.; F ba.:

qal: impf. אֶסַּק < *אֶסְלַק: **hinaufsteigen** *ascend* Ps 139, 8.†

סֹלֶת: mhb.; ja. סוּלְתָא; ak. *siltu* Mehl *flour*; *salātu* zermalmen *crush*; سُلْت Gerste (Weizen) ohne Hülsen *barley* (*wheat*) *without husks*, gedörrtes Getreide *roasted cereals*, < äg. *tr. t* (feines) Mehl (*fine*) *flour*: sf. סָלְתָּהּ: **Weizengriess** *wheat groats* (AS 3, 292f) Ex 29, 2. 40 Lv 2, 1. 4. 7 5, 11 6, 13 14, 10. 21 23, 17 24, 5 Nu 6, 15 7, 13—79 (12×) 8, 8 15, 4. 6. 9 28, 5—28 (7×) 29, 14 Hs 16, 13. 19 46, 14 1 C 9, 29 23, 29; gloss. (AS 3, 291) Gn 18, 6.†

***סַם**: סמם: pl. tant. סַמִּים: **Paste, Wohlgeruch** *paste*, *perfume* Ex 25, 6 30, 7. 34 31, 11 35, 8. 15. 28 37, 29 39, 38 40, 27 Lv 4, 7 16, 12 Nu 4, 16 2 C 2, 3 13, 11 Si 38, 4 49, 1.†

סַמְגַר נְבוֹ n. m.: l שַׂר סַמְגַר Statthalter der Stadt *prefect of the town of* Sin-Magir (nö. Akkad), Bewer AJS 42, 130: Ir 39, 3.†

סְמָדַר: mhb.; ja., sy., mnd. סִימְדְּרָא: Löw 1, 72f

(c. Bild *picture*): ס Präfix u. מדר, cf. neosy. מדר umwenden *turn round*: Knospenhülle *perule* Ct 2, 13. 15 7, 13. †

סָמַךְ: Keilschr. n. m. *Samaku*, *Samaki-ilu* APN 191; ph. n. m. מרסמך; mhb.; ja., sy., mnd.; سِمَاك Stütze *support*, ሰመከ; NF שׁמך:

qal: pf. סָמַךְ, סָמְכוּ, sf. סְמַכְתִּיו, סְמָכַתְהוּ, impf. יִסְמֹךְ, sf. תִּסְמְכֵנִי, imp. sf. סָמְכֵנִי, pt. סוֹמֵךְ, pl. cs. סֹמְכֵי, ps. סָמוּךְ, סְמוּכִים: 1. c. ac. **stützen** *support* Js 59, 16 63, 5 Hs 30, 6; (Gott *God*): Ps 3, 6 37, 17. 24 54, 6 119, 116, > שׁמך stützen, laben *support*, *refresh* cj Ko 2, 3 (l לִשְׁמוֹךְ); abs. Si 12, 17 51, 7; > סָמַךְ לְ **stützen** *support* Ps 145, 14; 2. c. ac. pers. et ac. rei: jmd mit etw. **versehen** *sustain a person with a thing*, *provide a thing for a person* Gn 27, 37 Ps 51, 14; 3. סָמַךְ יָדוֹ עַל s. **Hand legen auf** *lean*, *lay one's hand upon* Am 5, 19; s. Hand jmd (weihend) auflegen *lay one's h.* (*in consecration*) *upon* Nu 27, 18. 23 (יָדָיו) Dt 34, 9; 4. סָמַךְ יָדַיִם (יָדוֹ) עַל־רֹאשׁ **d. Hände auf d. Kopf** (des Opfertiers) **legen** *lay one's hands upon the head* (*of the sacrifice*) Ex 29, 10. 15. 19 Lv 1, 4 3, 2. 8. 13 4, 4. 15. 24. 29. 33 8, 14. 18. 22 16, 21 Nu 8, 12 2 C 29, 23, (eines, der gesteinigt wird *of one who is to be stoned to death*) Lv 24, 14; עַל־הַלְוִיִּם Nu 8, 10; 5. סָמַךְ עַל **sich** (als Angreifer) **werfen auf** *throw oneself* (*in aggression*) *upon* Hs 24, 2 (l עַל) Ps 88, 8; 6. סָמוּךְ **aufgestemmt, fest, unerschütterlich** *laid upon*, *firm*, *unshakable* Js 26, 3 Ps 111, 8 112, 8 Si 5, 10; †
nif: pf. נִסְמַכְתִּי, נִסְמְכוּ, impf. יִסָּמֵךְ: c. עַל **sich stützen, stemmen auf** *support*, *brace oneself upon* Jd 16, 29 2 K 18, 21 Js 36, 6 2 C 32, 8, auf Gott *upon God* Js 48, 2 Ps 71, 6; †
pi: imp. sf. סַמְּכוּנִי: (cf. qal cj Ko 2, 3) **erfrischen** *refresh* Ct 2, 5. †
Der. שְׁמִיכָה (pro סְמִיכָה); n. m. יִסְמַכְיָהוּ, סְמַכְיָהוּ, אֲחִיסָמָךְ.

סְמַכְיָהוּ: n. m.; סמך u. יה; Lkš 4, 6 11, 4, Dir. 353; ak. *Samaku*, *Samak-ilu* APN 191; *Samakujam[a]* Mél. Syr. 928; AP סמכי: 1 C 26, 7. †

סֶמֶל, סֵמֶל, סָמֶל; Etymol.?; ph. סמל: סמל: **Götterbild?** *idol-image?* Dt 4, 16 Hs 8, 3. 5 2 C 33, 7. 15. †

סמם: ak. *šammu* Kraut, Arznei *herb*, *medicine*; aram. סַמָּא Heilmittel, Gift *drug*, *poison*, etc.: سَمَّ (Duft) riechen *smell* (*perfume*); Löw ZS 1, 153:
hif: impf. תָּשֵׂם, וַתָּשֶׂם (pro תסם): m. Paste, Duftstoff bestreichen, schminken, **färben** *cover with paste*, *perfume*, *paint one's face*, *colour* 2 K 9, 30 Hi 13, 27. †
Der. *סַם.

סמן: nif. pt. נִסְמָן: unerklärt *unexplained*; dittogr.? Js 28, 25. †

סמר: شَمَّرَ hoch heben *raise*; F שׁמר:
qal: pf. סָמַר: **starren, schaudern** *bristle up*, *creep* Ps 119, 120; †
pi: impf. תְּסַמֵּר: **sich sträuben** (Haar) *bristle up* (*hair*) Hi 4, 15. †
Der. סָמָר, *מַסְמֵר.

סָמָר: סמר: **borstig** (Heuschrecken) *bristly* (*locusts*) Ir 51, 27. †

סנא: = שׂנא?: n. m. סְנָאָה u. סְנוּאָה.

סְנָאָה: n. m.; F סְנוּאָה: בְּנֵי ס׳ Esr 2, 35 Ne 7, 38, = בְּנֵי הַסְּ׳ Ne 3, 3; Kittel GVI 3, 363 f. †

סַנְבַלַּט (Var. סַנְבַּלַּט): n. m.; APN 202; AP 30, 29 סנאבלט; ak. *Sin-uballiṭ* (Gott) Sin gibt Leben (*god*) *Sin gives life*: Ne 2, 10. 19 3, 33 4, 1 6, 1 f. 5. 12. 14 13, 28. †

סְנֶה: ak. (LW?) *sinû* Zimm. 55; ja., sy. סַנְיָא; سَنًا verschiedenfarbiger **Brombeerstrauch** *varicolorous blackberry bush Rubus discolor W.* et *N.* (Löw 3, 183 f) Ex 3, 2—4 Dt 33, 16; Bäck MGJ 1902, 299 f: סְנֶה Dt 33, 16 = סִינַי. †

סְנֶה (Var. סֶנֶה): n. l.; die Felsklippe *the cliff Qurnet challet el-haij* PJ 7, 12: 1 S 14, 4.†

סְנוּאָה: n. m.; סנא = שנא; בֶּן־הַסְּנוּאָה Ne 11, 9 = בֶּן־הַסְּנָאָה 1 C 9, 7; F סְנָאָה.†

סַנְוֵרִים: ja. סַנְוַר blenden *blind*; euphem. v. ak. *šunwuru* Licht geben *give light* Landsberger MAO 4, 320 [3]: **Blendung** *blinding* (:: פקח עינים 2 K 6, 20) Gn 19, 11 2 K 6, 18, cj Js 61, 1.†

סַנְחֵרִיב u. **סַנְחֵרִב** 2 K 19, 20†: APN 196; AP שנחריב u. סנחאריב (F סַנְבַלַּט); Herodot. Σαναχάριβος; ak. *Sin-aḫḫē-erība* (?) (Gott) Sin ersetzt mir die Brüder (*god*) *Sin compensates me the brothers*, Ungnad ZA 38, 191 f, Stamm 290: K. v. **אַשּׁוּר**: 2 K 18, 13 19, 16. 36 Js 36, 1 37, 17. 21. 37 2 C 32, 1 f. 9 f.†

סַנְסַנָּה: n. l.: *Ch. eš-Šamsānījāt* 15 Km nö. Beerseba PJ 29, 15: Jos 15, 31.†

***סַנְסִנָּה**: ak. *sissinnu* Zimm. 54: pl. sf. סַנְסִנָּיו: **Dattelrispe** *fruit-stalk of date* (Löw 2, 236) Ct 7, 9.†

סְנַפִּיר: mhb.; (ספר u. נ insertum), ak. *šappartu* zottiges Fell *shaggy skin*, سَفْر Wimpern *eyelashes*: **Flosse** *fin* Lv 11, 9 f. 12 Dt 14, 9 f.†

סָס: ak. *sāsu*, sum. *ziz*, (mhb. סָס Holzwurm *wood-wurm*), ja., sy. סָסָא; سُوس, ܣܣܐ; σής (v. summenden Ton *on account of its buzzing*?): **Kleidermotte** *moth* Js 51, 8.†

סִסְמַי: n. m.; ug. n. m. *ʿbd-ssm*; ph. n. m. עבדססם u. ססמי Σεσμαῖος (Gott *god* ססם); *Šašmā* APN 219: סִסְמָי: 1 C 2, 40.†

סעד: mhb., F ba. stützen *support*; cp. סעדון Hilfe *help*; asa. שעד (auch *also* in n. m.) u. הֹעד; سعد III, IV helfen *aid*:

qal: pf. סָעַד, impf. יִסְעַד, sf. יִסְעָדֶנּוּ, יִסְעָדֶךָ, תִּסְעָדֵנִי, inf. sf. סַעֲדָה, imp. סְעַד (l סְעָד־) Jd 19, 5, סְעָד־ 19, 8, וּסְעָדָה (BL 354. 357), וּסְעָדָה 1 K 13, 7, סַעֲדוּ, sf. סְעָדֵנִי: 1. **stützen, aufrecht halten** *support, uphold* Js 9, 6 Ps 18, 36 20, 3 41, 4 94, 18 119, 117 Pr 20, 28; 2. c. לִבּוֹ **stärken** *sustain, stay* Ps 104, 15, **sich stärken** *sustain oneself* (cf. mhb. סְעֻדָּה Mahlzeit *meal*) Gn 18, 5 Jd 19, 5. 8; (ohne *without* לִבּוֹ) 1 K 13, 7.†

Der. מִסְעָד.

סעה: ܣܥܐ Verleumdung *calumny*; سَاعٍ (سعو) Verleumder *calumniator*:

qal: pt. fem. סֹעָה: **verleumden** *calumniate* Ps 55, 9.†

I ***סָעִיף**: I *סעף; سَعَف Schorf haben (Tiere) *be covered with scurf* (*animals*): cs. סְעִיף, pl. cs. סְעִיפֵי: Zerklüftung, **Kluft** (Felsen) *cleft* (*of crag*) Jd 15, 8. 11 Js 2, 21 57, 5.†

II ***סָעִיף**: I *סעף; سَعَف Palmzweig *palm-branch*, = neoar. (Meissner, Neuarab. Geschichten 126); ötebisch *ės-sǟf* die noch weissen Fiedern d. Palmwedels *pinnation of palm-branch as long as it is white*; mehri *šarǵajf* u. *šǵafōt* Baum-, Blumenblatt *leaf, petal*: pl. sf. סְעִפֶּיהָ (l סְעִפֵּי הַפֹּרִיָּה) Js 17, 6 u. סְעִפֶּיהָ: **Zweig** *bough* Js 17, 6 27, 10; F II סעף u. סְעִפִּים.†

I ***סעף**: F I u. II *סָעִיף, *סֵעֵף, *סְעַפָּה, סְעִפִּים.

II **סעף**: den. v. II *סָעִיף.

pi: pt. מְסָעֵף: (Zweige) **abhauen, stutzen** *lop, cut off* (*branches*) Js 10, 33.†

***סֵעֵף**: I סעף; سَعَف gemein, verächtlich *vulgar, despicable*: pl. סֵעֲפִים: **gemein, verächtlich** *vulgar, despicable* Ps 119, 113.†

***סְעַפָּה**: I סעף, > *סַרְעַפָּה: pl. sf. סְעַפֹּתָיו: **Zweig** *bough* Hs 31, 6. 8.†

סְעִפִּים: pl. tant.; ἰγνύαι; Joüon MFB 3, 323 v. II *סָעִיף: (aus Zweigen gefertigte) **Krücken** *crutches* (*made of boughs*) 1 K 18, 21.†

I סער: hif. Si 47, 17 in Erregung bringen *move tempestuously*; mhb. stürmen (Meer) *grow stormy* (*sea*); ak. *šāru* Wind, Sturm *wind, storm*; *F* II שׂער:

qal: impf. יִסְעֲרוּ (l יִסָּעֲרוּ) Ha 3, 14, pt. סֹעֵר **stürmen** (Meer) *grow stormy* (*sea*) Jon 1, 11. 13;†

nif: impf. יִסָּעֵר: **bewegt werden** *be enraged* לֵב 2 K 6, 11;†

pi: impf. sf. אֲסַעֲרֵם (l אֲסָעֲרֵם): (im Sturm) **verwehn** *hurl* (*by a storm-wind*) Sa 7, 14;†

poel: impf. יְסֹעֵר, l יִסָּעֵר Ho 13, 3;†

pu: pf. סֹעֲרָה, cj impf. יְסֹעַר u. יְסֹעֲרוּ: **verweht, weggetrieben werden** *be stormed away, hurled away* Js 54, 11, cj Ho 13, 3 u. Ha 3, 14 u. Hi 15, 30 (pro וְיָסוּר).†

Der. סְעָרָה, סַעַר.

II סער: *F* I שׂער hif.

סַעַר: I סער: סָעַר, sf. סַעַרְךָ: **Windsturm** *tempest* Ir 23, 19 30, 23 Am 1, 14 Ps 55, 9 (zu *to* v. 10) 83, 16 (Gottes *of God*), ס׳ גָּדוֹל Ir 25, 32 Jon 1, 4. 12; *F* סְעָרָה.†

סְעָרָה: fem. v. סַעַר: cs. סַעֲרַת, pl. סְעָרוֹת, cs. סַעֲרֹת: **Windsturm** *tempest* 2 K 2, 1. 11 Js 40, 24 41, 16 Ps 107, 29 Hi 38, 1 40, 6, סַעֲרַת יהוה Ir 23, 19 30, 23, סוּפָה וּס׳ Js 29, 6 Si 43, 17; רוּחַ סְעָרָה Hs 1, 4 Ps 107, 25 148, 8, רוּחַ סְעָרוֹת Hs 13, 11. 13, סַעֲרוֹת הֵימָן Sa 9, 14.†

I סַף: ak. *s/šappu*, ph. סף, mhb.: סַף, cs. סַף, pl. סִפִּים u. סִפּוֹת: **Becken** *basin, bowl* (Kelso 27 f): Ex 12, 22 1 K 7, 50 2 K 12, 14 Ir 52, 19, סַף־רַעַל Sa 12, 2; סַפּוֹת 2 S 17, 28 Perles AOF 4, 220 < ak. *šipāte* Fell, **Wollstoff** *skin, wool material*.†

II סַף: ak. *sippu* Türangelstein (auch Torraum) *door-hinge stone* (*also gateway*); mhb. סַף u. ja. סִפָּא, ܣܦܐ Schwelle *threshold*; ph. סף?: סַף, sf. סִפָּם, pl. סִפִּים: (d. wagrechte, untere Stein des Türgefüges, in dem die אמות Zapfen der Flügel sich drehen, u. die, wenn sie aus Basalt sind, geschlagen dröhnen *the horizontal, lower stone of the door-frame in which the* אַמּוֹת *the door-hinges are turning which rumble when of basalt a. beaten* Am 9, 1, Doughty I, 12) **Schwelle** *threshold, sill*: Jd 19, 27 1 K 14, 17 Js 6, 4 Hs 40, 6 f 41, 16 43, 8 Am 9, 1 Ze 2, 14 2 C 3, 7 Si 6, 36; שֹׁמֵר הַסַּף **Schwellenhüter** (hohes Amt) *door-keeper* (*important official*) Ir 35, 4, שֹׁמְרֵי הַסַּף 2 K 12, 10 22, 4 2 C 34, 9 23, 4 25, 18 Ir 52, 24 Est 2, 21 6, 2, (doppelt. *double* pl.) שֹׁמְרֵי הַסִּפִּים 1 C 9, 19, שֹׁעֲרֵי הַסִּפִּים 1 C 9, 22, שֹׁעֲרִים בַּסִּפִּים 2 C 23, 4.† Der. ספף.

III סַף: n. m.; = סִפַּי 1 C 20, 4; bab. n. m. *Sippē, Sippai* c. aram. Beischrift *note* Tallq. 183: 2 S 21, 18.†

***ספא**: *F* מִסְפּוֹא.

ספד: ug. *mšspdt* Klagefrauen *wailing women*; mhb., ja., cp.; sy. ספד die Brüste schlagen *beat breasts*; ak. *sapadū* klagen *lament*; amhar. ሰደፈ Klage *dirge*:

qal: pf. סָפְדָה, סָפְדוּ, impf. אֶסְפְּדָה, תִּסְפֹּד, inf. לִסְפֹּד, סְפוֹד, imp. סִפְדוּ, cj סִפְדָה. (BL 365) Js 32, 12, סִפְדוּ, סְפֹדְנָה, pt. סֹפְדִים, סוֹפְדִים: 1. c. עַל־שָׁדַיִם: zum Zeichen d. Trauer **auf die Brüste schlagen** *beat the breasts as sign of wailing* Js 32, 12, *F* sy.; 2. c. עַל **Klage anstimmen um** *wail, lament for* 2 S 11, 26 1 K 13, 30 Sa 12, 10; c. לְ um *for* Gn 23, 2

1 S 25, 1 28, 3 1 K 14, 13. 18 Ir 16, 6 22, 18 34, 5; c. עַל 2 S 11, 26 1 K 13, 30 Sa 12, 10; absol. 2 S 1, 12 1 K 13, 29 Ir 4, 8 16, 5 49, 3 Hs 24, 16. 23 Jl 1, 13 Mi 1, 8 Sa 7, 5 12, 12 Ko 3, 4 (:: רקד) 12, 5; c. לִפְנֵי vor *before* 2 S 3, 31, סָפַד מִסְפֵּד Gn 50, 10; †
nif: impf. יִסָּפְדוּ: **mit Klage bedacht werden** *be bewailed* Ir 16, 4 25, 23. †
Der. מִסְפֵּד; סַרְפַּד?

ספה: mhb. wegraffen *snatch away*, ja., sy. סְפָא sammeln *collect*, intrans. verschwinden *disappear*; سَفَا Staub aufwirbeln u. forttragen *raise dust a. carry away*, asa. zerstören *distroy*; F אסף, יסף, סוף:
qal: pf. סָפְתָה, impf. יִסְפֶּה, inf. sf. לִסְפּוֹתָהּ:
1. c. ac. **dahinraffen, wegnehmen** *sweep away* Gn 18, 23 f Dt 29, 18 Js 7, 20 Ps 40, 15, cj יִסְפּוּ Ps 69, 27; l לִסְפֹּת (יסף) Nu 32, 14, l סְפוּ (יסף) Js 30, 1; 2. intrans. **dahinschwinden** *be consumed, destroyed* Ir 12, 4 Am 3, 15; †
nif: pf. נִסְפָּה, impf. תִּסָּפֶה, אֶסָּפֶה, תִּסָּפוּ, pt. נִסְפֶּה: **weggerafft werden** *be swept away* Gn 19, 15. 17 Nu 16, 26 1 S 12, 25 26, 10 27, 1 Si 5, 7 8, 15; 1 C 23, 12 l נִסְכָה (נוס); ? Js 13, 15 (l הַנָּס ?) u. Pr 13, 23; †
[hif: impf. אַסְפֶּה Dt 32, 23, l אֹסִפָה (יסף). †]

***סָפוּן**: **Täferung** *panelling* Ir 22, 14, F ספן. †

I ספח: mhb. pi. sich vereinigen *join*, F שׁפח:
qal: imp. sf. סְפָחֵנִי: c. ac. et אֶל: **zugesellen zu** *attach to* 1 S 2, 36; †
nif: pf. נִסְפְּחוּ: c. עַל: **sich anschliessen an** *attach oneself to* Js 14, 1; †
[pi: pt. מְסַפֵּחַ: l מִסַּף Ha 2, 15; †]
pu: impf. יְסֻפָּחוּ: **sich zusammenfinden** *join together* Hi 30, 7; †
hitp: inf. הִסְתַּפֵּחַ: c. בְּ **sich zugehörig wissen zu** *feel oneself attached to* 1 S 26, 19. †

II *ספח; F שׁפח; سَخُفَ dünn, lose, flach sein *be thin, flimsy*:
Der. מִסְפַּחַת, סַפַּחַת.

III *ספח: = סחף; Der. I *סָפִיחַ.

סַפַּחַת: II *ספח; mhb.: **Schuppen** *scab* Lv 13, 2 14, 56. †

I *סָפִיחַ: III *ספח: sf. סְפִיחֶיהָ, l סְפִיחָה: **Gussregen** *outpouring* Hi 14, 19. †

II סָפִיחַ: I ספח; mhb. סָפִיחַ, סְפָח; cs. סְפִיחַ, pl. sf. סְפִיחֶיהָ: **was ungesäet** (aus den ausgefallnen Körnern) **nachwächst** *growth from spilled kernels* Lv 25, 5. 11 2 K 19, 29 Js 37, 30. †

סְפִינָה: ספן; ak. *sapīnatu*, mhb., äga., ja., mnd. סְפִינְתָּא: **Schiff** (mit Deck) *vessel, ship* (*with deck*) Jon 1, 5. †

סַפִּיר: mhb.; ja. סַמְפִּירִינוֹן, סַמְפִּירִינָא (σαπφίρινον), ܣܦܝܠܐ ሰንፔር (Ruž. 130) < sanskr. *çanipriya* (= Liebling des Saturn *Saturn's minion*): pl. סַפִּירִים: **Lasurstein, Lapis Lazuli** *lapis lazuli*; Kalkstein, imprägnirt mit blauen Körnern (Sodalith) u. goldglänzendem Schwefelkies (Pyrit FeS_2) *limestone impregnated with blue grains of Sodalith a. auriferous pyrites*; aus Indien kommend *imported from India*: Ex 24, 10 28, 18 39, 11 Js 54, 11 Hs 1, 26 Hi 28, 6. 16 Th 4, 7, †

סֵפֶל: ak. *saplu* Zimm. 33; mhb., ja., cp. סִפְלָא, سَفَلٌ: **Schale** (f. Wasser, Milch) *bowl* (*for water, milk*) Jd 5, 25 6, 38. †

ספן: mhb. achten *respect*, סַפָּן Schiffer *mariner*; ph. מספנת Dach *roof*; ak. *sapānu* niederschwemmen *flush down*, ሰፈነ beherrschen *dominate*; F שׁפן:
qal: impf. וַיִּסְפֹּן, pt. pass. סָפוּן, סָפֻן, סְפוּנִים:
1. **decken, täfern** (mit Holz überziehn) *cover in, panel* 1 K 6, 9 7, 3. 7 Hg 1, 4;

l F ספון חַלּוֹנָיו Ir 22, 14, l וַיִּתְאַסְּפוּן Dt 33, 21.†
Der. סְפִינָה, סִפֻּן, cj סָפוּן.

סִפֻּן: ספן: Decke (e. Raums) *ceiling* 1 K 6, 15.†

ספף: den. v. II סַף:
hitpo: inf. הִסְתּוֹפֵף sich an der Schwelle aufhalten *stand at the threshold* Ps 84, 11.†

ספק: mhb., ja., صَفَقَ > سَفَقَ klatschend schlagen *slap*, *smack*:
qal: pf. סָפַק, סָפְקוּ, sf. סְפָקָם, impf. יִסְפֹּק, יִסְפּוֹק, imp. סְפֹק: 1. c. כַּפַּיִם: in die Hände klatschen *clap one's hands* (vor Abscheu, zur Abwehr *in aversion*, *defence*) Nu 24, 10 Th 2, 15 (עַל wegen *on account of*), ohne *without* כַּפַּיִם Ir 48, 26 (בְּ wegen *on account of*) Hi 34, 37?; 2. c. עַל־יָרֵךְ sich (vor Abscheu, abwehrend) auf d. Hüfte schlagen *slap on the thigh* (*in aversion*, *defence*) Ir 31, 19 Hs 21, 17; 3. c. ac. schlagen *slap* Hi 34, 26?†

I *ספר: סַנְפִּיר.

II ספר: denom. v. סֵפֶר; F סֹפֵר; ug. *spr*; mhb. zählen *count*; äth., asa. messen *measure*:
qal†: pf. סָפַר, סְפָרָהּ, sf. סְפָרָם, impf. יִסְפּוֹר, תִּסְפָּר־, sf. אֶסְפְּרֵם, inf. לִסְפֹּר, imp. סְפֹר, סִפְרוּ, pt. סוֹפֵר F סֹפֵר: 1. (mit Hilfe eines סֵפֶר) aufzählen, zählen (*by means of* סֵפֶר) *number*, *count*: כּוֹכָבִים Gn 15, 5, יָמִים Lv 15, 13. 28 23, 15 f 25, 8 Dt 16, 9 Hs 44, 26, יְרָחִים Hi 39, 2, עָם 2 S 24, 10, F Ps 139, 18 1 C 21, 2 2 C 2, 1. 16, cj Nu 23, 10 (מִי סָפַר), cj 26, 3 (l וַיִּסְפְּרוּ), בָּתִּים Js 22, 10, מִגְדָּלִים Js 33, 18 Ps 48, 13, צְעָדִים Hi 14, 16 31, 4; > abmessen *measure* (Getreidemengen *heaps of grain*) Gn 41, 49, Pein *pain* Ps 56, 9; 2. c. בִּכְתָב (MT בִּכְתוֹב) schriftlich aufzählen, aufschreiben *write up*: עַמִּים Ps 87, 6; 3. c. ac. et לְ: etw. jmdem darzählen *count down a thing for a person* Esr 1, 8;
nif†: impf. יִסָּפֵר, יִסָּפְרוּ: gezählt werden *be counted* Gn 16, 10 32, 13 1 K 3, 8 8, 5 Ir 33, 22 1 C 23, 3 2 C 5, 6;
pi: pf. סִפַּרְתִּי, סִפְּרוּ, impf. וַיְסַפֵּר, וַיְסַפֶּר־, נְסַפְּרָה, וּנְסַפֶּר־, יְסַפֵּר־, יְסַפְּרוּ, אֲסַפְּרָה, אֲסַפֵּר, sf. וַיְסַפְּרוּם, אֲסַפְּרֶנָּה, וִיסַפְּרָהּ, inf. סַפֵּר, imp. סַפֵּר, סַפְּרָה־, סַפְּרוּ, סַפֵּרוּ, pt. מְסַפֵּר, מְסַפְּרִים: 1. abzählen, nachzählen *recount* Ps 22, 18 Hi 28, 27 38, 37; 2. aufzählen *count up*, *enumerate* Js 43, 26 Ps 40, 6 50, 16 73, 15 119, 13; 3. bekanntgeben, bekannt machen (erzählen) *make known* (*declare*): שְׁמוֹ (Gottes *God's*) Ex 9, 16 Ps 22, 23 102, 22, תְּהִלַּת־י׳ Js 43, 21 Ps 9, 15 79, 13, גְּדֻלּוֹת י׳ Ps 145, 6, מַעֲשֶׂה (Gottes *God's*) Ir 51, 10 Ps 66, 16 107, 22 118, 17, נִפְלָאוֹת (Gottes *God's*) Ps 9, 2 26, 7 73, 28! 75, 2, כָּבוֹד (Gottes *God's*) Ps 19, 2 96, 3 1 C 16, 24, צְדָקָה (Gottes *God's*) Ps 71, 15, חֹק (Gottes *God's*; l אֵלָיו) Ps 2, 7; 4. aufzählen > berichten *enumerate* > *report to*, c. לְ Nu 13, 27, > erzählen *tell* Gn 24, 66 u. 28 ×; c. בְּאָזְנֵי vor *before* Ex 10, 2, c. אֶל vor *before* Gn 37, 10, c. עַל von *concerning* Jl 1, 3; l יִסְפְּרוּ Ps 59, 13, l יַחְפְּרוּ Ps 64, 6, l יְסַפֵּר 69, 27;
pu†: pf. סֻפַּר, impf. יְסֻפַּר: erzählt werden *be told* Js 52, 15 Ha 1, 5 Ps 22, 31 (לְ von *concerning*) 88, 12 Hi 37, 20; F סֵפֶר, סֹפֵר, I סְפָר, סִפְרָה.

סֵפֶר (187 ×): ak. *šipru* Botschaft, schriftliche Nachricht, Schriftstück *missive*, *written message*, *document*; ספר Inschrift *inscription* Aḥiram 2 F Hi 19, 23 (Montg. 165[7]); mhb., äga. ספר, F ba. ספר, ja. סִפְרָא, ܣܦܪܐ; denom. ספר: sf. סִפְרִי, סִפְרְךָ, pl. סְפָרִים: 1. Inschrift *inscription* Js 30, 8 Hi 19, 23; 2. Schriftstück, Brief, Buchrolle *written document*, *letter, scroll*: 1. Technisches *technical terms*: כָּתַב עַל־סֵפֶר schriftlich aufzeichnen, in e. Buch schreiben *write down, write in a book* Dt 17, 18 u. 14 ×; כָּתַב בַּסֵּ׳ Nu 5, 23 Dt 28, 58 etc., כָּתַב סֵ׳ Ex 32, 32, כָּתַב סֵ׳ אֶל 2 S 11, 14, כָּתַב סְפָרִים 2 K 10, 1, כָּ׳ עַל 12, 20, כָּתַב בַּסְּפָרִים in e. Brief schr. *write in a letter* 1 K 21, 9, עָשָׂה סְפָרִים Ko 12, 12, מָחָה מִסֵּ׳ Ex 32, 32 f; שָׁלַח סֵ׳ אֶל 2 K 5, 5, = c. סְפָרִים 1 K 21, 8, חָתַם סֵ׳ 1 K 21, 8, הֵבִיא סֵ׳ אֶל 2 K 5, 6, נָתַן סֵ׳ אֶל 2 K 22, 8, = c. לְ 2 K 22, 10, לָקַח סְפָרִים מִיַּד 2 K 19, 14; נָגֹל כַּסֵּפֶר Js 34, 4; פָּתַח סֵ׳ Ne 8, 5, קָרָא סֵ׳ Ex 24, 7, קָרָא בַּסֵּ׳ Ir 36, 8, דָּרַשׁ מֵעַל סֵ׳ Js 34, 16; סֵ׳ חָתוּם u. סֵ׳ גָּלוּי Ir 32, 14, מְגִלַּת סֵ׳ Ir 36, 2; שָׁמַע מֵעַל סֵ׳ Ir 36, 11, הֵשִׁיב סְפָרִים (rückgängig machen *undo, reverse*) Est 8, 5; אָמַר עִם סֵ׳ (mit schriftlicher Ausfertigung *by writing*) Est 9, 25; 2. Arten von Briefen *divers kinds of letters*: הַסְּפָרִים die Schriften *the writings, scripts* Da 9, 2; סֵ׳ בְּרִית Ex 24, 7 2 K 23, 2, סֵ׳ זִכָּרוֹן Ma 3, 16, סֵ׳ חָזוֹן Na 1, 1, סֵ׳ חַיִּים Ps 69, 29, סֵ׳ יַחַשׂ Ne 7, 5, סֵ׳ הַיָּשָׁר Jos 10, 13, סֵ׳ מִקְנָה Ir 32, 11—16, סֵ׳ כְּרִיתֻת Dt 24, 1, סֵ׳ תֹּלְדֹת Gn 5, 1; סֵ׳ יהוה Js 34, 16 Ps 139, 16 (סִפְרְךָ); סֵ׳ מִלְחֲמוֹת יהוה Nu 21, 14; סֵ׳ הַתּוֹרָה Dt 28, 61, סֵ׳ תּוֹרַת מֹשֶׁה Jos 8, 31, סֵ׳ תּ׳ אֱלֹהִים Jos 24, 26, סֵ׳ תּ׳ הָאֱ׳ Ne 8, 18, סֵ׳ תּ׳ יהוה Ne 9, 3; סֵ׳ מֹשֶׁה Ne 13, 1 2 C 35, 12; סֵ׳ דִּבְרֵי הַיָּמִים Est 2, 23 6, 1! 10, 2! Ne 12, 23, c. לְמַלְכֵי יִשְׂרָאֵל 1 K 14, 19—2 K 15, 31 (18 ×), c. לְמַלְכֵי יְהוּדָה 1 K 14, 29—2 K 24, 5 (14 ×), cj לַמֶּלֶךְ דָּוִיד 1 C 27, 24; סֵ׳ דִּבְרֵי שְׁלֹמֹה 1 K 11, 41; סֵ׳ מַלְכֵי יִשְׂרָאֵל 1 C 9, 1 2 C 20, 34 u. יְהוּדָה וְיִשְׂ׳ 2 C 25, 26, c. יִשְׂ׳ וִיה׳ 2 C 27, 7; סֵ׳ הַמְּלָכִים לִיה׳ וְיִשְׂ׳ 2 C 16, 11; מִדְרַשׁ סֵ׳ הַמְּלָכִים 2 C 24, 27; 3. סֵפֶר Schrift, Geschriebenes, **Schriftart** *writing, kind of writing* Js 29, 11 Da 1, 4. 17.

Der. ספר, סִפְרָה*, I מִסְפָּר; n. l. קִרְיַת סֵפֶר.

סֹפֵר, סוֹפֵר: II ספר; ak. *šāpiru* Schreiber, Bote, Beamter *scribe, messenger, official*; altaram. ספרא Lidzb., Altaram. Urkunden, 1921, 17; äga. ספרא; ug. *spr*: 1. **Schreiber** *scribe*, eines *of* שַׂר הַצָּבָא 2 K 25, 19 Ir 52, 25, 2 C 26, 11; Ne 13, 13; 2. (höchstes Hofamt *highest official at the court*) **Sekretär** (des Königs) *secretary* (*of the king*) (Begrich, Sofer usw. ZAW 58, 1—29): סֹפֵר הַמֶּלֶךְ 2 K 12, 11 2 C 24, 11, pl. Est 3, 12 8, 9; Namen v. Schreibern u. Sekretären *names of scribes a. secretaries*: שְׂרָיָה 2 S 8, 17; שְׁוְשָׁא 2 S 20, 25 1 C 18, 16; אֱלִיחֹרֶף u. אֲחִיָּה 1 K 4, 3; שֶׁבְנָה 2 K 18, 18. 37 Js 36, 3. 22 37, 2; שָׁפָן 2 K 22, 3. 8—12 Ir 36, 10 2 C 34, 15. 18. 20; אֱלִישָׁמָע Ir 36, 12. 20 f; בָּרוּךְ Ir 36, 26. 32; יְהוֹנָתָן Ir 37, 15. 20 1 C 27, 32; שְׁמַעְיָה 1 C 24, 6; 3. עֶזְרָא הַסֹּפֵר Sekretär für jüdische Angelegenheiten am persischen Hof *Secretary of Jewish belongings at the Persian Court* (Schaeder, Esra 39 ff) Esr 7, 11 Ne 8, 1. 4. 9. 13 12, 26. 36; 4. Schreiber, **Schriftgelehrter** *scribe* Esr 7, 6. 11 1 C 2, 55 2 C 34, 13; 5. (Schreibergerät *implements of scribe*) **F** דְּיוֹ, לִשְׁכָּה, קֶסֶת, תַּעַר, עֵט Ir 36, 12. 20 f; שֵׁבֶט סֹפֵר? Jd 5, 14. †

I **סְפָר**: II ספר; Aramaism.: **Zählung** *census* 2 C 2, 16. †

II ***סְפָר**: n. l.; loc. סְפָרָה: = Σάπφαρα ظَفَار in S. Arabien (B. Thomas, Arabia felix, 1932, 8 ff)? oder = *Safār* in Bahrein? Gn 10, 30; **F** II שֶׁפֶר. †

סְפָרַד: n. l.; V *Bosphorus*, Sy Tg *Hispania*; Sardis? aber *but ṡfaraē* vielleicht *possibly* = die Sardier *the Sardians* (Littmann, Sardis, 6, 22 u. 1, 11 f. 69); Weissbach VAB 3, 154: *Saparda* = Provinz Sardes: Sitz exilierter Jerusalemer *seat of exiles from Jerusalem*: Ob 20. †

***סִפְרָה** fem. v. סֵפֶר: **Schrift, Buchrolle** *writing, scroll* Ps 56, 9. †

סְפַרְוַיִם: n. l.; ספרוים in sy. Götterliste des *in sy. list of gods of* Jakob v. Sarug *F* Landersdorfer MVA 21, 115 f (= Sippar?); = *Šaumerija* ö. See v. *lake of* Ḥomṣ = Emesa (ZDP 8, 29) Šanda 225, *F* ZAW 32, 146; Albr. ARI 220: = סִבְרַיִם in N-Syrien: סְפַרְוַיִם: 2 K 17, 24. cj 31, 18, 34 Js 36, 19 2 K 19, 13 Js 37, 13; *F* סְפַרְוִים.

סְפַרְוִים: gntl. v. סְפַרְוַיִם: 2 K 17, 31.†

סְפֹרוֹת Ps 71, 15: l סְפֹרָה: †

סֹפֶרֶת: II ספר: Bildung wie *formation like* קֹהֶלֶת: (d. Hofamt der) **Schreiber** (*the office of the*) *s c r i b e s* (ZAW 48, 80): בְּנֵי הַסּ׳ Esr 2, 55 Ne 7, 57.†

סקל: ug. סקל = pi 2; mhb., ja.; סקל mit Steinwürfen töten *put to death by casts of stones* :: רגם mit e. Haufen v. Steinen zudecken *cover with a heap of stones*:

qal: pf. סָקַלְתֶּם, sf. סְקָלֻהוּ, סְקָלוּהָ, סְקָלֻתֹו, impf. יִסְקְלוּ, sf. יִסְקְלֻנוּ, inf. סָקוֹל, sf. סָקְלוֹ, imp. sf. סִקְלֻהוּ: 1. c. בָּאֲבָנִים; **mit Steinwürfen töten, steinigen** *put to death with casts of stones, stone* Dt 13, 11 17, 5 22, 21. 24 Jos 7, 25 1 K 21, 13; 2. (ohne *without* בָּאֲבָנִים) = Ex 8, 22 17, 4 1 S 30, 6 1 K 21, 10;†

nif: impf. יִסָּקֵל: **gesteinigt werden** *be stoned* Ex 19, 13 21, 28. 29. 32;†

pi: impf. וַיְסַקֵּל, sf. וַיְסַקְּלֵהוּ, imp. סַקְּלוּ: 1. c. בָּאֲבָנִים: **mit Steinen werfen** *pelt with stones* 2 S 16, 6. 13; 2. **von Steinen reinigen** *cleanse from stones* Js 5, 2; 3. c. מֵאֶבֶן **Steine aus dem Weg räumen** *free from stones* Js 62, 10;†

pu: pf. סֻקַּל: **gesteinigt werden** *be stoned* 1 K 21, 14 f.†

סַר: סרר; <**sarir*: f. סָרָה; adj.: **missmutig** *sullen* 1 K 20, 43 21, 4 f; dele pl. cs. סָרֵי Ir 6, 28.†

***סָרָב**: *F* *סָרָב.

***סָרָב**: *סרב mhb. pi. u. ja. pa. widerspenstig sein *be obstinate*, ܣܪܒ widersprechen *contradict*; <**sarrāb*: pl. סָרָבִים: **widerspenstig** *obstinate* Hs 2, 6 Si 41, 2.†

סַרְגוֹן (Var. סַרְגוּן), aram. שרכן Lidz. 382; n. m.; ak. *Šarru-ukīn*, Stamm 118 CIS 2, 32 (auch andre Personen *divers individuals*): **Sargon**: Js 20, 1.†

***סֶרֶד**: *F* סֶרֶד.

סֶרֶד: n. m.; *סרד; ug. *Bn-Srd*; S. v. זְבֻלוּן: Gn 46, 14 Nu 26, 26.† Der. סַרְדִּי.

סַרְדִּי: gntl. v. סֶרֶד: Nu 26, 26.†

I **סָרָה**: סור: **Aufhören** *ceasing* Js 14, 6.†

II **סָרָה**: סרר; <**sarrā*; ak. *sarratu* Aufruhr *rebellion*: **Widerspenstigkeit** *obstinacy* Js 1, 5 31, 6; דִּבֶּר סָרָה עַל **zum Abfall von ... aufrufen** *incite to rebellion against* Dt 13, 6 Js 59, 13 Ir 28, 16 29, 32.†

סִרָה: n. l., בּוֹר הַסִּרָה; = *סִירָה?: 2 S 3, 26.†

סָרוּחַ: סרח: pl. סְרוּחִים, cs. סְרוּחֵי: **überhängend** *overhanging* Ex 26, 13, **herabhängend** *pendant* Hs 23, 15, **hingeräkelt** *sprawling* Am 6, 4. 7.†

I **סרח**: mhb., ja. herabhängen *overhang*; سَرَحَ (Tiere) frei laufen lassen *set free to pasture* (*cattle*); asa. שרח u. ሠርሐ gedeihen *prosper*; *F* שָׂרַח:

qal: impf. תִּסְרַח, pt. f. סֹרַחַת: 1. **überhängen** (Teppich) *overhang* (*stuffs*) Ex 26, 12; 2. **wuchern** (Rebe) *grow luxuriantly* (*vine*) Hs 17, 6.† Der. סֶרַח, סָרוּחַ.

II **סרח**: ja. verwesen *putrefy*, af. stinkend machen *make putrefying*, sy. zerschneiden *cut in pieces*, סוּרְחָנָא Verdorbenheit *corruptness*; شَرَحَ zerschneiden *cut in pieces*:
nif: pf. נִסְרְחָה: **stinkend, verderbt werden** *become putrefying, corrupt* (חָכְמָה) Ir 49, 7, cf. Si 42, 11 marg. שם סרח. †

סֶרַח: I סרח: d. **Überhängende** *the overhanging* Ex 26, 12. †

*__סִרְיוֹן__: F שִׁרְיוֹן: äg. *ṯrjn* (*ṯi-ir(ra)-ja-na* Albr. Voc. 36) (Determ. Leder *leather*, also *therefore*) Schuppenpanzer *scaly coat of mail*; > ak. (westsem. LW) *siriam*, *širiam*: sf. סִרְינוֹ, pl. סִרְינֹות: **Schuppenpanzer** *scaly mail* Ir 46, 4 51, 3; cj סִרְינוֹ Hi 41, 5. †

סָרִיס: ak. *ša rēsi* (*šarri*) der am Kopf (des Königs) *he on the head* (*of the king*) ZA 7, 134 34, 91 f; mhb.; altaram. סרסא; äga., ja., sy., cp. סריסא; > سَرِيس: cs. סְרִיס, pl. cs. סָרִיסֵי u. pl. (wie wenn *as if sarrīs*) סָרִיסִים, cs. סָרִיסֵי, sf. סָרִיסָיו: **Hofbeamter** *court-official*: in מִצְרַיִם Gn 37, 36 39, 1 40, 2. 7, in אַשּׁוּר 2 K 18, 17, in בָּבֶל 2 K 20, 18 Js 39, 7 Ir 39, 3. 13 Da 1, 3. 7—11. 18, in שׁוּשַׁן Est 1, 10. 12. 15 2, 3. 14 f. 21 4, 4 f 6, 2. 14 7, 9, in יְרוּשָׁלַםִ 2 K 23, 11 24, 12. 15 25, 19 Ir 29, 2 34, 19 38, 7 41, 16 52, 25, in יִשְׂרָאֵל 1 S 8, 15 1 K 22, 9 2 K 8, 6 9, 32, bei *with* דָּוִד 1 C 28, 1 2 C 18, 8 F II רַב; **Eunuch** *eunuch* Js 56, 3 f Est 2, 3. 14 f 4, 4 f Si 30, 20. †

*__סרן__: סֶרֶן.

*__סֶרֶן__: *סרן: ja., sy. סַרְנָא: pl. cs. סַרְנֵי: **Radachse** *axletree* 1 K 7, 30. †

סְרָנִים: *סרן, *סֶרֶן?; kleinas. LW?; F Zimm. 7; RÉJ 82, 223; Stähelin, D. Philister, 25. 40; Tiktin, Kritische Untersuch. zu T. d. Samuelbüchern 1920, 10; Bossert OLZ 30, 652 :: Bork AOF 13, 228: > τύραννος: **Fürsten** (nur von Philistern) *lords* (*Philistians only*) Jos 13, 3 Jd 3, 3 16, 5. 8. 18. 23. 27 1 S 5, 8. 11 6, 4. 12. 16 7, 7 29, 2, 6 f 1 C 12, 20 Si 46, 18. †

*__סַרְעַפָּה__: < *סְעַפָּה: pl. sf. סַרְעַפֹּתָיו: **Zweig** *bough* (אֶרֶז) Hs 31, 5. †

סרף: F שׂרף:
pi: pt. sf. מְסָרְפוֹ: (Leichen) **verbrennen** *burn* (*corpses*) Am 6, 10. †

סִרְפַּד: aram. n. m. סרפד Lidz. 331; < *סַפַּד? Ruž. 136; ספד: wohl **Brennessel** *probably stinging nettle*, Urtica urens L. (Löw 3, 480) Js 55, 13. †

סרר: mhb., ak. *sarāru* widerspenstig sein *be rebellious*:
qal: pf. סָרַר, pt. סוֹרֵר, סוֹרֵרָה, סֹרֶרֶת, סֹרָרֶת, pl. סוֹרְרִים, **störrisch sein** *be stubborn, rebellious*: פָּרָה Ho 4, 16, כָּתֵף Sa 7, 11 Ne 9, 29, אָדָם Dt 21, 18. 20 Js 1, 23 Ho 9, 15, gegen Gott *against God* Js 30, 1 65, 2 Ir 6, 28 Ps 66, 7 68, 7. 19 78, 8, cj סָרוֹ יִסּוֹרוּ Ho 7, 14; לֵב Ir 5, 23; אִשָּׁה Pr 7, 11 (Driver ZAW 50, 141 = ak. *sarāru* unbeständig sein *be unsteady, unsettled*). †
Der. סַר, II סָרָה.

*__סתה__: סְתָו.

סְתָו: (K סְתִיו Gordis 92; BL 587): *סתה; ak. *šatū* bewässert werden *be watered*; altaram. שתוא; ja. סִתְוָא, ܣܬܘܐ, mnd. סיתוא; شِتاء: **Regenzeit, Winter** *season of rains, winter* Ct 2, 11. †

סְתוּר: n. m.; סתר; Dir. 173 סתרה; Noth S. 158: Nu 13, 13. †

סתם: mhb., ja. verstopfen *stop up*; mnd. סראם; sum. *šutummu* Vorratshaus *store-house*; F שׂתם:
qal: pf. סָתַם, impf. וַיִּסְתְּמוּ, תִּסְתְּמוּ, inf.

לְסְתֹּם, imp. סְתֹם, pt. סֹתֵם, סְתֻמִים: 1. (Wasserstellen) verstopfen, unkenntlich machen *stop up, make unrecognizable* (*watering-places*) 2 K 3, 19. 25 2 C 32, 3 f. 30; 2. (Worte, Gesichte) geheim halten *keep close, secret* (*words, visions*) Hs 28, 3 Da 8, 26 12, 4. 9; 3. בַּסָּתֻם insgeheim *secretly* Ps 51, 8; †

nif: cj pf. נִסְתַּם Sa 14, 5, inf. הִסָּתֵם: verstopft, geschlossen werden *be closed*: Breschen *breaches* (*in wall*) Ne 4, 1, Tal *valley* cj Sa 14, 5 (3 ×; *F* Jos. Antt. IX 10, 4); †

pi: pf. sf. סִתְּמוּם, impf. sf. וַיְסַתְּמוּם: (Brunnen) verstopfen *stop up* (*wells*) Gn 26, 15. 18. †

סתר: ug. *str*; mhb., aram. *F* ba.; سَتَرَ, ሰተረ verbergen *hide*; asa. השׂתר schützen *protect*; äg. *mśtr.t* Schurz *apron*:

nif: pf. נִסְתַּר, נִסְתְּרָה, נִסְתָּרָה, נִסְתָּרְנוּ, impf. יִסָּתֵר, אֶסָּתֵר, תִּסָּתְרוּ, imp. הִסָּתֵר, לְהִסָּתֵר, pt. נִסְתָּר, נִסְתָּרִים, נִסְתָּרוֹת; וְנִסְתָּר Pr 22, 3 = K וְיִסָּתֵר oder *or* = Q וְנִסְתָּר: 1. sich verbergen *conceal, hide* (מִן vor *from*) Gn 4, 14 Dt 7, 20 1 S 20, 5. 19 1 K 17, 3 Js 28, 15 Ir 16, 17 23, 24 36, 19 Am 9, 3 Ps 55, 13 89, 47 (Gott *God*) Pr 22, 3 27, 12 28, 28 Hi 13, 20 34, 22; 2. verborgen sein *be concealed, hidden* (מִן vor *from*) Gn 31, 49 Js 40, 27 65, 16 Ho 13, 14 (= unbekannt sein *be unknown*) Ps 19, 7 38, 10 Hi 3, 23 28, 21; unentdeckt bleiben *remain undiscovered* Nu 5, 13, geborgen bleiben *be sheltered* Ze 2, 3; pt. fem. Verborgenes *hidden, secret things* Dt 29, 28 Si 3, 22, verborgene Fehler *hidden sins* Ps 19, 13; †

pi: imp. סַתְּרִי: verbergen *conceal* Js 16, 3; †

pu: pt. fem. מְסֻתָּרֶת: geheim gehalten (*carefully*) *concealed* Pr 27, 5; †

hif: pf. הִסְתִּיר, הִסְתַּרְתָּ, הִסְתִּירוּ, sf. הִסְתִּירַנִי, impf. יַסְתִּיר, וַיַּסְתֵּר, אַסְתִּירָה, וַיַּסְתִּרוּ, sf. יַסְתִּירֵנִי, תַּסְתִּירֵם, inf. הַסְתֵּר, לַסְתִּר < לְהַסְתִּיר*, Js 29, 15, imp. הַסְתֵּר, pt. מַסְתִּיר: verbergen *hide, conceal* Ex 3, 6 Js 50, 6 (Gesicht verhüllen *hide the face*) 1 S 20, 2 2 K 11, 2 2 C 22, 11 Js 29, 15 49, 2 Ir 36, 26 Ps 17, 8 27, 5 31, 21 64, 3 (מִן vor *from*) 119, 19 (Gott seine Gebote *God his commandments*) Pr 25, 2 (:: חקר) Hi 3, 10 14, 13; Gott verbirgt, entzieht sein Gesicht *God hides, withdraws his face* Dt 31, 17 f 32, 20 Js 8, 17 54, 8 57, 17 59, 2 64, 6 Ir 33, 5 Hs 39, 23 f. 29 Mi 3, 4 Ps 10, 11 13, 2 22, 25 27, 9 30, 8 44, 25 51, 11 69, 18 88, 15 102, 3 104, 29 143, 7 Hi 13, 24 34, 29; †

hitp: impf. תִּסְתַּתֵּר, pt. מִסְתַּתֵּר: sich verborgen halten *keep oneself hidden* 1 S 23, 19 26, 1 Js 29, 14 45, 15 (Gott *God*) Ps 54, 2. †

Der. מִסְתָּר, מִסְתּוֹר, מִסְתָּר, סֵתֶר, סִתְרָה; n. m. סְתוּר, סִתְרִי.

סֵתֶר: סֵתֶר: סֵתֶר, sf. סִתְרִי, pl. סְתָרִים: 1. Versteck *hiding-place* Dt 27, 15. 24 28, 57 1 S 19, 2 Js 16, 4 28, 17 32, 2 Ps 18, 12 27, 5 31, 21 61, 5 91, 1 101, 5 119, 114 Hi 22, 14 40, 21 Ct 2, 14; דְּבַר־סֵתֶר Wort im Geheimen *secret, private word* Jd 3, 19, בְּסֵתֶר הָהָר vom Berg gedeckt *covered by the mountain* 1 S 25, 20, לֶחֶם סְתָרִים heimliches Br. *bread eaten in secrecy* Pr 9, 17, לְשׁוֹן סָתֶר heimliches Geschwätz *secret talk* 25, 23; סֵתֶר פָּנִים Hülle auf d. Gesicht *cover on the face* Hi 24, 15; 2. בַּסֵּתֶר heimlicherweise *secretly* Dt 13, 7 2 S 12, 12 Js 45, 19 48, 16 Ir 38, 16 40, 15 Ps 139, 15 Pr 21, 14 Hi 13, 10 31, 27; im Geheimen *in secrecy* Ir 37, 17. †

סִתְרָה: fem. v. סֵתֶר: Versteck *hiding-place* Dt 32, 38 (1 יְהִי). †

סִתְרִי: n. m.; KF; AP n. m. סתרי; Noth S. 158: Ex 6, 22. †

ע, עַיִן (Driv. SW 215), später Zahlzeichen = 70, *later on = number 70.* Hebräisches ע deckt im Arabischen, Südarabischen, Ugaritischen zwei verschiedene Laute *Hebrew* ע *corresponds in Arabic, South Arabic, Ugaritic to two different sounds*: ع = ʿ, غ = ġ. G scheint den Unterschied noch gehört zu haben *to G the difference of those sounds seems to have been still audible*, F עַזָּה, עֲמֹרָה. Auch das Ägyptische scheint ihn noch zu hören *Egyptian too seems it still to hear*, F מַעֲרָה. Das Griechische kennt, wie die andern indogermanischen Sprachen, diese Laute überhaupt nicht und greift zu Behelfen *Greek, like all Indogerman languages, lacks corresponding sounds a. expresses* ע *with other expedients*: בִּלְעָם (Βαλ)α(αμ) *(Bal)a(am)*, גִּדְעוֹן, (Γεδ)ε(ων) *(Ged)e(on)*. Hebr. ע = ak. ḫ F עָמְרִי על. F Ruž. ZA 21, 293 ff, WZK 26, 96 ff; Flashar ZAW 28, 194 ff. 303 ff; VG 1, 43 f.

I עָב: *עבב: cs. עָב (ö), pl. עֻבִּים: unklarer Bauterminus *architect. t. t., unknown*; Baldachin? *canopy?* ZA 45, 115: 1 K 7, 6 Hs 41, 25 f. †

II עָב: I עוב: cs. עָב (ā) Js 18, 4, pl. עָבִים, cs. עָבֵי, sf. עָבָיו, u. עָבוֹת: **1.** עָב **Gewölk** *clouds* 1 K 18, 44 Js 14, 14 19, 1 25, 5 44, 22 60, 8 Pr 16, 15 Hi 20, 6 30, 15 36, 29 37, 11. 16 38, 34; עָב טַל Tauwolke *cloud of dew* Js 18, 4; cs. l עֲבִי Ex 19, 9 2 S 22, 12 u. Ps 18, 12; **2.** pl. עָבִים **Wolken** *clouds* Jd 5, 4 1 K 18, 45 Js 5, 6 Ps 18, 13, 104, 3 147, 8 Hi 22, 14 26, 8 Ko 11, 3 f 12, 2; **3.** pl. עָבוֹת **Wolken** *clouds* 2 S 23, 4, cj Hs 31, 3. 10 u. 14, cj (pro עָבָר) Ha 3, 10, Ps 77, 18. †

III *עָב: II עוב: pl. cs. עָבֵי: **Dickicht** *thicket* (l בְּעָבֵי יְעָרִים) Ir 4, 29; F *עָבִי. †

עָב Ex 19, 9: l עֲבִי.

***עבב**: F I עָב.

עבד: ug. ʿ*bd* arbeiten *work*; mhb. = hebr. dienen, verehren *serve, worship*; ph. עבד Sklave, Verehrer *slave, worshipper*; altaram, F ba.; عَبَدَ, asa. עבד; ak. LW *abdu* Zimm. 47: qal (266 ×): pf. עָבַד, עָבַדְתִּי, עֲבַדְתֶּם, עָבְדוּ, עֲבָדוּם, sf. עֲבַדְתַּנִי, עֲבָדָהּ, impf. יַעֲבֹד, עֲבָדוּ, נַעֲבֹדָה, תַּעַבְדוּן, יַעַבְדוּ, יַעֲבֹדוּ, אֶעֱבֹד, sf. יַעַבְדֵנוּ, אֶעֱבָדְךָ, יַעַבְדֻנִי, יַעַבְדֶךָּ, נַעַבְדֶךָּ, inf. עֲבֹד, עֲבֹד־, sf. עָבְדָם, עָבְדֵנוּ, imp. עֲבֹד, עִבְדוּ, עִבְדֵי, עֹבְדִים, pt. עֹבֵד, sf. עֹבְדֵהוּ, עֹבְדָיו: **1.** absol. **arbeiten** *work* Ex 5, 18 20, 9 34, 21 Dt 5, 13 Ko 5, 11, cj 1 S 2, 5; **2.** c. ac. **bearbeiten** (Acker) *till* (*ground*) Gn 2, 5 4, 2. 12 2 S 9, 10; עֹבֵד אֲדָמָה Gn 4, 2 Sa 13, 5, pl. Js 30, 24, **bestellen** *dress*: גַּן Gn 2, 15, כֶּרֶם Dt 28, 39, פִּשְׁתִּים Js 19, 9; עָבַד בְּ **arbeiten mit** (Tier) *work with* (*animal*) Dt 15, 19; **3.** c. לְ **arbeiten für jmd, dienen** *work for, serve him* 1 S 4, 9 2 S 16, 19; c. לִפְנֵי dienen vor *serve in the presence of* 2 S 16, 19; **4.** c. ac. e. Herrn **als Sklave dienen** *serve a master as slave* Ex 21, 6 Dt 15, 12. 18 Ir 34, 14; vom Sohn gesagt *said of the own son* Ma 3, 17, v. *of* יַעֲקֹב Gn 29, 15. 18 30, 26. 29 31, 6, v. Tier *of animal* Hi 39, 9; politisch *as political term*: Stamm *tribe* Gn 25, 23, König *king* 2 K 18, 7, Volk *people* Gn 15, 14 Ex 14, 5 Dt 28, 48 2 K 25, 24 u. oft *a. often*; absol. **Sklave sein** *be slave* Ex 21, 2; 5. Besondere Wendungen *particular phrases*: a) עָבְדֵי הָעִיר **in** d. Stadt **arbeiten** *work in the town* Hs 48, 18 f; עָבַד c. עִם Gn 29, 25 u. c. עִמָּד 29, 27 **bei jmd dienen** *serve with a person*; מַס עֹבֵד F מַס 2; b) עָבַד בְּ **dienen für** (um zu erwerben) *serve, work for* (*to acquire*) Gn 29, 20. 25 30, 26 31, 41 Ho 12, 13; Hs 29, 20; c) עָבַד בְּ Lv 25, 46 Ir 22, 13, 25, 14. cj. 11, 30, 8 34, 9 f Hs 34, 27 < עָבַד עֲבֹדָה בְּ Ex 1, 14 Lv 25, 39 jmd **im Dienst halten,** jmd **arbeiten lassen** *work by means of another* (*'s work*), *use one as worker, slave*; d) c. ac. **zu Willen sein** *be a servant for, yield* 1 K 12, 7; e) **ausführen, tun** *perform, do* Nu 4, 26; f) **Dienst tun** *serve* Nu 8, 25; g) עָבַד עֲבֹדָה e. (kultischen) Brauch üben *perform a* (*cultic*) *rite* Ex 13, 5, (kultischen) **Dienst tun** *perform* (*cultic*) *function* Nu 3, 7 f 16, 9, c. בְּ an *at* Nu 4, 23, c. עֲבֹדַת יהוה Nu 8, 11 Jos 22, 27; עָבַד אֶת Js 19, 21, עָבַד זֶבַח für jmd opfern Ex 10, 26; 6. e. Gott **dienen,** e. Gott **verehren** (eigentlich: ihm Kult leisten) *serve a god, worship a god* (*properly*: *perform his cult*): Gott *God* Ex 3, 12 Ma 3, 14. 18 1 C 28, 9, יהוה (56 ×) Ex 4, 23 Dt 6, 13 Jd 2, 7 1 S 7, 3 Ir 2, 20 Ps 100, 2, Götter *gods* (41 ×) Ex 23, 33 Dt 4, 28 Jos 23, 7 Jd 2, 19, Ir 5, 19, Gestirne *stars* Dt 4, 19 2 K 21, 3 Ir 8, 2 2 C 33, 3, שֵׁדִים Hi 21, 15, בְּעָלִים Jd 2, 11. (לְ) 13 3, 7 10, 6. 10 1 S 12, 10, בַּעַל v. Tyrus *of Tyre* 1 K 16, 31 22, 54 2 K 10, 18—23 17, 16, גִּלֻּלִים 2 K 17, 12 21, 21 Hs 20, 39, פֶּסֶל Ps 97, 7, פְּסִילִים 2 K 17, 41 2 C 33, 22, עֲצַבִּים Ps 106, 36 2 C 24, 18; l יְכַבְּדוּן Ps 22, 31;

nif†: pf. נֶעֱבַדְתֶּם, נֶעֱבָד, impf. יֵעָבֵד: 1. **bearbeitet werden** *be cultivated* Hs 36, 9; 2. **bebaut werden** *be cultivated* Hs 36, 34 Ko 5, 8; 3. יֵעָבֵד **es wird Ackerbau getrieben** *it is tilled* Dt 21, 4;

pu†: pf. עֻבַּד: 1. c. בְּ: **es wird gearbeitet mit** *it is worked with* Dt 21, 3; 2. c. בְּ: **er wird geknechtet** *he is made slave* Js 14, 3;

hif†: pf. הֶעֱבַדְתִּיךָ, הֶעֱבַדְתַּנִי, sf. הֶעֱבִיר, impf. וַיַּעֲבֵד, וַיַּעֲבִדוּ, inf. הַעֲבִיד, pt. מַעֲבִדִים: 1. **zur Arbeit anhalten** *compel to labour as slave* Ex 1, 13 2 C 2, 17; **anhalten** zu etw. *compel to a thing* 2 C 34, 33; 2. **in Knechtschaft nehmen, halten** *cause, keep to serve* Ex 6, 5 Js 43, 23 f; 3. **dienstbar machen** *make to serve* Ir 17, 4, cj Gn 47, 21 u. 2 S 12, 31 u. Ir 15, 14; 4. c. עֲבֹדָה **Arbeit tun lassen** *cause to serve* Hs 29, 18;

hof†: impf. sf. נָעָבְדֵם, תָעָבְדֵם: c. sf. obj. **sich zu jmd.s Dienst, Kult bringen lassen** *let oneself be caused to serve, worship a person* (*god*) Ex 20, 5 23, 24 Dt 5, 9 13, 3.

Der. I עֶבֶד, עָבָד*, עֲבֹדָה, עֲבֻדָּה, עַבְדֻת, עֹבֵד, עֹבֵד־אֱדוֹם, n. m. II עֶבֶד, מַעְבָּד*; עֶבֶד־מֶלֶךְ, עַבְדָּא, עַבְדְּאֵל, עַבְדִּיאֵל, עַבְדּוֹן, עַבְדִּי, עֹבַדְיָה(וּ), עֲבֵד נְגוֹ.

I עֶבֶד: 780 ×; 341 × = παῖς, 311 × = δοῦλος, 43 × = θεράπων: ug. ʿ*bd*, ak. *abdu*, ostkan. (*h*)*abdu*/*i* (Bauer, Ostkan. 73a); ph.; mhb.; aram. עַבְדָּא; F ba., عَبْد, asa. עבד (Bedeutung fast überall sowohl Sklave wie (kultischer) Verehrer *meaning almost everywhere both slave and worshipper*): עֶבֶד, sf. עַבְדּוֹ, pl. עֲבָדִים, cs. עַבְדֵי, sf. עֲבָדָיו, עַבְדֵיהֶם; masc. (f. *עַבְדָּה gibt es nicht *not existing*): 1. (leibeigner) **Sklave** *slave* (*held in bondage*): עֲבָדִים וּשְׁפָחֹת Gn 12, 16, עַבְדּוֹ וַאֲמָתוֹ Ex 20, 17, עֶבֶד: אֲדֹנָיו Dt 23, 16 Js 24, 2 Ma 1, 6, עֶבֶד עוֹלָם Dt 15, 17 1 S 27, 12 Hi 40, 28; עֶבֶד// יְלִיד בַּיִת Ir 2, 14; עֶבֶד kann sein *may be* יְלִיד בַּיִת oder or מִקְנַת־כֶּסֶף Gn 17, 12; בֵּית עֲבָדִים Sklavenzwinger *enclosure where slaves are bred* Ex 13, 3 Dt 5, 6 6, 12 7, 8 8, 14 13, 6. 11 Jd 6, 8 Ir 34, 13 Mi 6, 4; לָקַח לְעֶבֶד Gn 43, 18, נָתַן עֶבֶד 1 K 9, 22, קָנָה עֶבֶד Ko 2, 7, נִמְכַּר לְעֶבֶד Ps 105, 17, מִמְכֶּרֶת עֶבֶד Lv 25, 42; entlaufen *run away* 1 K 2, 39, שִׁלַּח עֶבֶד Ir 34, 9, הֵשִׁיב 34, 16, עֶבֶד חָפְשִׁי מֵאֲדֹנָיו Hi 3, 19; F Gn 24, 34 26, 19 39, 17 1 K 11, 17 2 S 9, 10 (עֲבָדִים 20); [בְּנֵי] עַבְדֵי שְׁלֹמֹה Staatssklaven *slaves of the state* (BAS 85, 14 ff) 1 K 9, 27 2 C 8, 18 9, 10 Esr 2, 55—58 Ne 7, 57—60 11, 3; 2. **Knecht** (auf Zeit, nicht leibeigen) *servant* (*temporarely, without bondage*) 1 S 29, 3; militärisch: **Untergebner** (*military*) *subject* Gn 14, 15; עֲבָדִים :: שָׂרִים 2 S 19, 7 1 K 9, 22 2 C 32, 9, עֲבָדָיו :: סָרִיסָיו 1 S 8, 15; politisch: **Untertan** (*political*) *subject* Gn 20, 8 Jd 3, 24, עֲבָדִים לְדָוִד (אֱדוֹם, בְּנֵי עַמּוֹן, מוֹאָב) 1 C 18, 2. 6. 13; הָיָה עֶבֶד für 3 Jahre *for 3 years* 2 K 24, 1; Unterwerfungsformel *formula of submission*: עֲבָדֶיךָ אֲנַחְנוּ 2 K 10, 5; 3. עֶבֶד e. Abhängiger in Vertrauensstellung: **Knecht, Diener** *a subject in position of trust*: *servant*: שַׂר הַמַּשְׁקִים u. שַׂר הָאֹפִים Gn 40, 20, שַׂר הַטַּבָּחִים (hat selber *owns himself* עֶבֶד) 41, 12; עֶבֶד הַמֶּלֶךְ F Eph 2, 141 ff, Albr. JBL 51, 79 f, = Minister, Berater *minister, adviser* F עֲבַדְיָהוּ: 2 K 22, 12 2 C 34, 20, auch *also* Ne 2, 10. 19?, pl. 1 K 1, 47; עַבְדֵי נַעֲמָן 2 K 5, 6; 4. עֶבֶד in höflicher Selbsterniedrigung *formula of polite humiliation*: עַבְדְּךָ = ich *I* Gn 18, 3 (29 ×), עַבְדְּכֶם = ich *I* Gn 18, 5, עַבְדּוֹ = ich *I* Gn 33, 14, עֲבָדֶיךָ = wir *we* Gn 42, 10, עֲבָדָיו = wir *we* Gn 44, 19; עֶבֶד אֲדֹנִי = ich *I* Da 10, 7; 5. עֶבֶד drückt (bald nach 1., bald nach 3.) die Stellung des Menschen zu Gott aus עֶבֶד *expresses* (*according to now 1., now 3.*) *man's position before God*: עַבְדְּךָ Gn 24, 14, עֲבָדַי Lv 25, 55, //בְּחִירַי Js 65, 9, cj 43, 10; עַבְדִּי כָלֵב Nu 14, 24; עַבְדִּי מֹשֶׁה Nu 12, 7 f 2 K 21, 8, מֹשֶׁה עַבְדִּי Jos 1, 2. 7 Ma 3, 22, מֹשֶׁה עַבְדּוֹ Ex 14, 31 Jos 9, 24 11, 15 1 K 8, 56 Ps 105, 26, מֹשֶׁה עַבְדְּךָ 1 K 8, 53 Ne 1, 7 f 9, 14, מ׳ עֶבֶד הָאֱלֹהִים Da 9, 11 1 C 6, 34 2 C 24, 9 Ne 10, 30, מ׳ עֶבֶד יהוה Jos 1, 13 Dt 34, 5 (14 ×); יְהוֹשׁוּעַ עֶבֶד יהוה Jos 24, 29 Jd 2, 8; עַבְדִּי אֶלְיָקִים Js 20, 3; עַבְדִּי יְשַׁעְיָהוּ Js 22, 20; דָּוִד עַבְדִּי Js 37, 35 Hs 37, 25 Ps 89, 4. 21 1 C 17, 4, עַבְדִּי דָוִד Hs 34, 23 37, 24 1 C 17, 7, דָּוִד עַבְדְּךָ Ps 132, 10 1 C 17, 24 2 C 6, 15—17. 42; דָּוִד עַבְדּוֹ 1 K 8, 66 Ps 78, 70 144, 10; יִשְׂרָאֵל עַבְדִּי Js 41, 8, יִשְׂרָאֵל עַבְדּוֹ Ps 136, 22; יַעֲקֹב עַבְדִּי Js 44, 1, עַבְדִּי יַעֲקֹב Js 44, 2, 45, 4 Ir 46, 27. 28 Hs 28, 25 37, 25; עַבְדּוֹ יַעֲקֹב Js 48, 20; עַבְדִּי אִיּוֹב Hi 1, 8 2, 3 42, 7 f; עַבְדּוֹ אֲחִיָּהוּ 1 K 14, 18 15, 29; עַבְדּוֹ אֵלִיָּהוּ 2 K 10, 10; עַבְדּוֹ יוֹנָה 2 K 14, 25; זְרֻבָּבֶל עַבְדִּי Hg 2, 23; עַבְדִּי צֶמַח Sa 3, 8; נְבוּכַדְנֶאצַּר עַבְדִּי Ps 105, 6. 42; אַבְרָהָם עַבְדּוֹ Ir 27, 6; Abraham, Isaak, Jakob עֲבָדֶיךָ Ex 32, 13 Dt 9, 27; Jahves Knecht *the Servant of Yahveh* עֶבֶד יהוה Dt 34, 5 Jos 1, 13 8, 31. 33 11, 12 12, 6 13, 8 14, 7 18, 7 22, 2. 5 24, 29 Jd 2, 8 2 K 18, 12 Js 42, 19 Ps 18, 1 36, 1 2 C 1, 3 24, 6, pl. 2 K 9, 7 10, 23 (עַבְדֵי הַבַּעַל ::) Js 54, 17 Ps 113, 1 134, 1 135, 1; Formel *formula*: עַבְדִּי אָתָּה Js 41, 9 44, 21 49, 3; עַבְדִּי Js 42, 1. 19 52, 13 53, 11; עֲבָדַי הַנְּבִיאִים Ir 7, 25 26, 5 35, 15 44, 4 2 K 9, 7 17, 13 Hs 38, 17! Sa 1, 6!, עֲבָדֶיךָ הַנְּבִ׳ Esr 9, 11; Da 9, 6; עֲבָדָיו הַנְּבִ׳ Am 3, 7 Ir 25, 4 Da 9, 10; 1 דַּבְּרֶךָ Ps 119, 122.

II עֶבֶד: n. m.; = I; Dir. 353; asa. n. m. עבד: 1. Jd 9, 26—35; 2. Esr 8, 6.†

*עֲבָד: עבד; aram.: pl. sf. עַבְדֵיהֶם: **Tat** *work* Ko 9, 1.†

עֹבֵד־אֱדוֹם 2 S 6, 10 u. עֹבֵד אֱדֹם, pu. n. m. Lidz. 332: n. m.; G Αβεδδαραμ < *Αβεδαδαμ = *עֹבֵד אֲדָם?: 2 S 6, 10—12 1 C 13, 13 f 15, 25; derselbe *the same?* 1 C 15, 18. 21. 24 16, 5. 38 26, 4. 8. 15 2 C 25, 24; F גִּתִּי. †

עֶבֶד־מֶלֶךְ: n. m.; nab. Cant. 2, 114; keilschr. *Abdimilki* APN 3; I עֶבֶד 5 u. (Gott *god*) מֶלֶךְ: כּוּשִׁי Ir 38, 7—12 39, 16. †

עֲבֵד נְגוֹ u. עֲבֵד נְגוֹא Da 3, 29: n. m.; < *עֶבֶד נְבוֹ; I עֶבֶד 5 u. (Gott *god*) נְבוֹ: n. m. עבד נבו Aimé-Giron 27; absichtlich entstellt *intentionally corrupted*: = עֲזַרְיָה Da 1, 7 2, 49 3, 12—30. †

עַבְדָּא: n. m.; KF (I עֶבֶד 5); keilschr. *Abdā* u. *Abda'* APN 3; ph. n. m. עבדא, nab. Cant. 2, 125: 1. 1 K 4, 6; 2. Ne 11, 17, = עֹבַדְיָה 1 C 9, 16. †

עַבְדְּאֵל: n. m.; < F עַבְדִּיאֵל: Ir 36, 26. †

עֲבֹדָה u. (nur 1. 2 C *only*) עֲבוֹדָה (beide *both* 140 ×): עבד: cs. עֲבֹדַת, sf. עֲבֹדָתוֹ, עֲבֹדַתְכֶם: 1. **Arbeit** *work, labour* Ex 5, 11 6, 6 Ps 104, 23, מַעֲשֶׂה//עֲבֹדָה Js 32, 17; עֲבֹדַת עֶבֶד Sklavenarbeit *labour of slave* Lv 25, 39, עֲ׳ מַשָּׂא Arbeit des Tragens *work of bearing* Nu 4, 47, רֹב עֲבֹדָה viel Arbeit *plenty of work* Th 1, 3, עֲבֹדַת הָאֲדָמָה Feldarbeit *field-labour* 1 C 27, 26; s. (des Menschen) Arbeit *his (man's) work* //פָּעֳלוֹ Ps 104, 23, s. (Gottes) Werk *his (God's) work* Js 28, 21; עָרֵי עֲבֹדָתֵנוּ unsre Ackerbaustädte *our agricultural cities* Ne 10, 38; עֲבֹדַת הַבּוּץ d. Byssusarbeit(er) *the work(ers) of byssus* 1 C 4, 21, הָעֲבֹדָה die Arbeiten *the work* Ex 39, 42, מְלֶאכֶת עֲבֹדָה Arbeitsverrichtung *doing of work* Lv 23, 7: **Arbeit, Fron** *labour, (compulsory) service* Ex 1, 14 2, 23 5, 9. 11 6, 9 Dt 26, 6 1 K 12, 4 Js 14, 3 2 C 10, 4; 2. **Dienst** (den man leistet) *service*: עֲבֹדַת יהוה Dienst J.s. *service of Y.* Jos. 22, 27, עֲבֹדָתִי Dienst für mich *service for me* Gn 30, 26:: עֲבֹדַת מַמְלְכוֹת Dienst für (irdische) Reiche *service for (earthly) kingdoms* 2 C 12, 8; עֲ׳ אֹהֶל Dienst am Zelt *service at the tabernacle* Ex 30, 16, עֲ׳ בֵּית יְ׳ 1 C 23, 24, עֲ׳ הַמִּשְׁכָּן Nu 3, 7; עָבַד עֲבֹדָה Dienst tun *perform service*, c. עָמַד Gn 29, 27, c. אֵת 30, 26, cj 2 S 19, 19 (l עֲבֹדַת עַבְדוֹ); עֲבֹדָה Bedienung *service*, c. הַלְוִיִּם Esr 8, 20; **Gottesdienst** (*cultic*) *service*: כְּלֵי הָעֲ׳ die gottesdienstlichen Geräte *the vessels of worship* 1 C 9, 28; עֲ׳ וַעֲ׳ die einzelnen gottesdienstlichen Handlungen *the various acts of worship* 1 C 28, 14 2 C 34, 13; עֲבֹדַת עֲבֹדָה die Arbeit des Dienstes *the work of service* Nu 4, 47; 3. עֲבֹדָה (kultischer) **Brauch** *usage (of worship)* Ex 12, 25 f, שָׁמַר עֲ׳ 13, 5; l עֲבֻדַּת Ps 104, 14.

עֲבֻדָּה: עבד (Gulk. Abstr. 18. 25. 30): **Sklaven, Gesinde** *slaves, servants (as body)* Gn 26, 14 Hi 1, 3, cj עֲבֻדַּת Ps 104, 14. †

I **עַבְדּוֹן**: n. m.; II עֶבֶד u. *-ōn*; keilschr. n. m. *ʿAbde* Thiersch u. Hölscher MDO 23, 10: 1. Jd 12, 13. 15; 2.—4. 1 C 8, 23; 8, 30 9, 36; 2 C 34, 20. †

II **עַבְדּוֹן**: n. l.; = I: *Ch. ʿAbde* 19 km nö. עַכּוֹ (ZAW 45, 71): Jos 21, 30 1 C 6, 59, cj Jos 19, 28. †

עַבְדִּי: n. m. KF; < עַבְדִּיאֵל?; Dir. 124 f; keilschr. *Abdī* APN 3: 1.—3. 1 C 6, 29; 2 C 29, 12; Esr 10, 26. †

עַבְדִּיאֵל: n. m.; I עֶבֶד 5 u. אֵל; > עַבְדְּאֵל; keilschr. n. m. *Abdi-ili* APN 3, *Abdi-AN* Bauer, Ostkan. 9. 50, keilschr. in Ras Schamra *Abdi-ilu* Sy 15, 138: 1 C 5, 15. †

עֹבַדְיָה: n. m.; < עֹבַדְיָהוּ: **Obadja** *Obadiah*,

ʼΟβδίας, *Abdias*: 1. Ob 1; 2.—8. Esr 8, 9 Ne 10, 6 12, 25; 1 C 8, 38 9, 44; 3, 21; 7, 3; 9, 16 = עַבְדָּא Ne 11, 17; 1 C 12, 10; 2 C 17, 7. †

עֹבַדְיָהוּ: n. m.; עבד u. יְ׳; Sigillum לע׳ עבד המלך Dir. 230 f, cf. עבדיו Dir. 48; > עֹבַדְיָה: 1. 1 K 18, 3—7. 16; 2. 1 C 27, 19; 3. 2 C 34, 12. †

***עַבְדֻת**: עבד, aram.: sf. עַבְדֻתֵנוּ: **Knechtschaft** *servitude* Esr 9, 8 f Ne 9, 17. †

עבה: ak. *ebū* dick *thick*; mhb. עָבָה dick machen *make thick*; äga. ואעבהי Eph 3, 20 A, 3 (imp. haf. sf?), עביא Dickheit *thickness*; ܥܒܐ dick sein *be thick*; عَبِيَ beschränkt sein *be stupid*, ዐበየ gross sein *be great*:
qal: pf. עָבָה, עָבִיתָ: **dick sein** *be thick* Dt 32, 15 (//שמן) 1 K 12, 10 2 C 10, 10. †
Der. עֳבִי.

עֲבוֹט: I עבט; altass. *ebūṭum* ZA 38, 248 f: sf. עֲבֹטוֹ: **Pfand** *pledge* (David OTS 2, 79 ff) Dt 24, 10—13. †

I *עֲבוּר: mhb. עֲבוּר wegen *on account of*, asa. בעבר gemäss *according to*; mhb. עִבּוּר Reise, Weg *journey*, *way*; Mittwoch, Scripta Univ. Hierosolym. orientalia 1, 1923, 12 vermutet e. *suggests a* *עֲבוּר (עבר) Weg *way*: immer *always* בַּעֲבוּר, sf. בַּעֲבוּרֶךָ, בַּעֲבוּרָהּ: 1. praep. **wegen, um . . . willen** *on account of*: בַּעֲבוּרֵךְ deinetwillen *for thy sake* Gn 12, 13 3, 17, בַּעֲבוּרָהּ ihretwegen *for her sake* 12, 16, *F* 18, 26 Ps 106, 32 1 S 23, 10; 2. c. gen. **wegen** *on account of* Gn 8, 21 18, 29. 31 f 26, 24 1 S 1, 6 (l חֶרְפָּתָהּ) 12, 22 2 S 5, 12 6, 12 7, 21 9, 1. 7 13, 2 Mi 2, 10 Ps 132, 10, cj 7, 7, 1 C 14, 2 17, 19 2 C 28, 19; בַּעֲבוּר זֶה Ex 13, 8 u בַּעֲ׳ זֹאת Ex 9, 16 Hi 20, 2 (adde זֹאת) deswegen *because of that, therefore*; 3. c. gen.: um d. Preis von, **für** *for* [*the price of*] Am 2, 6 8, 6; 4. conj. c. impf. **damit** *in order to, to* Gn 21, 30 27, 4. 19. 31 46, 34 Ex 9, 14 19, 9 20, 20 Ps 105, 45; בַּעֲבוּר אֲשֶׁר damit *in order to* Gn 27, 10; בַּעֲ׳ c. inf. damit *in order to* Ex 9, 16 2 S 10, 3 18, 18; לְבַעֲ׳ c. inf. damit *in order to* Ex 20, 20 2 S 14, 20 17, 14; l בִּדְבַר 2 S 12, 25, l בְּעוֹד 12, 21, l עֲבָדַי Ir 14, 4. †

II עָבוּר: ak. *ebūru* Ertrag *yield*; mhb. עָבוּר, עֲבוּר, äga., ja., sy. עֲבוּרָא Getreide *corn*: **Ertrag** (des Feldes) *yield* (*of field*) Jos 5, 11 f. †

I עָבוֹת u. **עָבֹת**: ܥܒܬ, عَبِطَ (ט>ת durch *influenced by* ע) dicht sein *be dense*, ܥܒܬܢܐ ästig *branchy*: f. עֲבֻתָּה: **ästig** *branchy* Hs 6, 13, עֵץ עָבוֹת Lv 23, 40 Hs 20, 28 Ne 8, 15. †

II *עָבוֹת: *עבת, *F* I עָבוֹת: pl. עֲבֹתִים: **Ast** *branch* pl. Ps 118, 27 Hs 19, 11; l עָבוֹת (II עָב) Hs 31, 3. 10. 14. †

I עבט: denom. v. עֲבוֹט; *F* David sub עֲבוֹט u. Eilers OLZ 34, 934[4]; ja. itp. gepfändet werden *be seized as a pledge*:
qal: impf. תַּעֲבֹט, inf. עֲבֹט: in e. Pfandverhältnis treten *enter a relation of pledges*: 1. **entlehnen** *borrow* Dt 15, 6; 2. c. ac. e. **Pfand nehmen** *take a pledge from* Dt 24, 10, cj pt. sf. עֹבְטֵיכֶם Js 58, 3; †
hif: pf. הַעֲבַטְתָּ, impf. sf. תַּעֲבִיטֶנּוּ, inf. הַעֲבֵט: c. ac. **gegen e. Pfand geben an** jmd *lend on pledge to* Dt 15, 6. 8; *F* עֲבוֹט, עַבְטִיט. †

II עבט: عَبَطَ zerreissen (Kleid) *rend* (*garment*), umgraben *dig up* (*field*) Driv. JTS 34, 378:
pi: impf. יְעַבְּטוּן: (e. Weg) **ändern, verlassen** *change, abandon* (*course*) Jl 2, 7. †

עַבְטִיט: I עבט: **Pfandschuld** *debt* (*for pledge*) Ha 2, 6. †

***עֳבִי**: עבה: cs. עֳבִי, sf. עָבְיוֹ: **die Dicke** *thickness*: 1 K 7, 26 2 C 4, 5 (insere עָבְיוֹ) Ir 52, 21, (Schildbuckel *bosses of shields*) Hi 15, 26, cj (Wolken *clouds*) Ex 19, 9 2 S 22, 12 u. Ps 18, 12; 1 בְּמַעֲבַר 2 C 4, 17 (F Glueck מַעֲבֵה); F III *עָב. †

***עבל**: F עֵיבָל, עוֹבָל.

I עבר: ak. *ebēru*; ph.; mhb.; Znğ. Lidz. 336; äga., ja., nab., sy.; عَبَرَ, asa. in Der.: qal (465 ×): pf. עָבַר, עָבָר, עָבְרָה, עָבַרְתִּי, עָבְרוּ, עָבָרוּ, sf. עֲבָרוֹ, impf. יַעֲבֹר, יַעֲבָר־, אֶעֱבֹר, אֶעְבְּרָה, אֶעֱבָרָה, תַּעֲבוּרִי (BL 352), נַעַבְרָה, נַעֲבֹר, תַּעֲבֹרְנָה, יַעֲבֹרְוּן, יַעֲבֹרוּ, יַעַבְרוּ, יַעַבְרֶנְהוּ, יַעַבְרֶנּוּ, יַעַבְרֻנְהוּ, sf. נַעֲבְרָה, inf. עֲבוֹר, עָבוֹר, לַעֲבָר־, sf. עָבְרוֹ, עָבְרְךָ, imp. עִבְרִי, עֲבֹרִי, עִבְרוּ, pt. עֹבֵר, עֹבְרִים, עֹבְרֵי: **1. dahingehen, seines Weges ziehen, durchziehen** *go (walk) along, pass on, cross*: Jd 11, 29, אֹרְחָה Ps 8, 9, שַׁעַר Mi 2, 13, c. בְּ durchgehen durch *pass through* Gn 12, 6 30, 32 Js 62, 10, Gott im Gericht *God as judge* Am 5, 17, c. בֵּין zwischen *between* Gn 15, 17, c. תַּחַת unter *under* Lv 27, 32; c. בְּרַגְלָיו gerade aus *straightforward* Dt 2, 28; c. בְּמִסְפָּר = abgezählt werden *be counted* 2 S 2, 15; umgehen, streifen (Löwe) *roam* (*lion*) Mi 5, 7; durchdringen (Gebet zu Gott) *penetrate* (*prayer to God*) Th 3, 44; **2. über etwas hingehen** *pass, go over*: תַּעַר Nu 6, 5, רוּחַ Ps 103, 16, מַיִם Js 8, 8, גַּלִּים Jon 2, 4, עִתִּים 1 C 29, 30, יַיִן Ir 23, 9, חֲרוֹן Ps 88, 17, עֲוֹנֹת 38, 5; etc.; **3.** c. עַל **vorbeikommen bei** *pass by* Gn 18, 5 1 K 9, 8 2 K 4, 8; c. מֵעַל vorübergehen an *go by, pass* Gn 18, 3; c. עַל־פְּנֵי Gn 32, 22 2 S 15, 18. 23 b, יהוה Ex 34, 6 Js 45, 14 Hi 9, 11; c. ac. 2 K 6, 9; **4. vorübergehn, vergehn** *pass (away)*: יוֹם Gn 50, 4, חֹדֶשׁ Am 8, 5, עָב Hi 30, 15, צֵל Ps 144, 4, רוּחַ Hi 37, 21; מַיִם verläuft sich *flows away* Hi 11, 16, קַשׁ zerstiebt *flies away* Ir 13, 24, מֹץ Js 29, 5 Ze 2, 2 (1 עֹבֵר); סֶלַע vergeht *vanishes* Js 31, 9, דָּת erlischt *is abolished* Est 1, 19; **5. hinübergehn, überschreiten** *pass, march over*: נָהָר Gn 31, 21, מַעֲבַר 32, 23, Grenze *border* Ir 5, 22, פִּי יהוה Nu 22, 18, תּוֹרָה Da 9, 11 Hi 14, 5, בְּרִית Jos 7, 11; abs. (über e. Fluss) **übersetzen** *cross (a river)* Jos 2, 23 Jd 12, 5; hinwegschreiten über *go over* Js 51, 23; c. אֶל hinübergehn zu, nach *go over to* 1 S 14, 1 Ir 41, 10 Jd 11, 29 (1 עָבַר אֶל־), übersiedeln nach *remove to* Jd 9, 26; c. ac. hinübergehn nach *go over to* Ir 2, 10 Am 6, 2; **6.** c. ac. **hinausgehn über** *pass beyond* Gn 31, 52, = c. מִן Ct 3, 4; c. ac. **überholen** *get ahead of* 2 S 18, 23; c. לִפְנֵי **vorausgehen** *proceed* Gn 32, 17 2 K 4, 31; c. אַחֲרֵי **folgen** *go after* 2 S 20, 13; c. עַל **vorübergehn an** *go by, pass* Ir 33, 13 Mi 7, 18; c. בְּ vorbeigehn an *pass by* Js 10, 28; c. מִן **entgehen** *elude* Js 40, 27, sich **entziehen** *withdraw from* Ps 81, 7; c. מִתּוֹךְ **verschwinden bei** *pass away with* Est 9, 28; abs. **sich hinüberziehn** (Grenze) *pass on* (*boundary-line*) Nu 34, 4; c. עַל **übergehn zu** *pass over to* Ex 30, 13; etc.; **7.** Einzelnes *particulars*: עֹבֵר יָם **seefahrend** *seafaring* Js 23, 2; כֶּסֶף עֹבֵר **gangbares** Geld *current money* Gn 23, 16 (1 עֶרֶךְ 2 K 12, 5), עָבַר וָשָׁב geht hin u. her *goes to and fro* Ex 32, 27, מֹר עֹבֵר **flüssige** M. *liquid m.* Ct 5, 5. 13; גֵּי הָעֹבְרִים Tal d. Wanderer *Valley of Wanderers* = *W. Feğğās* s. יָם כִּנֶּרֶת Hs 39, 11 Bewer ZAW 56, 123 ff; 1 עָבְרָם Jos 5, 1, יַעַבְרוּ Ir 11, 15, הֶעֱבַרְתִּי Ho 10, 11, עֹמֵד 2 S 15, 23, וְעָבְדוּ 19, 19, עָבוֹת Ha 3, 10 u. חָרְבוּ Ps 48, 5;

nif: impf. יֵעָבֵר: **überschritten werden** *be forded* Hs 47, 5; †

pi †: pf. עִבֵּר, impf. וַיְעַבֵּר: 1. darüberziehn (?) *make to pass across?* 1 K 6, 21; 2. (= ja. pa. schwängern *impregnate*) darübergehn, **bespringen** *impregnate* (שׁוֹר) Hi 21, 10;

hif: הֶעֱבִיר, הֶעֱבַרְתָּ, (BL 352) u. הַעֲבַרְתָּ, הַעֲבַרְתֶּם, הֶעֱבִירוּ, וְהַעֲבַרְתִּי, הֶעֱבַרְתִּי, sf. הֶעֱבִירַנִי, impf. אַעֲבִיר, וַיַּעֲבֶר־, וַיַּעֲבֵר, יַעֲבִיר, sf. וַיַּעֲבִרֵהוּ, וַיַּעֲבִירֻהוּ, וַיַּעֲבִרוּם, תַּעֲבִרֵנוּ, inf. הַעֲבִיר, לַעֲבִיר (< לְהַעֲבִיר; BL 228), sf. הַעֲבִירוֹ, imp. הַעֲבֵר, הַעֲבֶר־, sf. הַעֲבִירוּנִי, pt. מַעֲבִיר, מַעֲבִירִים; ויעברו = Q הֶעֱבִירוּ vel K וַיַּעֲבִירוּ 2 S 19, 41: 1. **hingehn lassen** über (Wind) *cause to pass over* (*wind*) Gn 8, 1, cj Ps 107, 25, Tiere *animals* Hs 14, 15; 2. **überschreiten lassen** *cause to cross* Gn 32, 24 Nu 32, 5 Jos 7, 7 Ps 78, 13; **hinüberschaffen** *bring over* 2 S 19, 16. 19. 41 f Jos 4, 3. 8 2 S 2, 8; 3. c. ac. u. עַל **vorübergehn lassen an** *cause to pass by* Ex 33, 19 1 S 16, 8—10; **passieren lassen** *let pass* Ne 2, 7; 4. c. בְּ **durch etw. ziehen lassen** *cause to pass through* Dt 2, 30 Da 11, 20; durch etw. gehn lassen *cause to pass through* Nu 31, 23; תַּחַת הַשֵּׁבֶט unterm Stab hin *under the rod* Hs 20, 37; 5. **vorbeigehn lassen, übersehen** *let pass by, overlook*, Schuld *guilt* 2 S 12, 13 24, 10 Hi 7, 21 1 C 21, 8; **verpassen** (Zeit) *let pass by* (*time*) Ir 46, 17; 6. c. ac. u. לְ: **übergehn lassen** an *let go over to* Nu 27, 7 f Hs 48, 14 (l Q); 7. (Opfer) (durchs Feuer gehn lassen =) **darbringen** (*let pass the fire* =) *devote* (*sacrifice*) Ex 13, 12 Lv 18, 21 Ir 32, 35 Hs 20, 26 16, 21 23, 37; c. בָּאֵשׁ jmd **durchs Feuer gehn lassen** (= opfern) *let a person pass the fire* (= *sacrifice*) Dt 18, 10 2 K 16, 3 17, 17 21, 6 23, 10 Hs 20, 31 2 C 33, 6; 8. c. מִן: **wegnehmen** von *take away from* 2 S 3, 10 Est 8, 2, **wegschaffen** von *put away from* 1 K 15, 12 Sa 13, 2 Ps 119, 39 2 C 15, 8 Sa 3, 4, cj Ir 11, 15; **herunterschaffen** *take down* 2 C 35, 23 f; **abwenden** von *turn away from* Ps 119, 37; ohne *without* מִן Est 8, 3; **fernhalten** von *keep away from* Ko 11, 10; (Kleid) **ablegen** *lay down* (*robe*) Jon 3, 6; :: הֶעֱבִיר עֹל עַל **auflegen** *put upon* cj Ho 10, 11; 9. הֶעֱבִיר קוֹל Ruf, Befehl **ausgehn lassen** *cause to pass through* (*proclamation, order*) Ex 36, 6 Esr 1, 1 10, 7 Ne 8, 15 2 C 30, 5 36, 22, הֶעֱ׳ שׁוֹפָר **erschallen lassen** *cause to sound* Lv 25, 9; הֶעֱ׳ שְׁמֻעָה Gerücht **in Umlauf setzen** *cause rumour to circulate* 1 S 2, 24; הֶעֱ׳ תַּעַר Schermesser **gehn lassen** über *cause razor to pass over* Nu 8, 7 Hs 5, 1; 10. **vorbeiführen** *lead along* Hs 37, 2, **hindurchführen** *lead through* Hs 46, 21 47, 3 f Ps 136, 14; l הֶעֱבִיד Gn 47, 21 u. 2 S 12, 31, l וְהַעֲבַדְתִּי Ir 15, 14. †

Der. I עֵבֶר, עָבָר*, עֲבָרָה*, עִבְרִי, מַעֲבָר*, מַעְבָּרָה.

II עבר: hitp. v. I = sich hinreissen lassen *let oneself be carried away* (*by passion*)? oder *or* غَرِبَ Groll hegen *bear rancour*? (cf. בְּעַבְרוֹת Ps 7, 7 G ἐν τοῖς πέρασι :: Hexapla βεγαβρωθ): hitp: pf. הִתְעַבַּרְתָּ, הִתְעַבָּר, impf. יִתְעַבֵּר, יִתְעַבָּר, pt. מִתְעַבֵּר: **sich erzürnt zeigen** *show oneself infuriated* Ps 78, 21. 59 Pr 14, 16 20, 2 (l מִתְעַבֵּר וְחוֹטֵא), c. בְּ gegen *against* Dt 3, 26 Ps 78, 62, = c. עִם Ps 89, 39, cj Pr 24, 21 (l הִתְעַבָּר), = c. עַל Pr 26, 17. †

Der. עֶבְרָה.

I עֵבֶר: I עבר; F ba. עֲבַר: sf. עֶבְרוֹ, pl. cs. עֶבְרֵי, sf. עֶבְרֵיהֶם, עֲבָרָיו: die gegenüberliegende, jenseitige, andre Seite, *the side, region, opposite, beyond, the other side*: 1. **die eine von zwei gegenüberliegenden Seiten** *the one of two opposite sides*: 1 S 26, 13 31, 7 (l MT!) 1 K 4, 12 Hi 1, 19, מֵעֵבֶר הַלָּז **dort drüben** *yonder* 1 S 14, 1, מֵהָעֵבֶר מִזֶּה auf d. einen, auf der andern Seite, **hüben u. drüben** *on the one, on the other side, on every of both sides* 1 S 14, 4; מִכָּל־עֲבָרָיו nach allen Seiten hin *from every side* 1 K 5, 4 Ir 49, 32; 2. לְעֶבְרוֹ nach s. Seite hin *towards his side* Js 47, 15; אֶל־עֵבֶר פָּנָיו gerade vor sich hin *straight forward* Hs 1, 9. 12 10, 22; עַל־עֵבֶר פָּנֶיהָ über das (den Platz) vor ihm *over (the space) before it* Ex 25, 37; אֶל־עֵבֶר nach d. Seite von ... hin *on the side towards* Jos 22, 11; מִשְּׁנֵי עֶבְרֵיהֶם auf ihren beiden Seiten *on both their sides* Ex 32, 15; 3. עֵבֶר הָאֵפוֹד Seite, Rand d. E. *side, edge of the e.* Ex 28, 26 39, 19; häufig geographisch: **Ufer, Seite** (v. Fluss, Meer) *frequently geographical term: side, edge (of river, sea)*: עֵבֶר הַיָּם die andre Seite > **jenseits** des Meers *the opposite side > beyond the sea* Ir 25, 22 Dt 30, 13, מֵעֵבֶר לְנַהֲרֵי כוּשׁ jenseits der Fl. *beyond ther.* Js 18, 1 Ze 3, 10; עֵבֶר הַיַּרְדֵּן Dt 4, 49 Jos 12, 1 13, 8. 27 Js 8, 23, בְּעֵבֶר הַיַּרְדֵּן Gn 50, 10f Dt 1, 1. 5 3, 8. 20. 25 4, 41. 46f 11, 30 Jos 1, 14f 2, 10 5, 1 7, 7 9, 1. 10 12, 7 22, 4. 7Q 24, 8 Jd 5, 17 10, 8, מֵעֵבֶר הַיּ׳ Nu 32, 19. 32 מֵעֵבֶר לְיַרְדֵּן Nu 34, 15 Jos 13, 32 20, 8 1 C 6, 63, מֵעֵבֶר לַיַּרְדֵּן Nu 22, 1 32, 19 35, 14 Jos 14, 3 17, 5 18, 7 Jd 7, 25 1 C 12, 38 26, 30 (alle =) **jenseits** *d. Jordans* (ob östlich oder westlich hängt v. Standpunkt des Redners ab) *(all expressing) beyond the Jordan (whether east or west of the river depends from where the writer is speaking)*; מֵעֵבֶר אַרְנוֹן Nu 22, 13, בְּעֵבֶר אַ׳ Jd 11, 18; עֵבֶר לַיָּם **jenseits** des (Toten) Meers *beyond the (Dead) Sea* 2 C 20, 2; עֵבֶר הַנָּהָר **jenseits** des Eufrat *beyond Euphrates* = westlich *west of it* 1 K 5, 4 Esr 8, 36 Ne 2, 7. 9 3, 7, aber = östlich *but = east of it* Jos 24, 2f. 14f 2 S 10, 16 1 K 14, 15 Js 7, 20 1 C 19, 16; ? 1 K 7, 20. 30 Ir 48, 28.†

II עֵבֶר: n. m.; n. p.: 1. Enkel v. *grandson of* אַרְפַּכְשַׁד Gn 10, 24, V. v. יָקְטָן u. פֶּלֶג Gn 10, 25 1 C 1, 19, v. פֶּלֶג Gn 11, 16 1 C 1, 25, *F* Gn 11, 14f. 17 1 C 1, 18; 2.—5. (Noth 1 עֵבֶר in 1.—5.) Ne 12, 20; 1 C 5, 13; 8, 12; 8, 22; 6. n. p. neben *along with* אַשּׁוּר Nu 24, 24; בְּנֵי עֵבֶר, v. שֵׁם abstammend *descendants of* שֵׁם, Gn 10, 21.†

***עֲבָר**: I עבר: pl. עֲבָרִים: **Übergang** *crossing*; in n.l. עִיֵּי הָעֲבָרִים, *F* עִיִּים 2: Nu 21, 11 33, 44.†

עֶבְרָה: II עבר: cs. עֶבְרַת, sf. עֶבְרָתוֹ, pl. עֲבָרוֹת, cs. עַבְרוֹת: 1. **Aufwallung, Überhebung** *excess, arrogance* Js 16, 6 Ir 48, 30 Pr 21, 24 22, 8, pl. עַבְרוֹת אַפֶּךָ **Zornwallungen** *outbursts of fury* Hi 40, 11; **Zorn, Wut** *anger, fury* Js 13, 9 14, 6 Ho 5, 10 13, 11 Am 1, 11 Ha 3, 8 Ze 1, 15 Ps 78, 49 90, 9. 11 Pr 11, 4. 23 14, 35 Th 2, 2 Si 5, 8; עֶבְרָה קָשָׁה Gn 49, 7; v. *of* יהוה: עֶבְרַת י׳ Js 9, 18 13, 13 Hs 7, 19 Ze 1, 18, עַם עֶבְרָתִי Js 10, 6, אֵשׁ עֶבְרָתִי Hs 21, 36 22, 21. 31 38, 19, שֵׁבֶט עֶבְרָתוֹ Th 3, 1, דּוֹר עֶבְרָתוֹ Ir 7, 29 אָסַף עֶ׳ s. Zorn an sich halten *control one's anger* Ps 85, 4; 3. יוֹם עֲבָרוֹת Tag des Zorns *day of anger* Hi 21, 30; l בְּעַבוּר Ps 7, 7.†

***עֲבָרָה**: I עבר: pl. cs. עַבְרוֹת Q עַרְבוֹת: **Furt, Übergang** *crossing, ford* 2 S 15, 28 17, 16 K l עֲבֹדַת 19, 19.†

עִבְרִי, fem. עִבְרִיָּה, pl. עִבְרִיִּים u. עִבְרִים, fem. עִבְרִיֹּת u. עִבְרִיּוֹת: **Hebräer, Hebräerin** *Hebrew*: 1. Vorkommen *occurrence*: אַבְרָם הָעִבְרִי ὁ περάτης Gn 14, 13; אִישׁ עִבְרִי Gn 39, 14 u. 41, 12 u. נַעַר עִבְרִי הָעֶבֶד הָעִבְרִי 39, 17 (יוֹסֵף v. Ägyptern genannt *named by Egyptians*); Joseph sagt *says* אֶרֶץ הָעִבְרִים 40, 15; Israeliten zu Ägyptern *Israelites say to Egyptians*: אֱלֹהֵי הָעִבְרִים Ex 3, 18 5, 3 7, 16 9, 1. 13 10, 3; Philister sagen *Philistines say*: הָעִבְרִים 1 S 4, 6. 9 13, 3. 19 14, 11 (l עכברים ??). 21 29, 3, l וְעָם רָב 13, 7; der Erzähler sagt *the biblical writer says*: הָעִבְרִים (:: הַמִּצְרִים) Gn 43, 32, הָעִבְרִיּוֹת Ex 1, 15 f. 19 2, 7, אִישׁ עִבְרִי 2, 11, אֲנָשִׁים עִבְרִים 2, 13, הָעִבְרִים 2, 6; im

Gesetz *in the law* עֶבֶד עִבְרִי (Gegensatz offenbar: aus anderm Volk *opposite evidently: foreigner*) Ex 21, 2, אָחִיךָ הָעִבְרִי אוֹ הָעִבְרִיָּה (Sklaven *slaves*) Dt 15, 12, idem Ir 34, 9 (יְהוּדִי//עִבְרִי). 14; d. Prophet zu Ausländern *the prophet to foreigners* עִבְרִי אָנֹכִי Jon 1, 9; † עִבְרִי etc. kommt nur gelegentlich vor u. zwar meist (Ausnahmen: Gn 14, 13 Ex 21, 2 Dt Ir) gegenüber Ausländern עִבְרִי *occurs only occasionally a. in relation to foreigners* (*exceptions* Gn 14, 13 Ex 21, 2 Dt Ir); 2. Der Zweck des Gebrauchs v. עִבְרִי etc. scheint die Vermeidung von בְּנֵי יִשְׂרָאֵל u. ähnlichen Wendungen zu sein, weil diese nicht bloss ethnologisch, sondern religiös u. politisch bestimmt sind. עִבְרִי *etc. seems to be used in order to avoid* בְּנֵי יִשְׂרָאֵל *a. related terms, because those are not only ethnological, but at the same time religious a. political terms.* עִבְרִי etc. kommt aber mehr gelegentlich vor, als dass es Rest eines früher mehr verbreiteten Ausdrucks wäre. עִבְרִי etc. *occurs occasionally a. is far from being a remainder of an in earlier times common use.* 3. Herkunft v. *origin of* עִבְרִי etc.: עִבְרִי meistens gleichgesetzt mit *mostly identified with* keilschr. *Ḫa-pi-ru*; Gordon, Ugaritic Handbook p. 258 scharf gegen *strictly against ḫa-pi-ru* = עִבְרִי; EA *Ḫabiru*, ug. *ʿprm*, äg. *ʿpr* F Noth, Festschr. Procksch 99 f; wohl „Wanderer *travellers*"; aber kein geschichtlicher Zusammenhang mit *but no historical connexion with Ḫapiru* = SA(G)-GAS des *of* XIV. saec. Lit. F Rowley, From Joseph to Joshua, 1950 (index), Noth, Gesch. Israels, 1950, 29 f. 61. †

עֲבָרִים: n. l. הַר עֲבָרִים Nu 27, 12 Dt 32, 49, הָרֵי עֲבָרִים Nu 33, 47 f: F *עֲבָרָה: die nordwestlichen Berge Moabs *the northwestern mountains of Moab*; = עֲבָרִים (לְבָנוֹן// u. בָּשָׁן) Ir 22, 20. †

עַבְרֹנָה: n. l.; Wüstenstation *station in the desert*; bei *near* עֶצְיוֹן־גֶּבֶר; PJ 36, 20 ff: Nu 33, 34 f. †

עבשׁ: عَبِسَ:
qal: pf. עָבְשׁוּ: **eintrocknen** *shrivel* Jl 1, 17. †

עבת:
pi: impf. sf. וַיְעַבְּתוּהָ: verdrehen? *pervert?* Mi 7, 3 (Text?). †
Der. עָבֹת, II *עֲבֹת.

עֲבֹת: עבת; ak. *abuttu* Fessel, Sklavenmal (Haartracht?) *fetter, slave-mark (hair-dress?)*: sf. עֲבֹתוֹ, עֲבֹתָמוֹ, pl. עֲבֹתִים u. עֲבֹתֹת, עֲבוֹתוֹת: 1. **Strick** *rope* Jd 15, 13 f 16, 11 f Js 5, 18 Hs 3, 25 4, 8 Ho 11, 4 Ps 2, 3 129, 4 Hi 39, 10; 2. **Schnur** *cord* Ex 28, 14. 24 f 39, 17 f; מַעֲשֵׂה עֲבֹת Schnurwerk *cordage-work* Ex 28, 14. 22 39, 15. †

עֻג: F עוג.

עגב: عَجِبَ sich aufmerksam zuwenden *pay heed to*:
qal: pf. עָגְבָה, עָגְבָה, impf. וַתַּעְגַּב (Or. וַתְּעֲגַב Hs 23, 5), וַתַּעְגְּבָה (Hs 23, 20 u. 16 Q; BL 352; l וַתַּעְגַּב), pt. עֹגְבִים: hinter jmd (erotisch) her sein *pay great (erotic) attention to*, c. עַל (sinnliches) **Verlangen haben** nach *desire (sensually)* Ir 4, 30 Hs 23, 5. 7. 9. 12. 16. 20. †
Der. עֲגָבָה (עֲגָבִים).

עֻגָב: F עוּגָב.

***עֲגָבָה**: עגב: sf. עַגְבָתָהּ: (missbilligtes) **sinnliches Verlangen** (*disapproved*) *sensual desire* Hs 23, 11; pl. 33, 32. †

עֲגָבִים: Hs 33, 31: l כְּזָבִים.

עֻגָה: עוג; عَجَّة Eierkuchen *omelet*: cs. עֻגַת, pl. עֻגֹת, עֻגוֹת: kreisrunder, in Asche oder auf Glühsteinen rasch gebackner **Brotfladen** *circular cake of bread, quickly baked upon ashes or heated stones* Gn 18, 6 Ex 12, 39 Nu 11, 8 1 K 17, 13 19, 6 Hs 4, 12 Ho 7, 8. †

עָגוֹל : F עָגֹל.

עָגוּר : עגר, F II אגר; ak. *igirū* Vogelart *kind of bird*: Kurzfuss-**Drossel** *b u l b u l Pycnonotus* Reichenovi (ZAW 54, 288f): Js 38, 14 (l וְעָגוּר) Ir 8, 7. †

עָגִיל : עגל : pl. עֲגִילִים : runder **Schmuck** *circular kind of a d o r n e m e n t*, für Männer *for men* Nu 31, 50, für Frauen *for women* (Ohrring *earring*) Hs 16, 12. †

cj ***עֲגִילָה** : *עגל; ja. masc. עֲגִילָא Schild *shield*: pl. עֲגִילוֹת : **Rundschild** *c i r c u l a r s h i e l d* cj (Wutz, D. Psalmen 117, G) Ps 46, 10. †

***עגל** : mhb. Kreis ziehen, *circle*, nif. u. ja. rund sein *be rounded*; ja. עַרְגֵּל, ܥܓܠ u. عَجَلَ wälzen *roll*:
Der. עָגִיל, cj *עֲגִילָה, עָגֹל, עֵגֶל, עֶגְלָה, n. f. עֶגְלָה, עֲגָלָה, n. m. עֶגְלוֹן, I מַעְגָּל.

עָגֹל : *עגל : **rund** *r o u n d* 1 K 7, 23 2 C 4, 2 1 K 7, 31. 35; l רָאשֵׁי עֲגָלִים 10, 19. †

עֵגֶל : *עגל; ug. *ʿgl*; ph. עגל; aram. עֶגְלָא, עִגְלָא, عِجْل, ዕጉል : sf. עֶגְלֵךְ, pl. עֲגָלִים, cs. עֶגְלֵי : männliches Jungrind, **Jungstier** *male young neat, y o u n g b u l l*: עֵגֶל בֶּן־בָּקָר Lv 9, 2; > עֵגֶל 9, 3. 8 Js 11, 6 27, 10 Ir 31, 18 34, 18f, cj 50, 11, Hs 1, 7 Am 6, 4 Mi 6, 6 Ps 29, 6, cj 1 K 10, 19; F מַרְבֵּק 1 S 28, 24 Ir 46, 21 Ma 3, 20; Jungstier als Kultbild *young bull as idol* Ex 32, 4. 8. 20. 24. 35 Dt 9, 16. 21 1 K 12, 28. 32 2 K 10, 29 17, 16 Ho 8, 5f, cj 10, 5, 13, 2 Ps 106, 19 Ne 9, 18 2 C 11, 15 13, 8; F I, II עֶגְלָה, עֶגְלוֹן. †

I עֶגְלָה : fem. v. עֵגֶל; ug. *ʿglt*: cs. עֶגְלַת, sf. עֶגְלָתִי : **Jungkuh** *y o u n g c o w*: עֶגְלַת בָּקָר Dt 21, 3 1 S 16, 2 Js 7, 21; > עֶגְלָה Gn 15, 9 Dt 21, 4. 6 Jd 14, 18 (metaph. = junge Frau *young woman*) Ir 46, 20 (metaph. pro Land *country*) Ho 10, 11; l עֵגֶל בַּדֶּשֶׁא Ir 50, 11, l לְעֵגֶל Ho 10, 5; F II. †

II עֶגְלָה : n. f.; = I; cf. Δάμαλις Nöld. BS 83: Frau v. *wife of* דָּוִד : 2 S 3, 5 1 C 3, 3. †

עֲגָלָה : *עגל; ph. עגלת; mhb.; ja. עֲגַלְתָּא, ܥܓܠܬܐ; > äg. *ʿagarata* Albr. Voc. 38!, kopt. Ασολτε: sf. עֶגְלָתוֹ, pl. עֲגָלוֹת, cs. עֶגְלוֹת : **Wagen, Karren** *c h a r i o t, c a r t* Gn 45, 19. 21. 27 46, 5 Nu 7, 3. 6—8 1 S 6, 7 (v. Kühen gezogen *dragged by cows*). 8. 11. 14 2 S 6, 3 Js 5, 18 28, 27f (Dreschwagen *threshing-wagon*) Am 2, 13 1 C 13, 7; l עֲגִילוֹת Ps 46, 10; F II מַעְגָּל. †

I עֶגְלוֹן : n. m.; עֵגֶל u. *-ōn*; ak. n. m. *Ig/klānu* APN 95: K. v. מוֹאָב Jd 3, 12. 14f. 17. †

II עֶגְלוֹן : n. l.; l עֶגְלוֹנָה : *Tell ʿēṭūn* Noth Jos S. 68: Jos 10, 3. 5. 23. 34. 36. f 12, 12 15, 39. †

עֶגְלַיִם : F עֵין עֶגְלַיִם.

עֶגְלַת שְׁלִשִׁיָּה : F שְׁלִישׁ.

עגם : mhb. עָגוּם u. ja. עֲגִימָא betrübt *grieved*; ak. *agāmu* zornig sein *be angry*; > אָגַם:
qal: pf. עָגְמָה : c. לְ, **Mitgefühl haben** mit *b e g r i e v e d f o r* Hi 30, 25. †

עגן : mhb. einschliessen, e. Frau von e. neuen Ehe abhalten *shut up, detain a woman from another marriage*; ja. (pa.) = mhb.; عَجَمَ IV verschliessen *shut up*:
nif: impf. תֵּעָגֵנָה < *תֵּעָגַנָּה (BL 352): **sich** (ehelichem Verkehr) **verschlossen halten, entziehen** *k e e p o n e s e l f secluded* (*from marital intercourse*), *w i t h d r a w n* (von Frauen gesagt *said of women*) Ru 1, 13. †

***ענר** : F עָגוּר.

I עַד : Barth ES 64 v. غَدٌ morgen, spätere Zukunft *to-morrow*, *later future*; Andre *others* = II עַד: > עד in עוֹלָם וָעֶד: dauernde Zukunft, immer *lasting future*, *ever*: לָעַד für immer *for ever* Js 64, 8, Am 1, 11 Mi 7, 18 Ps 9, 19 (//לָנֶצַח) 19, 10 21, 7 22, 27, 37, 29 61, 9 89, 30 111, 3. 10 112, 3. 9 Pr 12, 19 29, 14 Hi 19, 24 1 C 28, 9; מִנִּי־עַד **seit jeher** *at all times* Hi 20, 4, עֲדֵי־עַד **auf immer** *for all times* Js 26, 4 65, 18 Ps 83, 18 92, 8 132, 12. 14; עוֹלָם וָעֶד dauernd und immer *lastingly and ever* Ex 15, 18 Mi 4, 5 Ps 9, 6 10, 16 21, 5 45, 7. 18 48, 15 52, 10 104, 5 119, 44 145, 1 f. 21 Da 12, 3; לָעַד לְעוֹלָם für immer, für dauernd *for ever*, *for lasting times* Ps 111, 8 148, 6, עַד־עוֹלְמֵי־עַד **auf immer dauernde Zeiten** *for ever lasting times* Js 45, 17, cj עַד עֲזֻבַת für immer aufgegeben *forsaken for ever* Js 17, 2; הַרְרֵי עַד die **ewigen** Berge *the eternal mountains* Ha 3, 6 Gn 49, 26 (הַרְרֵי 1); שֹׁכֵן עַד **immer** *for ever* (Gott *God*) Js 57, 15; גְּבֶרֶת עַד (sic!) Herrin **für immer** *lady for ever* Js 47, 7; אֲבִי עַד Vater **für immer** *father for ever* (**F** Komm.) Js 9, 5; 1 לְעֵד Js 30, 8. †

II עַד: I עדה? ug. *ʿd*; ak. *adi*; ph., mo., mhb., aram. **F**, ba. עַד; asa. עד, עדו, עדי: ältre Form *older form* עֲדֵי Nu 24, 20. 24 Ps 104, 23 147, 6 Hi 7, 4 20, 5, **F** עֲדֵי עַד u. בִּלְעֲדֵי; sf. עָדַי, עָדֶיךָ, עָדָיו, עֲדֵיכֶם, עַד־הֵם (1 עֲדֵיהֶם?) 2 K 9, 18; **F** עֲדֶן (altes *old* subst. *עֲדִים, cs. עֲדֵי Abstand *distance?*): עַד bezeichnet den Abstand von, die Annäherung an, die Hinbewegung auf etwas zu > bis, bis zu, bis auf; עַד *indicates the distance from*, *the approach towards* > *up to*, *until*, *while*: 1. (räumlich *spatially*): **bis zu** *unto*: עַד חָרָן Gn 11, 31, עַד צֹעַר Js 8, 8, עֲדֵי אֶרֶץ bis zur Erde (*down*) *to the ground* Ps 147, 6; so oft nach *thus frequently with* בָּא Gn 50, 10, הָלַךְ Jd 11, 16, שָׁב Am 4, 6, רָדַף Gn 14, 14, נִגַּשׁ Jd 9, 52, נִשְׁמַע Js 15, 4, etc.; cj Ps 60, 11; 2. (zeitlich *temporally*) **bis zu** *until*: עַד הַבֹּקֶר Jd 6, 31, עַד־עַתָּה Dt 12, 9, עַד גִּשְׁתּוֹ bis er trifft *until he came near* Gn 33, 3, עַד־הֵנָּה Gn 15, 16, solange *till now* 1 S 1, 16, עַד־כֹּה bis heute *until to-day* Jos 17, 14, Formel *formula* וַיְהִי עַד־כֹּה וְעַד־כֹּה **unterdessen** *meanwhile* 1 K 18, 45; עַד אָן Hi 8, 2 u. עַד־אָנָה Ex 16, 28 u. עַד־מָה Nu 24, 22 u. עַד־מָתַי Ex 10, 3 **bis wann?** *how long?*; עַד בֹּאִי bis = **ehe** ich komme *until* = *before I come* Gn 48, 5; dele עַד Jos 17, 14; 3. (zeitlich *temporally*) **während** *during*: עֲדֵי רֶגַע e. Augenblick lang *during a moment* Hi 20, 5, עַד שֶׁבַע פְּעָמִים (ak. *adi sibišu*) bis zu 7 Malen *unto 7 times* 1 K 4, 35, עַד־זְנוּנֵי **solange als...** anhalten *as long as...* 2 K 9, 22, עַד הִתְמַהְמְהָם Jd 3, 26 solange sie *as long as they* Jd 3, 26, עַד הֱיוֹתִי solange ich... *as long as I...* Jon 4, 2; 4. (die geistige Richtung) **auf** (*the direction of the mind*) *towards*, *upon*: אֶתְבּוֹנָן עַד Hi 32, 12, הֶאֱזִין עַד Nu 23, 18; 5. עַד drückt das Mass, den Grad aus *expresses a measure*, *a degree*: עַד בְּלִי דָי bis zum Übermass *in overwhelming degree* Ma 3, 10, cj Ps 72, 7 (Kl L 57 ff); עַד־אֵלֶּה auch dann *even then* Lv 26, 18; עַד לִמְאֹד 1 K 1, 4, עַד מְאֹד Est 5, 3. 6, עַד חֲצִי 2 C 16, 14, עַד־מְהֵרָה überaus eilig *very swiftly* Ps 147, 15, עַד־אֵין מִסְפָּר Ps 40, 13, לֹא... עַד אֶחָד auch nicht einer *not a single one* Jd 4, 16, לֹא... עַד sogar nicht *even not* Hg 2, 19 Hi 25, 5, עַד־לְמַעְלָה überaus gross *exceeding great* 2 C 16, 12, עַד־אֲבֹד Dt 7, 20, עַד אֶפֶס Js 5, 8, עַד לְאֵין 2 C 36, 16; 6. עַד im Vergleich *in comparison*: עַד.. לֹא nicht bis zu = nicht wie *not unto* = *not as* 1 C 4, 27; וְעַד... לֹא בָא kam nicht an... heran = war nicht gleich *came not unto* = *was not his equal* 2 S 23, 19;

7. עַד־אֲלֵיהֶם bis zu ihnen hin *even unto them* 2 K 9, 20; עַד אַחַר bis nach *till after* Ne 13, 19, עַד לִפְנֵי bis vor *even before* Est 4, 2; מִן...וְעַד von ... bis *from ... unto* (räumlich *spatially*) Gn 13, 3 Am 8, 12, (zeitlich *temporally*) Jd 13, 7; מִן ... עַד ... וְעַד ... (aufzählend *enumerating*) Gn 6, 7; מִטּוֹב עַד־רָע sowohl ... als auch *either good or bad* Gn 31, 24; עַד (später *later on*) > עַד לְ 1 C 12, 17. 23, עַד לְבוֹא bis hinein nach *unto the entering in* Jos 13, 5; עַד לְמֵרָחוֹק bis von weither *afar off* Esr 3, 13, bis weithin *far abroad* 2 C 26, 15; עַד לְהָשִׁיב Esr 10, 14; l עַל־הַדָּבָר Esr 10, 14;

8. עַד wird *becomes* conjunct.: עַד יִגְדַּל bis er *till he* Gn 38, 11; עַד אֶעֱבוֹר während ich *whilst I* Ps 141, 10; עַד שָׁבוּ Jos 2, 22; עַד לֹא עָשָׂה solange er noch nicht *while as yet he not* Pr 8, 26; l הִשְׁמִידוֹ ? 2 K 10, 17 u. הִשְׁלִכוֹ ? 24, 20; Zusammensetzungen *combinations*: עַד אִם bis (wenn) *until* Gn 24, 19; עַד אֲשֶׁר bis dass *until* Gn 27, 44; l עַל־אֲשֶׁר Jos 17, 14; עַד אֲשֶׁר לֹא ehe *ere*, *before* Ko 12, 1; עַד אֲשֶׁר אִם bis dass (wenn) *until* Js 6, 11 Gn 28, 15; עַד בִּלְתִּי bis nicht mehr *until no more* Hi 14, 12, sodass nicht *until not* Nu 21, 35; עַד כִּי bis dass *until (that)* Gn 26, 13; עַד לְ c. inf. bis dass *until (that)* 1 K 18, 29, עַד שֶׁ = Jd 5, 7, solange als *while*, *as long as* Ct 1, 12; l עֵדֹ 1 S 14, 19 (דָּבָר) 20, 41 (וְדוֹד) Hi 1, 18 8, 21 Ne 7, 3; l עֲבֹד 1 S 2, 5; l עָרֶיךָ Mi 7, 12; *F* בַּלְעֲדֵי*, עֲדֶנָה, עֶדֶן.

III עַד: I עדה: Beute *booty*, *prey* Gn 49, 27; Js 9, 5 *F* I עַד; l לָעַד Ze 3, 8, l עִוֵּר Js 33, 23.†

עֵד: עוד: sf. עֵדִי, pl. עֵדִים, cs. עֵדֵי, sf. עֵדַי, עֵדֵיהֶם: Zeuge *witness*: a) wer e. Tatsache, e. Vorgang beiwohnt u. ihn im Zweifelsfall bestätigen kann *who is present at a fact*, *an occurence a. is able to confirm it in case of doubt*: Js 8, 2, cj 33, 8, Ir 32, 10. 12. 25 Ru 4, 9—11; (סֵפֶר, לוּחַ) als Zeuge *as witness* cj Js 30, 8; b) wer vor Gericht bestätigt *who confirms before judges*: Ex 20, 16 23, 1 Lv 5, 1 Nu 5, 13 35, 30 Dt 5, 20 17, 6 f 19, 15 f. 18 Js 43, 9 f. 12 44, 8 f Ma 3, 5 Ps 35, 11 Pr 14, 5. 25 19, 28 21, 28 24, 28 25, 18 Hi 10, 17 16, 8; c) wer durch s. Bestätigung e. Rechtsstreit zur Entscheidung bringt *who by his confirmation decides a legal contest* Gn 31, 50; d) wer durch s. Bestätigung das Recht Hi 16, 19 oder Unrecht einer Partei Jos 24, 22 erweist *who by his confirmation establishes the right* Hi 16, 19 *or the wrong* Jos 24, 22 *of a side*; *F* 1 S 12, 5 Js 55, 4 (Lewy ZA 38, 255 f = altass. *adda* Oberhaupt *chief*) Ir 29, 23 42, 5 Mi 1, 2; e) Zeuge auf blossen Bericht hin *witness from hear-say* עֵד יָדַע Lv 5, 1; Zeuge im Sinn von a)—e) können auch Sachen sein *even things may be witnesses in the meaning of* a)—e): בְּרִית Gn 31, 44, גַּל Gn 31, 48. 52, מִזְבֵּחַ (u. מַצֵּבָה) Js 19, 20 Jos 22, 27. 34, טְרֵפָה Ex 22, 12, שִׁירָה Dt 31, 19. 21, סֵפֶר הַתּוֹרָה 31, 26; f) יהוה als Zeuge *as witness*: Gn 31, 50 1 S 12, 5, cj (יהוה) עֵד 1 S 12, 6 u. 20, 12, Ir 29, 23 42, 5 Mi 1, 2, cj Ze 3, 8, Ma 3, 5 Hi 16, 19; Terminologisches *terminology*: עֵד בֵּין ... וּבֵין Gn 31, 44. 48. 50; עֵד Zeuge dafür: *witness*: Gn 31, 52 Ir 42, 5; עֵד בְּ Z. gegen *w. against* Nu 5, 13 Dt 31, 19. 26 Ir 42, 5 Mi 1, 2; עֵד כִּי Zeuge dafür, dass *witness that* Jos 24, 22 1 S 12, 5 Js 19, 20; עֵד אֱמוּנִים Pr 14, 5, עֵד אֱמֶת Ir 42, 5 u. עֵד נֶאֱמָן Js 8, 2 :: עֵד שֶׁקֶר Ex 20, 16 Dt 19, 18 Pr 6, 19 14, 5 25, 18, pl. עֵדֵי שֶׁקֶר Ps 27, 12 u. עֵד שְׁקָרִים Pr 12, 17 19, 5. 9; עֵד כְּזָבִים Pr 21, 28, עֵד בְּלִיַּעַל Pr 19, 28; עֵד שָׁוְא Dt 5, 20; עֵד חָמָס Ex 23, 1 Ps 35, 11 Pr 24, 28 :: Dt 19, 16; (יהוה) עֵד מְמַהֵר Ma 3, 5; קוּם עֵד als Z. auftreten *rise up (as) w.* Dt 19, 15 Ps 35, 11; cj קוּם לְעֵד Ze 3, 8; עָנָה לְעֵד als Z. aussagen *testify as w.* Dt 31, 21;

הֵעִיד עֵד zum Z. machen *take as w.* Js 8, 2 Ir 32, 10. 25; נָתַן עֵדָיו s. Zeugen stellen *bring one's witnesses* Js 43, 9; חִדֵּשׁ עֵדִים neue Z. stellen *bring new w.* Hi 10, 17; לְפִי עֵדִים Nu 35, 30 u. עַל־פִּי עֵדִים Dt 17, 6 19, 15 auf d. Aussage v. Z. hin *on the statement of w.*; Formel des Zeugenaufrufs *formula of calling forth witnesses*: אַתֶּם עֵדַי Js 43, 10. 12 44, 8, Ru 4, 9 f; Formel der Annahme der Zeugenschaft *formula of accepting this call*: עֵדִים Ru 4, 11; 1 וּבְעוֹד Ps 89, 38. †
Der. II עֵדָה; n. m. יוֹעֵד.

עַד: F עוֹד.

עִדֹּא: n. m.; F עִדּוֹ: 1. 1 K 4, 14; 2. עִדּוֹא Sa 1, 7 Esr 5, 1 6, 14 Ne 12, 4. 16 (K עִדִּיא). †

***עדד**: عَدَّ aufzählen, abzählen *count, reckon.* Der. *עֵדָה.

עֹדֵד n. m.: F עוֹדֵד.

I עדה: F ba.; ja. vorübergehn *pass by* (= hebr. עבר), af. entfernen *remove*, עֲדִיתָא Beute *booty*; sy. vorübergehn, weitergehn *pass by, go on*; عدا, ዐደወ vorübergehn *pass by*; asa. עדו sich begeben *repair*:
qal: pf. עָדָה: schreiten *stride* Hi 28, 8; †
hif: pt. מַעֲדֶה: abstreifen (Kleid) *remove (garment)* Pr 25, 20 (dittogr?). †
Der. II עַד? III עַד.

II עדה: mhb. עֲדִי u. ja. עֲדִיתָא Schmuck *ornament*; ja. עֲדִיתָא (עֲדָיָא) u. عَدْوَى Schorf *scab*:
qal: pf. עָדִית, impf. תַּעְדֶּה, וַתַּעַד. תַּעְדִּי, sf. וָאֶעְדֵּךְ, imp. עֲדֵה: als Schmuck anlegen *deck oneself with ornament* Js 61, 10 Ir 4, 30 31, 4 Hs 16, 13 23, 40 Ho 2, 15 Hi 40, 10; c. 2 ac. schmücken mit *deck with* (1 hif. וָאַעְדֵּךְ?) Hs 16, 11. †

Der. עֲדִי; n. f. עָדָה; n. m. עֲדִיאֵל, עֲדָיָה(וּ), יַעְדּוֹ, יַעְדָּה*, אֶלְעָדָה.

עָדָה: n. f.; II עדה; min. n. f. עדת: 1. Frau v. *wife of* לֶמֶךְ Gn 4, 19 f. 23; 2. Frau v. *wife of* עֵשָׂו Gn 36, 2. 4. 10. 12. 16. †

I עֵדָה (145 × u. 9 × Si; 80 × Nu, 15 × Ex, 15 × Jos, 12 × Lv, 10 × Ps, Rest F unten *remainder F below*), G 127 × συναγωγή: יעד; ja. עֵדְתָא, sy. עֵדְתָּא, äga. עדה; L. Rost, D. Vorstufen v. Kirche u. Synagoge im AT, 1938, 32—86: cs. עֲדַת, sf. עֲדָתִי, עֲדָתְךָ; sg. tant.: **Versammlung** *gathering*: 1. עֲדַת דְּבֹרִים Bienenvolk *swarm of bees* Jd 14, 8, עֲדַת אַבִּירִים Rotte, **Schar** *company, band* Ps 68, 31; 1 עַל־ רָעָתָם Ho 7, 12; 2. Schar, **Versammlung** *troop, congregation*: צַדִּיקִים Ps 1, 5, מְרֵעִים 22, 17, רשעים 86, 14, עָרִיצִים Si 16, 6, לְאֻמִּים Ps 7, 8; עדת שער Torgemeinde *congregation at the gate* Si 7, 7 42, 11, u. 4, 7?; (mit ungünstigem Klang: **Rotte** *in a disagreable meaning: band*) עֲדַת חָנֵף Hi 15, 34 u. עֲדַת קֹרַח Nu 16, 5 f. 11. 16 17, 5 26, 9 f 27, 3 Si 45, 18 u. עֲדַת אֲבִירָם Ps 106, 17 f; 3. **Versammlung** *congregation* עֲדַת אֵל Ps 82, 1 ug. *ʿdt ʾilm*; עֲדַת יהוה (gehört zu *belonging to* 4.?) Nu 27, 17 31, 16 Jos 22, 16 f, auch *and* Ps 74, 2; עֲדָתִי die zu mir gehören *my company* Hi 16, 7; 4. die **Kultgemeinde** Israels *the (official) congregation of Israel* (F עֲדַת יהוה sub 3.): a) ausserhalb P *setting aside* P: Jd 20, 1 21, 10. 13. 16 1 K 8, 5 12, 20 (Volksversammlung *congregation of the people*) Ir 6, 18? 30, 20 (עֲדָתוֹ Jakobs *of Jacob*) Ps 111, 1 Pr 5, 14 2 C 5, 6 Si 44, 15 46, 7. 14; b) in P (Ex-Nu, Jos): עֲדַת יִשְׂרָאֵל Ex 12, 3—Jos 22, 20 (9 ×), עֲדַת בְּנֵי יִשְׂרָאֵל Ex 16, 1—Jos 22, 12 (26 ×), הָעֵדָה Lv 8, 4—Jos 20, 9 (24 ×), כָּל־הָעֵדָה Lv 8, 3—Jos 9, 21 (30 ×), קְהַל עֲדַת יִשְׂרָאֵל Ex 12, 6, קְהַל עֲדַת בְּנֵי יִשְׂרָאֵל

Nu 14, 5; הַנְּשִׂיאִם בָּעֵדָה Ex 34, 31, נְשִׂיאֵי הָעֵדָה Ex 16, 22 (8×), פְּקוּדֵי הָעֵדָה Ex 38, 25, קְרִיאֵי הָעֵדָה Lv 4, 15 Jd 21, 16, זִקְנֵי הָעֵדָה Nu 1, 16 26, 9, מִקְרָא הָעֵדָה Nu 10, 2.

II **עֵדָה**: fem. v. עֵד: **Zeuge** *witness* Gn 21, 30 31, 52 Jos 24, 27.†

***עִדָּה**: עדד: pl. עִדִּים: **Periode, Blutgang** (der Frau) *menstruation* Js 64, 5, cj בְּעֵת עִדִּים Hs 16, 7.†

עִדּוֹ: n. m.; F עִדּוֹא = יֶעְדִּי (K יֶעְדִּי, Q יֶעְדּוֹ 2 C 9, 29)?; Budde, Geschichte d. althebr. Lit. 227; = עוֹדֵד? 1. Sa 1, 1; 2. חֹזֶה 2 C 12, 15, נָבִיא 13, 22; 3. 1 C 6, 6.†

עֵדוּת u. **עֵדֻת**: עוד (Gulk. Abstr. 39; Köhler, Th AT 197 f: Mahnzeichen *monitory sign, reminder*): pl. עֵדֹת < *עֵדוּת, sf. עֵדְוֹתֶיךָ, עֵדְוֹתָיו, עֵדֹתֶךָ; pro עֵדֹתִי Ps 132, 12 l עֵדֹתַי: Mahnzeichen, anspielend auf *reminder alluding to* הֵעִיד 2 K 17, 15 Ne 9, 34, cf. עדוד טובו Si 34, 23 u. נתן ע׳ ל׳ Si 36, 20; 1. sg. **Mahnzeichen** *monitory sign, reminder* Ps 122, 4 Ex 16, 34 25, 16. 21 30, 36 40, 20 Nu 17, 19. 25, לֻחֹת הָעֵדֻת Ex 31, 18 32, 15 34, 29, אֲרוֹן הָעֵדֻת Ex 31, 7, הָאָרֹן לָעֵדֻת (F Ex 40, 20) Ex 25, 22 26, 33 f 30, 6. 26 39, 35 40, 3. 5. 21 Nu 4, 5 7, 89 Jos 4, 16, מִשְׁכַּן הָעֵדֻת Ex 38, 21 Nu 1, 50. 53 10, 11, אֹהֶל הָעֵדֻת Nu 9, 15 17, 22 f 18, 2 2 C 24, 6, כַּפֹּרֶת... עַל הָעֵדֻת Lv 16, 13, פָּרֹכֶת הָעֵדֻת Ex 27, 21 30, 6, פָּרֹכֶת עַל־הָעֵדֻת Lv 24, 3; עֵדוּת יהוה Ps 19, 8, עֵדוּת פִּיךָ 119, 88; F 60, 1 80, 1 81, 6, // תּוֹרָה 78, 5; 2. pl. **Mahnzeichen, Mahnungen** (immer von J. her, meist // מִצְוֹת, חֻקִּים usw.) *reminder, exhortations* (*given by Y., usually* // חֻקִּים, מִצְוֹת etc.): הָעֵדֹת Dt 4, 45 6, 20, עֵדֹתָיו, עֵדְוֹתָיו Dt 6, 17 1 K 2, 3 2 K 17, 15 23, 3 Ir 44, 23 Ps 25, 10 78, 56 99, 7 119, 2 2 C 34, 31 Si 45, 5, עֵדְוֹתֶיךָ u. עֵדֹתֶיךָ Ps 93, 5 119, 14—168 (22×) Ne 9, 34 1 C 29, 19, עֵדֹתַי cj Ps 132, 12; 2 K 11, 12 u. 2 C 23, 11 F Montgomery-Gehman p. 425.†

עֲדִי: II עדה: עֶדְיִ, sf. עֶדְיוֹ, עֶדְיֵךְ: **Schmuck** (-stück) *ornaments* Ex 33, 4—6 2 S 1, 24 Js 49, 18 Ir 2, 32 4, 30 Hs 7, 20 (l עֶדְיָם) 16, 11 23, 40 Si 6, 30; עדי משריק (= Sterne *stars*) Si 43, 9; l בְּעֵת עִדִּים Hs 16, 7, l עוֹדֵךְ Ps 103, 5; Mowinckel Ps-Studien 1, 52 f: עֶדְיוֹ Ps 32, 9 = Kraft, Leidenschaft *strength, passion* u. l. עדיך Ps 139, 20 Kraft *strength*.†

עֲדָיָא: n. m.; F עֲדָיָה: Ne 12, 16 K, Q עִדּוֹא.†

עֲדִיאֵל: n. m.; *ʿdʾl* Dir. 353; עֲדִי u. אֵל: 1.—3. 1 C 4, 36; 9, 12; 27, 25.†

עֲדָיָה: n. m. < עֲדָיָהוּ: 1.—8.: 2 K 22, 1; Esr 10, 29 (l יְדָעְיָה); 10, 39; Ne 11, 5; 11, 12; 1 C 6, 26; 8, 21; 9, 12 (MS עֲזַרְיָה).†

עֲדָיָהוּ: n. m.; Dir. 353 (?); ak. *Adija* APN 12; עֲדִי u. יְ׳; > עֲדָיָה: 2 C 23, 1.†

עִדִּים: F *עִדָּה.

I ***עָדִין**: עדן: fem. עֲדִינָה: **wollüstig** *voluptuous* Js 47, 8; l עוֹרֵר חֲנִיתוֹ 2 S 23, 8.†

II **עָדִין**: n. m.; עדן: Esr 2, 15 8, 6 Ne 7, 20 10, 17.†

עֲדִינָא: n. m.; KF; עדן u.?: 1 C 11, 42.†

עֲדִיתַיִם: n. l.: unbekannt *unknown* Jos 15, 36.†

***עֲדַל**: F עַדְלַי, עֲדֻלָּם.

***עַדְלַי**: n. m.; ZAW 48, 78: v. عَدَلَ gerecht sein *be just*; Noth S. 241 cf. mhb. עֲדָל Gartenkresse *pepper-cress*: עַדְלָי 1 C 27, 29.†

עֲדֻלָּם: n.l.; *עדל u. -ām: *Ch. eš-Šēḫ Madkūr*, 16 km nw. Hebron (PJ 34, 58): Jos 12, 15 15, 35 1 S 22, 1 2 S 23, 13, Mi 1, 15? Ne 11, 30 1 C 11, 15 2 C 11, 7; F עֲדֻלָּמִי.†

עֲדֻלָּמִי: gntl. v. עֲדֻלָּם: Gn 38, 1. 12. 20.†

עדן: mhb. pi. u. sy. pa. ergötzen *make glad*, mhb. עִדּוּנִים Wohlleben *luxury*; = غدن:
hitp: impf. וַיִּתְעַדְּנוּ: **Wohlleben führen** *luxuriate* Ne 9, 25.†
Der. I, II n.m. עֵדֶן, I *עֶדֶן, עֶדְנָה, עֲדִין, מַעֲדַנִּים, מַעֲדַנֹּת; n.m. עַדְנָה, עֶדֶן, עֲדִינָא.

I *עֶדֶן vel עֵדֶן?: pl. עֲדָנִים, sf. עֲדָנֶיךָ, עֶדְנַי: 1. Wonne *delight* Ps 36, 9; 2. cf. ܥܕܢܐ **Schmuckstücke, -sachen** *finery* 2 S 1, 24; l מַעֲדַנַּי Ir 51, 34; F n.m. עֵדֶן u. עַדְנָה.†

II עֵדֶן: n.t.; ak. *edinu* (Zimm. 43: < sum. *edin* offenes Feld *open field*? Steppe *steppe*; die syrisch-arabische Sandwüste, für das ältre Babylon e. mythisches Gebiet *the Syrian-Arabic desert, a mythical country in the eyes of early Babylonia*; Vriezen, Onderzoek naar de Paradijsvoorstelling 1937, 60 ff; Literatur!): **Eden** Gn 2, 8. 10. 15 3, 23 f 4, 16 Js 51, 3 Hs 28, 13 31, 9. 16. 18 36, 35 Jl 2, 3 Si 40, 27.†

III עֵדֶן: n.m.; = I: 2 C 29, 12 31, 15.†

עֶדֶן: n.t.: ak. *Bīt Adini*: Landschaft zu beiden Seiten des Euphrat *region on both sides of Euphrates*, RLA 2, 33 f: Hs 27, 23, בְּנֵי־עֶדֶן < *בְּנֵי־בֵית עֶדֶן 2 K 19, 12 Js 37, 12.†

עֲדֶן: < *עַד־הֵן: **bis dahin** *hitherto* Ko 4, 3.†

עַדְנָא: n.m.; ak. *Adnā* APN 13: Ne 12, 15 Esr 10, 30; F עַדְנָה.†

עֲדֶנָּה: < *עַד־הֵנָּה: **bis dahin, noch** *hitherto, still* Ko 4, 2.†

עַדְנָה: n.m.; fem. v. I עֵדֶן; > עַדְנָא?: 2 C 17, 14.†

עֶדְנָה: עדן: **Liebeslust,** *delight, pleasure* (Joüon MFB 4, 6 f: Jugendkraft *juvenile power*) Gn 18, 12; F עַדְנַח.†

עַדְנַח: n.m.; Var. עַדְנָה, Εδνα: 1 C 12, 21.†

עַדְעָדָה: Jos 15, 22: l עַרְעָרָה.†

עדף: mhb. überschüssig sein *remain over*; ja. עֲדִיפָא vorzüglicher *superior*, غدف reichlich sein *be profuse*:
qal: pt. עֹדֵף, עֹדֶפֶת, עֹדְפִים: **das Überschüssige** *that remains over*: Speise *food* Ex 16, 23, Decken *covers* Ex 26, 12 f, Geld *money* Lv 25, 27, Leute *people* Nu 3, 46. 48 f;†
hif: pf. הֶעְדִּיף: **Überschuss haben** *have a surplus* (:: הֶחְסִיר) Ex 16, 18.†

I **עדר**: denom. v. עֵדֶר:
qal: pt. pl. cs. עֹדְרֵי (MS עֹרְכֵי) 1 C 12, 39, inf. עֲדֹר (MS עֲזֹר) 1 C 12, 34: **sich schaaren** *flock together*.†

II **עדר**: mhb., ja. jäten *weed*; neoarab. *dr* umgraben *dig up*; Stumme ZA 27, 125 cf. berberisch *amadir* = מַעְדֵּר:
nif: impf. יֵעָדֵר, יֵעָדְרוּן: **gejätet werden** *be weeded* Js 5, 6 7, 25.†
Der. מַעְדֵּר.

III **עדר**: mhb. nif. wegbleiben *remain behind*; غدر zurückbleiben *lag behind*:
nif: pf. נֶעְדָּר, נֶעְדָּרָה, pt. נֶעְדָּר, נֶעְדֶּרֶת: **vermisst werden** *be missed, be lacking* 1 S 30, 19 2 S 17, 22 Js 34, 16 40, 26 59, 15 Ze 3, 5, cj Sa 11, 16;†
pi: impf. יְעַדְּרוּ: **vermissen lassen, fehlen lassen (an)** *leave lacking* 1 K 5, 7.†
Der. I עֵדֶר.

IV *עדר: NF v. F עזר Ružička ZA 27, 309 ff: Der. II n. m. עֵדֶר, III n. l. עֵדֶר, n. l. עֵדֶר, n. m. עַדְרִיאֵל.

I עֵדֶר: III עדר; ph. (Klmw 11) עדר; mhb.; äga.; ja. עֶדְרָא: sf. עֶדְרוֹ, pl. עֲדָרִים, cs. עֶדְרֵי: d. Teil des Viehs, der beim Austritt aus dem Pferch als Eigentum eines Einzelnen zurückbehalten wird *the part of cattle which, when leaving the pen, is kept behind as an individual's property*: Herde *flock, herd*: Gn 29, 2 f. 8 30, 40 32, 17. 20 Jd 5, 16 1 S 17, 34 Js 17, 2 40, 11 Ir 6, 3 31, 10. 24 51, 23 Hs 34, 12 Jl 1, 18 (בָּקָר). 18 (צֹאן) Mi 2, 12 5, 7 Ze 2, 14 Ma 1, 14 Ps 78, 52 Pr 27, 23 Hi 24, 2; Ct 1, 7 4, 1 (עִזִּים). 2 6, 6 2 C 32, 28; מִגְדַּל־עֵדֶר Mi 4, 8; עֵדֶר יהוה Ir 13, 17, עֶדְרוֹ (v. *of* י׳) Sa 10, 3; הָעֵדֶר d. Königs = das Volk *of the king = the nation* Ir 13, 20; l עֲדָרִים Js 32, 14.† Der. I עדר; n. l. מִגְדַּל־עֵדֶר.

II עֵדֶר: n. m; IV עדר: 1 C 23, 23 24, 30.†

III עֵדֶר: n. l.; = II?: im נֶגֶב: Jos 15, 21.†

*עֵדֶר: n. m.; IV עדר; Αδαρ, Ωδερ; Noth S. 63 aram. = hebr. עזר: עֵדֶר 1 C 8, 15.†

עַדְרִיאֵל: n. m.; IV עדר u. אֵל; keilschr. *Iddirija-el* BEU 9, 60, *Adarri-el* UMB 2, 1, 9; *Idrilī* APN 94; Dir. 242 (?); äga. n. m. עדרי; F עזראל: 1 S 18, 19 2 S 21, 8.†

*עדשׁ: עֲדָשִׁים.

עֲדָשִׁים: *עדשׁ; mhb., عَدَسٌ: Linsen *lentiles* (*Lens lens*, Löw 2, 442 ff) Gn 25, 34 2 S 17, 28 23, 11 Hs 4, 9.†

עַוָּא 2 K 17, 24: F II עַוָּה.†

I עוב: sy. af. verdunkeln *darken*; ja. עֵיבָא Wolke *cloud*; asa. עיב: hif: impf. יָעִיב, l pf. הֵעִיב: umwölken *becloud* Th 2, 1.†

II *עוב: ak. *ababa* u. ܥܒܐ Wald *wood*; غَابَةٌ Dickicht *thicket*, cf. עבב mhb. dicht machen *tighten*: F III *עָב.

עוֹבֵד, עֹבֵד: n. m.; KF: עבד (u. Name e. Gottes *a. name of a god*); Noth S. 137; asa. עבד: 1. V. v. יִשַׁי Ru 4, 17. 21 f 1 C 2, 12; 2.—5. 1 C 11, 47; 2, 37 f; 26, 7; 2 C 23, 1 †.

עוֹבָל: (n. m.) n. p.: Γαιβαλ Flashar ZAW 28, 213; ar. *ʿUbāl* zwischen *between Ḥadeida* u. *Ṣanʿa* (Routes in Arabia, Simla 1915, 471, 477; *Banū ʿUbal* Stamm der *tribe of ʿAbauijim* in Jemen (Tāğ 10, 254, 1): S. v. יָקְטָן Gn 10, 28, cj 1 C 1, 22.†

עוג: mhb. e. Kreis ziehen *draw a circle*; mhb. pl. עוּגִיּוֹת u. ja. עוּגִיתָא (rundum laufender) Wassergraben (*circular*) *ditch*; عَوِجَ gekrümmt sein *be crooked*; äg. *ʿwg* rösten *toast* EG 1, 173: qal: impf. תְּעֻגֶנָּה (Var. תְּעֻגֶנָּה?: BRL 77) backen *bake* עֻגָה Hs 4, 12; F עֻגָה, מָעוֹג.†

עוֹג u. עֹג 1 K 4, 19†: n. m.; Gottesname? *name of a god?*; Noth ZDP 68, 10 ff: K. v. בָּשָׁן Nu 21, 33 32, 33 Dt 1, 4 3, 1. 3. 11 4, 47 29, 6 Jos 9, 10 12, 4 13, 30 1 K 4, 19 Ps 135, 11 136, 20 Ne 9, 22; מַמְלֶכֶת עוֹג Dt 3, 4. 10. 13; F Dt 31, 4 Jos 2, 10 13, 12. 31.†

עוּגָב u. עֻגָב: *עגב; cf. جَعْبَةٌ Köcher *quiver*: sf. עֻגָבִי: (Längs-) Flöte (*long*) *flute* (BRL 392): Gn 4, 21 Ps 150, 4 Hi 21, 12 30, 31.†

עוד: ug. *ʿd*?; asa. עוד wiederkehren *return*, عَادَةٌ Gewohnheit *habit*, vulg. *ʿād* F Nöld. BS 66; sy. pa. gewöhnen *accustom*, עִיְדָא Sitte, Fest *usage, ceremony*; palm. עידא Gewohnheit *habit*; ph., mhb., äga. עַד, F ba. עוֹד; ዓዲ wiederum *again*, ዖደ herumgehn *turn about*: qal: impf. sf. אֲעוּדֵךְ K, אֲעִידֵךְ Q: l אֶעֱרֹךְ vel עוֹדֵךְ Th 2, 13 (JTS 34, 162 f);†

pi: pf. sf. עִוְּדֻנִי: umgeben, umfangen *surround* (**F** oben *above* äth.) Ps 119, 61; †

hif: pf. הֵעִיד, הֵעַד, הַעֲדֹתָה (BL 404), הַעִידֹתִי, הֵעִידוּ, impf. וָאָעֵד, וָאָעִד, וַתָּעַד, תָּעִיד, וַיָּעַד, וָאָעִידָה Js 8, 2, וָאָעִידָה Ne 13, 21, וַיָּעִידוּ, sf. וַיְעִדֻהוּ 1 K 21, 10, וַיְעִדֻהוּ 21, 13, inf. הָעֵד, imp. הָעֵד, הָעִידוּ, pt. מֵעִיד: I wiederholen *repeat*: 1. c. דְּבָרִים בְּ immer wieder Worte brauchen gegen, **warnen** *repeat words again, warn* Dt 32, 46; 2. (דְּבָרִים weggefallen *dropped*) **ermahnen** *admonish* Gn 43, 3 Ir 11, 7 Ps 50, 7 81, 9 Ne 9, 26. 29 f. 34 2 C 24, 19, **warnen** *warn* Ex 19, 21. 23 1 S 8, 9 1 K 2, 42 2 K 17, 13. 15 Ir 42, 19 Am 3, 13 Ne 13, 15. 21, **versichern** *assure, protest* Dt 8, 19 Sa 3, 6, Ir 6, 10; †

II (denom. v. עֵד): 1. **zum Zeugen rufen** (בְּ gegen) *take as witness* (בְּ *against*) Dt 4, 26 30, 19 31, 28, c. לְ für *for* Js 8, 2 Ir 32, 10. 25. 44; 2. **Zeuge sein** *bear witness*: cj תָּעִידוּ Js 48, 6, c. אֶת־ (für *for*, gegen *against*) Hi 29, 11 1 K 21, 10. 13, c. בֵּין...וּבֵין Ma 2, 14; Th 2, 13 Q **F** qal; †

hof: pf. הוּעַד: **gewarnt werden** *be warned* Ex 21, 29; †

pil: impf. יְעוֹדֵד, pt. מְעוֹדֵד: **aufhelfen** *relieve* (יהוה) Ps 146, 9 147, 6; †

hitpol: impf. וַנִּתְעוֹדָד: **einander aufhelfen, aufrecht halten** *relieve each other* Ps 20, 9. †

Der. עֵד, II עֵדָה, עֵדוּת, עוֹד, תְּעוּדָה, n. m. אֶלְעָד, עוֹדֵד, יוֹעֵד.

עוֹד (selten *rarely* עֹד): עוד; **F** ba.: sf. עוֹדְךָ, עוֹדִי, עוֹדָם; v. עוֹד vermehrt um *enlarged with -an*: עוֹדֶנִּי, עוֹדֶנּוּ: Wiederholung, Dauer *repetition, continuance* > adv. wiederum, noch *again, still*: 1. subst. עוֹד **Dauer** *duration*: cj עֹדְךָ Lebensdauer *time of life* Ps 103, 5; בְּעוֹד **solange als** *as long as* 2 S 3, 35 Ir 15, 9, cj Ps 89, 38; בְּעוֹדִי solange ich *as long as I* Ps 104, 33 146, 2, **während** *while* Gn 25, 6 2 S 12, 22 Js 28, 4, בְּעוֹד 3 יָמִים **binnen** 3 T. *within 3 days* Gn 40, 13 Jos 1, 11, בְּעוֹד שָׁנָה Js 21, 16; מֵעוֹדִי mein Leben lang *all my life long* Gn 48, 15, מֵעוֹדְךָ Nu 22, 30; 2. וַיֵּבְךְּ עוֹד weinte die ganze Zeit = **immerzu** *wept the whole time* > *continually* Gn 46, 29, עוֹד יְהַלְלוּךָ Ps 84, 5; 3. subst. > adv.: **immer, noch** *always, still*: עוֹדִי עִמָּךְ m. Zeit = **noch** *my time* = *still* Ps 139, 18, הַעוֹד חַי lebt er noch? *is he still alive?* Gn 45, 3, כָּל־עוֹד ... בִּי noch ist ganz ... in mir *is yet whole in me* Hi 27, 3; עוֹדֶנִּי חָזָק ich bin noch stark *as yet I am strong* Jos 14, 11, הַעוֹד לָנוּ haben wir noch? *is there yet for us?* Gn 31, 14; עוֹד nachgestellt *following*: וְאַבְרָהָם עוֹדֶנּוּ während A noch *while A yet* Gn 18, 22, **F** Nu 11, 33; Text verderbt *text corrupt* Ir 40, 5; 4. עוֹד **nochmals, wiederum** *once more, again*: וַיֵּדַע עוֹד Gn 4, 25, **F** 24, 10 Jd 13, 8 Ho 1, 6 3, 1 etc.; cj 1 C 20, 4 וַתְּהִי עֹד pro וַתַּעֲמֹד; 5. עוֹד **noch dazu, sonst noch, ausserdem** *still, moreover, besides*: עֹד מִי־לְךָ wen hast du sonst noch? *whom hast thou besides?* Gn 19, 12; 6. לֹא עוֹד **sonst nicht, nichtmehr** *none besides, no more* Gn 8, 21 Dt 34, 10; הַאֵין ... עוֹד 1 K 22, 7 u. הַאֶפֶס עוֹד 2 S 9, 3 gibt es sonst keinen? *is there not yet any?*; l יָשִׂים מוֹעֵד Hi 34, 23, l עַד 1 K 12, 5.

עֹדֵד, עוֹדֵד: n. m.; עוד; **F** עדדן Zkr 1, 12 u. Eph. 3, 8 Montgomery JBL 28, 69: 1. 2 C 15, 1. 8 (= Rezitator *rhapsodist?*) 2. 28, 9. †

עוה: mhb. verkehrt handeln *act pervertedly*; ja. עֲוָא abweichen *deviate*, af. sich vergehn *trespass*, **F** ba. עֲוָיָה; عوى beugen *bent*:

qal: pf. עָוִינוּ, עָוְתָה: **sich vergehen** *do wrong* Est 1, 16 Da 9, 5; †

nif: pf. נַעֲוֵיתִי, pt. cs. נַעֲוֵה, pro נַעֲוַת 1 S 20, 30 l נַעֲרַת: **verstört sein** *be bewildered*,

disconcerted Js 21, 3 Ps 38, 7 Pr 12, 8; †
pi: pf. עִוָּה: verstören *disconcert* Js 24, 1 Th 3, 9; †
hif: pf. הֶעֱוָה, הֶעֱוֵיתִי, הֶעֱוִינוּ, inf. sf. הַעֲוֺתוֹ: 1. verkehren, verdrehen (Recht) *pervert* (*the right*) Hi 33, 27; c. דַּרְכּוֹ verkehrt wandeln *pervert one's way* Ir 3, 21; 2. abs. sich vergehen *do wrong* 2 S 7, 14 19, 20 24, 17 1 K 8, 47 Ir 9, 4 (l הֶעֱווּ) Ps 106, 6 2 C 6, 37. †
Der. I עַוָּה, עָוֹן, עִוְעִים, עִי.

I עַוָּה: עוה pi: Trümmer *ruin* Hs 21, 32. †

II עַוָּה, עִוָּה (Var. עַוָּא 2 K 17, 24): n. l.; Stadt in *town in* Assyrien (kaum *hardly Ammia* EA 75, 33 88, 7; *ʿimm* bei *near* Antiochia? *Amā* in עֵילָם? F Šanda 2 KS. 224 f: 2 K 17, 24 18, 34 19, 13 Js 37, 13; F עַוִּים 2. †

עוז: F עזז.

עוז: عوذ:
qal: inf. עוֹז, impf. יָעֹז: Zuflucht nehmen *take refuge* Js 30, 2 Ps 52, 9 (בְּ bei *with*); †
hif: pf. הֵעִיזוּ, imp. הָעֵז, הָעִיזוּ: bergen *bring into safety* Ex 9, 19 Js 10, 31 Ir 4, 6 6, 1. †
Der. II עֹז, n. m. מַעַזְיָה(וּ).

עֲוִיל: II עול: pl. עֲוִילִים: sf. עֲוִילֵיהֶם: Knabe, Bube *young boy* Hi 16, 11 (l c. Vers. עַוָּל?) 19, 18 21, 11. †

עַוִּים: n. p. 1. Ἐυαῖοι, wohnen bis *dwelling as far as* עַזָּה Dt 2, 23 Jos 13, 3; 2. Bewohner v. *inhabitants of* II עַוָּה; Albr. JPO 1, 187 ff 4, 134 ff: 2 K 17, 31; 3. in Benjamin Jos 18, 23. †

עֲוִית: n. l.; in Edom? in Moab? Gn 36, 35 1 C 1, 46 Q (K עיות? Γεδδαιμ ZAW 28, 213). †

I עול: mhb. pi., sy. af. ungerecht handeln *act unjustly*, ja. עַוְלָא Frevel *unrighteousness*; عَالَ abweichen (vom Rechten) *deviate* (*from right course*), ዐለወ verderben *pervert*:
pi: impf. יְעַוֵּל, pt. מְעַוֵּל: unrecht handeln *act wrongfully* Js 26, 10 Ps 71, 4; cj inf. [מֵ]עַוֵּל Hi 34, 10. †
Der. עָוֶל, עַוָּל, עַוְלָה.

II עול: mhb. עוּלָה Mädchen *girl*; ja., sy. עוּלָא Säugling *suckling*; ܥܘܠܐ u. ዐዋል Füllen *foal*; عَالَ nähren *nurse*, عَيِّل Kleinkind *infant*:
qal: pt. pl. fem. עָלוֹת: säugen (Muttertiere) *give suck* (*cows, ewes*) Gn 33, 13 1 S 6, 7. 10 Js 40, 11 Ps 78, 71, cj בְּנֵי עָלוֹת Gn 49, 9. †
Der. עוּל, עֲוִיל, עוֹלֵל, עוֹלָל.

עוּל, עֻל: II עול: sf. עוּלָהּ: Säugling *suckling* Js 49, 15 65, 20, cj עֻל Hi 24, 9. †

עָוֶל: I עול: cs. עֶוֶל (BL 583), sf. עַוְלוֹ: Unrecht *injustice, unrighteousness* Lv 19, 15. 35 Dt 25, 16 Ir 2, 5 Hs 3, 20 18, 8. cj 17. 24 28, 18 33, 13. 15. 18 Ps 7, 4 82, 2 Hi 34, 32, cj Ze 3, 5; אִישׁ עָוֶל Pr 29, 27; Gott ist *God ist* אֵין עָוֶל Dt 32, 4; cj בְּעָוֶל Ps 58, 3; l מְעַוֵּל Hi 34, 10, l עֲלִילָה Ps 53, 2. †

עַוָּל: I עול: Übeltäter, Frevler *unrighteous one, evil-doer* Hi 18, 21 27, 7 29, 17 31, 3, cj Ps 12, 8; l עָוֶל Ze 3, 5. †

עַוְלָה > I עוֹלָה Js 61, 8 (> עַלְוָה Ho 10, 9): I עול: עַוְלָתָה (BL 528) Hs 28, 15 Ho 10, 13 Ps 125, 3 92, 16 Q, > עֹלָתָה Hi 5, 16 (pl. עולת Ps 58, 3 u. 64, 7 F unten *below*): Verkehrtheit, Schlechtigkeit *unrighteousness, wickedness* Js 59, 3 61, 8 Hs 28, 15 Ho 10, 13, Mi 3, 10 u. Ha 2, 12 (// דָּמִים), Ze 3, 5. 13 Ma 2, 6 Ps 37, 1 107, 42 119, 3 125, 3 Pr 22, 8 Hi 5, 16 6, 29 f 11, 14 13, 7 27, 4

(רְמִיָּה//) 22,23 24,20 36,23; אִישׁ ... עַוְלָה Ps 43,1, אִישׁ שֹׁתֶה עַוְלָה Hi 15,16, בֶּן־עַוְלָה Ps 89,23, בְּנֵי עַוְלָה 2 S 3,34 7,10 1 C 17,9; an Gott haftet nicht *God not connected with* עַוְלָה Ps 92,16 2 C 19,7; cj עַוְלָה Hi 36,33; pl. l עָוֶל Ps 58,3, l תַּעֲלֻמֹתֵינוּ 64,7.†

I עוֹלָה (pl. עולת): F עוֹלָה.

II עוֹלָה: F עֹלָה.

עוֹלֵל: II עול: pl. עוֹלָלִים, עֹלָלִים, cs. עֹלְלֵי, sf. עֹלְלֵיהֶם: **Kind** *child* 1 S 15,3 u. 22,19 (יוֹנֵק::) 2 K 8,12 Js 13,16 Ir 44,7 Ho 14,1 Ps 8,3 17,14 Hi 3,16 Th 2,11.20.†

עוֹלָל: II עול: pl. עוֹלָלִים, sf. עוֹלָלֶיהָ, עוֹלָלַיִךְ: **Kind** *child*:: זָקֵן Jl 2,16, Ir 6,11 9,20 Mi 2,9 Na 3,10 Ps 137,9 Th 1,5 2,19 4,4; cj pro חֲלָלִים Hi 24,12.†

עוֹלֵלוֹת: F עֹלֵלוֹת.

עוֹלָם u. (14 ×) **עֹלָם**: (437 ×, nicht in *not in* Na, Hg, Ct, Ru, Est): ug. *ʿlm* Dauer *perpetuity*, mo., ph., mhb., aram. F ba. עָלַם; عَالَم Schöpfung, Welt *creation, world*, asa. עלם, ዓለም; ak. *ullû* fern, früher *far, earlier*; *-am* Endung *termination?* Montg. JQR 1935, 26ff: die ferne (frühere oder kommende) Zeit? *the distant (prior or coming) time?*: sf. עֹלָמוֹ Ko 12,5, pl. עוֹלָמִים, עֹלָמִים, cs. עוֹלְמֵי; l לְעוֹלָם (MS) 2 C 33,7: **1. lange Zeit, Dauer, alle** (kommende) **Zeit** (deutsch gewöhnlich: ewig, Ewigkeit, aber nicht im philosophischen Sinn gemeint) *a long time, long duration, all (future) time (eternally, eternity, but not to be understood philosophically)*: עֶבֶד עוֹלָם Dt 15,17 1 S 27,12 (von Davids Lebenszeit gemeint *meaning David's lifetime*) Hi 40,28, שֵׁם עו׳ Js 56,5, שִׂמְחַת עו׳ Js 35,10, זֵכֶר עו׳ Ps 112,6, חֶרְפַּת עו׳ Ir 23,40; הֶרֶת עו׳ Ir 20,17, so steht עוֹלָם in vielen Verbindungen עוֹלָם *is thus used in many combinations*: c. בְּרִית Gn 9,16 (16 ×), c. בְּרִית מֶלַח Nu 18,19, c. אֲחֻזַּת Gn 17,8, c. חֻקַּת Ex 12,14 (23 ×), c. חָק־ Ex 29,28 (11 ×), c. כְּהֻנַּת Ex 40,15 Nu 25,13, etc., l עוֹלַת Hs 46,14; **2.** עוֹלָם **adv. für alle Zeit** *for all time, for ever* Ps 61,8 66,7 89,38. cj 48; = לְעוֹלָם Gn 3,22 (164 ×), cj Ps 87,5 u. 2 C 33,7; = עַד־עוֹלָם Gn 13,15 (60 ×) u. עַד לְעוֹלָם 1 C 23,25 28,7; לְעוֹלָם לְדֹר וָדֹר// עַד־עוֹלָם Ex 3,15; לְדֹר דֹּר// Js 34,17 (7 ×); [לְ]עוֹלָם וָעֶד Ex 15,18 (15 ×); מֵעַתָּה וְעַד־עוֹלָם Ps 28,9 133,3; עַד־הָעוֹלָם Js 9,6 (8 ×), עַד־עוֹלְמֵי עַד für alle Zeiten *for all times* Js 45,17; לָעַד לְעוֹלָם Ps 111,8 148,6; **3. lange Zeit zurück, graue Vorzeit** *long time ago, antiquity*: c. אֵיבַת Hs 25,15, c. אַהֲבַת Ir 31,3, c. גִּבְעֹת Gn 49,26, c. עַם Hs 26,20, c. הֲלִיכוֹת Ha 3,6, c. פִּתְחֵי Ps 24,7, c. יְמוֹת Dt 32,7, c. יְמֵי Ma 3,4, etc.; עוֹלָם// קֶדֶם Dt 33,15, עוֹלָמִים// קֶדֶם Js 51,9, עוֹלָם// מֵעוֹלָם Vorzeit *olden times* Dt 32,7; דֹּר וָדֹר von jeher, seit alters *from antiquity, of old* Gn 6,4 (15 ×), cj 2 S 13,18 u. Js 44,7; מֵהָעו׳ וְעַד־הָעו׳ Ir 28,8 Jl 2,2, מִן־הָעוֹלָם Ps 41,14, לְמִן־עו׳ וְעַד־עו׳ Ir 7,7 25,5, מֵעו׳ עַד־עו׳ Ps 106,48, מִן־הָעו׳ וְעַד־הָעו׳ Ps 90,2, מֵעו׳ וְעַד־עו׳ Ps 103,17; **4.** עוֹלָם von Gott *said of God*: אֵל עו׳ Gn 21,33, אֱלֹהֵי עו׳ Js 40,28, מֶלֶךְ עו׳ Ir 10,10, חֵי הָעוֹלָם der Ewiglebende *he that liveth for ever* Da 12,7; צוּר עוֹלָמִים Js 26,4, זְרֹעֹת עוֹלָם Dt 33,27; **5. Einzelnes** *particulars*: בֵּית עוֹלָמוֹ Haus für immer *house for ever* = Grab *tomb* (auch *also* aram., palm., sy.; Joüon Sy 19,99f) (äg?) Ko 12,5; הָעוֹלָם Ewigkeit *eternity* (F Komm.) Ko 3,11; מֵתֵי עו׳ längst Tote *who have been long dead* Ps 143,3 Th 3,6; pl. עֹלָמִים die kommenden

Zeiten *the times to come* Ps 77, 8 1 K 8, 13 2 C 6, 2 Ps 61, 5 145, 13 Da 9, 24 :: die frühern Zeiten *the times past* Ko 1, 10; l מֵעוֹלָם 1 S 27, 8, l מֵעוֹלָם Js 57, 11, l בְּמַעֲלֵינוּ 64, 4, l עִילָם Ir 49, 36, l עֲוֹל מִסָּבִיב Ps 12, 8 f, l אַלְמָנָה Pr 23, 10.

***עון**: F I מָעוֹן, II n. m., III n. l.

עָוֺן: עוה: seltener *less frequently* עָווֹן, cs. עֲוֹן, sf. עֲוֹנִי, עֲוֹנְךָ, עֲוֹנוֹ (BL 538) Ps 103, 3, pl. עֲוֹנוֹת, עֲוֹ ת, sf. עֲוֹנֹתָם, עֲוֹנֹתָיו, עֲוֹנֹתֵיכֶם, עֲוֹנוֹתֵיכֶם, gelegentlich Formen wie *occasionally forms like* עֲוֹנֶיךָ, עֲוֹנֵינוּ : 231 × (Hs 44 ×, Ps 29 ×, Js 25 ×, Ir 24 ×, Lv 18 ×, Nu 12 ×, Ho 11 ×): עָוֺן (Koehler, Theol. AT 157 f) Handeln, das ungerade, unrecht ist *acting crookedly, wrongly*: 1. (bewusstes, beabsichtigtes) Vergehen (*conscious, intentional*) *offence, transgression* :: חטא, (55 ×); > 2. Schuld *guilt* (159 ×); > 3. Strafe (für Schuld) *punishment* (*for guilt*) (7 ×): **1. Vergehen, Sünde** *transgression, sin*: 2 S 22, 24 Ps 18, 24 Ir 11, 10 13, 22 30, 14 f Ho 9, 7, עָוֺן u. חַטָּאת Ir 36, 3 F 33, 8 Ho 4, 8 5, 5 Ma 2, 6, דִּבְרֵי עֲוֹנֹת Sünden *sins* Ps 65, 4, Ps 90, 8 107, 17 Pr 5, 22 Da 9, 13 Esr 9, 6 Ne 9, 2, etc.; cj עֲוֹן תְּרָפִים 1 S 15, 23; **2.** (durch Vergehen, Sünde bewirkte) **Schuld** *guilt* (*caused by transgression, sin*): עֲוֹן הָעָם Nu 14, 19, עֲ' הָאֱמֹרִי Gn 15, 16, עֲ' יִשְׂרָאֵל Ir 50, 20, עֲוֹנֹת בְּנֵי יִשְׂרָאֵל Ho 7, 1 13, 12, עֲ' אֶפְרַיִם Lv 16, 21; [הָאָרֶץ] עֲ' bevor Israel hineinkam *preceding Israel's entrance* Lv 18, 25; עֲוֹנָהּ בָּהּ ihre Sch. liegt auf ihr *her sin lies upon her* Nu 15, 31, נָשָׂא עֲוֹנָהּ (d. Ehemann) trägt (= haftet für) ihre Sch. (*the husband*) *answers for her guilt* Nu 30, 16, etc.; עֲ' הַמִּקְדָּשׁ Schuld, Verschuldung gegenüber, am Heiligtum *guilt committed against the sanctuary* Nu 18, 1. 23; בִּי־אֲנִי הֶעָוֺן auf mir allein liegt die Sch. *I only am guilty* 1 S 25, 24 F בִּי (F p. 120); נָשָׂא עָוֺן für e. Verschuldung (am Heiligtum) verantwortlich sein *have to answer for a guilt* (*committed against the sanctuary*) Nu 18, 1. 23; F נשׂא, פקד, נקה, רצה, סלח, הִתְוַדָּה, כבס, מצא, שׁלם, etc.; **3. Strafe** (für Schuld) *punishment* (*for guilt*) Gn 4, 13 Ir 51, 6 Hs 21, 30. 34 35, 5 44, 10. 12; 4. l בְּעָנְיִי 2 S 16, 12, l בְּעָנְיִי Ps 31, 11, l צִנֹּתָם pro עֲוֹנוֹתָם Hs 32, 27; ? Ps 49, 6 Hi 19, 29 31, 11 1 S 3, 13.

עִוְעִים: pl. tant.; עוה: **Taumel** *wavering* Js 19, 14. †

I עוף: ug. ʿp; mhb., ja. fliegen *fly*; عَافَ mhb. עוֹף, F ba., ja. עוֹפָא, ܥܘܦܐ [illegible] Vögel, *fowl*; عَوْف Vogelflug *augury* (*of birds*): qal: pf. עָפוּ, impf. יָעוּף, וַיָּעַף, וַיָּעָף, אָעוּפָה, יָעֻפוּ, תְּעוּפֶינָה, וְנָעֻפָה, inf. עוּף, pt. fem. עָפָה, עָפוֹת: **1. fliegen** *fly*: Vögel *birds* Dt 4, 17 Js 31, 5 Pr 23, 5 Q 26, 2, Heuschrecken *locusts* Na 3, 16, Gewölk *clouds* Js 60, 8, שָׂרָף Js 6, 6, Pfeil *arrow* Ps 91, 5, Schriftrolle *scroll* Sa 5, 1 f, יהוה 2 S 22, 11 Ps 18, 11, כְּנֶשֶׁר Ha 1, 8 Pr 23, 5 Q, כַּיּוֹנָה Ps 55, 7; c. יַגְבִּיהַּ hoch fliegen *soar aloft* Hi 5, 7; **2. dahinfliegen, verfliegen** *fly away*: חֲלוֹם Hi 20, 8, Mensch *man* Ps 90, 10; †

hif: impf. תָּעִיף: c. עֵינַיִם בְּ fliegen lassen, **blicken lassen** *cause to fly, cause to caste a glance* Pr 23, 5 Q; †

pol: impf. יְעוֹפֵף, pt. מְעוֹפֵף: **sich schwingen, schweben** *fly about, soar* Gn 1, 20 Js 6, 2 14, 29 30, 6; Hs 32, 10 F עפף; †

hitpol: impf. יִתְעוֹפֵף: **verfliegen, fortfliegen** *fly away* Ho 9, 11. †

Der. עוֹף; F *עַפְעַפַּיִם.

II עוף: *תְּעֻפָה; F I עיף, מוּעָף.

[**III עוף**: qal: impf. תָּעֻפָה Hi 11, 17: l תְּעֻפָה.]

עוֹף (70 ×): I עוף· coll., πετεινόν: fliegende **Tiere**: Vögel, Insekten *flying creatures*: *fowl*, *insects*:: צִפּוֹר Dt 14, 11: עוֹף הַשָּׁמַיִם (ak. *iṣṣūru šamē*) was am Himmel, in der Luft fliegt *what is flying at the sky, in the air* Gn 1, 26 Dt 28, 26 1 S 17, 44 Ir 4, 25 Hs 29, 5 Hos 2, 20 (38 ×); עוֹף הָרִים Ps 50, 11; עוֹף כָּנָף was mit Flügeln fliegt *fowl of wing* Gn 1, 21 Ps 78, 27; עוֹף Gn 1, 20, Opfertier *for offering* Lv 1, 14; verbotne Arten *forbidden kinds* 11, 13 Dt 14, 12; שֶׁרֶץ הָעוֹף Lv 11, 20 Dt 14, 19; עוֹף נוֹדֵד Js 16, 2; im כְּלוּב gehalten *kept in* כְּלוּב Ir 5, 27; cj כְּמוֹ־עוֹף Ps 11, 2.

עוֹפַי Ir 40, 8: F עֵיפַי.

עוֹפֶרֶת: F עֹפֶרֶת.

עוּץ: NF v. יעץ; ja.:

qal: imp. עֻצוּ: עֻצוּ עֵצָה e. Plan fassen *plan* Js 8, 10 Jd 19, 30 (adde עֵצָה). †

I **עוּץ**: n. m.; n. m. (n. dei) عَوْض, عُوَيْض ZAW 44, 92: 1. S. v. אֲרָם Gn 10, 23 1 C 1, 17; 2. S. v. נָחוֹר Gn 22, 21; 3. S. v. דִּישָׁן Gn 36, 28 1 C 1, 42. †

II **עוּץ**: n. t.; ἡ Αὐσῖτις; FI: nicht *not* in Hauran (Jos. Antt. I, 6, 4); nicht *not* bei *near* Palmyra (Franz Delitzsch, Zur Keilschriftforschg. 1885, 87); nicht *not* bei *near* Antiochia (Haupt OLZ 10, 63); zwischen *between* Edom u. Arabien, Dhorme RB 1911, 102 ff; Moritz ZAW 44, 92; Peters, Hiob S. 4 ff (Literatur!); Musil, The Northern Heğaz 1, 248 ff: אֶרֶץ הָעוּץ Ir 25, 20, אֶרֶץ עוּץ Hi 1, 1 Th 4, 21. †

עוק: NF עקה; عَاقَ hindern *impede*, عَوْق Biegung (e. Tals) *bending* (*of valley*):

qal: impf. תָּעִיק (Köhler OLZ 20, 173): behindert sein, **schwanken** (Wagen) *be impeded*, *totter* (*cart*) Am 2, 13 b; †

hif: pt. מֵעִיק: **schwanken lassen** *cause to totter* Am 2, 13 a. †

Der. *עָקָה.

I **עור**: äga. עוירָא, ja. cp. עויר עינין, ܥܘܝܪܐ; أَعْوَر blind *blind*; ዐወረ blind sein *be blind*, ak. *ḫummuru*, *tūrtu* (< **taʿwartu*) Holma NKt 15. 171, ABP 56 f:

pi: pf. עִוֵּר, impf. יְעַוֵּר: **blenden** *make blind*, *blind* 2 K 25, 7 Ir 39, 7 52, 11, metaph. **blind machen** *cause to be blind* Ex 23, 8 Dt 16, 19. †

Der. עִוֵּר, עִוָּרוֹן, עַוֶּרֶת.

II **עור**: nackt sein *be naked*, F ערה:

nif. impf. תֵּעוֹר Ha 3, 9: l תֵּעָרֶה; F עוֹר.

Der. *מָעוֹר.

III **עור**: ug. *ʿr* caus. aufwecken *arouse*; ak. *ēru*, mhb. עֵר, ja. עִיר wach *awake*; ja. עוֹר, ܥܝܪ wecken *awake*; غَارَ, inf. غَيْر eifersüchtig sein *be jealous*:

qal: imp. עוּרָה, עוּרִי, pt. עֵר; pro impf. sf. יְעוֹרְנוּ Q Hi 41, 2 l יְעִירֶנּוּ: **sich regen, rege, wach sein** *arouse oneself*, *be aroused*, *awake* Jd 5, 12 Js 51, 9 Ha 2, 19 Sa 13, 7, Ps 7, 7 u. 44, 24 (יהוה), 57, 9 59, 5 108, 3 Ct 4, 16 (Wind *wind*) 5, 2 (לֵב), cj יָעַר pro יָחַד Hi 34, 29; עֵר וְעֹנֶה? Ma 2, 12; †

nif: pf. נֵעוֹר, impf. יֵעוֹר, יֵעוֹרוּ, יֵעֹרוּ: **erregt werden, in Bewegung geraten** *be aroused*, *be incited* (*to activity*): Volk *people* Ir 6, 22 50, 41 Jl 4, 12, Sturm *tempest* Ir 25, 32, יהוה Sa 2, 17, Schläfer *sleeping man* Sa 4, 1 Hi 14, 12, cj תֵּעֹר (גֹּג) Hs 38, 14; †

pil: pf. עוֹרֵר, עוֹרַרְתִּי, sf. עוֹרַרְתִּיךָ, impf. תְּעוֹרְרוּ, תְּעֹרֵר, imp. עוֹרְרָה, inf. עוֹרֵר: 1. **in Bewegung bringen, wecken** *arouse*, *awake* Sa 9, 13 Ct 2, 7 (אַהֲבָה) 3, 5 8, 4 f; 2. **erregen, aufstören** *rouse*, *stir* Js 14, 9 Hi 3, 8 Pr 10, 12; 3. **sich regen lassen** *be stirred* Ps 80, 3; 4. **schwingen** (Waffe, Geissel) *brandish* (*weapon, whip*) 2 S 23, 18 1 C 11, 11. 20 Js 10, 26, cj 2 S 23, 8 (l עוֹרֵר חֲנִיתוֹ); hif: pf. הֵעִיר, הַעִירוֹתִי, sf. הַעִירֹתִהוּ, impf. וַיְעִירֵנִי, sf. תָּעִירוּ, אָעִירָה, וַיָּעַר, יָעֵר, יָעִיר, יְעִירֶנּוּ K Hi 41, 2, inf. בָּעִיר (< *בְּהָעִיר BL 228), imp. הָעִירָה, הָעִירוּ, pt. מֵעִיר, sf. מְעִירָם: 1. **aufwecken** *rouse*: Schläfer *sleeper* Sa 4, 1, אֹזֶן Js 50, 4, שַׁחַר Ps 57, 9 108, 3, כֹּחַ Da 11, 25, אַהֲבָה Ct 2, 7 3, 5 8, 4; **aufstören** *stir up*: נֶשֶׁר Dt 32, 11, Exilierte *exiles* Jl 4, 7, Krokodil *crocodile* cj Hi 41, 2; **erregen, in Bewegung bringen** *arouse, incite* (*to motion, activity*) Js 41, 2. 25 45, 13 13, 17 Ir 50, 9 51, 1. 11 Hs 23, 22 Da 11, 2 Hg 1, 14 Esr 1, 1. 5 1 C 5, 26 2 C 21, 16 36, 22, cj Jd 9, 31, **aufbieten** (Kämpfer) *summon* (*for fight*) Jl 4, 9; **wachwerden lassen** *cause to rouse* Ps 78, 38; 2. **sich regen** *awake* Js 42, 13 (l קַנָּא) Ps 35, 23 u. Hi 8, 6 (Gott *God*); בָּעִיר beim Erwachen *when one awakes* Ps 73, 20, (Feuer) **schüren** *poke* (*fire*) Ho 7, 4; †

hitpol: impf. יִתְעוֹרֵר, imp. הִתְעוֹרְרִי, pt. מִתְעוֹרֵר: sich aufraffen *rouse oneself* Js 51, 17 64, 16; sich aufregen *be excited* Hi 17, 8; l וְהִתְרוֹעַעְתִּי (רוע) Hi 31, 29; †

pilp: impf. יְעֹעֵרוּ: l יְעַרְעֵרוּ: rege halten *keep aroused* Js 15, 5. †

Der. II, III, IV עִיר, עִיר, n. m. יָעִיר u. עֵר.

עוֹר: mhb.; ph. ערת Lidz. 346; II עור? nacktes, enthaartes Fell? *naked, depilated skin*?: sf. עוֹרוֹ, עֹרוֹ, pl. עוֹרוֹת: Haut, Fell, Leder *hide, skin, leather*: 1. **Haut** des Menschen *skin of man* Ex 22, 26 Ir 13, 23 Hs 37, 6. 8 Mi 3, 2 f Hi 7, 5 10, 11 30, 30 Th 3, 4 4, 8 5, 10, עוֹר בְּשָׂרוֹ Lv 13, 2—4. 11. 38 f, עוֹר בָּשָׂר 13, 43, > עוֹר 13, 4—39; עוֹר פָּנָיו Ex 34, 29 f. 35; Haut d. Rinds *skin of the bullock* Ex 29, 14 Lv 4, 11 8, 17 Nu 19, 5, d. Opfertiers *of the victim* Lv 7, 8 9, 11 16, 27, d. Krokodils *of the crocodile* Hi 40, 31, des *of the* תַּחַשׁ Ex 25, 5 26, 14 35, 7. 23 36, 19 39, 34 Nu 4, 6—12, v. *of* אֵילִים Ex 25, 5 26, 14 35, 7. 23 36, 19 39, 34; Fell (v. Zicklein) *hide* (*of kids*) Gn 27, 16; כָּתְנוֹת עוֹר Fellkleider *coats of skin* Gn 3, 21; Redensart *idiomatic phrase* עוֹר בְּעַד־עוֹר Hi 2, 4; ?? Hi 18, 13 19, 20. 26 (F Komm.); 2. **Leder** *leather* Lv 11, 32 13, 48—56 15, 17, מְלֶאכֶת עוֹר Lv 13, 48, כְּלִי עוֹר 13, 49—59 Nu 31, 20; אֵזוֹר עוֹר 2 K 1, 8. †

עִוֵּר: I עור; ug. ᶜ*wr*; أعور auf e. Auge blind, einäugig *one-eyed*: pl. עִוְרוֹת, עִוְרִים: **blind** (auf beiden oder nur einem Auge *blind* (*on both eyes or one-eyed*) Ex 4, 11 Lv 19, 14 21, 18 Dt 15, 21 27, 18 28, 29 2 S 5, 6. 8 Js 29, 18, cj 33, 23, (l חֵלֶק עִוֵּר Du), 35, 5 42, 7. 16. 18 f 43, 8 56, 10 59, 10 Ir 31, 8 Ze 1, 17 Ma 1, 8 cj 13, Ps 146, 8 Hi 29, 15 Th 4, 14, F גִּשֵּׁשׁ, הִשְׁגָּה, פִּקֵּחַ, פָּקַח, מִשֵּׁשׁ, מִכְשׁוֹל. †

עוֹרֵב: F I עֹרֵב.

עִוָּרוֹן: I עור: **Erblindung** *loss of* (*one's*) *sight* Dt 28, 28 Sa 12, 4. †

עֲוָרִים Js 30, 6: F עַיִר.

עַוֶּרֶת: I עור: **Blindheit** *blindness* Lv 22, 22. †

עוש: nab. n. m. עותו; غاث helfen *aid*, asa. עות wiederherstellen *restore*:

qal: imp. עוּשׁוּ l חוּשׁוּ Jl 4, 11. †

Der. n. m. יְעוּשׁ u. יוֹעָשׁ.

עות (konsonantisches *consonantal* ו!): mhb. pi., ja. pa. krümmen, biegen *make crooked, bent*; ܥܘܬ betrügen *deceive*:

pi: pf. sf. עִוְּתוֹ, עִוְּתָנִי, עִוְּתוּנִי, impf. יְעַוֵּת, יְעַוֶּת־, inf. עַוֵּת: **krümmen** *make crooked, pervert* (:: תִּקֵּן): Ko 7, 13, מִשְׁפָּט Hi 8, 3 34, 12, דֶּרֶךְ Ps 146, 9, c. מֹאזְנַיִם **fälschen** *falsify* Am 8, 5; **fehlleiten** *mislead* Ps 119, 78 Hi 19, 6 (Gott *God*) Th 3, 36; †

pu: pt. מְעֻוָּת: **krumm gebogen** *made crooked, bent* Ko 1, 15; †

hitp: pf. הִתְעַוְּתוּ: sich krümmen *bend oneself* Ko 12, 3. †

Der. *עַוָּתָה.

עות Js 50, 4: l לָעֻנוֹת.

***עַוָּתָה**: עות: sf. cj עַוָּתִי: Unterdrückung *oppression* Th 3, 59. †

עוּתַי: n. m.; עוש = עות?, nab. n. m.;:: Noth S. 191: 1. Esr 8, 14; 2. 1 C 9, 4. †

עַז: עזז: עַז, fem. עַזָּה, pl. עַזִּים, cs. עַזֵּי: 1. **stark** *strong*: Einzelne *individuals* Jd 14, 14. 18 2 S 22, 18 Ps 18, 18 Js 19, 4 Am 5, 9 Ps 59, 4 Pr 30, 25, cj 24, 5, Volk *people* Nu 13, 28 Js 25, 3, Wasserfluten *waters* Js 43, 16 Ne 9, 11, Wind *wind* Ex 14, 21, Zorn *wrath* Gn 49, 7 Pr 21, 14, אַהֲבָה Ct 8, 6, Verlangen *desire* Si 6, 4; עַז נֶפֶשׁ gierig *covetous* Js 56, 11 Si 40, 30; 2. **trotzig, unverschämt** *fierce, insolent* עַז פָּנִים Dt 28, 50 Da 8, 23; עַזּוֹת adv. auf trotzige Art *in a fierce manner* Pr 18, 23, cj עַז trotzig *fierce* Ps 8, 3; l יַעְזֵר Nu 21, 24; l עֻזָּם Hs 7, 24. †

עֹז: עזז: Kraft, **Stärke** *power, strength* Gn 49, 3. †

Der. עֲזָאזֵל.

עֵז: (עזז frech sein *be daring?*); pu., palm. עז, äga. ענז, *F* ba. עִזִּין; عَنْز, ak. *enzu* (AS 6, 196): pl. עִזִּים, sf. עִזֶּיךָ: 1. **Ziege** *goat*, שֵׂה עִזִּים Dt 14, 4,:: כֶּשֶׂב Lv 3, 12, in Reihe *in series* Lv 7, 23 17, 3 22, 19. 27 Nu 18, 17; גְּדִי עִזִּים Gn 38, 17. 20 Jd 6, 19 13, 15. 19 15, 1 1 S 16, 20, pl. Gn 27, 9. 16: עִזִּים:: תְּיָשִׁים Gn 32, 15, צְפִיר עִזִּים Da 8, 5. 8 2 C 29, 21, שְׂעִיר עִזִּים Gn 37, 31 Lv 4, 23 9, 3 16, 5 23, 19 Nu 7, 16—87 (13×) 15, 24 28, 15. 30 29, 5. 11. 16. 19. 25 Hs 43, 22 45, 23, שְׂעִירַת עִזִּים Lv 4, 28 5, 6; רְחֵלִים//עִזִּים Gn 31, 38, עֵדֶר עִזִּים Ct 4, 1 6, 5, חֲלֵב עִזִּים Pr 27, 27; *F* כְּבִיר u. Gn 15, 9 30, 32 f. 35 Ex 12, 5 Lv 1, 10 Nu 15, 11. 27 Jd 15, 1 1 S 25, 2 1 K 20, 27 2 C 35, 7; 2. עִזִּים **Ziegenhaare** (für Filz u. Gewebe) *goat's hair* (*for felt a. tissue*) Ex 25, 4 26, 7 35, 6. 23. 26 36, 14 Nu 31, 20. †

I עֹז: עזז; *F* II עֹז! u. עָז; ug. ʿz: עֹז, עוֹז, sf. עֻזִּי, עֻזִּי, עֻזְּךָ, עֻזֵּךְ, עֻזֶּךָ, עֻזָּה, עֻזּוֹ, עֻזָּמוֹ, עֻזְּכֶם, עֻזֵּנוּ: 1. **Stärke, Kraft** *strength, power, might* 1 S 2, 10 Js 51, 9 52, 1 Am 3, 11 Ps 138, 3 Hi 26, 2 41, 14 Pr 21, 22 31, 17. 25; בְּכָל־עֹז mit aller Macht *with all* (*his*) *might* 2 S 6, 14. cj 5 1 C 13, 8, cj 2 C 30, 21, עֹז adv. mit Kraft *with strength* Jd 5, 21; in Verbindungen *in connections*: **stark, fest** *strong, firm*: מִגְדַּל־עֹז Jd 9, 51 Ps 61, 4 (יהוה) Pr 18, 10, עִיר עֹז Js 26, 1, קִרְיַת עֻזּוֹ Pr 10, 15 18, 11. 19, מַטֵּה עֹז Ir 48, 17 Ps 110, 2, מַטּוֹת עֹז Hs 19, 11, sg. 12. 14, קוֹל עֹז Ps 30, 8, הַרְרֵי עֹז 26, 11, מַצְּבוֹת עֻזֵּךְ 68, 34, מִבְטַח עֹז Pr 14, 26, גְּאוֹן עֹז stolze Macht *prideful power* Lv 26, 19 Hs 24, 21 30, 6. 18 33, 28. cj 7, 24 (l עֻזָּם), מְרוֹם עֹז Ir 51, 53; עֹז פָּנָיו s. strenges Gesicht *his stern face* Ko 8, 1: **Stärke, Macht** *strength, might*: 2. עֹז von Gott gesagt *said of God*: עֹז יהוה Mi 5, 3, cj עֹז הָאֱלֹהִים Ps 68, 29; Gott handelt *God is acting* בְּעֻזּוֹ Ps 78, 26, בְּעָזְּךָ Ex 15, 13 Ps 74, 13 21, 14, זְרוֹעַ עֻזּוֹ Js 62, 8 Ps 89, 11, חֶבְיוֹן עֻזֹּה Ha 3, 4, רֹב עֻזְּךָ Ps 66, 3, אֲרוֹן עֻזֶּךָ Ps 132, 8 2 C 6, 41, = עֻזּוֹ Ps 78, 61; עֹז אַפֶּךָ Ps 90, 11, cj 76, 8, עֻזּוֹ וְאַפּוֹ Esr 8, 22, רְקִיעַ עֻזּוֹ Ps 150, 1; יהוה kommt עֹז zu *deserves* עֹז Js 45, 24 Ps 29, 1 63, 3 93, 1 96, 7 1 C 16, 28 Ps 62, 12 68, 29. 35 Hi 12, 16 1 C 16, 27; יהוה וְעֻזּוֹ Ps 105, 4 1 C 16, 11; Gott gibt *God gives* עֹז Ps 68, 36; 86, 16; Gott lässt s. עֹז erfahren *God causes his* עֹז *to be felt* Ps 77, 15; Gott ist *God is* מַחְסִי עֹז Ps 71, 7, תִּפְאֶרֶת עֻזָּמוֹ

89, 18; bei Gott ist *with God is* עֹז יְשׁוּעָתִי Ps 140, 8 u. עֹז וְתוּשִׁיָּה Hi 12, 16 u. עֹז וְחֶדְוָה 1 C 16, 27; der Fromme findet *the pious find* עוֹז בָּךְ Ps 84, 6; עֹז וְתִפְאֶרֶת sind im *are in the* מִקְדָּשׁ Ps 96, 6; 1 עֹז Ps 8, 3, 1 מֵעֹז Pr 24, 5, 1 עֻזּוֹ Hi 37, 6; ? Ps 99, 4: F II עֹז.†

II עֹז: עוֹז (nicht *not* עזז): sf. עֻזִּי Ps 59, 18 // עֻזִּי 62, 8 u. עָזִּי Ex 15, 2, עֻזְּךָ, עֻזֶּךָ, עוּזֵּנוּ: **Schutz, Zuflucht** *protection, refuge*: יהוה ist *is* עֻזִּי, עֻזִּי, עָזִּי Ex 15, 2 Js 12, 2 49, 5 Ir 16, 19 Ps 28, 7 59, 18, cj 10, cj 71, 6, 118, 14, (cj לְעַמּוֹ) עֹז 28, 8 29, 11, מַחְסֶה וָעֹז 46, 2, עֻזֶּךָ 21, 2 59, 17, עֻזּוֹ 68, 35, עוּזֵּנוּ 81, 2, צוּר עֻזִּי 62, 8.†

עֻזָּא: n. m.; ph.; < עֻזִּיָּה? (BL 511), Dir. 195: 1.—4. 2 S 6, 3 (= F עֻזָּה) 1 C 13, 7. 9—11; 2 K 21, 18. 26 (Angelos 3, 98); 1 C 8, 7; Esr 2, 49 Ne 7, 51.†

עֲזָאזֵל: Lv 16, 8. 10. 26; e. Wüstendämon *a demon of the desert* (Angelos 3, 98, AR 27, 178 ff); mnd. עזאזיל Lidz. Ginza 598: Symmachus (Lv 16, 8) = עֵז אָזֵל; Aquila (Lv 16, 8) = עֲזָאזֵל; V: *caper emissarius*; < *עֲזַלְזֵל عَزَلَ entfernen *remove* = ὁ ἀποπομπαῖος = averruncus (Gott d. Vernichtung *god of destruction*) Gesenius; Grimme AR 1911, 130 ff = *עֲזַעֲז c. ל = *עֲזַעֲזֵל (zottiges Vlies *shagged fleece*); Meinhold, Joma, 1913, 17: עֵזָּא Ziege *goat* u. אֵל (Henoch 6, 7 8, 1 9, 6).†

I עזב: mhb., ja.; F ba. שֵׁיזִב; عَزَبَ fort sein *be absent*, عَزَب Lediger *bachelor*; ak. *ezēbu* (ver)lassen *leave*; መዐስብ verwitwet *widowed*: qal (200 ×): pf. עָזַב, עָזָב, עָזְבָה, עָזַבְתִּי, עֲזַבְתִּים, עֲזַבְתַּנִי, עֲזָבְנוּ, עֲזָבֻנִי, sf. עֲזָבוֹ, עָזָבוּ, יַעַזְבוּ, אֶעֱזְבָה, יַעֲזָב־, impf. יַעֲזֹב, עֲזָבוּךָ, אֶעֱזָבְךָ, תַּעַזְבֶהָ, יַעַזְבֶנּוּ, sf. נַעַזְבָה, יַעַזְבוּ, עָזְבֵךְ, sf. עֲזֹב, עָזֹב, inf. יַעַזְבֵךְ, אֶעֱזָבֵךְ, 1 עָזְבָה 2 K 8, 6, imp. עִזְבָה Ir 49, 11, עִזְבוּ, sf. עָזְבוּהָ, pt. עֹזֵב, עֹזֶבֶת, עֹזְבִים, עֹזְבַי, sf. עֹזְבֶיךָ, pass. עָזוּב, עֲזוּבָה, עֲזוּבַת, עֲזֻבוֹת: 1. **verlassen** *leave, abandon*: אָבִיו וְאִמּוֹ Gn 2, 24, עִיר 1 S 31, 7, אֶרֶץ Ir 9, 18, בָּקָר 1 K 19, 20; בֵּיצִים Js 10, 14, אַלּוּף Pr 2, 17; עֲזוּבָה verlassne Frau *abandonned wife* (ak. *ezēbu* entlassen, sich scheiden *dismiss, divorce* Zimm. 46) Js 6, 12 60, 15 62, 4 (nichtmehr bebautes Land *fields no more tilled*); Löwe verlässt s. Dickicht *lion forsakes his thicket* Ir 25, 38, כֹּחַ Ps 38, 11 u. חֶסֶד וֶאֱמֶת Pr 3, 3 verlassen d. Menschen *forsake man*; im Stich lassen *forsake* Ir 14, 5 Dt 12, 19, e. Rat nicht befolgen *forsake a counsel* 1 K 12, 8. 13; in religiösem Sinn *in religious relations*: **verlassen** *leave*: Gott den Menschen *God man* Gn 28, 15 Ps 22, 2, Zion (:: קִבֵּץ) Js 54, 7, הָאָרֶץ Hs 8, 12, בֵּיתִי Ir 12, 7; Menschen ihre Götzen *men their idols* Hs 20, 8, יהוה Ir 17, 13 Dt 28, 20; Gott d. Menschen u. d. Menschen Gott *God man a. man God* 2 C 24, 20; Menschen verlassen *men forsake* תּוֹרָה Pr 4, 2, חָכְמָה 4, 6, בְּרִית יהוה Dt 29, 24 1 K 19, 10. 14, מִשְׁפַּט אֱלֹהָיו Js 58, 2, פִּקֻּדִים Ps 119, 87; Gott gibt s. Versprechen nicht auf *God does not forsake his promise* Js 42, 16, noch *nor* צִיּוֹן 49, 14; d. Mensch gibt s. Wandel auf *man forsakes his way* 55, 7; 2. **zurücklassen** *leave behind*: בִּגְדוֹ Gn 39, 12, בָּנִים 1 S 30, 13, אֹהֶל 2 K 7, 7, חֵלָה Hs 24, 21; עָזַב c. דָּבָר בְּיַד jmd. etw. überlassen *leave a thing in one's hand* Gn 39, 6 Ne 9, 28; עָ׳ חֵמָה s. Grimm fahren lassen *forsake wrath* Ps 37, 8; עָ׳ לְ überlassen *leave to* Ex 23, 5a, 1 עָזוֹר תַּעֲזֹר 23, 5b; 3. **übrig lassen** *leave over* Lv 19, 10 23, 22 Jd 2, 21 Ma 3, 19; 4. **gehen lassen** *let go, leave* 2 K 2, 2. 4. 6; liegen lassen *let lie* Hs 23, 29 Ru 2, 16; sein lassen, aufgeben *give up* Hs 23, 8 Pr 28, 13; laufen lassen, los lassen *let go* 2 K 4, 30 Hi 20, 13, freigeben *set free* 2 C 28, 14; gewähren lassen *let do* 32, 31;

עָזַב אֶל überlassen an *leave to* Hi 39, 11, = c. לְ Ps 16, 10 Hi 39, 14, = c. עַל Ps 10, 14; עָ׳ מֵעִם es fehlen lassen *deny* Gn 24, 27; 5. Einzelnes *particulars*: עָזַב פָּנָיו e. andres Gesicht machen *alter the countenance* Hi 9, 27; עָ׳ מַשָּׂא Forderung erlassen *desist from a claim* Ne 5, 10; עָזַב c. לְ c. inf. es jm überlassen, zu ... *leave it to a person to* ... 1 C 16, 37; עָצוּר וְעָזוּב F עצר;

nif†: pf. נֶעֱזַב, נֶעֶזְבָה, impf. תֵּעָזֵב, יֵעָזְבוּ, pt. נֶעֱזָב, pl. fem. נֶעֱזָבוֹת: 1. **verlassen werden** *be forsaken* Lv 26, 43 Js 7, 16 27, 10 62, 12 Hs 36, 4 Hi 18, 4, **vernachlässigt werden** *be neglected* Ne 13, 11; **im Stich gelassen werden** *be abandonned* Ps 37, 25; c. לְ **überlassen werden an** *be left to* Js 18, 6;

pu†: pf. עֻזַּב, עֻזָּבָה: **verlassen, verödet sein** *be abandonned, deserted* Js 32, 14 Ir 49, 25.

Der. *עִזְבוֹנִים, n. f. עֲזוּבָה.

II עזב: ug. *ʿdb* bereiten *prepare*; asa. שעדב wiederherstellen *restore*; mhb. מַעֲזִיבָה Estrich (aus Ästen, mit Lehm überstrichen) *floor* (*build of branches a. covered with clay*):

qal: impf. וַיַּעַזְבוּ: pflastern? *flag?* Ne 3, 8. 34. †

*עִזְבוֹנִים (ב ohne *without* dagesch; VG 1, 451): I עזב: sf. עִזְבוֹנַיִךְ, ־נָיִךְ: was Karawanen, Schiffe zum Verkauf zurücklassen: **Umsatzware, Depositum** *what caravans, ships leave behind to be sold*: *goods, stores* Hs 27, 12. 14. 16. 19. 27. 33. †

עַזְבּוּק: n. m.; Etym.? Ne 3, 16. †

עַזְגָּד: n. m.; äga. n. m. Eph 3, 23 u. AP 81, 31; = pers. *izgad* Bote *messenger*, mnd. אשגאנדא: Esr 2, 12 8, 12 Ne 7, 17 10, 16. †

עַזָּה: n. l.; ak. *Ḫazzatu, Ḫazzutu*, EA *Ḫazati, Azzati*; äg. *Qa-da-ta* (Albr. Voc. 58) = Καδυτις Herodot. 2, 159 3, 5; Γαζα; غَزَّة: loc. עַזָּתָה: **Gasa** *Gaza* (*ġazze*); Garstang, Joshua 375 f, BRL 172 f: Gn 10, 19 Dt 2, 23 Jos 10, 41 11, 22 15, 47 Jd 1, 18 6, 4 16, 1. 21 1 S 6, 17 1 K 5, 4 2 K 18, 8 Ir 25, 20 47, 1. 5 Am 1, 6 f Ze 2, 4 Sa 9, 5 (1 C 7, 28); F עַזָּתִי. †

עֻזָּה: n. m.; < עֻזָּא: 1. 2 S 6, 6—8 = עֻזָּא 6, 3; 2. 1 C 6, 14. †

עֲזוּבָה: n. f.; I עזב 1: 1. Mutter v. *mother of* K. יְהוֹשָׁפָט 1 K 22, 42 2 C 20, 31; 2. Frau v. *wife of* כָּלֵב 1 C 2, 18 f. †

*עֱזוּז: עזז: cs. עֱזוּז, sf. עֱזוּזוֹ: **Stärke, Gewalt** *strength, power* Js 42, 25 Ps 78, 4 (Var. עֱזוֹ), Gottes *of God* 145, 6 (seiner Wundertaten *of his miracles*). †

עִזּוּז: עזז; mhb.; (BL 480): **gewaltig** *powerful* Ps 24, 8, coll. Js 43, 17. †

עָזוּר: F עַזֻּר.

עזז: ug. *ʿz* (subst. vel adject.); ph. עז Kraft *strength* u. in n. m.; mhb.; ja., äga. עזיז kräftig *strong*, palm. n. m. עזיזו, ܥܙ kräftig sein *be strong*; = عَزَّ u. ОНН; asa. עזת Ruhm *glory* u. in n. m.; ak. *ezēzu* wüten *be furious*; NF יעז:

qal: impf. וַתָּעָז, תָּעֹז, יָעֹז: 1. **sich stark zeigen** *be strong, prevail* Jd 3, 10 (עַל über *over*) 6, 2 Ps 89, 14, cj Hi 37, 6 (l עֱזוּ), Ko 7, 19 (לְ für *for*) Da 11, 12; 2. **trotzen** *defy* Ps 9, 20; l כְּעֹז הָאֱלֹהִים Ps 68, 29, l בַּעֲזוּזוֹ Pr 8, 28; Ps 52, 9 F עוז; †

nif: pt. נוֹעָז trotzig *defiant*, l לוֹעֵז Js 33, 19; †

pi: cj inf. sf. עַזְּזוֹ: **stark machen** (Quellen) *cause to be strong* (*fountains*) Pr 8, 28; †

hif: pf. הֵעֵז, הֵעֵזָה (BL 437): c. פָּנִים e. **trotziges, freches Gesicht zeigen** *show a defiant, bold face* Pr 7, 13, c. בְּפָנִים mit trotzigem, frechem Gesicht auftreten *appear with a defiant, bold face* 21, 29.† Der. עַז, עֹז I ?, עֹז, עָז, מָעוֹז; n.m. עֻזָּא, עֻזָּה; עֻזִּיאֵל, עֻזִּיָּא, עֻזִּי, עֲזַזְיָהוּ, עֲזָז, n.m. עַזּוּז, עִזּוּז; עֻזִּיָּה(וּ), עֻזִּיָּא, עַזָּן.

עָזָז: n. m.; KF; < עֲזַזְיָהוּ; ph. n. d.: 1 C 5, 8.†

עֲזַזְיָהוּ (Var. עֻזִּיָּהוּ): n. m.; עזז u. ׳י; > עָזָז: 1.—3. 1 C 15, 21; 27, 20; 2 C 31, 13.†

עֻזִּי: n. m.; KF < עֻזִּיָּהוּ: 1.—6. 1 C 5, 31 f 6, 36 Esr 7, 4; 1 C 7, 2 f; 7, 7; 9, 8; Ne 11, 22; 12, 19. 42.†

עֻזִּיא: n. m.; Dir. 353; spät für *late for* עֻזִּיָּה: 1 C 11, 44.†

עֲזִיאֵל: n.m.; *Azilu* APN 13; < *עֲזִיאֵל (עָז u. אֵל)? vel (Noth S. 203) *עזה, ar. *ǵaḏā* ernähren *nourish* u. אֵל?, *Oziel*: 1 C 15, 20, cj 18 (Οζιηλ).†

עֻזִּיאֵל: n. m.; עֹז u. אֵל; cf. *Aduna-izzi* APN 13: 1. Ex 6, 18. 22 Lv 10, 4 Nu 3, 19 1 C 5, 28 6, 3 15, 10 23, 12. 20 24, 24; 2.—6. 1 C 4, 42; 7, 7; 25, 4; 2 C 29, 14; Ne 3, 8; F עֻזִּיאֵלִי.†

עָזִּיאֵלִי: gntl. v. עֻזִּיאֵל 1: Nu 3, 27 1 C 26, 23.†

עֻזִּיָּה: n. m.; < עֻזִּיָּהוּ; F עֻזִּיָּא; Dir 224: 1. K. v. Juda 2 K 15, 13. 30 Ho 1, 1 Am 1, 1 Sa 14, 5, F עֻזִּיָּהוּ 1; 2.—4. 1 C 6, 9; Esr 10, 21; Ne 11, 4.†

עֻזִּיָּהוּ: n. m.; I עֹז u. ׳י; > עֻזִּיָּה, עֻזִּיָּא u. עֻזִּי; Dir. 353; heth. *Ḫuzziauš* ZAW 35, 247 f; **Usiah** *Uzziah*: 1. K. v. Juda 2 K 15, 32. 34 Js 1, 1 6, 1 7, 1 2 C 26, 1—23 (12 ×) 27, 2; F עֻזִּיָּה 1 u. עֲזַרְיָה(וּ); 2. 1 C 27, 25, cj 1 C 24, 26 f.†

עֲזִיזָא: n. m.; KF; עזז; *Azizu* APN 49; nab. עזיזו (?); Février, Rel. des Palmyrén. 16 ff: Esr 10, 27.†

עזל*: F עֲזָאזֵל.

עזם*: F עַזְמָוֶת.

עַזְמָוֶת: n. m.; J. J. Hess: عَزِم Pflanze in Nefud u. Neǧ, Kamelfutter, verwandt Aristida plumosa *a plant in Nefud u. Neǧ, camelfodder, kindred to Aristida plumosa L.*: 1. 2 S 23, 31 1 C 11, 33, auch *also*? 12, 3, 27, 25; 2. 1 C 8, 36 9, 42; F n. l. בֵּית עַזְמָוֶת.†

עַזָּן: n. m.; ug. n. m. *ʿzn*; עזז: Nu 34, 26.†

עָזְנִיָּה: e. Vogel *a bird*; vielleicht *perhaps Aegypius monachus* **der schwarze Geier** *Black Vulture* (Osiris 5, 471 f; im Jordantal nistend *nesting in Valley of Jordan* Bodenheimer 171, soll Ziegen lebend v. Klippen stossen *said to drop living goats into precipices*, ibid. 171. 180) Lv 11, 13 Dt 14, 12.†

עזק: mhb. aufhacken *hoe (the ground)*, עֲזִיקָה aufgebrochner Boden *hoed, bared ground*; عَزَقَ mit d. Hacke bearbeiten *work with the hoe*: pi: impf. sf. וַיְעַזְּקֵהוּ: (כֶּרֶם) **behacken, jäten** *dig about* Js 5, 2.†

עֲזֵקָה: n. l.; Αζηκα; עזקה Lakisch-Ostraka; = *T. Zakarīje* 27 km. nw. Hebron (PJ 34, 57; Garstang, Joshua 360 f): Jos 10, 10 f 15, 35 1 S 17, 1 Ir 34, 7 Ne 11, 30 2 C 11, 9.†

עזר: Sem ausser *except* ak.; amor. *idru* JCS 4, 231 u. n. m. Jaḫzir, Jaḫzar (Bauer, Ostkan. 74); عَزَرَ fernhalten *withhold* (ist die Grundbedeutung *is the original meaning*), asa. עדר, F IV עדר: qal (80 ×): pf. עָזַרְתָּ, עֲזָרוֹ, עֲזָרוּ, sf. עֲזָרְנִי, עֲזָרֶךָ, עֲזָרָם, impf. יַעֲזָר־, וַיַּעַזְרוּ 1 K 1, 7, יַעְזְרוּ Js 30, 7, sf. יַעְזְרֵהוּ, יַעְזְרֶךָּ, יַעְזְרֵנִי, יַעְזְרְכֶם, וַיַּעְזְרֵם, inf. בַּעְזֹר Jos 10, 33, לַעְזֹר, לַעְזוֹר 1 C 15, 26 (BL 348), לַעְזוֹר 1 לַעְזֹור Q, לַעְזִיר K (BL 468) 2 S 18, 3, sf. לְעָזְרוֹ, לְעָזְרֵנִי, imp. sf. עָזְרֵנִי, עֲזָרֵנִי, pt. עֹזֵר, עוֹזֵר, sf. עֹזְרֶךָ, pl. cs. עֹזְרֵי,

sf. עֲזָרִיהָ ,עֲזָרִי, pass. עָזַר: 1. helfen, beistehn, unterstützen *help, succour, support*: Gott den Menschen *God man* Gn 49, 25 Ps 37, 40 Hi 26, 2, Götter den Menschen *gods man* Dt 32, 38 2 C 28, 23, Israel d. Brüder *his brothers* Jos 1, 14, e. Volk d. andern (im Krieg) *a nation the others (in war)* Jos 10, 4 2 S 8, 5; zu Hilfe kommen *come to help* 1 K 20, 16, Gott Israel (im Krieg) *God Israel (in war)* 1 S 7, 12, im Exil *in exile* Js 41, 10. 13 f, Menschen einander *man each another* 2 S 18, 3 1 C 12, 18, bei d. Arbeit *in working* Js 41, 6, c. לְרָעָה zum Bösen *for evil doings* Sa 1, 15, bei Beratung *in counsel* Esr 10, 15; עֹזֵר abs. helfen *help* 2 C 14, 10 20, 23 25, 8, עוֹזֵר Helfer *helper* Js 31, 3 63, 5 Ir 47, 4 Ps 10, 14 22, 12 30, 11, cj 70, 6, 107, 12, pl. 118, 7; עָזֻר e., dem man hilft *one who is helped* Js 31, 3; עֹזְרֵי רָהַב Hi 9, 13, cj עֹזְרָיו Hs 12, 14, עֹזְרֵי מִלְחָמָה Helfer im Kampf *helpers in fight* 1 C 12, 1; 2. עָזַר לְ zu Hilfe kommen *come to help* 2 S 21, 17 2 K 14, 26 Js 50, 7. 9 Hi 26, 2 1 C 22, 17 2 C 19, 2 26, 13 28, 16; עָזַר עִם beistehn *succour* 1 C 12, 22, cj Ex 23, 5; עָזַר אַחֲרֵי zu jm halten *be on one's side* 1 K 1, 7; l עֹצֵר Hi 30, 13;

nif†: pf. נֶעְזַרְתִּי, impf. יֵעָזְרוּ, inf. הֵעָזֵר: Hilfe finden *be helped* Ps 28, 7 Da 11, 34 1 C 5, 20 2 C 26, 15;

[hif: pro לעזיר l K לַעְזוֹר 2 S 18, 3; pro הֵם מַעְזִרִים l הֵם עֹזְרִים 2 C 28, 23.]

Der. עֵזֶר (I, II n. m.), עֶזֶר (I, n. l. II n. m.), עֶזְרָה ,עֶזְרָה (I, II n. m.) u. n. m. עֲזוּר ,עֶזְרָא. עֲזַרְאֵל ,עֶזְרִי ,עֲזַרְיָה(וּ) ,עֲזִיאֵל ,עַזְרִיקָם ;n. l. יַעְזֵיר?

I עֵזֶר ,עֶזֶר: עזר: sf. עֶזְרְךָ ,עזרה ,עֶזְרוֹ: Helfer, Beistand *helper, succour*: Gn 2, 18. 20 (NB: עֵזֶר masc!) Js 30, 5 Ho 13, 9 Ps 121, 1; Gott *God* Ex 18, 4 Dt 33, 7. 26. 29 Ps 20, 3 33, 20 115, 9—11 121, 2 124, 8 146, 5 Da 11, 34; l עֹזְרָיו Hs 12, 14, l עֹזְרִי Ps 70, 6, l נֵזֶר Ps 89, 20. †

Der. n. m. אֱלִיעֶזֶר ,אִיעֶזֶר ,אֲחִיעֶזֶר ,אֲבִיעֶזֶר, יוֹעֶזֶר ,הֲדַדְעֶזֶר, (אֱלְעָזָר).

II עֵזֶר: n. m.; = I; Dir. 205: 1.—3. 1 C 4, 4; 12, 10; Ne 3, 19. †

I עֶזֶר: = I עֵזֶר; in n. l. אֶבֶן הָעֵזֶר (e. מַצֵּבָה) 1 S 7, 12, (l עֵזֶר) 4, 1 5, 1. †

II עֶזֶר: n. m.; = I עֵזֶר: 1. Ne 12, 42; 2. 1 C 7, 21 (Var. עֵזֶר). †

עַזּוּר ,עֲזוּר: n. m.; Noth S. 175: KF; auch *also* äga.; oder Bildung wie *or form like* רַחוּם? Löw 3, 251 עֲזוּר *Mespilus Azarolus All.* Mispel *medlar*: 1.—3. Ir 28, 1; Hs 11, 1; Ne 10, 18. †

עֶזְרָא: n. m.; KF v. עזר u.? vel spät *late* pro עֶזְרָה? cf. *Idra'* Tallq. Neubab. Namenbuch 75; Εσ(δ)ρα(ς), Esra: 1. Esr 7, 1—10, 16 Ne 8, 1—13 12, 26. 36; 2.—3. Ne 12, 1. 13; 12, 33. †

עֲזַרְאֵל: n. m.; עזר u. אֵל: 1.—5. 1 C 12, 7; 25, 18; 27, 22; Ne 11, 13 12, 36; Esr 10, 41. †

I עֶזְרָה: fem. v. I עֵזֶר: עֶזְרַת (BL 604) Ps 60, 13 108, 13, c.-*ā* עֶזְרָתָה (BL 528), cs. עֶזְרַת, sf. עֶזְרָתִי ,עֶזְרָתֵנוּ: Beistand, Hilfe *assistance, help*: Js 10, 3 20, 6 31, 1 f Ir 37, 7 Na 3, 9 Ps 22, 20 27, 9 35, 2 38, 23 40, 14. 18 44, 27 46, 2 (l וְעֶזְרָה) 60, 13 63, 8 70, 2 71, 12 94, 17 108, 13 Hi 6, 13 31, 21 Th 4, 17 2 C 28, 21; coll. עֶזְרַת יהוה Helferschar *host of helpers* Jd 5, 23; *F* II. †

II עֶזְרָה: n. m.; = I, *F* עֶזְרָא: 1 C 4, 17. †

עֲזָרָה: עזר fernhalten *withhold*; mhb., ja. עֲזָרְתָּא Tempelhof *court of Temple*; asa. מעדר Schutzmauer *protecting wall*, مَعْقَل steinerne Wasserfassung, Staudamm *coffer-dam (of stones)* Landberg, Ar. 5, 96: **1. Schranke, Einfassung** (um den Altar) *barrier, fencing (round the altar)* MAO IV, 171 ff: Hs 43, 14. 17. 20 45, 19; **2. Einfriedigung, Hof** *enclosure* 2 C 4, 9 6, 13 (= חָצֵר). †

עֶזְרִי: n. m.; KF, < עֲזַרְיָהוּ ?: 1 C 27, 26; F אֲבִי הָעֶזְרִי. †

עֲזְרִיאֵל: n. m.; עזר u. אל: 1.—3. Ir 36, 26; 1 C 5, 24; 27, 19. †

עֲזַרְיָה: n. m.; < עזריהו; Dir. 353; *Azriau* APN 48; F Noth, G Isr. 222[3]: 1. K. v. Juda 2 K 14, 21 15, 1. 7 (= עֻזִּיָּה 13). 17. 23. 27 1 C 3, 12, F עֲזַרְיָהוּ 1.; 2. 1 C 6, 21, = עֻזִּיָּה 6, 9; 3. Jr 43, 2, cj 42, 1; 4. Da 1, 6 f. 11. 19 2, 17; 5. (Verschiedene *divers individuals*) Esr 7, 1. 3, cj 2, 2 Ne 3, 23 f 7, 7 8, 7 10, 3 12, 33 1 C 2, 8. 38 f 5, 35—37. 39 f 6, 21 9, 11 (Ne 11, 11 שְׂרָיָה). †

עֲזַרְיָהוּ: n. m.; עזר u. ־יָ; < עֲזַרְיָה u. ? עֶזְרִי; Dir. 353: 1. K. v. Juda 2 K 15, 6. 8, = עֲזַרְיָה 1.; 2. 1 K 4, 2; 3. 4, 5; 4. (Verschiedene *divers individuals*) 2 C 15, 1 23, 1 26, 17. 20 28, 12 29, 12 31, 10, 13; l אֲחַזְיָהוּ 22, 6. †

עַזְרִיקָם: n. m.; עֵזֶר u. קום: 1.—5. 1 C 3, 23; 8, 38 9, 44; 9, 14; 2 C 28, 7; Ne 11, 15. †

עֶזְרָת: F עֶזְרָה.

עַזָּתִי: gntl. v. עַזָּה: pl. עַזָּתִים: Jos 13, 3 Jd 16, 2. †

עֵט: ja. עֵטָא: **Griffel** *stylus* Ir 8, 8 Ps 45, 2, עֵט בַּרְזֶל Ir 17, 1 Hi 19, 24. †

I עטה: mhb. עטה verhüllen *enwrap*; aram. Eph. 1, 325 pt. pl. עטין; ܥܛܐ auslöschen *extinguish*; غَطَا bedecken *cover*; cf. ak. *eṭū* finster sein *be dark*:

qal: pf. עָטוּ, impf. יַעְטֶה, וַיַּעַט, תַּעֲטֶה, תַּעְטוּ, pt. עֹטֶה: 1. c. עַל: **verhüllen, zudecken** *enwrap, cover* Lv 13, 45 Hs 24, 17. 22 Mi 3, 7; 2. c. ac. **sich in etw. hüllen, sich mit etw. zudecken** *enwrap oneself with, cover oneself with*: c. מְעִיל 1 S 28, 14, c. בֶּגֶד Ps 109, 19, (metaph.) c- אור (יהוה) Ps 104, 2, c. קִנְאָה Js 59, 17, c. חֶרְפָּה Ps 71, 13 109, 29, l כְּטֹעִיָּה Ct 1, 7; וַיַּעַט 1 S 14, 32 15, 19 F עיט; †

hif: pf. sf. הֶעֱטִיתָ, impf. יַעְטֶה, sf. cj יַעְטֵנִי Js 61, 10: 1. c. 2 ac. jm in etw. **hüllen** *wrap a person in a cover* cj Js 61, 10; 2. c. ac. et עַל: jm. **umhüllen** mit *enwrap a person with* Ps 89, 46; ? Ps 84, 7. †

Der. *מַעֲטֶה.

II עטה: عَطَا packen *take with hands*; ph. n. m. עטהד (עטה u. *Hd(d)*):

qal: inf. עָטֹה, pt. sf. עֹטְךָ: **packen** *grasp* Js 22, 17, **zugreifen** *snatch at* Si 34, 16, **lausen** *louse* (von Gall ZAW 24, 105 ff) Ir 43, 12. †

***עָטוּף**, *עָטֻף: II עטף: pl. עֲטֻפִים, עֲטוּפִים: 1. **geschwächt** *enfeebled* Th 2, 19; 2. **schwächlich** (Tiere) *feeble (cattle)* Gn 30, 42. †

***עֲטִין**: pl. sf. עֲטִינָיו Hi 21, 24: l עֲצָמָיו. †

***עֲטִישָׁה**: mhb., ja., sy. עטש, عَطَسَ amh. *anaṭṭasa* niesen *sneeze*: pl. sf. עֲטִישֹׁתָיו: **das Niesen** *sneezing* Hi 41, 10. †

עֲטַלֵּף: mhb., ja. עֲטַלֵּיפָא; ph. ουολαβαδ Gesenius, Monum. Phoen. 391; I עטף c. לְ insertum Ruž. KD 173: „Manteltier *cloaked animal*" ? cf. korsisch „Mönchkapuze" *Corsican „monk's cowl"* pro: **Fledermaus** *bat* (Bodenheimer 91—4): pl. עֲטַלֵּפִים: Lv 11, 19 Dt 14, 18 Js 2, 20. †

***עָטָם**: ja. עַטְמָא, עִטְמָא, עֶטְמָא, sy. عَظْم ,עַטְמָא, ak. *eṣmu*, F עֶצֶם: pl. sf. עֲטָמָיו: **Schenkel** *thigh* cj Hi 21, 24 (l חֵלֶב).†

עטן: F *עָטִין.

I עטף: ph., mhb., ja. einhüllen *envelop*, ܥܛܦ, mnd. אטפא Bedeckung, Gewand *cover*, *garment*; عَطَفَ biegen, falten *bend*, *fold*; عِطَاف, Mantel *cloak*; ዐጠፈ Gewebe *tissue*:
qal: impf. יַעְטֹף, יַעֲטָף־, יַעַטְפוּ: **1. zur Seite biegen** *turn aside* Hi 23, 9 (l אֶעְטֹף); **2. c. ac. sich einhüllen in** *envelop oneself with*, *cover oneself with* Ps 65, 14; 3. c. לְ jmd. **umhüllen** *envelop* Ps 73, 6.†
Der. מַעֲטֶפֶת, עֲטַלֵּף.

II עטף: عَطِبَ schwach werden *flag*, *be feeble*:
qal: impf. יַעֲטֹף, inf. עֲטֹף: **schwach werden** *faint* Js 57, 16 (l רוּחָם) Ps 61, 3 102, 1;†
nif: inf. בֵּעָטֵף < *בְּהֵעָטֵף: **verschmachten** *languish*, *faint* Th 2, 11;†
hif: inf. הַעֲטִיף: **schwächlich sein** *shew feebleness* Gn 30, 42;†
hitp: impf. תִּתְעַטֵּף, תִּתְעַטָּף, inf. הִתְעַטֵּף: **sich schwach fühlen** *faint away* Jon 2, 8 Ps 77, 4 107, 5 142, 4 143, 4.†
Der. עָטוּף.

עטר: ph. עטר bekränzen *crown*, עטרת Kranz *wreath*; mhb. bekränzen *crown*, ja. umringen *surround*; cf. ak. *eṭru* Kopfbinde *head-bandage* (?):
qal: impf. sf. תַּעְטְרֶנּוּ, pt. עֹטְרִים: 1. עטר אֶל: **umzingeln** *surround (close in) upon* 1 S 23, 26; **umringen** *surround* (c. 2 ac. mit *with*) Ps 5, 13;†
pi: pf. עִטְּרָה, עִטַּרְתָּ, impf. sf. תְּעַטְּרֵהוּ, pt. sf. מְעַטְּרֵכִי: 1. c. 2. ac. jm **bekränzen mit** *crown a person with* Ps 8, 6 65, 12 (l שְׁנָה) 103, 4; 2. עִטֵּר עֲטָרָה e. **Kranz flechten** *make a wreath* Ct 3, 11;
hif: pt. fem. מַעֲטִירָה: **Kränzen spenden** *bestow with crowns* Js 23, 8.†
Der. I, II עֲטָרָה; n. l. עֲטָרוֹת.

I עֲטָרָה: עטר: cs. עֲטֶרֶת, pl. עֲטָרוֹת, עֲטָרֹת: **Kranz, Diadem** *crown*, *wreath* (BRL 125—7): für *for* Gottheit *god* (זָהָב) 2 S 12, 30 1 C 20, 2, König *king* Hs 21, 31 Ct 3, 11, aus *of* כֶּסֶף וְזָהָב Sa 6, 11. 14, פָּז Ps 21, 4 Si 45, 12 (f. Hohenpriester *for high-priest*), זָהָב Est 8, 15 (für *for* מָרְדֳּכַי), Kranz (v. Blumen?) *wreath (of flowers?)* für Zecher *for drinkers* Js 28, 1. 3; Hs 23, 42; עֲטֶרֶת תִּפְאֶרֶת Prunkkranz *crown of splendour* Js 62, 3 (Zion), Ir 13, 18 (גְּבִירָה, מֶלֶךְ), Hs 16, 12 (Geliebte *sweetheart*), Pr 4, 9; שֵׂיבָה Pr 16, 31, Si 6, 31, עֲטֶרֶת צְבִי ist *is* י׳ Js 28, 5; Zeichen d. Würde *sign of dignity* Th 5, 16 Hi 19, 9 31, 36; עֲ׳ זְקֵנִים sind *are* בְּנֵי בָנִים Pr 17, 6, עֲ׳ בַּעְלָהּ ist rechte Frau *is a good wife* Pr 12, 4; עֲ׳ חֲכָמִים Pr 14, 24; עֲ׳ בָּנִים e. Kranz von Söhnen *a circle of sons* Si 50, 12; F II; n. l. עֲטָרוֹת.†

II עֲטָרָה: n. f.; = I: 1 C 2, 26.†

עֲטָרוֹת: n. l.; pl. v. I עֲטָרָה = Kranz, Viehhürde *circle*, *fold*: cs. עַטְרוֹת: 1. *Ch. ʿaṭārūs*, 10 km nw. Dibon, Musil AP 1, 395 ff: Nu 32, 3. 34 Mesastein 10; 2. *Ch. El-ʿōğa el fōqa* (Austritt des Bachs v. *entrance of brook of ʿēn Fasāʾil* ins Jordantal *into Jordan Valley*, PJ 22, 33: Jos 16, 7; 3. עֲטָרוֹת Jos 16, 2 = עַטְרוֹת אַדָּר Jos 16, 5 18, 13, = ? *Rāfāt*, 25 km ö. Mündung des *of mouth of Nahr el-ʿAugā*, PJ 22, 18 f; 4. עַטְרוֹת בֵּית יוֹאָב in Juda 1 C 2, 54; 5. עַטְרֹת שׁוֹפָן in Gad Nu 32, 35.†

***עטש**: F *עֲטִישָׁה.

***עַי**: n. l.; immer *always* הָעַי, הָעָי (Ir 49, 3 verderbt *corrupt*; = עַי, Γαι: **Ai**: Garstang,

Joshua 149 ff. 355 f, BRL 6, Marquet-Krause, Les fouilles de ʿAy, 1933—8: *et-Tell* bei *near Dēr Dubwān* 2 km sö. Bethel: Gn 12, 8 13, 3 Jos 7, —12, 9 (33 ×) Esr 2, 28 Ne 7, 32; Ir 49, 3 l עָלָה; F עַיָּה.†

עִי: עוה; mo. pl. עין: pl. עִיִּים, > עִיִּין: Steinhaufen *heap of stones* (niedrige St., die in d. Wüste bei Wasserrinnen die Übergänge anzeigen *low heaps in the desert indicating the easiest crossing of water-channels*, Musil AP 1, 319): Trümmerhaufen *heap of ruins* Ir 26, 18 Mi 1, 6 3, 12 Ps 79, 1, cj 1 K 9, 8 u. 2 C 7, 21; l טַבַּע Hi 30, 24; F n. l. עַי, עַיָּה, עִיִּים.†

עַיָּא: n. l.; < עַיָּה: Ne 11, 31.†

עיב: F I עוב.

I עֵיבָל: n. montis; Γαιβαλ; *Hebal*: **Ebal**: Ğebel *Eslāmīje*, n. שְׁכֶם, d. Berg d. Fluchs *the mount of cursing* (Samarit. umgekehrt *the reverse*): Dt 11, 29 (Sam!) 27, 4. 13 Jos 8, 30. 33; F II.†

II עֵיבָל: n. m., F I: 1. Edomiter *Edomite* (ʿ*aibān* ZAW 44, 91) Gn 36, 23 1 C 1, 40; 2. l עוֹבָל 1 C 1, 22.†

עַיָּה: 1 C 7, 28, עַיָּת Js 10, 28, עַיָּא Ne 11, 31 (Var.): n. l.; fem. v. עַי: BRL 6 = *Ch. Ḥaijān*.

עִיּוֹן: n. l.; äg. ʿ*jnw* (ʿ*Ajjānu*) bei *near* Dan (BAS 83, 33); *עַי = עִי; erhalten in *preserved in* (*Merğ*) ʿ*Ajjūn*, Ebene zwischen *plain between Ḥasbāni* u. *Liṭāni*, PJ 29, 17 f: 1 K 15, 20 2 K 15, 29 2 C 16, 4, cj Nu 34, 11 u. Ps 133, 3 u. 2 S 24, 6.†

עיט: عيط schreien *scream*:

qal: impf. וַיַּעַט, וַתַּעַט (sic pro וַתַּעַט 1 S 15, 19): 1. c. בְּ **anschreien, anfahren** *hoot at, rebuke* 1 S 25, 14; 2. c. אֶל **schreiend herfallen über** *rush upon with screams* 1 S 15, 19, cj 14, 32;†

cj hif: impf. יָעִיטוּ: יָעִיטוּ אָוֶן עָלַי sie **schreien Unheil über mich** *they cry trouble upon me* cj Ps 55, 4.†

Der. עַיִט.

עַיִט: עיט; mhb.: עָיִט, cs. עֵיט, coll.: **Raubvögel, Stossvögel** *birds of prey* Js 18, 6 46, 11 Ir 12, 9 (dele primum הַעַיִט) Hi 28, 7 Gn 15, 11 Hs 39, 4.†

עֵיטָם: n. l.; עַיִט u.-*ām*?: 1. סֶלַע עֵיטָם Schick ZDP 10, 143 ff; Felskluft *cleft of rock* ö. צָרְעָה Jd 15, 8. 11; 2. in Juda 1 C 4, 3. 32 (Text?) 2 C 11, 6: *Ch. wadi el-Ḫōḫ* über *Ch. ʿatān* bei *near* Bethlehem; PJ 10, 19, H. Granqvist, Marriage Conditions 1931, 1, 12.[2].†

עִיִּים, cs. עִיֵּי: n. l.; F עִי: 1. in Juda Jos 15, 29; 2. עִ׳ Nu 33, 45 = עִיֵּי הָעֲבָרִים Nu 33, 44 21, 11 in Moab.†

עֵילוֹם 2 C 33, 7: l עוֹלָם.†

עִילַי: n. m.; Etym?: = צַלְמוֹן 2 S 23, 28: 1 C 11, 29.†

עֵילָם: n. m.; n. t., n. p.: Poebel AJS 48, 20—6: elam. *ḫal(t)am* > sum. *Elam*: 1. S. v. שֵׁם Gn 10, 22 1 C 1, 17; 2. 1 C 8, 24; 3. Esr 2, 7 8, 7 10, 2 Q. 26 Ne 7, 12 10, 15 12, 42: 4. עֵילָם אַחֵר Esr 2, 31 Ne 7, 34; 5. n. t.: Elam, Σουσιάνα, Ἐλαμῖται Act 2, 9: F. W. Koenig, Geschichte Elams (AO 29), 1931, G. Hüsing, D. einheimischen Quellen z. Geschichte Elams I, 1916, RLV 8, 69 ff: Gn 14, 1. 9 Js 11, 11 21, 2 Ir 25, 25 49, 34—36 (עוֹלָם). 37—39 Hs 32, 24 Da 8, 2; n. p. Js 22, 6.†

עין: denom. v. עַיִן; ug. ʿ*n* sehen, wahrnehmen *see, perceive*: pt. עֹוֵן 1 S 18, 9 K, Q עוֹיֵן, cj עַיִן Ps 49, 6: **mit Argwohn betrachten** *look suspiciously at*.†

עַיִן (860 ×): Sem., ug. ʿ*n*, ak. *ēnu*, F ba.; EA sf. (kan. gloss.) *ḫinaja*; עֵין, loc. הָעַיְנָה,

cs. עֵין, sf. עֵינִי, עֵינוֹ, du. עֵינַיִם, cs. עֵינֵי (עֵנַי Js 3, 8), sf. עֵינַי, עֵינֵיכֶם, עֵינֵכֶם, עֵינֵמוֹ, עֵינֵיהוּ Hi 24, 23; pl. (= Quellen *springs*) עֲיָנוֹת, cs. עֵינוֹת, עֵינֹת: 1. **Auge** (v. Mensch u. Tier) *eye (of man a. animals)* Gn 27, 1 29, 17 Hi 28, 7, v. Gott *of God* Dt 11, 12 Ps 33, 18 (1 עֵינֵי ?); F אִישׁוֹן, דאב, חַכְלִיל, כהה, כְּסוּת, לְבַב, מַחְמָד*, עשׁשׁ, פקח, פתח, קרץ, רַךְ; שׁחם; בַּת עַיִן (1 כְּבַת) **Augenstern** *iris* (:: Eitan AJS 46, 36) Ps 17, 8; יְפֵה עֵינַיִם 1 S 16, 12, עֵינַיִם רָמוֹת Pr 6, 17, רוּם עֵינָיו Js 10, 12; נָשָׂא עֵינָיו aufblicken *raise one's eyes* Gn 18, 2; שִׂים עֵינוֹ עַל richtet s. A. auf *sets his eye upon* Gn 44, 21; בֵּין עֵינַיִם Stirnmitte *middle of the forehead* Ex 13, 9. 16; עַיִן תַּחַת עַיִן Ex 21, 24; Gott lässt sich sehen *God causes himself to be seen* עַיִן בְּעַיִן Nu 14, 14; בְּעֵינֵי in den A. = nach d. Urteil *in the eyes = in the judgement* Gn 19, 14; לְעֵינֵי vor den A. von *before the eyes, in the presence of* Gn 23, 11; מֵעֵינֵי ohne d. A. = ohne Wissen *far from the eyes = unbeknown to* Nu 15, 24; לָעֵינַיִם was vor Augen ist *what the eyes see* 1 S 16, 7; 1 עֲוֹנָם Sa 5, 6, 1 עָרֵי 9, 1; 2. **Aussehen, Schein** *look, appearance*: עֵין הָאָרֶץ was von d. Erde sichtbar ist *the face of the earth* Ex 10, 5; עֵינוֹ s. Aussehn *his look (colour)* Lv 13, 55. 5 (1 בְּעֵינוֹ); עֵין הַבְּדֹלַח Nu 11, 7, עֵין (נְחֹשֶׁת) Hs 1, 4. 7. 16. 22; עֵינוֹ Schein d. Weins *light of wine* Pr 23, 31; 3. **Quelle** *spring*: עֵין הַמַּיִם (Auge, Schein d. Wassers *eye, light of the water* > עַיִן) Gn 16, 7 24, 13. 43, pl. עֵינֹת מַיִם Nu 33, 9, עַיִן Gn 24, 16. 29. 45, pl. Dt 8, 7 2 C 32, 3, עֵינוֹת תְּהוֹם (Var. עינות) Pr 8, 28, עֵין יַעֲקֹב Dt 33, 28; שַׁעַר הָעַיִן Quelltor *Fountain Gate* Ne 2, 14 3, 15 12, 37; cj מַעְיָן Ps 84, 7; 4. n. l. c. עֵין: a) עֵין גֶּדִי: **Engedi**: *T. eğ-Ğurn* bei ʿ*ēn Ğidī* am W. ufer des Toten Meer *on the western shore of Dead Sea* (BAS 18, 14): Jos 15, 62 1 S 24, 1 f Hs 47, 10 Ct 1, 14; † b) I עֵין גַּנִּים: בַּשְּׁפֵלָה Jos 15, 34; † c) II עֵין גַּנִּים in יִשָּׂשכָר: = בֵּית הַגָּן?: Jos 19, 21 21, 29; Albr. ZAW 44, 231 f; d) עֵין דֹּאר Ps 83, 11, עֵין דּוֹר 1 S 28, 7, עֵין דֹּר Jos 17, 11: *T. ʿağğul* bei *near* ʿ*ēn Dōr* s. Tabor; † e) עֵין חַדָּה: in יִשָּׂשכָר: Jos 19, 21; † f) עֵין חָצוֹר: in נַפְתָּלִי: Jos 19, 37; † g) עֵין חֲרֹד: F חֲרֹד; h) עֵין מִשְׁפָּט: F n. l. קָדֵשׁ; i) עֵין עֶגְלַיִם: ʿ*ēn eğ-Ğehaijir?* N. Ende d. Toten Meers *n. end of Dead Sea* (PJ 10, 11): Hs 47, 10; † j) עֵין הַקּוֹרֵא Jd 15, 19; † k) עֵין רֹגֵל (Walkerquelle *Fuller's Spring*, AS 5, 152): *Bīr ʿAjjūb* im Kidrontal *in Kidron Valley* sö. Jerusalem, Dalm., Jerus. 163 ff; F Jos 15, 7 18, 16 2 S 17, 17; † l) עֵין רִמּוֹן: *Ch. Umm er-Ramāmīn* 18 km nö. בְּאֵר־שֶׁבַע PJ 29, 14 f: Ne 11, 29 Jos 15, 32 19, 7 1 C 4, 32; † m) עֵין שֶׁמֶשׁ: ʿ*ēn el-Ḥōd* 5 km ö. Jerusalem (Dalm., Jerus. 156 f): Jos 15, 7 18, 17; n) עֵין הַתַּנִּין (G τῶν συκῶν = הַתְּאֵנִים): SW. hügel *s.w. hill* v. Jerusalem Ne 2, 13; † o) עֵין תַּפּוּחַ: F n. l. תַּפּוּחַ: Jos 17, 7; † 1 לְעַיִן? Nu 34, 11, 1 עָשָׁן Jos 21, 16.

Der. מַעְיָן, n. l. עֵינָם, n. m. עֵינָן.

עֵינוֹן: F חֲצַר עֵינוֹן.

עֵינַיִם: n. l.; < עֵינָם?: Gn 38, 14. 21. †

עֵינָם: n. l.; עַיִן u. -*ām*; > F עֵינַיִם?: in Juda Jos 15, 34. †

עֵינָן: n. m.; עַיִן u. -*ān*: בֶּן־נַפְתָּלִי: Nu 1, 15 2, 29 7, 78. 83 10, 27; F n. l. חֲצַר עֵינָן. †

I **עיף**: ak. *upū* Gewölk *clouds*, NF II עוף, dunkel sein *be dark*: Der. עֵיפָה, תְּעֻפָה*.

II **עיף**: ܥܦ müde sein *be faint*; F יעף: qal: pf. עָיְפָה 1 עֲיֵפָה Ir 4, 31, impf. וַיָּעַף 1 וְעָיֵף Jd 4, 21 u. 1 S 14, 28 u. 31 u. 2 S 21, 15. †

עִיף: ועיף: Pr 23, 5: l יָעוּף Q. †

עָיֵף < יָעֵף: fem. עֲיֵפָה, pl. עֲיֵפִים: müd, erschöpft *weary, faint* Gn 25, 29 f Dt 25, 18 2 S 17, 29 Js 5, 27 28, 12 29, 8 Hi 22, 7, pl. Jd 8, 4 f 2 S 16, 14, fem. coll. Js 46, 1 (Tiere *animals*), cj Ir 4, 31; אֶרֶץ עֲיֵפָה erschöpftes Land *exhausted country* Js 32, 2 Ps 143, 6, cj 63, 2 (l וַעֲיֵפָה). †

I עֵיפָה, עֵיפָתָה: I עוף: Dunkelheit *darkness* Am 4, 13 Hi 10, 22. †

II עֵיפָה: n. l.; Γαιφα: n. l. غَيْفَة bei *near Bilbais* (östl. Nildelta *eastern Delta*) Koehler ZAW 54, 292 f, aber *but* Alt 57, 148!: ⁶0, 6//מִדְיָן; F III עֵיפָה. †

III עֵיפָה: n. m.; Γαιφα F I עֵיפָה; *Epā* APN 75: 1. S. v. מִדְיָן Gn 25, 4 1 C 1, 33; 2. 2, 47; 3. n. f. 2, 46. †

עֵיפַי: n. m.; Ιωφε = K עופי: Ir 40, 8 Q. †

עֵיפָתָה: F I עֵיפָה.

I עִיר (1090 ×): ug. *ʿr*, pl. *ʿrm*; mhb. עִיר, pl. עֲיָרוֹת; ph. ער; asa. ער Berg, Burg *hill, castle*, hadram. *ʿurr* Berg *hill*; sum. *uru, eri* Stadt *city, town* F יְרוּשָׁלַם p. 404: loc. הָעִירָה, sf. עִירוֹ, עִירִי, עִירֹה (Gordis 92 f), pl. עָרִים (l עָרִים pro 2. עֲיָרִים Jd 10, 4), cs. עָרֵי, sf. עָרָיו; fem. 1. feste Siedelung: **Stadt** (ohne Rücksicht auf Grösse u. Rechte) *permanent settlement*: *town, city* (*not regarding size or rights*): בֹּנֶה עִיר Gn 4, 17, עָרֵי הַכִּכָּר 19, 29, עִיר נָחוֹר (wo N. wohnt *where N. lives*) 24, 10, עָרֵי מִסְכְּנוֹת Ex 1, 11; עִיר חוֹמָה Lv 25, 29; עִיר :: חֲצֵרִים ohne Mauern *without walls* Lv 25, 29 :: 31; קִיר הָעִיר 25, 34; מִגְרַשׁ עִיר Nu 35, 4; עִיר מִקְלָט 35, 6; עָרִים בְּצֻרוֹת Dt 3 5, עִיר מִבְצָר 1 S 6, 18, דְּלָתַיִם וּבְרִיחַ Dt 3, 5, עָרֵי הַפְּרָזוֹת Est 23, 7; עָרֵי הַפְּרָזִי 9, 19; עִיר mit zugehörigen *with pertinent* חֲצֵרִים Jos 13, 23; שְׂדֵה עִיר 21, 12, pl. Ne 12, 44; מֵעִיר was keine Stadt mehr ist *what has ceased to be a town* Js 25, 2 b; שַׂר הָעִיר Jd 9, 30, אֲשֶׁר עַל־הָעִיר 2 K 10, 5; עִיר עֲמָלֵק d. Hauptstadt v. A. *the capital of A.* 1 S 15, 5; עִיר הַמַּמְלָכָה u. עָרֵי הַשָּׂדֶה 2 K 17, 6; עָרֵי מָדַי 1 S 27, 5; עָרֵי הָרֶכֶב 2 S 12, 26; עִיר הַמְּלוּכָה u. עָרֵי הַפָּרָשִׁים 1 K 9, 19; עִיר רֹכְלִים Hs 17, 4; עִירִי wo ich lebe *where I live* 2 S 19, 38, עִירוֹ d. Stadt Davids *the town of David* 1 S 20, 6; 2. **Stadtteil** *quarter of a town* עִיר הַמַּיִם 2 S 12, 27, cj 26; עִיר דָּוִד 2 S 5, 7; 3. Stadt = **Bevölkerung** der Stadt *town* = *population of the town*: כָּל־הָעִיר 1 S 4, 13 Ru 1, 19, שַׁוְעַת הָעִיר 1 S 5, 12, עִיר עַלִּיזָה Ze 2, 15, עִיר הוֹמִיָּה Js 22, 2, עִיר יוֹנָה Ze 3, 1; 4. עִיר אֱמֶת Sa 8, 3, עִיר הַדָּמִים Hs 22, 2 24, 6. 9, עִיר הַצֶּדֶק Js 1, 26, עִיר הַקֹּדֶשׁ Js 48, 2 52, 1 Ne 11, 1. 18 Da 9, 24, עִיר תְּהִלָּה Ir 49, 25; עִיר אֱלֹהֵינוּ 87, 3, עִיר הָאֱלֹהִים Ps 46, 5, אֱלֹהִים 48, 2. 9; עִיר יהוה Js 60, 14 Ps 48, 9 101, 8; הָעִיר Hs 7, 23 u. עִיר Js 66, 6 = Jerusalem; Redensart *proverbial saying* לֹא יָדַע לָלֶכֶת אֶל־עִיר Ko 10, 15; l עַר Nu 22, 36, l עַד 2 K 10, 25 u. Ps 60, 11; l עֲצַבֶּיךָ Mi 5, 13; l עֵדִים Js 33, 8, l לַעֲבָדִים Gn 47, 11, l מִשֵּׂעִיר Nu 24, 19; l בְּעֵת Ps 31, 22, l הֶחָצֵר 2 K 20, 4; בָּעִיר Ps 73, 20 = בְּהָעִיר; 5. n. l. c. עִיר: a) הַהֶרֶס F הֶרֶס; b) הַהֶרֶס F חֶרֶס; c) עִיר הַמֶּלַח am NW. Rand d. Toten Meers *on n.w. shore of Dead Sea*; *Ch. Qumrān?* Jos 15, 62; d) נָחָשׁ F II נָחָשׁ; e) עִיר שֶׁמֶשׁ (= בֵּית שֶׁמֶשׁ) *Er-Rumēle* bei *near ʿĒn Šems* 24 km w. Jerusalem Jos 19, 41; f) עִיר הַתְּמָרִים (der sich nicht durchsetzende Name für *not commonly used name of* יְרִיחוֹ)

Dt 34, 3 2 C 28, 15; 1 תָּמָר Jd 1, 16 3, 13 (Auerbach ZAW 51, 49); g) הָעִיר אֲשֶׁר בַּנַּחַל im Arnontal *in Arnon Valley*, *Ch. el-Ḫušra*? Dt 2, 36, = הָעִיר אֲשֶׁר בְּתוֹךְ הַנַּחַל Jos 13, 9. 16 2 S 24, 5; h) cj עָר מוֹאָב Nu 22, 36.

II **עִיר**: III עור: **Erregung** *excitement* Ir 15, 8; 1 אֲבָעֵר Ho 11, 9.†

III **עִיר**: n. m.; = IV: 1) 1 C 7, 12; 2) cj 1 C 4, 15.†

IV **עִיר**: = עַיִר: sf. עִירֹה: **Eselhengst** *male ass (stallion)* Gn 49, 11; *F* n. m. III עִיר, עִירָא, עִירִי, עִירָם.†

עַיִר: ug. ʿr, ak. *urū* Hengst *steed*, *urītu* Stute *mare*, عَيْر Esel > Anführer *male ass* > *chief*; Humbert ZAW 62, 201 f; III עור: pl. עֲיָרִים: **Hengst** *steed*, v. Esel *of ass* Gn 32, 16 Jd 10, 4 12, 14 Js 30, 6 (Var. עֲיָרִים). 24 Sa 9, 9 (Kl L 52 ff), v. Zebra *of zebra* Hi 11, 12; *F* III, IV עִיר.†

עִירָא: n. m.; IV עִיר u. ?: 1.—3. 2 S 20, 26; 23, 26 1 C 11, 28 27, 9; 2 S 23, 38 1 C 11, 40.†

עִירָד: n. m.; Γαιδαδ < Γαιραδ; *ערד, غَرَّدَ singen, pfeifen (Vogel) *sing, pipe (bird)*: *F* יֶרֶד: Gn 4, 18.†

עִירוּ: n. m. 1 C 4, 15: 1 עִיר וְ.†

עִירִי: n. m.; *F* IV עִיר: 1 C 7, 7.†

עִירָם: n. m.; IV עִיר u. *-ām*: Edomiter Gn 36, 43 1 C 1, 54.†

עֵרֹם, עֵירֹם: I ערה u. *-ōm* (Bildung *form*: *qittēl*): pl. עֵירֻמִּם: 1. adj. **nackt, unbekleidet** *naked, bare* Gn 3, 7. 10 f Hs 18, 7. 16; 2. subst. **Blösse** *nakedness* Dt 28, 48 Hs 16, 7. 22. 39 23, 29.†

עַיִשׁ: عَيُّوث, عَيُّوث Löwe *lion*; ܥܝܘܬܐ (Sternbild *constellation*) > ja. יוּתָא: fem.: (Sternbild *constellation*) **Löwin** *lioness* (d. Sternbild des Löwen reicht bei d. Arabern in das des bei ihnen fehlenden Krebses hinein *with Arabs the constellation of Lion reaches into the constellation of Cancer which is missing with the Arabs* Lane 2763 c; die Sterne β, γ, δ, η der Jungfrau heissen arabisch die Hunde, welche hinter d. Löwen herkläffen *the Arabs call the stars* β, γ, δ, η *of Virgo the dogs barking after the Lion* (Lane 2186 b) J. J. Hess = בָּנֶיהָ v. *of* עַיִשׁ (*F* Hölscher): Hi 38, 32; *F* II עָשׁ.†

עַיִת: *F* עַיָּה.

עַכְבּוֹר: n. m.; = עַכְבָּר ZAW 48, 74; ph. n. m. עכבר; Dir. 353; *Agbur*, *Agaburu* APN 13, *Akbar(u)* 19: 1. Gn 36, 38 f 1 C 1, 49; 2. 2 K 22, 12. 14 Ir 26, 22 36, 12.†

עַכָּבִישׁ: عَكَّاش, (Yemen) عَنْكَبُوت, عَكْنَبُوت: **Spinne** *spider* Js 59, 5 Hi 8, 14, cj 27, 18.†

עַכְבָּר: mhb., ja. עַכְבְּרָא, ܥܘܟܒܪܐ, ܥܟܒܪܐ, neosy. *qaʿapra*, عَكَابِر (pl.), sam. עכבר: < *אַכְבָּר, כבר Kl L 22 ff: pl. cs. עַכְבְּרֵי, עַכְבְּרֵיכֶם: (männliche) **Springmaus** (*male*) *jerboa Jaculus jaculus* (= *Dipus aegyptius*) Bodenheimer 99 ff; bei Moslems essbar *eatable with Moslems*: verboten *forbidden* Lv 11, 29; 1 S 6, 4 f. 11. 18 Js 66, 17; *F* n. m. עַכְבּוֹר.†

עַכּוֹ: n. l.; aeg. ʿkj BAS 83, 34; ak. *Akkū*, EA *Akka*; ph. עך, gntl. עכי Eph 3, 27; Ακη, Plin. *Ace*, عَكَّا: **Akko** *Acco* (Garstang Jos 353 f): Jd 1, 31, cj Jos 19, 30 u. Mi 1, 10.†

עָכוֹר: n. l.; עכר: *Wadi Daber* u. *W. Mukelik* n. w. Totes Meer *Dead Sea*: Jos 7, 24. 26 15, 7 Js 65, 10 Ho 2, 17.†

עָכָן*: n. m. עָכָן, יַעְכָּן.

עָכָן: n. m.; l עָכָר? Koehler JBL 59, 38 f: Jos 7, 1. 18—20. 24 22, 20. †

עכס: عكس nach hinten festbinden *tie backward*, عِكَاس Fussfessel (d. Kamels) *hobble (of camel)*:

qal: cj inf. עֲכֹס: **fesseln** *f e t t e r* cj Pr 7, 22 l כַּעֲכֹס אֶל־מוּסַר (Driver ZAW 50, 143); †

pi: impf. תְּעַכַּסְנָה: (mit d. Fusspangen) **klirren** *s h a k e b a n g l e s, t i n k l e* (*Doughty* 1, 149; Sure 24, 32) Js 3, 16. †

Der. עֶכֶס, n. f. עַכְסָה.

עֶכֶס: עכס: pl. עֲכָסִים: **Fusspange** (d. Frauen) *(women's) a n k l e t, b a n g l e* Js 3, 18; l כַּעֲכֹס Pr 7, 22; F עַכְסָה. †

עַכְסָה: n. f.; fem. v. עֶכֶס; Tochter v. *daughter of* כָּלֵב: Jos 15, 16 f Jd 1, 12 f 1 C 2, 49. †

עכר: Lkš 2, 5; mhb., ja., cp. trüben *make turbid*; sy. pa. hindern *impede*; عَكِرَ trüb sein *be turbid*; asa. עתכר Schaden tun *injure*:

qal: pf. עָכַר, עֲכַרְתִּי, עֲכַרְתֶּם, sf. עֲכַרְתָּנוּ, impf. sf. יַעְכָּרְךָ, pt. עוֹכֵר, pl. sf. עֹכְרַי: **zum Tabu machen, für den Verkehr mit andern unmöglich machen** *t a b o o; c a s t o u t f r o m (s o c i a l) i n t e r c o u r s e* (Schwally, Sem. Kriegsaltertümer I, 1901, 41[1]): Gn 34, 30 Jos 6, 18 7, 25 (יהוה) Jd 11, 35 1 S 14, 29 1 K 18, 17 f Pr 11, 17. 29 15, 27 1 C 2, 7, cj Hi 6, 4 (l יַעְכְּרוּנִי); †

nif: pf. נֶעְכַּר, pt. f. נֶעְכֶּרֶת: **Tabu, unberührbar werden**, *b e t a b o o e d, u n t o u c h a b l e* Pr 15, 6 Ps 39, 3 Si 37, 12. †

Der. n. l. עָכוֹר, n. m. עָכָר, עָכְרָן.

עָכָר: n. m.; עכר; *Akaru* APN 19: 1 C 2, 7; F עָכָן. †

עָכְרָן: n. m.; עכר u. *-ān*: Nu 1, 13 2, 27 7, 72. 77 10, 26. †

עַכְשׁוּב: عُكْبَاش d. Sprossen d. Hörner bei Gazellen *the sprouting of gazelle's antlers*: **Hornviper** *c e r a s t e s Cerastes cornutus* (Beschreibung *description* F Seetzen 3, 459 ff; Bodenheimer 190) Ps 140, 4. †

I עָל: I עלה, F II עַל: עָל: **Höhe** *h e i g h t*; שָׁמַיִם מֵעָל d. Himmel droben *heaven (from) above* Gn 27, 39 49, 25 Ps 50, 4, הֻקַם עָל hochgestellt sein *be raised up on high* 2 S 23, 1; Höhe > **Betrag** *height* > *a m o u n t* Js 59, 18; l אֶל־בַּעַל Ho 7, 16; ? 11, 7. †

II עַל: Sem; ug. ʿl; ph. עַל, עלי, עלת; F ba.; عَلَى: = I (< ? *עָלִים, pl. v. *עָלֶה Höhe *height*), עלה: sf. עָלַיִךְ, עָלֶיךָ, עָלַי, עָלָיו, עֲלֵיהֶם u. עֲלֵיהֶם, עָלֵינוּ, עָלָיו, עָלֵימוֹ (BL 641), (BL 215); עֲלֵי (BL 24. 640): 1. höher als > **auf, über** *higher than* > *upon, on*: שָׁכַב עַל 2 S 4, 7, נִצָּב עַל Am 7, 7; auf > **vor** (wenn einer steht u. der, dem er sich zuwendet, sitzt) *upon* > *i n f r o n t o f, b e f o r e (if one is standing a. the other to whom he is addressing sits)*: דִּבֶּר עַל Ir 6, 10, עָמַד עַל Gn 18, 8; **auf** *on*: Kleider *garments* כְּתֹנֶת עָלָיו Gn 37, 23, Lasten *loads* טֹרַח עָלַי Js 1, 14, וַתִּכְבַּד עָלַי Ps 32, 4; daher *therefore* הֵקַל מֵעַל 1 S 6, 5, Aufgaben, Leistungen *tasks, accomplishments* הַרְבּוּ עָלַי Gn 34, 12, הָיָה עַל obliegen *be incumbent upon* 1 K 4, 7; עָלַי c. לְ inf. es ist an mir, zu... *it is my task (duty) to*... 2 S 18, 11; daher *therefore*: צִוָּה u. פָּקַד c. עַל; כָּתַב עַל jmd vorschreiben *order a person (to)* 2 K 22, 13; von sinnlichen u. seelischen Eindrücken *said of sensual a. emotional impressions*: מָתוֹק עַל Pr 24, 13, עָרַב עַל Ps 104, 34, שָׁפַר עַל 16, 6, מַחֲלִיק עַל es schmeichelt ihm *it flatters him* Pr 29, 5, הָמָה עָלַי Ps 42, 12, נֶהְפַּךְ עָלַי Ho 11, 8, הִתְעַטֵּף עָלַי Ps 142, 4; auf = auf etw. gestützt *upon = supported by*: חָיָה עַל leben von *live by* Gn 27, 40 Dt 8, 3, Js 38, 16; F בטח, נִשְׁעַן; flehen עַל gestützt auf (*supplications*) *for* Da 9, 18; etc.; 2. über, **wegen** (gibt d. Grund an) *upon, because* (*indicating the reason*): עַל־זֹאת deswegen *therefore*, עַל־כֵּן darum *therefore*, עַל־דְּבַר wegen, *concerning, on account of* Ir 1, 16, עָלֶיךָ deinetwegen *for thy sake* Ps 44, 23; c. inf. עַל־רִיב weil sie *because they* Ex 17, 7, עַל־צַדְּקוֹ weil er *because he* Hi 32, 2; 3. über, **in Hinsicht auf** *upon, concerning*: עַל־הַגְּאֻלָּה Ru 4, 7, c. inf. עַל־הִשָּׁנוֹת was das anbelangt, dass *for that* Gn 41, 32; 4. עַל **wegen, gemäss** *on account of, according to*: עַל־דִּבְרָתִי nach der Art *after the manner* Ps 110, 4, עַל־שֵׁם nach d. N. *after the name* u. עַל־כָּכָה dementsprechend *according to this* Est 9, 26, עַל־צִבְאֹתָם nach ihr. Abteilungen *according to their hosts* Ex 6, 26; עַל־פִּי gemäss *according to*; 5. עַל über, **gegenüber** (gibt d. Gegensatz an) *above, in front of* (*indicating contrast*): **trotz** *in spite of*: עַל־פָּנַי mir zum Trotz *in front of my face, in defiance of me* Ex 20, 3 Dt 5, 7; עַל־דַּעְתְּךָ trotz *in spite of* Hi 10, 7, עַל־כָּל־הַבָּא trotz allem, was kam *in spite of all that has come* Ne 9, 33, עַל־מִשְׁפָּטִי obwohl ich im Recht bin *though I am right* Hi 34, 6; 6. עַל (bei Bewegungen) **hinab auf** (*in expressions of motion*) (*down*) *upon*: עַל־הַמִּזְבֵּחַ Lv 1, 7, עַל־אֶרֶץ Hi 38, 26; עָלָה עַל Js 14, 8, עָלָה עַל־לֵב kommt in den Sinn *comes to mind* Ir 3, 16; 7. עַל auf, **hinzu zu** *upon*, (*in addition*) *to*: c. יסף Dt 19, 9, נֶחְשַׁב 2 S 4, 2; שֶׁבֶר עַל־שֶׁבֶר Ir 4, 20, יָמִים עַל־שָׁנָה über Jahr u. Tag *for days beyond a year* Js 32, 10; לָקַח עַל hinzunehmen *take unto* Gn 28, 9 31, 50; עַל hinzu, mitsamt *unto, together with* Gn 32, 12 Ex 35, 22 Nu 31, 8 1 K 15, 20 (G עד) Ho 10, 14 Am 3, 15 Hi 38, 32; daher עַל bei Wörtern des Übertreffens *therefore* עַל *is used with words of surpassing*: גבר Gn 49, 26, הֶעֱלָה höher schätzen als *prefer* Ps 137, 6, הוֹסִיף עַל־כֹּל mehr als *above* Ko 1, 16, נוֹרָא עַל־כֹּל furchtbarer als *feared above* Ps 89, 8, עֶשֶׂר יָדוֹת עַל 10 mal mehr als *10 times better than* Da 1, 20, F Gn 48, 22 Ps 16, 2 Lv 15, 25, etc.; 8. עַל oberhalb von = **gegen** *above = against*: עַל־פָּנָיו ihm ins Gesicht *to his face* Hi 21, 31; נִקְרָה עַל kommt entgegen *comes to meet* Ex 3, 18, אָרַב עַל Jd 9, 34 (עַל drückt den im Deutschen nicht immer erfassbaren Begriff der Last, Übermacht aus; Verwechslung mit אֶל liegt oft nahe; עַל *contains the expression of weight, overpowering a. is sometimes not easy to translate fully; transition into* אֶל *is in many cases obvious*): gegen (feindlich) *against* (*unfriendly*) עָלֶיךָ Jd 16, 12, עַל־יֹשֶׁר wider d. Recht *against equity* Pr 17, 26, הִנְנִי עָלַיִךְ Hs 5, 8, הָיָה עַל־אַפִּי reizt m. Zorn *stirs my anger* Ir 32, 31; 9. עַל c. כְּ: כְּעַל כֹּל gemäss allem *according to all* Js 63, 7; l מֵעַל Ps 119, 14; l כְּעַל גְּמוּל gemäss d. Handeln *according to the acting* Js 59, 18; 10. עַל c. מִן > מֵעַל: von ... **herab** *down from* Gn 24, 64 1 S 4, 18 Dt 9, 17, **über ... hinaus** *above* Hi 19, 9 G 40, 19 Ps 108, 5 Est 3, 1, von ... fort *out of* Am 7, 11 Gn 48, 17 2 K 2, 3 Gn 38, 14 Hi 30, 30; לֵךְ מֵעָלַי geh mir vom Leib! *get out from me!* Ex 10, 28; דָּרַשׁ מֵעַל erforschen (aus ... heraus =) in *seek out of* Js 34, 16; מֵעַל לְ **oberhalb von** *up over* Jon 4, 6 Ne 12, 37; עַד מֵעַל **bis oberhalb von** *unto above* Hs 41, 20; 11. עַל wird *becomes* conjunct: עַל־בְּלִי **indem nicht** *in that not* Gn 31, 20; עַל **weil** *because* Esr 3, 11, עַל לֹא **weil nicht** *because not* Ps 119, 136, עַל־אֲשֶׁר weil *because* Ex 32, 35 Nu 20, 24 Ir 16, 11, cj Jos 17, 14; עַל כִּי weil *because* Dt 31, 17 Ir 4, 28 Ma 2, 14 Ps 139, 14; עַל הַהֵכִין (עַל c. art. c. verb.! spät *late*) weil *because* 2 C 29, 36; עַל לֹא trotzdem, dass nicht *although not* Js 53, 9 Hi 16, 17; 12. l עֶלְיוֹן 1 S 2, 10; l עַד Ps 19, 7 u. 48, 11; l עִם 1 S 20, 8 (:: OTS 6, 24); עַל pro אֶל u. אֶל pro עַל häufig *frequently*; F עַל־כֵּן.

עֹל, עוֹל Ir 5, 5 Edd †: עלל; mhb., EA (can. gloss.) *ḫullu* 296, 38; غُلّ eiserner Ring um d. Nacken e. Gefangnen, an den s. Hände gebunden werden *ferrule round a prisoner's neck at which his hands are tied*: sf. עֻלּוֹ, עֻלֵּנוּ: Joch, krummes Holz auf d. Nacken der Zugtiere *yoke*, *crooked piece of wood on the neck of beasts of draught*: Gn 27, 40 Nu 19, 2 Dt 21, 3 1 S 6, 7 1 K 12, 4. 9—11. 14 Js 9, 3 10, 27 14, 25 47, 6 Ir 2, 20 5, 5 27, 8. 11 f 28, 2. 4. 11 30, 8 Ho 11, 4, cj 10, 11 (l הֶעֱבַרְתִּי עֹל) Th 3, 27 2 C 10, 4. 9—11. 14 Si 6, 30 51, 17. 26; aus Eisen *of iron* Dt 28, 48 Ir 28, 14; מֹטֹת עֹל Lv 26, 13 Hs 34, 27; l עָלָה Js 10, 27 b; l עַל Th 1, 14. †

עֻלָּא: n. m.; KF? Dir. 48 עלה; l שׁוּעָא? ZAW 50, 137: 1 C 7, 39. †

עַלְבוֹן: Ersatz für *substitute of* בַּעַל: F אֲבִי עַלְבוֹן.

***עִלֵּג**: עלג metathes. v. לעג: pl. עִלְּגִים: Stammler *stammerer* Js 32, 4. †

I עלה: < *עלי: ug. *ʿlj*; ph., mhb.; ak. *elû*, ostkan. in n. m. *Jaḫli-il* (Bauer 73); aram. *F* ba.; عَلَا, asa. עלי; Nöld. ZDM 54, 160:
qal (675 ×): pf. עָלָה, עָלְתָה, עָלָתָה, עָלִיתָ, וַתַּעֲלֶנָה, וַתַּעֲלֶינָה, impf. יַעֲלֶה, וַיַּעַל, יַעַל, עָלִינוּ Da 8, 8; inf. עֲלוֹת, עֲלֹת, sf. עֲלֹתוֹ, imp. עֲלֵה, עֲלוּ, עֲלִי, pt. עֹלֶה, עוֹלָה, pl. עֹלִים, fem. עֹלָה, עֹלוֹת, עֹלֹת: 1. hinaufsteigen, hinaufgehen *go up*, *ascend*: Mensch *man* Js 14, 14, Löwe *lion* Ir 4, 7, Adler *eagle* 49, 22, Pflanze *plant* Gn 41, 22, Geruch *smell* Js 34, 3, Geräusch *sound* Ir 14, 2, Rauch *smoke* Gn 19, 28, Feuer *fire* Jd 6, 21, Weg *road* 21, 19, Falle *snare* Am 3, 5, Zorn *anger* 2 S 11, 20 Ps 78, 21; 2. **hinaufziehen** *go up* (*in travel*, *pilgrimage*) Gn 13, 1 Js 36, 1 2 S 24, 19; sich hinaufziehn (Gebiet) *reach up* (*border*) Jos 18, 12; 3. **besteigen** *go up* Nu 13, 17 Gn 49, 4, ersteigen *scale* Pr 21, 22; 4. c. עַל: **steigen auf** *go up* Jd 8, 8; zur Begattung *for copulation* Gn 31, 10; emporkommen über *mount up above* Dt 28, 43, übertreffen *surpass* Pr 31, 29; c. בְּ: **steigen auf** *climb up* Ct 7, 9; c. מִן: **sich bemächtigen** *seize upon* (REJ 39, 300) Ex 1, 10; 5. Besondres *particulars*: vom Krieg *about war*: עָלָה hinaufziehn *go up* Js 21, 2, c. עַל gegen *against* 1 K 20, 22, c. אֶל 1 S 7, 7, c. לִפְנֵי Mi 2, 13; c. מֵעַל abziehen von *go away from* 2 K 12, 19; עָלְתָה מִלְחָמָה **wird immer heftiger** *increases* 1 K 22, 35; עֲלִי בְאֵר **aufquellen** *spring up* Nu 21, 17; **überziehen** *cover* (בָּשָׂר) Hs 37, 8, אֲרֻכָה Ir 8, 22; עָלָה גוֹרָל **herauskommen** *come up*, *out* Lv 16, 9 Jos 18, 11; c. עַל־לֵב Js 65, 17 u. עַל־רוּחַ Hs 20, 32 in den Sinn, Geist kommen *come into mind*; עֲלֵה הֵנָּה nimm hier oben Platz! *come up hither!* Pr 25, 7; עָלָה בְ **sich belaufen auf**, kosten *amount* 1 K 10, 29; 6. l עָלוֹת (עול) Gn 49, 9; l עוֹלָה Hi 36, 33; l הָעֹלָה Ko 3, 21;
nif: pf. נַעֲלָה, נַעֲלֵיתָ, impf. יֵעָלֶה, וַיֵּעָלוּ, וַתֵּעָלוּ (BL 425), inf. הֵעָלוֹת, sf. הֵעָלֹתוֹ, imp.: הֵעָלוּ: 1. **sich erheben** *be taken up* Ex 40, 36 f Nu 9, 17. 21 f 10, 11 Hs 9, 3; 2. **erhaben sein** (Gott) *be exalted* (*God*) Ps 47, 10 97, 9; 3. sich zurückziehn *be taken away*, c. מֵעַל von *from* Nu 16, 24. 27, c. מֵאַחֲרֵי 2 S 2, 27; **abziehen** *take oneself away* (*army*) Ir 37, 5. 11; 4. **hinaufgeführt werden** (nach Jerusalem) *be led up* (*to Jerusalem*) Esr 1, 11; 5. c. עַל־שְׂפַת **ins Gerede kommen bei** *get talked about with* Hs 36, 3; †
hif (193 ×): pf. הֶעֱלָה, > הֶעֱלָה (BL 425) Ha

1, 15, וְהַעֲלִתָה, הֶעֱלִיתָ u. הֶעֱלִיתָ, וְהַעֲלִיתָ, הֶעֱלִית, הֶעֱלוּ, הַעֲלִיתֶם, sf. הֶעֶלְךָ, הֶעֱלָנוּ, הֶעֱלִתַם, הֶעֱלִיתָנוּ, הַעֲלִיתִיהוּ, הֶעֱלוּךָ, הֶעֱלִיתְנוּ, impf. יַעֲלֶה, יַעַל, וַיַּעַל, וַיַּעַל, וַתַּעֲלִי, אַעֲלֶה, וָאַעַל, וַיַּעֲלוּ, וַיַּעַל Esr 3, 3, תַּעֲלוּ, sf. יַעֲלֵם, וַיַּעֲלֵנִי, תַּעֲלֶנָּה, תַּעֲלֵנִי, אַעַלְךָ, וַיַּעֲלֵהוּ, inf. הַעֲלֵה, הַעֲלֹת, הַעֲלוֹת, sf. הַעֲלֹתִי, imp. הַעַל, הַעֲלִי, הַעֲלוּ, sf. הַעֲלֵהוּ, pt. מַעֲלֶה, cs. מַעֲלֵה, sf. מַעַלְךָ, pl. מַעֲלִים, cs. מַעֲלֵי, fem. מַעֲלָה, cs. מַעֲלַת: 1. **hinaufbringen, hinaufführen** *bring, lead up*: Gn 46, 4 Lv 11, 45 Jd 6, 13 Nu 20, 25 22, 41 Jos 2, 6 7, 24 Jd 16, 3. 8 1 S 2, 14 Hs 16, 40 26, 19; Opfer (auf Altar) *sacrifices (upon altar)* = darbringen *offer* (ug. *šʿlj*): עוֹלָה Gn 8, 20, לְעֹלָה 22, 2, מִנְחָה Lv 14, 20, זֶבַח 17, 8, פָּר Nu 23, 2, עַל־צוּר Jd 13, 19, 2 S 24, 22 1 K 12, 32 f, קְטֹרֶת Ex 30, 9, l עַל־הַבָּמָה Ir 48, 35; 2. **über jm., etw. bringen** *bring upon a person, a thing*: צְפַרְדְּעִים Ex 8, 1. 3, חֳלִי Dt 28, 61, עָפָר Jos 7, 6 Hs 27, 30 Th 2, 10, נְשִׂאִים Ir 10, 13 51, 16, אֲרֻכָה (wachsen lassen *cause to grow*) Ir 30, 17 *F* Hs 37, 6; 3. **hoch machen, in die Höhe bringen** *make high, bring up*: גֵּרָה **wiederkäuen** *chew the cud* Lv 11, 3—6. 26 Dt 14, 6 f; מִשְׁכָּב s. Bett hoch machen *make up a high bed* Js 57, 8; בְּאשׁ Gestank aufsteigen lassen *cause stench to arise* Am 4, 10; e. Toten heraufbeschwören *conjure up a dead one* (ak. *šūlū* KAT 641) 1 S 28, 8. 11. 15; Rauchzeichen steigen lassen *make a smoke signal rise up* Jd 20, 38; Lampen in der Höhe anbringen *fix lamps on high* Ex 25, 37 27, 20; c. עַל־לְבוּשׁ aufs Kleid heften *put upon the garment* 2 S 1, 24; c. זָהָב עַל mit G. überziehen *cover with g.* 1 K 10, 16 f; c. עַל־מֶרְכָּבָה aufsteigen lassen *cause to mount* 1 K 20, 33; (אֵבֶר) הֶ׳ (Flügel) bilden, wachsen lassen *shape, cause to grow (wings)* Js 40, 31; (גּוּר) הֶ׳ (e. Junges) aufziehn *raise (a young one)* Hs 19, 3; (מַס מִן) הֶ׳ ausheben *levy* 1 K 5, 27 9, 15. 21; c. עַל־רֹאשׁ d. Oberste sein lassen *treat as the highest* Ps 137, 6; הֶ׳ אַף Zorn erregen *stir up anger* Pr 15, 1; הֶ׳ עַל־לֵב ins Herz schliessen *take into the heart* Hs 14, 3; פָּרָשׁ מַעֲלֶה Reiter auf bäumendem Ross *man upon prancing horse* Na 3, 3; von Gott gesagt *said of God*: הֶעֱלָה auffahren lassen *take up* 2 K 2, 1, wegnehmen, sterben lassen *take off, cause to die* Ps 102, 25; hof: pf. הֹעֲלָה (BL 425) < הָעֳלָה*, הֹעַלְתָה: **dargebracht werden** *be offered* (פָּר) Jd 6, 28; **weggeführt werden** *be carried away* Na 2, 8; c. עַל־סֵפֶר in e. Buch **aufgenommen werden** *be inserted in a book* 2 C 20, 34; †
hitp: impf. יִתְעַל, cj pt. מִתְעַלֶּה: **sich erheben** *lift oneself up* Ir 51, 3, cj Ps 37, 35. †
Der. I, II עַל, I, II עָלֶה, עֹלָה, II מַעַל, מֹעַל, עֲלִיָּה, עִלִּי, עֶלִי, תְּעָלָה, II מַעֲלָה, מַעֲלֶה, אֶלְעָלֵא, עַלְיָה, עַלְוָה II n. l. בְּלִיַּעַל *F*, עֶלְיוֹן; n. f. יָעֵל, n. m. עַלְיָן, עַלְוָן, עֵלִי.

II *עלה: *F* I עַלְוָה.

I עָלֶה: I עלה: ak. *elū* Spross *shoot*: cs. עֲלֵה, עֲלֵי (BL 588), sf. עָלֶהָ, עָלֵהוּ: **Laub** *leafage*: Gn 3, 7 8, 11 Lv 26, 36 Js 1, 30 34, 4 64, 5 Ir 8, 13 17, 8, cj 11, 16 (l בְּעָלֵהוּ), Hs 47, 12 Ps 1, 3 Ne 8, 15 Hi 30, 4, cj Ps 74, 5 (l כִּמְבִיאֵי לָמוֹ עָלֶה). †

II *עָלֶה: I עלה: Höhe *height* in n. l. אֶלְעָלֵא.

I עֹלָה (280 ×): I עלה; < [מִנְחָה עֹלָה] 1 K 18, 29 wie Tinte < *aqua tincta*, ZAW 54, 292; mhb. עוֹלָה, äga. u. *F* ba. *עלוה, ja. u. sy. עֲלָתָא: selten *rarely* עוֹלָה, cs. עֹלַת, עוֹלַת, sf. עֹלָתוֹ, עֹלָתְךָ, pl. עֹלוֹת, עוֹלוֹת, עֹלֹת, sf. עֹלֹתֶיךָ, עֹלֹתֵיהֶם: **Brandopfer** *whole burnt-offering* (ὁλοκαυστόν, ὁλοκαύτωμα 163 ×, ὁλοκαύτωσις 69 ×), Opfer, d. ganz verbrannt wird *offering which is burnt wholly* (Koehler, ThAT 172f): הֶעֱלָה עֹלֹת Gn 8, 20, הֶעֱלָה לְעֹלָה Gn 22, 2, עֹלָה כָּלִיל 1 S 7, 9, עֹלָה וְכָלִיל Ps 51, 21, F זָבַח; הִקְטִיר עֹלָה 2 K 16, 13; F עֹלַת תָּמִיד Ex 29, 42, מִזְבַּח הָעֹלָה Ex 30, 28; עֹלָה c. שָׁחַט Lv 4, 24, c. עָרַךְ 6, 5, c. הֵבִיא Dt 12, 6. 11, c. הִקְרִיב Lv 9, 16, c. עָשָׂה 9, 7; עֹלָה Brandopfertier *animal to be offered as* עֹלָה Lv 1, 4. 6 7, 8; עֹלַת הַבֹּקֶר Lv 9, 17 Nu 28, 23 2 K 16, 15, עֹלַת הָעָם Lv 16, 24, עֹלַת שַׁבַּת Nu 28, 10, עֹלַת יוֹם בְּיוֹם Esr 3, 4.

II עֹלָה: F עַוְלָה.

I עַלְוָה: II עלה: ܥܘܠ schändlich handeln *act scandalously*: **Widerspenstigkeit** *disobedience*: בְּנֵי עַלְוָה Ho 10, 9. †

II עַלְוָה: n. l.; I עלה, = עַלְיָה 1 C 1, 51: in Edom Gn 36, 40. †

*עֲלוּמִים: II עֶלֶם: sf. עֲלוּמָיו, עֲלֻמָיו, עֲלוּמֶיךָ: **Zeit des Jugendalters** *age of youth* Js 54, 4 Ps 89, 46 Hi 33, 25, **Jugendfrische** *youthful vigour* Hi 20, 11. †

עַלְוָן: n. m.; I עלה (ZAW 44, 91); churr. Feiler ZA 45, 221: Gn 36, 23, = עַלְיָן 1 C 1, 40. †

עֲלוּקָה: mhb., ja. עֲלַקְתָּא, עֲלוּקְתָא, ܥܠܘܩܬܐ: ak. *ilqitu*; עלק, عَلَقَ sich anhängen *cling to*: **Blutegel** *leech* Pr 30, 15 (Burrows JTS 28, 184 f). †

עלז: = F עלץ; mhb. עַלִּיז:

qal: impf. יַעֲלֹז, תַּעַלְזִי, אֶעֱלוֹזָה, יַעַלְזוּ, יַעֲלֹזוּ, תַּעֲלֹזְנָה, תַּעַלֹזְנָה, inf. עֲלוֹז, imp. עֲלֹזִי, עִלְזוּ: **frohlocken** *rejoice, exult* 2 S 1, 20 Js 23, 12 Ir 15, 17 50, 11 Ha 3, 18 Ze 3, 14 Ps 28, 7 60, 8 68, 5 94, 3 96, 12 108, 8 149, 5 Pr 23, 16, l יְעֻלְּפוּ Ir 51, 39, 11, 15 l הֲתִזְכִּי עַל־זֹאת. †

Der. עַלִּיז, עָלֵז.

עָלֵז: עלז: **frohlockend** *exultant* Js 5, 14. †

*עלט: עֲלָטָה.

עֲלָטָה: غَطَلَ bedeckt, finster sein *be covered, dark* Barth ES 5: **Finsternis** *darkness* Gn 15, 17 Hs 12, 6 f. 12. †

עֵלִי: n. m., KF; I עלה; nab. n. m. עליאל, palm. n. m. עלי; n. m. عَالِي: **Eli**, Priester *priest* in שִׁלֹה: 1 S 1, 3—4, 16 14, 3 1 K 2, 27 †.

עֱלִי: I עלה; mhb.; ak. *elīt (urṣi)* (Mörser-) Stössel *pestle (of mortar)* Zimm. 36: **Stössel** *pestle* Pr 27, 22. †

עִלִּי: I עלה, F ba.: fem. עִלִּית, pl. עִלִּיּוֹת: **der obere** *the upper* (:: תַּחְתִּית) Jos 15, 19 Jd 1, 15. †

עַלְיָה: n. l.; I עלה; Höhe *height*; = II עַלְוָה: 1 C 1, 51. †

עֲלִיָּה: I עלה; mhb.; ܥܠܝܬܐ; عِلِّيَّة; = F ba. *עֲלִית: cs. עֲלִיַּת, sf. עֲלִיָּתוֹ, pl. עֲלִיּוֹת: **Obergemach, Raum im obern Stock** *roof-chamber, chamber on roof*: עֲלִיַּת הַמְּקֵרָה Jd 3, 20. 23—25, עֲלִיַּת הַשַּׁעַר über d. Tor *over the gateway* 2 S 19, 1, עֲ׳ קִיר (mit Bett, Stuhl, Leuchter *with bed, stool, lamp*) 2 K 4, 10 f, am Tempel *on the temple* 1 C 28, 11 2 C 3, 9, עֲ׳ אָחָז 2 K 23, 12, F 1 K 17, 19. 23 2 K 1, 2 Ir 22, 13; im Himmelsozean *in the heavenly ocean* Ps 104, 13, cj Am 9, 6 (l עֲלִיּוֹתָיו); n. l. in Jerusalem עֲלִיַּת הַפִּנָּה Ne 3, 31 f; l וְעֹלֹתָו 2 C 9, 4. †

עֶלְיוֹן: I עלה; mhb., F ba.: fem. עֶלְיוֹנָה, pl. עֶלְיוֹנֹת: I. **der obere** *the upper* (:: תַּחְתּוֹן) Gn 40, 17 Hs 42, 5, fem. 41, 7 (Stockwerk *storey*), Tor *gate* 2 K 15, 35 Ir 20, 2 Hs 9, 2 2 C 23, 20 27, 3, Teich *pool* 2 K 18, 17 Js 7, 3 36, 2, Hof *court* Ir 36, 10, Turm *tower* Ne

3, 25, Ortslagen *site of places* Jos 16, 5 1 C 7, 24 2 C 8, 5 32, 30; נָתַן עֶלְיוֹן עַל erhöhen über *make high above* Dt 26, 19 28, 1; David d. höchste König *the highest of the kings* Ps 89, 28;

II עֶלְיוֹן von Gott gesagt *said of God*: cf. Philo Byblius in Euseb. Praep. Ev. 1, 10 Ελιουν ὁ ὕψιστος; Baudissin, Kyrios 3, 81 f. 115 f, 4, 31; Eissfeldt, Baal Zaphon 19[4]; Harvard Th. Rev. 29, 55 f; Levi della Vida JBL 1944, 1 ff; **der höchste** *the highest*: אֵל עֶלְיוֹן Gn 14, 18—20 Ps 78, 35, = יהוה Gn 14, 22; עֶלְיוֹן = Gott *God* Nu 24, 16 (//אֵל) Dt 32, 8 2 S 22, 14 Js 14, 14 Ps 9, 3 18, 14 21, 8 46, 5 50, 14 73, 11 77, 11 78, 17 87, 5 91, 1 (//שַׁדַּי). 9 92, 2, cj 106, 7, 107, 11 (//אֵל) Th 3, 35. 38 Si 6, 37 41, 4; בְּנֵי עֶלְיוֹן Ps 82, 6; אֱלֹהִים עֶלְיוֹן Ps 57, 3 78, 56; יהוה 7, 18; שֵׁם יהוה עֶלְיוֹן 47, 3, יהוה עֶלְיוֹן ist *is* עֶלְיוֹן עַל־כָּל־הָאָרֶץ Ps 83, 19 97, 9 (//נַעֲלֵיתָ עַל); cj עֶלְיוֹן בַּשָּׁמַיִם 1 S 2, 10; 1 לְעִיִּין 1 K 9, 8 u. 2 C 7, 21; עליון altsyr. Gott *oldsyr. God* ZAW 50, 182. †

עַלִּיז: עלז; F *עַלִּיץ: fem. עַלִּיזָה, pl. עַלִּיזִים, cs. עַלִּיזֵי: **frohlockend** *exultant* Js 24, 8; **ausgelassen, übermütig** *wanton, presumptuous* Js 22, 2 23, 7 32, 13 Ze 2, 15; עַלִּיזֵי גַּאֲוָה Js 13, 3 Ze 3, 11 F גַּאֲוָה. †

עֲלִיל: II עלל: **Eingang** *entrance* Ps 12, 7 (Text? ZDM 69, 402 ff). †

עֲלִילָה: I עלל: pl. עֲלִילוֹת, cs. עֲלִילֹת, sf. עֲלִילֹתָיו, עֲלִילוֹתֵיכֶם: **Tat, Handlung** *deed*, Ze 3, 7 Ps 14, 1 u. cj 53, 2, der Frommen *of the pious* Hs 14, 22 f; (gottlose) Taten (*impious*) *deeds* 1 S 2, 3 Hs 20, 43 f 21, 29 24, 14 36, 17. 19 Ze 3, 11 Ps 99, 8 141, 4; Gottes *of God* Js 12, 4 Ps 9, 12 66, 5 77, 13 78, 11 103. 7 105, 1, cj Ir 32, 19 (רַב עֲלִילָה), שִׂים עֲלִילֹת דְּבָרִים לְ jmd Taten, die Gerede bringen, zur Last legen *charge a person with defaming deeds* Dt 22, 14. 17. †

עֲלִילִיָּה Ir 32, 19: 1 עֲלִילָה.

עַלְיָן: n. m.; = עַלְוָן: 1 C 1, 40. †

***עַלִּיץ**: = עַלִּיז: übermütig *presumptuous* cj Ps 37, 35. †

***עֲלִיצֻת**: עלץ; ak. *elṣiš*: sf. עֲלִיצֻתָם: **Übermut** *wantoness, presumption* Ha 3, 14. †

עַל־כֵּן: עַל u. II כֵּן: **darüber** *over that* Ha 1, 15, **darum** *therefore* Gn 2, 24—2 C 20, 26 (135 ×); הַעַל־כֵּן [Soll] denn ...? [*Shall*] ... *therefore?* Ha 1, 17; עַל אֲשֶׁר ... עַל־כֵּן Weil ..., darum *Because ..., therefore* 1 K 9, 9 2 C 7, 22, = יַעַן אֲשֶׁר ... עַל־כֵּן Hs 44, 12; כִּי עַל־כֵּן Denn darum *For therefore* Gn 18, 5 33, 10; (einräumend *concessive*) Denn ... ja *for therefore* Gn 19, 8 38, 26 Nu 10, 31 14, 43 Jd 6, 22 Ir 29, 28 38, 4; ?? Hs 41, 7 u. Hi 34, 27.

I עלל: mhb. tätig sein *be active*; عَلَّ zum 2. Mal, wiederholt tun *do (a thing) a second time*: po: pf. עוֹלְלָה, עוֹלַלְתָּ, impf. תְּעוֹלֵל, יְעוֹלְלוּ, sf. וַיְעֹלְלֵהוּ, inf. u. imp. עוֹלֵל (pt. מְעוֹלֵל): 1. c. לְ **handeln an** *deal with* Th 1, 22 2, 20; 2. (besonders *specially*) c. ac. **Nachlese halten an** *glean (grain, olives)* Lv 19, 10 Dt 24, 21 Jd 20, 45 (am fliehenden Feind *the flying foe*) Ir 6, 9; 1 עוֹלֵל נֹגְשָׂם Js 3, 12 pro נֹגְשָׂיו מְעוֹלֵל; **wehtun?** *deal severely?* Th 3, 51; †

poal; pf. עוֹלַל: c. לְ **jmd angetan werden** *be severely dealt out to* Th 1, 12; †

hitp. pf. הִתְעַלֵּל, הִתְעַלַּלְתָּ, הִתְעַלְּלוּ, impf. וַיִּתְעַלְּלוּ: c. בְּ **jmd mitspielen, seinen Mutwillen treiben an** *deal wantonly, ruthlessly with* Ex 10, 2 Nu 22, 29 Jd 19, 25 (e. Frau missbrauchen *abuse a woman*) 1 S 6, 6 31, 4 Ir 38, 19 1 C 10, 4; †

hitpoel: inf. הִתְעוֹלֵל: **mutwillig handeln** *act wantonly, wickedly* Ps 141, 4.†
Der. תַּעֲלוּלִים, מַעֲלָל, עֲלִילוֹת, עֲלִילָה.

II **עלל**: ug. *ǵll*, حل hineingehn, *F* ba. עלל hineingehn *enter*, غَلَّ hineinstecken *insert*:
po: pf. עֹלַלְתִּי: **hineinstecken** *insert, thrust in* Hi 16, 15.†
Der. עֹל, עֲלִיל.

עֹלֵלוֹת: I עלל: cs. עֹלְלֹת: **Nachlese** *gleaning* Jd 8, 2 Js 17, 6 24, 13 Ir 49, 9 Ob 5 Mi 7, 1.†

I **עלם**: mhb. ni. verborgen sein *be concealed*:
qal: pt. pass. sf. עֲלֻמֵנוּ: **Verborgenes** (Fehler) *hidden thing (fault)* Ps 90, 8;†
nif: pf. נֶעֱלָמָה, נֶעְלַם, cj impf. תֵּעָלֵם Ps 10, 1, pt. נֶעְלָם, pl. נַעֲלָמִים: **verborgen sein** (מִן vor) *be concealed* (מִן *from*) Lv 4, 13 5, 2—4 Nu 5, 13 1 K 10, 3 Hi 28, 21 Ko 12, 14 2 C 9, 2 Si 11, 4, cj Ps 10, 1 (Gott *God*); pt. Verborgene, Hinterhältige? *those who conceal themselves, cunning?* (l מְעוּלִים?) Ps 26, 4; l נֶעְלָפָה Na 3, 11;†
hif: pf. הֶעְלִימוּ, הֶעְלֵם, impf. אַעְלִים, תַּעְלֵם, יַעְלִימוּ, inf. הַעְלֵם, pt. מַעְלִים: **verbergen, verhüllen** *conceal, hide* Lv 20, 4 1 S 12, 3 (:: Si 46, 19) 2 K 4, 27 Js 1, 15 Hs 22, 26 Pr 28, 27 Hi 42, 3 Th 3, 56, cj Js 57, 11 (וּמַעְלִים), l תֵּעָלֵם Ps 10, 1; l הַמַּעֲלֶה Js 63, 11;†
hitp pf. הִתְעַלַּמְתָּ, impf. יִתְעַלָּם, תִּתְעַלַּם, תִּתְעַלָּם, inf. הִתְעַלֵּם: **sich verbergen, sich entziehen** (מִן vor) *hide oneself, withdraw* (מִן *from*) Dt 22, 1. 3 f Js 58, 7 Ps 55, 2 Hi 6, 16 Si 4, 4 38, 16.†
Der. תַּעֲלֻמָה.

II **עלם**: *F* עֶלֶם, עַלְמָה, עֲלוּמִים, n. m. יַעְלָם.

עֶלֶם: II עלם; ug. *ǵlm*, n. m. *Ǵlmn*; ph. עלמת junge Frau *young woman*; äga., ja., palm., nab. עלים, nab. sy. עֲלֵימָא; غُلِمَ von starker Begierde erfüllt sein *be vehemently affected with lust*, غُلَام junger, kräftiger Mann *young vigorous man*; asa. עלם: עֶלֶם, cj pl. sf. עֲלָמֵיהֶם Ir 15, 8: **junger Mann** *young man* 1 S 17, 56 20, 22, cj 16, 12 u. Ir 15, 8.†

עַלְמָה: fem. v. עֶלֶם, ug. *ǵlmt*, nab. עלימת: pl. עֲלָמוֹת: **mannbares Mädchen, junge Frau** (bis zur Geburt des 1. Kindes) *marriageable girl, young woman (until the birth of her first child)* Gn 24, 43 Ex 2, 8 Js 7, 14 (G παρθένος, Aquila νεᾶνις) Ps 68, 26 Pr 30, 19 Ct 1, 3 6, 8; ungedeuteter Vortragsterminus *unexplained term of execution* Ps 46, 1 1 C 15, 20; *F* עַל־מוּת.†

עַלְמוֹן: n.l.; عَلَم Wegmarke *way-mark*: 1. Jos 21, 18, = עָלֶמֶת 1 C 6, 45; 2. עַלְמֹן דִּבְלָתָיְמָה Nu 33, 46 f, = בֵּית דִּ׳ :†

עַל־מוּת: ungedeutete technische Beischrift *unexplained technical note* *F* עַלְמוּת (עַלְמָה): Ps 9, 1 48, 15.†

I **עָלֶמֶת**: n.l.; *F* II u. עַלְמוֹן: *Ch. ʿalmit* nö. Anathot: 1 C 6, 45.†

II **עָלֶמֶת**: n. m., = I?: עָלָמֶת: 1. 1 C 7, 8; 2. 8, 36 9, 42.†

עלס: NF v. עלז, עלץ? عَلَسَ schmecken, geniessen *taste, enjoy*:
qal: impf. יַעֲלֹס: c. בְּ, **einer Sache froh werden** *enjoy a thing* Hi 20, 18 (l בְּחֵילוֹ);†
nif: pf. נֶעֱלָסָה: **sich froh zeigen** *prove enjoyed* Hi 39, 13;†
hitp: impf. נִתְעַלְּסָה: c. בְּ: **sich belustigen an** *enjoy each another with* Pr 7, 18.†

עלע: יְעַלְעוּ: Hi 39, 30: l יְלַעְלְעוּ.†

עלף: mhb. pu., ja. verhüllt sein, ohnmächtig werden *be covered, faint*; غَلَّفَ verhüllen *cover*:

nif: cj pt. נֶעֱלָפָה: ohnmächtig *faint* Na 3, 11; †
pu: pf. עֻלְּפוּ, cj עֻלְּפוּ Hs 31, 15, cj impf. יְעֻלָּפוּ Ir 51, 39, pt. מְעֻלֶּפֶת: eingehüllt, bedeckt sein *be enwrapped, covered* Ct 5, 14; (metaph.) d. Sinne verlieren, ohnmächtig werden *have the senses obscured, swoon away* Js 51, 20, cj Ir 51, 39 u. Hs 31, 15; †
hitp: impf. תִּתְעַלַּפְנָה, וַיִּתְעַלָּף: sich einhüllen *enwrap oneself* Gn 38, 14; metaph. (*F* pu) ohnmächtig werden *swoon away* Am 8, 13 Jon 4, 8. †

עֻלְפֶּה Hs 31, 15: l עֻלְּפוּ. †

עלץ: mhb.; pu.? *F* Harris 133; asa. מעלץ Freude *joy*; ak. *elēṣu* froh sein *be joyful*; asa. עלץ; NF עלז, *F* עלס:
qal: pf. עָלַץ, impf. אֶעֶלְצָה, יַעֲלֹץ, יַעַלְצוּ u. יַעֲלֹצוּ, inf. עֲלֹץ: frohlocken *rejoice, exult* 1 S 2, 1 Ps 5, 12 9, 3 68, 4 Pr 11, 10 28, 12 1 C 16, 32; l יַלְעֲגוּ Ps 25, 2. †
Der. *עֲלִיצוּת, עַלִּיז.

***עלק**: *F* עֲלוּקָה.

עֲלָתָה Hi 5, 16: *F* עַוְלָה.

עַם: עמם:

I **עַם**: ug. *ʿm* Stammgruppe *clan*; عَمّ Vatersbruder *father's brother*, Onkel (väterlicherseits) *paternal uncle*; عَمَّة Vatersschwester *father's sister* = ܥܡܬܐ; nab. עם Grossvater *grandfather*; asa. עם Vatersbruder *father's brother*; Juynboll, OS 353 ff; Rost, Festschr. Procksch, 1934, 1—7; *F* II, III: sf. עַמִּי, pl. sf. עַמָּיו, עַמֶּיהָ, עַמֶּיךָ, cj עַמַּי Gn 49, 29 2 K 4, 13: [Vatersbruder, Verwandter vom Vater her >] Stammverwandter, Stammgenosse [*father's brother, kinsman from father's side* >] *kinsman*: sg. Gn 19, 38, coll. väterliche Verwandtschaft *paternal kinship* Ir 37, 12 Ru 3, 11, pl. Verwandte vom Vater her *kinsmen from father's side* Lv 19, 16 21, 1. 4. 14 f 2 K 4, 13 (l עַמַּי) Hs 18, 18; מֵעַמֶּיהָ, נִכְרַת מֵעַמָּיו Ex 30, 33. 38 Lv 17, 9 Gn 17, 14 Ex 31, 14! Lv 7, 20 f. 25. 27 19, 8 23, 29 Nu 9, 13; וַיֵּאָסֶף אֶל־עַמָּיו Gn 25, 8. 17 35, 29 49, 29 (l עַמַּי). 33 Nu 20, 24 27, 13 31, 2 Dt 32, 50; Zugehörigkeitserklärung einer Frau *declaration of membership of a woman* Ru 1, 16;

II **עַם** Verwandter, Schutzherr *kinsman, protector* (< I) in theophoren Namen *in theophorical names*; Noth S. 76 ff: יָקְמְעָם, אֲנִיעָם, אֱלִיעָם, עַמִּיזָבָד, עַמִּיהוּד, עַמִּיאֵל, רְחַבְעָם, יִתְרְעָם, יָרָבְעָם, עַמִּיחוּר, עַמִּישַׁדַּי, עַמִּינָדָב, עַמִּיהוּד; *F* APN 268;

III **עַם** (< I; Rost *F* sub I; 1800 × : : גּוֹי 555 ×): עָם, הָעָם, עַם, sf. עַמּוֹ, עַמְּךָ, pl. עַמִּים, cs. עַמֵּי u. (ältre Orthographie für *older orthography of* עַמִּים, עַמֵּי) עֲמָמִים, cs. עַמְמֵי, sf. עֲמָמֶיךָ (für *for* עַמְּךָ), masc. (l יֹשֵׁב Jd 18, 7): **1. Volk** *people*: זְבֻלוּן ist ein Volk *is a people* Jd 5, 18; עַם בְּנֵי יִשְׂרָאֵל 2 S 19, 41; עַם יְהוּדָה Ex 1, 9, עַם אֶחָד Gn 11, 6; הָעָם יִשְׂרָאֵל Esr 9, 1; עַם קָדוֹשׁ Dt 7, 6, עַם סְגֻלָּה 14, 2, עַם נַחֲלָה 4, 20; עַם יהוה Jd 5, 11. cj 13, 1 S 2, 24, cj 10, 1; עַם כְּמוֹשׁ Nu 21, 29; עַם אֱלֹהִים 2 S 14, 13; עַם קְדֹשִׁים Da 8, 24; l עַמּוֹ Ps 47, 10; הָעָם הַזֶּה (nicht verächtlich gemeint *not said despisingly* Böhmer JBL 45, 134 ff) Js 6, 9 8, 6. 11 28, 11 29, 13; לֹא עָם Unvolk *not a people* Dt 32, 21; Volk, zu dem man gehört *people to which one is belonging*: עַם מָרְדֳּכַי Est 3, 6, בְּנֵי עַמָּם Lv 17, 10; קֶרֶב עַמָּהּ ihre Volksgenossen *the members of their people* Lv 20, 17; (Tiere *animals*) **Volk** *troop, flock* Ameisen *ants* עַם לֹא עָז Pr 30, 25, Klippschliefer *rock-badgers* עַם לֹא עָצוּם 30, 26; 2. pl. עַמִּים **Völker** *peoples, nations*: Dt 14, 2 Gn 49, 10 Ps 33, 10 (//גּוֹיִם); קְהַל עַמִּים Gn 28, 3 48, 4 (: : 35, 11); מְשַׁל עַמִּים (MT מֹשֵׁל) Hi 17, 6;

עַמֵּי הָאֲרָצוֹת Ne 10, 29; cj עַמִּים Ps 144, 2, l עַמּוֹ Js 3, 13 (u? Dt 33, 3); 3. עַם bedeutet oft nicht das Volksganze, sondern e. Teil *often means not the whole of a nation, but a part of it*: Volk, **Leute** *people, citizens, inhabitants*: הָעָם von *of* Bethlehem Ru 4, 9, עַם יְרוּשָׁלַםִ 2 C 32, 18, עַם כְּנַעַן Ze 1, 11; die Leute um e. Einzelnen her *the people around an individual* 1 K 19, 21 2 K 4, 41 Gn 32, 8, die Leute, die *the people who* Jd 3, 18; עַם־רַב viele Leute *many people* Nu 21, 6; עַם עָנִי Ps 18, 28, הָעָם הַדַּלִּים d. geringe Volk *the common, poor, low people* Ir 39, 10; בְּזוּי עָם von d. Leuten verachtet *despised by the people* Ps 22, 7; עָם die rechten Leute *the solid, correct people* Hi 12, 2; הָעָם **die Menschen** *mankind* Js 42, 5; pro עַם לְצִיִּים l עֲמָלֵצִים Ps 74, 14; l עִם 1 S 9, 24; הָעָם die Besatzung *the garrison* Js 36, 11; l עֲמָלֵק Jd 1, 16; 4. עַם הָאָרֶץ (Würthwein, D. ʿamm ha'arez im AT, 1936, c. Lit.): die **Vollbürger** *the citizens possessing the full rights* (e. soziologische Einheit *a sociological unit*; erst später > עַם הָאָרֶץ e. individualistisch-religiöser Begriff *only in times later than the OT* עַם הָאָרֶץ *becomes its individualistic-religious meaning*): 2 K 11, 14 21, 24 23, 30 Ir 1, 18 Hs 7, 27 12, 19, cj 45, 16, etc.; l מֵעִם Ex 5, 5; dele עַם Hi 12, 24; ? Js 24, 4 u. Hg 2, 4; דַּלַּת עַם הָ׳ 2 K 24, 14; 5. עַמֵּי הָאָרֶץ d. nichtisraelitische(n) **Bevölkerung** (en) **des Landes** *the not-Israelite population(s) of the country* Esr 10, 2 Ne 10, 31 f Est 8, 17, = עַמֵּי הָאֲרָצוֹת Esr 3, 3 9, 1 Ne 10, 29; 6. l יִגְוְעוּ שׁוֹעִים Hi 34, 20; l עִם Ps 73, 10; l עֲנִיִּים Js 10, 2; cj לְעַמּוֹ Ps 28, 8; cj נְחָלִים עַם Hi 28, 4.

Der. עַמּוֹן; *F* n. m. sub II.

עִם: I עמם: ug. ʿ*m*; *F* ba. עִם; ak. *ema* ?; مَعْ u. عَمْ (Socin-Stumme, Dialekt d. Houwāra in Marokko 10), asa. עם, בעם: sf. עִמּוֹ, עִמָּהּ, עִמָּם, עִמִּי, עִמְּךָ, עִמָּךְ, עִמְּכָה 1 S 1, 26, עִמָּנוּ, עִמָּכֶם cf. ug. ʿ*mnj* mit mir *with me*; *F* *עִמָּד; praep.: 1. in Gemeinschaft von, **zusammen mit** *in community of, together with* (daher bei allen Wörtern, die Gemeinschaft, gemeinschaftliches Tun ausdrücken *therefore with all words expressing community, joint acting*): הָלַךְ עִם Gn 18, 16, אָכַל עִם 1 S 9, 24, עָזַר עִם 1 C 12, 22; בִּמְלַאכְתּוֹ = עִם 1 C 4, 23; auch wenn die Gemeinschaft einseitig *even if the relation remains one-sided* Gn 20, 9, oder gegnerisch ist *or hostile* Ps 94, 16 Hi 9, 14 10, 17 16, 21; וְעִם זֶה und dabei = **und trotzdem** *and with that = and though* Ne 5, 18; 2. zusammengestellt mit = **so gut wie** *compared with = as good (well) as*: Gn 18, 23 Ps 73, 5 Hi 3, 14 f (dele עִמָּם 21, 8) Ps 106, 6 Ko 2, 16 Ir 6, 11; l עֶלֶם 1 S 16, 12 u. 17, 42; **so wie, vergleichbar mit** *as, comparable with* Hi 9, 26 2 C 14, 10; נֶחְשַׁב עִם zusammengerechnet werden mit *be reckoned with* Ps 88, 5; נִמְשַׁל עִם jmd gleich werden *become like* Ps 143, 7; 3. zusammen mit > **gleichzeitig wie** *together with > at the same time as* Ps 72, 5 2 S 1, 24 Am 4, 10 (?); עִם הַסֵּפֶר gleichzeitig schriftlich *at the same time by letters* Est 9, 25; 4. עִם c. מִן: מֵעִם (72 ×) aus d. Zusammensein mit > **fort von** *away from the being together with > away from, off*: c. יָצָא Ex 8, 8, c. הָלַךְ Gn 26, 16, c. סוּר 1 S 16, 14, c. לָקַח Gn 44, 29, c. שִׁלַּח Dt 15, 12, etc.; נָקִי מֵעִם schuldlos gegenüber (von ihm aus gesehen) *guiltless before (judged from his side)* 2 S 3, 28; כָּלְתָה מֵעִם beschlossen s. vonseiten *is determined by him (from his side)* 1 S 20, 7; מֵעִם יהוה vonseiten J.s *from Y.'s side* 1 K 2, 33 12, 15 Js 8, 18 28, 29 29, 6 Ps 121, 2 Ru 2, 12, מֵעִם הָאֱלֹהִים Gn 41, 32, :: מֵעִמּוֹ mehr als bei ihm *more than with him* 2 C 32, 7; l נְחָלִים עַם Hi 28, 4; עִם לֵצִים Pr 3, 34.

עמד: ak. *emēdu* stehen, sich anlehnen *stand, lean against*; mhb. stehen *stand*, عمد streben *strive after*; F עֲמוּד:

qal (430 ×): pf. עָמַד, עָמָד, עָמְדָה, עָמַדְתָּ, עֲמַדְתֶּן, עָמְדוּ, עָמָדוּ, impf. יַעֲמֹד־, יַעֲמָדוּ, יַעַמְדוּ, אֶעֶמְדָה Ha 2, 1, אֶעֱמֹד, תַּעַמְדִי, יַעֲמֹדְנָה, תַּעֲמֹדְנָה, יַעֲמֹדוּ (BL 353) Da 8, 22, נַעַמְדָה, נַעֲמֹד, inf. עֲמֹד, עֲמוֹד, sf. עָמְדוֹ (BL 581), עָמְדְךָ (BL 353) Ob 11, imp. עֲמֹד, עִמְדִי, עִמְדוּ, עֲמֹדוּ, עֲמֹדְנָה, pt. עוֹמֵד, עֹמֵד, עֹמְדוֹת, עֹמְדִים, עֹמֶדֶת, עוֹמֶדֶת, עֹמֶדֶת 1. hintreten *stand* Ex 33, 9 Hs 22, 30, sich hinstellen *take one's stand* 2 K 23, 3 2 S 15, 2, c. לִפְנֵי vor *before* Lv 18, 23, Aufstellung nehmen *form up* 2 K 3, 21; auftreten *stand up* Esr 2, 63 Da 8, 23 11, 2 f, aufstehen *stand up* Ne 8, 5 Da 12, 13; c. אֶל herantreten an *step up to* 1 S 17, 51, c. לְ sich auf jmd wartend hinstellen *stand waiting for* 1 K 20, 38, cj אֶעֱמֹד (Joüon Bibl. 11, 81) Ps 5, 4; c. אֵצֶל s. neben jmd stellen *stand by the side of* Gn 41, 3; c. עַל entgegentreten *stand up against* Esr 10, 15 Da 8, 25, sich (dem Richter) stellen *present oneself* (*to the judge*) Ex 18, 13; c. תַּחְתָּיו an s. Stelle treten *stand up in one's place* Ko 4, 15; c. יַחַד sich einander (im Rechtsstreit) stellen *present each to another* (*in contest*) Js 50, 8; c. עַל־דָּם gegen s. Leben auftreten *stand against the life* (*blood*) *of* Lv 19, 16; c. בְּ mit etw. auftreten *stand with a thing* Js 47, 12; c. לְ jmd vertreten *stand for* Esr 10, 14; abs. עָמַד sich (z. Gebet) hinstellen *stand* (*for prayer*) 2 K 5, 11 2 C 20, 20; c. בְּ sich einlassen in *enter into* Ko 8, 3; l וַתְּהִי 1 C 20, 4; l בְּעָצְמוֹ Da 11, 4; 2. dastehen *stand there, be there* Ex 33, 10 Js 11, 10 61, 5 Mi 5, 3 (Hirt *shepherd*) Da 10, 11, c. עַל auf *upon* Jos 11, 13 2 K 9, 17, bei *with* Gn 24, 30, neben *beside* 18, 8 41, 17, an *at* 1 K 13, 1; c. עַל־אֶרֶץ e. Land bewohnen *dwell in a country* Ex 8, 18; עָמַד אֵת stehen bei *stand with* Gn 45, 1, = c. אֶת־פְּנֵי 19, 27, c. נֶגֶד Jos 8, 33 u. c. לְנֶגֶד 5, 13 gegenüber *in front of*; c. לִפְנֵי (ehrerbietig) stehen vor (*respectfully*) *stand before* 1 K 1, 28, (als Diener) stehen vor (*as servant*) *stand before* (ak. *nazāzu ina pān*) Gn 41, 46 Dt 1, 38 1 S 16, 21 f 1 K 1, 2 Ir 52, 12 (l עֹמֵד) Sa 3, 4 Da 1, 5, = c. אֶת־פְּנֵי 1 K 12, 6; עָמַד בְּ Dienst tun, aufwarten in, *wait on a person in* Da 1, 4 Est 6, 5, = c. לִפְנֵי vor *before* Jd 20, 28 1 K 3, 15; c. לִפְנֵי יהוה Dt 4, 10 10, 8 Ir 7, 10 15, 19 35, 19 1 K 17, 1 18, 15 2 K 3, 14; עָמַד עַל Vorsteher sein über *be head of* Nu 7, 2, schützend stehen vor, eintreten für *stand protecting for, stand up for one's rights* Da 12, 1 Est 8, 11 9, 16, sich stützen auf *rely on* Hs 33, 26, c. מִנֶּגֶד sich fernhalten von *keep out of the way of* 2 K 2, 7 Ob 11 Ps 38, 12; עָמַד absol. halten (Reiter) *halt* (*horseman*) Sa 1, 8, scheinen (Sonne) *shine* (*sun*) cj וְעוֹד הוּא עֹמֵד Ne 7, 3; 3. stehen bleiben, sich nichtmehr (nicht weiter) bewegen *stand still, cease moving*: Gn 19, 17 1 S 20, 38 2 S 20, 12 Ir 4, 6 Jos 10, 13 (יָרֵחַ) Ha 3, 11 (שֶׁמֶשׁ); zum Stehen kommen *come to a stand* (bewegtes Meer *raging sea*) Jon 1, 15, (fliessendes Öl *flowing oil*) 2 K 4, 6; bleiben *stay* Ex 9, 28 Da 10, 17 Ko 1, 4; c. לְ verbleiben *remain* Ko 2, 9, erhalten bleiben *be preserved* Ir 32, 14, unverändert bleiben *remain unchanged* Ps 19, 10 Lv 13, 5. 37 Ir 48, 11, am Leben bleiben *remain alive* Ex 21, 21; Bestand haben *last* 2 K 6, 31, als gültig anerkannt werden *be valid* Est 3, 4; standhalten *stand firm* Am 2, 15 Hs 13, 5 Ps 33, 11 Hi 8, 15, c. בִּפְנֵי Jos 21, 44, c. לִפְנֵי Na 1, 6, c. נֶגֶד Ko 4, 12, c. מִן Da 11, 8; stillstehn, aufhören *cease* 2 K 13, 18, c. מִן c. inf. Gn 29, 35 30, 9; l לְעָבְדוֹ Hs 17, 14; l הֶעֱמַדְתִּי עַל Ps 30, 8; l מָעֳמָד 2 C 18, 34;

hif (82 ×, meist spät *mostly late*): pf. הֶעֱמִיד,

הֶעֱמִידוֹ, sf. הֶעֱמַדְתָּ, (Ps 30, 8) הֶעֱמַדְתָּה (הֶעֱמַדְתָּה) הֶעֱמִדָה, יַעֲמִיד, impf. הֶעֱמַדְתִּיךָ, הַעֲמַדְתִּיהוּ, הֶעֱמִדָה, יַעֲמִידֵנִי, sf. וָאַעֲמִידָה, וָאַעֲמִיד, וַיַּעֲמֵד, וַיַּעֲמֵד, inf. הַעֲמֵד, cs. הַעֲמִיד, imp. הַעֲמֵד, sf. הַעֲמִידָה, pt. מַעֲמִיד: 1. **zum Stehen bringen, hinstellen** *cause to stand, set*: עַל־רַגְלַי Hs 2, 2 3, 24, עַל־עָמְדוֹ Da 8, 18, c. תַּחַת an d. Stelle setzen *set in one's stead* Hi 34, 24; 2. **aufstellen** *set up*: 2 S 22, 34 Lv 14, 11 Nu 3, 6 Jd 16, 25 2 C 23, 10. 19 Ps 148, 6 (Gestirne *stars*) Js 21, 6 (מְצַפֶּה) Hs 24, 11 (Topf *vessel*) Ne 4, 3 (מִשְׁמָר) 12, 31 (תּוֹדֹת) Da 11, 11 (Heer *army*) 2 C 33, 19 (אֲשֵׁרִים); 3. **stehn lassen, bestehn lassen** *maintain* Ex 9, 16 1 K 15, 4 (יְרוּשָׁלִַם); Bestand geben *give stability* Pr 29, 4 2 C 9, 8; 4. **hinstellen, bestellen** *appoint* Ps 31, 9 1 K 12, 32, c. לְ zu *as* 2 C 11, 22, c. לִפְנֵי (als Diener *as servants*) Est 4, 5, c. בְּ über *over* 1 C 17, 14; *F* Esr 3, 8 Ne 13, 19 1 C 6, 16 etc.; Ne 6, 7; aufstellen (Götter) *set up (gods)* 2 C 25, 14; antreten lassen *order to take a place* Ne 4, 7 2 C 25, 5 29, 25 34, 32; 5. aufrichten, **herstellen** *restore* Esr 9, 9 2, 68 2 C 24, 13; (Türen) einsetzen *put in (doors)* Ne 3, 1. 6. 13—15 6, 1; 6. c. לִפְנֵי vorstellen *present* Gn 47, 7; c. פָּנָיו starr vor sich hin blicken *have a fixed look* 2 K 8, 11; bestätigen *establish, confirm* Ps 105, 10; c. חָזוֹן erfüllen *establish* Da 11, 14; c. עָלָיו מִצְוֹת sich Geboten unterziehen *submit to commandements* Ne 10, 33; c. מַחְלְקוֹת Einteilung vollziehn *appoint courses* 2 C 31, 2; c. אֲדָמָה לְ Land zuweisen an *assign land to* 2 C 33, 8; c. דָּבָר u. לְ c. inf. beschliessen zu *decide to* 2 C 30, 5;

hof: pf. cj הָעֳמַדְתִּי, impf. יָעֳמַד, pt. מָעֳמָד: **hingestellt sein** *be set up, be caused to stand* Lv 16, 10 1 K 22, 35, cj 2 C 18, 34, cj (הָעֳמַדְתִּי עַל) Ps 30, 8. †

Der. עֹמֶד, עֶמֶד*, עֶמְדָּה, עַמּוּד, מַעֲמָד*, מָעֳמָד.

עֹמֶד: עמד: sf. עָמְדוֹ, עָמְדֶךָ: **Platz** (an dem man ordnungsgemäss steht) *standing-place, place* Ne 8, 7 9, 3 13, 11 Da 8, 17 f 10, 11 2 C 30, 16 34, 31 35, 10, cj עָמְדִי Hi 23, 10; *F* עַמּוּד 2 K 11, 14. †

***עֶמֶד**: עמד: nur *only* sf. עִמָּדִי (wechselt oft mit *changing frequently with* עִמִּי): 1. עִמָּדִי m. **Gesellschaft** *my company* Gn 3, 12; adverb. in m. Ges. *in my comp.* Dt 32, 39 1 S 22, 23 2 S 19, 34; 2. **bei mir** *with me* Gn 31, 32 Dt 32, 34 Ps 23, 4 50, 11 55, 19 Hi 6, 4 17, 2 28, 14 29, 20, c. הָיָה (helfend *helping*) Gn 28, 20 31, 5 35, 3, c. יָשַׁב Gn 29, 19 Jd 17, 10 Ps 101, 6, c. עָבַד Gn 29, 27, c. עָמַד Dt 5, 31, c. גֵּר Lv 25, 23; nach Ausdrücken des Antuns *with expressions of inflicting upon*: mir *me*, c. עָשָׂה Gn 20, 9 Hi 13, 20, עָשָׂה חֶסֶד Gn 19, 19 20, 13 21, 23 40, 14 47, 29 1 S 20, 14 2 S 10, 2 Hi 10, 12 Ru 1, 8, c. הֵרַע Gn 31, 7, c. רִיב Ex 17, 2 Hi 13, 19 23, 6 29, 5 31, 13, c. הִרְבָּה כַּעַשׂ Hi 10, 17; cj הַעֲמָדִי (?) Hi 17, 16; 1 עָמְדִי Hi 23, 10; dele עִמָּדִי (e 5) 29, 6. †

***עֶמְדָּה**: עמד: sf. עֶמְדָּתוֹ: **Standort** *standing-ground* Mi 1, 11. †

***עמה**: *F* עָמִית.

***עֻמָּה**: I עמם; mhb.: cs. עֻמַּת, sf. עֻמָּתוֹ, עֻמָּתָם, pro pl. עֻמּוֹת Hs 45, 7 1 עֻמַּת; stets *always* c. לְ, auch *also* Ko 5, 15 (1 כָּל־עֻמַּת): לְעֻמַּת **dicht an** *close by* Ex 25, 27 28, 27 37, 14 39, 20 Lv 3, 9, **dicht neben** *side by side with* 2 S 16, 13; **entsprechend** *corresponding to* Ex 38, 18 Hs 48, 13 Ne 12, 24 1 C 25, 8 (adde מִשְׁמֶרֶת) 26, 16, **genau wie** *exactly as* Hs 1, 20 f 3, 8. 13 10, 19 11, 22 40, 18 42, 7 45, 6 f 48, 18. 21 Ko 5, 15 7, 14 1 C 24, 31 26, 12; מִלְּעֻמַּת **dicht entlang** *close beside* 1 K 7, 20. †

עַמָּה n. l. Jos 19, 30: l וְעַכּוֹ. †

עַמּוּד (98 ×), עַמֻּד Ir 52, 21: עמד; cf. ak. *imdu* Stütze (einer Wand) *support* (*of a wall*) Zimm. 31; mhb.; äga., ja., cp., palm., nab., sy. עַמּוּדָא, asa. עמד; ph. עמד; عمود, ዐምድ: cs. עַמּוּד Nu 14, 14, sf. עַמּוּדוֹ, pl. עַמּוּדִים, עַמֻּדִים, cs. עַמּוּדֵי, sf. עַמּוּדָיו, עַמֻּדָיו: **Zeltstütze, Pfeiler, Säule** *support* (*of tent*), *pillar*, *column*: 1. **Zeltstütze, Ständer** *support of tent*, *post* Ex 26, 32. 37 u. oft *a. often*; 2. **Säule, Pfeiler** (e. Hauses) *column*, *pillar* (*of house*) Jd 16, 25 f, 7 עַמּוּדִים e. Hauses *of a house* Pr 9, 1, עַמּוּדֵי אֲרָזִים 1 K 7, 2; 3. (freistehende) **Säule** (*isolated*) *column*, נְחֹשֶׁת, 2 vor d. Tempel *2 in front of temple* 1 K 7, 15 ff. 41 f. 2 K 25, 13. 16 f Ir 27, 19 52, 17. 20—22 1 C 18, 8 2 C 3, 15—17 4, 12 f; Standort d. Königs *the king's standing-place* (1 עֹמֶד ? ZAW 42, 321[1]) 2 K 11, 14 23, 3 2 C 23, 13; aus *of* בַּרְזֶל Ir 1, 18; 4. אוּלָם הָעַמּוּדִים **Pfeilerhalle** *porch of pillars* 1 K 7, 6; 5. **Ständer, Füsse** (e. Sessels) *columns*, *uprights* (*of litter*) Ct 3, 10; 6. Schenkel wie **Säulen** aus שֵׁשׁ *legs like columns of* שֵׁשׁ Ct 5, 15; 7. **Rauchsäule** *column of smoke* Jd 20, 40; **Feuersäule** *column of fire* Ex 13, 22 14, 24 Ne 9, 12. 19; **Wolkensäule** *column of clouds* Ex 13, 21 f 14, 19. 24 33, 9 f Nu 12, 5 14, 14 Dt 31, 15 Ps 99, 7 Ne 9, 12. 19; 8. **Pfeiler der Erde** *pillars of earth* Ps 75, 4 Hi 9, 6; **Pfeiler des Himmels** *pillars of heaven* Hi 26, 11.

עַמּוֹן (106 ×): n. p. = die Leute, das Volk *the folks, the people* ThZ 1, 154 f; III עַם 1; עַם: עַמּוֹן wie *as* n. m. עֶבֶד: עַבְדּוֹן; ass. *Bit Ammānu*, *Ammānu*, Αμμαν, Αμμων: **Ammon, die Ammoniter** *Ammon*, *the Ammonites* (BRL 433 ff): Namendeutung *popular etymology* Gn 19, 38; עַמּוֹן 1 S 11, 11 Ps 83, 8; sonst *otherwise* בְּנֵי־עַמּוֹן, c. אֶרֶץ Dt 2, 19, c. גְּבוּל Nu 21, 24, c. מֶלֶךְ Jd 11, 12, c. שָׂרֵי 2 S 10, 3, c. גְּדוּדֵי 2 K 24, 2, c. שִׁקּוּץ (מלך) 1 K 11, 7; n. l. רַבַּת בְּנֵי עַמּוֹן Dt 3, 11; *F* עַמּוֹנִי.

עַמּוֹנִי, עַמֹּנִי: gntl. v. בְּנֵי עַמּוֹן: fem. עַמּוֹנִית, pl. עַמֹּנִים, fem. עַמֹּנִיּוֹת (BL 231), עַמּוֹנִיּוֹת! Ne 13, 23, עַמֳּנִיּוֹת (Var.) 1 K 11, 1: **Ammoniter, -itisch** *Ammonite*: Einzelne *individuals* Dt 23, 4 Ne 13, 1, 1 S 11, 1 f, 2 S 23, 37 1 C 11, 39, Frauen *women* 1 K 14, 21. 31 2 C 12, 13, 24, 26, 1 K 11, 1 Ne 13, 23; adj. Ne 2, 10. 19; הָעַמֹּנִי coll. Esr 9, 1; pl. הָעַמֹּנִים Dt 2, 20 1 K 11, 5 Ne 4, 1; l הַמְּעוּנִים 2 C 20, 1 u. 26, 8; n. l. כְּפַר הָעַמֹּנִי K (Q הָעַמֹּנָה) in Benjamin Jos 18, 24. †

עָמוֹס: n. m.; KF? עמס; ph. tragen *carry* u. n. m. עמס, בעלעמס, עמסמלך etc.: d. Prophet Amos *the prophet Amos* (Αμως): Am 1, 1 7, 8. 10—12 8, 2. †

עָמוֹק: n. m.; עמק; ak. *emqu* tüchtig *capable*; Αμουκ: Ne 12, 7. 20. †

עַמִּיאֵל: n. m.; II עַם u. אֵל: 1. Nu 13, 12; 2. 2 S 9, 4 f 17, 27; 3. 1 C 26, 5; 4. 3, 5, = אֱלִיעָם 2 S 11, 3. †

עַמִּיהוּד: n. m.; II עַם u. הוד: 1.—5. 2 S 13, 37 Q; Nu 1, 10 2, 18 7, 48. 53 10, 22 1 C 7, 26; Nu 34, 20; 34, 28; 1 C 9, 4. †

עַמִּיזָבָד: n. m.; II עַם u. זבד: 1 C 27, 6. †

עַמִּיחוּר: n. m.; II עַם u. II חור?: 2 S 13, 37 (Var. עַמִּיהוּד). †

עַמִּינָדָב: n. m.; II עַם u. נדב; Dir. 254; cf. *Amminadbi* APN 22, K. v. Ammon bei *with* Assurbanipal: 1. Ex 6, 23 Nu 1, 7 2, 3 7, 12. 17 10, 14 Ru 4, 19 f 1 C 2, 10; 2. 1 C 6, 7; 3. 1 C 15, 10 f; (fehlerhaft *erroneously* Var. Ct 6, 12). †

עָמִיר: I עמר; mhb. u. ja. עֲמִירָא Grünfutter *green pasture*, ܥܡܝܪܐ Gras *grass*: **geschnittene Ähren** *swath, row of newly cut grain* Ir 9, 21 Am 2, 13 Mi 4, 12 Sa 12, 6. †

עַמִּישַׁדָּי: n. m.; II עַם u. שַׁדַּי; äg. *Sadde-ʿammi* (Albr. The Bibl. Period 1950, 7): Nu 1, 12 (Q!) 2, 25 7, 66. 71 10, 25 (עַמִּי שַׁדָּי). †

***עָמִית**: *עמה = עמם; mhb.; ja. עֲמִיתָא; ak. *emūtu* Sippe, Gemeinschaft *family, company*: sf. עֲמִיתִי, עֲמִיתְךָ, עֲמִיתוֹ: **Genosse, Gefährte** (der Volks-, Lebensgemeinschaft) *fellow* (*of people or company*) F רֵעַ, אָח: Lv 5, 21 18, 20 19, 11. 15. 17 24, 19 25, 14 f. 17 Sa 13, 7. †

עמל (spät *late*): mhb., altaram. Lidz. 343; äga., ja., sy., znğ.; عَمِلَ sich abmühen *labour*; ⲙⲟⲩⲗ Werkzeug *tool* VG 1, 226, ak. *nīmēlu* Erwerb *gain*:

qal: pf. עָמַל, עָמַלְתָּ, עָמְלוּ, impf. יַעֲמֹל: **sich mühen** *labour, toil*, בְּ um *for* Jon 4, 10 Ko 2, 21 Ps 127, 1, לְ für *for* Pr 16, 26 Ko 5, 15; F Ko 1, 3 2, 19 f 5, 17 8, 17; c. לַעֲשׂוֹת Ko 2, 11. †

Der. I, II n. m. עָמָל, עָמֵל.

I **עָמָל**: עמל: cs. עֲמַל, sf. עֲמָלִי, עֲמָלְךָ, עֲמָלוֹ: 1. **Mühsal** *labour* Gn 41, 51 Dt 26, 7 Js 53, 11 59, 4 Ir 20, 18 Ps 25, 18 73, 5 90, 10 107, 12 Pr 31, 7 Hi 3, 10 11, 16 15, 35 16, 2 Ko 2, 24 3, 13 5, 18; 2. **mühsam Erworbenes** *things* (*land*) *gained by labour* Ps 105, 44; 3. **Mühe** *trouble* Ko 1, 3 2, 10 f. 18—22 4, 4. 6. 8 f. cj 16 (pro הָעָם) 5, 14. 17 6, 7 8, 15 9, 9 10, 15; 4. **Missgeschick** *misfortune* Nu 23, 21 Jd 10, 16 Js 10, 1 Ha 1, 13, cj Hi 20, 22; 5. **Unheil** *trouble, evil* Ps 7, 15. 17 10, 7. 14 55, 11 94, 20 140, 10 Pr 24, 2 Hi 4, 8 5, 6 f 7, 3; 6. עָמָל וָאָוֶן Ps 10, 7 90, 10, אָוֶן // עָמָל Nu 23, 21 (u. 8 ×); עָמָל וְיָגוֹן Ir 20, 18; עָמָל וָכַעַס Ps 10, 14; עֲמַל אֱנוֹשׁ Ps 73, 5; עֲמַל הָאָדָם Ko 6, 7, עֲמַל לְאֻמִּים Ps 105, 44. †

II **עָמָל**: n. m.; = I; edom. n. m. קוסעמל BAS 71, 17 f: 1 C 7, 35. †

עָמֵל: עמל: pl. עֲמֵלִים: 1. **mühselig** *troublesome* Hi 3, 20; 2. **sich mühend** *toiling* Ko 2, 18. 22 3, 9 4, 8 9, 9; 3. **Werkmann, Arbeiter** *labourer, workman* Pr 16, 26, pl. Jd 5, 26; l עָמָל Hi 20, 22. †

***עֲמַלָּץ**: מלץ, مَلِصَ schlüpfrig, glatt *slippery, smooth*; *עֲמַלָּץ > אֲמַלָּץ (Imm. Löw brieflich *by letter*): pl. cs. עֲמַלְצֵי: **Hai** *shark*, cj (Löw) Ps 74, 14 (לַעֲמַלְצֵי יָם). †

עֲמָלֵק: n. p. (n. m.); ar. pl. fractus *Amáliq* (Montg. 20[37]): 1. (n. m.) Gn 36, 12. 16 1 C 1, 36 (ZAW 44, 85); 2. n. p. **Amalekiter** *Amalekites* (s. Juda u. Totes Meer *a. Dead Sea*): Ex 17, 8—16 Nu 13, 29 24, 20 Dt 25, 17. 19 Jd 3, 13 6, 3. 33 7, 12 10, 12 1 S 14, 48 15, 2—8. 18. 20. 32, cj 15, 6. 15, 28, 18, cj 30, 1, 1 C 4, 43 18, 11, Ps 83, 8; l הָעֲמָלֵקִי 2 S 1, 1; F עֲמָלֵקִי. †

עֲמָלֵקִי: gntl. v. עֲמָלֵק: **Amalekiter** *Amalekite*: 1. coll. Gn 14, 7 Nu 14, 25. 43. 45 1 S 27, 8, cj Jd 1, 16 u. 2 S 1, 1; l עֲמָלֵק 1 S 15, 6. 15 u. 30, 1; l שַׁעֲלִים Jd 12, 15; 2. sg. 2 S 1, 8. 13, adj. 1 S 30, 13. †

I **עמם**: عَمَّ verbinden, allgemein sein *include, be comprehensive*; F *עמה:

qal: pf. sf. עֲמָמֻהוּ, עֲמָמוּךָ: 1. c. ac. sich zu jmd gesellen *ally oneself* cj עִמּוֹ Ps 47, 10 (// נֶאֶסְפוּ; Mowinckel, Ps-stud. II, 9[1]); 2. gleich kommen *come up to, be match for* Hs 28, 3 31, 8. †

Der. עַם, עִם, *עֻמָּה.

II **עמם**: mhb. u. ja. itpe. dunkel werden *darken*; غَمَّ zudecken *cover*:

hof: impf. יוּעַם dunkel, schwarz werden *grow dark, black* Th 4, 1. †

עֲמָמִים: *F* III עַם.

עִמָּנוּ אֵל (Ed. n. DSIa עמנואל): n. m.; עִם u. אֵל; cf. עמדיה Dir. 218 u. עמניה AP 22, 105: Js 7, 14 8, 8. †

עַמֹּנִי: *F* עַמּוֹנִי.

עמס: ug. *ʿms* tragen *carry*; = ph.; mhb. aufladen *load*; ja. zusammendrücken *compress*; عمس drückend sein *be molesting*; *F* *עמש:

qal: impf. יַעֲמֹס, יַעֲמָס־, pt. pl. עֹמְסִים = עֹמְשִׂים Ne 4, 11, sf. עֹמְסֶיהָ, pass. עֲמֻסִים, fem. עֲמוּסוֹת: **aufladen** *load* Gn 44, 13 Ne 13, 15; **tragen, schleppen** *carry (a load)* Js 46, 3 Ne 4, 11, **aufheben** (Last) *lift (load)* Sa 12, 3; pt. pass. **Ladung, Gepäck** *load, luggage* Js 46, 1; ? Ps 68, 20; †

hif: pf. הֶעְמִיס: c. עַל: e. **drückendes Joch auflegen** *lay a heavy yoke upon* 1 K 12, 11 2 C 10, 11. †

Der. מַעֲמָסָה; n. m. עָמוֹס u. עֲמַסְיָה.

עֲמַסְיָה: n. m.; עמס u. יה; keilschr. *Amsi* APN 22; ph. n. m. *F* עָמוֹס: 2 C 17, 16. †

עַמְעָד: n. l.; in אָשֵׁר: Jos 19, 26. †

עמק: mhb. hif. u. ja. af. tief machen *deepen*; عمق u. ⲱⲙⲕ tief sein *be deep*; ak. *emūqu* (tief) weise sein *be (deep) wise*:

qal: pf. עָמְקוּ: **tief, geheimnisvoll sein** *be deep, mysterious* Ps 92, 6; †

hif: pf. הֶעְמִיקוּ, הֶעֱמִיקוּ, הֶעְמִיק, inf. הַעֲמֵק, pt. מַעֲמִיקִים: 1. **tief machen** *make deep* Js 30, 33; 2. **tief machen** *make deep*: c. (cj שַׁחַת) tief graben *dig a deep pit* Ho 5, 2; c. הַסְתִּיר tief verbergen *hide deeply* Js 29, 15; c. ישׁב sich in d. Tiefe setzen *dwell deep* Ir 49, 8. 30; c. שְׁאַל (:: הַגְבֵּהַ) in d. Tiefe fordern *ask in the depth* Js 7, 11; c. סָרָה tief abfallen *deeply revolt* Js 31, 6; c. שִׁחֵת in tiefe Verderbnis geraten *be deeply corrupted* Ho 9, 9; cj יַעֲמִיקוּ tief steigen *descend into the depth* (:: מִמָּרוֹם) Ps 73, 8. †

Der. עֵמֶק, עָמֹק, עֹמֶק, עָמֵק; מַעֲמַקִּים; n. m. עָמוֹק.

עֵמֶק: עמק; ug. *ʿmq*; keilschr. *Unqi* = *ʿAmq* (Nöld. ZA 21, 377); *Amki* in EA; *ḫamqum* Mari (Sy 19, 108), עמק Zkr 6; neopu. עמק Eph 1, 46, 8: sf. עִמְקְךָ, pl. עֲמָקִים, sf. עֲמָקַיִךְ: 1. **Talgrund, Talebene** (niedrig gelegnes Land) (*low ground*) *vale*, (*low situated*) *plain*: Nu 14, 25 Jos 8, 13 13, 27 Jd 1, 19. 34 5, 15 7, 1. 8. 12 1 S 6, 13 31, 7 Js 22, 7 Ir 21, 13 31, 40 48, 8 49, 4 (?) Mi 1, 4 Ps 65, 14 Hi 39, 10. 21 Ct 2, 1 1 C 10, 7 12, 16 27, 29; אֶרֶץ הָעֵמֶק d. ebene, flache **Land** *the level, plain country* Jos 17, 16; אֱלֹהֵי עֲמָקִים (:: א׳ הָרִים) Gott der Talebenen *god of the plains* 1 K 20, 28; 1 עֲנָקִים Ir 47, 5; † 2. עֵמֶק in n. l.: a) בֵּית הָעֵמֶק *Sahl el-Baṭṭōf* w See Genesareth *Sea of Galilee* Jos 19, 27; b) הַר הָעֵמֶק *Ch. Libb* 12 km s Madeba? Jos 13, 19; c) *F* עֵמֶק אַיָּלוֹן Jos 10, 12; d) *F* הָעֵמֶק אֲשֶׁר לְבֵית רְחוֹב Jd 18, 28; e) *F* עֵמֶק בְּרָכָה בְּגִבְעוֹן Js 28, 21; f) עֵמֶק בְּרָכָה *W. Berekūt* zwischen *between* תְּקוֹעַ u. עֵין־גֶּדִי? 2 C 20, 26; g) עֵמֶק הָאֵלָה *W. es-Sanṭ* bei *near* שׂוֹכֹה? 1 S 17, 2. 19 21, 10; h) עֵמֶק הַבָּכָא Ps 84, 7; i) עֵמֶק הֶחָרוּץ Jl 4, 14; j) עֵמֶק הַמֶּלֶךְ Gn 14, 17 2 S 18, 18; k) עֵמֶק הַשִּׂדִּים Gn 14, 3. 8. 10; l) *F* עֵמֶק חֶבְרוֹן Gn 37, 14; m) עֵמֶק יְהוֹשָׁפָט Jl 4, 2. 12; n) *F* עֵמֶק יִזְרְעֶאל Jos 17, 16 Jd 6, 33 Ho 1, 5; o) *F* עֵמֶק סֻכּוֹת Ps 60, 8 108, 8; p) *F* עֵמֶק עָכוֹר Jos 7, 24. 26 15, 7 Ho 2, 17 Js 65, 10; q) עֵמֶק קְצִיץ in Benjamin Jos 18, 21; r) עֵמֶק רְפָאִים *el-Baqʿa* sw Jerusalem Jos 15,8 18,16 2S 5,18. 22 23,13 Js 17,5 1C 11,15 14,9; s) עֵמֶק שָׁוֵה Gn 14,17.†

עָמֹק: עמק: fem. עֲמֻקָּה, pl. עֲמֻקִּים, עֲמֻקּוֹת (BL 599): **tief** *deep*, כּוֹס Hs 23,32, שׁוּחָה Pr 22,14 23,27, מַיִם 18,4 20,5; **vertieft** *deepened* (Hautstelle *spot of skin*) Lv 13,3f. 25. 30—34; **unergründlich** *unsearchable* (לֵב) Ps 64,7, **geheimnisvoll** *mysterious* Hi 11,8 12,22 Ko 7,24 (//רָחוֹק). †

עֹמֶק: עמק: pl. cs. עִמְקֵי (zu *to* *עֵמֶק?): **Tiefe** *depth* Pr 9,18 25,3 (:: רוּם). †

***עָמֵק**: עמק: pl. cs. עִמְקֵי: עִמְקֵי שָׂפָה **unverständlich** *unintelligible* (βαρβαρος) Js 33,19 Hs 3,5f. †

I עמר: metath. v. I ערם; denom. mhb., ja., cp. geschnittene Ähren sammeln *gather ears (of grain) cut off*:
pi: pt. מְעַמֵּר: geschnittene Ähren **sammeln** *gather ears (of grain) cut off* (F I עֹמֶר!) Ps 129,7. †

II עמר: غمر tief, reichlich sein (Wasser) *be deep, copious (water)*, Feindschaft hegen *cherish rancour*; mhb. II עמר:
hitp: pf. הִתְעַמֶּר־, impf. תִּתְעַמֵּר: c. בְּ: **sich gewalttätig benehmen gegen** *deal violently, tyrannically with* Dt 21,14 24,7. †
Der. II עֹמֶר; n. l. עֲמֹרָה.

I עֹמֶר: I עמר; ja. עֻמְרָא: pl. עֳמָרִים: **abgeschnittene Ähren** *ears (of grain) cut off* (nicht Garben, die Halme werden dicht unter den Ähren abgeschnitten *not sheaves, the stalks are cut off tight beneath the ears*) Lv 23,10—15 Dt 24,19 Hi 24,10 Ru 2,7. †

II עֹמֶר: II עמר; ja. עֻמְרָא; γομορ; غُمَر kleine Trinkschale *small bowl*: **Omer** *omer*, e. Fruchtmass *a measure of grain* Ex 16,16. 18. 32f (= 1/10 אֵיפָה). 36. †

עֲמֹרָה: n. l.; II עמר; Γομορρα, F סְדֹם: **Gomorrha** *Gomorrah*: Gn 10,19 13,10 14,11 18,20 19,24. 28 Dt 29,22 32,32 Js 1,9f 13,19 Ir 23,14 49,18 50,40 Am 4,11 Ze 2,9, מֶלֶךְ עֲ׳ Gn 14,2. 8. 10 (l וּמֶלֶךְ עֲ׳). †

עָמְרִי: n. m.; mo. עמרי; Αμβρι; keilschr. *mār Ḫumri* < *mār bīt Ḫ.* (Landsb., Samʾal (1948) 19; Noth S. 63): **Omri**: 1.—4. K. v. Israel 1K 16,16—30 2K 8,26 Mi 6,16 2C 22,2; 1C 7,8; 9,4; 27,18. †

עַמְרָם: n. m.; II עמר? vel עַם I u. רָם? Noth S. 145; *Amramu* APN 22: 1. Ex 6,18. 20 Nu 3,19 26,58f 1C 5,28f 6,3 23,12f 24,20; F עַמְרָמִי; 2. Esr 10,34. †

עַמְרָמִי: gntl. v. עַמְרָם 1.: Nu 3,27 1C 26,23. †

***עמשׂ**: = עמס?, F n. m. עֲמָשָׂא, עֲמָשַׂי.

עֲמָשָׂא: n. m.; KF? < עֲמַסְיָה?: 1. 2S 17,25 19,14 20,4f. 8—10. 12 1K 2,5. 32 1C 2,17; 2. 2C 28,12. †

עֲמָשַׂי: n. m.: Ammašiʾ BEU 10,39: 1.—3. 1C 6,10. 20; 15,24; 2C 29,12, cj Ne 11,13; l אֲבִשַׁי 1C 12,19. †

עֲמַשְׁסַי Ne 11,13: l עֲמָשַׂי (Honeyman JBL 63,49). †

***ענב**: F *אֵב, עֵנָב, n. l. עֲנָב.

עֲנָב: n. l.; = עֵנָב; äg. *qrt ʿn(b)* ETL 216: *ʿAnāb* 22 km s Hebron, Jos 11,21 15,50. †

עֵנָב: *ענב; ug. *ǵnb*; mhb.; ja. עִנְבָא, sy. עִנְּבְתָא, pl. עִנְּבָא; عِنَب; asa. אענב Rebe *vine*; ak. *enbu* Frucht *fruit*; F אֵב: pl. עֲנָבִים, cs. עִנְּבֵי (BL 212), sf. עִנְּבָמוֹ (BL 215): **Weinbeere** *grape*; c עָשָׂה ansetzen *bring forth* Js 5,2. 4, c. הִבְשִׁיל zur Reife bringen *ripen* Gn 40,10, c. שָׂחַט auspressen *press* 40,11; אֶשְׁכּוֹל עֲנָבִים

volle Traube *cluster of grapes* Nu 13,23; דַּם עֵנָב Dt 32,14 Si 39,26 u. דַּם עֲנָבִים Gn 49,11; *F* אֲשִׁישׁ, בִּכּוּר, דרךְ; מִשְׁרָה; *F* Lv 25,5 Nu 6,3 13,20 Dt 23,25 32,32 Ir 8,13 Ho 3,1 9,10 Am 9,13 Ne 13,15; *F* n. l. עֲנָב.†

ענג: mhb. pi. u. ja. pa. sich vergnügen *take delight, amuse oneself*; غَنَّجَتْ sie benimmt sich geziert *she affects languor*:
pu: pt. מְעֻנָּגָה: **verzärtelt** *daintily bred* Ir 6,2;†
hitp: pf. הִתְעַנַּגְתֶּם, impf. יִתְעַנָּג, הִתְעַנַּג, inf. הִתְעַנֵּג, imp. הִתְעַנַּג: 1. **sich verzärteln** *be of dainty habit* (//רֹךְ), Frau *woman* Dt 28,56; 2. c. בְּ, **sich laben an** *take exquisite delight in* Js 55,2, = c. עַל Ps 37,11; (seine Lust haben an) Js 58,14 Ps 37,4 Hi 22,26 27,10; c. מִן **sich erquicken an** *find pleasure in* Js 66,11; 3. c. עַל, **sich lustig machen über** *make merry over* Js 57,4.†
Der. תַּעֲנוּג, עָנֹג, עֹנֶג.

עֹנֶג: ענג: **Behagen, Lust** *exquisite delight* Js 13,22 58,13.†

עָנֹג: ענג: fem. עֲנֻגָּה: **verwöhnt** *dainty* Dt 28,54. 56 Js 47,1.†

ענד: mhb.; عَنَدَ (vom Weg) abbiegen *turn aside (from way)*, ܥܢܕ weggehn *go away*: qal: impf. sf. אֶעֶנְדֶנּוּ, imp. sf. עָנְדֵם: etw. **umwinden** *bind around* Pr 6,21 Hi 31,36.†
Der. מַעֲדַנֹּת.

I **ענה**: ug. *ʿnj*; mhb.; *F* ba. ענה; ak. *enū* ändern *change*; äg. *ʿn(n)* umwenden *turn round*; عَنَوْتُ الشَّيْءَ ich zeigte es *I showed the thing*; *F* Joüon Bibl. 13, 309 ff:
qal (305 ×): pf. עָנָה, עָנְתָה, עָנִיתִי, עָנוּ, sf. עָנָהוּ, עָנָךְ, עָנָנִי, עֲנִיתָם, impf. יַעֲנֶה, וַיַּעַן, אֶעֱנֶה, תַּעַן, אֶעֱנֶה, pro אֶעֱנֶה Hi 9,15 l אֶעֱנֶה, תַּעֲנֶה, תַּעֲנֶנּוּ, תַּעֲנֶנּוּ, וַיַּעֲנֵנִי, sf. וַתַּעֲנֶינָה, יַעֲנוּ, וָאַעַן, תַּעַנְךָ, יַעֲנֵנוּ, אֶעֱנֶנּוּ, inf. עֲנוֹת, imp. עֲנֵה, עֲנוּ, sf. עֲנֵנִי, cj עֲנִיהָ Js 10,30, pt. עֹנֶה, עוֹנֶה, sf. עֹנֵהוּ: 1. **erwidern, antworten** *answer, reply* Hi 16,3 Js 65,12, c. ac. jemandem *a person* Gn 23,14 Ct 5,6, c. ac. etwas *a word* 1 K 18,21 Hi 9,3; וַיַּעַן וַיֹּאמֶר er antwortete u. sagte *he answered a. said* Hi 40,1 (oft *often*), er hob an u. sagte *he spoke a. said* Sa 1,10 Dt 21,7; עָנָה עַזּוֹת antwortet hart *answers roughly* Pr 18,23; c. נוֹרָאוֹת mit Furchtbarem antw. *answer by terrible things* Ps 65,6; c. דַּעַת־רוּחַ windiges Wissen als Antwort geben *answer with knowledge of wind (vain knowl.)* Hi 15,2; c. עַל erwidern *reply* 2 S 19,43; 2. **Bescheid tun** (auf Gruss) *answer (a salute)* 2 K 4,29; Rede stehn *answer for* Hi 9,14; עָנָה שָׁלוֹם Günstiges antworten *answer favourable things* Gn 41,16; עָ' שָׁלוֹם friedfertig antw. *peacefully answer* Dt 20,11; c. דִּבְרֵי, אִמְרֵי erwidern auf *reply to* Hi 32,12 33,13 (l דְּבָרַי); עָ' לְעֵד Zeugnis geben *testify as witness* Dt 31,21; 3. **bedeuten, zu verstehen geben** *give to know* 1 S 9,17; (v. Gott gesagt *said of God*) = **erhören** *hear* Js 30,19 Ps 118,5; > gewähren *accord, grant* (عَنَا بِ) Ko 10,19 Ho 2,24 (?); 4. c. בְּ **aussagen, zeugen für** *answer for* Gn 30,33, über *concerning* 1 S 13,12, gegen *against* 2 S 1,16 Nu 35,30; c. בִּפְנֵי ins Gesicht *to one's face* Ho 5,5; c. סָרָה Dt 19,16 u. שֶׁקֶר 19,18 (fälschlich) bezichtigen *(falsely) testify*; l תְּעַנֶּם 1 K 8,35, l עָלְתָה Ho 2,17, l עֲנִיָּתִי Ps 22,22, l כֻּלָּם עֲנִי 87,7, l אֶשְׁנֶה Hi 40,5;
nif: pf. נַעֲנֵיתִי, impf. אֵעָנֶה, יֵעָנֶה, pt. נַעֲנֶה: 1. **sich zu e. Antwort bewegen lassen** *let oneself be brought to answer* (Gott *God*) Hs 14,4. 7; 2. **mit e. Antwort bedacht werden** *be answered* Pr 21,13 Hi 11,2 19,7, cj 9,15;†

hif: pt. מַעֲנֶה: **sich an etw. kehren** *heed, mind a thing* Pr 29, 19; l אֶעֱנֶה Hi 32, 17. †
Der. I מַעֲנֶה; n. m. עֲנָיָה.

II ענה: mo. pi. bedrücken *do violence to*; mhb. pi. u. ja. pa. quälen, demütigen *torment, humiliate*: F עֲנֹו; عَنَا, عَنَو unfrei, abhängig leben *be lowly, submissive*, = asa. ענו:

qal: pf. עָנִיתִי, impf. יַעֲנֶה, אֶעֱנֶה, יַעֲנוּ: **sich ducken, elend sein** (Schafe ohne Hirten) *be downcast, afflicted* (*sheep without shepherd*) Sa 10, 2, **sich ducken** (Löwe vor Jäger) *stoop* (*lion before hunter*) Js 31, 4; **geduckt, gebeugt sein** *be downcast, afflicted* Ps 116, 10 119, 67; l תַּעֲנֶה hif. Js 25, 5; †

nif: pf. נַעֲנֵיתִי, inf. לַעֲנֹת (BL 228) < לְהֵעָנֹת*, pt. נַעֲנֶה, fem. נַעֲנָה: **sich beugen** *humble oneself* Js 53, 7, cj Hi 22, 23, vor Gott *before God* Ex 10, 3; 2. **gebeugt werden, sein** *be humbled* Js 58, 10 Ps 119, 107; 3. **schwach werden** *become weak* cj Jd 16, 19 (l לַעֲנוֹת): †

pi: pf. עִנָּה, עִנֵּיתִי, עִנּוּ, עִנִּיתֶם, עִנִּינוּ, sf. עִנָּה, עִנִּיתָנוּ, עִנִּתִךְ Na 1, 12, impf. תְּעַנֶּה, וָאעַנֶּה 1 K 11, 39, יְעַנּוּ, תְּעַנּוּ, תְּעַנּוּן, sf. וַיְעַנֶּה, יְעַנּוּ, תְּעַנֵּנִי, אֲעַנֵּךְ, וַיְעַנּוּנוּ, inf. sf. עַנֹּתוֹ, עַנּוֹתְךָ, imp. עַנּוּ, עַנֵּה, pt. pl. sf מְעַנַּיִךְ:
1. **bedrücken, s. Abhängigkeit zu fühlen geben** *oppress, cause one to feel his dependency*: Gn 15, 13 16, 6 31, 50 Ex 1, 11 f 22, 21 f Dt 26, 6, cj 1 S 12, 8, 2 S 7, 10 Js 60, 14 Ze 3, 19 Ps 89, 23 94, 5 Th 3, 33 (Gott *God*); **demütigen** *humble* Nu 24, 24 Dt 8, 3. 16, (Gott *God*) Dt 8, 2, cj 1 K 8, 35, 11, 39 2 K 17, 20 Js 64, 11 Na 1, 12 Ps 90, 15 119, 75 Hi 30, 11, cj 2 C 6, 26; עִנָּה מִשְׁפָּט d. **Recht unterdrücken** *do violence to justice* Hi 37, 23; (e. Frau durch erzwungene Ehe) **demütigen** *humiliate* (*a woman by enforced marriage*) Dt 21, 14 22, 24. 29; עִנָּה נַפְשׁוֹ **sich erniedrigen, kasteien** (mit Fasten) *humble oneself* (*by fasting*) Lv 16, 29. 31 23, 27. 32 Nu 29, 7 30, 14 Js 58, 3. 5 Ps 35, 13; 2. (e. Frau) **vergewaltigen** *commit a rape* (*on a woman*) Gn 34, 2 2 S 13, 12. 14. 22. 32 Jd 19, 24 20, 5 Th 5, 11; **missbrauchen** *humble* Hs 22, 10 f; 3. **überwältigen** *master* Jd 16, 5 f Ps 102, 24; c. ac. et בְּ: **in etwas hineinzwingen** *force into* Ps 105, 18; l לַעֲנוֹת Jd 16, 19, l אֲנִיתָ Ps 88, 8; †

pu: pf. עֻנֵּיתִי, impf. תְּעֻנֶּה, inf. sf. עֻנּוֹתוֹ, pt. מְעֻנֶּה: 1. **erniedrigt werden** *be humbled* Js 53, 4 Ps 119, 71; 2. **sich erniedrigen** *humble oneself* Ps 132, 1, **sich kasteien** *humble oneself* Lv 23, 29; †

hif: cj impf. תַּעֲנֶה: **unterdrücken** *oppress* cj Js 25, 5; l תַּעֲנֵם 1 K 8, 35 u. 2 C 6, 26, l וַיַּעֲלֵם Ps 55, 20; †

hitp: pf. הִתְעַנָּה, הִתְעַנִּית, impf. יִתְעַנּוּ, inf. הִתְעַנּוֹת, imp. הִתְעַנִּי: 1. **sich demütig beugen, sich unterwerfen** *humble oneself, submit* Gn 16, 9 1 K 2, 26 Da 10, 12 Esr 8, 21; 2. **geplagt werden** *be afflicted* Ps 107, 17. †
Der. עָנָו, עֲנָוָה, עָנִי, עֱנִי, תַּעֲנִית.

III ענה: عَنَاهُ ٱلْأَمْرُ die Sache machte ihm Unruhe, Mühe *the case disquieted him*; ja. עֲנָא quälen *worry*; ܥܢܐ u. asa. עני sich beschäftigen *be concerned* (*about*):
qal: inf. עֲנוֹת: c. בְּ, **sich plagen, mühen mit** *be occupied, worried by* Ko 1, 13 3, 10; †
hif: pt. מַעֲנֶה: c. ac. (l מַעֲנֵהוּ) **zu schaffen geben** (בְּ mit) *worry* (בְּ *by*) Ko 5, 19. †
Der. עֵת, מַעֲנֶה, II מַעֲנֶה*, מַעַן, יַעַן, עִנְיָן.

IV ענה: mhb. עִנּוּי u. ja. עֲנוּיָא Klagelied *dirge*; neoaram. ʿnj singen *sing*, ܥܢܐ pa. mit Gesang antworten *answer singing*; äg. ʿnu (in Zusammensetzungen *in compounds* EG 1, 192) singen *sing*; غَنَّ näseln *speak through the nose*, غَنَّى singen *sing*; NB: IV ענה u. I ענה sind nicht immer deutlich zu scheiden *are not always easy to separate*:

qal: pf. עָנוּ, impf. יַעֲנֶה, יַעֲנוּ, וַתַּעַן, תַּעַן, וַיַּעֲנוּ, וַתַּעֲנֶינָה, inf. עֱנוֹת, imp. עֱנוּ: singen *sing* Ex 15, 21 1 S 18, 7 Ps 119, 172 147, 7 Esr 3, 11, c. בַּמְּחֹלוֹת 1 S 21, 12 29, 5, c. הֵידָד Ir 25, 30 51, 14; inf. עֱנוֹת c. gen. **Gesang, Lärm** von *singing, noise of* Ex 32, 18. cj 18; (Tiere *animals*) **heulen** *howl* Js 13, 22 (l וְעָנוּ?); l עֲלִי לָךְ Nu 21, 17; †

pi: imp. עַנּוּ, inf. עַנּוֹת: 1. c. לְ jmd **zusingen** *sing for somebody* Js 27, 2; 2. לְעַנּוֹת zum Singen? *for singing?* vel II ענה? Ps 88, 1; l חַנּוֹת? Ex 32, 18. †

***עֹנָה**: mhb. עוֹנָה, ja. עוֹנְתָא bestimmte Zeit, Zeit der Beiwohnung *specific time, time of cohabitation*; II ענה pi? vel III ענה: sf. עֹנָתָהּ: **ehelicher Umgang** *marital intercourse* Ex 21, 10. †

עֲנָה: n. m.; altass. (Kültepe) n. d. *Ana* (ZA 38, 272; Vincent, Rel. 1937, 639 ff); ak. *Ānā* APN 23; *F* עֲנָת; *F* n. m. בַּעֲנָה, n. d. עֲנַמֶּלֶךְ: S. v. צִבְעוֹן (l בֶּן־) Gn 36, 2. 14. 24 f 1 C 1, 38. 40 f; edom. Stamm *tribe* Gn 36, 20. 25. 29. †

עָנָו: mhb.; in K u. Q gehn עָנָו u. עָנִי durcheinander; עָנָו *a.* עָנִי *vary in* K *a.* Q; Q Ps 10, 12 Pr 3, 34 16, 19 sind hier zu עָנָו gezogen *are listed sub* עָנָו; *F* עָנִי: II ענה: Rahlfs, עָנִי u. עָנָו in d. Ps, 1892; Birkeland, gleicher Titel *same title*, 1932: pl. עֲנָוִים, cs. עַנְוֵי: (wer sich Gott gegenüber) **gering** (weiss), **demütig, sanftmütig** (*who before God himself knows to be*) *poor, humble, meek*: Nu 12, 3 (Mose) Js 29, 19 61, 1 (l 11, 4 עַנְוֵי) Am 2, 7 Ze 2, 3 Ps 9, 19 (K) 10, 12. 17 22, 27 25, 9 34, 3 37, 11 69, 33 76, 10 147, 6 Pr 3, 34 16, 19 Q. †

עֻנּוֹ Ne 12, 9 K: l עֻנִּי. †

עָנוּב: n. m.; ak. *Ḫanbu, Ḫunābu* Stamm 249: 1 C 4, 8. †

עֲנָוָה: II ענה: **Demut** *humility* Ze 2, 3 Pr 15, 33 18, 12 22, 4; l עַנְוֹתְךָ Ps 18, 36. †

עַנְוָה Ps 45, 5: l וַעֲנֵה הַצֶּדֶק. †

עֲנוֹק: n. m.: Jos 21, 11, *F* עֲנָק. †

עֲנוּשִׁים: ענשׁ: **Bussgelder** *fine(s)* Am 2, 8. †

עֲנוֹת: n. d.; Vincent 622 ff; *F* עֲנָת u. בֵּית עֲנוֹת. †

עֱנוּת: Ps 22, 25, l עֱנוֹת (I ענה). †

עָנִי: II ענה; Lit. *F* עָנָו; mhb.; ja. עַנְיָא; Zkr a 2 (Sachsse, Sellin-Festschr. 105 ff); l עֲנִיִּים (K) Ps 9, 13 Pr 14, 21, (Q) Js 32, 7 Am 8, 4 Hi 24, 4: fem. עֲנִיָּה, sf. עֲנִיֶּךָ, pl. עֲנִיִּים, cs. עֲנִיֵּי, sf. עֲנִיָּו, עֲנִיֶּיךָ: von Not **niedergedrückt, arm, elend** *oppressed by misery, poor, lowly*: 1. (rein weltlich) **unglücklich, elend** (*in profane meaning*) *afflicted, poor* Dt 24, 15 Js 3, 14 26, 6 Ir 22, 16 Hs 16, 49 18, 12 22, 29 Ha 3, 14 Sa 7, 10 Ps 10, 2. 9 14, 6 22, 25 34, 7 35, 10 37, 14 40, 18 68, 11 70, 6 72, 12 74, 21 86, 1 88, 16 102, 1 140, 13 Pr 15, 15 22, 22 31, 9. 20 Hi 24, 9. 14? 29, 12 36, 15; pl. Js 3, 15. cj 10, 2 u. 11, 4. 32, 7 Q 41, 17 58, 7 Am 8, 4 Q Ps 9, 13 Q. 19 Q 10, 12 K 12, 6 Pr 14, 21 K 30, 14 Hi 34, 28 36, 6; הֶעָנִי עִמָּךְ Ex 22, 24; // גֵּר Lv 19, 10 23, 22; // אֶבְיוֹן Dt 15, 11 24, 14; אִישׁ עָנִי Dt 24, 12; שָׂכִיר עָנִי Dt 24. 14; עַם עָנִי 2 S 22, 28 Ps 18, 28; עַם עָנִי וָדַל Ze 3, 12; עָנִי וְכוֹאֵב Ps 69, 30; עָנִי וָרָשׁ 82, 3; עָנִי וְאֶבְיוֹן 25, 16; יָחִיד וְעָנִי Ps 109, 22; 2. עָנִי **demütig** *humble*: Sa 9, 9 (Messias), **Dulder** *sufferer* Ko 6, 8; Jahväs *Yahwe's*: עֲנִיָּו Js 49, 13, עֲנִיֶּיךָ Ps 72, 2 74, 19. עֲנִיֵּי עַמּוֹ Js 14. 32 (10, 2); עֲנִיָּה = Jerusalem Js 51, 21 54, 11; עָנִי d. geistlich Elende, Demütige *the poor in spirit, the humble one* Js 66, 2, cj עֲנִיָּתִי = ich *I* Ps 22, 22; 3. l עֲנִיָּה Js 10, 30; l מֵעָוֶל Hs 18, 17; l כְּנַעֲנִיֵּי [לְ] Sa 11, 7. 11. †

עֳנִי: II ענה, ja. עַנְיָא: עֳנִי u. עֳנִי, sf. עָנְיוֹ, עָנְיִי: Elend, gedrückte Lage *poverty*, *affliction*: Gn 16, 11 29, 32 31, 42 Ex 4, 31 Dt 26, 7 1 S 1, 11, cj 2 S 16, 12, Ps 9, 14 25, 18 31, 8. cj 11 44, 25 (//לַחַץ) 88, 10 107, 41 119, 50. 92. 153 Hi 10, 15 (//קָלוֹן) 36, 15. 21 Th 1, 3. 9 3, 19 Ne 9, 9 1 C 22, 14; רָאָה עֳנִי Elend erleiden *see affliction* Th 3, 1; יְמֵי עֳנִי Hi 30, 16. 27 Th 1, 7; בְּנֵי עֳנִי Pr 31, 5, cj רְוֵה עֳנִי Hi 10, 15, אֲסִירֵי עֳנִי Ps 107, 10; אֶרֶץ עָנְיִי Gn 41, 52; לֶחֶם עֹנִי Dt 16, 3; כּוּר עֹנִי Js 48, 10; עֳנִי יִשְׂרָאֵל 2 K 14, 26; עֳנִי עַמִּי (v. *of* י׳) Ex 3, 7, cj 1 S 9, 16, עֳנִי מִצְרַיִם Ex 3, 17. †

עֻנִּי: n. m.; KF? F עֻנּוֹ: 1 C 15, 18. 20 Ne 12, 9 Q. †

עֲנָיָה: n. m.; I ענה u. י׳; Eph 2, 196 f: 1. Ne 8, 4; 2. 10, 23. †

עֲנָיו Nu 12, 3 Q: = עָנָו. †

עָנִים: n. l.; *Ġuwēn et-taḥta* 19 km s Hebron (PJ 28, 14 f): Jos 15, 50. †

עִנְיָן: III ענה; mhb., ja. עִנְיָנָא, sy. עֶנְיָנָא: sf. עִנְיָנוֹ: Aufgabe, Geschäft *occupation*, *task* Ko 1, 13 2, 23. 26 3, 10 4, 8 5, 13, coll. 5, 2 8, 16. †

עָנֵם: n. l. 1 C 6, 58; sonst *otherwise* F עֵין גַּנִּים. †

עֲנָמִים: n. p.; keilschr. *Anami*; Ενεμετιμ; zu מִצְרַיִם gehörig *belonging to* מִצְרַיִם Gn 10, 13 1 C 1, 11; Albr. JAO 42, 319, JPO 1, 191 f neben *along with Kaptara* = כַּפְתּוֹר, also *therefore* Kyrene. †

עֲנַמֶּלֶךְ: n. d.; KAT 353; Lewy ZA 38, 272: < מלךּ* ענת־ (F עֲנָת): 2 K 17, 31. †

ענן: عَنَّ in Erscheinung treten, sich zeigen *appear*, *present oneself*; F עֵת:

pi: inf. sf. עַנְנִי (BL 220. 437): in Erscheinung treten lassen *cause to appear* Gn 9, 14; †

po: pf. עוֹנֵן, impf. תְּעוֹנֵנוּ, pt. מְעוֹנֵן, fem. מְעֹנְנָה* < וְעֹנֵנָה, pl. מְעֹנְנִים, < עֹנְנִים, sf. עֹנְנֵיכֶם: in Erscheinung treten lassen, beschwören, zaubern *cause to appear*, *raise spirits*, *practice soothsaying*: Lv 19, 26 Dt 18, 10. 14 Jd 9, 37 2 K 21, 6 Js 2, 6 57, 3 Ir 27, 9 Mi 5, 11 2 C 33, 6. †

Der. I עָנָן, II n. m. עָנָן, עֲנָנָה; n. m. עֲנָנִי u. I עֲנָנְיָה.

I עָנָן: ענן; mhb., F ba. *עֲנַן; عَنَان Wolken *clouds*: הֶעָנָן, cs. עֲנַן, sf. עֲנָנְךָ: Wolken, Gewölk *clouds*, *cloud-mass*: Gn 9, 13 f. 16 Ex 14, 20 16, 10 19, 16 24, 15 f. 18 34, 5 40, 34—37 Lv 16, 2 Nu 9, 15—22 10, 11 f 11, 25 12, 10 17, 7 Dt 1, 33 4, 11 5, 22 1 K 8, 10 f Js 4, 5 Hs 1, 4. 28 10, 3 f 30, 18 32, 7 38, 9. 16 Ps 78, 14 97, 2 105, 39 Hi 37, 11 (l עָנָן) 2 C 5, 14; Gewölk *cloud-mass* = Vergänglichkeit *frailty*, *instability* Js 44, 22 Hi 7, 9 (כָּלָה) 26, 8 (נִבְקַע); עֲנַן בֹּקֶר Ho 6, 4 13, 3; עֲנַן יהוה Ex 40, 38 Nu 10, 34, cj 2 C 5, 13; עֲנָנְךָ (v. *of* י׳) Nu 14, 14, עֲנָנוֹ (v. *of* י׳) Hi 26, 9, אוֹר עֲנָנוֹ 37, 15; עָנָן Gottes Kleid *God's garment* Hi 38, 9, s. Hülle *his cover* Th 3, 44, d. Staub seiner Füsse *the dust of his feet* Na 1, 3; יוֹם עָנָן וַעֲרָפֶל Hs 34, 12 Jl 2, 2 Ze 1, 15; עַמּוּד הֶעָנָן F עַמּוּד; אֵשׁ וְעָנָן Ex 14, 24; עַב הֶעָנָן Ex 19, 9; עֲנַן הַקְּטֹרֶת Lv 16, 13 Hs 8, 11; יוֹם עָנָן Hs 30, 3; F II עָנָן u. עֲנָנָה. †

II עָנָן: n. m.; = I; ph. n. m.: Ne 10, 27. †

עֲנָנָה: nom. unitatis v. I עָנָן: pl. עֲנָנִים: Regenwolke *rain-cloud* Hi 3, 5, pl. Ir 4, 13. †

עֲנָנִי: n. m.; KF < עֲנָנְיָה; AP: 1 C 3, 24.†

I עֲנַנְיָה: n. m.; ענן u. 'י; > עֲנָנִי; AP: Ne 3, 23.†

II עֲנַנְיָה: n, l.; Bethania Albr. BAS 9, 8 ff; in Benjamin: Ne 11, 32.†

*עָנֵף: עָנָף, *עָנֵף.

עָנָף: *ענף; mhb.; F ba. *ענף; Rüthy, D. Pflanze u. ihre Teile, 1942, 55: cs. עֲנַף, sf. עַנְפְּכֶם (BL 557), pl. sf. עֲנָפֶיהָ: sg. coll. **Zweige, Gezweig** *b r a n c h e s*, *b o u g h s* Lv 23, 40 Hs 17, 8. 23 31, 3 36, 8 Ma 3, 19, pl. **Zweige** *b r a n c h e s*, *b o u g h s* Ps 80, 11, F *עָנֵף.†

*עָנֵף: עָנָף: fem. עֲנֵפָה **reich verzweigt** *f u l l o f b r a n c h e s* Hs 19, 10.†

ענק: den. v. עֲנָק:

qal: pf. sf. עֲנָקַתְמוֹ: (als Schmuck) **um d. Hals legen** *p u t o n a s n e c k l a c e* Ps 73, 6;†

hif: impf. תַּעֲנִיק, inf. הַעֲנֵיק: um d. Hals legen, ausstatten *put on one's neck*, *equip* (c. ac. mit *with*) Dt 15, 14.†

I עֲנָק: ak. *unqu* Hals *neck* Holma Or. 13, 112; mhb. Halskette *necklace*; ja. ענקא u. ענקתא u. عُنُق Hals *neck*; ja. ענקא, sy. עקא Halskette *necklace*: pl. עֲנָקִים, עֲנָקוֹת: **Halskette** *n e c k l a c e*, f. Frauen *for women* Ct 4, 9, pl. Pr 1, 9; עֲנָקוֹת f. Kamele *for camels* Jd 8, 26; F ענק.†

II עֲנָק, עֲנוֹק Jos 21, 11†: n. p.; äg. *ʾIj-ʿnk* (Ächtungstexte) Alt, Äg. Z. 63, 42: pl. עֲנָקִים: **Enak** (Enaksleute) *A n a k* (*Anak's folks*) sg. יְלִידֵי הָעֲ' Nu 13, 22. 28 Jos 15, 14, בְּנֵי עֲ' Nu 13, 33, בְּנֵי הָעֲ' Jos 15, 14 Jd 1, 20, pl. עֲ' Dt 2, 10 f. 21 Jos 11, 22 14, 12, הָעֲ' Jos 11, 21 14, 15, בְּנֵי עֲ' Dt 1, 28 9, 2; אֲבִי הָעֲנָק Jos 15, 13 21, 11 (עֲנוֹק); vorhebräische Bewohner Palästinas *pre-Hebrew inhabitants of Palestine*.†

I עָנֵר: n. m.; Sam. ענרם, Αυαν: Gn 14, 13. 24.†

II עָנֵר: n. l. 1 C 6, 55; 1 תַּעְנַךְ (Jos 21, 25).†

ענשׁ: mhb., pu. mit Busse belegen, F ba. ענשׁ:

qal: pf. עָנְשׁוּ, inf. עָנוֹשׁ, עֲנוֹשׁ, עֲנָשׁ־; c. ac. jmd **e. Geldbusse auferlegen** *f i n e a p e r s o n* Ex 21, 22 Dt 22, 19 Pr 17, 26 21, 11; d. Betrag *the fine* מֵאָה כֶסֶף Dt 22, 19†;

nif: pf. נֶעֱנָשׁוּ, impf. יֵעָנֵשׁ: **mit e. Geldbusse belegt werden** *b e f i n e d w i t h a s u m* Ex 21, 22; **büssen müssen** *b e p u n i s h e d* Pr 22, 3 27, 12.†

Der. עֹנֶשׁ, עֲנוּשִׁים.

עֹנֶשׁ: ענשׁ; mhb. עוֹנֶשׁ, F ba. עֲנָשׁ: **Geldbusse** *f i n e* 2 K 23, 33; נָשָׂא עֹנֶשׁ **Bussen zahlen müssen** *h a v e t o m a k e a m e n d s* Pr 19, 19.†

עֲנָת: n. m.; עֲנָת n. d.; ug. *ʿnt*; ostkan. *Ḫanata*, *Anati/a* (Bauer 73); cf. *Muti-A-na-ta* Mél. Syr. 273; ph. äg., *ʿA-na-ta* Albr. Voc. 37, ARJ 195; Ginsberg BAS 97, 8 ff; Vincent 622 ff; AP n. d. ענתביתאל u. ענתיהו; Noth S. 122: בֶּן־עֲנָת (Alt ZAW 60, 73[4]) Jd 3, 31 5, 6; F n. l. בֵּית עֲנָת u. I u. II עֲנָתוֹת.†

I עֲנָתוֹת u. עֲנָתֹת: n. l.; pl. v. עֲנָת, Noth S. 122[6]: *Rās el-Ḫarrūbe* bei *near* *ʿAnāta* PJ 22, 23 f, BAS 62, 18 ff; P. Thomsen AFO 11, 271 f: Jos 21, 18 1 K 2, 26 Js 10, 30 Ir 1, 1 11, 21. 23 32, 7—9 Esr 2, 23 Ne 7, 27 1 C 6, 45; F II u. עַנְּתֹתִי.†

II עֲנָתוֹת: n. m. (trib.?); = I: 1. 1 C 7, 8; 2. Ne 10, 20, F עַנְתֹתִיָּה.†

עַנְּתֹתִי u. עַנְתֹתִי: gntl. v. I עֲנָתוֹת: 2 S 23, 27 Ir 29, 27 1 C 11, 28 12, 3 27, 12.†

עַנְתֹתִיָּה: n. m.; 1 c. Sy. עֲנָתֹת Noth 1101: 1 C 8, 24.†

עָסִיס: עסס; cs. עֲסִיס: mhb., ja. עֲסִיסָא: frisch gepresster, süsser, noch unvergorner **Traubensaft** *freshly pressed out, sweet, not yet fermented juice of grapes* (γλεῦκος Act 2, 13): Js 49, 26 Jl 1, 5 4, 18 Am 9, 13; עֲסִיס רִמֹּנִים Ct 8, 2.†

עסס: mhb. pi. עסה, ja. עסא pa. pressen, zertreten *crush, tread down*, عسّ niedertreten *tramp*:
qal: pf. עַסּוֹתֶם: **zertreten** *tread down* Ma 3, 21.†
Der. עָסִיס.

(עער): Js 15, 5, l יְעֹרֵרוּ :יְעֹעֵרוּ pilp. III עור.†

עֳפִי: עפה*; F ba. עֲפִי; عِفَاءٌ langes, dichtes Haar, *long, thick hair*, عَفَا buschig sein (Haar, Gras) *be bushy (hair, grass)*; Aramaismus, Rüthy, D. Pflanze u. ihre Teile 64: pl. עֳפָאִים, Q עֳפִים: **dichtes Laub** *thick foliage* Ps 104, 12.†

I עפל*: عَفِلَ e. Geschwür (عَفَلٌ) haben *boil* (Anus, Vulva): Der. I, II עֹפֶל.

II עפל*: غَفَلَ gleichgültig, leichtsinnig sein *be heedless, inadvertent*:
[pu: pf. עֻפְּלָה: (verderbt *corrupt*) Ha 2, 4; †]
hif: impf. וַיַּעְפִּלוּ: c. לְ c. inf.: **sich vermessen, zu** ... *show heedlessness in* Nu 14, 44.†

I עֹפֶל: I עפל*; ak. *uplu* Beule *boil*: pl. עֳפָלִים (Q l טְחֹרִים), cs. עָפְלֵי, sf. עָפְלֵיכֶם: **Geschwüre** (am After; Pestbeulen?) (*plague?*) *boils (at anus)* (Neustätter, Bull. History of Medicine XI, 1942, 36 ff) Dt 28, 27 1 S 5, 6. 9. 12, 6, 4 f; F II.†

II עֹפֶל: = I; mo. העפל Mesa 22: Anschwellung, Buckel (der Erdoberfläche) *tumour, knoll (of surface of the earth)*: n. l.: *Ophel*: 1. (ὁ Ὀφλᾶς Jos. Bell. Jud. 2, 448 5, 145. 254 6, 354) am Tempelberg v. Jerusalem *on hill of the temple of Jerusalem*: Js 32, 14 Mi 4, 8 Ne 3, 26 f 11, 21 2 C 27, 3 33, 14; 2. in Samaria 2 K 5, 24.†

עָפְנִי: Jos 18, 24 וְהָעָפְנִי: dele dittogr.†

עַפְעַפַּיִם*: ug. *ʿpʿp*; mhb. עפעף v. עוף zucken, aufleuchten *twitch, flash up*: cs. עַפְעַפֵּי, sf. עַפְעַפֶּיהָ, עַפְעַפָּיו: tradit. Wimpern *cyelids*; eher: **Strahlen**, Glanz, glänzender Blick, **blitzende Augen** *rather*: *beams, glare, glance, beaming eyes* (oft *often* //עֵינַיִם): Ir 9, 17, (v. *of* י׳) Ps 11, 4, v. שַׁחַר Hi 3, 9 41, 10, der Buhlerin *of the courtesan* Pr 6, 25; F Ps 132, 4 Pr 4, 25 6, 4 30, 13 Hi 16, 16.†

עפף: ja. עַפֵּף hin u. her wenden, doppelt legen *turn to a. fro, lay double*; ܥܦܦ verdoppeln *double*; Driver JTS 34, 376:
po: inf. sf. עוֹפְפִי: **verdoppeln** *double* Hs 32, 10.†

I עפר: denom. v. עָפָר:
pi: pf. עִפַּר: (mit Erde) **bewerfen** *throw (dry earth) at* 2 S 16, 13.†

II עפר*: عُفْرَةٌ rötlich-weisse Farbe des Staubs *reddish-white colour of dust*; عِفْرٌ Eber, Ferkel *wild boar, young pig* (nach d. Farbe benannt? *named after colour?* F חֲמוֹר): Der. n. m. I עֵפֶר, n. m. I עֶפְרוֹן.†

III עפר*: غُفْرٌ: Junges d. Steinbocks *young ibex*; öteb. *ġyfir* Gazelle v. 1—5 Tagen *gazelle 1—5 days old*: Der. עֹפֶר, n. m. I עָפְרָה, n. l. II עָפְרָה.

עָפָר (109 ×; = אֵפֶר): ug. *ʿpr*, ak. *epiru*; mhb., ja., sy. עַפְרָא; عَفَرٌ: cs. עֲפַר, sf. עֲפָרוֹ, pl. cs. עַפְרֹת, עֲפָרוֹת: **1. die trockne, feine Krume** des Erdstoffs (Staub) *the dry, fine crumbs of earth (dust)*: עֲפַר הָאָרֶץ Gn 13, 16 28, 14 2 C 1, 9 Ex 8, 12 f 2 S 22, 43 Js 40, 12; עָפָר

וָאֵפֶר Gn 18, 27 Hi 30, 19 F 42, 6; אָבָק וְעָפָר Dt 28, 24; עֲפַר רַגְלָיִם Dt 9, 21; דַּק לְעָפָר Js 49, 23; הֶעֱלָה עָפָר עַל־רֹאשׁוֹ Jos 7, 6 Hs 27, 30 Th 2, 10, = c. זָרַק Hi 2, 12; עַפְרוֹת [תֵּבֵל] Staubmassen, Erdschollen *dust-masses*, *clods of earth* Pr 8, 26; שֹׁכְנֵי יֹשֵׁב עַל־עָפָר Js 47, 1; עָפָר Js 26, 19; עַד־עָפָר Js 25, 12 26, 5; 2. Erdreich, **lose Erde** *loose earth* Js 34, 7 Hs 26, 4. 12 Ha 1, 10 Sa 9, 3 Hi 19, 25 41, 25, אַדְמַת־עָפָר Da 12, 2; 3. **Schutt** *rubbish* Ps 102, 15 1 K 20, 10 Ne 4, 4; עֲרֵמוֹת הֶעָפָר Schutthaufen *heaps of rubbish* Ne 3, 34; 4. (verwitternder) **Belag** e. Hausmauer (*mouldering*) *fur*, *plaster of a wall* Lv 14, 41, Lehmstrich, **Bewurf** *plastering* 14, 42, עֲפַר הַבַּיִת (verwitternder) Belag (*crumbling*, *mouldering*) *plastering* 14, 45; **Staub** eines zermalmten Kultbildes *dust of grinded idol* Dt 9, 21, von *of* אֲשֵׁרָה 2 K 23, 6, v. Altären *of altars* 23, 12, v. verbrannten *of burnt* חַטָּאת Nu 19, 17; עַפְרֹת זָהָב Goldstaubkörner *gold-dust* Hi 28, 6; 5. עָפָר = Welt des Niedrigen, Wertlosen *realm of the low*, *worthless* 1 S 2, 8 1 K 16, 2 2 K 13, 7 Ps 7, 6 44, 26 103, 14 119, 25 Th 3, 29; 6. עָפָר = Welt des Hinfälligen, Vergänglichen *realm of the frail*, *transitory* Gn 3, 19 Hi 4, 19 7, 21 10, 9 14, 8 17, 16 20, 11 22, 24 30, 6 34, 15 Ko 3, 20 12, 7; יֹרְדֵי עָפָר Ps 22, 30; עֲפַר מָוֶת 22, 16.

עֵפֶר: n. m.; II *עפר; ʿöteb *el-ʿyfrī*, pl. ʿ*afārā* die kleinste, am Rücken rötliche Gazellenart *the smallest kind of gazelle with reddish back* = Gazella dorcas L.; > עֶפְרוֹן: 1. מִדְיָנִי Gn 25, 4 1 C 1, 33; 2. 4, 17; 3. 5, 24.†

עֹפֶר: III *עפר; Ružička OLZ 16, 250 ff: pl. עֳפָרִים: **Junges** (v. Gazelle, Reh usw.) *young gazelle*, *roe etc.*: Ct 2, 9. 17 4, 5 7, 4 8, 14; **F**. n. m. עָפְרָה †

I **עָפְרָה**: n. m.; fem. v. עֹפֶר: 1 C 4, 14.†

II **עָפְרָה**: n. l.; = I?: cs. עָפְרַת 1 עָפְרַת Jd 6, 24; loc. עָפְרָתָה: 1. *eṭ-Ṭaijibe* 7 km n. Bethel (PJ 24, 32 ff) Jos 18, 23 1 S 13, 17; 2. in Manasse; Garstang, Josh. 397: *Silet el-Dhahr* (?): Jd 6, 11. 24 8, 27. 32 9, 5.†

עַפְרָה: n. l. בֵּית לְעַפְרָה, 1? בֵּית עַפְרָה? Mi 1, 10 Elliger (u. Saarisalo) ZDP 57, 124 ff F 62, 81 = *eṭ-Ṭaijibe* zwischen *between* Ǧibrin u. Hebron.†

I **עֶפְרוֹן** n. m.; עֹפֶר u. *-ōn*: Hethiter *Hittite* Gn 23, 8—17 25, 9 49, 29 f 50, 13.†

II **עֶפְרוֹן**: n. l.; = I?: 1. הַר עֶפְרוֹן auf d. Grenze zwischen *on the boundary between* Benjamin u. Juda Jos 15, 9; 2. 2 C 13, 19 K (Q עֶפְרַיִן), = אֶפְרַיִם (1 עֶפְרַיִם?) 2 S 13, 23; Dalman, Orte u. Wege Jesu 231, Jerusalem 224 f: *eṭ-Ṭaijibe* 20 km n. Jerusalem (Εφραιμ λεγομένη πόλις Joh 11, 54).†

***עֶפְרַיִם** cj 2 S 13, 23, u. **עֶפְרַיִן** 2 C 13, 19 Q: **F** II עֶפְרוֹן 2.†

עֹפֶרֶת u. **עוֹפֶרֶת**: ak. *abāru* Magnesit (?) *rhombspar* (?) Zimm. 59; pu. Eph 1, 34; mhb. אֲבָר, ja. אֲבָרָא, ܐܒܪܐ; أَبَار: עֹפֶרֶת: **Blei** *lead* Nu 31, 22 Hs 22, 18. 20 27, 12; כִּכַּר עֹ' Sa 5, 7, אֶבֶן הָעֹ' 5, 8; **F** Ex 15, 10 Ir 6, 29; Hi 19, 24 1 וְצִפֹּרֶן Stamm ThZ 4, 337.†

עֵפָתָה: F עֵיפָה.

עֵץ (325 ×): ug. ʿ*ṣ*, ak. *iṣ*(*ṣ*)*u*, ph. עץ; mhb.; äga. עק, ja. אָעָא (<*עעא), عِضَاة, ፀፀ; asa. עץ; Nöld. NB 144 f; Rüthy, D. Pflanze u. ihre Teile, 10 f. 41 f: sf. עֵצְךָ, עֵצָהּ, pl. עֵצִים, cs. עֲצֵי, sf. עֵצָיו, עֵצֶיךָ: 1. coll. **Bäume** *trees* (*as* Holz, Gehölz, *bois*, *wood*): Gn 1, 11. 29 2, 9 18, 4; עֵץ הַשָּׂדֶה Ex 9, 25, עֵץ הָאָרֶץ Lv 26, 20, עֵץ מַאֲכָל Hs 47, 12, עֵץ רַעֲנָן Ir 17, 2, עֵץ עָבֹת Lv 23, 40; עֵצָהּ ihr **Baumbestand** *her* *stock of trees* Dt 20, 19; 2. (einzelner) Baum (*single*) *tree*: עֵץ (הַ)חַיִּים Gn 2,9 Pr 3,18 11,30 13,12 15,4; עֵץ הַדַּעַת Gn 2,9; כָּל־עֵץ irgendein **Baum** *any tree* Dt 22,6; יַעַר עֵץ לַח Js 44,23; עֵץ יָבֵשׁ Js 56,3, וְכָל־עֵץ בּוֹ Hs 17,24; 3. pl. **Bäume** *trees* עֲצֵי יהוה Ps 104,16, עֲצֵי עֵדֶן Hs 31,9, עֲצֵי שָׂדֶה (גֶּפֶן, תְּאֵנָה, רִמּוֹן, תָּמָר, תַּפּוּחַ) Jl 1,12; 4. **Baumart** *species of tree*: עֵץ הַזַּיִת Hg 2,19, עֵץ שֶׁמֶן Js 41,19 Ne 8,15; 5. עֵץ Holz (als Stoff) *wood (material)*: כָּל־עֵץ irgendwelches Holz *any kind of wood* Dt 16,21; עֵץ Holzart (die Wasser süsst) *kind of wood (sweetening water)* Ex 15,25; חֲרֹשֶׁת עֵץ Ex 31,5, חָרָשֵׁי עֵץ 2 S 5,11, צֻפָּה עֵץ 1 K 6,15; עֵץ וָאֶבֶן Dt 4,28 2 K 19,18 Hs 20,32; עֵץ הוּא Ir 10,8; עֵצוֹ s. **hölzernes** Gottesbild *his wooden idol* Ho 4,12, *F* Ir 2,27 3,9 Ha 2,19; עֵץ **Bauholz** *timber* Hg 1,8; Holzwerk *woodwork* Hs 41,16 Ha 2,11; כְּלִי עֵץ hölzern *wooden* Lv 11,32, אֲרוֹן עֵץ Dt 10,1; הָעֵץ der Holzstiel *wooden handle* 19,5; בּוּל עֵץ Js 44,19; מִגְדַּל עֵץ Ne 8,4, מוֹטֹת עֵץ Ir 28,13; עֵץ Stück Holz *piece of wood, stick* Hs 37,16 f. 19; עֵץ [חֲנִיתוֹ] Holzschaft *wooden shaft* 2 S 23,7; עֵץ פִּסְלָם Js 45,20; עֵץ Galgen, Richtpfahl *pole, gallows* Gn 40,19 Dt 21,22 f Jos 8,29 Est 5,14 6,4 7,9 f 8,7 9,13.25, pl. Jos 10,26; Holzarten *kinds of wood*: עֵץ c. אֶרֶז Lv 14,4 Nu 19,6, c. בְּרוֹשִׁים 2 C 3,5, c. הַגֶּפֶן Hs 15,2.6, c. הַזְּמוֹרָה Hs 15,2; 6. pl. עֵצִים **Holzstücke** *pieces, sticks of wood* Hs 37,20; שְׁנַיִם עֵצִים 2 Stückchen Holz *2 sticks* 1 K 17,12; עֲצֵי עֹלָה Scheiter für d. Br. *logs for ..* Gn 22,3; עֵצִים Holzstoss *stake of wood* Sa 12,6; Brennholz *fuel* Ne 10,35, Holzgefässe *wooden vessels* Ex 7,19; עֵצָיו d. Holzteile e. Hauses *the wooden parts of a house* Lv 14,45; עֵצִים umherliegendes Holz *wood lying about* Nu 15,32 1 K 17,10; Bauholz *timber* 1 K 5,32; חטב עֵצִים Dt 19,5, חרש עֵצִים Js 44,13; Holzarten *kinds of wood*: עֲצֵי c. אַלְגֻּמִּים 1 K 10,11, c. אֲרָזִים 2 S 5,11, c. בְּרוֹשִׁים 1 K 5,22, c. גֹּפֶר Gn 6,14, c. לְבוֹנָה Ct 4,14, c. שִׁטִּים Ex 25,5, c. שֶׁמֶן 1 K 6,23; 7. פִּשְׁתֵּי עֵץ **Flachsstengel** *stalks of flax* (AS 5,24) Jos 2,6.

Der. III עֵצָה.

I עצב: mhb. pi. strecken, einrenken *stretch, set (dislocated joints)*; عَصَبَ drehen, binden *twist, bind*; عَصَب Sehnen *sinews*; amor. n. m. *Jaḥṣub-il* Bauer (Ostkan. 74):

pi: pf. sf. עִצְּבוּנִי: flechten, **gestalten** (Gottes Hände den Menschen) *intertwine, shape (God's hands man)* Hi 10,8, cf. 10,11; †

hif: inf. sf. לְהַעֲצִבָהּ (MT לְהַעֲצִבָה): **nachbilden** *make an image of (a goddess)* Ir 44,19. †

Der. *עֹצֶב, I עֶצֶב, עָצָב.

II עצב: mhb. hif. betrüben *grieve*; *F* ba. עֲצִיב; عَصَبَ schlagen, stossen, bewegungslos machen *strike, deprive of the power of motion*:

qal: pf. sf. עֲצָבוֹ, inf. sf. עָצְבִּי, pt. pass. fem. cs. עֲצוּבַת: **tadeln, wehtun** *pain* 1 K 1,6 1 C 4,10, cj 2 S 13,21 (G); עֲצוּבַת רוּחַ **tiefbetrübt** *hurt in spirit, greatly distressed* Js 54,6; †

nif: pf. נֶעֱצַב 1 S 20,34 u. נֶעֱצַב 2 S 19,3, impf. יֵעָצֵב, תֵּעָצְבוּ: 1. **bekümmert sein** *be grieved* 1 S 20,3.34 2 S 19,3 Ne 8,10 f; 2. **sich grämen** *be downhearted* Gn 45,5; 3. **sich wehtun** *hurt oneself* (בְּ an *with*) Ko 10,9; †

pi: pf. עִצְּבוּ, impf. יְעַצֵּבוּ Ps 56,6 (verderbt *corrupt*): **kränken** *grieve* Js 63,10; †

hif: impf. sf. יַעֲצִיבוּהוּ: **kränken** *grieve* Ps 78,40; †

hitp: impf. וַיִּתְעַצֵּב, וַיִּתְעַצְּבוּ: **sich gekränkt**

fühlen, bekümmert sein *be grieved* Gn 6, 6 (יהוה) 34,7. †
Der. *עֲצָב, II עֶצֶב, II עֹצֶב, עִצָּבוֹן, עַצֶּבֶת, מַעֲצֵבָה.

***עָצָב**: I עצב: pl. עֲצַבִּים, cs. עֲצַבֵּי, sf. עֲצַבֶּיהָ, עֲצַבֵּיהֶם: **Gebild, Gottesbild** (geringschätzig gebraucht) *image, idol* (*despisingly used*): der Philister *of the Philistines* 1 S 31, 9 (1 אֶת־ pro בֵּית) 2 S 5, 21 1 C 10, 9, v. בָּבֶל Js 46, 1 Ir 50, 2, v. שֹׁמְרוֹן Mi 1, 7, v. יְרוּשָׁלַםִ Js 10, 11, v. אֶפְרַיִם Ho 4, 17 8, 4 13, 2 14, 9. v. יִשְׂרָאֵל Ps 106. 36, v. יְהוּדָה Sa 13, 2 2 C 24, 18, insere וְאֵין קֵצֶה עֲצַבָּיו Js 2, 8, v. גּוֹיִם Ps 115, 4 135, 15, v. כְּנַעַן 106, 38; cj עֲצַבֶּיךָ Mi 5, 13. †

***עָצֵב**: pl. sf. עַצְּבֵיכֶם: II עצב: wäre: schwer Arbeitender *would be: toiler*, aber *but* 1 עַבְטִיכֶם Js 58, 3. †

I עֶצֶב: I עצב: **Gebild** *form, thing* Ir 22, 28. †

II עֶצֶב: II עצב: pl. עֲצָבִים, sf. עֲצָבֶיךָ: **Beschwerde** *pain* Gn 3, 16 Ps 127, 2 Pr 10, 22 14, 23; **Kränkung** *hurt* Pr 15, 1; **beschwerlich Erworbenes** *things gained with pain* Pr 5, 10. †

I *עֹצֶב: I עצב: sf. עָצְבִּי: **Gottesbild** *idol* Js 48, 5, cj מֵעָצְבּוֹ Ho 10, 6. †

II עֹצֶב: II עצב: sf. עָצְבֶּךָ: **Beschwerde, Mühsal** *pain, toil* Js 14, 3 1 C 4, 9; Ps 139, 24 (MS עֹצֶב) 1 עָקֵב. †

עִצָּבוֹן: II עצב: cs. עִצְּבוֹן (BL 539), sf. עִצְּבוֹנֵךְ: **Beschwerde, Mühsal** *pain, toil* Gn 3, 16 f 5, 29. †

עַצֶּבֶת: II עצב: עצב, cs. עַצֶּבֶת!, pl. sf. עַצְּבוֹתָי, עַצְּבוֹתָם: **Schmerz** *hurt, pain* Ps 16, 4 Pr 10, 10 15, 13 Hi 9, 28, cj 7, 15 (עַצְּבוֹתַי) u. Ps 13, 3 u. Pr 27, 9; **schmerzende Stelle** *aching spot* Ps 147, 3. †

***עצר**: F מַעֲצָד.

I עצה: غَضَا IV (die Lider) zusammenziehen *wrinkle* (*the lids*); ዐጸወ (d. Tür) schliessen *shut* (*the door*):
qal: pt. עֹצֶה: c. עֵינָיו: **die Augen zukneifen** *look with blinking eyes* Pr 16, 30. †

II עצה: ja., sy. עֲצָא **vorenthalten** *withold from*; عَصَاهُ **war ihm ungehorsam** *disobeyed him*; Driver ET 57, 192: Der. II* עֵצָה.

עָצֶה: mhb.; عُصْعُصٌ: **Schwanzbein** (Knochen, an dem d. Fettschwanz haftet) *spine, os sacrum* (*bone close to fat-tail*) Lv 3, 9. †

I עֵצָה (80 ×): יעץ: cs. עֲצַת, sf. עֲצָתוֹ, עֲצָתְךָ (1 יוֹעֲצָיִךְ Js 47, 13), pl. עֵצוֹת: 1. (gegebner) **Rat** (*given*) *counsel* Jd 20, 7 2 S 16, 23 1 K 12, 14; אַנְשֵׁי עֲצָתִי m. Ratgeber *my counsellors* Ps 119, 24; 2. (erhaltner) **Rat** (*taken*) *counsel* 2 S 17, 23; 3. **Plan** *design, plan, scheme* 2 K 18, 20 Js 5, 19, pl. 25, 1; c. סִכֵּל 2 S 15, 31, c. הֵפֵר 15, 34, c. עָזַב 1 K 12, 8. 13, c. תָּבוֹא sich erfüllen *come true* Js 5, 19; יָעַץ עֵצָה 2 S 16, 23, עוּץ עֵצָה Js 8, 10, עָשָׂה עֵצָה 30, 1, הִשְׁלִים עֵצָה 44, 26; אִישׁ עֲצָתוֹ einer, der s. Plan ausführt *one who carries out his plan* Js 46, 11 (Q עֲצָתִי); עֲצַת שָׁלוֹם friedliche Gesinnung *plan of peace, peaceful mind* Sa 6, 13; בְּעֵצָה **absichtlich** *on purpose* 1 C 12, 20; 4. von Gott *said of God*: עֲצַת־יהוה Pr 19, 20; עֲצָתוֹ Js 40, 13, עֲצָתְךָ Ps 73, 24; עֲצַת קְדוֹשׁ יִשְׂרָאֵל Js 5, 19; גְּדֹל הָעֵצָה (י׳) Ir 32, 19; הִפְלִיא עֵצָה J. hat wunderbare Pläne *Y's plans are wonderful* Js 28, 29; 1 עַצֶּבֶת Pr 27, 9; 1 מֵעָצְבּוֹ Ho 10, 6.

II *עֵצָה: II עצה: cs. עֲצַת, sf. עֲצָתָם, pl. עֵצוֹת:

Ungehorsam *disobedience* Ps 106, 43; pl. Auflehnung, Widerstreben *rebellion, reluctance* Ps 13, 3. †

III עֵצָה: fem. v. עֵץ: coll. Holz *wood* Ir 6, 6 (Var. עֵצָהּ). †

עָצוּם: עצם: pl. עֲצוּמִים, עֲצֻמִים: mächtig (durch Menge) *mighty* (*by number*): Volk *people* Gn 18, 18 Nu 14, 12 Ex 1, 9 Jl 2, 2 Nu 22, 6 Jl 2, 5 Ps 35, 18 Dt 9, 14 26, 5, pl. 4, 38 9, 1 11, 23 Jos 23, 9 Dt 7, 1; Js 60, 22 (:: צָעִיר) Jl 1, 6 Mi 4, 7, cj Ir 6, 22, pl. Mi 4, 3 Sa 8, 22, Tiervolk *animals* Pr 30, 26, Vieh *cattle* Nu 32, 1, Könige *kings* Ps 135, 10, Heer *army* Da 11, 25, Wasser *water* Js 8, 7, Sünden *sins* Am 5, 12; subst. Starke *strong* (*men*) Js 53, 12 Pr 18, 18 Da 8, 24; pl. fem. עצמות Gewalt ges *mighty things* Si 16, 5; עֲצֻמִים > zahlreich *numerous* Pr 7, 26; l עָצְמוּ Jl 2, 11; l בְּמוֹעֲצֹתָיו Ps 10, 10; F *עֲצֻמוֹת. †

עֶצְיוֹן־גֶּבֶר: n. l.; Γεσσιων γαβερ, *Asion-gaber*; עֶצְיוֹן = ar. *ġaḍiān* v. غضا (Lane 2269 a) Arthrocnemum fruticosum Mrq. (ZDP 59, 193 ff) = Ghada-Gebüsch *bushes of Ghada*; גֶּבֶר unerklärt *unexplained*; **Ezjon-Geber** *Ezion-Geber*: Hafenstadt am no-Ende des älanitischen Busens *harbour a. town at the NE-end of Gulf of Akaba*; jetzt versandet *now silted up* ZDP 37, 192; *Maʾ Ġadjān* Musil AP II, 1, 253 ff, Glueck AAS XV, 44 ff, The other side of the Jordan, 1945, 18 f. 91: Nu 33, 35 f Dt 2, 8 1 K 9, 26 22, 49 2 C 8, 17 20, 36. †

עצל: mhb. hitp. u. ja. itp. vernachlässigen *neglect*, ܥܛܠ schwerfällig *stupid*; عطل fest haften *stick fast*:

nif: impf. תֵּעָצֵלוּ: sich träg zeigen, **zaudern** *be sluggish* Jd 18, 9. †

Der. עָצֵל, עַצְלָה, עַצְלוּת, עֲצַלְתַּיִם.

עָצֵל: עצל: **träg, faul** *sluggish, lazy* Pr 6, 6. 9 10, 26 13, 4 15, 19 19, 24 20, 4 21, 25 22, 13 24, 30 26, 13—16. †

עַצְלָה: עצל: **Trägheit** *sluggishness* Pr 19, 15. †

עַצְלוּת: עצל: **Trägheit** *sluggishness* Pr 31, 27; F עֲצַלְתַּיִם. †

עֲצַלְתַּיִם: עצל; adv. Torcz. Ent. 78: **starke Trägheit** *great sluggishness* Ko 10, 18; l עַצְלוּת יָדַיִם? †

I עצם: ug. *ʿẓm* stark *strong*; mhb. hif. stark werden *get mighty*; ph. עצמת starke Tat *mighty deed*; عَظُمَ starke Knochen haben *be great in bone*; F I עֶצֶם:

qal: pf. עָצַם, עָצְמוּ, עָצְמוּ, impf. וַיַּעַצְמוּ, inf. sf. עָצְמוֹ: 1. **mächtig, zahlreich sein** *be mighty, numerous* Ex 1, 7. 20 Js 31, 1 Ir 5, 6 15, 8 30, 14 f Ps 38, 20, cj Jl 2, 11 (l עָצְמוּ); c. מִן mächtiger sein als *be mightier than* Gn 26, 16, zahlreicher sein als *be more numerous than* Ps 40, 13 69, 5; c. מִן u. inf. zu zahlreich sein, um zu *be too numerous to* Ps 40, 6; abs. sich hoch belaufen (Summe) *amount to, be the sum of* Ps 139, 17; 2. **mächtig sein** *be mighty* Da 8, 8 11, 23 8, 24; †

pi (denom. v. I עֶצֶם): pf. sf. עִצְּמוֹ: **Knochen abnagen** *gnaw off bones* Ir 50, 17; †

hif: impf. sf. וַיַּעֲצִמֵהוּ: c. מִן **mächtiger machen** als *make stronger than* Ps 105, 24. †

Der. I עֶצֶם, I u. II עֹצֶם, *עָצְמָה, עֲצֻמָה, עָצוּם, עֲצֻמוֹת, תַּעֲצֻמוֹת.

II עצם: mhb. hif. = mhb. עמץ pi., ja., sy. עַמֵּץ, غمض, mnd. אמאץ; mhb. pi. (die Augen eines Toten) schliessen *close* (*eyes of dead*):

qal: pt. עֹצֵם: c. עֵינָיו die Augen **schliessen** *close the eyes* Js 33, 15; †

pi: impf. וַיְעַצֵּם: c. עֵינַיִם: die Augen **schliessen** *close the eyes* Js 29, 10. †

I עֶצֶם (124 ×): I עצם; mhb.; ak. *eṣimtu, eṣentu*; pu. עצם Knochen *bone*; عَظْم, ⲱⲁⲧⲉ; F ba. *עָטָם: עֶצֶם, sf. עַצְמוֹ, עַצְמְכֶם, pl. עֲצָמִים, sf. עֲצָמַי, עֲצָמֵינוּ. u. עֲצָמוֹת, cs. עַצְמוֹת, sf. עַצְמֹתַי, עַצְמֹתֵיהֶם: 1. sg. Knochen, Gebein *bone* Gn 2, 23 Ex 12, 46 Nu 9, 12 Hs 37, 7; עֶצֶם אָדָם Nu 19, 16 Hs 39, 15; עֶצֶם Gerippe *skeleton* Nu 19, 18; 2. pl. Gebeine *bones* Gn 2, 23 Js 66, 14 Ir 20, 9 Ps 6, 3; bilden sich in den Schwangern *are shaped in the pregnant's womb* Ko 11, 5; עַצְמוֹת אָדָם Menschenknochen *men's bones* 1 K 13, 2 2 K 23, 14. 20; die Menschen sind mit Knochen durchflochten *men knitted together with bones* Hi 10, 11; עֲצָמִים Leiche *corpse* Am 6, 10, = עֲצָמוֹת Gn 50, 25 Ex 13, 19 Jos 24, 32 2 S 21, 12—14 1 K 13, 31 Ir 8, 1 Hs 6, 5, etc.; 3. עֶצֶם sg. u. pl. Sitz von Empfindungen *seat of sensations* Ir 20, 9 23, 9 Hi 4, 14 20, 11 30, 17. 30 Ps 6, 3 35, 10 51, 10 102, 4 Pr 3, 8; 4. עֶצֶם וּבָשָׂר drückt die ganze Wesenheit aus *expresses the whole being* (wie Fleisch u. Blut *like: flesh a. blood*) Gn 29, 14 Jd 9, 2 2 S 5, 1 19, 13 f 1 C 11, 1; 5. daher עֶצֶם Ausdruck der völligen Übereinstimmung *therefore expresses* עֶצֶם *absolute identity*: בְּעֶצֶם תֻּמּוֹ gerade in s. Kraft *in his full strength* Hi 21, 23; כְּעֶצֶם הַשָּׁמַיִם genau wie d. Himmel *as it were the very heaven* Ex 24, 10; עֶצֶם הַיּוֹם הַזֶּה genau d. Tag *of this selfsame day, exactly at this day* Hs 24, 2, c. בְּ Gn 7, 13 17, 23. 26 Ex 12, 17. 41. 51 Lv 23, 21. 28—30 Dt 32, 48 Jos 5, 11 Hs 40, 1; l עַצְמֹתֶיךָ Js 58, 11, l הָעֵצִים Hs 24, 5, l מֵעַצְּבוֹתַי Hi 7, 15.

II עֶצֶם: n. l.: עצם: *Umm el ʿAẓam*? 4 km n. Beerseba (JPO 4, 146. 154) Jos 15, 29 19, 3 1 C 4, 29.†

I עֹצֶם: I עצם: sf. cj עָצְמָהּ Na 3, 9: Machtfülle *full might* Dt 8, 17 Na 3, 9 Hi 30, 21, cj Js 11, 15.†

II *עֹצֶם: I עצם; = I עֶצֶם: sf. עָצְמִי: Gebein *bones* Ps 139, 15.†

*עָצְמָה: I עצם: pl. cs. עַצְמוֹת, sf. עַצְמוֹתַי: 1. schlimme Taten *evil deeds* Ps 53, 6; 2. starke Leiden *heavy pains* Ps 22, 18 Hi 7, 15 (Driver ET 57, 193).†

עָצְמָה: I עצם: cs. עָצְמַת: Machtfülle *full might* Js 40, 29 47, 9, cj 58, 11 (l עָצְמָתְךָ) Si 38, 18 41, 2 46, 9.†

עַצְמוֹן: n. l.; עֶצֶם u. -*ōn*: loc. עַצְמֹנָה, עַצְמוֹנָה: s-Grenze v. *south-boundary of* יְהוּדָה: Nu 34, 4 f Jos 15, 4.†

*עֲצֻמוֹת: f. pl. v. עצום: sf. עֲצֻמוֹתֵיכֶם: starke Worte > Beweise *strong words* > *arguments* Js 41, 21.†

*עֶצֶן, sf. עֶצְנוֹ 2 S 23, 8: l חִצְּנוֹ.†

*עצץ: ar. *ʿaḍḍa* festhalten *hold fast* (Driver JTS 32, 256):
qal: impf. cj אֶעֱצָה (pro אִיעָצָה): c. עַיִן עַל s. Auge fest richten auf *fix one's eye on* cj Ps 32, 8.†

עצר: mhb., ja., sy. zurückhalten *retain*; EA 138, 130 *ḫa-zi-ri* (kan. Gl.) wird vorenthalten *is withheld*; عَصَرَ drücken *press*, عَصْر Zeitspanne *period of time*, عَصَر Zuflucht *refuge*; F Kutsch, VT 2, 57, ff:
qal: pf. עָצַר, עָצַרְתִּי, sf. עֲצָרַנִי, impf. יַעְצֹר, תַּעַצְרֵנִי, יַעַצְרְכָה, sf. נַעְצְרָה, אֶעְצֹר, יַעֲצָר־, inf. עֲצֹר, לַעְצֹר 2 C 22, 9, וַעֲצֹר! Hi 4, 2, pt. pass. עָצוּר, עֲצֻרָה, עָצֻר: zurückhalten, hemmen *retain, restrain*: 1. aufhalten *detain* Jd 13, 15 f 1 K 18, 44; c. בְּ rei Hi 4, 2 29, 9 12, 15; 2. festnehmen *arrest*,

shut up 2 K 17, 4; sich **fernhalten** *keep out of the way* 1 C 12, 1; 3. **festhalten** *shut up* Ir 20, 9 33, 1 39, 15 36, 5 Ne 6, 10; 4. **behalten** *retain* (Kraft *strength*) Da 10, 8. 16 11, 6 1 C 29, 14 2 C 2, 5 13, 20 22, 9, 14, 10 (עִמְּךָ dir gegenüber *before thee*); c. לְ c. inf. um ... zu *to* ... 2 C 20, 37; 5. **verschliessen** *shut* Js 66, 9, c. ac. Dt 11, 17 2 C 7, 13, c. בְּעַד Gn 20, 18; c. ac. u. מִלֶּדֶת einer Frau des Gebären **versagen** *restrain a woman from bearing* Gn 16, 2; אִשָּׁה עֲצֻרָה (dem Verkehr mit dem Mann) **versagt, entzogen** *restrained* (*from sexual intercourse*) 1 S 21, 6; 6. c. בְּ **in Schranken halten, herrschen über** *keep within bounds, rule over* 1 S 9, 17, cj 10, 1; 7. c. לְ **aufhalten** *detain* (לִרְכֹּב beim Reiten *when riding*) 2 K 4, 24, cj **abhalten** *keep off from* Hi 30, 13 (l עֹצֵר); 8. Redensart *phrase* עָצוּר וְעָזוּב Dt 32, 36 1 K 14, 10 21, 21 2 K 9, 8 14, 26: Deutung ungewiss *interpretation uncertain*: Sklave u. Freier *slave a. freeborn?* (Rob. Smith, RS² 1, 437); verheiratet u. ledig *married man a. bachelor* (عزب) Keil; Kutsch (F p. 728) 60 ff: unmündig u. mündig *minor a. of age*; F Yahuda ZA 16, 240 ff, Sarsowsky, Haqedem 1, 23 ff, Efros JAO 1925, 152 f, u. Komm.; †

nif: pf. נֶעֶצְרָה, impf. תֵּעָצַר, inf. הֵעָצֵר, pt. נֶעְצָר: 1. **festgehalten werden** *be detained* 1 S 21, 8; **zum Stillstand gebracht werden** *be stayed* Nu 17, 13. 15 25, 8 2 S 24, 21. 25 Ps 106, 30 1 C 21, 22; 2. **verschlossen sein** (Himmel) *be shut up* (*sky*) 1 K 8, 35 2 C 6, 26. †

Der. מַעְצָר, מַעְצוֹר, עֲצֶרֶת, עֲצָרָה, עֹצֶר, עֶצֶר.

עֶצֶר: עצר: **Bedrückung** *oppression* Jd 18, 7 (l וְאֵין יוֹרֵשׁ וְעֶצֶר). †

עֹצֶר: עצר: 1. **Verschlossenheit** (d. Schosses) *restraint* (*of womb, barren w.*) Pr 30, 16 (F Gn 20, 18); 2. **Bedrückung** *oppression* Js 53, 8 Ps 107, 39. †

עֲצָרָה, עֲצֶרֶת: עצר: עֲצֶרֶת, pl. sf. עַצְּרֹתֵיכֶם (BL 212. 614): (Hemmung, Stillstand der Arbeit >) **Festversammlung** (*suppression, stop of work* >) *solemn assembly*: c. עָשָׂה abhalten *hold* Ne 8, 18 2 C 7, 9, c. קָרָא ausrufen *announce* Jl 1, 14, c. קִדֵּשׁ durch Reinigungsriten vorbereiten *prepare with lustrations* 2 K 10, 20; F Lv 23, 36 Nu 29, 35 Js 1, 13 Am 5, 21. †

עֵץ שֶׁמֶן: F שֶׁמֶן. †

I עקב: den. v. עָקֵב; F קבע:

qal: pf. עָקַב, impf. יַעְקֹב, sf. וַיַּעְקְבֵנִי, inf. עָקוֹב: **an der Ferse packen, hintergehn** *seize at the heel, beguile* Gn 27, 36 Ir 9, 3 Ho 12, 4; †

pi: impf. sf. יְעַקְּבֵם: **an d. Ferse halten, hemmen** *hold at the heel, stay* Hi 37, 4. †

Der. *עָקֹב, עִקְּבָה.

II *עקב: F n. m. עַקּוּב.

עָקֵב: ug. *ʿqb*, ak. *iqbu*; mhb., ja. עִקְבָא, sy. עֶקְבָא; عَقِبٌ: cs. עֲקֵב, sf. עֲקֵבוֹ, pl. cs. עִקְּבֵי u. עִקְּבוֹת (BL 557), sf. עֲקֵבַי, עִקְּבוֹתֶיךָ: 1. **Ferse** *heel* Gn 3, 15 25, 26 Ir 13, 22 (euphemist., cf. mhb. Hinterteil *buttocks*) Ps 56, 7 Hi 18, 9; 2. עִקְּבֵי סוּס **Hufe** *hooves* Gn 49, 17 Jd 5, 22; 3. pl. **Fusspuren** *footprints* (ܥܩܒܬܐ) Ps 77, 20 89, 52 Ct 1, 8, cj Ho 6, 8 (l עִקְּבֵיהֶם דָּם), cj עִקְּבֵי Ps 49, 6 (Si 13, 26 Anzeichen *token*); 4. **Nachtrab** (e. Heers) *rear* (*of troop of men*) Jos 8, 13 Gn 49, 19 (l עֲקֵבָם); l עָקֵב (pone post 11) Ps 41, 10. †

Der. I עקב, עָקֹב, עֵקֶב; F n. m. יַעֲקֹב, יַעֲקֹבָה.

עֵקֶב: עָקֵב: 1. d. **Hinterste, Ende** *the hindmost, end*: עֵקֶב bis ans Ende *unto the end* Ps 119, 33. 112; 2. > **Ergebnis, Lohn** *result, reward* Js 5, 23 Ps 19, 12 Pr 22, 4, cj c. שְׁלֹם Ps 41, 11; 3. > conj. עַל־עֵקֶב wegen *on account of* Ps 40, 16 70, 4; עֵקֶב **dafür, dass** *therefore, that* Nu 14, 24 Dt 7, 12, 8, 20, = עֵקֶב אֲשֶׁר Gn 22, 18 26, 5 2 S 12, 6, = עֵקֶב כִּי 2 S 12, 10 Am 4, 12.†

עָקֹב: עָקֵב Ferse = d. verdickte, knollige Teil d. Fusses? *the thick, bulbous part of the foot?*; عَقَبَة schwieriger Aufstieg *difficult ascent*: **höckeriges Gelände** *knobby ground* Js 40, 4; > **schwierig** *difficult, insidious*: לֵב (l עָמֹק G?) Ir 17, 9; l עִקְּבֵיהֶם דָּם Ho 6, 8.†

***עֹקֶב**: עקב: **Arglist** *insidiousness* (Hier. *dolus*) cj Ps 139, 24.†

עָקְבָּה: עקב: **Arglist** *insidiousness* 2 K 10, 19.†

עקד: mhb., ja., sy., عَقَدَ binden, fesseln (z. B. durch Binden d. Unterschenkels e. Tiers an d. Oberschenkel) *bind (e. g. by tying fast the shank of an animal at the upper thigh)*, ዐቀጸ gebunden *bound*:
qal: impf. וַיַּעֲקֹד: (dem Opfer die Füsse) **fesseln** *bind (the feet of a victim)* (συμποδίσας) Gn 22, 9.†
Der. עָקֹד, עֵקֶד.

עָקֹד: עקד: pl. עֲקֻדִּים: **mit gewundnem Schwanz** *with twisted tail* (عَقَد gewundner Sch. *twisting in the tail*), v. Kleinvieh *said of sheep a. goats*: Gn 30, 35. 39 f 31, 8. 10. 12.†

עֵקֶד: עקד: in n. l. *F* בֵּית עֵקֶד הָרֹעִים; عَقَد Sandhaufen *sand congested*: 2 K 10, 12. 14.†

***עָקָה**: עוק: cs. עָקַת: **Bedrängung** *pressure* Ps 55, 4.†

עַקּוּב: n. m.; II *עקב; asa. עקב bewachen *guard*; keilschr. *Aqubu* BEP 9, 49 10, 39; *Aqqubu* Tallq. 10: 1.—4. Esr 2, 45; Ne 8, 7; 1 C 3, 24; (cf. עקביה Eph 3, 49); 9, 17 Esr 2, 42 Ne 7, 45 11, 19 12, 25.†

עקל: mhb. עָקוֹל gekrümmt *crooked*; ja. sy. in Der.; عَقَلَ drehen, krümmen *bend, crook*:
pu: pt. מְעֻקָּל: **verdreht** *crooked* Ha 1, 4.†
Der. *עֲקַלְקַל, עֲקַלָּתוֹן.

***עֲקַלְקַל**: עקל: pl. f. עֲקַלְקַלּוֹת, sf. ־תָם (adverb. Torcz., Entst. 1, 81): **gewunden, verschlungen** (Wege) *crooked (paths)* Jd 5, 6 Ps 125, 5.†

עֲקַלָּתוֹן: עקל; ug. *ʿqltn*: **gewunden** (Schlange) *crooked (serpent)* Js 27, 1.†

***עקן**: n. m. יַעֲקָן u. עֲקָן.

עֲקָן: n. m.; *עקן: = יַעֲקָן 1 C 1, 42; ZAW 44, 92: Gn 36, 27.†

עקר: mhb.; *F* ba.; mhb. עִקָּר (Si 37, 17 Var. עקרת) u. ja. עִקָּרָא Wurzel *root*; عَقَار Grundstück *landed property*; Schwally ZDM 52, 140 ff, Barth ES 6. 72:
qal: inf. עֲקוֹר **mit d. Wurzel ausreissen, jäten** *root up, weed*:: נטע: Ko 3, 2;†
nif: תֵּעָקֵר **entwurzelt werden** *be rooted up* Ze 2, 4;†
pi: pf. עִקֵּר, impf. וַיְעַקֵּר (أَعْقَرَ): (e. Tier die Fesseln) **durchschneiden, lähmen** *cut (the sinews of an animal's legs), hamstring, lame* Gn 49, 6 Jos 11, 6. 9 2 S 8, 4 1 C 18, 4.†
Der. עָקָר, I u. II n. m. עֵקֶר.

עָקָר: עקר; عُقْرَة Unfruchtbarkeit *barreness*: fem. עֲקֶרֶת, עֲקָרָה: **unfruchtbar, ohne Nachkommen** *barren, without offspring*: שָׂרָה Gn 11, 30, רִבְקָה 25, 21, רָחֵל 29, 31, אֵשֶׁת מָנוֹחַ Jd 13, 2 f; עָקָר וַעֲקָרָה Dt 7, 14; עֲקֶרֶת הַבַּיִת ohne Familie durch Unfruchtbarkeit *without family by barreness* Ps 113, 9; *F* Ex 23, 26 1 S 2, 5 Js 54, 1 Hi 24, 21.†

I עֵקֶר: עקר: עֵקֶר מִשְׁפַּחַת גֵּר Lv 25, 47: עקר altaram. *old-Aram.* **Nachkommenschaft** *offspring.* †

II עֵקֶר: n. m.; = I? 1 C 2, 27. †

עַקְרָב: < *אַקְרָב zu *to* קְרָב „Kämpfer *fighter*" (א < ע wegen *on account of* ר ZS 2, 219ff); mhb.; äga., ja. עַקְרָבָא, ܥܩܪܒܐ, nab. u. palm. n. m. עקרב; mnd. ארקבא; ak. *aqrabu*; عقرب, ⲟϥⲗⲓⲃ: pl. עַקְרַבִּים: **1. Skorpion** *scorpion* (*Buthus quinquestriatus* u. 3 andre Arten *a. 3 more kinds of Buthus, Scorpio testaceus,* Bodenheimer 366. 369) Dt 8, 15 Hs 2, 6; **2.** (besonders schmerzende Art) **Geissel** (*especially hurting kind of*) *scourge* 1 K 12, 11. 14 2 C 10, 11. 14. †

Der. n. l. מַעֲלֵה עַקְרַבִּים (wohl d. Pass *prob. pass of Naqb eṣ-Ṣafā*) Nu 34, 4 Jos 15, 3 Jd 1, 36. †

עֶקְרוֹן: n. l.; Ακ(κ)αρων; ak. *Amqarruna*; äg. *ʿ-n-g-r-n* ETL 202; alle diese Formen führen auf *all these forms indicate* *עַקְרוֹן; עֶקְרוֹן < *אֶקְרוֹן (א > ע F עַקְרָב) = קִרְיָה Stadt *town*: Philisterstadt *Philistine city* **Ekron** (BRL 141 f): Jos 13, 3 15, 11. 45 f 19, 43 Jd 1, 18 1 S 5, 10 6, 16 f 7, 14 17, 52 2 K 1, 2 f. 6. 16 Ir 25, 20 Am 1, 8 Ze 2, 4 Sa 9, 5. 7; F עֶקְרוֹנִי. †

עֶקְרוֹנִי: gntl. v. עֶקְרוֹן: Jos 13, 3 1 S 5, 10. †

עקשׁ: mhb. עִקֵּשׁ verdrehen *twist*, עַקְשָׁן mit verdrehten Händen (?) *with crooked hands* (?); ܥܩܘܫܐ verdreht *crooked*; عَقَصَ drehen, flechten *twist round, intertwine*:

nif: pt. cs. נֶעְקַשׁ: c. דְּרָכִים e., **der krumme Wege geht** *crooked in his ways* Pr 28, 18; †

pi: pf. עִקְּשׁוּ, impf. יְעַקֵּשׁ, inf. עַקֵּשׁ, pt. מְעַקֵּשׁ: **1. verdrehen** *pervert* Mi 3, 9; **2.** c. נְתִיבָה, דֶּרֶךְ: **krumme Wege wählen** *choose crooked ways* Js 59, 8 Pr 10, 9, cj (l מְעַקְּשִׁים) 2, 15; 3. (l לְעַקֵּשׁ) **übervorteilen** *defraud, take in* Ho 12, 8; †

hif: impf. sf. וַיַּעְקְשֵׁנִי (BL 353), l וַיְעַקְּשֵׁנִי (MSS וַיְּעַקְּשֵׁנִי): **für krumm, schuldig erklären** *declare crooked, guilty* Hi 9, 20. †

Der. I, II עִקֵּשׁ, עִקְּשׁוּת, מַעֲקַשִּׁים.

I עִקֵּשׁ: עקשׁ: cs. עִקֶּשׁ־; pl. cs. עִקְּשֵׁי: **verdreht, falsch** *crooked, perverted* Dt 32, 5 2 S 22, 27 Ps 18, 27 101, 4 Pr 8, 8 11, 20 17, 20 19, 1 (l דְּרָכָיו) 22, 5 28, 6; l מְעַקְּשִׁים Pr 2, 15, cj בְּעִקֵּשׁ Js 30, 12 Ps 62, 11 u. עִקֵּשׁ Js 59, 13 u. Ps 73, 8. †

II עִקֵּשׁ: n. m.; = I: 2 S 23, 26 1 C 11, 28 27, 9. †

עִקְּשׁוּת: עקשׁ: **Verdrehtheit, Falschheit** *crookedness, falsehood* Pr 4, 24 6, 12. †

*עָר: pro עָרֶךָ 1 S 28, 16 l צָרֶךָ; pro עָרֶיךָ Ps 139, 20 l עָלֶיךָ. †

עָר: n. t.; = עִיר?: עָר מוֹאָב Nu 21, 28 Js 15, 1, cj Nu 22, 36; עָר = גְּבוּל מוֹאָב Dt 2, 18, //גְּבוּל מוֹאָב Nu 21, 15; עָר Sitz d. Moabiter *region of Moabites*, Sitz der *region of* בְּנֵי לוֹט Dt 2, 9. †

עֵר: n. m.; III עור; Noth S. 228: wachsam *watchful*: 1. Gn 38, 3. 6 f 46, 12 Nu 26, 19 1 C 2, 3; 2. 1 C 4, 21. †

עֵר: F עור.

I ערב: ak. *erēbu* (F IV ערב) eingehen (unter jmds Vollmacht treten) *enter* (*under one's authority*) Saarisalo, New Kirkuk Documents 10; mhb., ja., cp., sy., mnd. sich verbürgen *stand bail*; asa. תערב F עֵרָבוֹן; = II?:

qal: pf. עָרַב, עָרַבְתָּ, impf. sf. אֶעֶרְבֶנּוּ, inf. עֲרֹב, sf. עָרְבֵנוּ, pt. עֹרֵב, עֹרְבִים, עֹרְבֵי: 1. c. ac. **Bürge sein** für *stand bail for, go surety for* Gn 43, 9 44, 32 Pr 11, 15 20, 16 27, 13; **eintreten für** *stand up for* Js

38, 14, c. לִבּוֹ s. Leben einsetzen *give one's life in pledge* Ir 30, 21; 2. zum Pfand geben *give in pledge* Ps 119, 122 (l הַבְרֵךְ) Ne 5, 3, cj 2; עָרַב מַעֲרָב Tauschhandel treiben *exchange merchandise* Hs 27, 9. 27; c. מַשָּׁאוֹת für Schulden bürgen *go surety for debts* Pr 22, 26, c. עֲרֻבָּה לִפְנֵי Bürgschaft leisten bei *become security with (before)* Pr 17, 18; 3. עָרַב לְ Bürgschaft leisten für *go surety in behalf of* Pr 6, 1; l עָרְבֵנִי Hi 17, 3; †
hitp: imp. הִתְעָרֶב־ sich in e. Wette einlassen *make a wager* (אֶת mit *with*) 2 K 18, 23 Js 36, 8. †
Der. תַּעֲרוּבוֹת, מַעֲרָב* I, עֵרָבוֹן, עֲרֻבָּה.

II ערב: mhb. pi. u. äga., ja. pa. u. sy. עָרַב mischen *mix*, ܚܠܛܐ Mischung *mixture*; = I?:
hitp: pf. הִתְעָרְבוּ, impf. תִּתְעָרַב, תִּתְעָרֵב: 1. c. לְ: sich einlassen mit *have fellowship with* Pr 20, 19; 2. c. בְּ: sich vermengen mit *be mingled with* Ps 106, 35 Esr 9, 2; 3. c. בְּ: sich einmischen in *intermeddle with* Pr 14, 10; l תִּתְעַבָּר Pr 24, 21. †
Der. I, II עֵרֶב, עָרֹב.

III ערב: mhb. angenehm sein *be pleasing*; ja. מְעָרַב angenehm *pleasing*; asa. darbringen *offer*:
qal: pf. עָרְבָה, עָרַבְתְּ, impf. יֶעֱרַב, יֶעֶרְבוּ: angenehm sein, zusagen *be pleasing* Ir 6, 20 u. Ho 9, 4 u. Ma 3, 4 (Opfer *offerings*), Ir 31, 26 Pr 3, 24 Hs 16, 37 Ps 104, 34 (עַל für *for*) Pr 13, 19. †
Der. עָרֵב.

IV ערב: Sem; ak. *erēbu* eingehen, untergehen (Sonne) *enter, go down (sun)* F I ערב; غَرَبَ Sonnenuntergang *sun-set* VG 1, 226:
qal: inf. עֲרוֹב Abend werden *become evening* Jd 19, 9, cj Pr 7, 9; l עָבְרָה Js 24, 11; †
hif: inf. הַעֲרֵב: am Abend tun, spät tun *do at evening, do late* 1 S 17, 16. †
Der. II עֶרֶב, II מַעֲרָב.

ערב: Wurzeln verschiedener Bedeutungen *roots of divers meanings*: Der. I, II עֹרֵב; I* עֲרָבָה, n. l. בֵּית הָעֲרָבָה, gntl. עַרְבָתִי; II עֲרָבָה; n. p. עֲרָב, gntl. עֲרָבִי u. עַרְבִי.

I עֶרֶב: מַלְכֵי הָעֶרֶב Ir 25, 24 dittogr. v. *of* מַלְכֵי עֲרָב; 1 K 10, 15 l מַלְכֵי עֲרָב ut 2 C 9, 14; Šanda 1 K 10, 15 = keilschr. *Urbi*, die spätern Araber *the Arabians of later times*, J. Lewy OLZ 30, 830. †

II עֶרֶב: (130 ×): IV ערב: עָרֶב, du. (adverb. Torcz. 1, 71. 190) עַרְבַּיִם), masc. (dele הַשְּׁלִשִׁית 1 S 20, 5): Abend *evening* (Sonnenuntergang *sun-set*) Gn 1, 5 (:: בֹּקֶר), לְעֵת עֶרֶב 8, 11; עֶרֶב am A. *in the ev.* Ex 16, 6; בָּעֶרֶב Gn 19, 1 (18 ×); עַד־הָעֶרֶב Lv 11, 24 (42 ×), עֲדֵי־עָרֶב Ps 104, 23; לָעֶרֶב am A. *in the ev.* Ps 59, 7. 15; לִפְנוֹת־עֶרֶב gegen A. *towards ev.* Gn 24, 63 Dt 23, 12; בָּעֶרֶב־בָּעֶרֶב A. um A. *every ev.* 2 C 13, 11; בֹּקֶר וָעֶרֶב Ps 65, 9; מִבֹּקֶר לָעֶרֶב Hi 4, 20, מִן־הַבּ׳ עַד־הָעֶ׳ Ex 18, 13 f; עַד עֶרֶב בֹּקֶר Ps 55, 18; coll. עֶרֶב וָבֹקֶר וְצָהֳרַיִם (bis zu) Abende u. Morgen *(unto) evenings and mornings* Da 8, 14; צִלְלֵי עֶ׳ Ir 6, 4; מִנְחַת עֶ׳ Ps 141, 2 Da 9, 21, מִנְחַת הָעֶ׳ 2 K 16, 15 Esr 9, 4 f; עֶרֶב יוֹם (Jd 19, 9) Pr 7, 9; l זְאֵבֵי עֲרָבָה Ha 1, 8 Ze 3, 3 (Elliger, Festschr. Bertholet, 1950, 158 ff); du. (F oben *above*): בֵּין הָעַרְבַּיִם: עַרְבַּיִם (nur P *only*) Ex 12, 6 16, 12 29, 39. 41 30, 8 Lv 23, 5 Nu 9, 3. 5. 11 28, 4. 8 (AS 1, 617 ff), Schiaparelli, Astronomie im AT, 1904, 83 f; F Komm.; עַרְבַּיִם unechter *sham* dual., בֵּין sekundär zugesetzt *added supplementarily* VG 1, 458. 663, BL 518: im Zwielicht *in the dusk, between the lights*.

עָרֵב: F II עֲרֵב.

I עֵרֶב: II ערב: הָעֵרֶב Lv 13, 53. 56—9, הָעֵ׳ 13, 52, לַפִּשְׁתִּים 13, 48 f. 51; בַּצֶּמֶר אוֹ בַפִּשְׁתִּים Weber-t. t. *weaver's t.t.*: Gewirktes? *weaving?* AS 5, 104.†

II עֵרֶב, עֶרֶב: II ערב: Gemisch, Mischvolk *mixture, mixed company*: in Israel Ex 12, 38 Ne 13, 3, in Ägypten *in Egypt* Ir 25, 20, in Babylon 50, 37; l הָעֲרָב Hs 30, 5; Montg. 29[5] l עֲרַב Hs 30, 5 Ir 25, 20 Ne 13, 3(?) Ex 12, 38.†

I עֲרָב, עֲרָב: n. p., العَرَب; keilschr. *Aribu, Arubu*, RLA 1, 125 ff; asa. ערב; v. II עֲרָבָה Montg. 27 f: Araber *Arabs* Ir 25, 24 Hs 27, 21 2 C 9, 14 (2 MS מַעֲרָב), cj 1 K 10, 15 u. F II עֲרָב; F עַרְבִי u. עֲרָבִי.†

II *עֲרָב: in בַּעְרַב u. בַּעֲרָב Js 21, 13; = II עֲרָבָה (Procksch).†

עָרֵב: III ערב: angenehm *pleasant* Pr 20, 17 Ct 2, 14.†

I עֹרֵב, עוֹרֵב Ct 5, 11: ak. *āribu*; mhb. עוֹרֵב; ja. עוֹרְבָא, ܥܘܪܒܐ, غُرَاب: Schallwort *sound-imitating word* (Schulthess, Zurufe 16): pl. עֹרְבִים, cs. עֹרְבֵי: Rabe (verschiedene Arten) *raven (divers species) Corvus* (Bodenheimer 485) Gn 8, 7 1 K 17, 4. 6 Js 34, 11 Ps 147, 9 Pr 30, 17 Hi 38, 41 Ct 5, 11; unrein *unclean* Lv 11, 15 Dt 14, 14; cj Ze 2, 14; F II.†

II עֹרֵב, עוֹרֵב: n. m.; = I: Jd 7, 25 8, 3 Js 10, 26 Ps 83, 12.†

עָרֹב: II ערב: Geschmeiss, Ungeziefer *mixt, noxious insects*, AS 1, 396; G κυνόμυια Hundsfliege (Viehplage) *dog-flie (cattle-plague)* Ex 8, 17 f. 20. 25. 27 Ps 78, 45 105, 31.†

I *עֲרָבָה: mhb., ja. עֲרַבְתָּא, ܥܪܒܬܐ; غَرَب (ak. *urbatu* Schilfgras *sedge*): pl. עֲרָבִים, cs. עַרְבֵי: Eufratpappel *(Euphrates-) poplar Populus Euphratica Oliv.* (Löw 3, 323): Lv 23, 40 Js 44, 4 Hi 40, 22 Ps 137, 2; n. fl. נַחַל הָעֲרָבִים Js 15, 7 *W. Ġarbeh* = Zusammenfluss v. *junction of W. Kefrēn* u. *W. Ḥesbān*, östl. Zufluss des Jordan *eastern affluent of Jordan* (Bibl. 11, 32 f).†

Der. n. l. בֵּית הָעֲרָבָה; gntl. עַרְבָתִי.

II עֲרָבָה: Bäntsch, Die Wüste 1883, 17 v. ערב = ܥܪܒ austrocknen *be dry, arid?*; eher *rather* cf. asa. ערב = غَرَبَ sich entfernen *depart* = *regio remota*: loc. הָעֲרָבָתָה, sf. עֲרָבָתָהּ, pl. עֲרָבוֹת, cs. עַרְבֹת, עַרְבוֹת; F II *עֲרָב: Wüste *desert* (wasserlose Gegend *waterless region*) Js 33, 9 35, 1 (//מִדְבָּר וְצִיָּה). 6 40, 3 41, 19 51, 3 Ir 17, 6 50, 12 Hi 24, 5 39, 6 (//מְלֵחָה) Ps 68, 5, אֶרֶץ עֲרָבָה Ir 2, 6; הָעֲ׳ jenseits d. Jordan *beyond Jordan* Dt 4, 49, הָעֲ׳ östl. d. J. *east of J.* Jos 12, 1. 3; im Süden Judas *south of Judah* 1 S 23, 24; הָעֲ׳ die Jordansenke *the Jordan Valley* Dt 1, 7 2, 8 3, 17 Jos 11, 2. 16 12, 8 18, 18 2 S 2, 29 4, 7 2 K 25, 4 Ir 39, 4 52, 7 Hs 47, 8 Sa 14, 10; daher *therefore* יָם הָעֲ׳ = Totes Meer *Dead Sea* Dt 3, 17 4, 49 Jos 3, 16 12, 3 2 K 14, 25; עַרְבוֹת מוֹאָב Ostufer des Jordans v. *W. Nimrīn* südwärts *eastern side of Jordan from W. Nimrīn southwards* (BAS 91, 10 ff; Noth ZAW 60, 26 ff) Nu 22, 1 26, 3. 63 31, 12 33, 48—50 35, 1 36, 13 Dt 34, 1. 8 Jos 13, 32; עַרְבוֹת יְרִיחוֹ Jos 4, 13 5, 10 2 K 25, 5 Ir 39, 5 52, 8; bei *near* עַי Jos 8, 14; F Dt 1, 1 11, 30; זְאֵבֵי עֲרָבוֹת Steppenwölfe *wolves of the desert* Ir 5, 6, cj Ha 1, 8 u. Ze 3, 3; n. fl. נַחַל הָעֲרָבָה Am 6, 14 Unterlauf des *W. el-Kelṭ Under W. el-Kelṭ* bei *near* Jericho PJ 36, 54[4]; F n. p. עֲרָב, gntl. עַרְבִי u. עֲרָבִי.†

עֲרֻבָּה: I ערב: sf. עֲרֻבָּתָם: 1. Bürgschaft

pledge Pr 17, 18; 2. **Pfand** (das die Ausführung e. Auftrags bezeugt) *token* (*attesting the performance of a commission*) (:: OTS 1, 89) 1 S 17, 18.†

עֵרָבוֹן: I ערב: mhb., äga., cp. ערבן, altaram. ערבא Lidz. 345; > عَرَبُون u. ἀῤῥαβών: **Pfand** *pledge* Gn 38, 17 f. 20, cj sf. עֵרָבֹנִי Hi 17, 3.†

עַרְבִי: gntl. v. עֲרָב: pl. עַרְבִים u. עַרְבִיִּים 2 C 26, 7 u. עֲרָבִיאִים 17, 11: **Araber,** in d. Wüste lebende **Beduinen** *Arabs, Beduins living in the desert* Ne 2, 19 6, 1, pl. 4, 1 2 C 17, 11 21, 16 22, 1 26, 7.†

עֲרָבִי: gntl. v. עֲרָב: = עַרְבִי Js 13, 20 Ir 3, 2.†

עַרְבָתִי: gntl. v. בֵּית הָעֲרָבָה: 2 S 23, 31 1 C 11, 32.†

I **ערג**: عَرَجَ sich schräg anlehnen *incline toward*: qal: impf. תַּעֲרֹג, תַּעֲרוֹג: **lechzen, verlangen nach** *long for* Ps 42, 2, c. אֶל 42, 2 Jl 1, 20.†

II *ערג: F עֲרוּגָה.

*ערד: n. m. עֲרָד; עָרוֹד; n. m. עִירָד.

I **עֲרָד**: n. m.; F עָרוֹד: 1 C 8, 15; cj Js 32, 14 (//פְּרָאִים) Wildesel *wild ass*; F II.†

II **עֲרָד**: n. l.; = I: *T. ʿArad* 35 km ö. Beerseba (Garstang Josh. 357) Nu 21, 1 33, 40 Jos 12, 14 Jd 1, 16.†

ערה: ak. *ūru*, *mērānu* Blösse *nakedness*; ph. ערי blosslegen *lay bare*; mhb. pi. ausleeren *pour out*; äga. עריה bloss *naked*; sy. adv. עַרְיַת bloss *nakedly* F ba. עֶרְיָה; NF ערר, II עור:

nif: יֵעָרֶה **ausgegossen werden** *be poured out* רוּחַ Js 32, 15;†

pi: pf. עֵרָה: impf. יְעָרֶה, תְּעַר, וַיְעָרוּ, inf. עָרוֹת, imp. עָרוּ: 1. **bloss legen** *lay bare* Js 3, 17 Ha 3, 13 (l עָרוֹתָ) Ps 137, 7; **aus d. Hülle nehmen** *uncover* (מָגֵן) Js 22, 6, (קֶשֶׁת) cj Ha 3, 9 (l עָרֵה תְעָרֶה); dele Ze 2, 14 (*dittogr.*); 2. **ausleeren** *pour out* Gn 24, 20 2 C 24, 11, **ausschütten** *pour out* נֶפֶשׁ Ps 141, 8;†

hif: pf. הֶעֱרָה: **entblössen** *make naked* Lv 20, 18 f; c. לַמָּוֶת נַפְשׁוֹ: **sich dem Tod preisgeben** *abandon, sacrifice oneself to death* Js 53, 12;†

hitp: impf. תִּתְעָרִי, pt. מִתְעָרֶה: **sich entblösst zeigen** *show oneself naked* Th 4, 21; l מִתְעַלֶּה Ps 37, 35.†

Der. I מוֹרָה* < מַעֲרָה*, עֶרְוָה, עֶרְיָה, מַעַר, II *תַּעַר, עָרוֹם, עֵירֹם, מְעָרָה.

II **ערה**: عَرّ zurückkehren *repair to*; عَرًا Umgebung, Nähe *region, vicinage* Driv. WO 1, 30; Der. *מַעֲרָה.

***עָרָה**: pl. עָרוֹת: äg. *ʿr* Binse (*bul*)*rush* EG 1, 208, Thacker JTS 34, 163 f: **Binse** (*bul*)*rush* Js 19, 7 (l וְעָרוֹת, dele עַל־יְאוֹר).†

עֲרוּגָה: II ערג عَرَجَ hinaufgehen *ascend*? جَرَعَةٌ e. Stück Sandland, gut für Pflanzen *a piece of sand, good for producing plants* (Lane 411)?: cs. עֲרוּגַת; pl. עֲרֻגוֹת, עֲרֻגֹת, cj sf. עֲרוּגֹתָם: **Pflanzbeet** *gardenbed* (*terrace*) Hs 17, 7. 10 Ct 5, 13 6, 2, cj Ps 144, 12.†

עָרוֹד: ערד; mhb.; F ba. עֲרָד, mnd. אראדא; عَرَدٌ: **Wildesel** *wild ass, Asinus hemippus* Hi 39, 5, cj Ir 48, 6; F עֲרָד.†

עֶרְוָה: I ערה: cs. עֶרְוַת, sf. עֶרְוָתְךָ, עֶרְוָתֵךְ: **Blösse, Schamgegend** (v. Mann u. Frau) *nakedness, pudenda* (*of both sexes*): c. עֶרְוַת הָאָרֶץ; רָאָה, כִּסָּה, גִּלָּה die blossen, unverteidigten Stellen des Landes *the exposed, undefended parts of the country* (عَوْرَةٌ) Gn

42, 9. 12, עֶרְוַת מִצְרַיִם Js 20, 4; Fluchformel *formula of curse*: לְבֹשֶׁת עֶרְוַת אִמֶּךָ der Scham deiner Mutter zur Schande! *to the dishonour of thy mother's pudenda!* 1 S 20, 30; עֶרְוַת דָּבָר etwas Schändliches *something indecent* Dt 23, 15 24, 1; *F* Gn 9, 22 f Ex 28, 42 Lv 18, 6—19 (24 ×) 20, 11. 17—21 Hs 16, 8. 36 f 22, 10 23, 10. 18. 29 Js 47, 3, cj Hs 16, 57 (l עֶרְוָתֵךְ), Ho 2, 11 Th 1, 8. †

עָרֹם, עָרוֹם: I ערה u. *-ōm*: fem. עֲרֻמָּה, pl. עֲרוּמִּים: **nackt, unbekleidet** *naked, undressed*: Gn 2, 25 Js 58, 7 Ho 2, 5 (Entblössung als Strafe *divestment as punishment*) Am 2, 16 Mi 1, 8 Hi 1, 21 22, 6 24, 7. 10 Ko 5, 14, שְׁאוֹל Hi 26, 6; = bloss im שַׂק *dressed with* שַׂק *only* 1 S 19, 24 Js 20, 2—4; *F* מַעֲרֻמִּים; עַרְמוֹן ? †

עָרוּם: ערם: pl. עֲרוּמִים: **klug** *shrewd*: נָחָשׁ Gn 3, 1; מַחְשְׁבוֹת עֲרוּמִים Hi 5, 12, לְשׁוֹן עֲ׳ 15, 5; פֶּתִי::עָרוּם Pr 14, 15. 18 22, 3 u. 27, 12; *F* 12, 16. 23 13, 16 (l כֹּל) 14, 8. †

עֲרוֹעֵר Ir 48, 6: l עָרוֹד. †

עֲרוֹעֵר 2 S 24, 5 Ir 48, 19, עֲרֹעֵר: n. l., I ערר, عَرْعَرٌ Wachholder *juniper*: 1. *Ch.* *ʿArāʿir* s. דִּיבֹן Nu 32, 34 Dt 2, 36 3, 12 4, 48 Jos 12, 2 13, 9. 16 2 S 24, 5 2 K 10, 33 Ir 48, 19 1 C 5, 8, cj Jd 11, 26; 2. in Gad Jos 13, 25 Jd 11, 33; 3. l עַרְעָרָה 1 S 30, 28, l עֲזֻבֹת עַד עָרֶיהָ Js 17, 2; *F* עֲרֹעֵרִי. †

***עָרוּץ**: II ערץ; عُرْضٌ Hang, Wand (einer Schlucht) *slope (of ravine)*: cs. עֲרוּץ: **Hang** *slope* Hi 30, 6. †

עָרוֹת Js 19, 7: *F* *עָרָה. †

I עֵרִי: n. m.; עור ?: Gadit Gn 46, 16 Nu 26, 16; *F* II. †

II עֵרִי: gntl. v. I עֵרִי: Nu 26, 16. †

עֶרְיָה: I ערה: **Blösse, Nacktheit** *nakedness* Hs 16, 7. 22. 39 23, 29; l מֵעִירָה Mi 1, 11, l עֶרֶה תְעָר (ערה pi.) Ha 3, 9. †

***עֲרִיסָה**: ערס mhb. pi. einrühren *mix*, AS 4, 52; Mehl mit Wasser einrühren *mix flour with water* Levy WB Talm.: pl. sf. עֲרִיסֹתֵינוּ, ־תֵ(י)כֶם: eingerührter Teig, **Teig im 1. Stadium** *dough mixed with water, dough in the first phase* Nu 15, 20 f Hs 44, 30 Ne 10, 38. †

***עֲרִיפִים**: I ערף: sf. עֲרִיפֶיהָ: **Geträufel** *dripping, drops falling* (Kontext? l עֲרָפֶל?) Js 5, 30. †

עָרִיץ: (*ʿarriṣ*): I ערץ; ug. *ʿrṣ*: pl. עָרִיצִים cs. עָרִיצֵי: 1. **Gewalthaber** *master, despot*: יהוה Ir 20, 11, Js 49, 25, cj 24; 2. **gewalttätig, Tyrann** *ruthless, tyrant* Js 29, 20 Hi 15, 20 (// רָשָׁע), cj Js 11, 4; pl. Js 25, 4 f 29, 5 Ir 15, 21 (// רָעִים) Ps 54, 5 86, 14 (// זֵדִים) Hi 6, 23 (// צַר) 27, 13; גְּאוֹת עָרִיצִים Js 13, 11, עָרִיצֵי גוֹיִם Js 25, 3, גּוֹיִם עָרִיצִים Hs 28, 7 30, 11 31, 12 32, 12; l עֲלִיז Ps 37, 35, l חֲרוּצִים Pr 11, 16. †

עֲרִירִי: I ערר; mhb.: pl. עֲרִירִים: **kinderlos** *childless* Gn 15, 2 Lv 20, 20 f Ir 22, 30 Si 16, 3 †

ערך: ph. anordnen *arrange*; mhb. ordnen *put in order*, עֲרִיכָה Holzstoss *pile of wood*, ja. pt. עֲרִיךְ zubereitet *prepared*; عَرَكَ reiben *rub*: qal: pf. עָרַךְ, עָרַכְתָּ, impf. יַעֲרֹךְ, אֶעֱרָךְ־, יַעַרְכוּנִי, יַעַרְכֻנּוּ, יַעַרְכֶהָ, sf. תַּעַרְכוּ, אֶעֶרְכָה, inf. עֲרֹךְ, עָרֹךְ, imp. עֶרְכָה, עִרְכוּ, pt. עֹרְכִים, עֹרְכֵי, pass. עָרוּךְ, cs. עֲרוּךְ (BL 539), fem. עֲרוּכָה, pl. עֲרֻכוֹת: 1. c. ac. pl.: **in Schichten, Reihen legen, stellen,** *put, set in layers, rows*: Scheiter *logs* Gn 22, 9 Lv

1, 7 1 K 18, 33, Fleischstücke *pieces of meat* Lv 1, 8. 12, Kuchen *cakes* 24, 8, Flachsstengel *stalks of flax* Jos 2, 6, Lichter *lights* Lv 24, 4, Altäre *altars* Nu 23, 4; עָרַךְ עֵרֶךְ in Schichten legen *put in layers* Ex 40, 4. 23; 2. c. ac. sg.: **zurüsten, in Ordnung bringen** *prepare, put in order*: שֻׁלְחָן Js 21, 5 65, 11 Hs 23, 41 Ps 23, 5 78, 19 Pr 9, 2, מָאוֹר Ex 27, 21 Lv 24, 3, עֹלָה 6, 5, נֵר Ps 132, 17, cj תָּפְתֶּה Js 30, 33, **bereit halten** *keep ready* מָגֵן וְצִנָּה Ir 46, 3, צִנָּה וָרֹמַח 1 C 12, 9; עֲרוּכָה בַכֹּל in allem wohlgeordnet *well put in order in every thing* 2 S 23, 5; 3. t. t. עָרַךְ מִלְחָמָה in **Schlachtordnung aufstellen, zum Kampf antreten** *draw up in battle order* Gn 14, 8 Jd 20, 20. 22 1 S 17, 2. 8 2 S 10, 8 1 C 12, 34. 36 f 19, 9. 17 2 C 13, 3 14, 9, (ohne *without* מִלְחָמָה) Jd 20, 22. 30. 33 1 S 4, 2 17, 21 2 S 10, 9 f. 17 Hi 36, 19 1 C 19, 10 f. 17; עָרוּךְ לַמִּלְחָמָה z. Kampf **aufgestellt** *drawn up in battle order* Ir 6, 23 50, 42, = עָרוּךְ מִלְחָמָה Jl 2, 5; עָרַךְ **Aufstellung nehmen** *form up*, c. לְ gegen *against* Ir 50, 9, c. עַל gegen *against* 50, 14; 4. daher *therefore*: עָרַךְ **gegenüberstellen** *confront* Js 40, 18 44, 7, > **vergleichen** *compare* Ps 40, 6, cj Th 2, 13 (l אֶעֱרָךְ), gegenüber stehen, **gleich sein** *face, be equal* Ps 89, 7 Hi 28, 17. 19; 5. עָרַךְ 2 > **vorlegen** *put before* (לְעֵינֵי) Ps 50, 21; c. מִשְׁפָּט e. Rechtsfall **vorbringen** *produce a case of justice* Hi 13, 18 23, 4; c. מִלִּין אֶל gegenüber jmd Worte vorbringen *produce words against a person* 32, 14, (ohne *without* מִלִּין) 33, 5 37, 19; l יַעַבְרוּנִי Hi 6, 4; l אֶעֱמֹד Ps 5, 4; †

hif: pf. הֶעֱרִיךְ, sf. הֶעֱרִיכוֹ, impf. יַעֲרִיךְ, sf. יַעֲרִיכֶנּוּ: (gegenüberstellen) **einschätzen** (*confront*) *value, tax* Lv 27, 8. 12. 14 2 K 23, 35.†

Der. מַעֲרָכָה, מַעֲרֶכֶת ,מַעֲרָךְ, עֵרֶךְ.

עֵרֶךְ: ערך: sf. עֶרְכּוֹ: 1. **Schicht, Reihe, gehörige Anzahl von Stücken** *layer, row, right number of pieces*: עֵרֶךְ לֶחֶם bestimmte Anzahl Brote *given number of breads* Ex 40, 23; עֵרֶךְ בְּגָדִים übliche Anzahl Kleider *usual pieces of dressing* Jd 17, 10; עֶרְכּוֹ s. Ausrüstung, s. **Zubehör** *its outfit, its accessories* Ex 40, 4 Hi 41, 4; 2. עֶרְכִּי der zu mir passt, **meinesgleichen** *my equal* Ps 55, 14; 3. was entspricht, **Schätzungswert** *estimate, valuation*: כְּעֶרְכּוֹ wie hoch er eingeschätzt ist *according to his valuation, taxation*; in עֶרְכְּךָ ist das Suffix erstarrt u. bedeutungslos geworden, sodass selbst הָעֶרְכְּךָ Lv 27, 23 möglich wird *in* עֶרְכְּךָ *the suffix has become meaningless, thus even* הָעֶרְכְּךָ Lv 27, 23 *is possible* (:: Feigin, AJS 41, 277 f: ךָ afformatif): עֶרְכְּךָ **Schätzungswert** *estimated value* Lv 5, 15. 18. 25 27, 2—27 Nu 18, 16; עַל־עֶ׳ zum Sch. hinzu *in addition to the e. v.* Lv 27, 13; כֶּסֶף עֶ׳ **Schätzungsbetrag** *amount of valuation* 27, 15. 19; עֶרְכְּךָ הַכֹּהֵן Schätzung durch d. Pr. *value estimated by the pr.* 27, 12; cj עֶ׳ אִישׁ u. cj עֶ׳ נַפְשׁוֹת וְכָל־ 2 K 12, 5 nachdem ... geschätzt wird *according to the estimate of*; l דַּרְכָּהּ Hi 28, 13.†

ערל: den. v. עָרְלָה; غَرِلَ unbeschnitten sein *be uncircumcised*:

qal: pf. עֲרַלְתֶּם: עָרְלָה עָרַל als Vorhaut stehn lassen, **nicht abernten** *leave uncircumcised, not harvest* Lv 19, 23; †

nif: imp. הֵעָרֵל l הֵרָעֵל Ha 2, 16.†

F עָרְלָה, עָרֵל.

עָרֵל: ערל; F עָרְלָה: cs. עֲרַל, עֶרֶל Hs 44, 9, f. עֲרֵלָה, pl. עֲרֵלִים, cs. עַרְלֵי: 1. **mit Vorhaut versehen, unbeschnitten** *having foreskin, uncircumcised*: כָּל־ עָרֵל זָכָר Gn 17, 14, עָרֵל (vom Passah ausgeschlossen *not admitted to passover*) Ex 12, 48; עֲרֵלִים (die jungen Israeliten in d. Wüste *the younger Israelites in the desert*) Jos 5, 7, d. Philister *the Philistines* Jd 14, 3 15, 18 1 S 14, 6 31, 4 2 S 1, 20 1 C 10, 4, sg. 1 S 17, 26. 36; עָרֵל וְטָמֵא Js 52, 1; Aufzählung unbeschnittner Völker *catalogue of uncircumcised peoples* Ir 9, 24 f (l הָאֵלֶּה pro עֲרֵלִים); עָרֵל בָּשָׂר Hs 44, 9, עַרְלֵי בָשָׂר 44, 7; metaph. עָרֵל לֵב 44, 9 u. עַרְלֵי לֵב 44, 7 u. לְבָבָם הֶעָרֵל Lv 26, 41; ebenso *the same metapher* עֲרַל שְׂפָתַיִם = im Reden uneingeweiht, **ungeschickt** *not initiated into speaking, unskilled to speak* Ex 6, 12. 30 u. עֲרֵלָה אָזְנָם zum Hören ungeeignet *unskilled to listen* Ir 6, 10; v. Bäumen, deren Frucht noch nicht gegessen werden darf *trees the fruit of which it is not yet allowed to eat* Lv 19, 23; 2. nur in Hs *only*: שָׁכַב אֶת (בְּתוֹךְ) עֲרֵלִים 31, 18 32, 19—32 u. מוּתֵי עֲרֵלִים 28, 10 die Erschlagnen *the slain* in שְׁאוֹל Lods CR 1943, 271 ff u. Eissfeldt in [Rowley] Studies in OT Prophecy, 1950, 73 ff; Landersdorfer, Sumer. Sprachgut 79 f); *F* Komm.; l מֵעוֹלָם Hs 32, 27. †

עָרְלָה: ak. *urul(l)āti* (Holma N Kt 97); mhb.; ja. עָרְלְתָא, ܥܘܪܠܬܐ; غُرْلَة u. رُغْلَة; äg. *qrnt* EG 5, 60, ἀκροβυστία, *praeputium*: cs. עָרְלַת, sf. עָרְלָתוֹ, pl. עֲרָלוֹת, cs. עָרְלוֹת, sf. עָרְלֹתֵיכֶם: **Vorhaut** (Hautteil am männlichen Glied) *foreskin* (*part of the skin of membrum virile*), *F* מול: Gn 34, 14 Ex 4, 25 Ir 9, 24, = d. ganze Glied *the whole membrum* (Ilias 22, 74 f) 1 S 18, 25. 27 2 S 3, 14; בְּשַׂר עָרְלָה Gn 17, 11. 14. 23—25 Lv 12, 3; metaph. עָרְלַת לֵבָב Dt 10, 16 Ir 4, 4; עָרְלָה e.s Baums *of a tree* Lv 19, 23; *F* n. l. גִּבְעַת הָעֲרָלוֹת Jos 5, 3. †

I ערם: > I עמר, mhb. anhäufen *heap up*, עֲרֵימָה Haufen *heap*, = ja. עֲרֵימְתָא; ܥܪܡ sich ansammeln (Wasser) *gather* (*water*), עֲרֵמְתָא Haufen *heap*; = عَرْمَة; asa. ערם u. ak. *arammu* Belagerungsdamm *siege-dike*:

cj pi: pt. [כְּ]מְעָרְמִים: (Getreide) **anhäufen** *heap up* (*grain*) cj Ir 50, 26; †

nif: pf. נֶעֶרְמוּ: sich ansammeln, **sich stauen** (Wasser) *be gathered, dammed up* (*water*) Ex 15, 8. †

Der. עֲרֵמָה.

II ערם: mhb. hif., ja. u. sy. af. hinterlistig sein *be shrewd*; ܥܪܝܡ listig *shrewd*; عَرِمَ böswillig sein *be ill-natured*:

qal: impf. יַעְרִם! (BL 353), inf. עָרוֹם, cs. sf. עָרְמָם: **klug sein, werden** *be crafty* Pr 15, 5 19, 25 Hi 5, 13 Si 6, 32; **schlau sein** *be cunning* 1 S 23, 22; †

hif: impf. יַעֲרִימוּ: c. סוֹד **e. listige Besprechung halten** *make cunning deliberations* Ps 83, 4. †

Der. עָרוּם, עָרְמָה.

עָרֹם: *F* עָרוֹם.

עֵרֹם: *F* עֵירֹם.

עָרְמָה: II ערם: **Klugheit** *prudence* Ex 21, 14 Jos 9, 4, cj Pr 14, 24 (l עָרְמָתָם), Pr (Zimmerli ZAW 51, 183) 1, 4 8, 5. 12. †

עֲרֵמָה: I ערם: cs. עֲרֵמַת, pl. עֲרֵמוֹת; pro כִּמְעָרְמִים Ir 50, 26 l כְּמוֹ־עֲרֵמִים: **Haufen** *heap*: Weizen *wheat* Hg 2, 16 Ru 3, 7 Ct 7, 3 Ne 13, 15, Früchte *fruits* 2 C 31, 6—9, Schutt *rubbish* Ne 3, 34. †

עַרְמוֹן: ערה (weil die Rinde sich schält *on account of barking*); عُرَام Rinde *bark*: pl. עַרְמֹנִים: **Platane** *plane-tree Platanus orientalis L.* (Löw 3, 65 ff) Gn 30, 37 Hs 31, 8. †

עֵרָן (MS עֵדָן, Noth l עֵדֶן): n. m.; ug. *ġrn*: Nu 26, 36; *F* עֵרָנִי. †

עֵרָנִי: gntl. v. עֵרָן: Nu 26, 36.†

ערם: F עֲרִיסָה.

עֲרֹעֵר Jd 11, 26: l עֲרוֹעֵר.

עַרְעָר: I ערר: 1. nackt, entblösst *n a k e d, s t r i p p e d*, coll. Ps 102, 18; 2. عَرْعَر: Wachholder *j u n i p e r Juniperus oxycedrus* u. *phoenicia* (:: E. u. H. Ha-Reubeni, Magnes Anniversary Book, 1938, 122 ff: *Calotropus procera* Sodomsapfel „*Sodom's apple*") Ir 17, 6; F עֲרוֹעֵר; *עַרְעָרָה.†

עֲרֹעֵר: F ערוער.

cj ***עַרְעָרָה**: n. l.; עֲרֹעֵר 2: *ʿArʿāra* sö. Beerseba: cj Jos 15, 22 u. 1 S 30, 28.†

עֲרֹעֵרִי: gntl. v. עֲרוֹעֵר: 1 C 11, 44.†

I **ערף**: ak. *urpu*, *urpatu* Gewölk *clouds*; mhb. מערף ענן Geträufel der Wolken *trickling of clouds* Si 43, 22; F רעף:
qal: impf. יַעֲרֹף, יַעַרְפוּ: träufeln *d r i p, t r i c k l e* Dt 32, 2 33, 28.†
Der. עֲרִיפִים.

II **ערף**: عَرَفَ zerschneiden *cut to pieces*:
qal: pf. עָרְפוּ, sf. עֲרַפְתּוֹ, impf. יַעֲרֹף, pt. עוֹרֵף, pass. f. עֲרוּפָה: zerbrechen (d. Genick) *b r e a k (the neck)* Ex 13, 13 34, 20 Dt 21, 4. 6 Js 66, 3 Ho 10, 2.†

III ***ערף**: F עֹרֶף.

עֹרֶף: III *ערף; ak. *arruppu* Mähne *mane*; mhb.; ja. עָרְפָּא Nacken *neck*, ܥܘܪܦܐ Hahnenkamm *cock's-comb*, عُرْفَة Mähne, Schopf *mane*: sf עָרְפּוֹ: Schopfgegend, Hinterhals, Nacken *b a c k o f n e c k, n e c k* Gn 49, 8 Js 48, 4 Hi 16, 12, e. Vogels *of a bird* Lv 5, 8; c. קָשֶׁה steif *stiff* Dt 31, 27, קְשֵׁה עֹרֶף steifnackig, widerspenstig *w i t h a s t i f f n e c k, s t u b b o r n* Ex 32, 9 33, 3. 5 34, 9 Dt 9, 6. 13; הִקְשָׁה עֹרֶף d. Nacken steifen, widerspenstig sein *stiffen the neck, be stubborn* Dt 10, 16 2 K 17, 14 Ir 7, 26 17, 23 19, 15 Pr 29, 1 Ne 9, 16 f. 29 2 C 30, 8 36, 13; הָפַךְ עֹרֶף c. לִפְנֵי jmd d. Rücken zuwenden *turn the back before* Jos 7, 8, פָּנָה עֹרֶף c. לִפְנֵי jmd d. Rücken zeigen *show the back before* 7, 12, = c. אֶל Ir 2, 27 32, 33; הִפְנָה עֹרֶף d. Rücken wenden *turn one's back* Ir 48, 39; הֶרְאָה עֹרֶף Ir 18, 17 (l אַרְאֵם) u. נָתַן עֹרֶף 2 C 29, 6 d. R. weisen *show the back*; נָתַן אֹתוֹ עֹרֶף אֶל macht, dass er d. R. zeigen muss *causes him to show his back* Ex 23, 27, = c. לְ pro אֶל 2 S 22, 41 Ps 18, 41; F עָרְפָּה.†

עָרְפָּה: n. f.; עֹרֶף; die Vollmähnige? oder die Widerspenstige? *the girl with a full mane? or the stubborn girl?*: Ru 1, 4. 14.†

עֲרָפֶל: ja. עַרְפִּילָא dunkle Wolke *dark cloud*, = ܥܪܦܠܐ; Brockelmann, Lex. Sy. [2]549 v. عَفَرَ bedecken *cover*: Dunkel, Düsternis *d a r k n e s s, g l o o m* (:: אוֹר Ir 13, 16): // חֹשֶׁךְ Js 60, 2, עָנָן וַעֲרָפֶל Dt 4, 11 Hs 34, 12 Jl 2, 2 Ze 1, 15 Ps 97, 2; עֲ' Gottes Umhüllung *God's cover* Ex 20, 21 Dt 4, 11 5, 22 2 S 22, 10 Ps 18, 10 1 K 8, 12 2 C 6, 1 Ps 97, 2 Hi 22, 13 38, 9.†

I **ערץ**: sy. plötzlich zustossen *come upon suddenly*, عَرِصَ auffahren *quiver*:
qal: impf. תַּעַרְצוּ, אֶעֱרוֹץ, תַּעֲרוֹצִי, תַּעֲרֹץ, תַּעַרְצוּן, inf. עֲרוֹץ: zusammenfahren, erschrecken *s u f f e r a s h o c k, t r e m b l e* Dt 1, 29 7, 21 20, 3 31, 6 Jos 1, 9 Js 2, 19 (subj. הָאָרֶץ) 21. cj 10 47, 12 Ps 10, 18 Hi 13, 25 31, 34 (l עַל־הֶהָמוֹן) (l עַל הָעֵלָה).†
Der. עָרִיץ, מַעֲרָצָה.

II *ערץ: F *עָרוּץ.

ערק: sy. pa. u. عَرَقَ nagen *gnaw*:
qal: pt. עֹרְקִים, sf. עֹרְקַי: Hi 30, 17 עֹרְקַי **die an mir nagen = meine Schmerzen** *those gnawing me = my pains*(?); 30, 3 הָעֹרְקִים **die abnagen** *those gnawing off* (insere עִקָּרֵי Wurzeln *roots*? Ball, Hölscher).†

עַרְקִי: n. p.; keilschr. n. l. *Arqā*, *Irqata*, talmud. ערקת לבנה (Neubauer 33. 299), Ἀρκη, عِرْقَا, äg. *ʿrqtu*, später *later on Caesarea Libani* n. Tripolis = *T. ʿArqā* (Lévy, Mél. Syr. 539 ff): Gn 10, 17 1 C 1, 15.†

I **ערר**; NF v. ערה; asa. n.m. יערר:
qal: imp. pl. fem. עֹרָה. (BL 305. 425): **sich entblössen** *strip oneself* Js 32, 11;†
po: imp. עֹרְרוּ: **bloss legen** *lay bare* Js 23, 13 (Text?);†
pil: inf. עַרְעֵר: **bloss legen, schleifen** *lay bare, demolish* Ir 51, 58;†
hitpal: impf. תִּתְעַרְעָר: **geschleift werden** *be demolished* Ir 51, 58.†
Der. עֲרִירִי, עַרְעָר, n.l. עֲרוֹעֵר, *עֲרָעָרָה.

II *ערר: غَرَّ; F I מְעָרָה.

עֶרֶשׂ: ug. *ʿrš*; ak. *eršu*, mhb. עֶרֶס, ja. u. sy. עַרְסָא Bett *bed*; mhb. עֲרִיסָה Trog *trough*, עֲרִיס Laube *booth*; عَرْش hölzernes Gestell *wooden frame-work*, asa. *ʿrš*; עֶרֶשׂ: **ערש**, sf. עַרְשִׂי, עַרְשֵׂנוּ, pl. sf. עַרְשׂתָם, fem.: **Bettgestell, Ruhelager** *couch, diwan* (BRL 108 ff) Dt 3, 11 (Karge, Rephaim 638 f) Am 3, 12 (l עֶרֶשׂ דַּמֶּשֶׂק) 6, 4 Ps 6, 7 41, 4 132, 3 Pr 7, 16 Hi 7, 13 Ct 1, 16 (aus Laubzweigen *made of branches*), cj עַרְשׂת מִשְׁכָּב 2 S 17, 28.†

*ערשׁ: n. m. יַעֲרֶשְׁיָה.

*עשׂב: ak. *ešēbu* spriessen *sprout*: עֵשֶׂב.

עֵשֶׂב: ug. *ʿšbt*, ak. *išbabtu*; mhb., F ba. עֲשַׂב, عُشْب, (Rüthy, D. Pflanze u. ihre Teile 29 ff): sf. עֶשְׂבָּם, pl. cs. עִשְּׂבוֹת (BL 212. 582): **1. Kraut, Kräuter** (ar. *ʿöšb* Regenflora :: *šäǧär* = עֵץ holzbildende Pflanzen), **vergängliche** (:: perennierende) **Pflanzen** *herb, herbage* (ar. *ʿöšb flora of the rainy season* :: *šäǧär* = עֵץ *lignifying plants*), *plants of one season* (:: *perennials*): עֵשֶׂב שָׂדֶה 2 K 19, 26 Js 37, 27, עֵשֶׂב Tierfutter *fodder* Dt 11, 15 Js 42, 15 Ir 14, 6 Ps 106, 20 Gn 1, 30, pl. Pr 27, 25; עֵשֶׂב Speise für Menschen, Gemüse *food for men, greens* (AS 1, 340 ff) u. Getreidepflanzen *cereals* (AS 1, 335 2, 305): עֵשֶׂב הַשָּׂדֶה Gn 3, 18 Ex 9, 22. 25 10, 12. 15 Ir 12, 4, עֵשֶׂב בַּשָּׂדֶה Sa 10, 1, עֵשֶׂב הָאָרֶץ Ex 10, 15 Am 7, 2 Hi 5, 25, עֵשֶׂב Gn 9, 3 Dt 29, 22 32, 2 Mi 5, 6 Ps 104, 14 105, 35; gelehrter Terminus *scholarly term* עֵשֶׂב מַזְרִיעַ זֶרַע Gn 1, 11 f u. עֵשֶׂב זֹרֵעַ זֶרַע 1, 29; עֵשֶׂב הַשָּׂדֶה Gn 2, 5; עֵשֶׂב Bild für Vergänglichkeit *metaphor of frailty* Ps 102, 5. 12, für reiches Wachstum *of abundant growth* Ps 72, 16 92, 8; טַל עַל־עֵשֶׂב Pr 19, 12.†

עשׂה: (2600×): mo. (עשתי, ואעש, עשו); ph. in n. m. עשאשמן u. עשמלך; äga. in n. m. עשחר; asa. עסו; Barth ES 56 = سعى (:: Fränkel BzA 3, 82); Landb. Dat. 592 :: VG 2, 514:
qal: pf. עָשָׂה, עָשְׂתָה, עָשִׂית, עָשׂת Lv 25, 21, עָשִׂית, עֲשִׂיתֶן, עָשׂוּ, עָשִׂינוּ, sf. עָשָׂהוּ, עָשְׂךָ, עֲשִׂיתִים (l עֲשִׂיתִנִי, עֲשִׂיתִיהוּ, עָשִׂתְנִי Hs 29, 3), impf. תַּעֲשֶׂה, תַּעֲשֶׂה, וַיַּעַשׂ, יַעַשׂ, יַעֲשֶׂה ! Jos 7, 9 u. 2 S 13, 12 u. תַּעֲשׂ ! Ir 40, 16 Q (BL 425), תַּעַשׂ, תַּעֲשִׂי, אֶעֱשֶׂה, יַעֲשׂוּ, תַּעֲשֶׂינָה, נַעֲשֶׂה, וְנַעֲשֶׂה, Jos 9, 24 (BL 425), sf. יַעֲשֵׂהוּ, יַעֲשֵׂם, אֶעֶשְׂךָ, אֶעֱשֶׂנָּה, inf. עֲשׂוֹ, עָשׂה, cs. עֲשׂוֹ (<*עֲשׂוֹי), עֲשׂוֹת, עֲשׂה, sf. עֲשֹׂהוּ Ex 18, 18 (BL 425), עֲשׂתָהּ, imp. עֲשֵׂה, עֲשִׂי, עֲשׂוּ, pt. עֹשֶׂה, עֹשֵׂה, cs. עֹשֵׂה, עֹשֶׂה, f.

עֹשֶׂה, pl. עֹשִׂים, cs. עֹשֵׂי, f. עֹשׂוֹת, sf. עֹשֵׂהוּ (1 הָעָשׂוּ Hi 40, 19), עֹשָׂיו, עֹשַׂי, pass. עָשׂוּי > עָשׂוּ Hi 41, 25, f. עֲשׂוּיָה, עֲשׂוּיָה, pl. עֲשׂוּיִם, f. עֲשׂוּיֹת < עֲשׂוּוֹת Q 1 S 25, 18: 1. **machen, anfertigen** *make, manufacture* Gn 3, 21 8, 6 1 S 8, 12 2 K 12, 12, e. Gott machen *make a god* Jd 18, 24. (cj) 27, anlegen *plant* (גַּן) Am 9, 14, בְּרֵכָה עֲשׂוּיָה künstlicher Teich *artificial pool* Ne 3, 16; עֲשׂוֹת סְפָרִים Ko 12, 12; 2. **anbringen** *put up, fix*, c. עַל Ex 39, 24, c. אֶל Hs 41, 19, c. לְ 41, 25, c. בֵּין 41, 18, c. מִתַּחַת 46, 23; 3. עָשָׂה לְ: **machen zu** *make* c. 2 ac. Js 44, 17 Ho 2, 10, c. 2 ac. Ex 30, 25 2 K 3, 16 Ho 8, 4; c. ac. u. ac. materiae: etw. **machen aus** *make a thing of* Ex 38, 3 37, 24; c. ac. u. בְּ: etw. **anfertigen aus** *make a thing with* 1 C 18, 8; 4. von Gott *said of God*: **machen** (= schaffen, wofür t. t. בָּרָא, F קָנָה qal 4) *make* (= *create, the t. t. of which is* בָּרָא, F קָנָה qal 4): Gn 1, 7 Js 57, 16 Ir 38, 16 u. oft *a. often*; עָשׂוּ gemacht = erschaffen *made = created* Hi 41, 25, עֹשֵׂהוּ s. Erschaffer *his maker* Hi 4, 17 Js 17, 7 27, 11, עֹשַׂי mein Ersch. *my maker* (sf. = sg!) Hi 35, 10; עֹשֶׂיהָ der es machte *who made it* (sf. = sg!) Js 22, 11 (37, 26); Gott macht *God makes* משֶׁה 1 S 12, 6, יוֹם Ps 118, 24; 5. **bewirken, tun** *effect, do*: מוֹפֵת Ex 11, 10, אוֹת Dt 34, 11, מַעֲשִׂים 11, 3; hervorbringen *produce*: חָלָב Js 7, 22, קֶמַח Ho 8, 7, (Schmer) ansetzen *put on (fat)* Hi 15, 27, (Frucht) tragen *bear (fruit)* Gn 1, 11 f, (Zweige) treiben *put forth (boughs)* Hi 14, 9; **erwerben** *acquire*: כָּבוֹד Gn 31, 1, חַיִל Dt 8, 17 f, נֶפֶשׁ (Sklaven *slaves*) Gn 12, 5, רֶכֶב 1 K 1, 5, פְּעֻלָּה Pr 11, 18, עֹשֵׂי שֶׂכֶר Lohnarbeiter *paid workman* Js 19, 10; 6. **bereiten** *prepare*: Speise *food* Gn 18, 7 f Jd 6, 19, Brot *bread* Hs 4, 15; עָשׂוּי zubereitet *made ready* 1 S 25, 18, Mahl *repast* Gn 19, 3; pflegen *attend to*: רַגְלָיו u. שְׂפָמוֹ 2 S 19, 25, צִפָּרְנֶיהָ Dt 21, 12; bereiten *prepare*: als Opfer *for offering* 1 K 18, 23, חַטָּאת Lv 9, 7, עֹלָה Nu 28, 6, לְעֹלָה 15, 24, לַיהוה Ex 10, 25; עָשָׂה לְ für jmd zubereiten, Dienst tun *prepare for, officiate* 2 K 17, 32; עָשָׂה לְ jmd verschaffen *prepare for*: צְחֹק Gn 21, 6, זֹאת Ir 2, 17, אֵלֶּה 4, 18; 7. c. 2 ac. jmd, etw. **zu jmd, etw. machen** *make a person, a thing of* Js 26, 18 1 K 12, 31 2 K 21, 6, = c. ac. u. לְ Gn 12, 2; 8. עָשָׂה שָׁלוֹם לְ Frieden machen mit *make peace with* Js 27, 5; ע׳ מִלְחָמָה Krieg führen *make war* Pr 20, 18 24, 6, c. עִם Dt 20, 12, c. אֵת mit *with* Gn 14, 2; ע׳ יָמִים Tage verbringen *spend days* Ko 6, 12; 9. **ausführen** *do*: פִּקּוּד Ps 111, 8, נִפְלָאוֹת Ex 34, 10, מַעֲשֶׂה Gn 20, 9, דְּבָרִים Js 42, 16, מַאֲמַר Est 1, 15, Gebot *order* Lv 20, 22 Dt 15, 5, עֵצָה Js 30, 1, נֶדֶר Jd 11, 39; פֶּסַח begehen *keep* Ex 12, 48, שַׁבָּת **halten** *observe* 31, 16; 10. e. **Arbeit tun** *work*, c. מְלָאכָה Ir 18, 3 1 K 11, 28, עֹשֵׂי מ׳ Werkleute, Arbeiter *workmen* 2 K 12, 12. 15 f 22, 5. 9; 11. abs. **handeln, einschreiten** *work, act* 1 S 14, 6 (לְ zugunsten *for*) Gn 41, 34 Ps 119, 126; **vollbringen** *achieve* 1 S 26, 25 Ir 14, 7 Esr 10, 4 Da 8, 24 Ps 22, 32, **bewirken** *bring about* Th 1, 21; 12. c. אֲשֶׁר: machen, dass es geschieht *cause to be done* Hs 36, 27, = c. שֶׁ Ko 3, 14; 13. **arbeiten** *work* Gn 30, 30, c. עִם bei *with* Ru 2, 19, c. בְּ an *at* Ne 4, 10. 15; עָשָׂה בְּתוֹךְ **hineinarbeiten** in *work in(to)* Ex 39, 3; tätig sein *be working* Esr 10, 4 Pr 31, 13 1 C 28, 10 2 C 19, 7; sich zu schaffen machen *be busy* 1 K 20, 40; עָשָׂה טוֹב **sichs wohl sein lassen** *rejoice* Ko 3, 12 †; 14. עָשָׂה c. צְדָקָה Ger. üben *do justice* Gn 18, 19, c. חֹנֶף ruchlos handeln *practise alienation* Js 32, 6, c. חָמָס 53, 9, c. נְבָלָה Gn 34, 7,

c. טוֹב Ko 7, 20, c. חֶסֶד עִם Gn 24, 12, c. חַיִּים Leben bewirken *grant life* Hi 10, 12, c. נָקָם אֶת Mi 5, 14, etc.; **15. tun** *do*, c. לְ an *to* Js 5, 4, = c. בְּ Est 6, 6, c. לְ antun *do unto* Gn 20, 9, tun für *do for* 31, 43, c. אֶת an *to* Hs 22, 14; Schwurformel *formula of oath* כֹּה יַעֲשֶׂה־לְּךָ אֱלֹהִים וגו׳ 1 S 3, 17 2 S 3, 35; c. 2 לְ für jmd tun hinsichtlich *do for a person concerning* Jd 21, 7; c. בְּעֹשֶׁק unter Anwendung von Gewalt *deal with by oppression* Hs 22, 7, cf. בְּחֵמָה 23, 25 u. בְּשִׂנְאָה 23, 29; **16.** עָשָׂה בְ **es halten mit** *deal with* (nimmt d. vorhergehende bestimmte Verb auf *continues the preceding special verb*) Ir 12, 5; 1 וְיִשְׁעוּ Ex 5, 9;

nif (95 ×): pf. נַעֲשָׂה, נַעַשְׂתָה, נֶעֶשְׂתָה, נַעֲשׂוּ, impf. תֵּעָשׂ, תֵּעָשֶׂה 1 תֵּעָשֶׂה Ex 25, 31, יֵעָשֶׂה, יֵעָשׂוּ, תֵּעָשֶׂינָה, inf. הֵעָשׂוֹת, sf. הֵעָשׂוֹתוֹ, pt. נַעֲשֶׂה, נַעֲשָׂה, pl. נַעֲשִׂים: **1. getan werden** *be done*: מַעֲשִׂים Gn 20, 9, תּוֹעֵבָה verübt werden *be wrought* Dt 13, 15, עֵצָה ausgeführt werden *be followed* 2 S 17, 23, כֵּן derartiges *such things* Gn 29, 26 34, 7 2 S 13, 12, Arbeit *work* Ex 12, 16; יֵעָשֶׂה לְ man tut ihm an *they deal with him* Ex 2, 4 1 S 11, 7; יֵעָשֶׂה לָהֶם es gibt damit zu tun *it shall be done with them* Nu 4, 26; כָּכָה יֵעָשֶׂה לְ so verfährt man mit *thus shall be done with* Nu 15, 11; יֵעָשֶׂה לִי es werde mir vergönnt *let this be done for me* Jd 11, 37; יֵעָשֶׂה בָהּ es geschieht ihr *it is dealt with her* Est 2, 11; gehandelt werden *be done* Esr 10, 3; **2. gemacht, angefertigt, bereitet werden** *be made, prepared*: Speise *food* Ex 12, 16 Ne 5, 18, מְנֹרָה Ex 25, 31, אֲרוֹן Ir 3, 16, מִזְבֵּחַ Hs 43, 18, מִנְחָה Lv 2, 7 f, קָרְבָּן 6, 14, etc.; עֵצָה wird ausgeführt *is followed* 2 S 17, 23; פֶּסַח wird begangen *is kept* 2 K 23, 22 f 2 C 35, 18 f; שָׁמַיִם ist gemacht = geschaffen *is made* = *created* Ps 33, 6; פִּתְגָם (1 נַעֲשָׂה) wird vollstreckt *is effected* Ko 8, 11; יָמִים werden begangen *are celebrated* Est 9, 28; יֵעָשֶׂה לְ wird verwendet zu *is used for* Hs 15, 5 Lv 7, 24; יְקָר wird erwiesen *is done* Est 6, 3;

pi †: ja. עַסִּי pressen *press* (cf. עסס ?): pf. עִשּׂוּ, cj inf. עַשּׂוֹת: **drücken, pressen** *squeeze, press* Hs 23, 3. 8, cj 21 (MS עֲשׂוֹת);

pu (pass. qal) †: pf. עֻשֵּׂיתִי: **ich bin gemacht** (geschaffen) **worden** *I was made (created)* Ps 139, 15.

Der. מַעֲשֶׂה; n. m. אֶלְעָשָׂה, יַעֲשַׂי*, יַעֲשִׂיאֵל, עֲשָׂיָה, עֲשִׂיאֵל, עֲשָׂהאֵל, מַעֲשֵׂיָה(וּ), מַעְשַׂי.

עֲשָׂהאֵל, עֲשָׂה־אֵל: n. m.; < עֲשָׂהאֵל* ; עשה u. אֵל; Ασαηλ: 1. אֲחִי יוֹאָב 2 S 2, 18—32 3, 27. 30 23, 24 1 C 2, 16 11, 26 27, 7; 2. 2 C 17, 8 31, 13; 3. Esr 10, 15. †

עֵשָׂו: n. m.; Ησαυ; Οὔσωος Philo Bybl.; asa. עיסו Ryck. 2, 106; أَعْثَى reich behaart *having much hair* (Gn 25, 25): = אֱדוֹם Gn 25, 30 36, 1. 8, אֲבִי אֱדוֹם 36, 9. 43, בְּנֵי עֵשָׂו in שֵׂעִיר Dt 2, 4. 12. 22. 29, אֵיד עֵ׳ Ir 49, 8, הַר עֵ׳ Ob 8 f. 19. 21, בֵּית עֵ׳ Ob 18; F Gn 25, 25—34 26, 34 27, 1—42 28, 5—9 32, 4—20 33, 1—16 35, 1. 29 36, 2—40 Dt 2, 5. 8 Jos 24, 4 Ir 49, 10 Ob 6 Ma 1, 2 f 1 C 1, 34 f (im Ganzen *all quotations* 95 ×). †

עָשׂוֹר: עֶשֶׂר: **1. Zehnzahl** *a ten*: v. Tagen *of days* Gn 24, 55; [נֵבֶל] עָשׂוֹר mit 10 Saiten *of ten chords* (Z S 8, 193 ff) Ps 33, 2 144, 9, נֵבֶל//עָשׂוֹר Ps 92, 4; 2. Datumformel *formula of date*: בֶּעָשׂוֹר לַחֹדֶשׁ am 10. des Monats *on the tenth day of the month* Ex 12, 3 Lv 16, 29 23, 27 25, 9 Nu 29, 7 Jos 4, 19 2 K 25, 1 Ir 52, 4 Hs 20, 1 24, 1 40, 1. †

עֲשִׂיאֵל: n. m.; עשה u. אֵל: 1 C 4, 35. †

עֲשָׂיָה: n. m.; עשה u. יָ׳; Dir. 353: 1.—4. 2 K

22, 12. 14 2 C 34, 20; 1 C 4, 36; 6, 15 15, 6. 11; 9, 5. †

עֲשִׂירִי, עֲשִׂרִי: עשׂר: fem. עֲשִׂירִית u. עֲשִׂירִיָּה: d. zehnte *the tenth*: Monat *month* Gn 8, 5 Ir 39, 1 Hs 24, 1 1 C 27, 13; בָּעֲ' im 10. Monat *in (of) the tenth month* Gn 8, 5 Hs 33, 21; Tag *day* Nu 7, 66 1 C 27, 13; Jahr *year* Ir 32, 1 Hs 29, 1; Teil. *part* Ex 16, 36 Lv 5, 11 6, 13 Nu 5, 15 28, 5 Hs 45, 11, cj 11; Stück *head* Lv 27, 32; Generation *generation* Dt 23, 3 f; d. 10. in d. Reihe *the 10. of a series* 1 C 12, 14 24, 11 25, 17 27, 13; עֲשִׂירִיָּה 1/10 Js 6, 13. †

עשׂק: mhb. עֵסֶק Geschäft *business*, = ja. עִסְקָא; ܥܣܩ beschwerlich sein *be difficult*, etpa. sich lästig zeigen, streiten *prove difficult*, *contend*; mhb. עסק hitp. u. ja. itp. streiten *contend*; عَشِقَ mit Liebe anhangen *cling with love*, asa. עשק sorgen für *care for*:

hitp: pf. הִתְעַשְּׂקוּ: **sich zanken** *contend*, עם mit *with* Gn 26, 20. †

Der. עֵשֶׂק.

עֵשֶׂק: n. l.; Zank *quarrel*: Name e. Brunnens *name of a well* Gn 26, 20. †

עשׂר: عَشِيرَةٌ Gemeinschaft, Teil e. Stamms *community, part of a tribe*, مَعْشَرٌ Gruppe, Bande v. Männern *assembly, band of men*; also ursprünglich *therefore originally*: عَشَرَ e. Gemeinschaft, Gruppe bilden *form a community, group* (عُشْرٌ Gruppe v. 8 Tagen *a whole of 8 days*, عُشَرٌ Gruppe v. 3 Mondnächten *a whole of 3 moon-lit nights*); ug. *ʿšr*, *ʿšrh* zehn *ten*, ph. עסר, עשׂר, aram. F ba. עֲשַׂר, عَشْرٌ, asa. עשר, 𐎓𐎌𐎗, ak. *ešru*; VG 1, 486 f:

qal: impf. יַעְשֹׂר: **mit dem Zehnten belegen** *take the tenth of, tithe* 1 S 8, 15. 17; †

pi: impf. תְּעַשֵּׂר, sf. אֲעַשְּׂרֶנּוּ, inf. עַשֵּׂר, pt. מְעַשְּׂרִים: **verzehnten** *give a tenth of* Gn 28, 22 Dt 14, 22, **d. Zehnten erheben** *receive a tenth of* Ne 10, 38; †

hif: inf. לַעְשֵׂר (BL 666) Dt 26, 12, בַּעְשֵׂר Ne 10, 39: **d. Zehnten geben** *give a tenth of* Dt 26, 12, **d. Zehnten erheben** *receive a tenth of* Ne 10, 39. †

Der. עֶשֶׂר, עָשָׂר, עֶשְׂרֵה, עֲשָׂרָה, עָשׂוֹר, עִשָּׂרוֹן, מַעֲשֵׂר; עֲשִׂירִי; עֲשֶׂרֶת, עֶשְׂרִים.

עָשָׂר (54 ×): עשׂר: עָשָׂר: **Gruppe von zehn, zehn** *group of ten, ten*: עָ' אֲחֹנֹת Gn 45, 23, עָרִים עָ' Jos 15, 57, מְנֹרוֹת עָ' 2 C 4, 7, עָ' בָּאַמָּה 10 Ellen *ten cubits* 1 K 6, 3.

עָשָׂר (200 ×): עשׂר: **nur in Zusammensetzungen für 11—19 u. 11.—19.** *in combined numerals for 11—19 a. 11.—19. only*; cf. אחד: עֶשְׂרֵה עָשָׂר elf *eleven* Gn 32, 23, = עַשְׁתֵּי עָשָׂר Nu 29, 20, elfter *eleventh* Dt 1, 3 (8 ×; F עַשְׁתֵּי); שְׁנֵים עָשָׂר zwölf *twelve* Gn 35, 22 (81 ×), zwölfter *twelfth* 1 K 19, 19 (13 ×); שְׁלֹשָׁה עָ' dreizehn *thirteen* Nu 29, 14, dreizehnter *thirteenth* Est 3, 12 (8 ×); אַרְבָּעָה עָ' vierzehn *fourteen* Gn 46, 22 (14 ×), vierzehnter *fourteenth* Ex 12, 6 (18 ×); חֲמִשָּׁה עָ' fünfzehn *fifteen* Ho 3, 2, fünfzehnter *fifteenth* Ex 16, 1 (15 ×), חֲמֵשֶׁת עָ' fünfzehn *fifteen* Jd 8, 10 2 S 19, 18 †; שִׁשָּׁה עָ' sechzehn *sixteen* Ex 26, 25 (7 ×), sechzehnter *sixteenth* 1 C 24, 14; שִׁבְעָה עָ' siebzehn *seventeen* 1 C 7, 11, siebzehnter *seventeenth* Gn 7, 11 (4 ×); שְׁמֹנָה (שְׁמֹנַת) עָ' achtzehn *eighteen* Jd 20, 44 (11 ×), achtzehnter *eighteenth* 1 C 24, 15 25, 25 †, תִּשְׁעָה עָ' neunzehn *nineteen* 2 S 2, 30 † u. neunzehnter *nineteenth* 1 C 24, 16 25, 26. †

עֶשְׂרֵה (144 ×): עשׂר, F עֶשְׂרִים: **nur in Zusammensetzungen für 11—19 u. 11.—19.** *in combined numerals for 11—19 a. 11.—19. only*; cf. עָשָׂר: אַחַת עֶשְׂרֵה elf *eleven* 2 K 23, 36 (8 ×), elfter *eleventh* 1 K 6, 38 2 K 9, 29, עַשְׁתֵּי עָ׳ = 11 Ex 26, 7 (5 ×; F עַשְׁתֵּי), = 11. Ir 1, 3 (5 ×), שְׁתֵּים עָ׳ = 12 Ex 24, 4 (32 ×), = 12. 2 K 8, 25 (7 ×), שְׁלֹשׁ עָ׳ = 13 1 K 7, 1 (10 ×), = 13. Gn 14, 4 (3 ×), אַרְבַּע עָ׳ = 14 Gn 31, 41 (6 ×), = 14. 2 K 18, 13 (4 ×), חֲמֵשׁ עָ׳ = 15 2 K 14, 17 (10 ×), = 15. 2 K 14, 23 2 C 15, 10 †; שֵׁשׁ עָ׳ = 16 Gn 46, 18 (14 ×); שְׁבַע עָ׳ = 17 Gn 37, 2 (5 ×), = 17. 1 K 22, 52 2 K 16, 1; שְׁמֹנֶה עָ׳ = 18 Jd 3, 14 (7 ×) = 18. 1 K 15, 1 (9 ×); תְּשַׁע עָ׳ = 19 Gn 11, 25 Jos 19, 38 = 19. 2 K 25, 8 Ir 52, 12; עֶשְׂרֵת F עֶשְׂרֵת.

עֲשָׂרָה: עשר: **Gruppe von zehn** *group of ten* Gn 18, 32 Am 5, 3 Hg 2, 16 Esr 8, 24 Ne 11, 1, zehn *ten*: עָ׳ גְמַלִּים Gn 24, 10, עָ׳ [שֶׁקֶל] 1 K 5, 3, פָּרִים עָ׳ Gn 32, 16, עֲ׳ בָקָר זָהָב Gn 24, 22 (16 ×).

עִשָּׂרוֹן: עשר: pl. עֶשְׂרֹנִים: Zehntel *tenth part* (nur *P only*) Ex 29, 40 Lv 14, 10. 21 23, 13. 17 Nu 15, 4. 6. 9 28, 9—29 29, 3—15. †

עֶשְׂרִים (315 ×): עשר; ug. *ʿšrm*; F עֶשְׂרֵה; عشرون u. ak. *ešrā* zwanzig *twenty*: עָ׳ שָׁנָה Gn 31, 38, עָ׳ אִישׁ 1 S 14, 14, עָ׳ אֶלֶף 20000 1 C 18, 4; עָ׳ אֲנָשִׁים 2 S 3, 20; עָ׳ בָּקָר 1 K 5, 3; תְּיָשִׁים עָ׳ Gn 32, 15; אַמּוֹת עָ׳ 2 C 3, 3; höhere Zahlen *higher numbers* F Jd 10, 2 1 K 14, 20 Gn 11, 24 Hs 40, 21 Nu 7, 88 Jos 19, 30 1 K 9, 14 Esr 2, 32 Nu 7, 86; עֶשְׂרִים zwanzigster *twentieth* 1 K 15, 9 Nu 10, 11.

עֲשֶׂרֶת (50 ×): עשר; = עֲשָׂרָה: pl. עֲשָׂרֹת: Gruppe von zehn *group of ten* pl. Ex 18, 21. 25 Dt 1, 15; zehn *ten*: עֲשֶׂרֶת הַדְּבָרִים (Dekalog) Ex 34, 28, עֲ [שֶׁקֶל] כֶּסֶף Jd 17, 10, עָ׳ אֲלָפִים Jd 1, 4.

I **עָשׁ**: עשׁשׁ: mhb.; ja. עשׁא, ܥܬܐ (Schulthess ZA 24, 53), عُثّ, ዐፅ, ak. *ašašu* (Fischmotte Landsb. 127): Kleidermotte *moth* (AS 5, 7. 16. 212): Js 50, 9 51, 8 Ps 39, 12 Hi 13, 28; ad Hi 4, 19 27, 18 (Ps 39, 12) Fr. Delitzsch, Ehrlich, Driver = Vogelnest *bird's nest*. †

II **עָשׁ**: עשׁשׁ; غثّ faulende Wunde *putrescent wound*: Fäulnis *putrefaction* Ho 5, 12 (Driver *by letter*). †

III **עָשׁ**: = עַיִשׁ: (Sternbild des) Löwe(n) (*constellation of*) *lion* Hi 9, 9. †

עָשׁוֹק: עשׁק: Bedrücker *oppressor* Ir 22, 3 l עֹשְׁקוֹ?). †

עֲשׁוּקִים Am 3, 9 u. עֲשֻׁקִים Ko 4, 1: עשׁק: Bedrückung *oppression*; l עוֹשְׁקִים Hi 35, 9. †

עָשׁוֹת: II עשׁת: bearbeitet (Eisen) *wrought* (*iron*) Hs 27, 19. †

עַשְׁוָת: n. m.; Ασιδ; Noth S. 228: 1 C 7, 33. †

עָשִׁיר: עשׁר: pl. עֲשִׁירִים, cs. עֲשִׁירֵי, sf. עֲשִׁירֶיהָ: begütert, reich *wealthy*, *rich*:: דַּל Ex 30, 15 Pr 10, 15 22, 16 28, 11 Ru 3, 10; :: אֶבְיוֹן Ps 49, 3; :: רָאשׁ 2 S 12, 1 f. 4 Pr 14, 20 18, 23 22, 2. 7 28, 6; :: עֶבֶד Ko 5, 11; עָשִׁיר der Reiche (als Typus) *the rich man* (*as type*) Ir 9, 22 Pr 18, 11 Hi 27, 19 Ko 10, 6; // מֶלֶךְ Ko 10, 20; עֲשִׁירֶיהָ einer Stadt *of a town* Mi 6, 12, עֲשִׁירֵי עָם Ps 45, 13; Js 53, 9 (l עֹשֵׂי רָע?). †

עָשָׁן: mhb. עִשּׁוּן Räuchern *fumigation*; ܬܢܢܐ u. ja. u. cp. תְּנָנָא Rauch *smoke* v. *עתן; ph. מעשן; n. m. עשניהו Moscati 52; عثن aufsteigen (Rauch) *ascend* (*smoke*):

qal: pf. עָשַׁן, impf. יֶעְשַׁן, יֶעֶשְׁנוּ: in Rauch stehn, rauchen *smoke*: הָרִים Ex 19, 18 Ps 104, 32 144, 5, אַף־י׳ Dt 29, 19 Ps 74, 1, cj יֶ עְ שַׁן אַפֵּהֶם Ho 7, 6; l עָנַשְׁתָּ Ps 80, 5. †

Der. I. II עָשָׁן, עָשֵׁן.

I עָשָׁן: עשן: cs. עֶשֶׁן (BL 557) u. עֲשַׁן, sf. עֲשָׁנָהּ, עֲשָׁנוֹ: 1. aufsteigender **Rauch**, *ascending* *s m o k e*, v. תַּנּוּר Gn 15,17 Ex 19,18, Rauch in d. Nase *smoke in the nose* Js 65,5, dringt durchs Fenster *enters through window* Ho 13,3, beisst in d. Augen *burns in the eyes* Pr 10,26; R. einer brennenden Stadt *smoke of a burning town* Jos 8,20f; R.-signal *smoke signal* Jd 20,38, R.-säule *pillar of smoke* 20,40 Jl 3,3 Ct 3,6, גֵּאוּת עָשָׁן Js 9,17, R. v. brennendem Berg *smoke of burning mountain* Ex 19,18, v. brennendem Land *of burning country* Js 34,10; Rauchfetzen *pieces of smoke* Js 51,6; R. verweht *smoke is consumed* Ps 37,20 68,3 102,4; 2. **Rauch** umhüllt in d. Theophanie Gott *s m o k e enveloping God in theophany* 2 S 22,9 Ps 18,9 Js 4,5 6,4 14,31; 3. Rauch = Odem des Krokodils *smoke = breath of crocodile* Hi 41,12; l בָּאֵשׁ Na 2,14; *F* II. †

II עָשָׁן: n.l.; = I; *F* בּוֹר עָשָׁן. †

עָשֵׁן: עשן: pl. עֲשֵׁנִים: **rauchend** *s m o k i n g*, Scheiter *logs* Js 7,4, Berg *mountain* Ex 20,18. †

עשק: aram. bedrücken *oppress*; ak. *ešqu* stark *strong*; عَسَقٌ Rauheit *roughness*; Joüon Bibl. 3,445 ff:

qal: pf. עָשַׁק, עָשָׁק, עָשַׁקְתִּי, sf. עֲשָׁקוֹ, עֲשַׁקְתָּנוּ, impf. תַּעֲשֹׁק, תַּעַשְׁקוּ, sf. יַעַשְׁקֵנִי, inf. sf. עָשְׁקָם, pt. עוֹשֵׁק, עשְׁקוֹת, sf. עשְׁקָיו, pass. עָשׁוּק, pl. עֲשׁוּקִים: 1. c. ac. **bedrücken, Unrecht tun** *o p p r e s s, w r o n g*: Lv 19,13 Dt 24,14 28,29.33 1 S 12,3f Js 52,4 Ir 7,6 50,33 Ho 5,11 Am 4,1 Mi 2,2 Sa 7,10 Ma 3,5 Ps 72,4 103,6 105,14 119,121f 146,7 Pr 14,31 22,16 28,3 Hi 10,3 1 C 16,21, cj עשְׁקִים Hi 35,9, c. בְּדָם mit Blut beladen sein *be laden with blood* Pr 28,17; 2. c. ac. **erpressen** *e x t o r t* Lv 5,21 Ir 21,12; עָשַׁק עֹשֶׁק Erpressung üben *take by extortion* Lv 5,23 Hs 18,18 22,29a; 3. l עָשְׁקָה Js 38,14, l לַעֲקֹשׁ Ho 12,8, l יִפְשַׁע Hi 40,23, l עָשׁוּ Hs 22,29b; †

pu: pt. מְעֻשָּׁקָה: **misshandelt** *w r o n g e d, c r u s h e d* Js 23,12. †

Der. עֵשֶׁק n.m., מַעֲשַׁקּוֹת, עֲשׁוּקִים, עָשׁוֹק, עֹשֶׁק.

עֵשֶׁק: n.m.; עשק; n.m. asa. עשק: 1 C 8,39. †

עֹשֶׁק: עשק: 1. **Bedrückung** *o p p r e s s i o n* Js 54,14 Ir 6,6 22,17 Hs 22,7.12 Ps 119,134 Ko 5,7 7,7; 2. **Erpressung** *e x t o r t i o n* Lv 5,23; l עִקֵּשׁ Js 30,12 u. 59,13 u. Ps 62,11 u. 73,8. †

עָשְׁקָה: fem. v. עֹשֶׁק; zum *for* מֶתֶג *F* BL § 12i: **Bedrückung** *o p p r e s s i o n* Js 38,14. †

עשר: mhb.; äga., ja., sy. עתר; عَثَرَ reichlich sein *abound*, = asa. עתֿר:

qal: pf. עָשַׁרְתִּי, impf. יֶעְשַׁר: **reich werden** *b e c o m e r i c h* Ho 12,9 Hi 15,29; l עָשָׂה 1 K 22,49Q; †

hif: pf. הֶעֱשַׁרְתִּי, impf. וַאַעְשִׁר, תַּעֲשִׁיר, יַעֲשִׁר, Sa 11,5, וַיַּעֲשִׁירוּ, תַּעְשְׁרֶנָּה (BL 353) Ps 65,10, sf. יַעְשְׁרֶנּוּ (BL 353) 1 S 17,25, pt. מַעֲשִׁיר: 1. c. ac. **reich machen** *m a k e r i c h* Gn 14,23 1 S 2,7 17,25 Hs 27,33 Ps 65,10 Pr 10,4.22; 2. abs. **es zu Reichtum bringen** *g a i n r i c h e s* Ir 5,27 Sa 11,5 Ps 49,17 Pr 21,17 28,20 Da 11,2; l לְעֹשֶׁר Pr 23,4; †

hitp: pt. מִתְעַשֵּׁר: **sich reich stellen** *p r e t e n d t o b e r i c h* Pr 13,7. †

Der. עָשִׁיר, עֹשֶׁר.

עֹשֶׁר: עשר: sf. עָשְׁרוֹ: **Reichtum** *r i c h e s* Gn 31,16, עֹ׳ גָּדוֹל 1 S 17,25 Da 11,2, 1 K 3,11 Pr 3,16 1 K 3,13 10,23 Ir 9,22 2 C 9,22 Ps 52,9 49,7, הוֹן וָעֹשֶׁר 112,3, עֹ׳ וְכָבוֹד Pr 3,16 8,18 22,4 2 C 17,5 18,1 32,27 1 C 29,12.28 כְּבוֹד עָשְׁרוֹ Est 5,11 Pr 11,16.28 13,8; עָשָׂה עֹשֶׁר es zu Reichtum bringen *gain riches* Ir 17,11; רֵאשׁ וָעֹ׳ Pr 30,8 Ko 4,8

עַשְׁתֹּרֶת: n. deae: Astarte *A s h t o r e t h*: עַ׳ שִׁקּוּץ Göttin v. *goddess of* צִדֹנִים 1 K 11, 5. 33, v. צִדֹנִים 2 K 23, 13; pl. הָעַשְׁתָּרוֹת neben *along with* הַבַּעַל Jd 2, 13, הַבְּעָלִים Jd 10, 6 1 S 7, 4 12, 10, אֱלֹהֵי הַנֵּכָר 1 S 7, 3; עַשְׁתָּרוֹת בֵּית (1 ? עַשְׁתֹּרֶת 1 S 31, 10; G Ἀστάρτῃ (3 ×), Ἀστάρταις Jd 2, 13, Ἀσταρωθ (2 ×), Ἀσταρτεῖον 1 S 31, 10, ἄλσῃ 1 S 7, 3 12, 10; V *Astarthe* 1 K 11, 5. 33, *Astaroth*; ug. *ʿṯtrt*, ak. (Göttin *goddess*) *Ištar*, mo. עשתר, ph. עשתרת (oft *frequently* = *Astarte*, Cicero, de nat. deorum 3, 59, E. Meyer ZAW 49, 1—15); aram. עתר Lidz. 348; asa. *ʿaṯtar* (masc!); BRL 222. 224 f; Eissfeldt ZDM 94, 77[5]; Plessis, Études sur . . . Ištar, 1921; Albr. Voc. 51. †
Der. *עַשְׁתְּרֹת, n. l. עַשְׁתָּרֹת u. בְּעֶשְׁתְּרָה.

***עַשְׁתֹּרֶת**: עַשְׁתֹּרֶת: pl. cs. עַשְׁתְּרֹת: עַשְׁתְּרֹת צֹאנֶךָ Dt 7, 13 28, 4. 18. 51 (cj Hi 39, 1 ? Duhm): der **Zuwachs** (andre: Muttertiere) d. Kleinviehs *the e w e s* (*others*: *mothers*) *of thy sheep* (cf. *veneres gregis*). †

עַשְׁתָּרֹת Dt 1, 4, עַשְׁתָּרוֹת Jos 9, 10 12, 4 13, 12. 31 1 C 6, 56, עַשְׁתְּרֹת קַרְנַיִם Gn 14, 5: n. l.; עַשְׁתֹּרֶת; keilschr. *Aš-tar-tu* (Bild *picture* ZDP 39, 261 f), EA *Astarte*; äg. *ʿs[t] 3 tm* (*Astartum*) BAS 83, 33; = *T. Aštara* 4 km s. *Šēš Saʿd* = קַרְנַיִם, also *therefore* עַ׳ קַ׳ Gn 14, 5 = *Ašt.* bei *near* Qarnaim; BRL 41 f; Zusammenhang mit *connexion with Ištar* ↗ Zimm. 68, Ipsen, Indogerm. Forsch. 41, 179 f; ↗ בְּעֶשְׁתְּרָה. †
Der. עַשְׁתְּרָתִי.

עַשְׁתְּרָתִי: gntl. v. עַשְׁתָּרוֹת; pu. עשתרני Eph. 2, 172. 178: 1 C 11, 44. †

עֵת (290 ×; 162 × καιρός, 26 × ὥρα): ph. עת; mhb.; III ענה, < *עֵנֶת (schon *already* Ibn Esra Ex 21, 10); Nöld. ZDM 40, 725 عَنَّ erscheinen *appear* (↗ ענן); ↗ ba. כְּעֶנֶת, כְּעַן, כְּעֶת, ak. *enu* (↗ Ungnad OLZ 11, 246[2]) zur

5, 12 f; עַ׳ וּנְכָסִים 5, 18 6, 2, 9, 11 Est 1, 4; עַ׳ נְכָסִים, כָּבוֹד 2 C 1, 11 f; cj לְעֹשֶׁר Pr 23, 4, 1 עָרְמָה 14, 24. †

עָשֵׁשׁ: ak. *uššu* Betrübnis *grief*; غَثَّ mager, schwach sein *be thin*, *weak*:
qal: pf. עָשְׁשָׁה, עָשֵׁשׁוּ: schwach werden *b e c o m e w e a k* Ps 6, 8 31, 10, sich zersetzen *d i s s o l v e* 31, 11. †
Der. I u. II עָשׁ.

I **עשׁת**: Qimchi glatt sein (Fett) *be smooth* (*fat*):
qal: pf. עָשְׁתוּ (Text? verderbt *corrupt*, ↗ Komm.) Ir 5, 28. †
Der. *עֶשֶׁת.

II **עשׁת**: aram.; ↗ ba.:
hitp: impf. יִתְעַשֵּׁת: c. לְ, sich eingedenk zeigen *p r o v e t h i n k i n g a b o u t*, *c a r i n g f o r* Jon 1, 6. †
Der. עַשְׁתּוּת, *עֶשְׁתֹּנֶת, עֲשׁוֹת.

***עֶשֶׁת**: I עשׁת: mhb. Klumpen, Barren (Metall) *lump*, *bar* (*of metal*): cs. עֶשֶׁת: **Platte** *p l a t e* Ct 5, 14. †

עַשְׁתּוּת (Var. עַשְׁתּוֹת): II עשׁת: **Meinung** (?) *t h o u g h t* (?) Hi 12, 5. †

עַשְׁתֵּי: ak. LW *ištēn* eins *one* (Zimm. 65; J. Lewy Arch Or 17, 2, 110 ff); asa עשׁת, fem. עַשְׁתֵּי עָשָׂר: עַשְׁתֵּי עָשָׂר elf, elfter *e l e v e n*, *e l e v e n t h* Nu 7, 72 29, 20 Dt 1, 3 (:: אַחַד עָשָׂר 1, 2) Sa 1, 7 1 C 12, 14 24, 12 25, 18 27, 14; עַשְׁתֵּי עֶשְׂרֵה elf, elfter *e l e v e n*, *e l e v e n t h* Ex 26, 7 f 36, 14 f 2 K 25, 2 Ir 1, 3 39, 2 52, 5 Hs 26, 1 40, 49, cj בְּעַשְׁתֵּי 32, 1. †

***עֶשְׁתֹּנֶת**: II עשׁת; Si 3, 24 עשתוני Meinungen *thoughts*; targ. עשתונין: sf. pl. עֶשְׁתֹּנֹתָיו: **Gedanke, Plan** *t h o u g h t* Ps 146, 4. †

עַשְׁתָּרוֹת: ↗ עַשְׁתֹּרֶת.

Zeit, wo *at the time when* (alii: <עדת* v. יעד): עֶת־ Ir 51, 33, עֶת־, sf. עִתּוֹ, עִתָּם, pl. עִתִּים, sf. עִתֶּיךָ u. עִתּוֹת, sf. עִתּוֹתַי; fem., später *later on* msc.: 1. **Zeit, Zeitpunkt, Zeitabschnitt** *time, appointed time, space of time*: עֵת וָפֶגַע Zeit u. Zufall *time a. chance* Ko 9, 11; עֵת עֶרֶב Gn 8, 11, עֵת צָרָה Jd 10, 14, עֵת מַלְקוֹשׁ Sa 10, 1, עֵת דּוֹדִים Ir 8, 12, עֵת אָפְךָ Ir 18, 23, עֵת פְּקֻדָּה Hs 16, 8; 2. = עֵת vor Verbum *preceding verb*: אֵת צֵאת d. Zeit, wo herauskommen *the time that come out* Gn 24, 11, עֵת הֵאָסֵף d. Zeit, wo gesammelt wird *the time that is gathered* Gn 29, 7, עֵת יַחֵם Gn 31, 10, עֵת תָּמוּט Dt 32, 35, עֵת פְּקַדְתִּיו Ir 49, 8, *F* 51, 33 2 C 20, 22 24, 11; עֵת vor vollständigem Satz *preceding complete clause*: עֵת יוֹלֵדָה יָלָדָה d. Zeit, wo die Gebärerin geboren hat *the time that she who brings forth has brought forth* Mi 5, 2, *F* Ps 4, 8 Ct 2, 12; 3. = עֵת c. לְ c. inf.: עֶת־בֵּית־י׳ לְהִבָּנוֹת d. Zeit, wo ... gebaut wurde *the time that ... is built* Hg 1, 2, עֵת לָשֶׁבֶת 1, 4, *F* Ps 102, 14, 119, 126 Ko 3, 2—8; 4. Formeln *formulae*: בָּעֵת הַהִיא zu jener Zeit *at that time* Gn 21, 22 (66 ×, nicht *not* P), עַד־הָעֵת הַהִיא Ne 6, 1 Da 12, 1, בָּעֵת הַזֹּאת Ne 13, 21, Est 4, 14, מִן־הָ׳ הַ׳ בְּכָל־עֵת jederzeit *at all seasons* Ex 18, 22 (12 ×); מֵעֵת אֲשֶׁר von d. Zeit an, wo *from the time that* 2 C 25, 27, בְּכָל־עֵת אֲשֶׁר solange als noch *so long as* Est 5, 13; כָּעֵת מָחָר Ex 9, 18 (7 ×) u. מָחָר כָּעֵת הַזֹּאת Jos 11, 6 morgen um diese Zeit *to-morrow at this time*; כָּעֵת חַיָּה übers Jahr um diese Zeit *next year at this time* Gn 18, 10. 14 2 K 4, 16 f (Koehler ZNW 9, 77); כָּעֵת jetzt *now* Nu 23, 23, בְּעֵת zur rechten Zeit *in due season* Ko 10, 17; עַד־עֵת e. Zeit lang *for some time* Da 11, 24, וְלֹא־עֵת ehe es Zeit ist *before the time* Hi 22, 16, לְעֵת כָּזֹאת in e. solchen Zeit (Lage) *in such a time* (*situation*) Est 4, 14; מֵעֵת עַד־עֵת von Zeit zu Zeit, in Abständen *from time to time* Hs 4, 10 f, מֵעֵת אֶל־עֵת von Frist zu Frist *from time to time* 1 C 9, 25; לְעֶת־יוֹם בְּיוֹם Tag um Tag *day for day* 1 C 12, 23; 5. עֵת die (für e. Ereignis) **rechte Zeit** *the right time* (*for a thing*): עִתּוֹ des Regens *of rain* Ir 5, 24 Dt 11, 14, pl. Lv 26, 4; הָעֵת גְּשָׁמִים es war Regenzeit *it was the season of rains* Esr 10, 13, *F* Ho 2, 11 Ps 1, 3 Pr 15, 23 Hi 5, 26 38, 32 Ko 3, 11; בְּעִתָּהּ wenn d. Zeit dazu da ist *in its time* Js 60, 22, בְּעִתָּם Ir 33, 20, עִתֶּךָ d. Zeit für dich (zu sterben) *the time for thy death* Ko 7, 17: עִתֵּךְ d. Zeit (d. Mannbarkeit) *thy time* (*of womanhood*) Hs 16, 8, עִתָּהּ d. Zeit d. Gerichts für sie *the time of her judgement* Hs 22, 3, עֵת גּוֹיִם d. Zeit d. Gerichts für die V. *the time of the nations judgement* Hs 30, 3; עֵת לְכָל־חֵפֶץ Ko 3, 1. 17; 6. עֵת die (eschatologische, End-) Zeit *the* (*eschatological*) *time*: עִתָּהּ v. *of* בָּבֶל Js 13, 22, עֵת אַרְצוֹ Ir 27, 7; עֵת־קֵץ Da 8, 17 11, 35. 40 = עֵת קֵץ 12, 4. 9; בָּא הָעֵת Hs 7, 7. 12, עֵת עֲוֹן קֵץ d. Zeit d. Endstrafe *the time of the final punishment* Hs 21, 30. 34 35, 5; 7. pl. עִתִּים: **Zeiten** *times* Hs 12, 27 Hi 24, 1; בָּעִתִּים הָהֵם Da 11, 14 2 C 15, 5; בָּעִתִּים zu den Zeiten *at those times* Da 11, 6 (zu *to* 7); עִ׳ מְזֻמָּנִים Esr 10, 14 Ne 10, 35 13, 31; קֵץ הָעִ׳ Da 11, 13 9, 25 (MT צוֹק); Zeitläufe, Zeitwenden *epochs* Est 1, 13 1 C 12, 33; עִתּוֹת Zeiträume *periods*, c. בַּצָּרָה Ps 9, 10 10, 1; עִתֹּתָי m. Geschick *the course of my life* Ps 31, 16, = הָעִתִּים 1 C 29, 30; 8. l כִּי עַתָּה Jd 21, 22; l וְעַתָּה לָקַחְתָּ 2 K 5, 26; l עַתָּה Hs 27, 34; l וּבָעֵת הַהִיא אֲקַבֵּץ Ze 3, 20; l עַתָּה בָא Hg 1, 2; l רַבּוֹת עִתִּים pro הָרַבִּים

Ne 9, 28; l עֲתִידֹתֶיהָ Js 33, 6; ?? Jd 13, 23 21, 22 Hs 16, 57 Ho 10, 12 Ps 74, 6 K.

Der. עַתָּה, עִתִּי.

עֵת* קָצִין: n. l.; loc. עִתָּה קָ׳: in Sebulon Jos 19, 13. †

I עתד: mhb. pt. pu. bereitgestellt *prepared*; ja. u. sy. pa. bereiten *prepare*; *F* ba. עֲתִיד; عتد bereit sein *be ready, prepared*:

pi: imp. sf. עַתְּדָהּ: besorgen *make ready* Pr 24, 27; †

hitp: pf. הִתְעַתְּדוּ: sich als bestimmt erweisen *prove destined (prepared)* Hi 15, 28. †

Der. *עָתוּד, עָתִיד.

II עתד: *עַתּוּד.

עַתָּה*: n. m. עֲתָיָה.

עַתָּה (425 ×): zu *to* עֵת; ug. *ʿnt*; Lkš עת u. עתה; *F* ba. כְּעֶת, כְּעַן; ألآن jetzt *now*; VG 1, 464: Hs 23, 43 Ps 74, 6 K עַתְּ, Gn 32, 5 עַתְּ: **1. jetzt** (im gegenwärtigen Augenblick) *now (in the present moment)* (45 ×) Nu 24, 17 Jd 11, 8 Js 33, 10, cj Hs 27, 34 Hg 1, 2; אָז :: עַתָּה damals :: jetzt *then* :: *now* Jos 14, 11; **2. jetzt, nun** (da es so ist) *now (with the present state of things)* (41 ×) Gn 19, 9 Js 36, 5; **3. jetzt, nun** (nach dem, was geschehen) *now (after what has happened)* (9 ×) Gn 22, 12 Ex 18, 11; **4. וְעַתָּה und nun** (oft Einleitung e. neuen Gedankens oder Abschnitts) *and now (frequent introduction of a next point)* (241 ×) Gn 3, 22 Js 5, 3. 5 Am 7, 16, cj Nu 22, 11 Dt 2, 13 1 S 15, 3 2 K 5, 26 Js 30, 8 u. Ir 42, 19; und nun = **nun aber** *and now = but now* (24 ×) Gn 32, 11 Dt 10, 22 Js 1, 21; **5. עַד־עַתָּה bis jetzt** *until now* (7 ×) Gn 32, 5 Ex 9, 18; **bis dahin** *until then* 2 K 13, 23; **6. מֵעַתָּה von jetzt an** *from now (this time)* Js 48, 6 2 C 16, 9, l גַּם עַתָּה Ir 3, 4; מֵעַתָּה וְעַד־עוֹלָם (8 ×) Js 9, 6 Mi 4, 7; **7. Einzelnes** *particulars*: עַתָּה nun (schon) *now (already)* Ex 5, 5; nun, da, also *now, therefore* Gn 31, 28 Dt 32, 39 1 S 9, 6; nun einmal *now (admittingly)* Gn 26, 29; jetzt = sofort *now = at once* 1 S 2, 16, = schon *already* Js 43, 19; לֹא עַתָּה nun nicht (mehr) *now no more* Js 29, 22; וְאַתָּה עַתָּה du nun *now ... thou* 1 K 12, 4; עַתָּה זֶה jetzt also *now therefore* 1 K 17, 24, eben jetzt *just now* 2 K 5, 22; מַה ... עַתָּה was ... denn nun? *what ... now?* Jd 8, 2 1 S 17, 29; הֲ ... עַתָּה ... etwa schon ...? *[are] now?* Jd 8, 6. 15; עַתָּה הַפַּעַם nun endlich einmal *now this time* Gn 29, 34; עַתָּה מְהֵרָה jetzt bald *now soon* Ir 27, 16; גַּם עַתָּה nun also *now also* Gn 44, 10 1 S 12, 16 Hi 16, 19, cj auch jetzt (noch) *(even) now also* Da 10, 17, וְגַם עַתָּה u. auch jetzt (noch) *a. (even) now also* Jl 2, 12; עַתָּה כְּהַיּוֹם eben heute *just today* cj 1 S 9, 12; וְעַתָּה אֲשֶׁר u. nun ist es so, dass *a. now it happens, that* 2 S 14, 15; כִּי עַתָּה ja dann *surely now* Gn 31, 42 43, 10 Nu 22, 29. 33, denn nun, nun aber *but now* 1 S 14, 30; עַתָּה fraglich *dubious* 1 K 14, 14 Ir 3, 4 Hs 23, 43 Ho 4, 16 Ps 17, 11 74, 6 Ne 6, 9; l אַתָּה 2 S 18, 3 u. Ho 5, 3, l עַתָּה Hi 11, 16.

עָתוּד*: I עתד: pl. עֲתִידִים (Q עֲתוּדִים), f. sf. עֲתוּדֹתֵיהֶם (K עֲתִידֹתֵיהֶם): **1. bereit** *ready* Est 8, 13; **2. pl. f. Vorräte** *stores* Js 10, 13. †

עַתּוּד*: II עתד*; mhb.; ak. *atūdu* (Landsb. 97), عَتُود junger Ziegenbock *young he-goat*: pl. עַתֻּדִים, עַתּוּדִים, cs. עַתּוּדֵי: **Widder u. Bock** *ram a. he-goat* Gn 31, 10. 12 Dt 32, 14; Leitbock, -widder *leading he-goat (ram)* Ir 50, 8; Schlachttier *food* Ir 51, 40 Hs 39, 18, Handelstier *for sale* Hs 27, 21 Pr 27, 26, Opfertier *for sacrifice* Nu 7, 17—88 (13 ×) Js 1, 11 34, 6 Hs 34, 17 Ps 50, 9. 13 66, 15; (metaph.) Anführer *leader* Js 14, 9 Sa 10, 3. †

עִתִּי: עֵת: bereitstehend *timely*, *ready* Lv 16, 21. †

עַתַּי: n. m., KF: עֵת? Noth S. 191: עַתָּי: 1.—3. 1 C 2, 35 f; 12, 12; 2 C 11, 20. †

עָתִיד: I עתד; *F* ba.: pl. עֲתִידִים, עֲתִידֹת (*F* עֲתוּד): 1. bereit *ready* (לְ für *for*) Hi 15, 24 Est 3, 14 8, 13 Q, c. inf. Hi 3, 8; 2. pl. f. bereit Gemachtes *things made ready* = **Kommendes** *events in store*, *to come* μέλλοντα Dt 32, 35; Vorräte, **Staatsschatz** *stores*, *treasures* Js 10, 13 K, cj 33, 6 (l עֲתִירֹתֶיהָ). †

עֲתָיָה: n. m.; *עתה (Noth 191: ar. ʿ*atā* überlegen sein *be superior*) u. יְ: Ne 11, 4. †

עָתִיק: עתק; عَتِيق edel *noble*: erlesen *choice* Js 23, 18. †

***עַתִּיק**: עתק: pl. עַתִּיקֵי, עַתִּיקִים: 1. abgesetzt, entwöhnt (Säugling) *removed*, *weaned* (*suckling*) Js 28, 9; alt überliefert *of old tradition* (Aram., sy. עַתִּיק) 1 C 4, 22. †

***עתך**: n. l. עֲתָךְ.

עֲתָךְ: n. l.; *עתך: in S.-Juda: 1 S 30, 30. †

***עתל**: n. m. עַתְלָי; n. m. et f. עֲתַלְיָה(וּ).

עַתְלָי: n. m., KF; < עֲתַלְיָה?: Esr 10, 28. †

עֲתַלְיָה: n. m. et f.; < עֲתַלְיָהוּ: 1. 1 C 8, 26; 2. Esr 8, 7; 3. n. f. = עֲתַלְיָהוּ 2 K 11, 1. 3. 13 f 2 C 22, 12. †

עֲתַלְיָהוּ: n. f.; ältester *oldest* FN c. יָהוּ; *עתל (Noth S. 191: Bauer ZAW 48, 78) u. יְ; asa. n. m. עתל; *F* עֲתַלְיָה 3 u. עַתְלָי: 2 K 8, 26 11, 2. 20 2 C 22, 2. 10 f 23, 12 f. 21 24, 7. †

עתם: nif נֶעְתַּם, l נִתְעָה Js 9, 18. †

***עתן**: n. m. עָתְנִי u. עָתְנִיאֵל.

עָתְנִי: n. m., KF < עָתְנִיאֵל: 1 C 26, 7. †

עָתְנִיאֵל: n. m.; *עתן u. אֵל, > עָתְנִי: Jos 15, 17 Jd 1, 13 3, 9. 11 1 C 4, 13 27, 15. †

עתק: ug. ʿ*tq* gehen, vergehen *go*, *pass*; ak. *etēqu* weitergehn, vorrücken *move*, *proceed*; mhb., ba. עַתִּיק alt *old*; ja. u. sy. עתק vorrücken, altern *proceed*, *grow old*, palm. עתיק; عتق vorangehn, altern *precede*, *grow old*; cf. Ἰτύκη *Utica* Altstadt? *Oldtown*?; asa. n. m. עמעתק:

qal: pf. עָתְקָה, עָתְקוּ, impf. יֶעְתַּק: 1. c. מִן **fortrücken von** *move from* Hi 14, 18 18, 4; **2. altern** *grow old* 21, 7, **matt werden?** *grow weak?* Ps 6, 8; †

hif: pf. הֶעְתִּיקוּ, impf. וַיַּעְתֵּק, pt. מַעְתִּיק: 1. **weiterrücken** *move on*, *forward* Gn 12, 8 26, 22; c. מִן **im Stich lassen** *move away from* Hi 32, 15; 2. c. ac. etw. von s. **Platz versetzen** *move a thing from its place* Hi 9, 5; 3. c. ac. **herübernehmen, übernehmen** *take over* (*to a new scroll*), *transcribe* Pr 25, 1. †

Der. עָתָק, עָתֵק, עַתִּיק, עָתִיק.

עָתָק: עתק: (vom Herkommen losgelöst) **vorlaut, frech** (*removed from traditions*) *unrestrained*, *forward* 1 S 2, 3 Ps 31, 19 75, 6 94, 4. †

עָתֵק: עתק; *F* עַתִּיק: **alt angestammt** *hereditary* Pr 8, 18. †

עֵת קָצִין*: *F* nach *after* עֵת.

עתר: عتر Opfer schlachten *slaughter for sacrifice*, cf. (ט wegen *on account of* ר u. ע) عطر Duft *perfume* u. sy. u. asa. עטר duften *give forth scent*; עתר > hebr. durch Opfer erbitten, beten *pray for by offerings supplicate* Wellh. RA 142:

qal: impf. יֶעְתַּר, cj pt. sf. עֹתְרַי Ze 3, 10: **beten, bitten** *entreat*, c. אֶל Ex 8, 26 10, 18 Jd 13, 8 Hi 33, 26, c. לְ Gn 25, 21; עֹתְרַי die zu mir beten *those entreating me* cj Ze 3, 10; †

nif: pf. נֶעְתַּר, impf. וַיֵּעָתֵר, וַיֵּעָתֶר, inf. נַעְתּוֹר, הֵעָתֵר־: **sich erbieten lassen** *be entreated*, c. לְ zugunsten *for* 2 S 21, 14 24, 25, c. לְ von *by* Gn 25, 21 2 C 33, 13. 19 Js 19, 22 1 C 5, 20 Esr 8, 23; pro pt. f. pl. נַעְתָּרוֹת l נִרְעוֹת (nif. רעע) Pr 27, 6; †

hif: pf. הַעְתַּרְתִּי, impf. אַעְתִּיר, תַּעְתִּיר, imp. הַעְתִּירוּ: **beten, bitten** *make supplication*, c. אֶל Ex 8, 4. 25 9, 28 Hi 22, 27 Si 37, 15 38, 14, c. לְ für *for* Ex 8, 5, zu *before* 10, 17, c. בְּעַד für *for* 8, 24; pro הַעְתַּרְתֶּם l הֲרִיעוֹתֶם Hs 35, 13. †

Der. *עָתָר; n. l. עֶתֶר?

***עָתָר**: עתר: cs. עֲתַר; l עֹתְרַי Ze 3, 10; **Duft** *perfume* Hs 8, 11. †

עֶתֶר: n. l.; עתר?: 1. in Juda Jos 15, 42 (G B Ιθακ = עתק?); 2. in Simeon Jos 19, 7 (F Noth!) = *Ch. el-ʿato* bei *near Bēt-Ǧibrin*? †

עֲתֶרֶת: Ir 33, 6 (Text?). †

פ, ף, פֵּא (später *later on* = 80): p, f (die ursprüngliche Aussprache lässt sich nichtmehr genau bestimmen *it is impossible to state the original exact spelling*), Driver, SW 215; Hoffmann, ZDM 6, 219, Grimme, ZDM 68, 259 ff; F ב u. מ; Wechsel mit *interchange with* ف Prätorius BzA 1, 43; VG 1, 136.

פא: F פה.

פאה: ak. *pūʾu* Häcksel *chaff*; فأى, فأّ in Stücke schlagen *cleave, split*, = asa. פאו:

hif: impf. sf. אַפְאֵיהֶם (Var. Sam., V, S: אפי הם): zerschlagen *cleave in pieces*, l אַפְסֵם הֵם Dt 32, 26. †

Der. II פֵּאָה.

I **פֵּאָה** (83 ×, 47 × Hs, 32 × P): biliteral Nöld. NB 151 f; ug. *pʾt*, ak. *pātu*, ja. פָּאתָא, [Syriac] Seite, Rand, Ecke *side, corner*: cs. פְּאַת, pl. פֵּאֹת, du. cs. פַּאֲתֵי Nu 24, 17 Si 33, 12 †: **Seite, Rand** *side, rim*: v. Tisch *of table* Ex 25, 26 37, 13, Hof *court* 27, 9, Feld *field* Lv 19, 9 23, 22, Gesicht *face* 13, 41, Kopfhaar *hair of the head* 19, 27, Bart *beard* 19, 27 21, 5; die beiden Seiten = **Schläfen** *the both sides* = *temples* // קָדְקֹד v. *of* Moab Nu 24, 17 Si 33, 12, sg. Schläfe *temple* Ir 48, 45; קְצוּצֵי פֵאָה an d. Schläfe gestutzt *clipped on the temple(s)* (Herodot 3, 8) Ir 9, 25 25, 23 49, 32; ug. *pʾat mdbr*: פְּאַת נֶגֶב Südseite *Southside* Ex 27, 9 36, 23 38, 9 Nu 34, 3 35, 5 Jos 18, 15 Hs 47, 19 48, 16. 33, = פְּאַת תֵּימָנָה Hs 47, 19, פְּאַת דֶּרֶךְ הַיָּם Seite nach Westen *side towards West* Hs 41, 12, פְּאַת יָם W. seite *W.-side* Ex 27, 12 38, 12 Nu 35, 5 Jos 18, 14 Hs 45, 7 47, 20 48, 2—34 (15 ×), פ׳ קֵדְמָה Ostseite *Eastside* Ex 27, 13 38, 13 Nu 35, 5 Jos 18, 20 Hs 45, 7, = פ׳ קָדִים Hs 47, 18

48, 1—32 (16 ×), פ׳ צָפוֹן Nordseite *Northside* Ex 26, 20 27, 11 36, 25 38, 11 Nu 35, 5 Jos 15, 5 18, 12 Hs 47, 15. 17 48, 16. 30; הַפֵּאָה הָאֶחָת die eine Seite *the one side* Ex 27, 9. †

II **פֵּאָה**: פאה: **Stück, Teil** *piece, part*: l לְפֵאָה פֵּאָה in einzelne Stücke *portion for portion* Ne 9, 22. †

III **פֵּאָה**: *יפא = יפה; wie *like* עֵצָה v. *of* יעץ: cs. פְּאַת: פְּאַת מִטָּה **Pracht** d. Lagers = Prachtslager *splendour of couch* = *splendid, luxurious couch* Am 3, 12. †

*__פאם__: F פִּימָה.

I **פאר**: denom. v. פֹּארָה:

pi: impf. תְּפָאֵר: d. Zweige (e. Ölbaums) absuchen *go over the boughs* (*of olive-tree*) Joüon MFB 4, 12; oder *or*: **mit e. Zweig** (Oliven) **abschlagen** *knock down* (*olives*) *with a bough* Dt 24, 20. †

II **פאר**: mhb. pi verherrlichen *glorify*; Nöld. NB 186:

pi: pf. sf. פֵּאֲרָךְ, impf. אֲפָאֵר, יְפָאֵר, inf. פָּאֵר: **mit Herrlichkeit ausstatten, verherrlichen** *glorify*: (d. König *the king*) בֵּית י׳ Esr 7, 27, יהוה Js 55, 5 60, 7. 9. 13 Ps 149, 4; †

hitp: impf. אֶתְפָּאָר, יִתְפָּאֵר, יִתְפָּאֲרוּ, inf. u. imp. הִתְפָּאֵר: 1. **s. Herrlichkeit zeigen an** *show one's glory on, in* Js 44, 23 49, 3 60, 21 61, 3; 2. **sich rühmen** *glorify oneself*, c. עַל gegenüber *before* Jd 7, 2 Js 10, 15; 3. Redensart *phrase*: הִתְפָּאֵר עָלַי erweise dich mir gegenüber herrlich = beliebe, mir zu bestimmen? *show thy glory before me* = *please, give me order?* Ex 8, 5 (l הִתְבָּאֵר mache dich mir deutlich? *explain thyself before me?* Frankenberg GGA 1900, 837). †

Der. תִּפְאֶרֶת.

פְּאֵר: LW, äg. *pjr* EG 1, 502: sf. פְּאֵרְךָ, pl. פְּאֵרִים, cs. פַּאֲרֵי (BL 580), sf. פַּאֲרֵכֶם (K פְּאֵרֵיכֶם): **Kopfbinde** *head-dress* (חֲבֹשׁ עַל Hs 24, 17): für Frauen *for women* Js 3, 20, Priester *priests* Ex 39, 28, aus Leinen *of linen* Hs 44, 18, für Männer *for men* 24, 17. 23, des Bräutigams *of bridegroom* Js 61, 10; in Trauer nicht getragen *put aside in mourning* Hs 24, 17. 23 Js 61, 3. †

*__פֹּארָה__: < *פֻּארָה? Etym?: pl. פֹּארֹת (Var. פראות Hs 17, 6), sf. פֹּארֹתָיו: **Schosse**, der Rebe *shoots, of vine* Hs 17, 6, **Zweige**, d. Baums *boughs, of tree* 31, 5 f. 8. 12 f; F פֻּארָה. †

פֻּארָה: < *פֻּאֲרָה? Nöld BS 103[3] (ursprüngliche Vokalisation? *original vocalization?*): coll. **Gezweig** *boughs* Js 10, 33. †

פָּארוּר: (c. א zur Unterscheidung von *to discern it from* פָּרוּר) IV *פרר; Nöld NB 186 cf. أَفَرَ, ܢܦܪ, ܐܦܪ sieden *boil*: Glut *glow*, קִבֵּץ פָּארוּר (vor Erregung) glühen *glow* (*in excitement*), Gesicht *face* Jl 2, 6 Na 2, 11. †

פָּארָן: n. t.; nab. n. m.; Φαραν; cf. ar. Stamm *tribe Farrān* u. *Fārān*: **Paran**: 1. מִדְבַּר פ׳ Gn 21, 21 Nu 10, 12 12, 16 13, 3. 26, l מָעוֹן 1 S 25, 1, e. Wüste s. v. Toten Meer *wilderness s. Dead Sea*; 2. הַר פ׳ Dt 33, 2 Ha 3, 3, unbestimmt *uncertain*; 3. n. l. פ׳ Dt 1, 1 1 K 11, 18, zwischen Midjan u. Ägypten *between Midian a. Egypt*; 4. אֵיל־פ׳ n. l. Gn 14, 6 = אילת? †

*__פַּג__, besser *rather* *פַּגָּה: פגג; mhb., ܦܓܐ; ܦܓܐ, فَجّ, فِجّ, unreife Frucht *unripe fruit*: pl. sf. פַּגֶּיהָ: **unreife Feige** *unripe fig* Ct 2, 13. †

*__פגג__: F *פַּג.

פִּגּוּל: *פגל; mhb.; فَجِلَ schlaff, welk sein *be flaccid*: **Opferfleisch, das unrein wird**, wei man es nicht in d. zulässigen Zeit gegessen hat *sacrificial flesh become unclean because not eaten in the allowed time* Lv 7, 18 19, 7 Js 65, 4 Hs 4, 14. †

פגל: F פִּגּוּל.*

פגע: mhb.; äga., ja., sy.; فَجَأَ unversehens überfallen *light upon*:

qal: pf. פָּגַע, וּפָגְעָה, sf. פְּגָעוֹ, impf. וַיִּפְגַּע, יִפְגְּעוּן, תִּפְגְּעוּ, sf. יִפְגָּעֶנּוּ, inf. לִפְגֹּעַ, sf. פִּגְעוֹ, imp. פְּגַע, פִּגְעוּ: 1. c. בְּ: **auf jmd treffen** *meet, light upon a person* Gn 32, 2 Nu 35, 19. 21 Jos 2, 16; 2. c. ac.: **antreffen** *meet, light upon* Ex 5, 20 23, 4 1 S 10, 5 Js 64, 4; 3. c. בְּ: an e. Ort gelangen *reach a place* Gn 28, 11; 4. c. בְּ: **herfallen über** *fall upon* Jd 8, 21 15, 12 18, 25 1 S 22, 17 2 S 1, 15 1 K 2, 25. 29. 31 f. 34. 46; e. Frau **belästigen** *molest a woman* Ru 2, 22; 5. c. ac: **anfallen** *fall upon* Ex 5, 3 (אֱלֹהִים) Am 5, 19 (דֹּב); 6. c. בְּ **in jmd dringen** *entreat a person* (cf. فَجَعَ plagen *pain*) Gn 23, 8 (לְ zugunsten *for*) Ir 7, 16 27, 18 (= beten *pray*) Hi 21, 15 Ru 1, 16; 7. פ׳ גְּבוּל בְּ d. Grenze stösst an *the border reaches unto* Jos 16, 7 17, 10 19, 11. 22. 26 f. 34; l אֶפָּגַע Js 47, 3; †

cj nif: impf. אֶפָּגַע: **sich erbitten lassen** *yield to asking* cj Js 47, 3 (cf. Ir 27, 18); †

hif: pf. הִפְגִּיעַ, הִפְגַּעְתִּי, הִפְגִּעוּ, impf. יַפְגִּיעַ, pt. מַפְגִּיעַ: 1. c. ac. rei et בְּ pers.: etw. jmd **treffen lassen** *cause a thing to encounter a person* Js 53, 6; 2. c. לְ: **eintreten** für *make entreaty for one's behalf* Js 53, 12, abs. 59, 16; 3. c. בְּ: (bittend) **dringen in** *make entreaty* Ir 36, 25; l בְּמִפְגָּע Hi 36, 32. †

Der. פֶּגַע, מִפְגָּע, n. m. פַּגְעִיאֵל.

פֶּגַע: פגע: **Widerfahrnis, Zufall** *occurrence, chance* 1 K 5, 18 Ko 9, 11. †

פַּגְעִיאֵל: n. m.; פגע u. אֵל; cf. n. m. פגעקוס BAS 82, 11 f: Nu 1, 13 2, 27 7, 72. 77 10, 26. †

פגר: mhb. u. ja. zerstören *demolish*; ڤڬر kraftlos, hinfällig sein *be weak, flaccid*; فَجَرَ zuchtlos sein *be loose*:

pi: pf. פִּגְּרוּ: c. מִן c. inf: **zu schlaff, zu müde sein, um** ... *be too faint, too tired to* ... 1 S 30, 10. 21. †

Der. פֶּגֶר.

פֶּגֶר: פגר; ug. *pgr* Standbild *stela* (Neiman JBL 67, 55 ff); ak. *pagru*, aram. פַּגְרָא Leib, Leiche *body, corpse*: פֶּגֶר, pl. פְּגָרִים, cs. פִּגְרֵי, sf. פִּגְרֵיכֶם: **Leichnam** *corpse* Gn 15, 11 Lv 26, 30 (Dussaud Sy 12, 70) Nu 14, 29. 32 f Js 14, 19 34, 3 66, 24 Ir 31, 40 33, 5 41, 9 Hs 6, 5 43, 7. 9 2 C 20, 24; coll. **Leichname** *corpses* 1 S 17, 46 Am 8, 3 Na 3, 3; פְּגָרִים מֵתִים tote L. *dead c.* 2 K 19, 35 = Js 37, 36; l וּבְגָדִים 2 C 20, 25. †

פגש: mhb.:

qal: pf. פְּגַשְׁתִּי, פָּגְשׁוּ, impf. וַתִּפְגֹּשׁ, sf. יִפְגָּשְׁךָ, וַיִּפְגְּשֵׁהוּ, אֶפְגְּשֵׁם, inf. פְּגֹשׁ: 1. c. ac. **antreffen** *meet, encounter* Gn 32, 18 33, 8 Ex 4, 24. 27 1 S 25, 20 2 S 2, 13 Js 34, 14 Ir 41, 6 Ho 13, 8; 2. c. בְּ: = Pr 17, 12; †

nif: pf. נִפְגָּשׁוּ: **einander antreffen** *meet each other* Ps 85, 11 Pr 22, 2 29, 13; †

pi: impf. יְפַגְּשׁוּ: **antreffen** *encounter* Hi 5, 14. †

פדה: ak. *padu* losen, freigeben *ransom*; mhb.; ڤدى; asa. פדית Lösegeld, Bezahlung *ransom, payment*; ፈደየ; pu. n. m. בעלפדא cf. hbr. פְּדַהְאֵל; „handelsrechtlicher Terminus" *term of commercial law* Stamm, Erlösen u. Vergeben im AT, 1940, 6 ff, 11:

qal: pf. פָּדָה, פָּדִיתָ, פָּדִיתָה, sf. פְּדָם, פְּדָךְ, פְּדִיתִים, פְּדִיתִיךָ, impf. אֶפְדֶּה, תִּפְדֶּה, וַיִּפְדּוּ, sf. תִּפְדֵּנִי, אֶפְדֵּם, וַיִּפְדְּךָ, inf. פְּדֹה, פְּדוּת, imp.

פְּדֵה, sf. פְּדֵנִי, פְּדֵנוּ, pt. פֹּדֶה, sf. הַפֹּדְךָ (pt. sf. c. art!) Dt 13, 6, pass. cs. פְּדוּיֵי, sf. פְּדוּיָו: 1. **loskaufen, auslösen** *buy (off), ransom*: Erstgeburt v. Tötung *first-born from being killed* Ex 13, 13. 15 34, 20 Lv 27, 27 Nu 18, 15—17 (F unten *below*), Sklaven v. Sklaverei *slaves fr slavery* Dt 15, 15 24, 18, Jonathan 1 S 14, 45 c. בְּ pretii Ex 13, 13 34, 20 Lv 27, 27; פָּדוּי was losgekauft werden muss *to be ransomed* Nu 18, 16; c. מִן (loskaufen) von (*ransom*) *from* Dt 7, 8 Mi 6, 4, Ir 15, 21 Hi 6, 23, Ho 13, 14 Hi 5, 20 33, 28; **Gott kauft sein Volk los** *God ransomes, redeems his people* Dt 9, 26 13, 6 21, 8, cj מִפְּדוּת Js 50, 2, Ir 31, 11 Ho 7, 13 13, 14 Mi 6, 4 Sa 10, 8 Ps 25, 22 78, 42 Ne 1, 10, c. לוֹ für sich *unto himself* 2 S 7, 23 1 C 17, 21; Gott kauft Abraham los *God redeems Abraham* Js 29, 22; פְּדוּיֵי יהוה Js 35, 10 51, 11; 2. (d. Gedanke an Loskauf tritt zurück) **erlösen** (*the conception of ransom becomes weak*) *redeem*: 2 S 4, 9 1 K 1, 29, Gott erlöst die Frommen *God redeems the pious* Ps 26, 11 31, 6 34, 23 44, 27 49, 16 55, 19 69, 19 71, 23 119, 134 Si 51, 2, G. erl. Israel v. seinen עֲוֹנוֹת *G. red. Israel from their* עֲוֹנוֹת Ps 130, 8; l יִפְדֶּה Ps 49, 8; l hif. Nu 18, 15—17; †

nif: pf. נִפְדָּתָה, impf. יִפָּדֶה: 1. **losgekauft werden** *be ransomed*: Sklavin *bond-woman* Lv 19, 20; dem חֵרֶם Verfallner *man devoted to* חֵרֶם 27, 29; 2. **sich loskaufen** *ransom oneself* cj Ps 49, 8; 3. **erlöst werden** *be redeemed*: צִיּוֹן Js 1, 27; †

hif: pf. sf. הֶפְדָּהּ (BL 208), impf. cj תַּפְדֶּה: **loskaufen lassen** *let to be ransomed* Ex 21, 8; cj **zum Loskauf gelangen lassen** *let to be ransomed* cj Nu 18, 15—17 (l hif); †

hof: inf. הָפְדֵּה: **z. Loskauf gebracht werden** *be caused to be ransomed* Lv 19, 20. †

Der. פְּדָהאֵל, n. m. פִּדְיוֹן*, פִּדְיוֹם, פְּדוּת, פְּדוּיִם, פְּדָהצוּר, פָּדוֹן, פְּדָיָה(וּ), יִפְדְּיָה.

פְּדָהאֵל (Var. פְּדַהְאֵל): n. m.; פדה u. אֵל; ak. *Padū-ilu* APN 178; cf. pu. n. m. בעלפדא: Nu 34, 28. †

פְּדָהצוּר: n. m. פדה; u. IV *צוּר: Nu 1, 10 2, 20 7, 54. 59 10, 23. †

פְּדוּיִם: פדה; K פְּדֻיִם Nu 3, 51 †: cs. פְּדוּיֵי: pl. tantum: **Loskauf** *ransom* Nu 3, 46. 48 f. 51, cj 49. †

פָּדוֹן: n. m.; פדה; zu *to* ug. n. m. *Pa-di-ia* u. (KB 2, 90 f.) *Pdj* (Regent v. *lord of* עֶקְרוֹן) F Baumgartner ThZ 2, 57[1]: Esr 2, 44 Ne 7, 47. †

פְּדוּת u. Ex 8, 19 † פְּדֻת: פדה: **Erlösung** *redemption* Ps 111, 9 130, 7; l פְּלֻת Ex 8, 19, l מִפְּדוּת Js 50, 2. †

פְּדָיָה: n. m.; < פְּדָיָהוּ: 1.—6. 2 K 23, 36; Ne 3, 25; 8, 4; 11, 7; 13, 13; 1 C 3, 18; 3, 19. †

פְּדָיָהוּ: n. m.; > פְּדָיָה; פדה u. יִ׳; Dir. 203: 1 C 27, 20. †

פִּדְיוֹם: פדה: **Loskauf** *ransom* Nu 3, 49, cj 51. †

פִּדְיוֹן*, **פִּדְיֹן*** (vel *פִּדְיוֹן, *פִּדְיֹן): פדה: cs. פִּדְיֹן, פִּדְיוֹן: **Loskaufgeld** *money for ransom* Ex 21, 30 Ps 49, 9. †

פַּדַּן: cs. פַּדַּן: n. l. (nur P *only*): בְּפַדַּן אֲרָם Gn 31, 18 35, 26 46, 15, מִפַּ׳ אֲ׳ 25, 20 33, 18 35, 9, loc. פַּדֶּנָה אֲרָם 28, 2. 5—7, מִפַּדָּן 48, 7 (Sam, G addunt אֲרָם); die gleiche Landschaft *the same country* = שְׂדֵה אֲרָם Ho 12, 13; R. O'Callaghan, Aram Naharaim (1948) 96: < ak. *paaānu* Weg *road* u. *ḫarrānu* Harran; Dhorme RB 37, 487 (Carrhae = חָרָן schon *already* Lagarde, The Academy 3, 340). †

פרע: impf. sf. פְּרָעֵהוּ: l פְּדָעֵהוּ Hi 33, 24. †

***פרד**: F פֶּדֶר.

פֶּדֶר: *פדר; mhb.; ak. *pitru* Fett *fat* (?); > äg. LW *pdr* Fett *fat*; V: *quae adhaerent jecori*: פֶּדֶר, sf. פִּדְרוֹ: **Nierenfett** *kidney-suet* Lv 1, 8. 12 8, 20. †

***פרש**: F פַּלְדָּשׁ.

פֶּה (490 ×): Sem; ug. *p*; ak. *pû*, ar. *fū* (gen. *fī(j)*, ac. *fā*), *fam*, *famm*; F ba. פם; asa. פ, amor. (*in-*) *pi* (cs.); Nöld. NB 171—8: cs. פִּי, sf. פִּיהוּ > ,פִּיו ,פִּיךָ ,פִּי ,פִּיהֶם ,פִּינוּ ,פִּימוֹ (BL 215), pl. פִּיּוֹת Pr 5,4 (l פִּיפִיּוֹת) (BL 620), פִּיּוֹת Jd 3, 16; F פִּיפִיּוֹת; F פִּים: **1. Mund, Maul** *mouth*: (אָדָם) Ex 4, 16 Hs 3, 3, אָתוֹן Nu 22, 28, Rachen Krokodil *crocodile* Hi 41, 11, Schnabel *beak* Gn 8, 11 Js 10, 14; Mund der Erde *mouth of ground* Gn 4, 11, v. *of* שְׁאוֹל Ps 141, 7; **2. Mund, Mündung** *mouth*: בְּאֵר Gn 29, 2, יְאוֹר Js 19, 7, שַׂק Gn 42, 27, אֵיפָה Sa 5, 8, (Eingang *entrance*) מְעָרָה Jos 10, 18, קֶרֶת Pr 8, 3, (Öffnung *orifice*) מְעִיל Ex 28, 32, (Halsloch *collar*) כֻּתֹּנֶת Hi 30, 18 Ps 133, 2; (Mundstück) מְכוֹנָה 1 K 7, 31; ? Ir 48, 28; 3. פִּי חֶרֶב Mund = Schneide *mouth* = *edge* Gn 34, 26, pl. Jd 3, 16; 4. Wendungen *phrases*: פֶּה אֶחָד einmütig *unanimous* Jos 9, 2; פֶּה אֶל־פֶּה Nu 12, 8 u. פִּיו עִם־פִּיו Ir 32, 4 u. פִּיהוּ אֶת־פִּיךָ 34, 3 v. Mund zu Mund *mouth to mouth*; פֶּה לָפֶה 2 K 10, 21 21, 16 u. מִפֶּה אֶל־פֶּה Esr 9, 11 von e. Ende (Eingang) zum andern *from one end* (*entrance*) *to another*; בְּכָל־פֶּה mit aufgerissenem Mund *with open mouth* Js 9, 11; Heilgestus *gesture of healing*: שָׂם פִּיו עַל־פִּיו 2 K 4, 34; Gestus ehrfürchtigen Schweigens *gesture of respectful silence*: שָׂם יָד לְמוֹ פֶה Hi 40, 4 (Pr 30, 32) u. כַּף לְפֶה 29, 9 u. יָד עַל־פֶּה Mi 7, 16; Kultgestus *gesture of worship*: תִּשַּׁק יָדִי לְפִי Hi 31, 27; שָׁאַל אֶת־פִּיהָ sie selber fragen *ask herself* Gn 24, 57; F I כָּבֵד, פִּתְחוֹן*; הִרְחִיב, קָפַץ, פָּצָה, פָּעַר, סכר; 5. פִּי יהוה: **J.s Mund** *the mouth of Y.* Js 1, 20 40, 5 Ir 9, 11, דִּבֶּר בְּפִיו 1 K 8, 15. 24; מוֹצָא פִי י׳ Dt 8, 3, רוּחַ פִּיו Ps 33, 6, שֵׁבֶט פִּיו Js 11, 4; Mund = Ausspruch, Befehl J.s *mouth* = *utterance, order of Y.* 1 S 15, 24 1 C 12, 24, שָׁאַל פִּי י׳ 1 S 12, 14 f, מָרָה פִּי י׳ Jos 9, 14; כְּפִי תִהְיֶה Ir 15, 19; פֶּה Mund der Götter *mouth of gods* Ps 115, 5 135, 16; **6. Mund = Ausspruch, Befehl** *mouth* = *utterance, order*, (F 5): עַל־פִּיךָ Gn 41, 40, פִּי עֵדִים Zeugenaussage *statement of witnesses* Nu 35, 30 Dt 17, 6; פִּי מֹשֶׁה Befehl *order* Ex 38, 21; מִפִּי nach d. Diktat *from dictation* Ir 36, 4, קָרָא מִפִּיו diktieren *dictate* 36, 18; מִפִּי nach d. Ausspruch des *according to the word of* Esr 1, 1; פִּי הַנֶּבֶל Klang? *sound* (?) Am 6, 5; 7. פֶּה c. praep.: a) כְּפִי (ak. *ki-pi* VG 2, 390 f) **gemäss, entsprechend** *according to* Lv 25, 52 Nu 7, 5 2 C 31, 2, je nachdem, wie *according to* Ex 16, 21; mit folgendem *followed by* כֵּן Nu 6, 21; כְּפִיךָ soviel wie du *even as thou* Hi 33, 6; כְּפִי אֲשֶׁר demgemäss, dass *according as* Ma 2, 9, cj Sa 2, 4; b) לְפִי (ja. לְפוּם) **gemäss** *according to*: לְפִיהֶן ihnen entsprechend *according unto them* Lv 25, 51; לְפִי רֹב je mehr sind *the more are* u. לְפִי מְעֹט je weniger sind *the less are* Lv 25, 16; לְפִי מְלֹאת erst wenn voll sind *not until* [*they*] *are accomplished* Ir 29, 10; לְפִי דְבָרַי entsprechend m. W. *according to my w.* 1 K 17, 1; c) עַל־פִּי **gemäss** *according to* Lv 27, 18 Gn 43, 7 (cf. mhb. אַף עַל־פִּי שֶׁ selbst wenn *even if*), עַל־פִּי אֲשֶׁר entsprechend dem, was *according to what* Lv 27, 8; 8. פִּי שְׁנַיִם (cf. ak. *šinipu* ⅔ VAB 7, 619; ug. *šn[?]*; aram. סנב Lidz. 329): d. Mass von

Zweien = **2 Teile** *the measure of two = 2 parts* Dt 21, 17; ²/₃ (ZAW 37, 110) 2 K 2, 9 Sa 13, 8; l בְּכֻתָּם Ps 49, 14; l פִּרְחוֹ Hi 15, 30; ? Gn 25, 28.

פֹּה (54 ×), פּוֹ (Hs 40, 10—26), פֹּא Hi 38, 11 †: *pū* EA p. 1493; ug., ph. *p*, Poenulus *pho*; amor. in *pā-*, soq. *bo*, auch in *also in* אֵפוֹ, אֵיפֹה, אֵפוֹא: **hier** *here* Gn 19, 12—2 C 18, 6 (36 ×); **hierher** *hither* Dt 5, 31 1 S 16, 11 2 S 20, 4 2 K 2, 2. 4. 6 Ru 4, 1 f; מִפֹּה u. מִפּוֹ von hier *on this side* Hs 40, 10—49, עַד־פֹּה bis hierher *hitherto* Hi 38, 11; F אֵפֹא, אֵיפֹה.

פּוּאָה: n. m.; < פֻּוָּה: 1. 1 C 7, 1 F פֻּוָּה; 2. Jd 10, 1. †

פוג: ܦܓ; فَاجَ erkalten *grow cool*:
qal: impf. תָּפוּג, וַיָּפָג: **kalt, schlaff sein** *grow numb* Gn 45, 26 Ha 1, 4 Ps 77, 3; †
nif: pf. נְפוּגוֹתִי: **erschlafft, kraftlos sein** *be benumbed* Ps 38, 9. †
Der. *פוּגָה, *הֲפֻגָה.

***פּוּגָה**: פוג: cs. פּוּגַת; Delitzsch, Lesefehler l פֻּגַת: **Erschlaffen** *benumbing* Th 2, 18. †

***פּוּר**: F פִּיד.

פֻּוָּה: n. m.; ar. *fuwwa*, < F פּוּאָה Krapp (*dyer's*) *madder Rubia tinctorum L.* (Löw 3, 270 f; AS 5, 73 ff. 87): Gn 46, 13 Nu 26, 23. †
Der. פּוּנִי.

I **פוח**: mhb., ja. blasen, hauchen *blow, breathe*; ܦܚ duften *fume, give forth scent*, فَاحَ; F נפח:
qal: impf. יָפוּחַ: **wehen** *breathe* Ct 2, 17 4, 6; †
hif: imp. הָפִיחִי: **duften lassen** *cause to exhale* (*odours*) Ct 4, 16. †
Der. פִּיחַ.

II **פוח**: فَحَّ zischen (Viper) *hiss* (*viper*):
qal: impf. יָפִיחַ, אָפִיחַ, יְפִיחוּ: 1. c. עַל Hs 21, 36 u. c. בְּ Ps 10, 5: **schnauben gegen** (Hauchzauber ?) *wheeze against* (*magic breath ?*), F Komm.; 2. c. ac.: **hervorstossen, hervorbringen** *launch forth, produce*: כְּזָבִים Pr 6, 19 14, 5. 25 19, 5. 9, חָמָס Ps 27, 12, אֱמוּנָה Pr 12, 17; l וּפֵחַח Ha 2, 3 (Horst), l מִתְיַפֵּחַ Ps 12, 6 (Gunkel); ? Pr 29, 8; ad Si 4, 2 cf. talm. פָּחֵי נֶפֶשׁ Enttäuschte *disappointed ones*. †

פּוּט: n. p.; äg. *Punt* is lautlich ausgeschlossen *is impossible for phonetical reasons*; äg. *pḏ.t* (EG 1, 570)? Weissbach, VAB 3, 153; elam. *pu-ú-ti-ja-ap*, bab. (*matu*) *pu-u-ṭa*; altpers. *Putaja-*: (Teil der) **Libyer** [*division of*] *Libyans*, F לוּבִים: Gn 10, 6 Ir 46, 9 Hs 27, 10 30, 5 38, 5 Na 3, 9 1 C 1, 8; F I פּוּל. †

פּוּטִיאֵל: n. m.; hybride Bildung *hybrid form*: פּוּטִי = äg. *p3dj* der, welchen [Gott] gibt *he whom* [*god*] *gives* (EG 1, 492) u. אֵל: Ex 6, 25. †

פּוֹטִיפַר: n. m.; äg. < פּוֹטִי פֶרַע: Gn 37, 36 39, 1. †

פּוֹטִי פֶרַע: n. m.; äg. *p3dj p3 Rē* der, welchen (d. Gott) Ra gibt *he whom* (*god*) *Ra gives* (Mallon, L. Hébreux en Egypte 77 ff; EG 1, 492); > פּוֹטִיפַר: Gn 41, 45. 50 46, 20. †

פּוּךְ: *פכך, فَكَّ; ܦܟ zu Staub machen *pulverize*: Zerstossenes *fine powder* (Koehler, ThZ 3, 14 ff): 1. (Pb S) **schwarze Schminke** *black paint* (*for the eyes*; F L. E. Browne, Early Judaism, 1920, 126¹) 2 K 9, 30 Ir 4, 30 Hi 42, 14; 2. **Hartmörtel** *specially hard mortar* Js 54, 11 1 C 29, 2. †

פּוֹל: ak. *pulilu*; mhb., ja., äth.; فُولٌ, äg. *pr*, ⲫⲉⲗ: **Dickbohne** *broad beans, horse-beans Vicia faba L.* (Löw 2, 492 ff): 2 S 17, 28 Hs 4, 9. †

I פּוּל: n. p.; unbekannt *unknown*, l פּוּט?: Js 66, 19. †

II פּוּל: n. m.; etym. = פַּעַל H. Bauer, ZA 30, 107; n. m. *Pūlu* APN 182; babyl. Name v. *Babyl. name of* Tiglatpileser III; ptolem. Kanon: Πῶρος; Jos., Antt. IX, 14, 2: Πυας, l Πυλας: 2 K 15, 19 1 C 5, 26. †

פּוּן?: qal: impf. אָפוּנָה, cf. أَفِنَ ratlos sein *be embarrassed*; G ἐξηπορήθην; l אָפוּגָה? Ps 88, 16. †

פּוּנֶה: הַפּוּנֶה 2 C 25, 23: l הַפִּנָּה. †

פּוּנִי: gntl. v. פֻּוָּה, < *פֻּוָּנִי?: Nu 26, 23. †

פּוּנֹן: n. l.; Φινω F פִּינֹן: *Fēnān* n. Petra; berühmte Kupfergruben *famous copper-mines*; Glueck AAS XV, 32 ff: Nu 33, 42 f. †

פּוּעָה: n. f.; Noth S. 10. 204; ug. *pġt* Mädchen *girl*: Ex 1, 15. †

פּוּץ: F נפץ; mhb. sich ausbreiten *spread*; فَضَّ zerbrechen *break asunder*:
qal: impf. נָפוּץ, תְּפוּצֶינָה, תְּפוּצֶין, יָפֻצוּ, imp. פֻּצוּ: 1. sich zerstreuen *be dispersed*, *disperse*: Menschen *men* Gn 11, 4, Feinde *enemies* Nu 10, 35 1 S 11, 11 Ps 68, 2, Volk *people* 2 S 20, 22, cj 1 S 13, 8 (l וַיָּפֶץ), Tiere *animals* Hs 34, 5 Sa 13, 7, c. בְּ unter *among* 1 S 14, 34 Si 48, 15; 2. c. מִן von (Grundbesitz) verdrängt werden *be driven away from* (*possessions*) Hs 46, 18; 3. überfliessen *overflow* Pr 5, 16, c. מִן von *with* Sa 1, 17; †
nif: pf. נָפֹצָה, נְפֹצוּ, נְפוֹצוֹתֶם, נְפֹצוֹתֶם, pt. נְפֹצֶת (K נפצית) 2 S 18, 8, pl. נְפוֹצִים, נְפֻצוֹת: zerstreut werden *be dispersed*: Völker *nations* Gn 10, 18, Glieder e. Volks *members of a people* Js 11, 12 Ir 40, 15 Hs 11, 17 20, 34. 41 28, 25 29, 13, cj Na 3, 18, Herde *flock* Ir 10, 21, Tiere e. Herde *animals of a flock* 1 K 22, 17 Hs 34, 6. 12 2 C 18, 16, Kämpfende *fighters* (מֵעַל fort von *away from*) 2 K 25, 5 Ir 52, 8; (v. Kampf) sich ausdehnen, sich verzetteln (*of a battle*) *spread*, *scatter* 2 S 18, 8; †
hif: הֵפִיץ, הֵפַצְתִּי, הֱפִיצֹתָם, הֲפִצֹתָם, sf. הֱפִיצְךָ, הֱפִיצָהוּ, הֱפִיצָם, הֲפִיצוֹתִים, הֲפִצוֹתִיךָ, impf. אָפִיץ, וָאָפִיץ, וַיָּפֶץ, יָפֵץ, יָפִיץ, sf. אֲפִיצֵם, וַיְפִיצֵם, inf. הָפִיץ, sf. הֲפִיצִי, הֲפִיצֵנִי, imp. הָפֵץ, pt. מֵפִיץ, pl. מְפִיצִים: 1. c. ac. zerstreuen *disperse*: Gn 11, 8 f 49, 7 (בְּ unter *among*) Dt 4, 27 28, 64 30, 3 Js 24, 1 41, 16 Ir 9, 15 13, 24 18, 17 23, 1 f 30, 11 Hs 11, 16 12, 15 20, 23 22, 15 29, 12 30, 23. 26 34, 21 36, 19 Ps 144, 6 Hi 37, 11 Ne 1, 8; ausstreuen, sich ergiessen lassen *let flow* Hi 40, 11; 2. streuen *scatter*: Pfeile *arrows* 2 S 22, 15 Ps 18, 15, Samen *seed* cj Ps 106, 27 (l לְהָפִיץ), קֶצַח Js 28, 25; 3. c. ac. weitertreiben, hetzen *chase* Hi 18, 11; 4. sich zerstreuen *be scattered*: Ex 5, 12 1 S 13, 8 Hi 38, 24; l מְצַפֶּה Na 2, 2; ? Ha 3, 14; † pal., pilp., hitp. F פצץ. †
Der. *תְּפוּצָה.

פּוּצַי Ze 3, 10: l בִּתְפוּצָה. †

פּוּק: ug. *pq*; ja. פַּקְפּוּתָא Erschütterung *shaking*; Hoffmann, Phön. Inschr. 57 f: פוק zufällig auf etw. stossen > a) taumeln, b) finden *happen to meet* > a) *totter*, b) *find*:
qal: pf. פָּקוּ!: taumeln *totter*, *reel* Js 28, 7; †
hif: impf. יָפִיק, תָּפֵק, וַיָּפֶק, pt. pl. מְפִיקִים: 1. wackeln *totter* Ir 10, 4; 2. antreffen, bekommen *meet*, *get* Pr 3, 13 8, 35 12, 2 18, 22 Si 4, 12; 3. finden lassen, gewähren *let meet*, *grant* Ps 140, 9 144, 13, c. נַפְשֶׁךָ dein eignes Verlangen *thy own desire* Js 58, 10. †
Der. *פֵּק, פּוּקָה.

פּוּקָה: פוק: Stolpern *staggering*: 1 S 25, 31. †

I פּוּר: NF v. פרר:

hif: pf. הֵפִיר (sekundär < הֵפֵר): **vernichten** *destroy* Hs 17, 19 Ps 33, 10; l אָסִיר Ps 89, 34. †

II *פור: F פּוּרָה.

פּוּר: ak. *pūru* (Zimm. 33, Dürr OLZ 38, 297; Christian, Altl. Stud. Nötscher (1950), 33 ff): **Loos** *lot*; = hbr. גּוֹרָל Est 3, 7 9, 24; daher *therefore* pl. פּוּרִים, פֻּרִים: Name e. Jüdischen Festes *name of a Jewish festival* Est 9, 26. 28 f. 31 f. †

פּוּרָה: II פור; فَارَ Quellen (Wasser) *well (water)*: **Keltertrog** *trough of wine-press*, F יֶקֶב: Js 63, 3 Hg 2, 16 (l מְפּוּרָה). †

פּוּרָתָא: n. m.; pers., Scheft. 50; Gehman JBL 43, 327: Est 9, 8. †

פּושׁ:

qal: pf. פִּשְׁתֶּם (BL 404), תְּפוּשִׁי Q, תָּפוּשׁוּ K Ir 50, 11: (mutwillig) **stampfen** (*playfully*) *paw the ground* Ir 50, 11 Ha 1, 8 Ma 3, 20; †

nif: pf. נָפֹשׁוּ, l נָפֹצוּ Na 3, 18. †

*פּוּת: n. m. פִּיתוֹן.

פּוּתִי: gntl.: 1 C 2, 53. †

*פּז: F אֱלִיפַז.

פַּז: ja. פִּזָּא gediegenes Gold *pure gold*, פּוּזָא aus ged. G. *of p. gold*: פַּז: tradit.: **gediegenes Gold** *pure gold* (vielleicht der im Altertum mit d. Topas verwechselte **Chrysolith** *perhaps chrysolithe (olivine), mistaken for topaz in antiquity*; Fundstellen am Roten Meer *to be found at the Red Sea*; Bauer, Edelsteinkunde [3], 611 ff): Js 13, 12 Ps 19, 11 21, 4 119, 127 Pr 8, 19 Hi 28, 17 Ct 5, 11 (l וּפָז). 15 Th 4, 2 Si 30, 15; cj Da 10, 5 וּפָז; F I פזז. †

I **פזז**: denom. v. פַּז.

hof: pt. מוּפָז: **in gediegenem Gold? Chrysolith? gefasst** *set with pure gold? chrysolithe?* 1 K 10, 18. †

II **פזז**: mhb. eilfertig sein *be hasty*; ja. פְּזִיזָא übereilt *precipitate*; ܦܙ springen *leap*, ܦܘܙܐ gelenk *agile*; فَزَّ aufgeschreckt werden (Gazelle) *be startled (gazelle)*:

qal: impf. וַיָּפֹזּוּ: **gelenk sein** *be agile* Gn 49, 24; †

pi: pt. מְפַזֵּז: **hüpfen** *leap* 2 S 6, 16. †

פזר: > בזר; mhb. qal u. pi, ja. pa neben *along with* mhb. בזר u. בדר, F ba. בדר, cp. בדר; بَذَرَ zerstreuen *scatter*:

qal: pt. pass. פְּזוּרָה: **versprengt** (Schaf) *scattered (sheep)* Ir 50, 17; †

pi: pf. פִּזַּר, פִּזְּרָה, פִּזְּרוּ, impf. יְפַזֵּר, וַתְּפַזְּרִי, pt. מְפַזֵּר: 1. **zerstreuen** *scatter* Jl 4, 2 Ps 53, 6 89, 11, **ausstreuen** *spread* Ps 112, 9 147, 16 Pr 11, 24; 2. **spreizen** *sprawl* (l בִּרְכַּיִךְ Duhm) Ir 3, 13; †

nif: pf. נִפְזְרוּ: **zerstreut werden** *be scattered* Ps 141, 7; †

pu: pt. מְפֻזָּר: **versprengt, zerstreut** *scattered* Est 3, 8. †

I **פַּח**: ak. *paḫu?*; ja., sy. פַּחָא, فَخّ (eiserne Hyänenfalle *iron trap of hyena*, Euting, Tagebuch 1, 96): פַּח, pl. פַּחִים: **Klappnetz** d. Vogelstellers *bird-trap* (AS 6, 338): Js 24, 17 Ir 48, 43 Ho 5, 1 9, 8 Ps 91, 3 124, 7 Pr 7, 23 22, 5, הָיָה לְפַח Jos 23, 13 Js 8, 14 Ps 69, 23, נָתַן פַּח לְ Ir 18, 22 Ps 140, 6 142, 4, טָמַן פַּח לְ Ps 119, 110, עָלָה פַּח Am 3, 5, אָחַז פַּח Hi 18, 9 22, 10 Ko 9, 12, נִלְכַּד בְּפַח Js 24, 18 Ir 48, 44; F יקשׁ; l פֶּחָם Ps 11, 6; dele Am 3, 5 (1. פַּח) u. Ps 141, 9. †

II *פַּח: äg. *pḫ3* Platte *plate*: pl. פַּחִים, cs.

פַּחִי: dünne **Platte** *thin plate* Ex 39, 3 Nu 17, 3. †

I פחד: mhb., ja.; *F* צְלָפְחָד:

qal: pf. פָּחַד, פָּחֲדוּ, פַּחְדוּ, impf. תִּפְחַד, אֶפְחַד, יִפְחָדוּ: (vor Schrecken) **beben** *tremble* (*for fear*) Dt 28, 66 Js 12, 2 19, 17 33, 14 44, 8. 11 Ir 33, 9 36, 16. 24 Ps 27, 1 (מִן vor *before*) 78, 53 119, 161 Pr 3, 24 Hi 23, 15 (מִן) Si 41, 3; פחד פַּחַד **beben** *tremble* Dt 28, 67 Ps 14, 5 53, 6 Hi 3, 25; חָרַד וּפָחַד Js 19, 16; פָּחַד אֶל־ **kommt bebend** zu *comes trembling to* Ho 3, 5 Mi 7, 17, cj Ir 2, 19 (1 פַּחְדְּתִי אֵלַי); (vor Freude) beben *tremble* (*with joy*) Js 60, 5; פחד אל vor Gott beben *tremble before God* Si 7, 29; פחד פחדי מות vor d. Tod beben *tremble before death* Si 9, 13; פחד על zittern für *tremble for* Si 41, 12; †

pi: impf. וַיְפַחֵד, pt. מְפַחֵד: **Beben fühlen** *be trembling*, c. מִפְּנֵי vor *before* Js 51, 13; **in** (religiöser) **Furcht sein** *be in* (*religious*) *dread* Pr 28, 14 Si 37, 12; †

hif: pf. הִפְחִיד: **in Beben versetzen** *cause to tremble* Hi 4, 14. †

Der. I פַּחַד.

II *פחד: *F* II *פַּחַד.

I פַּחַד: I פחד: פַּחַד, sf. פַּחְדּוֹ. פַּחְדְּךָ, pl. פְּחָדִים:

1. **Beben, Schrecken** *trembling, dread*: Ir 30, 5 48, 44 Hi 4, 14 21, 9, פַּחַד פִּתְאֹם plötzliches B. *sudden tr.* Pr 3, 25 Hi 22, 10, אֵימָה וּפַחַד Ex 15, 16; אֵיד//פַּחַד Pr 1, 26, // יִרְאָה Dt 2, 25, // מוֹרָא 11, 25; פַּחַד לְבָב 28, 67; קוֹל הַפַּחַד Ton d. Schreckens *sound of disaster* Js 24, 18, = קוֹל פְּחָדִים Hi 15, 21; פחד פַּחַד *F* פחד; פַּחַד לְ Schrecken für *dread for* Ps 31, 12; c. gen. vel sf. objecti: פַּ' אוֹיֵב Sch. vor dem F. *dread of the enemy* Ps 64, 2, פַּ' לַיְלָה Schr., den die Nacht bringt *dread caused by the night* Ps 91, 5, פַּ' בַּלֵּילוֹת Ct 3, 8; פַּ' רָעָה Schr. vor d. Unheil *dread of evil* Pr 1, 33, פ' מות Si 9, 13; פַּ הַיְּהוּדִים vor d. Juden *of the Jews* Est 8, 17, = פַּחְדָּם vor ihnen *of them* 9, 2, cf. פַּחַד מָרְדֳּכַי 9, 3; פַּחְדּוֹ vor ihm *of him* (David) 1 C 14, 17, פַּחְדָּם vor ihnen *of them* Ps 105, 38; בְּלִי פַחַד unbekümmert *without trembling*, *unconcerned* Hi 39, 16; 2. פַּחַד, der von Gott ausgeht *caused by God*: פַּחַד יהוה 1 S 11, 7 Js 2, 10. 19. 21 2 C 14, 13 17, 10 19, 7, פַּחַד אֱלֹהִים Ps 36, 2 2 C 20, 29, פַּחְדְּךָ Ps 119, 120, מֵבִיא פַּחְדּוֹ Hi 13, 11; cj פַּחַד אֵל Hi 31, 23; פַּחַד עַל [יהוה] Ir 49, 5; 3. פַּחַד יִצְחָק (e. Gottesname *a name of God*; Alt, D. Gott der Väter, 1929, 27 ff): Gn 31, 42. 53 (אָבִיו); 4. Löw 3, 513: פַּחַד Ps 91, 5 Js 24, 17 Ir 48, 43 Hi 39, 22 Th 3, 47 = Grube *pit*; Hi 39, 22 1 פַּחַת (MSS). †

Der. צְלָפְחָד (?).

II *פַּחַד: فَخِذٌ, فَخْذٌ; ܦܰܚܕܳܐ (II *פחד): pl. sf. פַּחֲדָו: **Keule, Schenkel** *thigh* Hi 40, 17. †

***פַּחְדָּה**: sf. פַּחְדָּתִי Ir 2, 19; 1 פַּחְדְּתִי. †

פֶּחָה (BL 599): ak. *pāḫatu* (Zimm. 6) Statthalterschaft *governorship* (Klauber, Assyr. Beamtentum 99 ff): cs. פַּחַת 2 K 18, 24 u. פַּחַת Hg 2, 21, sf. פֶּחָתְךָ, pl. פַּחוֹת, cs. פַּחֲוֹת, sf. פַּחוֹתֶיהָ: **Statthalter** *governor* (unscharfer Titel *rather vague title*: Alt, Festschr. Procksch, 1934, 24[1]): 1 K 10, 15 2 C 9, 14 1 K 20, 24 (gloss. 2 K 18, 24 Js 36, 9) Ir 51, 23. 28. 57 Hs 23, 6. 12. 23; זְרֻבָּבֶל פַּחַת־יְהוּדָה Hg 1, 1. 14 2, 2. 21, Ma 1, 8 Est 3, 12 8, 9 9, 3, פַּחֲוֹת עֵבֶר הַנָּהָר Esr 8, 36 Ne 2, 7. 9, פחת ע' הַנְּ' Ne 3, 7; נְחֶמְיָה הַפֶּחָה Ne 12, 26; *F* 5, 14 (1 פֶּחָתָם). 15. 18; *F* פַּחַת מוֹאָב. †

פחז: فَخَرَ auftrumpfen *be boastful*:

qal: pt. פֹּחֲזִים: **frech, zuchtlos sein** *be insolent, loose* Jd 9, 4 Ze 3, 4; cj פַּחֲזוֹת **überwallen** (Wasser) *gush over* (*water*) Gn 49, 4; †

hif: החפיז Si 8, 2, יו[חפ]יזו 19, 2: zuchtlos machen *cause to be loose*. †

Der. *פַּחֲזוּת.

פַּחַז Gn 49, 4: l פַּחֲזוֹת. †

***פַּחֲזוּת**: פחז: sf. פַּחֲזוּתָם: **Geflunker** *boasting, brag* Ir 23, 32. †

פחח: zu *to* פַּח:

hif: inf. הָפֵחַ, l inf. hof הֻפַּח: **gefangen, gefesselt sein** *be trapped, ensnared* Js 42, 22. †

***פחם**: F פֶּחָם.

פֶּחָם: (*päḥ-hām*): *פחם: ug. *pḥm*; mhb. פֶּחָם, פחם pi. schwärzen *blacken*; فَحْم, فَحَم erloschene (Holz-) Kohlen *extinguished charcoal*: cs. cj פַּחַם Ps 11, 6: (nicht brennende) (Holz-) **Kohlen** (*not burning*) **charcoal** (:: גַּחֶלֶת) Js 44, 12 54, 16 Pr 26, 21, cj Ps 11, 6. †

***פחת**: ak. *pataḫu* bohren *bore*: F פַּחַת, פְּחֶתֶת.

פַּחַת: *פחת: mhb. aushöhlen *hollow out*; فَحَتَ, ܦܚܬ graben *dig*; ja. פַּחְתָּא, sy. פַּחְתָּא Grube *pit*: פַּחַת, פָּחַת, pl. פְּחָתִים, masc.: **Grube** *pit* 2 S 17, 9 (l בְּאַחַד) 18, 17 Js 24, 17 f Ir 48, 28? 43 f Th 3, 47, cj Hi 39, 22. †

פַּחַת מוֹאָב: n. m.; פֶּחָה?: Esr 2, 6 8, 4 10, 30 Ne 3, 11 7, 11 10, 15. †

פְּחֶתֶת: *פחת: (eingefressene) **Vertiefung** *eating out, boring* Lv 13, 55. †

פִּטְדָה: sanskrit *pīta* gelb *yellow*: **Chrysolith** *chrysolithe*, (Mg Fe_2) SiO_2, ZAW 55, 168 f: Ex 28, 17 39, 10 Hs 28, 13 Hi 28, 19. †

פטירים 1 C 9, 33 K: F פטר qal 3.

פַּטִּישׁ: *פטשׁ: mhb.; فِنْطِيس u. فِنْطِلِيس Schmiedehammer *forge-hammer* (Lagarde, Übersicht 103: der. v. فِنْطِيسَة Schweinsrüssel *pig's snout*), ܦܛܝܫܐ plattnasig *flat nosed*, ܦܛܝܫܘܬܐ Schnauze *snout*; ph. n. m. פטש: **Schmiedehammer** *forge-hammer* Js 41, 7 Ir 23, 29 50, 23. †

פטר: ak. *paṭāru* lösen, trennen *split*, *ipṭīru* Lösegeld *ransom*; فَطَرَ spalten *split*; ፈጠረ schaffen *create*; ja., sy. entfernen *withdraw*: qal: pf. פָּטַר, impf. וַיִּפְטַר, pt. פּוֹטֵר, pass. pl. פְּטֻרִי פְּטוּרִים: 1. c. מִפְּנֵי: **entweichen vor** *escape from* 1 S 19, 10; 2. c. מַיִם: dem W. **freien Lauf geben** *set free, let out* (cf. ak. *u-paṭ-ṭi-ra naqbē-šu* VAB 7, 555) Pr 17, 14; 3. vom Dienst **freilassen** *set free from duty* 2 C 23, 8 1 C 9, 33 Q; 4. פְּטוּרֵי צִצִּים Blumengehänge? Knospen? *garlands? buds?* 1 K 6, 18. 29. 32. 35; †

hif: impf. יַפְטִירוּ: c. בְּשָׂפָה die Lippen, d. **Mund** (verächtlich) **verziehen** *draw one's mouth* (*despisingly*) Ps 22, 8. †

Der. פֶּטֶר, *פִּטְרָה.

פֶּטֶר: פטר: ug. *ptr* Erstlingsgabe *first gift?* Mél. Syr. 578: was (den Mutterschoss) durchbricht, **Erstgeburt** *which first opens* (*a mother's womb*) *firstborn* Ex 13, 2. 12 f. 15 34, 19 f Nu 3, 12 18, 15 Hs 20, 26. †

***פִּטְרָה**: fem. v. פֶּטֶר: cs. פִּטְרַת: **Erstgeburt** *firstborn* Nu 8, 16 (l כָּל־בְּכוֹר פּ׳). †

***פטשׁ**: F פַּטִּישׁ.

פִּי: F פֶּה.

פִּי־בֶסֶת: n. l.; äg. *Pr-B3št.t* EG 1, 423, Βουβαστις Herodot 2, 60: = *T. Basṭa* im Delta: Hs 30, 17. †

***פיד**: F פִּיד.

פִּיד: *פיד: فَادَ verschwinden, sterben *disappear, pass away*: sf. פִּידוֹ: **Untergang** *decay, extinction* Pr 24, 22 Hi 12, 5 30, 24 31, 29, cj 15, 23 (l פִּידוֹ). †

פִּי־הַחִירֹת, פִּי־הַחִירוֹת: (Volksetym. *popular etym.*: „Mündung d. Kanäle" „*Mouth of the Canals*"; ak. *ḫirîtu* Kanal *canal*, Haupt OLZ 12, 250): = äg. *Pi-Ḥ-r-t* Tempel der (syrischen Göttin) *temple of (the Syrian goddess) Ḥ-r-t*, Albr. BAS 109, 16, bei *near Qanṭara*: Ex 14, 9 Nu 33, 7 f. †

פִּיּוֹת F פֶּה.

פִּיחַ: I פוח: **Russ** *soot* Ex 9, 8. 10. †

פִּיכֹל: n. m.; Albr. JPO 4, 138 f: < *פילך = äg. *P3-Rkw* = Lykier *Lykian*: Gn 21, 22. 32 26, 26. †

פִּילֶגֶשׁ: F פִּלֶגֶשׁ.

פִּים: Dir. 273—77; Eph 3, 47, BAS 43, 2—13: e. Gewicht, 7, 50—7, 75 gr *a weight, about* 7, 50—7, 75 gr: 1 S 13, 21. †

פִּימָה: < *פְּאִימָה; פאם; فَأَمَ füllen *fill*; cf. ak. *piāmu* stark *robust*: **Fett** *fat* Hi 15, 27. †

פִּינְחָס: 1 S 1, 3 פִּנְחָס †: n. m.; äg. *p3 nḥšj* der Neger *the negro* EG 2, 30 (:: Caspari, Samuel 27[3]); auch koptisch *the same Coptic* Heuser, Namen d. Kopten, 1929, 1, 16; Albr., Bertholet-Festschr. 13[2]: 1. S. v. אֶלְעָזָר Ex 6, 25 Nu 25, 7. 11 31, 6 Jos 22, 13. 30—32 24, 33 Jd 20, 28 Ps 106, 30 Esr 7, 5 8, 2 1 C 5, 30 6, 35 9, 20 Si 45, 23 50, 24; 2. S. v עֵלִי 1 S 1, 3 2, 34 4, 4. 11. 17. 19 14, 3; 3. Esr 8, 33; 4. n. l. גִּבְעַת פִּינְחָס in אֶפְרַיִם Jos 24, 33; F תַּחְפַּנְחֵס. †

פִּינֹן: n. m.; F פּוּנֹן; Edomiter Gn 36, 41 1 C 1, 52. †

פִּיפִיּוֹת: פִּי (פֶּה) reduplicatum: **mit doppelten Schneiden** *with double edges*: Dreschwagen *threshing-sledge* Js 41, 15, Schwert *sword* Ps 149, 6, cj Pr 5, 4. †

פִּישׁוֹן: n. fl.; *Faišān* n. fl. in no-Arabien Hamdāni 141, 6 162, 7; Moritz, Arabien, 1923, 23[2]: W. ar-Ruma in no-Arabien: Gn 2, 11. †

פִּיתוֹן: n. m.; *פות: 1 C 8, 35 9, 41. †

פַּךְ: mhb.; Schallwort (vom Glucksen d. Flüssigkeit *imitating the gurgle of a liquid*, F פכה; äg. *pg3* Schale *bowl*: **Krug** *flask* 1 S 10, 1 2 K 9, 1. 3, cj 4, 2. †

פכה: F פַּךְ:

pi: pt. מְפַכִּים: **tröpfeln** *trickle* Hs 47, 2. †

***פכך**: F פּוּךְ.

***פכר**: F פֹּכֶרֶת.

פֹּכֶרֶת הַצְּבָיִים: n. m.; פֹּכֶרֶת, ar. *fuqrā* (*q* wegen *on account of r*) Fanggrube *pitfall* u. II צְבִי: Esr 2, 57 Ne 7, 59. †

פלא: 3c4: Grundbedeutung: anders, auffallend, merkwürdig sein *original meaning: be different, conspicuous, curious*; NF פלה; mhb. hif. wunderbar sein *be miraculous*; ja. af. wunderbar machen *make miraculous*, פְּלָאָה Wunder *miracle*; ܦܠܐܬܐ Rätsel *riddle*; فَأْل gutes Vorzeichen *good omen*:

nif: pf. נִפְלֵאת 3. f. sg. (BL 612) Dt 30, 11, נִפְלָאֲתָה (BL 375) l נִפְלְתָה (פלה) vel נִפְלֵאת

(wie *as* Dt 30, 11) 2 S 1, 26, נִפְלְאוּ, impf. יִפָּלֵא, pt. נִפְלָאִים, נִפְלָאוֹת, sf. נִפְלְאוֹתָיו: 1. als anders, ungemäss behandelt werden = **zu schwer sein** *be treated as different, not regular > be too difficult* Sa 8, 6, c. מִן für *for* Gn 18, 14 Dt 17, 8 30, 11 2 S 13, 2 Ir 32, 17. 27; 2. **ungewöhnlich, wunderbar sein** *be extraordinary, marvellous* 2 S 1, 26 Ps 118, 23 (l נִפְלֵאת wie *as* Dt 30, 11) 139, 14; c. מִן **zu wunderbar sein für** *be too marvellous for* Pr 30, 18 Hi 42, 3 Ps 131, 1; 3. נִפְלָאוֹת: c. דִּבֶּר **unerhörte Reden führen** *speak things, words unheard of* Da 11, 36, c. הִשְׁחִית **ungeheures Unheil anrichten** *cause disaster unheard of* Da 8, 24; adv. auf wunderbare Weise *in a miraculous way* Hi 37, 5; נִפְלָאוֹת **Wunderwerke** *miraculous deeds; wondrous works* Hi 37, 14. cj 16, **Wundertaten** *wonders* Ex 3, 20 34, 10 Jos 3, 5 Jd 6, 13 Ir 21, 2 Mi 7, 15 Ps 9, 2 26, 7 40, 6 71, 17 72, 18 75, 2 78, 4. 11. 32 86, 10 96, 3 98, 1 105, 2. 5 106, 7. 22 107, 8. 15. 21. 24. 31 111, 4 119, 27 136, 4 145, 5 Hi 5, 9 9, 10 Ne 9, 17 1 C 16, 9. 24; נִפְ׳ מִתּוֹרָתֶךָ die Wunder, die deinem Gesetz anhaften *the wonders resulting from thy law* Ps 119, 18; †

pi: inf. פַּלֵּא: c. נֶדֶר e. besondres Gelübde erfüllen *fulfill a special vow* Lv 22, 21; †

hif: pf. הִפְלִיא, הִפְלָא, הִפְלָא (BL 376) Dt 28, 59, impf. יַפְלִא, inf. הַפְלִיא, הַפְלֵא, imp. הַפְלֵה (Var. הַפְלֵא; BL 376), pt. מַפְלִא: 1. c. ac.: etw. wunderbar tun *do a thing in a miraculous way*: c. מַכּוֹת mit ausgesuchten Plagen schlagen *make plagues especially severe* Dt 28, 59; c. נֶדֶר e. besonderes Gelübde leisten *make a special vow* Lv 27, 2; c. עֵצָה e. wunderbaren Rat wissen *be wonderful in advice* Js 28, 29; c. חֶסֶד wunderbare Gemeinschaft erweisen *render wonderful solidarity* Ps 31, 22 17, 7, cj 4, 4 (l חֲסָדוֹ לִי); 2. c. לְ c. inf.: מַפְלִא לַעֲשׂוֹת d. Wunderbares tut *who acts wonderfully* Jd 13, 19; הִפְלִיא לְהֵעָזֵר ihm wird wunderbar geholfen *he is helped miraculously* 2 C 26, 15; 3. wunderbar handeln *act wonderfully* Js 29, 14; 4. adv. הַפְלֵא auf wunderb. Weise *in a wonderful way* Js 29, 14 2 C 2, 8, = לְהַפְלִיא Jl 2, 26; †

hitp: impf. תִּתְפַּלָּא: **sich als wunderbar erweisen** *show oneself marvellous* Hi 10, 16. †

Der. פֶּלֶא, פִּלְאִי, פְּלָאיָה; n. m. פַּלּוּא.

פֶּלֶא: פלא: sf. פִּלְאֲךָ, פִּלְאֶךָ, pl. פְּלָאִים u. פְּלָאוֹת: **Ungewöhnliches, Wunder** *extraordinary thing, miracle*: עָשָׂה י׳ פֶּלֶא Ex 15, 11 Js 25, 1 (l פֶּלֶא עֵצוֹת) Ps 77, 15 78, 12 88, 11, Gottes *God's* פֶּלֶא Ps 77, 12 88, 13 89, 6; Name des Heilkindes *name of the child of salvation*: פֶּלֶא יוֹעֵץ e. Wunder von e. Ratgeber *a miracle of a counsellor* Js 9, 5; Wunderbares *wonderful things* Js 29, 14; 2. pl. פְּלָאִים: cj (l כַּפַּ׳) **Wunder** *miracles* Hi 11, 6; adv. **auf erstaunliche Weise** *in an astonishing manner* Th 1, 9; פְּלָאוֹת **Wunder** *miracles* Ps 119, 129 Si 11, 4 43, 25; הַפְּלָאוֹת die wunderbaren Dinge (Geschehnisse) *the wonders (miraculous events)* Da 12, 6. †

פִּלְאִי, Q פֶּלִי vel פֶּלִיא, l K פִּלְאִי Jd 13, 18, fem. פִּלְאִיָּה, Q פְּלִיאָה, l K פִּלְאִיָּה Ps 139, 6: פלא: **wunderbar** *wonderful, miraculous.* †

פַּלֻּאִי: gntl. v. פַּלּוּא: Nu 26, 5. †

פְּלָאיָה: n. m.; פלא u. י׳: Ne 8, 7 10, 11. †

I פלג: ak. *palgu* Kanal *canal* Zimm. 44 u. *pilku, puluggu* Bezirk *district* Zimm. 9; ph. פלג teilen, Bezirk *divide, district*; F ba.; ja. u. sy. פלג teilen *divide*; فلج teilen, trennen *divide, split*, ፈለግ Fluss *stream*:

nif: נִפְלְגָה: **sich zerteilen** *be divided* Gn 10, 25 1 C 1, 19; †

pi: pf. פִּלַּג: spalten, furchen *cleave* (*channel*) Hi 38, 25; pro inf. פַּלֵּג Ps 55, 10 l פַּלַּג (Driv. JTS 33, 40). †
Der. I פֶּלֶג, *פְּלַגָּה, *פְּלֻגָּה, *מִפְלַגָּה.

II *פלג: F n. m. II פֶּלֶג.

I פֶּלֶג: I פלג: pl. פְּלָגִים, cs. פַּלְגֵי, sf. פְּלָגָיו: 1. Spaltung, Entzweiung *division, disunion* ܦܘܠܓܐ cj Ps 55, 10; 2. künstlicher Wassergraben, Kanal *artificial channel, canal*: Ps 65, 10 Js 30, 25 Ps 46, 5, פַּלְגֵי מַיִם Js 32, 2 Ps 1, 3 119, 136 Th 3, 48 Pr 5, 16 21, 1; metaph. פַּלְגֵי שֶׁמֶן Bäche voll Öl *rivers of oil* Hi 29, 6. †

II פֶּלֶג: n. m.; II *פלג, فَلَجَ Erfolg haben *succeed*; Gn 10, 25 1 C 1, 19 leiten es ab v. *derive it from* I פלג: Gn 10, 25 11, 16—19 1 C 1, 19. 25 (Phaliga am *on* Euphrates? Albr. JBL 43, 387 f). †

*פְּלַגָּה: I פלג: pl. פְּלַגּוֹת: 1. Abteilung *division* Jd 5, 15 f; 2. Rinnsal *water-course* Hi 20, 17. †

*פְּלֻגָּה: I פלג; F ba. פְּלֻגָּה: pl. פְּלֻגּוֹת: Abteilung *division* 2 C 35, 5. †

פִּילֶגֶשׁ, פִּלֶגֶשׁ: παλλαξ, παλλακίς, *pellex*; ja. פַּלְקְתָא, ܦܠܩܐ (vocales incerti); n. f. بِلْقِيس (Königin v. *queen of Saba*); nicht semitisch *not Semitic*: sf. פִּילַגְשׁוֹ, פִּילַגְשֵׁהוּ, pl. פִּילַגְשִׁים, cs. פִּלַגְשֵׁי, sf. פִּילַגְשָׁיו, פִּלַגְשֵׁיהֶם, fem: Ehefrau (der ältern Eheform, in der die Frau im Haus des Vaters bleibt) *wife* (*in the older kind of marriage in which the wife stays in her father*'s *house*) Morgenstern ZAW 49, 56 ff, dann *thereafter*: Nebenfrau *concubine*: v. *of* נָחוֹר Gn 22, 24, אַבְרָהָם 25, 6 1 C 1, 32, יַעֲקֹב Gn 35, 22, אֱלִיפַז 36, 12, אִישׁ לֵוִי Jd 19, 1 f. 9 f. 24—29 20, 4—6, שָׁאוּל 2 S 3, 7 21, 11, pl. דָּוִד 2 S 5, 13 15, 16 16, 21 f 19, 6 20, 3 1 C 3, 9, 300 v. *of* שְׁלֹמֹה 1 K 11, 3, 80 Ct 6, 8 f, v. *of* מְנַשֶּׁה 1 C 7, 14; כָּלֵב 1 C 2, 46. 48, רְחַבְעָם 2 C 11, 21, נָשִׁים פִּילַגְשִׁים 2 S 5, 13 (l sic!) 15, 16 20, 3; שֹׁמֵר הַפִּילַגְשִׁים Est 2, 14; Hs 23, 20 פִּלַגְשֵׁיהֶם wäre *would be* masc., l פְּלִשְׁתִּים (Jahn). †

פִּלְדָּשׁ: n. m.; < *פַּרְדָּשׁ (*פרש), ar. *fuds* Spinne *spider* (JBL 59, 35): Gn 22, 22. †

פְּלָדֹת: ܦܠܘܕܐ, فُولَاذ, فَالُوذ, بُولَاذ, pers. پُولَاد Stahl *steel* (Or. Stud. Hommel 1917, I, 239): l כְּאֵשׁ לַפִּדוֹת Na 2, 4. †

פלה: NF v. פלא:
nif: pf. נִפְלֵינוּ; F פלא nif, נִפְלְתָה 2 S 1, 26: c. מִן: besonders behandelt, ausgezeichnet werden vor *be treated differently, be distinguished among* Ex 33, 16; †
hif: pf. הִפְלָה, הִפְלֵיתִי, impf. יַפְלֶה, F פלא hif: ausgezeichnet, besonders behandeln *treat specially, differently*; Ex 8, 18; c. בֵּין ... וּבֵין e. Unterschied machen zwischen *sever between ... and, distinguish between* Ex 9, 4 11, 7. †
Der. פְּלָיָה, אֱלִיפְלֵהוּ; פֶּלֶת, n. m. פַּלְנִי.

פַּלּוּא: n. m.; פלא: Gn 46, 9 Ex 6, 14 Nu 26, 5. 8, cj 16, 1, 1 C 5, 3; F פַּלֻּאִי. †

פלח: mhb., ja., sy. graben *dig*; F ba.; فَلَحَ spalten *cleave*, فَلَّاح Bauer *peasant*:
qal: pt. פֹּלֵחַ: l כְּמִפְלָה Ps 141, 7; †
pi: impf. יְפַלַּח, תְּפַלַּחְנָה: 1. spalten (Pfeil) *cleave open* (*arrow*) Pr 7, 23 Hi 16, 13; 2. in Scheiben schneiden *cut to slices* 2 K 4, 39; 3. (d. Muttermund spalten) gebären, werfen (*cleave the womb*) *cast forth* (אַיָּלוֹת) Hi 39, 3. †
Der. פֶּלַח, n. m. פִּלְחָא.

פֶּלַח: פלח; fem. Hi 41, 16: 1. **Scheibe** *slice* c. דְּבֵלָה Pressfeigen *cake of figs* 1 S 30, 12, c. רִמּוֹן (:: Löw 3, 96) Ct 4, 3 6, 7; 2. (d. aufliegende, obere) **Mühlstein** (*the upper*) *mill-stone* Jd 9, 53 2 S 11, 21, פֶּלַח תַּחְתִּית d. untere Mühlstein *the lower mill-stone* Hi 41, 16. †

פִּלְחָא: n. m.; פלח; فَلَحٌ Scharte in d. Unterlippe *harelip*: Ne 10, 25. †

פלט: *plṭ* (pi?) retten *save*, ak. EA 185, 25. 33 *paliṭmi* ist verschont geblieben *has been saved*, *balāṭu* gesunden, leben *recover*, *live*; ph. davonkommen *escape*, n. m. פלט בעל; فَلَتَ, أَفْلَتَ (ت, selten *rare* ط) davonkommen *escape*; ṣaf.; mhb., ja., sy., Znğ.; mnd. פליט Nöld. MGr 219; *F* מלט:

qal: pf. פָּלְטוּ: **entkommen** *escape* Hs 7, 16; †

pi: pf. *F* מלט; impf. תְּפַלֵּט, sf. תְּפַלְּטֵנִי, יְפַלְּטֵהוּ, אֲפַלְּטֵהוּ, וַתְּפַלְּטֵמוֹ, inf. פַּלֵּט, imp. פַּלְּטָה, פַּלְּטוּ, sf. פַּלְּטֵנִי, pt. sf. מְפַלְּטִי: 1. c. ac. **in Sicherheit bringen** *bring into security* 2 S 22, 44 (מִן) Ps 17, 13 18, 44 22, 5. 9 31, 2 37, 40 43, 1 71, 2. 4 82, 4 91, 14; **davonbringen** *carry away safe* Mi 6, 14; c. מִשְׁפָּטוֹ **sein Recht durchsetzen** *carry one's right* Hi 23, 7; מְפַלְּטִי Ps 18, 3. 49 40, 18 70, 6; mit betontem Suffix *the suffix being stressed* מְפַלְּטִי לִי 2 S 22, 2 Ps 144, 2; 2. Kuh *cow*: davonbringen = **werfen** *carry away* = *cast forth* Hi 21, 10; ? Ps 56, 8; †

hif: impf. יַפְלִיט: **in Sicherheit bringen** *bring into security* Js 5, 29 Mi 6, 14. †

Der. פָּלִיט, פָּלֵיט, פְּלֵיטָה, מִפְלָט; n. m. פֶּלֶט, אֱלִיפֶלֶט, אֶלְפֶּלֶט, פַּלְטִי, פַּלְטִיאֵל, פְּלַטְיָה, יַפְלֵט.

פֶּלֶט: n. m.; פלט; ak. *Paliṭu* APN 179: 1. 1 C 2, 47; 2. 12, 3; *F* אֱלִיפֶלֶט u. בֵּית פֶּלֶט. †

I **פַּלְטִי**: n. m.; KF < פַּלְטִיאֵל 2 S 3, 15: 1. Nu 13, 9; 2. 1 S 25, 44. †

II **פַּלְטִי**: gntl. v. בֵּית פֶּלֶט: 2 S 23, 26, cj 1 C 11, 27 u. 27, 10. †

פִּלְטָי: n. m.; KF; פלט: Ne 12, 17. †

פַּלְטִיאֵל: n. m.; פלט u. אֵל, > פַּלְטִי: 1. Nu 34, 26; 2. 2 S 3, 15, > פַּלְטִי 1 S 25, 44. †

פְּלַטְיָה: n. m.; < פְּלַטְיָהוּ: 1.—3. 1 C 3, 21; 4, 42; Ne 10, 23. †

פְּלַטְיָהוּ: n. m.; פלט u. יי; keilschr. *Palṭijau* APN 179; > פְּלַטְיָה: Hs 11, 1. 13. †

פֶּלִי u. **פְּלִיא**, **פְּלִיאָה**: *F* פֶּלֶא.

***פְּלִי**: *F* אֱלִיפְלֵהוּ.

פְּלָיָה: n. m.; פלה u. יי: 1 C 3, 24. †

פָּלִיט: פלט: pl. cs. פְּלִיטֵי, sf. פְּלִיטָיו: (einer Gefahr) **Entronnener** *escaped one* (*from danger*), oft *frequently* coll.: שָׂרִיד וּפָ׳ Jos 8, 22 Ir 42, 17, פָּ׳ וְשָׂרִיד Ir 44, 14 Th 2, 22; pl. Jd 12, 4 f Js 45, 20 Ir 44, 28 Hs 6, 8 f 7, 16 Ob 14; *F* Gn 14, 13 2 K 9, 15 Hs 24, 26 f 33, 21 f Am 9, 1. †

***פָּלֵיט**: immer *always* pl.: **Entronnene, Verschonte** *escaped ones* Nu 21, 29 Js 66, 19 Ir 44, 14 50, 28 51, 50. †

פְּלֵיטָה u. (Ex 10, 5 Ir 50, 29 Hs 14, 22 1 C 4, 43) פְּלֵטָה: פלט: cs. פְּלֵיטַת: 1. **Entronnenes** *what, who escaped* Ex 10, 5 Jd 21, 17 2 K 19, 30 f Js 37, 31 f 4, 2 10, 20 15, 9 Hs 14, 22 Esr 9, 8. 13—15 Ne 1, 2 1 C 4, 43 2 C 30, 6, cj Ps 80, 5; הָיָה לִפְ׳ entrinnen können *be able to escape* Gn 32, 9 Da 11, 42; 2. **Entrinnen, Errettung** *escape* Gn 45, 7 2 S 15, 14 Ir 25, 35 50, 29 Jl 2, 3 3, 5 Ob 17 2 C 12, 7 20, 24. †

פָּלִיל: I פלל: pl. פְּלִילִים: **Richter** *judges* Dt

32, 31; l בִּנְפִלִים Ex 21, 22, l פְּלִילִי Hi 31, 11 (F 31, 28). †

פְּלִילָה: I פלל: **Entscheidung** *decision* Js 16, 3. †

פְּלִילִי: I פלל: **was vor d. Richter gehört** *calling for judgment* Hi 31, 28, cj 11; F פְּלִילִיָּה. †

פְּלִילִיָּה: fem. v. פְּלִילִי: **Entscheidung, Urteilsspruch** *decision, judgment* Js 28, 7; cj פְּלִילִיָּתוֹ d. Entscheidung über ihn *decision concerning him* Ps 109, 7. †

***פלך**: F I פֶּלֶךְ.

I **פֶּלֶךְ**: *פלך; فَلَّكَ rund sein *be round*, فَلْكَةٌ Spinnwirtel *whirl of spindle*, ak. *pilakku* Spindel *spindle*: פֶּלֶךְ: **Spinnwirtel** *whirl of spindle* (AS 5, 49 f) Pr 31, 19 2 S 3, 29 (? G σκυτάλη Krücke *crook*). †

II **פֶּלֶךְ**: ak. *pilku* F I פלג: **Bezirk, Kreis** *district* Ne 3, 9. 12. 14—18. †

I **פלל**: altass. *old ass. palālum* Gericht halten *sit in judgment* ZA 38, 248; mhb. פְּלִילָה Rechtssache *legal affair*, פִּלְפֵּל untersuchen *inquire*: pi: pf. פִּלַּלְתִּי, פִּלַּלְתְּ, sf. פִּלְלוֹ (BL 437), impf. וַיְפַלֵּל: 1. **Gericht halten** *sit in judgment* Ps 106, 30, cj בְּעָוֶל תְּפַלְּלוּן Ps 58, 3; 2. **Schiedsrichter sein** *arbitrate* 1 S 2, 25 (l פִּלְלוֹ); cj 25 pro יִתְפַּלֶּל־; 3. **sich für e. Ansicht entscheiden > etw. vermuten** *decide for an opinion > presume* (obj. רְאֹה) Gn 48, 11; 4. c. לְ (als Schiedsrichter) **einstehen für** *stand up (as arbitrator) for one's rights* Hs 16, 52. †
Der. פְּלִילִיָּה, פְּלִילִי, פְּלִילָה, פָּלִיל; n. m. פָּלָל, אֱלִיפַל, אֶפְלָל, פְּלַלְיָה.

II **פלל**: nur hitp. *only*: mhb. pi. u. hitp. u. neosy. *perpil* beten *pray*: Wellh. RaH 126: فَلَّ Einschnitte machen (im Kult) *cut oneself (in worship)*; Ahrens ZDM 64, 163: נפל sich hinwerfen *prostrate oneself*: : OTS 3, 124—132: hitp: pf. הִתְפַּלֵּל, הִתְפַּלַּלְתִּי, הִתְפַּלַּלְתֶּם, impf. יִתְפַּלֵּל, אֶתְפַּלֵּל, וָאֶתְפַּלֵּל, וָאֶתְפַּלְלָה (BL 437) Da 9, 4, inf. u. imp. הִתְפַּלֵּל, הִתְפַּלֶּל־, pt. מִתְפַּלֵּל: 1. 1 S 2, 25 l יְפַלֶּל־ (פלל I); 2. (Greiff, D. Gebet im AT 1915, 17—23): **beten** *pray*: c. בְּעַד für *for* Gn 20, 7 Nu 21, 7 Dt 9, 20 1 S 7, 5 12, 19. 23 1 K 13, 6 Ps 72, 15 Hi 42, 10 Ir 7, 16 11, 14 14, 11 29, 7 37, 3 42, 2. 20, c. עַל für *for* Hi 42, 8 2 C 30, 18 32, 20; c. אֶל zu (Gott) *unto (God)* Gn 20, 17 Nu 11, 2 21, 7 Dt 9, 26 1 S 1, 10 (l אֶל). 26 8, 6 1 K 8, 33. 44. 48 2 C 6, 24. 34 2 K 4, 33 6, 18 20, 2 Js 37, 15 38, 2 44, 17 45, 14. 20 2 C 32, 24 Ir 29, 12 32, 16 42, 4 Jon 2, 2 4, 2 Ps 5, 3 32, 6 Ne 2, 4 4, 3 2 C 33, 13, c. לְ zu *unto* Da 9, 4, c. לִפְנֵי vor (Gott) *before (God)* 1 S 1, 12 1 K 8, 28 2 K 19, 15 Ne 1, 4. 6 1 C 17, 25 2 C 6, 19; abs. **beten** *pray* 1 S 2, 1 2 K 6, 17 Js 16, 12 (מִקְדָּשׁוֹ מוֹאָב an *at*) Da 9, 20 Esr 10, 1 2 C 7, 1. 14; הִתְפַּלֵּל תְּפִלָּה 2 S 7, 27 1 K 8, 28 f 2 C 6, 20 1 K 8, 54; הִתְפַּלֵּל אֶל beten wegen, um *pray on account, for* 1 S 1, 27 2 K 19, 20 Js 37, 21, c. בְּעַד u. לְטוֹבָה um Wohlergehen für *for the good of* Ir 14, 11; c. אֶל nach e. Ort hin gewendet *turned in the direction of a place* 1 K 8, 29 f. 35. 42 2 C 6, 20 f. 26. 32, דֶּרֶךְ אַרְצָם 2 C 6, 38. †
Der. תְּפִלָּה.

פָּלָל: n. m.; KF; < פְּלַלְיָה: Ne 3, 25. †

פְּלַלְיָה: n. m.; פלליה AP; I פלל u. יי; > פָּלָל: Ne 11, 12. †

פַּלְמֹנִי: forma mixta e פְּלֹנִי et אַלְמֹנִי, VG 1, 295: der und der *a certain one* Da 8, 13. †

פְּלֹנִי: פלה = פלא ThZ 1, 303 f; keilschr. *pi-la-nu* AOF 12, 117; ja. פְּלָנְיָא, sy. פְּלָן, ar. *fulān*: anderer = jemand *other* = *a certain one*: immer mit *always along with* אַלְמֹנִי: der und der *a certain one* 1 S 21, 3 2 K 6, 8 Ru 4, 1; 1 הַפַּלְטִי 1 C 11, 27; 1 הַגִּילֹנִי 11, 36; F פַּלְמֹנִי. †

I פלס: ak. *palāšu* durchbohren *bore through*; ph. פלס (Weg) ebnen *level (way)*; فلز durchbrechen (Mauer) *break through (wall)*; فَلَّسَ aufreissen *rend*:

pi: impf. יְפַלֵּס, תְּפַלֵּסוּן, imp. פַּלֵּס: c. מַעְגָּל Js 26, 7 Pr 4, 26, c. נָתִיב Ps 78, 50: bahnen *level*; abs. **Bahn machen** *prepare a road* Ps 58, 3 (1 לְחָמָס). †

II פלס: ak. *naplusu* blicken, beobachten *look at, examine* Zimm. 23, JTS 36, 150 37, 59 f:

pi: impf. תְּפַלֵּס **beobachten** *watch* Pr 5, 6. 21. †

Der. פֶּלֶס.

פֶּלֶס: II פלס: **Zeiger der Waage** *indicator, tongue of the balance* Js 40, 12 Pr 16, 11. †

פלץ:

hitp: impf. יִתְפַּלָּצוּן: **erbeben** *shudder* Hi 9, 6. †

Der. פַּלָּצוּת, מִפְלֶצֶת, *תִּפְלֶצֶת.

פַּלָּצוּת: פלץ: **Erbeben** *shuddering* Js 21, 4 Hs 7, 18 Ps 55, 6 Hi 21, 6. †

***פלשׁ**: فَلَّسَ auseinanderreissen *rend asunder*: F *מִפְלָשׂ.

פלשׁ: Joüon Bibl. 6, 419 f:

hitp: pf. הִתְפַּלָּשְׁתִּי K Mi 1, 10, impf. יִתְפַּלָּשׁ, imp. הִתְפַּלְּשׁוּ, הִתְפַּלְּשִׁי: **sich wälzen** *roll* Ir 25, 34, c. עָפָר im Staub *in the dust* Mi 1, 10, c. בָּאֵפֶר Ir 6, 26 Hs 27, 30. †

פְּלֶשֶׁת: n. t.; Noth ZDP 62, 134 ff; ass. (ca. 800) *Palastu*, *Pilišta*, *Pilistu*; > Παλαιστίνη; älter *older name* F אֶרֶץ פְּלִשְׁתִּים: פְּלֶשֶׁת: **das Land, Gebiet der Philister** *the country, territory of Philistines* Ex 15, 14 Js 14, 29. 31 Jl 4, 4 Ps 60, 10 83, 8 87, 4 108, 10; F פְּלִשְׁתִּי. †

פְּלִשְׁתִּי (288 ×; cj Hs 23, 20): n. p.; G in Gn-Jos Φυλιστιιμ, sonst *elsewhere* Ἀλλόφυλοι: pl. פְּלִשְׁתִּים, K פלשתיים Am 9, 7 1 C 14, 10: Philister *Philistine*: pl. 'פְּ Gn 10, 14 u. oft *a. often*, seltener *rarely* 'הַפְּ 1 S 4, 7 2 S 5, 19 2 C 21, 16 etc.; 'פְּ הָעֲרֵלִים Jd 14, 2, הַפְּלִשְׁתִּי הֶעָרֵל 1 S 17, 26. 36; פְּלִשְׁתִּיִּים מִכַּפְתּוֹר Am 9, 7; הַפְּלִשְׁתִּי der einzelne Ph. *the Phil. individual* 1 S 17, 8. 10 u. oft *a. often*; 'גָּלְיַת הַפְּ 1 S 17, 23; אֶרֶץ פְּלִשְׁתִּים Gn 21, 32 Ex 13, 17 1 S 27, 1 1 K 5, 1 Ze 2, 5 2 C 9, 26 etc., יָם פְּלִשְׁתִּים Mittelmeer *Mediterranean* Ex 23, 31; 'שְׂדֵה פְּ 1 S 6, 1 27, 7. 11; 'כֶּתֶף פְּ Berglehne d. Ph. *slopes of the Ph.* Js 11, 14; 'פְּ c. גְּלִילוֹת Jos 13, 2, c. עָרֵי 1 S 6, 18, c. חֲמֵשֶׁת סַרְנֵי Jos 13, 3 Jd 3, 3, c. שָׂרֵי 1 S 18, 30, c. מֶלֶךְ Gn 26, 1. 8, c. אֱלֹהֵי Jd 10, 6, c. בְּנוֹת Jd 14, 1 Hs 16, 27. 57; F פְּלֶשֶׁת; Eissfeldt F Pauly-Wissowa, 38, 1938, 2390 ff; Galling RLV 10, 126 ff; z. Herkunft v. Illyrien *about Illyrian origin* H. Jacobsohn, Arier u. Ugrofinnen, 1922, 236[3].

פֶּלֶת: n. m.; Noth S. 255: 1 C 2, 33; 1 פַּלּוּא Nu 16, 1. †

***פֵּלֶת**: פלה, G διαστολή: **Abstand** *distance* cj Ex 8, 19. †

פְּלֵתִי: immer neben *always along with* F כְּרֵתִי; ungedeutet *unexplained*; künstliche Analogiebildung zu? *artificial analogy to* כְּרֵתִי? †.

פֶּן (133 ×; cj 1 K 11, 2): KF v. Substantiv v. פנה = Abwendung? KF *of noun of* פנה =

rejection?; aram. פּוֹן; Nöld. MG 474; immer *always* פֶּן־: Konjunktion der Abwehr *conjunction of rejection*: 1. c. impf. (106 ×): **damit nicht, dass nicht** *lest*: פֶּן־יִשְׁלַח damit er nicht ausstreckt *lest he put forth* Gn 3, 22; פֶּן־-Satz vorangestellt *clause with* פֶּן־ *preceding* Js 27, 3; 2. c. impf. (Abwehr einer als möglich vermuteten Folge (*rejection of a consequence which might be possible*): **sonst** *otherwise*: פֶּן־תִּדְבָּקַנִי sonst haftet sich an mich *otherwise [the evil] will overtake me* Gn 19, 19: so *thus* Gn 26, 7. 9 31, 31 32, 12 38, 11 42, 4 44, 34 Ex 13, 17 34, 15 Nu 16, 34 Dt 29, 17 Jd 7, 2 1 S 13, 19 27, 11 Js 36, 18 Ir 51, 46 Ps 38, 17 Hi 32, 13 36, 18 Ru 4, 6; 3. פֶּן מַה־ (ohne *without* Maqqef!) **was sonst** *what else?* Pr 25, 8; 4. פֶּן־ c. pf. פֶּן־נְשָׂאוֹ **sonst** [wenn sie ihn nicht finden] hat ihn ... getragen *otherwise [if they do not find him] ... has taken him away* 2 K 2, 16; פֶּן־מָצָא **sonst** findet er noch *otherwise he will find* 2 S 20, 6.

פַּנַּג: unerklärt; e. Nahrungsmittel *unexplained*; *a kind of food*: Hs 27, 17.†

פנה: mhb.; ja., sy. פנא; فنى weggehn *pass away*: ⲫⲱⲱ wegschicken *send away*:

qal: pf. פָּנָה, פָּנִית, פָּנוּ, פָּנִינוּ, impf. יִפְנֶה, וַיִּפֶן, תֵּפֶן, וָאֵפֶן, וַיִּפְנוּ, inf. פְּנוֹת, פָּנֹה, sf. פְּנוֹתָם Hs 29, 16, imp. פְּנֵה, פְּנוּ, pt. פֹּנֶה, פֹּנוֹת, פֹּנִים, פּוֹנָה cj Hs 43, 17: 1. **sich nach e. Seite wenden, e. Richtung einschlagen** *turn towards a direction* Dt 2, 3 Jos 15, 2. 7 1 S 13, 17 f 14, 47 1 K 2, 3 7, 25 Hs 8, 3 10, 11 11, 1 43, 1. 17 44, 1 46, 1. 12. 19 47, 2 Hi 24, 18 2 C 4, 4; 2. c. אֶל: **sich an jmd wenden** *turn towards a person* Lv 19, 4. 31 20, 6 Pr 17, 8 Hi 5, 1; **sich hinwenden** nach etw. *turn towards a thing* Ex 16, 10 Nu 17, 7 Js 13, 14 Ir 50, 16 Hs 17, 6 Hi 21, 5 2 C 20, 24; **sich zuwenden** *turn towards* Lv 26, 9 Nu 12, 10 16, 15 Dt 31, 18. 20 Jd 6, 14 1 K 8, 28 2 K 13, 23 Js 45, 22 Hs 36, 9 Ho 3, 1 Ma 2, 13 Ps 25, 16 40, 5 69, 17 86, 16 102, 18 119, 132 Hi 36, 21 2 C 6, 19 26, 20; **sich kümmern um** (*turn a.*) *look for* Dt 9, 27 2 S 9, 8; c. אֶל: gespannt sein auf, **erwarten** *look for, expect* Hg 1, 9: 3. פָּנָה אַחֲרָיו **sich umwenden** *turn back* Jos 8, 20 Jd 20, 40 2 S 1, 7 2, 20 2 K 2, 24; 4. **sich umdrehen** *turn round* Ex 2, 12 7, 23 10, 6 32, 15 Dt 9, 15 10, 5 16, 7 30, 17 Jd 18, 26 20, 42. 45. 47 1 K 10, 13 2 K 23, 16 2 C 13, 14; sich wenden > **weitergehen** *turn > go on* Gn 18, 22 24, 49 Nu 14, 25 21, 33 Dt 1, 7. 24 2, 1. 8 3, 1 Jos 22, 4 Jd 18, 21 1 K 17, 3 Ct 6, 1 Ko 2, 12; 5. פָּנָה c. אַחֲרֵי **sich anschliessen an** *attach to* Hs 29, 16; c. בְּ **sich aufmerksam zuwenden** *pay attention to* Hi 6, 28 Ko 2, 11; c. לְ **sich wenden nach ... hin** *turn towards* Js 8, 21 53, 6 56, 11, cj Ko 5, 17 (1 יִפְנֶה); 6. פָּנָה sich wenden, **vergehn** *turn, pass away*: לִפְנוֹת עֶרֶב als d. Abend herein brach *when night was setting in* Gn 24, 63 Dt 23, 12; לִפְנוֹת בֹּקֶר als d. Morgen anbrach *as the day was dawning* Ex 14, 27 Jd 19, 26 Ps 46, 6; פָּנָה הַיּוֹם d. Tag neigt sich *the day is declining* Ir 6, 4, pl. Ps 90, 9; 7. פָּנָה c. עֹרֶף **d. Nacken zuwenden** *turn the back* Jos 7, 12 Ir 2, 27 32, 33; 1 הַפִּנָּה 2 C 25, 23;†

pi: pf. פִּנָּה, פִּנִּית, פִּנּוּ, imp: פַּנּוּ: 1. **wegschaffen** *turn away* Ze 3, 15; 2. **aufräumen** *make clear* Ps 80, 10, בַּיִת Gn 24, 31 Lv 14, 36; 3. c. דֶּרֶךְ e. Weg **freiräumen, herstellen** *make clear, prepare a way* Js 40, 3 57, 14 62, 10 Ma 3, 1;†

hif: pf. הִפְנָה, הִפְנְתָה, הִפְנוּ, impf. וַיֶּפֶן, inf. sf. הַפְנֹתוֹ, pt. מַפְנֶה: 1. **sich umwenden** *turn* Ir 47, 3 Na 2, 9, **weichen** (im Kampf) *give way (in fight)* Ir 46, 5. 21 49, 24; 2. c. עֹרֶף **d. Rücken kehren** *turn one's back* Ir 48, 39; c. שִׁכְמוֹ s. Schulter wenden *turn his shoulder* 1 S 10, 9; c. זָנָב אֶל־זָנָב

Schw. gegen Schw. wenden *turn tail to tail* Jd 15, 4; †
hof: imp. הָפְנוּ, pt. מָפְנֶה: zum Weichen gebracht werden *be caused to give way* Ir 49, 8 (Var. הֻפְנוּ); gewendet sein *be turned* Hs 9, 2. †
Der. יְפֻנֶּה, פָּנֶה*, פִּנָּה, פְּנִימָה; n. m. פֵּן, פְּנוּאֵל, פְּנִיאֵל.

פָּנֶה* (2100 ×): pl. פנה, פָּנִים, die zugewandte Seite *the side turned toward one*; ug. *pnm*, ak. *pānu*, ph. cs. pl. פן (פני); mo. לפני, מפני; mhb. פָּנִים, ܦܢܝܐ, ܦܐܢܝܐ Seite *side*; فِنَاء Vorhof *court*; soq. *fāne* Gesicht *face*: sg. cs. פְּנֵי, פְּנוּ in n. m. et loci; pl. פָּנִים, cs. פְּנֵי, sf. פָּנָיו, פָּנֶיךָ, פְּנֵיכֶם, פְּנֵימוֹ (BL 253) Ps 11, 7; masc. (Hs 21, 21!): 1. **Gesicht** *face* Gn 31, 2, pl. Hs 1, 6; נפל עַל־פָּנָיו Gn 17, 3; עז פָּנִים mit trotzigem G. *of fierce countenance* Dt 28, 50; בשת פָּנִים beschämtes G. *confusion of face* Esr 9, 7 2 C 32, 21; קְשֵׁי פָנִים Hs 2, 4; הֵסֵב פָּנָיו wendet s. Ges. ab *turns away his f.* 1 K 21, 4, blickt zurück *looks back* Jd 18, 23; שָׂם פָּנָיו richtet s. Ges. [auf] *sets his f.* [*towards*] Gn 31, 21, c. בְּ wendet s. Ges. zu *sets h. f. upon* Ir 21, 10; פָּנִים אֶל־פָּנִים Gn 32, 31 u. פ׳ בְּפ׳ Dt 5, 4 Angesicht in Angesicht *face to face*; נָתַן פָּנָיו לְ s. Ges., sein. Sinn darauf lenken, zu ... *sets h. f., his intention to ...* 2 C 20, 3; פָּנָיו לַמִּלְחָמָה sann auf Kampf *h. f., his intention was to fight* 2 C 32, 2; נָתַן פָּנָיו בְּ Lv 20, 3 u. שָׂם פ׳ בְּ 20, 5 s. Angesicht wenden gegen *set one's face against*; הֵסִיר פָּנִים מִן sich abwenden von *turn away one's face from* 2 C 30, 9; 2. **Gesicht, Gesichtszüge** *face, countenance*; וַיִּפְּלוּ פָּנָיו Gn 4, 5; פְּנֵיכֶם רָעִים ihr seht schlecht aus *you look badly* Gn 40, 7; פְּנֵי צֹאן Aussehen *look, appearance* Pr 27, 23, פְּנֵי דָבָר Aussehen e. Sache *as the matter looks* 2 S 14, 20; הִצְהִיל פ׳ Ps 104, 15; פָּנֶיהָ לֹא־הָיוּ־לָהּ עוֹד sie machte kein [trauriges] Ges. mehr *her countenance was no more* [*sad*] 1 S 1, 18; עָזַב פָּנָיו macht e. anderes Ges. *changes his countenance* Hi 9, 27; 3. **Gesicht, sichtbare Seite** *face, visible side*: **Oberfläche** *surface* פְּנֵי הָאֲדָמָה Gn 2, 6, פְּנֵי תֵבֵל Js 14, 21, פְּנֵי תְהוֹם Gn 1, 2, פְּנֵי הַמַּיִם 1, 2; פְּנֵי הַלּוֹט Js 25, 7, פְּנֵי לְבוּשׁ oberstes Kleid *outer garment* Hi 41, 5; 4. **Gesicht = Vorderseite** *face = front side*: פָּנִים :: סוֹף Jl 2, 20; פָּנִים וְאָחוֹר vorn u. hinten *in front a. behind* Hs 2, 10; מִפָּנִים von vorne *on the front* 2 S 10, 9; פְּנֵי הָאֹהֶל Vorderseite *front side* Ex 26, 9, פְּנֵי מִצְנֶפֶת 28, 37; פְּנֵי מִלְחָמָה **Angriff** *charge* 2 S 10, 9 11, 15; פָּנֶיךָ (חֶרֶב) פָּנִים (בַּרְזֶל) Hs 21, 21 u. Ko 10, 10 **Schneide** (Schwert) *edge* (*sword*); פְּנֵי דַמֶּשֶׂק nach [d. Vorderseite] v. Dam. hin *towards* [*the front side of*] *Dam.* Ct 7, 5; 5. פָּנִים vorn = **früher, ehemals** *front side = in former days, in the past*: לְפָנִים Dt 2, 10 1 S 9, 9, cj לְפָנִים לֹא Js 48, 7; מִלְּפָנִים **von je her** *at all times* Js 41, 26; 6. פָּנִים von Gott gesagt *said of God*: פְּנֵי אֱלֹהִים Gn 33, 10, פְּנֵי אֲדֹנָי Ps 34, 17 Th 4, 16 Sa 7, 2, פְּנֵי יהוה Th 2, 19; Zimm. 65, Nötscher, D. Angesicht Gottes schauen, 1924; **F** אור hif., בִּקֵּשׁ, סתר hif., ראה nif., חזה Ps 11, 7 17, 15, ראה Ex 33, 14—23 Hi 33, 26, שִׁחֵר Pr 7, 15, אוֹר פָּנֶיךָ Ps 4, 7 44, 4 89, 16, מְאוֹר פ׳ 90, 8, קִדֵּם פָּנָיו Ps 89, 15 95, 2, הֵסִיר פ׳ מִן 2 C 30, 9, יִשָּׂא Nu 6, 26, גַּעֲרַת פָּנֶיךָ Ps 80, 17, חִלָּה פ׳ אֶל Sa 8, 21 f; Gott handelt *God acts* פְּנֵי יהוה Dt 4, 37, cf. Ex 33, 14 f 2 S 17, 11 Js 63, 9; בְּפָנָיו Js 65, 3, פָּנֶיךָ Hi 1, 11 (Koehler, Theol. A. T. 108 ff); 7. לֶחֶם פָּנִים u. שֻׁלְחַן (Stellen *quotations* **F** לֶחֶם < שְׁ׳ לְ׳ הַפָּ׳ שֻׁלְחַן הַפָּנִים Nu 4, 7: **Schaubrottisch** (e. Tisch im Heiligtum, auf d. Brote vor d. פָּנִים Gottes liegen) *table of shew-bread* (*table in the sanctuary upon which breads are laid before the* פָּנִים *of God*); 8. פָּנִים Gesicht = das Selbst e. Person *face = the self of a person*: פָּנֶיךָ du selber *thou self* 2 S 17, 11, אֶל־פָּנָיו an ihm selber *to himself* Dt 7, 10; l לִפְנֵיהֶם Hi 17, 6, l לִפְנִימָה 1 K 6, 29; 9. אֶל־פְּנֵי vor ... hin [*brought*] *before* Lv 9,5 Nu 17,8 2 C 19,2, neben ... her, entlang *by the side, along* Hs 42, 3. 7. 10, l עַל־פְּנֵי Hs 41, 25; 10. אֶת־פְּנֵי bei d. Gesicht von, vor *with the face of, before* Gn 19, 13 33, 18 Lv 4,6; מְשָׁרֵת אֶת־פְּנֵי יהוה 1 S 2,18, נִרְאָה אֶת־פְּנֵי י׳ F ראה nif; vor ... hin *before* 1 S 22,4; מֵאֵת־פְּנֵי fort von *away from* Gn 27, 30 Ex 10, 11 Hi 2,7; מֵאֵת פָּנָיו von dem, was vor ihm war *from what was before him* Gn 43, 34; 11. בִּפְנֵי im Angesicht, vor, gegen *in the face of, before, against* Dt 7,24 11,25 Jos 10,8 21,44 23,9; anders (eigentliches פְּנֵי Gesicht) *differently* (*real* פְּנֵי *face*) Hs 6, 9 20, 43 36, 31; 12. לִפְנֵי ak. *lapān* vor *before*: sf. לְפָנַי 2 S 5,20, לְפָנֶיךָ Gn 32,18, לְפָנָיו Js 40, 10, לִפְנֵיכֶם 1 K 9,6; l לִפְנֵי הַדְּבִיר 1 K 6, 17; a) räumlich *locally*: Gn 23, 12, vor ... hin *before* Ex 7, 10 2 K 4, 43, vor ... her *before* 2 S 3, 31 Js 8,4; לְפָנָיו vor sich hin *right forth* Ir 49,5; vor Gott *before God* (ak. *ina pān*) 1 S 7,6 23,18 Lv 1,5 1 S 1, 12. 15. 19 Gn 27,7 Dt 14, 26 Ex 28, 12 etc.; לִפְנֵי שֶׁמֶשׁ solange, als die S. scheint *as long as the sun is shining* Ps 72, 17, cf לִפְנֵי יָרֵחַ 72,5; l לְפָנֶיךָ כְּבַת du lässest vor dir gelten wie eine *is regarded in thy face (eyes) as a* 1 S 1,16; l בִּפְנֵיהֶם 1 C 14, 8, l בְּפָנָיו 2 C 14, 6; b) zeitlich *temporally*: לִפְנֵי קָצִיר vor d. Ernte *afore the harvest* Js 18,5; לִפְנֵי מוֹתִי ehe ich sterbe *ere I die* Gn 27,7; לְפָנַי ehe ich kam *before I came* Gn 30,30; לִפְנֵי מִזֶּה früher *before this* Ne 13,4; לִפְנֵי vor = schneller als *before = quicker than* Hi 4, 19 8, 12; c) לִפְנֵי bezeichnet d. Vorrang *indicates pre-eminence*: Gn 48,20 Ne 2,5 Gn 43,14; לְפָנֶיךָ (ak. *ina pāni*) steht dir zur Verfügung *is at thy disposal* Gn 13,9 24,51 2 C 14,6; l מִלְּפְנֵי 2 S 24,4; 13. מִלִּפְנֵי: fort von *away from* Gn 47,10 1 K 8,54 Ex 36, 3 2 C 20, 7; כָּתַב מִלִּפְנֵי abschreiben von *copy from* Dt 17,18; מָדַד מִלִּפְנֵי misst von ... aus *measures from* Hs 40, 19; aus d. Bereich von *out of the reach of* Gn 4,16 Jon 1,10 1 S 21,7; c. יָרֵא sich fürchten vor *fear for* Ko 8,13, c. נִכְנַע 1 K 21,29, c. יָצָא Lv 9,24, etc.; מִלִּפְנֵי wegen *on account of* 1 S 8,18 1 C 16,33; l רוּחָם לְפָנַי Js 57,16; 14. מִפְּנֵי (ak. *ištu pān, lapān*) von ... fort, von ... aus, vonseiten *away from, from ... out, on the part of*: Ex 14,19, c. הָלַךְ Ho 11,2, c. בָּרַח Gn 16,8, etc.; im Vergleich *in comparison* Hi 17, 12; > wegen *on account of* Gn 6,13 Ex 3,7 Gn 41,31 Dt 28,20; מִפְּנֵי אֲשֶׁר weil *because* Ex 19,18 Ir 44, 23; 15. עַל־פְּנֵי: angesichts von *in the face of, in sight of, before* Lv 10,3 2 S 15,18 Ps 9,20, vor *before* Ir 6,7 Ex 20,20, vorne an *in the front of* 1 K 6,3, gegenüber von *facing, opposite to* Gn 23,19 1 S 15,7; gegen, zum Schaden von *against, to the cost of* Dt 21,16; NB: עַל־פְּנֵיכֶם euch ins Gesicht *to your face* Hi 6, 28, עַל־פָּנַי gegen m. Gesicht, mir zum Trotz *against my face, in defiance of me* Ex 20, 3 Dt 5, 7; 16. נֶגֶד פְּנֵי, נֹכַח פְּנֵי, מֵעַל־פְּנֵי, מֵעִם־פְּנֵי F נֶגֶד, נֹכַח etc.

Der. הַצְלֶלְפּוֹנִי, n. m. et loc. פְּנוּאֵל, פְּנִיאֵל.

פִּנָּה: פנה; (BL 599); cs. פִּנַּת, sf. פִּנָּתָהּ (l פִּנָּה Pr 7, 8), pl. פִּנּוֹת, sf. פִּנֹּתָיו u. פִּנִּים Sa 14,10†: 1. Ecke *corner*, F *זָוִית: v. בַּיִת Hi 1,19,

מִזְבֵּחַ Ex 27, 2 38, 2, שַׁעַר Ir 31, 40, חוֹמָה Ne 3, 24. 31 f, מְכֹנָה 1 K 7, 34, עֲזָרָה Hs 43, 20 45, 19, Strasse *street* Pr 7, 8. 12 2 C 28, 24, גַּג Pr 21, 9 25, 24; אֶבֶן פִּנָּה **Eckstein** *corner stone* Hi 38, 6, > פִּנָּה Ir 51, 26 Js 28, 16 Ps 118, 22; 2. **Eckturm** *corner-tower* (מִגְדָּל, Turm im Mauerzug *tower in the tract of a wall*) Ze 1, 16 3, 6 2 C 26, 15; daher *therefore* שַׁעַר הַפִּנָּה 2 K 14, 13 Ir 31, 38 2 C 26, 9, cj 25, 23, = שַׁעַר הַפִּנִּים Sa 14, 10 (= W-Ecke d. Nordmauer Jerusalems *w-corner of the northern wall of Jerusalem*), cj פִּנַּיִךְ Na 2, 2; 3. (metaph.) Eckturm = **Anführer** *corner-tower = chief* (// יָתֵד Sa 10, 4) Jd 20, 2 1 S 14, 38 Js 19, 13 (l פִּנֹּת) Sa 10, 4. †

I **פְּנוּאֵל**: n. m.; *פָּנָה (BL 524) u. אֵל; äga. n. m. פנוליה: 1. 1 C 4, 4; 2. 8, 25 Q (K פְּנִיאֵל). †

II **פְּנוּאֵל**: n. l.; *F* I: Glueck AAS 18/19, 232 ff u. Noth PJ 37, 69[3]: *Tilūl eḏ-ḏahab* Gn 32, 32 (= פְּנִיאֵל 32, 31) Jd 8, 8 f. 17 1 K 12, 25. †

פִּנְחָס: *F* פִּינְחָס.

I **פְּנִיאֵל**: n. m.; *פָּנָה (BL 525) u. אֵל: = n. m. פְּנוּאֵל 2.: 1 C 8, 25 K. †

II **פְּנִיאֵל**: n. l.; *F* I: = n. l. פְּנוּאֵל: Gn 32, 31. †

פְּנִיִּים: *F* פְּנִינִים.

פָּנִים: *F* *פָּנֶה.

פְּנִימָה: פָּנִים u. -*ā* loc.; gesichtswärts *towards the face* Nöld. NB 83: 1. **hinein** *into* Lv 10, 18 2 C 29, 18; 2. **inwendig** *within* 1 K 6, 18 f. 21 2 K 7, 11; 3. לִפְנִימָה **innen** *within* 1 K 6, 30, cj 29, **nach innen** *inward* Hs 40, 16 41, 3 2 C 29, 16; 4. מִפְּנִימָה **inwendig** *within* 2 C 3, 4; l פְּנִינִים Ps 45, 14. † Der. פְּנִימִי.

פְּנִימִי: v. פנימה; mhb.: fem. פְּנִימִית, pl. פְּנִימִים, fem. פְּנִימִיּוֹת: (d.) **innere** (*the*) *inner* 1 K 6, 27. 36 7, 12. 50 Hs 8, 3. 16 10, 3 40, 15—46, 1 Est 4, 11 5, 1 1 C 28, 11 2 C 4, 22. †

פְּנִינִים: *פנן; Vers. unsicher *undecided*; πίννα, lat. *pina, pinna* Plin. 9, 115 (Bauer, Edelsteinkunde[3] 761 ff): **Korallen** (perlen) *corals* Pr 8, 11 20, 15 31, 10 Q 3, 15 Hi 28, 18 Th 4, 7 Si 7, 19 30, 15, cj Ps 45, 14; *F* פְּנִנָּה. †

***פנן**: פְּנִנָּה, פנינים.

פְּנִנָּה: n. f.; *פנן; ar. *fainānā* Frau mit reichem Haar *woman with rich hair* (Zusammenhang mit πίννα = Steckmuschel *connected with* πίννα = *pinna* *F* Kl L 50? ebenso *the same* פְּנִינִים?): 1 S 1, 2. 4. †

פנק: mhb. pi. u. sy. pa. verzärteln *pamper*, ja. itpa. sich gütlich tun *indulge*; = فَنَّق:

pi: pt. מְפַנֵּק Pr 29, 21: l מְפֻנָּק; †

pu: cj pt. מְפֻנָּק: **verzärtelt** *pampered* Pr 29, 21. †

***פַּס**: ph. פסת Tafel, *tablet*; mhb. פַּס 1. Stück *piece*; 2. Fläche (v. Hand, Fuss) *flat* (*of foot*) *F* ba., palm.; ja. פַּסָּא Grabscheit *spade*: pl. פַּסִּים: כְּתֹנֶת פַּסִּים Gn 37, 3 2 S 13, 18 u. כְּ' הַפַּ' Gn 37, 23. 32 2 S 13, 19: aus verschiedenfarbigen Stücken zusammengesetzter, bunter Leibrock? *tunic composed of variegated pieces?*; v. < כְּ' אֲפַסִּים bis zu d. Knöcheln reichender L.? *tunic reaching to the ankles?* (*talare*) AS 5, 215; *F* n. l. אֶפֶס דַּמִּים. †

פסג: pi. imp. פַּסְּגוּ: unerklärt *unexplained* Ps 48, 14. †

פִּסְגָּה, immer *always* הַפִּסְגָּה: n. montis; d. Randgebirge *the bordering mountains eš-Šefa*, trennt d. moab. מִישׁוֹר v. Toten Meer *between moab.* מִישׁוֹר *a. Dead Sea*: Nu 21, 20 23, 14 Dt 3, 17. 27 4, 49 34, 1 Jos 12, 3 13, 20, cj Ir 48, 1. †

*פִּסָּה: cs. פִּסַּת: unerklärt *unexplained* Ps 72, 16. †

פסח: ak. *pissu* lahm, hinkend *lame*, *limp*; mhb. nif. lahm werden *grow lame*; فَسَخَ ausrenken *dissolve*:

qal: pf. פָּסַח, פָּסַחְתִּי, inf. פָּסוֹחַ, pt. פֹּסְחִים: 1. **lahmen, hinken** *be lame*, *limp* 1 K 18, 21; 2. c. עַל **vorbeihinken, vorbeigehn an, verschonen** *limp over at*, *pass over*, *spare* Ex 12, 13. 23. 27 Js 31, 5; †

nif: impf. יִפָּסֵחַ: lahm werden *be lamed* 2 S 4, 4; †

pi: impf. וַיְפַסְּחוּ: (kultisch) umhinken *limp* (*worshipping*) *around* 1 K 18, 26. †

Der. פֶּסַח, פִּסֵּחַ, פָּסֵחַ, n. l. תִּפְסַח.

פֶּסַח: פסח; ja., äga. פִּסְחָא, sy. פֶּצְחָא F I פצח; πάσχα, 2 C φασεκ, φασεχ; Hieronymus *phase*, *pase* ZAW 20, 320. 327: פֶּסַח, pl. פְּסָחִים: Belege *quotations* Ex 12, 11. 21. 27. 43. 48 34, 25 Lv 23, 5 Nu 9, 2—14 28, 16 33, 3 Dt 16, 1 f. 5 f Jos 5, 10 f 2 K 23, 21—23 Hs 45, 21 Esr 6, 19 f 2 C 30, 1 f. 5. 15. 17. 18 35, 1. 6—9. 11. 13. 16—19: 1. זֶבַח חַג הַפָּסַח Ex 34, 25; זֶבַח־פֶּסַח Ex 12, 27, זֶבַח פֶּסַח לַיהוה Dt 16, 2. 5 f; עָשָׂה פֶּסַח לַיהוה Ex 12, 48 Nu 9, 10. 14 Dt 16, 1 2 K 23, 21. 23 2 C 30, 1. 5 35, 1. 18 f; פֶּסַח לַיהוה Ex 12, 11 Lv 23, 5 Nu 28, 16; עָשָׂה הַפֶּסַח Nu 9, 2. 4—6. 13 Jos 5, 10 Esr 6, 19 2 C 30, 2 35, 16 f; שָׁחַט הַפֶּסַח Ex 12, 21 Esr 6, 20 2 C 30, 15 35, 1. 6. 11; חֻקַּת הַפָּסַח Ex 12, 43 Nu 9, 12. 14; מָחֳרַת הַפֶּסַח Nu 33, 3 Jos 5, 11; **Passa** *passover*: an diesen Stellen ist פֶּסַח e. (etymologisch noch nicht befriedigend gedeuteter, (oft durch יהוה) auf Jahwä bezogener Kultritus mit Schlachtopfern *at these quotations* פֶּסַח *is a rite of worship connected with slaughtering of sacrifices which is related to Yahveh* (*frequently by added* לַיהוה), *but not yet etymologically explained at all satisfaction*; F Komm. u. Handbücher *handbooks*; G. Beer, Pesachim 1912, J. Ieremias, D. Passahfeier d. Samarit. 1932; F 2 K 23, 22 Hs 45, 21 2 C 35, 18; 2. פֶּסַח 2 C 30, 18 35, 13 (בִּשֵּׁל) u. pl. פְּסָחִים 2 C 30, 17 35, 7—9: **Passaopfer** *sacrifice of passover*. †

פָּסֵחַ: n. m.; פסח; Hinker *limper*: 1.—3. Esr 2, 49 Ne 7, 51; 3, 6; 1 C 4, 12. †

פִּסֵּחַ: פסח: pl. פִּסְחִים: **lahm** an d. Beinen *lame to his feet* 2 S 9, 13 19, 27 Js 35, 6 Pr 26, 7 Hi 29, 15; dadurch als Priester kultunfähig *therefore unfit for priesthood* Lv 21, 18, Tiere opferunfähig *animals unfit for sacrifice* Dt 15, 21 Ma 1, 8. 13; F 2 S 5, 6. 8 Js 33, 23 Ir 31, 8. †

*פָּסִיל: פסל: pl. פְּסִילִים, cs. פְּסִילֵי, sf. פְּסִילֶיךָ: **Gottesbild** *idol* Dt 7, 25 12, 3 Js 10, 10 30, 22 42, 8 Ir 8, 19 51, 47. 52 Ho 11, 2 Mi 1, 7 5, 12 (// מַצֵּבָה) Ps 78, 58 2 C 33, 19 (// אֲשֵׁרִים). 22 34, 3; אֶרֶץ פְּסִלִים = בָּבֶל Ir 50, 38; c. שָׂרַף Dt 7, 5. 25, c. שִׁבַּר Js 21, 9 2 C 34, 4, c. כִּתַּת 34, 7; c. עָבַד 2 K 17, 41, 2 C 33, 22, c. זָבַח לְ 2 C 33, 22; פְּסִילִים bei *near* גִּלְגָּל Jd 3, 19. 26 (Steinbrüche? *quarries?* OLZ 29, 645). †

פָּסַךְ: n. m.: 1 C 7, 33. †

פסל: ug. *psl* Steinhauer *stone-cutter*; mhb.; äga. פסלה, פסילה Quader *ashlar*; ph., ja. u. sy. פסל behauen *hew into shape*; nab. פסלא Steinhauer *stone-cutter*:

qal: pf. sf. פְּסָלוֹ, impf. יִפְסֹל, imp. פְּסָל־: (Steine) **aushauen, behauen** *cut*, *hew* (*stones*) Ex 34, 1. 4 Dt 10, 1. 3 1 K 5, 32 Ha 2, 18. †

Der. פֶּסֶל, *פָּסִיל.

פֶּסֶל: פסל: פֶּסֶל, sf. פִּסְלוֹ: (aus Stein gehauenes, aus Ton geformtes, aus Holz-geschnitztes, dann auch aus Metall gegossenes) **Gottesbild** *idol*, *image of a god* (*cut from stone*, *shaped from clay*, *carved from wood*, *finally also molten from metal*): עָשָׂה פ׳ Ex 20, 4 Dt 4, 16. 23. 25 5, 8 27, 15 Jd 17, 3 2 K 21, 7 Js 44, 15; יָצַר פ׳ 44, 9; נָסַךְ פ׳ 40, 19 44, 10; פ׳ וּמַצֵּבָה Lv 26, 1, פ׳ וּמַסֵּכָה Dt 27, 15 Jd 17, 3. 4 (צרף) 18, 14 Na 1, 14, Ps 97, 7; פ׳ וְנֶסֶךְ Js 48, 5; פ׳ הָאֲשֵׁרָה 2 K 21, 7 = פ׳ הַסֶּמֶל 2 C 33, 7; הֵקִים פ׳ Lv 26, 1 Jd 18, 30; הֵכִין פ׳ Js 40, 20; הֵשִׂים פ׳ Jd 18, 31 2 C 33, 7; *F* Jd 18, 17 f. 20 Js 42, 17 44, 17 45, 20 Ir 10, 14 51, 17 Ha 2, 18. †

פסס: qal: pf. פַּסּוּ: l סָפּוּ Ps 12, 2. †

פִּסְפָּה: n. m.: 1 C 7, 38. †

I פעה: mhb. hif. blöken *bleat*; ja., sy. בעא; بغى:

qal: impf. אֶפְעֶה (beim Gebären) **stöhnen** *groan* (*woman bringing forth*) Js 42, 14. †

II *פעה: *F* אֶפְעֶה

פָּעוּ: n. l.; Φογωρ!: edom. Stadt *Edomite town*; Musil, AP 2, 2. 21 = *W. Fā*ᶜ*i* an d. S. spitze des Toten Meers *at the S-end of Dead Sea* Gn 36, 39, *F* פָּעִי. †

פְּעוֹר: n. l.? Φεγωρ; Jaussen-Savignac, Mission en Arabie 2, 650 f: Inschrift ΒΕΕΝΦΕ[ΩΡ]: 1. בַּעַל פְּעוֹר n. dei Nu 25, 3. 5, > פְּעוֹר 31, 16 Jos 22, 17; 2. verehrt auf *worshipped at* (n. montis) רֹאשׁ הַפְּעוֹר Nu 23, 28 u. (n. l.) בֵּית פְּעוֹר Dt 3, 29 4, 46 34, 6 Jos 13, 20 = (n. l.) בַּעַל פְּעוֹר Ho 9, 10, beide *both* n. l. verkürzt aus *shortened from* *בֵּית בַּעַל פְּעוֹר; Lage unbekannt *situation unknown*; bei *near* מִדְבָּר; Noth, ZAW 60, 19 f; 3. G: Φαγωρ = פְּעוֹר *Ch. Fāġūr* bei *near Bethlehem* Jos 15, 59 (G!). †

פָּעִי: n. m.; = פָּעוּ: 1 C 1, 50. †

פעל: ug. $p^{c}l$ (?); ph.; mhb.; ja., sy.; فَعَلَ, asa. פעל (subst.); > tigre *fa*ᶜ*alā* weben *weave*:

qal: pf. פָּעַל, פָּעַל, פָּעַלְתָּ, פָּעֲלוּ, פָּעֲלוּ, impf. יִפְעַל, יִפְעָל, אֶפְעַל, תִּפְעָל־, Hi 35, 6; pro תִּפְעָלוּן Ps 58, 3 l תְּפַלְּלוּן; inf. sf. פָּעֳלָם Hi 37, 12 (*F* unten *below*), pt. פֹּעֵל, sf. פֹּעֲלִי, pl. cs. פֹּעֲלֵי: 1. (= עָשָׂה) **machen** *make* Js 41, 4 44, 15 (obj. אֵל) Ps 7, 16; c. ac. u. לְ: machen zu *make* c. 2 ac. Ps 7, 14; **verüben, begehen, üben** *commit*; *practise*, *show*: שֶׁקֶר Ho 7, 1, צֶדֶק Ps 15, 2, עַוְלָה Ps 119, 3, עָוֶל Hi 34, 32, רָע Mi 2, 1, אָוֶן Pr 30, 20, פֹּעֲלֵי אָוֶן *F* אָוֶן; פָּעַל בְּ **bearbeiten** mit *work* (*a matter*) *with* Js 44, 12; 2. (= עָשָׂה) **tun** *do* Hi 11, 8, **antun** *do unto* Hi 7, 20; **vollbringen, ausrichten** *accomplish*, *perform* Ps 11, 3; פָּעַל מִשְׁפָּטוֹ Gottes Rechtsordnung ausführen *accomplish God's orders of law* Ze 2, 3; 3. v. Gott gesagt *said of God*: c. ac. u. לְ **machen** zu *make* c. 2 ac. Ex 15, 17; machen *make* Pr 16, 4, **tun** *do* Nu 23, 23 Dt 32, 27 Js 26, 12 (מַעֲשִׂים) 43, 13; c. טוֹב לְ Ps 31, 20, für *for* 68, 29, c. עִם für *for* Hi 33, 29, c. לְ 22, 17, = c. בְּ 35, 6; Gott ist *God is* פֹּעֵל יְשׁוּעוֹת Ps 74, 12, פֹּעַל פָּעַל Ha 1, 5 Ps 44, 2; פֹּעֲלִי mein **Schöpfer** *my maker* Hi 36, 3; 4. l פֹּעַל **erwerben** *acquire* Pr 21, 6; l לִפְעוֹל zu **vollbringen** *to accomplish* Hi 37, 12; l תְּפַלְּלוּן Ps 58, 3. †

Der. פֹּעַל, פְּעֻלָּה, מִפְעָל*; n. m. אֶלְפַּעַל, פְּעֻלְּתַי.

פֹּעַל: פעל: sf. פָּעֳלוֹ, פָּעֳלוֹ (BL 582), פָּעָלְךָ, פָּעָלְךָ (*pŏ*ᶜ*ŏl*ᵉ*kā*), pl. פְּעָלִים: 1. **Tat** *doing*: פֹּעַל חָמָס Js 59, 6, פֹּעַל כַּפָּיו Ps 9, 17;

Arbeit *work* Ps 104,23 Hi 24,5; 2. **Werk** *work, achievement* Js 1,31 41,24 45,9 Ir 25,14 50,29 Ps 28,4 Pr 24,12.29 Hi 34,11 36,9; von Gott *of God* Ha 1,5 3,2 Ps 44,2 95,9; 3. **Tun, Wirken** *deed, activity* Dt 32,4 (Gottes *God's*) 33,11 Js 45,11 (Gottes *God's*) Ps 111,3; רַב פְּעָלִים tatenreich *who has done many deeds* (alii: reich begütert *wealthy*) 2 S 23,20 1 C 11,22; 4. **Walten** (Gottes) (*God's*) *doing* Js 5,12 Ps 77,13 90,16 92,5 143,5 64,10 Hi 36,24; 5. **Verhalten, Wesen** *acting, conduct* Pr 20,11 21,8 Ru 2,12; 6. **Lohn** *wages* Ir 22,13 Hi 7,2; 7. **Erwerb** *acquisition* 2 S 23,20 F 3; l פֹּעַל Pr 21,6, l לְפֹעַל Hi 37,12.†

פְּעֻלָּה: פעל: cs. פְּעֻלַּת, sf. פְּעֻלָּתוֹ, פְּעֻלַּתְכֶם, pl. פְּעֻלּוֹת, פְּעֻלֹּת; 1. **Arbeit** *work* Ir 31,16 2 C 15,7; 2. **Tat** *deed* pl. Ps 17,4, v. *of* ׳י 28,5; 3. **Verdienst** (durch Arbeit) *wages* (*earned by work*) Js 40,10 49,4 61,8 62,11 Pr 10,16 Si 36,21; 4. **Lohn** (für Arbeit) *reward* (*for work*) Lv 19,13 Hs 29,20 Pr 11,18; 5. **Verdienst** (durch Schuld), **Strafe** *reward* (*of sin*), *punishment* Js 65,7 Ps 109,20.†

פְּעֻלְּתַי: n. m.; פְּעֻלָּה: 1 C 26,5.†

פעם: mhb. pi. stossen, stören *push, trouble*: qal: inf. sf. פַּעֲמוֹ: stossen, **umtreiben** *impel, move* Jd 13,25;†

nif: pf. נִפְעַמְתִּי, impf. וַתִּפָּעֶם: **umgetrieben werden** *be disturbed* Gn 41,8 Ps 77,5 Da 2,3;†

hitp: impf. וַתִּתְפָּעֶם: **sich umgetrieben fühlen** *feel disturbed* Da 2,1.†

Der. פַּעַם, פַּעֲמוֹן.

פַּעַם (117×): פעם; ug. *pʿn* u. ph. פעם Fuss *foot*: פַּעַם, pl. פְּעָמִים, cs. פַּעֲמֵי, sf. פְּעָמָיו, פְּעָמַי, פַּעֲמֹתָיו, du. פַּעֲמַיִם, fem.: פְּעָמֶיךָ, 1. **Fuss** (des Menschen) *foot* (*of man*) Ps 58,11 85,14 Pr 29,5; כַּף פְּעָמַי Fusssohle *sole of the foot* 2 K 19,24 Js 37,25; 2. **Fuss** (v. Gerät) *pedestal, foot* Ex 25,12 37,3; 3. **Tritt** *step* Jd 5,28 Js 26,6 Ps 17,5 57,7 119,133 140,5 Ct 7,2; פַּעַם אַחַת mit e. einzigen Stoss *at one stroke* 1 S 26,8; 4. **Amboss** *anvil* Js 41,7; 5. **mal** (beim Zählen) *occurrence, time*: בַּפַּעַם הַזֹּאת dieses Mal *this time* Ex 8,28 (5×); הַפַּעַם einmal, endlich *once, finally* Gn 2,23; אַךְ הַפַּעַם nur noch diesmal *but this once* Gn 18,32; עַתָּה הַפַּעַם aber diesmal *now this time* Gn 29,34; רַק הַפַּעַם nur noch diesmal *but this once* Jd 6,39; הַפַּעַם nunmehr *this time* Gn 29,35 (6×); פַּעַם... פַּעַם bald ... bald *now ... now* Pr 7,12; פַּעַם וּשְׁתַּיִם ein-, zweimal *once or twice* Ne 13,20; כְּפַעַם בְּפַעַם wie die frühern Male *as at the other times* Nu 24,1 Jd 16,20 20,30 f 1 S 3,10 20,25; 6. du. שָׁלֹשׁ פַּעֲמַיִם zwei, drei Mal *twice, thrice* Hi 33,29, אֶלֶף שָׁנִים פַּעֲמַיִם 2 mal 1000 Jahre *a 1000 years twice* Ko 6,6; זֶה פַעֲמַיִם nun 2 mal *now twice* Gn 27,36 43,10; 7. פַּעַם אַחַת Jos 6,3 u. 6,14 einmal *once*, auf einmal *at once* Js 66,8; פ׳ חֲמִישִׁית ein 5. Mal *the fifth time* Ne 6,5; שֵׁשׁ פְּעָמִים 6 mal *6 times* 2 K 13,19; so *thus* פ׳ רַבּוֹת Nu 14,22, אֶלֶף פ׳ Dt 1,11; עֶשֶׂר פ׳ viele Male *many times* Ps 106,43; עַד־כַּמֶּה פ׳ wie manches Mal? *how many times?* 1 K 22,16; l וְאַרְבַּע פִּנּוֹתֶיהָ 1 K 7,30.

פַּעֲמוֹן: פַּעַם: pl. פַּעֲמֹנִים, cs. פַּעֲמֹנֵי: **Glöckchen** (am Rock des Hohenpriesters) *bell* (*on high-priest's robe*) Ex 28,33 f 39,25 f Si 45,9.†

פַּעְנֵחַ: F צָפְנַת.

פער: ug. *pʿr* rufen *call*; mhb. öffnen *open*; ja. (Darm) entleeren *go to stool*; sy. aufsperren (Mund) *open wide* (*mouth*); ܦܥܪ = sy.: qal: pf. פָּעֲרָה, פָּעַרְתִּי, פָּעֲרוּ: (Mund) auf-

sperren *open wide* (*mouth*) Js 5, 14 (שְׁאוֹל) Ps 119, 131 Hi 16, 10 29, 23. †
Der. פְּעוֹר?, n. m. פַּעֲרַי?

פַּעֲרַי: n. m.; פער? פער ph. n. m. (?) פער: 2 S 23, 35; F נַעֲרַי. †

***פעשׁ**: I, II n. m. פַּרְעֹשׁ.

פצה: ja., äga., sy. pa. befreien *set free*; فَصَى trennen *separate*:
qal: pf. פָּצְתָה, פָּצִיתִי, פָּצוּ, impf. יִפְצֶה, imp. sf. פְּצֵנִי, pt. פּוֹצֶה: 1. פָּצָה פֶּה d. **Mund aufreissen** (um zu verschlingen) *open the mouth* (*to swallow*) Gn 4, 11 Nu 16, 30 Dt 11, 6 Hs 2, 8, d. Schnabel aufsperren (Vogel *bird*) Js 10, 14; (um zu reden, beten *to speak, pray*) Jd 11, 35 f Hi 35, 16; c. עַל gegen *against* (Drohgebärde *threatening*) Ps 22, 14 Th 2, 16; 2. פָּצוּ שְׂפָתַיִם die Lippen **tun sich auf** *lips are opened* Ps 66, 14; 3. c. ac. (Aramaismus) **befreien** *set free* Ps 144, 7. 10 f. †

I פצח: ak. *pišū* weiss, hell *white, bright*; ja. פְּצִיחָא, ܦܨܝܚ u. فصح heiter (sein) (*be*) *serene*; n. m. אֶפְצַח Dir. 42:
qal: pf. פָּצְחוּ, פִּצְחִי, impf. יִפְצְחוּ, imp. פִּצְחוּ: **heiter sein** *be serene* Js 14, 7 44, 23 49, 13 52, 9 54, 1 55, 12 Ps 98, 4. †

II פצח: فَصَخَ, ፈጸሐ zerbrechen *scatter*:
pi: pf. פִּצֵּחוּ: **zerschlagen** *break in pieces* Mi 3, 3. †

פְּצִירָה: II *פצר: nach *according to* S שׁוּפִינָא u. Zusammenhang *context*: **Schärfen** (v. Pflugschar) *sharpening* (*of ploughshare*) 1 S 13, 21 :: Driver AOF 15, 68. †

פצל: mhb. pi. spalten *split*; ja. פצל u. בצל, ܦܨܠ; فَصَلَ spalten *split* u. بَصَلَ, በጸለ schälen *bark*; F *בָּצָל:
pi: pf. פִּצֵּל, impf. יְפַצֵּל: **entrinden, schälen** (Zweige) *bark, peel* (*boughs*) Gn 30, 37 f. †
Der. פְּצָלוֹת.

פְּצָלוֹת: פצל: **entrindete Streifen** (an Zweigen, Stecken) *peeled stripes* (*on boughs, rods*) Gn 30, 37. †

פצם: ja. ausbrechen (Fenster) *cut out* (*window*), فَصَمَ aufbrechen *crack*:
qal: pf. sf. פְּצַמְתָּהּ: **spalten** (die Erde) *split open* (*the earth*) Ps 60, 4. †

פצע: mhb., ja.; فَضَخَ quetschen *squeeze*:
qal: pf. sf. פְּצָעוּנִי, inf. פָּצֹעַ, pt. pass. cs. פְּצוּעַ: **Quetschwunden beibringen** *wound by bruising*, 1 K 20, 37 Ct 5, 7; פְּצוּעַ־דַּכָּא durch Zermalmung **zerquetscht** *squeezed by crushing* Dt 23, 2; F פֶּצַע. †

פֶּצַע: פצע: פֶּצַע, sf. פִּצְעִי, pl. פְּצָעִים, cs. פִּצְעֵי, sf. פְּצָעָיו: **Quetschwunde** *bruise, wound* Gn 4, 23 Ex 21, 25 Js 1, 6 Pr 20, 30 23, 29 27, 6 Hi 9, 17. †

פצץ: mhb. hitpo. zerschmettert werden *be smashed*; nab. פצץ zerbrechen *break asunder*; ܦܨ; فَصَّ; F נפץ u. פרץ:
po: impf. יְפֹצֵץ: **zerschlagen** (Felsen) *shatter* (*rocks*) Jr 23, 29; †
hitpo: impf. וַיִּתְפֹּצְצוּ: **zerschlagen werden** *be shattered* Ha 3, 6; †
pilp: impf. sf. יְפַצְפְּצֵנִי: **zerschmettern** *smash* Hi 16, 12. †
Der. n. m. הַפִּצֵּץ, n. l. בֵּית פַּצֵּץ.

הַפִּצֵּץ: פצץ: n. m.: 1 C 24, 15. †

I פצר: NF v. פרץ: ak. *parṣu* Brauch, religiöse Pflicht *custom, religious duty*; ܦܪܨ bezahlen *pay*; فَرَضَ auferlegen *impose on*:
qal: impf. וַיִּפְצְרוּ, וַיִּפְצַר: c. בְּ in jmd **dringen** *entreat a person* Gn 19, 3. 9 33, 11 Jd 19, 7 2 K 2, 17 5, 16, F פרץ qal 5; †
hif: inf. הַפְצַר (BL 333): **Widerspenstigkeit** (?) *insubordination* (?) 1 S 15, 23. †

II *פצר: F פְּצִירָה.

*פִּק: פיק: cs. פִּק: Wanken *tottering* Na 2, 11. †

פקד: Sem.; ug. *pqd*; ak. *paqādu* Zimm. 10. 18 f; ph. besorgen, bewachen *take care of*; aram. sich kümmern um *care for*; فَقَدَ vermissen, suchen *miss*; Grundbedeutung: vermissen, sich kümmern um *original meaning*: *miss*, *worry about*:

qal (230 ×): pf. פָּקַד, פָּקַדְתָּ, פָּקְדוּ, sf. פְּקַדְתִּים, פְּקַדְתִּיךָ, impf. יִפְקֹד, אֶפְקֹד, וָאֶפְקֹד, יִפְקְדוּ, sf. וַיִּפְקְדֵם, וְתִפְקְדֵנוּ, inf. פָּקֹד, פְּקֹד, sf. פָּקְדִי, imp. פִּקְדוּ, pt. פֹּקֵד, pass. פְּקֻדִים, פְּקוּדֵי, sf. פְּקֻדֵיכֶם: 1. vermissen *miss* 1 S 20, 6 Js 34, 16 Ir 3, 16 Sa 11, 16; 2. Nachschau halten *look after* 1 S 14, 17 Ps 17, 3 65, 10 (הָאָרֶץ im L. *in the c.*) Hi 5, 24 (נָוְךָ auf der Flur *on the pasture-ground*) 31, 14; 3. aufsuchen *go to see* Jd 15, 1 (בְּ mit *with a gift*) Js 26, 16 (Menschen Gott *men God*), c. לְשָׁלוֹם nach jmds. Befinden sehen *look after one's state* 1 S 17, 18; 4. sich kümmern um *take care of* 2 K 9, 34 Ir 23, 2; 5. sich sehnen nach *long for* Hs 23, 21; 6. von Gott *said of God*: sich annehmen *take care of*: der Kinderlosen *the childless woman* Gn 21, 1 1 S 2, 21, d. Volks *the people* Gn 50, 24 f Ex 4, 31 13, 19 Ir 29, 10, des Beters *the praying people* Ir 15, 15, d. Tempelgeräte *the vessels of the temple* Ir 27, 22, etc.; l פְּקַדְתִּם Ir 6, 15; 7. ausheben, mustern *pass in review*, *muster*: Ex 30, 12 Nu 1, 3 Jos 8, 10 1 S 11, 8 1 K 20, 15 2 C 25, 5; פְּקוּדֵי הָעֵדָה Ex 38, 25, פְּקוּדֵי מֹשֶׁה die von M. Ausgehobenen *those mustered by M.* Nu 26, 63; 8. פָּקוּד: mit e. Aufgabe betraut, vorgesetzt *appointed to a task*, *commissioned* Nu 31, 14 2 K 11, 15 2 C 23, 14; 9. daher *therefore*: פָּקַד betrauen mit, bestallen *appoint*: פ׳ עַל setzen über *appoint over* Nu 27, 16, פ׳ אִתָּם stellt in ihren Dienst *appoints as their servant* Gn 40, 4, פ׳ בְּרֹאשׁ stellt an die Spitze *appoints at the head* Dt 20, 9, פ׳ עַל־עֲבֹדָה stellt an e. Arbeit *appoints to a task* Nu 4, 49; פ׳ עַל bietet auf gegen *summons against* Ir 15, 3; פ׳ עַל befiehlt [ihnen] an *commissions* [*them*] Nu 4, 27 Hi 34, 13 Esr 1, 2; 10. stellen, zur Verantwortung ziehn *call to account for* Ir 6, 15 49, 8 50, 31 Ps 59, 6; 11. zur Verantwortung ziehn, ahnden *ask for vindication*, *avenge* (עַל an *on*) 1 S 15, 2 Ex 20, 5 Am 3, 2; פ׳ עָוֹן Th 4, 22, פ׳ חַטָּאת Ir 14, 10 Ho 8, 13, פ׳ פֶּשַׁע Am 3, 14 Ps 89, 33, פ׳ דְּרָכָיו Ho 4, 9, פ׳ רֹעַ Ir 23, 2, פ׳ יָמִים Js 13, 11, פ׳ דְּמֵי Ho 1, 4, פ׳ רָעָה Ho 2, 15; 12. (= 11. mit Weglassung des Objekts *the object being dropped*) zur Verantwortung ziehn *call to account for* Js 10, 12 Ir 9, 24 Ho 4, 14 Am 3, 14 Ze 1, 8 Sa 10, 3 (28 ×, Ir 18 ×); absol. Js 26, 14 Ir 5, 9. 29 Hi 35, 15 (l פֹּקֵד); 13. פָּקַד בְּ: ahnden an *avenge on* Ir 9, 8; 14. Einzelnes *particulars*: פָּקַד בַּבַּיִת im Haus versorgen, hinterlegen *deposit in the house* 2 K 5, 24; פָּקַד בְּשֵׁמוֹת einzeln nennen *call the individual names* Nu 4, 32; פְּקוּדֵי הַמִּשְׁכָּן Musterung > Kostenberechnung für *mustering* > *taxing of costs of* Ex 38, 21; l יִפָּקֵד Js 27, 3; l וַיִּתְפַּקְדוּ Nu 4, 49;

nif: pf. נִפְקַד, נִפְקַדְתָּ, impf. יִפָּקֵד, יִפָּקֵד, יִפָּקְדוּ, inf. הִפָּקֵד: 1. vermisst werden, fehlen *be missed*, *lacking* Nu 31, 49 Jd 21, 3 1 S 20, 18. cj 19 2 S 2, 30 1 K 20, 39 Ir 23, 4; leer bleiben *be vacant*, *empty*: מוֹשָׁב 1 S 20, 18, מָקוֹם 1 S 20, 25. 27; c. לְ jmdm fehlen, abgehn *be missing* 1 S 25, 7. 21; 2. aufgeboten werden *be summoned* Hs 38, 8; bestallt, in e. Amt gesetzt werden *be commissioned* Ne 7, 1 12, 44; zur Verantwortung gezogen werden *be asked to ac-*

count for Js 24, 22 29, 6; 3. נִפְקַד עַל **zustossen** *befall* Nu 16, 29, cj Js 27, 3; 4. **betroffen werden** *be struck* (*with*) Pr 19, 23 (רָע);

pi: pt. מְפַקֵּד: **mustern** *muster* Js 13, 4;

pu†: pf. פֻּקְּדוּ, פֻּקַּד: 1. **aufgeboten werden** *be summoned* Js 38, 10; 2. **festgestellt, berechnet werden** *be stated, counted* Ex 38, 21; †

hif: pf. הִפְקִיד, הִפְקַדְתִּי, sf. הִפְקַדְתּוֹ, impf. יַפְקִיד, יַפְקֵד, sf. יַפְקִדֵהוּ, imp. הַפְקֵד, הַפְקִידוּ: 1. **beordern, bestellen** *order, commission* (עַל über *over*) Gn 39, 4 f 41, 34 Nu 1, 50 Js 10, 28 2 K 7, 17 25, 22 f Js 62, 6 Ir 1, 10 40, 5. 7. 11 41, 2. 10. 18 Ps 109, 6 Est 2, 3 1 C 26, 32: 2. c. ac. u. לְ: jmd mit etw. **betrauen** *entrust a thing to a person* 1 K 11, 28; c. ac. u. עַל־יַד jmd etwas **übergeben** *commit a thing to the hands of* 1 K 14, 27 2 C 12, 10; 3. c. ac. anweisen (e. Ort) *assign* (*a place*) 1 S 29, 4, überlassen *deposit* Js 10, 28, in Verwahr geben, **anvertrauen** *leave in custody, entrust* Ir 36, 20 (Schriftstück *document*), 37, 21 (Gefangene *prisoners*), Ps 31, 6 (m. Geist *my spirit*); 4. c. ac. u. עַל: **beordern, verhängen über** *appoint over* Lv 26, 16; †

hof: pf. הָפְקַד, pt. מֻפְקָדִים: 1. **bestellt, betraut werden** *be appointed, commissioned* 2 K 22, 5. 9 2 C 34, 10. 12. 17; 2. hinterlegt, **in Verwahr gegeben werden** *be deposited* Lv 5, 23 Si 42, 7; l הַפְּקֻדִים 2 K 12, 12, l הֻפְקַר Ir 6, 6 (Volz); †

hitp: pf. הִתְפָּקְדוּ (BL 281), impf. וַיִּתְפָּקֵד: gemustert, ausgezählt werden *be mustered, counted* Jd 20, 15. 17 21, 9, cj Nu 4, 49; †

hotp: pf. הָתְפָּקְדוּ: **gemustert, ausgezählt werden** *be mustered, counted* Nu 1, 47 2, 33 26, 62 1 K 20, 27. †

Der. פְּקֻדָּה, פִּקָּדוֹן, פְּקִדֻת, פִּקּוּדִים*, פָּקִיד, מִפְקָד.

פְּקֻדָּה: פקד: cs. פְּקֻדַּת, sf. פְּקֻדָּתְךָ, pl. פְּקֻדּוֹת, פְּקֻדֹּת: 1. **Betrauung, Dienst, Amt** *commission, charge, office* Nu 3, 36 4, 16 Ps 109, 8 1 C 24, 3. 19 2 C 17, 14; Dienstabteilung *class of officers* 1 C 23, 11; 2. **Obhut, Posten** *care, charge* 2 K 11, 18 2 C 23, 18 Js 60, 17 Hs 44, 11 Hi 10, 12 2 C 24, 11; פְּקֻדַּת יִשְׂרָאֵל **Verwaltung** Israels *administration of Isr.* 1 C 26, 30; בֵּית הַפְּקֻדֹּת **Wachthaus** *guard-house* Ir 52, 11; 3. **Ahndung, Heimsuchung** *visitation, punishment* Js 10, 3 Ir 8, 12, cj 6, 15, 11, 23 23, 12 46, 21 48, 44 50, 27 51, 18 Ho 9, 7 Mi 7, 4, pl. Hs 9, 1; 4. **Schicksal** *destiny* Nu 16, 29; 5. **Musterung** *mustering* 2 C 26, 11; 6. d. **Aufbewahrte, Gebliebene** *deposit, store* Js 15, 7; l פָּקִיד בְּ Nu 3, 32. †

פִּקָּדוֹן: פקד: ak. *puquddū*, ja. פִּקְדוֹנָא: 1. **Hinterlegtes** *deposit* Lv 5, 21. 23; 2. **Vorrat** *store* Gn 41, 36. †

פְּקִדֻת: פקד: Aufsicht *oversight*; בַּעַל פְּקִדֻת **Wachthabender** *commander of the guard* Ir 37, 13. †

פְּקוֹד: n. t.; keilschr. *Puqudu*; talm. נהר פקוד, keilschr. *nār-Piqudu*, *ḫarri-Piqudu* BEU 9, 76 10, 70 UMB 1, 42: Streck, Assurbanipal 803: aram. Nomadenstamm in Babylonien *tribe of Aramaean nomades in Babylonia*; Schiffer, Aramäer 4. 126 f: Ir 50, 21 Hs 23, 23. †

פִּקּוּדִים*: פקד: cs. פִּקּוּדֵי, sf. פִּקּוּדָיו: **Anweisungen** (Gottes) *orders* (*of God*) Ps 19, 9 103, 18 111, 7 119 (21 × פִּקּוּדֶיךָ, cj 119, 128). †

פקח: mhb., ja. öffnen *open*, sy. blühen *blossom*, تفقّح öffnen, blühen *open, blossom*; asa. öffnen *open*; cf. ak. *piqū* Springgurke *squirting cucumber*:

qal: pf. פָּקַח, פָּקַחְתָּ, impf. יִפְקַח, inf. פְּקוֹחַ, imp. פְּקַח, פִּקְחָה K Dn 9, 18, pt. פֹּקֵחַ, pass. פְּקֻחוֹת: c. עֵינַיִם d. **Augen auftun** *open the*

eyes Gn 21, 19 2 K 4, 35 6, 17. 20 19, 16 Js 37, 17 42, 7 Ir 32, 19 Sa 12, 4 Pr 20, 13 Hi 14, 3 27, 19 Da 9, 18; (עֵינֶי weggelassen *dropped*) Ps 146, 8; פָּקַח אָזְנַיִם d. Ohren öffnen *open the ears* Js 42, 20; †
nif: pf. נִפְקְחוּ, impf. תִּפָּקַחְנָה: **aufgetan werden** (Augen) *be opened* (*eyes*) Gn 3, 5. 7 Js 35, 5. †
Der. פֶּקַח, פְּקַח־קוֹחַ; n. m. פְּקַחְיָה; פֶּקַח?

פֶּקַח: n. m.; פקח; Dir. 353; Lkš 19, 2; keilschr. *Paqaha* APN 180: K. v. Israel 2 K 15, 25—37 16, 1. 5 Js 7, 1 2 C 28, 6. †

פִּקֵּחַ: פקח: **deutlich, klar sehend** *clear-sighted* Ex 4, 11 (Grätz l פִּסֵּחַ) 23, 8. †

פְּקַחְיָה: n. m.; Dir. 353 *Pqḥj*; פקח u. יָ: K. v. Israel 2 K 15, 22 f. 26. †

פְּקַח־קוֹחַ: פקח: künstliche Schreibung v. *artificial spelling of* פְּקַחְקוֹחַ: **Auftun, Öffnung** (d. Gesichtes) *opening* (*of eye-sight*) Js 61, 1 (l וְלַסְּגוּרִים pro וְלַאֲסוּרִים). †

פָּקִיד: פקד: cs. פְּקִיד, pl. פְּקִידִים: **Beauftragter, Beamter** *commissioner, officer* (c. עַל, בְּ über *over*; מִיַּד von seiten *by the appointment of* 2 C 31, 13): Gn 41, 34, cj Nu 3, 32 (l פְּקִיד בְּשֹׁמְרֵי), Jd 9, 28 2 K 25, 19 Ir 20, 1 (פָּ׳ נָגִיד oberster Beambter *chief officer*), cj 29, 26 (l פָּקִיד בְּבֵית), 52, 25 Est 2, 3 Ne 11, 9. 14. 22 (gen. = für *of*) 12, 42 2 C 24, 11 31, 13. †

***פֶּקַע**: F פַּקֻּעֹת, פְּקָעִים.

פְּקָעִים: F פַּקֻּעֹת: **koloquintenförmiger Zierat** *gourd-shaped ornaments* 1 K 6, 18 7, 24, cj 2 C 4, 3 (bis). †

פַּקֻּעֹת: *פקע spalten *split* NF v. בקע; mhb. פַּקּוּעָה, ja. פַּקּוּעְתָּא, ܦܩܘܥܬܐ, فَقْع, فُقَّاع: **Koloquinte** *gourd Colocynthis vulgaris* Schrad., Löw 1, 537, AS 1, 343 (ihre Frucht bewirkt starkes Abführen *with strong purgative properties*) 2 K 4, 39. †

***פֶּקֶר**: F *פֶּקֶר.

***פֶּקֶר**: *פקר; mhb., ja. zügellos leben *live licentiously*, sy. unsinnig sein *be unreasonable*: **Zügellosigkeit** *licentiousness* cj Ir 6, 6 pro הָפְקַד (Volz). †

פַּר (132 ×): III פרר: ug. *prt* Kuh *cow*; mhb.; ja. פַּרְתָּא junge Kuh *young cow*; ܦܪܐܐ Lamm *ewe*; فُرَار Jungtier (Schaf, Ziege, Rind) *young* (*of ewe, goat, cow*); F I פָּרָה: פַּר וָאַיִל, פַּר Nu 23, 2. 4, הַפָּר, בַּפָּר etc., pl. פָּרִים, sf. פָּרֶיהָ: **junges, männliches Rind, Jungstier** *young bull* Gn 32, 16 (10 פָּרִים auf *to* 40 פָּרוֹת) Ex 24, 5, פַּר מַקְרִן מַפְרִיס Ps 69, 32, oft durch בֶּן־בָּקָר als Rind gekennzeichnet *frequently with added* בֶּן־בָּקָר Ex 29, 1 Hs 43, 19; פַּר הַשּׁוֹר Jd 6, 25, cj פַּר מְשֻׁלָּשׁ 1 S 1, 24, siebenjähriges Rind *seven years old bull* Jd 6, 25; meist als Opfertier genannt *mostly mentionned as sacrificial victim* Lv 4, 3—21 8, 2. 14. 17 16, 3—27 23, 18 Nu 7, 15—88 8, 8. 12 15, 24 23, 1—30 28, 11—28 29, 2—37 1 K 18, 23—26 Hs 39, 18 43, 19—25 45, 18—24 46, 6 f. 11 Hi 42, 8 Esr 8, 35 1 C 15, 26 29, 21 2 C 13, 9 29, 21 30, 24; פָּרֶיהָ (בָּבֶל) Ir 50, 27; פָּרִים = Feinde *enemies* Ps 22, 13; l פְּרִי Ho 14, 3. †

פרא: NF v. פרה:
hif: impf. יַפְרִיא **fruchtbar gedeihen** *shew fruitfulness* Ho 13, 15 (l מַפְרִיא). †

פֶּרֶא: (ak. *purīmu*), فَرَأ: pl. פְּרָאִים: **Zebra** *zebra* Equus Grevyi Oustalet 1882; Koehler ZAW 44, 59 ff; bestritten v. *contested by* P. Humbert ZAW 62, 202 ff: Wildesel *onager*: Gn 16, 12

Js 32, 14 Ir 14, 6 Ho 8, 9 Ps 104, 11 Hi 6,5 11, 12 24, 5 39, 5 Si 13, 19 (cs. pl. פראי); l פִּרְצָה Ir 2, 24 (ZAW 29, 35 f). †

Der. n. m. פִּרְאָם; n. l. פָּארָן?

פִּרְאָם: n. m.; פֶּרֶא (פֶּרֶא) > פִּרְאָם = בֶּלַע > בִּלְעָם: K. v. יַרְמוּת Jos 10, 3. †

פַּרְבָּר: 1 C 26, 18, pl. פַּרְוָרִים (ו > ב) 2 K 23, 11 (6 MSS פַּרְוָדִים; l פַּרְבָּר? u. פַּרְוָרִים? dann *then* pers. *frabada* **Vorhof** *court* (Andreas in Littmann, Sardis 1916, 16); Oesterreicher, D. deuteron. Grundgesetz, 1923, 54 = sum. *barbar* unmöglich, weil gesprochen *not possible because spellt E-babbar*; Kahle-Sommer, Kleinas. Forschungen 1, 34 ff. †

פרד: mhb., ja. trennen, teilen *separate, divide*; sy. fliehen *flee*; فَرَدَ abgesondert sein *be single*:

qal: pt. pass. פְּרֻדוֹת: ausgespannt (Flügel) *spread (wings)* Hs 1, 11; *F* פְּרֻדוֹת; †

nif: pf. נִפְרְדוּ, נִפְרָדוּ, impf. יִפָּרֵד, יִפָּרְדוּ, יִפָּרֵדוּ, imp. הִפָּרֶד, pt. נִפְרָד, נִפְרָדִים: 1. **sich teilen** (Fluss) *divide (into; river)* Gn 2, 10; **sich abzweigen** (genealogisch) *separate (in genealogy)* Gn 10, 5. 32; 2. **sich trennen** *separate* 2 S 1, 23, c. מִן Jd 4, 11 Pr 19, 4, c. עַל Gn 13, 9. 11, c. מֵעִם 13, 14; 3. **getrennt, abgesondert sein** *be separated, singled* Pr 18, 1 Ne 4, 13; 4. sich ablösen, **scheiden** *be separated* Gn 25, 23; †

pi: impf. יְפָרֵדוּ: sich absondern, **auf die Seite gehn** *go apart* Ho 4, 14; †

pu: pt. מְפֹרָד: **abgesondert** *separated* Est 3, 8; †

hif: pf. הִפְרִיד, impf. יַפְרִיד, יַפְרִידוּ, inf. sf. הַפְרִידוֹ, pt. מַפְרִיד: 1. absondern, **für sich halten** *keep separated* Gn 30, 40, (von einander) **trennen** *divide (from another)* Dt 32, 8 2 K 2, 11 Pr 16, 28 17, 9; 2. הִפְרִיד בֵּין **auseinanderbringen** *separate from each other* Pr 18, 18 Ru 1, 17; †

hitp: pf. הִתְפָּרְדוּ, impf. יִתְפָּרְדוּ: יִתְפָּרָדוּ: 1. **sich von einander trennen** *separate from each other* Ps 22, 15; 2. von einander getrennt, **zerstreut werden** *be separated from each other, be scattered* Ps 92, 10 Hi 4, 11 41, 9. †

Der. פֶּרֶד, פִּרְדָּה, פְּרֻדוֹת.

פֶּרֶד: פרד; d. abgesonderte Tier *the separated animal* Nestle OLZ 12, 51: sf. פִּרְדּוֹ, pl. פְּרָדִים, sf. פִּרְדֵיהֶם: **Maultier** *mule*, neben *along with* סוּס 1 K 10, 25 18, 5 Js 66, 20 Hs 27, 14 Sa 14, 15 Ps 32, 9 Esr 2, 66 Ne 7, 68! 2 C 9, 24; Reittier *ridden* 2 S 13, 29 18, 9 Js 66, 20; Lasttier *beast of burden* 2 K 5, 17 1 C 12, 41; aus *from* תּוֹגַרְמָה nach Phönizien eingeführt *introduced into Phoenicia* Hs 27, 14; *F* פִּרְדָּה. †

פִּרְדָּה: fem. v. פֶּרֶד: **weibliches Maultier** (Reittier) *she-mule (ridden)* 1 K 1, 33. 38. 44. †

פְּרֻדוֹת: פרד: **Dörrfeigen** *dried figs* (Löw 1, 229; Sprengling JBL 28, 138: Wasserlauf *water-course*) Jl 1, 17. †

פַּרְדֵּס. awestisch *pairidaēza* Umwallung *enclosure*, > ak. *pardīsu* Baumgarten *park* > παράδεισος; mhb.; ja. פרדיסא; ܦܪܕܝܣܐ; **Baumgarten, Forst** *park, forest* Ct 4, 13 Ko 2, 5 Ne 2, 8. †

פרה: NF פרא; mhb.; ja., sy. פרא, פרי; ፈረየ; ph. פר Frucht *fruit*; äg. *prj* hervorgehn *come forth*:

qal: pf. פָּרוּ, פְּרִיתֶם, פָּרִינוּ, impf. יִפְרֶה, יִפְרוּ, imp. פְּרֵה, פְּרוּ, pt. פֹּרֶה, fem. פֹּרִיָּה u. פֹּרָת (BL 511) Gn 49, 22: 1. **fruchtbar sein, Frucht bringen** *be fruitful, bear fruit*: Pflanzen *plants* Dt 29, 17 Js 11, 1 17, 6 32, 12 45, 8 (l וְיִפְרַח) Hs 19, 10 Ps 128, 3, cj (תִּפְרֶה) Ha 3, 17, Menschen *men* Gn 26, 22 Ex 1, 7 23, 30 Si 16, 2, פְּרוּ וּרְבוּ Gn 1, 22. 28 8, 17

9, 1. 7 35, 11 47, 27 Ir 23, 3, רָבָה וּפָרָה Ir 3, 16 Hs 36, 11; בֵּן פֹּרָת Gn 49, 22. 22; †
hif: pf. הִפְרֵיתִי, הִפְרֵתִי, sf. הִפְרַנִי, impf. וַיֶּפֶר, sf. יַפְרְךָ, pt. sf. מַפְרְךָ; **fruchtbar machen** *cause to bear fruit* Gn 17, 6 41, 52 Ps 105, 24; הִפְרָה וְהִרְבָּה Gn 17, 20 28, 3 48, 4 Lv 26, 9; Wortspiel *pun* הִפְרַנִי . . אֶפְרַיִם Gn 41, 52. †
Der. פְּרִי; n.m. אֶפְרַיִם, n.f. אֶפְרָת, n.l. אֶפְרָתָה.

I פָּרָה: fem. v. פַּר: sf. פָּרָתוֹ, pl. פָּרוֹת: **Kuh** *cow* Gn 32, 16 41, 2—27 Nu 19, 2 (אֲדֻמָּה). 5 f. 9 f 1 S 6, 7 u. 10 (עָלוֹת). 12. 14 Js 11, 7 Ho 4, 16 Hi 21, 10; v. Frauen gesagt *said of women* Am 4, 1; cj הַפָּרָה (חֻקַּת) Nu 19. 2. †

II פָּרָה: n. l. הַפָּרָה: *Tell Fāra*, N-Rand v. *n-border of W. Fāra* PJ 10, 22 f: Jos 18, 23. †

פֶּרֶה Ir 2, 24: l פֹּרְצָה, F פֶּרֶא.

פֻּרָה: n. m.; Noth S. 255 cf. ar. *furrum* ansehnlich *imposing*: Jd 7, 10 f. †

פֵּרוֹת Js 2, 20: F חֲפַרְפָּרוֹת.

פְּרוּדָא: n. m.; F פְּרִידָא: Esr 2, 55. †

*פְּרוּזִים: K Est 9, 19 (beabsichtigte Assonanz *intentional assonance* ZAW 55, 90 f), Q פְּרָזִים: F פְּרָזִי. †

פָּרוּחַ: n. m.; I פרח; ar. *fariḥ, faruḥ* fröhlich *cheerful*: 1 K 4, 17. †

פַּרְוַיִם: n. t., Goldland *country of gold* 2 C 3, 6; Blankenhorn, Handbuch d. vergl. Geologie V 4, 1914, 135: *sak el farwaim*, gemeint ist *means sak el farqaim*, wo kein Gold *where no gold*; unbekannt *unknown*; (Möhlenbrink, Tempel Salomos, 1932, 26 vermutet *suggests* פַּרְבָּר = פַּרְוַיִם). †

*פַּרְוָר: F פַּרְבָּר.

פָּרוּר: = *parrūr*; IV *פרר: **Kochtopf** *pot for cooking* Nu 11, 8 Jd 6, 19 1 S 2, 14 Si 13, 2 (zerbrechlich, also irden *breakable, therefore earthen*). †

*פרז: mhb. פָּרוּז Bewohner e. nicht ummauerten Orts *dweller of a place without walls*, הִפְרִיז die Grenze überschreiten *exceed limit*; فَرْز Niederung zwischen zwei Bergen *depressed ground between hills*:
Der. פְּרָזוֹן, פְּרָזוֹת, פְּרָזִי, פְּרִזִּי.

*פְּרָז vel *פֶּרֶז: pl. sf. פְּרָזָיו Ha 3, 14: l פָּרָשָׁיו. †

פְּרָזוֹן: *פרז: sf. פִּרְזוֹנוֹ: coll. Bewohnerschaft der פְּרָזוֹת, **Leute des offenen Lands** *dwellers of* פְּרָזוֹת, *dwellers of open country* Jd 5, 7. 11. †

פְּרָזוֹת: *פרז: pl. **das offene Land** *the open, rural country* Hs 38, 11 Sa 2, 8 Est 9, 19. †

פְּרָזִי: *פרז: pl. פְּרָזִים: 1. **offenes Land** *open, rural country* Dt 3, 5 1 S 6, 18, pl. Q Est 9, 19 **auf d. offenen Land lebend** *dwellers of the rural country* (cf. lat. *paganus* > fr. *paysan*). †

פְּרִזִּי: *פרז; n. p.: **Pheresiter** *Perizzite* (die nach d. Landnahme sich im Waldland Jos 17, 15 u. sonst wie הַכְּנַעֲנִי Gn 13, 7 34, 30 Jd 1, 5 haltende ältere Bevölkerung *the older population of Palestine remaining like* הַכְּנַעֲנִי Gn 13, 7 34, 30 Jd 1, 5 *or living in wood-districts* Jos 17, 15: in Reihen *in series* Gn 15, 20 Ex 3, 8. 17 23, 23 33, 2 34, 11 Dt 7, 1 20, 17 Jos 3, 10 9, 1 11, 3 12, 8 24, 11 Jd 1, 4 3, 5 1 K 9, 20 Ne 9, 8 2 C 8, 7; (cf. n. m. *Pirizzi* EA 1566 u. äg. *Piraṭi* Albr. Voc. 43). †

I פרח: ak. *parāḫu* spriessen *sprout*, *pirḫu* Spross *sprout*; mhb., ja. sprossen, blühen

shoot, *flourish*; ܦܪܥܐ Blüte *blossom*; فَرْخ junger Vogel, Spross *young of bird*, *sprout*; äg. *prḫ* aufblühen *blossom*:
qal: pf. פָּרַח, פָּרְחָה, פָּרָחָה, impf. יִפְרַח, יִפְרָח, יִפְרַח, יִפְרִיחוּ u. תִּפְרַחְנָה, יִפְרְחוּ, יִפְרָחוּ (OLZ 20, 173), inf. פְּרֹחַ, פָּרֹחַ, pt. פֹּרַחַת, פֹּרַחַת:
1. **sprossen** *sprout*: Baum *tree* Hi 14, 9, Stab *rod* Nu 17, 20. 23, דֶּשֶׁא Js 66, 14, רֹאשׁ Ho 10, 4, עֵשֶׂב Ps 92, 8, תָּמָר 92, 13, עָלֶה Pr 11, 28; metaph.: יִשְׂרָאֵל Js 27, 6, זָדוֹן Hs 7, 10, 1 צֶדֶק Ps 72, 7, תקוה Si 11, 22, עצמת Si 46, 12 49, 10, Fromme *pious ones* Ps 92, 14, אֹהֶל יְשָׁרִים Pr 14, 11; 2. **treiben**: Weinstock *bud*: *vine* Gn 40, 10 Ho 14, 8 Ct 6, 11 7, 13; **blühen** *blossom* Js 35, 2 Ho 14, 6, metaph. עֲרָבָה Js 35, 1; 3. **ausbrechen**: Hautkrankheit *break out*: *skin-disease* Lv 13, 20. 25. 39. 42. 57 14, 43; **aufbrechen**: Geschwür *break forth*: *boil* Ex 9, 9 f; †
hif: pf. הִפְרַחְתִּי, impf. תַּפְרִיחִי: **zum Sprossen, Blühen bringen** *cause to bud*, *to sprout* Js 17, 11 Hs 17, 24. †
Der. פֶּרַח; n. m. פָּרוּחַ.

II **פרח**: נְפָשִׁים לְפֹרְחוֹת u. הַנְּפָשׁוֹת לְפֹרְחוֹת Hs 13, 20; pt. fem. pl.; cf. ja. פרח fliegen *fly*; unerklärt *unexplained*. †

פֶּרַח: I פרח: פָּרַח, sf. פִּרְחָם, pl. sf. פְּרָחֶיהָ:
1. **Knospe, Blüte** *bud*, *blossom* Nu 17, 23 1 K 7, 26 Js 5, 24 18, 5 Na 1, 4, cj Hi 15, 30, Si 14, 18 50, 8 2 C 4, 21; 2. **knospenförmiger, blütenförmiger Zierart** *bud-shaped*, *blossom-shaped ornament* Ex 25, 31. 33 f 37, 19 f Nu 8, 4 (1 פִּרְחֶיהָ) 1 K 7, 49 2 C 4, 21 (*F* Möhlenbrink ZDP 52, 281 f). †

פִּרְחַח (Var. פִּרְחָה) Hi 30, 12: unerklärt *unexplained*. †

פרט: mhb. spalten *split* u. absondern *separate*; ja. sy. trennen *divide*; فَارِط Improvisator *improvisator* Dozy (Abu-l-Walid):
qal: pt. pl. פֹּרְטִים: aus d. Stegreif spielen *improvise* Am 6, 5. †
Der. פֶּרֶט.

פֶּרֶט: פרט; ja. פַּרְטָא einzelne, abgefallne Beere einer Traube *single*, *dropped berry of grape*: coll. **abgefallne Beeren** *dropped berries* Lv 19, 10. †

פְּרִי: (120 ×): פרה; ug. *pr*; äg. *pr.t* Frucht *fruit*: פְּרִי, sf. פִּרְיוֹ, פִּרְיָךְ, פִּרְיֵךְ, פִּרְיִי, פֶּרְיְכֶם; פִּרְיָהֶם, פִּרְיָמוֹ (BL 578. 215): 1. **Frucht** *fruit*: v. Baum *of tree* Gn 1, 29, v. Rebe *of vine* Sa 8, 12, v. Feige *of fig-tree* Pr 27, 18, etc.; נָשָׂא פְּרִי Hs 17, 8, עָשָׂה פְּרִי Gn 1, 11 2 K 19, 30, עֵץ פְּרִי Gn 1, 11 Ps 148, 9; אֶרֶץ פְּרִי fruchtbares L. *fruitful land* Ps 107, 34; פְּרִי הָאֲדָמָה Gn 4, 3; 2. **Leibesfrucht** *fruit of womb*, *offspring* פְּרִי בֶטֶן Gn 30, 2, פְּרִי בְהֶמְתְּךָ Dt 28, 4. 11. 51 30, 9, פִּרְיָם (der Frauen *of the women*) Th 2, 20; 3. Frucht, **Ertrag, Ergebnis** eines Tuns, Verhaltens *fruit*, *produce*, *result of action*: פְּרִי מַעֲלָל Js 3, 10 Ir 17, 10, פְּרִי דַרְכָּם Pr 1, 31, פְּרִי צְדָקָה Am 6, 12, פְּרִי כַפֶּיהָ Pr 31, 31, פְּרִי יָדֶיהָ 31, 16; cj פְּרִי pro כַּחַשׁ Ho 10, 13, וְיוֹרֶה Ho 10, 12; 1 מְרִי (*F* רִי) Ps 104, 13.

פְּרִידָא: n. m.; فَرْد einzeln, einzig *single*, *unique*: Ne 7, 57, = פְּרוּדָא Esr 2, 55. †

I ***פָּרִיץ**: (*pāriṣ*); פרץ: cs. פְּרִיץ: Einbrecher, **reissend** (Löwe) *burglar*, *rapacious one* (*lion*) Js 35, 9. †

II **פָּרִיץ** (*parriṣ*): פרץ: pl. פָּרִיצִים, cs. פָּרִיצֵי: Einbrecher, **Räuber** *burglar robber* Ir 7, 11 Hs 7, 22 18, 10 Ps 17, 4 (1 מֵאֹר) Da 11, 14. †

I ***פרך**: *F* פֶּרֶךְ.

II ***פרך**: *F* פָּרֹכֶת.

פֶּרֶךְ: I *פרך; ak. *parāku* überwältigen *display violence*; ja., sy. bedrücken *press*; فَرَكَ bedrücken *press*: פָּרֶךְ: **Gewalttat, Quälerei** *act of violence, vexation* Ex 1, 13 f Lv 25, 43. 46. 53 Hs 34, 4. †

פָּרֹכֶת: (*parrokät*): II פרך; ak. *parāku* quer gehn, absperren *go across, bar*; ak. *parakku* (Zimm. 68) u. ܦܪܟܐ Göttergemach, Heiligtum *apartment* (*of god*), *shrine*: **Vorhang** (vor d. Allerheiligsten) *curtain* (*before Most Holy Place*) Ex 26, 31—35 27, 21 30, 6 35, 12 36, 35 38, 27 39, 34 40, 3. 21 f. 26 Lv 4, 6. 17 16, 2. 12. 15 24, 3 Nu 4, 5 2 C 3, 14; (Lv 21, 23 u. Nu 18, 7 d. Vorhang am Eingang ins Heilige? *the curtain at the entrance of the tabernacle?*). †

פרם: mhb., ja. zerreissen (Stoff) *rent* (*garment*); فِرْم Lappen *shred*:

qal: impf. יִפְרֹם, תִּפְרֹמוּ, pt. pass. פְּרֻמִים: **in Stücke reissen** (Kleider) *rent* (*garment*) Lv 10, 6 13, 45 21, 10. †

פַּרְמַשְׁתָּא: n. m.; ak. *Parušta* APN 180 (?); pers., Gehman JBL 43, 327 f: Est 9, 9. †

פַּרְנָךְ: n. m.; Noth S 64 pers.: Nu 34, 25. †

פרס: mhb.; F ba.; trennen, abbrechen *divide, break off*; فَرَسَ d. Hals (erbeuteter Tiere) brechen *break neck* (*of captured animals*), asa. פרס; ak. *parāsu* trennen *divide* F פרשׂ:

qal: impf. יִפְרְסוּ, inf. פָּרֹס: c. לֶחֶם (cj Ir 16, 7) **Brot brechen** *break bread* Js 58, 7 Ir 16, 7; F פרשׂ qal 4; †

hif (denom. v. פַּרְסָה): pf. הִפְרִיסָה, הִפְרִיסוּ, impf. יַפְרִיס, pt. מַפְרִיס, מַפְרֶסֶת, pl. cs. מַפְרִסֵי: מַפְרִיס פַּרְסָה **was gespaltene Klauen** (פַּרְסָה) **hat** *having divided hoofs* (פַּרְסָה) Lv 11, 3—7 Dt 14, 6—8, ohne *without* פַּרְסָה Ps 69, 32; F פַּרְסָה. †

פֶּרֶס: פרס?: e. unreiner Vogel *an unclean bird* Lv 11, 13 Dt 14, 12; **Lämmergeier?** *lamb-vulture?* *Gypaëtus barbatus* (d. seiner Beute die Knochen bricht *breaking the bones of its booty*; Aharoni, Osiris 5, 472). †

פָּרַס: n. p.; altpers. *Pārsa*, bab. *Parsu*, spätäg. *late Egypt. Pars(a)*, pers. *Pārs*, *Fārs*, äga. פרס, F ba. פָּרַס; فَارِس, asa. פרש: פָּרָס: **Persien** *Persia*: Hs 27, 10 38, 5 Est 1, 3. 14. 18 f 10, 2 Da 8, 20 10, 1. 13. 20 11, 2 Esr 1, 1 f. 8 3, 7 4, 3. 5. 7 7, 1 9, 9 2 C 36, 20. 22 f; A. T. Olmstead, History of the Persian Empire (1948). † Der. פַּרְסִי.

פַּרְסָה: פרס: ܦܪܣܬܐ gespaltene Klaue *divided hoof*; Nöld. ZA 1, 418, Hoffman ZA 2, 47: pl. פְּרָסֹת, cs. פַּרְסוֹת, sf. פַּרְסֹתֶיךָ u. פַּרְסֵיהֶן: (gespaltne) **Klaue** (*divided*) *hoof* Lv 11, 3—26 Dt 14, 6—8 Hs 32, 13 Sa 11, 16, **Huf** *hoof* Js 5, 28 Ir 47, 3 Hs 26, 11 Mi 4, 13; לֹא ... פַּרְסָה > garnichts *nothing* Ex 10, 26. †

פַּרְסִי: gntl. v. פָּרַס: Perser *Persian* Ne 12, 22. †

פרע: mhb. entblössen *uncover*; mhb., ja. frei wachsen lassen *let loose, let grow*; فَرَغَ leer, frei sein *be vacant, loose*; asa. פרע *tributum solvit* (فَرْع Frauenhaar *women's hair*, ak. *pirtu* Haupthaar *hair on the head*):

qal: pf. פָּרַע, sf. פְּרָעֹה, impf. יִפְרַע, אֶפְרַע, תִּפְרְעוּ, תִּפְרָעוּ, inf. פְּרוֹעַ, imp. sf. פְּרָעֵהוּ, pt. פּוֹרֵעַ, pass. פָּרֻעַ: **1. frei hängen lassen** *let loose* Hi 33, 24 (MSS); c. רֹאשׁ d. Kopfhaar **frei hängen lassen** *let the hair of the head go loose* Lv 10, 6 13, 45 21, 10, (zu freiem Hängen, ungeflochten) lösen *loosen* (*to hang unbraided*) Nu 5, 18, ebenso *the same* c. פְּרָעוֹת Jd 5, 2; **2.** c. ac. **verwildern, ausarten lassen** *let loose, let run wild* Ex 32, 25. 25, cj Ps 78, 9 (l פֹּרְעִים pro אֶפְרַיִם); **3.** c. ac. **unbeachtet lassen** *neglect* Hs 24, 14 Pr 1, 25 4, 15 8, 33 13, 18 15, 32; †

hif: pf. הִפְרִיעַ, impf. תַּפְרִיעוּ: 1. c. ac. u. מִן nachlässig sein lassen in etwas *let neglect a thing* Ex 5, 4; 2. absol. **Verwilderung aufkommen lassen** *let grow lack of restraint* 2 C 28, 19. †
Der. פֶּרַע.

פֶּרַע: פרע: pl. פְּרָעוֹת, cs. פַּרְעוֹת: **d. frei hängende, ungeflochtene Haupthaar** *the loose, unbraided hair of head* Nu 6, 5 Dt 32, 42 Jd 5, 2 (in Kampfzeiten *in time of war*; F Komm.) Hs 44, 20 (שִׁלַּח offen hängen lassen *let hang loose*). †

פֶּרַע: Gn 41, 45. 50 46, 20: F פּוֹטִי. †

פַּרְעֹה (275 ×, Gn—Jos 215 ×, 1 K 21 ×, Hs 13 ×, Ir 11 ×, Js 5 ×; 1 S 2, 27 6, 6 Ne 9, 10 1 C 4, 18 2 C 8, 11, Ps 135, 9 136, 15 Ct 1, 9, cj Ex 12, 31 u. Hs 32, 2): äg. *pr-ʿ3* das grosse Haus *the great house*; seit *since* 18. Dynastie *dynasty* (1555) Bezeichnung des Königs selbst *title of the king himself* (EG 1, 516); ZAW 35, 129 f: **Pharao** *Pharaoh*, φαραω, d. äg. König *the Egyptian king*; פ׳ מֶלֶךְ מִצְרַיִם (Sargon: *pirʾu šar Muṣri*; APN 181; keilschr. F Weidner AOF 14, 45 f); Ir 25, 19 Dt 7, 8 Js 36, 6 Gn 41, 46; c. n.m. פ׳ חָפְרַע Ir 44, 30, פ׳ נְכוֹ 46, 2.

I **פַּרְעֹשׁ**: ak. *paršaʾu*, *pāršuʾu*, ja. פַּרְטַעְנָה, ܦܪܛܥܢܐ, بُرْغُوث; VG 1, 277; ר sekundär Ruž. KD 231; بَغِثَ mischfarbig, aschfarbig sein *be of varied, of dust-colour*, *פעשׁ, ThZ 2, 469 f: **Floh** *flea Pulex irritans* 1 S 24, 15 26, 20; F II. †

II **פַּרְעֹשׁ**: n. m.; = I; ph. n. m.; Taʿanek ZDP 51, 203 f, ar. ZAW 35, 129: Esr 2, 3 8, 3 10, 25 Ne 3, 25 7, 8 10, 15. †

פִּרְעָתוֹן: n. l.: = *Farʿata* 9 km wsw Nablus: Jd 12, 15; φαραθων G u. 1 Mk 9, 50; F פִּרְעָתוֹנִי. †

פִּרְעָתוֹנִי: gntl. v. פִּרְעָתוֹן: Jd 12, 13. 15 2 S 23, 30 1 C 11, 31 27, 14. †

פַּרְפַּר: n. fl.; *Aʿwağ* s. Damaskus oder *or* Nahr Ṭaurā Arm des *branch of* Barada: 2 K 5, 12. †

פרץ: ug. *prṣ*; mhb., ja.; ak. *parāsu* trennen, unterbrechen *divide, interrupt*; فَرَصَ Einschnitt machen *cut*; Driv. JTS 25, 177: I פרץ durchbrechen *break through* u. II פרץ befehlen *order*:
qal: pf. פָּרַץ, פָּרַצְתָּ, sf. פְּרָצָנוּ, impf. יִפְרֹץ, יִפְרְצוּ, יִפְרֹצוּ, יִפְרָצוּ, sf. יִפְרְצֵנִי, inf. פָּרֹץ, פְּרוֹץ, pt. פֹּרֵץ, pass. פְּרוּצָה: 1. פָּרַץ פֶּרֶץ e. **Riss machen** *cause a break*, *burst* Gn 38, 29, c. בְּ an *at* 2 S 6, 8 1 C 13, 11 15, 13; פָּרַץ e. **Bresche** (in e. Mauer) **legen** *make a breach (in a wall)* 2 K 14, 13 2 C 25, 23; עִיר פְּרוּצָה Stadt voll Breschen *city with breachs* Pr 25, 28; פְּרוּצִים Breschen, Lücken *breachs, openings* Ne 2, 13 4, 1; 2. c. ac.: **einreissen** *break through, break down*: גָּדֵר Js 5, 5 Ps 80, 13 89, 41 Ko 10, 8, חוֹמָה 2 C 26, 6 32, 5, עִיר Pr 25, 28, מַעֲשִׂים 2 C 20, 37; פרץ :: בנה Ko 3, 3 Ne 3, 35; פָּרַץ אֹיְבַי brach durch durch m. Feinde *broke through through [the line of] my enemies* 2 S 5, 20 Ps 60, 3 Hi 16, 14 1 C 14, 11; 3. פָּרַץ נַחַל (e. Schacht) **brechen** *sink (shaft)* Hi 28, 4; פָּרַץ בַּיִת **gewaltsam eindringen** in e. Haus *enter by force a house* 2 C 24, 7; 4. **durchbrechen** *break through* Mi 2, 13; c. לְ (l פָּרְצָה לַמִּדְבָּר) ausbrechen nach *break out into* cj Ir 2, 24; **überlaufen** *overflow* יֶקֶב Pr 3, 10; 5. פָּרַץ בְּ e. Lücke reissen unter? *break a breach among?* Ex 19, 22. 24; = פָּצַר בְּ? (sic legendum?) in jmd dringen *urge a person* 1 S 28, 23 2 S 13, 25. 27 2 K 5, 23; 6. vor Fülle, Menge ausbrechen, **sich ausbreiten** *break over (by plenty)*, *increase* Gn 28, 14 Ex 1, 12 Ho 4, 10 1 C 4, 38 Hi 1, 10 Js 54, 3 2 C 31, 5 Ps 106, 29 Ho 4, 2 (l פָּרְצוּ בָאָרֶץ) Gn 30, 30. 43 2 C 11, 23; 1 C 13, 2 l נִרְצֶתָה; †

nif: pt. נִפְרָץ: angeordnet sein *be ordered* (Driv. JTS 32, 365) vel l נִפְרָשׁ: 1 S 3, 1; †

pu: pt. fem. מְפֹרָצֶת: niedergerissen *broken down* (חוֹמָה) Ne 1, 3; †

hitp: pt. pl. מִתְפָּרְצִים: sich losreissen *break away* 1 S 25, 10. †

Der. I, II פֶּרֶץ, *מִפְרָץ, I, II פָּרִיץ.

I **פֶּרֶץ**: פרץ: פִּרְצִי, פֶּרֶץ, pl. פְּרָצִים, sf. פִּרְצֵיהֶן; pro פְּרָצוֹת Hs 13, 5 l פֶּרֶץ: Riss, Bresche *gap, breach* (in Mauer *in wall*) 1 K 11, 27 Am 9, 11 Js 58, 12 Ne 6, 1 Hi 16, 14, פֶּרֶץ רָחָב 30, 14; עָמַד בַּפֶּרֶץ in d. Bresche treten *stand in the gap* Hs 22, 30 Ps 106, 23 Si 45, 23; = עָלָה בַּפֶּרֶץ Hs 13, 5; פֶּרֶץ מַיִם Dammriss *rent of dike* 2 S 5, 20 1 C 14, 11; Dammriss e. Gebärenden *perineal rupture* Gn 38, 29; Riss in Volk. *rupture between tribes* Jd 21, 15; פֶּרֶץ נֹפֵל Riss, der einstürzen will *gap ready to fall* Js 30, 13; Riss = Todesfall *rupture = decease* 2 S 6, 8 1 C 13, 11 Ps 144, 14; Text? Am 4, 3 (*F* Maag); *F* n. l. פֶּרֶץ עֻזָּה u. רִמֹּן פֶּרֶץ. †

Der. II פֶּרֶץ, פַּרְצִי, n. l. פְּרָצִים.

II **פֶּרֶץ**: n. m.; = I (wohl = Ausbreitung *most likely = spreading*, *F* פרץ qal 6; volksetym. *popular etym.* = Dammriss *perineal rupture*); *Parṣī* APN 180: פָּרֶץ: Gn 38, 29 46, 12 Nu 26, 20 f Ru 4, 12. 18 Ne 11, 4. 6 1 C 2, 4 f 9, 4 27, 3; *F* פַּרְצִי. †

פַּרְצִי: gntl. v. II פֶּרֶץ: Nu 26, 20. †

פְּרָצִים: n. l.; I פֶּרֶץ: in n. l. *F* בַּעַל־פְּרָצִים u. n. montis הַר־פְּרָצִים (*F* Komm.) Js 28, 21. †

פֶּרֶץ עֻזָּה: n. l.; *F* I פֶּרֶץ u. עֻזָּה: Lage unbekannt *site unknown* 2 S 6, 8 1 C 13, 11 (עֻזָּא). †

פרק: ug. *prq* (Bedeutung? *meaning?*); mhb., *F* ba., ja., cp., sy. losmachen *remove, split*; فَرَقَ spalten *split*; asa. u. ፈረቀ frei machen *set free*: qal: pf. פָּרַקְתָּ, impf. sf. וַיִּפְרְקֵנוּ, pt. פֹּרֵק: c. מִן Ps 136, 24 Th 5, 8 u. c. מֵעַל Gn 27, 40 losreissen aus, von *tear away from*; Löwe *lion* „reissen" *prey* (l יִפְרֹק) Ps 7, 3; †

pi: impf. יְפָרֵק, imp. פָּרְקוּ, pt. מְפָרֵק: abreissen *tear off* Ex 32, 2, zerreissen *rend* 1 K 19, 11 Sa 11, 16; †

hitp: pf. הִתְפָּרְקוּ, הִתְפָּרְקוּ, impf. וַיִּתְפָּרְקוּ: 1. c. ac. sich abreissen *tear off from oneself* Ex 32, 3. 24; 2. ausgerissen werden *be torn off* Hs 19, 12 (l הִתְפָּרְקָה). †

Der. פֶּרֶק, *מִפְרֶקֶת, פָּרָק.

פֶּרֶק: פרק: 1. Scheideweg *parting of ways* Ob 14; 2. Raub *plunder* Na 3, 1 †

***פָּרָק**: פרק: cs. פְּרַק: Eingebrocktes [Broth] *crumbled [into the bread]* Js 65, 4 K, l מְרַק Q. †

I **פרר**: ak. *parāru* zerbrechen *break*; mhb. pi. zerbröckeln *crumble*, hif. brechen *breack*; ja. af. ungültig machen *invalidate*; NF I פור: hif: pf. הֵפַר, הֵפֵר Gn 17, 14 u. הֵפִיר (BL 438) Hs 17, 19 Ps 33, 10, הֵפַרְתָּה, הֵפֵרוּ, sf. הֵפֵרָם, impf. יָפֵר, וַיָּפֵר, אָפֵר, sf. יְפֵרֶנּוּ, inf. הָפֵר u. הָפֵרָה, הָפֵר Sa 11, 10, sf. הֲפִרְכֶם, imp. הָפֵר, הָפִיר pt. מֵפֵר: 1. intrans. brechen, platzen (Frucht) *break, burst (fruit)* Ko 12, 5 (Löw I, 326); 2. c. ac.: brechen, zerstören, aufheben, vereiteln, ungültig machen *break, destroy, frustrate, invalidate*: מִצְוָה Nu 15, 31, מִצְוֹת Esr 9, 14, מִשְׁפָּט Hi 40, 8, תּוֹרָה Ps 119, 126, יִרְאָה (vor Gott *of God*) Hi 15, 4, עֵצָה 2 S 15, 34 17, 14 Js 14, 27 Ps 33, 10 Esr 4, 5, אוֹת Js 44, 25 (י'); בְּרִית Abkommen brechen *break a covenant* Js 24, 5 33, 8 Hs 16, 59 17, 15 f. 18, אַחֲוָה Sa 11, 14; J. hebt auf *Y. breaks* בְּרִית Jd 2, 1 Ir 14, 21 Sa 11, 10; *F* 1 K 15, 19 2 C 16, 3; Gn 17, 14 Lv 26, 15. 44 Dt 31, 16. 20 Ir 11, 10 31, 32 Hs

17, 19 44, 7 (l וְתָפֵרוּ); Ir 33, 20; הֵפֵר נֵדֶר e. Gelübde aufheben *invalidate a vow* Nu 30, 9. 13 f. 16; vereiteln *frustrate* מַחֲשָׁבוֹת Pr 15, 22 Hi 5, 12 (Gott *God*); l וְהָסֵר Ps 85, 5, l אָסִיר 89, 34; †
hof: impf. תֻּפַר, תֻּפָר: **zerbrochen, aufgehoben, vereitelt werden** *be broken, invalidated, frustrated*: עֵצָה Js 8, 10, בְּרִית Ir 33, 21 Sa 11, 11. †

II **פרר**: mhb. פִּרְפֵּר, sy. פַּרְפַּר, ja. אִתְפַּרְפַּר; فَرْفَرَ zucken *jerk, flash*:
qal: inf. פּוֹר, F hitpo: Js 24, 19; †
po: pf. פּוֹרַרְתָּ: **aufstören** *stir, rouse* Ps 74, 13; †
hitpo: pf. הִתְפּוֹרְרָה: c. inf. qal: **hin u. her schwanken** *be tossed to and fro* Js 24, 19; †
pilp: impf. sf. וַיְפַרְפְּרֵנִי: **schütteln, verstören** *shake, bewilder* Hi 16, 12. †

III ***פרר**: فَرَّ ausreissen, ungebärdig sein *turn away, be untamed, unmannerly*; Hommel 95: Der. פַּר, פָּרָה; Nöld. ZDM 40, 734, ZA 3, 202.

IV ***פרר**: F פָּארוּר u. פָּרוּר.

פרשׂ: mhb., ja., sy. פרס; فَرَشَ, asa. פרשׂ; ak. *parāšu* fliegen *fly*:
qal: pf. פָּרַשׂ, פָּרַשְׂתִּי, impf. יִפְרֹשׂ, וָאֶפְרְשָׂה, sf. וַיִּפְרְשֵׂהוּ, pt. פֹּרֵשׂ, פּוֹרֵשׂ, pl. cs. פֹּרְשֵׂי, pass. פָּרֻשׂ, פְּרֻשׂוֹת: **1. ausbreiten, spannen** *spread out*: כָּנָף Hs 16, 8 Ru 3, 9, כְּנָפַיִם Ex 25, 20 37, 9 Dt 32, 11 1 K 6, 27 8, 7 Ir 48, 40 49, 22 Hi 39, 26 2 C 3, 13 5, 8, בֶּגֶד Nu 4, 6—8. 11. 13, כְּסוּי 4, 14, שִׂמְלָה Dt 22, 17 Jd 8, 25, מָסָךְ 2 S 17, 19, מַכְבֵּר 2 K 8, 15, אֹהֶל Ex 40, 19, רֶשֶׁת Hs 12, 13 17, 20 19, 8 32, 3 Ho 5, 1 7, 12 Ps 140, 6 Pr 29, 5 Th 1, 13, מִכְמֹרֶת Js 19, 8, עָנָן לְמָסָךְ Ps 105, 39 Hi 26, 9 (l פָּרַשׂ), שַׁחַר Jl 2, 2, סְפָרִים 2 K 19, 14 Js 37, 14, מְגִלָּה Hs 2, 10; metaph. אִוֶּלֶת (auskramen) Pr 13, 16; פָּרַשׂ נֵס **flattern lassen** *let wave* Js 33, 23; cj אֵדוֹ pro אוֹרוֹ **ausbreiten** *spread* Hi 36, 30; 2. vom Betenden *in prayer*: פָּרַשׂ כַּפַּיִם d. **Hände ausbreiten** *spread the hands* c. אֶל Ex 9, 29. 33 Hi 11, 13 Esr 9, 5 2 C 6, 12, c. לְ Ps 44, 21, c. הַשָּׁמַיִם zum Himmel *toward heaven* 1 K 8, 22. 54 2 C 6, 13, c. אֶל־הַבַּיִת (Tempel *temple*) 1 K 8, 38 2 C 6, 29; 3. פָּרַשׂ: c. יָדוֹ (l יָדָיו) s. **Hände (zum Ergreifen) entgegenstrecken** *stretch out one's hands* (*to seize*) Th 1, 10, c. כַּפָּה (einladend *inviting*) Pr 31, 20; 4. פָּרַשׂ = פָּרַס: (Brot) **brechen** *break* (*bread*) Th 4, 4, (Knochen) **zerbrechen** *break to pieces* (*bones*) Mi 3, 3; †
nif: impf. יִפָּרֵשׂוּ: **zerstreut werden** *be scattered* Hs 17, 21, cj pt. נִפְרָשׂוֹת zerstreut (Schafe) *scattered* (*sheep*) Hs 34, 12; †
pi: pf. פֵּרַשׂ, פֵּרְשָׂה, פֵּרַשְׂתִּי, impf. יְפָרֵשׂ, inf. פָּרֵשׂ, sf. פָּרִשְׂכֶם (BL 358): **1. ausbreiten** *spread out*: יָדַיִם Js 25, 11 (z. Schwimmen *to swim*), Js 65, 2 (Gott, einladend *God, inviting*), יָדַיִם אֶל (betend *praying*) Ps 143, 6, כַּפַּיִם (betend *praying*) Js 1, 15, Ir 4, 31 (um Schonung bittend *imploring mercy*), = c. בְּיָדַיִם Th 1, 17; 2. **zerstreuen** *scatter* Sa 2, 10 Ps 68, 15. †
Der. *מִפְרָשׂ.

פרשׁז: פַּרְשֵׁז (Var. פַּרְשֶׁז) Hi 26, 9: forma mixta: פרז u. פרשׂ; l פָּרַשׂ.

I **פרשׁ**: mhb., F ba. פרשׁ trennen, absondern *divide, separate* (פָּרוּשׁ Φαρισαῖος); pi. pa. ausdrücklich angeben *specify*; ak. *parāsu* (*parāšu*) klarstellen, (richterlich) entscheiden *explain, decide* (*as judge*) Zimm. 24:
qal: inf. פְּרֹשׁ: **genau Bescheid geben** *declare distinctly* Lv 24, 12; †

nif; pt. cj נִפְרָשׁ erteilt werden *be given* 1 S 3, 1; l נִפְרָשׁוֹת Hs 34, 12; †

pu: pf. פֹּרַשׁ, pt. מְפֹרָשׁ: 1. auseinandergesetzt, entschieden werden *be explained, decided* Nu 15, 34; 2. in Abschnitte zerlegt werden *be divided in parts, sections* (:: Schäder, Iran. Beitr. 6 ff = extempore interpretiert *expounded extempore*) Ne 8, 8; †

hif: impf. יַפְרִשׁ: absondern (Gift) *secrete (poison)* Pr 23, 32. †

Der. פֶּרֶשׁ, *פָּרָשָׁה.

II פרשׁ: F I, II פֶּרֶשׁ.

I פֶּרֶשׁ: ja. פִּרְתָּא, sy. פֶּרְתָּא; فَرْثٌ; ak. paršu: sf. פִּרְשׁוֹ: Inhalt des Magens (nicht der Därme!) *contents of the stomach (not of the intestine!)* Beduinen decken damit d. Feuer, in dem sie Fleisch braten *Beduins cover therewith the fire in which meat is roasted* (J. J. Hess): Ex 29, 14 Lv 4, 11 8, 17 16, 27 Nu 19, 5 Ma 2, 3; F II. †

II פֶּרֶשׁ: n. m.; = I: 1 C 7, 16. †

פָּרָשׁ: פרשׁ: cs. פָּרָשׁ Hs 26, 10† l פָּרָשָׁיו: pl. פָּרָשִׁים, sf. פָּרָשָׁיו, also *therefore* פָּרָשׁ = *parrāš* = Spreizer = Reiter *sprawler, straddler* = *horseman*; aber d. Wort bedeutet auch, F unten 2., Reitpferd *but the word means also,* F *below* 2., *horse, steed*; d. pl. v. פָּרָשׁ Reitpferd wäre *פְּרָשִׁים, das verloren gegangen ist *the plural of* פָּרָשׁ *horse would be* *פְּרָשִׁים *which form has been dropped*: فَرَسٌ, ፈረስ, asa. פרס Pferd *horse*; ja. פָּרָשָׁא, sy. פָּרָשָׁא, nab. pl. פרשיא; فَارِسٌ Reiter *horseman*: 1. Reiter *horseman*: 1700 פָּ׳ u. 20 000 אִישׁ רַגְלִי 2 S 8, 4, חַיִל וּפָ׳ סוּס וּפָרָשִׁים 1 K 20, 20 (adde עִמּוֹ), Esr 8, 22 Ne 2, 9, פָּ׳ וְרֹמֵה קֶשֶׁת Ir 4, 29, c. עָלָה aufsteigen *get up* 46, 4, סוּסִים וּפָ׳ Hs 38, 4; F Hs 23, 6. 12 Ho 1, 7 Ha 1, 8, cj 3, 14 (פָּרָשָׁיו); oft neben *frequently along with* רֶכֶב 2 S 1, 6 (l בַּעֲלֵי הָרֶכֶב וְהַפָּ׳) 10, 18 (40. 000), רֶכֶב וּפָרָשִׁים 1 K 1, 5 10, 26 1 C 19, 6 2 C 1, 14; עָרֵי הַפָּרָשִׁים 1 K 9, 19 2 C 8, 6, רֶכֶב יִשְׂרָאֵל וּפָרָשָׁיו 2 K 2, 12 13, 14; 20 רֶכֶב u. 50 פָּרָשִׁים 2 K 13, 7; F Gn 50, 9 Ex 14, 9. 17 f. 23. 26. 28 15, 19 Jos 24, 6 1 S 13, 5 1 K 5, 6 9, 22 2 K 18, 24 Js 21, 7. 9 22, 7 31, 1 36, 9 Hs 26, 7. 10 (פָּרָשָׁיו), cj Na 2, 4, Da 11, 40 1 C 18, 4 2 C 8, 9 12, 3 16, 8; † 2. Reitpferd *mount* neben *along with* סוּס Wagenpferd *cart-horse* u. פֶּרֶד: Js 22, 6 (l רֶכֶב אֲרָם) Hs 27, 14 Jl 2, 4 Na 3, 3 (מַעֲלֶה bäumend *prancing*) 1 S 8, 11 Js 28, 28 Ha 1, 8 (l וּפָשׁוּ פָּרָשָׁיו וּפָרָשָׁיו מֵרָחוֹק).†

פַּרְשֶׁגֶן: F ba.

*פַּרְשְׁדֹן: loc. פַּרְשְׁדֹנָה: Zimm. 32 ak. *parašdinun* Loch *hole*, Delitzsch, OLZ 29, 645: Schlupfloch *loop-hole* Jd 3, 22. †

*פָּרָשָׁה: פרשׁ: cs. פָּרָשַׁת: genaue Angabe *exact statement* Est 4, 7 10, 2. †

פרשׁז: Hi 26, 9: F פרז.

פַּרְשַׁנְדָּתָא (Var. c. ת minore): n. m.; pers.; Gehman JBL 43, 327: Est 9, 7. †

פְּרָת: n. fl.; ak. *Purattu* (< sum. *bur* Strombett *river bed*, *Burununu* d. grosse Strom *the great river*; RLA 2, 483 f; A. Nöldeke WO 1, 158 ff), aram. פְּרָת, altpers. *old-pers. Ufrātu* > Εὐφράτης, Eufrat *Euphrates* (Pauly-Wissowa 6, 1195 ff, RLV 3, 150 ff): loc. פְּרָתָה: c. הַנָּהָר הַגָּדוֹל Gn 15, 18 Dt 1, 7 (cj) 11, 24 Jos 1, 4; הַנָּהָר 1 C 5, 9, נְהַר פְּרָת. Gn 15, 18 Dt 1, 7 11, 24 Jos 1, 4 2 S 8, 3 Q 2 K 23, 29 24, 7 Ir 46, 2. 6. 10 1 C 18, 3; F Gn 2, 14 (// חִדֶּקֶל) Ir 51, 63 2 C 35, 20; einige *some* פְּרָתָה Ir 13, 4—7 = Wadi in Palästina *Wadi in Palestine*. †

פְּרָת: Gn 49, 22, F פרה qal. †

פַּרְתְּמִים: pers., phl. פרתום, keilschr. *fratama*; Gehman JBL 43, 321 ff: pl.: **Edle** *nobles* Est 1, 3 6, 9 Da 1, 3. †

פשׂה: mhb. פסה; فَشَا; äg. *pšš*; > ፈሰሰ: qal: pf. פָּשָׂה, פָּשְׂתָה, impf. יִפְשֶׂה, inf. פְּשׂה: **sich ausbreiten** (krankhafte Erscheinungen) *spread, be divulged* (*symptoms of disease*) Lv 13, 5—55 14, 39. 44. 48. †

***פשׂח**: F מִשְׂפָּח.

I פשׂע: mhb., ja., sy. פסע; أَفْشَغُ mit auseinander stehenden Hörnern *whose horns go this way and that*; ak. *šēpu* Fuss *foot* (?): qal: impf. אֶפְשְׂעָה: **schreiten** *step* Js 27, 4. † Der. פֶּשַׂע.

II פשׂע: מִפְשָׂעָה.

פֶּשַׂע: I פשׂע: **Schritt** *step* 1 S 20, 3, cj Pr 29, 6. †

פשׂק: mhb.; ja., sy. פסק spalten *cleave*; فَشَجَ (Beine) spreizen *sprawl* (*one's legs*); ተፈሥሐ sich freuen *be glad*: qal: pt. פֹּשֵׂק: c. שְׂפָתָיו: **die Lippen verziehen (grinsen)** *open wide the lips* (*grin*) Pr 13, 3; †
pi: impf. וַתְּפַשְּׂקִי: c. רַגְלַיִם: **die Beine spreizen** *sprawl one's legs* Hs 16, 25. †

פַּשׁ: Hi 35, 15, 1 פֶּשַׁע. †

פשׁח: ak. *pašaḫu* ruhig werden *become quiet*, *upaššaḫa* (Ehrenkranz, Beiträge zur Geschichte der Bodenpacht, 1936, 12:) brachlegen *let fallow*, *untilled*:
pi: impf. sf. וַיְפַשְּׁחֵנִי: **brachlegen** *cause to be fallow, untilled* Th 3, 11. †

פַּשְׁחוּר: n. m.; äg. *Pš Ḥōr* u. *Pšīw Ḥōr* Spiegelberg ZDM 53, 635: 1. S. v. אִמֵּר Ir 20, 1—3. 6 (d. neue Name *the new name* 20, 3 = ja. פָּשׁ es ist übrig *it remains* u. ja. סְחוֹר ringsum *round about*, Nestle ET 1906/07, 382); seine Söhne *his sons* Esr 2, 38 10, 22 Ne 7, 41 10, 4; 2. S. v. מַלְכִּיָּה Ir 21, 1 38, 1 Ne 11, 12 1 C 9, 12. †

פשׁט: ak. *pašāṭu* auslöschen, austilgen *expunge*, *obliterate*; cf. mhb., ja., sy. פשט, بَسَطَ ausstrecken? *stretch out?*:
qal: pf. פָּשַׁט, פְּשַׁטְתֶּם, impf. יִפְשְׁטוּ, יִפְשֹׁטוּ, וַיִּפְשַׁט! 1 S 19, 24, imp. פְּשֹׁטָה, pt. פֹּשְׁטִים: 1. **abstreifen, ausziehen** *strip off, put off*: בְּגָדִים Lv 6, 4 16, 23 1 S 19, 24 Hs 26, 16 44, 19 Ne 4, 17, כֻּתֹּנֶת Ct 5, 3; 2. absol. **sich ausziehen** *undress* Js 32, 11, **sich häuten, entpuppen** (Heuschrecken) *strip off the skin* (*locusts*) Na 3, 16; 3. c. עַל: **losziehen gegen** *make a dash against* Jd 9, 33. 44 1 S 23, 27 30, 14 Hi 1, 17, = c. בְּ 2 C 25, 13 28, 18; c. אֶל losziehen in d. Richtung auf *make a dash towards* Jd 20, 37 1 S 27, 8 30, 1; absol. losziehen *make a dash* Jd 9, 44 1 S 27, 10 (1 אַף pro אֶל) Ho 7, 1 1 C 14, 9. 13; †
pi: inf. פַּשֵּׁט: (Erschlagene) **ausziehen** *strip* (*slain*) 1 S 31, 8 2 S 23, 10 1 C 10, 8; †
hif: pf. הִפְשִׁיט, הִפְשִׁיטוּ, sf. הִפְשִׁיטוּךָ, impf. אַפְשִׁיטֶנָּה, sf. וַיַּפְשִׁיטוּ, תַּפְשִׁיטוּן, וַיַּפְשֵׁט, תַּפְשִׁיט, וַיַּפְשִׁיטֻהוּ, inf. הַפְשֵׁט, pt. מַפְשִׁיטִים: 1. **abstreifen, ausziehen** *strip off, put off*: בֶּגֶד Hi 22, 6, כֻּתֹּנֶת Gn 37, 23, אֶדֶר Mi 2, 8, כֵּלָיו (Rüstung *armament*) 1 S 31, 9; 2. **abziehen, enthäuten** *strip off, skin* Lv 1, 6 2 C 29, 34, c. עוֹר מֵעַל Mi 3, 3, c. כָּבוֹד מֵעַל Hi 19, 9; absol. 2 C 35, 11; 4. **entkleiden** *strip off* (*clothing*) 1 C 10, 9; c. עָרֹם **nackt ausziehen** *strip naked* Ho 2, 5; †
hitp: impf. וַיִּתְפַּשֵּׁט: c. ac. **sich etw. aus-**

ziehen *strip oneself off* (*garment*) 1 S 18, 4. †

פשע: mhb.; sy. erschreckt sein *be terrified*: qal: pf. פָּשַׁע, 2. fem. פָּשְׁעָהּ (= פָּשְׁעָה vel פָּשְׁעַת), פְּשָׁעַת, פְּשָׁעוּהָם, impf. יִפְשַׁע, inf. פְּשֹׁעַ, פְּשֹׁעַ, imp. פִּשְׁעוּ, pt. פֹּשֵׁעַ, פֹּשְׁעִים: 1. **sich auflehnen gegen** *rebel, revolt against*: c. בְּ 1 K 12, 19 2 K 1, 1 3, 5. 7 2 C 10, 19, gegen Gott *against God* 1 K 8, 50 Js 1, 2 43, 27 66, 24 Ir 2, 8. 29 3, 13 33, 8 Hs 2, 3 18, 31 (l בִּי) 20, 38 Ho 7, 13 Ze 3, 11, c. עַל Ho 8, 1, c. מִתַּחַת יַד 2 K 8, 20. 22 2 C 21, 8. 10; 2. absol. **sich auflehnen** *rebel, revolt* Js 59, 13 Am 4, 4 Pr 28, 21 Th 3, 42, cj 1 S 13, 3 cj Js 64, 4 (l וַנִּפְשַׁע); pt. Empörer *rebel* Js 1, 28 46, 8 48, 8 53, 12 Ho 14, 10 Ps 37, 38 51, 15 Da 8, 23; †

nif: pt. נִפְשָׁע: Abfall erleiden? *suffer revolt?* Pr 18, 19. †

Der. פֶּשַׁע.

פֶּשַׁע: פשע; ug. *ps'*: פֶּשַׁע, sf. פִּשְׁעוֹ, pl. פְּשָׁעִים, cs. פִּשְׁעֵי, sf. פְּשָׁעַי, פִּשְׁעֵיכֶם (Koehler, ZAW 46, 213 ff): 1. **Auflehnung, Empörung** *rebellion, revolt* עָוֹן וָפֶשַׁע וְחַטָּאָה Schuld, Auflehnung u. Verfehlung *guilt, revolt a. transgression* Ex 34, 7 Lv 16, 21 Hs 21, 29 Ps 32, 5 Da 9, 24 Nu 14, 18 (adde וְחַטָּאָה); פֶּשַׁע //עָוֹן Js 50, 1 53, 5 Hs 18, 30 Mi 7, 18 Ps 65, 4 89, 33 107, 17 Hi 7, 21 31, 33 33, 9; פֶּשַׁע // חַטָּאת Gn 31, 36 50, 17 Jos 24, 19 Js 58, 1 59, 12 Hs 33, 10. 12 Am 5, 12 Mi 1, 5. 13 3, 8 6, 7 Ps 25, 7 59, 4 Hi 13, 23 14, 17 34, 37, חֲטָאָה// Ps 32, 1, חֵטְא// Hi 8, 4 35, 6; פִּשְׁעֵיהֶם לְכָל־חַטֹּאתָם ihre Auflehnungen inbezug auf alle ihre Verfehlungen *their revolts concerning all their transgressions* Lv 16, 16; רָעָה וָפֶשַׁע 1 S 24, 12 (folgt חטא *following*), פֶּשַׁע // מְשׁוּבָה Ir 5, 6; פִּשְׁעֵי eines Volks *of a nation* Am 1, 3. 6. 9. 11. 13 2, 1. 4. 6 3, 14; Js 53, 8 (l מִפְּשָׁעֵינוּ); עָשָׂה פֶּשַׁע Hs 18, 22. 28; פְּשָׁעִים// טֻמְאָה הִטַּמֵּא בְּפֶשַׁע Hs 14, 11 37, 23; יַלְדֵי פ׳ Js 57, 4, שָׁבֵי פ׳ 59, 20; פֶּשַׁע שְׂפָתַיִם Hs 39, 24; Pr 12, 13; פֶּשַׁע vergeben *forgive* = סָלַח, נָשָׂא לְ Ex 23, 21 Jos 24, 19 1 S 25, 28, 1 K 8, 50, מָחָה Js 43, 25 44, 22 Ps 51, 3; *F* Js 24, 20 Ps 5, 11 19, 14 36, 2! 39, 9! 103, 12 Pr 10, 12. 19 17, 9. 19 19, 11 28, 2. 13. 24 29, 16. 22 Hi 34, 6 36, 9 Th 1, 5. 14. 22. Da 8, 12 f, cj Ko 3, 16 u. Hi 35, 15; 2. **Bestreitung, Anfechtung des Eigentums** *contesting, impeachment of property* Ex 22, 8 (ZAW 46, 213 ff); l פֶּשַׁע Pr 29, 6. †

***פשר**: *F* ba. פשר: פֵּשֶׁר.

פֵּשֶׁר: *פשר; aram. LW; ak. *pašāru* lösen, deuten *solve, interpret*; ja., sy. פשר; *F* פתר; > فسر auslegen *interpret*; פשרה Si 38, 14; Zimm. 68: **Deutung, Erklärung** *interpretation* Ko 8, 1. †

***פֵּשֶׁת**: ak. *pištu* > *piltu, pillu*; ph., Gezerkalender; pun. φοιστ; mhb. פִּשְׁתָּן (Löw, Aramäische Pflanzennamen 233): sf. פִּשְׁתִּי, pl. פִּשְׁתִּים, cs. פִּשְׁתֵּי: **Flachs** *flax*, **Leinen** *linen* Dt 22, 11 Jd 15, 14 Js 19, 9 Ho 2, 7 u. 11 (v. Gott gegeben *given by God*) Pr 31, 13; Stoff von *material of* בֶּגֶד Lv 13, 47. 59 Hs 44, 17, אֵזוֹר Ir 13, 1, פְּתִיל Hs 40, 3, פְּאֵר u. מִכְנָס 44, 18; עֵרֶב aus Wolle u. Leinen *of wool a. linen* Lv 13, 48, 52; פִּשְׁתֵּי עֵץ **Flachsstengel** *stalks of flax* Jos 2, 6; *F* פִּשְׁתָּה. †

פִּשְׁתָּה: *פֵּשֶׁת: 1. **Flachs** *flax* **Leinen** *linen* (Löw 2, 208 ff) Ex 9, 31; 2. **Docht** aus Flachs *wick of flax* Js 42, 3 43, 17. †

פַּת: פתת: sf. פִּתִּי, pl. פִּתִּים, fem.: **Brocken** *bit, morsel*: פַּת לֶחֶם Gn 18, 5 Jd 19, 5 1 S 2, 36 28, 22 1 K 17, 11 Pr 28, 21, > פַּת 2 S 12, 3 Pr 17, 1 (חֲרֵבָה trocken *dry*) 23, 8

Hi 31, 17 Ru 2, 14; beim Opfer *in sacrifice* Lv 2, 6, מִנְחַת פִּתִּים 6, 14; metaph. für Hagel *of hail* Ps 147, 17. †

פֹּת*: ak. *pūtu* Stirn *forehead* Driver JTS 38, 38; ar. *fi'at*, amhar. *fit* Nöld. NB 151 f, soq. *fiv*: sf. פָּתְהֶן, pl. פֹּתוֹת: 1. **Stirn** *forehead* Js 3, 17; 2. **Stirn-Seite, Fassade** *front* 1 K 7, 50, cj 2 C 4, 22 (JBL 59, 36). †

פְּתָאִים: F I פֶּתִי.

פִּתְאֹם, פִּתְאוֹם: פֶּתַע: adv. **plötzlich, überraschenderweise** *suddenly, surprisingly* Nu 12, 4 Jos 10, 9 11, 7 Js 47, 11 48, 3 Ir 4, 20 6, 26 15, 8 18, 22 51, 8 Ma 3, 1 Ps 64, 5. 8 Pr 6, 15 24, 22 Hi 5, 3 9, 23 Ko 9, 12; = בַּפִּתְאֹם 2 C 29, 36; פֶּתַע פִּתְאֹם ganz plötzlich *all of a sudden* Nu 6, 9 Js 29, 5, לְפֶתַע פִּתְאֹם im Nu *in an instant* Js 30, 13; פַּחַד פִּתְאֹם plötzlicher Schr. *sudden tr.* Pr 3, 25 Hi 22, 10; l פְּתָאִים Pr 7, 22. †

פַּת־בַּג: l פַּתְבַּג (die Trennung denkt an *the separation refers to* פַּת Brocken *morsel*); sy. פַּתְבָּגָא u. פַּטְבָּגָא, altpers. *patibaga* > ποτίβαζις (Lagarde GA 73, 186): sf. פַּת־בָּגוֹ: kostbare Speise, **Tafel** *delicacies, (dinner-) table* Da 1, 5. 8. 13. 15 f. 11, 26. †

פִּתְגָם: *F* ba.: **Bescheid, Spruch** *decision, decree, word* Ko 8, 11 Est 1, 20 Si 5, 11 8, 9. †

I פתה: denom. v. I פֶּתִי: mhb. pi., ja. pa. u. ug. *ptj* verführen *seduce*:

qal: impf. יִפְתֶּה, וַיִּפְתְּ, pt. פֹּתֶה, פּוֹתָה: **unerfahren sein, sich betören, verleiten lassen** *be simple, inexpert, be apt to be deceived* Dt 11, 16 Ho 7, 11 Hi 5, 2 31, 27 Si 8, 17 42, 8; פֹּתֶה שְׂפָתָיו törichter Plauderer *silly chatterer* Pr 20, 19; †

nif: pf. נִפְתָּה, impf. וָאֶפָּת: **sich betören lassen, sich zum Narren halten lassen** *be deceived, be fooled* Ir 20, 7 Hi 31, 9; †

pi: pf. פִּתִּיתִי, פִּתִּיתָ, sf. פִּתִּיתַנִי, impf. יְפַתֶּה, sf. אֲפַתֶּנּוּ, יְפַתּוּךָ, inf. sf. פַּתֹּתְךָ, imp. פַּתִּי, pt. sf. מְפַתֶּיהָ: 1. **betören, verleiten** *deceive, fool a person* Jd 14, 15 16, 5 2 S 3, 25 1 K 22, 20—22 Ir 20, 7 (zum Narren machen *make a fool*) Hs 14, 9 Pr 1, 10 16, 29 2 C 18, 19—21; e. Jungfrau **verführen** *seduce a virgin* Ex 22, 15; 2. **überreden** *prevail upon* Ho 2, 16 Si 30, 23, cj Pr 9, 13 (l וּמְפַתָּה); **täuschen** *deceive* Ps 78, 36 (Gott *God*), absol. Pr 24, 28 (l וְאַל־תְּפַת); †

pu: impf. יְפֻתֶּה: **sich verführen lassen, verführt werden (können)** *be seduced, be apt to be seduced* Ir 20, 10 Hs 14, 9 Pr 25, 15 Si 42, 10; *F* I, II פֶּתִי. †

II פתה: *F* ba. *פְּתָי; ja., פתא, ܦܬܐ weit sein *be spacious*:

hif: impf. יַפְתְּ: **weiten Raum schaffen** *make spacious* Gn 9, 27. †

Der. n. m. יֶפֶת.

פְּתוּאֵל: n. m.; פְּתוּ (= פֶּתִי Jüngling *youth*) u. אֵל; äga. n. m. פתו: Jl 1, 1. †

פִּתּוּחַ: II פתח: sf. פִּתּוּחָהּ, pl. פִּתּוּחִים, cs. פִּתּוּחֵי, sf. פִּתּוּחֶיהָ: **eingeritzte Verzierung, Gravierung** *engrave*: auf Stein *on stone* Ex 28, 11. 21 39, 6. 14 Sa 3, 9 2 C 2, 13 Si 45, 11, auf Gold *on gold* Ex 28, 36 39, 30, auf Holz *on wood* 1 K 6, 29 Ps 74, 6 2 C 2, 6. †

פְּתוֹר: n. l., loc. פְּתוֹרָה: am Euphrat *on Euphrates* Nu 22, 5 in אֲרָם 23, 7 Dt 23, 5: = ak. *Pitru*? Kraeling, Aram u. Israel 37; Mowinckel ZAW 48, 236. †

פְּתוֹת*: פתת; فَتَات Nöld. BS 30 f: cs. pl. פְּתוֹתֵי: **Stück, Brocken** *fragment, morsel* Hs 13, 19. †

I פתח: ug. *ptḥ*; Sem.; ak. *pitū*, *patū*, فتح; asa., ፈትሐ; äg. *F* EG I, 563:
qal: pf. פָּתַח, פָּתְחָה, impf. יִפְתַּח, וָאֶפְתַּח, וַיִּפְתְּחוּ, וַנִּפְתְּחָה, sf. יִפְתָּחוּם, inf. לִפְתֹּחַ, פָּתוֹחַ, sf. פִּתְחִי, imp. פְּתַח, פִּתְחוּ, pt. פּוֹתֵחַ, פֹּתֵחַ, pass. פָּתוּחַ, פְּתוּחָה, פְּתֻחוֹת: **1. auftun, öffnen** *open*: absol. Jd 3, 25 2 K 15, 16 Js 22, 22, c. לְ Ct 5, 2. 5 f; c. ac. Tor *gate* Js 26, 2 Hs 46, 12 Na 3, 13 Ps 118, 19 Hi 31, 32 Ne 13, 19 2 C 29, 3, Fenster *window* Gn 8, 6 2 K 13, 17, Tür *door* Jd 3, 25 19, 27 1 S 3, 15 2 K 9, 3. 10 Js 22, 22 45, 1 Sa 11, 1 Ps 78, 23, Stadt *town* Jos 8, 17, Raum *room* Ir 50, 26 Gn 41, 56, Grab *sepulchre* Ir 5, 16 Ps 5, 10 Hs 37, 12 f, Sack *sac* Gn 42, 27 43, 21 44, 11, Schlauch *bag* Jd 4, 19, Kasten *ark* Ex 2, 6, Gefäss *vessel* Nu 19, 15, Zisterne *cistern* Ex 21, 33, Eingang *entrance* Jos 10, 22, Brief *letter* Ne 6, 5, Buch *book* Ne 8, 5, Hand *hand* Ps 104, 28 145, 16 (Gott *God*), Schooss e. Frau *womb* Gn 29, 31 u. 30, 22 (Gott *God*), Lippen *lips* Ps 51, 17 Hi 11, 5 32, 20, Mund *mouth* Js 53, 7 Hs 3, 2 21, 27 Ps 38, 14 39, 10 78, 2 109, 2 Pr 24, 7 31, 8 f. 26 Hi 3, 1 33, 2 Da 10, 16 Si 15, 5 Nu 22, 28 (Gott der Eselin *God the ass's*); Erde öffnet ihren Mund *earth opens its mouth* Nu 16, 32 26, 10; Gott öffnet ihm d. Mund *God opens a man's mouth* Hs 3, 27 33, 22, d. Ohr *the ear* Js 50, 5; עֵינַיִם פְּתֻחוֹת 1 K 8, 29. 52 2 C 6, 20. 40 7, 15; פָּתוּחַ אֶל offen gegen *opened for* Hi 29, 19; **2. Besonderes** *particulars*: פָּתַח c. נְהָרוֹת fliessen lassen *cause to flow* (Gott *God*) Js 41, 18, c. צוּר Ps 105, 41, c. אֶרֶץ 106, 17, c. אֲרֻבּוֹת Ma 3, 10 auftun *open* (Gott *God*); פָּתַח בַּר = feilhalten *offer for sale* Am 8, 5; פָּ׳ אוֹצָרוֹ (י׳) Dt 28, 12 Ir 50, 25; פָּ׳ עִיר = erobern *conquer* Ir 13, 19; subj. עִיר = sich ergeben *surrender* Dt 20, 11 2 K 15, 16; פָּ׳ מִן entblössen von *deprive of* Hs 25, 9; פָּ׳ חֶרֶב Schw. zücken *draw a sword* Hs 21, 33 Ps 37, 14; פָּ׳ חִידָה lösen *solve* Ps 49, 5; פָּ׳ יָדוֹ לוֹ = ist freigebig gegen ihn *is open-handed towards* Dt 15, 8. 11; l פַּתֵּחַ Js 14, 17, l הִפָּתַח 45, 8; †

nif: pf. נִפְתַּח, נִפְתְּחוּ, נִפְתָּחָה, impf. יִפָּתַח, יִפָּתֵחַ, יִפָּתְחוּ, inf. הִפָּתֵחַ, pt. נִפְתָּח: **1. geöffnet werden** *be opened*: Hs 44, 2 46, 1 Na 2, 7 3, 13 Ne 7, 3, cj Js 60, 11, Gn 7, 11 Js 24, 18, Hs 24, 27 33, 22, Js 35, 5, cj 48, 8, Js 5, 27, Sa 13, 1; **2. sich öffnen** *get open* Hs 1, 1, cj Js 45, 8; **3. geöffnet, entfesselt werden** *be opened, loosened* Js 51, 14 Hi 12, 14 Ir 1, 14 (רָעָה); **4. Wein** *wine*: **ihm wird Luft gemacht** *is given air* Hi 32, 19; †
pi: pf. פִּתַּח, פִּתַּח Hi 30, 11, sf. פִּתַּחְתִּיךְ, impf. יְפַתַּח, תְּפַתַּח, וַיְפַתַּח, sf. וַיְפַתְּחֵהוּ, inf. פַּתֵּחַ, pt. מְפַתֵּחַ: **1. losschirren** *loose* (גְּמַלִּים) Gn 24, 32, **losbinden** *loosen* (שַׂק) Js 20, 2 Ps 30, 12 116, 16, cj **loslassen** *free* (אָסִיר) Js 14, 17; **aufbinden, lösen** *loosen* (Rüstung *armour*) 1 K 20, 11 (:: חגר), Fesseln *bonds* Hi 12, 18 30, 11 38, 31, Hüften entgürten *ungird loins* Js 45, 1; חַרְצֻבּוֹת Js 58, 6, סְמָדַר aufbrechen *burst open* Ct 7, 13; losbinden, öffnen *loosen, open* Hi 41, 6, loslösen *free* Ir 40, 4 Ps 102, 21 105, 20; c. אֲדָמָה aufbrechen *loosen ground* Js 28, 24; l נִפְתְּחָה Js 48, 8, l וְנִפְתְּחוּ 60, 11; †
hitp: imp. הִתְפַּתְּחִי (K הִתְפַּתְּחוּ): **für sich losmachen** *loosen for oneself* Js 52, 2. †
Der. מַפְתֵּחַ, מִפְתָּח, פֶּתַח, פֵּתַח, פִּתָּחוֹן, פְּתִיחָה, n. m. פְּתַחְיָה, יִפְתָּח, n. l. יִפְתָּח, יִפְתַּח־אֵל.

II פתח: ak. *patāḫu* einbohren *bore*; mhb., ja. *F* פתוח; فتّح; asa. פתח:
pi: pf. פִּתַּח, פִּתַּחְתָּ, impf. יְפַתַּח inf. פַּתֵּחַ, pt. מְפַתֵּחַ: **1. c. עַל eingravieren auf** *engrave on*: אֶבֶן Ex 28, 9, זָהָב 28, 36, לֻחֹת 1 K 7, 36; **2. mit Gravierung versehen** *engrave* Ex 28, 11, c. פִּתּוּחַ Sa 3, 9 2 C 2, 6. 13; **3. c. ac. u. עַל etw. auf (Holz) schnitzen** *grave a thing on* 2 C 3, 7. †
Der. פִּתּוּחַ.

פֶּתַח (164 ×): I פתח: פָּתַח, sf. פִּתְחוֹ, loc.

הַפְּתָחָה, pl. פְּתָחִים, cs. פִּתְחֵי, sf. פְּתָחֵינוּ: Öffnung, Eingang *opening, entrance*: v. *of* אֹהֶל Gn 18, 1, בַּיִת 19, 11, מָקוֹם 38, 14, עִיר 1 K 17, 10, pl. Js 3, 26, מְעָרָה 1 K 19, 13, etc.; פֶּתַח לְ Eingang zu *entrance to* 1 C 9, 21; לַפֶּתַח am Eingang *at the entrance* Gn 4, 7, בְּפֶתַח im E. *in the entr.* 1 K 14, 6; הַפִּתְחָה an den E. *to the entr.* Gn 19, 6; פִּתְחֵי נְדִיבִים die E. für *the entr. of* Js 13, 2; Einzelnes *particulars*: פִּתְחֵי עוֹלָם Ps 24, 7. 9, מְבוֹא פְתָחִים wo man in d. E. hineingeht *where one enters the entr.* Pr 8, 3; פִּתְחוֹ Eingang in s. H. *entrance of his hole* Pr 17, 19; פֶּתַח תִּקְוָה Eing. zur H. *entr. to hope* Ho 2, 17; פִּתְחֵי פִיךָ Mi 7, 5; l בִּפְתִיחָה Mi 5, 5; l וּפִתּוּחוֹת 2 C 4, 22.

***פֵּתַח**: I פתח; δήλωσις: cs. פֵּתַח: Eröffnung, Mitteilung *disclosure, communication* Ps 119, 130 (alii cj פְּתַח), cj Ha 2, 3 (Horst).†

פְּתִחָה: F *פְּתִיחָה.

***פִּתְחוֹן**: I פתח: cs. פִּתְחוֹן: Auftun *opening* > Anlass (zum Reden) *inducement* (*for speaking*) Hs 16, 63 29, 21.†

פְּתַחְיָה: I פתח (obj. רֶחֶם?) u. יה: 1.—3. Esr 10, 23 Ne 9, 5; 11, 24; 1 C 24, 16.†

פֶּתִי: فَتًى junger Mann in d. ersten Vollkraft *young man in the prime of life*; F פְּתוּאֵל: pl. פְּתָאִים, פְּתָיִים, פְּתָאיִם (sic!, nicht *not* פְּתָאִים, BL 579): junger (unerfahrener; leicht verleitbarer) einfältiger Mensch (*young, unexperienced, easy to seduce*) *simple youth*: פֶּתִי:: אִישׁ שֹׁגֶה// עָרוּם Pr 14, 15. 18 22, 3 27, 12, // Hs 45, 20, נַעַר// Pr 1, 4 7, 7, כְּסִילִים// Pr 1, 32 8, 5, חֲסַר לֵב// Pr 9, 4. 16; יהוה ist *is* שֹׁמֵר פְּתָאיִם Ps 116, 6, (דְּבַר יי) ist *is* מֵבִין פְּתָיִים 119, 130; F Ps 19, 8 Pr 1, 22 19, 25 21, 11, cj 7, 22; l II פֶּתִי 9, 6.†

Der. I פתה u. n. m. פְּתוּאֵל.

II פֶּתִי: I פתה: Einfalt *simplicity, mind of simple youth* Pr 1, 22, cj 9, 6.†

פְּתִיגִיל: LW; unde?: feines Gewandstück *garment of fine material and work* Js 3, 24.†

פְּתַיּוּת Pr 9, 13: l וּמְפַתָּה.

***פְּתִיחָה**: I פתח; פֶּתַח חֶרֶב: pl. פְּתִחוֹת: gezückte Waffe *drawn sword, dagger* Ps 55, 22, cj Mi 5, 5.†

פָּתִיל: פתל; فَتِيل Kopfschnur *head-rope* (Stace), > äg. LW *ptr*; F חוּט: cs. פְּתִיל, pl. פְּתִילִים: Gedrehtes, Schnur *twisted thread, cord* Gn 38, 18. 25 Ex 28, 28. 37 39, 3. 21. 31 Nu 15, 38 19, 15 (?) Hs 40, 3; Strang *rope* Jd 16, 9.†

פתל: Sem. drehen, winden *twist*:

nif: pf. נִפְתַּלְתִּי, pt. נִפְתָּל: 1. sich winden? ringen? *twist oneself? wrestle?* Gn 30, 8; 2. verdreht, verschlagen sein *be tortuous, astute* Pr 8, 8 Hi 5, 13;†

hitp: impf. תִּתְפַּתָּל sich als verdreht, verschlagen erweisen *prove tortuous, astute* Ps 18, 27, cj 2 S 22, 27.†

Der. פָּתִיל. פְּתַלְתֹּל. *נַפְתּוּלִים; n. m. נַפְתָּלִי?

פְּתַלְתֹּל: פתל: verdreht, verschroben *tortuous, queer* Dt 32, 5.†

פִּתֹם: n. l.; äg. *Pr-itm* (Haus des (Gottes) Atum *house of (god) Atum*), Πάτουμος Herodot. 2, 158, später *later on* Ἡρώόπολις; *T. el Masḫûṭa* (Naville)? *T. er-Reṭābā* (Gardiner, Journ. Eg. Arch. 5, 253)? „*in the valley which connects Nile a. Lake Timsāḥ*" (Albr. Atl. 37a): Ex 1, 11.†

פֶּתֶן: ug. *bṯn* (Humbert AOF 11, 235 f); ak. *bašmu*; ja. פִּתְנָא, sy. פַּתְנָא (بَثَن, nach Forskål, Descriptiones ... 1775, 15, ganz unsicher *absolutely doubtful*: J. J. Hess): פֶּתֶן, pl. פְּתָנִים: Hornviper *horned snake Cerastes cornutus Forsk.*; Aharoni, Osiris 5, 475 **Cobra** *cobra Naja haje* (giftig *poisonous*), der der äussere Gehörgang fehlt *which has no external acoustic duct* (Ps 58, 5; Bodenheimer 191): Dt 32, 33 Js 11, 8 Ps 58, 5 91, 13 Hi 20, 14. 16 Si 39, 30.†

פֶּתַע: ak. *pitū* Augenblick *instant*; > פִּתְאֹם: **Augenblick**, Nu *instant*; בְּפֶתַע Nu 6, 9 35, 22, לְפֶתַע Js 29, 5 30, 13; adverb. im Nu *suddenly* Ha 2, 7 Pr 6, 15 29, 1.†

פתר: *F* ba.; (ak. *paṭāru* lösen *solve*, *pašāru* lösen deuten *solve*, *interpret*; *F* פֵּשֶׁר; Zimm. 68); mhb., ja. deuten *interpret*:

qal: pf. פָּתַר, פָּתַר, פָּתַר־ Gn 41, 13, impf. וַיִּפְתָּר־, inf. לִפְתֹּר, pt. פֹּתֵר: **deuten, auslegen** (Traum) *interpret* (*dream*) Gn 40, 8. 16. 22 41, 8. 12 f. 15.†

פַּתְרוֹס: n. t.; äg. *P3-t3-rśj* Land des Südens *Southern Country*; keilschr. *Pa-tu-ri-si*: Südägypten, **Oberägypten** *Southern Egypt*, *Upper Egypt*: Js 11, 11 Jr 44, 1. 15 Hs 30, 14, cj Ps 68, 31; *F* פַּתְרֻסִים.†

פַּתְרֻסִים: n. p.; פַּתְרוֹס: Bewohner Oberägyptens *inhabitants of Upper Egypt* Gn 10, 14 1 C 1, 12.†

פַּתְשֶׁגֶן: *F* ba. פַּרְשֶׁגֶן; awest. *paiti*, altpers. *oldpers. patij* wiederum *again*: was zum 2. Mal angezeigt wird *what is announced for the second time*, Gehman JBL 43, 326: **Abschrift** *copy* Est 3, 14 4, 8 8, 13.†

פתת: mhb.; ܦܬ; فَتَّ, ፈተተ:

qal: inf. פָּתוֹת: **zerbröckeln** *crumble* Lv 2, 6, cj impf. sf. תְּפִתֶּינָה 6, 14.†

Der. פַּת, פְּתוֹת.

צ, צָדֵי, ץ (später *later on* = 90), ṣ (ein scharfes, zischendes s *a strong, hissing s*; traditionell zur Unterscheidung von s = ס, שׂ als tz gesprochen *traditional spelling tz to distinguish* צ *from* s = ס, שׂ), Driver, SW 215; VG 1, 43 f; in G gewöhnlich *commonly* = σ (Σιων), aber *but* Τύρος. Hebr. צ umfasst mehrere Laute *comprises a variety of sounds*, daher mehrere Entsprechungen in andern semitischen Sprachen *therefore a variety of correspondences in other Semitic languages*: *F* צֹאָה, I צָב, II צָב, I צְבִי, II צְבִי, צַלְמָוֶת, קצב, etc.

צֵא: צוא; aeth. *ṣī* (Driv. ZAW 52, 53): **Schmutz** *dirt* Js 30, 22.†

***צֵאָה**: צוא: cs. צֵאַת, sf. צֵאָתֶךָ: **Kot, Ausscheidung** *excrement* Dt 23, 14 Hs 4, 12.†

צֹאָה: צוא: cs. צֹאַת, sf. צֹאָתוֹ, צוֹאָתָם Q 2 K 18, 27 u. צֹאָתָם Q Js 36, 12: **Kot** *excrement* 2 K 18, 27 Q Js 4, 4 36, 12 Q Pr 30, 12; קִיא צֹאָה **ekles Gespei** *disgusting vomit* Js 28, 8.†

***צֹאִי**: צוא: pl. צֹאִים, צוֹאִים (mit Kot) **beschmutzt** *filthy, befouled (with excrements)* Sa 3, 3 f. †

צֶאֱלִים: ضَال, ܨܐܠܐ Sidr *Zizyphus spinae Christi*: **Brustbeerbaum** *thorny lotus, Zizyphus Lotus L.* (Löw 3, 134 f; Humbert ZAW 62, 206): Hi 40, 21. †

צֹאן (273 ×): יצא, wie *like* πρόβατον: προβαίνω: die kleinen Tiere, die im Herdenzug vorangehen *the small cattle preceding the big one in the travelling herd*; ug. *ṣ3n*; ak. *ṣēnu*, mo. צאן; mhb., aram. עָנָא; ضَأْن, asa. צאן: sf. צֹאנֵנוּ, צֹאנֵנוּ (Var. צֹאנֵנוּ) Ne 10, 37; צֹאונֵנוּ Ps 144, 13, fem. (Nöld. BS 59,[5]): coll. **Kleinvieh** (Schafe u. Ziegen) *small cattle (sheep a. goats)*; :: בָּקָר Gn 12, 16 Nu 22, 40, צֹאן רַבּוֹת Gn 30, 43, bloss Schafe *sheep only* 1 S 25, 2, bloss männliche Tiere *males only* (daher *therefore* masc.) Gn 30, 40; בְּנֵי צֹאן d. einzelnen Tiere *the individual animals* Ps 114, 4. 6; צֹאן קֵדָר Js 60, 7, צֹאן מַאֲכָל Ps 44, 12, צֹאן הַהֲרֵגָה Sa 11, 7, צֹאן טִבְחָה Ps 44, 23; metaph. = יִשְׂרָאֵל 2 S 24, 17, = die Frommen *the pious* Ps 79, 13; 1 כַּצֹּאן Hs 36, 38, 1 חָצִיר Ps 65, 14, 1 יָצִיץ Sa 9, 16; n. l. שַׁעַר הַצֹּאן Ne 3, 1. 32 12, 39; *F* צֹנֶה.

צַאֲנָן: n. l.; = צְנָן?: Mi 1, 11. †

צֶאֱצָאִים: יצא: pl. tant., cs. צֶאֱצָאֵי, sf. צֶאֱצָאֵיהֶם: **Sprösslinge** *offspring* Js 22, 24 34, 1 42, 5 Hi 31, 8, **Nachkommen** *descendants* (Caspari ZAW 49, 67) Js 44, 3 48, 19 61, 9 65, 23 Hi 5, 25 21, 8 27, 14 Si 47, 20. †

I **צָב**: *צבב; ak. **ṣubbu (*ṣabbu)* > *ṣumbu* Lastwagen *wagon* Zimm. 42; targ. צָבָא, > äg. *ḏb.w*: pl. צַבִּים: **Wagen mit Verdeck** *wagon with roof* (Bild *image* Meissner, Babylonien 1, 249): Nu 7, 3 Js 66, 20. †

II **צָב**: צבה?: mhb., targ. צַבָּא, sy. עַבָּא, עָבָא, ضَبّ: **Dornschwanzeidechse** *thorn-tailed lizard Uromastix spinipes* (Euting, Tagebuch 1, 107; Bodenheimer 196): Lv 11, 29. †

צבא: ug. *ṣb3* Heer *army*; ak. *ṣabā'u, ṣabū* zum Krieg ausziehen *wage war*; asa. צבא, ፀብእ > ጸብእ; äg. LW *ḏbʾ* Heer *army*:

qal: pf. צָבְאוּ, impf. וַיִּצְבְּאוּ, inf. לִצְבֹּא u. לִצְבָא, pt. צֹבְאִים, צֹבְאֹת, cj pl. sf. צֹבְאֶיהָ Js 29, 7: 1. in den Krieg ziehen *wage war* Nu 31, 42, c. עַל gegen *against* Nu 31, 7 Js 29, 7 f 31, 4 Sa 14, 12; cj צֹבְאֶיהָ die gegen sie zu Feld ziehen *those waging war against her* Js 29, 7; **2. Dienst tun** (im Kult) *serve (in worship)*: Männer *men* Nu 4, 23 8, 24, Frauen *women* (Dussaud, Origines 15: *prostituées sacrées*) Ex 38, 8 1 S 2, 22; †

hif: pt. מַצְבִּא: **ins Feld ausheben** *muster* 2 K 25, 19 Ir 52, 25. †

Der. I צָבָא.

I **צָבָא** (479 ×; 279 × צְבָאוֹת n. d. *F* B): A (abgesehen von *leaving* n. d. צְבָאוֹת): cs. צְבָא, sf. צְבָאִי, pl. צְבָאוֹת, cs. צִבְאוֹת, sf. צִבְאֹתָם, צִבְאוֹתֵיכֶם; pro צְבָאָיו 1 צְבָאוֹ Ps 103, 21 ut 148, 2 K (וְצָבָא Da 8, 12 gehört zu *belongs to* 8, 11; צְבָאָהּ Js 40, 2 ist *is* acc.): 1. **Heerdienst** *service in war*: יָצָא צָבָא Nu 1, 3; לַצָּבָא 31, 3, c. שָׁלַח 31, 4, c. יָצָא 31, 27, c. עָלָה Jos 22, 12; אַנְשֵׁי הַצָּבָא Nu 31, 21, עַם הַצָּבָא 31, 32, חֲלוּצֵי צָבָא 31, 5; צְבָא מִלְחָמָה Kriegszug *warfare* Nu 31, 14 Js 13, 4 1 C 7, 4 12, 38; **2. Heerhaufen,** Kriegsleute *host, fighting men* Ex 12, 17 Nu 2, 6 2 S 3, 23, pl. Ex 6, 26 12, 17, צָבָא רַב Ps 68, 12, (MT צבא) צְבָא גִבּוֹרִים 1 C 19, 8, צְבָא יִשְׂרָאֵל u. צְבָא יְהוּדָה 1 K 2, 32, צְבָא מַטֶּה Nu 10, 19; צְבָא מֶלֶךְ אֲרָם 2 K 5, 1, שַׂר צָבָא Gn 21, 22 Jd 4, 2, etc.; שַׂר צְבָאוֹ 2 S 19, 14, pl. שָׂרֵי צָבָא 1 K 1, 25 u. (doppelt. *double pl.*) שָׂרֵי צְבָאוֹת Dt 20, 9 1 K 2, 5; אַלְפֵי

צָבָא הַצָּבָא Nu 31, 48; רָאשֵׁי הַצָּבָא 1 C 12, 15; צְבָא der Völker *of the nations* Js 34, 2; 3. von *said of* יהוה: צִבְאוֹת י׳ (Israel) Ex 12, 41, צִבְאֹתַי (Israel) Ex 7, 4, שַׂר צְבָא י׳ (Engel *angel*) Jos 5, 14 f, צְבָאוֹ (sic lege) Ps 103, 21 148, 2; 4. צְבָא הַשָּׁמַיִם = Sterne *stars* Dt 17, 3 2 K 17, 16 21, 3 23, 4 f Js 34, 4 Ir 8, 2 19, 13 33, 22 Ze 1, 5 Da 8, 10 Ne 9, 6 2 C 33, 3. 5; Dt 4, 19; = Umgebung, Dienerschaft Gottes *God's servants, train* 1 K 22, 19 2 C 18, 18; Himmel u. Erde *heaven a. earth* וְכָל־צְבָאָם Gn 2, 1; צְבָאָם = Gestirne *stars* Js 40, 26 45, 12 Ps 33, 6; 5. צְבָא הַמָּרוֹם (= צ׳ הַשָּׁמַיִם) Js 24, 21; 6. (Heerdienst >) **Kultdienst** (*service in war*) > *service in worship* Nu 4, 3. 23. 30 etc., צְבָא הָעֲבֹדָה Nu 8, 25; 1 C 7, 11. 40 12, 9 schützt die Glosse *prevents the gloss* מִלְחָמָה vor d. Verständnis als Kultdienst *the meaning service of worship*; 7. (Heerdienst >) **Frondienst** (Dienst, durch den man e. Schuld abträgt) (*service of war*) > *compulsory labour* (*to pay off a debt, guilt*) Js 40, 2 Hi 7, 1 10, 17 14, 14, F חֲלִיפָה, צָבָא גָדוֹל Da 10, 1; fraglich *doubtful* Da 8, 12 f;

B. צְבָאוֹת, Heerscharen *hosts*, als Gottes name *name of God* (279 ×): 1 S 5 ×, 2 S 6 ×, 1 K 3 ×, 2 K 2 ×, Js 1—39 54 ×, Js 40—55 6 ×, Ir 77 ×, Ho 12, 6, Am 10 ×, Mi 4, 4, Na 2 ×, Ha 2, 13, Ze 2 ×, Hg 14 ×, Sa 1—8 44 ×, Sa 9—14 9 ×, Ma 24 ×, Ps 15 ×, 1 C 3 ×; nicht in *not to be found in* Gn—Jos Jd Js 56—66 Hs! Jl Ob Jon Pr Hi Cnt Ru Th Ko Est Da Esr Ne 2 C; die ursprüngliche Form lautet *the original form is* יהוה אֱלֹהֵי צְבָאוֹת J., d. Gott der Y., *god of the* צְבָאוֹת (14 ×); daneben *along with this formula* י׳ אֱלֹהֵי הַצְּבָאֹת Ho 12, 6 Am 3, 13 6, 14, verkürzt *shortened* > י׳ צְבָאוֹת 255 × (mit Abwandlungen *variations included*) u. י׳ הַצְּבָאוֹת Am 9, 5; אֱלֹהִים statt oder neben *instead of or along with* יהוה Ps 59, 6 80, 5. 20 84, 9 89, 9 80, 8. 15; צְבָאוֹת bedeutet *means*: Krieger Israels? *Israel's warriors?* Engel? *angels?* die Sterne? *the stars?* die Scharen der palästinisch-kanaanäischen Nebengötter und Dämonen als Jahwä untergeordnet *the hosts of Palestinian-Canaanite rival gods a. demons subdued by Yahve* F Victor Maag, Schweiz. Theol. Umschau, 20, 1950, Nr. 3/4, 27 ff.

II *צְבָא: NF v. צְבִי: pl. צְבָאִים: **Gazelle** *gazelle* 1 C 12, 9; F *צְבָאָה. †

*צְבָאָה: fem. v. II צְבָא: pl. צְבָאוֹת: **Gazellenweibchen** *female gazelle* Ct 2, 7 3, 5. †

צְבָאוֹת: F I צָבָא B u. *צְבָאָה.

צְבֹאִים Ho 11, 8 u. צְבִיִּם Gn 10, 19 u. צְבוֹיִם Gn 14, 2. 8 Dt 29, 22: n. l.; < צְבֹעִים? Bauer ZAW 48, 77: unbekannt *unknown*; immer *always* // אַדְמָה. †

*צבב: I צָב, n. m. הַצֹּבֵבָה.

הַצֹּבֵבָה: n. m.: 1 C 4, 8. †

I צבה: mhb.; ar. *ḍabbat šafatuhu* s. Lippe war nass (v. Blut) *his lip was wet (of blood)*: qal: pf. צָבְתָה **aufgetrieben werden** *swell up* Nu 5, 27; † hif: inf. לַצְבּוֹת < לְהַצְבּוֹת: **auftreiben** (Leib) *cause to swell up* (*belly*) Nu 5, 22. † Der. *צָבֶה.

II צבה: II צְבִי.

III *צבה: I צְבִי.

*צֶבֶה: pl. sf. צְבֶיהָ Js 29, 7: l צֹבְאֶיהָ. †

*צָבֶה: I צבה: fem. צָבָה, adj.: **aufgetrieben** *swollen* Nu 5, 21. †

צָבוּעַ: I צבע; ضَبْع, ضَبُع; äth. *ṣeʿeb*, sy. *ʾafʿā*: **Hyäne** *hyena Hyaena hyaena* (Bodenheimer 106f): l הַצָּבוּעַ pro הַעַיִט צָבוּעַ Ir 12, 9; F n. l. צְבֹעִים. †

צבט: mhb.; ضَبَطَ packen *seize*; ug. *mṣbṭ* Zange? *tongs?*; F צבת:
qal: impf. וַיִּצְבָּט־: reichen *hold out* Ru 2, 14. †

I **צְבִי**: III *צבה: ak. *ṣabū*, ja., sy. צְבָא begehren *desire*, صَبَا verliebt sein *be enamoured*: צְבִי, pl. cs. צִבְאוֹת: 1. Zierde, Herrlichkeit *decoration, beauty* 2 S 1, 19 Js 4, 2 13, 19 23, 9 24, 16 28, 1. 4 f Ir 3, 19 (צְבִי צִבְאוֹת) Hs 7, 20 20, 6. 15 25, 9; 2. הַצְּבִי die Zierde *the beauty* = Jerusalem Da 8, 9, אֶרֶץ הַצְּבִי = Palästina *Palestine* Da 11, 16. 41; צְבִי קֹדֶשׁ 11, 45; l וְהִתְיַצַּבְתִּי Hs 26, 20. †

II **צְבִי**: II צבה; ja. טַבְיָה, äga., sy. טַבְיָא, mhb.; ak. *ṣabītu*; ظَبْى; Ταβιθα AG 9, 36. 40: pl. צְבָיִם: (Sammelname für Arten der) Gazelle (*different kinds of*) *gazelle* Dt 12, 15. 22 14, 5 15, 22 2 S 2, 18 1 K 5, 3 Js 13, 14 Pr 6, 5 Ct 2, 9. 17 8, 14; F II צְבָא, צְבִיָּה u. n. m. צִבְיָא, n. f. צִבְיָה u. פֹּכֶרֶת. †

צִבְיָא: n. m.; F II צְבִי: 1 C 8, 9. †

צִבְיָה: n. f.; fem. v. II צְבִי; Eph 1, 187: 2 K 12, 2 2 C 24, 1. †

צְבִיָּה: fem. v. II צְבִי: Gazellenweibchen *female gazelle* Ct 4, 5 7, 4. †

צְבִיִּם u. **צְבוֹיִם**: F צְבֹאִים.

I ***צבע**: ak. *ṣibū*; mhb., ja., sy. צבע; صَبَغَ, ጸብሐ eintauchen, färben *dip, dye*:
cj hitp: impf. וְתִצְטַבַּע: sich gefärbt zeigen *show oneself dyed* cj Hi 38, 14. †
Der. *צֶבַע.

II **צבע**: אֶצְבַּע.

III **צבע**: צָבוּעַ, n. m. צִבְעוֹן, n. l. צְבֹעִים.

***צֶבַע**: I צבע: pl. צְבָעִים: bunte, scheckige Zeuge *dyed stuff* (AS 5, 70 ff) Jd 5, 30. †

צִבְעוֹן: n. m.; n. m. ضَبِيعَة Hyäne *hyena* Nöld. BS 79, n. m. ضَبْعَان ZAW 44, 88: Gn 36, 2. 14. 20. 24. 29 1 C 1, 38. 40. †

צְבֹעִים: n. l.; I צבע, Bauer ZAW 48, 77: < בֵּית צְבֹעִים, *צָבוּעַ Hyäne *hyena*: in Benjamin Ne 11, 34 (Clauss ZDP 30, 50; EA 132 f); גֵּי הַצְּבֹעִים 1 S 13, 18 unbekannt *unknown*. †

צבר: ug. *ṣbr* Schar *group*; mhb., ja., sy.; mhb. צִבּוּר Gemeinde *congregation*; صُبْرَة (Getreide) aufschütten *garner*:
qal: impf. וַיִּצְבְּרוּ, תִּצְבָּר־, יִצְבֹּר: auf einen Haufen schütten *heap up*: Getreide *grain* Gn 41, 35. 49, Erde *ground* Ha 1, 10, tote Frösche *dead frogs* Ex 8, 10, Silber *silver* Sa 9, 3 Hi 27, 16 Si 47, 18, etwas *something* Ps 39, 7. †
Der. צִבֻּר, *צִבָּרוֹן.

***צִבֻּר**: צבר; ug. *ṣbrt*: pl. צִבֻּרִים: Haufe *heap* 2 K 10, 8. †

***צִבָּרוֹן**: צבר: cj לְצִבָּרוֹן in Scharen *in heaps* (Koehler, Festschr. Marti 174) Sa 9, 12. †

***צֶבֶת**: *צֶבֶת.

***צֶבֶת**: *צבת, mhb. sich gesellen *unite*, צֶבֶת, צְבִיתָה Zange *tongs*; ak. *ṣabātu* erfassen *seize*; F צבט: pl. צְבָתִים: d. zusammengefassten, abgeschnittnen Ähren, Ährenbündel *the in one grasp seized ears, bundles of ears* Ru 2, 16. †

I **צַד**: צדד; ضَلَّ sich seitwärts wenden *turn to the side*, sy. צַד neben *beside*; mhb. צַד, F ba. *צַד: sf. צִדּוֹ, pl. cs. צִדֵּי, sf. צִדָּיו: Seite *side* Ex 25, 32 26, 13 30, 4 37, 18. 27, Seite, Flanke (eines Menschen) *side, flank* (*of man*) Nu 33, 55 Jos 23, 13 2 S 2, 16 Js 60, 4

66, 12 Hs 4, 4. 6. 8 f 34, 21; בְּצִדָּהּ an s. Seite *on its side* Gn 6, 16, מִצַּד neben *at the side of* Dt 31, 26 Jos 12, 9 1 S 6, 8 20, 20 (l מִצִּדָּהּ). 25 23, 26 2 S 13, 34 Ps 91, 7 Ru 2, 14; l מִדַּד Jos 3, 16; cj n. l. הַצִּדִּים (MT הַצָּרִים) חֶלְקַת 2 S 2, 16; צַד מָעוֹן cj Duhm (Verkehr Gottes 45[1]) 1 S 2, 29. 32. †

II *צַד: ak. ṣaddu Schlinge *snare*: pl. צִדִּים: Schlinge *snare* Jd 2, 3 (Zapletal). †

*צדד: F I צַד, *צְדָד.

*צְדָד vel *צְרָד: n. l.; loc. צְדָדָה: Ṣadad 100 km n. Damaskus (Alt, Festschr. Eissfeldt 15): Nu 34, 8 Hs 47, 15, cj 27, 18 (Dussaud, Top. 282 f). †

I צדה: mhb, ja. צְדָא auflauern *lie in wait*; صدى III hintergehen *beguile*:

qal: pf. צָדָה, pt. צֹדֶה: **nachstellen** *be after a person* Ex 21, 13 1 S 24, 12. †

Der. צְדִיָּה.

II צדה: mhb.. ja. צְדִי, צְדָא ,צדו ; صدى; dürsten *thirst*:

nif: pf. נִצְדּוּ: **verheert sein** (Stadt) *be laid waste* (*town*) Ze 3, 6. †

צֵדָה: F צֵידָה.

צָדוֹק: n. m.; צדק; Dir. 106; Bentzen ZAW 51, 173 f, Rowley JBL 58, 133 ff: 1. כֹּהֵן 1 K 1, 8. 26 2, 35 4, 2. 4, S. v. אֲחִיטוּב 2 S 8, 17 15, 24 f 1 C 5, 34 (Nachkomme von *descendant of* אֶלְעָזָר) 18, 16 29, 22, בֵּית צָדוֹק 2 C 31, 10, בְּנֵי צָדוֹק Hs 40, 46 44, 15 48, 11 (daher *hence oi* Σαδδουκαῖοι), זֶרַע צָדוֹק Hs 43, 19, Vorfahr v. *ancestor of* עֶזְרָא Esr 7, 2; 2. Grossvater v. König *grandfather of king* יוֹתָם 2 K 15, 33 2 C 27, 1; 3.—8. Ne 3, 4; 3, 29; 10, 22; 11, 11; 13, 13 (הַסּוֹפֵר); 1 C 5, 38. †

צְדִיָּה: I צדה: **Nachstellung, böse Absicht** *lying-in-wait, malicious intent* Nu 35, 20. 22. †

צִדִּים: n. l. Jos 19, 35 (Text?); cj חֶלְקַת הַצִּדִּים bei *near* גִּבְעוֹן 2 S 2, 16: F צַד. †

צַדִּיק (205 ×): צדק: pl. צַדִּיקִם, צַדִּיקִים: 1. v. Sache, die geprüft u. in Ordnung gefunden wird: **recht** *thing examined found in good condition*: *right*: וְנֹאמַר צַדִּיק wir sagen: es stimmt *we say*: *it is alright* Js 41, 26, חֻקִּים צַדִּיקִים Dt 4, 8; 2. (rechtlich: Mensch, dessen Verhalten geprüft u. einwandfrei gefunden wird) **schuldlos, im Recht befindlich** *juridically*: *man whose behaviour is examined a. found immaculate*) *guiltless, correct, just*: הַצַּדִּיק אֶת־הַצַּדִּיק Ex 23, 7, נָקִי וְצַדִּיק Dt 25, 1 2 C 6, 23 (הַרְשִׁיעַ רָשָׁע ::); צ׳ אַתָּה כִּי du behältst Recht, wenn *thou art in the right if* Ir 12, 1; צ׳ אַתֶּם ihr seid im Recht *you are in the right* 2 K 10, 9; F Ex 23, 8 Dt 16, 19 Js 5, 23 29, 21 Am 2, 6 5, 12 Ps 7, 12 Pr 17, 15. 26 18, 10. 17 Hi 32, 1 36, 7 etc.; cj צַדִּיק Ps 94, 15; 3. (moralisch im Recht): **schuldlos** (*morally right*): *without fault* Gn 20, 4 2 S 4, 11, צ׳ וְרָשָׁע Hs 21, 8 Ps 1, 6; צ׳ מִן weniger schuldig als *less guilty than* 1 S 24, 18 1 K 2, 32; 4. (daher) **gerecht** (Beschreibung Hs 18, 5—9) (*hence*) *righteous* (*description* Hs 18, 5—9): אֲנָשִׁים צַדִּיקִים Hs 23, 45, עֲדַת צ׳ Ps 1, 5, צֶמַח צ׳ Ir 23, 5, מָשִׁיחַ צ׳ Sa 9, 9; מֹשֵׁל צ׳ als Gerechter herrschen *rule righteously* 2 S 23, 3, etc.; 5. (religiös:) **gerecht, fromm** (*in religion*:) *righteous, pious*: אִישׁ צ׳ Gn 6, 9, צ׳ לְפָנַי י׳ 7, 1, גּוֹי צ׳ Js 26, 2, צַדִּיק d. Gerechte, Fromme *the righteous, pious one* Js 26, 7 57, 1 Ps 5, 13 (38 × in Ps) Pr 9, 9 (43 × in Pr) Hi 12, 4 Ko 7, 20 9, 1; עֹבֵד אֱלֹהִים = צַדִּיק Ma 3, 18; 6. (von Gott *said of God*): י׳ הַצ׳ ist im Recht *is in the right* Ex 9, 27; **gerecht** *just* אֵל־צ׳ Js 45, 21, אֱלֹהִים צ׳ Ps 7, 10, צ׳ י׳ Ps 11, 7 119, 137 145, 17 Th 1, 18 Da 9, 14 Ne 9, 8, 33 2 C 12, 6, חַנּוּן...וְצַדִּיק Ps 116, 5, צ׳ י׳ Ze 3, 5 Ps 129, 4 Esr 9, 15; — l צֶדֶק Ps 72, 7, l עָרִיץ Js 49, 24; dele צַדִּיק Js 53, 11.

צַדְנִית: F צִידוֹנִי.

צדק: ug. nomen *ṣdq* u. n. m. *ṣdqn*; amor. in n. m.; mhb.; ph. צדק; F ba. צִדְקָה; palm. זדקת; صَدَقَ glaubwürdig sein *speak the truth*, asa. צדק gerecht sein *be just*; EA 287, 32 *ṣaduq* Recht *right*; Kautzsch, Über d. Der. d. Stamms צדק, 1881; Schwally, D. heilige Krieg 8:
qal: צָדַקְתִּי, צָדְקָה, impf. יִצְדַּק, יִצְדָּק, יִצְדְּקוּ, יִצְדָּקוּ: **1. im Recht sein, Recht haben** *be in the right, have a just cause* Js 43, 9. 26 45, 25 (בַּיהוה) Ps 51, 6 143, 2 Hi 9, 15. 20 10, 15 13, 18 15, 14 (//זכה) 33, 12 (זֹאת darin *in this*) 34, 5 35, 7; c. מִן gegenüber *before* Gn 38, 26 Hs 16, 52 Hi 4, 17, c. עִם vor *before* Hi 9, 2 25, 4; **2. Recht behalten** *be justified* Hi 11, 2 40, 8; **3. gerecht sein** *be just* Ps 19, 10 Hi 22, 3; †
nif: pf. נִצְדַּק: zu seinem Recht gebracht werden *be brought into its right* Da 8, 14; †
pi: pf. צִדְּקָה, impf. וַתְּצַדְּקִי, inf. sf. צַדְּקוֹ, צַדֶּקְךָ; pro צַדֶּקְתֵּךְ Hs 16, 52 l צַדֶּקְךְ: **1. als gerecht erscheinen lassen** *make to appear righteous* Hs 16, 51 f; **2.** צִדְּקָה נַפְשׁוֹ מִן **sich als gerecht erweisen** im Vergleich zu *prove just compared with* Ir 3, 11, **sich im Recht betrachten gegenüber** *consider oneself just compared with* Hi 32, 2; **3. als im Recht befindlich erklären** *declare to be justified* Hi 33, 32; †
hif: pf. הִצְדִּיקוּ, sf. הִצְדַּקְתִּיו, impf. יַצְדִּיק, inf. הַצְדִּיק, imp. הַצְדִּיקוּ, pt. מַצְדִּיק, sf. מַצְדִּיקִי: **1. Recht schaffen für** *do justice towards* 2 S 15, 4 Js 50, 8 Ps 82, 3 Da 12, 3; **Recht geben** *justify* Hi 27, 5; **für im Recht befindlich, für schuldlos erklären** *pronounce a person guiltless, just* Dt 25, 1 1 K 8, 32 Js 5, 23 Pr 17, 15 2 C 6, 23 Si 10, 29 42, 2; **als schuldlos behandeln** *treat as guiltless, just* Ex 23, 7; **2. jmd zu seinem Recht helfen** *help one to his right* Js 53, 11; †
hitp: impf. נִצְטַדָּק: **sich als schuldlos ausweisen** *justify oneself* Gn 44, 16 Si 7, 5. †
Der. צַדִּיק, צֶדֶק, צְדָקָה; n. m. צָדוֹק, צִדְקִיָּה(וּ), יְהוֹצָדָק, יוֹצָדָק.

צֶדֶק: צדק: sf. צִדְקִי, צִדְקֶךָ: 1. d. Rechte *the right, normal thing*; adj. **wie es recht ist** *as it is right, normal* Lv 19, 36 Dt 25, 15 33, 19 Hs 45, 10 Ps 4, 6 51, 21 Hi 8, 6 31, 6, אֵילֵי הַצֶּדֶק immergrüne Bäume *evergreen trees* Js 61, 3; **Richtiges, Zutreffendes** *right, true things* Js 45, 19 Pr 8, 8 12, 17; Vertrauen Erweckendes *trustworthy things* Ps 23, 3; **2. das Rechte, das Recht** *righteousness, rightness (of law)* Dt 16, 20 Js 1, 21. 26 11, 5 16, 5 26, 9 f 45, 8 51, 1. 7 64, 4 Ze 2, 3 Ps 15, 2 35, 27 37, 6 52, 5 58, 2 89, 15 97, 2 98, 9 119, 142. 144. 172 Pr 8, 15 Hi 8, 3, צִדְקִי m. Recht (das ich habe) *my right* Hi 6, 29, c. מֵאֵל gegenüber Gott *against God* Hi 35, 2; **3. Gerechtigkeit** *justice* Lv 19, 15 Dt 1, 16 Js 11, 4 59, 4 Ir 22, 13 23, 6 31, 23 33, 16 50, 7 Ho 2, 21 10, 12 Ps 4, 2 7, 9 17, 1. 15 18, 21 u. 25 (= צְדָקָה 2 S 22, 21 u. 25) 45, 5. 8 48, 11 50, 6 72, 2. cj 7 85, 11 f. 14 96, 13 118, 19 119, 75. 121 132, 9 Pr 1, 3 2, 9 25, 5 Hi 29, 14 36, 3 Ko 3, 16 5, 7 7, 15 Da 9, 24; (adj.) **gerecht** *just* Dt 16, 18 Js 58, 2 Ir 11, 20 Ps 9, 5 119, 7. 62. 106. 123. 160. 164 Pr 16, 13; לְצֶדֶק auf gerechte Art *in justice* Js 32, 1; צֶדֶק adverb. Ps 119, 138 Pr 31, 9; Gottes Gerechtigkeit *God's justice* Ps 7, 18 35, 24. 28 97, 6 (?); **4. Recht,** das einem zuteil wird = **Gelingen** *justice which is done to a person* = *success* Js 41, 2. 10 58, 8 62, 1. 2; **5.** בְּצֶדֶק durch d. Gelingen, d. Gott gibt = in **Gnaden** *by*

the success given by God = in grace Js 42, 6 45, 13 Ps 65, 6; לְמַעַן צִדְקוֹ um s. Gnade willen *for his grace's sake* Js 42, 21. †
Der. n. m. מַלְכִּי־צֶדֶק, אֲדֹנִי־צֶדֶק.

צְדָקָה (157 ×): צדק; K. Fahlgren, Ṣedākā... im AT, 1932: cs. צִדְקַת, sf. צִדְקָתִי, pl. צְדָקוֹת, cs. צִדְקֹת, sf. צִדְקֹתֵינוּ: 1. **Gerechtigkeit, Untadeligkeit im Verhalten, Rechtlichkeit** *righteousness, fairness in behaviour, candour*: Gn 30, 33 1 S 26, 23 1 K 3, 6 Pr 10, 2 2 C 6, 23, etc.; בִּצְ׳ in redlicher Weise *in honesty* Js 48, 1 Ir 4, 2; 2. **Gerechtigkeit** (des ganzen Wesens) *righteousness* Jl 2, 23 (?) Pr 8, 20 12, 28 15, 9 16, 31; 3. **Gerechtigkeit** (des menschlichen Richters) *justice (of a terrestrial judge)* Gn 18, 19 2 S 8, 15 1 K 10, 9 Js 5, 7 Ir 22, 3 Hs 18, 5 Am 5, 7 Pr 72, 3 Pr 16, 12 1 C 18, 14 2 C 9, 8, etc.; 4. **Gerechtigkeit** (d. göttlichen Richters) *justice (of the divine judge)* Js 5, 16 59, 1 Ir 9, 23 Mi 7, 9 Sa 8, 8 Ma 3, 20 Ps 5, 9 (21 × in Ps); 5. Gerechtigkeit = **Frömmigkeit** *righteousness = piety* (F צַדִּיק 5) Hs 3, 20 14, 14. 20 18, 22. 24. 26 33, 12 f. 18 2 S 22, 21, 25 Js 57, 12 (ironice); 6. **Gerechtigkeit** = das durch Gott vom Menschen Gott gegenüber geforderte Verhalten *righteousness = the behaviour of men which God expects towards himself* Gn 15, 6 Dt 6, 25 24, 13 Ps 106, 31 Js 1, 27; 7. **Gerechtigkeit Gottes** *God's justice* a) als Anspruch an den Menschen *as expectation regarding man's conduct* Dt 33, 21; b) d. Verlässliche, **die Wahrheit** *the trustworthy, the truth* Js 45, 23; c) d. von Gott Erwiesene, d. **Heil** *what God is giving, the salvation* Js 46, 12 51, 6 54, 14 Ps 22, 32 24, 5 69, 28 98, 2 103, 17 Pr 8, 18 Hi 33, 26; 8. pl. a) Rechtsansprüche, **gerechte Sache** *claims for right, just claim* Ir 51, 10; b) **Gerechtigkeitstaten Gottes**, Recht schaffende Taten *God's acts of justice* Jd 5, 11 1 S 12, 7 Js 45, 24 Mi 6, 5 Ps 103, 6 Da 9, 16; c) gerechte Taten des Menschen, Rechtschaffenheit *just acts of man, righteousness* Js 33, 15 64, 5 Ps 11, 7 Da 9, 18; Frömmigkeit *piety* (F 5) Hs 18, 24 (עשׂה) 33, 13; 9. Einzelnes *particulars*: צְדָקָה Rechtsanspruch *claim* Ne 2, 20 2 S 19, 29 (אֶל) Js 54, 17 (מִן); Unbescholtenheit *integrity* Js 5, 23 Hs 18, 20 Hi 27, 6; Gerechtigkeit als Vorrecht Gottes *justice is God's privilege* Da 9, 7; Gerechtigkeit als Zustand *justice as condition, state* Js 60, 17 10, 22; *nota bene*: die Verteilung der Belege auf die Bedeutungen ist oft schwer u. strittig *in many cases it is doubtful a. controversial which special meaning is intended by* צְדָקָה (F Komm.); später wird צ׳ = Güte *later on* צ׳ *develops to = kindness*, F Js 56, 1 57, 12 58, 2 59, 9. 14. 16 60, 17 61, 10 f 63, 1, cj. 5; daher *hence* = ἐλεημοσύνη Almosen *alms*, so *thus* ܙܕܩܬܐ u. صدقة Almosensteuer *alms-tax*, F Fr. Rosenthal, Sedaka, Charity, HUC XXIII, I, 411 ff.

צִדְקִיָּה: n. m.; < צִדְקִיָּהוּ: 1. נָבִיא 1 K 22, 11; = צִדְקִיָּהוּ 1.; 2. K. v. יְהוּדָה Ir 27, 12 28, 1 29, 3 49, 34 1 C 3, 16; = צִדְקִיָּהוּ 2.; 3. Ne 10, 2. †

צִדְקִיָּהוּ: n. m.; צֶדֶק u. יָ׳; > צִדְקִיָּה; APN 205 *Ṣidqā, Ṣidqaia, Ṣidqi-ilu*: **Zedekia** *Zedekiah*: 1. נָבִיא 1 K 22, 24 2 C 18, 10. 23, = צִדְקִיָּה 1.; 2. K. v. Juda (מַתַּנְיָה) 2 K 24, 17 f. 20 25, 2. 7 Ir 1, 3 21, 1. 3. 7, cj 27, 1, cap. 32. 34. 37—39 51, 59 52, 1. 3. 5. 8. 10 f 1 C 3, 15, בְּנֵי צ׳ 2 K 25, 7 Ir 39, 6 52, 10, עֵינֵי צ׳ 2 K 25, 7 Ir 39, 7 52, 11; = צִדְקִיָּה 2; 3. נָבִיא Ir 29, 21 f; 4. 36, 12. †

צהב: mhb., ja. glänzendrot, zornig sein *be bright red, be wrathful*; صهب rotgelb sein *be yellowish-red*; asa. צהבן glänzen *gleam*; F זָהָב:
hof: pt. מֻצְהָב **rotglänzend** (Kupfer) *gleaming red (copper)* Esr 8, 27. †
Der. צָהֹב; n. l. צוֹבָא.

צָהֹב: צהב: rotglänzend (Haar) *gleaming red (hair)* Lv 13, 30. 32. 36. †

I צהל: mhb., ja., sy. u. صَهَلَ wiehern *neigh*; ja. schreien *cry shrilly*:

qal: pf. תִּצְהֲלוּ, יִצְהֲלוּ, impf. צָהֲלוּ, צָהֲלָה, imp. צַהֲלִי: 1. wiehern (Hengst) *neigh* (*stallion*) Ir 5, 8 50, 11; 2. jauchzen *cry shrilly* Js 12, 6 24, 14 54, 1 Ir 31, 7 Est 8, 15; †

pi: imp. צַהֲלִי: gellen lassen *cause to cry shrilly* Js 10, 30. †

Der. *מִצְהָלוֹת.

II צהל: NF v. צהר:

hif: inf. הַצְהִיל: zum Glänzen bringen *make shining* Ps 104, 15. †

צהר: ug. *ẓr* Rücken *back*, *bẓr*, *lẓr* auf *upon*; ak. *ṣēru*; ja. טַהֲרָא, sy. טַהְרָא (mo. F צהרים); ظَهَرَ sichtbar werden *appear*, asa. צהרן epithet. deae; בסהר auf *upon*; cf. זהר, EA *zu'ru* Rücken *back*, II צהל; F צָהֳרַיִם:

hif: impf. יַצְהִירוּ: denom. v. יִצְהָר: Öl pressen *press out oil*; alii: denom. v. צהרים: den Mittag verbringen *pass noontide* wie *as* Si 43, 3: Hi 24, 11. †

Der. צֹהַר, צָהֳרַיִם; I, II יִצְהָר, יִצְהָרִי.

צֹהַר: צהר; ظَهْر Rücken *back*: Rücken *back* > Verdeck, Dach (der Arche) *roof* (*of ark*) Gn 6, 16. †

צָהֳרַיִם: צהר; mo. צהרם: צָהֳרָיִם: dual? (BL 518b) vel adverb. Torcz. Entst. 1, 190, Nöldeke ZA 30, 168; Js 16, 3 Ir 20, 16 Ps 55, 18 91, 6 ohne *without* art.: Mittagszeit *midday*, *noon*: Gn 43, 16. 25 Dt 28, 29 1 K 18, 26 f. 29 20, 16 2 K 4, 20 Js 58, 10 59, 10 Ir 6, 4 15, 8 Am 8, 9 Ze 2, 4 Ps 37, 6 55, 18 (בֹּקֶר // עֶרֶב u.) 91, 6 Hi 5, 14 11, 17 Ct 1, 7, עֵת צָהֳרַיִם Ir 20, 16; בְּתוֹךְ צ׳ am hellen Mittag *in the midst of the noonday* (:: לַיִל) Js 16, 3; מִשְׁכַּב הַצ׳ Mittagsschlaf *siesta* 2 S 4, 5. †

צַו: צָו: lautäffende Bildung zur Verhöhnung der Sprechweise der Propheten *sound-imitation mocking the manner of speech of prophets* Js 28, 10. 13; l צָרוֹ Ho 5, 11. †

*צוא: ja. *צאה schmutzig sein *be foul*: sy. צאי schmutzig sein *be foul*; = وَضِيَ; ጸአ stinken *stink*.

Der. צֵאָה, צֹאָה, *צֹאִי, צֹא.

צַוָּאר: IV *צור; pro צַוָּר (א eingeschoben zur Unterscheidung von צוּר unvokalisiert א *inserted to distinguish it from unvocalized* צור); F ba.; ja. צַוְּארָא, ܨܘܪܐ der Dreher *the turning muscle*, cf. στροφεύς: cs. צַוַּאר, sf. צַוָּרָם, צַוָּארָם, Ne 3, 5, pl. cs. צַוְּארֵי, sf. צַוָּארָיו, צַוְּארֹתֵיכֶם: Hals (mit Nacken Ir 27, 8) *neck*, *back of neck* (Ir 27, 8): Menschen *man* Gn 27, 16 33, 4 41, 42 45, 14 46, 29 Jos 10, 24 Jd 5, 30 Js 8, 8 30, 28 52, 2 Hs 21, 34 Mi 2, 3 Ct 1, 10 4, 4 7, 5 Th 1, 14 5, 5 Ne 3, 5, Tiere *animals* Gn 27, 40 Dt 28, 48; F Js 10, 27 Ir 27, 2. 8 28, 10—12. 14 30, 8 Jd 8, 21. 26 Ho 10, 11 Hi 15, 26 (בְּצַוָּאר mit steifem Hals *with stiff neck*) 39, 19 41, 14; l צור Ha 3, 13, l בְּצוּר Ps 75, 6. †

Der. צַוְּרֹנִים.

צוֹבָא 2 S 10, 6. 8 † u. צֹבָה: n. l.; < אֲרַם צוֹבָא 2 S 10, 6. 8 Ps 60, 2: keilschr. (*alu*) *Ṣubatu*, *Subatu* (v. צהב) Lewy HUC 18, 447 f: in Cölesyria *Coele-Syria*, u. Palästina; F חֲמָת; חֲמַת צוֹבָה 2 C 8, 3 ist fraglich *is doubtful* Dussaud Top. 234; F Montgomery (-Gehman) 1 K 11, 23 (p. 242[4]): nicht sicher bestimmt *not certainly identified*: 1 S 14, 47 2 S 8, 3. 5. 12 10, 6. 8 23, 36 1 K 11, 23 Ps 60, 2 1 C 18, 3. 5. 9 19, 6. †

צוד: ug. *ṣd*; ak. *ṣâdu*; mhb., ja., sy.; صَادَ, asa. ציד; F ציד:

qal: pf. צָדוּ, sf. צָדוּנִי, צָדוּם, impf. יָצוּד, יְצוּדוּ, sf. תְּצוּדֵנִי, יְצוּדֻנוּ, inf. צוּד, צוֹד, imp. צוּדָה, pt. צָד: 1. jagen *hunt* Gn 27, 3. 5. 33

Lv 17, 13; Vogel *bird* Th 3, 52, טֶרֶף Hi 38, 39; 2. Jagd machen, **nachstellen** *hunt* Ir 16, 16 Mi 7, 2 Ps 140, 12 Pr 6, 26 Hi 10, 16; be-lauern *lie in wait for* Th 4, 18; †
pil: inf. צוֹדֵד, pt. מְצֹדְדוֹת: (Seelen) **einfangen** *hunt (souls)* Hs 13, 18. 20; l תְּמוֹתֶתְנָה Hs 13, 18. †
Der. I צַיִד, צַיָּד*; מָצוֹד, מָצוֹד, I, II מְצוּדָה, מְצוּדָה.

צוה (485 ×): mhb. צִוָּה anordnen *order*; وَصَّى Auftrag geben *give order*; äg. *wḏ* befehlen *command*:
pi: pf. צִוָּה, צִוְּתָה, צִוִּיתָה, צִוִּיתִי, צִוִּיתִי, sf. צִוִּיתִיךָ, צִוִּיתִךְ, צִוָּתָה, צִוַּנִי, צִוְּךָ, צִוָּהוּ, צִוָּם, impf. יְצַוֶּה, יְצַו, וַיְצַו, וַאֲצַוֶּה, וַיְצַוּ, sf. יְצַוֵּם, צַוֹּת, תְּצַוֵּנִי, אֲצַוְּךָ, תְּצַוֵּנוּ, וַיְצַוֵּךְ, וַיְצַוֵּהוּ, inf. sf. צַוֹּתוֹ, imp. צַוֵּה, צַו, צַוּ, pt. מְצַוֶּה, cs. מְצַוֵּה, fem. מְצַוָּה, sf. מְצַוְּךָ, מְצַוֶּךָ: **1.** jmd (an e. Ort, zu e. Aufgabe) **bestellen, beordern, aufbieten** *call up, appoint, order a person (to a place, for a task)*: Nu 27, 19. 23 1 S 13, 14 (לְנָגִיד) 2 S 6, 21 7, 11 1 K 1, 35 17, 9 Js 10, 6 (עַל gegen *against*) Ps 91, 11 (לְ für *for*) Ne 5, 14 7, 2. cj 13, 13 (l וָאֲצַוֶּה); c. אֶל abordnen an *delegate to* Ex 6, 13 25, 22; **2.** e. Sache **bestellen, aufbieten** *order, call up a thing*: Lv 25, 21 Dt 28, 8 (אִתְּךָ בְּרָכָה damit er dir folge *to be with thee*) Ps 133, 3, יְשׁוּעוֹת Ps 7, 7, מִשְׁפָּט Am 9, 3 f, חֶרֶב, נָחָשׁ 44, 5 (l וֵאלֹהַי מְצַוֶּה), 68, 29, עֻזּוֹ, עֶבְרָה וָזַעַם 78, 49 (l צִוָּה), בֹּקֶר Hi 38, 12; **3.** > tun **heissen, befehlen** *order to do, command*: a) Auftrag in selbstständigem Satz *the order itself in independent clause*: וְשָׁמְרוּ u. sie = dass sie *a. they = that they* Gn 18, 19, b) וַיְצַוֵּהוּ וַיֹּאמֶר Gn 28, 1, c) לֵאמֹר c. selbstständ. Satz *c. independent clause* Gn 26, 11 32, 18, d) לְ c. inf. zu ... *to* ... Gn 50, 2 Ex 35, 1 e) לְבִלְתִּי c. inf. **verbieten** zu *forbid to* Gn 3, 11, f) spät *late* אֲשֶׁר dass *that* Est 2, 10; **4.** e. **Befehl geben, befehlen** *give an order, order*: צִוָּה עַל Gn 2, 16 Js 5, 6, צִוָּה אֶל Ex 16, 34 Nu 15, 23 1 K 11, 10, צִוָּה לְ Ex 1, 22 Ir 47, 7; **5. auftragen, heissen** *order to do, commission* Gn 6, 22 Ex 4, 28 7, 2 32, 8 Dt 1, 3 Gn 49, 33 Ex 16, 16; **6.** מְצַוֵּה לְאֻמִּים Gebieter der Völker *commander of the nations* Js 55, 4; צַוֵּה אֶל־בֵּיתוֹ 2 S 17, 23 u. צַו לְבֵיתֶךָ 2 K 20, 1 Js 38, 1 s. Haus bestellen *set one's house in order*; l צֻוֵּיתִי 1 K 13, 9, l אֲצַפֶּה Ps 42, 9, l לְבֵית מְצֻדוֹת Ps 71. 3;
pu: pf. צֻוֵּיתִי, צֻוֵּיתָ, צֻוָּה, impf. יְצֻוֶּה: **geheissen werden, e. Befehl erhalten** *be ordered, receive command* Ex 34, 34 Lv 8, 35. cj 31 10, 13 Nu 3, 16 36, 2 (בַּיהוָה), cj 1 K 13, 9, Hs 12, 7 24, 18 37, 7 Si 7, 31; l הַצֵּד אֹתָם Gn 45, 19.
Der. מִצְוָה.

צוח: ug. *ṣḥ*; mhb., ja., sy., صَاحَ, ጸውዐ:
qal: impf. יִצְוָחוּ: **laut schreien** *cry aloud* Js 42, 11. †
Der. צְוָחָה.

צְוָחָה: צוח: cs. צִוְחַת, sf. צִוְחָתֵךְ: **Klagegeschrei** *plaintive cry* Js 24, 11 Ir 14, 2 46, 12, cj 4, 31, Ps 144, 14. †

***צול**: NF v. II צלל: *F* צוּלָה, מְצוּלָה.

צוּלָה: *צול, *F* II צלל: **Abgrund** (des Meers) *(ocean-) deep* Js 44, 27. †

צום: mhb., äga., ja. צוּם, sy. צָם, صام, ጸመ:
qal: pf. צַמְתָּ, צַמְתֶּם, צַמְנוּ, sf. צַמְתֻנִי, impf. וַיָּצָם, וַיָּצוּם, אָצוּם, יָצֻמוּ, נָצוּמָה, inf. צוֹם, imp. צוּמוּ: **fasten** = sich zur Busse, aus Trauer von Speise u. Trank enthalten *fast = abstain from food a. beverage in time of penitence or mourning*: Jd 20, 26 1 S 7, 6 31, 13 2 S 1, 12

12, 21—23 1 K 21, 27 Js 58, 3f Ir 14, 12 Est 4, 16 Esr 8, 23 Ne 1, 4 1 C 10, 12; וַיָּצָם צוֹם 2 S 12, 16; trans! צַמְתֻּנִי ihr fastet mir (Gott) zulieb *you fast to please me (God)* Sa 7, 5. †
Der. צוֹם.

צוֹם : צוֹם: sf. צוֹמְכֶם, pl. צוֹמוֹת: **Fasten, Fastenzeit** *fasting, time of fasting*: יוֹם צוֹם Js 58, 3 Ir 36, 6, feste Fasttage *fixed dates of fasting* Sa 8, 19; קָרָא צוֹם 1 K 21, 9. 12 Js 58, 5 Ir 36, 9 Jon 3, 5 Esr 8, 21 2 C 20, 3; קִדֵּשׁ צוֹם die Heiligungsriten für e. Fastenzeit durchmachen *pass the rites of sanctification for a fasting* Jl 1, 14 2, 15; וַיָּצָם צוֹם Fasten halten *observe fasting* 2 S 12, 16; דִּבְרֵי הַצּוֹמוֹת F.-angelegenheit *the matter of f.* Est 9, 31; עִנָּה נֶפֶשׁ בַּצּוֹם sich durch F. kasteien *mortify oneself by f.* Ps 35, 13; F Js 58, 5 f Jl 2, 12 Ps 69, 11 109, 24 Est 4, 3 Da 9, 3 Ne 9, 1. †

***צוע** : F צַעֲצֻעִים.

צוּעָר : n. m.; צער: Nu 1, 8 2, 5 7, 18. 23 10, 15. †

צוֹעַר : F צֹעַר.

צוף : mhb.; ja. טוּף, mnd., ܛܦ < طاف, obenauf schwimmen *float on the water*:
qal: pf. צָפוּ: **fluten** (Wasser) *flow (waters)* Th 3, 54; †
hif: pf. הֵצִיף, impf. וַיָּצֶף: 1. **fluten lassen** (Wasser) *cause to flow over (water)* Dt 11, 4; 2. **zum Schwimmen bringen** *cause to float* בַּרְזֶל 2 K 6, 6; 3. **überfliessen** *flow over* Si 39, 22 47, 14. †
Der. I צוּף.

I צוּף : צוף: pl. צוּפִים: die überfliessende Honigmasse, **Seim** *the overflowing honey, (honey-) comb* Pr 16, 24 Ps 19, 11 (ZDP 50, 170). †

II צוּף : n. m.; = I?: 1 S 1, 1 9, 5 (אֶרֶץ־צוּף) 1 C 6, 20 (Q, צִיף K); F צוֹפַי. †

צוֹפַח : n. m.; צפח; Noth S. 226: צוֹפַח: 1 C 7, 35 f. †

צוֹפַי : n. m.; gntl. v. צוּף 1 S 1, 1: 1 C 6, 11, cj 1 S 1, 1. †

צוֹפִים 1 S 1, 1: l צוּפִי. †

צוֹפַר u. **צֹפַר** : n. m.; II צפר?: Freund v. *friend of* אִיּוֹב (Albr. JBL 57, 228) Hi 2, 11 11, 1 20, 1 42, 9. †

I צוץ : mhb. hif: < צו vel צי? ضوء? Licht *light*:
qal: pf. צָץ: **ausschlagen, blühen** *blossom* מַטֶּה Hs 7, 10; †
hif (vel qal ?): impf. יָצִיצוּ, וַיָּצֵץ, יָצִיץ: **Blüten tragen** *put forth blossoms* Nu 17, 23 Js 27, 6 Ps 72, 16 90, 6 (:: יְמוֹלֵל) 92, 8 132, 18 (= glänzen *shine*) Si 43, 19; cj יָצִיץ pro כְּצֹאן Sa 9, 16 (Bewer JBL 67, 62). †
Der. I צִיץ, *צִיצָה.

II צוץ : mhb., ja. blicken *gaze*, وصوص durch d. Schleier gucken *peep from behind the veil*:
hif: pt. מֵצִיץ, cj inf. הָצִיץ: **blicken** *glance* Ct 2, 9, cj **anblicken** *look at* Ps 17, 15. †

צוק : mhb. hif. ängstigen *distress*, ja. עִיק, ܥܩ, cp. צוק; ضاق, ⲱⲫ; ak. *ṣiqu* eng *narrow*:
hif: pf. הֵצִיקַתְנִי, הֲצִיקֹתִי, הֵצִיקָה, sf. הֱצִיקַתְהוּ, impf. יָצִיק, pt. מֵצִיק: 1. c. לְ: **bedrängen, zusetzen** *bring into straits* Dt 28, 53. 55. 57 Jd 16, 16 Js 29, 2 Ir 19, 9; 2. = c. ac. Jd 14, 17 Hi 32, 18 Si 4, 9 (auch *also* hof. מוצק); 3. pt. **Bedränger** *oppressor*; Js 51, 13, pl. 29, 7; צִקוּן unerklärt *unexplained* Js 26, 16; l יוצק Hs 28, 2; יָצוּק Hi 29, 6 F יצק. †
Der. צוֹק, צוּקָה, II מוּצָק, מָצוֹק, מְצוּקָה.

צוֹק Da 9, 25: Bedrängnis *oppression*: l וּבְקֵץ.

צוּקָה: צוק: **Bedrängnis** *distress* Js 8, 22 30, 6 Pr 1, 27. †

I **צור**: *F* צרר: mhb., ja. צוּר, צַר, **צ**ׂ einwickeln *wrap*; صَرَّ schnüren (Beutel) *tie* (*pouch*), c. عَلَ (d. Weg) sperren *bar* (*road*):

qal: pf. צַרְתָּ, sf. צַרְתִּינִי, impf. תָּצוּר, וַיָּצַר (BL 401), וַיָּצֻרוּ, inf. צוּר, imp. צוּרִי, pt. צָרִים: 1. **verschnüren** (Geld in Beutel) *bind* (כֶּסֶף *in bags*) 2 K 5, 23 12, 11; c. ac. u. בְּ: **umfassen mit** *confine in* Dt 14, 25 Hs 5, 3; **zusammenfassen** (Bevölkerung) *gather* (*population*) Jd 9, 31; 2. צַר מֻצָּב **ringsum Posten aufstellen** *enclose with sentries* Js 29, 3; 3. c. אֶל: (belagernd) **einschliessen** *shut in* (*besieging*) Dt 20, 19 1 S 23, 8; 4. c. עַל: **verrammeln** *block* Ct 8, 9; **belagern** *besiege* Dt 20, 12 2 S 11, 1 20, 15 1 K 15, 27 16, 17 20, 1 2 K 6, 24 f 16, 5 17, 5 18, 9 24, 11 Ir 21, 4. 9 32, 2 37, 5 39, 1 Hs 4, 3 Da 1, 1; = c. ac. Ps 139, 5 1 C 20, 1; = absol. Js 21, 2 59, 19; †

nif: pt. fem. cj נְצוּרָה **umfasst** *enclosed* cj Js 1, 8 (Procksch). †

Der. I מָצוֹר, מְצוּרָה.

II **צור**: ضَارَ schädigen *damage*, ܥܪܬܐ Rivalin *rival wife*:

qal: pf. צַרְתִּי, impf. תָּצַר (BL 401. 404), sf. תְּצֻרֵם, inf. צוּר, pt. pl. צָרִים: **bedrängen** *bring into straits, shew hostility to* Ex 23, 22 Dt 2, 9. 19 Est 8, 11 Ps 89, 44 (Hehn, Sellinfestschr. 65 f). †

III **צור**: mhb., ja., sy. צַר, צַיָּרָא Maler *painter*; ak. *uṣurtu*? Zeichnung *picture*: v. *wṣr*; hbr., aram. צוּר LW (Zimm. 26 f).

qal: cj pf. וְצַרְתָּ Hs 43, 11, impf. וַיָּצַר: 1. **zeichnen, e. Entwurf machen** *fashion* cj Hs 43, 11; 2. gestalten > **giessen** *shape* > *mould* (Torrey JBL 55, 247 ff, Eissfeldt FF 13, 162 ff) Ex 32, 4 1 K 7, 15. †

אֲצוּרְךָ Ir 1, 5 *F* יָצַר. †

Der. *צוּרָה.

IV ***צור**: ak. *ṣarru* Türangel *door-hinge*; **צ**ׂ Schwindel haben *feel dizzy*: *F* צַוָּאר, *צַוְּרֹנִים.

I **צוּר**: mo. צר; mhb. צוּר; *F* ba. טוּר; ʿöteb. *ṭār*: sf. צוּרִי, pl. צוּרִים; צֻרִים; צוּרוֹת: צוּר Ps 89, 44 *F* II צוּר: 1. **Felsblock, Felsen** *rock, large piece of rock* Ex 17, 6 33, 21 f Nu 23, 9 Dt 8, 15 32, 13 Jd 6, 21 13, 19 2 S 21, 10 Js 2, 10. 19 8, 14 (צוּר מִכְשׁוֹל) 48, 21 Ir 18, 14 21, 13 (צוּר הַמִּישׁוֹר) Na 1, 6 Ha cj 3, 13 (l עַד־צוּר) Ps 27, 5 61, 3 78, 15. 20 81, 17 105, 41 114, 8 Pr 30, 19 (Aufenthalt d. Schlangen *haunt of snakes*) Hi 14, 18 18, 4 19, 24 (Inschrift *inscription*) 22, 24 (צוּר נְחָלִים) 24, 8 28, 10 29, 6 1 C 11, 15, cj 2 S 23, 13, Si 48, 17; *F* נְצוּרִים; 2. n.l. c. צוּר: צוּר עוֹרֵב Jd 7, 25 Js 10, 26; בֵּית צוּר *F* בֵּית; צוּרֵי הַיְּעֵלִים 1 S 24, 3; l הַצִּדִּים 2 S 2, 16; 3. צוּר **Fels** *rock* = **Gott** *God* (Begrich ZAW 46, 254 f): הַצּוּר Dt 32, 4, cj Ps 75, 6 (l בְּצוּר), צוּר Dt 32, 18. 37 (חָסָיוּ בוֹ) 1 S 2, 2 2 S 22, 32 Js 44, 8 Ps 18, 32 Ha 1, 12, צוּרָם Dt 32, 30 Ps 78, 35, צוּרֵנוּ Dt 32, 31, צוּרִי 2 S 22, 3. 47 Ps 18, 3. 47 19, 15 28, 1 62, 3. 7 92, 16 144, 1, צוּרָם (v. Heiden gesagt *said of other peoples*) Dt 32, 31, צוּר יֶשַׁע 2 S 22, 47 Ps 95, 1, צוּר יְשׁוּעָה Ps 89, 27 Dt 32, 15, צוּר מַחְסִי Ps 94, 22, צוּר מָעוֹז Js 17, 10 Ps 31, 3 71, 3 (MT מָעוֹן), צוּר עֻזִּי Ps 62, 8, צוּר עוֹלָמִים Js 26, 4, צוּר יִשְׂרָאֵל 2 S 23, 3 Js 30, 29; 4. צוּר = אַבְרָהָם Js 51, 1; 5. צוּר לְבָבִי dittogr. Ps 73, 26. † Der. III צוּר; n. m. אֱלִיצוּר u. צוּרִיאֵל u. צוּרִישַׁדַּי; n. l. צֹר.

צֻרִים Jos 5, 2 f: *F* צֹר.

II **צוּר** = I צֹר: **Kiesel, Feldspat** *pebble, feldspar* Hi 22, 24 (l וּבְצוּרֵי ?). †

III צוּר : n. m.; cf. aram. כֵּיפָא: 1. Nu 25, 15 31, 8 Jos 13, 21; 2. 1 C 8, 30 9, 36. †

IV *צוּר : Name e. Gottes *name of a god*: enthalten in *preserved in* n. m. פְּדָהצוּר, n. l. בֵּית צוּר u. n. m. ברצר Pan. 1, 1; kaum *rather not* = I צור 3.

צוֹר Tyrus: *F* צֹר.

*צַוָּר : *F* צַוָּאר.

*צוּרָה : III צור: cs. צוּרַת, sf. צוּרָתוֹ: **Zeichnung, Grundriss** *fashion, ground-plan* Hs 43, 11 (pro צוּרָתוֹ l וְצָרַת l צוּרַת; pro 1. צוּרֹתָו l צוּרָתוֹ; pro 2. צוּרֹתָו l מְצוֹתָיו). †

צוּרִיאֵל : n. m.; I צור u. אֵל; mnd. Engelname *name of angel*, Lidz., Johannesbuch 119, 3: Nu 3, 35. †

צוּרִישַׁדַּי : n. m.; I צור u. שַׁדַּי: Nu 1, 6 2, 12 7, 36. 41, צוּרִי שַׁדַּי 10, 19. †

*צַוְּרֹנִים : צַוָּאר; sf. צַוְּרֹנָיִךְ: **Halskette** *necklace* Ct 4, 9. †

צות : NF v. יצת; Delitzsch OLZ 19, 165: hif: impf. sf. אֲצִיתֶנָּה: **anzünden** *kindle* Js 27, 4. †

צַח : צחח: pl. fem. צַחוֹת: 1. **flimmernd** *dazzling* (heisse Luft *hot air*) Js 18, 4 Ir 4, 11; 2. **glänzend, blank** *clear, bright* Ct 5, 10; 3. **blank, klar** *clear* Js 32, 4. †

צִחָא : *F* צִיחָא.

*צֶחֶה : *צָחֶה.

*צָחֶה : *צחה, NF v. צחח; صحا, ጸሐወ wolkenlos sein *be cloudless*; ܨܚܘܐ heiterer Himmel *cloudless sky*; ja. צחי dürsten *thirst*: cs. צְחֵה **vertrocknet, ausgedorrt** *parched* Js 5, 13. †

צחח : *F* צחה; mhb. צחצח hell sein, klar reden *be bright, make clear*; ja. צַחַח glänzend machen *make bright*, ܨܚܨܚ glänzend *bright*; صَحْصَحَان nackte Ebene *bare plain*, asa. צחח wiederherstellen *restore*, gesund *recovered*: qal: pf. צַחוּ, cj impf. יִצַח: **weiss sein** *be white* Th 4, 7, cj Ps 73, 7 (l יִצַח מֵחֵלֶב). Der. צַח, *צְחִיחַ, צְחִיחָה, צַחְצָחוֹת; מֵצַח ? מִצְחָה?

*צְחִחִי : *F* *צְחִיחַ.

*צְחִיחַ : צחח: cs. צְחִיחַ: **das Glänzende, Nackte** (e. Felsens) *the shining, naked surface* (*of a rock*) Hs 24, 7 f 26, 4. 14; pl. בַּצְּחחִיִּים K, בַּצְּחִיחִים Q Ne 4, 7 **die offenen Stellen** *the bare places* (Rudolph). †

צְחִיחָה : צחח: **nacktes, verbranntes Gelände** *naked, scorched land* Ps 68, 7. †

*צחן : *F* *צַחֲנָה.

*צַחֲנָה : *צחן; mhb. צַחֲנָה, ja. צַחֲנְתָּא **Stinkendes** *stinking matter*; ܨܚܢܐ unzüchtig, schmutzig *lewd, foul*: Barth ES 44 cf. صَنِخَ Gestank *stench*: sf. צַחֲנָתוֹ: **Verwesungsgeruch** *smell of putrefaction* Jl 2, 20; Si 11, 12 Gestank *stench*. †

צַחְצָחוֹת: צחח: **verbranntes Gelände** *scorched land* Js 58, 11. †

צחק : ug. *ṣḥq* u. *ẓḥq*; ak. *ṣâhu* (mediae *j*) lachen *laugh* (Landsberger ZA 40, 297 f 42, 163 f); mhb., ja. דְּחַךְ u. גְּחוּךְ Lachen *laughter*, ja., sy. גחךְ (Barth ES 34); ضَحِكَ, ሠሐቀ; *F* שחק: qal: pf. צָחֲקָה, צָחַקְתְּ, impf. יִצְחָק־ Gn 21, 6 (BL 357), וַתִּצְחַק, וַיִּצְחָק: 1. **lachen** *laugh* Gn 17, 17 18, 12 f. 15, לְ über *with* 21, 6; † pi: impf. וַיְצַחֵק, inf. לְצַחֵק, לְצַחֶק, pt. מְצַחֵק:

1. absol. scherzen *jest* Gn 19, 14, sich lustig machen *sport, play* 21, 9, sich belustigen *sport* Ex 32, 6; 2. c. אֶת: tändeln, kosen mit (Frau) *toy with* (*woman*) Gn 26, 8, c. בְּ sich lustig machen über *make a toy of* 39, 14. 17, c. לִפְנֵי Kurzweil treiben vor *make sport for* Jd 16, 25. †
Der. צְחֹק, n. m. יִצְחָק.

צְחֹק: צחק: Gelächter *laughter* Gn 21, 6 Hs 23, 32. †

***צחר**: *צָחֹר; n. m. צֹחַר.

צָחַר: n. l.; l צְדָד Dussaud, Top. 269. 282 f: Hs 27, 18. †

***צחר**: *צחר; أَصْحَرُ gelblich-rot *yellowish-red* (daher Wüste *hence the desert Sahara*): pl. f. צְחֹרוֹת: gelblich-rot *yellowish-red* (Eselinnen *she-asses*) Jd 5, 10. †

צֹחַר: n. m.; *צחר; asa. n. m. vel p. צחר: 1. Gn 23, 8 25, 9; 2. Gn 46, 10, = זֶרַח (Nu 26, 13 1 C 4, 24) (Q וְצֹחַר, K יִצְחָר); 3. 1 C 4, 7 Q. †

I צִי: < äg. *d3j* Fluss-Schiff *river-ship*: pl. צִים, צִיִּים: Schiff *ship* Nu 24, 24 Js 33, 21 Da 11, 30; l אֹצִים (ארץ) Hs 30, 9. †

II צִי: < *צִיִּי, gntl. v. צִיָּה Torrey, Second Isaiah 289: pl. צִיִּים: Bewohner der צִיָּה, Dämon *dweller of* צִיָּה, *demon* Js 13, 21 23, 13 34, 14 Ir 50, 39; l צָרִים Ps 72, 9, l לְעַמְלְצֵי יָם 74, 14. †

צִיבָא: n. m.; Noth 231: Sklave v. *slave of* שָׁאוּל 2 S 9, 2—12 16, 1—4 19, 18. 30. †

צִיד: ak. *ṣadū* speisen *feed*, *ṣidītu* Proviant *provisions*; ja., sy. זְוָדָא; palm. זוד; زَادٌ Proviant *provisions*; F צוד:

hitp: pf. הִצְטַיַּרְנוּ: sich als Wegzehrung mitnehmen *take with oneself as provisions* Jos 9, 12. cj 4 (l וַיִּצְטַיָּדוּ); †

cj hif: imp. הָצֵד: mit Proviant versehen *provide with provisions* cj Gn 45, 19 (l הָצֵד אֹתָם Koehler). †

Der. II צַיִד, צֵידָה.

I צַיִד: צוד: צַיִד cs. צֵיד, sf. צֵידוֹ: 1. Jagd *hunting* Gn 10, 9 25, 27; 2. Jagdbeute *game* Gn 25, 28 (l צֵידוֹ) 27, 3 (l צַיִד). 5. 7. 19. 25. 31. 33 Lv 17, 13 Pr 12, 27, cj Ho 9, 13 u. Ir 30, 17 (l צֵידֵנוּ pro צִיּוֹן). †

II צַיִד: ציד: צֵיד, sf. צֵידָם: Reisekost *provision* Jos 9, 5. 14, Futter *food* Hi 38, 41, Speise *food* Ne 13, 15; l צְדִיקֶיהָ (Joüon ZAW 48, 209) Ps 132, 15. †

צַיָּד: צוד: pl. צַיָּדִים: Jäger *hunter* Ir 16, 16, cj מִיַּד צַיָּד Pr 6, 5. †

צֵידָה u. צֵדָה: ציד: Reisekost *provisions*: c. לַדֶּרֶךְ Gn 42, 25 45, 21 Jos 9, 11, F Ex 12, 39 Jos 1, 11 Jd 20, 10 1 S 22, 10 Ps 78, 25; l cs. צֵדַת Jd 7, 8, l צַיִד Gn 27, 3 Q. †

צִידוֹן u. צִידֹן: keilschr. *Ṣidun(n)u* (auch *the same* EA) u. *Ṣa'idunu* (= *Ṣaidā*); ug. gntl. *Ṣdjnm*; äg. *Ḏi-du-na* (Albr. Voc. 3. 67); ph. צדן, Σιδων; n. dei *Ṣīd* in n. m. *Abd-ṣid* u. *Ṣid-ili* Lewy RÉS 1938, 56[1]: Sidon, = *Ṣaiaā*; צִידוֹן רַבָּה Jos 11, 8 19, 28, צֹר וְצִידוֹן Jl 4, 4 Sa 9, 2; F n. m. (Maisler, BAS 102, 7 ff) Gn 10, 15. 19 1 C 1, 13; n. l. Gn 49, 13 Jd 1, 31 10, 6 18, 28 2 S 24, 6 1 K 17, 9 Js 23, 2. 4. 12 Ir 25, 22 27, 3 47, 4 Hs 27, 8; Eiselen, Sidon (Columbia Univ. Or. Studies IV). †
Der. צִידֹנִי.

צִידֹנִי: gntl. v. צִידוֹן: pl. צִידֹנִים, fem. צִדֹנִיֹּת (BL 501; cf. sy. צֶדְנָיָא): Sidonier *Sidonian*; coll. הַצִּידֹנִי Jd 3, 3; pl. צִידֹנִים Dt 3, 9 Jd 18, 7

1 K 11, 5. 33 (MT צִדֹנִין!) 16, 31 2 K 23, 13 Esr 3, 7 1 C 22, 4, fem. 1 K 11, 1. †

***צִיה**: F צִיָּה, צִיּוֹן; II צִי.

צִיָּה: ak. *ṣītu* Trockenheit *drought* ZA 42, 161; ja., mnd. צוא, ܨܘܐ, صَوِيَ trocken sein *be dry*: pl. צִיּוֹת: **Trockenlandschaft, wasserlose Gegend** *dry country, waterless region*: אֶרֶץ צִיָּה Js 41, 18, cj 49, 8, 53, 2 Ir 2, 6 51, 43 Hs 19, 13 Ho 2, 5 Jl 2, 20 Ps 63, 2 107, 35; מִדְבָּר וְצִיָּה Js 35, 1, // מִדְבָּר u. עֲרָבָה Ir 50, 12; F Ze 2, 13 Ps 78, 17 Hi 24, 19 30, 3, cj 38, 27; pl. Ps 105, 41; F II צִי. †

צָיוֹן: *צִיה: **wasserloses Land** *waterless country* Js 25, 5 32, 2. †

צִיּוֹן: n. l.; loc. צִיּוֹנָה, loc. cj Sa 2, 11: **Zion**: 1. statistisch *statistics*: nicht in *not to be found in* Gn—1 S, Hs, Ho, Jon, Na, Ha, Hg, Ma, Pr, Hi, Ko, Ru, Est, Esr, Neh; Js 1, 8—37, 22 (29 × u. cj 1, 21 post מִשְׁפָּט), Js 40, 9—66, 8 (17 ×), Ir 3, 4—51, 35 (15 ×), l צִידֵנוּ 30, 17, Ps (38 ×), Th (15 ×), Mi (9 ×), Sa 1, 1—9, 13 (8 ×), Jl (7 ×), 2 S 5, 7 1 K 8, 1 2 K 19, 21. 31 Am 1, 2 6, 1 Ob 17. 21 Ze 3, 14. 16 Ct 3, 11 1 C 11, 5 2 C 5, 2; zusammen *total* 152 ×; 2. Etym. צִיּוֹן v. צָוָה aufstellen *erect* Franz Delitzsch Ps[3] 1, 70; v. *צין = صَانَ schützen *protect* = Burg *stronghold* Wetstein in Delitzsch, Gn[4], 78; v. *צחה = *צִיה, cf. sy. צִיּוֹן = צהיון, = kahler Hügel *bleak hill*: 3. Lage *situation*: der SO-hügel v. *the southeastern hill of Jerusalem*; bald *means* der Hügel selbst *the hill itself*, bald d. Hügel als Sitz Jahwes *or the hill as seat of Yahveh* Am 1, 2 Ps 74, 2, bald die ganze heilige Stadt *or the whole of the Holy City*: הַר צִיּוֹן 2 K 19, 31 (19 ×); בַּת צִיּוֹן d. Bewohner *the people* Js 1, 8 10, 32 16, 1 Ir 4, 31 6, 2. 23 (23 ×); pro הַרְרֵי עִיּוֹן l הַרְרֵי צִיּוֹן Ps 133, 3; בְּנֵי צִיּוֹן Jl 2, 23 Ps 149, 2 Th 4, 2, בְּנוֹת צִיּוֹן Js 3, 16 f 4, 4 Ct 3, 11, שִׁיר צִיּוֹן Ps 137, 3; F BRL s. v. Jerusalem.

צִיּוּן: mhb.; mhb. צִיֵּן u. ja. צַיֵּן bezeichnen *mark*; صُوَّة Steinmal als Wegmarke *stoneheap used for road-mark* = ܨܘܝܐ; צוה; pl. צִיֻּנִים: **Steinmal** *sign-post* Hs 39, 15, cj Ir 48, 9, über Grab *grave-stone* 2 K 23, 17, **Wegmarke** *road-mark* Ir 31, 21. †

צִיחָא: n. m.; *Ṣiḥā* APN 205; צחא äga. n. m.: Ne 7, 46 11, 21 Esr 2, 43. †

צִיִּים: F צִי.

צִין: F צִן.

צִינֹק: *צנק; mhb. צִינוֹק; ak. *sanāqu* festbinden *bind fast* Zimm. 35; زنق; schnüren *fasten*: **Halseisen** *iron collar, pillory* Ir 29, 26. †

צִיעֹר: n. l.; צער: unbekannt *unknown*, bei *near* חֶבְרוֹן: Jos 15, 54. †

צִיף: F II צוף.

I צִיץ: I צוץ; äg. *di-di* (Albr. Voc. 67); cf. زَهْو Blüte *blossom* v. زَهْو glänzen *shine*: pl. צִיצִים: 1. coll. **Blüte** *blossom* Nu 17, 23 Js 28, 1 40, 6—8 Ps 103, 15 Hi 14, 2; 2. (künstliche) Blume, **Stirnblatt** (*artificial*) *blossom, front-ornament* (JTS 26, 72 ff) Ex 28, 36 39, 30 (AS 5, 280) Lv 8, 9 Si 40, 4 1 K 6, 18. 29. 32. 35; ציצים Reifkristalle (?) *hoar-crystals* (?) Si 43, 19; l צִיּוֹן Ir 48, 9; F צִיצָה, צִיצִת. †

II צִיץ: הַצִּיץ, n. l.: מַעֲלֵה הַצִּיץ W. *Ḥaṣāṣā* sö. תְּקוֹעַ (?): 2 C 20, 16. †

***צִיצָה**: fem. v. I צִיץ: cs. צִיצַת: **Blume** *flower* Js 28, 4. †

צִיצִת: I צִיץ: ak. *ṣiṣītu* Ausläufer *offshot* (Zimm.

ZA 36, 319); Sam. Nu 15, 38 f ציציות; ja. צִיצִיתָא, ܨܝܨܝܬܐ; صِيصِيَةٌ Hahnenkamm *cock's-comb* JBL 49, 59—71: 1. צִיצִת רֹאשׁ **Haarschopf** *tuft of hair* Hs 8, 3; 2. **Quaste, Zotte** *tassel* Nu 15, 38 (l לְאוֹת 15, 39). †

צִיקְלַג: *F* צִקְלַג.

I צִיר: qal pt. צָר Js 59, 19 *F* I צור 4; hitp. impf. וַיִּצְטַיָּרוּ Jos 9, 4, l וַיִּצְטַיָּדוּ. †

II צִיר: *F* III *צִיר.

I צִיר: = ak. *ṣirru*; mhb.; ja. צִירְתָא, sy. צִירְתָא; صَائِرٌ: **Polschuh, Türzapfenloch** *pole-piece, pivot* (*of door*) Pr 26, 14. †

II צִיר u. *צָר: صَارَ an e. Ziel gehen *attain, go to a given aim*: pl. צִירִים, sf. צִירֶיךָ: **Bote** *messenger* Js 18, 2 57, 9 Ir 49, 14 Ob 1 Pr 13, 17 (// מַלְאָךְ) 25, 13, cj צר (l וּמַלְאָךְ) Js 63, 9. †

III *צִיר: II צִיר, = צרר?: pl. צִירִים, sf. צִירֶיהָ, צִירַי: **Wehen, Krämpfe** *pangs, convulsions* Js 13, 8 21, 3; c. נֶהֶפְכוּ עַל sie kommen über, befallen *they come upon, attack* 1 S 4, 19 Da 10, 16. †

IV *צִיר: pl. צִירִים, l יְצָרִים Js 45, 16; sf. וְצִירָם l יִצְרָם Ps 49, 15 (Hehn, Sellinfestschr. 66 f). †

צֵל: צלל; ug. *ẓl*: cs. צֵל, sf. צִלּוֹ, צִלְלוֹ Hi 40, 22, pl. צְלָלִים, cs. צִלְלֵי (fem? Js 38, 8 :: 2 K 20, 9—11): **Schatten** *shadow*: 1. מֵחֹרֶב Js 4, 6 25, 4; v. Baum *of tree* Jd 9, 15 Hs 17, 23 31, 6. 12. 17 Ho 4, 13 Jon 4, 6 Ps 80, 11 Hi 40, 22 Ct 2, 3, v. Dach *of roof* Gn 19, 8, v. Bergen *of hills* Jd 9, 36, v. Fels *of rock* Js 32, 2, v. Wolke *of cloud* Js 25, 5, d. Abends *of evening* Ir 6, 4, einer Stadt *of a town* Ir 48, 45 Js 34, 15, v. Hütte *of cot* Jon 4, 5; צֵל עֹבֵר Ps 144, 4, vergänglich wie Sch. *transient as sh.* Ps 102, 12 109, 23 Hi 8, 9 14, 2 Ko 8, 13; nichtig wie Sch. *vain as sh.* Hi 17, 7 Ko 6, 12 1 C 29, 15; עֶבֶד יִשְׁאַף צֵל Hi 7, 2; Sch. der Sonnenuhr *sh. of dial* 2 K 20, 9—11 Js 38, 8; *F* Js 16, 3 30, 2 f, pl. Ct 2, 17 4, 6 (נָסוּ); 2. v. Gottes Schutz *said of God's protection*: צֵל יָדִי Js 49, 2, צֵל יָדוֹ 51, 16, צִלִּי (MT צִלּוֹ) Ho 14, 8, צֵל כְּנָפֶיךָ Ps 17, 8 36, 8 57, 2 63, 8, צֵל שַׁדַּי Ps 91, 1; יהוה ist *is* צִלְּךָ Ps 121, 5; 3. Schatten = Schutz *shadow = protection*: מְשִׁיחַ י׳ Th 4, 20; Nu 14, 9 Ko 7, 12 Si 14, 27. †
Der. n. f. צִלָּה, n. m. בְּצַלְאֵל; צְלָפְחָד?

צלה: mhb.; ja., cp. צלא; صَلَى; ጸለወ: qal: impf. אֶצְלֶה, יִצְלֶה, inf. צְלוֹת: (Fleisch) **braten** *roast* (*flesh*) 1 S 2, 15 Js 44, 16. 19. †
Der. צָלִי.

צִלָּה: n. f.; fem. v. צֵל: Frau v. *wife of* לֶמֶךְ: Gn 4, 19. 22 f. †

צְלוּל*: (Q צְלִיל): cs. צְלוּל: צְלוּל לֶחֶם: **Scheibe** (?) *slice* (?) Jd 7, 13. †

צלח: mhb.; *F* ba.; ph. in n. m. בעלצלח, אשמנצלח, מצלח etc.; صَلَحَ taugen *be in good condition*, asa. הצלח gedeihen lassen *make prosperous* u. צלח (صَلَاحٌ) Gedeihen *prosperity*: qal: pf. צָלְחָה, צָלֵחָה, impf. יִצְלַח, יִצְלָח, וַתִּצְלְחִי: 1. **tauglich, stark, wirksam sein** *be in good condition, strong, efficient*: רוּחַ Jd 14, 6. 19 15, 14 1 S 10, 6. 10 11, 6 16, 13 18, 10 Hs 16, 13; 2. **taugen** *be fit, be of value* Js 54, 17 Ir 13, 7. 10 Hs 15, 4; 3. **gelingen** *be successful*: תִּצְלָח es gelingt *it is prospering* Nu 14, 41 Da 11, 27; **Gelingen haben** *be successful* Ir 12, 1 22, 30 Hs 17, 9 (l הֲתִצְלָח). 10. 15 Si 11, 17,

cj (l הִתְצַלַּח) Jd 18, 5; 4. l יִשְׁלַח אִישׁ בּוֹ Am 5, 6; fraglich *doubtful* 2 S 19, 18 u. Si 8, 10 (tradit. = eilen an *rush into*); Ps 45, 5 F Komm.; †
hif: pf. הִצְלִיחַ, הִצְלִיחָה, הִצְלַחְתָּ, sf. הִצְלִיחוֹ, impf. הַצְלִיחָה, תַּצְלִיחִי, וַיַּצְלַח, יַצְלִיחַ, imp. הַצְלַח, pt. מַצְלִיחַ: 1. **Gelingen haben, sich tauglich erweisen** *shew prosperity, prove successful*: 1 K 22, 12. 15 Js 55, 11 Ir 2, 37 (l לְהִמָּלֵט pro לָהֶם) 32, 5 Ps 1, 3 Pr 28, 13 Da 8, 12. 24f 11, 36 1 C 22, 11. 13 29, 23 2 C 7, 11 13, 12 14, 6 18, 11. 14 20, 20 24, 20 31, 21 32, 30; אִישׁ מַצְלִיחַ Mann voll Gelingen *prosperous man* Gn 39, 2 Si 41, 1; c. ac. in e. Sache *in a thing* Dt 28, 29 Jos 1, 8 Js 48, 15 Ps 37, 7, cj 10, 5 (l יַצְלִיחַ); 2. c. ac.: **gelingen lassen** *bring to successful issue* Gn 24, 21. 40. 42. 56 39, 3. 23 Ne 1, 11 2, 20; abs. Ps 118, 25; 3. c. ac.: **Gelingen haben lassen** *make prosperous* 2 C 26, 5; —? Ir 5, 28. †

צְלֹחִית: mhb.; ja., sy., cp. צְלֹחִיתָא; F צַלַּחַת: **Schüssel** *pan* 2 K 2, 20. †

צַלַּחַת: F צְלֹחִית; صَحْن, ጸሕል; VG 1, 220: pl. צַלָּחוֹת (BL 614): **Schüssel** *pan* 2 K 21, 13 Pr 19, 24 26, 15; pl. 2 C 35, 13. †

***צַלַּחַת**: pl. צַלָּחוֹת: F צַלַּחַת.

צָלִי: צלה: cs. צְלִי: **gebratenes Fleisch** *roasted, roast* Ex 12, 8f Js 44, 16. †

צליל: F צְלוּל.

I צלל: mhb. צִלְצֵל; ja. צְלַל, صَلَّ; صلّ:
qal: pf. צָלְלוּ, impf. תְּצִלֶּינָה, תִּצַּלְנָה, ZDM 43, 179): **gellen** (Ohren) *tingle* (*ears*) 1 S 3, 11 2 K 21, 12 Ir 19, 3; ? (G προσευχή) Ha 3, 16. †
Der. צֶלְצַל, *צִלְצָל, צֶלְצְלִים, מְצִלָּה, מְצִלְתַּיִם.

II צלל: mhb.; ظَلَّ; صَلَّ filtern *percolate*; ጸለለ (auf d. Wasser) treiben *float*; NF *צול:
qal: pf. צָלֲלוּ: **untersinken** *sink* Ex 15, 10. †

III צלל: mhb. hif. Schatten werfen *cast shadow*; ak. *ṣalālu* beschatten *shade*; F ba. טלל; ja. טְלָא Schatten *shadow*; äga. טלל, טל, ظل; sy. טֶלָּלָא; ak. *ṣillu*; ظَلَّ beschatten *shade*, ጸለለ dunkel sein *be dark*:
qal: pf. צָלְלוּ **schattig, dunkel werden** *grow shadowy, dark* Ne 13, 19; †
hif: pt. מֵצַל, cj inf. הָצֵל: **Schatten geben** *spend shadow* Hs 31, 3, cj Jon 4, 6. †
Der. צֵל; n. f. צִלָּה u. הַצְלֶלְפּוֹנִי.

צְלָלִים, צִלְלֵי, צִלְלוֹ: F צֵל.

I *צלם; صَلَمَ abhauen *cut off* (*nose, ear*) > behauen *chisel*: צֶלֶם.

II *צלם: ak. *ṣalāmu* schwarz werden *grow black*; ظَلِمَ أَظْلَمَ wurde dunkel *grew dark*, ظُلْمَة Dunkelheit *darkness*: II צֶלֶם, II צַלְמוֹן, צַלְמָוֶת.

I צֶלֶם: I *צלם; ak. *ṣalmu*; mhb.; F ba. צְלֵם; asa. צלם u. טלם; صَنَم; sf. צַלְמוֹ, צַלְמֵנוּ, pl. cs. צַלְמֵי, sf. צַלְמָיו, צַלְמֵיכֶם: 1. **Statue, Bildsäule** *statue* 2 K 11, 18 2 C 23, 17 Hs 7, 20 Am 5, 26, צַלְמֵי מַסֵּכָה gegossene B. *molten st.* Nu 33, 52; 2. **Nachbildung, Abbild** *image, copy* 1 S 6, 5. 11 Hs 16, 17; **Bildnis, Zeichnung** *image, drawing* Hs 23, 14; 3. **Bild** *image* (*imago dei*, ThZ 4, 17ff) Gn 1, 26f 5, 3 9, 6; 4. (vergängliches) **Bild** (*transient*) *image* Ps 39, 7 73, 20 (l נִבְזֶה). †

I צַלְמוֹן: n. m.; = צֶלֶם? Noth S. 223: 2 S 23, 28, = עִילַי 1 C 11, 29. †

II צַלְמוֹן: n. montis; Schwarzberg? *Black Hill*? II צלם?: הַר צַלְמוֹן (*Eṭ-Ṭenanīr* s. Balata? ZAW 50, 305 51, 67): Jd 9, 48, schnee-bedeckt *snow covered* Ps 68, 15 (Albr. HUC 23, 23: *Ǧ. Ḥaurān*). †

צַלְמָוֶת: volkstüml. Et. *popular et.* צֵל u. מָוֶת; < *צַלְמוּת, II צלם; :: Hehn, MVG 22, 79 ff: **Finsternis** *darkness* Am 5, 8 (:: בֹּקֶר) Ir 13, 16 (:: אוֹר) Ps 44, 20 107, 10 (// חֹשֶׁךְ). 14 Hi 3, 5 10, 22 12, 22 16, 16 24, 17 34, 22 38, 17 (// מָוֶת), אֶרֶץ אֹפֶל וְצַלְמָוֶת Hi 28, 3, צַלְמָוֶת Js 9, 1 Ir 2, 6 Hi 10, 21, גֵּיא צַלְ׳ Ps 23, 4. †

צַלְמֹנָה: n. l.; unbekannte Wüstenstation *station in the wilderness, unknown* PJ 36, 17: Nu 33, 41 f. †

צַלְמֻנָּע: n. m.; H. Bauer OLZ 33, 589 f; K. v. מִדְיָן: Jd 8, 5—21 Ps 83, 12. †

I **צלע**: ja. טלע; ظَلَعَ:
qal: pt. צֹלֵעַ, fem. צֹלֵעָה: 1. **hinken** *limp* Gn 32, 32; 2. **lahmen** (Tiere) *be lame* (*animals*) Mi 4, 6 f Ze 3, 19. †
Der. צֶלַע.

II *צלע: F צֵלָע.

צֶלַע: I צלע: sf. צַלְעִי: (Erlahmen) **Straucheln**, (*limping*) *stumbling* Ir 20, 10 Ps 35, 15 38, 18 Hi 18, 12, cj Si 51, 3. †

I **צֵלָע**: II *צלע; ضِلَع sich krümmen *deviate*; ak. *ṣēlu*, mhb. צֵלָע, F ba. עֲלַע: cs. צֵלַע u. צֶלַע, sf. צַלְעוֹ (BL 557), pl. צְלָעוֹת, cs. צַלְעוֹת u. צְלָעִים 1 K 6, 34; fem: 1. **Rippe** *rib* Gn 2, 21 f; 2. **Seite** *side*: צֶלַע הָהָר 2 S 16, 13; Längsseite *longitudinal side* (:: יַרְכָה) Ex 25, 12. 14 26, 20. 26 f. 35 27, 7 30, 4 36, 25. 31 f 37, 3. 5. 27 38, 7 Hs 41, 26; 3. **Seitenraum**, Stockwerk *side-chambers, storey* 1 K 6, 5. cj 6 (pro היצוע) Hs 41, 6—8; **Anbau** *wing* Hs 41, 5; 4. Blatt, Bohle, **Brett** *plank, board* 1 K 6, 15 f; 5. pl. **Türblatt** *leaves* (*of door*) 1 K 6, 34. cj 34 (pro קְלָעִים); 6. **Tragbalken**, Gesims *girder, moulding* 1 K 7, 3 (Weidhaas ZA 45, 49 f); sy. חֶתָא = ak. *ḫittu*, ἐπιστύλια). †

II **צֵלָע**: n. l.; = I צֵלָע 2 (2 S 16, 13); unbekannt *unknown*, in Benjamin; Grabstätte v. *burial-place of* שָׁאוּל u. יוֹנָתָן Jos 18, 28 (צֵלַע הָאֶלֶף) 2 S 21, 14. †

צָלָף: n. m; mhb. צָלָף, لَصَف Kaperstrauch *caper-plant Capparis spinosa* (Löw 1, 322 ff): Ne 3, 30. †

צְלָפְחָד: n. m.; Σαλπααδ; Nöldeke, Untersuchungen 89: < צֵל פַּחַד; (Vokalis *vocaliz. of* von מַכְבֵּר(?)): Nu 26, 33 Jos 17, 3 1 C 7, 15; בְּנוֹת צְ׳ Nu 27, 1. 7 36, 6. 10 f, נַחֲלַת צְ׳ Nu 36, 2. †

צֶלְצַח: n. l.; in Benjamin; unbekannt *unknown*; Zolli ZAW 56, 175 f: 1 S 10, 2. †

צְלָצַל: I צלל; ak. *ṣarṣaru*; صَرْصَر; ጽንጽያ: **Grille** (Schwarm) (*swarm of*) *crickets* (Rhodokanakis WZK 29, 70): *Gryllotalpa vulgaris* (sehr pflanzenschädlich *very noxious to plants*) Dt 28, 42; cs. צִלְצַל: אֶרֶץ צִלְצַל כְּנָפַיִם Land d. geflügelten **Grille** *country of winged crickets* (Äthiopien *Ethiopia*) Js 18, 1. †

*צִלְצַל: I צלל: cs. צִלְצַל דָּגִים: Fisch-**Harpune** *fish-spear, harpoon* Hi 40, 31; Js 18, 1 F צְלָצַל. †

צֶלְצְלִים: I צלל; mhb. צִלְצַל, ja. צִלְצְלָא, > sy. צֶצְלָא, צִלְצְלָא; ጸናጽል, ጽንጽል, VG 1, 247: cs. צִלְצְלֵי: **Becken, Cymbal** *cymbals* 2 S 6, 5; צִלְ׳־שָׁמַע kleine Becken, aus geringem Abstand auf einander gestossen, **klingende Becken** *small cymbals, from small distance pushed one upon the other, tinkling cymbals* (Meissner, Babyl. u. Assyr. I, Abbild. 126) Ps 150, 5; צִלְ׳ תְרוּעָה grosse Becken, mit kräftiger senkrechter Bewegung an einander vorbei gestrichen, **schallende Becken** *large cymbals, in heavy strokes passed one along the other, clashing* *cymbals* Ps 150, 5; Wegner, Musikinstrumente d. Alten Orients, 1950, 32. 38 ff. 61. †

***צלק**: n. m. צֶלֶק.

צֶלֶק: n. m.; *צלק; صَلَقَ gewaltig rufen *cry aloud*: 2 S 23, 37 1 C 11, 39. †

צִלְּתַי: n. m.; palm. n. m. צלת; Noth S. 152²: 1. 1 C 8, 20; 2. צִלְּתַי 1 C 12, 21. †

צמא: ug. *ẓm'* durstig *thirsty*; ak. *ṣamā'u*; mhb.; ظَمِئَ, asa. צמא; ጸምአ:

qal: pf. צָמְאָה, צָמֵת (BL 376), צָמֵאתִי, צָמִתִי, צָמֵאוּ, וַיִּצְמָא, יִצְמְאוּ: **dürsten, Durst haben** *be thirsty* Jd 4, 19 15, 18 Js 48, 21 49, 10 65, 13 Hi 24, 11 Ru 2, 9, c. לְ nach *for* Ex 17, 3; nach Gott *for God* Ps 42, 3 63, 2. † Der. צָמָא, צָמֵא, צִמְאָה, צִמָּאוֹן.

צָמָא: צמא: sf. צְמָאִי: **Durst** *thirst* Ex 17, 3 Dt 28, 48 Jd 15, 18 Js 5, 13 41, 17 50, 2, cj (Köhler ZAW 44, 62) Ir 2, 31, Hs 19, 13 Ho 2, 5 Am 8, 11 (לְ nach *for*) Ps 69, 22 104, 11 Th 4, 4 Ne 9, 15. 20 2 C 32, 11; l הָאֲמִיצִים Am 8, 13; ? Ir 48, 18. †

צָמֵא: צמא: fem. צְמֵאָה, pl. צְמֵאִים: 1. durstig *thirsty* 2 S 17, 29 Js 21, 14 29, 8 32, 6 55, 1 Pr 25, 21, pl. Ps 107, 5, F צְמִים; 2. הַצְּמֵאָה d. durstige, wasserarme (Land) *the thirsty (country)* Dt 29, 18, = צָמֵא//יַבָּשָׁה Js 44, 3; 3. c. נֶפֶשׁ Si 51, 24. †

צִמְאָה: צמא: **Durst** *thirst* Ir 2, 25. †

צִמָּאוֹן: צמא: **dürstendes, wasserloses Gebiet** *thirsty ground* Dt 8, 15 Js 35, 7 Ps 107, 33. †

צמד: ug. *ṣmd*; ak. *ṣamādu* zusammenbinden, anspannen *bind together, harness*; ph. סמדרת (ס!) Gespann *span (of oxen)*; mhb., aram.; ضَمَدَ, asa. צמד; ⲑⲱⲙⲧ; äg. *dmḏ*:

nif: impf. וַיִּצָּמֵד, וַיִּצָּמְדוּ, pt. נִצְמָדִים: c. לְ, **sich einlassen mit, sich hängen an** (Gottheit) *to attach oneself to* Nu 25, 3. 5 Ps 106, 28; †

pu: pt. מְצֻמֶּדֶת: **festgemacht** (Schwert) *bound (sword)* 2 S 20, 8; †

hif: impf. תַּצְמִיד: **an-, vorspannen** *put to, attach to* Ps 50, 19. †

Der. צֶמֶד, I, II צָמִיד.

צֶמֶד: צמד, ug. *ṣmd*: sf. צִמְדּוֹ, pl. צְמָדִים, cs. צִמְדֵי (BL 582): 1. **Gespann** *couple, span* Ir 51, 23 (des *of* אִכָּר), חֲמֹרִים Jd 19, 3. 10 2 S 16, 1, בָּקָר 1 S 11, 7 1 K 19, 21 Hi 1, 3 (500 × 2) 42, 12 (1000 × 2); מַשָּׂא צֶמֶד Traglast für e. Gespann *load for a span* 2 K 5, 17 (פְּרָדִים); 12 צֶמֶד (beim Pflügen *for ploughing*) 1 K 19, 19, צֶמֶד פָּרָשִׁים Js 21, 7. 9; l צֹמְדִים אַחֲרָיו 2 K 9, 25; 2. Ackerfläche, die e. Gespann in e. Arbeitstag bewältigt: **Juchart** *measure of land which a span can plough in a day: acre* Js 5, 10; ? 1 S 14, 14. †

***צַמָּה**: *צמם: صِمَّة Tuch, d. d. Gesicht verhüllt *cloth veiling face* (Guidi, Note ebraiche 1927, 13); صَمَّ im Hören gehindert sein *be checked in hearing*: sf. צַמָּתֵךְ: (Gesichts-) **Schleier** *(face-) veil* Js 47, 2 Ct 4, 1. 3 6, 7; F צַמִּים. †

צִמֻּקִים, צִמּוּקִים: צמק; ug. *ṣmq(m)*; venetian. *simmuchi*: **Kuchen aus getrockneten Trauben** *cake of dried grapes* (Löw 1, 82): 1 S 25, 18 30, 12 2 S 16, 1 1 C 12, 41. †

צמח: ug. *ṣmḥ*; ak. *šamāḫu* (*š!*) üppig sprossen *sprout luxuriantly*; mhb., ja, sy., cp. sprossen *sprout*:

qal: pf. צָמַח, צָמְחוּ, impf. וַיִּצְמַח, יִצְמַח, יִצְמָחוּ, תִּצְמַחְנָה, pt. צֹמֵחַ, צֹמְחוֹת: sprossen *s p r o u t, s p r i n g u p*: Pflanzen *plants* Gn 2, 5 41, 6. 23 Ex 10, 5 Si 14, 18 Hs 17, 6 Ko 2, 6, Haut *skin* Js 58, 8, Haar *hair* Lv 13, 37, Menschen *men* Js 44, 4 Hi 8, 19 (l יִצְמָח); metaph. Geschehnisse *events* Js 42, 9 43, 19, es (d. Heil) *it* (*the salvation*) Sa 6, 12, אֱמֶת Ps 85, 12, עָמָל Hi 5, 6; †

pi: pf. צִמַּח, impf. יְצַמַּח, inf. צַמֵּחַ: **reichlich sprossen** (Haar) *g r o w a b u n d a n t l y* (*hair*) Jd 16, 22 2 S 10, 5 1 C 19, 5 Hs 16, 7; †

hif: pf. sf. הִצְמִיחָהּ, impf. יַצְמִיחַ, הַצְמַח, וַיַּצְמַח, inf. הַצְמִיחַ, pt. מַצְמִיחַ: **1. sprossen lassen** *c a u s e t o g r o w, s p r o u t* Gn 2, 9 3, 18 Dt 29, 22 Ps 104, 14 Hi 38, 27; subj. Gott *God*: 2 S 23, 5 (l לִי) Ps 132, 17 Ir 33, 15 (לְדָוִד צֶמַח); subj. Erde *earth* Js 45, 8; **2. zum Spriessen bringen** *m a k e t o s p r o u t* Js 55, 10 61, 11; c. 2 ac. Ps 147, 8. †

Der. צֶמַח.

צֶמַח: צמח; ph. n. m. צמח: sf. צִמְחָהּ: **1. das Sprossen, Wachstum, Gewächs** *the growing, growth*: coll. Gn 19, 25 Js 61, 11 Hs 17, 10 16, 7 Ho 8, 7 Ps 65, 11 Si 40, 22 (cs. pl.); צֶמַח יהוה was J. sprossen lässt *what Y. causes to grow* Js 4, 2; טַרְפֵּי צִמְחָהּ ihre sprossenden Zweigen *its sprouting twigs* Hs 17, 9; **2.** d. einzelne **Spross** *the individual s p r o u t* צ׳ צְדָקָה Sa 6, 12, צ׳ צַדִּיק Ir 23, 5, צֶמַח שְׁמוֹ 33, 15 (ph. צמח צדק), עַבְדִּי צ׳ m. Knecht, welcher der (messianische) Spross ist *my servant who is the (messianic) sprout* Sa 3, 8. †

I **צָמִיד**: צמד: pl. צְמִידִים: **Armspange** (v. Frauen) *b r a c e l e t* (*women's*) (BRL 33) Gn 24, 22. 30. 47 Nu 31, 50 Hs 16, 11 23, 42. †

II **צָמִיד**: צמד; صِمَادٌ Stück Haut, mit dem man e. Flasche verschliesst *piece of skin used to close a bottle*: **Deckel** *c o v e r* Nu 19, 15. †

צַמִּים: Hi 5, 5 l צְמֵאִים (צַמִּים ?)? Hi 18, 9 // פַּח e. Fanggerät? *snare?* †

צְמִיתֻת: F צְמִתֻת.

***צמם**: F *צַמָּה.

צמק: mhb., ja.:

qal: pt. צֹמְקִים: **vertrocknen, welken** (Brüste) *d r y u p, s h r i v e l* (*breasts*) Ho 9, 14. †

Der. צִמּוּקִים.

***צמר**: F צֶמֶר, n. montis צְמָרַיִם, צַמֶּרֶת.

צֶמֶר: mhb.; aram. F ba. עֲמַר; ፀምር: **Wolle** *w o o l* (:: פִּשְׁתִּים) Lv 13, 47, גִּזַּת הַצֶּמֶר Jd 6, 37, Gabe J.s. *gift of Y.* Ho 2, 7. 11; אֵילִים צֶמֶר mit der Wolle, ungeschoren *unshorn* (AS 6, 195) 2 K 3, 4; weiss *white* Ps 147, 16, :: תּוֹלָע Js 1, 18; für Kultkleidung verboten *not to be used for priest-garments* Hs 44, 17, von Motten gefressen *prey of moths* Js 51, 8, Handelsware *merchandise* Hs 27, 18 Pr 31, 13; F Lv 13, 48. 52. 59 Dt 22, 11 Hs 34, 3.; cj 27, 8. †

צְמָרִי: n. p. הַצְּמָרִי Gn 10, 18 1 C 1, 16; Bevölkerung in u. um die Stadt *people in a. around the city* Σιμυρα, ak. *Ṣimirra*, EA *Ṣumur*, äg. *Du-mu-ra* (Albr. Voc. 67) = *Ṣumra* n. Tripolis? Thomsen AOF 13, 173. †

צְמָרַיִם: n. montis; *צמר; „Doppel-Gipfel *double peak*"? F צַמֶּרֶת: Dalman JBL 48, 354 ff = *Rās et Taḥūne* (?): Jos 18, 22, הַר צ׳ 2 C 13, 4. †

צַמֶּרֶת: *צמר; صُمْرٌ das Oberste *the topmost*: sf. צַמַּרְתּוֹ: **Wipfel** (d. Baums) *t r e e - t o p* Hs 17, 3. 22 31, 3. 10. 14. †

צמת: ug. *ṣmt* (//*mḫṣ*); mhb., ja. zusammenpressen *press together*, sy. pa. zum Schweigen bringen *silence*, מַצְמַתָּא Kerker *jail*; ܨܡܬ sprachlos sein *be speechless*:

qal: pf. צְמָתוּ: **zum Schweigen bringen** *s i l e n c e* Th 3, 53; †

nif: pf. נִצְמְתוּ, נִצְמַתִּי: zum Schweigen gebracht werden *be silenced* Hi 6, 17 23, 17 (Torcz. l נִצְמַתִּי cf. نَظَّمَ Vorkehrungen treffen *arrange*); †

pil: pf. sf. צִמְּתוּתְנִי, l pi. צִמְּתוּנִי: zum Schweigen bringen *silence* Ps 88, 17; †

hif: pf. הִצְמִתָה, impf. תַּצְמִית, sf. אַצְמִיתֵם, imp. sf. הַצְמִיתֵם: zum Schweigen bringen *silence* 2 S 22, 41 Ps 18, 41 54, 7 69, 5 73, 27 94, 23 101, 5. 8 143, 12. †

Der. צְמִתֻת.

צְמִתֻת: Lv 25, 23 u. צְמִיתֻת 25, 30: צמת Gulk. Abstr. 110: **Verfall des Rückkaufrechts** *forfeiture of right of repurchase* (לְ unter *with*) Hogg, AJS 42, 208 ff. †

***צֵן**: צנן: pl. צִנִּים Pr 22, 5 Hi 5, 5 u. צִנּוֹת (ak. fem. du. *ṣinnitān* Zügel *reins* (Zimm. 15)) Am 4, 2 Fleischerhaken? *butcher's hook?* †

צִן: n. l.: מִדְבַּר־צִן Nu 13, 21 20, 1 27, 14 33, 36 (הוא קָדֵשׁ) 34, 3 Dt 32, 51 Jos 15, 1; loc. צִנָה Nu 34, 4 Jos 15, 3: **Zin**: Musil, AP 2, 1, 211 f = *Arḍ-eṣ-Ṣinī* s. *W. eṣ-Ṣinī*; Woolley a. Lawrence, The wilderness of Zin, PEF 1914; Wiegand, Sinai 1920; Frank u. Alt ZDP 57, 191 ff 58, 1 ff. †

***צֹנֶא**: pro צֹנַאֲכֶם Nu 32, 24 l צֹאנְכֶם.

צֹנֶה: צֹאן > *צֹן u. — *aj* = *צֹנַי > צֹנֶה: **Kleinvieh** *small cattle* Ps 8, 8. †

I *צִנָּה: I *צנן; mhb. ja., cp. kalt sein *be cold*, ja. צִינְתָא Kälte *cold*: cs. צִנַּת: **Kälte** *coolness* Pr 25, 13 Si 43, 20. †

II צִנָּה: II *צנן; صَانَ umhegen, *preserve*, *keep*: pl. צִנּוֹת: (grosser) **Setzschild** (*large*) *shield* (BRL 456) 1 S 17, 7. 41 1 K 10, 16 u. 2 C 9, 15 (aus Gold, Zierrat *of gold*, *ornament*) Ir 46, 3 Hs 39, 9 Ps 35, 2 Hs 23, 24 (וּמָגֵן) 38, 4 26, 8 Ps 5, 13 91, 4 1 C 12, 9. 35 12, 25 2 C 14, 7 11, 12 Si 37, 5, cj צִנָּתָם (pro עֲוֹנֹתָם) Hs 32, 27. †

צִנּוֹת: Am 4, 2: *F* *צֵן.

***צָנוּעַ**: צנע: pl. צְנוּעִים: **demütig** *modest*, *humble* Pr 11, 2 Si 34, 22 42, 8. †

צָנוֹף: Js 62, 3: *F* צָנִיף.

צִנּוֹר: *צנר; mhb. צִנּוֹר u. ja. צִנּוֹרָא 1. **Rohr** *pipe* 2. **Haken** *hook*: pl. sf. צִנּוֹרֶיךָ: **Wasserstrahl**? (*water-)spout?* καταρράκται (ZAW 28, 147 Vincent, Jérus. antique 146 ff; RB 1924, 357 ff; Albr. JPO 2, 286 ff) Ps 42, 8; **Dreizack**? *trident?* (ZAW 51, 308) **Wassertunnel**? (*water-*) *tunnel?* (Simons, Jerusalem 1952, 168 ff): 2 S 5, 8. †

צנח: صَحَنَ schlagen *pat*:

qal: impf. וַתִּצְנַח: 1. **in die Hände klatschen** (um Aufmerksamkeit zu erregen) *clap one's hands* (*to attract attention*) Jos 15, 18 Jd 1, 14; 2. c. בְּ: **schlagen** *beat* Jd 4, 21. †

צְנִינִים: I *צנן: **Stacheln** *pricks* Nu 33, 55 Jos 23, 13. †

צָנִיף: צנף: cs. צְנִיף: **Kopfbund** *turban* Hi 29, 14, v. *of* כֹּהֵן Sa 3, 5, v. *of* מֶלֶךְ Js 62, 3 Q (צנוף K) Si 11, 5 40, 4 47, 6. †

***צְנִיפָה**: fem. v. צָנִיף: pl. צְנִיפוֹת: **Kopfbund** (Frauen) *turban* (*women's*) Js 3, 23. †

***צנם**: *F* צָנֻם.

***צָנֻם**: *צנם; mhb. צָנַם hart *hard*, צָנַם u. ja., sy. צַנְמָא harter Stein *hard stone*; Ruž. KD 98 f. 102 صَنَمَ kräftig sein *be strong*: pl. fem. צְנֻמוֹת: hart, **unfruchtbar** (Ähren) *hard*, *barren* (*ears*) Gn 41, 23. †

I *צנן: I צִנָּה, צְנִינִים.

II *צנן: II צִנָּה.

צנע: mhb. צְנִיעוּת Bescheidenheit *modesty*, ja. צְנִיעָא demütig *humble*: W. Thomas JJS 1, 182 ff: a) zurückhalten *hold back* (aram.), b) stärken *strengthen* (asa.); ܨܢܥܬܐ List *cunning*; ja. צנע heimlich tun *act secretly*; nab. machen *make*; صَنَعَ zurüsten *prepare*:

hif: inf. הַצְנֵעַ **behutsam, sorgfältig wandeln** *act cautiously*, *carefully* Mi 6, 8 (rein sein *be pure* Eissfeldt, Molok 49[2]); inf. Si 16, 25 35, 3 (Smend: sorgfältig abmessen *measure carefully*). †

Der. *צָנוּעַ.

צנף: ak. *paṣānu* sich verschleiern *throw a veil over* (Driver-Miles, Ass. Laws 480); ja. צַנְפָא, cp. צנפתא, ܡܨܢܦܬܐ; صِنْفٌ Saum, Zipfel *hem*, *flap*:

qal: impf. יִצְנֹף, sf. יִצְנָפְךָ, inf. צָנוֹף: **umwickeln** *wrap* Js 22, 18, **umbinden** *wind up* Lv 16, 4. †

Der. מִצְנֶפֶת, צְנֵפָה, צָנִיף, צְנִיפָה.

צְנֵפָה: צנף: **Wickel** *winding* Js 22, 18. †

צִנְצֶנֶת: צון vel צנן: صَوْنٌ, صَوْنَةٌ (صون): **Behälter** *receptacle* Ex 16, 33. †

*צנק: F צִינֹק.

*צנר: F צִנּוֹר; *צַנְתָּרוֹת.

***צַנְתָּרוֹת**: *צנר c. ת insertum? ja. צַנְתְּרָא Röhre *pipe*: cs. צַנְתְּרוֹת: **Röhren** *pipes* Sa 4, 12. †

צעד: ug. *ṣġd*; mhb. schreiten *march*; صَعِدَ besteigen *ascend*:

qal: pf. צָעֲדָה, צָעֲדוּ, צָעֲדוּ, impf. יִצְעַד, תִּצְעַד, inf. sf. צַעְדְּךָ: **schreiten** *step*, *march* Gn 49, 22 (?) 2 S 6, 13 Pr 7, 8 Si 9, 13; v. *said of* יהוה Jd 5, 4 Ha 3, 12 Ps 68, 8, cj צֹעֵד Js 63, 1; v. Göttern *said of gods* Ir 10, 5; †

hif: impf. sf. תַּצְעִדֵהוּ: **schreiten lassen** *make march* Hi 18, 14. †

Der. צַעַד, צְעָדָה, מִצְעָד, אֶצְעָדָה.

***צַעַד**: צעד: צַעַד, sf. צַעֲדוֹ, pl. צְעָדִים, cs. צַעֲדֵי, sf. צְעָדָיו, צְעָדֶיהָ: 1. sg. **Schreiten** *marching*, *pace* 2 S 22, 37 Ps 18, 37 Ir 10, 23 Pr 4, 12 16, 9 30, 29; 2. pl. **Schritte** *steps* 2 S 6, 13 Pr 5, 5 Hi 14, 16 18, 7 (l צְעָדָיו) 31, 4. 37 34, 21 Th 4, 18. †

צְעָדָה: צעד: pl. צְעָדוֹת: 1. **Schreiten** (Gottes) *marching* (*of God*) 2 S 5, 24 1 C 14, 15; 2. pl. **Schrittkettchen** (klirrende Reifen an d. Knöcheln) *step-chains* (*tickling rings at the ankles*): Js 3, 20. †

צעה: cf. äga. יצעון Ach. 168; صَغَا, صَغِيَ sich neigen *incline*:

qal: pt. צֹעֶה, צֹעָה, צֹעִים: 1. **krumm geschlossen, gefesselt** *stooping*, *put in chains* Js 51, 14; 2. **sich spreizen, sich hinlegen** (Dirne) *lie sprawling* (*prostitute*) Ir 2, 20; 3. (trans.) **neigen** (Weingefässe) *incline* (*vessels of wine*), **Küfer sein** *work as a cellar-man* Ir 48, 12; l צֹעֵד Js 63, 1; †

pi: pf. sf. צִעֵהוּ: (Wein) **umfüllen** *fill* (*wine*) *from one vessel into another* Ir 48, 12. †

***צָעוֹר**: ak. *ṣuḫāru*: sf. צְעוֹרֶיהָ, צְעוֹרֵיהֶם Ir 14, 3 48, 4: F I צָעִיר. †

צָעִיף: *צעף; ضِعْفٌ doppelt *double*, OSA. falten, doppelt legen *fold*, *double*; sy. (*עעף >) עַף verdoppeln *double*, ja. עִיפָא Schleier *veil*: sf. צְעִיפָהּ: **Umlegtuch, Hülle** *wrapper*, *shawl* Gn 24, 65 38, 14. 19. †

I **צָעִיר**: צער; ug. *ṣġr* jung *young*: fem. צְעִרָה,

צְעִירָה, sf. צְעִירוֹ, cs. pl. צְעִירֵי, sf. צעוריה (K צְעוֹרֶיהָ, Q צְעִירֶיהָ) Ir 14, 3: 1. klein, (von zweien oder mehr) kleiner, der kleinste *little, small, (of two or more) smaller, the least* Jd 6, 15 1 S 9, 21 Js 60, 22 Ir 49, 20 50, 45 Mi 5, 1 (c. לְ c. inf. zu klein, um . . . *too little to* . . .) Da 8, 9 (קֶרֶן); 2. jung, (v. zweien oder mehr) jünger, der jüngste *young, (of two or more) younger, the youngest* Gn 19, 31. 34 f. 38 25, 23 (:: רַב) 29, 26 43, 33 (:: בְּכוֹר) 48, 14 Jos 6, 26 1 K 16, 34 Hi 30, 1 32, 6; 3. gering *insignificant* Ps 119, 141 68, 28 (l צְעִיר אָדָם arm an Leuten *lacking people*); 4. pl. die Jungen, Diener *the young ones, servants* Ir 14, 3; l צְעָרָה Ir 48, 4; F צְעִירָה. †

II *צְעִיר: n. l.; loc. צְעִירָה; Σιωρ: unbekannt *unknown*: 2 K 8, 21. †

צְעִירָה: fem. v. I צָעִיר: sf. צְעִירָתוֹ: Kleinheit, Jugend *youth* Gn 43, 33; l אַחֲרֶת צְעִירָה (F I צָעִיר) Da 8, 9. †

צען: ak. *ṣānu* aufladen; F hebr. u. aram. II טען; ظعن, asa. טען; 𐩷𐩲𐩬:
qal: impf. יִצְעַן: zusammenpacken (müssen) *(have to) pack up* Js 33, 20. †

צֹעַן: n. l.; Tanis, äg. *Ḥa-wꜥrt* (P. Montet, Tanis, Douze années de fouilles dans une capitale oubliée du Delta Egyptien, 1942; Kemi 8, 29 ff): Zoan = *Ṣān el-hagar* am 2. östl. Nilarm des Deltas *at the second eastern branch of Nile in the Delta* Nu 13, 22 Js 19, 11. 13 30, 4 Hs 30, 14 Ps 78, 12. 43. †

צַעֲנַנִּים: n. l.; אֵלוֹן בְּצַ׳ Jos 19, 33 Jd 4, 11 Q; Haupt ZDM 63, 517 l בִּצְעוֹנִים; Saarisalo 123: in d. NO-Ecke v. Naphtali *in the NE-corner of Naphtali*; F Garstang Jos. 403. †

*צעף: F צָעִיף.

צַעֲצֻעִים: צוע, صَاغَ durch Schmelzen formen *fashion by melting*: pl. tant.: Guss, Gegossenes *things fashioned by melting, images* 2 C 3, 10. †

צעק: NF זעק; mhb., ja. Klage rufen *utter a plaintive cry, call to aid*; صَعَقَ lärmen *be noisy*; asa.; > äg. *ḏꜥq*:
qal: pf. צָעַק, צָעֲקָה, צָעֲקָה, impf. וַיִּצְעַק, אֶצְעַק, אֶצְעָקָה, תִּצְעָקוּ, inf. צְעֹק, cs. צְעֹק, imp. צְעָקִי, צַעֲקִי, צְעָקְנָה Ir 22, 20, pt. צֹעֶקֶת, צֹעֲקִים: c. אֶל: schreien, d. Klageruf erheben, zu Hilfe rufen *cry, utter a plaintive cry, call to aid*: (zu Gott *to God*) Gn 4, 10 Ex 8, 8 14, 10. 15 15, 25 17, 4 22, 22. 26 Nu 12, 13 20, 16 Dt 26, 7 Jos 24, 7 Jd 4, 3 10, 12 Js 19, 20 Ps 107, 6. 28 Th 2, 18 Ne 9, 27, absol. Gn 27, 34 Ex 5, 8 Dt 22, 24. 27 2 K 4, 40 6, 5 Js 33, 7 42, 2 46, 7 Js 65, 14 (vor Schmerz *suffering*) Ir 22, 20 49, 3 Ps 34, 18 77, 2 Hi 35, 12 Si 4, 6; (z. König *to the king*) Gn 41, 55 Ex 5, 15 1 K 20, 39 2 K 6, 26 8, 3. 5; (zu *to* מֹשֶׁה) Nu 11, 2, (zu *to* אֱלִישָׁע) 2 K 4, 1; c. לַיהוה (in d. Schlacht *in a battle*) 2 C 13, 14; צָעַק חָמָס über Gewalttat schreien *cry out of wrong* Hi 19, 7; l צַעֲקָתִי Ps 88, 2; †
nif: impf. וַיִּצָּעֵק, וַיִּצָּעֲקוּ: zusammengerufen, aufgeboten werden *be called together, summoned* Jd 7, 23 f 10, 17 12, 1 1 S 13, 4 (אַחֲרֵי zu, unter *to, under the command*), 2 K 3, 21; †
pi: pt. מְצַעֵק: immer wieder schreien *cry continuously* 2 K 2, 12, cj Js 33, 7 (Procksch); †
hif: impf. וַיַּצְעֵק: zusammenrufen, aufbieten *call together, summon* 1 S 10, 17. †
Der. צְעָקָה.

צְעָקָה: צעק; > äg. *ḏꜥqt*: cs. צַעֲקַת, sf. צַעֲקָתוֹ: 1. Klageschrei, Hilferuf *plaintive cry*, *call to aid* Gn 18, 21 u. 19, 13 (sf. über sie *concerning them*) Ex 3, 7. 9 22, 22 1 S 9, 16 Js 5, 7 Ps 9, 13 Hi 27, 9 34, 28; צ׳ גְדֹלָה וּמָרָה lautes, bitteres Kl. *loud a. bitter cry* Gn 27, 34; **2. wehklagendes Schreien** *lamentation* Ex 11, 6 12, 30 1 S 4, 14 Ir 25, 36 48, 3. 5 49, 21 Ze 1, 10, cj Ps 88, 2. †

צער: F NF זער u. I צָעִיר; ug. *ṣġr*; ak. *ṣaḫāru*, ja., sy. צער; ph. צער klein *small*; صغر klein sein *be small*:
qal: impf. יִצְעֲרוּ, יִצְעָרוּ, pt. צֹעֲרִים: **gering sein** *be insignificant* Ir 30, 19, **gering werden** *grow insignificant* Hi 14, 21; pt. **Hüterjunge** *keeper-boy* Sa 13, 7. †
Der. I צָעִיר, צְעִירָה, מִצְעָר; n.m. צוּעָר.

צֹעַר u. **צוֹעַר**: n.l.; loc. צֹעֲרָה Gn 19, 23, cj Ir 48, 4; Σηγωρ u. Ζογορ(α) Gn 13, 10 Ir 48, 34 u. cj 4: Jacut 2, 933 ff زُغَر; früher *formerly* בֶּלַע Gn 14, 2. 8; = EA *Zu-uḫ-ru?* S. 1245: in Moab (AP 1, 70. 74 f am SO-Ufer d. Toten Meers *at the SE-shore of the Dead Sea*): Gn 13, 10 14, 2. 8 19, 22 (benannt nach *named after* מִצְעָר v. 20). 23. 30 Dt 34, 3 Js 15, 5 Ir 48, 34 (Naville PSB 1912, 308 ff: in Gn 13, 10 = *Ġār* im östl. Delta *in the eastern Delta*); über d. Pentapolis v. *on the five towns of* Gn 14, 2 RB 40, 388 ff, Glueck AAS XV, 7 f., Alt, Palaestina Tertia, 1921, 4 ff. †

צפד: mhb.; ضفد festbinden *bind fast*:
qal: pf. צָפַד: **sich zusammenziehen, schrumpfen** (Haut) *contract, shrivel* (*skin*) Th 4, 8. †

I צפה: mhb. spähen *spy, keep watch*; Phil. Bybl. Ζωφη σαμιμ = οὐρανοῦ κατόπται; ja. צפא itp. ausschauen *look out*; ሰፈወ erwarten *wait for*; *neopu.* צפא Seher *seer* Lidz. 359:
qal: impf. תִּצְפֶּינָה, יִצֶף, pt. צֹפֶה, צֹפִים, sf. צֹפַיִךְ, fem. צֹפִיָּה, צֹפוֹת: **1.** c. בֵּין **Wache halten** zwischen *keep watch between* Gn 31, 49; **2. spähen, Ausschau halten** *spy, look out* (*about*) 1 S 14, 16 2 S 13, 34 18, 24—27 2 K 9, 17 f. 20 Js 52, 8 56, 10 Ir 6, 17 Hs 3, 17 33, 6 f Ho 9, 8 Ps 66, 7 (בְּ nach *for*) Pr 15, 3 31, 27 Ct 7, 5 Si 11, 12 (לְ nach *for*) 51, 3; **3.** c. לְ **auflauern** *lie in ambush for* Ps 37, 32, cj Ps 10, 8 u. 56, 7 u. Pr 1, 11 u. 18 (F צפן); l וְצָפוּן Hi 15, 22; †
pi: pf. צִפִּינוּ, impf. אֲצַפֶּה, imp. צַפֵּה, צַפִּי, pt. מְצַפֶּה: **ausschauen** *look out* 1 S 4, 13! Js 21, 6 Ir 48, 19 Mi 7, 4. 7 (בְּ nach *for*) Na 2, 2 (צַפֵּה דֶרֶךְ) Ha 2, 1 Ps 5, 4 Th 4, 17 Si 51, 7, cj Na 2, 2 (l מְצַפֶּה pro מֵפִיץ Humbert) u. Ps 42, 9 (l אֲצַפֶּה בְּ pro יְצַוֶּה). †
Der. I, II n.l. מִצְפָּה, n.l. מִצְפֶּה, צָפוֹן I, II n. l., I צְפוֹנִי, צְפִיָּה.

II צפה: mhb. pi. überziehen *lay over*; ja. צִפָּא Überzug (*the*) *lay over*; صفّ an e. bestimmten Platz stellen *put at the right place*:
qal: inf. צָפֹה: **ordnen** (Tischreihen) *arrange* (*the order of the tables*) Js 21, 5; †
pi: pf. צִפָּה, צִפִּית, impf. וַיְצַף, תְּצַפֶּה, sf. וַיְצַפֵּם, תְּצַפֶּנּוּ, וַיְצַפֵּהוּ: (etw.) **überziehen, belegen** *overlay, plate* Ex 25, 11 38, 28 2 K 18, 16, c. זָהָב mit Gold *with gold* Ex 25, 11. 13. 24. 28 26, 29. 37 30, 3. 5 36, 34. 36. 38 37, 2. 4. 11. 15. 26. 28 1 K 6, 20—22. 28. 30. 32. 35 10, 18 2 C 3, 4. 10 9, 17, c. נְחֹשֶׁת Ex 27, 2. 6 38, 2. 6 2 C 4, 9, c. עֵץ 1 K 6, 15, c. בְּרוֹשִׁים 1 K 6, 15, c. אֶבֶן יְקָרָה 2 C 3, 6; l וַיַּעַשׂ pro וַיְצַף 1 K 6, 20; †
pu: pt. מְצֻפֶּה, מְצֻפִּים: **überzogen** *overlaid* (זָהָב mit Gold *with gold*) Ex 26, 32: glasiert *glazed* Pr 26, 23 (F סִיג). †
Der. צִפּוּי, צָפִית, צֶפֶת.

***צפה**: sf. צֻפָתָהּ: צוף? Ausfluss? *dischargea*

matter? l צֹאָתְךָ Eiter? (*purulent*) *matter?* Hs 32, 6.†

צְפוֹ: (n. m.) n. p.; *Ṣupū* APN 206; אֱדֹמִי Gn 36, 11. 15; = צְפִי 1 C 1, 36.†

צִפּוּי: II צפה pi: (Metall-) **Überzug** (*metal*) *plating* Ex 38, 17. 19 Nu 17, 3 f Js 30, 22.†

I צָפוֹן (152 ×): mhb., ja. צְפוּנָא; ug. *ṣpn*; ph. in n. m. בעלצפן, אדנצפן etc.; I צפה Ausschau, Richtung *look-out, direction* BL 499: c. art. הַצָּפוֹן u. הַצָּפוֹנָה Ir 25, 26 u. in Hs u. Da; cs. צְפוֹן, loc. צָפוֹנָה (oft für *frequently instead of* צָפוֹן), צָפוֹנָה Jd 21, 19; **1. Norden** *north* (Eissfeldt, Baal Zaphon, 1932, 17 f: *Mons Casius* = *Ǧebel el-ʿAqra* bei *near* Ugarit heisst *is named* צָפוֹן = Ausschau *look-out*; deshalb *thus* צָפוֹן = Norden *north* wie *like* נֶגֶב = Süden *south* u. יָם = Westen *west*): פְּאַת צָפוֹן Nordseite *north side* Ex 26, 20, צֶלַע צ׳ 26, 35, גְּבוּל צ׳ Nu 34, 7, אֶרֶץ צ׳ Ir 3, 18, עַם צ׳ 46, 24, פֶּתַח הַצ׳ Hs 40, 20, שַׁעַר הַצ׳ 40, 35, דֶּרֶךְ הַצ׳ 42, 2, רוּחַ הַצ׳ 42, 17 u. רוּחַ צ׳ Pr 25, 23, מֶלֶךְ הַצ׳ Da 11, 6, etc.; auch *also* פְּאַת צָפוֹנָה Jos 18, 12, אֶרֶץ צָפוֹנָה Ir 23, 8, שַׁעַר צָפוֹנָה Hs 46, 9, etc.; **2.** neben andern Himmelsrichtungen *along with other quarters of the globe*: Gn 13, 14 28, 14, Dt 3, 27, 1 K 7, 25, Js 43, 6 (personifiziert *personification*), Hs 21, 3, Am 8, 12, Ps 107, 3, Ko 1, 6; **3. nach Norden** *towards north*: צָפוֹנָה Ex 40, 22 Ir 3, 12, לַצָּפוֹן Hs 42, 1, אֶל־הַצָּפוֹנָה Hs 8, 14, אֶל־הַצָּפוֹן 40, 23; **von Norden** *out of the north* מִצָּפוֹן Js 14, 31, מִן־הַצָּפוֹן Hs 1, 4; **im Norden** *on the north* Jos 16, 6, מִצָּפוֹנָה 15, 10; nördlich von *on the north of* cj 2 C 14, 9, מִצָּפוֹן לְ Jos 8, 11, מִצְּפוֹנָה לְ Jd 21, 19; **4.** aus d. Norden kommt *out of the north comes*: בַּרְזֶל Ir 15, 12, עָשָׁן Js 14, 31, הָרָעָה Ir 1, 14, קָרֵץ 46, 20, מַיִם 47, 2, הַשֹּׁדֵד 51, 48, רוּחַ סְעָרָה Hs 1, 4, זָהָב (MT זֹהַר) Hi 37, 22, אַשּׁוּר Ze 2, 13, גּוֹי Ir 50, 3, מִשְׁפְּחוֹת 25, 9, מַמְלְכוֹת 1, 15, מֶלֶךְ בָּבֶל Hs 26, 7, כּוֹרֶשׁ Js 41, 25; **5.** צָפוֹן Nordwind *north-wind* Ct 4, 16; **6.** יַרְכְּתֵי צָפוֹן Js 14, 13 Ps 48, 3: Eissfeldt (*F* oben *above*) 14 f = auf d. Spitze d. Zaphon *on the top of Mount Zaphon* (= Mons Casius), nicht auch *not also* Hs 38, 6. 15 39, 2; ebenso צָפוֹן = Berg Zaphon *Mount Zaphon* Ps 89, 13 Hi 26, 7 Hs 32, 30 Eissfeldt 11 ff; Lauha, Zaphon, d. Norden u. die Nordvölker im AT, 1943; *F* II צָפוֹן; I צְפוֹנִי.

II צָפוֹן: n. l.; = I: loc. צָפוֹנָה; EA 274, 15 *Ṣapuna*; ph. n. m. גרצפן: Glueck BAS 90, 20 f, Filson 91, 27 f, Glueck 92, 26 f: = *T. el Qōs* n. *W. Rāǧeb* Jos 13, 27 Jd 12, 1.†

צְפוֹן Nu 26, 15: *F* צִפְיוֹן.

I צְפוֹנִי: I צָפוֹן: nördlich *northern* (*F* I צָפוֹן 4: d. Norden Ausgangspunkt d. Heimsuchungen *north* = *starting-point of trials*); aber *but* l צִפְצְפוֹנִי Zirper *chirper* (Sellin[2]) Jl 2, 20.†

II צְפוֹנִי: gntl. v. צְפוֹן: l צִפְיוֹנִי: Nu 26, 15.†

צְפוּעַ: Hs 4, 15 K: *F* צְפִיעַ.†

I צִפּוֹר u. **צִפֹּר**: II צפר: ug. *ʿṣr* (Baumgartner ThZ 5, 315 f), ak. *iṣṣuru*, *F* ba. צְפַר, צפרא, عصفور: pl. צִפֳּרִים, fem.: **1.** coll. **Vögel**; was Flügel hat *birds, winged animals* Gn 7, 14 Dt 4, 17 Hs 17, 23 39, 17 Ps 148, 10 Gn 15, 10 Lv 14, 6 f. 50—53 Ko 12, 4, צִפּוֹר שָׁמַיִם Ps 8, 9; קַן־צִפּוֹר Dt 22, 6, עֵיט צִפּוֹר Hs 39, 4, schreckhaft *timid, frightened* Ho 11, 11, gefangen *caught* Am 3, 5, flatternd *fluttering* Pr 27, 8; **2.** sg. einzelner **Vogel** (*individual*) *bird* Lv 14, 4—6. 49 Dt 14, 11 Ps 11, 1 84, 4 102, 8 (masc!) 124, 7 Pr 6, 5 7, 23 26, 2 Th 3, 52, pl. Js 31, 5 Ps 104, 17 Ko 9, 12 (gefangen *caught*) Ne 5, 18 (Speise *food*); **3.** Hi 40, 29 vielleicht der Krokodilvogel *possibly Egyptian Plover Pluvianus Aegyptius*, der aus d. Maul des Krokodils Insekten pickt *extracting lice a. other vermin out of the mouth of the crocodile* (Aharoni, Osiris 5, 472, Nicoll 527 f); F II צִפּוֹר, צִפֹּרָה.†

II **צִפּוֹר** u. **צִפֹּר**: n. m.; = I; Nöld. BS 85: V. v. בָּלָק Nu 22, 2. 4. 16 Jos 24, 9 Jd 11, 25, Nu 22, 10 23, 18.†

***צפח**: צַפַּחַת, צַפִּיחִת, n. m. צוֹפַח.

צַפַּחַת: *צפח; äga. צפחא Eph. 3, 23; صَفَحَ II breit schlagen *make broad*, ሰፍሐ ausdehnen *extend*; ܨܦܝܚܬܐ Plattierung *plating*: bauchiges Gefäss für Wasser u. Öl *bulged vessel for water a. oil*, **Feldflasche** *jar, jug* 1 S 26, 11 f. 16 1 K 17, 12. 14. 16 19, 6.†

צְפִי: F צָפוֹ.†

***צְפִיָּה**: I צפה: sf. צְפִיָּתֵנוּ: **Warte** *outlook* Th 4, 17.†

צִפְיוֹן: n. m.; I צפה (?): Gn 46, 16, cj Nu 26, 15.†

cj **צִפְיוֹנִי**: gntl. v. צִפְיוֹן: cj Nu 26, 15.†

צַפִּיחִת: *צפח: **flaches Gebäck** *flat cake* Ex 16, 31.†

***צָפִין**: sf. צְפִינְךָ Ps 17, 14 K: F צפן.†

***צָפִיעַ**: II *צפע; صَفَعَ d. Darm entleeren *ease nature*, ፀፍዐ Ausscheidung *excrement*: pl. cs. צְפִיעֵי: **Mist** *dung* Hs 4, 15 Q.†

***צְפִיעָה**: III *צפע: pl. צְפִעוֹת Js 22, 24: mehri *sġāf, sġafōt* Baum-, Blumenblatt *leaf, petal*; beduinisch (J. J. Hess) *säᶜaf* Blattfieder *pinna*: **Blatt** *leaf*.†

צָפִיר: IV צפר: F ba. צְפִיר: cs. צְפִיר, pl. cs. צְפִירֵי: Ziegenbock *he-goat* Da 8, 5. 8. 21 Esr 8, 35 2 C 29, 21.†

צְפִירָה u. **צְפִרָה**: V *צפר: cs. צְפִירַת: Gewinde, Kranz *chaplet* Js 28, 5; ungedeutet *unexplained* Hs 7, 7. 10.†

צָפִית: II צפה: **Sitzreihe** *order of seats* Js 21, 5.†

צפן: mhb., äga. הצפן verbergen *hide*; Ruž. KD 97 = ضَنَّ verbergen *hide* (?); F טמן:

qal: pf. צָפַן, צָפַנְתִּי, impf. תִּצְפֹּן, נִצְפְּנָה, sf. וַתִּצְפְּנוֹ, יִצְפְּנֵנִי, pt. sf. צֹפְנֶיהָ, pass. צָפוּן, צְפוּנָה, sf. צְפוּנֶיךָ, צְפוּנַי; 1 וְצָפַן Pr 2, 7, 1 צְפוּנֶךָ Ps 17, 14: 1. **verbergen** *hide* Ex 2, 2 Jos 2, 4 (1 וַתִּצְפְּנֵם) Hi 10, 13; 2. **bergen** *shelter* Ps 27, 5 31, 21 83, 4 Pr 27, 16 ?; 3. **aufbewahren** *treasure up* Ho 13, 12 Ps 17, 14 31, 20 (לְ für *for*) Hi 21, 19 Pr 10, 14 13, 22 Ct 7, 14 Pr 2, 7, (Gottes Wort *the word of God*) Ps 119, 11 Pr 2, 1 7, 1 (אֵת bei *with*) Hi 23, 12, cj וְצָפוּן Hi 15, 22 (אֶל für *for*); 4. c. מִן: **fernhalten von** *keep out of the way from* Hi 17, 4; 5. צְפוּנִי mein (Jahwäs) Verborgenes = **Kleinod** *my (of* י׳*) hidden things* = *treasure* Hs 7, 22; 1 יִצְפֹּנוּ Ps 10, 8 u. 56, 7; 1 לוֹ pro לִצְפוּנָיו Hi 20, 26; 1 נִצְפָּה Pr 1, 11, 1 יִצְפּוּ 1, 18;†

nif: pf. נִצְפַּן, נִצְפְּנוּ: 1. **verborgen sein** *be hidden* Ir 16, 17 Hi 24, 1; 2. **aufbewahrt sein** *be treasured* Hi 15, 20;†

hif: impf. sf. תַּצְפִּנֵנִי, inf. sf. הַצְפִּינוֹ (BL 212. 346) < הַצְפִּינוֹ; הַצְפִּינוֹ = יִצְפּוֹנוּ Q u. יַצְפִּינוּ K Ps 56, 7 1 יִצְפּוֹנוּ: **verborgen halten** *hide* Ex 2, 3 Hi 14, 13 Si 4, 23 41, 15.†

Der. מַצְפּוּנִים, אֱלִיצָפָן, אֶלְצָפָן, צְפַנְיָה(וּ).

צְפַנְיָה: n. m.; < צְפַנְיָהוּ: 1. נָבִיא Ze 1, 1; 2. כֹּהֵן Ir 21, 1 29, 25. 29 52, 24, = צְפַנְיָהוּ;

3. Sa 6, 10. 14; 4. 1 C 6, 21 (= אוּרִיאֵל 6, 9 15, 5. 11 ?). †

צְפַנְיָהוּ: n. m.; > צְפַנְיָה; צפן u. יְ ; צפניהו, צפניה u. צפן Dir. 353; Moscati 44. 72. 81; צפנבעל Eph. 2, 172; *Ṣapanu* APN 205: כֹּהֵן מִשְׁנֶה 2 K 25, 18 Ir 37, 3; = צְפַנְיָה 2. †

צָפְנַת פַּעְנֵחַ: n. m.; äg. *Ḏ(a)-p3-nt(r)-ˀwf-ˁnḫ* = Der Gott (N. N.) spricht u. er (der Neugeborene) lebt *the god* (*N. N.*) *speaks a. he* (*the newborn*) *lives*, Spiegelberg Z Äg 42, 84: äg. Name für *Egypt. name of* יוֹסֵף Gn 41, 45. †

***צפע**: I F צֶפַע, צִפְעֹנִי; II F צִפְעִי; III F צְפִיעָה.

צֶפַע: I *צפע: e. giftige **Schlange, Viper** *a poisonous s e r p e n t*, *viper Vipera xanthina* (Bodenheimer 187 ff): Js 14, 29; F צִפְעֹנִי. †

***צְפִיעָה**: F *צפיעה.

צִפְעֹנִי: = צֶפַע: pl. צִפְעֹנִים: e. giftige **Schlange, Viper** *a poisonous s e r p e n t*, *v i p e r* Js 11, 8 59, 5 Ir 8, 17 Pr 23, 32. †

צפף: mhb.; ja. צַפְצֵף; صَفْصَفَ zwitschern *chirp*, cf. πιππίζω (alle *all* onomatop., Montgomery JQR 1935, 266):
pilp: impf. אֲצַפְצֵף, תְּצַפְצֵף, pt. מְצַפְצֵף, pl. מְצַפְצְפִים: zwitschern, (beschwörend) flüstern, raunen *chirp*, *whisper* (*sorcerer*) Js 8, 19 10, 14 29, 4 38, 14. †
Der. צַפְצָפָה; *צַפְצְפוֹנִי F צְפוֹנִי.

צַפְצָפָה: צפף; صَفْصَافَة: **Weide** *w i l l o w Salix* Safsaf Forskål (Löw 3, 325 ff): Hs 17, 5. †

***צַפְצְפוֹנִי**: F צְפוֹנִי.

I צפר: וַיִּצְפֹּר מֵהַר Jd 7, 3: l וַיִּצְרְפֵם. †

II *צפר: ak. *ṣapāru*, صَفَرَ piepen, zwitschern *peep*, *twitter*: Der. צִפּוֹר I, II n. m., n. f. צִפֹּרָה; n. m. צוֹפַר.

III *צפר: צִפֹּרֶן; **IV *צפר**: צָפִיר; **V *צפר**: צְפִירָה.

צְפַרְדֵּעַ: ja. עוּרְדְּעָנָיא, ja., sy. אוּרְדְּעָא; ضِفْدِع ak. *musaˀrānu* (Landsb. 140 f): pl. צְפַרְדְּעִים: coll. **Frösche** *f r o g s* Ex 8, 2 Ps 78, 45, pl. Ex 7, 27—8, 9 Ps 105, 30. †

צִפֹּרָה: n. fem.; fem. v. צִפּוֹר: Frau des *wife of* מֹשֶׁה: Ex 2, 21 4, 25 18, 2. †

צִפֹּרֶן: III *צפר; mhb.; ak. *ṣupru*, *ṣuppāru*; F ba. טְפַר; sy. טֶפְרָא; ظُفْر, ጽፍር: pl. sf. צִפָּרְנֶיהָ: **1. Nagel** (Finger, Zehe) *n a i l* (*finger*, *toe*) Dt 21, 12; 2. צִפֹּרֶן שָׁמִיר **Diamantnagel**, = -stift (z. Schreiben) *p o i n t o f d i a m o n d* (*for writing*) Ir 17, 1; cj Stamm ThZ 4, 337 in Hi 19, 24. †

צֶפֶת: II צפה: (Säulen-) **Knauf** *c a p i t a l* (*of pillar*) 2 C 3, 15. †

צְפַת: n. l.; II צפה?: *Naqb eṣ-Ṣāfa* 13 km s. *Qurnub* (ZAW 48, 289; PEF 1914 *index a. pl.* 32 :: Garstang Jos. 216) *T. el-Chuwelfe* (Alt JPO 15, 318 f) Jd 1, 17. †

צְפָתָה 2 C 14, 9: l צָפוֹנָה. †

צִצִּים: F צִיץ.

צָקוּן: F צוק.

צִקְלַג, צִקְלָג u. צִיקְלָג: n. l.: 1 S 27, 6 30, 1. 14, Davids Sitz *residence of David* 1 S 30, 26 2 S 1, 1 4, 10 1 C 12, 1. 21; zu *of* שִׁמְעוֹן Jos 19, 5 1 C 4, 30, zu *of* יהודה Jos 15, 31 Ne 11, 28. †

***צִקָּלוֹן**: sf. צִקְלֹנוֹ 2 K 4, 42: l בְּקַלַּעַת. †

I צַר: צרר: צָר, fem. צָרָה: 1. adj. eng *narrow* Nu 22, 26 Js 49, 20 Pr 23, 27, knapp *scarce* 24, 10, צַר מִן zu eng für *too narrow for* 2 K 6, 1; 2. subst. **Engigkeit, Bangigkeit** *distress, dismay* Hi 7, 11, **Not** *distress* Js 5, 30 (l וָצָר) 26, 16 30, 20 Ps 4, 2 32, 7 119, 143 Hi 15, 24 36, 19 38, 23 Est 7, 6, פִּי צָר Rachen d. Not *mouth of distress* Hi 36, 16; l צִר (= צִיר) Js 63, 9; l חוֹתם צר Hi 41, 7; צָר Js 59, 19 *F* I צור 6; l צַד 1 S 2, 32; *F* I צָרָה. †

II צַר: II צרר: צָר, sf. צָרִי, pl. (צָרִים), cs. צָרֵי, sf. צָרָיו, צָרֵיהֶם, צָרֵימוֹ Dt 32, 27: **Bedränger, Gegner, Feind** *adversary, foe* Dt 32, 41. 43 Js 1, 24 26, 11 59, 18 64, 1 Ir 46, 10 Na 1, 2 Ps 97, 3 Hi 19, 11 (l כְּצָרוֹ); *F* Gn 14, 20 Nu 24, 8 Dt 32, 27 Jos 5, 13 2 S 24, 13 (l צָרֶךָ) Js 9, 10 63, 18 Ir 30, 16 Hs 39, 23 Am 3, 11 Mi 5, 8 Sa 8, 10 Ps 3, 2 13, 5 27, 2. 12 44, 6. 8. 11 60, 13 f 74, 10 78, 42. 61. 66 81, 15 89, 24. 43. cj 44 105, 24 106, 11 107, 2 108, 13 f 112, 8 119, 139. 157 136, 24 Hi 6, 23 16, 9 Th 1, 5. 7. 10. 17 2, 4. 17 4, 12 Est 7, 6 Esr 4, 1 Ne 4, 5 9, 27 1 C 12, 18 21, 12; cj 1 S 28, 16 (יהוה) u. Js 29, 5 u. Ho 5, 11 u. Ps 72, 9; ? Hs 30, 16; dele צָרַי Ir 48, 5. †

III צַר: Js 5, 28 l כַּצֹּר. †

צֵר: n. l.; Text?: Jos 19, 35. †

צֹר: *F* צוֹר.

I צֹר: III *צרר, *F* II צוּר: ak. *ṣurru* Feuerstein *flint*, *ṣurtu* Steinmesser *flint knive*; ظَرَّ schneiden *cut*, ظُرَرٌ harter, kantiger Stein *sharp-edged hard stone* in Ägypten zur Beschneidung gebraucht *used in Egypt for circumcision*; ܛܘܼܪܐ Fels *rock*: pl. צֻרִים: **Kiesel, Feldspat** *pebble, flint* Hs 3, 9, cj Js 5, 28 (l כַּצֹּר) u. Hi 41, 7; 2. **Steinmesser** *flint knive* Ex 4, 25 Jos 5, 2 f; *F* n. l. II צֹר u. II צְרוֹר. †

II צֹר u. (5×) **צוֹר**: n. l.; = I, deshalb *therefore* Τυρος (ظ) :: Σιδων צידון (ص) Albr. JPO 12, 186; ug. *Ṣr-m*, ak. *Ṣurru*, äg. *Ḏw3wj* (Tyrer *Tyrian*) BAS 83, 34; ph. צר: Friedrich Phön. Gr. § 11: **Tyrus** *Tyre*, die bekannte phön. Inselstadt *the famous phoen. insular town*: חִירָם מֶלֶךְ־צֹר 2 S 5, 11 1 K 5, 15 9, 11 1 C 14, 1 2 C 2, 2. 10, חִירָם מִצֹּר 1 K 7, 13 9, 12, מִבְצַר צֹר Jos 19, 29 2 S 24, 7; nicht in *not in* Gn 10; *F* Js 23, 1—17 Ir 25, 22 27, 3 47, 4 Hs 26, 2—29, 18 (13×) Jl 4, 4 Am 1, 9 f Sa 9, 2 f Ps 45, 13 83, 8 87, 4; l מָצוֹר Hs 27, 8, l לְצִיד Ho 9, 13; cj לְמִנִּי צוֹר Mi 7, 12; *F* צֹרִי. †

צרב: ak. *ṣarāpu* trans. brennen *burn*:
nif: pf. נִצְרְבוּ: **versengt werden** *be scorched* Hs 21, 3. †
Der. *צָרָב, צָרֶבֶת.

***צָרָב**: (< *ṣarrāb*): צרב: fem. צָרֶבֶת: **sengend** *scorching* Pr 16, 27, cj Ir 20, 9 (pro עָצֻר). †

צָרֶבֶת (< *ṣarräbät*): צרב: **Versengung, Narbe** *scar (scorching)* Lv 13, 23. 28. †

***צרד**: צְרֵדָה.

צְרֵדָה: *צרד: n. l., loc. הַצְּרֵדָתָה: **Heimat** v. *home of* יָרָבְעָם 1 K 11, 26; **Giesserei** des *foundry of* שְׁלֹמֹה 2 C 4, 17; cj Jd 7, 22; Albr. BAS 49, 23 ff: = *Dēr Ġassānē*; = צָרְתָן Garstang, Jos. 403; Glueck HUC 23, 114. †

I צָרָה (69 × u. Si 3, 15): subst. v. fem. I צַר: cs. צָרַת, sf. צָרָתוֹ, צָרַתְכֶם, pl. צָרוֹת, sf. צָרוֹתָם, צָרוֹתֵיכֶם; c. -ā צָרָתָה (BL 528) Ps 120, 1: **Not** *distress* Gn 35, 3, צָרַת נַפְשׁוֹ 42, 21, pl. Ps 31, 8, רָעוֹת וְצָרוֹת Dt 31, 17. 21, צָרָה וַחֲשֵׁכָה Js 8, 22, צָרָה וְצוּקָה Js 30, 6 Pr 1, 27,

וּמְצוּקָה Ze 1, 15, צָרָה וַחֲבָלִים Ir 49, 24 (F 6, 24 50, 43), etc.; l מִצְרַיִם Sa 10, 11, l צְוָה Ps 78, 49; l צְוָחָה Ir 4, 31.

II **צָרָה**: fem. v. II צַר: ak. *ṣirritu*; ضَرَّة (Schwally, Beiträge z. Kenntnis d. modernen Äg. 1912, 17): sf. צָרָתָהּ: **Mitfrau, Nebenfrau** = Frau e. Mannes, der noch e. andre Frau hat, in ihrer Beziehung zu dieser andern Frau *rival-wife, other wife = wife of a man who has another wife (as regarding this other wife)* 1 S 1, 6 Si 37, 11.†

***צָרָה**: NF v. טִירָה; صِرَة: **Pferch** (aus Steinen) (*stone-builded*) *pen* (AS 6, 283): cj Mi 2, 12 (l בַּצָּרָה).†

צְרוּיָה u. **צְרֻיָה**: n. f.; צֳרִי: die Mastix-duftende *with mastix perfumed*: Schwester v. *sister of* דָּוִד 1 C 2, 16, Mutter v. *mother of* יוֹאָב, אֲבִישַׁי u. עֲשָׂהאֵל 2 S 2, 18; F 1 S 26, 6 2 S 2, 13 3, 39 8, 16 14, 1 16, 9 f 17, 25 18, 2 19, 22 f 21, 17 23, 18. 37 1 K 1, 7 2, 5. 22 1 C 11, 6. 39 18, 12. 15 26, 28 27, 24.†

צְרוּעָה: n. fem.; צרע; Hautkranke *skin-diseased*: Mutter v. *mother of* יָרָבְעָם 1 K 11, 26.†

I **צְרוֹר**: I צרר: صُرَّة, صِرَار Geldbeutel *money-bag*: pl. צְרֹרוֹת: **Säckchen, Beutel** *pouch, bag*: für Geld *for money* Gn 42, 35 Pr 7, 20, מֹר Ct 1, 13, durchlöchert *with holes* Hg 1, 6, versiegelt *sealed* Hi 14, 17; צְרוֹר הַחַיִּים 1 S 25, 29 Frazer, Folklore in the OT II, 503 ff (F ZAW 43, 119 ff u. Komm.).†

II **צְרוֹר**: I צֹר?: nach Zusammenhang *considering context* = **Steinchen** *pebbles* 2 S 17, 13 Am 9, 9.†

III **צְרוֹר**: n. m.; = I vel II?; Noth S. 225: 1 S 9, 1.†

צרח: ak. *ṣarāḫu*; mhb., ja., sy.; صَرَخَ, ጸርኀ; asa. צרח Geschrei *shouting*:

qal: pt. צֹרֵחַ: **schreien, gellend rufen** *cry, shout* Ze 1, 14;†

hif: impf. יַצְרִיחַ: **d. Kriegsruf erheben** *utter the war-cry* Js 42, 13.†

Der. *צָרַח.

II***צרח**: צְרִיחַ.

cj **צָרַח**: I צרח: **Kriegsgeschrei** *war-cry* cj Hs 21, 27 (pro רֶצַח) u. Ir 4, 31 (pro צָרָה).†

צֹרִי: gntl. v. צֹר; ph. צרי Lidz. 359, Sy. 6, 270: pl. צֹרִים: **Tyrer** *Tyrian*, sg. 1 K 7, 14 2 C 2, 13, pl. Esr 3, 7 Ne 13, 16 1 C 22, 4.†

צְרִי: (BL 460. 577) u. וּצְרִי Gn 37, 25: *צרה, صَرَا bluten *bleed*: צֹרִי: EA 48, 8 *zu-ur-wa*; mhb.; ጽሩእ; صَرْو, asa. צרו; Plin. 12, 98 *tarum*, ZAW 58, 232 ff: **Mastix** *mastic*, Harz v. *resin of Pistacia mutica*: Gn 37, 25 43, 11 Ir 8, 22 46, 11 51, 8 Hs 27, 17.†

Der. n. m. צְרִי, n. fem. צְרוּיָה.

צְרִי: n. m.; = יִצְרִי: 1 C 25, 3, cj 25, 11.†

צְרֻיָה: F צְרוּיָה.

צְרִיחַ: ضَرِيح Graben, Aushöhlung, *dig, hollow*, nab. צריחא Kammer (in Grabanlage) *chamber* (*in sepulchral vault*): pl. צְרִיחִים: **Keller, Gewölbe** *cellar, vault* (alii = صَرْح Turm *tower*): Jd 9, 46. 49 1 S 13, 6.†

***צֹרֶךְ**: צָרְכְּ.

***צֹרֶךְ**: *צרך; mhb., ja., sy. bedürfen *be needy*; cp. צורך χρεία; صَرِكَ arm sein *be poor*: sf. צָרְכְּךָ: **Bedarf** *need* 2 C 2, 15 (so oft *thus frequently* Si צורך; u. צריך bedürfend *needy*).†

I **צרע**: mhb. nitp. hautkrank werden *grow*

skin-diseased (kaum: aussätzig werden *rather not*: *grow leprous*); ጸርዐት Hautkrankheit *skin-disease*; ak. *ṣinnītu* Ausschlag *breaking-out* (*of the skin*); صرع, asa. צרע zu Boden schlagen *throw down*; Holma, Kl. Beitr. 17 ff: qal: pt. pass. צָרוּעַ: geschlagen, von Ausschlag, **Hautkrankheit betroffen** *struck with skin-disease* (kaum: aussätzig *rather not*: *leprous*) Lv 13, 44 f 14, 3 22, 4 Nu 5, 2; †
pu: pt. מְצֹרָע, fem. מְצֹרַעַת, מְצֹרָעַת, pl. מְצֹרָעִים: v. **Ausschlag, Hautkrankheit betroffen** *struck with skin-disease* Ex 4, 6 Lv 14, 2 Nu 12, 10 (מְרִים) 2 S 3, 29 2 K 5, 1. 11. 27 7, 3 15, 5 2 C 26, 20 f. 23. †
Der. צָרַעַת, n. fem. צרועה: צָרְעָה.

II *צרע: צִרְעָה.

צָרְעָה: n. l.; EA 273, 21: *Ṣarḫa*: *Ṣarʿā* 23 km n. Jerusalem (PJ 22, 73; Garstang, Jos. 404): zu *to* דָּן Jos 19, 41 Jd 13, 2. 25 16, 31 18, 2. 8. 11, zu *to* יְהוּדָה Jos 15, 33 Ne 11, 29 2 C 11, 10, Heimat v. *home of* מָנוֹחַ Jd 13, 2, befestigt v. *fortified by* רְחַבְעָם 2 C 11, 10; F צָרְעִי, צָרְעָתִי. †

צִרְעָה: II *צרע; ضَرَعَ niedergeschlagen sein *be abased*; ZAW 54, 291: **Niedergeschlagenheit, Entmutigung** *depression, discouragement* (cf פַּחַד Est 9, 2) Ex 23, 28 Dt 7, 20 Jos 24, 12. †

צָרְעִי: gntl. v. צָרְעָה: 1 C 2, 54. †

צָרַעַת (< *ṣarraʿat*): I צרע: צָרַעַת, sf. צָרַעְתּוֹ: Hautkrankheit (nicht Aussatz = Lepra, weil heilbar Lv 13) *skin-disease* (*not leprosy, because remediable* Lv 13), *Vitiligo* u. verwandte Krankheiten *a. related diseases*: Lv 13, 2—59 (21 ×) 14, 3. 7. 32 44. 54 f Dt 24, 8 2 K 5, 3. 6 f. 27 2 C 26, 19, an Leder *on leather* Lv 14, 55, Kleid *garment* 13, 47. 59, Mauer *wall* 14, 44. †

צָרְעָתִי: gntl. v. צָרְעָה: 1 C 2, 53 4, 2. †

I צרף: mhb., äga. כסף צריף; ja., sy.; ak. *ṣarāpu* läutern, schmelzen *refine, smelt*, *ṣarpu* geläutert (Silber) *refined* (*silver*); ph. מצרף Schmelzer *smelter*; صِرْف rein, unvermischt (Wein) *pure, unmixed* (*wine*), asa. צרף Silber *silver*; הצרף Dir. 259:
qal: pf. צָרַף, sf. צְרַפְתַּנוּ, צְרַפְתִּהוּ, צְרַפְתַּנִי, impf. אֶצְרֹף, sf. אֶצְרְפֵנוּ, inf. צְרוֹף, צְרֹף־, imp. צָרְפָה (K צורפה) Ps 26, 2, pt. צֹרֵף, צוֹרֵף, sf. צֹרְפָם, pass. צָרוּף, צְרוּפָה: 1. (Metall) **schmelzen** *smelt* (*metal*) Js 1, 25 48, 10 Jr 6, 29 9, 6; צוֹרֵף **Feinschmied** *gold-, silversmith* Jd 17, 4 Js 40, 19 41, 7 46, 6 Jr 10, 9. 14 51, 17 Ne 3, 8. 32; 2. **läutern** (durch Schmelzen) *refine* (*by smelting*) 2 S 22, 31 Sa 13, 9 Ps 12, 7 17, 3 18, 31, 26, 2 66, 10 105, 19 119, 140 Pr 30, 5 Da 11, 35 (בְּ durch *by*); 3. **sichten** *test* Jd 7, 4. cj 3 (l וַיִּצְרְפֵם גִּדְעוֹן); Pr 25, 4 l נִצְרַף כֻּלּוֹ; †
nif: impf. יִצָּרְפוּ, cj pt. נִצְרָף: **geschmolzen, geläutert werden** *be refined* Da 12, 10, cj Pr 25, 4; †
pi: pt. מְצָרֵף: **Schmelzer, Metallgiesser** *refiner* Ma 3, 2 f. †
Der. מַצְרֵף, צֹרְפִי.

II *צרף: n. l. צָרְפַת.

צֹרְפִי: I צרף; pt. u. -ī: **Gilde d. Feinschmiede** *guild of goldsmiths*, בֶּן־הַצֹּ׳ Glied d. Feinschmiedgilde *member of the guild of goldsmiths* (Van den Oudenrijn, Studia Catholica 6, 383) Ne 3, 31. †

צָרְפַת: n. l.; II *צרף, ak. *ṣarāpu* färben *dye*: keilschr. *Ṣariptu*; äg. *Ḏa-ar-pá-ta* Albr. Voc. 42; Σαρεπτα Luc 4, 26: loc. צָרְפָתָה (Var. צָרְפָתָה; tt < nt, cf. *Ṣarfand*): **Sarepta** *Zarephath*, phön. Stadt *phoen. town*, = *Ṣarfand* zwischen *between* צֹר u. צִידוֹן: 1 K 17, 9 f Ob 20. †

I צרר: mhb., ja., sy. צַר; ak. *ṣirritu* Seil, Zügel *rope, briddle*; صَرَّ zusammenschnüren *tie*:
qal I (trans.): pf. צָרַר, imp. צוֹר! inf. צְרוֹר, pt. צֹרֵר, pass. צָרוּר, צְרוּרָה, צְרֻרֹת: 1. **umhüllen, einwickeln** *wrap* Ex 12, 34 Js 8, 16 Ho 4, 19 13, 12 Pr 30, 4 Hi 26, 8; c. נֶפֶשׁ (ZAW 25, 119ff) 1 S 25, 29; 2. hineinstecken, **einsperren** *shut up* Pr 26, 8, v. Frauen, denen ehelicher Verkehr versagt ist *said of women withheld from marital intercourse* (cf. صَارُورَةٌ Lane 1672c); 2 S 20, 3†;
qal II (intrans.): pf. צַר, צָרָה, impf. יֵצֶר, יֵצַר (BL 428), וַיֵּצֶר, תֵּצְרִי, יֵצְרוּ: 1. **eng, knapp, kurz sein** *be narrow, scarce (too) short* Js 49, 19 28, 20 (Decke *cover*); 2. **behemmt sein** *be cramped, impeded* (Schritte *steps*) Pr 4, 12 Hi 18, 7 (Driver) l יֵצַר; 3. **beengt, beklemmt sein** *be in straits, distress*: וַיֵּצֶר לוֹ ihm wurde angst *he felt anxious* Gn 32, 8, er kam in Bedrängnis *he was in straits* Hi 20, 22; צַר לְ hat Not, ist in Not *is in straits, tribulation* Dt 4, 30 2 S 22, 7 Js 25, 4 Ho 5, 15 Ps 18, 7 66, 14 106, 44 107, 6. 13. 19. 28 2 C 15, 4 Jd 11, 7 1 S 13, 6 28, 15, וַתֵּצֶר לְ kam in Not *was distressed* Jd 10, 9 1 S 30, 6; 4. **bedrückt, bekümmert sein** *be distressed* 2 S 1, 26 (עַל) 13, 2; (ihm) ist bange *is in a strait* 2 S 24, 14 Ps 31, 10 69, 18 Th 1, 20 1 C 21, 13 Ps 59, 17 102, 3, cj (וַיֵּצֶר) 1 S 15, 11 u. 2 S 6, 8 u. 1 C 13, 11; l וַיָּצֶר (*F* hif) Jd 2, 15;†
pu: pt. מְצֹרָרִים: **umwickelt** *tied up (mended by tying)* Jos 9, 4;†
hif: pf. הֵצַר, הֲצֵרֹתִי, impf. יָצֵר־ (BL 438), וַיָּצַר, וַיָּצְרוּ, inf. הָצֵר, pt. fem. מְצֵרָה: 1. c. לְ: **bedrängen** *cause distress (to)* Dt 28, 52 1 K 8, 37 Jr 10, 18 Ze 1, 17 Ne 9, 27 2 C 6, 28 28, 20. 22 33, 12, cj Jd 2, 15; 2. Kindsnot haben *labour with child* Jr 48, 41 49, 22.†
Der. מֵצַר, I צַר, I צָרָה, I צְרוֹר.

II צרר: ug. *ṣr* quälen *vex*, *ṣrt* Feindschaft *hostility*; ak. *ṣēru* Feind *foe*, *ṣirritu* *F* II צָרָה; mhb. צַר u. *F* ba. עָר Feind *foe*; ja. ערר widersprechen *gainsay*; ضَرَّ, asa. צר Krieg *war*:
qal: pf. צַר, צָרֲרוּ, צְרָרֽתִי, sf. צְרָרוּנִי, impf. יָצֹר, inf. צְרֹר, cs. צְרֹר, pt. צֹרֵר, צֹרְרִים, צֹרְרֵי, sf. צֹרְרֶיךָ, צֹרְרָיו: 1. **befeinden, befehden** *show hostility toward* Ex 23, 22 Nu 10, 9 25, 17f 33, 55 Js 11, 13 Am 5, 12 Ps 6, 8 7, 5. 7 8, 3 10, 5 23, 5 31, 12 42, 11 69, 20 74, 4. 23 129, 1f 143, 12 Est 3, 10 8, 1 9, 10. 24; 2. (denom. v. II צָרָה): **Nebenfrau, Mitfrau sein** *be rival-wife* Lv 18, 18.†
Der. II צַר, II צָרָה.

III *צרר: I צֹר.

צְרֹר: *F* צְרוֹר.

צְרֵרָה Jd 7, 22: l צְרֵדָה.†

צֶרֶת: n. m.; צרת? צָרָה?: 1 C 4, 7.†

צֶרֶת הַשַּׁחַר: n. l.: *Ch. Libb* 12 km s. Madeba (Noth)?, *Ḫrejbet ez-Zāra* Musil AP 1, 240. 252f?: Jos 13, 19.†

צָרְתָן: loc. צָרְתָנָה: n. l.; Et?: T. es-Saʿīdijeh 18 km n. אֲדָמָה (Glueck BAS 90, 6 ff, HUC 23, 113f) Jos 3, 16 (l עַד מְצָד Glueck) 1 K 4, 12 7, 46.†

ק

קוֹף, ק (Driv. SW 215), später Zahlzeichen = *later on* = *number* 100; F ג; ק = κ, lat. *c* (:: ךְ = χ, *ch*); VG 1, 44; F צחק, ba. אֲרַקָא.

קֵא: קיא: sf. קֵאוֹ: **Erbrochenes** *what is vomited up* Pr 26, 11.†

קָאַת, קָאָת: mhb. קָאָת, ja. קָאתָא: cs. קְאַת: unreine Vogelart *forbidden species of bird*; liebt Trümmer u. Wüste *inhabiting ruins a. desert*; Eulenart? *species of owl?* (Aharoni, Osiris 5, 469. 471: *Athene noctua lilith*; Driver, JTS 22, 382f: *jackdaw* Dohle) Lv 11, 18 Dt 14, 17 Js 34, 11 Ze 2, 14 Ps 102, 7.†

קַב: I* קבב: mhb., ja. sy. קַבָּא; قَبّ; äg. *qbj*: **Kab, e. Hohlmass** *kab, a measure of capacity* 2 K 6, 25.†

I* **קבב**: קַב, קֻבָּה.

II **קבב**: F נקב; Littmann ZA 14, 28 cf. tigre *qb* verachten *despise*:
qal: pf. sf. קַבֹּתוֹ, impf. אֶקֹּב, אֲקוֹב, sf. יִקֳּבֵהוּ, תִּקֳּבֶנּוּ (BL 438), inf. קֹב, imp. קָבָה־ (BL 438), sf. קָבְנוֹ (BL 438): **verwünschen, verfluchen** *curse* Nu 22, 11. 17 23, 8. 11. 13 (l קָבְנוֹ?). 25. 27 24, 10 Pr 11, 26 (:: בְּרָכָה) 24, 24 (// זעם) Hi 3, 8 Si 41, 7; l וְרָקַב Hi 5, 3.†

קֵבָה: mhb.; قِبَّة, tigre *qabät*; Etym? Nöld. NB 155: **Labmagen, Fettmagen** *rennet-bag* (taschenartiger Anhang am Magen *bag-shaped appendage of stomach*): sf. קֵבָתָה: Dt 18, 3 Nu 25, 8.†

קֻבָּה: I* קבב; قَبّ gewölbt sein *be vaulted*; ܡܩܒܒܐ gekrümmt *curved*; ak. *qubbu*, *qubbatu* Gewölbe, *vault*, ܩܘܡܒܐ, mnd. קומבא, קומבתא, (> ?) قُبَّة Gewölbe *dome* (> Alkoven *alcove*): **Frauenraum** (im Zelt) *women's room*, *part* (*of tent*) Nu 25, 8.†

***קִבּוּץ**: קבץ: pl. sf. קִבּוּצַיִךְ, G θλιψις: ungedeutet *unexplained* Js 57, 13.†

קְבוּרָה: קבר: cs. קְבֻרַת, sf. קְבֻרָתוֹ: **Begräbnis** *burial* Ir 22, 19, **Grab** *grave* Gn 47, 30 Dt 34, 6 2 K 9, 28 21, 26 23, 30 Js 14, 20 Hs 32, 23f Ko 6, 3 2 C 26, 23 (Var. 16, 14); קְבֻרַת־רָחֵל Gn 35, 20 1 S 10, 2 (Dalman, JBL 48, 354ff: an d. Strasse v. *on the road of* El-Bire nach *to* Jerusalem bei *near* Haraib er-Rām).†

קבל: = aram., hebr. לקח; F ba. קבל; ak. *qabālu* u. قَبِلَ u. ቀበለ gegenübertreten *encounter*; asa. קבל:
pi: pf. קִבֵּל, קִבֵּל, Est 9, 27, קִבְּלוּ, impf. נְקַבֵּל, sf. וַיְקַבְּלֵם, imp. קַבֵּל־, קַבֵּל: **entgegennehmen, annehmen** *receive, take*: מוּסָר Pr 19, 20, טוֹב, רַע Hi 2, 10, Geschenk *gift* Est 4, 4, Anordnung, Einrichtung *order, arrangement* 9, 23. 27, Gabe *donation* Esr 8, 30 Si 41, 1, Ankömmlinge *new-comers* 1 C 12, 19 Si 15, 2; in Empfang nehmen *accept* 2 C 29, 16. 22 Si 50, 12; auf sich nehmen, wählen *take* 1 C 21, 11;†
hif: pt. fem. pl. מַקְבִּילֹת: c. אֶל: **in einander**

greifen, auf einander abgepasst sein *correspond* Ex 26, 5 36, 12; entgegentreten *set one's face against* Si 12, 5.†
Der. *קֹבֶל.

***קֹבֶל**: קבל: sf. קָבָלוֹ (BL 582): t. t.; e. Belagerungsmaschine *an attacking-engine*: Mauerbrecher? Sturmbock? *battering-ram?* Hs 26, 9; l בְּיִבְלְעָם 2 K 15, 10.†

קבע: Ma 3, 8 f 4 × = πτερνίζω; u. πτερνίζω Gn 27,36 Ho 12,4 Ir 9, 3 = עקב, so *thus* πτέρνα 9 × = עקב, u. πτερνισμός 2 K 10, 19 = עָקְבָּה u. Ps 41, 10 = עָקֵב; daher קבע pro עקב Ma 3, 8 f wohl absichtliche Metathesis *probably intented metathesis*, um Anklang an יַעֲקֹב zu vermeiden *to avoid assonance to* יַעֲקֹב:
qal: pf. קָבַע, sf. קְבַעֲנוּךָ, impf. יִקְבַּע, pt. קֹבְעִים, sf. קֹבְעֵיהֶם: **hintergehen** *deceive* Ma 3, 8 f Pr 22, 23; Driver ZAW 50, 145: قبض = קבע: rauben, wegnehmen *rob of, take from*.†

קֻבַּעַת: ug. *qb't* (// *ks* = כּוֹס): < äg. *qbḥw* Libationsgefäss *libatory vessel* (Koehler JBL 59, 36): **Becher** *cup* Js 51, 17. 22 (כּוֹס gloss).†

קבץ: (F hbr. אסף); mhb.; aram. קבע; قبض sammeln *collect*; ቀበጸ sich zusammenziehn *contract*:
qal: pf. קָבַץ, impf. יִקְבֹּץ, תִּקְבֹּץ, יִקְבָּץ־, אֶקְבְּצָה, sf. יִקְבְּצֵנוּ, וַאֲקַבְּצֵם, לְקָבְצִי (l לִקְבֹּץ Ze 3, 8), imp. קִבְצוּ, קְבֹץ, pt. קֹבֵץ, pass. קְבוּצִים:
1. **sammeln** *collect*: Speise *food* Gn 41, 35. 48, Beute *booty* Dt 13, 17, אָוֶן Ps 41, 7, „es *it*" Pr 28, 8, כֶּסֶף 2 C 24, 5; absol. Pr 13, 11 Si 14, 4; 2. קָבַץ חֵילוֹ **zusammenziehn** *concentrate* 1 K 20, 1; 3. **versammeln** *assemble* (Leute, Krieger *men, warriors*) Jd 12, 4 1 S 7, 5 28, 4 2 S 2, 30 1 K 20, 1 22, 6 2 K 6, 24 10, 18 Jl 2, 16 Ze 3, 8 Est 2, 3 Esr 7, 28 Ne 5, 16 7, 5 2 C 15, 9 18, 5 23, 2 24, 5 25, 5, c. אֶל zu, bei, um *unto, with, around* 2 S 3, 21 1 K 18, 19 f Hs 22, 19 Ha 2, 5 Esr 8, 15 2 C 32, 6, c. הַמַּחֲנֶה d. Heerlager *army* 1 S 28, 1 29, 1 2 K 6, 24; l וַיִּקָּבְצוּ 1 K 11, 24;†
nif: pf. נִקְבָּצוּ, נִקְבְּצוּ Jl 4, 11 (הִקָּבְצוּ), inf. הִקָּבֵץ, imp. הִקָּבְצוּ, pt. נִקְבָּצִים, sf. נִקְבָּצָיו: 1. **gesammelt werden** *be gathered* Js 56, 8 60, 7 Est 2, 8. 19; l תִּקָּבֵר Hs 29, 5; F קפץ nif; 2. **sich versammeln** *gather, assemble* Gn 49, 2 Jos 10, 6 (אֶל zu *unto*) 1 S 7, 6 25, 1 28, 4, cj 1 K 11, 24 (עַל gegen *against*), Js 34, 15 45, 20 48, 14 49, 18 60, 4 Ir 40, 15 Hs 39, 17 Jl 4, 11 Esr 10, 1. 7. 9 Ne 4, 14 1 C 11, 1 13, 2 2 C 13, 7 15, 10 20, 4 32, 4; c. יַחְדָּיו Js 43, 9 Ho 2, 2 Ps 102, 23;†
pi: pf. קִבַּצְתִּי, קִבֵּץ, sf. קִבֶּצְךָ, pro קִבְּצָה l קֻבָּצוּ Mi 1, 7, impf. יְקַבֵּץ, אֲקַבְּצָה, וַתְּקַבְּצוּ, sf. יְקַבֶּצְךָ, אֲקַבֶּצְךָ, inf. קַבֵּץ, sf. קַבְּצִי, imp. sf. קַבְּצֵנוּ, pt. מְקַבֵּץ, sf. מְקַבְּצָם, מְקַבְּצָיו: 1. **sammeln** *gather together*: עָמִיר Mi 4, 12, מַיִם Js 22, 9, zerstreute Schafe *dispersed sheep* Js 13, 14 40, 11 Ir 23, 3 49, 5 Mi 4, 6 Na 3, 18 Ze 3, 19, הַגּוֹלָה Dt 30, 3 f Js 11, 12 43, 5 54, 7 56, 8 66, 18 Ir 23, 3 29, 14 31, 8. 10 32, 37 Hs 11, 17 20, 34. 41 28, 25 29, 13 (Ägypter *Egyptians*) 34, 13 36, 24 37, 21 39, 27 Ho 8, 10? Mi 2, 12 Ze 3, 20 Sa 10, 8. 10 Ne 1, 9 1 C 16, 35; יהוה sammelt *gathers* נִדְחֵי יִשְׂרָאֵל Js 56, 8; וְאֵין מְקַבֵּץ Js 13, 14 Ir 49, 5 Na 3, 18 Ps 106, 47 107, 3; 3. (Leute) **versammeln** *assemble (people)* Hs 16, 37 Ho 9, 6 Jl 4, 2 Ne 13, 11; Gottes Geist versammelt Schreckgestalten *God's spirit assembles phantoms* Js 34, 16; 4. קִבֵּץ תִּירוֹשׁ (Wein) **einbringen** *garner in (wine)* Js 62, 9; 5. קִבֵּץ פָּארוּר Glut sammeln, (vor Erregung) **glühen** *gather glow, glow (by excitement)* Jl 2, 6 Na 2, 11; †
pu: pf. cj קֻבָּצוּ Mi 1, 7, pt. מְקֻבֶּצֶת: **gesammelt werden** *be gathered together* Hs 38, 8, cj Mi 1, 7;†
hitp: pf. הִתְקַבְּצוּ, impf. יִתְקַבְּצוּ, imp. הִתְקַבְּצוּ:

sich versammeln *be gathered together* Jos 9, 2 Jd 9, 47 1 S 7, 7, 8, 4 22, 2 2 S 2, 25 Js 44, 11 Ir 49, 14. †

Der. קִבְצַיִם u. קַבְצְאֵל n.l. ;*קְבֻצָה ,*קִבּוּץ.

קַבְצְאֵל: n.l.; קבץ u. אֵל ; < יְקַבְצְאֵל: Jos 15, 21 2 S 23, 20 1 C 11, 22. †

קְבֻצָה*: קבץ: cs. קְבֻצַת: (das) Sammeln (*the gathering* Hs 22, 20. †

קִבְצַיִם: n.l.; קבץ ;= יָקְמְעָם 1 C 6, 53: Levitenstadt; unbekannt *town of Levites*; *unknown* Jos 21, 22. †

קבר: Sem.:

qal: pf. קָבַר, קָבְרוּ, sf. קְבַרְתַּנִי, קְבָרוּם, impf. תִּקְבְּרֵנוּ, וָאֶקְבְּרֶהָ, תִּקְבְּרֵנִי, sf. וַיִּקְבְּרוּ, אֶקְבְּרָה, inf. קְבוֹר, קָבוֹר, sf. קָבְרוֹ, imp. קְבֹר, קִבְרוּ, sf. קִבְרוּהָ, pt. קֹבְרִים, pass. קָבוּר, קְבֻרִים: begraben *bury* Gn 23, 4 (u. 85 ×); תַּחַת־הָאֶשֶׁל 1 S 31, 13, בֵּיתוֹ 2 C 33, 20, אֶל־אֲבֹתַי Gn 49, 29, עִם־אֲבֹתָיו 2 K 12, 22 15, 7; וְאֵין קֹבֵר 2 K 9, 10 Ps 79, 3;

nif: impf. יִקָּבֵר, יִקָּבְרוּ: begraben werden *be buried* Gn 15, 15 (u. 38 ×), cj Hs 29, 5; בְּבֵיתוֹ 1 K 2, 34, עִם אֲבֹתָיו 1 K 14, 31 15, 24 22, 51 2 K 8, 24 14, 20 15, 38 16, 20 2 C 21, 1, cj Hs 29, 5, עִם מַלְכֵי יִשְׂרָאֵל 2 K 13, 13 14, 16, קְבוּרַת חֲמוֹר Gn 35, 8, תַּחַת־הָאַלּוֹן wie e. Esel begraben wird *as an ass is buried* Ir 22, 19, בְּשֵׂיבָה טוֹבָה Gn 15, 15;

pi †: impf. sf. תְּקַבְּרֵם, inf. קַבֵּר, pt. מְקַבֵּר: (mehrere zugleich) begraben *bury* (*in masses*) Nu 33, 4 1 K 11, 15 Ir 14, 16 Hs 39, 15 Ho 9, 6; 1 מְבַקְּרִים Hs 39, 14;

pu †: pf. קֻבַּר: begraben werden *be buried* Gn 25, 10.

Der. קִבְרוֹת הַתַּאֲוָה n.l. ,קְבוּרָה ,קֶבֶר.

קֶבֶר (67 × u. cj Ps 49, 12. 15): קבר: קֶבֶר, sf. קִבְרוֹ, pl. קְבָרִים, cs. קִבְרֵי, sf. קִבְרֵיהֶם, u. קְבָרוֹת, cs. קִבְרוֹת, sf. קִבְרֹתֶיהָ, קִבְרֹתֵיכֶם: Grab *grave, sepulchre* (BRL 237—56): חָצַב קֶ׳ Js 22, 16, כָּרָה קֶ׳ Gn 50, 5 2 C 16, 14, פָּתַח קֶ׳ Ir 5, 16 8, 1 Hs 37, 12 f Ps 5, 10, אֲחֻזַּת־קֶ׳ Gn 23, 4. 9. 20 49, 30 50, 13; קֶ׳ אֱלִישָׁע 2 K 13, 21; mein Gr. *my gr.* Gn 50, 5 Ir 20, 17, Familiengrab *sepulchre of a family* Jd 8, 32 16, 31 2 S 2, 32 17, 23 19, 38 21, 14, קֶ׳ אֲבֹתֶיךָ 1 K 13, 22 *F* Ne 2, 3. 5 2 C 35, 24; נֶאֱסַף אֶל־קִ׳ 2 K 22, 20 2 C 34, 28; קִבְרוֹת הַמְּלָכִים 2 C 21, 20 24, 25, קִבְרֵי מַלְכֵי יִשְׂרָאֵל 2 C 28, 27, קִבְרֵי דָוִיד Ne 3, 16, קִ׳ בְּנֵי דָוִיד 2 C 32, 33, קִ׳ בְּנֵי הָעָם 2 K 23, 6 Ir 26, 23; הַיּשֵׁב בַּקְּ׳ Js 65, 4, שֹׁכְבֵי קֶ׳ Ps 88, 6; הַיְסֻפַּר בַּקֶּ׳ חַסְדֶּךָ Ps 88, 12 (Grab = Unterwelt *sepulchre = Hades*); מִבֶּטֶן לַקֶּבֶר Hi 10, 19.

קִבְרוֹת הַתַּאֲוָה: n.l.; קֶבֶר u. תַּאֲוָה; (cf. n.l. مَقْبَرَة ZDP 37, 3): Wüstenstation *station of the wilderness*; (Palmer u.) Savignac, RB 10, 429 ff: = *Erwēs el-Eberig* (*ǧ*?): Nu 11, 34 f 33, 16 f Dt 9, 22. †

I **קדד**: ak. *qadādu* sich neigen *incline*:

qal: impf. יִקֹּד, אֶקֹּד, יִקְּדוּ: sich (huldigend) neigen, niederknien (immer Vorbereitungshandlung zu הִשְׁתַּחֲוָה) *bow down* (*paying homage*), *kneel down* (*always preceding* הִשְׁתַּחֲוָה): c. אַרְצָה Ex 34, 8, c. אַפַּיִם אַרְצָה 1 S 24, 9 28, 14 1 K 1, 31, (u. נָפַל) 2 C 20, 18; *F* Gn 24, 26. 48 43, 28 Ex 4, 31 12, 27 Nu 22, 31 1 K 1, 16 Ne 8, 6 1 C 29, 20 2 C 29, 30; c. לַיהוה Gn 24, 26. 28 Ne 8, 6 2 C 20, 18, c. לַמֶּלֶךְ 1 K 1, 16. 31, c. לַיהוה וְלַמֶּלֶךְ 1 C 29, 20. †

II ***קדד**: קָדְקֹד.

קִדָּה: wohl *apparently* FW; (Veilchenwurzel *orris-root*), *casia*, ܩܕܐ: Zimtblüte, Zimt-

nägelchen *cassia-buds*, *Flores Cassiae* (Löw 2, 113 f) Ex 30, 24 Hs 27, 19.†

קְרֻמִים: קרם: נַחַל קְדוּמִים: ungedeutet *unexplained* Jd 5, 21.†

קָדוֹשׁ u. **קָדֹשׁ** (115 ×, cj Lv 20, 7; fehlt *wanting* Gn, Am, Mi, Hg, Ma, etc.; 38 × Js): קדשׁ: cs. קְדוֹשׁ, קְדֹשׁ, sf. קְדוֹשׁוֹ, pl. קְדוֹשִׁים, קְדֹשִׁים, sf. קְדֹשָׁיו: 1. **heilig**; furchterregend; mit Vorsicht zu behandeln; dem profanen (חֹל) Gebrauch entzogen; von Sachen gesagt *holy*, *causing anxiety*; *to be treated with care; withheld from profane* (חֹל) *use*; *said of things*: מָקוֹם Ex 29, 31 Lv 6, 9. 19 f 7, 6 10, 13 16, 24 24, 9 Hs 42, 13 Ko 8, 10 (l וּמִמָּקוֹם); יוֹם Ne 8, 11, מַיִם Nu 5, 17, מַחֲנֶה Dt 23, 15, שְׁמוֹ (Gottes *of God*) Ps 111, 9; 2. **heilig** (F 1): von Personen (ohne ausdrückliche Beziehung auf die Gottheit) *holy* (F 1): *said of individuals* (*no special relation to God expressed*): אִישׁ אֱלֹהִים 2 K 4, 9, הַנִּשְׁאָר Js 4, 3, נָזִיר Nu 6, 5 (F 6, 8!), הָעֵדָה Nu 16, 3 (בְּתוֹכָם יהוה), הַקָּדוֹשׁ wer heilig ist *who is holy* Nu 16, 5, הַקָּדוֹשׁ 16, 7 (אֲשֶׁר יִבְחַר יהוה), גּוֹי Ex 19, 6; 3. c. לְ: **heilig**, ausgesondert, geweiht für *holy*, *separated*, *ordained for*: a) Priester dem Volk *priest for the people* Lv 21, 8; b) שַׁבָּת Js 58, 13; Priester ihrem Gott *priests for their God* Lv 21, 6 f, Israel für Gott *Israel for God* Nu 15, 40; für *for* יהוה: נָזִיר Nu 6, 8, d. Volk *the people* Dt 7, 6 14, 2. 21 26, 19 28, 9, Israel 2 C 35, 3, ein Tag *a day* Ne 8, 9 f; אַהֲרֹן ist *is* קְדוֹשׁ יהוה Ps 106, 16; 4. aus 3. folgt *from 3. follows*: Menschen heissen **heilig** *individuals are called holy*: קְדוֹשִׁים (יִשְׂרָאֵל) Lv 11, 44 f 19, 2 20, 7. 26 (לִי), קְדֹשָׁיו (יִשְׂרָאֵל) Dt 33, 3 Ps 34, 10, קְדוֹשִׁים (אֲשֶׁר בָּאָרֶץ) Ps 16, 3, קְהַל קְ׳ Ps 89, 6, סוֹד קְ׳ 89, 8, עַם קְ׳ Da 8, 24; 5. Gott ist **heilig** *God is holy*: קְדוֹשׁ יִשְׂרָאֵל Js 1, 4 5, 19. 24 10, 20 12, 6 17, 7 29, 19 30, 11 f. 15 31, 1 37, 23 41, 14. 16. 20 43, 3. 14 45, 11 47, 4 48, 17 54, 5 55, 5 60, 9. 14 Ir 50, 29 51, 5 2 K 19, 22 Ps 71, 22 78, 41 89, 19 Si 50, 17; קְ׳ יַעֲקֹב Js 29, 23, cj Ps 22, 4; קְדוֹשׁוֹ (Israels *of Israel*) Js 10, 17 49, 7, קְדוֹשְׁכֶם 43, 15, קְדֹשִׁי Ha 1, 12; Gott ist *God is* קָדוֹשׁ (*τρισάγιος*) Is 6, 3, קְ׳ בְּיִשְׂרָאֵל Hs 39, 7, Ps 99, 3. 5. 9; קָדוֹשׁ אֲנִי Lv 11, 44 f 19, 2 20, 26. cj. 7, 21, 8; הָאֵל הַקְּ׳ Js 5, 16, י׳ הָאֱלֹהִים הַקְּ׳ 1 S 6, 20; אֱלֹהִים קְדֹשִׁים Jos 24, 19; קָדוֹשׁ der Heilige *the Holy One* Js 40, 25 Ho 11, 9 (:: אִישׁ) Ha 3, 3 Hi 6, 10 Si 45, 6; קָדוֹשׁ שְׁמוֹ d. Heilige ist s. Name *the Holy One is h. name* Js 57, 15; קָדוֹשׁ כַּיהוה 1 S 2, 2; pl. קְדֹשִׁים d. Heilige *the Holy One* Pr 9, 10 (//יהוה) 30, 3; 6. pl. **heilige** (*himmlische*) **Wesen** *holy* (*heavenly*) *beings* Sa 14, 5 Hi 5, 1, קְדֹשָׁיו (Gottes *of God*) Hi 15, 15, קדשׁי אל Si 42, 17; sg. אֶחָד קָדוֹשׁ Da 8, 13. 13, cj בַּקְּדֹשִׁים (//אֵלִים) cf. ph. קדשם Götter *gods*) Ex 15, 11; 7. קָדוֹשׁ אֶשְׁכּוֹן als Heiliger (Gott) *as the Holy One* (*God*) Js 57, 15; fraglich *doubtful* Ho 12, 1 u. Ps 22, 4 (l בַּקֹּדֶשׁ ?) u. 65, 5 (l קָדֹשׁ ?); l קְדֹשׁ Ps 46, 5.†

קדח: mhb., ja. sich entzünden *be kindled*, sy. anzünden *kindle*; < aram. קדח, قَدَحَ, ቀደሐ bohren, (Feuer) reiben *bore*, *grind* (*fire*); ph. קדח F Harris:
qal: pf. קָדְחָה, קְדַחְתֶּם, inf. קְדֹחַ, pt. pl. cs. קֹדְחֵי: 1. **sich entzünden** *be kindled* Dt 32, 22 Ir 15, 14 17, 4 (l קָדְחָה); 2. **anzünden** *kindle* Js 50, 11 64, 1.†
Der. קַדַּחַת, אֶקְדָּח.

קַדַּחַת: קדח: ph. מקרח: **Entzündung, Fieber** *inflammation*, *fever* Lv 26, 16 Dt 28, 22†

קָדִים: קדם: loc. קָדִימָה, קָדִמָה: vorn befindlich *being in front*: 1. **Ostseite, Osten** *east* *side, east* Hs 40, 23; קָדִימָה nach Osten *eastward* Hs 11, 1 40, 6 45, 7 47, 1. 18 48, 3—32 (14 ×), קָדִים nach O. Hs 43, 17 44, 1 46, 1. 12 47, 1—3. 18 48, 1 f. 6—8. 16; = לַקָּדִים Hs 41, 14; הַקָּדִים Osten *east* 42, 9; דֶּרֶךְ הַקָּדִים Ostrichtung *east direction* Hs 40, 10. 22. 32 42, 10. 12. 15 43, 1 f. 4; שַׁעַר הַקָּדִים *east gate* Hs 40, 44; רוּחַ הַקָּ׳ Ostseite *east side* 42, 16; 2. רוּחַ קָדִים u.! רוּחַ הַקָּ׳ Ostwind *east wind* (ZDP 37, 322 ff) Ex 10, 13 14, 21 Ir 18, 17 Hs 17, 10 19, 12 27, 26 Jon 4, 8 Ps 48, 8; > קָדִים Ostwind *east wind* Gn 41, 6. 23. 27, cj 2 K 19, 26, cj Js 37, 27, Ho 12, 2 13, 15 Ps 78, 26, cj 129, 6 (l שֶׁקָּדִים תִּשְׁדֹּף) Hi 15, 2 27, 21 38, 24; יוֹם קָדִים Tag mit Ostwind *day full of east wind* Js 27, 8; l קָדִמָה Ha 1, 9; ? Hs 40, 19. †

קדם: Sem.; **F** ba. קדם; ug. *qdm* Vorderseite, Osten *front*, *east* u. n. m. *qdmn*:
pi: pf. קִדַּמְתִּי, קִדְּמוּ, sf. קִדְּמֻנִי, impf. אֲקַדֵּם, נְקַדְּמָה, sf. יְקַדְּמֻנִי, תְּקַדְּמֶךָּ, יְקַדְּמוּנוּ, imp. קַדְּמָה: 1. **vorn sein, an d. Spitze gehen** *be, march in front* Ps 68, 26, cj Ha 1, 9 (l קָדִמָה); **vorn, gegenüber sein** *be in front, facing* cj 1 S 20, 25; 2. c. ac.: hintreten vor, **begegnen** *meet* 2 S 22, 6. 19 Ps 18, 6. 19 59, 11 79, 8 88, 14 119, 148 Hi 3, 12 30, 27 Si 15, 2, cj Hi 41, 3 (**F** hif.); c. בְּ mit etw. *with something* Dt 23, 5 Js 21, 14 (l קִדְּמוּ) Mi 6, 6 Ps 95, 2 Ne 13, 2; 3. c. 2 ac.: jmd mit etw. **entgegentreten** *come to meet a person with something* 2 K 19, 32 Js 37, 33 Ps 21, 4; 4. c. עַד **hinkommen** an *reach unto* cj Am 9, 10 (l וְתִקַדֵּם עָדֵינוּ); 5. קִדֵּם פְּנֵי **entgegentreten** *confront* Ps 17, 13 89, 15; 6. c. לְ c. inf.: zuvorkommen mit, das erste Mal tun *be beforehand, do for the first time* (so oft aram. *thus often in Aram.*) Jon 4, 2; 7. (temp.) früh sein, **früh tun** (aram. häufig so) *be early, do early* (*thus often in Aram.*) Ps 119, 147; †
[hif: pf. sf. הִקְדִּימַנִי Hi 41, 3 l מִי הוּא קִדְּמוֹ; impf. וְתַקְדִּים Am 9, 10 l וְתִקַדֵּם]. †
Der. קֵדְמָה*, קַדְמָה*, קֶדֶם, קֵדֶם, קָדִים, קְדוּמִים, קַדְמוֹן*, קַדְמֹנִי I, II; n. m. II קֵדְמָה, n. l. קְדֵמוֹת; n. m. קַדְמִיאֵל.

קֶדֶם: קדם: **F** *קֳדָם: vorn befindlich *being in front* (local. et tempor.): pl. cs. קַדְמֵי Pr 8, 23: 1. **vorn** *in front* אָחוֹר וָקֶדֶם Ps 139, 5, מִקֶּדֶם von vorn *from the front* Js 9, 11; 2. vorn, **Osten** *in front, east*: ostwärts *eastward* Hi 23, 8, cj Gn 11, 2 13, 11, מִקֶּדֶם von Osten her *from the east* (l מִקְסָם מִקֶּדֶם) Js 2, 6, im Osten *in the east* Gn 2, 8 12, 8 Sa 14, 4, l קֶדֶם Gn 11, 2 u. 13, 11, מִקֶּדֶם לְ östlich von *east of* Gn 3, 24 12, 8 Nu 34, 11 Jos 7, 2 Jd 8, 11 Hs 11, 23 Jon 4, 5; 3. קֶדֶם **Osten** *east* אֶרֶץ קֶ׳ Gn 25, 6, יֹשֵׁב קֶ׳ Ps 55, 20 (Gunkel), בְּנֵי קֶ׳ n. p. Morgenländer *Easterners* (Hölscher, Erdkunde 14) Gn 29, 1 Jd 6, 3. 33 7, 12 8, 10 1 K 5, 10 Js 11, 14 Ir 49, 28 Hs 25, 4. 10 Hi 1, 3; הַרְרֵי קֶ׳ Nu 23, 7; הַר הַקֶּדֶם n. montis das Ostgebirge *the Eastern Mountains* = d. nördliche Gebirgsrand des Sinai *the northern border of Mount Sinai*: *Ğebel Ṭuwaiq* Gn 10, 30; 4. קֶדֶם (temp.). **vorn, früher, vordem** *in front, ancient time, aforetime*: קֶדֶם מִפְעָלָיו das früheste s. Werke *the earliest of h. works* Pr 8, 22, כְּקֶדֶם wie früher *as in ancient times* Ir 30, 20 Th 5, 21; מִקֶּדֶם zum 1. Mal *for the first time* Ne 12, 46 (l שָׂרֵי pro רָאשֵׁ); von früher her, voraus *from of old* Js 45, 21 46, 10, von je her *from of old* Ps 74, 12 77, 6. 12 143, 5; 5. קֶדֶם **Vorzeit, Urzeit**, *bygone days, olden times* Si 16, 7 Ps 74, 2, מִנֵּי קֶ׳ 78, 2, יְמֵי קֶ׳ 2 K 19, 25 Js 23, 7 37, 26 51, 9 Ir 46, 26 Mi

7, 20 Ps 44, 2 Th 1, 7 2, 17, אֱלֹהֵי קֶ׳ d. Gott seit Alters *the eternal God* Dt 33, 27, הַרְרֵי קֶ׳ uralte B. *m. of old* 33, 15; מַלְכֵי קֶ׳ K. d. Vorzeit *k. of the past* Js 19, 11; שְׁמֵי קֶ׳ ewiger H. *eternal h.* Ps 68, 34; יַרְחֵי קֶ׳ frühere M. *m. of old* Hi 29, 2; pl. קַדְמֵי אֶרֶץ Urzeiten d. Erde *beginnings of the e.* Pr 8, 23; adv. קֶדֶם seit je *at all times* Ps 119, 152, מִקֶּ׳ seit Urzeiten *from the beginnings* Mi 5, 1 Ha 1, 12. †

*קֵדֶם: קדם: nur loc. קֵדְמָה *only*: **nach Osten hin** *eastward* Gn 13, 14 25, 6 28, 14 Ex 27, 13 38, 13 Lv 1, 16 16, 14 Nu 2, 3 3, 38 10, 5 34, 3. 10f. 15 35, 5 Jos 15, 5 18, 20 19, 12f 1 K 7, 39 17, 3 2 K 13, 17 Hs 8, 16 45, 7 2 C 4, 10. †

*קַדְמָה: קדם; *F* ba.: sf. קַדְמָתָהּ, קַדְמַתְכֶן, pl. sf. קַדְמֹתֵיכֶם: 1. **Ursprung** *beginning* Js 23, 7; 2. **früherer Zustand** *former state* Hs 16, 55; 3. pl. **frühere Lage** *former situation* Hs 36, 11; l שֶׁקָּדִים תְּשַׁדֵּף Ps 129, 6. †

*קִדְמָה: קדם: cs. קִדְמַת: **gegenüber von** *in front of* (Bewer ZAW 56, 123) Gn 2, 14 4, 16 1 S 13, 5 Hs 39, 11. †

I קֵדְמָה: *F* *קֵדֶם.

II קֵדְמָה: n. m. (n. p.); קדם; *F* בְּנֵי קֶדֶם: S. v. יִשְׁמָעֵאל Gn 25, 15 1 C 1, 31. †

*קַדְמוֹן: קדם: fem. קַדְמוֹנָה: **östlich** *eastern* Hs 47, 8; *F* I, II קַדְמֹנִי. †

קַדְמוֹנִי: *F* קַדְמֹנִי.

קְדֵמוֹת: n. l.; קדם: am obern *on upper* אַרְנוֹן: Dt 2, 26 מִדְבַּר קְ׳, Jos 13, 18 21, 37 1 C 6, 64. †

קַדְמִיאֵל: n. m.; קדם u. אל; asa. אלקדם Ryck. 2, 30 u. יקדמאל 2, 74; Noth S. 256: Esr 2, 40 3, 9 Ne 7, 43 9, 4f 10, 10 12, 8. 24. †

I קַדְמֹנִי u. קַדְמוֹנִי: v. קַדְמוֹן: pl. קַדְמֹנִים, fem. קַדְמֹנִיּוֹת: 1. **östlich** *eastern* Hs 10, 19 11, 1 47, 18 Jl 2, 20 Sa 14, 8; pl. die im Osten Wohnenden *the people living in the east* Hi 18, 20; 2. **vormalig, früher** *former* Hs 38, 17 Ma 3, 4; coll. **die Vorfahren** *the ancients* 1 S 24, 14, fem. **das Vormalige** *the former things* Js 43, 18. †

II קַדְמֹנִי: n. p.; v. קַדְמוֹן: coll. **die Östlichen** *the Easterners* (= בְּנֵי קֶדֶם) Gn 15, 19. †

*קדע: *F* n. l. יָקְדְעָם.

קָדְקֹד: mhb., ja.; ug. *qdqd*, ak. *qaqqādu* (< *qadqādu); קדד?: 1. **Haarwirbel** (stelle) *vertex* Ps 68, 22; 2. **Scheitel** *vertex* Gn 49, 26 Dt 33, 16. 20 Js 3, 17 Ir 2, 16 48, 45 Ps 7, 17; מִכַּף־הָרֶגֶל וְעַד הַקָּדְקֹד Dt 28, 35 2 S 14, 25 Hi 2, 7; וְקָדְקֹד cj Nu 24, 17. †

קדר: mhb., ja. finster werden *become dark*; قَذِرَ schmutzig sein *be dirty*:

qal: pf. קָדַר, קָדַרְתִּי, pt. קֹדֵר: 1. **sich verfinstern** *be dark*: Sonne u. Mond *sun a. moon* Jl 2, 10 4, 15, Himmel *sky* Ir 4, 28, Tag *day* Mi 3, 6; 2. **sich trüben** *become turbid* נַחַל Hi 6, 16; 3. **schmutzig, ungepflegt, im Traueraufzug sein** *be dirty, unattended, in mourning attire* Ir 8, 21 14, 2 Ps 35, 14 38, 7 42, 10 43, 2 Hi 5, 11 30, 28; †

hif: pf. הִקְדַּרְתִּי, impf. וָאַקְדִּר, sf. אַקְדִּירֵם: **verfinstern** *darken* Hs 31, 15 32, 7. 8 (l אַקְדִּיר מֵעָלֶיךָ); †

hitp: pf. הִתְקַדְּרוּ: **sich finster zeigen** *show darkened* 1 K 18, 45. †

Der. קֵדָר, קִדְרוֹן, קַדְרוּת, קְדֹרַנִּית.

קֵדָר: n. m., n. p.; קדר; asa. קדרן n. m. vel

p.: 1. n. m.; Ismaelit Gn 25, 13 1 C 1, 29; 2. n. p., keilschr. *Qidri*, *Qadri*, *Qidarri*; Plin. 5, 12 Cedrei; arabischer Stamm *Arabian tribe*; Streck VAB VII, 792; Montg. 201; Moritz ZAW 57, 149: **Kedar**: Js 21, 16 42, 11 60, 7 Ir 2, 10 49, 28 Hs 27, 21 (//עֲרָב) Ps 120, 5 Ct 1, 5; בְּנֵי קֵדָר Js 21, 17. †

קִדְרוֹן: n. fluvii; קדר; Trübbach *turbid brook*; Κεδρων: **Kidron** (u. s. Tal *a. its wady*): zwischen Jerusalem u. Ölberg *between Jerusalem a. Mount Olivet*: *W. en-Nār*: נַחַל ק׳ 2 S 15, 23 1 K 2, 37 15, 13 2 K 23, 6. 12 Ir 31, 40 2 C 15, 16 29, 16 30, 14, שַׁדְמוֹת ק׳ 2 K 23, 4. †

קַדְרוּת: קדר: **Verfinsterung** *darkness* Js 50, 3. †

קְדֹרַנִּית: קדר (3.): ungepflegt, **im Traueraufzug** *in mourner's attire* Ma 3, 14. †

קדשׁ: ug. *qdš* Heiligtum *sanctuary*, ak. *qadāšu* glänzen *shine*; קדש ph., F ba. קַדִּישׁ; ar. äth. heilig sein *be holy*; U. Bunzel, D. Begriff d. Heiligkeit im AT, 1914, Qds u. seine Derivate, 1917; A. Fridrichsen, Hagios-Qados, 1916; Franz J. Lenhardt, La notion de la sainteté dans l'AT, 1929:

qal: pf. קָדַשׁ, קָדֵשׁוּ, impf. יִקְדַּשׁ, יִקְדָּשׁ, וַיִּקְדְּשׁוּ: **heilig**, dem gewöhnlichen Gebrauch entzogen, besondrer Behandlung unterworfen, dem Heiligtum verfallen **sein** *be holy*, *withheld from profane use, to be treated with special care, fallen to the sanctuary's share*: d. Priester u. s. Gewand *priest a. his garment* Ex 29, 21, was d. Altar berührt *things touching the altar* 29, 37, was d. gesalbten Kultgeräte berührt *things touching the anointed implements of worship* 30, 29, was מִנְחָה u. חַטָּאת berührt *things touching* מִנְחָה *a.* חַטָּאת Lv 6, 11. 20, הַמַּחְתֹּת Nu 17, 2 f, כִּלְאַיִם Dt 22, 9; Krieger auf d. Kriegszug *warriors during the war* 1 S 21, 6; was בְּשַׂר־קֹדֶשׁ berührt *things touching* בְּשַׂר־קֹדֶשׁ Hg 2, 12; l קְדַשְׁתִּיךָ Js 65, 5; †

nif: pf. נִקְדַּשׁ, impf. אֶקָּדֵשׁ, inf. sf. הִקָּדְשִׁי: 1. **sich als heilig erweisen** (Gott) *show, prove oneself holy* (*God*), c. בְּ an, gegenüber *in*, *before* Lv 10, 3 Nu 20, 13 Hs 20, 41 28, 22. 25 36, 23 38, 16 39, 27, c. בְּ durch *with* Js 5, 16; 2. **als heilig behandelt werden** *be treated as holy*, c. בְּ durch *with* Ex 29, 43, c. בְּתוֹךְ unter *among* Lv 22, 32 (יהוה); †

pi: pf. קִדַּשׁ, קִדַּשְׁתֶּם, sf. קִדְּשׁוּ, קִדְּשׁוּהוּ, וַיְקַדְּשֵׁהוּ, impf. אֲקַדֵּשׁ, וַיְקַדֵּשׁ, sf. קִדַּשְׁתֶּם, inf. קַדֵּשׁ, sf. קַדְּשָׁם, imp. קַדֵּשׁ, קַדְּשׁוּ, קַדְּשׁ־, קַדְּשׁוּ, pt. sf. מְקַדִּשְׁכֶם!: 1. etwas in d. Zustand der Heiligkeit (der Behandlung nach kultischen Regeln) versetzen, **für heilig erklären** *put a thing into the state of holiness* (*subject to rules of worship*), *declare holy*: שַׁבָּת Gn 2, 3 Ex 20, 11 Hs 20, 12, שָׁנָה Lv 25, 10, Bereich *place* Ex 19, 23 1 K 8, 64 2 C 7, 7, בֵּית יהוה 2 C 29, 5. 17, Opferteile *parts of sacrifice* Ex 29, 27, Kultgerät *implement of worship* 29, 36 f. 44 30, 29 40, 9—11 Lv 8, 10—12. 15 Nu 7, 1, c. מִן wegen *on account* Lv 16, 19; רֹאשׁ נְזִיר Nu 6, 11; שַׁעַר Ne 3, 1 (?); 2. jemand in d. Zustand d. Heiligkeit versetzen, **weihen** *place a person into the state of holiness*, *consecrate*, *dedicate*: כֹּהֵן Ex 28, 3. 41 29, 1. 33. 44 30, 30 40, 13 Lv 8, 30 21, 15 1 S 7, 1, עָם, עֵדָה Ex 19, 10. 14 Jos 7, 13 1 S 16, 5 Jl 2, 16, Erstgeburt *first-born* (לַיהוה) Dt 15, 19; אִיּוֹב entsühnt *purges* בָּנָיו Hi 1, 5; 3. e. heilige (durch besondre kultische Regeln gekennzeichnete) **Zeit ansetzen** *fix a holy term* (*marked by special rules of worship*): עֲצָרָה 2 K 10, 20 (לַבַּעַל), צוֹם Jl 1, 14 2, 15, מִלְחָמָה (Kriegszeit *period of war*) Ir 6, 4 Jl 4, 9 Mi 3, 5, ohne *without* מִלְחָמָה Ir 51, 27 f (Schwally, Semit. Kriegsaltertümer, 1901); 4. von Gott gesagt *said of God*: in d. Zustand d. Heiligkeit, Weihe, Unverletzlichkeit versetzen, **weihen** *put* *into the state of holiness, sacredness, inviolability*, *consecrate*: Israel Ex 31, 13 Lv 20, 8 21, 8 22, 32 Hs 37, 28, Heiligtum *sanctuary* Lv 21, 23, מִשְׁמֶרֶת 22, 9, קָדְשֵׁיהֶם 22, 16, מַשְׁחִית Ir 22, 7, שְׁמִי (יהוה) Hs 36, 23; cj קֹדֶשׁ מִשְׁכָּנוֹ Ps 46, 5; 5. jmd (durch Berührung v. Geweihtem) heiligen, **Heiligkeit übertragen** auf jmd *consecrate a person* (*by touching consecrated things*), *convey holiness to a p.* Hs 44, 19 46, 20, cj Js 65, 5 (l קִדַּשְׁתִּיךָ); 6. jmd, etw. **als geheiligt, geweiht behandeln** *treat a person, something as holy, consecrated*: שַׁבָּת Ex 20, 8 Dt 5, 12 Ir 17, 22. 24. 27 Hs 20, 20 44, 24 Ne 13, 22, כֹּהֵן Lv 21, 8, Gott *God* Dt 32, 51; l מִקְדְּשֵׁיהֶם Hs 7, 24; †

pu: pt. pl. מְקֻדָּשִׁים, sf. מְקֻדָּשַׁי: **geheiligt, geweiht sein** *be holied, consecrated*: כֹּהֵן Hs 48, 11 (l. pl.) 2 C 26, 18, מוֹעֲדִים Esr 3, 5, מַעְשַׂר קֳדָשִׁים 2 C 31, 6, Kriegsleute (J.s) *warriors* (*of* יהוה) Js 13, 3; †

hif: pf. הִקְדַּשְׁתִּיךָ, sf. הִקְדַּשְׁנוּ, הִקְדַּשְׁתִּי, הִקְדִּישׁ, impf. יַקְדִּישׁ, יַקְדִּשׁ, inf. הַקְדִּישׁ, sf. הַקְדִּשׁ, imp. sf. הַקְדִּישֵׁנִי, pt. מַקְדִּישׁ, מַקְדִּשִׁים, הַקְדִּישׁוּ: 1. **als geheiligt, geweiht bezeichnen** *declare as sacred, dedicated*: יִרְמְיָהוּ Ir 1, 5, e. Ort *a place* Jos 20, 7, בית (יהוה) 1 K 9, 3 2 C 2, 3 7, 16. 20 36, 14, מִקְדָּשׁ 2 C 30, 8, צֹאן (לְיוֹם הֲרֵגָה) Ir 12, 3; 2. **als geheiligt, geweiht behandeln, darbringen** *offer, treat as sacred, dedicated* Ex 28, 38 Lv 22, 2 f 2 K 12, 19 1 C 26, 26—28, בַּיִת Lv 27, 14 f, שָׂדֶה 27, 16—19. 22, Tiere *animals* 27, 26 Dt 15, 19 2 C 30, 17, כֶּסֶף Jd 17, 3 2 S 8, 11 1 C 18, 11, כֹּהֵן Si 7, 29; 3. **Gott erklärt jmd, etw. als für ihn geweiht, ihm heilig** *God declares a person, something as sacred for himself* Nu 3, 13 8, 17 1 K 9, 7 (לִשְׁמִי), קְרֻאָיו Ze 1, 7; 4. **Gott als heilig behandeln, heilig halten** *treat God as holy* Nu 20, 12 27, 14 Js 8, 13 (l ?תַּקְשִׁירוּ) 29, 23; 5. **Weihgaben geben** *consecrate* Ne 12, 47; (neu) **weihen** *consecrate* (*afresh*) 2 C 29, 19; ? 1 C 23, 13; †

hitp: pf. הִתְקַדִּשְׁתֶּם u. הִתְקַדַּשְׁתִּי, הִתְקַדֶּשׁ (BL 328), הִתְקַדְּשׁוּ, impf. יִתְקַדְּשׁוּ, imp. הִתְקַדְּשׁוּ, pt. מִתְקַדְּשִׁים, מִתְקַדֶּשֶׁת: 1. **sich als geheiligt verhalten** *behave as sacred* Ex 19, 22 Lv 11, 44 20, 7; 2. **sich als heilig erweisen** *show oneself as holy* (יהוה) Hs 38, 23; 3. **sich** (gegenseitig) **in d. Stand der Weihe**, der kultischen Reinheit **versetzen** *place oneself, one another into the state of sacredness, of purification* Nu 11, 18 Jos 3, 5 7, 13 1 S 16, 5 2 S 11, 4 (Frau nach Beischlaf *woman after sexual intercourse*) Js 30, 29 (חַג für e. Fest *for a festival*) 66, 17 1 C 15, 12. 14 2 C 5, 11 29, 5. 15. 34 30, 3. 15. 17. 24 35, 6; ? 2 C 31, 18. †

Der. קֹדֶשׁ, I קָדֵשׁ, קָדוֹשׁ, מִקְדָּשׁ; II n.l. קָדֵשׁ, n.l. קֶדֶשׁ.

I קָדֵשׁ: קדשׁ: pl. קְדֵשִׁים, fem. קְדֵשָׁה, ak. *qadištu* Zimm. 68, pl. קְדֵשׁוֹת: **Geweihte(r), Kultprostituierte(r)** *sacred person, temple-prostitute*: masc. Dt 23, 18 1 K 14, 24 15, 12 22, 47 2 K 23, 7 Hi 36, 14, fem. Gn 38, 21 f Dt 23, 18 Ho 4, 14 (Driver, Iraq 6, 66 ff). †

II קָדֵשׁ: n. l.; קדשׁ: loc. קָדֵשָׁה: 1. **Kades** *Kadesh*; Gn 16, 14 20, 1 Nu 13, 26 20, 1. 14. 16. 22 33, 37 Dt 1, 46 Jd 11, 16 f, = עֵין מִשְׁפָּט Gn 14, 7, = מִדְבַּר צִן Nu 33, 36, מִדְבַּר קָדֵשׁ Ps 29, 8, קָדֵשׁ בַּרְנֵעַ Nu 32, 8 34, 4 Dt 1, 2. 19 2, 14 9, 23 Jos 10, 41 14, 6 f 15, 3, מֵי מְרִיבַת קָדֵשׁ Nu 27, 14 Dt 32, 51 Hs 47, 19 48, 28, cj מ' ק' Dt 33, 2: *ʿEn Qdēs* (entdeckt v. *discovered by* Rowlands 1842, wieder entdeckt v. *rediscovered by* Trumbull, Kadesh-barnea 1884, 1881, bestes Bild *best picture* Auerbach, Wüste u. Gelobtes Land, 1932, Tafel 5); Oase, 100 m², mit vielen starken Quellen, *with many rich sources*, 75 km s. בְּאֵר־שֶׁבַע; Woolley-Lawrence, *Wilderness of Zin* 1914 f, 52 ff; Cobern PEF 48, 97 ff; Musil, The Northern Heğaz I, 262 ff; 2. cj 2 S 24, 6 (l הַחִתִּים קָדֶשָׁה): äg. *Qdšw*: *T. Nebi Mend*, am Orontes *on the Orontes*, 26 km sw. Homs (M. Pézard, *Qadesh*, 1931). †

קֶדֶשׁ: n. l.; קדש: loc. קֶדְשָׁה: 1. in יְהוּדָה Jos 15, 23; 2. בַּגָּלִיל קֶ׳ נַפְתָּלִי Jd 4, 6, Jos 20, 7 (בְּהַר נַפְתָּלִי) 21, 32 1 C 6, 61, F Jos 19, 37 Jd 4, 11 2 K 15, 29, loc. Jd 4, 9 f: *T. Kadēs* in Obergaliläa *in Upper Galilee* Garstang, Josh. 390 f; 3. Jos 12, 22; 4. 1 C 6, 57, = קִשְׁיוֹן Jos 21, 28. †

קֹדֶשׁ u. (Da 11, 30 †) קוֹדֶשׁ: קדש; ug. *qdš*; e. Göttin *a goddess* קדש BAS 110, 17[58]: 469 × (Lv 92, Ex 70, Nu 57, Hs 57, 1. 2. C 47, Js I 5, Ir 6 ×, nicht in *not in* Hos; l בְּקָשְׁתִּי Ps 63, 3): sf. קָדְשִׁי, קָדְשְׁךָ, pl. קֳדָשִׁים (immer *always* c. art.) u. קָדָשִׁים (*qodāšîm*) BL 184. 208. 582), cs. קָדְשֵׁי, sf. קָדָשַׁי, קֳדָשֶׁיךָ, קָדְשֵׁיכֶם: 1. Sache, der Heiligkeit anhaftet, die vorsichtig zu behandeln ist, **Heiliges** *holy thing*, *filled with holiness*, *therefore to be treated carefully*: קֹדֶשׁ :: חֹל Lv 10, 10 1 S 21, 5 Hs 22, 26 42, 20 44, 23, was heilig ist *what is holy* Ze 3, 4 Lv 22, 10. 14; heilig sind *holy are*: Männer im Krieg *warriors* 1 S 21, 6 (F v. 5!), Speisen *food* Ex 29, 33 f, Räume *rooms* 2 C 8, 11 23, 6, Geräte *implements* Esr 8, 28, Salböl *oil for anointing* Ex 30, 32, Räucherwerk *frankincense* Ex 30, 35, שַׁבָּת Ex 31, 14, מִשְׁכָּן 40, 9, כֹּהֵן Lv 21, 6, יוֹבֵל 25, 12, קָרְבָּן (בְּהֵמָה) 27, 9, מָקוֹם Jos 5, 15, יְרוּשָׁלַםִ Jl 4, 17, בְּגָדִים (der Priester *of priests*) Ex 28, 2; הַקֹּדֶשׁ was heilig ist *everything holy* Lv 5, 16 2 C 30, 19, כָּל־קֹדֶשׁ irgend-etwas Heiliges *anything holy* Lv 12, 4, alles Heilige *all holy things* 1 C 23, 28; קֹדֶשׁ Heiliges = dem Kult verfallen *holy things* = *separated for worship* Lv 27, 10. 33 Nu 18, 17 Dt 26, 13! Pr 20, 25; עָשָׂה קֹדֶשׁ als Heiliges herstellen *prepare as holy* Ex 37, 29, קֹדֶשׁ מִן e. heilige Gabe von *a holy gift of* Hs 45, 1. 4; c. לְ für *for*: f. d. *for the* כֹּהֵן Nu 18, 10; für *for* יהוה Ex 28, 36 31, 15 39, 30 Lv 27, 14. 21. 23. 30. 32 Ir 31, 40 Hs 48, 14 Sa 14, 20 f Esr 8, 28; קֹדֶשׁ ... לַיהוה Räucherwerk *frankincense* Ex 30, 37, שַׁבָּת Ex 35, 2 (לָכֶם), (קֹדֶשׁ הִלּוּלִים, פְּרִי עֵץ) Lv 19, 24, תְּנוּפָה 23, 20 Nu 6, 20, Beute *booty* Jos 6, 19; קֹדֶשׁ יהוה was J. geheiligt ist *things holy for Y.* Lv 19, 8 Js 23, 18 Ma 2, 11; 2. pl. קֳדָשִׁים Weihgaben *consecrated gifts, offerings*: יַקְדִּישׁוּ קֶ׳ לַיהוה Lv 22, 3, v. *of* דָּוִד 1 K 7, 51 15, 15 2 C 5, 1; צֹאן קֶ׳ Hs 36, 38, כֶּסֶף הַקֳ׳ Geld für W. *silver for cons. g.* 2 K 12, 5, אוֹצְרוֹת הַקֳ׳ Vorratsräume für W. *stores for cons. g.* 1 C 26, 20. 26 28, 12; הַקֳ׳ Ex 28, 38 Lv 21, 22 22, 4. 6 f 1 K 15, 15 2 K 12, 19 Ne 10, 34 2 C 15, 18 29, 33 31, 6. 12 35, 13, Ex 28, 38 Lv 22, 16, Nu 5, 10 1 K 15, 15 (l קָדְשָׁיו), Dt 12, 26, Hs 20, 40, 1 K 15, 15, קֶ׳ בְּנֵי יִשְׂרָאֵל Lv 22, 2. 15 Nu 5, 9 18, 8. 32, קֶ׳ בֵּית יהוה 2 C 24, 7, קֶ׳ יהוה für *for* י׳ Lv 5, 15; מַעְשַׂר קֶ׳ 2 C 31, 6, תְּרוּמַת הַקֳ׳ Lv 22, 12 Nu 18, 19; 3. die Gott anhaftende (besondre Rücksicht fordernde) **Heiligkeit** *God's holiness* (*requiring special care*) נִשְׁבַּע י׳ בְּקָדְשׁוֹ Am 4, 2, בְּקָדְשִׁי Ps 89, 36; (יהוה) נֶאְדָּר בַּקֹּדֶשׁ Ex 15, 11; 4. die e. Sache anhaftende **Heiligkeit** *holiness of a thing*: (י׳) לְבֵיתְךָ Ps 93, 5; daher *therefore* קָדְשִׁי, קָדְשְׁךָ etc. heilig als Beifügung zu e. Besitz Gottes *holy as attribute of a thing owned by God*: שֵׁם, mein *my* Lv 20, 3 22, 2. 32 Hs 20, 39 36, 20—22 39, 7. 25 43, 7 f Am 2, 7, sein *his* Ps 33, 21 103, 1 105, 3 145, 21 1 C 16, 10, dein *thy* Ps 106, 47 1 C 16, 35 29, 16, זֵכֶר קָדְשׁוֹ Ps 30, 5 97, 12; הַר קָדְשִׁי: mein *my* Js 11, 9 56, 7 57, 13 65, 11. 25

66, 20 Hs 20, 40 Jl 2, 1 4, 17 Ob 16 Ze 3, 11 Ps 2, 6, sein *his* Ps 3, 5 48, 2 99, 9, dein *thy* 15, 1 43, 3 Da 9, 16; הַר קָדְשׁ אֱלֹהַי Da 9, 20, הַר קֹדֶשׁ אֱלֹהִים d. heil. B. Gottes *the holy mountain of God* Hs 28, 14, הַר הַקֹּדֶשׁ Js 27, 13 Ir 31, 23 Sa 8, 3, הַרְרֵי קֹדֶשׁ Ps 87, 1 110, 3?, הַר צְבִי קֹדֶשׁ d. heil. Berg d. Zier *the holy mount. etc.* Da 11, 45; זֶרַע Js 6, 13 Esr 9, 2; עִיר Js 48, 2 52, 1 Ne 11, 1. 18 Da 9, 24, pl. Js 64, 9; עַם Js 62, 12 Da 12, 7 Js 63, 18; בַּיִת 1 C 29, 3 Js 64, 10; הֵיכָל Jon 2, 5. 8 Ps 5, 8 79, 1 138, 2, Mi 1, 2 Ha 2, 20 Ps 11, 4; דָּבָר Ps 105, 42, pl. Ir 23, 9; מָעוֹן Ir 25, 30 Sa 2, 17 Ps 68, 6 2 C 30, 27 (= שָׁמַיִם) Dt 26, 15 (= שָׁמַיִם); מָרוֹם Ps 102, 20; כִּסֵּא Ps 47, 9; חֲצֵרוֹת Js 62, 9; זְבֻל 63, 15; גְּבוּל Ps 78, 54; שָׁמַיִם 24, 3 Esr 9, 8; דְּבִיר Ps 28, 2; מָקוֹם 20, 7; יוֹם Ne 10, 32, Js 58, 13; זְרוֹעַ 52, 10 Ps 98, 1; רוּחַ Js 63, 10 f Ps 51, 13; נָוֶה Ex 15, 13; שַׁבָּת Ex 16, 23 Ne 9, 14; אֲדָמָה Ex 3, 5 Sa 2, 16; בְּרִית Da 11, 28. 30; מִקְדָּשׁ Lv 16, 33; דֶּרֶךְ Js 35, 8; שָׂרֵי Js 43, 28? 1 C 24, 5; בָּשָׂר Ir 11, 15 Hg 2, 12; הֲדָרָה Ps 29, 2 96, 9 1 C 16, 29 2 C 20, 21; אָרוֹן 2 C 35, 3; מִקְרָא Ex 12, 16 Lv 23, 3. 7 f. 21. 24. 27. 35 f Nu 28, 18. 25 f 29, 1. 7. 12, pl. Lv 23, 2. 4. 37; אַנְשִׁים Ex 22, 30; בְּגָדִים Ex 28, 2. 4 29, 29 31, 10 35, 19. 21 39, 1. 41 40, 13 Lv 16, 4. 32; נֵזֶר Ex 29, 6 39, 30 Lv 8, 9; שֶׁקֶל Ex 30, 13. 24 38, 24—26 Lv 5, 15 27, 3. 25 Nu 3, 47. 50 7, 13—86 (14 ×) 18, 16; מִשְׁחָה Ex 30, 25. 31; כְּתֹנֶת־בַּד Lv 16, 4; שֶׁמֶן Nu 35, 25, Ps 89, 21; לֶחֶם 1 S 21, 5 > קֹדֶשׁ 21, 7; תְּרוּמָה Hs 45, 6 f 48, 10. 18. 20 f; כְּלֵי קֹדֶשׁ הָאֱלֹהִים 1 C 22, 19; אַבְנֵי קֹדֶשׁ **Talismane** *talismans* Th 4, 1; 5. קֹדֶשׁ **heiliger Bereich** *holy reach*: Hs 45, 1 Lv 10, 18; הַקֹּדֶשׁ **das Heilige** *the holy place* (:: קֹדֶשׁ הַקֳּדָשִׁים Ex 26, 33) Ex 26, 33 28, 29. 35. 43 29, 30 31, 11 35, 19 39, 1. 41 Lv 4, 6 6, 23 10, 4. 18 16, 2 f. 16 f. 20. 23. 27 Nu 4, 12. 15 f. 20 8, 19 28, 7, *F* Ex 36, 1. 3 Nu 7, 9, Ex 36, 4 38, 24, 36, 6, 38, 27, Lv 4, 6 10, 17 14, 13, Nu 3, 28. 32 18, 5 1 C 23, 32, Nu 3, 31 4, 15 18, 3 31, 6 1 K 8, 4 1 C 9, 29 2 C 5, 5; הַקֹּדֶשׁ **das Heilige** (des Tempels) *the holy place (of the temple)* 1 K 8, 8. 10 Hs 41, 21. 23 42, 13 f 44, 19. 27 45, 2 46, 19 Ps 68, 18. 25 74, 3 77, 14 108, 8 150, 1 Da 9, 26 2 C 5, 11 29, 5. 7 35, 5; קֹדֶשׁ Heiligtum *a holy place* Ob 17 Da 8, 13 (= Tempel *temple*, l מְתֹתוֹ. 14); קָדְשׁוֹ (יהוה) sein H. *his h. pl.* Ps 20, 3 60, 8, = יְהוּדָה 114, 2; קָדָשַׁי (יהוה) meine Heiligtümer *my holy places* Hs 22, 8. 26 44, 8. 13; 6. קֹדֶשׁ קָדָשִׁים **etwas Hochheiliges** *something most holy*: הַמִּקְדָּשׁ Hs 45, 3, Priestergebiet *region of priests* 48, 12; = Tempel *temple* Da 9, 24 1 C 23, 13, מִזְבֵּחַ Ex 29, 37 40, 10, מִנְחָה 30, 36, קְטֹרֶת 30, 29, כְּלִי 30, 10, לִי (Rest *remainder*) Lv 2, 3. 10 6, 10 10, 12, אָשָׁם 7, 1. 6 14, 13, לֶחֶם 24, 9, כָּל־חֵרֶם 27, 28 (לִי), Opfer *offerings* Nu 18, 9, חַטָּאת Lv 10, 17 6, 18. 22; קֹדֶשׁ הַקֳּדָשִׁים: d. Innere v. *the interior of* אֹהֶל מוֹעֵד Ex 26, 33 f, Nu 4, 4. 19, d. heilige Bereich *the holy district* Nu 18, 10 Hs 43, 12, bestimmte Gaben *certain offerings* Lv 21, 22, d. innere Tempel *the interior of the temple* 1 K 6, 16 (// דְּבִיר) 7, 50 8, 6 (// דְּבִיר) Hs 41, 4 2 C 4, 22 5, 7 (// דְּבִיר); מְלֶאכֶת ק׳ הַקֳ׳ 1 C 6, 34, c. בֵּית 2 C 3, 8. 10; **die hochheiligen Gaben** *the most holy gifts, offerings* Nu 18, 9 Hs 42, 13 44, 13 (l וְאֶל) Lv 21, 22 Esr 2, 63 Ne 7, 65 2 C 31, 14; ? Dt 33, 2 u. Ps 110, 3 u. 134, 2 u. 2 C 31, 18; l בַּקְּדָשִׁים Ex 15, 11. †

קהה: mhb.; ja., sy. קהא:

qal: impf. תִּקְהֶינָה: **stumpf, unempfindlich werden** (Zähne) *be blunt, dull (teeth)* Ir 31, 29 f Hs 18, 2; †

pi: pf. קֵהָה: **stumpf werden** (Eisen) *be blunt* (*iron*) Ko 10, 10.†

קהל: denom. v. קָהָל:
nif: pf. נִקְהֲלוּ, impf. וַיִּקָּהֵל, וַיִּקָּהֲלוּ, וַיִּקָּהֲלוּ > וַיִּקָּלְהוּ! l וַיִּקָּהֲלוּ Q 2 S 20, 14, inf. הִקָּהֵל, pt. נִקְהָלִים: **sich versammeln** *assemble*: c. אֶל Lv 8, 4 1 K 8, 2 Ir 26, 9 2 C 5, 3, c. לְ 2 C 20, 26, c. עַל Ex 32, 1 Nu 16, 3 17, 7 20, 2 Hs 38, 7, c. n. loc. Jos 18, 1 22, 12 Jd 20, 1 (אֶל־י'), absol. 2 S 20, 14 Est 8, 11 9, 2. 15 f. 18;†
hif: pf. הִקְהִיל, הִקְהִילוּ, הִקְהַלְתָּ, impf. יַקְהֵל, יַקְהִיל, וַיַּקְהִלוּ 2 C 5, 2, inf. הַקְהִיל, imp. הַקְהֵל, הַקְהֶל־: **versammeln, einberufen** *call together, summon*: עָם Dt 4, 10 31, 12, יִשְׂרָאֵל 1 C 13, 5 15, 3, שָׂרֵי יִשְׂרָאֵל 28, 1, זִקְנֵי [שִׁבְטֵיכֶם] Dt 31, 28 1 K 8, 1 2 C 5, 2, עֵדָה Ex 35, 1 Lv 8, 3 Nu 1, 18 8, 9 16, 19 20, 8, קָהָל Nu 10, 7 20, 10 Hs 38, 13, Stämme *tribes* c. לְהִלָּחֵם 1 K 12, 21 2 C 11, 1; absol. Hi 11, 10.†

קָהָל: ja. u. cp.; asa. Versammlung, Gemeinde (e. Gottes) *assembly, congregation* (*of a god*); Zusammenhang mit *related to* קוֹל? H. Bauer ZAW 48, 75 (Lagarde, Übersicht 51 cf. قحل „Rügegericht"); Rost, Die Vorstufen v. Kirche u. Synagoge im AT 1938, 4 f. 7—32: cs. קְהַל, sf. קְהָלְךָ, קְהַלְכֶם: **1. Einberufung, Versammlung, Volksgemeinde** (*summons*) *assembly, convocation of the people*: Gn 49, 6 Jd 21, 5. 8 Hs 16, 40 23, 46, הַקָּ' הַזֶּה 1 S 17, 47 Nu 22, 4 (adde הַזֶּה), קְהַל יִשְׂרָאֵל Jos 8, 35 1 K 12, 3, קְהַל עַם הָאֱלֹהִים Jd 20, 2, קָ' גָּדוֹל 1 K 8, 65 Ir 31, 8 44, 15 Hs 38, 15 2 C 7, 8, קְ' גּוֹיִם Ir 50, 9 Gn 35, 11, קְ' עַמִּים Hs 23, 24 32, 3 Gn 28, 3 48, 4, קְהַלְכֶם (Israel) Dt 5, 22; יוֹם הַקָּהָל Dt 9, 10 10, 4 18, 16, קְהַל וְעַם רָב Hs 26, 7, קָ' רָב Hs 17, 17 38, 4 Ps 22, 26 35, 18 40, 10 f Esr 10, 1; קְהָלֵךְ (צֹר) Hs 27, 27. 34, קְהָלָהּ (אַשּׁוּר) 32, 22 f, קְהָלְךָ (גּוֹג) 38, 7. 13; קְ' קֹדֶשׁ קְ' (עַם//) Jl 2, 16; קְ' רְפָאִים Pr 21, 16; **2. Volksgemeinde** (besonders v. Israel) *convocation of the people* (*especially of Israel*): קְהַל־עֲדַת יִשְׂרָאֵל Ex 12, 6, קְ־עֲ' בְּנֵי יִשְׂ' Nu 14, 5, קְ' יִשְׂ' Lv 16, 17 Dt 31, 30 1 K 8, 14. 22. 55 1 C 13, 2 2 C 6, 3. 12 f 30, 25 (הַבָּאִים מִיִּשְׂ'), Si 50, 13, קְ' יְהוּדָה 2 C 30, 25, קְ' יְהוּ' וִירוּשָׁלַםִ 2 C 20, 5, קְ' יהוה Nu 16, 3 20, 4 Dt 23, 2—4. 9 Mi 2, 5 1 C 28, 8, קְ' עַם הָאֱלֹ' Ne 13, 1, קְ' הָאֱלֹהִים Jd 20, 2; כָּל־הַקָּהָל = Israel Ex 16, 3 Lv 4, 13 f. 21 Nu 10, 7 16, 33 17, 12 20, 6. 10. 12 22, 4 Jd 21, 5. 8 1 S 17, 47; קְ' הַגּוֹלָה Esr 10, 8, קְ' der Rückkehrer *of the returning Jews* Ne 8, 17; קָהָל die (jüdische) Kultgemeinde *the (Jewish) congregation* Ps 22, 23. 26 35, 18 40, 10 f Hi 30, 28 Th 1, 10 Esr 10, 12. 14 Ne 5, 13 8, 2. 17 1 C 13, 4 29, 1. 10. 20 2 C 1, 3. 5 7, 8 20, 14 23, 3 28, 14 29, 23. 28. 31 f 30, 2. 4. 13. 17. 23 f 31, 18, (= 42 360 Leute *persons*) Esr 2, 64 Ne 7, 66; קְ' עָם Ps 107, 32, קְ' הָעָם Ir 26, 17, עַם הַקָּ' Lv 16, 33; קָהָל וְעֵדָה Pr 5, 14; **3. (gelegentliche, besondre) Versammlung** (*casual, special*) *convocation* קְהַל מְרֵעִים Ps 26, 5, קְ' קְדֹשִׁים 89, 6, קְ' חֲסִידִים 149, 1; קָהָל Hs 23, 47 u. הַקָּהָל Pr 26, 26 = (Rechts =) Gemeinde (*court*) *assembly*; ? 2 C 24, 6; dele הַקָּהָל (dittogr.) Nu 15, 15.†
Der. קהל; קְהִלָּה; קֹהֶלֶת; *מַקְהֵל, מַקְהֵלֹת; n. l. קְהֵלָתָה.

קְהִלָּה: קָהָל: Versammlung, Gemeinde *assembly, convocation* Dt 33, 4 Ne 5, 7 (נָתַן קְ' עַל e. Gem. einberufen wegen *assemble a convoc. on account*) Si 7, 7 42, 11 (קהלת עם).†

קֹהֶלֶת: pt. qal fem. v. קהל: Redner (in Versammlung) *speaker* (*in assembly*) (ZAW 48, 80 :: 29, 69): Ko 1, 1 f. 12 12, 8 (קוֹהֶלֶת). 9 f.†

קְהֵלָ֫תָה: n. l.; קָהָל; Μακελ(λ)αθ: Wüstenstation *station in the desert*; *ʿĒn Muwēliḥ* ? MND 15, 30; Noth PJ 36, 23: Nu 33, 22 f. †

קְהָת u. **קֳהָת**: n. m.; ug. *ʾqht* (Heros?): 2. S. v. Levi Gn 46, 11 Ex 6, 16. 18 Nu 3, 17. 19. 27. 29 4, 2. 4. 15 7, 9 16, 1 26, 57 f Jos 21, 5. 20. 26 1 C 5, 27 f 6, 1. 3. 7. 23. 46. 51. 55 15, 5 23, 6. 12; F קְהָתִי. †

קְהָתִי u. **קֳהָתִי**: gntl. v. קְהָת: pl. קְהָתִים: Nu 3, 27. 30 4, 18. 37 26, 57 Jos 21, 4. 10 1 C 6, 39, c. בְּנֵי Nu 4, 34 1 C 6, 18 2 C 20, 19; pl. Nu 10, 21 2 C 29, 12, c. בְּנֵי 1 C 9, 32 2 C 34, 12. †

I **קָו** u. **קַו**: קוה; ak. *qū* Zimm. 35; oft *often* Q קָו, קַו u. K קָוֶה, קְוֵה: cs. קַו, sf. קַוָּם (F 4.): 1. **Schnur** (z. Spannen, Messen) *line* (*for stretching, measuring*) 1 K 7, 23 Q 2 C 4, 2; 2. קַו הַמִּדָּה **Mess-schnur** *measuring-line* Ir 31, 39 Q. > 3. קָו, קַו **Mess-schnur** *measuring-line* 2 K 21, 13 Js 28, 17 34, 11. 17 44, 13 Sa 1, 16 Q Hi 38, 5 Th 2, 8; 4. קַוָּם Ps 19, 5: l קוֹלָם (Capellus); Gunkel: v. קֵא, קִיא Schwall? *surging flood*? †

II **קַו**, **קָו**: כּוּשׁ ist *is* קַו־קָו Js 18, 2. 7; l קַוְקַו (I קוה, قوة Stärke *strength*) (BL 481): **Spannkraft** *elasticity*. †

III **קַו**: Schallwort, zur Verhöhung des ekstatisch redenden Propheten *sound-imitation, used for mocking prophets speaking in ecstasy* oder zu *or to* קיא?: Js 28, 10. 13. †

קוֹבַע: = F כּוֹבַע: **Helm** *helmet* (Lidz. Eph 2, 133 ff!) 1 S 17, 38 Hs 23, 24. †

I **קוה**: mhb. pi. hoffen *hope*, קִוּוּי Hoffnung *hope*; ja. קְוָא Faden *thread*, קְוִין Spinnweben *spider's web*; ܣܟܐ ausharren, erwarten, *endure, await*; ak. *qū* Seil *cord*, *quʾū* warten *wait* (Zimm. 35); قَوِيَ gespannt, stark sein *be tense, strong*:

qal: pt. (cf. דֹּבֵר : דִּבֶּר) cs. pl. קֹוֵי, sf. קֹוָי, קֹוֶיךָ, קֹוָו (< *קֹוָיו): (auf J.) **warten** *wait for* (י') Js 40, 31 49, 23 Ps 25, 3 37, 9 69, 7 Th 3, 25; †

pi: pf. קִוִּינוּ, קִוּוּ, קִוֵּיתִי, קִוִּיתִי, קִוְּתָה, sf. קִוִּינֻהוּ, קִוִּינוּךָ, קִוִּיתִיךָ, impf. יְקַוֶּה, יְקַו, וָאֲקַוֶּה, יְקַוּוּ, נְקַוֶּה, inf. קַוֵּה, קַוֹּה: gespannt sein *be tense* **warten auf**: *wait for*: 1. c. לְ Gn 49, 18 Js 5, 2. 4. 7 8, 17 25, 9 33, 2 59, 9. 11 (60, 9 l יִקָּווּ) — Ir 8, 15 13, 16 14, 19. 22 Mi 5, 6 Ps 69, 21 130, 5 Pr 20, 22 Hi 3, 9 6, 19 Si 11, 21; auflauern *lie in wait* Ps 119, 95; 2. c. אֶל Js 51, 5 Ho 12, 7 Ps 27, 14 37, 34; 3. c. ac. Js 26, 8 Ps 25, 5. 21 39, 8 40, 2 130, 5 Hi 7, 2 17, 13 30, 26 Th 2, 16, etw. **erwarten** *expect* Js 64, 2; 4. c. נֶפֶשׁ: **nach d. Leben trachten** *have a design upon a person's life* Ps 56, 7; l וַאֲחַוֶּה Ps 52, 11. †

Der. *קַוְקָו, I מִקְוֶה, תִּקְוָה (I, II, III n. m.).

II **קוה**: mhb. hif., ja. af. (Wasser) sammeln *collect (water)*, קִוּוּי Ansammlung *collection*:

nif: pf. נִקְווּ, impf. יִקָּווּ: **sich sammeln** *be collected* cj Js 60, 9, c. אֶל an *unto* Gn 1, 9, c. אֶל bei *unto* Ir 3, 17. †

Der. II מִקְוֶה, מִקְוָה.

***קָוֶה**: cs. קְוֵה: I קוה: כְּתִיב pro I קַו: 1 K 7, 23 Ir 31, 39 Sa 1, 16. †

קְוֵה 1 K 10, 28 u. קְוֵא 2 C 1, 16 (l קוֹא?): n. t.; Zkr 1, 6 קוה; keilschr. *Qu-ʾ-e*, *Qa-a-u-e*; V *Coa*; Landsberger, Samʾal 27: **Cilicien** *Cilicia* (BAS 120, 22 ff). †

קוֹחַ Js 61, 1: F פְּקַחְקוֹחַ.

קוט: NF v. *F* קוץ:
qal: impf. אָקוּט Ps 95, 10, 1 אָקוּט (*F* nif.); nif: pf. נָקֹטָה, נָקֹטּוּ, נְקֹטֹתֶם (BL 404), (BL 404), impf. cj אָקוּט Ps 95, 10: c. בְּ: **Ekel empfinden** vor *feel loathing against* Hs 6, 9 20, 43 36, 31 Hi 10, 1, cj Ps 95, 10;† hitp: impf. אֶתְקוֹטָט, וָאֶתְקוֹטָטָה: **sich grausen** *feel a loathing* Ps 119, 158 139, 21.†

קוֹל, selten *rarely* קֹל, (560 ×): *קוֹל; *F* קָהָל; ug. *ql* Laut *sound*: ak. *qulu* Ruf *call*, قَالَ sagen *say*; ph. קל u. ቃል, asa. קול Ruf *voice*; *F* ba. קָל: sf. קוֹלְךָ, קוֹלוֹ, קוֹלִי, קוֹלֵךְ, קוֹלָן, pl. קוֹלוֹת, קֹלוֹת, קֹלֹת: **Laut, Stimme, Ruf** *sound, voice*: 1. von *of* אִישׁ Jos 10, 14, עָם Ex 32, 17, צֹאן 1 S 15, 14, יוֹנִים Na 2, 8, עוּגָב Hi 21, 12, etc.; metaph. קוֹל דְּמֵי Gn 4, 10; 2. **Ton, Schall, Geräusch** *sound, noise*: von *of* מִלְחָמָה Ex 32, 17, שׁוֹפָר Ex 19, 16, פַּעֲמֹן 28, 35, עָלֶה Lv 26, 36, מַחֲנֶה u. מַיִם Dt 1, 34, אָלָה Lv 5, 1, דְּבָרִים Hs 1, 24 (3, 13), שְׁאָגָה 19, 7, מַפַּלְתֵּךְ 26, 15, צְעָדָה 2 S 5, 24, בְּכִי Js 65, 19, etc.; 3. **die Stimme Gottes** *the voice of God*: קוֹל יהוה (52 ×) Gn 3, 8 Ex 15, 26 Dt (15 ×) 5, 25 Jos 5, 6 1 S 12, 15 1 K 20, 36 2 K 18, 12 Js 6, 8 (אֲדֹנָי) Ir (11 ×) 3, 25 Mi 6, 9 Hg 1, 12 Sa 6, 15 Ps 29, 3—9 106, 25 Da 9, 10 (nicht in den übrigen Büchern *not to be found in the other parts of OT*); קוֹל אֵל שַׁדַּי Hs 1, 24, קוֹל שַׁדַּי Hs 10, 5, קוֹל אֱלֹהִים Dt 4, 33 5, 26, קוֹלוֹ IIs 43, 2, קוֹל דִּבְרֵי יהוה 1 S 15, 1, קוֹל מֵעַל לָרָקִיעַ Hs 1, 25; 4. **Wendungen** *phrases*: נָשָׂא קוֹלוֹ Gn 21, 16, הֵרִים קוֹלוֹ Gn 39, 15, נָתַן קוֹלוֹ בִּבְכִי Gn 45, 2, עָנָה בְקוֹל Ex 19, 19 הִשְׁמִיעַ בְּקוֹלוֹ (Gott *God*), הֶעֱבִיר קוֹל 36, 6, Hs 27, 30, נָתַן עַל-.. בְּקוֹלוֹ Ir 12, 8, הוֹלִיךְ הַקּוֹל Ko 10, 20; קוֹל גָּדוֹל laute Stimme *loud voice* Gn 39, 14, קוֹל רָם erhobene Stimme *elevated voice* Dt 27, 14; קוֹל אֶחָד einstimmig *with one voice* Ex 24, 3; 5. pl. קֹלֹת: **Donner** *thunder* Ex 9, 23. 28 (אֱלֹהִים). 29. 33 f 19, 16 20, 18 1 S 12, 17 f, חֲזִיז קֹלוֹת Hi 28, 26 38, 25; קֹלוֹת מַיִם donnernde W. *thundering waters* Ps 93, 4; 6. Einzelnes *particulars*: קוֹל Gerücht *rumour* Gn 45, 16; קֹל הָאֹת was d. Zeichen sagt, bedeutet *the voice (meaning) of the sign* Ex 4, 8; קוֹל Ruf (d. Wortlaut folgt) *cry (the words follow)* Ir 50, 46; קוֹלִי אֶקְרָא ich rufe laut *I cry with my voice* Ps 3, 5 142, 2; וְאֵין קוֹל וְאֵין עֹנֶה 1 K 18, 26. 29 cf. 2 K 4, 31; קוֹל Interjektion: horch!? *interjection*: *listen!?* Js 40, 3. 6 (Peters, Bibl. 1939, 288 ff); 1 קָרוֹב Ze 1, 14, 1 כּוֹס 2, 14; 1 כָּל-הַקִּרְיָה 1 K 1, 41.

קוֹלָיָה: n. m.; קוֹל? (Bauer ZAW 48, 74. 94: קוֹל er spricht *he speaks*?) Noth S. 32[1]: 1. Ir 29, 21; 2. Ne 11, 7.†

קום: Sem; ug. *qm*; (ältest. *oldest* aram. קימת (pa.) Assurbrief 9; *F* ba.) asa. קום, קם; ph.: qal (460 ×): pf. קָם, קָאם Ho 10, 14 (BL 404), קָמָה, קַמְתָּ, קָמְתִּי, קָמוּ, קַמְתֶּם, קַמְנוּ, impf. יָקֻם, יָקוּם, וַיָּקָם, וַיָּקָם Hi 22, 28, אָקוּמָה, וָאָקֻם, וַיָּקֻמוּ, יְקוּמוּן, תָּקֻמוּ, נָקוּמָה, inf. קוּם, קוּם, קוּמָה, קֻמָה, sf. imp. קוּם, קוּמָה, קוּמִי, קוּמוּ, קֹמְנָה, pt. קָם, קָמָה, קָמִים u. קוֹמִים 2 K 16, 7 (BL 399), sf. קָמַי, קָמָיו, קָמֵיהֶם: 1. **aufstehen** *arise*: Gn 24, 54, :: שׁכב Gn 19, 33, :: ישׁב Ps 139, 2; c. מֵעַל Gn 23, 3 Jd 3, 20, c. מֵעִם 1 S 20, 34, c. מִפְּנֵי Gn 31, 35; קֻם לְךָ steh auf! *arise!* Jos 7, 10; 2. קום oft bloss zur Veranschaulichung e. Vorgangs beigefügt *often added only to illustrate a proceeding*: וְקַמְתְּ וְדִבַּרְתְּ Ir 1, 17, Gn 4, 8 19, 14, וַתָּקָם וַתִּשְׁכַּב Gn 19, 35; so besonders im *thus especially in* imp.: קוּם קַח Gn 19, 15, קוּם-נָא שְׁבָה Gn 27, 19; 2. **aufstehen, sich aufrichten** *arise* *stand up*: Gn 37, 7, auftreten *appear* Dt 13, 2, (fast = folgen, kommen *nearly = follow, come*) Gn 41, 30 Ex 1, 8; c. מִתַּחְתָּיו sich von d. Stelle bewegen *move from a place* Ex 10, 23; c. לִפְנֵי hintreten vor *stand before* Nu 16, 2; c. תַּחַת an jmds Stelle treten *take one's place* 1 K 8, 20; c. בְּ auftreten gegen *rise against* Mi 7, 6 Ps 27, 12; c. עַל sich erheben gegen *rise against* Dt 19, 11 Jd 9, 18 Js 31, 2 etc.; daher *therefore* קָמִים, ug. *qm*, Gegner *adversary*, c. עַל gegen *against* Dt 28, 7 2 S 18, 31 Ps 3, 2 92, 12, ohne *without* עַל Ex 15, 7 Dt 33, 11 Ps 44, 6 etc., cj Na 1, 8 (l בְּקָמָיו), cj Ps 109, 28 (l קָמַי יֵבֹשׁוּ); c. מֵאַחֲרֵי folgen auf *follow* Dt 29, 21; c. לִפְנֵי standhalten vor *stand before* Jos 7, 12 f; קָמָה רוּחַ מִפְּנֵי Mut wird wach gegenüber *courage rises against* Jos 2, 11; c. לְ eintreten für *rise up for* Ps 94, 16; **4.** יהוה **erhebt sich** *arises* Js 2, 19. 21 14, 22 28, 21 33, 10 Ps 12, 6, קוּמָה יהוה = schreite ein! *interfere!* Ps 3, 8 7, 7 9, 20 10, 12 17, 13 74, 22 (אֱלֹהִים) 132, 8 Nu 10, 35, c. עַל Js 14, 22 Am 7, 9; von Menschen *said of men*: Ob 1 Ps 1, 5 (ZAW 36, 27 f); שָׁאוֹן Ho 10, 14; **5. zu Stand kommen** *come about*: תָּקוּם es *it* Js 7, 7 14, 24, יָקוּם es *it* Js 8, 10, עֲצָתוֹ (י׳) 46, 10 Pr 19, 21, מַחְשָׁבוֹת Ir 51, 29; **6. Bestand haben** *last* 1 S 13, 14 24, 21 Am 7, 2 Na 1, 6, דְּבַר אֱלֹהִים Js 40, 8 Ir 44, 28 f, **gelten** *be valid* (נֶדֶר) Nu 30, 5—12, c. עַל für *for* 30, 10; **7.** c. לְ: **gehören** *belong* Lv 25, 30 27, 19; c. לְמִקְנָה לְ käuflich übergehen an *belong as purchase* Gn 23, 17 f, c. לַאֲחֻזָּה als Eigentum übergehen an *belong as property* 23, 20; **8.** zu stehen kommen (im Preis), **kosten** *cost* (cf. lat. *costare*) Lv 27, 14. 17; **9.** קָמוּ עֵינָיו **wurden starr** *were set, staring* 1 K 14, 4 1 S 4, 15 (l קָמוּ); **10. gesund werden** *recover* (cf. ak. *tebû*) Ex 21, 19 Da 8, 27; **11.** לֵב קָמָי Ir 51, 1 Atbasch (א = ת, ב = שׁ) pro כַּשְׂדִּים; Hs 7, 11 l קָמַל מַטֵּה; 1 S 20, 25 l וַיִּקַּדֵּם;

pi (spät. *late*; aram.): pf. קִיַּם, קִיְּמוּ, impf. וָאֲקַיְּמָה. inf. קַיֵּם, imp. sf. קַיְּמֵנִי: hinstellen, aufrichten *set up, raise*: **1. eintreffen lassen** *establish* (דָּבָר) Hs 13, 6, **bekräftigen** *confirm* Ps 119, 106 (נִשְׁבַּע) Ru 4, 7 (דָּבָר), **bestätigen** *confirm* (אִגֶּרֶת) Est 9, 29; **2.** קִיֵּם עַל jmdm auferlegen, **zur Pflicht machen** *impose an obligation* Est 9, 31, c. לְ c. inf. dass ... *to* Est 9, 21. 27; **3. einsetzen, anordnen** *appoint, fix* Est 9, 31 f; **4.** jmd aufrichten, **stärken** *confirm* Ps 119, 28; †

pil.: impf. תְּקוֹמֵם, אֲקוֹמֵם, יְקוֹמֵמוּ: **aufrichten** *raise up* Js 44, 26 58, 12 61, 4; l יְקוּמוּ Mi 2, 8; Si 11, 9 auftreten *present oneself*; †

hif (146 ×): pf. הֵקִים, הֲקִמֹתָ, הֲקִמֹתִי, הֲקִימוֹתִי, sf. הֲקִמֹתוֹ, הֱקִמֹנִי, הֱקִימוּ, impf. יָקִים, יָקֵם, וַיָּקֶם, אָקִים, יָקִימוּ, יְקִימוּן, תְּקִימֶנָה Ir 44, 25 (BL 404) (תְּקִמְנָה* vel תְּקִימֶנָה*?), sf. יְקִימְךָ, יְקִימֵנוּ, וַיְקִימֶהָ, inf. הָקִים, הָקֵם, cs. הָקִים, sf. הֲקִימוֹ, הֲקִימִי, imp. הָקֵם, הָקִימוּ, sf. הֲקִימֵנִי, pt. מֵקִים, cs. מְקִימִי! Ps 113, 7, sf. מְקִימָהּ: **1. aufrichten, hinstellen** *raise, erect*: סֻכָּה Am 9, 11, מִשְׁכָּן Ex 26, 30, עַמּוּד 1 K 7, 21, פֶּסֶל Jd 18, 30, אֶבֶן Jos 24, 26, etc.; **2.** c. דָּבָר, נֶדֶר etc.: **ausführen, halten** *carry out*: דָּבָר Dt 9, 5 27, 26, von יהוה gesagt *said of* יהוה: Js 44, 26 Ir 28, 6 1 S 1, 23 2 S 7, 25 1 K 2, 4 6, 12 8, 20 12, 15 Ir 29, 10 33, 14 Da 9, 12 Ne 9, 8 2 C 6, 10 10, 15; c. מִצְוָה Ir 35, 16, c. נֶדֶר Nu 30, 14 f, Ir 44, 25, c. בְּרִית Gn 6, 18 9, 9. 11. 17 17, 7. 19. 21 Ex 6, 4 Lv 26, 9 Dt 8, 18 Hs 16, 60. 62 2 K 23, 3 Ir 34, 18, c. שְׁבוּעָה Gn 26, 3 Ir 11, 5, נֶדֶר Nu 30, 15, מְזִמָּה Ir 23, 20 30, 24, c. תּוֹרָה 2 K 23, 24, c. עֵדוּת Ps 78, 5, c. אִמְרָה Ps 119, 38, etc.; 3. > הֵקִים absol.:

Wort halten *keep one's word* Nu 23, 19 1 S 3, 12; 4. **aufstehn heissen** *order to rise* 2 K 9, 2, **aufstehn machen** *cause to rise* Js 14, 9 49, 6. 8; (Löwen) **reizen** *rouse, start (lions)* Gn 49, 9 Nu 24, 9; 5. **aufstellen, aufhelfen** *raise, lift up*: gefallenes Tier *fallen animal* Dt 22, 4, דַּל 1 S 2, 8 Ps 113, 7, 2 S 12, 17 Ir 50, 32, Ho 6, 2 Am 5, 2 Ps 41, 11 Hi 4, 4 Ko 4, 10; 6. jmd **aufstellen, bestellen, mit e. Aufgabe betrauen, einsetzen** *raise a person, commission, appoint*: שָׂטָן 1 K 11, 14. 23, גּוֹי עַל Am 2, 11, לְנָבִיא 6, 14, נָבִיא Dt 18, 15. 18, מוֹשִׁיעַ Jd 3, 9. 15, מֶלֶךְ Dt 28, 36 1 K 14, 14, שֹׁפֵט Jd 2, 16, שֹׁמֵר 7, 19, כֹּהֵן 1 S 2, 35, צֹפִים Ir 6, 17, רֹעִים Ir 23, 4, לְאֹרֵב 1 S 22, 8; 7. **aufstehn lassen, errichten, beschaffen** *cause to rise, establish, provide*: זֶרַע Gn 38, 8 2 S 12, 17 1 C 17, 11, שֵׁם Dt 25, 7, צֶמַח Ir 23, 5, מַטָּע Hs 34, 29, רָעָה 2 S 12, 11; 7. **Einzelnes** *particulars*: הֵקִים תַּחַת an jmds Stelle treten lassen *raise up in one's stead* Jos 5, 7; הֵקִים אַפְסֵי אָרֶץ hinstellen (bei d. Schöpfung) *raise (in creation)* Pr 30, 4, הֵקִים שֵׁם מֵת aufleben lassen *raise* Ru 4, 5. 10, הֵקִים בַּמִּלְחָמָה im K. aufkommen lassen *cause to gain ground in the battle* Ps 89, 44; הֵקִים לִדְמָמָה zum Schweigen bringen *cause to calm* Ps 107, 29;

hof: pf. הוּקַם, הֻקַם: 1. **aufgerichtet werden** *be raised up* Ex 40, 17; 2. **ausgeführt werden** *be effected* דָּבָר Ir 35, 14; 3. **bestellt werden** *be appointed* 2 S 23, 1; †

hitp: pt. fem. מִתְקוֹמְמָה, sf. מִתְקוֹמְמִי, pl. cj מִתְקוֹמְמִים, sf. מִתְקוֹמְמַי: **sich erheben** *rebel* Ps 17, 7, cj pl. Ps 8, 3 u. 44, 17, c. לְ gegen *against* Hi 20, 27, c. sf. gegen *against* Ps 59, 2 Hi 27, 7, cj Ps 139, 21 (l מִתְקוֹמְמֶיךָ). †

Der. קִימָה, קִים*, קוֹמְמִיּוּת, קוֹמָה, מָקוֹם, יְקוּם, תְּקוּמָה, קָמָה; n. m. אֱלִיקָא, אֲחִיקָם, אֲדֹנִיקָם, יְקַמְעָם, יְקַמְיָה, יָקִים, יוֹקִים, יְהוֹיָקִים, אֶלְיָקִים, עַזְרִיקָם, קְמוּאֵל.

קוֹמָה u. **קֹמָה**: קום: cs. קוֹמַת, sf. קֹמָתוֹ, קוֹמָתָהּ: 1. **Höhe** *height*: v. *of* תֵּבָה Gn 6, 15, אָרוֹן Ex 25, 10 37, 1; F Ex 25, 23 37, 10 27, 1 30, 2 37, 25 38, 1, 1 K 6, 23. 26, 7, 15 2 K 25, 17 Ir 52, 21, 1 K 7, 16, Ir 52, 22, 1 K 7, 23, 7, 27. 35, 7, 32, Ex 27, 18 38, 18 1 K 6, 2. 10. 20 7, 2 Hs 40, 5; 2. (hoher) **Wuchs** *(high) stature* 1 S 16, 7 Hs 13, 18 17, 6 19, 11 31, 3. 5. 10. 14, e. Mädchens *of a girl* Ct 7, 8; מְלֹא קוֹמָתוֹ s. volle Länge *his full length* 1 S 28, 20, קוֹמַת אֲרָזָיו s. hohen Z. *his high c.* 2 K 19, 23 Js 37, 24; רָמֵי קוֹמָה hochgewachsen *high of stature* Js 10, 33. †

קוֹמְמִיּוּת: קום; Gulk. Abstr. 110; adv.: **in aufrechter Haltung** *(go) upright* Lv 26, 13. †

קוֹנֵן: F קין.

***קוֹס**: F בִּרְקוֹס.

קוֹעַ: n. p.; keilschr. *Qutū* neben *along with Sutū* (Delitzsch, Paradies 235 f) F שׁוֹעַ: Hs 23, 23, cj Js 22, 5. †

***קוֹף**: F תְּקוּפָה.

***קוֹף** u. ***קֹף**: sanskr. *kapi-*, äg. *gjf*; ak. *uqupu* (Landsb. 87); [Syriac]; mnd. קוף; κῆπος: pl. קֹפִים, קוֹפִים: **Affe** *ape* (*Papio Hamadrias Arabicus?*) 1 K 10, 22 2 C 9, 21. †

I **קוּץ**: NF קוט: mhb. קוץ; cf. ja. קנט Ekel haben *feel abhorrence*, [Syriac] fürchten *fear*:

qal: pf. קָצְתִּי, קָצָה, impf. וַיָּקָץ, תָּקֹץ, וָאָקֻץ, וַיָּקֻצוּ, pt. קָץ: c. בְּ: **Ekel empfinden vor** *feel a loathing at* Gn 27, 46 Lv 20, 23 (י) Nu 21, 5 1 K 11, 25 (pone 25 b post 22) Pr 3, 11 Si 4, 9 6, 25 50, 25; c. מִפְּנֵי Grauen empfinden vor *feel a sickening dread of* Ex 1, 12 Nu 22, 3 Js 7, 16. †

Der. I, III n. m. קוֹץ.

II קוץ: mhb., ja. abschneiden *cut off*; قاص auseinanderreissen *tear asunder* (Orlinsky JQR 28, 65 ff):
hif: impf. יָקִיצוּ, sf. נְקִיצֶנָּה: 1. intrans. auseinanderklaffen *gape* (*asunder*) Hi 14, 12; 2. trans. auseinanderreissen *tear asunder* Js 7, 6. †

I קוֹץ: I קוץ?; ak. *kuṣṣu* (Holma Kl B 92); äg. *qḏ*: pl. קוֹצִים, cs. קוֹצֵי: Dorngestrüpp *thornbush* Gn 3, 18 Ex 22, 5 Jd 8, 7. 16 Js 33, 12 Ir 4, 3 12, 13 Hs 28, 24 Ho 10, 8 Ps 118, 12 (AS 2, 315 f); F III קוֹץ. †

II קוֹץ: קצץ; قصّ abschneiden, Lampe schneuzen *cut off*, *snuff* (*lamp*), مِقَصّ Lichtscheere *snuffers* (G Var. ἀπόμυγμα, Vet. Lat. *filus lucernae*): Dochtabfälle *snuffs* (*of wick*); Driver WO 1, 30): 2 S 23, 6. †

III קוֹץ: n. m.; = I? (Abwehrname *averting name* Hs 28, 24): 1. 1 C 4, 8; 2. הַקּוֹץ Ne 3, 4. 21 1 C 24, 10, בְּנֵי הַקּוֹץ Esr 2, 61 Ne 7, 63. †

*קְוֻצּוֹת: mhb., ܩܘܨܬܐ, pl. *qawṣātā*; قُصّة: sf. קְוֻצּוֹתָיו, קְוֻצּוֹתַי: Locken *locks of hair* Ct 5, 2. 11. †

I קור: قار e. rundes Loch bohren *cut a round hole in*; F נקר; asa. וקר *fidit*; ug. *qr mjm* Quell *well*:
qal: pf. קַרְתִּי: (nach Wasser) graben *dig* (*for water*) 2 K 19, 24 Js 37, 25 (G legit קרת שׁתי ich baute Brücken *I built bridges*). †

II *קור: *קוּר.

*קוּר: قَوْر Strick (*kind of*) *rope*, قار sich winden (Schlange) *twist* (*serpent*): pl. cs. קוּרֵי, sf. קוּרֵיהֶם: Faden *thread* Js 59, 5. †

קוֹרָה: pt. v. קרה; ak. *qaritu*; ja., sy. קָרִיתָא; قَرِيَّة: sf. קֹרָתִי, pl. קֹרוֹת: Gebälk (= Haus) *rafters*, *beams* (= *house*) Gn 19, 8, Balken *beam* cj 1 K 6, 15 u. 16 (הַקֹּרוֹת) u. 7, 7, 2 K 6, 2. 5 Ct 1, 17 2 C 3, 7. †

I קושׁ: NF v. יקשׁ, נקשׁ:
qal: impf. יְקֹשׁוּן (Vögel) mit d. Stellholz fangen *lay bait* Js 29, 21. †

II *קושׁ: F n. m. קוּשָׁיָהוּ.

קוּשָׁיָהוּ: n. m.; II *קושׁ; Noth S. 32[1]; Bauer (ZAW 48, 74: v. *קֹשׁ = ak. *qāšu* schenken *present*; u. יו; Mél. Syr. 430): 1 C 15, 17; = קִישִׁי (MS קוּשִׁי) 1 C 6, 29. †

קַח: Löw 3, 326: Weide *willow* *Salix*: Hs 17, 5. †

קַט: Eitan JPO 3, 137 f cf. äth. *quaṭiṭ* klein *small*; dele? Hs 16, 47. †

*קֶטֶב: F קֶטֶב.

קֶטֶב u. קֹטֶב: *קטב; قطب abschneiden *cut off*; ܩܘܛܒܐ = قُطْب Dorn *thorn*: קֶטֶב, sf. קָטָבְךָ (קֹטֶב): 1. Stachel *sting* Ho 13, 14, קֶטֶב שֹׁעַר Sturm von Stacheln *storm of stings* || Hagel *hail* Js 28, 2; 2. Stachel (Name einer Krankheit, Masern?) *sting* (*name of a disease, measles?*) Dt 32, 24 Ps 91, 6 (später *later on* קֶטֶב ein Dämon *a demon*). †

קְטוֹרָה: קטר: Räucherung *smoke of sacrifice* Dt 33, 10. †

קְטוּרָה: n. fem.; in Räucherduft Gehüllte *the perfumed one*: Frau v. *wife of* אַבְרָהָם: Gn 25, 1. 4 1 C 1, 32 f. †

קטל: aram., = hbr. רצח; F ba.:

qal: impf. יִקְטְלֵנִי :תִּקְטֹל ,יִקְטָל־ ,sf. töten *kill* Ps 139, 19 Hi 13, 15 24, 14. †
Der. *קֶטֶל.

***קֶטֶל**: קטל: קֶטֶל: **Mord** *slaughter* Ob 9. †

קטן: ak. *qatānu* (ת!) dünn sein *be thin*; aram. קטן kleiner, schwächer sein *be smaller, feebler*; قَطِين Diener *servant*; ⴔⴰⵏ zart, klein sein *be tender, small*; soq. *qéṭehon*, mehri *qoṭōn* dünn *thin*; neopu. אקטן klein *small*:
qal: pf. קָטֹנְתִּי, impf. וַתִּקְטַן: **gering sein** *be insignificant* 2 S 7, 19 1 C 17, 17, c. מִן zu gering sein für *be too insignificant for* Gn 32, 11; †
hif: inf. הַקְטִין: **klein machen** *make small* Am 8, 5. †
Der. *קֹטֶן, I, II קָטָן n. m. קָטֹן ,קָטָן.

***קֹטֶן**: קטן: sf. קָטָנִּי (Var. קָטָנִּי u. קָטְנִי): mein **Kleiner** (Finger oder Penis?) *my small one* (*finger or penis?*) 1 K 12, 10 2 C 10, 10. †

I **קָטָן**: קטן: sf. קְטַנָּם, fem. קְטַנָּה, pl. קְטַנִּים, cs. קְטַנֵּי, fem. קְטַנּוֹת: **1. klein** *small* Dt 25, 13 f 1 S 9, 21 2 S 12, 3 1 K 11, 17 17, 13 18, 44 2 K 2, 23 4, 10 5, 2 Js 22, 24 (הַקָּטָן was klein ist *what is small*) Ir 6, 13 16, 6 31, 34 Hs 43, 14, cj קְטַנּוֹת (חֲצֵרוֹת) 46, 22, Jon 3, 5 Ps 104, 25 Ct 2, 15 Ko 9, 14 Est 1, 5. 20 1 C 12, 15 2 C 31, 15 34, 30 36, 18 Si 14, 3, c. שְׁאֵלָה bescheiden *modest* 1 K 2, 20, קְטַנָּה etwas Kleines *something small* Nu 22, 18, בֵּן קָטָן Söhnchen *young son* 2 S 9, 12, gering *insignificant* 2 K 18, 24 Js 36, 9 Ps 115, 13; קְטַנּוֹת kleine Anfänge *small beginnings* Sa 4, 10; קְטַנֵּי אֶרֶץ kleine Wesen auf Erden *small beings on earth* Pr 30, 24; **2. jung, jünger, jüngster** *young, younger, youngest* Gn 9, 24 27, 15. 42 29, 16. 18 Jd 15, 2 1 S 16, 11 14, 49 Hs 16, 46. 61 Ct 8, 8 1 C 24, 31; יֶלֶד זְקֻנִים קָטָן junges Alterskind *young child of his old age* Gn 44, 20; F II קָטָן. †

II **קָטָן**: הַקָּטָן: n. m.; = I; APN 184 *Qitinu, Kuttunu*: Esr 8, 12. †

קָטֹן: קטן; < *qaṭān*: cs. קְטֹן: **1. klein, gering** *small, insignificant* // צָעִיר Js 60, 22, geringfügig *trivial* Ex 18, 22. 26 1 S 20, 2 22, 15 25, 36; klein *small* מְעִיל 1 S 2, 19, בַּיִת Am 6, 11, רֶגַע Js 54, 7, מָאוֹר Gn 1, 16, נַעַר 1 S 20, 35 1 K 3, 7 2 K 5, 14 Js 11, 6; gering, niedrig *low* 1 S 15, 17 30, 19, // בָּזוּי Ir 49, 15 Ob 2, c. מִן c. inf. zu klein, um ... *too small to* 1 K 8, 64; klein, schwach *small, feeble* Am 7, 2. 5; קָטֹן :: גָּדוֹל Dt 1, 17 1 C 25, 8 26, 13 Gn 19, 11 1 S 5, 9 30, 2 1 K 22, 31 2 C 18, 30 2 K 23, 2 Ir 42, 8 2 C 15, 13 2 K 25, 26 Ir 8, 10 42, 1 44, 12 Hi 3, 19; :: הרבה Si 51, 27; **2. jung, jüngster** *young, youngest* Gn 42, 13. 15. 20. 32. 34 44, 2. 12. 23. 26 43, 29 48, 19 Jd 1, 13 3, 9 9, 5 2 C 21, 17 22, 1. †

קטף: mhb., ja., sy.; ak. *qatāpu* (ת!) abhauen, abreissen *cut off, tear off*; قَطَفَ lesen (Trauben) *pluck (grapes)*:
qal: pf. קָטַף, קָטַפְתָּ, impf. אֶקְטֹף, pt. קֹטְפִים: **abreissen** (Ähren) *pluck off* (*ears of grain*) Dt 23, 26, Zweige *twigs* Hs 17, 4. 22, pflücken *pluck* Hi 30, 4; †
nif: impf. יִקָּטֵף: **abgerissen werden** *be plucked off* Hi 8, 12; F קפץ nif. †

קטר: ug. *qtr* Räucherung *incense*; ak. *qaṭāru* aufsteigen *rise*, II aufsteigen lassen, räuchern *cause to rise, cense*; قَتَرَ (ת) duften, rauchen *exhale odour, smoke*, قُتَار Dampf, Rauch *exhalation, smoke*, asa. מקטר Räucherung *censing*; ph. קטרת Räucherwerk *incense*; ja. קְטָרָא Rauch, Nebel *smoke, mist*:

pi: pf. קִטְּרוּ, קִטַּרְתֶּם, impf. יְקַטֵּר, וַיְקַטֵּר, יְקַטְּרוּ, וַיְקַטְּרוּ (Q וַיְקַטְּרוּ, K וַיְקַטִּירוּ) וַיְקַטְּרוּ, יְקַטְּרוּן 2 C 34, 25, inf. קַטֵּר, pt. מְקַטְּרוֹת: **Opfer in Rauch aufsteigen lassen** (nie in Gn—Jd) *send sacrifices up in smoke* (*nowhere in Gn—Jd*): קַטֵּר תּוֹדָה Am 4, 5 (sonst stets in illegitimem Kult *the rest of the quotations always about illigitime worship*), auf *upon* בָּמוֹת 2 K 17, 11 23, 5. 8, neben *connected with* זִבֵּחַ 1 K 22, 44 2 K 12, 4 14, 4 15, 4. 35 16, 4 2 C 28, 4; c. לֵאלֹהִים אֲחֵרִים 2 K 18, 4, c. לִנְחַשׁ הַנְּחֹשֶׁת 2 K 22, 17 Ir 1, 16 19, 4 44, 3. 5. 8. 15 2 C 28, 25, c. לַבַּעַל Ir 7, 9 11, 13. 17 32, 29, c. לַשָּׁוְא Ir 18, 15, c. לִצְבָא הַשָּׁמַיִם Ir 19, 13, c. לַפְּסִלִים Ho 11, 2, c. לִמְלֶכֶת הַשָּׁמַיִם Ir 44, 17—19. 25, c. לְמִכְמַרְתּוֹ Ha 1, 16, עַל־הֶהָרִים Js 65, 7, עַל־הַגְּבָעוֹת Ho 4, 13, c. עַל־גַּגּוֹת Ir 19, 13 32, 29, c. עַל־הַלְּבֵנִים Js 65, 3; *F* 1 S 2, 16 Ir 11, 12 44, 21. 23 2 C 25, 14 30, 14 34, 25; *F* hif. 2; †

hif: pf. הִקְטִיר, הִקְטַרְתָּ, sf. הִקְטִירוֹ, impf. יַקְטִיר, וַיַּקְטֵר, תַּקְטִיר, יַקְטִרוּן, sf. יַקְטִירֶנָּה, pt. מַקְטִיר: **in Rauch aufgehn lassen** *make* (*sacrifices*) *smoke*: 1. in Gn—Dt: עֹלָה Ex 29, 18 Lv 1, 9. 13. 15. 17 4, 10 6, 5 8, 20 f 9, 13 f 2 C 13, 11, מִנְחָה Lv 6, 8 9, 17, אַזְכָּרָה Nu 5, 26, קְטֹרֶת Ex 30, 7 f 40, 27 Nu 17, 5 2 C 2, 3 13, 11 29, 7, אִשֶּׁה Ex 30, 20 Lv 2, 2. 9. 11. 16 3, 5 7, 5 8, 28 Nu 18, 17, חֵלֶב (חַטָּאת) Ex 29, 13 Lv 4, 19. 26. 31. 35 8, 16 9, 10 16, 25, סֹלֶת Lv 5, 12, מַצּוֹת (אִשֶּׁה) Ex 29, 25 Lv 3, 16, חֵלֶב (זֶבַח) Lv 3, 11 7, 31 9, 20 17, 6; 2. ausserhalb *outside* Gn—Dt: חֵלֶב 1 S 2, 15 f, עֹלָה u. מִנְחָה 2 K 16, 13. 15, מִנְחָה Ir 33, 18 (מַעֲלֶה עֹלָה// u. עֹשֶׂה זֶבַח), קְטֹרֶת 1 S 2, 28, זֹבֵחַ// 1 K 3, 3 (בַּבָּמוֹת) 11, 8 (Frauen *women*), לֵאלֹהָיו (Moab) Ir 48, 35, c. לַבְּעָלִים Ho 2, 15 (l תְּקַטֵּר), c. לִפְנֵי יהוה 1 K 9, 25 1 C 23, 13 2 C 2, 5 26, 18 34, 25 K; *F* 1 K 12, 33 13, 1 f 1 C 6, 34 2 C 26, 16. 18 f 28, 3 29, 11 32, 12; †

hof: impf. תָּקְטַר, pt. מֻקְטָר: **in Rauch aufgehn gelassen werden** *be made to smoke as sacrifice*: Lv 6, 15 Si 45, 14 Ma. 1, 11. †

Der. מְקַטְּרוֹת, מִקְטֶרֶת, מִקְטָר*, קִיטוֹר, קְטֹרֶת, קְטֹרָה; n. fem. קְטוּרָה; n. l. קִטְרוֹן.

קטר Ir 44, 21: l קְטֹרֶת.

קִטְרוֹן: n. l.; קטר: Jd 1, 30 (Garstang 391); = קַטָּת Jos 19, 15. †

קְטֻרוֹת Hs 46, 22: l קְטַנּוֹת.

קְטֹרֶת: קטר; > äg. *qdrt*; Löhr, Die Räucheropfer im AT, 1927: sf. קְטָרְתִּי: 1. **Opferrauch** *smoke of* (*burning*) *sacrifice*: 1 S 2, 28 Js 1, 13 (zu *to* 2.?) Ps 66, 15, cj Ir 44, 21; 2. **Räucherwerk** (im Opferfeuer verbrannte Riechstoffe) *incense* (*perfumes burned in the fire of sacrifice*) Lv 10, 1 16, 13 Nu 7, 14—86 (13 ×) 16, 7. 17 f 17, 5. 11 f; קְ׳ סַמִּים Ex 30, 7 40, 27 Lv 16, 12 (דַּקָּה) 2 C 2, 3 13, 11 Si 49, 1, קְ׳ הַסַּמִּים Ex 25, 6 31, 11 35, 8. 15. 28 37, 29 39, 38 Lv 4, 7 Nu 4, 16; מִקְטַר קְ׳ Ex 30, 1, מִזְבַּח הַקְּ׳ Ex 30, 27 31, 8 35, 15 1 C 6, 34 28, 18 2 C 26, 16. 19 Lv 4, 7 *F* Ex 40, 5; קְ׳ זָרָה Ex 30, 9; קְ׳ תָּמִיד 30, 8, קְ׳ רֹקַח 30, 35; עֲנַן הַקְּ׳ Lv 16, 13 Hs 8, 11; שֶׁמֶן וּקְ׳ Pr 27, 9; הִקְרִיב קְ׳ Nu 16, 35; *F* Hs 16, 18 23, 41 Ps 141, 2. †

קַטָּת: n. l.: Jos 19, 15, = קִטְרוֹן Jd 1, 30. †

קיא; mhb. hif; ak. *qāʾu* ausscheiden *excrete*; قاء, ቂአ u. äg. *qɜʿ* erbrechen *vomit*:

qal: pf. קָאָה, imp. קְיוּ (MS קוּ) (BL 445): **erbrechen** *vomit* Lv 18, 28, absol. Ir 25, 27 Si 34, 21 (imp. קוה wie v. *as of* קוה); †

hif: pf. sf. הֱקִיאתוֹ, impf. תָּקִיא, וַתָּקִא, sf. תְּקִיאֶנּוּ, וַיְקִאֵנּוּ: etw. **erbrechen** *vomit something* (Mensch) Bissen (*man*) *morsel* Pr 23, 8,

Honig *honey* 25, 16, חֵיל Hi 20, 15, (Fisch *fish*) יוֹנָה Jon 2, 11, (Land *country*) Bewohner *inhabitants* Lv 18, 25. 28 20, 22.†
Der. קֵא, קִיא, קיא; III קַיִן?; קָאַת?

קִיא: קיא: sf. קִיאוֹ: **Erbrochenes** *vomit* Js 19, 14 28, 8 Ir 48, 26.†

***קִיה**: F קיא qal.

cj ***קֵיט**: aram. LW = קַיִץ: cj קֵיט (קִשְׁרֵי) **Sommer** *summer* Hi 8, 14 (Peters).†

קִיטוֹר u. **קִיטֹר**: קטר: **Rauch** *smoke* Gn 19, 28 Ps 119, 83; l קֶרַח Ps 148, 8 (:: Wutz, Ps, S. 388).†

***קִים**: קום; pt. act. wie *as* לֵץ, לֵן, צִיר; sf. קִימָנוּ: **Gegner** *adversary* Hi 22, 20.†

***קִימָה**: קום: sf. קִימָתָם: **Aufstehen** *rising up* Th 3, 63.†

קין: ܩܝܢܐ ,قَيْنَة Lied, Klagelied *song, dirge*; Sängerin *singer (girl)*; ቀኒ Gesang *singing*, ቀነየ musizieren *play music*:
pil: pf. קוֹנְנוּ, sf. קוֹנְנוּהָ, impf. וַיְקֹנֵן, תְּקוֹנֵנָּה (BL 404) Hs 32, 16, pt. מְקוֹנְנוֹת: **d. Leichenlied singen** *chant a* קִינָה (F dort *there*) 2 S 1, 17 3, 33 Ir 9, 16 Hs 27, 32 32, 16 (l וְקוֹנְנָתָה) 2 C 35, 25.†
Der. I קִינָה.

I ***קַיִן**: قَنَاة Schaft, Lanze *shaft, spear*; zu קָנֶה? Zimm. 27: sf. קֵינוֹ: **Spiess** *spear* 2 S 21, 16.†

II **קַיִן**: n. m.; Volksetym. *popular etym.* (v. קנה) Gn 4, 1; قَيْن Schmied *worker in iron*; ja. קֵינָאָה, ܩܝܢܐ, palm. קיניא (pl.) Metallarbeiter *metalworker*; nab. n. m. קינו; asa. n. m. אקנו :: קַיִן: 1. S. v. Adam Gn 4, 1—25; F תּוּבַל קַיִן; F III u. קֵינִי u. קֵינָן.†

III **קַיִן**: n. p.; = II?; F קֵינִי; asa. n. m. קין: Nu 24, 22 Jd 4, 11.†

IV **קַיִן**: הַקַּיִן; n. l.: *Ch. Jaqīn* sö. Hebron (PJ 22, 76 f): Jos 15, 57.†

I **קִינָה**: קין; ug. *qn*: pl. קִינִים u. קִינוֹת, sf. קִינוֹתֵיהֶם: H. Jahnow, D. hebr. Leichenlied (BZAW 36), 1923: **Leichenlied** *elegy, dirge*: 2 S 1, 17 Ir 9, 19 Hs 2, 10 (aufgeschrieben *written down*) 19, 14 32, 16 Am 8, 10 2 C 35, 25 Si 38, 16; נָשָׂא קִינָה (עַל) L. anstimmen *intonate a d.* Ir 7, 29 9, 9 Hs 19, 1 26, 17 27, 2. 32 28, 12 32, 2 Am 5, 1.†

II **קִינָה**: n. l.; *W. el Qīm* s. Totes Meer *s. Dead Sea*; Musil AP 2, 2, 19 ff: Jos 15, 22.†

קֵינִי: הַקֵּינִי, pl. הַקִּינִים 1 C 2, 55: n. p.; II, III קַיִן; ZAW 48, 287: **Keniter** *Kenite*; in Reihe *in series* Gn 15, 19, // עֲמָלֵק Nu 24, 21, soll sich v. עֲמָלֵק trennen *has to depart from* עֲמָלֵק 1 S 15, 6; עָרֵי הַקֵּ׳ 1 S 30, 29, נֶגֶב הַקֵּ׳ 27, 10; חֶבֶר הַקֵּ׳ Jd 4, 11. 17 5, 24, cj חוֹבָב הַקֵּ׳ Jd 1, 16; pl. 1 C 2, 55.†

קִינִים n. p., 1 C 2, 55: F קֵינִי.

קֵינָן: n. m.; II קַיִן u. *-ān*; asa. n. m. et dei קינן: Gn 5, 9—14 1 C 1, 2.†

קיץ: ja. קיע af. wecken *awaken*, ja., sy. קַיְטָא Sommer *summer*; قَاظَ sehr heiss sein *be very hot*, asa. קיט Sommer *summer*; F *קֵיט; verwandt *related to* יקץ:
qal: pf. קָץ: den. v. קַיִץ: **übersommern** *pass the summer* Js 18, 6†;
hif: pf. הֱקִיצֹתִי, הֱקִיצוֹת, הֵקִיץ, impf. יָקִיצוּ, imp. הָקִיצָה, הָקִיצוּ, pt. מֵקִיץ: **aufwachen**

awake: v. Schlaf *from sleep* 1 S 26, 12, Totkranker *a sick to death boy* 2 K 4, 31; Js 29, 8 Ir 31, 26 Ps 3, 6 73, 20 Pr 6, 22; Gott *God* Ps 35, 23 44, 24 59, 6; aus Trunkenheit *from drunkenness* Jl 1, 5 Pr 23, 35, aus Leblosigkeit *from lifelessness* Ha 2, 19, vom Tod *from death* Js 26, 19 Ir 51, 39. 57 Da 12, 2; dele הֵקִיץ Hs 7, 6 (dittogr.), l בְּהָצִיץ Ps 17, 15; l הֲקִיצוֹתִי (קֵצְ) Ps 139, 18; יָקִיצוּ Hi 14, 12 F II קוץ. †

קַיִץ: F קיץ; ug. *qṣ*; קץ Sommerobst *summerfruit* Gezer-Kalender Eph 3, 41: קֵיִץ, sf. קֵיצֵךְ: 1. **Sommer** *summer* (:: חֹרֶף): קַיִץ וָחֹרֶף Gn 8, 22 Ps 74, 17, // קָצִיר Js 16, 9, // בָּצִיר Ir 48, 32, בַּקַּיִץ Sa 14, 8 Pr 6, 8 10, 5 26, 1 30, 25; יְמֵי קַיִץ Si 50, 8; בְּטֶרֶם קַיִץ Js 28, 4; כָּלָה קַיִץ Ir 8, 20, בֵּית הַקַּיִץ Am 3, 15, חַרְבֹנֵי קַיִץ Ps 32, 4; 2. קַיִץ **Sommerobst** *summer-fruit* (besonders Feigen *especially figs* BRL 85, Löw 1, 239 f) 2 S 16, 1 (hundert [Lasten] Feigen *a hundred [loads of] figs*), Ir 40, 10. 12 Am 8, 1 f Mi 7, 1. †

***קִיצוֹן**: קֵץ: fem. קִיצוֹנָה: **letzter, äusserster** *outermost* Ex 26, 4. 10 36, 11. 17. †

קִיקָיוֹן: ak. *kukkānītu?* Zimm. 57; äg. *k3k3?* (beides unbekannte Pflanzen *both unknown plants*); Rizinus? *castor-oil plant? Rizinus communis* Löw 1, 608 ff; Ahrens ZS 4, 256 κυκυος (Hesychius) = σικυός e. Gurkenart *a species of cucumber* Jon 4, 6—10. †

קִיקָלוֹן: < *קְלָקְלוֹן v. קלל; ja. קְלָקְלְתָא > קִיקְלְתָא, sy. קִיקַלְתָא VG 1, 247: **Schande** *disgrace* Ha 2, 16. †

I קִיר (74 ×, 20 × Hs): ak. *qīru*, ja., sy., mnd. קִירָא, قِيرٌ Erdpech *asphalt*, قَيَّرَ mit Erdpech beschmieren *smear with asphalt*; קִיר ursprünglich Bestrich, Belag (einer aus Flechtwerk oder Lehmziegeln erstellten Wand *originally the painting, coat of a wall built of wicker-work or bricks* > Wand *wall* (:: גָּדֵר Mauer aus Steinen *stone wall*; cf. Wand < Flechtwerk („winden")): pl. קִירוֹת, קִירֹת, sf. קִירוֹתֶיהָ: 1. **Wand** *wall*: v. *of* בַּיִת 1 K 6, 5, הֵיכָל Hs 41, 20, בִּנְיָן 41, 12, מִזְבֵּחַ Lv 1, 15, קִירוֹת Nu 22, 25, חוֹמָה Jos 2, 15; metaph. גָּדֵר לִבִּי Ir 4, 19; מוֹשַׁב הַקִּיר 1 S 20, 25, עֲלִיַּת קִיר umwandetes Obergemach *roof-chamber surrounded with walls* 2 K 4, 10; הָאֵזוֹב an d. Wand *at the wall* 1 K 5, 13; מַשְׁתִּין בְּקִיר F שתן; zur Wand hinblicken *turn one's face to the wall* 2 K 20, 2 Js 38, 2; 2. קִיר aus *made of* עֵץ Hs 41, 22, בַּרְזֶל 4, 3, wird getüncht *coated* Hs 13, 14 f 1 C 29, 4, mit Zeichnungen versehen *covered with drawings* Hs 8, 10 23, 14, c. חתר Hs 8, 8 12, 5. 7. 12; קִיר נָטוּי überhängende W. *wall hanging over* Ps 62, 4; c. נפל Hs 13, 12, c. הרס 13, 14; 3. Wand *wall* (*per synecdochen pro* גָּדֵר u. חוֹמָה קִיר) > **Mauer** *stone wall*: קִיר הָעִיר Nu 35, 4, אֶבֶן קִיר 2 S 5, 11 Ha 2, 11; F Js 59, 10 Am 5, 19 1 C 14, 1; l קוֹרוֹת 1 K 6, 15. 16, l קוֹעַ Js 22, 5 (pro קִר) l קֹר Js 25, 4. †

II קִיר: n. l.: קִיר חֲרֶשׂ Ir 48, 31. 36, קִיר חֲרֶשׂ (2 MSS G קִיר חָדָשׁ) Js 16, 11, קִיר־חֲרֶשֶׂת Js 16, 7, בַּקִּיר חֲרָשֶׂת 2 K 3, 25, קִיר מוֹאָב Js 15, 1; alle diese Formen meinen dieselbe Stadt *all those forms mean the same town*; mo. קר (Mesa 11 f. 24) = die Stadt *The Town* (*Urbs*; قَرْيَةٌ Dorf *village*; die Grundform wohl *the original form is probably* *קִיר חָדָשׁ = Neustadt *Newtown*); = *el-Kerak* כְּרַךְ, Musil AP 1, 45 ff. †

III קִיר: n. t.; // עֵילָם Js 22, 6, Šanda F 2 K 16, 9; = Ur? Kraeling, Aram 16: loc. קִירָה: 2 K 16, 9 Js 22, 6 Am 1, 5 9, 7. †

קֵירֹס: n. m.: Ne 7, 47, = קֵרֹס Esr 2, 44. †

קִישׁ: n. m.; APN 184 *Qīsu*; ak. *qāšu* schenken *present* in n. m. Stamm 138 f. 178 f: 1. Vater v. *father of* שָׁאוּל 1 S 9, 1. 3 10, 11. 21 14, 51 2 S 21, 14 1 C 8, 30. 33 9, 36. 39 12, 1 26, 28; 2. Est 2, 5; 3.—4. 1 C 23, 21 f 24, 29; 2 C 29, 12. †

קִישׁוֹן: n. fluvii; äg. *Qi-su-na* (Alb. Voc. 56): Kison *Kishon Nahr el-Muqaṭṭa*ᶜ: Jd 4, 7. 13 5, 21 1 K 18, 40 Ps 83, 10. †

קִישִׁי (MSS קוּשִׁי): n. m.; KF: 1 C 6, 29; *F* קוּשָׁיָהוּ. †

קַל: קלל: קַל, קַל, pl. קַלִּים, fem. קַלָּה: **leicht, behend, schnell** *light, swift, fleet*: Boten *messengers* Js 18, 2, Wolke *cloud* 19, 1, Kamel *camel* Ir 2, 23, רֹדְפ Th 4, 19; קַל בְּרַגְלָיו schnellfüssig *light with his feet* 2 S 2, 18 Am 2, 15; subst. der Schnelle *the swift one* Ir 46, 6 Am 2, 14 Ko 9, 11; schnelles Reittier, Renner *swift horse* Js 30, 16; adv. Js 5, 26 Jl 4, 4; ? Hi 24, 18. †

I קֹל: קלל: **Leichtfertigkeit** *levity* Ir 3, 9 (*alii*: = קוֹל Gerücht *rumour*). †

II קֹל: *F* קוֹל.

קלה: 2 S 20, 14 וַיִּקָּלֲהוּ: *F* קהל. †

I קלה: mhb., ja. u. sy. קלא; ak. *qalū* brennen *burn*; قلى, ቀለወ rösten *roast*; asa. קלאת Hitze *heat*:

qal: pf. sf. קָלָם, pt. pass. קָלוּי: **rösten** *roast* Ir 29, 22 Lv 2, 14 Jos 5, 11; †

nif: pt. נִקְלֶה: **Brand** *burning* Ps 38, 8. †

Der. קָלִיא, קָלִי.

II קלה: NF v. קלל; ܩܠܐ pa. u. af. verschmähen *treat with contempt*; قلا hassen *hate*, tigre *qalā* = sy.:

nif: pf. נִקְלָה, pt. נִקְלֶה: **verächtlich sein, werden** *be, become lightly esteemed* Dt 25, 3 1 S 18, 23 Js 3, 5 (:: נִכְבָּד) 16, 14 Pr 12, 9 Si 10, 19; †

hif: pt. מַקְלֶה: **verächtlich behandeln** *treat with contempt* Dt 27, 16 Si 10, 29. †

Der. קָלוֹן.

קָלוֹן: II קלה: cs. קְלוֹן, sf. קְלוֹנֵךְ: **Schande** *ignominy, dishonour* Js 22, 18 Ir 13, 26 Ho 4, 7. 18 Na 3, 5 Ha 2, 16 Ps 83, 17 Pr 3, 35 9, 7 11, 2 12, 16 18, 3 Hi 10, 15 Si 3, 10, נֶגַע וְקָלוֹן Pr 6, 33, רֵישׁ וְקָלוֹן Pr 13, 18, דִּין וְקָלוֹן 22, 10; cj כִּסֵּא קָלוֹן Pr 11, 16; l קוֹלֵךְ Ir 46, 12. †

קַלַּחַת: äg. *qrḥ.t*; ϭⲁⲗⲁϩⲧ: קַלָּחַת: **Topf, Kessel** *caldron* 1 S 2, 14 Mi 3, 3. †

קלט: mhb., ja. zusammenziehen, einziehen *draw in*; mhb. קָלוּט ungespalten (Klauen, Hände), zeugungsunfähig *not cloven* (*claws, hands*), *impotent*; قُلَاط Knirps *pigmy*:

qal: pt. pass. קָלוּט: (צֹאן, בָּקָר): Targ.: nicht voll entwickelt *stunted*, GVS: mit verkürztem Schwanz *with shortened tail*: Lv 22, 23. †

Der. מִקְלָט; n. m. קְלִיטָא.

קָלִיא, קָלִי (א sekundär): I קלה; ak. *taqlīmu* Röstbrot *toasted* (*bread*): **Röstkorn** (unzerkleinerte, geröstete Getreidekörner) *parched grain* (*whole roasted grains of wheat*) Lv 23, 14 1 S 17, 17 25, 18 2 S 17, 28 Ru 2, 14. †

קַלָּי: n. m.; KF?: Ne 12, 20. †

קֵלָיָה (Var. קֵלָיָה): n. m.; Noth S. 256: Esr 10, 23. †

קְלִיטָא: n. m.; קלט; Noth S. 232: Esr 10, 23 Ne 8, 7 10, 11. †

קלל: Sem (nicht *not* ug.):

qal: pf. קַלּוֹתִי, קַלּוּ, impf. וַתֵּקַל, וָאֵקַל, יֵקַלּוּ:

1. **klein, gering sein** *be slight, trifling* Hi 40, 4, gering, verächtlich sein *be of little account* 1 S 2, 30; klein, niedrig werden (Wasser) *be abated* (*water*) Gn 8, 8. 11; 2. c. מִן **schneller sein** als *be swifter* 2 S 1, 23 Ir 4, 13 Ha 1, 8 Hi 7, 6 9, 25; 3. c. בְּעֵינֵי **nichts gelten** in d. Augen *be of no account in the eyes of* Gn 16, 4f Si 8, 16; l קַלֹּתָה Na 1, 14. †

nif: pf. נָקַל, נָקֵל!, נְקַלֹּתִי, impf. יֵקַלּוּ, pt. נָקֵל, נָקַל (BL 564), fem. נְקַלָּה: 1. **sich als schnell erweisen** *shew oneself swift* Js 30, 16; 2. **sich gering wissen, sich erniedrigen** *humble oneself* 2 S 6, 22, c. בְּעֵינֵי ein [zu] Geringes sein für *be [too] small matter to* 1 S 18, 23 2 K 3, 18; 3. c. inf.: **e. Geringes, das Geringste sein**, dass... *be a small, the smallest matter to...* 1 K 16, 31 (l הֲנָקֵל) Js 49, 6; 4. c. לְ c. inf.: **leicht sein**, zu... *be easy to* 2 K 20, 10; 5. c. מִן c. inf.: **zu wenig sein**, zu... *be a light thing to* Hs 8, 17; 6. נָקֵל **es ist e. Leichtes** *it is a light thing* Pr 14, 6; עַל־נְקַלָּה **leichthin** *lightly, superficially* Ir 6, 14 8, 11; †

pi: pf. קִלֵּל, קִלַּלְתָּ, sf. קִלְלַנִי, impf. יְקַלֵּל, קַלְלוּ, וַיְקַלְלוּ, sf. יְקַלֶּלְךָ, וָאֲקַלְלֵם, inf. קַלֵּל, sf. קַלְּלֶךָ, imp. קַלֵּל, pt. מְקַלֵּל, sf. מְקַלֶּלְךָ (l מְקַלְלֶיךָ) Gn 12, 3, מְקַלְלַוְנִי (l קִלְלוּנִי) Ir 15, 10: 1. **als** [zu leicht, verächtlich] **verflucht** (אָרוּר) **bezeichnen** *declare (too trifling, of no account) cursed* (אָרוּר): 1. Menschen *men* Gn 12, 3 1 S 17, 43 2 S 16, 9f 19, 22 Ir 15, 10 Jd 9, 27 Ko 7, 22 Ne 13, 25, Vater u. Mutter *father a. mother* Ex 21, 17 Lv 20, 9 Pr 20, 20 30, 11, d. König *the king* Ko 10, 20, עָשִׁיר Ko 10, 20, חֵרֵשׁ Lv 19, 14, יוֹם Hi 3, 1, אֱלֹהִים Ex 22, 27 Lv 24, 15 1 S 3, 13 (l אֱלֹהִים), עֶבֶד seinen **Herrn** *his lord* Pr 30, 10 Ko 7, 21, Gott *God* **den Acker** *the field* Gn 8, 21, בִּלְעָם Israel Dt 23, 5 Jos 24, 9 Ne 13, 2; absol. Lv 24, 11. 14. 23 2 S 16, 5. 7. 10f. 13 Ps 62, 5 109, 28;

2. c. בְּשֵׁם יהוה unter Anrufung des Namens J.s **als verflucht bezeichnen** *declare cursed with invoking the name of* י׳ 2 K 2, 24, c. בֵּאלֹהָיו 1 S 17, 43; קִלֵּל קְלָלָה c. ac. e. Fluchformel rufen über *call a formula of curse upon* 1 K 2, 8; = קִלֵּל בְּ Js 8, 21; †

pu: cj pf. קֻלַּלְתָּ Na 1, 14, impf. יְקֻלָּל, תְּקֻלַּל, pt. sf. מְקֻלָּלָיו: mit e. Fluchwort belegt werden, **als verflucht bezeichnet werden** *be declared cursed*: Js 65, 20 Ps 37, 22 Hi 24, 18, cj Na 1, 14; †

hif: pf. הֵקַל, הֵקַלּוּ, sf. הֱקַלַּתְנִי, impf. יָקֵל, inf. u. imp. הָקֵל: 1. **erleichtern** (מִן von) *make light* Jon 1, 5; **leichter machen** *make light* c. מֵעַל für *for* Ex 18, 22 1 S 6, 5 1 K 12, 10 2 C 10, 10, c. מִן etwas *a thing* 1 K 12, 4. 9 2 C 10, 4. 9; 2. c. ac. als gering, **verächtlich behandeln** *treat with contempt* 2 S 19, 44 Js 8, 23 23, 9 Hs 22, 7, cj 2 S 20, 14 (l וַיִּקָּלֲהוּ); †

pilp: pf. קִלְקַל: 1. c. פָּנִים: schärfen, **wetzen** (stumpfes Eisen) *whet (blunt iron)* Ko 10, 10; 2. c. בְּ **schütteln** (Lospfeile) *shake (arrows for decision by lots)* Hs 21, 26; †

hitp: pf. הִתְקַלְקְלוּ: **geschüttelt werden** *be shaken* Ir 4, 24. †

Der. קַל, קִיקָלוֹן, I קֹל, קְלָלָה, קִלְקֵל.

קָלָל: קלל: glatt (Metall) *burnished (metal)* Hs 1, 7 Da 10, 6. †

קְלָלָה: קלל: cs. קִלְלַת, sf. קִלְלָתְךָ, pl. קְלָלוֹת: 1. **Fluch** (-formel, mit der jmd, etwas als verflucht אָרוּר bezeichnet wird) *curse (the formula with which a person, a thing is called cursed* (אָרוּר): הֵבִיא קְ׳ עַל Gn 27, 12 Dt 29, 26, בָּאָה קְ׳ עַל Dt 28, 15. 45 Jd 9, 57, נָתַן לִקְ׳ zur Fluchformel machen *make (the formula of) a curse* Ir 24, 9 25, 18 26, 6, הָיָה קְ׳ e. Fluch verfallen *become a curse* Ir 44, 22 49, 13, als

Fluch (-formel) dienen *be a (formula of) curse (cursing)* 2 K 22, 19 Ir 42, 18 44, 8 Sa 8, 13 Si 41, 9, לָקַח ק׳ מִן e. Fluchformel entnehmen von *take a (formula of cursing) curse from* Ir 29, 22; עָלַי קִלְלָתְךָ deine Verfluchung treffe mich! *the cursing spoken against thee be upon me!* Gn 27, 13, ק׳ יוֹתָם die von J. ausgesprochne Fluchformel *the cursing spoken by J.* Jd 9, 57, cf. ק׳ אֱלֹהִים Dt 21, 23, ק׳ נִמְרֶצֶת 1 K 2, 8, ק׳ חִנָּם unverdienter Fl. *undeserved c.* Pr 26, 2; בְּרָכָה :: ק׳ Dt 11, 26. 28 f 23, 6 27, 13 30, 1. 19 Jos 8, 34 Sa 8, 13 Ps 109, 17 Ne 13, 2, :: טוֹבָה 2 S 16, 12; ק׳ כְּתוּבָה Dt 29, 26; F Ps 109, 18 Pr 27, 14 Si 3, 9, pl. Dt 28, 15. 45. †

קלם: ja., sy. pa. preisen *extol*, Bevan OS 581 f (Büchler WZK 17, 165 ff): < stampfen *stamp one's foot*:

pi: inf. קַלֵּס: **verschmähen** *disdain* Hs 16, 31; c. בְּ **verhöhnen** *jeer at* Si 11, 4; †

hitp: impf. יִתְקַלָּס, יִתְקַלְּסוּ: c. בְּ: **sich lustig machen über** *mock* 2 K 2, 23 Hs 22, 5 Ha 1, 10. †

Der. קֶלֶס, קַלָּסָה.

קֶלֶס: קלס: **Spott** *derision* Ir 20, 8 Ps 44, 14 79, 4. †

קַלָּסָה: קלס: **Gespött** *derision* Hs 22, 4. †

I קלע: denom. v. קֶלַע:

qal: pt. קֹלֵעַ: c. בְּ: (Steine) **schleudern** *sling (stones)* Jd 20, 16; c. ac. (Menschen) **fortschleudern** *sling forth (men)* Ir 10, 18; †

pi: impf. וַיְקַלַּע, sf. וִיקַלְּעֶנָּה: **schleudern** *sling* 1 S 17, 49 25, 29. †

F I קֶלַע, *קַלָּע.

II קלע: sy. קְעִילְתָא (= hbr. מִקְלַעַת) Schnitzwerk *carved things*:

qal: pf. קָלַע: **schnitzen** *carve* 1 K 6, 29. 32. 35. †

Der. מִקְלַעַת.

I קֶלַע: ja. קִלְעָא, sy. קֶלְעָא; مقلع, ⲱⲫⲁⲟ: קָלַע, sf. קַלְעוֹ, pl. קְלָעִים: **Schleuder** *sling* 1 S 17, 40. 50 Si 47, 4, כַּף הַקֶּלַע Schleuderpfanne *hollow of the sling* 1 S 25, 29, אַבְנֵי־קֶלַע Schleudersteine *sling-stones* (unbearbeitete harte Kalksteine u. Bachkiesel *hard, not fashioned chalky stones a. brook-pebbles*, F Schumacher-Steuernagel, Tell el-Mutesellim 1, 13) Sa 9, 15 (l קַלְעוֹ) Hi 41, 20 2 C 26, 14 (doppelter *double* pl.). †

Der. I קלע.

II *קֶלַע: II קלע; äg. *qrʿw*, kopt. *ǧal* Schild *shield*, قلع Segel *sail*: pl. קְלָעִים, cs. קַלְעֵי: **Vorhang** *curtain* Ex 27, 9. 11 f. 14 f 35, 17 38, 9. 12. 14—16. 18 39, 40 Nu 3, 26 4, 26; l צְלָעִים 1 K 6, 34. †

***קַלָּע**: I קלע: pl. קַלָּעִים: **Schleuderer** *slinger* 2 K 3, 25. †

cj **קַלַּעַת**: قلعة: **Brotbeutel** *bread-bag* cj (Lagarde pro בְּצִקְלֹנוֹ) 2 K 4, 42. †

קְלֹקֵל: קלל: לֶחֶם הַקְּלֹקֵל Nu 21, 5 **Hungerkost, elende Speise** *starvation-bread, contemptible food*; ar. *qulqulān as-sahal Hippocrepis bicontorta* (Philby, The heart of Arabia, 1922, I, 311), e. Leguminose *a leguminous plant*; J. J. Hess: cf. ar. *qulaiqulān = Saviznya aegyptiaca*; Holma, Kl. Beitr. 81 ff: ak. *qulqultānu* (= Cassia), *ququllu* (= קקולא Cardamon). †

***קלשׁ**: קִלְּשׁוֹן.

קִלְּשׁוֹן: *קלשׁ: ja. קלש dünn machen *make thin*, קִלְשׁוֹנָא Ko 12, 11 zugespitztes Eisen *pointed iron*: שְׁלשׁ קִלְּשׁוֹן 1 S 13, 21: **Dreizack** *trident* (Virolleaud Sy. 3, 280. 305; 40 cm. lang *long*). †

קָמָה: קום: cs. קָמַת; **das auf d. Halm stehende Getreide** *standing grain* Ex 22, 5 Dt 16, 9 23, 26 Jd 15, 5 (l קָמַת) Js 17, 5 Ho 8, 7; l קָדִים 2 K 19, 26 u. Js 37, 27. †

קְמוּאֵל: n. m.; קוּם? (ZAW 48, 74) u. אֵל: 1.—3. Gn 22, 21; Nu 34, 24; 1 C 27, 17. †

קָמוֹן: n. l.; in גִּלְעָד; (Hölscher ZDP 29, 142): Jd 10, 5. †

קִמּוֹשׁ (Var. קִמּוֹשׁ Ho 9, 6): Saadja (Löw 3, 481 קמוס, قُمَّس Abfall *rubbish*): pl. קִמְּשׁוֹנִים: **Unkraut** (Nesseln?) *weeds* (*nettles?*) Js 34, 13 Ho 9, 6, pl. allerhand Unkraut *weeds of all kinds* Pr 24, 31. †

***קמח**: קֶמַח.

קֶמַח: *קמח; ug. *qmḥ*; mhb., aram. קמחא; قَمْح Weizen *wheat*; ak. *qēmu*, > äg. *qmḥw*: קָמַח: (gewöhnliches) **Mehl** (*ordinary*) *flour* Gn 18, 6 Nu 5, 15 Jd 6, 19 1 S 1, 24 28, 24 2 S 17, 28 1 K 5, 2 (:: סֹלֶת) 17, 12. 14. 16 2 K 4, 41 Js 47, 2 (טחן) Ho 8, 7 1 C 12, 41. †

קמט: mhb.; ja. zusammenziehen, fesseln *compress, chain*, sy. packen *seize*; قَمَطَ; mnd. גמט:

qal: impf. sf. וַתִּקְמְטֵנִי: **packen** *seize* Hi 16, 8; †

pu: pf. קֻמְּטוּ: **gepackt werden** *be seized* Hi 22, 16. †

קמל: sy. schimmlig werden *grow mouldy*; قَمِلَ schwarz werden (Pflanzenkrankheit) *grow black* (*disease of plants*); قَمْل Laus *louse*:

qal: pf. קָמֵל, קָמַל, קָמְלוּ: **von Läusen befallen werden** (Pflanzen) *be taken by lice* (*plants*) Js 19, 6 33, 9, cj Hs 7, 11 (l קָמַל מַטֵּה). †

קמץ: F קָמֵץ; قَمَزَ (ز!) mit d. Hand zusammenballen *enclose with the hand* (F כּוּמְז):

qal: pf. קָמַץ: **e. Handvoll nehmen** *take a handful* Lv 2, 2 5, 12 Nu 5, 26. †

***קֹמֶץ**: קמץ: ja., cp. קֻמְצָא: sf. קֻמְצוֹ, pl. קְמָצִים: **Handvoll** *handful* Lv 2, 2 5, 12 6, 8; pl. handvollweise, in Haufen *by handfuls, heaps* Gn 41, 47 (ZAW 52, 160). †

***קמשׁ**: קִמּוֹשׁ.

קֵן: קנן: cs. קַן Dt 22, 6, sf. קִנּוֹ, pl. קִנִּים: 1. **Nest** *nest* Nu 24, 21 Dt 22, 6 32, 11 Js 10, 14 16, 2 Ir 49, 16 Ob 4 Ha 2, 9 Ps 84, 4 Pr 27, 8 Hi 39, 27 Si 14, 26; pl. **Fächer, Zellen** (d. Arche) *cells* (*of the ark*) Gn 6, 14 (cf. ug. *qn* (*m*) Schilfhütten? *huts of reed?* Weevers mündlich *orally*). †

קנא: ug. *qn'* eifern *have zeal*; mhb., ja., cp. ቀንአ: eifervoll sein *be zealous*; قَنَأَ dunkelrot werden *become intensely red*:

pi: pf. קִנֵּא, קִנֵּאתִי, sf. קִנְאוּנִי (BL 376) Dt 32, 21, impf. יְקַנֵּא, וַיְקַנְאוּ (BL 376), sf. וַיְקַנְאֻהוּ, inf. קַנֵּא, sf. קַנְאוֹ (BL 376) u. קַנְּאתוֹ, pt. מְקַנֵּא: 1. c. ac. **eifersüchtig sein auf** *be envious of* Gn 26, 14 Nu 5, 14. 30 Si 9, 1 Js 11, 13 Hs 31, 9; = c. בְּ Gn 30, 1 37, 11 Ps 37, 1 73, 3 106, 16 Pr 3, 31 23, 17 24, 1. 19 Si 9, 11; 2. c. ac. u. בְּ: jmd mit etwas **eifersüchtig machen** *move a person to jealousy with a thing* Dt 32, 21 1 K 14, 22; 3. c. לְ: **sich ereifern für** *be zealous for* Nu 11, 29 25, 13 2 S 21, 2 1 K 19, 10. 14 Hs 39, 25 u. Jl 2, 18 (יהוה) Sa 1, 14 (קִנְאָה גְדוֹלָה) 8, 2; = קִ׳ קִנְאָה לְ Nu 25, 11; 4. קִ׳ קִנְאַת פְּ׳ **Grimm empfinden für** *be angry for* Sa 8, 2 (יהוה); 5. cj קִנֵּאתִי = קִנֵּיתִי pro קִנֵּיתִי, c. לְ c. inf. u. מֵאֵת **e. Recht beanspruchen zu . . .** hinsicht-

lich *maintain the rights to ... with regard to* Ru 4, 5 (Vriezen OTS 5, 80 ff); †
hif: impf. sf. יַקְנִיאוּהוּ, יַקְנְאֻהוּ, אַקְנִיאֵם, pt. מַקְנֶה (Var. מַקְנֶא): 1. c. sf. u. בְּ: jmd.s **Eifersucht erregen** durch *excite one's jealousy with* Dt 32, 16. 21 Ps 78, 58; 2. pt. **eifererregend** *exciting envy* Hs 8, 3, cj Hi 36, 33. †
Der. קַנּוֹא, קִנְאָה, קַנָּא.

קַנָּא: קנא: **eifersüchtig** *jealous*: אֵל Ex 20, 5 34, 14 Dt 4, 24 5, 9 6, 15, יהוה Ex 34, 14, cj Js 42, 13 (Köhler). †

קִנְאָה: קנא: cs. קִנְאַת, sf. קִנְאָתוֹ, pl. קְנָאֹת: 1. **Eifer** *ardour* 2 K 10, 16 Js 26, 11 Hs 35, 11 Ps 69, 10 119, 139 Pr 14, 30 Hi 5, 2 Ko 9, 6 Si 30, 24, **Leidenschaft** *passion* Ct 8, 6; c. מִן Neid auf *envy towards* Ko 4, 4; קִנְאַת יהוה **Eifer** J.s *the zeal of Y.* 2 K 19, 31 Js 9, 6 37, 32, J.s **Eifern** *the ardour of Y.* Nu 25, 11 Dt 29, 19 Js 59, 17 63, 15 Ps 79, 5 Hs 16, 38 36, 5 Ze 1, 18 3, 8 Sa 1, 14 8, 2; בְּקִנְאָתִי Nu 25, 11 Hs 5, 13 16, 42 23, 25 36, 6 38, 19; 2. **Eifersucht** *jealousy* Js 11, 13 Pr 6, 34 27, 4, רוּחַ קִנְאָה Nu 5, 14. 30; pl. מִנְחַת קְנָאֹת **Eifersuchtsopfer** *offering of jealousy* Nu 5, 15. 18. 25, תּוֹרַת הַקְּנָאֹת Nu 5, 29; סֵמֶל הַקִּנְאָה Hs 8, 3. 5; l קַנָּא Js 42, 13. †

I **קנה**; *F* II: mhb., äga. קנה; ja., sy. קנא, *F* ba. קנא; ak. *qanū* erwerben *acquire*, *earn* *F* II קנה; ph. קני erwerben *acquire*; قنا, asa. קני, ቀነየ; Humbert, Bertholet-Festschr. (1950), 259 ff:
qal (72 ×): pf. קָנִיתָ, קָנִיתִי, קָנְתָה, קָנָה Ru 4, 5 = קָנִיתָ Q, קָנִיתִי K *F* קנא pi. 5, קָנִינוּ, sf. קָנֵהוּ, קָנְךָ, impf. יִקְנֶה, וַיִּקֶן, וָאֶקְנֶה, יִקְנוּ, sf. וַיִּקְנֵהוּ, inf. קְנוֹת, קְנֵה, קְנוֹ, קָנֹה, sf. קְנוֹתְךָ, imp. קְנֵה, pt. קוֹנֶה, קֹנֶה, cs. קֹנֵה, sf. קֹנֵהוּ, קֹנֵיהֶן: 1. **erwerben** *acquire*: שָׂדֶה Gn 33, 19 (26 ×), עֶבֶד 39, 1, Menschen *men* (als *for* עֲבָדִים) Gn 47, 19. 23 Am 8, 6, בַּיִת Lv 25, 30, בַּקְבֻּק Ir 19, 1, שׁוֹר Js 1, 3, c. מִיַּד von *from* Gn 33, 19, c. מִן Lv 25, 44, c. מֵאֵת Gn 25, 10, c. מֵעִם 2 S 24, 21, c. בְּ um den Preis von *for* Gn 47, 19; 2. **kaufen** *buy* (:: מכר) Gn 47, 20 Lv 25, 14; קֹנֶה Käufer *buyer* Dt 28, 68 Js 24, 2 Hs 7, 12 Pr 20, 14 Si 37, 11; 3. Besonderes *particulars*: קָנָה לְאִשָּׁה als Gattin erwerben *purchase to be one's wife* Ru 4, 10; (Sklaven) loskaufen *redeem* (*slaves*) Ne 5, 8; Geistiges erwerben *acquire spiritual goods*: חָכְמָה Pr 4, 5. 7 16, 16 17, 16, בִּינָה 4, 5, לֵב Verstand *insight* 15, 32, דַּעַת 18, 15, אֱמֶת 23, 23, תַּחְבֻּלוֹת 1, 5; אִישׁ Gn 4, 1 (aber *but* *F* II קנה); 4. v. Gott *said of God*: Gott **kauft los** *God redeems* Js 11, 11 Ps 74, 2 (//גאל); Gn 4, 1 14, 19. 22 Ex 15, 16 Dt 32, 6 Ps 78, 54 139, 13 *F* II קנה;
nif†: pf. נִקְנָה, impf. יִקָּנוּ: **gekauft werden** *be bought* Ir 32, 15. 43;
hif†: pf. sf. הִקְנַנִי Sa 13, 5 l אֲדָמָה קִנְיָנִי; pt. מַקְנֶה Hs 8, 3 *F* קנא hif.
Der. קִנְיָן, מִקְנֶה, מִקְנָה, n. m. מִקְנֵיָהוּ.

II **קנה**: ug. *qnj*; P. Humbert, Festschr. Bertholet, 1950, 259 ff:
qal: pf. קָנְתָה, קָנִיתָ, קָנִיתִי, sf. קָנֶךָ, pt. cs. קֹנֵה: **erschaffen** (Gott) *create* (*God*): קֹנֵה שָׁמַיִם וָאָרֶץ Gn 14, 19. 22, עַם Ex 15, 16 Dt 32, 6, הַר Ps 78, 54 (יְמִינוֹ), כִּלְיֹתָי 139, 13; subj. חַוָּה: **hervorbringen** *produce* Gn 4, 1 (? *F* Humbert 259). †
Der. אֶלְקָנָה.

קָנֶה: ug. *qn(m)* Schilfrohr *reeds*; ak. *qanū*; ph. קנא; ja., sy. קַנְיָא, قَنَاةٌ, قَنًا; ቀፎ· Stachel *goad*; > κάννα, κάννη, lat. *canna* etc.; *F* I קַיִן: cs. קְנֵה, sf. קָנָהּ, קָנֶה, pl. קָנִים, cs. קְנֵי, sf.

קָנֶה: 1. Pfeilrohr *Persian Reed* (Arundo donax, Löw 1, 663) 1 K 14, 15 Js 19, 6 35, 7 Hi 40, 21; geknicktes Rohr *bruised reed* 2 K 18, 21 Js 36, 6 42, 3, Stütze v. Schilfrohr *staff of reed* Hs 29, 6, im Schilf hausende Tiere *beasts abiding in the reeds* Ps 68, 31; 2. קָנֶה הַטּוֹב (l קְ' טוֹב) Ir 6, 20 gekürzt *shortened* > קָנֶה Js 43, 24 Hs 27, 19 Ct 4, 14, *F* II טוֹב; 3. קָנֶה בֹּשֶׂם Ex 30, 23, *F* בֹּשֶׂם; 4. übertragen von 1. *figurative from* 1. > röhrenförmige Dinge *things in the shape of tubes*: קְנֵה הַמִּדָּה **Messrohr** *measuring reed* Hs 40, 3. 5 42, 16—19; > 5. קָנֶה **Rohrlänge** (= 6 Ellen) *length of a reed* (= 6 *cubits*) Hs 40, 5. 6—8 41, 8, pl. 42, 17—19. 16 500 Längen *lengths* (l מֵאוֹת); 6. **Halm** *stalk* Gn 41, 5. 22; 7. **Röhre** (e. Leuchters) *shaft* (*of candlestick*) Ex 25, 31—36 37, 17—22; 8. **Oberarmbein** *bone of the upper arm* Hi 31, 22; 9. **Wagebalken, Wage** *beam of the scales, scales* (cf. sy. קַנְשֶׁלְמָא Wage als Sternbild *The Scales* (*constellation*) ZDM 25, 258) Js 46, 6. †

קָנָה: n. l.; קָנֶה: äg. *Qnj*, EA *Qanū*: in Nordgaliläa *in Northern Galilee* Alt ZDP 64, 32; נַחַל קָנָה *W. Qāna*, nö. Zufluss des *tributary of Nahr ʿAuǧā* Jos 16, 8 17, 9; קָנָה in אָשֵׁר *Ch. Qāna* am *at Sahl el Baṭṭōf* (? ZDP 58, 223) Jos 19, 28. †

קַנּוֹא: קנא, *F* קַנָּא: **eifersüchtig** *jealous* Jos 24, 19 Na 1, 2. †

קְנַז: (n. m.) n. p.; ZAW 44, 85: 1. edomitischer Stamm *Edomite tribe* (Kupfer- u. Eisenschmiede *copper a. iron-smiths*, Glueck, PEF 1940, 22—24), S. v. *son of* אֱלִיפַז Gn 36, 11. 15. 42 1 C 1, 36. 53; 2. V. v. עָתְנִיאֵל Jos 15, 17 Jd 1, 13 3, 9. 11 1 C 4, 13; 3. Enkel v. *grandson of* כָּלֵב 1 C 4, 15; *F* קְנִזִּי. †

קְנִזִּי: gntl. v. קְנַז: 1. הַקְּנִזִּי in Reihe *in series* Gn 15, 19; 2. כָּלֵב הַקְּנִזִּי Nu 32, 12 Jos 14, 6. 14. †

קִנְיָן: קנה: cs. קִנְיַן, sf. קִנְיָנְךָ, קִנְיָנֶךָ: (persönlicher) **Besitz, Habe** (*individual*) *property*: Herde *flock* Gn 31, 18, bewegliche Güter *movable goods* Gn 34, 23 36, 6 Jos 14, 4 Hs 38, 12 f Ps 105, 21 Pr 4, 7; קִנְיַן כַּסְפּוֹ für s. eigen Geld erworben *acquired by his own silver* Lv 22, 11; קִנְיָנֶךָ (Gottes *of God*; Humbert, Festschr. Bertholet 263) Ps 104, 24 cj אֲדָמָה קִנְיָנִי Ackerland ist in Besitz *my property are fields* Sa 13, 5. †

קִנָּמוֹן: ja., sy. קִנָּמָא: (indisches, malayisches? *Indian, Malayan?*) FW; Herodot 3, 111 κιννάμωμον; cs. קִנְּמָן־: (chinesischer) **Zimt** (*Chinese*) *cinnamon* (Löw 1, 107 ff): Ex 30, 23 Pr 7, 17 Ct 4, 14. †

קנן: ak. *qinnu*, hbr. קֵן, ja. קִנָּא, sy. קֶנָּא Nest *nest*:

pi: pf. קִנְּנָה, impf. תְּקַנֵּן, יְקַנֵּנוּ: **nisten** *make a nest, nest* Js 34, 15 Ir 48, 28 Hs 31, 6 Ps 104, 17; †

pu: pt. מְקֻנַּנְתְּ K, מְקֻנֶּנֶת Q, Var. מְקוֹנֶנֶת (BL 614): **eingenistet** *being nested* Ir 22, 23; †

hif: impf. תקנין: sich einnisten *prepare a nest* Si 37, 30; *F* קֵן. †

*קֶנֶץ: pl. cs קִנְצֵי Hi 18, 2, < קִצֵּי, *F* קֵץ. †

קָנָת: n. l.; EA 204, 4 *Qanū?* Maisler 43; Abel 2, 9: Qanawât (Hauran): Nu 32, 42 1 C 2, 23. †

קסם: ja., cp. קסם, sy. קצם, mnd. כצאם, ቀሰመ Orakel befragen *practise divination*; palm. קסמא Orakelbefragung *divination*; قَسَمَ zerschneiden *cut asunder*:

qal: וַיִּקְסְמוּ, יִקְסֹמוּ, תִּקְסַמְנָה, imp. קסומי (Q קָסֳמִי, K קְסוֹמִי: BL 306), inf. קְסָם־ (l בִּקְסָם־) Hs 21, 28: d. **Losorakel befragen** *practice* *divination* (Wellh., Reste[2] 132 f, Pedersen, Eid 12) Dt 18, 10. 14 Jos 13, 22 1 S 6, 2 28, 8 2 K 17, 17 Js 3, 2 44, 25 Ir 27, 9 29, 8 Hs 13, 9. 23 21, 26. 28. 34 22, 28 Mi 3, 6 f. 11 Sa 10, 2. †

Der. קֶסֶם, מִקְסָם.

קֶסֶם: קסם: pl. קְסָמִים: 1. **Losorakel** *divination* Nu 22, 7 23, 23 Dt 18, 10 1 S 15, 23 2 K 17, 17 Ir 14, 14 Hs 13, 6. 23 21, 26 f; 2. **Entscheidung** (durch Losorakel) *decision* (*produced by divination*) Pr 16, 10. †

קסס: F קַשְׁקֶשֶׁת, Löw, REJ 1926, 166 f:

po: impf. יְקוֹסֵס: **schuppig machen** (Traubenbeeren) *make scaly* (*grapes of wine*) Löw, REJ 1926, 165 ff: Hs 17, 9. †

קֶסֶת: < äg. *gštj* Schreiberpalette *palette of writer* (Eisler OLZ 33, 585 ff): **Schreibzeug** *writing-case* Hs 9, 2 f. 11. †

cj **קעה**: mhb. קַעְקַע, sy. קְעָא schreien *cry*; cf. געה:

qal: cj pf. [שַׁק] קָעוּ [עַל]: **schreien** *cry out* cj Driver PEQ 79, 124: Js 15, 3. †

קְעִילָה u. **קְעִלָה**: n. l.; = *Kelti?* EA: *T. Qila* (PJ 21, 21 ff) ö. *Bêt Ǧibrīn* Jos 15, 44 1 S 23, 1—13 Ne 3, 17 f (פֶּלֶךְ) 1 C 4, 19. †

קַעֲקַע: mhb. קעקע *tattoo*: **Tätowierung** *tattoo* Lv 19, 28. †

***קער**: F קְעָרָה, *שְׁקַעֲרוּרָה.

קְעָרָה: *קער; قَعُرَ tief sein *be deep*, قَعَّارَةٌ Thilo, 5000 Sprichwörter aus Palästina, 286: irdenes Gefäss mit Henkel an e. Seite des obern Rands für Milch u. Öl *earthen vessel for milk a. oil with one horizontal ear*; sy. מַקְעַר vertieft *concave*: cs. קַעֲרַת, pl. קְעָרֹת, cs. קַעֲרֹת, sf. קְעָרֹתָיו: **Schüssel** *platter* Ex 25, 29 37, 16 Nu 4, 7 7, 13—85 (14 ×). †

קפא: mhb., ja., sy. gerinnen *thicken*:

qal: pf. קָפְאוּ, pt. קֹפְאִים: **gerinnen** *thicken*, **starr werden** *condense*: Ex 15, 8 Ze 1, 12; †

hif: impf. sf. תַּקְפִּיאֵנִי: **gerinnen lassen** *curdle* (*cheese*) Hi 10, 10; †

nif: pro. impf. יִקְפָּאוּן 1 וְקִפָּאוֹן Sa 14, 6. †

Der. קִפָּאוֹן.

cj **קִפָּאוֹן**: קפא: (Gerinnen) **Frost** (*congealing*) *frost* cj Sa 14, 6. †

קפד: ja., sy. itp. sich zusammenziehen *be drawn together*; قَفَدَ (die Kopfbinde) fest zusammenbinden *wind smugly* (*turban*):

pi: pt. קִפַּדְתִּי: **zusammenrollen** (Weber) *roll up* (*weaver*) Js 38, 12 (1 קְפַדְתָּ; Begrich, D. Psalm d. Hiskia, 28 ff). †

Der. קִפָּדָה, קִפֹּד.

קִפֹּד u. קִפּוֹד: קפד; ja., sy. קוּפְדָא, قُنْفُذ (ن), ቀንፈዝ: 1. **Igel** *hedgehog Erinaceus auritus* u. *E. sacer* (Bodenheimer 94) Js 14, 23 34, 11; 2. (kurzohrige) **Eule** *short-eared owl Asio flammens* (Aharoni, Osiris 5, 470, Bodenheimer 166) Ze 2, 14 (auch *also* Js 34, 11?). †

קְפָדָה: קפד: **Beklemmung** *anguish* Hs 7, 25 (1 בָּאָה). †

קִפּוֹז: *קפז; قَفَزَ springen *jump*, قَفَّازَةٌ kleine, auf Bäumen lebende Schlange; Pfeilschlange? *small serpent living upon trees*; *Coluber jugularis?* vel *C. najadum?* vel *C. nummifer?* (Bodenheimer 185 f) Js 34, 15 (Torrey, The second Isaiah 292 f: Eule *owl*, *Syrnium aluco* vel *Scops giu*). †

***קפז**: F קִפּוֹד, קפץ, קִפּוֹז.

קפץ: ak. *kapāṣu* zusammenziehen *draw together*, قَفَصَ; mhb., ja. קפץ zusammenziehen *draw together*:

qal: pf. קָפְצָה, קָפַץ, impf. יִקְפְּצוּ, תִּקְפֹּץ: **zusammenziehen, verschliessen** *draw together, shut*: יָד Dt 15,7 Si 4,31, פֶּה Js 52,15 Ps 107,42 Hi 5,16, רַחֲמָיו Ps 77,10; †
nif: impf. יִקָּפְצוּן (Var. יִקָּבְצוּן) Hi 24,24: weggerafft werden? *be drawn together?* l יִקָּטֵפוּן; †
pi: (mhb., ja. קַפֵּץ, קְפַץ, قفز springen *jump*: pt. מְקַפֵּץ hüpfen *leap* Ct 2,8.†

קֵץ: I קצץ; ug. *qṣ*: sf. קִצּוֹ, קִצָּהּ, קִצֵּנוּ, pl. cs. קִנְצֵי < *קִצֵּי Hi 18,2: 1. **Ende** *end* jmd.s *of a person* Gn 6,13 Ir 51,13 Ps 39,5 Th 4,18 Da 11,45; 2. **Ende** (schlechthin) (*absolute*) *end* Hs 7,2f. 6. cj 6 Am 8,2 Ha 2,3 Hi 28,3 Da 9,26, pl. 2 C 18,2; 3. **Grenze** *term* Ps 119,96 Hi 16,3; 4. **Ziel** *limit* Hi 6,11; 5. קֵץ הַיָּמִין Ende der Tage *end of the days* Da 12,13; cj (הָעִתִּים) קֵץ Ende der Zeiten *end of the times* Da 9,25; 6. vor e. *preceding a* substant.: **letzter** *the latest* 2 K 19,23 Js 37,24 Hs 21,30.34 35,5; 7. אֵין קֵץ **ohne Ende** *without end* Js 9,6 Hi 22,5 Ko 4,8.16 12,12; 8. עֵת קֵץ **Endzeit** *time of the end* Da 8,17 11,35.40 12,4.9, > קֵץ **Endzeit** *time of the end* Da 8,19 11,27 12,6.13; 9. מִקֵּץ יָמִים **nach** einiger Zeit *some time later* Gn 4,3 1 K 17,7, מִקֵּץ יָמִים לַיָּמִים zu Ende jedes Jahres *at every year's end* 2 S 14,26; מִקֵּץ am Ende von, **nach** *at the end of, after*: Tagen *days* Gn 8,6. cj 3 Nu 13,25 Dt 9,11 Ir 13,6 42,7, Monaten *months* Jd 11,39, Jahren *years* Gn 16,3 41,1 Ex 12,41 2 S 15,7 1 K 2,39 Js 23,15.17 Hs 29,13 2 C 8,1 Dt 15,1 31,10 Ir 34,14, מִקֵּץ הֱיוֹת nachdem er ... gewesen war *after he had been* Est 2,12; 10. לְקֵץ שָׁנִים um Jahre **später** *years later* Da 11,6.13 2 C 18,2, לְקֵץ יָמִים nach einiger Zeit *some time later* Ne 13,6; 11. הַקֵּץ לְיָמִים שְׁנַיִם am Ende v. 2 Jahren *at the end of 2 years* 2 C 21,19; ממשלת קין unklar *uncertain* Ir 50,26 Da 9,26; Si 43,6.†
Der. *קִיצוֹן; II קָצִין.

קצב: قضب abschneiden *cut off*; mhb. קָצַב, ja. sy. קְצָבָא, palm. קצבא Metzger *butcher*:
qal: impf. וַיִּקְצָב־, pt. pass. קְצוּבָה: **abschneiden** *cut off* 2 K 6,6; pt. **frisch geschoren** *freshly shorn* Ct 4,2.†
Der. קֶצֶב.

קֶצֶב, קֶצֶב: קצב: pl. cs. קִצְבֵי: **Zuschnitt, Gestalt** *cut, shape* 1 K 6,25 7,37; pl. (Abschnitt, Ansatz >) **Grundlage** (*cut, beginning* >) *foot, bottom?* קִצְבֵי הָרִים Jon 2,7 Si 16,19.†

I קצה: ph. קצי, mhb. קָצָה, ja., sy. קצא, *F* ba. קְצָת, zerbrechen, zerbröckeln *cut off, break off* (*bread*); قصا verstümmeln (die Ohren), entfernt sein *mutilate* (*the ears*), *be remote*; *F* קצץ:
qal: inf. Ha 2,10, l קְצוֹת;
pi: inf. קַצּוֹת, pt. מְקַצֶּה: **abbrechen, stückweise lostrennen** *cut of, sever piece for piece* (Maʿaserot 2,7 verkleinern *diminish*, Šanda zu *to*) 2 K 10,32, **verstümmeln** *mutilate* Pr 26,6 (ZAW 52,160); cj pf. קִצּוֹת [נַפְשֶׁךָ]: s. Leben **verkürzen** *shorten h. life* (l עַמִּים רַבִּים ;בְּחַטָּא gloss.) Ha 2,10;
hif: pf. הִקְצוּ, inf. הַקְצוֹת: l הִקְצִיעוּ u. הַקְצִיעַ Lv 14,41.43.†
Der. *קְצָת, *קְצוֹת, *קָצוּ, קֵצֶה, קָצָה, קָצֶה.

II *קצה: *F* קָצִין.

קָצֶה (92×): I קצה: cs. קְצֵה, sf. קָצֵהוּ, קְצֵיהֶם: 1. **Ende, Rand, Äusserstes** *end, border, extremity*: קְצֵה שָׂדֵהוּ Gn 23,9, קְצֵה הַמִּדְבָּר Ex 13,20, קְצֵה הַשָּׁמַיִם Dt 30,4, קְצֵה הָהָר Jos 15,8, עֵמֶק Jos 18,16, etc.; מִקְצֵה צָפוֹנָה im äussersten Norden *in the extreme north* Hs 48,1; קְצֵה הַמַּטֶּה Ende, Spitze d.

Stabs *end*, *point of the staff* 1 S 14, 27; אֶל־קְצֵה bis zum äussersten ... *unto the extreme* ... Jd 7, 11; 2. (temp.) Ende *end*: מִקְצֵה שָׁלֹשׁ שָׁנִים am Ende von 3 Jahren *at the end of 3 years* Dt 14, 28, 2 S 24, 8 Hs 39, 14, etc.; 3. מִקְצֵה ohne Ende, restlos *without end, thoroughly* Gn 19, 4, מִקְצֵה אֶחָיו von all s. Br. *of all h. br.* Gn 47, 2; מִקְצֵה ... וְעַד־קָצֵהוּ v. e. Ende ... zum andern *from one end ... to the other end* Gn 47, 21, מִן־הַקָּצֶה אֶל־הַקָּצֶה v. e. Ende zum andern *from one end to the other* Ex 26, 28; מִקָּצֵהוּ Js 56, 11 Hs 25, 9 u. מִקְצֵיהֶם Hs 33, 2 ohne Ausnahme *one a. all*; מִקָּצֶה restlos, unwiderruflich *without remainder, irrevocably* Ir 51, 31.

קָצָה: I קצה: ph. קצית Friedr. Gr. 204a: fem. v. קָצֶה, pl. cs. קְצוֹת, sf. קְצוֹתָם u. קְצוֹתָיו (K קצוותו Ex 37, 8 39, 4, F קְצֹת): **Ende, Rand, Ecke, Äusserstes** *end, border, edge, extremity*: v. *of* כַּפֹּרֶת Ex 25, 18 f 37, 7 f, חֹשֶׁן Ex 28, 23 f. 26 39, 16 f. 19, אֵפֹד 28, 7 39, 4, מִזְבֵּחַ 27, 4, עֲבֹתֹת 28, 25 39, 18; von *of* אֶרֶץ Js 40, 28 41, 5. 9 Hi 28, 24, שָׁמַיִם Ir 49, 36, עֵץ Hs 15, 4; קְצוֹת דְּרָכָיו Ränder, **Säume** seiner (Gottes) Wege *outskirts of his (God's) ways* Hi 26, 14; מִקְצָה zu äusserst *at the extremity* Ex 25, 19 26, 4 36, 11 37, 8. †

קֵצֶה (,קָצֶה): I קצה: immer *always* אֵין קֵ' ohne Ende *without end* Js 2, 7 Na 2, 10 3, 3. 9. †

***קָצוּ**: I קצה: pl. cs. קַצְוֵי: קַצְוֵי אֶרֶץ: **die Enden** der Erde *the borders of the earth* Js 26, 15 Ps 48, 11 65, 6. †

***קָצוּר**: II קצר: pl. fem. קְצֻרוֹת: **verkürzt, kleiner** *shorter* Hs 42, 5. †

***קָצוֹת**: I קצה: sf. קְצוֹתָם: **Ende** *end* 1 K 6, 24 Ps 19, 7; (מִן) מִקְצוֹתָם **aus ihrer Mitte**, aus allen *from among them, from the whole of them* Jd 18, 2 1 K 12, 31 13, 33 2 K 17, 32, בִּקְצוֹת inmitten *among* Si 16, 17. †

קְצוֹת: F קְצֹת.

***קָצֶה**: F קָצֶה.

קֶצַח: *קצח: mhb., ja. קִצְחָא, قِزْح: **Schwarzkümmel** *black cumin* Nigella sativa L. (Löw 3, 120 ff) Js 28, 25. 27. †

קָצִין: II *קצה; قَاضٍ Richter *Ḳadi* v. قَضَى entscheiden *decide judicially*: cs. קְצִין, pl. cs. קְצִינֵי, sf. קְצִינַיִךְ: **Vorsteher, Anführer** *chief, ruler* Jos 10, 24 Jd 11, 6. 11 Js 1, 10 3, 6 f 22, 3 Mi 3, 1. 9 Pr 6, 7 25, 15 Da 11, 18 Si 48, 15. †

I *קְצִיעָה: I קצע: pl. קְצִיעוֹת; > κασια: **Kassia, Zimtblüten** *cassia* (die für Räucherwerk getrockneten Blüten von Arten von *flowers dried for incense of species of* Cassia, Löw 2, 113 ff) Ps 45, 9; F II קְצִיעָה. †

II קְצִיעָה: n. f.; = I: Tochter v. *daughter of* אִיּוֹב: Hi 42, 14. †

קְצִיץ: קצץ: n. l. עֵמֶק קְצִיץ Jos 18, 21. †

I קָצִיר: I קצר; קצר Kalender v. *calendar of* גֶּזֶר ZAW 29, 223; mhb., äga. כציר (!ב): cs. קְצִיר, sf. קְצִירֵךְ: d. Abschneiden = **Getreideernte** *the cutting* = *harvest of grains* (AS Bd. III, April—Juni) Ru 2, 21: 1. יְמֵי קָצִיר Jd 15, 1 Jos 3, 15 2 S 21, 9, יוֹם קָצִיר Pr 25, 13, עֵת קָצִיר Ir 50, 16 51, 33; זֶרַע וְקָצִיר Gn 8, 22 u. חָרִישׁ וְקָצִיר Gn 45, 6 Ex 34, 21 die Jahreshälften des Bauers *the farmer's halves of the year*; קָצִיר: חֹרֶף Pr 20, 4; קַיִץ קָצִיר u. d. ganze Ernteزeit *the whole season of harvest* Js 16, 9 (l Ir 48, 32?) Ir 8, 20 Pr 6, 8 10, 5

26, 1; קְצִיר שְׂעֹרִים 2 S 21, 9 Ru 1, 22 2, 23, קְצִיר חִטִּים Gn 30, 14 Ex 34, 22 Jd 15, 1 1 S 6, 13 12, 17 Ru 2, 23; חַג הַקָּצִיר Ex 23, 16, תְּחִלַּת קָצִיר 2 S 21, 10, חֹם קָצִיר Js 18, 4, לַקָּצִיר bis zur E. *until the h.* Am 4, 7; שִׂמְחַת בַּקָּצִיר Js 9, 2; 2. **Ernteertrag** *yield of the harvest* Lv 19, 9 23, 10. 22 25, 5 Dt 24, 19 1 S 8, 12 Js 17, 11 Ir 5, 17 Jl 1, 11 4, 13; חֻקּוֹת קָצִיר Ir 5, 24; 3. l אֶל־הַצֹּר 2 S 23, 13, l קֹצֵר Js 17, 5, l קָצְרוּ Hi 5, 5; ? Js 23, 3; l כִּי : יֵצֶר לוֹ Ho 6, 11. †

II קָצִיר: II קצר ?: sf. קְצִירָהּ, קְצִירוֹ: **Zweig, Schoss** *bough, sprig* Js 27, 11 Ps 80, 12 Hi 14, 9 18, 16 29, 19. †

I קצע: قُضَاعٌ feiner (abgekratzter) Staub *fine scraped off dust* (Tāğ 5, 140):

hif: יַקְצִעַ: **abkratzen** *scrape off* Lv 14, 41, cj הִקְצִיעוּ u. הַקְצִיעַ Lv 14, 41. 43. †

Der. *מַקְצָעָה, I u. II קְצִיעָה.

II קצע: ja. קטע, ܩܛܥ; قَطَعَ abschneiden *cut off*:

pu: pt. pass. fem. pl. cs. מְקֻצְעֹת: **zu Ecken gemacht** *with corner-structure* Ex 26, 23 36, 28; †

hof: pt. מְהֻקְצָעוֹת (BL 229. 362): **zu Ecken gemacht** *with corner-structure* Hs 46, 22. †

Der. מִקְצוֹעַ.

I קצף: mhb., F ba.; EA *naqṣapu, naqṣapti* (gloss.) erbittert sein *be embittered*:

qal: pf. קָצַף, קָצַפְתִּי, impf. יִקְצֹף, inf. קְצֹף: **zornig sein, werden** *be wroth* 2 K 5, 11 Js 57, 16f 64, 4. 8 Est 1, 12 2, 21, c. אֶל auf *with* Jos 22, 18, c. עַל über *against* Gn 40, 2 41, 10 Ex 16, 20 Lv 10, 16 Nu 31, 14 1 S 29, 4 2 K 13, 19 Ir 37, 15, wegen *on account of* Ko 5, 5; קָצַף קֶצֶף Sa 1, 2. 15, קָצַף אַף Dt 9, 19; von Gott gesagt *said of God* Lv 10, 6 Nu 16, 22 Dt 1, 34 9, 19 Jos 22, 18 Js 47, 6 54, 9 57, 16f 64, 4. 8 Sa 1, 2. 15 Th 5, 22 Ko 5, 5; †

hif: pf. הִקְצַפְתָּ, impf. וַיַּקְצִיפוּ, inf. הַקְצִיף, pt. מַקְצִפִים: (Gott) **erzürnen** *provoke (God) to wrath* Dt 9, 7f. 22 Sä 8, 4 Ps 106, 32; †

hitp: impf. וַיִּתְקַצֵּף: **in Zorn geraten** *put oneself in a rage* Js 8, 21. †

Der. קֶצֶף.

II *קצף: II קֶצֶף; קְצָפָה.

I קֶצֶף: I קצף: קֶצֶף, sf. קִצְפִּי, קֶצְפְּךָ, קִצְפֶּךָ: **Unmut, Zorn** *wrath* Ko 5, 16 Est 1, 18, קֶצֶף יהוה Ir 50, 13 2 C 29, 8 32, 26; c. הָיָה עַל Nu 1, 53 18, 5 Jos 9, 20 22, 20 2 K 3, 27 1 C 27, 24 2 C 19, 10 24, 18 29, 8 32, 25; קֶצֶף מֵאֵת יהוה Nu 17, 11 קֶ׳ מִלִּפְנֵי יהוה Sa 7, 12, קֶ׳ לַיהוה 2 C 19, 2, Js 34, 2; v. Gott *said of God*: sein *his* קֶ׳ Ir 10, 10, dein *thine* קֶ׳ Ps 38, 2 102, 11, mein *mine* Js 60, 10 (:: רְצוֹנִי), קָצַף (יהוה) Sa 1, 2. 15; קֶ׳ גָּדוֹל u. חֵמָה u. אַף קֶצֶף Dt 29, 27 2 K 3, 27 Ir 21, 5 32, 37 Sa 1, 15 7, 12, בְּשֶׁצֶף קֶצֶף Js 54, 8. †

II קֶצֶף: II *קצף; قَصَفَ abbrechen *break*: **abgeknickter Zweig** *bough snapped off* Ho 10, 7. †

קְצָפָה: II *קצף: **Stummel** *stump* Jl 1, 7. †

I קצץ: ug. *qṣṣ*, ak. *qaṣāṣu*, mhb. קצץ, sy. קַץ, قَصَّ abschneiden *cut off*; NF קצה:

qal: pf. קַצֹּתָה, pt. pass. קְצוּצֵי: **abhauen** (Hand) *cut off (hand)* Dt 25, 12, **stutzen** (Haare) *cut short (hair)* Ir 9, 25 25, 23 49, 32;

pi: pf. קִצֵּץ, impf. וַיְקַצֵּץ, וַיְקַצְּצוּ: **zerschneiden** *cut asunder* Ex 39, 3 2 K 16, 17, **abhauen** *cut off* Jd 1, 6 2 S 4, 12 2 K 18, 16, **zerhauen** *cut to pieces* Ps 129, 4, **zerstückeln** *cut into bits* 2 K 24, 13 2 C 28, 24, **in Stücke schlagen** *cut into pieces* Ps 46, 10;

pu: pt. מְקֻצָּצִים: verstümmelt *hewn off* Jd 1, 7.†

cj II **קצץ**: denom. v. קֵץ:

cj hif: pf. הֲקִצֹּתִי Ps 139, 18 u. impf. יָקִצּוּ Ps 55, 24: zu Ende kommen *come to an end*.†

Der. II קוֹץ, קֵץ, קִיצוֹן, קָצִין.

I **קצר**: mhb. ernten *reap*; ak. *kaṣāru* binden, sammeln *bind, collect*; ... u. ... binden *bind* Delitzsch, Prol. 166 f:

qal: pf. קָצְרוּ, קְצַרְתֶּם, impf. יִקְצֹר־ (Q יִקְצָר־, K יִקְצוֹר) Pr 22, 8, יִקְצְרוּן, יִקְצֹרוּ, תִּקְצוֹר, תִּקְצֹר, יִקְצִירוּ (1 Q יִקְצוֹרוּ :: ZAW 49, 270) Hi 24, 6, sf. יִקְצְרֵהוּ, inf. קְצֹר, sf. קֻצְרְכֶם, imp. קִצְרוּ, pt. קוֹצֵר: 1. קָצַר קָצִיר die Fruchternte einbringen *reap the harvest* Lv 19, 9 23, 10. 22 Dt 24, 19 1 S 6, 13 (קְצִיר חִטִּים) 8, 12, > קָצַר Lv 19, 9 23, 22 2 K 19, 29 Js 37, 30 Ho 10, 12 Mi 6, 15 Ps 126, 5 Ko 11, 4, cj Hi 5, 5; pt. Schnitter *harvester* Ir 9, 21 Am 9, 13 Ps 129, 7 Ru 2, 3—7. 14 Si 6, 19, cj Js 17, 5, pl. 2 K 4, 18; 2. einbringen, ernten *reap, harvest*: סָפִיחַ Lv 25, 5. 11, שִׁבֳּלִים Js 17, 5, קֹצִים Ir 12, 13, בְּלִיל Hi 24, 6, שָׂדֶה Ru 2, 9; (metaph.) סוּפָה Ho 8, 7, עַוְלָתָה Ho 10, 13 Si 7, 3, אָוֶן Pr 22, 8, עָמָל Hi 4, 8;

hif; impf. יַקְצִירוּ K Hi 24, 6 l יִקְצוֹרוּ Q.†

Der. I קָצִיר.

II **קצר**: mhb., ja., cp.; قَصُرَ kurz sein *be short*:

qal: pf. קָצַר, קָצְרָה, impf. וַתִּקְצַר, תִּקְצַר, תִּקְצַרְנָה! Pr 10, 27, inf. קְצוֹר: 1. kurz, zu kurz sein *be short, too short* Nu 11, 23, c. מִן um ... *to* ... Js 28, 20 50, 2 59, 1; verkürzt werden *be shortened* (שָׁנוֹת) Pr 10, 27; 2. ug. *qṣr npš*: וַתִּקְצַר נַפְשׁוֹ wurde ungeduldig *grew, was impatient* Nu 21, 4 Jd 10, 16 (יהוה) Sa 11, 8 (בְּ gegenüber *towards*) Hi 21, 4, c. לָמוּת sterbensungeduldig *unto death* Jd 16, 16; קָצַר רוּחַ יהוה wurde unmutig *became discontented* Mi 2, 7;

pi: pf. קִצַּר: l קֹצֶר Ps 102, 24;

hif: pf. הִקְצַרְתָּ: verkürzen *shorten* Ps 89, 46 Si 30, 24;

hitp: impf. תתקצר: sich kurz fassen *be brief* Si 7, 10.†

Der. קֹצֶר, *קָצֵר, קָצוּר, II קָצִיר.

קֹצֶר: II קצר: Kürze *shortness* cj Ps 102, 24, קֹצֶר רוּחַ (:: ארך רוח Si 5, 11) Verzagtheit *dejectedness, pusillanimity* Ex 6, 9.†

***קָצֵר**: II קצר: cs. קְצַר, pl. cs. קִצְרֵי: kurz, verkürzt *short, shortened*: קְצַר אַפַּיִם jähzornig *irascible* Pr 14, 17; קְצַר רוּחַ ungeduldig *impatient* Pr 14, 29, קְצַר יָמִים kurzlebig *short-lived* Hi 14, 1; קִצְרֵי יָד machtlos *feeble* 2 K 19, 26 Js 37, 27.†

***קְצָת**: aram. LW; I קצה; F ba. קְצָת (BL 463. 599): cs. קְצָת, sf. קְצָתָם, pl. קְצוֹת, sf. קַצְוֹתָו Ex 37, 8 u. 39, 4 (Q קְצוֹתָיו): Ende, Äusserstes *end, extremity*: pl. die Enden *the uttermost parts*: אֶרֶץ Ps 65, 9, כַּפֹּרֶת Ex 37, 8, אֵפֹד 39, 4, מִדְבָּר 38, 5; מִקְצָת c. gen. vel sf. am Ende von *at the end of* Da 1, 5. 15. 18, e. Teil von, einige *a part of, some* Da 1, 2 Ne 7, 69.†

קַר: קרר: pl. קָרִים: kühl, kalt *cool* (מַיִם) Ir 18, 14 Pr 25, 25; קַר רוּחַ kaltblütig *cold-blooded* Pr 17, 27.†

קֹר: F קִיר.

קֹר: קרר: Kälte *cold* Gn 8, 22, cj זֶרֶם קֹר winterlicher R. *winterly r.* Js 25, 4.†

I **קרא**: ug. *qr*ʾ; Sem (ausser *except* aeth.) rufen, hersagen > lesen *call, recite > read*:

qal (665 ×): pf. קָרָא, קָרָאת (3. sg. fem.) Js 7, 14 (BL 376), קָרָאת, קְרָאתֶם, sf. קְרָאֲךָ, קְרָאתִיו, impf. יִקְרָא, וָאֶקְרָא, וָאֶקְרָאֶה 1 S 28, 15 (l וָאֶקְרָא vel וָאֶקְרֶה Nestle, Marginalien 15), יִקְרָאֻהוּ sf. ,תִּקְרֶאנָה ,וַתִּקְרֶאךָ ,יִקְרָאוּ ,יִקְרְאוּ ,יִקְרָאֻהוּ ,אֶקְרָאֶן ,תִּקְרָאֵם Ir 23, 6, יִקְרָאוֹ > יִקְרָאֻנְנִי Pr 1, 28, inf. קְרֹא ,קְרֹאות (קְרֹאת wie v. *as if* קרה, BL 376) Jd 8, 1, sf. קָרְאִי, imp. קְרָא ,קִרְאוּ ,קִרְאוּ ,קְרֶאןָ Ru 1, 20, קְרֶאןָ Ex 2, 20, sf. קְרָאֵנִי ,קְרָאֶנָּה, pt. קֹרֵא ,קוֹרֵא ,קֹרְאִים u. קֹרְאִים Ps 99, 6, sf. קֹרְאָיו, pass. קָרוּא, sf. קְרֻאֶיהָ: 1. c. לְ: **rufen** *call* Gn 12, 18, c. ac. 27, 1, absol. 39, 15; c. קוֹל גָּדוֹל 39, 14; c. אֶל nach *unto* 3, 9; קָרָא בְּשֵׁם יהוה den Namen J. s. rufen *call the name of Y.* Gn 4, 26 (17 ×, cj Ps 75, 2); das Gerufene folgt als ac. unmittelbar *what is called follows without introduction as ac.* Ex 34, 6 Lv 13, 45; 2. קָרָא שֵׁם לְ jmd e. **Namen rufen** *give a name to* Gn 2, 20, > קָרָא לְ jmd **nennen** *call* Gn 1, 5; קָרָא שְׁמוֹ s. Namen (so u. so) nennen, ihn (so u. so) **nennen** *call his name* (*thus*), *call him* (*thus*) Gn 3, 20 4, 25; 3. קָרָא בְּשֵׁם c. ac. **mit Namen nennen** *call by name* Nu 32, 38 Js 40, 26 41, 25 43, 1 45, 3 f, **berufen** *summon* Ex 31, 2; קָרָא עַל־שְׁמוֹ nach s. Namen nennen *call after his name* Dt 3, 14, קָרָא שֵׁמוֹת לְ Namen geben (Gott den Sternen) *give names* (*God to the stars*) Ps 147, 4; קָרָא בִשְׁמוֹ עַל mit s. N. benennen *call after one's name* Ps 49, 12; 4. קָרָא c. ac. **rufen, einberufen** *call, summon*: מִקְרָא Lv 23, 24 Js 1, 13, עֵדָה Nu 1, 16; 5. קָרָא c. ac.: **ausrufen, verkündigen** *proclaim*: דְּרוֹר Js 61, 1, שְׁמִטָּה Dt 15, 2, שֵׁם יהוה 32, 3, שָׁלוֹם Jd 21, 13, צוֹם 1 K 21, 9, עֲצָרָה Jl 1, 14, מְלוּכָה Js 34, 12, שְׁנַת־רָצוֹן Js 61, 2, נְדָבוֹת Am 4, 5, חֶרֶב Hg 1, 11, רָעָב Ps 105, 16, מוֹעֵד Th 1, 15, יוֹם 1, 21; 6. קָרָא לִפְנֵי vor jmd **her ausrufen** *call before a person* Gn 41, 43; קָרָא בְּאָזְנֵי jmd (laut) **zurufen** *call* (*aloud*) *unto* Hs 8, 18, ausrufen (sodass er es hört) *call* (*to cause him hear*) Jd 7, 3; קָרָא אַחֲרֵי **nachrufen** *call after* 1 S 20, 37; 7. (Gott) anrufen *call, implore* (*God*): c. אֶל־יהוה Dt 4, 7 (17 ×), אֶל־אֱלֹהִים 2 S 22, 7 1 K 8, 52, c. לֵאלֹהִים 1 C 4, 10; c. בְּשֵׁם אֱלֹהֵי mit s. N. *by his n.* 1 K 18, 24—26 Js 12, 4, c. שְׁמוֹ s. Namen *his name* Ps 99, 6, קֹרְאֶיךָ die dich anrufen *those imploring thee* (יהוה) Ps 86, 5; 8. einladen *invite*: c. ac. 1 K 1, 9 f, c. לַזֶּבַח 1 S 16, 5, c. אֶל־אֵבֶל Am 5, 16; קָרוּא לָהּ von ihr eingeladen *invited by her* Est 5, 12, קְרֻאִים Eingeladene *invited persons* 1 S 9, 13. cj 24, Ze 1, 7; 9. Besonderes *particulars*: קָרָא לְשָׁלוֹם אֶל־עִיר e. Stadt e. gütliches Abkommen anbieten *offer peace to a town* Dt 20, 10, = c. לְ Jd 21, 13; קָרָא קְרִיאָה אֶל jmd e. Ankündigung zurufen *cry an announcement to* Jon 3, 2; קָרָא שְׁמוֹ בְּ macht s. Namen bekannt in *makes h. name known in* Ru 4, 11; קָרָא דְבָרִים בְּיַד Sa 7, 7; 10. קָרָא בְּ **hersagen** aus (Buch, Rolle), **lesen** in *recite from* (*a book, scroll*), *read in* Dt 17, 19 Ir 36, 6. 8. 10. 13 f Ha 2, 2 Ne 8, 3. 8. 18 9, 3 2 C 34, 18, 24; קָרָא בְּאָזְנֵי **vorlesen** vor *read aloud before* Ex 24, 7; קָרָא c. ac. lesen *read* 2 K 5, 7 (10 ×), vorlesen *read aloud* Dt 31, 11 Jos 8, 34 f; l וַיִּקְרַב 2 S 18, 28; l יִקָּרֵא Js 44, 5;

nif: pf. נִקְרָא ,נִקְרְאָה ,נִקְרְאוּ, impf. יִקָּרֵא, תִּקָּרְאוּ, pt. נִקְרָא ,נִקְרָאִים: 1. **gerufen werden** *be called* Est 3, 12 4, 11 8, 9, c. בְּשֵׁם mit Namen *by name* 2, 14; **aufgeboten werden** *be summoned* (עַל gegen *against*) Js 31, 4; 2. **ausgerufen werden** *be cried* Ir 4, 20, שֵׁם 44, 26 Ru 4, 14; נִקְרָא שְׁמוֹ s. N. wird gerufen = es ist als vorhanden bekannt *its name is called = its existence is known* Ko 6, 10; erwähnt werden *be mentioned* Js 14, 20; יִקָּרֵא לְךָ זֶרַע man wird dir Nachkommen benennen, erwähnen (בְּ nach) *thy offspring will be named, mentioned* (בְּ *after*) Gn 21, 12;

3. יִקָּרֵא לְ man nennt ihn *he is called, named* Gn 2, 23 Dt 3, 13 1 S 9, 9 2 S 18, 18 Js 1, 26 32, 5 62, 4. 12 Ir 19, 6 Pr 16, 21; נִקְרָא (die Benennung folgt *the name is indicated*) man nennt ihn *his name is* Js 54, 5 56, 7 61, 6 Sa 8, 3 Si 5, 14; נִקְרָא שְׁמוֹ s. Name heisst *h. name is* Gn 17, 5 35, 10 Dt 25, 10 Hs 20, 29 Da 10, 1; 4. נִקְרָא שְׁמוֹ עַל s. N. wird genannt über (Ausdruck der Vormundschaft, Herrschaft) *h. n. is called over (expresses tutelage, dominion)*: נָשִׁים Js 4, 1, עִיר 2 S 12, 28, Gebiet *territory* Dt 28, 10 2 S 6, 2 Js 63, 19 Ir 7, 10 f. 14. 30 14, 9 15, 16 25, 29 32, 34 34, 15 Am 9, 12 Da 9, 18 f 1 C 13, 6 2 C 7, 14 Si 47, 18, Tempel *temple* 1 K 8, 43 2 C 6, 33; 5. נִקְרָא מִן nennt sich nach *is named after* Js 48, 2; 6. נִקְרָא עַל־שֵׁם benannt werden nach *be called after* Gn 48, 6 Esr 2, 61 Ne 7, 63; = נִקְרָא בְשֵׁם Js 43, 7 48, 1 Si 47, 18, cj Js 44, 5; 7. נִקְרָא עַל gerechnet werden zu *be called among* 1 C 23, 14; 8. נִקְרָא gelesen werden *be read* Ne 13, 1 Est 6, 1; †

pu (pass. qal): pf. קֹרָא, pt. sf. מְקֹרָאִי: genannt werden *be called* Js 65, 1; קֹרָא לִי ich werde genannt *I am named* Js 48, 8 58, 12 61, 3 Hs 10, 13; gerufen werden *be called* Js 62, 2, pt Berufener *called one* Js 48, 12. †

Der. I, II קֹרֵא, קְרִיאָה, קְרִיא*, קְרָיָה, מִקְרָא.

II קרא: NF v. קרה; قَرَأَ:

I qal (לִקְרַאת F II): pf. קָרָאת, sf. קְרָאָהוּ, קְרָאַנִי, קְרָאָנִי, Si 12, 17 קראך, impf יִקְרָא, תִּקְרֶאנָה, sf. יִקְרָאֵנוּ, יִקְרָאֵהוּ, inf. לִקְרַאת! Jos 11, 20, pt. pl. fem. sf. קֹרְאֹתַיִךְ: auf jmd treffen, begegnen, widerfahren, *encounter, befall*: Gn 42, 4. 38 49, 1 Ex 1, 10 (l תִּקְרָאֵנוּ) Lv 10, 19 Dt 31, 29 Ir 44, 23 13, 22 Pr 27, 16 Hi 4, 14 Si 3, 31 12, 17; קֹרְאֹתַיִךְ deine Erfahrungen *thy experiences* Js 51, 19, קָרָא מִלְחָמָה אֶת sich e. Kampf mit ... aussetzen *expose oneself to a fight with* Jos 11, 20; †

II qal inf. לִקְרַאת (120 ×), sf. לִקְרָאתוֹ, לִקְרָאתֶךָ, לִקְרָאתֵךְ, לִקְרַאתְכֶם, > praep.: entgegen, gegenüber *opposite to, against*: c. יָצָא Gn 14, 17, 18, 2, עָלָה 46, 29, נִצָּב Ex 5, 20, הִכּוֹן Am 4, 12, רוּץ שָׁאַג Jd 14, 5, שָׂמַח cj 1 S 6, 13, חָרַד 16, 4, etc.; l לִקְרֹא (I קרא) Nu 24, 1;

nif.: pf. נִקְרָא, נִקְרֵיתִי, impf. יִקָּרֵא, inf. נִקְרֹא: 1. sich treffen lassen (Gott) *to cause oneself to be met (God)* Ex 5, 3 (עַל von *by*); 2. sich zufällig (an e. Ort) befinden *happen to be (at a place)* 2 S 1, 6; 3. sich vorfinden *to be found (somewhere)* Dt 22, 6 2 S 18, 9 20, 1: †

hif: impf. וַתַּקְרֵא: c. 2. ac. jmd etw. treffen lassen *cause to befall a thing a person* Ir 32, 23 †

I קֹרֵא: I קרא: 1 S 26, 20 Ir 17, 11: gewöhnlich = Rebhuhn, *usually = partridge*; aber *but* قَارِيَة = Bienenfresser *bee-eater Merops apiaster L.* (ZDP 36, 171); Aharoni, Osiris 5, 468 f: = *Ammoperdrix hayi*, e. Rebhuhnart *a kind of partridge*: Aharoni fand 2 Gelege zu je 11 Eiern von 2 Weibchen im selben Nest *A. has met 2 layings of 11 eggs each of 2 different females in the same nest* F Ir 17, 11; F n. l. עֵין הַקּוֹרֵא u. II n. m. קֹרֵא. †

II קֹרֵא u. **קוֹרֵא**: n. m.; = I; Dir. 353: 1. 1 C 9, 19 26, 1; 2. 2 C 31, 14. †

קרב: ug. *qrb*; Sem:

qal: pf. קָרַבְתָּ, קָרְבָה, קָרֵב, impf. יִקְרַב, תִּקְרַב, יִקְרְבוּ, וַתִּקְרַבוּן, נִקְרְבָה, inf. קְרוֹב, לְקָרְבָה (BL 306), sf. קָרְבָתָם, קָרְבְכֶם, imp. קְרַב, קִרְבָה, קִרְבוּ: 1. sich nähern, nahekommen *come near, approach* Gn 27, 41 47, 29 Dt 15, 9 1 K 2, 1 Js 5, 19 Hs 9, 1 12, 23 Th 4, 18; herantreten *draw near*

Lv 9, 5 10, 4f 21, 17f Nu 27, 1 Dt 4, 11 5, 27 Jos 7, 14 10, 24 Js 41, 1 57, 3 Est 5, 2, cj 2 S 18, 28, **herankommen** *draw nigh* Ex 3, 5 Ps 119, 150, c. מוּל dicht *close* Dt 2, 19, c. לָמוּת dass du stirbst *that thou must die* Dt 31, 14, וַתִּקְרַב הַמִּלְחָמָה es kam zum Kampf *the battle was joined* 1 K 20, 29; **nahen** (Gott) *draw near* (*God*) Th 3, 57; 2. קָרַב אֶל **sich nähern** *approach* Gn 37, 18 Ex 14, 20 32, 19 40, 32 Dt 2, 37 20, 10 Jos 3, 4 2 S 20, 17 Js 54, 14, cj Ps 69, 19, cj 32, 9 (G), cj Est 1, 14; an (einander) rücken *draw near* (*each to another*) Hs 37, 7; an e. Aufgabe herantreten *approach a task* Ex 36, 2; herantreten an *draw near unto* Lv 9, 7f 22, 3 Nu 18, 3f. 22 31, 48 36, 1 Dt 1, 22 5, 23 Jos 8, 5 Jd 20, 24 1 K 2, 7 2 K 16, 12 (1אֶל) Js 48, 16 Hs 42, 14 44, 16 Jon 1, 6 Pr 5, 8; (einer Frau geschlechtlich) **nahen** *come near* (*a woman for sexual intercourse*) Gn 20, 4 Lv 18, 6. 14. 19 20, 16 Dt 22, 14 Js 8, 3 Hs 18, 6; c. מִלְחָמָה zum K. ausziehen *draw nigh unto the battle* Dt 20, 2; c. אֱלֹהִים vor G. **hintreten** *stand before G.* 1 S 14, 36 Ze 3, 2, c. יהוה Hs 44, 15; 3. קָרַב בְּ **hingehen** an *draw near to* Jd 19, 13, zu nahe kommen *come near* Ps 91, 10; 4. קָרַב c. בְּ **nahen** *come near* Hi 33, 22, c. לִפְנֵי **hintreten** vor *stand before* Ex 16, 9 Lv 16, 1 Nu 9, 6 Jos 17, 4 Ps 119, 169, c. לַמִּשְׁפָּט zum Gericht herantreten *come near to judgement* Js 41, 1 Ma 3, 5; c. לִקְרַאת **zukommen auf** *come up to* 1 S 17, 48; c. לְ c. inf. Ex 12, 48 Nu 17, 5 Dt 25, 11 2 S 15, 5 Js 34, 1 Ko 4, 17; c. עַד־הֵנָּה näherkommen bis hierhin *come near hither* 2 S 20, 16, c. עַל herfallen über *rush in upon* Ps 27, 2; 5. קְרַב אֵלֶיךָ halte dich für dich (?) *stand by thyself* (?) Js 65, 5; †

nif: pf. נִקְרַב, נִקְרַבְתֶּם: 1. **herangebracht werden** *be brought near* Ex 22, 7; 2. **sich heranbegeben** *come near* Jos 7, 14; †

pi: pf. קֵרַבְתִּי, קֵרְבוּ, impf. תְּקָרֵב, sf. אֲקָרְבֶנּוּ, imp. קָרַב (BL 358) Hs 37, 17, קָרְבוּ: 1. **heran-, herbeibringen** *bring near* Js 41, 21 46, 13; 2. (einander) **nahebringen** *cause to approach* (*each another*) Hs 37, 17; 3. **nahen lassen** (Gott den Frommen) *cause* (*the pious*) *to approach* (*God*) Ps 65, 5; 4. c. ac. **herantreten an** *approach* Hi 31, 37; 5. c. לְ c. inf. **nahe daran sein, zu** *be at hand to* ... Hs 36, 8; 1קִרְבָם Ho 7, 6;

hif (172 ×; 89 × Lv, 50 × Nu, 8 × Ex, 8 × Hs) pf. הִקְרִיב, הִקְרִיבָה, הִקְרַבְתָּ, sf. הִקְרִיבוֹ, הִקְרִיבְם, הִקְרַבְתִּיו, impf. יַקְרִיב, תַּקְרֵב, וַיַּקְרֵב, וַנַּקְרֵב, sf. יַקְרִיבֶנּוּ, inf. הַקְרִיב, sf. הַקְרִיבְכֶם, imp. הַקְרֵב, sf. הַקְרִיבֵהוּ, pt. מַקְרִיב, pl. cs. מַקְרִיבֵי: 1. **heranbringen, bringen** *bring near, bring* Nu 17, 4, מִנְחָה לְ Jd 3, 17f, אֶשְׁכָּר Ps 72, 10, Geschenk *gift* Ma 1, 8, מִשְׁפָּט לִפְנֵי Nu 27, 5, דָּבָר אֶל (zur Entscheidung *for decision*) Dt 1, 17, etw. *a thing* Nu 7, 10. 18 Jd 5, 25, לַכֹּהֵן Nu 5, 9, לִפְנֵי Nu 7, 3, אֶל 15, 33 25, 6 Jos 8, 23; in P: **darbringen** *offer* (ak. *qurrubu* Zimm. 66; ug. *šqrb*) Ex 29, 3—Nu 29, 36 u. Hs 43, 22f 44, 7. 15. 27 46, 4 Hg 2, 14 Esr 8, 35 1 C 16, 1 2 C 35, 12 (82 ×), cj Ex 18, 12; in P הִקְרִיב קָרְבָּן Lv 1, 2—Nu 31, 50 (25 ×); הִקְרִיב c. ac. u. אֶל Lv 1, 3. 15 2, 8 9, 9 Nu 5, 25, c. לִפְנֵי יהוה Lv 3, 1. 7. 12 Nu 17, 3 26, 61 Hs 43, 24; לַיהוה Lv 2, 11. 14 3, 3. 9. 14, c. הִקְרִיב יָמָיו bringt s. Gerichtstage herbei *brings h. days of judgement* Hs 22, 4; 2. **sich nähern** *come near*: הִקְרִיב לָבוֹא steht vor d. Einzug *comes near to enter* Gn 12, 11, הִקְרִיב לָלֶדֶת kommt d. Geburt nahe *comes near to delivery* Js 26, 17; c. אֶל Nu 16, 5. 9f, absol. Ex 14, 10; 3. **nahe bringen, herantreten lassen** *bring near, cause to come near* Ex 28, 1 Lv 7, 35 (9 ×) 8, 18. 22 16, 9. 11. 20 Nu 3, 6 Jos 7, 16, 1 S 10, 20f Ir 30, 21 (18 ×), c. לִפְנֵי Ex 29, 10 הִקְרִיב שָׂדֶה בְּשָׂדֶה rückt F. an F. *lays f. to f.* Js 5, 8; וַיַּקְרֵב 2 K 16, 14 1וַיָּסַר?

Der. ,קָרֵב ,קְרָב ,קָרוֹב ,קִרְבָה* ,קָרְבָּן ,קֻרְבָּן* עֲקְרָב.

קָרֵב: קרב: pl. קְרֵבִים: der sich nähert *approaching* Nu 1, 51 3, 10. 38 18, 7, c. אֶל Nu 17, 28 1 K 5, 7 Hs 40, 46 45, 4 Si 12, 13; הלך וְקָרֵב kommt immer näher *comes nearer a. nearer* (אֶל) 1 S 17, 41 2 S 18, 25; קְרֵבִים לַמִּלְחָמָה die zum K. ausrücken *those moving out into battle* Dt 20, 3; cj קְרֵבִים לִיהוה Hs 42, 13, cj קְרֵבִים אֵלַי 43, 19, cj קְרֵבִים לִי Ps 55, 19. †

קְרָב: קרב; ak. *qarābu* (Zimm. 13), ja., sy., cp., mnd. קְרָבָא; F עֲקְרָב: pl. קְרָבוֹת: feindliche Annäherung, Kampf *hostile approach*, *fight*: Sa 14, 3 Ps 55, 22 68, 31 78, 9 144, 1 Hi 38, 23 Ko 9, 18 Si 37, 6; l בְּקִרְבּוֹ 2 S 17, 11, l קְרֵבִים Ps 55, 19; F קָרוֹב. †

קֶרֶב (222 ×): ak. *qirbu* Inneres, Mitte *inward part*, *midst* Holma NKt 68 f; äg. *q3b* Darm *intestine*; mo. בקרב in *in*; > قَلْبٌ Herz *heart*: sf. קִרְבּוֹ, קִרְבֵּךְ, קִרְבֶּנָה Gn 41, 21 (BL 252), pl. sf. קְרָבַי Ps 103, 1: 1. d. Innere (des Leibes) *the inward part* (*of body*): d. Sitz v. *the seat of*: Lachen *laughter* Gn 18, 12, נֶפֶשׁ 1 K 17, 21, רוּחַ Js 19, 3, Gedanken *thoughts* Ir 4, 14, חֵלֶב Ex 29, 13; Leib v. *body of*: Kühe *cows* Gn 41, 21, e. Schwangeren *woman with child* 25, 22; קִרְבּוֹ die innern Teile e. Opfertiers *the inner parts of a sacrificial animal* Ex 12, 9; das Innere v. *the interior of*: עִיר Gn 18, 24, אֶרֶץ 45, 6, עָם Ex 34, 12 Dt 16, 11, מַחֲנֶה Nu 14, 44; die Mitte e. menschlichen Gruppe *the midst of a group of men* קֶרֶב אֶחָיו 1 S 16, 13, בְּקִרְבּוֹ unter ihnen *among them* Gn 24, 3, בְּקֶרֶב עַמָּהּ Nu 5, 27, בְּקֶרֶב אֱלֹהִים in Mitten der Götter *among the gods* Ps 82, 1; etc.; 2. praep. בְּקֶרֶב: inmitten, in *in the midst of*, *in*: בְּקֶרֶב שָׁנִים Ha 3, 2 u. מִקֶּרֶב aus .., heraus *from among*: מִקִּרְבּוֹ Nu 14, 13; beide *both* praep. sehr häufig *very frequent*; 3. pl.: כָּל־קְרָבַי all m. Inneres *all that is in me* Ps 103, 1; † 4. von Gott gesagt *said of God*: יהוה ist *is* בְּקֶרֶב הָאָרֶץ Ex 8, 18, בְּקִרְבּוֹ 17, 7 34, 9 Ir 14, 9 Mi 3, 11, בְּקִרְבֵּנוּ Ex 23, 21, בְּקִרְבָּהּ Ze 3, 5 Ps 46, 6, בְּקִרְבְּךָ Ex 33, 3. 5, בְּקִרְבְּכֶם Nu 11, 20 Jos 3, 10 24, 23 Jd 10, 16; Gott ist *God is* בְּקִרְבְּךָ קָדוֹשׁ Ho 11, 9, קְדוֹשׁ יִשְׂרָאֵל Js 12, 6, עָבַר בְּקִרְבְּךָ Am 5, 17; l קְרָבִים Ps 49, 12.

קָרֹב: F קָרוֹב.

קִרְבָה*: קרב inf. fem.: cs. קִרְבַת: c. אֱלֹהִים: dass man sich Gott naht *to draw near unto God* Js 58, 2 Ps 73, 28. †

קָרְבָּן: קרב; ቀረበ, asa. קרבן: cs. קָרְבַּן, sf. קָרְבָּנוֹ, קָרְבָּנְךָ: Darbringung, Gabe (allgemeinster u. blassester Ausdruck für Opfer) *offering*, *gift* (*the most generalizing a. vague expression of sacrifice*); nur *only* Hs 20, 28 u. 40, 43 (Text!) u. P: Lv 1, 2—27, 11 (40 × in c. 1—7. 9. 17. 22. 23. 27) Nu 5, 15—31, 50 (38 ×); קָרְבַּן יהוה Nu 9, 7. 13 31, 50. †

קֻרְבָּן*: קרב: ja., sy., cp., mnd.: cs. קֻרְבַּן: Lieferung *supply* Ne 10, 35 13, 31. †

קַרְדֹּם: < קַדֹּם*, ja., sy. קַדד, قَدَّ schneiden *cut*, قَدُّوم Axt *adze*: sf. קַרְדֻּמּוֹ, pl. קַרְדֻּמִּים, קַרְדֻּמּוֹת: Dächsel, Axt *adze*, *axt* (BRL 89) Jd 9, 48 1 S 13, 20 f Ir 46, 22 Ps 74, 5. †

קרה: ug. *qrj* treffen *encounter*; mhb. hitp. e. קָרֶה* F haben *have a* קָרֶה* F; ܩܪܐ; قَرَا umhergehen *go about*, قَرَى bei sich aufnehmen

receive as guest, ሐቀረየ entgegenbringen *present, offer, as sacrifice*; NF II קרא:
qal: pf. sf. קָרָהוּ, קָרָךְ, impf. יִקְרֶה, יִקְרָה Da 10, 14 (= יִקְרֶה u. יִקְרָא), וַיִּקֶר, תִּקְרֶינָה, sf. יִקְרֵנִי, יִקְרְךָ, יִקְרֶךָּ (BL 425) 1 S 28, 10, pt. pl. fem. קֹרֹת: 1. c. ac.: **treffen, widerfahren** *meet, befall* Gn 42, 29 44, 29 Dt 25, 18 1 S 28, 10 (עָוֹן) Ko 2, 14 9, 11 Est 4, 7 6, 13; וַיִּקֶר מִקְרֶהָ ihr Geschick traf, sie kam ohne eignes Zutun auf *she happened to light on, she chanced to come on* Ru 2, 3; יִקְרְךָ דְבָרִי m. W. (Jahwäs) begegnet dir *my w. (Y.'s) meets thee* Nu 11, 23; 2. absol. אֲשֶׁר תִּקְרֶינָה **was sich begiebt** *what shall happen* Js 41, 22; 3. c. לְ **zustossen** *befall* Da 10, 14; †
nif: pf. נִקְרָה, נִקְרֵיתִי, impf. יִקָּרֶה, וַיִּקָּר, אֶקָּרֶה: **sich treffen lassen von, begegnen** *cause to be met by, to occur*: c. עַל Ex 3, 18, c. אֶל Nu 23, 4. 16, c. לִקְרָאת 23, 3, c. כֹּה 23, 15; 2. c. בְּ: **sich zufällig** an (e. Ort) **befinden** *happen to be at (a place)* 2 S 1, 6; †
pi: pf. sf. קֵרוּהוּ, inf. קָרוֹת, pt. מְקָרֶה: zimmern, **mit Balken bauen** *timber, build with beams* Ps 104, 3 Ne 2, 8 3, 3. 6 2 C 34, 11; †
hif: pf. הִקְרָה, הִקְרֵיתֶם, imp. הַקְרֵה: 1. begegnen lassen, **fügen** *cause to occur, dispense, ordain*: c. לְפָנַי mir *for me* Gn 24, 12 27, 20; 2. c. לְ: sich zufallen lassen, **sich wählen** *cause to occur for, select for oneself* Nu 35, 11. †
Der. קוֹרָה, קָרֶה*, קְרִי*, קִרְיָה, יְקָרָה*, מִקְרֶה; n. l. קְרִיּוֹת, קִרְיָתַיִם, קֶרֶת, עֶקְרוֹן.

קָרֶה*: קרה; قُرْءٌ Menstruation *menstruation*: c. לַיְלָה: קְרֵה לַיְלָה nächtliches Widerfahrnis, **Samenerguss** *nocturnal accident, pollution* Dt 23, 11. †

קָרָה: < *qarrā, קרר: **Kälte** *cold* Na 3, 17 Ps 147, 17 Pr 25, 20 Hi 24, 7 37, 9. †

קָרָה: F קוֹרָה.

קָרוֹב (73 ×): קרב: sf. קְרוֹבוֹ, fem. קְרוֹבָה, קְרֹבָה, pl. קְרֹבִים, sf. קְרוֹבַי, fem. קְרֹבוֹת: 1. **nahe befindlich, nächster** *near*: דֶּרֶךְ Ex 13, 17, עִיר Gn 19, 20, אֶרֶץ 1 K 8, 46, שָׁכֵן Pr 27, 10; קָרוֹב אֶל nahe bei *near to* Gn 45, 10 1 C 12, 41; etc.; מִקָּרוֹב aus d. Nähe *from near by* Ir 23, 23 (:: מֵרָחוֹק); 2. (tempor.) **nahe, bevorstehend** *near, imminent* יוֹם יהוה Ze 1, 14, יוֹם אֵידָם Dt 32, 35, קָרוֹב לָבוֹא dem Anbruch nahe *near to come* Js 13, 22, c. צָרָה Ps 22, 12, c. יֶשַׁע 85, 10, etc.; מִקָּרוֹב in Kurzem *shortly* Hs 7, 8, von kurzer Dauer *short* Hi 20, 5; 3. (in verwandtschaftlicher, menschlicher Beziehung) **nahe, nahestehend, nächster** *near (of relationship)*: קְרֹבוֹ s. Verwandter *h. relations* Ex 32, 27 Ps 15, 3, גֹּאֲלוֹ, שְׁאֵרוֹ הַקָּרוֹב אֵלָיו Lv 21, 2 Nu 27, 11, Lv 25, 25, קָרוֹב הַמֶּלֶךְ אֵלַי d. K. steht mir nahe *the k. is near of kin to me* 2 S 19, 43, קָרוֹב לָנוּ Ru 3, 12, קָרוֹב מִמֶּנִּי näherstehend als ich *nearer then I* Ru 3, 12; 4. קָרוֹב in Beziehung zu Gott *in relation to God*: קְרֹבַי die mir (J.) nahe stehen *those who are near to me (Y.)* Lv 10, 3, l קְרֹבָיו Ps 148, 14; אֱלֹהִים קְרֹבִים אֵלָיו e. ihm nahestehender G. *a god near to him* Dt 4, 7; בִּהְיוֹתוֹ קָרוֹב weil er n. ist *because he is near* Js 55, 6; יִהְיוּ דְבָרַי קְרֹבִים אֶל־יי mögen nahe, gegenwärtig sein *let be present to* 1 K 8, 59; אֱלֹהֵי מִקָּרֹב G. aus d. Nähe *G. at hand* Ir 23, 23; קָרוֹב יי לְ Ps 34, 19 145, 18, קָ׳ אַתָּה יי 119, 151; קָ׳ בְּפִיהֶם nur in ihrem Mund nahe *near only in their mouth* Ir 12, 2; l קְרֵבִים Hs 42, 13 43, 19, l וְקָרֵב Est 1, 14, l וְקֹרָאֵי Ps 75, 2; pro בְּקָרוֹב Hs 11, 3 (= וְקֹרְאֵי) בְּשִׁמְךָ; l מִקְּרוֹב; קְרֹבִים Hs 23, 5. 12 zu *to* קְרָב? kampftüchtig *able to fight?*

cj **קָרוּת**: < *qarrūt*, קרר: **Kälte** *cold* Sa 14, 6 (1 וְקָרוּת). †

I **קרח**: mhb., ja., sy. kahl sein *be bald*; قَرِحٌ geschorenes Feld *shorn field*; **ቀረጸ** rasieren *shave*:

qal: impf. יִקְרְחָה: (Var. יִקְרְחוּ), imp. קָרְחִי: **kahl** (e. Glatze) **scheeren** *make bald* (*a baldness*) Lv 21, 5 Mi 1, 16; †

nif: impf. יִקָּרֵחַ: c. לְ: **e. Glatze wird geschoren** für *a baldness is made for* Ir 16, 6; †

hif: pf. הִקְרִיחוּ: **sich e. Glatze scheeren** *make* (*oneself*) *a baldness*, אֶל im Hinblick auf *for* Hs 27, 31; †

hof: pt. מֻקְרָח **mit e. Glatze versehen worden** *made bald* Hs 29, 18. †

Der. קֵרֵחַ, קָרְחָה, קָרַחַת; n. m. קָרֵחַ, קֹרַח, gntl. קָרְחִי.

II ***קרח**: = I?: F קֶרַח.

קֶרַח: II *קרח; ak. *qarḫu*; ja, sy. קַרְחָא Eis *ice*; קָרַח, sf. קַרְחוֹ: 1. **Frost** *frost* Gn 31, 40 Ir 36, 30; 2. **Eis** *ice* Ps 147, 17 Hi 6, 16 37, 10 38, 29 Hs 1, 22. †

קֵרֵחַ: I קרח: **Kahlkopf** (kahl am Hinterkopf :: גִּבֵּחַ) *bald* (*on the hindhead* :: גִּבֵּחַ) Lv 13, 40 2 K 2, 23. †

קָרֵחַ: n. m.; I קרח; < **qarreaḥ*; *Karḥā*, *Kariḥi* APN 183: 2 K 25, 23 Ir 40, 8—43, 5 (13 ×). †

קֹרַח: n. m.; I קרח; ZAW 44, 89 nab. n. m. קרחו: **Korah**: 1. S. v. *son of* Esau Gn 36, 5. 14. 18 1 C 1, 35; 2. S. v. *son of* Eliphas Gn 36, 16; 3. Stamm *tribe* 1 C 2, 43; Levite Ex 6, 21. 24 Nu 16, 1—32 17, 5. 14 26, 9—11 27, 3 Si 45, 18; בְּנֵי קֹרַח (v. 1 in *in*) Ps 42. 44—49. 84 f. 87 f 1 C 6, 7. 22 9, 19; F קָרְחִי. †

קָרְחָא: F קָרְחָה.

קָרְחָה u. Hs 27, 31 **קָרְחָא**: I קרח: sf. קָרְחָתֵךְ: (absichtlich hergestellte) **Glatze** (als Zeichen der Trauer) *baldness* (*made intentionaly as sign of mourning*) Am 8, 10 Js 3, 24 15, 2 22, 12 Mi 1, 16 Ir 47, 5 48, 37 Hs 7, 18 27, 31, verboten *not allowed* Dt 14, 1, Priestern verboten *not allowed for priests* Lv 21, 5. †

קָרְחִי: gntl. v. קֹרַח: pl. קָרְחִים: Ex 6, 24 Nu 26, 58 1 C 9, 31; pl. הַקָּרְחִים 1 C 9, 19 26, 1 12, 7 (1 וְהַקָּ׳), בְּנֵי הַקָּרְחִים 2 C 20, 19. †

קָרַחַת: I קרח: sf. קָרַחְתּוֹ: **kahle Stelle hinten am Kopf** *bald spot at the back of the head* Lv 13, 42 f, auf d. Rückseite von Gewebe, Gewirk oder Leder *at the back of textile or leather* Lv 13, 55. †

***קְרִי**: קרה: קֶרִי: (feindliche) **Begegnung** (*hostile*) *encounter*: הָלַךְ קְרִי עִם Lv 26, 21. 23 u. 26, 24. 27. 40 f הָלַךְ בְּקֶרִי עִם widerstreben *resist*; הָלַךְ בַּחֲמַת־קְרִי עִם grimmig widerstreben *resist full of anger* 26, 28. †

***קָרִיא**: I קרא: pl. cs. קְרִיאֵי: **berufen** *summoned* Nu 1, 16 16, 2 26, 9. †

קְרִיאָה: I קרא: **Zuruf, Predigt** *proclamation* Jon 3, 2. †

קִרְיָה: ph. קרת Stadt *town* (n. l. קרתחדשת); äga. קריה, F ba. קריה; قَرْيَة F קֶרֶת; Nöld. BS 61 f, NBS 131; קרח, Treffpunkt *meeting-place* Eitan JQR 15, 421: קרה sammeln *gather*: cs. קִרְיַת, pl. קְרָיוֹת: I **Ortschaft, Stadt** *place, town*: Dt 2, 36 3, 4 Pr 11, 10 29, 8 Hi 39, 7, pl. Ir 48, 41; des *of* סִיחוֹן Nu 21, 28; erregt, lärmend *excited, noisy* 1 K 1, 41. 45 Js 22, 2 32, 13; = יְרוּשָׁלַם Js 1, 21. 26 29, 1 33, 20 Mi 4, 10 Ps 48, 3 Th 2, 11 Si 36, 18

49, 6; = דַּמֶּשֶׂק Ir 49, 25; = גִּלְעָד Ho 6, 8; F Js 24, 10 25, 2 f 26, 5 Ha 2, 8. 12. 17 Pr 10, 15 18, 11. 19; † II קִרְיָה Stadt *town* in n. l. (Borée 87 f): 1.) קִרְיַת אַרְבַּע Gn 23, 2 Jos 15, 13. 54 20, 7 21, 11 u. הָאַרְבַּע Gn 35, 27 Ne 11, 25 (aus 4 Quartieren vereinigt? *combination of 4 quarters?*), später *later on* חֶבְרוֹן Jos 14, 15 Jd 1, 10; 2.) קִרְיַת־בַּעַל F קִרְיַת יְעָרִים; 3.) קִרְיַת חֻצוֹת, l קִ׳ חֲצֵרוֹת (G πόλεις ἐπαύλεων, S)?, in Moab Nu 22, 39; 4.) קִרְיַת יְעָרִים: *T. el-Azhar* bei *near el-Qerje* in Benjamin (PJ 21, 57, AAS 5, 105 ff): Jos 9, 17 18, 15. cj 28 Jd 18, 12 1 S 6, 21 7, 1 f Ne 7, 29, cj Esr 2, 25, 1 C 2, 50. 52 f 13, 5 f 2 C 1, 4, = בַּעֲלָה Jos 15, 9 (?), = קִרְיַת־בַּעַל Jos 15, 60 18, 14, קִרְיַת הַיְּעָרִים Ir 26, 20, = שְׂדֵי־יָעַר Ps 132, 6; 5.) קִרְיַת־סַנָּה, l קִרְיַת סֵפֶר; Jos 15, 49; 6.) קִרְיַת־סֵפֶר: äg. (*Bita-*) *Ṯupir* ZDM 60, 224[2] (?); Albr. AAS XXI—XXII; = דְּבִיר, *T. Bēt Mirsim* Jos 15, 15 f Jd 1, 11 f; F קִרְיַת־סַנָּה. †

קְרִיּוֹת: n. l.; קִרְיָה: a) l קְרִיּוֹת־חֶצְרוֹן in Juda Jos 15, 25; b) קְרִיּוֹת Ir 48, 24, = הַקְּרִיּוֹת Am 2, 2, = mo. קרית Mesa 13: in Moab. †

קִרְיָתַיִם: n. l.; du. v. קִרְיָה: קִרְיָתַיִם, loc. קִרְיָתָיְמָה Q Hs 25, 9: a) in Moab Ir 48, 1. 23 Hs 25, 9, in רְאוּבֵן Nu 32, 37 Jos 13, 19, שָׁוֵה קִרְ׳ Gn 14, 5: mo. קריתן Mesa 10; *el-Qereiāt*; b) in נַפְתָּלִי 1 C 6, 61, = קַרְתָּן. †

קרם: mhb., ja., sy.; F hif:
qal: pf. קָרַמְתִּי: **überziehen** *spread over* Hs 37, 6; l וַיִּקָּרֵם 37, 8; †
nif: impf. cj וַיִּקָּרֵם: **überzogen werden** *be overlaid; spread over* cj Hs 37, 8; †
hif: impf. יקרים: e. Überzug sich bilden lassen *cause to form a crust* Si 43, 20. †

קרן: קֶרֶן.
qal: pf. קָרַן: **strahlen** *send out rays* (Hieron: cornuta est!) Ex 34, 29 f. 35; †
hif: pt. מַקְרִן: **Hörner tragen** *display horns* Ps 69, 32. †

קֶרֶן: ug. *qrn*, Sem: F ba; sf. קַרְנִי, du. קַרְנַיִם, קַרְנַיִם (BL 571), קְרָנַיִם, cs. קַרְנֵי, sf. קְרָנָיו: קַרְנֹתָיו, pl. קְרָנוֹת, cs. קַרְנוֹת, sf. קַרְנֹתָיו, קַרְנֵינוּ, Horn (das Organ, nicht der Stoff) *horn* (*the organ, not the material*): 1. eines Tiers *of animals*: אַיִל Gn 22, 13 Hs 34, 21 Da 8, 3. 6 f. 20, צָפִיר Da 8, 5. 8 f. 21, רְאֵם Dt 33, 17 Ps 22, 22 92, 11; Elefantenzähne für Hörner gehalten *tusks mistaken for horns* Hs 27, 15; Nachbildung aus Eisen *iron imitation* 1 K 22, 11 2 C 18, 10 Mi 4, 13; e. Horn als Instrument *a horn as instrument* Jos 6, 5; 2. Hörner an d. Altar-ecken *horns at the corners of altar* (BRL 19) Ex 27, 2 29, 12 30, 2 f. 10 37, 25 f 38, 2 Lv 4, 7. 18. 25. 30. 34 8, 15 9, 9 16, 18 1 K 1, 50 f 2, 28 Ir 17, 1 Hs 43, 15. 20 Am 3, 14 Ps 118, 27; 3. Horn (Gefäss für Öl) *horn* (*receptacle of oil*) 1 S 16, 1. 13 1 K 1, 39; 4. Horn = **Strahl** *horn* = *ray* (F קרן qal; ar. *qurn aš-šamsi* Wasserziehen der Sonne *the drawing up of water by the sun*) Ha 3, 4; 5. Horn = **Berghalde** *horn* = *slope of a hill* Js 5, 1; 6. **Horn als Sinnbild von Kraft u. Macht** *horn as symbol of strength a. power*: קֶרֶן מוֹאָב Ir 48, 25, קַרְנוֹת הַגּוֹיִם Sa 2, 4, Hörner als Weltmächte *horns as world-powers* Sa 2, 4; בַּעַל קְרָנַיִם (ar: *ḏu-l-qarnain* = Alexander) Da 8, 6. 20; קֶרֶן מְשִׁיחוֹ 1 S 2, 10, קֶרֶן Israels *of Israel* Hs 29, 21 Ps 132, 17 Th 2, 3; קַרְנֵי רְשָׁעִים u. קַרְנוֹת צַדִּיק Ps 75, 11; רָמָה קַרְנִי יהוה 1 S 2, 1; קַרְנִי v. *of* אִיּוֹב Hi 16, 15; Gott ist *God is* קֶרֶן יִשְׁעִי 2 S 22, 3 Ps 18, 3; הֵרִים קֶרֶן (herausfordernd *provoking*) Ps 75, 5 f; הֵרִים קֶרֶן פּ׳ (Gnade *favor*) Ps 89, 18 92, 11 Th 2, 17 1 C 25, 5 Si 47, 5, c. לְ Ps

148, 14; נָשָׂא Ps 89, 25 112, 9; תָּרוּם קַרְנוֹ Sa 2, 4, נתן קרנו ל Si 49, 5; F n. fem. קֶרֶן אֵל, n. l. קַרְנַיִם. †

קֶרֶן הַפּוּךְ: n. fem.; F פּוּךְ u. קֶרֶן 3: Hi 42, 14. †

קַרְנַיִם: n. l.; du. קֶרֶן 5: *Schēch Saʿd* (PJ 29, 19 f 36, 67 f; BRL 41 f) ö. See Genesareth *Galilaean Sea* Am 6, 13 (= Καρναιν 1 Mk 5, 43 ZDP 29, 144). †

קרס: cf.? قُرْص Scheibe *disk*:
qal: pf. קָרְסוּ, pt. קֹרֵס: sich krümmen, einknicken *bend down*, *stoop* Js 46, 1 f. †
Der. קַרְסֹל ,*קֶרֶס.

***קֶרֶס**: קרס: pl. קְרָסִים, cs. קַרְסֵי, sf. קַרְסָיו: Haken *hook* Ex 26, 6. 11. 33 35, 11 36, 13. 18 39, 33. †

***קַרְסֹל**: קרס; ak. *qursinnu*, ja. קַרְסֻלָּא, קַרְצוּלָא, ሙዕሂሉ: du. sf. קַרְסֻלָּי: Knöchel, Fussgelenk *ankle* 2 S 22, 37 Ps 18, 37. †

קרע: mhh., ja.; قرع (maġreb.) zerreissen *tear*:
qal: pf. קָרַע, קָרְעָה, קָרַעְתִּי, impf. וַיִּקְרַע, אֶקְרַע, אֶקְרָעֶ, וַיִּקְרָעֶהָ, אֶקְרָעֶנָה, sf. קְרֹעַ, inf. קָרוֹעַ, imp. קִרְעוּ, sf. קָרְעֵי, pt. קֹרֵעַ, pass. קְרֻעִים: 1. in Stücke reissen *tear*, *rend*: בֶּגֶד Gn 37, 29 Nu 14, 6 Jd 11, 35 2 S 1, 2. 11 3, 31 13, 31 1 K 21, 27 2 K 2, 12 5, 7 f 6, 30 11, 14 18, 37 19, 1 22, 11. 19 Js 36, 22 37, 1 Ir 36, 24 41, 5 Jl 2, 13 Est 4, 1 2 C 23, 13 34, 19. 27, מְעִיל Hi 1, 20 2, 12, בֶּגֶד וּמְעִיל Esr 9, 3. 5, שִׂמְלָה Gn 37, 34 44, 13 Jos 7, 6, מְגִלָּה Ir 36, 23, כֻּתֹּנֶת 2 S 13, 19 15, 32; מַדָּיו 1 S 4, 12, שָׁמַיִם Js 63, 19, סְגוֹר לִבָּם Ho 13, 8; 2. losreissen *tear away* 1 K 11, 13, c. מִן Lv 13, 56 1 K 14, 8, c. מִיַּד 1 S 28, 17 1 K 11, 12. 31, c. מֵעַל 1 S 15, 28 1 K 11, 11, Hs 13, 20; 3. קָרַע קְרָעִים in Stücke reissen *rend into pieces* 1 K 11, 30, ק׳ לִשְׁנַיִם קְרָעִים 2 K 2, 12; קָרַע לְבָבוֹ sich d. Herz zerreissen *rend one's heart* Jl 2, 13; קרע :: תפר Ko 3, 7; קָרַע עֵינָיו בְּ sich d. Augen aufreissen mit *enlarge the eyes with* (*cosmetics*) Ir 4, 30; קָרַע חַלּוֹן e. Fenster, Luftloch brechen? *cut out a window?* Ir 22, 14; l נִקְרַע 2 K 17, 21, l קָרְאוּ Ps 35, 15; †
nif: pf. נִקְרַע, impf. יִקָּרֵעַ, יִקָּרַע: in Stücke gerissen werden *be rent into pieces* Ex 28, 32 39, 23 1 S 15, 27 1 K 13, 3. 5; cj נִקְרַע, c. מֵעַל losgerissen von *be torn away* 2 K 17, 21; †
cj hitp: pt. מתקרעה: sich zerreissen *rend asunder* (l מתקרעה עצבת (נ׳) Pr 27, 9. †
Der. קְרָעִים.

קְרָעִים: קרע: (abgerissne) Stoffstücke, Lappen *torn pieces of garment*, *rags* 1 K 11, 30 f 2 K 2, 12 Pr 23, 21. †

קרץ: ug. *qrṣ* (//ʾkl); ak. *qarāṣu* abkneifen *nip off*; قَرَصَ stechen, kneifen *pinch*; ቀረጸ einschneiden *incise*; ቁረጽ Frost *frost*:
qal: impf. יִקְרְצוּ, pt. קֹרֵץ: 1. קָרַץ עַיִן Ps 35, 19 Pr 10, 10 u. קֹרֵץ בְּעֵינָו Pr 6, 13 d. Auge(n) zukneifen, zwinkern *pinch the eye*(*s*), *twinkle*; 2. קֹרֵץ שְׂפָתָיו die Lippen zusammenkneifen *pinch the lips* Pr 16, 30; †
pu: pf. קֹרַצְתִּי: ak. *qarāṣu ṭīṭa* Ton formen *shape clay* (Zimm. 26), قُرِصَ: abgekniffen, geformt werden *be nipped off*, *be shaped* Hi 33, 6. †
Der. קֶרֶץ.

קֶרֶץ: קרץ: ja. קַרְצָא, قَارِص: Moskito *mosquito*, Anopheles (Bodenheimer 340 ff) Ir 46, 20. †

I קַרְקַע: mhb.; < *קַרְקַר; ak. *qaqqaru* Fussboden *floor*, Baustelle *building-plot* ZA 36, 37 f; F II u. קַרְקֹר: **Grund, Boden** (d. Meers) *floor, bottom (of the sea)* Am 9, 3; 2. **Fussboden** *floor* Nu 5, 17 1 K 6, 15 f. 30 7, 7; l הַקּוֹרוֹת pro הַקַּרְקַע 7, 7. †

II קַרְקַע: n. l.; = I: loc. הַקַּרְקָעָה: in S-Juda Jos 15, 3. †

קַרְקַר Nu 24, 17: l קָדְקֹד.

קַרְקֹר: n. l. 'הַקּ; = *קַרְקַר F I קַרְקַע: *Qarqar* (*W. Sirḥān*; Garstang 390) Jd 8, 10. †

קרר: Sem (nicht *not* ak., ug.):
pi: pt. מְקַרְקַר: unerklärt *unexplained* Js 22, 5; †
hif: pf. הֵקֵרָה, inf. הָקִיר: **kühl halten** *keep cool* Ir 6, 7 (l בּוֹר). †
Der. מְקֵרָה, קָרוֹת*, קָרָה, קֹר, קַר.

*קרשׁ: F קֶרֶשׁ.

קֶרֶשׁ: *קרשׁ; mhb., ja. קַרְשָׁא; ug. *qrš* Aufenthaltsort *abode*? ak. *qarāšu* spalten *split*, *qiršu* Scheibe (Brot) *slice (bread)*: קֶרֶשׁ, pl. קְרָשִׁים, cs. קַרְשֵׁי, sf. קְרָשָׁיו: **Brett** *board* Ex 26, 15—29 (23 ×) 35, 11 36, 20—34 (22 ×) 39, 33 40, 18 Nu 3, 36 4, 31; Schiffs-Schild? *prow*? Hs 27, 6. †

קֶרֶת: F קִרְיָה, קִיר; ug. *qrt*; ph. קרתחדשת, keilschr. *Qarti-ḫadasti* Karthago; ja. קַרְתָּא (äg. *qart*), cf. *Cirta, Tigranocerta*: קֶרֶת: Stadt *town* Pr 8, 3 9, 3. 11 11, 14 Hi 29, 7; F n. l. קַרְתָּה u. קַרְתָּן. †

קַרְתָּה: n. l.; = קֶרֶת: in Sebulon Jos 21, 34. †

קַרְתָּן: n. l.; קֶרֶת u. *-ān* (<*-aijim*): in Naphtali Jos 21, 32, = קִרְיָתַיִם 1 C 6, 61. †

*קשׁ: F קַשְׂקֶשֶׂת.

*קשׁה: F *קַשְׂוָה.

*קָשְׂוָה: *קשׂה; ug. *qšt* (//*ks*)? mhb. קַסְוָה, ja. קַסְוָתָא; قَسْوَةٌ, ቀሡት; ph. ק[ס]ם? : pl. קְשָׂוֹת, cs. קְשׂוֹת, sf. קְשׂוֹתָיו: **Kanne** (für (Trankopfer) *jug, jar (for libation)* Nu 4, 7 Ex 25, 29 37, 16 1 C 28, 17. †

*קשׂט: F קְשִׂיטָה.

קְשִׂיטָה: *קשׂט: G ἀμνάς < μνᾶς; قِسْطٌ = 481 *dirham* = 1429 gr (Lane 3522 b): altes Gewicht, Herkunft u. Grösse unbekannt *old weight, origin a. measure unknown* Gn 33, 19 Jos 24, 32 Hi 42, 11 (F Hölscher). †

קַשְׂקֶשֶׂת: *קשׂ; mhb. (Löw REJ 1926, 165); قَشَّ IV sich schuppen *scale*, F קסם: pl. קַשְׂקַשִּׂים, sf. קַשְׂקְשֹׂתֶיךָ: **Schuppe** *scale* Lv 11, 9 f. 12 Dt 14, 9 f Hs 29, 4; שִׁרְיוֹן קַשְׂקַשִּׂים **Schuppenpanzer** *scaly mail* (BRL 416 f) 1 S 17, 5. †

קַשׁ: קשׁשׁ: **Strohstoppeln**, in Ziegellehm gemischt *stubble, mixed into clay* Ex 5, 12, Beute des Windes *driven by wind* Js 40, 24 41, 2 Ps 83, 14 Hi 13, 25, קַשׁ עֹבֵר dahinfliegende St. *flying* Ir 13, 24, Beute des Feuers *eaten by fire* Ex 15, 7 Js 5, 24 47, 14 Jl 2, 5 Ob 18 Na 1, 10 Ma 3, 19, = nichtig *worthless* Js 33, 11 Hi 41, 20, = ohnmächtig *powerless* Hi 41, 21. †

*קשׁא: F קִשֻּׁאָה, II מִקְשָׁה.

*קִשֻּׁאָה: F II מִקְשָׁה; ak. *qiššû* (Zimm. 58), ja. קַטְיָא, ܩܛܝܐ; قِثَّاء, ቁስጥ; pu. κισσον, gr. σικύη: pl. קִשֻּׁאִים: (ägyptische) **Gurke** (*Egyptian*) *cucumber Cucumis melo Chate* (Löw 1, 530 ff) Nu 11, 5. †

קשׁב: nur hebr. *in Hebrew only*:
qal: impf. תִּקְשַׁבְנָה: scharf, **aufmerksam sein** *give attention* Js 32, 3; †

hif: pf. הִקְשִׁיב, הִקְשַׁבְתָּ, הִקְשִׁיבוּ, impf. יַקְשִׁב, וַיַּקְשֵׁב, תַּקְשִׁיב, נַקְשִׁיבָה, inf. הַקְשִׁיב, imp. הַקְשֵׁב, הַקְשִׁיבָה, הַקְשִׁיבִי, pt. מַקְשִׁיב, מַקְשֶׁבֶת, **aufmerken, hinhören** *give attention* 1 S 15, 22 Js 10, 30 28, 23 34, 1 42, 23 49, 1 Ir 6, 10 8, 6 Ho 5, 1 Mi 1, 2 Sa 7, 11 Ma 3, 16 Ps 10, 17 Pr 1, 24 Hi 33, 31 Da 9, 19 2 C 20, 15 33, 10, c. אֶל Js 51, 4 Ir 18, 18 f Sa 1, 4 Ps 142, 7 Ne 9, 34, c. לְ Js 48, 18 Ir 6, 17 Ps 5, 3 55, 3 Pr 2, 2 4, 1. 20 5, 1 7, 24 Ct 8, 13 Si 3, 29, c. עַל Ir 6, 19 Pr 17, 4 29, 12, c. בְּ Ps 66, 19 86, 6 (Var. לְ), c. ac. Ir 23, 18 Ps 17, 1 61, 2 Hi 13, 6; אֵין מַקְשִׁיב Pr 1, 24; הִקְשִׁיב קֶשֶׁב Js 21, 7; יהוה subject. Ma 3, 16 Ps 5, 3 17, 1 55, 3 61, 2 66, 19 86, 6 142, 7 Da 9, 19. †

Der. קֶשֶׁב, קַשָּׁב, קַשֻּׁב*.

קֶשֶׁב: קשב: קֶשֶׁב: **Aufmerksamkeit, Aufmerken** *attentiveness* 1 K 18, 29 2 K 4, 31 Js 21, 7. †

***קַשָּׁב**: קשב: fem. קַשֶּׁבֶת: **aufmerksam** *attentive* Ne 1, 6. 11. †

***קַשֻּׁב**: קשב: pl. fem. קַשֻּׁבוֹת: **aufmerksam** *attentive* (לְ) Ps 130, 2 2 C 6, 40 7, 15. †

I קשה: äga., ja., sy. קְשָׁא hart sein *be hard*, قسا; mhb. streng sein *be severe*:

qal: pf. קָשָׁה, קָשְׁתָה, impf. יִקְשֶׁה, וַיִּקֶשׁ: **schwer, hart sein** *be hard, severe*: יָד 1 S 5, 7, עֶבְרָה Gn 49, 7, דָּבָר 2 S 19, 44, Sache *thing* Dt 1, 17 15, 18; †

nif: pt. נִקְשֶׁה: **bedrückt** *hard pressed* Js 8, 21; †

pi: impf. וַתְּקַשׁ: **es schwer haben** (beim Gebären) *have severe labour* (*in delivering child*) Gn 35, 16: †

hif: pf. הִקְשָׁה, הִקְשִׁיתָ, impf. וַיֶּקֶשׁ, אַקְשֶׁה, תַּקְשׁוּ, inf. sf. הַקְשֹׁתָהּ: 1. **hart machen** *make hard* עַל 1 K 12, 4 2 C 10, 4, רוּחַ **verhärten** *make hard, difficult* Dt 2, 30, = לֵב Ex 7, 3 Ps 95, 8 Pr 28, 14; עָרְפּוֹ **halsstarrig sein, werden** *be, become stubborn* Dt 10, 16 2 K 17, 14 Ir 7, 26 17, 23 19, 15 Pr 29, 1 Ne 9, 16 f. 29 2 C 30, 8 36, 13 Si 16, 11; 2. c. לְ c. inf: לִשְׁאוֹל **verlangt Schweres** *asks difficult, hard things* 2 K 2, 10, c. בְּ c. inf: בְּלִדְתָּהּ: **hatte e. schwere Geburt** *had hard labour* Gn 35, 17. †

Der. קָשֶׁה, קְשִׁי.

II *קשה: מִקְשָׁה I, מִקְשָׁה.

קָשֶׁה: I קשה: cs. קְשֵׁה, fem. קָשָׁה, cs. קְשַׁת, pl. קָשִׁים, cs. קְשֵׁי, fem. קָשׁוֹת: 1. **hart, schwer** *hard, difficult*: יָד Jd 4, 24, Arbeit *work* Ex 1, 14 6, 9 Dt 26, 6 1 K 12, 4 Js 14, 3 2 C 10, 4, Kampf *fight* 2 S 2, 17, חֶרֶב Js 27, 1; קָשָׁה Schweres *hard things* Ps 60, 5; קְשֵׁה יוֹם der schwere Zeiten hat *who lives difficult days* Hi 30, 25; l קְשַׁת־יוֹם 1 S 1, 15; 2. **hart, streng** *hard, severe*: אִישׁ 1 S 25, 3, pl. 2 S 3, 39, אֲדֹנִים Js 21, 2, חָזוּת 19, 4, קִנְאָה Ct 8, 6; עָנָה קָשָׁה streng antworten *answer severely* 1 S 20, 10 1 K 12, 13 2 C 10, 13, דִּבֵּר קָשׁוֹת *say severe words* Gn 42, 7. 30, שָׁלוּחַ קָשָׁה mit harten Worten gesandt *sent with a severe message* 1 K 14, 6; עֹרֶף קָשֶׁה Halsstarrigkeit *stubborneness* Dt 31, 27; קְשֵׁה עֹרֶף halsstarrig *stubborn* Ex 32, 9 33, 3. 5 34, 9 Dt 9, 6. 13; > קָשֶׁה Js 48, 4; דַּרְכָּם הַקָּשָׁה ihr halsstarriger Wandel *their stubborn behaviour* (עֹרֶף ist weggelassen *is dropped*) Jd 2, 19; 3. schwer, **schwierig** *difficult* דָּבָר קָשֶׁה (:: קָטֹן) geringfügig *trivial*) Ex 18, 26; 4. hart > **frech** *hard* > *insolent*: קְשֵׁי פָנִים Hs 2, 4, קְשֵׁי לֵב 3, 7. †

קשח: قسح hart sein *be hard*:

hif: pf. הִקְשִׁיחַ, impf. תַּקְשִׁיחַ: 1. hart behandeln *treat roughly* Hi 39, 16; 2. verhärten *make stubborn* Js 63, 17.†

***קשט**: קֹשֶׁט.

קשט: *קשט mhb. (= כשת Ruž. 219) hif. zurechtmachen *arrange*, pi. putzen *adorn*; ja. pa. putzen, zurechtmachen *adorn, arrange*, palm. Erfolg haben *succeed* Lidz. 365; F ba. קְשֹׁט; قِسْط Wahrheit *truth* Nöld. NB 98. 132: Wahrheit *truth* Pr 22, 21.†

קֹשֶׁט: aram. = קֶשֶׁת Nöld. NB 132: Bogen *bow* Ps 60, 6.†

קְשִׁי: I קשה: Halsstarrigkeit *stubborneness* (F קָשֶׁה 2) Dt 9, 27.†

קִשְׁיוֹן: n. l.; äg. *q-š-n* ETL 216: *T. el-Qassis* Dalman PJ 10, 39:: Albr. ZAW 44, 231: Jos 19, 20 21, 28, = קֶדֶשׁ 1 C 6, 57.†

קשר: mhb. קשר verknüpfen *bind, joint*; aram. קטר (ט > ת post ק), mnd. גטאר; aus 2 Wurzeln *from two roots*: *קתר, ak. *kašāru* ausbessern *mend* u. *קתר, asa. קטר mühsam arbeiten *work hard*, ak. *qaṣāru*, ቀጸረ binden *bind*:

qal: pf. קָשַׁר, קָשָׁרָה, קְשַׁרְתִּי, sf. קְשַׁרְתָּם, impf. תִּקְשֹׁר, תִּקְשְׁרִי, הֲתִקְשֹׁר, sf. תִּקְשְׁרֵנוּ, imp. sf. קָשְׁרֵם, pt. קֹשְׁרִים, pass. קְשׁוּרָה, קְשֻׁרִים: 1. anbinden *tie* Hi 40, 29, c. עַל Gn 38, 28 Dt 6, 8 11, 18 Ir 51, 63 Pr 3, 3 6, 21 7, 3, c. בְּ Gn 44, 30 Jos 2, 18. 21 Pr 22, 15 Hi 39, 10; 2. קָשַׁר עַל verbunden, verschworen sein *league together, conspire* 1 S 22, 8. 13 1 K 15, 27 16, 9 2 K 10, 9 15, 10. 25 21, 23 f Am 7, 10 2 C 24, 21 33, 24 f; קָשַׁר קֶשֶׁר e. Verschwörung machen *conspire* 1 K 16, 20 2 K 12, 21 14, 19 15, 15. 30 2 C 25, 27 Si 13, 12; קָשַׁר sich verschwören *conspire* 1 K 16, 16 Ne 4, 2; קָשַׁר עִם verbunden, verschworen sein mit *conspire with* 2 S 15, 31; 3. pt. pass.: stark, robust (Tiere) *vigorous* (*beasts*) cf. قَسْوَرَةٌ Gn 30, 42; 4. קשר beschliessen *decide, resolve* (= mhb.) Si 7, 8;†

nif: pf. נִקְשְׁרָה, impf. וַתִּקָּשֵׁר: 1. c. בְּ sich binden an *be bound up with* 1 S 18, 1; 2. sich schliessen (Mauer) *be joined together* (*wall*) Ne 3, 38;†

hif: cj impf. תַּקְשִׁירוּ: als Verschwörung bezeichnen *call conspiration* cj Js 8, 13;†

pi: impf. תְּקַשֵּׁר, sf. תְּקַשְּׁרֵם: 1. binden, fesseln *bind, tie fast* Hi 38, 31; 2. umbinden *bind on* Js 49, 18;†

pu: pt. מְקֻשָּׁרוֹת: robust *vigorous* (F qal 3) Gn 30, 41;†

hitp: impf. וַיִּתְקַשֵּׁר, pt. מִתְקַשְּׁרִים: sich mit einander verschwören *conspire* (*together*) 2 K 9, 14 2 C 24, 25 f.†

Der. קֶשֶׁר, קִשֻּׁרִים.

קֶשֶׁר: קשר: קֶשֶׁר, sf. קִשְׁרוֹ: Vereinigung, Verschwörung *conspiracy*: 2 S 15, 12 2 K 11, 14 2 C 23, 13 Js 8, 12, קָשַׁר קֶשֶׁר F קשר qal 2; c. מָצָא קֶשֶׁר aufdecken *disclose* 2 K 17, 4 Ir 11, 9, c. נתן als V. bezeichnen *call consp.* Si 11, 31; cj הָיָה לְקֶשֶׁר (Duhm) Js 8, 14; l אֲשֶׁר Hs 22, 25.†

קִשֻּׁרִים: קשר: cs. cj Hi 8, 14 קִשֻּׁרֵי, sf. קִשֻּׁרֶיהָ; pl. tant.: 1. Bänder, Brustbinde (d. Frau) *bands*, (*breast-plate?*) (*of woman*) Js 3, 20 Ir 2, 32 (F Js 49, 18); 2. Sommerfäden *gossamer* F קוּט cj Hi 8, 14.†

קשש: (ak. *qiṣṣatu*(*ṣ*) Häcksel *chaff*, *kissītu*(*k*) trocknes Holz? *dry wood?*); ܩܫ, قَسَّ austrocknen, alt werden *dry out, become old*:

qal: imp. קוֹשׁוּ: sammeln? *collect?* Ze 2, 1;†

po (denom. v. קַשׁ): pf. קֹשְׁשׁוּ, inf. קֹשֵׁשׁ, pt. מְקֹשֵׁשׁ, מְקֹשֶׁשֶׁת: (Stoppeln) auflesen *gather (stubble)* Ex 5, 7 (l וִיקֹשְׁשׁוּ). 12, (Holzstücke) sammeln *collect (pieces of wood)* Nu 15, 32 f 1 K 17, 10. 12; †

hitp: imp. הִתְקוֹשְׁשׁוּ: einander sammeln? *gather oneselves together?* Ze 2, 1; F קַשׁ. †

קֶשֶׁת: ug. *qšt*, ak. *qaštu*; ቀስት; mhb., ja., sy. קַשָּׁט(ט) Bogenschütze *bowman*; ja. קַשְׁתָּא; sy. קֶשְׁתָּא Bogen *bow*; ostaram. קשת, mnd. קשטא Bogen *bow*; palm. קשטא Bogenschütze *bowman*; قَوْس, pl. قِسِيّ u. قُسِيّ, F קשט (Einfluss des *influence of* ק) (Schwally, Idiot. 85): קֶשֶׁת, sf. קַשְׁתּוֹ, pl. קְשָׁתוֹת, sf. קַשְּׁתֹתָיו (Var. קַשְׁתֹתָיו) Js 5, 28, קַשְּׁתוֹתָם Ir 51, 56; fem., l נְשׁוּנָה 2 S 1, 22 (יִהְיֶה Hs 1, 28 geht auf *fits* מַרְאֵה): **1. Bogen** (Waffe) *bow (weapon)* (BRL 113 ff): des Jägers *of hunter* Gn 27, 3 Js 7, 24, d. Kriegers *of warrior* Sa 9, 10 10, 4 Ho 2, 20, קֶ׳ נְחוּשָׁה 2 S 22, 35 Ps 18, 35 Hi 20, 24, עֶרְיָה קֶ׳ Ha 3, 9, דָּרַךְ קֶ׳ Js 5, 28 F דרך; כּוֹנֵן קֶ׳ Ps 7, 13, תֹּפֵשׂ קֶ׳ Am 2, 15, מָשַׁךְ בַּקֶּ׳ 1 K 22, 34 2 C 18, 33, נֹשֵׁק קֶ׳ 1 C 12, 2 2 C 17, 17; מִלֵּא יָדוֹ בַקֶּ׳ 2 K 9, 24, הוֹרָה בַקֶּ׳ 1 S 31, 3 1 C 10, 3, רֹמֵה קֶ׳ Ir 4, 29 Ps 78, 9, cj רֹבֵה קֶ׳ Gn 21, 20; קֶ׳ in d. linken u. חִצִּים in d. rechten Hand *in the left a.* חִצִּים *in the right hand* Hs 39, 3, קֶ׳ u. חִצִּים 2 K 13, 15 Js 7, 24 Hs 39, 9 1 C 12, 2; קֶ׳ וְכִידוֹן Ir 6, 23 50, 42, קֶ׳ u. מָגֵן 2 C 17, 17, קֶ׳ u. חֶרֶב Gn 48, 22 Jos 24, 12 1 S 18, 4 2 S 1, 22 2 K 6, 22 Js 41, 2 Ho 1, 7 2, 20 Ps 44, 7; בֶּן־קֶ׳ = Pfeil *arrow* Hi 41, 20; קֶ׳ רְמִיָּה Ho 7, 16 Ps 78, 57; שָׁבַר קֶ׳ Ir 49, 35 Ho 1, 5 2, 20 Ps 37, 15 46, 10; חִתְּתָה קֶ׳ Ir 51, 56; מִטַּחֲוֵי קֶ׳ (Streckenmass *measure of distance*) Gn 21, 16; קֶ׳ גִּבּוֹרִים 1 S 2, 4 Js 21, 17; F Gn 49, 24 2 K 13, 16 Ir 9, 2 Ps 76, 4 Hi 29, 20 Ne 4, 7. 10 2 C 26, 14; l מֹשְׁכֵי וָרֹשׁ Js 66, 19, l כִּי קְשָׁתוֹת יְהָרְגוּן Ps 11, 3, l כְּקֶשֶׁת הַפּוּכָה Ps 78, 9; fraglich *doubtful* 2 S 1, 18 Js 13, 18 22, 3; † **2.** (metaph.) J.s Bogen in den Wolken (Regenbogen) *Y.'s bow in the clouds (rainbow)* Gn 9, 13 f. 16 Hs 1, 28 Si 43, 11 50, 7. † Der. קַשָּׁת.

קַשָּׁת: קֶשֶׁת: Bogenschütze *bowman*, l קֶשֶׁת Gn 21, 20. †

קתה*: n. l. יָקְתְאֵל.

ר

ר, רֵישׁ, später *later on* = 200: r (Driver SW 216). Nach der Theorie der Massoreten kann ר nicht verdoppelt werden, aber *following masorethic theory* ר *cannot be doubled, but* F מָרַּת Pr 14, 10, כָּרַּת u. שָׁרֵּךְ Hs 16, 4, הֲרִּאִיתֶם 1 S 10, 24, F GK § 22 s; ר eingeschobener Konsonant *inserted consonant* F סַרְעַפָּה etc., ר assimiliert *assimilated* F כִּכָּר; ר in Auflösung von Gemination *in dissimilated gemination* F Ruž. KD 78. 135 ff, YG 1, 136 f. 176 f.

ראה (1300 ×): ug. *r'y*? mo. ריה, הראני, ואראה

(Mesa 7. 4. 12); mhb. ראה (aram. F חזה); asa. ראי u. רא; رأى, ርእየ; F ba.: qal (1140 ×): pf. רָאָה, רָאֲתָה, רָאָתָה, רָאִית, רְאִיתִיו, רָאָתְךָ, רָאָהוּ, sf. רָאִינוּ, רְאִיתֶם רָאוּ, impf. תִּרְאֶה, וַיַּרְא (= impf. hif.), יֵרֶא, יִרְאֶה, תֵּרָא, וַתֵּרֶא, תִּרְאֶה (BL 425) Da 1, 13, יִרְאוּ, תִּרְאֶינָה, תִּרְאֶינָּה (BL 426) Mi 7, 10; besondre Formen *particular forms* (BL 425 f) וַיִּרְאֶה Hs 18, 28, וַיֵּרָא Hi 42, 16, וַתִּרְאֶה (= וַתֵּרְאֶה K, וַתֵּרֶא Q) Ir 3, 7; sf. וַיִּרְאֵנִי, תִּרְאֵנִי, נִרְאֵהוּ, יִרְאֵנִי, inf. רָאֹה, רָאוֹ, רְאֹה, רְאוֹת, רַאֲוָה (BL 426), sf. רְאֹתְךָ, רְאֹתוֹ, רְאִיָנָה, imp. רְאֵה, רְאִי, רְאוּ, pt. רֹאֶה, cs. רֹאֵה, רֹאִים, cs. רֹאֵי, sf. רֹאִי, רֹאֵנִי (BL 588), pass. רְאֻיוֹת: **1.** (mit d. Augen) **sehen** *see* (subj. עַיִן, עֵינַיִם) Gn 27, 1 Ko 1, 8 Js 64, 3; subj. אֶרֶץ Ps 97, 4, subj. יָם Ps 114, 3; רָאָה sehen *see* :: יָדַע erkennen *perceive* Js 6, 9, selber sehen *see oneself* :: erfahren *know* Lv 5, 1, selber sehen *see oneself* :: merken *realize* 1 S 26, 12; **2.** רָאָה לְ: **sehen** *see* Ps 64, 6; רָאָה לַעֵינַיִם **auf das Augenfällige sehen** *see the obvious* 1 S 16, 7 (:: לַלֵּבָב); **3.** ראה c. 2 acc.: **sehen, dass jmd, etw. so und so ist** *see a person, a thing to be a such one* Gn 7, 1 Ps 37, 25 Hi 5, 3; **4.** רָאָה כְּ für etw. **ansehen** *take for something* Jd 9, 36; **5.** Objekt v. רָאָה ist e. selbständiger Satz *the object of* רָאָה *is an independent clause* רְאִיתֶם עָשִׂיתִי ihr seht mich tun *you see me do* Jd 9, 48; **6.** רָאָה c. כִּי c. Satz *c. clause*: **sehen, dass** *see that* Gn 38, 14 Jd 20, 41; d. Subjekt des כִּי-Satzes steht oft als Objekt von רָאָה *in many cases the subject of the* כִּי*-clause is given as object of* רָאָה: Gn 1, 4 Js 22, 9; **7.** רָאָה שֶׁ = רָאָה כִּי Ko 2, 13; **8.** לְ c. inf. (vorangestelltes) Objekt v. רָאָה (*preceding*) *object of* רָאָה Th 3, 34—36; **9.** רָאָה **gewahren** *become aware of* Ho 9, 10, **kennen** *know* Dt 33, 9 Hi 8, 18; ansehen, **betrachten** *look at* Gn 11, 5 Nu 21, 8 1 S 28, 12; **sich kümmern um** *attend to* Gn 39, 23 Js 5, 12; Gott *God* Ex 4, 31 Ps 9, 14 31, 8; absol. 10, 11 35, 22; רָאָה הֲ **nachsehen, ob** *see whether* Ex 4, 18 Ct 6, 11, רָאָה מָה **zusehen, was** *see what* 2 C 19, 6 Jd 16, 5 (בַּמֶּה); **10.** רָאָה בְּ (mit Gefühlsbewegung) **sehn** *see (with emotion)*: **sich ansehen** *look at* Gn 34, 1 Ct 6, 11, **mit Freude betrachten** *enjoy to see* 1 S 6, 19 Ko 2, 1, **sich weiden an** *delight to see* Ob 12 Ps 22, 18, **mit Schmerz ansehen** *see with grief* Gn 21, 16 Ex 2, 11; **mit Anteilnahme sehn** (Gott) *see with sympathy (God)* Gn 29, 32 1 S 1, 11 Ps 106, 44; רָאָה בַּכָּבֵד **mit Spannung Leberschau halten** *be in suspense consulting by divination* Hs 21, 26; רָאָה ב **nachsehen** unter *investigate among* cj Ct 6, 2 (לִרְאוֹת בַּגְּפָנִים); **11.** רָאָה: **Gesichte sehen** *have visions* Js 30, 10 (Ir 1, 11) Am 7, 8 9, 1 Sa 1, 8; F רֹאֶה, רָאָה בַּחֲלֹם Gn 41, 22; מַרְאֶה; **12.** imp. רְאֵה **siehe!** *see!* (fast Interjektion *nearly interjection*) 2 S 7, 2 (> הִנֵּה 1 C 17, 1) Gn 27, 27 31, 50 41, 41 2 S 15, 3 Ir 1, 10, zu mehreren gesagt *said to a plural* Dt 1, 8 4, 5 11, 26, רְאֵה נָא 2 S 7, 2, רְאִי 1 S 25, 35, רְאוּ Gn 39, 14 Jos 8, 4; הַרְאִיתָ (um Aufmerksamkeit zu erregen *to rouse attention*) 1 K 20, 13 Ir 3, 6, (ebenso *the same*) הַרְאִיתֶם 1 S 10, 24 2 K 6, 32; דַּע וּרְאֵה 1 S 12, 17 25, 17 2 S 24, 13 1 K 20, 7. 22; **13.** רָאָה (geringschätzig, forschend) **ansehen** *look at (with suspicion, disdain)* Ct 1, 6; **14.** רָאָה sehen = **besuchen** *see = go to* 2 S 13, 5 f 2 K 8, 29 Ps 41, 7; **15.** רָאָה **ausersehen, auswählen** *choose, select* (לְ zu *for*) Gn 22, 8 Dt 12, 13 1 S 16, 1, c. מִן unter *among* 2 K 10, 3; רְאֻיָה ausersehen *selected* Est 2, 9; **16.** רָאָה (nicht mit d. Auge) **vernehmen** *perceive (not with the eye)* Gn

2, 19 42, 1 Ex 20, 18 Ir 33, 24, **wahrnehmen** *notice* 1 K 10, 4 Js 40, 5 Hi 4, 8 Ko 1, 16 (לֵב); רָאִיתִי אוּר **spüren** *feel* Js 44, 16, sehen = **kennenlernen** *see = realize, get acquainted with*: חַיִּים Ko 9, 9, טוֹב Ps 34, 13, מָוֶת Ps 89, 49 (Hebr 11, 5), נִקְמַת י׳ Ir 20, 12, רָעָב Ir 5, 12, שַׁחַת Ps 16, 10, שֵׁנָה Ko 8, 16; 17. רָאָה mit besonderm Objekt *with special object*: אֱלֹהִים Gn 32, 31 Ex 24, 10 Jd 13, 22 Js 6, 5, פְּנֵי אֱלֹהִים Gn 33, 10, cj יֵרָאוּ אֵל Ps 84, 8 (Baudissin, ARW 18, 173, Nötscher, D. Angesicht Gottes schauen, 1924); רֹאֵי פְּנֵי הַמֶּלֶךְ (ak. *dagālu pāni šarri*) 2 K 25, 19 Ir 52, 25 Est 1, 14, רֹאֵי הַשֶּׁמֶשׁ = die Lebenden *the living ones* (ak. *nūra amāru*) Ko 7, 11; רָאָה שָׁלוֹם F שָׁלוֹם; ראה יהוה cj Js 38, 11; 18. רָאָה אֶל Js 17, 7; רָאָה בְּ F 10; רָאָה בֵּין ... לְ **d. Unterschied sehen** zwischen ... und ... *see the difference between ... and* Ma 3, 18; רָאָה מִן jmd (etw.) **absehen** *learn a thing by watching a person* Jd 7, 17; רָאָה עַל Ex 1, 16, **(strafend) sehen auf** *look (reproving) upon* 5, 21; 19. l וַיַּרְאֻהוּ 1 K 13, 12; l אַרְאֵם Ir 18, 17; l בְּיִרְאַת 2 C 26, 5; l וּרְעֵה Ps 37, 37; l יְרָא ... אֹתוֹ Hi 41, 26; l אֲמַרְתִּי (pro אִם רָאִיתִי) Ps 66, 18; l וַיִּרָא 1 K 19, 3; F I, II רֹאֶה;

nif: pf. נִרְאָה, נִרְאֲתָה, נִרְאוּ, impf. יֵרָאֶה, יֵרָא, וַיֵּרָא, וָאֵרָא, inf. הֵרָאֹה, הֵרָאוֹת, לֵרָאוֹת Js 1, 12 < לְהֵרָאוֹת, imp. הֵרָאֵה, pt. נִרְאֶה, נִרְאָה: 1. **sich sehen lassen, sichtbar werden** *be seen, appear*: Gn 1, 9 (הַיַּבָּשָׁה) 8, 5 9, 14 Ct 2, 12 1 K 6, 18 Jd 5, 8 19, 30 1 K 10, 12 Ex 13, 7 (לְ bei *with*), נִרְאֶה אֶל **sich zeigen** *appear* Lv 13, 19 Jd 13, 10 1 K 18, 1 f, חָזוֹן Da 8, 1; 2. **Gott lässt sich sehen, erscheint** *God is seen, makes himself visible, appears*: 1 S 3, 21 Gn 22, 14, c. אֶל vor, für *for* Gn 12, 7 17, 1 48, 3, cj 31, 13, Ex 3, 16 Lv 9, 4, c. לְ für *for* Ir 31, 3, c. עַל über *upon* Sa 9, 14, cj נִרְאֶה Ze 2, 11; כְּבוֹדוֹ Js 60, 2, דְּמוּת כִּסֵּא Hs 10, 1; 3. נִרְאָה אֶת־[יהוה] Ex 23, 15 34, 23 f Dt 16, 16 31, 11 1 S 1, 22 Js 1, 12 Ps 42, 3 (l überall *everywhere* qal, nif. ist spätere Theorie; *nif. being later theology*); l אֶת pro אֶל Ex 23, 17; 4. l נִרְאוּ Ex 34, 10, l וַיֵּרֶא 2 S 22, 11; l יֵרָאוּ אֵל Ps 84, 8;

pu (pass. qal) †: pf. רֻאוּ: **gesehen werden** *be seen* Hi 33, 21;

hif †: pf. הֶרְאָה (BL 208. 426), הִרְאִיתָ, הִרְאֵיתִי; sf. הֶרְאָנוּ, הֶרְאָם, הֶרְאֲךָ, הֶרְאַנִי, הִרְאַנִי, הִרְאִיתִיךָ, הִרְאִיתִים, הִרְאִיתַנִי Q Ps 71, 20, impf. יַרְאֶה, וַיַּרְא (wie *as* qal!), sf. יַרְאֵנִי, אַרְאֵהוּ, אַרְאֶךָּ, וַיַּרְאוּם, inf. הַרְאוֹת, sf. הַרְאוֹתָם, הַרְאוֹתְכָה, לְהַרְאֹתְכֶם* < לַרְאֹתְכֶם, imp. sf. הַרְאֵנִי, הַרְאִינִי, pt. מַרְאֶה: 1. **sehen lassen, zeigen** *cause to see, shew*: Gn 12, 1 41, 28 48, 11 Ex 9, 16 25, 9 33, 18 Nu 8, 4 13, 26 23, 3 Dt 3, 24 4, 36 5, 24 34, 1. 4 Jos 5, 6 Jd 1, 24 f 4, 22 13, 23 2 S 15, 25, cj 1 K 13, 12, 2 K 6, 6 11, 4 20, 13. 15 Js 39, 2. 4, cj Ir 18, 17 (אַרְאֵם), Hs 40, 4 Mi 7, 15 (l הַרְאֵנוּ) Na 3, 5 Ps 4, 7 78, 11 Ct 2, 14; Gott lässt d. Propheten sehen *God causes the prophet to see* Ir 24, 1 38, 21 Hs 11, 25 40, 4 Am 7, 1. 4. 7 8, 1 Ha 1, 3 Sa 2, 3 3, 1; 2. **erfahren lassen** *cause to know* Ps 60, 5 71, 20 85, 8 Ko 2, 24; 3. Einzelnes *particulars*: **die Fähigkeit zu sehen geben** *make able to see* Dt 1, 33; **zeigen** *shew* Ex 27, 8 Est 4, 8 Js 30, 30 Est 1, 4; c. כִּי dass *that* 2 K 8, 10, c. מָה was *what* Sa 1, 9; c. ac. u. בְּ jmd **seine Lust sehen lassen** an *cause a person to see with joy* Ps 50, 23 59, 11 91, 16; e. 3 acc. jmd e. andern als etwas sehen lassen *cause a person to see another one as* 2 K 8, 13; F subst. מַרְאֶה;

hof †: pf. הָרְאָה, הָרְאֵתָה, הָרְאֵיתָ, pt. מָרְאֶה: הָרְאָה man lässt ihn sehen, **es wird ihm gezeigt** *he is caused to see, he is shewn* Lv 13, 49, c. ל c. inf. damit *in order to* Dt 4, 35;

hitp †: impf. נִתְרָאָה, וַיִּתְרָאוּ, תִּתְרָאוּ: 1. sich ansehen *look at each other* Gn 42, 1; 2. c. פָּנִים: sich (im Kampf) mit einander messen *measure one's strength against another* 2 K 14, 8. 11 2 C 25, 17. 21.

Der. I, II רֹאֶה, רְאוּת, רֵאוֹת, רְאִי, רֹאִי, מַרְאָה, מַרְאֶה, תֹּאַר; n. m. רְאָיָה, רְאוּבֵן, יְרִיאֵל, יִרְאִיָּה, (וּ)רְאָיָה, יְרִיָּה.

רָאָה: ?ראה: Dt 14, 13 (10 MS דָּאָה), = דָּאָה Lv 11, 14; Aharoni, Osiris 5, 472: **Roter Milan** *Red Kite Milvus milvus* (Nicoll 411), weil er besonders scharf sieht *on account its sharp sight.* †

I **רֹאֶה**: ראה: pl. רֹאִים: **Seher** *seer* (:: נָבִיא 1 S 9, 9); שְׁמוּאֵל הָרֹאֶה 1 C 9, 22 26, 28 29, 29 1 S 9, 9. 11. 18 f; חֲנָנִי הָרֹאֶה 2 C 16, 7. 10; pl. Js 30, 10; l רְאוּ 2 S 15, 27, l רְאָיָה 1 C 2, 52. †

II **רֹאֶה**: ראה: **Gesicht, Sehen** *vision* Js 28, 7. †

רְאוּבֵן: n. m.; n. p.: **Ruben** *Reuben*; Volksetym. *popular etym.* ראה u. בֵּן Gn 29, 32, Ρουβην, ܪܘܒܝܠ; רְבִּיל; S. v. יַעֲקֹב u. לֵאָה Gn 29, 32 30, 14 35, 22. 23 37, 21 f. 29 42, 22. 37 46, 8 48, 5 49, 3 Ex 1, 2 Nu 26, 5 1 C 2, 1 5, 1. 3; s. Söhne *his sons* Gn 46, 9 Ex 6, 14 Nu 26, 5; מִשְׁפְּחֹת רְ׳ Ex 6, 14; d. Stamm R. *the tribe R.* (Noth ZAW 62, 11 ff) Nu 1, 5. 20 f 2, 10. 16 10, 18 13, 4 16, 1 32, 1—37 Dt 27, 13 33, 6 Jos 4, 12 13, 15. 23 18, 7 20, 8 21, 7 22, 9—34 Jd 5, 15 f Hs 48, 6 f. 31 1 C 5, 18 6, 48. 63; **F** Dt 11, 6 Jos 15, 6 18, 17. †

Der. רְאוּבֵנִי.

רְאוּבֵנִי: gntl. v. רְאוּבֵן: 1. 1 C 11, 42; 2. הָרְאוּבֵנִי d. Stamm R. *the tribe R.* Nu 26, 7 34, 14 Dt 3, 12. 16 4, 43 29, 7 Jos 1, 12 12, 6 13, 8 22, 1 2 K 10, 33 1 C 5, 6. 26 12, 38 26, 32 27, 16. †

רְאוּת: ראה inf. (BL 426): **das Sehen** *the seeing* Hs 28, 17. †

רְאוּמָה: n. fem.; ak. *Ra'amu* (רחם? vel ug. *r'm* **F** רְאֵם?): Gn 22, 24. †

רְאוֹת: **F** רְאִית.

I **רְאִי**: ראה: **Spiegel** *mirror* Hi 37, 18 (Si 12, 11). †

II ***רְאִי**: **F** I מרא.

רֳאִי: רֹאִי: ראה: 1. **Aussehen** *looking* 1 S 16, 12, Schau, **Schaustück** *sight, (warning) spectacle* Na 3, 6; **Ansehnlichkeit** *appearance* Hi 33, 21 (רֹאִי) Gn 16, 13 b Hi 7, 8 = ראה c. sf.); 2. אֵל רֳאִי Gn 16, 13 a u. לַחַי רֹאִי 16, 14 unerklärt *unexplained* (Haupt ZAW 29, 283; رَئِيّ Dämon *jinnee* Lane 1001; Albr. AOF 3, 125 a; cf. Baal-roi v. Gaza AOT[2] 96). †

רְאָיָה: n. m.; ראה u. ״: 1. 1 C 4, 2, cj 2, 52; 2. 1 C 5, 5; 3. Esr 2, 47 Ne 7, 50. †

רְאֵים; **F** רְאֵם.

רִאישֹׁן: **F** רִאשׁוֹן.

רְאִית (K רְאִית, Q רְאוּת): ראה: **Anblick** *look* Ko 5, 10. †

***רְאֵל**: **F** n. l. תַּרְאֲלָה.

ראם: aram. pro hbr. רום:

qal: pf. רָאֲמָה: **hochragen** *rise* Sa 14, 10. †

Der. II n. l. רָאמוֹת.

רְאֵם: ug. *r'mm* (pl.); ak. *rimu*: > רֵים Hi 39, 9 f, pl. רְאֵמִים, > רֵמִים Ps 22, 22: **Wild-**

stier *wild oxen Bos primigenius Bojanus*, *μονοκέρως* Hess ZAW 35, 121 ff; Hilzheimer MAO 2, 2, 1926, Doughty 1, 327 f: Nu 23, 22 24, 8 Dt 33, 17 Js 34, 7 Ps 22, 22 29, 6 92, 11 Hi 39, 9 f.†

I **רָאמוֹת**: Hs 27, 16 Hi 28, 18 Pr 24, 7: unbestimmt *uncertain*; Hs 27, 16 ein Importartikel *an import article* (Qimchi: schwarze Korallen *black corals*: رَامَةٌ, Seemuscheln *seashells* Wellh. Reste, 163); = Hi 28, 18; Pr 24, 7 = רָמָה zu hoch *too high?* alii: l דְּמוֹת wenn du dich still hältst *keeping silence* (לְ gegenüber *before*)?†

II **רָאמוֹת**: n.l.; ראם: 1. רָאמוֹת בַּגִּלְעָד Dt 4, 43 Jos 20, 8, = רָמֹת גִּלְעָד 1 K 4, 13 22, 3—29 2 K 8, 28 9, 1. 4. 14 2 C 18, 3—28, = רָמוֹת גִּלְעָד 2 C 18, 2. 19 22, 5, רָמֹת בַּגִּלְעָד Jos 21, 38, = הָרָמָה 2 K 8, 29: *T. Rāmith* (:: Noth ZAW 60, 34[3]); 2. רָאמוֹת 1 C 6, 58 l רָמֹת vel יַרְמוּת; רָאמַת נֶגֶב F n.l. רָמָה.†

ראשׁ arm *poor*: F רוּשׁ.

רֵאשׁ: F רִישׁ.

I **רֹאשׁ** (599 ×): Sem.; ug. *r'š*, pl. *r'šm*, ak. *rēšu*, *rāšu*, ph. ראש, F ba. *ראשׁ; رَأْس, ርእስ: sf. רֹאשׁוֹ, רֹאשְׁךָ, רֹאשְׁכֶם, pl. רָאשִׁים (BL 620), cs. רָאשֵׁי, sf. רָאשָׁיו, רֹאשָׁיו Js 15, 2, רָאשֵׁיהֶם: 1. Kopf (Körperteil) *head (part of body)*: 1 S 17, 54 Ex 29, 10 Gn 3, 15 Hs 10, 1 Si 5, 4; לְמַעְלָה רֹאשׁ Esr 9, 6 über d. Kopf hinaus *over the head*; נָשָׂא רֹאשׁ פ׳ sein Haupt erheben *lift up his head* Gn 40, 20, F Sa 2, 4; מִכַּף־רֶגֶל וְעַד־רֹאשׁ 2 K 19, 21; הֵנִיעַ רֹאשׁ אַחֲרֵי Js 1, 6; רֹאשׁ וְזָנָב 9, 13; נָתַן בְּרֹאשׁוֹ heimzahlen *pay home* Hs 9, 10, מְנוֹד רֹאשׁ Ps 44, 15; נָתַן רֹאשׁ לְ sich in d. Kopf setzen *put (an idea) into one's head* Ne 9, 17; 2. Kopf = **Kopfhaar** *head = hair of the head* Js 7, 20 Lv 19, 27, גִּלַּח רֹאשׁוֹ Nu 6, 9, פָּרַע רֹאשׁ Nu 5, 18; 3. Kopf, Haupt, **Gipfel, oberes Ende** *head, summit, upper end*: הַר Gn 8, 5 Ex 19, 20, cj Hi 36, 30, גִּבְעָה Ex 17, 9, מִגְדָּל Gn 11, 4, סֻלָּם 28, 12, מִטָּה Gn 47, 31, עַמּוּד 1 K 7, 19, F Hi 24, 24 Js 28, 1 Est 5, 2 1 K 8, 8; הָרֹאשׁ die Höhe (des Berges) *the top (of the hill)* 2 S 15, 32; 4. Kopf = **Anfang** *head = beginning*: Monat *month* Ex 12, 2, Jahr *year* Hs 40, 1, Gasse *lane* Js 51, 20, F Jd 7, 19 Hs 16, 25 21, 26; רֹאשׁ zum ersten Mal *for the first time* 1 C 16, 7; מֵרֹאשׁ von Anfang an *from the beginning* Js 40, 21; 5. Kopf = **das Oberste, Äusserste, Beste** *head = the uppermost, the choicest*: רֹאשׁ מֹר d. beste M. *the finest m.* Ex 30, 23, רֹאשׁ הַקְּרוּאִים oben unter d. Geladenen *at the head of the guests* 1 S 9, 22; רֹאשׁ שִׂמְחָה höchste Freude *chief joy* Ps 137, 6; רֹאשׁ בְּשָׂמִים beste Salben *finest spices* Ct 4, 14; רֹאשׁוֹ sein voller Wert *its full value* Lv 5, 24; יָשַׁב רֹאשׁ obenan sitzen *sit in the first place* Hi 29, 25; 6. Haupt, **Spitze, Anführer** *head, chief*: רֹאשׁ הָעָם Spitze des Volks *head of the people* Dt 20, 9; Gott ist *God is* בָּרֹאשׁ an d. Spitze *at the head* 2 C 13, 12; F Am 6, 7; הָרֹאשׁ der vorderste *the chief* Hs 10, 11, zuerst *the first* 1 C 5, 7. 12; אֲבוֹת הָרֹאשׁ u. רָאשֵׁי הָאָבוֹת Familienhäupter *heads of the families* 1 C 24, 31; F Nu 25, 15 2 S 23, 8 Js 7, 8; Anführer *chiefs* 1 K 8, 1 Dt 1, 15 Nu 25, 4 Jd 11, 8 Nu 14, 4 Ex 18, 25 1 C 12, 19; הָרֹאשׁ d. Anführer *the chief* Esr 8, 17 2 C 24, 6; רֹאשׁ הַתְּהִלָּה Leiter d. Lobgesangs *conductor of the song of praise* Ne 11, 17; חַכֹּהֵן הָרֹאשׁ Esr 7, 5, cj 1 C 27, 5, u. כֹּהֵן הָרֹאשׁ 2 K 25, 18 d. Hauptpriester *the chief priest* (später *later on* הַכֹּהֵן הַגָּדוֹל); 7. Kopf, **Gesamtbetrag, Summe** *head, total* *amount, sum* (Zimm. 18): Pr 8, 26; לְרֹאשׁ גֶּבֶר auf den (einzelnen) Kopf *a head* Jd 5, 30, pl. 1 C 24, 4; נָשָׂא רֹאשׁ die Gesamtzahl erheben *establish the total* Ex 30, 12 Nu 1, 2 31, 26, בְּרֹאשׁוֹ im vollen Betrag *in full* Lv 5, 24 Nu 5, 7; רֹאשׁ דְּבָרְךָ Inbegriff *substance* Ps 119, 160; 8. Kopf, **Abteilung** *head, division, partition*: Jd 7, 16. 20 9, 34. 37. 43 1 S 11, 11 13, 17 ff, Gn 2, 10 (e. Stroms *of a river*); 9. Einzelnes *particulars*: רֹאשׁ פִּנָּה (PJ 6, 33 ff, Angelos 1, 65 ff) Haupteckstein *main cornerstone* Ps 118, 22; רֹאשׁ כֹּכָבִים d. oberste Stern *the highest star* (Hölscher)? die Summe der Sterne *the sum of the stars* (Peters)? Hi 22, 12; רֹאשׁ כֶּלֶב (Schimpfwort *invective*; Text?; Seybold OS 759 f: = Hundevieh *piece of a dog*) 2 S 3, 8; 10. cj מֵרַאֲשֵׁיכֶם Ir 13, 18; l רֹאשׁ Ne 12, 46; l רָשָׁע pro רֹאשׁ Ps 141, 5. Der. *רֵאשָׁה, רִאשָׁה, רִאשׁוֹן, *רִאשֹׁנִי, רֵאשִׁית, *מְרַאֲשׁוֹת.

II רֹאשׁ u. רוֹשׁ Dt 32, 32: (e. unbestimmte) **Giftpflanze** (*a not recognized*) *poisonous herb* Dt 29, 17 Ho 10, 4, bitter *bitter* Ps 69, 22 Th 3, 5? neben *along with* לַעֲנָה Dt 29, 17 Th 3, 19 Am 6, 12 Ir 9, 14 23, 15; עִנְּבֵי רוֹשׁ Dt 32, 32; > **Gift** *venom*: מֵי רֹאשׁ Giftwasser *poisoned water* Ir 8, 14 9, 14 23, 15; Schlangengift *venom of serpents* Dt 32, 33 Hi 20, 16. †

III רֹאשׁ: n. m. Gn 46, 21, l אֲחִירָם. †

IV רֹאשׁ: n. p.; ak. n. dei *Rāšu* (*Rāzu*) Jensen OLZ 27, 57 ff; ZDM 1916, 92 ff; unbekannt *unknown* Hs 38, 2 f 39, 1, cj מֶשֶׁךְ וְרֹשׁ Js 66, 19. †

*רֵאשָׁה: I רֹאשׁ: pl. sf. רָאשֹׁתֵיכֶם: eure frühere Lage *your earlier situation* Hs 36, 11. †

רֹאשָׁה I רֹאשׁ: fem.: d. oberste *the uppermost*: הָאֶבֶן הָרֹאשָׁה der Scheitelstein? *headstone?* Sa 4, 7. †

רִאשׁוֹן u. רִישׁוֹן Hi 8, 8 (רִאשׁוֹן Hi 15, 7 u. רִאשֹׁנָה Jos 21, 10 = רִאשׁ' vel רִישׁ') (180 ×): I רֹאשׁ (ō-ō > ī-ō): fem. רִאשֹׁנָה, pl. רִאשֹׁנִים, רִאשֹׁנוֹת: 1. **der erste** (im Rang) *the first* (*position*) Da 10, 13, in e. Reihe *in a series* Gn 25, 25 Ex 4, 8 Jd 20, 39 2 S 19, 21 Ir 50, 17 Mi 4, 8, pl. Dt 10, 1 2 K 1, 14 (38 ×); הַחֹדֶשׁ הָרִאשׁוֹן Ex 40, 2 (23 ×), הַיּוֹם הָר' Ex 12, 15 (11 ×); בָּרִאשׁוֹן im 1. Monat *in the first month* Gn 8, 13 (7 ×), בָּרִאשֹׁנִים in den ersten Tagen *in the first days* 2 S 21, 9; בָּרִאשֹׁנָה zum 1. Mal *for the first time* Nu 10, 13, (schon) d. 1. Mal (*already*) *the f. t.* Jos 8, 5 f Jd 20, 32, cj Jl 2, 23, (12 ×); הָרִאשׁוֹן der erste (:: der zweite) *the first* (:: *the second*) Gn 25, 25 (10 ×); ר' לְ d. erste von *the first of* Ex 12, 2, רִאשֹׁנָה zuerst *first* Gn 38, 28 (7 ×), בָּרִאשֹׁנָה zuerst *first* Dt 13, 10 (7 ×), כָּרִאשֹׁנָה wie d. 1. Mal *as at the first* Dt 9, 18 Da 11, 29, = כְּבָרִאשֹׁנָה Jd 20, 32; כְּעֵת הָר' wie in d. 1. Zeit *as in the first time* Js 8, 23; הָר' als erster *first* Pr 18, 17; הָיָה ר' בְּ vorangehn bei *be first in* Esr 9, 2; יָשַׁב רִאשֹׁנָה d. Vorsitz haben *sit first* Est 1, 14; הָאָב הָרִאשׁוֹן Js 43, 27; Gott ist *God is* רִאשׁוֹן der Erste *the first* Js 41, 4 44, 6 48. 12; 2. **vorangehend, früher, vormalig** *preceeding, former*: רִאשֹׁנָה zuvorderst *foremost* Gn 33, 2; מִשְׁפָּט ר' früherer Brauch *former manner* Gn 40, 13 2 K 17, 40, pl. 17, 34; אִישִׁי הָר' m. früherer Mann *my former husband* Ho 2, 9; הָרִאשׁוֹן Sa 1, 4 7, 7. 12 Ne 5, 15; הַנְּבִיאִים הָר' der frühere *the former* Nu 21, 26, pl. masc. Ps 89, 50 Ko 1, 11 (:: אַחֲרֹנִים) (11 ×), pl. fem. Js 65, 16 f; יָמִים ר' Dt 4, 32; רִאשֹׁנִים die Vorfahren *the ancestors* Lv 26, 45 Dt 19, 14 Js 61, 4 Ps 79, 8; die ältern (Söhne) *the eldest* (*sons*) 2 C 22, 1; רִאשֹׁנוֹת das Frühere *the former things* Js 41, 22 42, 9 43, 9. 18 46, 9 48, 3; בָּרִאשֹׁנָה zuvorderst *first* Js 60, 9, im Anfang *at the beginning* Pr 20, 21, früher, vordem *at the first* Gn 13, 4 Jos 8, 33; *F* Nu 10, 14 Dt 13, 10 17, 7; כָּרִאשׁוֹן wie vorher *as at the first* Lv 9, 15 Dt 9, 18; כְּבָרִאשֹׁנָה wie früher *as it was before* 1 K 13, 6 Js 1, 26 Ir 33, 7. 11; לָרִאשֹׁנָה in d. ersten Zeit *at the first* Gn 28, 19 Jd 18, 29; מֵרִאשׁוֹן von je her *from the beginning* Ir 17, 12; לָרִאשֹׁנָה = לְמִבָּרִאשֹׁנָה ? vel מִבָּרִאשֹׁנָה ? 1 C 15, 13; l כִּי אִם Js 41, 27, l וְשִׁלַּמְתִּי Js 65, 7. Der. *רִאשׁוֹנִי.

***רִאשׁוֹנִי**: רִאשׁוֹן: fem. רִאשׁוֹנִית: הַשָּׁנָה הָר׳ d. erste Jahr *the first year* (d. Akzessionsjahr *the year of accession* Lewy MVA 1924, 2, 27) Ir 25, 1. †

רַאֲשׁוֹת: *F* *מְרַאֲשׁוֹת.

רֵאשִׁית: fem. v. *רֵאשִׁי < *רֵאשׁ < רֹאשׁ (ThZ 7, 317 f); I רֹאשׁ: רֵשִׁית < Dt 11, 12 †, sf. רֵאשִׁיתוֹ, רֵאשִׁיתְךָ: 1. was zuerst ist, **Anfang** *what is first, beginning* Dt 11, 12 (:: אַחֲרִית) Js 46, 10 Hi 8, 7 42, 12 Ko 7, 8; בְּרֵאשִׁיתָהּ Ho 9, 10; 2. **Anfang, Ausgangspunkt** *beginning, point of departure*: בְּרֵאשִׁית Gn 1, 1 Si 15, 14; בְּר׳ מַמְלֶכֶת Gn 10, 10 Ir 26, 1 (*F* 25, 1) 27, 1 28, 1 49, 34; ר׳ מָדוֹן Mi 1, 13, ר׳ חַטָּאת Pr 17, 14, ר׳ דַּרְכֵי אֵל Hi 40, 19, ר׳ דַּרְכּוֹ (Gottes *of God*) Pr 8, 22; ר׳ חָכְמָה Ps 111, 10 Pr 4, 7, ר׳ דַּעַת Pr 1, 7; 3. **d. Erste, Beste** *the first, choicest*: ר׳ אוֹנוֹ Gn 49, 3, ר׳ אוֹנִי Dt 21, 17, ר׳ אוֹנִים Ps 78, 51 105, 36, ר׳ בִּכּוּרִים Ex 23, 19 34, 26 Hs 44, 30, רֵאשִׁיתָם d. Beste von ihnen *the choicest of them* Nu 18, 12; רֵאשִׁית c. גּוֹיִם Nu 24, 20 Am 6, 1, c. גְּבוּרָתָם Ir 49, 35, c. הָאָרֶץ Hs 48, 14, c. כָּל־מִנְחָה 1 S 2, 29, c. הַחֵרֶם 1 S 15, 21, c. שְׁמָנִים Am 6, 6; c. בְּנֵי עַמּוֹן Hauptteil? *main part?* vel l שְׁאֵרִית? Da 11, 41; 4. **Erstlinge** *first fruits* (Eissfeldt, Erstlinge ... im AT, 1917): הָרֵאשִׁית Erstlingsopfer *offerings of firstfruits* Ne 12, 44, קָרְבַּן רֵאשִׁית Lv 2, 12, עֹמֶר ר׳ 23, 10, *F* Dt 18, 4 2 C 31, 5, Dt 18, 4, 26, 2. 10, Nu 15, 20 f Ne 10, 38, תְּבוּאָה Ir 2, 3 Pr 3, 9, מַשְׂאוֹת Hs 20, 40; רֵאשִׁית **Erstlingsteil** *part of firstborn* Dt 33, 21. †

I רַב (420 ×): I רבב, *F* ba: רָב, fem. רַבָּה, cs. רַבַּת, רַבָּתִי (BL 526. 599), pl. רַבִּים, cs. רַבֵּי, fem. רַבּוֹת: 1. **zahlreich, viel** *much, many*: עַם רָב Gn 50, 20 (19 ×); besonders bei coll., die aus vielen Einheiten bestehen *especially with coll., composed of many units*: עֲבֻדָּה Hi 1, 3, עֶרֶב Ex 12, 38, זֶרַע Dt 28, 38, מִקְנֶה Nu 32, 1, גּוֹי Dt 9, 14, etc.; רַבַּת בַּקָּהָל viele in d. Gemeinde *many in the congregation* 2 C 30, 17, רַבַּת מִן viele aus *many of* 30, 18; 2. pl. **zahlreich(e), viele** *numerous, many*: יָמִים רַבִּים Gn 21, 34 (27 ×), עַמִּים רַבִּים Js 2, 3 (8 ×), גּוֹיִם רַבִּים Dt 7, 1 (16 ×); רַבִּים die Zahlreichen, d. grosse Haufen *the many, the multitude* Ex 23, 2; רָעוֹת רַבּוֹת zahlreiche Übel *many evils* Dt 31, 17, נָשִׁים רַבּוֹת Jd 8, 30, etc.; רַבּוֹת vielerlei *many things* Js 42, 20 Hi 16, 2; 3. pl. c. coll. sg.: צֹאן רַבּוֹת viel Kleinvieh *much small cattle* Gn 30, 43; רַבִּים עַם הָאָרֶץ ist zahlreich *is numerous* Ex 5, 5; מַיִם רַבִּים viel Wasser *much water* Nu 20, 11 (28 ×); etc.; 4. sg. zahlreich, vielfältig > **gross** *numerous, manifold > great*: רְכוּשׁ Gn 13, 6, מַכָּה Nu 11, 33, מָקוֹם 1 S 26, 13, הַדֶּרֶךְ (weit *long*) 1 K 19, 7, הֶרֶג Js 30, 25, גְּבוּל Am 6, 2, מַלְכוּת Est 1, 20, מִמְשָׁל Da 11, 3. 5, עָוֹן Ps 25, 11, עֹשֶׁר Pr 22, 1, etc.; daher *thus*: תְּהוֹם רַבָּה Gn 7, 11 Js 51, 10 Am 7, 4 Ps 36, 7; צִידוֹן רַבָּה Jos 11, 8 19, 28, חֲמַת רַבָּה Am 6, 2;

מֶלֶךְ רָב (Gott *God*) Ps 48, 3; cj Gott ist *God is* רַב Ps 89, 8; וַיֵּלֶךְ הָלוֹךְ וָרָב wurde immer grösser (lauter) *grew greater* (*louder*) *a. greater* (*louder*) 1 S 14, 19; 5. sg. **zahlreich, vielfältig, viel** *numerous, manifold, much, plentiful*: מִסְפּוֹא רַב Gn 24, 25; יֶשׁ־לִי רָב ich habe [noch] viel *I have plenty* Gn 33, 9; vielfältig *manifold* Gn 6, 5 1 S 12, 17 Hi 22, 5 Js 54, 13 Ps 119, 165 19, 12. 14 Pr 28, 12; יַיִן reichlich *abundant* Est 1, 7; 6. רַב c. gen.: **zahlreich, gross an** *numerous, great, abounding in*: רַבַּת בָּנִים mit zahlreichen Söhnen *with many sons* 1 S 2, 5, רַב פְּעָלִים 2 S 23, 20 1 C 11, 22 Pr 28, 16. 20. 27, רַב טוּב Js 63, 7, רַבָּתִי עָם volksreich *full of people* Th 1, 1, רַב חֶסֶד Ex 34, 6 *F* p. 318b, cj רַב יָמִים Hi 32, 9; רַב קֶשֶׁב mit grosser Aufmerksamkeit *very attentive* Js 21, 7, רַב (הָעֲלִילָה) (Gott *God*) Ir 32, 19; רַב כֹּחַ reich an Kraft (Gott) *mighty in power* (*God*) Ps 147, 5 cj Js 63, 1, רַבַּת מְהוּמָה Hs 22, 5, etc.; 7. adv. רַבַּת **in reichem Mass** *exceedingly* Ps 65, 10 123, 4 129, 1 f; zu lange *for too long a time* 120, 6; רַבָּה in reichem Mass *exceedingly* Ps 62, 3 (?); 8. רַב עַתָּה nun ist's **genug** *it is enough now* 1 K 19, 4; רַב genug *enough* Gn 45, 28 1 C 21, 15; רַב לְ genug für..! *enough for..!* Nu 16, 3. 7 Dt 1, 6, 2, 3 3, 26 Hs 44, 6 45, 9; רַב מִהְיֹת קֹלֹת genug des Donnerns! *there has been enough thundering* Ex 9, 28; רַב לָכֶם מִן zu viel für euch, zu *too much for you to...* 1 K 12, 28; 9. l רִבּוֹת Da 11, 41, l עֲרֵבִים Ne 5, 2; l רֹבִים Ir 50, 29; l רַבָּה Hs 24, 12; l רִיבֵי Ps 89, 51; ? Ps 110, 6 Pr 26, 10; *F* מַלְכִּירָב u. n. l. שַׁעַר בַּת רַבִּים.

Der. n. l. רַבָּה.

II רַב: ug. *rb* (c. *spr*, *khn*, *bt*); ak. *rabū*, *rab* in Titeln *in titles* (Zimm. 6): **Oberst, Anführer** *captain, chief*: in רַב סָרִיס, רַב מָג etc. 2 K 18, 17 Ir 39, 3. 13 Da 1, 3; רַבְשָׁקֵה, רַב טַבָּחִים, רַב הַחֹבֵל Jon 1, 6, רַב בֵּיתוֹ Est 1, 8, רַבֵּי הַמֶּלֶךְ Ir 41, 1, רַבֵּי מֶלֶךְ בָּבֶל Ir 39, 13. †

III *רַב: pl. sf. רַבָּיו Hi 16, 13; II רבב: Hölscher: s. Geschosse *h. darts*, Peters l רְבָיו v. *רְבִי Geschoss *dart* (רבה); l רֹבִים pro רַבִּים Ir 50, 29. †

רֹב, רוֹב (147 ×): I רבב: cs. רָב־ רֹב, sf. רֻבְּכֶם, pl. cs. רֻבֵּי Ho 8, 12 (?): **Menge, Fülle** *multitude, abundance* Gn 16, 10 27, 28 Js 1, 11 Lv 25, 16 (:: מְעֹט), cj 2 C 24, 27 (K); רֹב דֶּרֶךְ weiter Weg *long way* Jos 9, 13, רֹב יָמִים lange Zeit *long time* Js 24, 22, רֹב כֹּחוֹ Fülle s. Kraft *greatness of h. strength* Js 63, 1; רֹב שָׁלוֹם Ps 37, 11 72, 7; לָרֹב in Fülle *abundantly* Gn 30, 30 Dt 1, 10 u. oft *a. often*, was die Menge angeht *in respect of multitude* 1 K 10, 10. 27 2 C 9, 27; פָּרַץ לָרֹב sich mächtig ausbreiten *increase greatly* 1 C 4, 38; בָּנָה לָרֹב viel bauen *build much* 2 C 27, 3; עַד־לָרוֹב überaus viel *exceedingly much* 2 C 31, 10; cj רָב־טוּבְךָ Ps 145, 7; ? Ho 8, 12; l מֵרַב Js 40, 26, l הֶרֶב Hi 11, 2, l (רִיב רָב Hi 37, 23.

I רבב: Sem, ausser *without* ak.; asa. Herr sein *be master*:

qal: pf. רַבָּה Ex 23, 29, רַבָּה Gn 18, 20, רַבּוּ 1 S 25, 10, רָבּוּ Js 22, 9, inf. לָרֹב, sf. רֻבָּם, רֻבְּכֶם: **zahlreich sein, werden** *be, become many, much* Gn 6, 1 Ex 23, 29 Dt 7, 7 (מִן mehr als *more than*) 1 S 25, 10 Js 6, 12 22, 9 59, 12 66, 16 Ir 5, 6 14, 7 46, 23 (מִן) Ho 4, 7 9, 7 Ps 3, 2 4, 8 25, 19 38, 20 69, 5 104, 24 Hi 35, 6 Ko 5, 10; vielfach werden, sein *be, become manifold* Gn 18, 20; †

pu: pt. fem. pl. מְרֻבָּבוֹת: denom. v. רְבָבָה:

verzehntausendfacht *tenthousandfolded* Ps 144, 13. †
Der. I רַב, רֹב, רְבָבָה, רִבּוֹא, רְבִיבִים; n. m. רִבִּית, רַבָּה, n. l. מֵרַב, n. fem. יָרָבְעָם, יְרֻבַּעַל.

II רבב: NF v. II רבה:
qal: רֹבּוּ: (Pfeile) schiessen *shoot (arrows)* Gn 49, 23 (l וַיִּרְבוּ); l וַיִּבְרֹק בָּרָק Ps 18, 15. †
Der. III *רַב.

רְבָבָה: I רבב; ug. *rbt*, pl. *rbbt*: pl. רְבָבוֹת, cs. רִבְבוֹת, רִבֲבוֹת, sf. רִבְבֹתָיו: **sehr grosse Menge, Unzahl > zehntausend** *very big multitude > tenthousand* Lv 26, 8 Dt 32, 30 Jd 20, 10 1 S 18, 7f 21, 12 29, 5 *F* II אֶלֶף; רִבְבֹתָיו die ihm gemässen Zehntausende *the ten thousands to be expected for him* 1 S 18, 7; unbestimmt grosse Zahl *unlimited big number* Nu 10, 36 (Gunkel in Dibelius, Lade Jahves, 10 l רִבְעוֹת Lager *camp*) Dt 33, 17 Mi 6, 7 Ps 3, 7 91, 7 Ct 5, 10 Si 47, 6; l וּרְבִי Hs 16, 7, l מִמְּרִיבַת קָדֵשׁ (מֵרִבֲת) ZAW 51, 265) Dt 33, 2. †

רבד: رَبَدَ, binden, (Datteln) in Schichten einlegen *bind, put in layers (dates)*:
qal: pf. רָבַדְתִּי: c. עֶרֶשׂ e. Lager bereiten *prepare a couch* Pr 7, 16; cj רְבוּדָה gerüstet *prepared* Hs 23, 41; cj וַיִּרְבְּדוּ לְ bereiten *prepare* 1 S 9, 25. †
Der. מַרְבַדִּים, רָבִיד.

I רבה: ak. *rabû* wachsen *grow*; *F* ba. רבה; رَبَا; asa. רבי; amor. in n. m. *Jarbi-*, *-rabi* Bauer 79:
qal: pf. רָבְתָה, רָבִיתָ, רָבוּ, רְבִיתֶם, impf. יִרְבֶּה, וַיִּרֶב, וַתֵּרֶב, וַתִּרְבִּי, יִרְבּוּ, יִרְבְּיֻן, תִּרְבּוּן, וַתִּרְבֶּינָה, inf. רְבוֹת, imp. רְבֵה, רְבוּ; pro וְרֶב l וְרֹב (K) 2 C 24, 27: **1. zahlreich werden** *become many, numerous*: Gn 1, 22. 28 8, 17 9, 7 35, 11 38, 12 47, 27 Ex 1, 7. 10. 12. 20 11, 9 Dt 6, 3 7, 22 8, 1. 13 11, 21 30, 16 1 S 7, 2 Ir 3, 16 23, 3 Hs 31, 5 36, 11 Sa 10, 8 Ps 107, 38 139, 18 Pr 4, 10 9, 11 28, 28 29, 2. 16 Hi 27, 14 39, 4 Ko 5, 10 Da 12, 4 (l וְהָרָבֶּינָה הָרָעֹת) Esr 9, 6 1 C 5, 9. 23 23, 17; **2. gross sein** *be great*: מַכָּה 1 S 14, 30; **gross werden** *grow great* מַיִם (steigen *increase*) Gn 7, 17 f, כְּבוֹד בֵּיתוֹ Ps 49, 17, Neugeborenes *newborn child* Hs 16, 7. cj 7; רָבָה מִן grösser sein als *be greater than* Gn 43, 34 1 K 5, 10 Hi 33, 12; zu weit sein für *be too far from* Dt 14, 24 19, 6; l וּרְדוּ Gn 9, 7b, l יִרְבּוּ Ps 16, 4; †
pi: pf. רִבְּתָה, רִבִּית, imp. רַבֵּה (Var. רַבֶּה) Jd 9, 29: **1. zahlreich machen** *make numerous* Jd 9, 29; **2. grossziehn** (Kinder) *bring up (children)* Th 2, 22, Junge *young ones* Hs 19, 2; **3. Gewinn machen** *make wealth, profit* Ps 44, 13; †
hif (160×): pf. הִרְבָּה, הִרְבָּתָה, הִרְבֵּית, הִרְבֵּיתִי, הִרְבֵּיתֶם, הִרְבִּינוּ, הִרְבּוּ, sf. הִרְבֶּךָ, הִרְבַּתִּים, impf. יַרְבֶּה, יֶרֶב, וַיֶּרֶב, תַּרְבִּי, אַרְבֶּה, וְאַרְבֶּה K, הִרְבֵּיתִךָ, וְאַרְב Q Jos 24, 3, יַרְבּוּ, תַּרְבֶּינָה, sf. תַּרְבֵּנִי, יַרְבְּךָ, אַרְבֵּהוּ, inf. הַרְבֵּה u. הַרְבָּה (Bl. 426), cs. הַרְבּוֹת (2 S 14, 11 l הַרְבַּת vel cs. v. הַרְבֵּה), imp. הַרְבֵּה > הֶרֶב Ps 51, 4 Q, הַרְבִּי, הַרְבּוּ, pt. מַרְבֶּה, cs. מַרְבֵּה, fem. מַרְבָּה, pl. מַרְבִּים: **1. zahlreich machen** *make many*: Ho 8, 11 Hs 36, 30 Js 57, 9 Jd 16, 24 Hi 34, 37 Js 1, 15, cj Ps 16, 4 (יִרְבּוּ); יָמִים = lang leben *live long* Hi 29, 18; **2. gross machen** *make great*: מֶלֶךְ 2 S 22, 36 Ps 18, 36, (הַגִּילָה) Js 9, 2, שָׂכָר Gn 15, 1 (l אַרְבֶּה), מִקְנָה Lv 25, 16 נַחֲלָה, (הַמְעִיט ::) Nu 26, 54, חַיִל Hs 28, 5; 3. Besonderes *particulars*: הִרְבָּה מִן zahlreicher machen als *make more numerous than* Hs 16, 51; הִרְבָּה עַד soviel haben wie *have as much as* 1 C 4, 27; הִרְבָּה בָנִים viele Kinder haben *have many children* 1 C 7, 4 8, 40 23, 11; מַרְבֵּה רַגְלַיִם Vielfüssler *polypod* Lv 11, 42; הִרְבָּה לְ jmd viel verschaffen *supply many things for* Dt 17, 16f Ir 2, 22 Pr 22, 16;

הִרְבָּה מֹהַר hoch ansetzen *fix a high* מֹהַר Gn 34, 12; [הוֹן] הִרְבָּה vermehren *enlarge* Pr 13, 11; הִרְבָּה c. לְ c. inf. etw. vielfach, reichlich, anhaltend tun *do a thing frequently, largely, continually* 1 S 1, 12 2 S 14, 11 2 K 21, 6 Js 55, 7 Am 4, 4 Ps 78, 38, c. מִן häufiger tun als *do more frequently than* Ex 36, 5 2 S 18, 8; הַרְבֵּה > adj. mannigfach *large* Ne 4, 13; 4. הַרְבֵּה als Asyndeton neben andern Verben *asyndetically along with other verbs*: תַּרְבּוּ תְדַבְּרוּ ihr redet viel *you speak many words* 1 S 2, 3 Ps 51, 4, etc.

Der. תַּרְבִּית, תַּרְבּוּת, מַרְבִּית, מַרְבֶּה, אַרְבֶּה.

II רבה: NF II רבב; verwandt mit *related to* רמה?:

qal: pt. רֹבֶה (erklärende *explaining* gloss. קַשָּׁת): **Schütze** *one shooting* Gn 21, 20; cj pl. רֹבִים (// דֹּרְכֵי קֶשֶׁת) Ir 50, 29. †

רַבָּה: n. l.; fem. v. רַב: cs. רַבַּת, loc. רַבָּתָה 2 S 12, 29: 1. הָרַבָּה in Juda Jos 15, 60 (Text?); 2. רַבַּת בְּנֵי עַמּוֹן Dt 3, 11 2 S 12, 26 17, 27 Ir 49, 2 Hs 21, 25, = רַבָּה Jos 13, 25 2 S 11, 1 12, 27 Ir 49, 3 Hs 25, 5 Am 1, 14 1 C 20, 1, loc. 2 S 12, 29: Hauptstadt d. Ammoniter *capital of Ammonites*; Polybius 5, 7, 4 Ῥαββατάμανα, Euseb. Αμμαν; ʿAmmān, عَمَّان, Φιλαδέλφια. †

רִבּוֹ, רִבּוֹא: I רבב; ug. *rbb*, *F* ba. רִבּוֹ; Ruž. 108, Barth ZDM 41, 631, Bauer OLZ 29, 802; רְבָבָה > *רִבּוֹה?: pl. רִבּוֹת > רִבֹּאוֹת Ne 7, 70, du. רִבֹּתַיִם: Unzahl, zehntausend *numberless host, ten thousand* 1 C 29, 7; 12 × 10.000 Jon 4, 11, pl. zehntausende *ten thousands* Da 11, 12. cj 14; 20000 Ne 7, 70 f; 40000 Esr 2, 64 Ne 7, 66; 60000 Esr 2, 69; רִבֹּתַיִם אַלְפֵי (multiplicative) zehntausend mal Tausende *ten thousand times thousands* (::10000 mal *times* BL 629) Ps 68, 18; Ho 8, 12 רִבּוֹ = רֻבֵּו K, l רֹב. †

רְבִיבִים, רְבִבִים: I רבב; ug. *rbj* regnen? *rain?*: pl. tant.: **Tauregen** *dew as heavy as rain* (AS 1, 313) Dt 32, 2 Ir 14, 22 Mi 5, 6 Ps 65, 11 72, 6, cj Hi 36, 28; l רֵעִים רַבִּים Ir 3, 3. †

רָבִיד: רבד: cs. רְבִד: **Halskette** *necklace* Gn 41, 42 Hs 16, 11. †

רְבִיעִי, רְבִעִי: רבע, אַרְבַּע, *F* ba.; ug. *rbʿ*; ak. *rabū*: fem. רְבִיעִית, pl. רְבִיעִים, רְבִעִים: **vierter** *fourth*: 1. יוֹם Gn 1, 19 Nu 7, 30 29, 23 Jd 19, 5 Esr 8, 33 2 C 20, 26, נָהָר Gn 2, 14, דּוֹר Gn 15, 16, טוּר Ex 28, 20 39, 13, גּוֹרָל Jos 19, 17, חֹדֶשׁ Ir 39, 2 52, 6 1 C 27, 7, הָרְבִיעִי d. 4. Monat *the fourth month* Sa 8, 19, = מֶרְכָּבָה Hs 1, 1, פָּנִים Sa 6, 3, בְּרִי Hs 10, 14; הַשָּׁנָה הָרְבִיעִת Lv 19, 24 1 K 6, 1. 38 2 K 18, 9 Ir 25, 1 28, 1 36, 1 45, 1 u. שְׁנַת הָרְבִיעִית Ir 28, 1 (K) 46, 2 51, 59 das 4. Jahr *the fourth year*; *F* 2 S 3, 4 Da 11, 2 1 C 2, 14 3, 2. 15 8, 2 12, 11 23, 19 24, 8. 23 25, 11 26, 2. 4. 11 27, 7; 2. fem. רְבִיעִית: **ein Viertel** *a fourth part* Ne 9, 3 Ex 29, 40 Lv 23, 13 Nu 15, 4 f 28, 5. 7. 14; 3. pl. בְּנֵי רְבִיעִים **Nachkommen im. 4. Glied** *sons to the fourth generation* 2 K 10, 30 15, 12; l רִבְעוֹת 1 K 6, 33, l רִבְעַת Hs 48, 20. †

רַבִּית: n. l.; I רבב: הָרַבִּית: l דָּבְרַת Abel 2, 61: Jos 19, 20. †

רבך: ak. *rabāku* (Zimm. 49); رَبَكَ (Teig) mengen, anrühren *mix, stir (dough)*:

hof: pt. מֻרְבֶּכֶת, מֻרְבֶּכֶת: **eingerührt** (Teig) *mixed (dough)* Lv 6, 14 7, 12 1 C 23, 29. †

רִבְלָה: loc. רִבְלָתָה: **Ribla** am Orontes *on Orontes* 2 K 23, 33 25, 6. 20 f Ir 39, 5 f 52, 9 f. 26 f, cj Hs 6, 14; ZDM 86, 180; Nu 34, 11 l *הָרִבְלָה vel *הַרְמֵלָה = *Harmel* (an d. Orontesquelle *at the source of Orontes*) Wetzstein ZAW 3, 274. †

רַב מָג: F מָג u. II רַב.

רַב־סָרִים: F סָרִיס u. II רַב.

I רבע: aram. = hbr. רבץ:

qal: inf. sf. רִבְעָהּ, רִבְעִי, inf. fem. רְבָעָה: 1. **daliegen** *lie stretched out* Ps 139, 3; 2. c. ac. **begatten** *lie down with* (*for copulation*) Lv 18, 23 20, 16; †

hif: impf. תַּרְבִּיעַ: c. כִּלְאַיִם: **übers Kreuz züchten, bastardieren** *cross breeds, interbreed* Lv 19, 19. †

II רבע: denom. v. אַרְבַּע:

qal: pt. pass. רָבוּעַ, רְבֻעָה, רְבֻעִים: **mit vier Ecken versehen, viereckig** *provided with four corners, squared* Ex 27, 1 30, 2 37, 25 38, 1, 28, 16 39, 9, 1 K 7, 5 (l רְבֻעִי) מַשְׁקוֹף) Hs 41, 21 cj 1 K 6, 33 Hs 43, 16; †

pu: pt. מְרֻבָּע, מְרֻבַּעַת, מְרֻבָּעוֹת: **viereckig** *squared* 1 K 7, 31 Hs 40, 47 45, 2. †

Der. I רֶבַע, I רֹבַע, רְבִיעִי, רִבְעָה; n. m. II רֶבַע.

I רֶבַע: F II רבע; Znğ. Moscati 101, nab. ארבעתא u. רבעתא viereckiger Raum *square room*; hbr. Dir. 269 ff: pl. sf. רִבְעֵיהֶן, רִבְעֵיהָ, רִבְעָיו: 1. **Viertel** *a fourth part* Ex 29, 40 1 S 9, 8; 2. **Seite** (e. viereckigen Grösse) *side* (*of a square thing*) Hs 1, 8. 17 10, 11 43, 16 f. †

II רֶבַע: n. m.; = I?: Midjaniterkönig *king of Midianites* Nu 31, 8 Jos 13, 21. †

I רֹבַע: F II רבע: Viertel *fourth part* 2 K 6, 25. †

II רֹבַע: ak. *turbu'u* Staub *dust*, syropal. רבוח, sam. רבוע Staub *dust* Ginsberg ZAW 51, 309: **Staub, Schutt** *dust, rubbish* Nu 23, 10. †

***רִבֵּעַ**: F II רבע: pl. רִבֵּעִים: **Glied der vierten Generation** *pertaining to the fourth generation* Ex 20, 5 34, 7 Nu 14, 18 Dt 5, 9. †

cj **רְבַעַת**: F II רבע: Geviert *square* (pro רְבִעִית) Hs 48, 20. †

רבץ: ug. *trbṣ* Stall *stable*; ak. *rabāṣu*, (ربض), sich niederlegen *lie down*; > aram. רבע, רבץ, F I רבע:

qal: pf. רָבַץ, רָבְצָה, רָבָצָה, impf. יִרְבַּץ, תִּרְבַּץ, וַתִּרְבַּץ, יִרְבְּצוּ, יִרְבָּצוּן, תִּרְבַּצְנָה, pt. רֹבֵץ, רֹבֶצֶת, רֹבְצִים: 1. **sich niederlegen, lagern** *lie down, lie*: Herden *herds* Gn 29, 2 Js 17, 2 27, 10 Hs 34, 14 Ze 2, 14 3, 13, חֲמֹר Gn 49, 14, Löwe *lion* Gn 49, 9 Hs 19, 2 Ps 104, 22, c. עִם zusammen mit *together with* Js 11, 6 f; störrisches Reittier *headstrong mount* Nu 22, 27, Muttervogel (schützend) *mother bird* (*protecting*) Dt 22, 6; 2. **daliegen** *lie stretched out*: erschöpftes Lasttier *exhausted animal of burden* Ex 23, 5, Menschen *men* Js 14, 30 Ze 2, 7 Hi 11, 19, Dämonen *demons* Js 13, 21, תַּנִּין Hs 29, 3, תְּהוֹם Gn 49, 25 Dt 33, 13; 3. בְּ **liegen auf** *lie upon* אָלָה Dt 29, 19; 4. (Zusammenhang unklar *context obscur*) Gn 4, 7, l תִּרְבָּץ? (Sünde *sin*); (schwerlich *hardly* רֹבֵץ e. Dämon *a demon* = ak. *rābiṣu*); †

hif: impf. תַּרְבִּיץ, יַרְבִּצוּ, sf. יַרְבִּיצֵנִי, אַרְבִּיצֵם, pt. מַרְבִּיץ, מַרְבִּצִים: 1. **sich lagern lassen** (Herde) *cause to lie down* (*herd*) Js 13, 20 Ir 33, 12 Hs 34, 15 Ps 23, 2 Ct 1, 7; 2. (mit Steinplatten) **belegen** *cover with, lay* (*stones*) Js 54, 11. †

Der. מַרְבֵּץ, מַרְבָּץ*, רֵבֶץ.

רֵבֶץ: רבץ; תרבץ Sardes-Bilingue 7 Hof *court*; sf. רִבְצָם, רִבְצוֹ: **Lagerplatz** *resting-place*: Pr 24, 15 Js 65, 10 Ir 50, 6, cj רִבְצָךְ Na 2, 14; l וּבִצָּה Js 35, 7 (ET 37, 236); F אֶבֶן. †

***רבק**: מַרְבֵּק.

רִבְקָה: n. fem. < *בִּקְרָה, (بقرة) Kuh *cow* Bauer ZDM 67, 344 (alte *old* Etym. Nestle ZAW 25, 221 f.: **Rebekka** *Rebekah* Frau v. *wife of*

יִצְחָק Gn 22, 23 24, 15—67 25, 20 f. 28 26, 7 f. 35 27, 5 f. 11. 15. 42. 46 28, 5 29, 12 35, 8 49, 31. †

רַב־שָׁקֵה (רַבְשָׁקֵה): II רַב u. ak. *šaqū*, pl. *šaqē* Oberer *chief* (Manitius ZA 24, 199 ff) vel *šāqū*, pl. *šāqē* Mundschenk *cup-bearer* (so *thus* Zimm. ZDM 53, 116 ff u. Klauber, Assyr. Beamtentum 73 ff): 2 K 18. 17. 19. 26—28. 37 19, 4. 8 Js 36, 2. 4. 11—13. 22 37, 4. 8. †

רַבָּת ,**רַבָּתִי**: F I רַב.

רגב*: F רֶגֶב*, n. t. אַרְגֹּב.

רֶגֶב*: רגב*, verwandt mit *related to* רגם?: pl. רְגָבִים, cs. רִגְבֵי: (nach Zusammenhang *according to context*) Schollen *clods of earth* (Alfrink, Bibl. 13, 77 f) Hi 21, 33 38, 38; (רְגָבִים 1 בִּרְגָבִים). †

רגז: ph. bewegt sein *be agitated*; F ba.; رَجَزَ zittern *tremble*:
qal: pf. רָגַז, רָגְזָה, impf. יִרְגַּז, וַיִּרְגְּזוּ, יִרְגָּזוּ, יִרְגָּזוּן, תִּרְגַּזְנָה, imp. רִגְזוּ, fem. רְגָזָה (BL 305) Js 32, 11: 1. erbeben (körperlich) *quake*: אֶרֶץ 1 S 14, 15 Jl 2, 10 Am 8, 8 Ps 18, 8 77, 19, שָׁמַיִם Dt 2, 25 2 S 22, 8, cj Js 13, 13, שְׁאוֹל Js 14, 9, תְּהוֹם Ps 77, 17, הָרִים Js 5, 25 (גּוֹיִם) 64, 1, בֶּטֶן Ha 3, 16, יְרִיעוֹת 3, 7; 2. erbeben (seelisch) *be perturbed*: vor Schrecken *of fright* Ex 15, 14 Js 32, 10 f Jl 2, 1 Ps 99, 1 Pr 30, 21, Angst *fear* 2 S 7, 10 1 C 17, 9, Freude *joy* Ir 33, 9, Trauer *grief* 2 S 19, 1; 3. רָגַז מִן vor Angst bebend hervorkommen aus *proceed perturbed by fear from* Mi 7, 17; 4. sich ereifern *be excited* Gn 45, 24 Js 28, 21 (יהוה) Ps 4, 5, Pr 29, 9; 1 וַתִּרְגְּזִי Hs 16, 43; †
hif: pf. הִרְגִּיז, sf. הִרְגַּזְתַּנִי, impf. אַרְגִּיז, pt. מַרְגִּיז: 1. in Erregung versetzen *cause to be excited*: אֶרֶץ Js 14, 16 Hi 9, 6, שָׁמַיִם Js 13, 13 (1 יִרְגְּזוּ?), Staaten *nations* Js 23, 11, אֶל Hi 12, 6; aufstören *disturb* den toten Samuel *the dead Samuel* 1 S 28, 15 (cf. תרגזן Tabnit 6); 2. c. לְ jmd Erregung bereiten *cause disquiet* Ir 50, 34, cj Hs 16, 43 (1 וַתִּרְגְּזִי); †
hitp: inf. sf. הִתְרַגֶּזְךָ sich erregen *excite oneself* 2 K 19, 27 f Js 37, 28 f. †
Der. רֹגֶז, רַגָּז, רָגֵז, רָגְזָה, אַרְגָּז.

רֹגֶז: רגז: sf. רָגְזְךָ: 1. Erregung *excitement*: סוּס Hi 39, 24, קֹל = Donner *thunder* Hi 37, 2, > Zorn *wrath* Ha 3, 2; 2. Aufregung *agitation* Js 14, 3 Hi 3, 17. 26 14, 1. †

רַגָּז: רגז: erregt, bebend *excited, quivering* Dt 28, 65. †

רָגְזָה: רגז: Aufregung *agitation* Hs 12, 18. †

רגל: denom. v. רֶגֶל:
qal: pf. רָגַל: (walken *full*, F n. l. עֵין רֹגֵל >) verleumden, „durchhecheln" *slander* Ps 15, 3 Si 5, 14 (4, 28); †
pi: impf. וַיְרַגֵּל, inf. רַגֵּל, imp. רַגְּלוּ, sf. רַגְּלָהּ, pt. מְרַגְּלִים: 1. (c. Stadt, Land) abwandern > ausspähen *go about* > *spy* Nu 21, 32 Dt 1, 24 Jos 2, 1 6, 22 f. 25 7, 2 14, 7 Jd 18, 2. 14. 17 2 S 10, 3 1 C 19, 3; pt. Spion *spy* Gn 42, 9—34 (7×) 1 S 26, 4 2 S 15, 10 Si 11, 30; 2. c. בְּ u. אֶל: jmd bei jmd verleumden *slander a person with a person* 2 S 19, 28 (Si 8, 4); †
tif: pf. תִּרְגַּלְתִּי: das Gehen beibringen *teach to walk* Ho 11, 3. †

רֶגֶל (245×): (ph. nur *only* פעם; ug. *pʿn*) mhb; F ba. רְגַל; ኣግር Littmann OLZ 29, 806: رِجْل, רֶגֶל, sf. רַגְלוֹ, רַגְלְךָ, 1 רַגְלֵנוּ Ko 4, 17, du. רַגְלַיִם, רַגְלָיו, cs. רַגְלֵי, sf. רַגְלָיו, רַגְלֵיהֶם, pl. רְגָלִים Ex 23, 14: 1. Fuss *foot*: von *of* אָדָם u. בְּהֵמָה Hs 29, 11, יוֹנָה Gn 8, 9, כְּרוּב 2 C 3, 13, אֱלֹהִים Ex 24, 10 2 S 22, 10 Js 60, 13 66, 1 Ps 18, 10; 2. כַּף

אֶצְבְּעוֹת רַגְלָיו Dt 2, 5, בֹּהֶן רֶגֶל Ex 29, 20, רַגְלָיו 2 S 21, 20, שָׁרְשֵׁי רַגְלַיִם Hi 13, 27; F בָּצֵק Dt 8, 4, נְכֵה רַגְלַיִם 2 S 4, 4, אֲבַק Js 49, 23, עֲפַר ר׳ Na 1, 3; חָלָה אֶת־רַגְלָיו Lv 21, 19; שֶׁבֶר רֶגֶל ר׳ 1 K 15, 23; 3. רֶגֶל Fuss = Bein *leg* Ex 4, 25 Dt 28, 57 Jd 5, 27 1 S 17, 6 2 S 9, 13 2 K 18, 27 Js 6, 2 36, 12 7, 20 Hs 16, 25; 4. רֶגֶל c. רָחַץ Gn 18, 4; עָשָׂה רַגְלָיו pflegt s. F. *dresses h. f.* 2 S 19, 25; נָשָׂא רַגְלָיו Gn 29, 1, cj Ps 55, 13 (1 רַגְלִי); הֵרִים רַגְלוֹ Gn 41, 44; מִכַּף רֶגֶל וְעַד־קָדְקֹד Dt 28, 35, רֶגֶל Js 1, 6 F Lv 13, 12; שִׂים רַגְלַיִם וְעַד־רֹאשׁ Jos 10, 24; הֵסִיךְ רַגְלָיו Jd 3, 24; נָפַל עַל־צַוָּאר קַל 1 S 25, 24, נָפַל לִפְנֵי ר׳ Est 8, 3; עַל־רַגְלָיו schnellfüssig *swift-footed* 2 S 2, 18; בְּרַגְלָיו hinter ihm her *following him* Ex 11, 8 Dt 11, 6 Jd 4, 10 1 S 25, 27 2 S 15, 18 2 K 3, 9, = לְרַגְלוֹ Js 41, 2 u. לְרַגְלָיו Ha 3, 5; בְּרַגְלַיִם gerade aus *straightforward* Nu 20, 19 Dt 2, 28; בְּרֶגֶל Ps 66, 6 u. בְּרַגְלָיו Jd 4, 15. 17 zu Fuss *on foot*; רֶגֶל בְּרֶגֶל Dt 19, 21 u. ר׳ תַּחַת ר׳ Ex 21, 24 **Fuss um Fuss** *foot for foot*; 5. Fuss *foot* (metaph.): ר׳ גַּאֲוָה 2 K 21, 8 2 C 33, 8, רֶגֶל יִשְׂרָאֵל Ps 36, 12, רַגְלָיו e. Tisches *of a table* Ex 25, 26 37, 13; 6. pl. רְגָלִים: (wiederholte) **Male** (*repeated*) *times* Ex 23, 14 Nu 22, 28. 32 f (cf. פְּעָמִים); 7. Besonderes *particulars*: לְרַגְלִי = weil ich hier bin *because I am here* Gn 30, 30; לְרֶגֶל wie es d. F. gemäss ist *according to the f.* Gn 33, 14; 1 רֶגֶל יְשַׁלְּחוּ lassen d. F. los *leave the f. loose* (Ehrlich, Peters)? Hi 30, 12. Der. רַגְלִי, רגל, מַרְגְּלֹת*.

רַגְלִי: רֶגֶל; pl. רַגְלִים: **wer zu Fuss geht** *who walks on foot* Ex 12, 37 Nu 11, 21 Jd 20, 2 1 S 4, 10 15, 4 2 S 8, 4 10, 6 1 K 20, 29 2 K 13, 7 Ir 12, 5 1 C 18, 4 19, 18.†

רֹגְלִים: n. l.; in גִּלְעָד: 2 S 17, 27 19, 32.†

רגם: ug. *rgm* senden, melden *s.nd*, *tell*, *rgmt* Botschaft, Spruch *message*, *saying*; ja., sy. steinigen *stone*; رَجَمَ Steine aufhäufen *heap stones*, رُجْمَة Steinhaufe *heap of stones*; ZLan verwünschen *curse* u. werfen *a. throw* (Nöld. ZAW 16, 307 f, NB 47):

qal: pf. רָגְמוּ, sf. רְגָמֻהוּ, impf. יִרְגְּמוּ, sf. יִרְגְּמֻהוּ, inf. לִרְגּוֹם, רָגֹם, רָגוֹם: mit e. **Steinhaufen bedecken** *cover with a heap of stones* (:: F סקל): **steinigen** *stone*: רָגַם בְּ c. בְּ Lv 24, 16; רָגַם אֶבֶן 1 K 12, 18 2 C 10, 18, c. עַל Hs 23, 47, c. acc. Lv 24, 23 Jos 7, 25 2 C 24, 21; ohne *without* אֶבֶן Lv 24, 14; רָגַם בָּאֶבֶן Lv 20, 2. 27 Hs 16, 40, רָגַם בָּאֲבָנִים Nu 14, 10 15, 35 f Dt 21, 21.† Der. רִגְמָה*, מַרְגֵּמָה.

רֶגֶם: n. m.; ak. *Rāgimu* als Epitheton des Adad, Zimm.: 1 C 2, 47.†

***רִגְמָה**: רגם*; ak. *ragāmu* schreien *shout*, *rigmu* Gebrüll *bawling*: sf. רִגְמָתָם: **lärmende Menge** *shouting crowd* (:: cj [צָעִיר] אָדָם Driv. ZAW 50, 176 f) Ps 68, 28.†

רֶגֶם מֶלֶךְ: Sa 7, 2: 1 רַב־מָג הַמֶּלֶךְ (Sellin).†

רגן: ja. itp. verleumden *slander*; إِرْتَجَنَ ranzig werden (Butter) *become rancid* (*butter*); = ZIZ sprechen *speak* Eitan JPO 3, 139 f:

qal: pt. רֹגְנִים: **mäkeln, murren** *find, fault, grumble* Js 29, 24;†

nif: impf. וַיֵּרָגְנוּ, pt. נִרְגָּן: **sich mürrisch zeigen, verleumden** *behave grumbling, slander* Dt 1, 27 Ps 106, 25, pt. **Ohrenbläser** *slanderer* Pr 16, 28 18, 8 26, 20. 22 Si 11, 31 (pu. Si 34, 24).†

רגע: mhb. hif. sich rühren *move to and fro*; رجع zurückwenden *turn back* NB 96; **ܪܓܥ** gefrieren *congeal*:
qal: pf. רָגַע, pt. cs. רֹגַע: 1. **zur Ruhe kommen, verharschen (Haut)** *come to rest, form a crust (skin)* Hi 7, 5; 2. trans. **erregen** *stir* יָם Hi 26, 12 Js 51, 15 = Ir 31, 35;†
nif: imp. הֵרָגְעִי: **weilen, sich ruhig verhalten** *repose, be still* Ir 47, 6;†
hif: pf. הִרְגִּיעַ, הִרְגִּיעָה, inf. sf. הַרְגִּיעוֹ, impf. אַרְגִּיעָה, תַּרְגִּיעַ: 1. **zur Ruhe kommen, weilen** *come to a rest, repose* Dt 28, 65 Js 34, 14 Ir 31, 2; 2. c. ac. **jmd Ruhe schaffen** *cause a person to rest* (יהוה) Ir 50, 34; 3. וְעַד־אַרְגִּיעָה solange ich Ruhe gewähre *as long as I give rest* (:: לָעַד) = **nur e. Augenblick lang** *as long as a moment* Pr 12, 19; 4. denom. v. רֶגַע: **im Nu tun** *act in a moment*: הִרְגִּיעַ הֵרִיץ im Nu zum Laufen bringen *in a moment cause to run* Ir 49, 19 50, 44; l רֶגַע Js 51, 4.†
Der. *רֶגַע, רָגֵעַ (F רגע hif. 4); מַרְגֹּעַ, מַרְגֵּעָה.

***רָגֵעַ**: רגע: pl. cs. רִגְעֵי: **weilend, still** *reposing, quiet* Ps 35, 20.†

רֶגַע: רגע: רֶגַע, pl. רְגָעִים; wohl Bewegung, Zwinkern des Auges, *probably movement, twinkling of the eye*; cf. lat. *movimentum* > *momentum*: 1. **Ruhe, stilles Weilen** *tranquillity* Hi 21, 13; 2. **Weile, Zeitlang** *moment* Js 54, 8; רֶגַע...וְרֶגַע **bald...bald** *at one moment...at another moment* Jr 18, 7—9; כִּמְעַט רֶגַע Js 26, 20 Esr 9, 8 u. בְּרֶגַע קָטֹן Js 54, 7 **eine kleine, kurze Weile lang** *for a little moment*; 3. > **kleine Weile, Nu** *little moment, instant*: רֶגַע אֶחָד Ex 33, 5, כְּרֶגַע Nu 16, 21 17, 10 Ps 73, 19, כְּמוֹ רָגַע Th 4, 6; עֲדֵי־רֶגַע e. Augenblick lang *for a moment* Hi 20, 5; רֶגַע **im Nu, jählings** *of a sudden* Js 47, 9, cj 51, 4, Ir 4, 20 (//פִּתְאֹם) Ps 6, 11 Hi 34, 20; 4. לִרְגָעִים **immer wieder** *every moment* Js 27, 3 Hs 26, 16 32, 10 Hi 7, 18; l נֶגַע Ps 30, 6.†

רגשׁ: aram., F ba.; رجس donnern *thunder*:
qal: pf. רָגְשׁוּ: **unruhig sein** *be in tumult* Ps 2, 1.†
Der. רֶגֶשׁ, רִגְשָׁה.

רֶגֶשׁ: רגשׁ: **Unruhe** *tumult* Ps 55, 15 (l יְהַלֵּכוּ).†

רִגְשָׁה: רגשׁ: cs. רִגְשַׁת: **Unruhe, Erregung** *tumult, emotion* Ps 64, 3.†

רדד: mhb., ja. stampfen, breitschlagen *stamp, make flat*; رَدَّ zurücktreiben *repel*:
qal: inf. רַד (BL 383), pt. רוֹדֵד, cj impf. יָרֹד (c. *a* = inf. c. *a* Torrey, Second Isaiah 314): **zurücktreiben, unterwerfen** *repel, subdue* Js 45, 1 (l לָרֹד) Ps 144, 2, cj Ps 18, 48 (l וְרוֹדֵד pro וַיַּדְבֵּר) u. Js 41, 2 (l יָרֹד pro יַרְדְּ); l יָרַד (ירד) Jd 19, 11;†
hif: impf. וַיָּרֶד: (Goldbelag) **aufhämmern lassen** *cause to beat down (gold foil)* 1 K 6, 32; תָּרִיד < *תָּרֵד **die Herrschaft gewinnen** *obtain mastery* Gn 27, 40;†
cj hof (pass. qal): pf. רֻדְּנוּ, impf. אוּרַד: **unterworfen werden** *be subdued* cj Ir 2, 31, cj Ps 55, 3 (?),†
Der. רְדִיד.

I רדה: ak. *radū* treiben, lenken *drive, tend (flock)*; رَدَى treten *tread*:
qal: pf. רְדִיתֶם, רָדוּ, impf. תִּרְדֶּה, וַיֵּרְדְּ, sf. יִרְדֵּנוּ, וַיִּרְדּוּ, inf. רְדוֹת, imp. רְדֵה, רְדוּ, pt. רֹדֶה, רֹדִים: 1. (die Kelter) **treten** *tread (wine-press)* Jl 4, 13; 2. **herrschen** *rule*,

dominate Nu 24, 19 Ps 72, 8 110, 2, c. בְּ Gn 1, 26. 28, cj 9, 7, Lv 25, 43. 46 26, 17 1 K 5, 4. 30 9, 23 Js 14, 2, cj 10, 13 (וָאֵרְדְּ Torczyner), Hs 29, 15 34, 4 Ne 9, 28 2 C 8, 10, c. acc. Lv 25, 53 Js 14, 6; l וַיִּרְדּוּ Ps 49, 15, l אָדָם Ps 68, 28, l הוֹרִידָהּ Th 1, 13; l יוֹרוּ Ir 5, 31; †

hif: impf. יַרְדְּ: l יָרַד (qal רדד) Js 41, 2. †

Der. *מוֹרֶד, *מִרְדָּה; n. m. רַדַּי.

II **רדה**: mhb.; Dürr OLZ 29, 645 cf. ak. *rittum* (<**ridtum*) Hand *hand*:

qal: impf. sf. וַיִּרְדֵּהוּ, וַיִּרְדֵּהוּ: nehmen, fassen *take*: c. דְּבַשׁ (Waben) losschälen *scrape out* (*honey-comb*) Jd 14, 9 (ZAW 50, 170); c. עַל־יְדֵיהֶם nehmen in ihre eignen Hände *take in their own hands* Ir 5, 31. †

רַדַּי: n. m., KF: < *רְדִיָּה (י' herrscht *rules*), cf. *יַנַּי < יוֹנָתָן Noth S. 39 f: 1 C 2, 14. †

רְדִיד: רדד; ردآء, Hülle für d. Oberkörper *wrapper for the upper part of body*; [Syriac] (AS 5, 317. 331): sf. רְדִידִי, pl. רְדִידִים: Umschlagtuch *wrapper* (θέριστρον) Js 3, 23 Ct 5, 7. †

רדם: mhb., ja. betäubt schlafen *be in heavy sleep*; ردم Wind streichen lassen *fart*:

nif: pf. נִרְדַּמְתִּי, impf. וַיֵּרָדַם, pt. נִרְדָּם: **schnarchen, tief schlafen, betäubt daliegen** *snore, be in heavy sleep, lie benumbed*: Jd 4, 21 Jon 1, 5 f Ps 76, 7 (l נִרְדְּמוּ רֹכְבֵי GS) Pr 10, 5 Da 8, 18 10, 9 (:: יָשֵׁן, נוּם). †

Der. תַּרְדֵּמָה.

***רֹדָן**: n. p.: cj רֹדָן υἱοὶ Ῥοδίων Hs 27, 15, cj רֹדָנִים Gn 10, 4: Leute von d. Insel **Rhodos** *inhabitants of the isle of Rhodos*; **F** דּוֹדָנִים. †

רדף: ja., cp., sy., mnd.; ردف, hinten sein *be behind*: qal (124 ×): pf. רָדַף, רָדְפוּ, רְדַפְתֶּם, sf. רְדָפוּנִי, רְדָפוּךְ, impf. יִרְדֹּף = יִרַדֹּף, יִרְדָּף־, יִרְדֹּף K. u. יִרַדֵּף Q Ps 7, 6, אֶרְדְּפָה, יִרְדֹּפוּ, נִרְדְּפָה, sf. וַיִּרְדְּפוּם, תִּרְדְּפוּנִי, יִרְדָּפְךָ, יִרְדְּפוּ, וַיִּרְדְּפֵהוּ, inf. רְדֹף, לִרְדֹּף, sf. לְרָדְפְךָ, רָדְפִי = רָדוֹפִי u. רָדוֹפִי Ps 38, 21, imp. רְדֹף, רִדְפוּ, pt. רֹדֵף, רוֹדֵף, sf. רֹדְפְךָ, רֹדְפָם, pl. רֹדְפִים, רֹדְפֵי, sf. רֹדְפַי, רֹדְפֵיכֶם; 1. רָדַף אַחֲרֵי **hinter jmd her setzen** *set out behind a person* Gn 31, 23 Jd 1, 6 Ir 29, 18 (43 ×); absol. Gn 14, 14 Ex 15, 9 1 S 30, 8. 10 Ps 71, 11 Th 3, 66; 2. רָדַף **c. acc.: verfolgen, nachfolgen** *pursue, persecute* Gn 14, 15 Jd 4, 22 Am 1, 11 (56 ×), cj Jd 20, 43; l אֶת 7, 25; subj. טוֹב וָחֶסֶד 1 S 26, 20 (l כַּנֶּשֶׁר), דָּם Hs 35, 6, נֶשֶׁר Ps 23, 6, שָׁלוֹם 34, 15; obj. קָדִים Ho 12, 2; l רֹדְפַי Ps 119, 150; רֹדֵף **Verfolger** *pursuer* Lv 26, 37 Ir 15, 15 u. oft *a. often*; subj. Krankheit *disease* Dt 28, 22, קְלָלוֹת 28, 45; רֹדֵף שַׁלְמֹנִים Js 5, 11; רָדַף שֵׁכָר Gabenjäger *follower after rewards* 1, 23; subj. אֵל Hi 19, 22; 3. רָדַף לְ **verfolgen** *pursue* Hi 19, 28; c. לְ u. inf. **auf etw. aus sein** *be after a thing* Ho 6, 3; l רְדוּ Jd 3, 28 l רְעָבִים 8, 4; l וּמֵרֹדְפָי Ps 31, 16;

nif †: pf. נִרְדָּפְנוּ, pt. נִרְדָּף, cj impf. תֵּרָדֵף: **gejagt werden** *be chased* Th 5, 5; **entschwunden sein** *be past away* Ko 3, 15, cj Hi 30, 15;

pi †: pf. רִדְּפָה, impf. תְּרַדֵּף, pt. מְרַדֵּף: **nachjagen** *chase, hunt* Ho 2, 9 Pr 11, 19 12, 11 15, 9 19, 7 28, 19, **verfolgen** *persecute* Pr 13, 21, cj Ps 31, 16 (וּמְרַדְּפַי) l יְהֻדַּף אֶל Na 1, 8;

pu †: pf. רֻדָּף: verjagt werden *be chased* Js 17, 13;

hif †: pf. sf. הִרְדִּיפֻהוּ Jd 20, 43 l וַיִּרְדְּפֻהוּ.

Der. (מֻרְדָּף).

רהב: ak. *rābu* beben *tremble* (Ungnad ZA 31, 274 f); *raḫāʾu* ungestüm sein (*angrily*) *storm at*; ܪܗܒ; رَهِبَ unruhvoll sein *be alarmed*:

qal: impf. יִרְהֲבוּ, imp. רְהַב: **bestürmen, zusetzen** *storm against, importune*, c. בְּ Js 3, 5, c. ac. Pr 6, 3, absol. Si 13, 8; cj **unruhvoll sein** *be alarmed* (לְבָב; l וְרָהַב Js 60, 5; †

hif: pf. sf. הִרְהִיבֻנִי, impf. sf. תַּרְהִבֵנִי, l תַּרְבֶּה Ps 138, 3: **bedrängen, verwirren** *alarm, confuse* Ct 6, 5. †

Der. רַהַב, *רֹהַב, *מַרְהֵבָה.

רַהַב: רהב: רָהַב, pl. רְהָבִים (nie *never* c. art.): **Dränger** *stormer, importuner*; sg. = Ägypten *Egypt* Ps 87, 4; Js 51, 9 Ps 89, 11 Hi 9, 13 26, 12 (Hertlein ZAW 38, 113 ff); pl. Ps 40, 5; l רְהָבָה Js 30, 7. †

***רֹהַב**: רהב: sf. רָהְבָּם: **Drängen** *eagerness, insistence* Ps 90, 10; cj רָהְבָּה מִשְׁבָּת Js 30, 7. †

***רהג**: n. m. רָהֲגָה.

רָהֲגָה (Q) u. רוֹהֲגָה (K); n. m.; *רהג: 1 C 7, 34. †

***רהט**: *רַהַט, *רָהִיט.

***רַהַט**: רהט aram. = hebr. רוץ Nöld. Alttestl. Untersuchungen 20[4], Bauer ZAW 48, 75; ak. *rāṭu*, ܪܗܛܐ; iran-ar. *rāṭ*; asa. רהטן: pl. רְהָטִים: **Tränkrinne** *watering trough* Gn 30, 38. 41 Ex 2, 16:? Ct 7, 6. †

***רָהִיט**: *רהט: Q רָהִיטֵנוּ, K רָחִיטֵנוּ (ח!), MSS רַחֲטֵינוּ Ct 1, 17: **Dachsparren** *rafter (of the roof)* (φατνώματα). †

רוב: F רָב.

רוב: F רִיב.

רוד: ak. *rādu* erbeben *tremble*, راد umherschweifen *roam*:

qal: pf. רַדְנוּ (l רֻדַּנוּ qal pass. ?רדד) Ir 2, 31, pt. רָד (l יָרָד עִם pro ?רָד עִם) Ho 12, 1: **schweifen** *roam* (Driv. PEF 79, 125 l רָד = pt. רוד Jd 19, 11 = ungewiss, stürmisch *uncertain, boisterous*); †

hif: impf. תָּרִיד (<*תָּרֵד hif ?רדד) Gn 27, 40, אָרִיד (l אוּרַד hof ?רדד) Ps 55, 3 ungewiss *uncertain*. †

Der. *מָרוּד.

רוֹדָנִים: n. p.; Epiph. haer. 30, 25; F דֹּדָנִים: Leute d. Insel **Rhodos** *inhabitants of the island of Rhodos*; Dhorme Sy 13, 48: 1 C 1, 7; F רֹדָן. †

רוה: aram. רוא, רוי; روى, asa. רוי Bewässerung *irrigation*; ⲥⲱⲣ sich satt trinken *drink one's fill*:

qal: pf. רָוְתָה, impf. יִרְוְיֻן, נִרְוֶה: **sich satt trinken** *drink one's fill*: c. ac. an *of* Pr 7, 18, c. מִן an *of* Ir 46, 10 Ps 36, 9, cj וְרָוְתָה Js 34, 7; †

cj nif: impf. יֵרָוֶה: **satt getränkt werden** *be saturated* cj Pr 11, 25; †

pi: pf. רִוְּתָה, רִוִּיתִי, impf. יְרַוֶּךָ, אֲרַיָּוֶךְ < *אֲרַוֶּךְ (BL 426) Js 16, 9, inf. רַוֵּה: **satt zu trinken geben** *saturate, drench* (מִן von *with*) Pr 5, 19 Ps 65, 11, c. ac. des Getrunkenen *of the liquid* Js 16, 9 Ir 31, 14; l דָּוְתָה F דאה Js 34, 5; l רָוְתָה 34, 7; †

hif: pf. הִרְוָה, הִרְוֵיתִי, sf. הִרְוַנִי, cj הִרְוִיתַנִי, impf. יַרְוֶה Ho 6, 3, pt. מַרְוֶה: **satt tränken** *saturate* Js 55, 10 Ir 31, 25, cj Ho 6, 3, absol. Pr 11, 25; c. ac. des Getränks *of the liquid* Js 43, 24 Th 3, 15; †

hof: impf. יוֹרֶא pro *יוֹרֶה pro יוּרֶה (BL 444): **satt getränkt werden** *be saturated* Pr 11, 25. †

Der. רֶוֶה, רְוָיָה, רִי, יוֹרֶה.

רָוֶה: רוה: cs. *רְוֵה, fem. רָוָה: **satt getränkt, bewässert** *saturated, watered*: גַּן Js

58, 11 Ir 31, 12, אֶרֶץ Dt 29, 18 (::צְמֵאָה); cj רְוֵה עֳנִי Hi 10, 15. †

רוֹהֲגָה n. m.: *F* רְהָגָה.

רוח: رَوِحَ, asa. רוח weit sein *be wide*, *spacious*; ja., sy. רְוַח; *F* רוּחַ:

qal: pf. רָוַח, impf. יִרְוַח: c. לוֹ: es wird ihm (weit) leicht, er bekommt Luft *he feels* (*enlarged*) *relieved*, *easy* 1 S 16, 23 Hi 32, 20; †

pu: pt. מְרֻוָּחִים: weit, geräumig *spacious* Ir 22, 14; †

hif: impf. יָרִיחַ, יָרַח, וַיָּרַח, אָרִיחַ, יְרִיחוּן, יְרִיחֻן, inf. לָרִיחַ (<לְהָרִיחַ*), sf. הֲרִיחוֹ: (das Wehen eines luftförmigen Stoffs) spüren, riechen *perceive* (*the breathing of an aeriform thing*), *smell*: Gn 8, 21 27, 27 Jd 16, 9 (אֵשׁ) 1 S 26, 19 Hi 39, 25; c. בְּ den Geruch von etw. geniessen, ertragen *enjoy*, *endure the smell of something* Ex 30, 38 Lv 26, 31 Am 5, 21; absol. Dt 4, 28 u. Ps 115, 6 (die Götter sind unfähig zu riechen *the gods are not able to smell*); dele וַהֲרִיחוֹ Js 11, 3 (dittogr.). †

Der. רֵיחַ, רְוָחָה, רוּחַ, רֶוַח.

רֶוַח: רוח: Weite, Raum *space*: > Abstand *interval* Gn 32, 17, > Befreiung *relief* Est 4, 14. †

רוּחַ: ר,ח; ug. *rḥ*; ph. רח; aram. רוּחָא Hauch, Geist, *breath*, *spirit* u. רֵיחָא Geruch *smell*; رُوح u. رِيح: loc. רוּחָה, sf. רוּחוֹ, רוּחֲךָ, רוּחֵךְ, pl. רוּחוֹת, רֻחֹת, רוּחֹת: Statistik *statistics*: רוּחַ 377 ×; fehlt in *wanting* Lv, Ob, Na, Ze, Ru, Ct, Est; 28 + 23 × Js, 51 × Hs, 38 × Ps, 30 × Hi; l רְחֹב כַּעֲפַר Ps 18, 43, l יוֹם pro רוּחַ 1 S 1, 15; G: πνεῦμα 274 ×, ἄνεμος 50 ×, Rest *otherwise* θυμός, θυμόω, νοῦς, πνέω, πνοή, φρονέω, φρόνησις, ψυχή. רוּחַ bedeutet bewegte Luft, Wehen, Hauch, Wind, Nichtiges, Geist, Sinn

רוּחַ *means air in motion*, *breathing*, *wind*, *vain*, *things*, *spirit*, *mind*; רוּחַ ist meist fem., nicht selten masc., רוּחַ *is commonly fem.*, *not rarely masc.*: Hi 1, 19 בָּאָה, aber *but* וַיִּגַּע; Nu 5, 14 (:: 30) Jos 5, 1 2 S 23, 2 Js 57, 13 Ir 4, 12 Hi 41, 8 (l רֶוַח?) Ko 1, 6, etc.;

1. רוּחַ Hauch, Atem *breath* Hs 37, 5—8. 10. 14 Js 42, 5, רוּחַ שְׂפָתָיו Js 11, 4, רוּחַ אֱלוֹהַּ בְּאַפִּי Hi 27, 3; Luft (zum Atmen), Atem *air* (*for breathing*), *breath* Ir 2, 24 14, 6; שָׁבָה רוּחוֹ = er kommt zu sich *he recovers his senses* Jd 15, 19 1 S 30, 12; הֵשִׁיב רוּחוֹ kommt zu Atem *takes his breath* Hi 9, 18; לֹא הָיָה בָּהּ רוּחַ ihr blieb (vor Staunen) d. Atem aus *there was no more breath in her* (*for astonishment*) 1 K 10, 5 2 C 9, 4; die Götter haben keinen Atem *the gods have no breath* Ir 10, 14 51, 17; רוּחִי m. Atem *my breath* Hi 19, 17; *F* Ps 146, 4; רוּחַ אַפּוֹ d. Hauch s. (Gottes) Zorn *the breath of his* (*God's*) *wrath* Hi 4, 9; רוּחַ פִּיו Ps 33, 6; d. Messias ist *the Messiah is* רוּחַ אַפֵּינוּ (ak. *šāri* = סַעַר *balāṭija* = Hauch m. Lebens *breath of my life* EA 141, 2 u. S. 1195) der Odem unsrer Nasen *the breath of our noses* Th 4, 20; רוּחַ אַפֶּיךָ Ex 15, 8; הָרוּחֹת לְכָל־בָּשָׂר die Gesamtheit des Odems, der in den einzelnen Gliedern der aus Fleisch gebildeten Welt lebt = der Lebensodem in allem Fleisch *the whole of the breath living in the individuals of the world consisting of flesh the breath of life in all flesh* Nu 16, 22 27, 16;

2. רוּחַ Hauch (wie הֶבֶל) *breath* (*like* הֶבֶל) Js 57, 13 Hi 7, 7; רוּחַ הוֹלֵךְ flüchtiger Hauch *flying breath* Ps 78, 39; > Inhaltsloses, Nichtiges *empty thing*, *vain thing*: הָיָה לְרוּחַ Ir 5, 13, דִּבְרֵי רוּחַ Hi 16, 3, דַּעַת רוּחַ 15, 2, רְעוּת רוּחַ Ko 1, 14, רַעְיוֹן רוּחַ 1, 17; רוּחַ וָתֹהוּ Js 41, 29; הֹלֵךְ רוּחַ Mi 2, 11 (l וָשֶׁקֶר); רוּחַ nichts *nothing* Pr 11, 29 Hi 7, 7, לְרוּחַ Hi

6,26 u. לְרוּחַ Ko 5,15 für nichts *for nothing*;

3. רוּחַ Wind *wind* (über *over* 100 ×); רוּחַ הַיּוֹם die Abend — (Morgen — ?) Brise *the evening (morning?) breeze* Gn 3,8, רוּחַ קָדִים Ostwind *east-wind* Ex 10,13; רוּחַ יָם חָזָק starker Westwind *heavy west-wind* 10,19, רוּחַ צַח Ir 4,11, רוּחַ מִדְבָּר 13,24, רוּחַ הוֹלֵךְ Ps 78,39; רוּחַ :: עָבִים וְרוּחַ Hs 1,4, רוּחַ סְעָרָה Ho 8,7, סוּפָתָה 1 K 18,45; נָשָׂא רוּחַ trägt fort *carries off* Js 57,13 Hs 3,12; כַּנְפֵי רוּחַ 2 S 22,11; לְכָל־רוּחַ Ir 49,32 Hs 5,10 u. לְכָל־הָרֻחוֹת Ir 49,36 in alle Winde *toward all winds*; F 4; ? Js 11,15;

4. רוּחַ Wind = (Welt-) Seite *wind = quarter, side (of world)*: רוּחַ c. דָּרוֹם, צָפוֹן, קָדִים, יָם Hs 42,16—19; אַרְבַּע רוּחוֹת (ak. *irbitti šārē* Zimm. 45) die 4 Windseiten, Weltseiten *the four winds, quarters of the world* (Ir 49,36 Hs 37,9) Hs 42,20 Sa 2,10 (6,5) Da 8,8 11,4 1 C 9,24;

5. רוּחַ Wind *wind* u. Gott *a. God*: רוּחַ מֵאֵת י׳ v. J. erregt *stirred by Y.* Nu 11,31; רוּחַ י׳ Js 40,7 59,19; Gott ist *God is* בֹּרֵא רוּחַ Am 4,13, מוֹצִיא רוּחַ Ir 10,13 51,16 Ps 135,7, עֹשֶׂה מַלְאָכָיו רוּחוֹת Ps 104,4; Gott *God* הֶעֱבִיר רוּחַ Gn 8,1; etc.;

6. רוּחַ (Atem, Lebensträger, d. natürliche) **Geist** des Menschen (*breath, element of life, the natural*) *spirit of man*: רוּחַ חַיִּים in כָּל־בָּשָׂר Gn 6,3 Hi 12,10, נִשְׁמַת רוּחַ חַיִּים Gn 7,22; רוּחַ v. *of* יַעֲקֹב Gn 45,27, פַּרְעֹה Gn 41,8, מִצְרַיִם Js 19,3, d. Beter *the praying* הִפְקִיד רוּחוֹ Js 26,9, מַלְכֵי מָדַי Ir 51,11 etc.; in Gottes Hand *in God's hand* Ps 31,6; Gott *God* אָסַף רוּחַ אָדָם u. sie sterben *a. they die* Ps 104,29 Hi 34,14; Gott *God* תֹּכֵן רוּחוֹת Pr 16,2; רוּחַ v. *of* אָדָם u. בְּהֵמָה Ko 3,21; kehrt zu Gott zurück *returns unto God* Ko 12,7; הָרוּחַ d. (Leben schaffende) Geist *the spirit (producing life)* Hs 37,9;

7. רוּחַ (d. natürliche Geist des Menschen als) **Sinn, Gesinnung, geistige Verfassung** (*the natural spirit of man as*) *mind, disposition, temper*: רוּחַ Geist *mind* Ps 32,2 77,4 78,8 Hi 6,4 17,1, Sinn *mind* Js 25,4 Hs 13,3 Pr 29,11 Ko 7,9 1 C 28,12, רוּחַ נָכוֹן Ps 51,12, רוּחַ Gemüt *disposition, mood* 2 S 13,39 (l וַתְּכַל רוּחַ) 1 K 21,5, Gesinnung *disposition* Nu 14,24 Dt 2,30, Mut *courage* Jos 2,11 5,1 Hi 15,13, Unmut *discontent* Ko 10,4; מֹשֵׁל בְּרוּחוֹ wer sich selbst beherrscht *who has self-control* Pr 16,32; geistige Verfassung *disposition of mind, mood*: עַצְּבַת רוּחַ, Pr 14,29, קְצַר רוּחַ (F קְצַר, קָצֵר) גְּבַהּ רוּחַ Js 57,15, שְׁפַל רוּחַ Js 54,6, (F עָצַב) מֹרַת רוּחַ Gn 26,35, אֶרֶךְ רוּחַ Ko 7,8, u. רוּחַ (F גָּבַהּ) נְכֵה רוּחַ Js 66,2, קַר־רוּחַ Pr 17,27, תֹּעֵי רוּחַ Ps 34,19, דַּכְּאֵי רוּחַ Hi 7,11, צַר רוּחַ Js 29,24, רָפְתָה רוּחַ Jd 8,3, חֲמַת רוּחִי Hs 3,14, שֵׁבֶר רוּחַ Js 65,14, רוּחַ נְגִידִים Ps 76,13, רוּחַ קִנְאָה Nu 5,14, רוּחַ זְנוּנִים Ho 4,12, חָכְמָה Dt 34,9, רוּחַ כֵּהָה Js 61,3 (Hs 21,12), רוּחַ נִשְׁבָּרָה Ps 51,19;

8. **der Geist Jahwäs** *the spirit of Yahveh*: רוּחַ יהוה Jd 3,10 6,34 11,29 13,25 14,6.19 15,14 1 S 10,6 16,13f 19,9 (רָעָה) 2 S 23,2 1 K 18,12 22,24 2 K 2,16 Js 11,2 40,7.13 59,19 61,1 (רוּחַ אֲדֹנָי י׳) 63,14 Hs 11,5 37,1 Mi 2,7 3,8 Sa 6,8 (l רוּחַ י׳) 2 C 18,23 20,14; רוּחוֹ Nu 11,29 Js 30,28 34,16 Sa 7,12 Ps 106,33 Hi 26,13, רוּחֲךָ Ps 104,30 139,7, רוּחִי Gn 6,3 Js 30,1 42,1 44,3 59,21 Hs 36,27 37,14 39,29 Jl 3,1f Sa 4,6 (בְּחַיִל u. בְּכֹחַ :: בְּרוּחִי) 6,8; c. דִּבֶּר בְּ 2 S 23,2, c. הָיָה עַל Jd 3,10 11,29 1 S 19,9 Js 61,1 2 C 20,14, c. לָבַשׁ Jd 6,34 1 C 12,19, c. נָחָה עַל Js 11,2, c. הֵנִיחַ Js 63,14, c. נָשָׂא 1 K 18,12 2 K 2,16, c. נָפְלָה עַל Hs 11,5, c. עָבַר מִן 1 K 22,24 2 C 18,23, c. סָר מִן 1 S 16,14, c. פָּעַם Jd 13,25, וַתִּצְלַח עַל Jd 14,6.19 15,14 1 S 10,6;

9. Der Geist Gottes *the spirit of God* רוּחַ אֱלֹהִים: Gn 1, 2 41, 38 (in יוֹסֵף, sagt *says* פַּרְעֹה) Ex 31, 3 35, 31 Nu 24, 2 1 S 10, 10 11, 6 16, 23 19, 20. 23, c. רָעָה 16, 15 f 18, 10, Hs 11, 24 2 C 15, 1 24, 20; c. הָיָה אֶל 1 S 16, 23, c. הָיָה עַל Nu 24, 2 1 S 16, 16 2 C 15, 1, c. לָבַשׁ 2 C 24, 20, c. וַתִּצְלַח עַל 1 S 10, 10 11, 6 18, 10, c. מְרַחֶפֶת Gn 1, 2; רוּחַ אֵל Hi 33, 4, cj 32, 8; רוּחֲךָ טוֹבָה Ps 143, 10 Ne 9, 20;

10. heiliger Geist *holy spirit*: רוּחַ קָדְשׁוֹ Js 63, 10 f, רוּחַ קָדְשְׁךָ Ps 51, 13; 11. הָרוּחַ u. רוּחַ = (der) Geist Gottes (*the spirit of God*: הָרוּחַ Nu 11, 17. 25 f, רוּחַ Hs 2, 2 3, 24; הָרוּחַ d. Geist als Gott gegenüber selbständige Grösse *the spirit independent of God* 1 K 22, 21 2 C 18, 20; הָרוּחַ als bewegender Geist *the cause of motion* Hs 1, 12. 20; c. הַחַיָּה (alii legunt הַחַיּוֹת vel אחת pro הַחַיָּה) Hs 1, 20 f 10, 17; 12. Geistverleihung *the endowment with the spirit*: רוּחַ בּוֹ (Josua) Nu 27, 18; Mose überträgt auf Josua *Moses assigns to Joshua* רוּחַ חָכְמָה Dt 34, 9; d. Geist Elias geht auf Elisa über *the spirit in Elijah goes over to Elisha* 2 K 2, 9. 15; יְעָרֶה עָלֵינוּ רוּחַ (י׳) Js 32, 15; יָצַק רוּחַ עַל 42, 1, נָתַן י׳ רוּחַ עַל 44, 3, רוּחִי עָלֶיךָ 59, 21; Gott gibt *God gives* אֶתֵּן רוּחִי Hs 11, 19 18, 31 36, 26; רוּחַ חֲדָשָׁה שָׁפַךְ רוּחוֹ עַל Hs 36, 27 (Ha 2, 19), בְּקִרְבְּכֶם Hs 39, 29, הֵבִיעַ רוּחוֹ לְ Pr 1, 23; הֵעִיד בְּרוּחוֹ (durch s. Propheten *through his prophets*) Ne 9, 30; geführt *carried* בְּרוּחַ י׳ Hs 37, 1; אִישׁ הָרוּחַ (נָבִיא//) Ho 9, 7; רוּחִי עֹמֶדֶת בְּתוֹכְכֶם Hg 2, 5; י׳ gibt in den König von Assur רוּחַ, *puts* רוּחַ *into the king of Assyria* 2 K 19, 7 (וְשָׁמַע שְׁמוּעָה); 13. Besondere Arten von Geist *special kinds of spirit*: רוּחַ רָעָה מֵאֵת יהוה 1 S 16, 14 F Jd 9, 23, 1 S 16, 14—16. 23 18, 10 19, 9; רוּחַ שֶׁקֶר 1 K 22, 22 f 2 C 18, 21 f; רוּחַ תַּרְדֵּמָה Js 29, 10; רוּחַ עִוְעִים 19, 14; רוּחַ חָכְמָה (Kunstfertigkeit *skill*) F Ex 31, 3 Js 11, 2; רוּחַ מִשְׁפָּט Js 4, 4 28, 6; רוּחַ בָּעֵר 4, 4; רוּחַ מַשְׁחִית 11, 2; רוּחַ עֵצָה וּגְבוּרָה (Wind *wind*?) Jr 51, 1; רוּחַ חֵן וְתַחֲנוּנִים Sa 12, 10, רוּחַ נְדִיבָה Ps 51, 14, etc.; 14. רוּחַ :: בָּשָׂר = אֵל :: אָדָם Js 31, 3; 15. Einzelnes u. Fragliches *particulars a. doubtful*: הֵעִיר י׳ רוּחַ זְרֻבָּבֶל Hg 1, 14 F Esr 1, 5 1 C 5, 26, 2 C 21, 16, 36, 22; Geist oder Wind? *spirit or wind?* Js 4, 4. 4 26, 18 27, 8 38, 16 48, 16 (F Procksch) Jr 52, 23 Ma 2, 15.

רְוָחָה: רוח: sf. רְוָחָתִי: Weite, Erleichterung *respite, relief* Ex 8, 11 Th 3, 56, cj Ps 66, 12. †

רְוָיָה: רוה: Überfluss (an Trank) *saturation* Ps 23, 5; l רְוָחָה 66, 12. †

רום: ug. *rm*; ph. in n. m.; F ba. רום; רָ֫ם Nöld. NB 70, asa. רום; ሬመ; F ראם, רמה*, II רמם:

qal: pf. רָם, רָ֫מָה, רָ֫מוּ (Bl 404) Hi 22, 12, impf. וַיָּרָם (וַיָּרֹם) יָרֻם, יָרֹם, יָרוּם Ex 16, 20 יָרוּם = יָרֻם, יְרֻמוּן, יְרוּמוּ, אָרוּם (רמם II), K u. וָרָם Q Da 11, 12, inf. רוּם, רֹם, sf. רוּמָם, imp. רוּמָה, pt. רָם, רָמָה, רָמִים, רָמֵי, רָמוֹת: 1. hoch oben sein *be high above* Hi 22, 12 (כּוֹכָבִים); hoch reichen *be exalted* יָד Dt 32, 27 Js 26, 11 Ps 89, 14, קֶרֶן 1 S 2, 1 Ps 89, 18 Q. 25 112, 9; hoch daherführen *be exalted* Strasse *high way* Js 49, 11, c. מֵעַל Gn 7, 17, c. בְּ auf *upon* cj Pr 18, 10 (יָרוּם); 2. erhaben sein *be exalted* Gott *God* 2 S 22, 47 Ps 18, 47 46, 11 57, 6. 12, עַבְדִּי Js 52, 13; 3. sich erheben *rise* Hs 10, 4 (מֵעַל), cj 3, 12 (מִן fort von *away from*) Ps 12, 9 (l כְּרֻם זֻלּוּת Wevers Bibl. Or. 6, 157) 21, 14 66, 7 Q 89, 17 108, 6 Pr 11, 11, cj

Hi 24, 24 (l רָמוּ), c. עַל Mi 5, 8 Ps 13, 3 27, 6, c. מִן Nu 24, 7; 4. **sich überheben** *boast* Dt 8, 14 17, 20 (מִן) Hs 31, 10 Ho 13, 6 Da 11, 12; **hochfahrend sein** *be lofty* עֵינַיִם Ps 131, 1 Pr 30, 13; 5. l יָדַם Js 30, 18, l יְרִימוּ Ps 140, 9, l תְּרוֹמְמֵנִי Ps 61, 3;

6. pt. 1. **hoch** *high*: הַר Dt 12, 2 Js 2, 14, גִּבְעָה Hs 6, 13 20, 28 34, 6, אֶרֶץ Js 2, 13 Hs 2, 13, כִּסֵּא Jd 6, 1; יהוה (:: שָׁפָל) Ps 138, 6; laut *loud* (קוֹל) Dt 27, 14; רָמֵי הַקּוֹמָה **hoch gewachsen** *high of stature* Js 10, 33, > רָם Dt 1, 28 2, 10. 21 9, 2; עֵינַיִם רָמוֹת hochmütige Augen *haughty eyes* Ps 18, 28 Pr 6, 17, רָם **hochmütig** *haughty* 2 S 22, 28 Js 2, 12; זְרוֹעַ רָמָה hocherhobener Arm *lifted arm* Hi 38, 15; בְּיָד רָמָה mit hochgestrecker Hand = vorsätzlich *with uplifted hand = intentionally* Nu 15, 30, = unter d. Schutz einer (Gottes) hochgestr. H. *protected by an upl. h.* (*God's*) Ex 14, 8 Nu 33, 3; 2. **hoch erhaben** *exalted*: Gott *God* Ps 99, 2 113, 4 Js 57, 15, pl. die Erhabenen (himmlischen Wesen) *the exalted ones* (*heavenly beings*) Hi 21, 22; l כִּמְרֹמִים Ps 78, 69;

nif: F רמם;

pil: pf. רוֹמַמְתִּי, sf. רֹמְמָתְהוּ, impf. יְרוֹמֵם, תְּרוֹמֵם, נְרוֹמְמָה, sf. יְרוֹמִמְךָ, תְּרוֹמְמֶךָ, וַתְּרוֹמֵם, אֲרוֹמִמְךָ, אֲרֹמְמֶנְהוּ, תְּרוֹמְמֵנִי (BL 405), מְרוֹמֵם, inf. רוֹמֵם, imp. רוֹמְמוּ, pt. וִירוֹמְמוּהוּ, fem. רוֹמֵמָה (ohne מְ *dropped*, BL 405) Ps 118, 16, sf. מְרוֹמְמִי: in die Höhe bringen *lift up*, *bring up*: 1. Kinder aufziehen *raise children* Js 1, 2 23, 4, hochwachsen lassen (Wasser) *cause to grow high* (*water*) Hs 31, 4, (Wellen) auftürmen *lift up* (*waves*) Ps 107, 25; (Tempel) aufrichten *set up* (*the temple*) Esr 9, 9; Menschen **hochheben** *lift up* (*man*) Ps 27, 5; 2. Menschen (in ihrer Geltung) **erhöhen** *exalt people* (*in their position*) 1 S 2, 7 2 S 22, 49 (מִן) Ps 9, 14 18, 49 37, 34 118, 16, cj 56, 3 f (רוֹמְמֵנִי בְּיוֹם אֶקְרָא, Gunkel) cj 61, 3, Pr 4, 8 14, 34 Si 11, 13 15, 5; 3. Gott **erheben, preisen** *exalt, extol* (*God*) Ex 15, 2 Js 25, 1 Ps 30, 2 34, 4 99, 5. 9 107, 32 118, 28 145, 1, cj 18, 2; ? Ho 11, 7; l תְּרֹמֵם Hi 17, 4;

pil. pass: impf. תְּרוֹמַמְנָה, pt. מְרוֹמָם (l מְרוֹמָם) Ne 9, 5, cj pf. רוֹמַמְתִּי Ps 66, 17: erhoben, **erhöht werden** *be exalted* Ps 75, 11 Ne 9, 5, cj Ps 66, 17;

hif: pf. הֵרִים, הֲרִימוֹתָ, הֲרִימוֹתָה, הֲרִמֹת, הֲרִימֹתִי, הֲרִימוּ, הֲרֵמֹתֶם, sf. הֲרִמֹתִיךָ, impf. יָרִים, יָרֵם, וַיָּרֶם, תָּרִימוּ, sf. וַיְרִימֶהָ, inf. הָרִים, sf. הֲרִימִי, הֲרִימְכֶם, imp. הָרִים (? l הָרֵם) Hs 21, 31, הָרֵם, הָרֶם, 2 K 6, 7, הָרִימָה, הָרִימוּ, pt. מֵרִים, pl. sf. מְרִימָיו: in die Höhe bringen, erhöhen, erheben *raise*, *lift up*, *exalt*: 1. **hoch heben** *lift up*: יָד Gn 14, 22 u. Da 12, 7, cj (תָּרִים) Ps 68, 32 (zum Schwur *in oath*), Ex 17, 11 (:: הֵנִיחַ) Nu 20, 11 1 K 11, 26. 27 (בְּ gegen *against*) Gn 41, 44 (= sich regen können *be able to move*), קוֹל **laut reden, rufen** *cry with a loud voice* Gn 39, 15. 18 2 K 19, 22 Js 13, 2 37, 23 40, 9 58, 1 Hs 21, 27 Hi 38, 34 (לְ zu *towards*) Esr 3, 12 2 C 5, 13 Si 51, 9, > הָרִים Js 40, 9 Ps 66, 7 K, הֵרִים בְּקוֹל 1 C 15, 16; **aufheben** *lift up*: מַטֶּה Ex 14, 16, אֶבֶן Jos 4, 5, אַדֶּרֶת 2 K 2, 13, בַּרְזֶל 6, 7, שֵׁבֶט Js 10, 15 (l מְרִימוֹ); פָּנִים erheben (zu Gott *towards God*) Esr 9, 6; פְּעָמִים mit stolzen Schritten hingehen *lift up the feet* Ps 74, 3; 2. **hoch heben, aufrichten** *lift up, erect* אֶבֶן, מַצֵּבָה Gn 31, 45, היכל Si 49, 12; (Speise) **auftragen** *serve up* 1 S 9, 24; נֵס **aufrichten** *erect* Js 49, 22 62, 10; כִּסְאוֹ s. Sitz in der Höhe aufschlagen *exalt the throne* (*seat*) Js 14, 13; קִנּוֹ **in der Höhe bauen** *build on high* Hi 39, 27; הֵרִים בְּ **in die Höhe heben** *lift up* Ex 7, 20;

jmd erheben, erhöhen *exalt, raise a person* 1 S 2, 8 1 K 14, 7 16, 2 Js 10, 15 Ps 75, 8 89, 20 113, 7 Hi 17, 4 (l תְּרִימֵם) Si 7, 11; הֵרִים רֹאשׁ (cf. ak. *ullū rēša* Zimm. 10) s. Haupt erhöhen = auszeichnen *lift up one's head = treat with distinction* Ps 3, 4 Si 38, 3 :: trägt d. Kopf hoch *carries his head high* Ps 110, 7, cj 140, 9 f (dele סֶלָה); הֵרִים קֶרֶן erhöht s. Horn = auszeichnen *exalt his horn = treat with distinction* 1 S 2, 10 Ps 89, 18 K 92, 11 148, 14 Th 2, 17 1 C 25, 5 :: הֵרִים קַרְנוֹ sich auflehnen *rebel* Ps 75, 5 f; הֵרִים יְמִינוֹ s. Rechte erheben = auszeichnen *raise one's right hand = treat with distinction* Ps 89, 43; מֵרִים אִוֶּלֶת die höchste Torheit zeigen *exalt folly* Pr 14, 29; 3. aufheben, wegnehmen *lift up, take off*: דֶּשֶׁן Lv 6, 3, עֲטָרָה Hs 21, 31, עֹל Ho 11, 4, חֵלֶב Lv 4, 19 Nu 18, 30. 32, c. בְּקֻמְצוֹ e. Handvoll *a handful* Lv 6, 8, c. מִבֵּין Nu 17, 2; מִכְשׁוֹל wegschaffen *remove* Js 57, 14; הֵרִימוּ גֵ׳ מֵעַל hört auf mit euerm E. gegenüber *stop your ... against* Hs 45, 9; 4. (Abgabe, Leistung) abheben u. darbringen *lift off a. present* (*contribution, offer*): תְּרוּמָה אַזְכָּרָה Lv 2, 9 4, 8, Nu 15, 19 f 18, 19. 26. 28 f Hs 45, 1. 13 48, 8 f. 20 Esr 8, 25, זְהַב הַתְּרוּמָה Nu 31, 52, מַעֲשֵׂר Nu 18, 24, מֶכֶס Nu 31, 28, לְיִי Lv 22, 15; הֵרִים לְ spenden für *contribute for* 2 C 30, 24 35, 7—9, הֵרִים תְּרוּמָה leisten *offer* Ex 35, 24; l הָרִיעַ Ps 75, 7, l (מוֹר) מְמִירִים Pr 3, 35, l הֵרַם Da 8, 11;

hof: pf. cj הֻרַם Da 8, 11, הוּרַם, impf. יוּרַם, pt. מוּרָם: 1. erhaben sein *be exalted* cj (מוּרָם) Ir 17, 12; 2. aufgehoben, abgeschafft sein *be lifted off* cj Da 8, 13 (adde מוּרָם post הַתָּמִיד); c. מִן entzogen sein *be taken away* cj Da 8, 11; 3. abgehoben werden (Leistung) *be lifted off and presented* (*contribution*) Ex 29, 27 Lv 4, 10 Si 47, 2;

hitpal: impf. יִתְרוֹמֵם, אֲרוֹמַם > אֶתְרוֹמֵם* (BL 405) Js 33, 10: sich stolz erheben *exalt oneself in magnificence* Js 33, 10 Da 11, 36.†

Der. רוֹמֵמֻת*, רוֹמָם, רוֹמָה, רוֹם, רוּם, מָרוֹם, רָם; תְּרוּמִיָּה, תְּרוּמָה; in n. m. אֲדֹנִירָם, אֲבִירָם, אֲחִירָם, יְהוֹרָם, יוֹרָם; ?יְרֵמוֹת ?מַלְכִּירָם ?רַמְיָה u. n.l. רוּמָה, רָמָה.

רוּם, רֻם: inf. רום: 1. Höhe *height* Pr 25, 3; 2. hohes Wesen *haughtiness* Js 2, 11. 17; רֻם לֵב hochmütiger Sinn *haughtiness* Ir 48, 29, רוּם עֵינַיִם hochmütige Augen *haughty eyes* Js 10, 12 Pr 21, 4.†

רוֹם: רום: Text u. Sinn fraglich *text a. meaning doubtful* Ha 3, 10.†

רוּמָה: n.l.; רום; Jos BJ 3, 7, 21 Ῥοῦμα in Galiläa (auch *also* Talm. Hieros. Erubin 4, 10): *Ch. Rūmah*: 2 K 23, 36.†

רוֹמָה: רום: הָלַךְ רוֹמָה d. Kopf hochtragen *walk haughtily* Mi 2, 3.†

רוֹמָם: רום: pl. cs. רוֹמְמוֹת: Erhebung, Lobpreisung *extolling, praise* pl. Ps 149, 6; l וְרוֹמַמְתִּי מִתַּחַת Ps 66, 17.†

רוֹמֵמֻת*: רום: sf. רוֹמְמֻתֵךְ Js 33, 3: l רַעֲמָתֵךְ.†

רון: רָוַן: زَانَ zum Erbrechen gereizt sein *be overcome* (*by wine*):

hitpal: pt. מִתְרוֹנֵן: sich (vom Rausch) ernüchtern *become sober* Ps 78, 65.†

רוע: mhb. hif. Lärm blasen *give a blast* (*with a horn*); رَغَا, schreien *shout*:

hif: pf. הֵרִיעַ, pro וְהֵרֵעוּ 1 S 17, 20 l וַיָּרִיעוּ, הֲרֵעֹתֶם, הֲרִיעֹתֶם Nu 10, 9, impf. יָרִיעַ, וַיָּרַע, הָרִיעַ, נָרִיעָה, נָרִיעַ, וַיָּרִיעוּ, וַיָּרִי׳, תָּרִיעִי, inf.

imp. הָרִיעוּ, הָרִיעִי, pt. מְרִיעִים: (subj. immer e. Mehrheit *always a plural*: : זעק): 1. schreien *raise a shout* Jd 7, 21 15, 14 (c. לִקְרָאתוֹ liefen schreiend auf ihn zu *ran shouting towards him*) 1 S 10, 24 (*acclamatio*), cj יָרִיעַ Ho 9, 7; 2. הֵרִיעוּ תְרוּעָה גְדוֹלָה **in lautes Geschrei ausbrechen** *burst out in loud shouting* 1 S 4, 5 Esr 3, 11. 13; 3. **Feldgeschrei erheben** *shout a war-cry* Jos 6, 10. 16. 20 1 S 17, 52 Js 42, 13 Ho 5, 8 Jl 2, 1 2 C 13, 15, c. תְּרוּעָה גְדוֹלָה lautes Feldgeschrei *loud war-cry* Jos 6, 5. 20; 4. הֵרִיעוּ בַמִּלְחָמָה **Kriegsgeschrei erheben** *shout alarm of battle* 1 S 17, 20, עַל gegen *against* Ir 50, 15 2 C 13, 12; 5. הֵרִיעוּ בַחֲצֹצְרֹת **zu den Waffen blasen** *sound an alarm* Nu 10, 9 Si 50, 16, ohne *without* בַּחֲ' Nu 10, 7; 6. **jauchzen** *shout in triumph, joy* Js 44, 23 Ze 3, 14 Sa 9, 9 Ps 41, 12 Hi 38, 7, cj Ps 65, 13 (יָרִיעוּ) u. 75, 7 (l וְלוֹ... הָרִיעוּ), c. לְ **zujauchzen** *shout to, cheer* Ps 47, 2 66, 1 81, 2 95, 1 f 98, 4 100, 1, c. לִפְנֵי Ps 98, 6; 7. הֵרִיעוּ רֵעַ **laut schreien** *shout loudly* Mi 4, 9; †

pil. pass: impf. יְרֹעָע: **es wird gejauchzt** *a shout is uttered* Js 16, 10; †

hitpal: cj pf. הִתְרֹעַעְתִּי Hi 31, 29, impf. אֶתְרֹעָע, יִתְרוֹעֲעוּ, imp. הִתְרוֹעֲעִי: **sich jauchzend äussern** *shout in triumph* Ps 60, 10 65, 14 108, 10, cj Hi 31, 29. †

Der. I רֵעַ, תְּרוּעָה.

רוף: *F* רפא, תְּרוּפָה.

רוץ: 𝕮𝕬, aram. רהט; ak. *rāṣu* zu Hilfe eilen *hasten to aid*:

qal: pf. רָץ, רַצְתָּה, רָצוּ, impf. יָרוּץ, וַיָּרָץ, נָרוּצָה, יְרֻצוּן, יְרוּצוּן, וַיָּרֻצוּ, יָרוּצוּ, אָרוּצָה, וַיָּרָץ, inf. רוּץ, imp. רוּץ, רֻץ, pt. רָץ, רָצִים > רָצִין (BL 517. 535) 2 K 11, 13 (gloss.); אֲרוּצֵם Ir 50, 44 l אֲרִיצֵם Q: 1. **laufen** *run*: סוּס Am 6, 12, אָדָם Gn 18, 7 24, 28 29, 12 Nu 11, 27 Jos 8, 19 Jd 13, 10 1 S 10, 23 17, 22. 51 20, 6 Js 40, 31 Ir 12, 5 51, 31 Sa 2, 8 Ps 59, 5 Pr 4, 12, cj 29, 6, Ct 1, 4 2 C 23, 12 Si 11, 11, (e. Nachricht *news*) 2 S 18, 19—26 (10 ×), c. אֶל Gn 24, 20. 29 Nu 17, 12 1 S 3, 5 Js 55, 5 Hi 15, 26 Da 8, 6, c. מִן fort von *away from* 1 S 4, 12, c. לִפְנֵי vor... her *before* 1 S 8, 11 1 K 18, 46, c. בְּ auf *upon* Jl 2, 9, c. לִקְרַאת entgegen *towards* Gn 18, 2 24, 17 29, 13 33, 4 1 S 17, 48 2 K 4, 26 Ir 51, 31, c. עַד bis zu *unto* 2 K 4, 22, c. עַל gegen *against* Hi 16, 14, c. אַחֲרֵי hinter... her *behind* 1 K 19, 20 2 K 5, 20 f; subj. רֶגֶל Js 59, 7 Pr 1, 16 6, 18, Boten *messengers* Jos 7, 22 1 S 20, 36 Ir 23, 21, Berittene *horsemen* Jl 2, 4; 2. רָץ, רָצִים **Läufer** (des Königs) *runner (of the king)* 1 S 22, 17 2 S 15, 1 1 K 1, 5 14, 27 f 2 K 10, 25 11, 4. 6. 11. 19 (dele הָרָצִין 13) Hi 9, 25 Est 3, 13. 15 8, 10. 14 (beritten *on horseback*) 2 C 12, 10 f 30, 6. 10; 3. Einzelnes *particulars*: רוּץ אֹרַח s. Weg laufen *run one's way* Ps 19, 6, רוּץ דֶּרֶךְ Ps 119, 32; subj. דָּבָר Ps 147, 15; רוּץ גְּדוּד **auf Raubzug gehn** *run for a raid* 2 S 22, 30 Ps 18, 30; רוּץ לְ **geschäftig sein** für *run for, be busy for* Hg 1, 9; **geläufig** (lesen *read*) *fluently* Ha 2, 2; l וַיָּקֶץ Jd 7, 21, l יָרוּם Pr 18, 10; יָרוּץ Js 42, 4 u. תָּרֻץ Ko 12, 6 u. nif. נָרוֹץ *F* רצץ; †

pil: impf. יְרוֹצֵצוּ: **hin u. her laufen** *run to a. fro* (Blitze *lightnings*) Na 2, 5; †

hif: impf. אֲרִיצֶנּוּ, וַיְרִיצֻהוּ, sf. וַיָּרִיצוּ, imp. הָרֵץ; וַתָּרֶץ Jd 9, 53 *F* רצץ: 1. **zum Laufen bringen** *cause to run*, c. מִן **rasch forttreiben** *drive off with haste* Ir 49, 19 50, 44 Q; 2. **rasch holen** *fetch quickly* Gn 41, 14, **rasch bringen** *bring quickly* 1 S 17, 17 2 C 35, 13; l תְּרִים Ps 68, 32. †

Der. I מֵרוֹץ, מְרוּצָה.

רוק: *F* ריק.

רור: F ריר.

רושׁ: nur *only* hbr.; F ירשׁ:
qal: pf. רָשׁוּ, pt. רָשׁ u. רָאשׁ (BL 405), pl. רָאשִׁים, רָשִׁים: arm sein *be poor* 1 S 18, 23 2 S 12, 1. 3 f Ps 34, 11 82, 3 Pr 13, 8. 23 14, 20 17, 5 18, 23 19, 1. 7. 22 22, 2. 7 28, 6. 27 29, 13 Ko 4, 14 5, 7, cj Js 58, 4, l רֵישׁ = רָאשׁ Pr 10, 4; 28, 3 l רֹאשׁ vel רָשָׁע vel עָשִׁיר ?;
hif F ירשׁ: cj hif. inf. הַלְהֲרִישֵׁנוּ: arm machen *impoverish* Jd 14, 15; †
hof: F ירשׁ;
hitpal: pt. מִתְרוֹשֵׁשׁ: sich arm stellen *pretend to be poor* Pr 13, 7. †
Der. רֵישׁ.

רושׁ: F II ראשׁ.

רוּת: n. f.; kaum *hardly* < *רְעוּת: Ruth: Ru 1, 4— 4, 13 (12 ×). †

רזה: palm. רזאין Verminderung d. Gelds *diminution of money*, **רזא** etp. abgemagert sein *be lean*; رَزَى u. asa. רזא vermindern *diminish*:
qal: pf. רָזָה l יִרְזֶה Ze 2, 11; †
nif: impf. יֵרָזֶה hinschwinden *diminish* Js 17, 4; †
cj pi: impf. יְרַזֶּה: hinschwinden lassen *cause to diminish* cj Ze 2, 11. †
Der. *רָזֶה, I רָזוֹן.

***רָזֶה**: רזה: fem. רָזָה: mager *lean*, אֶרֶץ Nu 13, 20, שֶׂה Hs 34, 20. †

I רָזוֹן: רזה: Abmagerung *emaciation* Js 10, 16 Ps 106, 15 (Schwindsucht *consumption* Dürr bei Gunkel), אֵיפַת רָזוֹן geschrumpftes E. *scrimped e.* Mi 6, 10. †

II רָזוֹן: רזן: Würdenträger *high official* Pr 14, 28. †

רְזוֹן: n. m.; רזן; asa. רזן Ryck. 1, 198; n. m. رَزِين: Reson *Rezon*: 1 K 11, 23 (Klostermann חֶזְרוֹן G Εσρωμ). †

רזח: *מִרְזַח, מַרְזֵחַ.

רָזִי: רָזִי־לִי Js 24, 16 ungedeutet *unexplained*. †

רזם: mhb., ja., sy., mnd., רמז, رمز Zeichen geben (mit d. Augen) *wink* (*of eyes*), ZDP 62, 67:
qal: impf. יִרְזְמוּן: zwinkern, mit d. Augen winken *wink*, *flash* (*eyes*) Hi 15, 12 (G ירומון). †

רזן: رَزُنَ gewichtig, im Urteil zuverlässig sein *be weighty*, *firm of judgement*:
qal: pt. pl. רֹ(ו)זְנִים: Würdenträger *high officials* Jd 5, 3 Js 40, 23 Ha 1, 10 Ps 2, 2 Pr 8, 15 31, 4. †
Der. II רָזוֹן; n. m. רְזוֹן.

רחב: ug. *rḥb*; ak. *rēbu* weit *wide*, EA 162, 41 *iraub* ist weit *is roomy*; رَحُبَ, asa. רחב, ረሐበ:
qal: pf. רָחֲבָה, רָחַב: sich weit auftun *be widened* 1 S 2, 1, sich verbreitern *expand* Hs 41, 7; l וְרָהַב Js 60, 5; †
nif: pt. נִרְחָב: weit, geräumig *roomy* Js 30, 23; †
hif: pf. הִרְחַבְתִּי, הִרְחִיבָה, הִרְחִב, הִרְחִיב, impf. יַרְחִיב, תַּרְחִיבוּ, inf. הַרְחִיב, imp. הַרְחֶב־, הַרְחִיבִי, pt. מַרְחִיב: 1. weit, geräumig machen *enlarge* Js 30, 33, Gebiet *territory* Ex 34, 24 Dt 12, 20 19, 8 Am 1, 13, cj Ps 47, 5 (l וַיַּרְחֵב), Zeltplatz *room for tents* Js 54, 2, מִשְׁכָּב 57, 8, קָרְחָה Mi 1, 16; weit aufsperren *open largely*: נֶפֶשׁ Js 5, 14 Ha 2, 5, פֶּה Js 57, 4 Ps 35, 21 81, 11; weiten Raum geben *make large room for* Dt 33, 20 2 S 22, 37 Ps 18, 37; הִרְחִיב לִבִּי gibt mir Weite, Zuversicht *gives me large room*, *confidence* Ps 119, 32; הִרְחִיב צָרוֹת Nöte erleichtern *soothe pains*

(הַרְחֵב וּמ׳ 1) Ps 25, 17; 2. הִרְחִיב לְ weiten **Raum schaffen** für *make large room for* Gn 26, 22 Ps 4, 2 Pr 18, 16. †

Der. רָחָב, רֹחַב, רָחָב, רְחוֹב, מֶרְחָב; n. fem. רְחָבָה, n.m. רְחַבְיָה(וּ), רְחַבְעָם, n.l. רְחֹב, רְחֹבוֹת.

רֹחַב: רחב: sf. רָחְבָּהּ, רָחְבּוֹ: 1. **Breite** *breadth*: תֵּבָה Gn 6, 15 (// קוֹמָה u. אֹרֶךְ), אָרוֹן Ex 25, 10 37, 1, חָצֵר Ex 27, 12 f, עֶרֶשׂ Dt 3, 11, מְגִלָּה Sa 5, 2, etc., *F* Ex 25, 17. 23 26, 2. 8. 16 27, 1. 18 28, 16 30, 2 36, 9 37, 6. 10. 25 38, 1. 18 39, 9 1 K 5, 9 6, 2 f. 6. 20 7, 2. 6 Hs 40, 5—49 41, 1—14 42, 2—20 43, 13—17 45, 1—6 46, 22 48, 8—15 (53 × in Hs; 41, 3 l וְכִתְפוֹת) Sa 2, 6 2 C 3, 3. 4 (// אֹרֶךְ u. גֹּבַהּ). 8 4, 1 6, 13; 2. Breite, **Weite** e. Landes *width of country* Gn 13, 17 Js 8, 8, רֹחַב מַיִם (breite) Wasser-**fläche** (*large*) *expanse of water* Hi 37, 10; רֹחַב לֵב **umfassender** Verstand *broad intelligence* 1 K 5, 9. †

I **רָחָב**: רחב: cs. רְחַב, pl. cs. רַחֲבֵי, fem. רְחָבָה, cs. רַחֲבַת: 1. **breit, weit, ausgedehnt** *broad, wide, large*: אֶרֶץ Ex 3, 8 Ne 9, 35, חוֹמָה Ir 51, 58 Ne 3, 8 12, 38, פֶּרֶץ Hi 30, 14, כּוֹס Hs 23, 32, רְחָבָה מִנִּי־יָם Hi 11, 9; subst. הָרְחָבָה die Weite *the large compass* Ps 119, 45; רָחָב יָדַיִם, רַחֲבַת יָדַיִם u. רַחֲבֵי יָדַיִם nach beiden Seiten hin ausgedehnt *large on both (every) sides* Gn 34, 21 Jd 18, 10 Js 22, 18 33, 21; 2. **weitreichend, umfassend** *extensive, comprehensive* Ps 119, 96 Ne 4, 13; 3. רְחַב לֵב **anmassend** *arrogant* Ps 101, 5 Pr 21, 4; = רְחַב נֶפֶשׁ Pr 28, 25. †

II **רָחָב**: n. fem.; רחב; = I?; Noth S. 4: Jos 2, 1. 3 6, 17. 23. 25. †

I **רְחֹב**, **רְחוֹב**: רחב: ug. *rḥb*, ak. *rebītu*; altaram. רחבה; רְחַבָּא; sf. רְחוֹבָהּ, pl. רְחֹבוֹת, sf. רְחֹבֹתֶיהָ, רְחוֹבֹתֵינוּ: **freier Platz** (einer Ortschaft) *open place (of town, village)*: Gn 19, 2 Dt 13, 17 Jd 19, 15. 17. 20 2 S 21, 12 Js 15, 3 59, 14 Ir 5, 1 9, 20 48, 38 49, 26 50, 30 Hs 16, 24. 31 Am 5, 16 Na 2, 5 Sa 8, 4 f Ps 55, 12 144, 14 Pr 1, 20 5, 16 7, 12 22, 13 26, 13 Hi 29, 7, cj 24, 20, Ct 3, 2 Th 2, 11 f 4, 18 Est 4, 6 6, 9. 11 Da 9, 25 2 C 29, 4, cj 34, 6 (בִּרְחֹבוֹתֵיהֶם); bei *near* שַׁעַר Ne 8, 1. 3. 16 2 C 32, 6, im *in the* בֵּית הָאֱלֹהִים Esr 10, 9; *F* II, III רְחֹב; רְחֹבוֹת. †

II **רְחֹב**: n. l.; = I: äg. *ʾ3ḥbwm* (*Arḥabum*) BAS 83, 33; = *T. eṣ-Ṣarem* bei *near* בֵּית־שְׁאָן? Abel 2, 20, Garstang, Josh. 241: Jos 19, 28. 30 21, 31 Jd 1, 31 1 C 6, 60. †

III **רְחֹב**: n. m.; = I? n. fem. APN 189: 1. aus *from* צֹבָה 2 S 8, 3. 12; 2. Levit Ne 10, 12. †

רְחֹבוֹת, **רְחֹבֹת**: n. l.; I רְחוֹב: 1. Brunnen in *W. Ruḥēbe* sw. בְּאֵר שֶׁבַע (Wiegand, Sinai 57 ff) Gn 26, 22 (Name erklärt *name explained*); 2. רְחֹבוֹת הַנָּהָר *Raḥbā* am *on* Euphrates Gn 36, 37 1 C 1, 48 (ZDP 36, 184 Sy 16, 56. 412; Muséon 50, 117); 3. רְחֹבֹת עִיר ak. *rēbit Nīna*, Vorstadt v. *suburb of* Niniveh Gn 10, 11. †

רְחַבְיָה: n. m.; < רְחַבְיָהוּ: Enkel v. *grandson of* מֹשֶׁה: 1 C 23, 17. †

רְחַבְיָהוּ: n. m.; רחב u. יְ׳, > רְחַבְיָה, Noth S. 193: Enkel v. *grandson of* מֹשֶׁה 1 C 24, 21 26, 25. †

רְחַבְעָם: n. m.; רחב u. עַם II, Noth S. 193: Rehabeam *Rehoboam*: S. v. שְׁלֹמֹה, K. v. Juda; 1 K 11, 43 12, 1—27 14, 21—31 15, 6 1 C 3, 10 2 C 9, 31 10, 1—18 11, 1—22 12, 1—16 13, 7. †

רחה*: *F* רֵחַיִם.

רְחוֹב: F רְחֹב.

רְחוּם: n. m.; KF? Noth S. 187: 1.—4. Esr 4, 8 f. 17. 23 Beamter *official*; Ne 3, 17; Esr 2, 2 Ne 10, 26, cj 7, 7, Ne 12, 3 רְחֻם; = חָרִם 12, 15 u. 7, 42? †

רַחוּם: = *raḥḥūm*, רחם: **voll Mitleid, Erbarmen** *compassionate*: Gott *God* Dt 4, 31 Ps 78, 38 (F חַנּוּן) Ex 34, 6 Ps 86, 15 Jl 2, 13 Ne 9, 17 Jon 4, 2 Ne 9, 31 Ps 103, 8 111, 4 145, 8 2 C 30, 9; Menschen *men* Ps 112, 4. †

רָחוֹק, רָחֹק: רחק: pl. רְחוֹקִים, fem. רְחוֹקָה, pl. רְחוֹקוֹת, רְחֹקֹת, רְחֹקָת, F ba. רְחִיק: **1. entfernt, entlegen** *distant, remote*: אֶרֶץ Dt 29, 21 Jos 9, 6. 9 1 K 8, 41. 46 2 K 20, 14 Js 39, 3 2 C 6, 32. 36, pl. Hs 22, 5; אִיִּים Js 66, 19 Ps 65, 6 (l אִיִּים), גּוֹי Jl 4, 8, עַמִּים Dt 13, 8 Ir 48, 24, עָרִים Dt 20, 15, אָח in der Ferne *far off* (:: קָרוֹב) Pr 27, 10; עַד־רָחוֹק bis in die Ferne *afar off* Mi 4, 3; **2. weit fort von** *far from* (מִן) Jos 9, 22 Jd 18, 7. 28; fern *being far*: Leute *people* Js 33, 13 57, 19 Hs 6, 12 Sa 6, 15 Est 9, 20 Da 9, 7, מְלָכִים Ir 25, 26; fern von *far from* (מִן) Ir 12, 2 Ps 22, 2 119, 155 Pr 15, 29 Ko 7, 23 Ne 4, 13 Js 46, 12 (מִצְּדָקָה), מִצְוָה fern (d. Wesen nach) *far (in its substance, meaning)* Dt 30, 11; ר׳ מִן wertvoller als *far above* Pr 31, 10; מֵרָחוֹק von fern her *from far* Dt 28, 49 Js 5, 26 43, 6 49, 1. 12 60, 4. 9 Ir 31, 3 46, 27 Ha 1, 8 Hi 2, 12; אֱלֹהֵי מֵרָחֹק e. Gott aus der Ferne *a God afar off* Ir 23, 23; מֵרָחוֹק fernhin *afar off* Js 22, 3 23, 7, = עַד־מֵרָחוֹק 57, 9; עַד־רָחוֹק bis fernhin *afar off* Mi 4, 3; בְּר׳ in der Ferne *afar off* Ps 10, 1; **3.** ר׳ בֵּין . . וּבֵין **Abstand zwischen . . . und** *distance between . . . and* Jos 3, 4, דֶּרֶךְ רְחוֹקָה weite Reise *journey afar off* Nu 9, 10, דֶּרֶךְ מֵרָחוֹק Reise in d. Ferne *long journey* Pr 7, 19; stehen *stand* מֵרָחוֹק etwas entfernt *at a distance* Ex 2, 4 20, 18. 21 1 S 26, 13 2 K 2, 7 Ps 38, 12, in der Ferne *far off* Js 59, 14 Ir 51, 50, von fern, von Weitem (her) *(from) far* Gn 22, 4 37, 18 Ex 24, 1 Hi 36, 25 39, 25 Ne 12, 43; לְמֵרָחוֹק von fern her *from afar* Hi 36, 3 39, 29, עַד־לְמֵר׳ bis weithin *afar off* Esr 3, 13 2 C 26, 15; **4.** רָחוֹק (tempor.): עִתִּים רְחֹקוֹת ferne (künftige) Zeiten *times (to come) far off* Hs 12, 27; מֵרָחוֹק seit langem *long ago* Js 22, 11 25, 1; לְמֵרָחוֹק von ferner Zeit her *from remote times* 2 S 7, 19 2 K 19, 25 Js 37, 26, auf ferne (künftige) Z. hin *for a far time (to come)* 1 C 17, 17; **5.** רָחוֹק fern = unzugänglich, geheimnisvoll *distant = inapproachable, mysterious* Ko 7, 24; ? Ps 56, 1 (Text ?).

***רָהִיט**: Ct 1, 17: l רָהִיט.

רֵחַיִם: *רחה: ug. *brḥm* (dual.) c. *ṯḥn* טחן; ak. *erū, erittu*; ja. רִיחְיָא, sy. רַחְיָא; رَحًى Nöld. NB 149 f: du. רֵחַיִם, רֵחָיִם: (Paar Mühlsteine) **Handmühle** *(pair of mill-stones) hand-mill* (BRL 386 f): Ex 11, 5 Nu 11, 8 Dt 24, 6 Js 47, 2 Ir 25, 10. †

***רחל**: I, II רָחֵל.

I רָחֵל: *רחל; ak. *laḫru*, ja. רַחְלָא, رِخْلٌ: pl. רְחֵלִים, sf. רְחֵלֶיךָ: **Mutterschaf** *ewe* Gn 31, 38 32, 15 Js 53, 7 Ct 6, 6; F II. †

II רָחֵל: n. fem.; = I; Kraeling AJS 41, 193 f: cf. n. l. *Raḫilu*: **Rahel** *Rachel*: Gn 29, 6—48, 7 (37 ×) Ir 31, 15 Ru 4, 11; קְבֻרַת רָחֵל Gn 35, 20 1 S 10, 2. †

רחם: ug. *rḥm* Liebe, Mitleid *love, compassion*; ostkan. in n. m. *Jarḫamu* Bauer 79; Sem (ausser *without* aeth.); ak. *rēmu*; رَحِمَ; F רְחֵם:

qal: impf. sf. אֶרְחָמְךָ Ps 18, 2 l אֲרֹמִמְךָ; †
pi: pf. רִחַמְתִּים, רִחֲמָךְ, רִחַמְךָ, sf. וְרִחַמְתִּי, רִחַם, רִחֲמוּם, impf. יְרַחֵם, אֲרַחֵם (auch Ex 33, 19 Ho 2, 6 *also*), יְרַחֲמוּ, sf. יְרַחֲמֵהוּ, אֲרַחֲמֶנּוּ, יְרַחֲמֶנּוּ, inf. רַחֵם, sf. רַחֶמְכֶם, pt. מְרַחֵם, sf. מְרַחֲמֵךְ, מְרַחֲמֵם: c. ac. jmd **mit Liebe begegnen**, **sich** jmdes **erbarmen** *love*, *have compassion*: אָדָם 1 K 8, 50 Js 13, 18 49, 15 Ir 6, 23 42, 12 50, 42, Gott *God* Ex 33, 19 Dt 13, 18 30, 3 2 K 13, 23 Js 9, 16 14, 1 27, 11 30, 18 49, 10. 13 54, 8. 10 55, 7 60, 10 Ir 12, 15 13, 14 21, 7 30, 18 31, 20 33, 26 Hs 39, 25 Ho 1, 6 f 2, 6. 25 Mi 7, 19 Sa 1, 12 10, 6 Ps 102, 14 c. עַל über *for* Ps 103, 13 Si 36, 18; absol. **barmherzig sein** *be compassionate* Ha 3, 2 Ps 116, 5; †
pu: pf. רֻחָמָה, impf. יְרֻחָם, יְרֻחַם: **Erbarmen, Liebe finden** *be compassionated*, *loved* Ho 1, 6. 8 2, 3. 25 14, 4 Pr 28, 13. †
Der. רַחוּם, *רַחֲמָנִי; n. m. יְרֹחָם, יְרַחְמְאֵל, רְחוּם.

II *רחם: רָחָם.

רָחָם < (*raḫḫam wegen *on account of* רָחָמָה): II *רחם: رَخَم: **Aasgeier** *carrion-vulture* *Vultur percnopterus* (AS 1, 164) Lv 11, 18. †
Der. I רָחָמָה; n. m. I רַחַם.

I רַחַם: n. m.; = רָחָם Nöld. BS 86: 1 C 2, 44. †

II רַחַם: F רֶחֶם.

רֶחֶם u. II רַחַם Jd 5, 30; ak. *rēmu*, mhb., ja. רַחֲמָא, ܪܚܡܐ, رَحِم, Mutterleib *womb*; v. رَخُم (!خ) weich sein *be soft*: Weichteile *soft parts*? Gerber, Die hebr. Verba denom., 1896, 126: רָחֶם, (רַחַם <) רֶחֶם Gn 49, 25, Pr 30, 16, sf. רַחְמָהּ, du. רַחֲמָתַיִם: **Mutterleib** *womb* Gn 20, 18 29, 31 30, 22 49, 25 (שָׁדַיִם וָרָחַם) Ex 13, 2. 12. 15 34, 19 Nu 3, 12 8, 16 12, 12 18, 15 1 S 1, 5 f Js 46, 3 Ir 1, 5 20, 17 f Hs 20, 26 Ho 9, 14 (מַשְׁכִּיל) Ps 22, 11 58, 4 110, 3 (l רֶחֶם שַׁחַר) Pr 30, 16 Hi 3, 11 10, 18 31, 15 38, 8 F עֹצֶר, עֶצֶר, סָגַר, פְּטִירָה, פֶּטֶר, רֹחַב מְקוֹמוֹ l יָצָא, פָּתַח; Jd 5, 30 F רַחְמָה*; l רְחֹב מְקוֹמוֹ Hi 24, 20. †
Der. רַחֲמִים, *רַחְמָה.

רָחָמָה: fem. v. רָחָם, nom. unitatis: **Aasgeier** *carrion-vulture* Dt 14, 17. †

*רַחְמָה: fem. v. רַחַם (רֶחֶם); mo. רחמת Mesa 17: du: רַחֲמָתַיִם: Redensart *saying*: רַחַם רַחֲמָתַיִם ein, zwei **Frauenschösse** = ein, zwei (kriegserbeutete) Frauen, Beischläferinnen (Soldatensprache) *one*, *two wombs* = *one*, *two* (*captured*) *concubines* (*soldier's slang*). †

רַחֲמִים: pl. v. רַחַם (רֶחֶם), F ba. רַחֲמִין: cs. רַחֲמֵי, sf. רַחֲמָיו, cj וְרַחֲמֵיהֶם u. ihr Eingeweide *a. their intestines* (Eitan bei Robinson) Ze 1, 17: liebevolles Empfinden, **Erbarmen** *motherly feeling*, *compassion* Gn 43, 30 u. 1 K 3, 26 u. cj Ho 11, 8 (נִכְמְרוּ), Pr 12, 10, c. כָּלָא מִן Ps 40, 12, c. קָפַץ בְּאַף Ps 77, 10, c. נָתַן לְ לִפְנֵי Gn 43, 14, נָתַן לְרַחֲמִים לִפְנֵי 1 K 8, 50 Ps 106, 46 Ne 1, 11 Da 1, 9, נָתַן רַ׳ לְ Dt 13, 18 Ir 42, 12, שִׂים רַ׳ לְ Js 47, 6, c. שִׁחֵת Am 1, 11; חֶסֶד וְרַ׳ Sa 7, 9 Ps 103, 4; הָרַ׳ וְהַסְּלִחוֹת Da 9, 9; רַ׳ רַבִּים 2 S 24, 14 Ps 119, 156 Da 9, 18 Ne 9, 19. 27 f! 31 1 C 21, 13, רַ׳ גְּדֹלִים Js 54, 7, רֹב רַ׳ Ps 51, 3 69, 17; F Js 63, 7. 15 Ir 16, 5 Ho 2, 21 Sa 1, 16 Ps 25, 6 79, 8 119, 77 145, 9 Th 3, 22 2 C 30, 9. †

*רַחֲמָנִי: רחם u. *-āni*: pl. fem. רַחֲמָנִיּוֹת: **mitleidig, gefühlvoll** *compassionate* Th 4, 10. †

*רחע?: F n. m. יִרְחָע?

רחף: ug. *rḫp* schweben *hover*, sy. רַחֵף sanft bewegen *move gently* u. brüten *brood*; mhb.

pi. hin u. her bewegen *move to a. fro* ZDM 39, 607; رَجَفَ beben (Erde), zittern (Greis) *tremble* (*earth*), *shiver* (*aged man*):
qal: pf. רָחֲפוּ עַצְמוֹתַי: רָחֲפוּ Ir 23, 9: zittern *be shaking*; †
pi: impf. יְרַחֵף, pt. fem. מְרַחֶפֶת zitternd schweben *hover trembling* Dt 32, 11 Gn 1, 2. †

רחץ: ug. *rḥṣ* waschen *wash*; ak. *raḫāṣu* abspülen *overflow*; שמן רחץ Dir. 37 f Öl f. Waschungen *oil used for ablution*; äga. רעע Nöld. BS 57; رَحَضَ waschen *wash*; ረሐፀ schwitzen *sweat*; äg. *rḫt* (Kleider) waschen *wash* (*garments*):
qal: pf. רָחַץ, רָחַצְתְּ, רָחֲצוּ, רָחֲצוּ, impf. יִרְחַץ, יִרְחָץ, יִרְחֲצוּ, sf. וָאֶרְחָצֵךְ, inf. רְחֹץ, רָחְצָה Ex 30, 18, imp. רְחַץ, רַחֲצוּ, pt. רֹחֶצֶת, רֹחֲצוֹת:
1. mit Wasser begiessen, abspülen, waschen *overflow* (*with water*), *rinse, wash* (:: כִּבֵּס): Füsse *feet* Gn 18, 4 19, 2 24, 32 43, 24 Ex 30, 19. 21 40, 31 Jd 19, 21 1 S 25, 41 2 S 11, 8 Ct 5, 3, cj Ps 68, 24, Hände *hands* Ex 30, 19. 21 40, 31 Dt 21, 6 Ps 26, 6 (כַּפַּיִם), Gesicht *face* Gn 43, 31, Leib *body* Lv 17, 16, Opferfleisch *flesh of victims* Ex 29, 17 Lv 9, 14; 2. absol. e. Waschung vornehmen *wash, bathe* (*oneself*) Ex 2, 5 40, 32 2 S 11, 2 12, 20 1 K 22, 38 2 K 5, 10. 12 f Js 1, 16 Hs 23, 40 Ct 5, 12 Ru 3, 3; לְרָחְצָה zur Waschung *to wash* Ex 30, 18 40, 30 2 C 4, 6; 3. רָחַץ בַּמַּיִם mit Wasser abspülen *overflow with water* Ex 29, 4 40, 12 Lv 8, 6, sich waschen *wash* Lv 14, 8 15, 5—8. 10 f. 21 f 17, 15 Dt 23, 12; Opferteile abspülen, waschen *rinse, wash flesh of victims* Lv 1, 9. 13 8, 21 14, 9 15, 13. 16 16, 4. 24. 26. 28 22, 6 Nu 19, 7 f. 19 Js 4, 4 Hs 16, 9 Ps 58, 11 Hi 29, 6; רָחַץ מַיִם sich mit Wasser abspülen *wash* Ex 30, 20; †
pu: pf. רֻחָץ, רֻחַצְתְּ: abgewaschen werden *be washed* Hs 16, 4 Pr 30, 12; †
hitp: pf. הִתְרָחַצְתִּי: sich e. Waschung unterziehen *wash oneself* Hi 9, 30. †
Der. *רַחַץ, רַחְצָה.

***רַחַץ**: רחץ: sf. רַחְצִי: Waschung *washing*: סִיר רַחְצִי Waschbecken *wash-pot* Ps 60, 10 108, 10. †

רַחְצָה (MS רְחִצָה): רחץ: Schwemme (für צֹאן) *washing* (*of* צֹאן) Ct 4, 2 6, 6. †

רחק (:: קרב): ug. *rḥq*, ak. *rēqu*; mhb., aram.; ረሐቀ; asa.; رَحِيقٌ Wein von fernher, feiner Wein *choice wine* (*from far off*):
qal: pf. רָחַק, רָחֲקָה, רָחֲקוּ, impf. יִרְחַק, תִּרְחַק, inf. רְחֹק, רָחוֹק, רָחֳקָה Hs 8, 6, imp. רַחֲקוּ: 1. entfernt sein, *be far, distant*: מָקוֹם Dt 12, 21 14, 24 Ps 103, 12; מִבַּלְעִים Js 49, 19, מִשְׁפָּט 59, 9, fern bleiben *remain far* צְדָקָה 46, 13, יְשׁוּעָה 59, 11 Hi 5, 4, בְּרָכָה Ps 109, 17 (l וְתֵר), יִשְׂרָאֵל Js 54, 14 (l תִּרְחֲקִי), מְנַחֵם Th 1, 16, עֵצָה Hi 21, 16 22, 18. Si 7, 2; 2. sich entfernen *become far* (מֵעַל von .. fort *from*, Gott *God*) Ir 2, 5 Hs 11, 15 (l רַחֲקוּ) 44, 10; sich fern halten von *keep* (*oneself*) *far* Ex 23, 7 Ps 22, 2. 12. 20 35, 22 38, 22 71, 12 119, 150 Pr 19, 7 22, 5 Hi 30, 10 Ko 3, 5; l יִרְחַק Mi 7, 11; †
nif: impf. יֵרָחֵק: entfernt werden *be removed* Ko 12, 6 cj Mi 7, 11; †
pi: pf. רִחַק, רִחַקְתָּ, impf. יְרַחֲקוּ: 1. ganz entfernen, fortschicken *remove thoroughly, send far away* Js 6, 12 Hs 43, 9; (l Grenzen) erweitern *extend* (*boundaries*) Js 26, 15; 2. ganz fern sein *be far away* Js 29, 13; †
hif: pf. הִרְחִיק. הִרְחִיקוּ, sf. הִרְחַקְתִּים, impf. אַרְחִיק, תַּרְחִיקוּ, sf. יַרְחִיקֻנָּה, inf. הַרְחֵק, הַרְחִיק, הַרְחִיקָם, imp. הַרְחֵק, הַרְחֵק Hi 13, 21: 1. entfernen *remove* Ir 27, 10 Hs 11, 16 Jl 2, 20 4, 6 Ps 88, 9. 19 103, 12 Pr 4, 24

22, 15 30, 8 Hi 11, 14 13, 21; fern halten *keep far away* Pr 5, 8 Hi 22, 23; **2. sich entfernen** *go far away* Jos 8, 4 Jd 18, 22 Hi 19, 13 (l הִרְחִיקוּ), הִרְחִיק לָלֶכֶת geht weit fort *goes far away* Ex 8, 24, אַרְחִיק נְדֹד flüchte in die Ferne *take flight far off* Ps 55, 8; הִרְחִיק ist weit gekommen *is gone far off* Gn 44, 4; inf. adverb. fern weit *far off, at a good distance* Gn 21, 16 Ex 33, 7 Jos 3, 16.† Der. מֶרְחָק, רָחוֹק, *רָחֵק.

***רָחֵק**: רחק: pl. sf. רְחֵקֶיךָ: **der sich fern hält** *keeping away* Ps 73, 27.†

רחשׁ: ak. (aram. Landsb. 127) *ri'ašu* Getreidewurm; mhb., ja., sy. in lebhafter Bewegung sein, wimmeln, brodeln *move, creep*:
qal: pf. רָחַשׁ: **erregt sein** *be astir* (לֵב) Ps 45, 2, cj Hi 20, 2 (רָחַשׁ לִבִּי).†
Der. מַרְחֶשֶׁת.

רחת: ak. *rittu*, cp. רוחתא, رَاحَةٌ; ug. *rḥtm*, አራሕ Handfläche *palm* (Littmann in Schulthess, Gramm. d. cp. Aramäischen, 1924, 159): **Worfschaufel** *winnowing-shovel* Js 30, 24.†

רטב: mhb.; ak. *ratābu*, aram. רטב, رَطُبَ, ረጠበ:
qal: impf. יִרְטָבוּ: **nass werden, sein** *become, be moist* Hi 24, 8.†
Der. רָטֹב.

רָטֹב: רטב: **im Saft stehend** (Pflanzen) *sapful (plants)* Hi 8, 16.†

רטה: qal: impf. sf. יִרְטֵנִי: l יִרְטֵנִי (ירט) Hi 16, 11.†

***רֶטֶט**: רטט.

רֶטֶט: *רטט, F רתת: **Schrecken** *panic* Ir 49, 24.†

רטפשׁ: qal: pf. pass: רֻטֲפַשׁ: kaum *rather not* < *טרפשׁ < טפשׁ Ruž. 135: l יִטְפַּשׁ Hi 33, 25.†

רטשׁ; ja. hinwerfen, verstossen *cast away, reject*, F נטשׁ:
pi: impf. תְּרַטֵּשׁ, תְּרַטַּשְׁנָה: (Kinder an Felsen) **zerschmettern** *dash in pieces (children on rocks)* F Ps 137, 9: 2 K 8, 12 Js 13, 18 (Text?); †
pu: pf. רֻטָּשָׁה, impf. יְרֻטְּשׁוּ: **zerschmettert werden** *be dashed in pieces* Js 13, 16 Ho 10, 14 14, 1 Na 3, 10.†

רִי: > ראי Si 34, 28: רוה: **Nass, Feuchtigkeit** *moisture* Hi 37, 11, cj Ps 104, 13 (מֵרִי pro מִפְּרִי Budde).†

ריב: ak. *rābu* beben u. vergelten *tremble a. repay* (Zimm. 24); ܪܵܒ schreien *shout*; راب (ى) beunruhigen *disquiet* Nöld. BS 41; ostkan. n. m. *Jarib* (Bauer 79):
qal: pf. רָב, רַבֹתָ u. רִיבוֹתָ Hi 33, 13 (BL 392), תָּרוֹב, impf. וַיָּרֶב, יָרֶב, יָרִיב, יָרֵב, רָבוּ, l תָּרִיב Q Pr 3, 30, אָרִיב, וָאָרִיבָה, וַיָּרִיבוּ, תְּרִיבֵנִי, תְּרִיבֵהוּ, sf. יְרִיבֶךָ, תְּרִיבוּן, יְרִיבֻן, רִיב, inf. רִיב, רוֹב, רֹב, תְּרִיבֶכָּה, imp. רִיב, רִיבוּ, רִיבָה, pt. רָב: **1.** (mit Worten, Anklagen, Behauptungen, Vorwürfen) **einen Rechtsstreit führen; rechten** (*with words, complaints, assertions, contestings, reproaches*) *contend; conduct a (legal) case, suit*: absol. Gn 26, 21 Ex 21, 18, cj 23, 2 (l רָב), Js 3, 13 57, 16 Ho 4, 4 Ps 103, 9 Pr 25, 8 Hi 13, 8, cj 37, 23 (l רָב der in Gerechtigkeit streitet *who contends in justice*), c. עַל wegen *on account* Gn 26, 21 f, c. אֵת mit, gegen *with, against* Nu 20, 13 Jd 8, 1 Js 50, 8 Ir 2, 9 Ps 35, 1 Ne 5, 7 13, 11. 17, c. עִם mit, gegen *with, against* Gn 26, 20 Ex 17, 2 Nu 20, 3 Jd 11, 25 Pr 3, 30 Hi 9, 3 40, 2 Ne 13, 25, c. עִמָּד mit, gegen *with, against* Hi 13, 19 23, 6, c. אֶל gegenüber *with* Hi 33, 13, c. לְ

für *for* Dt 33, 7 Jd 6, 31; 2. רָב רִיב פּ׳ führt jmds Rechtsstreit *conducts the case, suit of somebody* 1 S 24, 16 25, 39 Ir 50, 34 51, 36 Mi 7, 9 Ps 43, 1 74, 22 119, 154 Pr 22, 23 23, 11 25, 9 Th 3, 58; 3. = רִיב c. ac. Js 1, 17 51, 22; 4. רִיב אֶל e. Rechtssache jmd vorlegen *lay a case before a person* Jd 21, 22 Ir 2, 29 12, 1 Mi 6, 1 (MT אֶת); רִיב בְּ jmd angreifen *attack a pers.* (mit Vorwürfen *with reproaches*) Dt 33, 8 Js 45, 9 49, 25 Hi 10, 2; 6. רִיב subj. Gott *God*: 1 S 24, 16 25, 39 Js 3, 13 19, 20 (l וְרָב) 49, 25 51, 22 57, 16 Ir 2, 9 50, 34 51, 36 Mi 7, 9 Ps 35, 1 43, 1 74, 22 103, 9 119, 154 Pr 22, 23 23, 11 Hi 10, 2 23, 6, cj 37, 23; Th 3, 58; 7. fraglich *doubtful* Js 27, 8 u. Am 7, 4; l וַיָּרֶב < וַיָּאֱרֹב 1 S 15, 5; l וְלָרִיבֵי יֹשְׁבֵי 2 C 19, 8; †

hif: pt. pl. cs. מְרִיבֵי (l כַּכֹּמֶר וְנָבִיא) Ho 4, 4, sf. מְרִיבָיו (K מְרִיבוֹ) Q 1 S 2, 10: (mit Vorwürfen) angreifen *attack* (*with reproaches*). †

Der. רִיב, I מְרִיבָה; I, II n. m. יָרִיב; n. m. יְהוֹיָרִיב, יוֹיָרִיב.

רִיב, רִב: רִב: sf. רִיבוֹ, רִיבָם, pl. cs. רִיבֵי: Rechtsstreit *strife, case at law* (Koehler, Deuterojesaja, 1923, 110 ff): 1. רִיב רִיב *F* רִיב qal 2; 2. הָיָה רִיב בֵּין...וּבֵין Gn 13, 7; קָרַב רִיבוֹ bringt s. Rechtssache vor *brings his case forward* Js 41, 21; רִיב לוֹ בְּ hat e. R. gegen *has a case against* Ir 25, 31, c. עִם gegen *against* Ho 4, 1 12, 3 Mi 6, 2; רִבָם עִמָּדִי ihr R. gegen mich *their c. against myself* Hi 31, 13; אִישׁ רִיבִי m. Rechtsgegner *my adversary in a case* Hi 31, 35, pl. אַנְשֵׁי רִיבֶךָ Js 41, 11; הָיָה אִישׁ רִיב im Streit liegen *contend* Jd 12, 2; חֵקֶר רִב Hi 29, 16; גִּלָּה רִיבוֹ אֶל s. R. anheimgeben an *leave one's case to* Ir 11, 20 20, 12; רִיב יהוה Js 34, 8, רִיב צִיּוֹן Mi 6, 2; זִבְחֵי רִיב Schlachtopfer unter Rechtshändeln *sacrifices with contests* Pr 17, 1; רִיב חֶרְפָּתִי R. wegen mir angetaner Beschimpfung *case of my being insulted* 1 S 25, 39; *F* Ex 17, 7 23, 3. 6 Dt 1, 12 19, 17 21, 5 25, 1 2 S 15, 2. 4 22, 44 Js 1, 23 58, 4 Ir 15, 10, cj 18, 19, Hs 44, 24 Ha 1, 3 Ps 18, 44 31, 21 35, 23 55, 10, cj 89, 51, Pr 15, 18 17, 14 18, 6. 17 26, 17. 21 30, 33 Th 3, 36 2 C 19, 10. cj 8; l רָב Ex 23, 2. †

***רִיבָה**: fem. v. רִיב: pl. רִיבֹת: Dt 17, 8 Rechtsstreit *contest, case*; רִבוֹת Streitrede *speech of contest* Hi 13, 6. †

רִיבַי: n. m.; < *יְרִיבַי? Noth S. 201[4]: 2 S 23, 29 1 C 11, 31. †

ריה Js 16, 9: *F* רוה pi.

רִיחַ: *F* רוח.

רֵיחַ: רוח: sf. רֵיחוֹ: Geruch, Duft *scent, odour*: Kleider *garments* Gn 27, 27 Ct 4, 11, מַיִם Hi 14, 9, שֶׁמֶן Ct 1, 3 4, 10, Pflanzen *plants* Ho 14, 7 Ct 4, 11 7, 9, Salbe *ointment* Ct 1, 12, Atem *breath* Ct 7, 9; נָתַן רֵיחַ duften *send forth fragrance* Ct 1, 12 2, 13 7, 14; הִבְאִישׁ רֵיחַ in üblen Geruch bringen *make one's scent to be abhorred* Ex 5, 21; *F* נִיחוֹחַ (רֵיחַ). †

רֵים: *F* רְאֵם.

רֵיעַ Hi 6, 27: *F* רֵעַ.

רִיפוֹת Pr 27, 22, רִפוֹת 2 S 17, 19: l חֲרִיפוֹת (ZAW 40, 17 ff). †

רִיפַת: (n. m.) n. p.: Hölscher, Erdkunde 45: Νιφάτης; Jos. Ant. 1, 126: Ῥιφαθαίους τοὺς Παφλαγόνας λεγομένους: Gn 10, 3, cj 1 C 1, 6. †

ריק: ak. *rāqu* leer sein *be empty*; mhb. hif., ja., cp. af. entleeren *make empty*; (ع) راق ausströmen (Wasser) *pour forth* (*water*):

hif: pf. וַיָּרֶק, הֲרִיקוּ, הֲרִיקֹתִי, impf. יָרִיק, inf. הָרִיק, imp. הָרֵק, pt. מְרִיקִים: 1. **ausleeren** *empty out* שַׂק Gn 42, 35, כֵּלִי Ir 48, 12, חֶרֶם Ha 1, 17; 2. **ausschütten** *pour forth* (שֶׁמֶן) זָהָב Ko 11, 3, גֶּשֶׁם Sa 4, 12, בְּרָכָה Ma 3, 10; 3. הֵרִיק חֶרֶב **d. Schwert ziehen** *draw the sword* (cf. ak. pass. *kakkē ittabbaku*) Ex 15, 9 Lv 26, 33 Hs 5, 2. 12 12, 14 28, 7 30, 11, הֵרִיק חֲנִית *F* p. 315 Ps 35, 3; 4. leer lassen, **darben lassen** *cause to suffer want* Js 32, 6; l וַיָּדֶק Gn 14, 14, l אֲדִיקֵם Ps 18, 43; †

hof: pf. הוּרַק: umgegossen, **geklärt werden** (Öl) *be emptied from vessel to vessel, be clarified (oil)* Ir 48, 11; pro impf. תּוּרַק Ct 1, 3 l תַּמְרוּק. †

Der. רִיק, רֵיק, רֵק, רֵיקָם.

רִיק: ריק: Leere, leer, nichtig *emptiness, empty, vain*: כְּלִי רִיק **leer** *empty* Ir 51, 34, רִיק **Nichtiges** *idle things* Ps 4, 3, רִיק **nichtig, vergeblich** *worthless, vain* Ps 2, 1 73, 13 Js 30, 7; לְרִיק Js 49, 4 Hi 39, 16 u. לָרִיק Lv 26, 16. 20 Js 65, 23 **vergeblich** *vainly*; בְּדֵי רִיק **für nichts** *for nothing* Ir 51, 58 Ha 2, 13. †

רֵק, רֵיק: ריק: fem. רֵיקָה, pl. רֵיקִים, רֵקִים, fem. רֵקוֹת: adj. leer, nichtig *empty, vain*: 1. **leer** *empty* בֹּר Gn 37, 24, כַּד Jd 7, 16, כְּלִי 2 K 4, 3, cj רֵיקִים Ir 14, 3, Kessel *kettle* Hs 24, 11, Ähren *ears (of grain)* Gn 41, 27; (נֶפֶשׁ) **ungestilltes** (Verlangen) *unsatisfied (longing)* Js 29, 8; 2. (metaph.: Menschen *men*) **leer, haltlos** *empty, unsteady* Jd 9, 4 11, 3 2 C 13, 7 2 S 6, 20 Ne 5, 13; 3. **leer, nichtig** *vain, idle*: דָּבָר Dt 32, 47; pl. Nichtiges *idle things* Pr 12, 11 28, 19. †

רֵיקָם: רֵיק u. *-ām*; adverb.: in leerer Weise *in a vain manner*: 1. **mit leeren Händen, ohne Gabe** *with empty hands, without any offering* Gn 31, 42 Dt 15, 13 Hi 22, 9 Ex 3, 21 23, 15 34, 20 Dt 16, 16 1 S 6, 3 Ru 3, 17; 2. **ohne Erfolg, ohne Beute** *without success, without boot* 2 S 1, 22 Js 55, 11 Ir 50, 9 Ps 25, 3 (l יָשׁוּבוּ); 3. **ohne Besitz, ohne Familie** *without property, without family* (:: מְלֵאָה) Ru 1, 21; 4. **ohne Anlass** *without cause* Ps 7, 5; l רֵיקִים Ir 14, 3. †

ריר: ak. *lēru*, ja., sy. רִירָא Speichel *spittle*: رَالَ geifern *slobber*:

qal: pf. רָר: **fliessen lassen, absondern** *cause to flow* Lv 15, 3; *F* רִיר. †

רִיר: ריר: sf. רִירוֹ: **Speichel, Schleim** *spittle, slimy juice* 1 S 21, 14 Hi 6, 6. †

רֵאשׁ, רִישׁ, רֵישׁ: רושׁ: sf. רִישׁוֹ, רֵאשֶׁךָ, רֵישָׁם: **Armut** *poverty* (nur *only* Pr): // מַחְסוֹר Pr 6, 11 24, 34; רֵאשׁ וָעֹשֶׁר 30, 8 Si 11, 14; *F* Pr 10, 15 13, 18 28, 19 31, 7, cj 10, 4. †

רִישׁוֹן: *F* רִאשׁוֹן.

***רֹךְ**: רכך: **Weichlichkeit** *tenderness, weakness* Dt 28, 56. †

רַךְ: רכך: fem. רַכָּה, pl. רַכִּים, רַכּוֹת: 1. **zart, weich** *tender, weak*: יֶלֶד Gn 33, 13, בֵּן Pr 4, 3 1 C 22, 5 29, 1, בֶּן־בָּקָר Gn 18, 7, Reis *shoot* Hs 17, 22; 2. **zart, empfindlich** *tender, sensible, delicate*: עֵינַיִם Gn 29, 17, Alter *old man* 2 S 3, 39 (:: קָשִׁים); 3. **verzärtelt, weichlich** *coddled, weak*: Mann *man* Dt 28, 54, Frau *woman* Dt 28, 56 Js 47, 1; 4. **sanft, mild** *soft*: לָשׁוֹן Pr 25, 15, מַעֲנֶה Pr 15, 1, רַכּוֹת sanfte Worte *soft words* Hi 40, 27; 5. רַךְ לֵבָב **zaghaft** *timid* Dt 20, 8 2 C 13, 7. †

רכב: ug. *rkb*; Sem (äth. antreffen *encounter*);

asa. רכב Zügel *bridle*: ursprünglich: besteigen (Wagen, Tier) *originally*: *mount* (*vehicle*, *animal*):

qal: pf. רָכַב, רָכְבוּ, impf. יִרְכַּב, יִרְכְּבוּ, וַתִּרְכַּבְנָה, נִרְכַּב, inf. לִרְכֹּב, imp. רְכַב, pt. רֹכֵב, רֹכֶבֶת, sf. רֹכְבוֹ, pl. רֹכְבִים, cs. רֹכְבֵי, sf. רֹכְבֵיהֶם:

1. (gewöhnlich *usually* c. עַל): reiten *ride*: auf *upon*: גָּמָל Gn 24, 61 (Frau *woman*) 1 S 30, 17, עַיִר Jd 10, 4 12, 14 Sa 9, 9, חֲמוֹר 1 S 25, 20 u. 42 (Frau *woman*) 2 S 16, 2 1 K 13, 13 Sa 9, 9, אָתוֹן Nu 22, 22. 30 Jd 5, 10 2 S 19, 27 (עָלֶיהָ) 2 K 4, 24 (Frau *woman*), פֶּרֶד 2 S 13, 29 18, 9, סוּס Gn 49, 17 Ex 15, 1. 21 2 K 18, 23 Js 30, 16 36, 8 Ir 6, 23 50, 42 Ho 14, 4 Hg 2, 22 Sa 1, 8 12, 4 Hi 39, 18 Est 6, 8 8, 10. 14, בְּהֵמָה Ne 2, 12; רֹכֵב סוּס e. **Pferd reiten** *ride on horseback* 2 K 9, 18 f Ir 51, 21 Am 2, 15 Hs 23, 6. 12. 23 38, 15 Sa 10, 5, cj Ha 3, 15 (l רְכַבְתָּ), cj Ps 76, 7 (l רֹכֵב); cj (רכב) צֶמֶד מֵאַחֲרֵי als Paar reiten hinter *ride by two after* 2 K 9, 25;

2. **fahren** auf *ride upon*: רֶכֶב Ir 17, 25 22, 4 51, 21, מֶרְכָּבָה Lv 15, 9 Ha 3, 8 Hg 2, 22; reiten oder fahren? *ride* (*upon animal or carriage?*) 1 K 18, 45 2 K 9, 16;

3. von Gott gesagt *said of God*: ug. *rkb ʿrpt*; רֹכֵב שָׁמַיִם Dt 33, 26, רֹכֵב (MT בִּשְׁמֵי) בַּשָּׁמַיִם Ps 68, 34; וַיִּרְכַּב עַל־כְּרוּב 2 S 22, 11 Ps 18, 11, רֹכֵב עַל־עָב Js 19, 1, רֹכֵב בָּעֲרָבוֹת Ps 68, 5; l בְּרֹב 2 K 19, 23; fraglich *doubtful* Ps 45, 5; †

hif: pf. הִרְכַּבְתָּ, sf. הִרְכַּבְתִּיךָ, הִרְכִּיבֻהוּ, impf. וַיַּרְכֵּב, אַרְכִּיב, sf. יַרְכִּבֵהוּ, וַיַּרְכִּיבֻהוּ, imp. הַרְכֵּב:

1. **reiten lassen** *cause to* (*mount and*) *ride* Ex 4, 20 (עַל) 1 K 1, 33. 38. 44 Hi 30, 22 (l עַל) Est 6, 9. 11; 2. **fahren lassen** (בְּ auf) *cause to ride* (בְּ *in*) Gn 41, 43 2 K 10, 16, l עַל pro אֶל 2 S 6, 3 1 C 13, 7 2 C 35, 24; subj. Gott *God* Dt 32, 13 Js 58, 14; 3. auf einem Wagen **bringen** *carry in a chariot* 2 K 9, 28 23, 30; 4. e. Tier **anspannen** *put* (*animal*) *to* Ho 10, 11; 5. הִרְכִּיב יָד עַל־קֶשֶׁת die Hand (schussbereit) an den Bogen legen *put the hand* (*ready for throwing*) *to the bow* 2 K 13, 16; 6. הִרְכִּיב אֱנוֹשׁ לְרֹאשׁוֹ lässt ihm Menschen übers Haupt fahren, „auf dem Kopf tanzen" *causes people to ride upon his head* Ps 66, 12. †

Der. רְכוּב*, רִכְבָּה, רַכָּב, מֶרְכָּבָה, רֶכֶב; n. m. רֵכָב.

רֶכֶב (120 ×): רכב: רֶכֶב, sf. רִכְבּוֹ, pl. cs. רִכְבֵי Ct 1, 9 †: Fahrgerät, Wagen *vehicle*, *chariot* (BRL 532 f): 1. coll. (Nöld BS 60): **Wagenzug, Gruppe von Wagen** *chariotry*, *group of chariots* Gn 50, 9; besonders *especially* **Streitwagen** *war-chariots*, c. פָּרָשִׁים 1 S 13, 5 1 K 1, 5 9, 19, c. סוּסִים 2 K 10, 2, in יִשְׂרָאֵל 1 K 1, 5, פְּלִשְׁתִּים 1 S 13, 5, כְּנַעַן Jd 4, 7, מִצְרַיִם Ex 14, 6, אֲרָם 2 S 8, 4, אַשּׁוּר 2 K 19, 23 (l בְּרֹב); רֶכֶב בַּרְזֶל Jos 17, 16 Jd 1, 19 4, 3. 13 (900 Stück); שְׁנֵי רֶכֶב סוּסִים 2 bespannte Wagen *2 ch. drawn by horses* 2 K 7, 14 (l פַּרְעֹה רִכְבּוֹ Ex 14, 9 ut 23); רֶכֶב וְגַלְגַּל Hs 23, 24; כְּלֵי רֶכֶב Wagengerät *furniture of chariots* 1 S 8, 12; עָרֵי רֶכֶב Stapelstädte für Streitwagen *staple-towns for war-chariots* 1 K 9, 19 10, 26; שָׂרֵי רֶכֶב 1 K 9, 22, cj וּבַעֲלֵי הָרֶכֶב וְהַפָּרָשִׁים 2 S 1, 6; רֶכֶב יִשְׂרָאֵל 2 K 2, 12; רֶכֶב אֵשׁ 2 K 2, 11; רֶכֶב אֱלֹהִים (1000) Ps 68, 18; 2. **Wagenzug > Zug** (von Lasttieren) *train of chariots* > *train* (*of beasts of burden*) רֶכֶב חֲמוֹר u. רֶכֶב גָּמָל Js 21, 7; 3. רֶכֶב (einzelner) Wagen (*single*) *chariot* F מֶרְכָּבָה 1 K 22, 35. 38; רֶכֶב הַמִּשְׁנֶה 2 C 35, 24; pl. Ct 1, 9; 4. רֶכֶב der obere der beiden **Mühlsteine** *the upper of the two mill-stones* (ak. *narkabu*; BRL 386 f) רֵחַיִם וָרֶכֶב Dt 24, 6, פֶּלַח רֶכֶב Jd 9, 53 2 S 11, 21; l רֹכֵב Ps 76, 7, l רַכָּב Js 22, 6; pro רִכְבָּהּ l רִבְצֵךְ Na 2, 14.

רַכָּב: רכב: sf. רַכָּבוֹ: **Wagenlenker, Fahrer** *charioteer* 1 K 22, 34 2 C 18, 33, **Reiter** *horseman* 2 K 9, 17. †

רֵכָב: n. m.; רכב: 1. S. v. רִמּוֹן 2 S 4, 2—9; 2. V. v. יְהוֹנָדָב 2 K 10, 15. 23 Ir 35, 6. 8. 14. 16. 19, בֵּית־רֵכָב 1 C 2, 55; F *רֵכָבִי; 3. Ne 3, 14. †

רִכְבָּה: רכב: **Reiten, Fahren** *act of driving, riding* Hs 27, 20. †

***רֵכָבִי**: gntl.; v. רֵכָב 2.: pl. רֵכָבִים: **Rechabit** *Rechabite* Ir 35, 2 f. 5. 18. †

רֵכָה: n. l.; Text?: 1 C 4, 12. †

***רְכוּב**: רכב: sf. רְכוּבוֹ: **Fahrzeug, Wagen** *vehicle, chariot* Ps 104, 3 (Torczyner l עַב מֶרְכָּבוֹ). †

רְכוּשׁ, רְכֻשׁ: רכשׁ; < ak. *rukūšu* Zimm. 41: sf. רְכוּשָׁם, רְכֻשׁוֹ: (durch Arbeit, nicht durch Kauf erworbner) **Besitz** *property, goods (gained by working, not by purchase)*: 1. **Besitz** (Einrichtung, Gerät, Geschirr) *goods (furniture, implements)* Gn 12, 5 13, 6 14, 11 f. 16. 21 15, 14 31, 18 (:: מִקְנֶה) 36, 7 46, 6 Nu 16, 32 35, 3 Esr 1, 4. 6 8, 21 10, 8 2 C 21, 14. 17 32, 29; 2. **Habe, Ausstattung** *goods, equipment* (v. Kriegern *of warriors*) Da 11, 24. 28 2 C 20, 25, **Tross** *baggage-train* Da 11, 13; 3. **Eigenbesitz, Domäne** (des Königs) *individual property, domain (of the king)* 1 C 27, 31 28, 1 2 C 31, 3 35, 7. †

רָכִיל: II *רכל: **Verleumdung** *slander*: אַנְשֵׁי רָכִיל **Verleumder** *slanderer* Hs 22, 9, הָלַךְ רָכִיל **Verleumdung treiben** *go about as slanderer* Lv 19, 16 Ir 6, 28 9, 3 Pr 11, 13 20, 19, cj pl. cs. רְכִילֵי Ps 31, 21. †

רכך: ug. *rk*; ja., sy., رَقَّ zart, weich sein *be tender, soft*:

qal: pf. רַכּוּ, רַךְ, impf. יֵרַךְ: **zart, gelinde sein** *be soft* דָּבָר Ps 55, 22; (לֵב) **zaghaft sein** *be timid* Dt 20, 3 2 K 22, 19 Js 7, 4 Ir 51, 46 2 C 34, 27; †

pu: pf. רֻכְּכָה: **weich gemacht werden** *be softened* Js 1, 6; †

hif: pf. הֵרַךְ: **verzagt machen** *cause to be timid* Hi 23, 16. †

Der. מֹרֶךְ, רַךְ, רֹךְ.

I רכל: ja. רוֹכְלָא, ܪܘܟܠܐ Hausierer *pedlar*; asa. רכל als Händler umherziehen *go about as trader*; رَكَلَ e. Pferd mit d. Absatz antreiben *kick a horse to make him go*; רגל?:

qal: pt. רֹכֵל, pl. רֹכְלִים, cs. רֹכְלֵי, sf. רֹכְלַיִךְ, fem. רֹכֶלֶת, sf. רֹכַלְתֵּךְ: **Händler, Verkäufer** *trader, trafficker* 1 K 10, 15 Hs 27, 13. 15. 17. 22—24, cj 38, 13 (רֹכְלֶיהָ), Na 3, 16 (נִינְוֵה) Ct 3, 6 Ne 3, 31 f 13, 20; עִיר רֹכְלִים (בָּבֶל) Hs 17, 4; fem. **Händlerin** *tradeswoman* Hs 27, 3. 20. 23; (צֹר) רֹכֶלֶת הָעַמִּים Hs 27, 3, cj 26, 2. †

Der. רְכֻלָּה.

II *רכל: רָכִיל.

רָכָל n. l. 1 S 30, 29: l בְּכַרְמֶל. †

***רְכֻלָּה**: I רכל: sf. רְכֻלָּתֵךְ, רְכֻלָּתֵךְ: **Handel** *traffic* Hs 28, 5. 16. 18, cj 27, 24 (l בָּם רְכֻלָּתֵךְ), **Handelsgut** *(saleable) goods* Hs 26, 12. †

רכס: ug. *rks*, ak. *rakāsu*, رَكَسَ:

qal: impf. וַיִּרְכְּסוּ: **festbinden** *bind* Ex 28, 28 39, 21. †

Der. רֶכֶשׁ, רֶכֶס*.

***רֶכֶס**: أَرْكَسَ fest, rund werden (Mädchenbrüste) *become solid, round (girl's breasts)*; cf. *en-Nheiden* die beiden Brüste *the two breasts* = Name von 2 Hügeln *name of two hills* bei *near*

Kairo: pl. רְכָסִים; Rundungen, höckeriges Gelände *roundings*, *rugged ground* Js 40,4.†

רֶכֶס*: pl. cs. רִכְסֵי Ps 31,21: l רְכִלֵי F רָכִיל.†

רכשׁ: ak. *rukūšu* Herdenbesitz *herds* F רְכוּשׁ; mnd. sammeln *gather*:

qal: pf. רָכַשׁ, רָכָשׁ, רָכְשׁוּ: **sammeln, erwerben** *gather property* Gn 12,5 31,18 36,6 46,6.†

Der. רְכוּשׁ.

רֶכֶשׁ: רכם; äg. *rks* Gespann (Pferde) *team (horses)*, Nöld. BS 61: רָכֶשׁ: **coll. Gespann, Wagenpferde** *team of horses* 1K 5,8 Mi 1,13, **Postpferde** *post-horses* Est 8,10.14.†

I רָם: F רום.

II רָם: n. m.; KF; רום: 1. Hi 32,2; 2. Ru 4,19 1C 2,9; 3. 1C 2,25.27.†

רֵם: F רְאֵם.

I רמה: ak. *ramū* werfen *throw* u. Wohnung gründen *found a dwelling*; cf. ug. *rmm* (Bau) aufrichten *erect (building)*; F ba.; رمى werfen, schiessen *throw*, *shoot*, ܪܡܐ schlagen *strike*:

qal: pf. רָמָה, pt. cs. רֹמֵה, pl. cs. רֹמֵי: **1. werfen** *throw* Ex 15,1.21; **2.** (Pfeile werfen *shoot arrows*) **schiessen** *shoot*: רֹמֵה קֶשֶׁת Bogenschütze *bow-shooter* Ir 4,29; l בְּקֶשֶׁת מְשַׁקְּרִים Ps 78,9.†

Der. אַרְמוֹן; רָמוֹת*; n. m. (ו)יִרְמְיָה.

II רמה: ak. *ramū* sich lockern *grow loose*; cf רפה?:

pi: pf. רִמָּה, רִמִּיתֶם, sf. רִמָּנִי, רִמִּתְנִי, רִמִּיתָנִי, רִמּוּנִי, inf. sf. רַמּוֹתַנִי: **1. im Stich lassen** *forsake* Th 1,19; **2. betrügen** *deceive*, *beguile* Gn 29,25 Jos 9,22 1S 19,17 28,12 2S 19,27 Pr 26,19, cj 14,25 (l מִרְמָה); 3. c. לְ **verraten an** *betray to* 1C 12,18.†

Der. I מִרְמָה, I, II רְמִיָּה, תַּרְמִית.

I רָמָה: רום: pt. fem.: sf. רָמָתֵךְ, pl. sf. רָמֹתַיִךְ: **1. Anhöhe** *height*, *high-place* 1S 22,6; **2.** = 1 (künstlich von d. Unzüchtigen hergerichtet *artificially built up by the unchaste woman* Eissfeldt JOP 1936, 266 ff) Hs 16,24 f. 31.39; F II.†

II רָמָה: n. l.; = I: cs. רָמַת, > רָאמַת Jos 19,8, loc. הָרָמָתָה, pl. רָמוֹת (du. הָרָמָתַיִם 1S 1,1, l הָרָמָתִים?): 1. in Benjamin; *er-Rām*, 8 km n. Jerusalem, 792 m hoch *high*: הָרָמָה Jos 18,25 Jd 4,5 19,13 1K 15,17.21 f Js 10,29 Ir 31,15 (l בְּרָ׳) 40,1 Ho 5,8 Esr 2,26 Ne 7,30 11,33 2C 16,1.5 f; 2. in Asser; *er-Rāme*, an d. Strasse *on the road* Akka-Ṣāfed ZDP 58,223: הָרָמָה Jos 19,29; 3. in Naftali: הָרָמָה *er-Rāme*, Jos 19,36; 4. in Ephraim, Vaterstadt v. *native town of* Samuel 1S 1,19 19,19.22 f 25,1 28,3 הָרָמָה, = הָרָמָתָה 1S 2,11 7,17 8,4 15,34 16,13 19,18.22, > Ῥαμαθεμ 1Mk 11,34 u. Ἀρμαθαιμ (Mt 27,57 Ἀριμαθαία) = רָמָתַיִם*, F רָמָתִי; = *Ramallāh*? PJ 21,72; 5. רָמַת לֶחִי Jd 15,17; F II לְחִי; 6. רָמַת הַמִּצְפֶּה Jos 13,26: F II מִצְפָּה; 7. רָאמַת נֶגֶב Jos 19,8 u. רָמוֹת נֶגֶב 1S 30,27, in S-Juda; 8. רָמַת גִּלְעָד = הָרָמָה 2K 8,29: F II רָאמוֹת; l הָרָמָתַיִם 1S 1,1?.†

רִמָּה: I רמם: **Made** *maggot*: in faulenden Speisen *in decayed food* Ex 16,24, in faulendem Körper *in a decaying body* Hi 7,5 Js 14,11 Hi 17,14 21,26 Si 7,17 10,11; der Mensch *mankind* e. Made *a maggot* Hi 25,6, cj Js 41,14 (l רִמַּת יִשְׂרָאֵל); Hi 24,20; F רָמוּת*.†

I רִמּוֹן: ak. (LW?) *armannu* Zimm. 53 f; aram. רוּמָאנָא, רוּמָנָא, רִימּוֹנָא, ܪܘܡܢܐ, mnd. ܪܘܡܢܐ, > رمّان, ܪܘܡܢ Nöld. NB 42: sf. רִמֹּנִי, pl. רִמּוֹנִים,

רִמֹּנִים, cs. רִמּוֹנֵי: **Granatapfel** *pomegranate Punica granatum L.* (Löw 3, 80 ff, BRL 86): 1. der Baum *the tree* Nu 20, 5 Dt 8, 8 1 S 14, 2 Jl 1, 12 Hg 2, 19, pl. Ct 4, 13 6, 11 7, 13; 2. die Frucht *the fruit* Nu 13, 23 Ct 4, 3 6, 7; c. עָסִיס 8, 2 (l רִמֹּנִים) Granatapfelsaft *juice of pomegranates*; 3. (künstlicher) Granatapfel (*artificial*) *pomegranate* Ex 28, 33 f 39, 24—26 Si 45, 9, (aus Metall *of metal*) 1 K 7, 18. 20. 42 cj 18 2 K 25, 17 Ir 52, 22 f 2 C 3, 16 4, 13.†
Der. II n. m., III n. l. רִמּוֹן.

II רִמּוֹן: n. m.; = I; APN 259; > äg. *Nehemen* Mallon 36 f: 2 S 4, 2. 5. 9.†

III רִמּוֹן, רִמֹּן: n. l.; = I; Löw 3, 83 f: loc. רִמֹּנָה: 1. F עֵין רִמּוֹן, > רִמּוֹן Sa 14, 10; 2. cj רִמֹּנָה Jos 19, 33 u. 21, 35 u. 1 C 6, 62 = *Rummāneh* n. Nazareth; 3. רִמֹּן פֶּרֶץ am Pass *at the defile Naqb el-Bdēje* PJ 36, 24: Nu 33, 19 f; 4. F סֶלַע (הָ)רִמּוֹן.†

IV רִמּוֹן: n. dei; ak. *Ramānu* (Wettergott *god of wind, rain a. storm*), Deimel, Pantheon 23, Schlobies MAO I, 3, 9: asa. n. dei רמן: 2 K 5, 18.†
Der. הֲדַד־רִמּוֹן, טַבְרִמֹּן.

רִמּוֹנוֹ 1 C 6, 62: l רִמּוֹנָה F III רִמּוֹן 2.†

רָמ(ו)ֹת F רָמָה 7. 8.

*רָמוּת: sf. רָמוּתֶךָ Hs 32, 5: I רמה Abraum *refuse* vel l רִמָּתֶךָ?†

*רמז: F רזם.

*רמח: *רֹמַח.

*רֹמַח: *רמח; ja., sy. רוּמְחָא; رمح, ርምሕ, > äg. *mrḥ* (> λόγχη?): pl. רְמָחִים, sf. רָמְחֵיהֶם: Lanze *lance*, c. מרק Ir 46, 4, // מָגֵן Jd 5, 8, // צִנָּה 1 C 12, 9. 25 2 C 11, 12 14, 7 25, 5, // חֶרֶב 1 K 18, 28, // חֶרֶב u. קֶשֶׁת Ne 4, 7; F Nu 25, 7 Hs 39, 9 Jl 4, 10 Ne 4, 10. 15 2 C 26, 14.†

רַמְיָה: n. m. רום u. י׳? vel < יִרְמְיָה?: Esr 10, 25.†

I רְמִיָּה: II רמה: **Schlaffheit, Lockerung** *slackness, looseness* Pr 12, 27; קֶשֶׁת ר׳ schlaffer Bogen *slack, loose bow* Ho 7, 16 Ps 78, 57, יַד ר׳ Pr 12, 24 u. כַּף ר׳ 10, 4 schlaffe lässige H. *slack, sluggish h.*; נֶפֶשׁ ר׳ lässiges Wesen *sluggish behaviour* 19, 15; adverb. עָשָׂה ר׳ lässig betreiben *act neglectfully* Ir 48, 10.†

II רְמִיָּה: II רמה pi.; **Trug, Täuschung** *deceit* Mi 6, 12 Ps 32, 2 52, 4 101, 7 Hi 13, 7 27, 4; לְשׁוֹן ר׳ (l לָשׁוֹן?) falsche Z. *deceitful t.* Ps 120, 2 f.†

רַמִּים: הָרַמִּים 2 C 22, 5: l הָאֲרַמִּים.

*רַמָּכָה: J. J. Hess: رَمَكَة Stute *mare*, ötebisch, *qaḥtani*: *er remykeh* vollkräftige schnelle Stute von 3 Jahren *3 years old vigorous a. fast running mare* ZAW 55, 173 f: pl. רַמָּכִים: **Rennstutte** *runner* (*mare*) Est 8, 10 (בְּנֵי einzelne *singles*).†

*רמל: רְמַלְיָהוּ.

רְמַלְיָהוּ: n. m.; *רמל u. י׳; Dir. 217: V. v. פֶּקַח: 2 K 15, 25. 27. 30. 32. 37 16, 1. 5 Js 7, 1. 4 f. 9 8, 6 2 C 28, 6.†

רמם: رَمَّ morsch werden *grow rotten*:
qal: impf. וַיָּרֻם: verfaulen, c. תוֹלָעִים **voll Würmer werden** *grow full of worms* Ex 16, 20.†

II רמם: NF v. רום:
qal: pf. רוֹמּוּ Hi 24, 24; l רָמוּ;†

inf: impf. וַיֵּרֹמּוּ, יֵרוֹמּוּ, imp. הֵרֹמּוּ: **sich erheben** *rise* Hs 10, 15. 17. 19 (l אִתָּם); c. מִן **sich wegbegeben von** *go away from* Nu 17, 10.†

רֹמַמְתִּי (עָזֶר) עֶזֶר: künstlicher *artificial* n. m., aus e. Lied genommen *taken out of a song* (F Komm.): 1 C 25, 4. 31.†

רמס: mhb., ja.; = رَفَسَ; ܪܦܣ stossen *kick*; רפש:

qal: pf. רָמַס, impf. יִרְמֹס, יִרְמָס־, וַיִּרְמְסוּ, sf. וַיִּרְמְסֵהוּ, וַיִּרְמְסֶנָּה, אֶרְמְסֵם, וַיִּרְמְסֵהוּ, imp. רְמֹס, רִמְסִי, pt. רֹמֵס: **mit den Füssen treten, zertreten, zerstampfen** *trample, trample down*: Töpfer Lehm *potter clay* Js 41, 25 F Na 3, 14, Trauben *grapes* Js 63, 3, d. Boden *the ground* Js 1, 12 26, 6 Hs 26, 11. 34, 18; Menschen zertreten *trample down men* 2 K 7, 17. 20, Tiere *animals* Ps 91, 13 Da 8, 7, Pflanzen *plants* 2 K 14, 9 2 C 25, 18, die Sterne *the stars* Da 8, 10; subj. סוּסִים 2 K 9,33, אַרְיֵה Mi 5,7; רֹמֵס Js 16,4; רָמַס לָאָרֶץ zu Boden treten *trample to the ground* Ps 7, 6.†
Der. מִרְמָס.

רמשׂ: ak. *namāšu* in Bewegung kommen *grow motioned*, *nāmaššû* Lebenwesen *living creature*, = *nammaštu*, auch *also* Gewimmel *creeping beings*; cp. רמס kriechen *creep*; رَمَشَ leise berühren *touch gently*; ኣረምሰሰ betasten *touch, feel*; ܪܡܫܐ sanft *gentle*:

qal: impf. תִּרְמֹשׂ, pl. רֹמֵשׂ, רוֹמֵשׂ, רֹמֶשֶׂת, **wimmeln** (sich in ununterscheidbarer Vielheit ziellos bewegen) *creep* (*move about aimlessly and in indiscernible plenty*): Gn 1, 26. 28. 30 7, 8. 14. 21 8, 17. 19 9, 2 Lv 11, 44. 46 20, 25 Dt 4, 18 Hs 38, 20 Ps 69, 35 104, 20 (von Lebenwesen der Erde, des Wassers, des Buschwald gesagt *said of beings of the earth, the water, the woods*).†
Der. רֶמֶשׂ.

רֶמֶשׂ: רמשׂ: (die Tierwelt nach Abzug von *the fauna except*: Grosstiere u. Vögel *big beasts a. birds* Gn 6, 7 Ho 2, 20 Ps 148, 10, Fische, Vögel u. Wild *fish, birds a. game* Hs 38, 20): **d. kleine Getier, Kriechtiere** *the small animals, creeping things* (ἑρπετόν *reptile*) Gn 1, 24—26 6, 7. 20 7, 14 8, 17. 19 9, 3 1 K 5, 13 Hs 8, 10 38, 20 Ho 2, 20 Ha 1, 14 Ps 104, 25 148, 10.†

רֶמֶת: n. l.; רמה: in Issaschar; *T. el-Mqarqaš* (Saarisalo 129[2])? Jos 19, 21.†

רָמָתִי: gntl. v. II רָמָה 4: 1 C 27, 27, cj 1 S 1, 1 (l pl. הָרָמָתִים?).†

***רֹן**: רנן: pl. cs. רָנֵּי Ps 32, 7: dele, dittogr. v. תְּ[צ]רֵנִי.†

רנה: NF v. רנן; F רִנָּה 3:

qal: impf. תִּרְנֶה: **klirren** *rattle* Hi 39, 23.†

I **רִנָּה**: רנן: sf. רִנָּתִי, רִנָּתָם: lauter (inartikulierter) Ruf *ringing* (*inarticulate*) *cry*: 1. **Jubelruf** *cry of joy* Js 14, 7 35, 10 44, 23 48, 20 49, 13 51, 11 54, 1 55, 12 Ze 3, 17 Ps 42, 5 47, 2 105, 43 107, 22 118, 15 126, 2. 5 f Pr 11, 10 2 C 20, 22, cj רִנָּתָה Pr 1, 20; 2. **Klageruf, Wimmern** (besonders im Gebet) *cry of entreaty, whining* (*especially in prayer*) 1 K 8, 28 Js 43, 14 (Torczyner Entst. 83: adverb.) Ir 7, 16 11, 14 14, 12 Ps 17, 1 30, 6 61, 2 88, 3 106, 44 119, 169 142, 7 2 C 6, 19; 3. הָרִנָּה c. verb. masc. 1 K 22, 36 (στρατοκήρυξ, *praeco*) l הָרַנָּה (רנה) Herold *herald*?

II **רִנָּה**: n. m.; = I; asa. u. fem. רנת: 1 C 4, 20.†

רנן: NF רנה: رَنَّ schreien, schwirren (Bogen) *cry loud, twang* (*bow*), pal. ar. klirren *rattle* AS 5, 342; ja. pa. jubeln *jubilate* u., so *thus* mhb. pi, cp. pa., murren *complain*:

qal: impf. יָרֹנּוּ, תָּרֹן, יָרֹן Pr 29, 6 l יָרוּץ; imp. רָנִּי, רֹנִּי, רָנּוּ, inf. רָן (l בַּחוּצוֹת רְנָּתָה Pr 1, 20): gellen, gellend rufen *give a ringing cry*: 1. jauchzen *jubilate, give a cry of joy* Lv 9, 24 Js 12, 6 24, 14 35, 6 42, 11 44, 23 49, 13 54, 1 65, 14 Ir 31, 7 Ze 3, 14 Sa 2, 14 Ps 35, 27 Pr 8, 3 Hi 38, 7; 2. wimmern *whine* Th 2, 19; ? Js 61, 7; †

pi: pf. רִנְּנוּ, impf. יְרַנְּנוּ, אֲרַנֵּן, תְּרַנֵּן, נְרַנְּנָה, תְּרַנֵּנָּה, inf. רַנֵּן, imp. רַנְּנוּ: 1. jauchzen *give a ringing cry in joy* Js 26, 19 35, 2 52, 8 f Ir 31, 12 51, 48 Ps 5, 12 20, 6 33, 1 67, 5 71, 23 89, 13 90, 14 92, 5 (בְּ über *on account of*) 96, 12 98, 4. 8 132, 9. 16 145, 7 149, 5 1 C 16, 33; c. acc. **jauchzend verkündigen** *tell with joy* Ps 51, 16 59, 17; c. אֶל Ps 84, 3 u. c. לְ Ps 95, 1 **zujauchzen** (Gott) *cry in joy unto* (*God*), l (לין) אֶתְלֹנָן Ps 63, 8; †

pu: impf. יְרֻנַּן **man jauchzt** *they cry for joy* Js 16, 10; †

hif: impf. תַּרְנִין, אַרְנִן, imp. הַרְנִינוּ: 1. **zum Jauchzen bringen** *cause to cry for joy* Dt 32, 43 Ps 65, 9 Hi 29, 13; 2. **Jauchzen anstimmen** *ring out a cry of joy* Ps 32, 11; c. לְ **zujauchzen** (Gott) *cry in joy unto* (*God*) Ps 81, 2; †

(hitp.): F רון. †

Der. (*רין) I, II רִנָּה, רְנָנָה, רְנָנִים.

רְנָנָה: רנן: cs. רִנְנַת: pl. רְנָנוֹת: Jauchzen *cry of joy* Ps 63, 6 100, 2 Hi 3, 7 20, 5. †

רְנָנִים: sg. *רְנָנָה?; רנן: **weibliche Strausse, Straussenweibchen** (wegen d. wimmernden Rufe) *female ostrichs* (*on account of their whining*) Hi 39, 13. †

רִסָּה: n. l.; ?רסס: Wüstenstation *station in the wilderness* Nu 33, 21 f. †

I **רְסִיסִים**: I רסס; ja. רְסָא u. רְסִיסָא: pl. cs. רְסִיסֵי: **Tropfen** *drop* // טַל Ct 5, 2. †

II ***רְסִיסִים**: II רסס, mhb., ja., mnd. zerbrechen *break to pieces*; Hoffmann ZAW 3, 115 cf. رَسّ durch Trümmer verschütteter Brunnen *well burried by ruins*: : Ruž. 12; mhb. רִסּוּסִין Zerstückeltes *things broken to pieces*, ja. רְסִיסָא Spalt *split*: pl. רְסִיסִים: **Bruckstück, Trümmer** *fragment, ruins* Am 6, 11. †

***רסן**: I רֶסֶן.

I **רֶסֶן**: ja. רִסְנָא Zaum *bridle*, > رَسَن, ak. (westsem. LW?) pl. *risnēti* Zimm. 42: **Zaum** *bridle* Js 30, 28 Ps 32, 9 Hi 30, 11 (שִׁלַּח locker lassen *leave loose*); l סְרִינוֹ Hi 41, 5. †

II **רֶסֶן**: n. l.; < *Rās ʿēni*?: zwischen *between* נִינְוֵה u. כָּלַח; noch nicht gefunden *not yet identified*: Gn 10, 12. †

I **רסס**: aram.; ܪܣ, رَشّ: qal: inf. רֹס: **besprengen** *sprinkle* Hs 46, 14. †

Der. I *רְסִיסִים; n. l. רִסָּה?

II **רסס**: F II *רְסִיסִים.

רַע, רָע (225 ×): I רעע, fem. רָעָה (< *raʿʿa*), pl. רָעִים, cs. רָעֵי, fem. רָעוֹת, F רָעָה; adj.: 1. **schlecht beschaffen, minderwertig** *of bad quality, inferior*: Vieh *cattle* Gn 41, 20, מַיִם 2 K 2, 19, Feigen *figs* Ir 24, 2, Waare *merchandise* Pr 20, 14; cj (שֵׁן) רָעָה **schadhaft** *carious* Pr 25, 19; מַרְאֶה **hässlich** *ugly* Gn 41, 3; usw.; 2 **schlecht bekömmlich**, *ill, evil*: Lebensjahre, *lifetime* Gn 47, 9, Gegend *country* Nu 20, 5; etc.; בְּרָעָה **unter ungünstigen Bedingungen** *in unfavourable circumstances* 2 K 14, 10 2 C 25, 19 3. **übel, wenig wertvoll, verächtlich** *bad, of no great value, despicable*: שֵׁם Dt 22, 14 Ne 6, 13; etc.; 4. **übel gesinnt**, böse, sittlich verworfen *bad (of mind, temper), unkind, wicked*: רַע מַחֲשָׁבָה Gn 6, 5, רָע מַעֲלָלִים 1 S 25, 3; רָע wer böse ist *the wicked* Ps 5, 5, cj רַע Pr 13, 10; עֵדָה רָעָה Nu 14, 27; רָעֵי גוֹיִם die schlimmsten Völker *the most wicked nations* Hs 7, 24; לֵב רָע Ir 3, 17 7, 24; דֶּרֶךְ רָעָה 1 K 13, 33, מַעֲלָל רָע Sa 1, 4; etc.; 5. רַע בְּעֵינֵי böse in d. Augen, dem Urteil v. *bad, evil in the eyes, the opinion of* = **missfällig, unbeliebt** *unpleasant, disagreeable* Gn 28, 8, = **unerwünscht, verdriesslich** *undesired, cross* Nu 11, 10, = **verwerflich, nicht zu billigen** *objectionable* Dt 4, 25 1 S 29, 7 1 K 11, 6, etc.; רַע עַל **verdriesslich** für *grievous unto* Ko 2, 17; 6. **bösartig, schädlich** *malignant, noxious*: שְׁחִין Dt 28, 35, *evil* חַיָּה Gn 37, 33; דָּבָר רָע etwas Schädliches *something noxious* 2 K 4, 41; רוּחַ רָעָה **unheilvoll** *ominous, unlucky* Jd 9, 23 1 S 16, 14; ? מַלְאֲכֵי רָעִים Ps 78, 49; רַע עַיִן **missgünstig** *envious* Pr 23, 6 28, 22 Si 14, 3; 7. **böse, unglückbringend** *evil, bringing misfortune*: רָע was schlimm ist *what is ill* Hi 2, 10 Js 31, 2, רָע **Unheil** *disaster* Gn 44, 34 48, 16 (:: שָׁלוֹם Js 45, 7), בְּרָע **in übler Lage** *in a bad situation* Ex 5, 19; יוֹם רָע **Unglückstag** *evil day* Am 6, 3, pl. Ps 94, 13 (l מְתֵי רָעַ 49, 6); לְרַע לָכֶם euch zum Unheil *to your ill luck, to your own hurt* Ir 7, 6, etc.; 8. **böse** (im absoluten, ethischen Sinn) (*absolutely, ethically*) *bad, evil*: רָע :: טוֹב Gn 2, 9 Dt 1, 39 2 S 14, 17 19, 36 1 K 3, 9, Gn 24, 50 31, 24 Ps 34, 15 Hi 1, 1; 9. **schlecht gestimmt, verdriesslich, missmutig** *of ill humour, ill-pleased*: פָּנֶיךָ רָעִים (I רעע qal 7) du siehst verdrossen drein *you look ill-pleased* Gn 40, 7 Ne 2, 2; הָיָה רַע לְפָנַי zeigt (ihm) e. verdrossenes Gesicht *looks ill-pleased before (him)* Ne 2, 1; 10. רַע > רָע subst.: רַע **Unglück** *evil* Ps 23, 4; עֲצַת רָע schlechter Rat *wicked counsel* Hs 11, 2, אַנְשֵׁי רָע böse Menschen *wicked men* Pr 28, 5, דֶּרֶךְ רָע Weg des Bösen *way of the evil (malum)* Pr 2, 12, F רָעָה; 11. Einzelnes *particulars*: בְּרָע הוּא es neigt zum Bösen *it has a liking for the evil* Ex 32, 22; עָשָׂה רָעָה e. Unheil anstellen? *do an unlucky deed?* sich e. Leid antun? *lay hands upon oneself?* 2 S 12, 18; l בָּרַע Pr 20, 30; l רֹעַ Ps 7, 10 u. (inf!) Pr 11, 15; l רַע Pr 6, 24; ? Ps 73, 8 Nu 11, 1 Ps 10, 6. Der. רָעָה.

I רֵעַ: רוע (wie *like* רֵיחַ : רוח): sf. רֵעוֹ, רֵעָה: **Geschrei** *shouting, roar* Ex 32, 17 Mi 4, 9 Hi 36, 33, cj בְּמֹתֵי רֵעַ [siehst] auf die schreienden (prahlenden) Männer [*look at*] *the shouting (boasting) men* Ps 49, 6.†

II רֵעַ: (179 ×): II רעה; pu. n. m. רעמלך Eph. 1, 37: sf. רֵעוֹ, רֵעֵהוּ, רֵעָהּ, רֵעֲךָ, רֵעֶךָ, רֵעֲכֶם pro רֵיעֲכֶם Hj 6, 27, pl. רֵעִים, cs. רֵעֵי, sf. רֵעָיו u. רֵעֵהוּ! 1 K 16, 11 u. Hi 42, 10 (l לְעָרֵיהֶם 1 S 30, 26), רֵעֶיהָ, רֵעֶיךָ, רֵעַיִךְ, רֵעַי, רֵעַי, רֵעֵיהֶם: 1. **Gefährte, Genosse, Freund** *fellow, companion, friend*: Gn 38, 12 Dt 13, 7 2 S 12, 11 (MSS) 13, 3 Hi 2, 11 19, 21 Pr 3, 28 Q 1 C 27, 33, אֹהֵב וָרֵעַ Ps 88, 19, pl. אַחַי וְרֵעָי Ps 122, 8; רֵעַ einer Frau *a woman's* Ir 3, 1. cj 3 Hs 22, 12, אֲהֻבַת רֵעַ Ho 3, 1; רֵעִי // דּוֹדִי Ct 5, 16; 2. der mit einem zufällig u. vorübergehend oder durch Nachbarschaft, Ortgemeinschaft oder sonstwie zusammengehörende **Andere, „Nächste"** *the person with whom one meets casually and temporarily or to whom one is related as neighbour or inhabitant of the same place or in any other connexion*: *the other, the „neighbour"*; daher sehr oft in Ausdrücken der Wechselseitigkeit *therefore very often in expressions of reciprocity*: אִישׁ שְׂפַת רֵעֵהוּ

einer d. Spr. des andern *one of the lang. of the other* Gn 11, 7, אִישׁ מֵרֵעֵהוּ **von einander** *one from another* 31,49, אִישׁ אֶל־רֵעֵהוּ **zu einander** *one to another* 11,3 (19×), אִישׁ אֶת־רֵעֵהוּ **einander** *each other* Ex 21, 18 (7×), etc.; אֵשֶׁת רֵעֲךָ die Frau eines Andern *the wife of an other man* Ex 20, 17 Lv 20, 10, cj Pr 6, 24; אֲשֶׁר לְרֵעֶךָ was einem Andern gehört *belonging to an other man* Ex 20, 17; etc.; daher *thus*: לְרֵעֲךָ לְדָוִד einem Andern, [nämlich] David *to an other man, [namely to] David* 1 S 28, 17, לְרֵעֶךָ (l pro לְרֵעֶיךָ) e. Andern als dir *unto another, not thee* 2 S 12, 11; l רֹעֵהוּ Sa 11, 6, l יָתֵר מֵרֵעֵהוּ Pr 12, 26.; רֵעַ הַמֶּלֶךְ (ak. EA *ruḫi šarri*; Ioh 19, 12 φίλος τ. Καίσαρος) e. Hofbeamter *a courtier* 1 C 27, 33.
Der. אֲחִירַע?

III *רֵעַ: III רעה: sf. רֵעִי, pl. sf. רֵעֶיךָ: **Wollen, Absicht, Gedanke** (mit dem sich jmd trägt) *will, intention, thought (to act at)* Ps 139, 2. 17, cj Pr 20, 30. †

רֹעַ: I רעע: Schlechtigkeit *badness*: **1. schlechte Beschaffenheit** *bad quality* Ir 24, 2f. 8 29, 17; **2. Hässlichkeit** *ugliness* Gn 41, 19; 3. רֹעַ פָּנִים **Verdrossenheit** *ill humour, crossness* Ko 7, 3; 4. Verderbtheit, **Bosheit** *wickedness* Dt 28, 20 Js 1, 16 Ir 4, 4 21, 12 23, 2. 22 25, 5 26, 3 44, 22 Ho 9, 15 Ps 28, 4 1 S 17, 28, cj Ps 7, 10. †

רעב: ug. *rġb* hungrig *hungry*; mhb. hif. hungrig sein *be hungry*; رَغِبَ aufs Essen aus sein *be voracious*, رَغِبَ heftig verlangen *desire vehemently*, ረኀበ hungern *be hungry*:
qal: pf. רָעֵב, impf. יִרְעַב, יִרְעָב: **Hunger haben** *be hungry* Js 8, 21 9, 19 44, 12 49, 10 65, 13 Ps 34, 11 50, 12 Pr 6, 30 19, 15 25, 21, Gn 41, 55 (אֶרֶץ), c. לְ nach *of* Ir 42, 14; †
hif: impf. יַרְעִיב, sf. יַרְעִיבְךָ: **hungern lassen** (Gott) *cause to be hungry (God)* Dt 8, 3 Pr 10, 3. †
Der. רְעָבוֹן, רָעֵב, רָעָב.

רָעָב (101 ×): רעב: sf. רְעָבָם: **Hunger** *hunger* Dt 28, 48 32, 24 Js 5, 13 Ir 14, 18 Am 8, 11 (לְ nach *of*) Th 4, 9 5, 10 Ne 9, 15, **Hungersnot** *famine* Gn 12, 10 41, 30; בְּרָעָב in Hungerzeiten *in times of famine* Hi 5, 20.

רָעֵב: רעב: fem. רְעֵבָה, pl. רְעֵבִים: **hungrig** *hungry* (:: שָׂבֵעַ) 1 S 2, 5 2 K 7, 12 Js 8, 21 58, 7. 10 Hs 18, 7. 16 Ps 107, 36 146, 7 Hi 5, 5 18, 12 (l בְּאוֹנוֹ) 22, 7 24, 10, neben *along with* צָמֵא 2 S 17, 29 Js 29, 8 32, 6 Ps 107, 5 Pr 25, 21, נֶפֶשׁ רְעֵבָה Ps 107, 9 Pr 27, 7; cj הָרְעֵבָה Sa 11, 16, cj וּרְעֵבִים Jd 8, 4. †

רְעָבוֹן: רעב: cs. רַעֲבוֹן: **Hunger** *hunger* Gn 42, 19. 33 Ps 37, 19. †

רעד: ak. *rādu*; mhb; ja. zittern *tremble*; cp.; رَعَدَ donnern *thunder (sky)*; asa. in cognomine; ርዕደ:
qal: impf. וַתִּרְעָד: **beben** *tremble* (אֶרֶץ) Ps 104, 32; cj יִרְעַד pro יִוָּדֵעַ Pr 10, 9 (Kennedy, Text. Amend. 213); †
hif: pt. מַרְעִידִים, מַרְעִיד: zittern *stay trembling* Da 10, 11 Esr 10, 9. †
Der. רְעָדָה, רַעַד.

רַעַד: רעד: רַעַד: **Beben, Zittern** *trembling* Ex 15, 15 Ps 55, 6. †

רְעָדָה: רעד: **Beben, Zittern** *trembling* Js 33, 14 Ps 2, 11 48, 7 Hi 4, 14. †

I רעה: mhb.; ja., sy. רעא; ak. *rēʾû*; ph. רעי; رَعَى, ረዐየ:
qal (167 ×): pf. רָעָה, רָעוּ, sf. רְעִיתִים, רָעוּם,

impf. יִרְעֶה (Hi 20, 26 I רעע nif), וָאֶרְעֶה, יִרְעֶנָּה, יִרְעוּךָ, יִרְעֵם, sf. וַתִּרְעֶינָה, יִרְעוּ, inf. רְעֹות, sf. רְעֹתוֹ, imp. רְעוּ, רְעֵי, רְעֵה, sf. רְעֵם, pt. רֹעֶה, רוֹעֶה, cs. רֹעֵה, f. רֹעָה, sf. רֹעִי, pl. רֹעִים, cs. רוֹעֵי, sf. רֹעֶיךָ, רֹעֵי, רֹעֵיהֶם, f. רֹעוֹת:

1. (e. Land) **abweiden** *feed, graze* (subj. *cattle*) Gn 41, 2. 18 Js 5, 17 27, 10 30, 23 65, 25 Ir 50, 19, cj Ho 13, 6 (l כְּרְעוֹתָם), Mi 7, 14 Jon 3, 7 Ze 2, 7 3, 13 Ps 80, 14 Hi 1, 14 Ct 1, 8; c. בַּחֶרֶב Mi 5, 5; 2. **Tiere auf die Weide treiben, weiden lassen** *pasture, tend* (obj. *cattle*) Gn 37, 13. 16 Js 14, 30 49, 9 Ir 6, 3, Hi 24, 2 Ct 1, 7 2, 16 4, 5 6, 2 f; 3. als Hirt **hüten** *tend* (*the cattle*), *keep*: c. צֹאן Gn 30, 31. 36 Ex 3, 1, c. בַּצֹּאן Gn 37, 2 1 S 16, 11 17, 34, c. חֲמֹרִים Gn 36, 24, c. עֵדֶר Js 40, 11, etc.; 4. רֹעֶה **Hirt** *shepherd*, רֹעָה **Hirtin** *shepherdess* Gn 29, 9: רֹעֵה צֹאן Gn 4, 2, רֹעֵי מִקְנֵה Gn 13, 7, רֹעֵי גְרָר u. רֹעֵי יִצְחָק Gn 26, 20, נְוֵה רֹעִים Ir 33, 12, כְּלִי רֹעִים 1 S 17, 40, מִשְׁכְּנוֹת הָרֹעִים Ct 1, 8, F עֶטְה; 5. (metaph.): e. Volk **hüten** *shepherd, tend, lead a people* 2 S 5, 2 7, 7 Ir 3, 15 23, 2. 4 Mi 5, 3 Ps 78, 71 f 1 C 11, 2 17, 6 (Homer: ποιμένες λαῶν, ak. *rēʾū* Hüter, Herrscher *leader, ruler*): רֹעִים **Hüter**, (verantwortliche) **Führer** *leader*, (*responsible*) *ruler* Ir 2, 8 3, 15 10, 21 12, 10 22, 22 23, 1 f. 4 25, 34—36 Hs 34, 2—23 37, 24; רֹעִי der von mir bestellte Führer *the ruler whom I have appointed* (כּוֹרֶשׁ) Js 44, 28; 6. רעה von Gott gesagt *said of God*: Ps 28, 9 Ho 4, 16, cj 13, 5 (l רְעִיתִיךָ), Gn 48, 15 Ps 23, 1, רֹעֵה יִשְׂרָאֵל Ps 80, 2; 7. subj. v. רעה: מָוֶת Ps 49, 15, רוּחַ Ir 22, 22; weiden = erquicken *pasture = refresh* Pr 10, 21; = auf etw. aus sein *aspire to* Pr 15, 14; יִרְעוּךָ קָדְקֹד Ir 2, 16 (F Komm.); l לִרְאוֹת Ct 6, 2; l בְּרָעָה Ir 17, 16;

cj nif: pf. נִרְעָה: **abgeweidet sein** *be grazed* (דֶּשֶׁא; AS 6, 212) cj Pr 27, 25;

hif: impf. sf. וַיַּרְעֵם Ps 78, 72 (Edd.) l וַיִּרְעֵם.

Der. רְעִי, מַרְעִית, מִרְעֶה.

II רעה: ak. *ruʾu*, fem. *ruttu* Freund, Gefährte *friend, fellow*; ph. רעי; (Beduin.) رَاعَى Genosse *companion*; رُعْوة u. ሐርዕት Joch *yoke*; Grundbedeutung: mit einander zu tun haben? *original meaning*: *have to do with each other*?

qal: pt. רֹעֶה, cj imp. רְעֵה Ps 37, 37: c. acc. **sich einlassen mit** *have dealings with* Pr 13, 20 28, 7 29, 3 Hi 24, 21, auch *also* Js 44, 20 Ho 12, 2 (gewöhnlich zu I רעה gestellt *commonly derived from* I רעה), cj רְעֵה יָשָׁר Ps 37, 37; †

pi: pf. רֵעָה: **als Brautführer dienen** *be „best man"* Jd 14, 20; †

hitp: impf. תִּתְרַע, cj תִּתְרָעֶינָה: c. אֶל **Gemeinschaft haben mit** *make companionship with* Pr 22, 24; cj absol. **sich mit einander einlassen** *have dealings with each other* Js 11, 7. †

Der. *מֵרַע? II רֵעֶה, רֵעַ, I *רְעוּת, רַעְיָה*.

III *רעה: II *רְעוּת, III *רֵעַ, רַעְיוֹן*, תַּרְעִית*.

רָעָה: f. v. רַע (ca. 300 ×, Scheidung v. adj. רָעָה unsicher *differentiation from adj. difficult*); subst.: cs. רָעַת, sf. רָעָתִי, רָעָתְךָ, רָעָתֵכִי (BL 251. 599) Ir 11, 15, רָעַתְכֶם, pl. רָעוֹת, רָעֹת, sf. רָעֹתֵיכֶם, רָעוֹתֵיכֶם: 1. **Böses** (Übelgesinntes) *evil* Gn 26, 29 44, 4 50, 20 Ex 23, 2 1 S 25, 28 29, 6 1 K 1, 52; הָרָעָה böser Plan *evil device* 1 S 23, 9, רָעָתִי Böses gegen mich *injury against me* Ps 35, 4, אַנְשֵׁי רָעָה böse Menschen *evil men* Pr 24, 1; רָעוֹת Böses *evil* Ps 140, 3; בְּרָעָה Ex 32, 12, cj Ir 17, 16, u. לְרָעָה 2 S 18, 32 in böser Absicht *in evil intention*; 2. **Bosheit, Verderbtheit** *wick-*

edness Gn 6, 5 Ko 8, 6 Js 57, 1 Ho 10, 15 Ir 4, 18; **Missetat** *injury*, *wrong* Jd 9, 56; 3. **Übel, Unglück, Unheil** *evil*, *misery*, *trouble* Gn 19, 19 1 S 24, 10 2 S 12, 18 Ir 2, 3 Am 3, 6 Ps 90, 15 Pr 17, 20 Ko 5, 12, יוֹם רָעָה Unglückstag *day of trouble* Ps 27, 5, pl. Ko 12, 1; רָעוֹת Unglück *evils* Dt 31, 17 Ps 34, 20, cj Da 12, 4; Gott *God*: הֵבִיא רָעָה 1 K 14, 10 2 K 21, 12, נִחַם רָעָה Ir 26, 19, שַׂמְתִּי עֵינַי לְרָעָה Am 9, 4; (abgeschwächt *weakened*) **Übel** *evil* Ko 5, 12; 4. וַיֵּרַע רָעָה גְדֹלָה es missfiel (ihm) sehr *it grieved* (*him*) *exceedingly* Ne 2, 10; Jon 4, 1; **F** 1 עֶרְוָתֵךְ Hs 16, 57.

רֵעֶה: II רעה (< *riʿʿāj*): cs.: רֵעֶה u. רֵעֵה (< *raʿʿaj*; BL 465. 588); sf. sg. רֵעֶךָ: **Gefährte, Freund** *fellow*, *friend* 2 S 12, 11 (MSS רֵעֲךָ) 15, 37 16, 16 1 K 4, 5 (**F** רֵעַ הַמֶּלֶךְ) Pr 3, 28 K 27, 10; **F** רֵעָה. †

רֵעָה: fem. v. רֵעֶה: pl. sf. רֵעוֹתֶיהָ, רֵעֹתַי < Q רֵעוֹתַי: **Gefährtin** *companion* (*of maidens*) Jd 11, 37 f Ps 45, 15. †

רֹעָה: I רֹעַ (II רעע) Js 24, 19; **F** II רעע Pr 25, 19. †

רְעוּ: n. m.; Ραγαυ; *Raʾū* APN 186; **F** רְעִי u. רְעוּאֵל, Kraeling AJS 41, 193 f: cf. *Ru-gu-li-ḫi* n. l. am obern Euphrat *on Upper Euphrates*: Gn 11, 18—21 1 C 1, 25. †

רְעוּאֵל: n. m.; Ραγουηλ; רְעוּ = רֵעֶה u. אֵל; Ρευηλλος RB 36, 93 ff; **F** רְעוּ: **Reguel** *Reuel*: 1. S. v. עֵשָׂו Gn 36, 4. 10. 13. 17 1 C 1, 35. 37; 2. Ex 2, 18 Nu 10, 29; 3. 1 C 9, 8; 4. Nu 2, 14 **F** דְּעוּאֵל. †

I **רְעוּת***: II רעה; **F** ba. רְעוּ: sf. רְעוּתָהּ: **Gefährtin** (*female*) *companion*: אִשָּׁה מֵאֵת רְעוּתָהּ eine von der andern, **von einander** *each from her companion* Ex 11, 2, אִשָּׁה רְעוּתָהּ einander *each other* Js 34, 15 f Ir 9, 19; א׳ אֶת־בְּשַׂר ר׳ eine d. Fl. der andern *each the fl. of the other* Sa 11, 9; לְר׳ einer andern als ihr *unto another than she* Est 1, 19. †

II **רְעוּת**: III רעה (= II?); ja. רְעוּתָא, רַעְיָנָא, ܪܥܝܢܐ: Gedanke, Erwägung *thought*, *disposition*; ph. רעת (aram. LW? Harris 147), **F** רַעְיוֹן; ja. רְעוּתָא Wunsch *desire*: **Streben**, **Trachten** *longing*, *striving* (רוּחַ nach Wind *for wind = vain things*) Ko 1, 14 2, 11. 17. 26 4, 4. 6 6, 9. †

רְעִי: I רעה: **Weide** *pasture*; בָּקָר רְעִי auf d. Weide gehaltene, nicht gemästete, Rinder *cattle kept on pasture-ground*, *not fattened* 1 K 5, 3. †

רֵעִי: n. m.; palm. רעי = Ρααιου; **F** רְעוּ: 1 K 1, 8. †

רַעְיָה*: II רעה: sf. רַעְיָתִי: **Gefährtin, Freundin = Geliebte** *companion* (*female*) = *beloved one* Ct 1, 9, 15 2, 2. 10. 13 4, 1. 7 5, 2 6, 4. †

רֵעְיָה*: pl. sf. רֵעְיֹתַי (K רֵעְיוֹתַי?) Jd 11, 37: **F** רֵעָה*. †

רַעְיוֹן: III רעה, **F** II רְעוּת: **Streben** *striving* Ko 1, 17 4, 16, c. לִבּוֹ 2, 22. †

רעל: ja. sy. schwanken *quiver*; أَرْعَل baumelnd *dangling*:

hof: pf. הָרְעָלוּ: **geschüttelt werden** *be made to quiver* (alii mit Schleiern geschmückt sein *be adorned with veils* (רְעָלָה) Na 2, 4; †

cj nif: imp. הֵרָעֵל: **geschüttelt werden = taumeln** *be made quivering = totter* cj Ha 2, 16. †

Der. רַעַל, רְעָלָה*, תַּרְעֵלָה.

רַעַל: רעל: **Taumel** *reeling* Sa 12, 2. †

***רְעָלָה**: רעל; رَعْلٌ Schleier *veil*: pl. רְעָלוֹת: Schleier *veil* (AS 5, 331): Js 3, 19. †

רְעֵלָיָה: n. m.; = רַעַמְיָה Ne 7, 7: Esr 2, 2. †

I רעם: aram.; 𐩧𐩲𐩣 lärmen *thunder*:
qal: impf. יִרְעַם: brausen, tosen (Meer) *thunder, storm (sea)* Ps 96, 11 98, 7 1 C 16, 32, cj Js 42, 10; †
hif: pf. הִרְעִים, impf. יַרְעֵם: brausen, tosen lassen *cause to thunder, storm* 1 S 2, 10 7, 10 2 S 22, 14 Ps 18, 14 29, 3 Hi 37, 4 f. 40, 9. †
Der. רַעַם, I *רַעְמָה.

II רעם: رَغِمَ geduckt, bedrückt sein *be humbled, oppressed*:
qal: pf. רָעֲמוּ, c. פָּנִים: verstört sein *be disconcerted* Hs 27, 35; †
hif: inf. sf. הַרְּעִמָהּ < הַרְעִימָהּ* (BL 222. 357): sich bedrückt zeigen *prove disconcerted* 1 S 1, 6. †

III *רעם: II רַעְמָה.

רַעַם: I רעם: sf. רַעַמְךָ: Getöse Donner *uproar, thunder* Js 29, 6 Ps 77, 19 104, 7 Hi 26, 14 39, 25, סֵתֶר רַעַם Donnergewölk *thunder-cloud* Ps 81, 8. †

רַעְמָא: F III רַעְמָה.

I *רַעְמָה: I רעם: cj sf. רַעְמָתְךָ: Getöse *thunder* cj Js 33, 3 (Gunkel ZAW 42, 177 pro רוֹמְמֻתֶךָ). †

II רַעְמָה: III *רעם: J. J. Hess: Hyäne heisst, *hyaena is called* sudan-ar. *meʿaf* (= *muʿraf* ZA 31, 28, עָרְף) u. *umm riʿm* (*Ibn al-Atīr*, ed. Seybold, 1906, 108) = Mutter der Mähne *mother of the mane*: Mähne (Pferd) *mane (of horse)* Hi 39, 19. †

III רַעְמָה = רַעְמָא 1 C 1, 9. 9: n. p.; Ρεγμα, Ραγμα; Strabo 16, 4, 24 Ῥαμμανῖται? cf. asa. רגמתם? Gn 10, 7 Hs 27, 22 1 C 1, 9 (Edd.). †

רַעַמְיָה: n. m.; רעם u. יה; = רְעֵלָיָה Esr 2, 2: Ne 7, 7. †

רַעְמְסֵס u. **רַעַמְסֵס** Ex 1, 11: n. l.; äg. *Rʿ-ms-św* (der Sonnengott *the god of sun*) Rēʿ hat ihn erzeugt *has him begotten*, keilschr. *Riamašeša*: Avaris-Tanis (Montet, Tanis, 1942, 226 f; Alt, PJ 32, 27[1]; Albr. BAS 86, 34 f): Gn 47, 11 (G auch *also* 46, 28) Ex 1, 11 12, 37 Nu 33, 3. 5. †

רען: F ba. רַעֲנַן:
pal: pf. רַעֲנָנָה: laubreich, üppig sein *grow luxuriant* Hi 15, 32. †
Der. רַעֲנָן.

רַעֲנָן: רען, F ba.: f. רַעֲנָנָה, pl. רַעֲנַנִּים: laubreich, üppig *luxuriant, full of leaves*: עֵץ Dt 12, 2 1 K 14, 23 2 K 16, 4 17, 10 Js 57, 5 Ir 2, 20 3, 6. 13 17, 2 Hs 6, 13 2 C 28, 4 Si 14, 18, זַיִת Ir 11, 16 Ps 52, 10, בְּרוֹשׁ Ho 14, 9, cj אֶרֶז Ps 37, 35, עָלֶה Ir 17, 8, עֶרֶשׂ Ct 1, 16; > saftig, frisch *fresh* Ps 92, 11. 15. †

I רעע: ak. *raggu* böse, schlecht *bad, evil*; (Vollers) رَعَاعٌ gemeine junge Leute *low young people*:
qal: pf. רַע, רָעָה, רָע, רָעוּ, impf. יֵרַע, וַיֵּרַע, יֵרְעוּ, inf. רַע, imp. רֹעוּ (l דְּעוּ) Js 8, 9: 1. schlecht sein, nichtsmehr taugen (Zweige) *be bad, worthless (boughs)* Ir 11, 16; 2. רַע בְּעֵינֵי missfallen *be displeasing* Gn 21, 11 f 38, 10 48, 17 Nu 11, 10 22, 34 Jos 24, 15 (c. לְ c. inf.) 1 S 8, 6 18, 8 2 S 11, 25. 27 Js 59, 15 Ir 40, 4 Pr 24, 18, = וַיֵּרַע בְּעֵינֵי Gn 48, 17 1 C 21, 7 (subj. durch עַל ausgedrückt *expressed with* עַל), = וַיֵּרַע לְ Ne 2, 10 13, 8 u. וַיֵּרַע אֶל Jon 4, 1 (רָעָה גְדוֹלָה überaus *exceedingly*); 3. רָעָה עֵינוֹ בְּ er blickt missgünstig auf *he looks with*

displeasure at Dt 15, 9 28, 56. 54 (c. מִן c. inf.: sodass er nicht... *so that he not*...); 4. יֵרַע לְבָבוֹ er ist missmutig *he is displeased* Dt 15, 10 1 S 1, 8; 5. וַיֵּרַע לוֹ es erging ihm übel *it went evil with him* Ps 106, 32; 6. יְרֵעוּ פָנַי ich sehe schlecht aus *I look sad* Ne 2, 3; 7. רע לְ מִן es ist schlimmer für... als *it is worse for... than* 2 S 19, 8 20, 6; cj רֹעַ Pr 11, 15 *F* nif, l יֵרֹעַ Hi 20, 26; †

nif: impf. יֵרֹעַ: übel behandelt werden, übel fahren *suffer hurt* Pr 11, 15 (l רֹעַ pro רַע) 13, 20, cj 10, 9 u. Hi 20, 26 u. Pr 14, 33 (l תֵּרוֹעַ); cj pt. fem. pl. נְרֹעוֹת verdorben *corrupted* Pr 27, 9; †

hif: pf. הֵרַע, הֲרֵעוֹתָ, הֲרֵעֹתָה, הֲרֵעֹתִי, הֵרֵעוּ, הֲרֵעֹתֶם, impf. יָרֵעַ, וַיָּרַע, אָרַע, יָרֵעוּ, תָּרֵעוּ, inf. נָרַע, הָרַע, הָרֵעַ, pt. מֵרַע, pl. מְרֵעִים: 1. abs. Schlechtes tun, verwerflich handeln *do evil, act wickedly* Gn 19, 7 44, 5 Lv 5, 4 Jd 19, 23 1 S 12, 25 1 K 16, 25 2 K 21, 11 Js 1, 16 Ir 4, 22 7, 26 13, 23 38, 9 Ps 37, 8 Pr 4, 16 24, 8 1 C 21, 17; 2. הֵרַע לְ Schlimmes antun *do an injury, hurt* Gn 19, 9 43, 6 Ex 5, 22 f Nu 11, 11 16, 15 20, 15 Jos 24, 20 1 S 26, 21 Ir 25, 6 Sa 8, 14 Ps 105, 15 Ru 1, 21 Si 38, 21; 3. הֵרַע übel behandeln *treat badly* Dt 26, 6 1 S 25, 34 Mi 4, 6 Si 7, 20, cj Hs 19, 7 (l וַיָּרַע), Ps 74, 3; 4. schaden *injure*, c. עִמָּד Gn 31, 7, c. בְּ 1 C 16, 22; 5. c. עַל: Schlimmes kommen lassen auf *bring evil upon* 1 K 17, 20; 6. מֵרַע מֵרֵעַ Übeltäter *evil-doer* Js 1, 4 9, 16 14, 20 31, 2 Ir 20, 13 23, 14 Ps 22, 17 26, 5 27, 2 37, 1. 9 64, 3 92, 12 94, 16 119, 115 Pr 17, 4 24, 19 Hi 8, 20; 7. הֵרַע abs. Schaden anrichten *damage* Js 11, 9 (Tiere *animals*) 41, 23 65, 25 (נָחָשׁ) Ir 10, 5 25, 29 (Gott *God*) 31, 28 Ze 1, 12 (י׳); לְהָרַע zu sein. Schaden *to his own hurt* Ps 15, 4; 8. הֵרַע מַעֲלָל e. schlimme Tat verüben *do an evil deed* Mi 3, 4, cj אָרְחָם הֵרֵעוּ gehn e. schlimmen Weg *go a bad way* Ps 16, 4, הֵרַע לַעֲשׂוֹת handelt schlecht *acts wickedly* 1 K 14, 9 Ir 16, 12; l תִּגְדַּע Ps 44, 3. †

Der. רַע, רֹעַ, רָעָה, רֵעַ, *מֵרַע.

II רעע: aram. = hebr. רצץ; *F* רעץ:

qal: pf. רָעוּ, impf. יָרֹעַ, sf. תְּרֹעֵם, cj inf. רֹעַ Js 24, 19: zerbrechen, zerschlagen *break* Mi 5, 5 Ps 2, 9 Hi 34, 24 Ir 15, 12 (l הֲרֵעֹתִי?); l רָעָה Pr 25, 19; †

hitp: pf. הִתְרֹעֲעָה, inf. הִתְרֹעֲעַ: zusammengeschlagen werden, zerbersten *be broken, burst asunder* Js 24, 19; einander zerschlagen *break asunder each other* Pr 18, 24. †

רעף: = ערף; رَعَفَ hervortreten (Blut) *flow (blood)*:

qal: impf. יִרְעֲפוּ, יִרְעֲפוּן: triefen *trickle, drip* Ps 65, 12 Pr 3, 20 Hi 36, 28; l יָרִיעוּ Ps 65, 13; †

hif: imp. הַרְעִיפוּ: triefen lassen *cause to trickle, drip* Js 45, 8. †

רעץ: <רצץ, *F* II רעע:

qal: impf. תִּרְעַץ, תִּרְעֲצוּ: zerschlagen *break, smite* Ex 15, 6 Jd 10, 8. †

I רעשׁ: mhb. hif erschüttern *shake*; = ja. u. sy. (selten *rare*); رَعَسَ u. رَعَشَ beben *quake*:

qal: pf. רָעֲשָׁה, רָעָשָׁה, רָעֲשׁוּ, impf. תִּרְעַשׁ, וַיִּרְעֲשׁוּ, תִּרְעַשְׁנָה, pt. pl. רֹעֲשִׁים: erbeben *quake, shake*: אֶרֶץ Jd 5, 4 2 S 22, 8 Js 13, 13 24, 18 Ir 8, 16 10, 10 49, 21 51, 29, cj 50, 46 (l וְרָעֲשָׁה), Ps 18, 8 68, 9 77, 19, הָרִים Ir 4, 24 Na 1, 5 Ps 46, 4, שָׁמַיִם וָאָרֶץ Jl 2, 10, Jl 4, 16, אִיִּים Hs 26, 15, חוֹמָה Hs 26, 10, סִפִּים

Am 9, 1, Tiere u. Menschen *animals a. men* Hs 38, 20, מִגְרָשׁוֹת Hs 27, 28; †

nif: pf. רָעֲשָׁה l נִרְעֲשָׁה Ir 50, 46; †

hif: pf. הִרְעַשְׁתָּה, הִרְעַשְׁתִּי, pt. מַרְעִישׁ: erschüttern *cause to quake* Js 14, 16 Hs 31, 16 Hg 2, 6 f. 21 Ps 60, 4, zum Springen bringen *cause to leap* (סוּס) Hi 39, 20. †

Der. רעשׁ.

II רעשׁ: رغس zum Wachsen bringen *cause to increase* (Wutz, D. Psalmen, 187):

qal: impf. יִרְעַשׁ: reichlich sein *be abundant* Ps 72, 16. †

רַעַשׁ: I רעשׁ: רָעַשׁ: Beben *quaking* 1 K 19, 11 f Js 29, 6 Am 1, 1 Sa 14, 5; Dröhnen *rustling, rattling*: סְאוֹן Js 9, 4, רֶכֶב Ir 47, 3 Na 3, 2, סוּס Hi 39, 24, כִּידוֹן Hi 41, 21, in der Luft *in the air* Ir 10, 22 Hs 3, 12 f 38, 19; l כְּרַעַשׁ Hs 12, 18. †

רפא: ph., sy. heilen *heal*; رفا flicken *darn*, ረፍአ zusammennähen *stitch-together*; soq. *térof* F Leslau 446, asa. רפא ausbessern *repair*, F רְפָאֵל:

qal: pf. רָפָא, sf. רְפָאתִים, רְפָאתִיו, impf. יִרְפָּא, אֶרְפָּא, > אֶרְפָּה (BL 376) Ir 3, 22, תִּרְפֶּינָה Hi 5, 18, sf. אֶרְפָּאֵהוּ, וַתִּרְפָּאֵנִי, inf. לִרְפֹּא, רָפוֹא, sf. רָפְאִי, imp. רְפָא, > רְפָה (BL 376) Ps 60, 4, רְפָאָה, sf. רְפָאֵנִי, pt. רוֹפֵא u. רֹפֵא (ל״ה < ל״א) 2 K 20, 5, sf. רֹפְאֶךָ, pl. רֹפְאִים: 1. c. לְ: heilen *heal* Nu 12, 13 2 K 20, 5. 8 Js 6, 10 (sich selber *oneself*) Ho 5, 13 7, 1 Ps 103, 3 147, 3 Th 2, 13; 2. c. ac. heilen *heal* Gn 20, 17 Js 57, 18 f Ir 17, 14 30, 17 33, 6 Ho 6, 1 11, 3 Ps 6, 3 30, 3 41, 5 60, 4 107, 20 2 C 7, 14 30, 20, etwas *something* Js 30, 26 Ir 3, 22 Ho 14, 5, 3. absol. heilen *heal* Dt 32, 39 Js 19, 22 Hi 5, 18 Ko 3, 3; 4. pt. Heilkundiger, Wundarzt, Arzt *healer, surgeon, physician* Gn 50, 2 Ex 15, 26 (י׳) Ir 8, 22 2 C 16, 12 Si 10, 10 38, 1; רֹפְאֵי אֱלִל Heilpfuscher *surgeon of no value (quack)* Hi 13, 4; †

nif: pf. נִרְפָּא, (manche Formen wie v. ל״ה *many forms as if* ל״ה) נִרְפְּתָה, נִרְפְּאוּ (sprich *spell* נִרְפּוּ) Hs 47, 8, impf. אֵרָפֵא, וַיֵּרָפְאוּ, > וַיֵּרָפוּ 2 K 2, 22, inf. הֵרָפֵא, > הֵרָפֵה Ir 19, 11: 1. subj. c. לְ: נִרְפָּא לָנוּ wir wurden geheilt *we are healed* Js 53, 5; 2. heil werden *be healed (restored)*: בָּשָׂר Lv 13, 18, מַכָּה Ir 15, 18, מַכְאוֹב 51, 8, נֶתֶק Lv 13, 37, נֶגַע־צָרַעַת 14, 3, (ungesundes) Wasser (*unhealthy*) *water* 2 K 2, 22 Hs 47, 8 f. 11, F Lv 14, 48 Dt 28, 27. 35 1 S 6, 3 Ir 17, 14 19, 11 51, 9; †

pi: pf. רִפֵּאתִי, רִפִּאנוּ, רִפִּאתֶם (ל״ה < ל״א) Hs 34, 4, impf. יְרַפֵּא, וַיְרַפְּאוּ, > וַיְרַפּוּ Ir 8, 11, inf. רַפֵּא: 1. c. לְ: gesund, geniessbar machen *make healthy, drinkable* 2 K 2, 21; 2. c. acc. heilen *heal* Hs 34, 4 Sa 11, 16 1 K 18, 30 Ir 6, 14 8, 11 51, 9; 3. abs. für die Heilkosten aufkommen *pay for the healing* Ex 21, 19; †

hitp: inf. הִתְרַפֵּא: sich heilen lassen *get healed* 2 K 8, 29 9, 15 2 C 22, 6. †

Der. I מַרְפֵּא, מַרְפֵּה, רִפְאוּת, *רְפוּאָה; n. l. יִרְפְּאֵל, n. m. רָפָא, רְפָאֵל, רָפוּא, רְפָיָה.

רפא pi: F רפה.

רָפָא: n. m.; KF; רפא; < רְפָאֵל?; *Rapā* APN 186; Dir. 49: 1. 1 C 4, 12; 2. 8, 2; 3. הָרָפָא 20, 6. 8, F רָפָה. †

רִפְאוּת: רפא; EA 269, 17 *ripūti*: Heilung *healing* Pr 3, 8 Si 38, 14. †

I רְפָאִים: רפא oder *or* (P. Karge, Rephaim[2] 1925) רפה; ug.; Virolleaud Sy 22, 1 ff; ph. רפאם Schatten, Geister *shades, ghosts*: Totengeister *ghosts of the dead* // מֵתִים Js 26, 14 Ps 88, 11, wohnen in *dwelling in* שְׁאוֹל Js 14, 9 Pr 9, 18 Hi 26, 5 אֲבַדּוֹן Ps 88, 12, בַּחֹשֶׁךְ 88, 13; אֶ״ץ ר׳ Js 2 19, קְהַל ר׳ Pr 21, 16, F Pr 2, 18 (γίγαντες G 3 ×, *gigantes* V 6 ×; γηγενεῖς Pr 2, 18 9, 18, = Sy בני ארעא Pr 21, 16, = Erdmännchen *goblins*); **F** II. †

II רְפָאִים: sg. רָפָא 1 C 20, 4 (Edd.): n. p. = I?: c. artic. Gn 15, 20 Dt 3, 11 Jos 12, 4 13, 12 17, 15 1 C 20, 4; in Reihe von 10 *in series of ten* Gn 15, 20, neben *along with* הַפְּרִזִּי Jos 17, 15; sind *are* כַּעֲנָקִים; = moab. אֵמִים Dt 2, 11, ammon. זַמְזֻמִּים 2, 20; אֶרֶץ ר׳ Dt 2, 20 3, 13 (הַבָּשָׁן), עוֹג Dt 3, 11 Jos 12, 4 13, 12, **F** Gn 14, 5; sagenhafte vorisraelitische Bevölkerung v. Pal. *legendary pre-israelite dwellers of Palestine*; **F** II רָפָה. †

רְפָאֵל: n. m.; רפא u. אֵל; Ραφαηλ; *Adad-rapa'a* APN 10; asa. n. m. אלרפא: 1 C 26, 7. †

רפד: ak. *rapādu* umherschweifen *roam about*: رفد unterbreiten *spread underneath*, unterstützen *support*; asa. stützen *support*; رِفَادَة Sattelunterlage *saddle-cloth*:
qal: impf. יִרְפַּד: **ausbreiten** *spread out* (l יִרְקַד Festschr. Marti 175) Hi 41, 22; †
pi: pf. רִפַּדְתִּי, imp. sf. רַפְּדוּנִי: **ausbreiten** *spread out* Hi 17, 13, **unterstützen, erquicken** *support, refresh* Ct 2, 5. †
Der. רְפִידָה, n. l. רְפִידִים.

רפה: mhb. nachlassen *relax*; ja., sy. schlaff sein *be drooping*, alt-aram. Lidzb. 370; رفا beruhigen *set at ease*, رَفَاهَة, untätiges Leben *easy life*; አዕረፈ ruhen *rest*; ak. *ramû*:
qal: pf. רָפָה, רָפְתָה, רָפוּ, impf וַיִּרֶף, יִרְפֶּה, תִּרְפֶּינָה, יִרְפּוּ: 1. **schlaff werden, ablassen** *sink down, drop* (מִן von *from*) Ex 4, 26, (= מֵעַל) Jd 8, 3; (Tageshelle *day-light*) **nachlassen** *decline* Jd 19, 9; 2. c. יָדַיִם: **die Hände werden schlaff = der Mut entfällt** *the hands are dropping = he loses heart, courage* 2 S 4, 1 Js 13, 7 Ir 6, 24 50, 43 Hs 7, 17 21, 12 Ze 3, 16 Ne 6, 9 2 C 15, 7; > רָפָה ohne *without* יָדַיִם Ir 49, 24; 3. **in sich zusammenfallen** (Brennholz) *sink down* (*fire-wood*) Js 5, 24; †
nif: pt. pl. נִרְפִּים: **schlaff, untätig** *idle* Ex 5, 8. 17; †
pi: pf. רִפָּה, impf. תְּרַפֶּינָה, pt. מְרַפֵּא (pro *מְרַפֶּה), pl. מְרַפִּים: 1. **schlaff machen, lockern** *loosen, weaken* Hi 12, 21 (l מְרַפֶּה), (Flügel) **hängen lassen** *let drop* (*wings*) Hs 1, 24 f; 2. c. יָדַיִם (Lkš 6, 6): **entmutigen** *dishearten* Ir 38, 4 Esr 4, 4; †
hif: impf. (apoc.) תֶּרֶף, sf. אַרְפֶּנּוּ, תַּרְפֵּנִי, יַרְפְּךָ, imp. הֶרֶף, הַרְפֵּה, הַרְפּוּ: 1. **fallen lassen, aufgeben** *let drop, abandon* Dt 4, 31 31, 6. 8 Jos 1, 5 Ct 3, 4 1 C 28, 20 Si 51, 10, **im Stich lassen** *forsake* Ps 138, 8 Hi 27, 6 Si 6, 27; c. מִן **ablassen von** *let alone* Dt 9, 14 Ps 37, 8; הִרְפָּה יָדָיו מִן **aufgeben** *abandon* Jos 10, 6; absol. **innehalten** *cease* 1 S 15, 16 Ps 46, 11 Pr 4, 13; 2. **in Ruhe lassen** *let alone* Hi 7, 19, **stillstehn lassen** *cease* (*work*) Ne 6, 3; c. מִן **Zeit lassen** *give time, let alone* Jd 11, 37, = c. לְ 1 S 11, 3 2 K 4, 27; 3. הִרְפָּה יָדוֹ **d. Hand sinken lassen** *let drop the hand* 2 S 24, 16 1 C 21, 15; †
hitp: pf. הִתְרַפֵּיתָ, impf. cj תִּתְרַפֶּה Pr 6, 3, pt. מִתְרַפֶּה, pl. מִתְרַפִּים: 1. **sich lässig zeigen** *show oneself idle, slack* Jos 18, 3 Pr 18, 9, cj 6, 3 (l וְאַל תִּתְרַפֶּה); 2. **sich mutlos zeigen** *show oneself disheartened* Pr 24, 10. †
Der. II רְפָאִים (?), מַרְפֵּא, רָפֶה, *רִפְיוֹן.

רָפֶה: רפה: cs. רְפֵה, pl. fem. רָפוֹת: **schlaff, matt** *slack* (:: חָזָק) Nu 13, 18, יָדַיִם רָפוֹת Js 35, 3 Hi 4, 3; רְפֵה יָדַיִם **verzagt** *disheartened* 2 S 17, 2. †

I רָפָה: n. m.: 1 C 8, 37 = רְפָיָה 9, 43.†

II רָפָה: הָרָפָה (n. m.): Stammvater u. Zusammenfassung der *ancestor a. condensation of* רְפָאִים 2 S 21, 16. 18. 20. 22, > הָרָפָא 1 C 20, 4. 6. 8.†

רָפוּא: n. m.; רפא: Nu 13, 9.†

*רְפוּאָה: רפא: pl. רְפֻאוֹת: **Heilung** *healing* Ir 30, 13 46, 11 Hs 30, 21, cj Si 3, 28.†

*רפח: n. m. רֶפַח.

רֶפַח: n. m.; *רפח; رَفِيحٌ, leicht, angenehm (Leben) *easy (life)*: 1 C 7, 25.†

*רְפִידָה: רפד: sf. רְפִידָתוֹ: **Unterlage** (v. Sattel, Sänfte) *cloth, support (of saddle, litter)* Ct 3, 10.†

רְפִידִים: n. l.; רפד; Noth PJ 36, 27; Montg. Aram. Incant. Texts 126 = Lagerplatz *resting-place*: Wüstenstation *station in the wilderness* Ex 17, 1. 8 19, 2 Nu 33, 14 f.†

רְפָיָה: n. m.; רפא (Nöld. BS 100) u. ׳י; *Rapaia* APN 186: 1.—5. Ne 3, 9; 1 C 3, 21; 4, 42; 7, 2; 9, 43 = רָפָה 8, 37.†

*רִפָּיוֹן: רפה: cs. רִפְיוֹן. Schlaffheit *slackness*, c. יָדַיִם Verzagtheit *despair* Ir 47, 3 Si 25, 23.†

רפס: F רפשׂ.

רַפְסֹדוֹת: Halévy JA 1899, 334 f l רַכְסוֹת; ak. *rakāsu* binden *bind*; ak. *rak(a)sūti* Pontons *pontoons* Salonen, Wasserfahrzeuge in Bab. 70; = דֹּבְרוֹת 1 K 5, 23: Flösse *rafts* 2 C 2, 15.†

רפף: ja. u. sy. רפף leise bewegen *move gently*; رَفَّ schwanken *quiver*, = mhb. po.:

poal: impf. יְרוֹפָפוּ: **schwanken** *shake* Hi 26, 11.†

רפק: mhb. מַרְפֵּק, ja. מַרְפְּקָא, مِرْفَق Ellbogen (Stützer) *elbow (supporter)*; ⲗⲁⲫ anlehnen *lean*:

hitp: pt. f. מִתְרַפֶּקֶת: **sich anlehnen, sich stützen auf** *lean, support oneself* Ct 8, 5.†

רפשׂ, רפס: F ba. רפס; mhb. u. sy. רפס treten *tread*; فَسَ, mit d. Fuss stossen *kick (with foot)*; > רמס; asa. n. m. רפשן:

qal: impf. תִּרְפֹּשׂ (Var. תִּרְפֹּס), תִּרְפְּשׂוּן: **trüben** (Wasser) *foul by stamping (water)* Hs 32, 2 34, 18;†

nif: pt. נִרְפָּשׂ: **getrübt** (Wasser) *fouled (water)* Pr 25, 26;†

hitp: l מִתְרַפֵּס Ps 68, 31, l וְאַל תִּתְרַפֶּה Pr 6, 3.†

Der. מִרְפָּשׂ.

*רפשׁ: F רֶפֶשׁ.

רֶפֶשׁ: *רפשׁ; ak. *rupuštu* Auswurf *scum*; sy. pl. ܪܦܫܐ Abfall *refuse*; رَفَثَ, unanständig reden, handeln *talk, act obscenely*: was d. Meer auswirft, **Schlamm und Tang** *the refuse of the sea, sea-weed* Js 57, 20.†

*רֶפֶת: mhb.; رِفٌّ Gehege für Kleinvieh *enclosure for sheep a. goats*: pl. רְפָתִים: **Gehege** *enclosure* (für *for* בָּקָר) Ha 3, 17.†

*רַץ: pl. cs. רַצֵּי: בְּרַצֵּי־כָסֶף Ps 68, 31, l בֶּצֶר וְכָסֶף.†

רָץ: pl. aram. רָצִין 2 K 11, 13: F רוץ.

I רצא: NF v. רוץ?: inf. רָצוֹא: l רוֹץ? Hs 1, 14.†

II רצא: F I רצה.

רצד: ja.; رَصَدَ, lauernd beobachten *watch with hostility*:

pi: impf. תְּרַצְּדוּן: **lauernd beobachten** *watch with hostility* Ps 68, 17 Si 14, 22.†

I רצה ug. *rṣw/j*? EA 127, 25 *arzi* liebte *liked*; mhb. wollen *be willing*; ja., sy. רְעָא Gefallen haben *have pleasure*; رَضِيَ mit Gefallen sehen *see with pleasure*; asa. רצי: qal: pf. רָצָה, רָצְתָה, רָצִיתָ, רָצָאתִי (BL 376; MSS רָצִיתִי) Hs 43, 27, רָצוּ, sf. רָצָם, רְצִיתָם, impf. יִרְצֶה, וַתִּרֶץ, אֶרֶץ (sic pro אָרֶץ) 2 S 3, 12, יִרְצוּ, תִּרְצֶנָה (= תְּרֻצֶנָה, Q תִּצֹּרְנָה) l תִּרְצֶינָה K Pr 23, 26, sf. יִרְצְךָ, יִרְצֵךְ, וַיִּרְצֵהוּ, וַתִּרְצֵנִי, אֶרְצֵם, inf. רְצוֹת, sf. רְצֹתוֹ, imp. רְצֵה, pt. רוֹצֶה, sf. רֹצָם, pass. רָצוּי, cs. רְצוּי: (30 × v. *out of* 40 × subj. Gott *God*): 1. **Gefallen haben an, jmd geneigt, freundlich gesinnt sein** *be pleased with, be favourable to*: Gn 33, 10 2 S 24, 23 Js 42, 1 Ir 14, 10. 12 Hs 20, 40 f 43, 27 Ho 8, 13 Ma 1, 8 Ps 44, 4 77, 8 (absol.) 147, 11 (//רָצָה בְּ 147, 10) Pr 3, 12 Hi 33, 26 2 C 10, 7, Freude, Gefallen haben an, **gern haben** *be pleased with, like* Dt 33, 11 Am 5, 22 Ma 1, 10. 13 Ps 51, 18 102, 15 119, 108 Pr 16, 7 23, 26 Ko 9, 7 1 C 29, 17; e. Land freundlich begegnen, es **gnädig behandeln** *be favourable to a country* Ps 85, 2; רְצוּי אֶחָיו **Liebling** s. Brüder *darling of his brothers* Dt 33, 24; רְצוּי לְרֹב bei der Grosszahl **beliebt** *in favour with the most* Est 10, 3; אהוב//רצוי Si 46, 13; רָצָה יוֹמוֹ **wird seines Tages froh** *has pleasure in his day* Hi 14, 6; 2. c. בְּ **Gefallen haben an** *be pleased, delighted with* Mi 6, 7 Hg 1, 8 Ps 49, 14 147, 10 1 C 29, 3; **freundlich gesinnt sein** gegen *be kind with* Ps 149, 4; 3. רָצָה עִם **sich befreunden** mit *make friends with* Ps 50, 18 Hi 34, 9; 4. c. לְ c. inf. **Gefallen daran finden** zu... *be pleased to...* Ps 62, 5, belieben zu... *be pleased to...* Ps 40, 14; mit betontem Objekt *the object is stressed*: בִּי רָצָה לְ es beliebte ihm, gerade mich zu... *he chose to make just me king* 1 C 28, 4; †

nif: pf. נִרְצָה, impf. יֵרָצֶה: **als wohlgefällig betrachtet, behandelt werden** *be treated as favoured, be accepted* Lv 7, 18 19, 7 22, 27, c. לְ zu Gunsten jmds *for* Lv 1, 4 22, 25; cj [מִן] נִרְצְתָה **ist wohlgefällig** [vor, bei] *is in favour, accepted* [*with, by*] 1 C 13, 2; †

pi: impf. יְרַצּוּ (cf. aram. רַצִּא): **gütig stimmen, anbetteln** *importune by begging* Hi 20, 10; †

hitp: impf. יִתְרַצֶּה: c. אֶל, **sich gefällig machen** bei *make oneself favoured with* 1 S 29, 4. †

Der. רָצוֹן; n. m. רִצְיָא?, I n. fem., II n. l. תִּרְצָה.

II רצה: mhb. hif. u. ja. רצא af. aufzählen *enumerate*; Fraenkel ZAW 19, 181: qal: pf. רָצְתָה, impf. תִּרְצֶה, תִּרֶץ, יִרְצוּ: zählen *count* = 1. **bezahlen, abtragen** *pay off* Lv 26, 41. 43; 2. **ersetzt bekommen** *get restituted, made good* Lv 26, 34. 43 2 C 36, 21 (nicht gefeierte Sabbathe *sabbath-days not observed*); †

nif: pf. נִרְצָה: **abgetragen werden** (Schuld) *be paid off* (*debt*) Js 40, 2; †

hif: pf. 3. fem. הִרְצָת (= *הִרְצְתָה): **zur Zahlung bringen, ersetzt bekommen** *cause to be paid off, get made good* Lv 26, 34; †

cj hof: impf. יֻרְצוּ: **gezählt werden** *be counted* cj Ps 139, 16. †

רָצוֹן: I רצה: cs. רְצוֹן, sf. רְצֹנוֹ, רְצוֹנוֹ: was wohlgefällt, beliebt *things pleasing*: 1. (profan *profane*): רְצוֹן מֶלֶךְ **Wohlgefallen** des Königs *king's pleasure, will* Pr 14, 35 16, 13. 15 19, 12, Wunsch, **Verlangen** *desire* Ps 145, 19, **Wohlgefälliges** *pleasant things* Pr 10, 32; רָצוֹן Wohlgefallen, **Einvernehmen** (der Menschen unter einander) *pleasure agreement* (*of men*) Pr 14, 9, **Belieben** *liking* Est 1, 8; כִּרְצוֹנָם, כִּרְצוֹנוֹ nach (seinem, ihrem) Belieben *according to* (*his, their*) *liking* Est 9, 5 Da 8, 4 11, 3. 16. 36 Ne 9, 24. 37, בְּכָל־רְ' 2 C 15, 15; בִּרְצוֹנָם willkürlich, ohne zu fragen *arbi-*

trarily, without asking Gn 49, 6; 2. (religiös *religious term*; Zimmerli ZAW 51, 189f): a) **Wohlgefallen**, das man bei Gott finden will, findet *favour of God looked for by men* Ex 28, 38 Lv 1, 3 19, 5 22, 19—21.29 23, 11 Js 56, 7 60, 7 (1 לְרָצוֹן עַל־) Ir 6, 20 Ma 2, 13 Ps 19, 15 40, 9 103, 21 143, 10 Pr 11, 1. 20. 27 12, 22 15, 8 Esr 10, 11, יוֹם רָצוֹן Js 58, 5, עֵת רָצוֹן Ps 69, 14; b) **Wohlgefallen**, das Gott an jmd findet u. durch Segnungen bekundet *God's favour accorded to men a. shewn by blessings* Dt 33, 16. 23 Js 60, 10 Ps 5, 13 30, 6. 8 51, 20 89, 18 106, 4 145, 16; c) daher *thus*: עֵת רָצוֹן Js 49, 8, שְׁנַת רָצוֹן 61, 2.†

רצח: رضخ zerschlagen *bruise, crush*; mhb. (selten *rare*) totschlagen *kill*:
qal: pf. רָצַח, רָצַחְתָּ, sf. רְצָחוֹ, impf. תִּרְצָח, תִּרְצָח, inf. רְצֹחַ, pt. רֹצֵחַ, רוֹצֵחַ: **töten** *kill* (G φονεύω) Ex 20, 13 Nu 35, 27. 30 Dt 4, 42 5, 17 22, 26 1 K 21, 19 Ir 7, 9 Ho 4, 2; pt. **Totschläger** *manslayer* Nu 35, 6. 11f. 16—19. 21. 25—28. 30f Dt 4, 42 19, 3f. 6 Jos 20, 3. 5f 21, 13. 21. 27. 32. 38 Hi 24, 14 (die Unterscheidung zwischen vorbedachter u. nicht beabsichtigter Tötung fehlt *there is no distinction of premeditated murder and not intended killing*); †
nif: impf. אֵרָצֵחַ, pt. נִרְצָחָה: **getötet werden** *be killed* Jd 20, 4 Pr 22, 13 (nur hier vom Tier *only here said of animal*); †
pi: impf. יְרַצֵּחוּ, יְרַצְּחוּ, pro תְּרַצְּחוּ (Var!) Ps 62, 4 1 תְּהָרְצוּ, pt. מְרַצֵּחַ, pl. מְרַצְּחִים: **morden** *murder, slay* 2 K 6, 32 Js 1, 21 Ho 6, 9 Ps 94, 6.†
Der. [רֶצַח].

[**רֶצַח**]: רצח: Mord *murder*, aber *but* 1 בְּהָרְצִב Ps 42, 11, 1 בְּצָרָה Hs 21, 27.†

רִצְיָא: n. m.; I רצה? Noth S. 229: 1 C 7, 39.†

רְצִין: n. m.; Ρασων, Ραασσων; ak. *Raṣunnu* (APN 186; = רְצִין 1!); Noth S. 224 cf. sy. רַצִּינָא Bach *brooke?*; מְשׂוֹשׂ Js 8, 6 Anspielung an *alluding to* I רצה?: **Rezin**: 1. K. v. אֲרָם 2 K 15, 37 16, 5f. 9 Js 7, 1. 4. 8. 8, 6 9, 10; 2. Esr 2, 48 Ne 7, 50.†

רָצִין 2 K 11, 13: F רָץ.

רצע: mhb. durchstechen *pierce*; mhb. רַצְעָן u. ja. רַצְעָנָא Schuster *cobbler*; رصع u. asa. רצע = mhb.:
qal: pf. רָצַע: **durchstechen** *pierce* Ex 21, 6.†
Der. מַרְצֵעַ.

I **רצף**: mhb., ja., sy. u. رصف, (Steine) zusammenfügen *fit together (stones)*; = ak. *raṣāpu*:
qal: pt. pass. רָצוּף: **eingelegt** (Intarsie) *fitted out (tarsia style)* Ct 3, 10 (1 הָבְנִים pro אַהֲבָה).†
Der. רִצְפָּה, מַרְצֶפֶת.

II ***רצף**: F I רֶצֶף, רִצְפָּה.

I **רֶצֶף**: II רצף; رضف, glühend gemachte Steine, Glühkohlen *heated stones, live coals* (AS 6, 48); mhb. רְצָפִים Glühsteine *heated stones*; [Syriac] in d. Asche gebackenes Brot *bread baked in ashes (coal)*; VG 1, 155 רִצְפָּה nom. unitatis, pl. רְצָפִים: **Glühkohle** (vom Altar) *live coal (from altar)* Js 6, 6; עֻגַת רְצָפִים auf Glühsteinen gebackene עֻגָה *baked upon heated stones* 1 K 19, 6.†

II **רֶצֶף**: n. l.; Ρησαφα Ptolem. 5, 15; keilschr. *Raṣappa*: *Ruṣafa*: (Dussaud, Top. 251ff) nö Palmyra, s Euphrat: 2 K 19, 12 Js 37, 12.†

I **רִצְפָּה**: F I רֶצֶף.

II **רִצְפָּה**: = I; n. fem.; פִּלֶגֶשׁ v. *of* שָׁאוּל 2 S 3, 7 21, 8. 10f.†

רִצְפָּה (פ ohne *without* dāgēsch): I רצף: cs.

רִצְפַּת: 1. **Steinplattenbelag** *pavement* Hs 40, 17f 42, 3 2 C 7, 3; 2. **Mosaikboden** *tesselated pavement* Est 1, 6.†

רצץ: > רעץ; mhb.; رَضَّ; > aram. רעע, F II רעע:
qal: pf. רַצּוֹתִי, sf. רַצּוֹתָנוּ. impf. וַיָּרָץ 2 K 23, 12; pro יָרוּץ Js 42, 4 l יָרוּץ; sf. ארוצם K Ir 50, 44 1 Q אֲרִיצֵם (רוץ); pt. pl. fem. רֹצְצוֹת Am 4, 1; pass. רָצוּץ, cs. רְצוּץ, pl. רְצוּצִים: **zusammenschlagen** *crush* 2 K 23, 12; **misshandeln** *maltreat, oppress* Dt 28, 33 1 S 12, 3 f Js 58, 6 Ho 5, 11 (מִשְׁפָּט im Gericht *in judgement*) Am 4, 1; קָנֶה רָצוּץ **geknicktes Rohr** *crushed reed* 2 K 18, 21 Js 36, 6 42, 3;†
nif: pf. נָרוֹץ, impf. תֵּרוֹץ, cj יֵרוֹץ: **einknicken** (geknickt werden) *be crushed, broken* Hs 29, 7 Ko 12, 6 Js 42, 4 (l יֵרוֹץ) Ko 12, 6 (l תֵּרוֹץ pro תָּרֻץ);†
hif: impf. וַתָּרֶץ: **zerschmettern** *crush in pieces* Jd 9, 53;†
pi: pf. רִצַּץ, רִצַּצְתָּ, impf. וַיְרַצֵּץ: **zerschmettern** *crush in pieces* Ps 74, 14 (metaph.) Hi 20, 19 2 C 16, 10;†
pro.: impf. וַיְרֹצְצוּ: **unterdrücken** *oppress* Jd 10, 8;†
hitpo: impf. וַיִּתְרֹצְצוּ: **einander wegstossen** *thrust one another* Gn 25, 22.†

II מְרוּצָה.

I *רַק: II רקק: pl. fem. רַקּוֹת: **dünn, schmächtig** (Kühe) *thin, slim (cows)* Gn 41, 19 f. 27, cj 34.†
Der. II רַק, *רַקָּה.

II **רַק** (100 ×): = I, adverb. **auf geringe Weise, nur** *in a slight way, only*: רַק רַע **nur (ausschliesslich) böse** *only (without exception) evil* Gn 6, 5; רַק אֲשֶׁר **nur das, was** *save only that which* Gn 14, 24; רַק ... לֹא **nur nicht, auf keinen Fall** *only ... not* Gn 24, 8; הֲרַק אַךְ **wirklich nur?** *indeed only?* Nu 12, 2; רַק אֵין דָּבָר **es ist sonst nichts** *only without [doing] anything [else]* Nu 20, 19; רַק בְּכָל־ **jedoch ganz nach ...** *notwithstanding after all* Dt 12, 15; רַק אִם **wenn nur** *if only* 15, 5; etc.; l רַע Pr 13, 10.

רַק: F רֵיק.

רֹק: I רקק; sf. רֻקִּי: **Speichel** *spittle* Js 50, 6 Hi 7, 19 30, 10.†

רקב: mhb. morsch werden *rot*; ja. רִקְבָּא **Wurmfrass** *worm-eaten place*; (Grundbedeutung *original meaning*: schlaff sein *be flabby*, F cj רֹקֶב):
qal: pf. רָקַב, impf. יִרְקַב, יִרְקָבוּ, inf. רְקוֹב: **faulen, wurmstichig werden** *rot, be worm-eaten* Js 40, 20 Pr 10, 7 Si 14, 19, cj Hi 5, 3 41, 19?†
Der. רָקָב, רִקָּבוֹן.

רָקָב: רקב; cs. רְקַב: **Wurmfrass, Fäulnis** (in Knochen) *rottenness, caries (in bones)* Ha 3, 16 Pr 12, 4 14, 30; F Ho 5, 12; l רֹקֶב Hi 13, 28.†

cj **רֹקֶב**: רקב schlaff sein *be flabby*; ja. רִקְבָּא, sy. رَقْبَا, > قِرْبَة: **Schlauch** *skin (-bag)* cj Hi 13, 28, F Si 43, 20.†

רִקָּבוֹן: רקב: **Morschheit** *rottenness* Hi 41, 19 (l רֹקֶב?).†

רקד: ak. *raqādu*, mhb. pi., aram. רקד **hüpfen** *skip, dance*; رَقَدَان **Hüpfen der Lämmer** *leaping of lambs*; asa. n. m. מרקדם; Βααλμαρκως Baudissin, Kyrios 3, 39 4, 23:
qal: pf. רָקְדוּ, inf. רְקוֹד: **hüpfen** *skip about* Ps 114, 4 (הָרִים כְּאֵילִים) Ko 3, 4, cj יִרְקַד Hi 41, 22;†
pi: impf. יְרַקְּדוּ, יְרַקֵּדוּן, pt. מְרַקֵּד, מְרַקְּדָה:

hüpfen, **tanzen** *dance* Js 13, 21 Hi 21, 11 1 C 15, 29, מַרְקָבוֹת Jl 2, 5 Na 3, 2; †
hif: impf. sf. וַיַּרְקִידֵם: **hüpfen lassen** *cause to skip about* Ps 29, 6 (l וַיַּרְקֵד). †

*רַקָּה: fem. v. I רַק: sf. רַקָּתוֹ, רַקָּתֵךְ: das Dünne, die **Schläfe** *the thin, temple* Jd 4, 21 f 5, 26 Ct 4, 3 6, 7. †

רַקּוֹן: הָרַקּוֹן; n. l.; II *רקק (Enge, *narrow place*) in Dan Jos 19, 46 (dittogr.?). †

רקח: ak. *ruqqû* Salbe bereiten *compound ointment*; ph. רקח Salbenbereiter *ointment-mixer*; mhb. מֶרְקָח, מֶרְקַחַת, ja. מֶרְקַחְתָּא Salbe *ointment*:
qal: impf. יִרְקַח, pt. רֹקֵחַ, רוֹקֵחַ, pl. cs. רֹקְחֵי: **Salbe reiben** *mix ointment* Ex 30, 25. 33. 35 Ko 10, 1 1 C 9, 30; †
pu: pt. pl. מְרֻקָּחִים: **zerrieben** *mixed as ointment* 2 C 16, 14; †
hif: imp. הַרְקַח: l הָרֵק הַמָּרָק Hs 24, 10. †
Der. רֶקַח, רֹקַח, רַקָּח*, רַקָּחָה*, מִרְקָח*, מִרְקָחָה, מֶרְקָחָה, מִרְקַחַת.

רֶקַח: רקח: **Würze** (schmackhafter Zusatz zum Wein aus zerriebenen Kräutern) *spice* (*savoury herbs pondered a. added to wine*) Ct 8, 2. †

רֹקַח: רקח: **Würze** *spice* F רֶקַח: Ex 30, 25. 35. †

*רַקָּח: רקח: ug. *rqḥ*: pl. רַקָּחִים, fem. רַקָּחוֹת: **Salbenreiber (in)** *ointment-mixer* (*male a. female*) Ne 3, 8 1 S 8, 13 (ak. *abarakku* fem. > Kebsfrau *concubine* (VAB VII, 16, Klauber, Assyr. Beamtentum 81). †

*רִקְחַ: רקח: pl. sf. רִקְחָיִךְ: **Salbe** *ointment* Js 57, 9. †

רָקִיעַ: רקע: mhb., ja., sy., mnd., neosy.: cs. רְקִיעַ: das Breitgeschlagene, (Eisen-) Platte, **Firmament**, die **feste Himmelswölbung** *the beaten out, (iron-) plate, firmament, the solid vault of heaven* (Varro bei *in* Plin. 2, 8: coelum = κοῖλον das Hohle *the hollow* = caelatum getriebene Erzarbeit *embossed bronze-work*); στερέωμα: הָרָקִיעַ Gn 1, 7 f Ps 19, 2 Da 12, 3 Hs 1, 23. 25 f 10, 1, רְקִיעַ הַשָּׁמַיִם Gn 1, 14 f. 17. 20, רְקִיעַ עֻזּוֹ Ps 150, 1, רָקִיעַ Gn 1, 6 Hs 1, 22. †

רָקִיק: II רקק; رُقاقٌ, dünnes Bauernbrot *thin cake of peasant's bread*): cs. רְקִיק, pl. cs. רְקִיקֵי: (dünne) **Fladen, dünnes Brot** *thin cake, wafer* Ex 29, 23 Lv 8, 26, c. מַצָּה, מַצּוֹת, Nu 6, 19 Ex 29, 2 Lv 2, 4 7, 12 Nu 6, 15. †

רקם: mhb.; ϩⲫⲱⲱ mit farbigen Fäden wirken, Geweb, Geflecht mit andersfarbigem Einschlag, auch mit Gold- u. Silberfäden anfertigen *weave with variegated threads, also with threads of gold a. silver*; رَقَمَ sticken *embroider*, > ital. *ricamare*; רִקְמְתָא bunter Fleck *variegated spot*; ܪܩܡܬܐ Sommersprossen *freckles* (AS 5, 125. 162. 238):
qal: pt. רֹקֵם: **Buntwirker** *variegator, weaver in colours* Ex 26, 36 27, 16 28, 39 35, 35 36, 37 38, 18. 23 39, 29; †
pu: רֻקַּמְתִּי: **ich wurde** (als Embryo) **gewirkt** *I was (when an embryo) woven* Ps 139, 15. †
Der. I, II רֶקֶם ?, רִקְמָה.

I רֶקֶם: n. l.; רקם ?: *El-burğ* bei *near* ʿ*En-nebi-Samwīl* (Noth ZDP 61, 298 ff) Jos 18, 27. †

II רֶקֶם: n. m.; רקם ?; nab. n. m. רקם, רקמו; Meyer IN 388: רֶקֶם: 1. K. v. מִדְיָן: Nu 31, 8 Jos 13, 11; Jos. Ant. 4, 7, 1: Ῥέκεμος 5. K. v. מִדְיָן, seine Stadt *his town* Ῥεκέμης Πέτρα παρ᾽ Ἕλλησι λεγομένη; 2. 1 C 2, 43 f; 3. 7, 16. †

רִקְמָה: רקם: sf. רִקְמָתֵךְ, pl. רְקָמוֹת, du. (Torcz. Entst. 79: adverb.) רִקְמָתַיִם: **Buntwirkerei** *variegated stuff* Hs 27, 16. 24, f. Frauen *for women* Hs 16, 10. 13, pl. Ps 45, 15; f. Männer *for men* בִּגְדֵי ר׳ Hs 16, 18 26, 16; שֵׁשׁ בְּר׳ Hs 27, 7; ר׳ buntes Gefieder *variegated plumage* Hs 17, 3; צֶבַע ר׳ u. רִקְמָתַיִם Jd 5, 30 buntgewirktes u. beidseitig buntgewirktes Zeug *variegated a. on both sides varieg. stuff*; אַבְנֵי רִקְמָה Mosaiksteine *mosaic pebbles* 1 C 29, 2. †

רקע: mhb. hif. u. ja. af. ausbreiten *spread out*; ja. pa. u. رقع (d. Boden mit d. Fuss) schlagen *stamp (ground)*; ph. מרקע getriebene Schale *beaten plate*:
qal: impf. sf. אֶרְקָעֵם, inf. sf. רַקְעֲךָ, imp. רְקַע, pt. cs. רֹקַע: **stampfen, breit u. fest treten** *stamp, beat out* 2 S 22, 43 Hs 6, 11 25, 6; **ausbreiten** *spread out* Js 42, 5 44, 24 Ps 136, 6; †
pi: impf. וַיְרַקְּעוּ, sf. יְרַקְּעֵם, וַיְרַקְּעֵהוּ: **breit hämmern** *beat out* Ex 39, 3 Nu 17, 4, **überziehen** (Metall) *overlay* (*metal*) Js 40, 19; †
pu: pt. מְרֻקָּע **breit gehämmert, zu Platten geschlagen** *beaten out, beaten into plates* Ir 10, 9; †
hif: impf. תַּרְקִיעַ **breit hämmern** *beat out, make to plates* Hi 37, 18. †
Der. רָקִיעַ, *רִקֻּעַ; n. l. יָרְקְעָם.

***רִקֻּעַ**: רקע: pl. cs. רִקֻּעֵי: **gehämmert, platt geschlagen** *beaten out, beaten into plates* Nu 17, 3. †

I רקק: NF ירק; äga. ירוקן Aḥ. 133; ܪܩ; Schallwort *sound imitating word* Anthropos 14, 115. 428:
qal: impf. יָרֹק: **spucken** *spit* Lv 15, 8. †
Der. רֹק.

II *רקק: ak. *raqāqu*, رقّ, ⲗⲫⲫ dünn sein *be thin*, ܪܩܝܩ dünn *thin*:
Der. *רַק, רַקָּה, *רָקִיק, n. l. רַקּוֹן u. רַקַּת.

רַקַּת: n. l.; II *רקק; (Enge *narrow place*): *T. Eqlāṭije* nw. Tiberias (Saarisalo 124 [1]): Jos 19, 35. †

רָשׁ arm *poor*: *F* רוש.

רֵשׁ n. p.: *F* n. p. רֹאשׁ.

***רִשְׁיוֹן**: ak. *rašû* (ירש) erhalten, erwerben, e. Forderung haben *get, acquire, have a claim*, subst. Gläubiger *creditor*; רשא ja. Befugnis *legality*, af. u. mhb. hif. erlauben *permit*; ܡܫܪܝܢܐ Geschenk *gift*: **Ermächtigung** *permission* (עַל an *given to*) Esr 3, 7. †

רֵשִׁית: *F* רֵאשִׁית.

רשם: mhb., *F* ba.:
qal: pt. pass. רָשׁוּם: **aufgezeichnet, festgelegt** *inscribed, settled* Da 10, 21. †

רשע: zu *related to* ak. *šērtu* Sünde, Strafe *sin, punishment*? äga. רשיע, ja. af. frevelhaft handeln *act outrageously*; ⲗⲱⲟ vergessen *forget*; رسع locker sein (Glieder) *be loose* (*limbs*); Schwally, ZDM 52, 132:
qal: pf. רָשַׁעְתִּי, רָשַׁעְנוּ, impf. תִּרְשַׁע, אֶרְשָׁע: **schuldig sein, werden** *be, become guilty* 1 K 8, 47 Hi 9, 29 10, 7, cj 34, 12, Ko 7, 17, c. מִן gegenüber *against* 2 S 22, 22 Ps 18, 22; †
hif: pf. הִרְשַׁעְנוּ, הִרְשִׁיעוּ, הִרְשִׁיעַ, impf. יַרְשִׁעַ, יַרְשִׁיעֻנוּ, יַרְשִׁיעֵנִי, sf. יַרְשִׁיעֻן, יַרְשִׁיעוּ, תַּרְשִׁיעֵנִי, inf. הַרְשִׁיעַ, pt. מַרְשִׁיעַ, pl. cs. מַרְשִׁיעֵי: 1. **sich schuldig machen** *act guiltily* Ps 106, 6 Da 9, 5 12, 10 Ne 9, 33, c. ac. an *against* Da 11, 32, = c. בְּ Si 7, 7; e. **schuldvolles Leben führen** *live in guilt, wickedness* 2 C 22, 3; c. לַעֲשׂוֹת **schuldvoll handeln** *act wickedly* 2 C 20, 35; 2. c. ac. **für schuldig erklären, schuldig sprechen** *condemn as guilty* Ex 22, 8 Dt 25, 1 1 K 8, 32 Js 50, 9 54, 17 Ps 94, 21 Pr 12, 2 17, 15 Hi 9, 20 10, 2 15, 6 32, 3 34, 17. 29 40, 8 Si 10, 29;

3. c. ac. **verurteilen lassen** *cause to be condemned* Ps 37, 33; l וַיּוּשַׁע 1 S 14, 47, l יִרְשָׁע Hi 34, 12. †

Der. רֶשַׁע, רִשְׁעָה; רָשָׁע; מִרְשַׁעַת, רִשְׁעָתַיִם.

רֶשַׁע: רשׁע: רֶשַׁע (orient. רֶשַׁע?), sf. רִשְׁעוֹ, pl. רְשָׁעִים Hs 21, 34 †: **Unrecht, Schuld** *wrong, wickedness, guilt* Dt 9, 27 1 S 24, 14 Ir 14, 20 Hs 3, 19 7, 11 31, 11 33, 12 Ho 10, 13 Ps 5, 5 45, 8 (:: צֶדֶק) 84, 11 125, 3, cj 140, 9 (רֶשַׁע זְמָמוֹ), Pr 8, 7 12, 3, cj 18, 3 u. 21, 12 (l וָרֶשַׁע, zum Folgenden gehörig *connected with the following words*), Hi 35, 8 (:: צְדָקָה) Ko 3, 16 7, 25 8, 8; עָשָׂה רֶשַׁע Unrecht tun *do wrong* Pr 16, 12, אַנְשֵׁי רֶשַׁע Schuldige, Frevler *guilty men, wrong doers* Hi 34, 8; אֹצְרוֹת רֶשַׁע u. לֶחֶם רֶשַׁע durch Unrecht erworben *gained by wrongdoing* Mi 6, 10 Pr 10, 2; מֹאזְנֵי רֶשַׁע falsche W. *wicked bal.* Mi 6, 11; חַרְצֻבּוֹת רֶשַׁע Js 58, 6, cj [פִּי] רֶשַׁע M. voll m. Schuld *full of wrong* Ps 109, 2, cj חֲלַל רֶשַׁע frevelhaft entweiht *soiled with guilt* Hs 21, 30, (doppelt. *double*) pl. חַלְלֵי רְשָׁעִים 21, 34; l רָשׁ Js 58, 4, l בַּעֲלִלוֹת רָשָׁע Ps 141, 4, l מֵרְשַׁע Hi 34, 10, l הַפֶּשַׁע Ko 3, 16 b. †

רָשָׁע (260 ×, 81 × P, 78 × Pr, 26 × Hs, 26 × Hi, = 211 ×; 142 × ἀσεβής, 72 × ἁμαρτωλός, 31 × ἄνομος): רשׁע: pl. רְשָׁעִים (beachte *note* ע Hi 38, 13. 15 *F* רֶשַׁע), cs. רִשְׁעֵי, fem. רְשָׁעָה: 1. **schuldig** (im Einzelfall) *guilty* (*in single doing*), **im Unrecht befindlich** *being* (*in the*) *wrong* Ex 2, 13 9, 27 23, 1. 7 Dt 25, 1 f; רָשָׁע לָמוּת sosehr schuldig, dass er sterben muss *as guilty as deserving death* Nu 35, 31, אֲנָשִׁים רְשָׁעִים Schuldige *guilty men* Nu 16, 26, etc.; 2. (allgemein, wesenhaft, vor Gott) **schuldig** (*throughout, before God*) *guilty*, **Frevler** *wicked man* Js 3, 11 11, 4 13, 11 14, 5 26, 10 48, 22 53, 9 57, 20 f Ir 5, 26 12, 1 23, 19 25, 31 30, 23 (alle Stellen in Ir *all quotations of Ir*) Hs 3, 18 f Gn 18, 23 (:: צַדִּיק, oft *often*) 1 K 8, 32 Js 5, 23; צַדִּיק וְרָשָׁע Hs 21, 8 f, אִישׁ אָוֶן//רָשָׁע Js 55, 7, תָּם וְרָשָׁע Hi 9, 22; רִשְׁעֵי אֶרֶץ Ps 75, 9 101, 8 119, 119; רִשְׁעֵי הָאָרֶץ Hs 7, 21; cj רָשָׁע pro בְּרֶשַׁע Ps 141, 4 u. pro רֹאשׁ 141, 5 (Gunkel); 3. מַלְאָךְ רָשָׁע Pr 13, 17 u. דַּרְכּוֹ הָרְשָׁעָה Hs 3, 18 f schuldhaft > gottlos *guilty* > *wicked, impious*; אֲנָשִׁים רְשָׁעִים Gottlose *impious men* 2 S 4, 11; l רֶשַׁע Ps 109, 2 Pr 18, 3 21, 12 Hs 21, 30.

רִשְׁעָה: רשׁע: cs. רִשְׁעַת, sf. רִשְׁעָתוֹ: **Schuld** *guilt* :: צְדָקָה Dt 9, 4 f Hs 18, 20 Pr 11, 5, רִשְׁעַת רָשָׁע Hs 18, 20. 27 33, 12. 19 Pr 11, 5 13, 6, עֹשֵׂה רִשְׁעָה Ma 3, 15. 19; גְּבוּל רִ׳ Ma 1, 4; *F* Dt 25, 2 Js 9, 17; Personifikation *personification* Sa 5, 8; לְרִשְׁעָה מִן mehr schuldhaft als *more guilty than* Hs 5, 6. †

רִשְׁעָתַיִם: *F* כּוּשַׁן.

***רשׁף**: I, II n. m. רֶשֶׁף.

I **רֶשֶׁף**: ug. n. dei *Ršp* u. verb.; Honeyman, Ph. Inscr. Karatepe 53[21]; mhb. רֶשֶׁף Flamme *flame*, = ja. רִשְׁפָּא; ph. n. dei רשף; äg. n. dei *Ršp*: pl. רְשָׁפִים, cs. רִשְׁפֵּי u. רִשְׁפֵּי, sf. רְשָׁפֶיהָ: 1. **Brand, Flamme** *flame* Ct 8, 6; 2. רִשְׁפֵי קָשֶׁת (Joüon MFB 6, 192 l אַשְׁפָּה וָקֶשֶׁת) **Brände** des Bogens *flames of the bow* Ps 76, 4; 3. Brand = **Seuche** *flame = plague, pestilence* Ha 3, 5 (//דֶּבֶר) Ps 78, 48 Dt 32, 24 (// cj לַדֶּבֶר); בְּנֵי רֶשֶׁף ? Hi 5, 7; (Si 43, 14. 17 רֶשֶׁף Vögel *birds*, G Dt 32, 24 ὄρνις). †

II **רֶשֶׁף**: n. m.; *F* I; Mari: *Abi-Ra-sa-ap* Mél. Sy. 275; ug. *bn-Ršp* u. *bn-Ršpj*, De Langhe 2, 291. 254 ff: 1 C 7, 25. †

רשש: ak. *rašāšu* rotglühend werden, schmelzen *be smelted*; رض zerstossen *bruise*; ja. רְשָׁשׁוּתָא Mörser *mortar*:

po: impf. יְרֹשֵׁשׁ: **zerschlagen** *shatter* Ir 5, 17; †

pu: pf. רֻשַּׁשְׁנוּ: **zerschlagen sein** *be shattered* Ma 1, 4. †

Der. I, II n. m. תַּרְשִׁישׁ.

רֶשֶׁת: ירשׁ; ug. *ršt*: רֶשֶׁת, sf. רִשְׁתּוֹ: **1. Fangnetz** (für Wild u. Vögel) *net* (*for catching game a. birds*), c. פָּרַשׂ Hs 12, 13 17, 20 19, 8 32, 3 Ho 5, 1 7, 12 Ps 140, 6 Pr 29, 5 Th 1, 13, c. הֵכִין Ps 57, 7, c. טָמַן לְ Ps 35, 7 f; F Ps 9, 16 10, 9 (מָשַׁךְ) 25, 15 31, 5 Pr 1, 17 Hi 18, 8; **2. Netzgitter** *network* Ex 27, 4 f 38, 4. †

רַתּוֹק: רתק: pl. רַתּוּקוֹת l רַתִּיקָה 1 K 6, 21, l הַבַּתּוֹק Hs 7, 23. †

רתח: mhb., ja., sy. brodeln, sieden *boil*:

pi: imp. רַתַּח: **zum Sieden bringen** *cause to boil* Hs 24, 5; †

pu: pf. רֻתְּחוּ: **zum Sieden gebracht werden** *be caused to boil* Hi 30, 27; †

hif: impf. יַרְתִּיחַ: **zum Sieden bringen** *cause to boil* Hi 41, 23 Si 43, 3, †

Der. רֶתַח.

רֶתַח: רתח: pl. sf. רְתָחֶיהָ: l נְתָחֶיהָ (2 MSS) Hs 24, 5. †

cj ***רַתִּיקָה**: רתק: cs. רַתִּיקַת: **Kette** *chain* 1 K 6, 21. †

רתם: Et?:

qal: imp. רְתֹם: **anbinden?** *bind?* Mi 1, 13. †

רֹתֶם: رَتَم: pl. רְתָמִים: **Ginster** *broom Retama Roetam* (Löw 2, 469 ff) 1 K 19, 4 (l אֶחָד). 5 Ps 120, 4 Hi 30, 4 (l לַחְמָם). †

Der. n. l. רִתְמָה.

רִתְמָה: n. l.; רֹתֶם: Wüstenstation *station in wilderness*, Noth PJ 36, 22: Nu 33, 18 f. †

רתק: ja. רִתְקָא Umzäunung *fenced enclosure*; رَتَق, zusammenfügen *close up*:

nif: impf. יֵרָתֵק: l יִנָּתֵק Ko 12, 6; †

pu: pf. רֻתְּקוּ: **gefesselt sein** *be bound with fetters* Na 3, 10. †

Der. (רַתּוֹק), *רַתִּיקָה, רְתֻקוֹת.

רְתֻקוֹת: רתק: **Ketten** *chains* Js 40, 19. †

***רתת**: ak. *ratātu pursue* ZA 31, 271 f; mhb.; ja., sy. zittern *tremble*: F רֶתֶת, רטט.

רְתֵת: *רתת: **Schrecken, Zittern** *trembling* Ho 13, 1 (Text?). †

שׂ

שׂ, **שִׂין**, (Driver SW 216), hbr., ph., mo., ursprünglich auch *originally also* aram, ein Laut, der שׁ ganz nahesteht *a sound closely related to* שׁ. Später sind שׂ u. שׁ durch puncta diacritica unterschieden und שׂ nähert sich ס. *Later on* שׂ *a.* שׁ *are differentiated by puncta diacritica a.* שׂ *comes closely to* ס; שׂ = *s*, שׁ = *š*. שׂ = س, שׁ = ش, F שכך, שׂחם, פרשׂ; שׂ = ak. *š*, = ש; VG 1, 14. Ältere Reihenfolge *older order* שׁ, שׂ Nestle, Actes 11. Congr. des Or., Sem. Sect., 113 ff; F Gramm.

***שְׂאָר**: F מִשְׁאֶרֶת*, מִשְׁרֶת, שְׂאָר.

שְׂאֹר: *שאר; mhb. שְׂאוֹר, סְאוֹר, ja. סְיאוֹרָא: Sauerteig *leaven* Ex 12, 15. 19 13, 7 Lv 2, 11 Dt 16, 4.†

I שְׂאֵת: נשא, sf. שְׂאֵתוֹ > שְׂתוֹ Hi 41, 17: 1. Erhebung (dass einer sich erhebt), Auffahren *uprising* Hi 41, 17, Hoheit *dignity* Gn 49, 3 Hi 31, 23 Ha 1, 7 (dele?); 2. l שְׂאֵתוֹ Hi 13, 11, l מַשְׂאוֹת Ps 62, 5; ? Gn 4, 7 (F Komm.); > *שֵׁאת cj Nu 24, 17 Trotz *defiance*.†

II שְׂאֵת: נשא, erhabene Stelle *swollen spot?*: Hautmal, Hautfleck *swelling, blotch* Lv 13, 2. 10. 19. 28. 43 14, 56.†

שָׂב: F שׂיב.

שׂבך u. סבך: F שְׂבָכָה, שׂוֹבֶךְ.

שְׂבָכָה: ak. *šabikū* e. Kopfbedeckung *a headgear*; ja. סבך u. شَبَكَ verflechten *interweave*; pehl.-ideogr. שופכא Frahang-i-Pahlavik 15, 4; ܫܒܟ sich fest machen an *adhere at*; شَبَكَة Netz *net*, شُبَّاك Gitter *lattice-work*: pl. שְׂבָכִים 1 K 7, 17 u. שְׂבָכוֹת 7, 41 f: Flechtwerk *network*: 1. Netz *net* (//רֶשֶׁת) Hi 18, 8; 2. Gitter (über Lichtschacht?) *grate* (*covering day-shaft?*) 2 K 1, 2; 3. (Zierat *ornament*) Rost *grating* 1 K 7, 17. cj (pro שִׁבְעָה 2 ×) 17. f. 20. 41 f 2 K 25, 17 Ir 52, 22 f 2 C 4, 12 f.† Der. שׂוֹבֶךְ.

שְׂבָם: n. l. Nu 32, 3: F שִׂבְמָה.†

שִׂבְמָה: n. l.; = שְׂבָם Nu 32, 3; *שׂבם: *Ch. Sūmije* 8 km wnw. Hebron (Musil, AP 1, 355 f; ?) Nu 32, 38 Jos 13, 19 Js 16, 8 (Weingegend *country of wine*). 9 Ir 48, 32.†

שׂבע: ug. *šbʿ*; ak. *šebū*; mhb.; äga., palm., Suğ. Ab 3 f, mnd., neosy., neoaram. שבע, ja., sy. סבע; شَبِعَ, asa. שבע; ሰገበ VG 1, 169. 239:

qal: pf. שָׂבַע, שָׂבְעָה, שָׂבַעְתָּ, שָׂבַעְתְּ (שָׂבַעַתְּ vel שָׂבָעַתְּ), שָׂבָעוּ, שְׂבַעְתֶּם, שָׂבַעְנוּ, impf. יִשְׂבַּע, תִּשְׂבַּע, אֶשְׂבְּעָה, יִשְׂבְּעוּ, יִשְׂבָּעוּן, תִּשְׂבַּעְנָה, sf. יִשְׂבָּעֻךָ, תִּשְׂבָּעֵנוּ, inf. שְׂבוֹעַ, לִשְׂבֹּעַ, sf. שָׂבְעָתְךָ, imp. שְׂבַע: 1. sich satt essen *be sated with food* Ex 16, 8 Lv 26, 26 Dt 6, 11 8, 10. 12 11, 15 14, 29 26, 12 31, 20 Js 9, 19 44, 16 Ho 4, 10 Jl 2, 26 Mi 6, 14 Ps 17, 14 22, 27 37, 19 59, 16 63, 6 78, 29 Pr 27, 20 30, 15 Ru 2, 14 Ne 9, 25 2 C 31, 10; 2. sich satt trinken *be sated with drink* Js 66, 11 Am 4, 8; 3. c. ac. sich satt essen an, sich sättigen an, mit *be sated with*: לֶחֶם Ex 16, 12 Ir 44, 17 Pr 12, 11 20, 13 28, 19 30, 22 Hi 27, 14 Th 5, 6, טוֹב Ir 31, 14 Ps 65, 5, טוֹב Ps 104, 28, Korn, Wein u. Öl, *grain, wine a. oil* Jl 2, 19; קָלוֹן Ha 2, 16, בּוּז Ps 123, 3, כֹּחַ Pr 5, 10, נְדֻדִים Hi 7, 4, עֹשֶׁר Ko 4, 8, כֶּסֶף 5, 9; שְׂבַע יָמִים ist lebenssatt *is full of days* 1 C 23, 1 2 C 24, 15; 4. c. ac. satt haben *be weary of* Js 1, 11 Pr 25, 16 f 30, 9; 5. c. בְּ sich sättigen an *be satisfied with* Js 53, 11 Ps 17, 15 Th 3, 30; satt haben *have enough* Ps 88, 4; 6. c. מִן genug bekommen von *have one's fill of* Pr 1, 31 14, 14 Hi 19, 22 Ko 6, 3, satt werden von *be sated of* Pr 18, 20; 7. שָׂבַע לִרְאוֹת sieht sich satt an *is satisfied with seing* Ko 1, 8; 8. besondere Subjekte *particular subjects*: חֶרֶב Ir 46, 10, שְׁלָל Ir 50, 10, יִשְׂרָאֵל 50, 19: Ho 13, 6, זוֹנָה Hs 16, 28 f, Tiere *animals* Hs 39, 20, עֲצֵי יהוה Ps 104, 16, אֶרֶץ 104, 13 Pr 30, 16, מָוֶת Ha 2, 5, נַפְשֵׁנוּ Ps 123, 4, בִּטְנוֹ Pr 18, 20, פִּי אִישׁ 12, 14;†

nif: pt. נִשְׂבָּע: gesättigt *sated* Hi 31, 31;†

pi: impf. יְשַׂבְּעוּ, imp. sf. שַׂבְּעֵנוּ: jmd sät-

tigen *satisfy a person* Hs 7, 19, c. 2. ac. mit *with* Ps 90, 14; cj שָׂבַעְתָּ Ha 3, 9;†
hif: pf. הִשְׂבִּיעַ, הִשְׂבַּעְתָּ (הִשְׂבַּעְתָּ vel הִשְׂבַּעַת) Hs 27, 33, הִשְׂבַּעְתִּי, sf. הִשְׂבִּיעַנִי, impf. אַשְׂבִּיעֵךְ, אַשְׂבִּיעֵהוּ, יַשְׂבִּיעֵם, sf. יַשְׂבִּעֵנִי, תַּשְׂבִּיעַ, inf. הַשְׂבִּיעַ, pt. מַשְׂבִּיעַ: 1. c. ac. sättigen *satisfy* Js 58, 10 f Ir 5, 7 Hs 27, 33 32, 4 Ps 107, 9 Hi 9, 18 38, 27; c. 2. ac. mit *with* Ps 81, 17 91, 16 105, 40 132, 15 147, 14, cj תַּשְׂבִּיעֵנִי 51, 10; 2. c. בְּ mit *with* Ps 103, 5 Th 3, 15; 3. c. לְ u. ac. jmd sättigen mit etwas *satisfy a person with a matter* Ps 145, 16.†
Der. שָׂבָע, שָׂבַע, שָׂבֵעַ, שָׂבְעָה, שִׂבְעָה, *שִׂבְעָה.

שָׂבָע: שׂבע: Sättigung, Genüge *satiety, plenty* Gn 41, 29—31. 34. 47. 53 Pr 3, 10 Ko 5, 11.†

שֹׂבַע: שׂבע: sf. שָׂבְעָה, שִׂבְעֲךָ: Sättigung, Genüge *satiety, plenty* Ex 16, 3 Lv 25, 19 26, 5 Dt 23, 25 (l לְשָׂבְעֶךָ) Ps 78, 25 Pr 13, 25 Ru 2, 18, שֹׂבַע שְׂמָחוֹת Freuden in Fülle *abundance of joys* Ps 16, 11.†

שָׂבֵעַ: שׂבע: cs. שְׂבַע, fem. שְׂבֵעָה, pl. שְׂבֵעִים: satt, gesättigt *sated, satisfied* 1 S 2, 5 Pr 19, 23 27, 7, שְׂבַע רָצוֹן satt von *satisfied with* Dt 33, 23, שְׂבַע קָלוֹן Hi 10, 15, שְׂבַע רֹגֶז 14, 1; שְׂבַע יָמִים (ak. *balāṭu išteníbbi* wurde mit Leben gesättigt *was sated with life*, *balāṭu lušbi* möge ich mit L. gesätt. werden *may I be satisfied with life*, Dürr, Wertung des Lebens 1926, 13) satt an Tagen *sated with days* Gn 35, 29 Hi 42, 17 1 C 29, 28, > שָׂבֵעַ Gn 25, 8.†

שָׂבְעָה: שׂבע; ug. *šbʿt*: sf. שָׂבְעָתֵךְ: Sättigung *satiety* Js 23, 18 55, 2 56, 11 Hs 16, 28 39, 19 Hg 1, 6.†

***שִׂבְעָה**: שׂבע: cs. שִׂבְעַת: Sättigung *satiety* Hs 16, 49.†

שׂבר: mhb., aram. F ba. סבר meinen, vertrauen *think, hope*; سَبَرَ untersuchen (Wunde) *inspect* (*wound*); شَمِرَ mit raschem, klarem Blick *clear-sighted*; Praetorius, DLZ 1900, 1696, ܣܒܪ belieben *like to*:: Schulthess HW 39:
qal: pt. שֹׂבֵר (Var. שֹׁבֵר): c. בְּ prüfen *examine* Ne 2, 13. 15;†
pi: pf. שִׂבֵּרוּ, שִׂבַּרְתִּי, impf. יְשַׂבֵּרוּ, יְשַׂבְּרוּן, תְּשַׂבֵּרְנָה: hoffen, warten *hope, wait*, c. אֶל auf *for* Js 38, 18 Ps 104, 27 145, 15, = c. לְ 119, 166, c. עַד אֲשֶׁר bis dass *until* Ru 1, 13, c. לְ c. inf. hoffen zu ... *hope to* ... Est 9, 1.†
Der. *שֵׂבֶר.

***שֵׂבֶר**: שׂבר: sf. שִׂבְרוֹ: Hoffnung *hope* Ps 119, 116 146, 5.†

שׂגא: NF שׂגה; aram. סגא, סגי, F ba. שׂגא; شَجَوجَى lang u. dick *long a. thick*: ܣܓܝ Fleisch *flesh* (zur *to the* Sibilans F Schaeder, Iran. Beitr. 1, 49 f):
qal: impf. יִשְׂגֶּא (Var. יִשְׂגֶּה BL 376): wachsen *grow great* Hi 8, 11;†
hif: impf. תַּשְׂגִּיא, pt. מַשְׂגִּיא: 1. gross nennen, preisen *magnify, laude* Hi 36, 24; 2. c. לְ Grösse geben, gross machen *make great* Hi 12, 23.†
Der. שַׂגִּיא.

שׂגב: ja. pa. stark machen *make strong*; EA 147, 53 *iskupu* erhebt sich (Mauer) *rises* (*wall*); altaram. Sef. B[b] 13:
qal: pf. שָׂגְבוּ, שָׂגְבָה: c. מִן zu hoch, fest sein für *be too high for* Dt 2, 36; שָׂגְבוּ יֶשַׁע haben hohes Glück *are high in prosperity* Hi 5, 11;†
nif: pf. נִשְׂגַּב, נִשְׂגָּבָה, נִשְׂגָּב, pt. נִשְׂגָּב, נִשְׂגָּבָה: 1. hoch, unzugänglich sein *be high, inaccessible* (Mauer *wall*) Js 30, 13 Pr 18, 11, (Stadt *town*) Js 26, 5; 2. Gott *God*: erhaben sein *be exalted*

Js 2, 11. 17 33, 5, שְׁמוֹ Js 12, 4 Ps 148, 13; 3. Erkenntnis *knowledge*: **unerreichbar sein** *be unattainable* Ps 139, 6; 4. **in der Höhe, sicher sein** *be on high, safe* Pr 18, 10; †

pi: impf. וַיְשַׂגֵּב, sf. אֲשַׂגְּבֵהוּ, תְּשַׂגְּבֵנִי, יְשַׂגֶּבְךָ: **hoch, unzugänglich machen, schützen** *make high, inaccessible, protect* Ps 20, 2 59, 2 69, 30 91, 14 107, 41 (מִן vor *against*); c. ac. u. עַל gross machen gegen *make great against* Js 9, 10 (:: Driver JThS 34, 378 f); †

pu: impf. יְשֻׂגָּב: **geschützt werden** *be protected* Pr 29, 25; †

hif: impf. יַשְׂגִּיב: **sich als gross erweisen** *act exaltedly* Hi 36, 22. †

Der. מִשְׂגָּב; n. m. שְׂגוּב.

שׂגה: NF v. שׂגא:

qal: impf. יִשְׂגֶּה: **gross werden** *grow great* Ps 92, 13 Hi 8, 11 (Var. יִשְׂגֶּא), l יִשְׂגֶּה Hi 8, 7; †

hif: pf. הִשְׂגּוּ, cj impf. יַשְׂגֶּה: **gross machen** *make great* Ps 73, 12, cj Hi 8, 7 u. Ho 10, 1. †

שְׂגוּב: n. m.; שׂגב; *Sagibē*, *Sagibū*, *Sagib-ilu* APN 190, *Sagab* 189, *Sigaba*, *Sigibi* 195; n. m. שגב Lidzb., Altaram. Urkunden a. Assur 19: 1. 1 K 16, 34 Q (שְׂגִיב K); 2. 1 C 2, 21 f. †

שַׂגִּיא: שׂגא: **erhaben** (Gott) *exalted* (*God*) Hi 36, 26 37, 23. †

שְׂגִיב: F שְׂגוּב.

שִׂגְשֵׂג: F II שׂוג.

שׂדד: ug. *šd(d)*; ak. *šadādu* ziehen, wegschleppen, messen *draw, drag, measure*, *šiddu* Strecke, Feldfläche *tract, field*; ܣܕܐ Furche *furrow*:

pi: impf. יְשַׂדֵּד, יְשַׂדֶּד: **Grenzfurchen ziehen** *draw bordering furrows* (Guthe, Festschr. Budde 1920, 75 ff; alii: **eineggen** *harrow*, so *thus* Fischer, Untersuch. Septuag. Js 1934, 182 f) Js 28, 24 Ho 10, 11 Hi 39, 10 Si 38, 26. †

Der. n. l. שִׂדִּים.

***שׂדה**: שָׂדֶה, שָׂדַי.

שָׂדֶה (< שָׂדַי; 320 ×, ἀγρός 215 ×, πεδίον 80 ×): *שׂדה; ak. *šadū* Berg *mountain*; EA 287, 56 *šatē* gloss. = ak. *ugaru* Flur *field*; ph. שד Feld *field*; ug. *šd* Acker *acre*; asa. שדו: cs. שְׂדֵה u. שְׂדֵי (BL 588; F שָׂדַי), sf. שָׂדֵהוּ, שָׂדְךָ, שָׂדֶךָ, שָׂדִי, pl. שָׂדוֹת, שָׂדֹת, cs. שְׂדוֹת, sf. שְׂדֹתֶיהָ, שְׂדֹתָם, שְׂדוֹתֵיהֶם, שְׂדוֹתֵינוּ, u. cs. pl. (= sg!) שְׂדֵי, sf. שָׂדֵינוּ (sg?) Mi 2, 4: **Flur, Ackerfeld, Feldstück, Landschaft, Gebiet** *field, acre, piece of field, country*: 1. **Flur, freies Feld** *open field* :: עִיר Gn 34, 28, בַּשָּׂדֶה auf dem freien Feld *in the open field* Gn 4, 8 (48 ×), הַשָּׂדֶה aufs Feld hinaus *into the open field* Gn 27, 3 (15 ×), מִן־הַשָּׂדֶה Gn 25, 29 (6 ×), עַל־פְּנֵי הַשָּׂדֶה Lv 14, 7 2 S 11, 11 (13 ×); שָׂדֶה c. שִׂיחַ Gn 2, 5, עֵשֶׂב 2, 5 (8 ×), חַיַּת 2, 19 (27 ×), זֶרַע 47, 24, עֵץ Ex 9, 25 (5 ×), עֲצֵי Js 55, 12 (7 ×), יֶרֶק Nu 22, 4, בֶּהֱמַת 1 S 17, 44 Jl 1, 20; עָרֵי הַשָּׂדֶה die Städte auf dem Land *the towns in the open country* 1 S 27, 5; רֵיחַ שָׂדֶה Feldgeruch *the smell of the field* Gn 27, 27 u. אִישׁ שָׂדֶה Mann des freien Felds *man of the open country* Gn 25, 27; etc.; 2. **Flur, Bereich** (einer Stadt usw.) *fields, domain* (*of town etc.*): שְׂדֵה הָעִיר Jos 21, 12 1 C 6, 41, שְׂדֵה נַחֲלַת יִשְׂרָאֵל Jd 20, 6, שְׂדֵה שָׁאוּל 2 S 9, 7, שְׂדֵה אֱדוֹם Gn 32, 4, שְׂדֵה מוֹאָב Gn 36, 35 u. שְׂדֵי מוֹאָב Ru 1, 1 (6 × in Ru); etc.; 3. **d. Feld, bestellbare Land** *the arable land* שְׂדֵה הָאָרֶץ Lv 25, 31. wird in an Einzelne überwiesene **Grundstücke** zerlegt *is divided in plots of land, fields distributed to individuals*: חַלְּקוּ אֶת־הַשָּׂדֶה 2 S 19, 30: **Grundstück, Feld** (des Einzelnen) *plot of land, field* (*of individual*) חֶלְקַת הַשָּׂדֶה Gn 33, 19

הַשָּׂדוֹת (7×), שָׂדֵהוּ Ex 22,4 Ne 13,10 (32×), שְׂדוֹת (neben *along with* חֲצֵרֹת, בָּתִּים) Ex 8,9, Feldstücke (Einzelner) *plots of land* (*of individuals*) 1 S 8,14 (6×), שְׂדוֹת גֶּבַע Ne 12,29, שְׂדֵה מִקְנָתוֹ Lv 27,22, שְׂדֵה אֲחֻזָּתוֹ 27,16, שָׂדֵהוּ Gn 23,9, שְׂדֵה אַחֵר Ru 2,8.22; 4. Einzelne, benannte Grundstücke *particular*, *named fields*: שְׂדֵה הַמַּכְפֵּלָה Gn 23,19, שְׂדֵה צֹפִים (*Tlaʿāt eṣ-Ṣafaʾ* nö. Nebo AP 1,334.346) Nu 23,14, שְׂדֵה כוֹבֵס 2 K 18,17 Js 7,3 36,2; שְׂדֵי־יָעַר Ps 132,6 F קִרְיַת יְעָרִים; 5. Einzelnes *particulars*: שָׂדֶה נֶעֱבָד bestelltes Land *tilled field* Ko 5,8†, שְׂדֵה הַקְּבוּרָה 2 C 26,23, שְׂדֵה Hs 17,8†, שְׂדֵה F צֶמֶד 1 S 14,14. טוֹב

שָׂדַי: ältere Form v. *older form of* שָׂדֶה: שָׂדָי, cs. שְׂדֵי F שְׂדֵה: **Flur, freies Feld** *open field*: Dt 32,13 Js 56,9 Ir 4,17 Ho 10,4 12,12 Jl 2,22 Ps 8,8 50,11 80,14 96,12 104,11 Th 4,9; 1 שִׂרְיוֹן Ir 18,14.†

שִׂדִּים: n. l.; שׂדד („Grenzfurchen *bordering furrows*"); Wellh. 1 שֵׁדִים: Gn 14,3.8.10.†

***שׂדר**: F *שְׂדֵרָה.

***שְׂדֵרָה**: *שׂדר; F סדר: pl. שְׂדֵרוֹת, שְׂדֵרֹת: ungedeuteter Bauausdrück *unexplained architectural t. t.* (Möhlenbrink, d. Tempel Salomos, 1932, 34f): 1 K 6,9 2 K 11,8.15 2 C 23,14.†

שֶׂה: ug. *š*; ak. *šuʾu* Widder *ram*; äg. *s3* Sohn *son* (alt auch v. Tieren *old of animals also*; EG 3,408); ph. שׂ, شاة Nöld. NB 170 f, Schulthess ZS 2,15: cs. שֵׂה, sf. שֵׂיהוּ u. שֵׂיוֹ: **Junges von Schaf (Lamm) u. Ziege (Zicklein)** *young one of sheep* (*lamb*) *a. goat* (*kid*) Ex 12,5 Dt 14,4, שׁוֹר וָשֶׂה Ex 34,19 Lv 22,23 Dt 17,1 1 S 14,34, שׁוֹר אוֹ שֶׂה Ex 21,37 Lv 22,28 27,26 Dt 18,3 22,1 1 S 15,3, שׁוֹר, חֲמוֹר, שֶׂה Ex 22,3.8f Jos 6,21 Jd 6,4 1 S 22,19, שׁוֹר, אַיִל, שֶׂה Nu 15,11; Kennzeichnendes *characteristics* Gn 30,32 Lv 22,23 Ir 50,17 Hs 34,20 Ps 119,176; gebraucht für *used for*: זֶבַח Dt 18,3 Js 66,3, עֹלָה Gn 22,7f Js 43,23, פֶּסַח Ex 12,3—5, חַטָּאת Lv 5,7, אָשָׁם 12,8; Einlösungswert *value in redeeming* Ex 13,13 34,19f 21,37; F 1 S 17,34 Js 7,25 53,7 Hs 34,17.22 45,15.†

***שׂהר**: F *שָׂהֵד.

***שָׂהֵד**: aram., F ba. שָׂהֲדוּ: sf. שָׂהֲדִי: **Zeuge** *witness* // עֵדִי Hi 16,19.†

שָׂהֲדוּתָא: Gn 31,47: F ba. שָׂהֲדוּ.

***שׂהר**: שַׂהֲרֹנִים.

שַׂהֲרֹנִים: *שׂהר (H. Bauer OLZ 38,477); *שַׂהַר u. *-ōn*; ja. סַהֲרָא, ܣܗܪܐ, mnd. סירא; شهر, ሠሀር, asa. שהר Mond *moon*: **Möndchen** (Schmuckform) *little moon* (*adornement*) (BRL 27 ff) Jd 8,21.26 Js 3,18.†

שׂוא: F נשׂא.

שׂוֹבֶךְ: שׂבך: **Geäst** *network of boughs* 2 S 18,9.†

I **שׂוג**: F I סוג nif. u. hif.

II **שׂוג**: = II סוג?; Ibn Esra, Qimchi = שׂגה (?): pilp.: impf. תְּשַׂגְשֵׂגִי: **umzäunen? grossziehen?** *fence? raise?* Js 17,11.†

שׂוח: Nöld. BS 43f: 1 שׂוּחַ = ساح ohne Ziel umhergehen? *go about aimlessly?*; GV nachsinnen *meditate*:

qal: inf. לָשׂוּחַ: unerklärt *unexplained* Gn 24,63.†

***שׂוֹחֵט**: sic pro שׂוֹחֵט Ir 9,7: شَوْحَط *Grevia populifolia*; e. starkes Holz, für Bogen geschätzt *a strong kind of wood, valued for* *bows*, Jacob, Beduinenleben 131 ff, Löw 2, 249 f: חֵץ שׁוֹחֵט e. **Pfeil von starkem Bogen** *arrow thrust of a strong bow* Ir 9, 7. †

שׁוּט: NF v. שׂטה; شطّ sich entfernen, ungerecht sein *swerve, be unjust*, **חיו** zurückbringen *bring back*:

qal: pt. pl. cs. שָׂטֵי: c. כָּזָב: **sich in Lüge verstricken** *fall away to, entangle oneself into falsehood* Ps 40, 5 Si 51, 2; †

cj pil.: impf. ישׂטטו: **abtrünnig werden** *become unfaithful* Da 12, 4. †

שׂוּךְ: F שׂכך, I סוך; شوك, asa. סוך, **חיע** Dorn *thorn*:

qal: pf. שַׂכְתָּ, pt. שָׂךְ: (mit Gedörn) **verzäunen, sperren** *hedge (with thorns), fence about* Ho 2, 8, c. בְּעַד Hi 1, 10. †

Der. *שׂוֹכָה; n.l. שׂוֹכֹה?

***שׂוֹךְ**: sf. שׂוֹכֹה: l שׂוֹכָתוֹ Jd 9, 49. †

***שׂוֹכָה**: שׂוך: mhb. סוֹכָה, ja. סוֹכָא, ܣܘܟܐ Zweig *branch*: cs. שׂוֹכַת, cj sf. שׂוֹכָתוֹ: **Buschwerk** *brushwood* Jd 9, 48, cj 49. †

שׂוֹכֹה, שׂכֹה u. **שׂוֹכוֹ**: n.l., ZAW 48, 75, Dir. 145 ff; *שׂוֹכָה?: 1. *Ch. Šuwēke* sw. Hebron Jos 15, 48 1 C 4, 18; 2. *Ch. ʿAbbād* (PJ 24, 26 f) in שְׁפֵלָה Jos 15, 35 1 S 17, 1 2 C 11, 7 28, 18; 3. שׂכֹה *eš-Šuwēke* w. *Nablūs* (Alt, Alttestl. Stud. 3 f) 1 K 4, 10. †

***שׂוֹכָתִי**: gntl. v. (unbekanntem *unknown*) n.l. *שׂוֹכָה: pl. שׂוֹכָתִים: 1 C 2, 55. †

שׂוּם: F שׂים.

I שׂוּר:

qal: impf. וַיָּשַׂר (שׂרה) Ho 12, 5, l וַיָּשֶׂם וַיָּשַׂר l (2 S 12, 31) 1 C 20, 3; inf. שׂוּרִי = סוּרִי (סור) Ho 9, 12; †

hif: pf. הֵשִׂירוּ Ho 8, 4 F שׂרר. †

II *שׂוּר: Der. מְשׂוּרָה.

שׂוֹרָה: Znǧ. שורה (Lidz. 374); Sachau, Die Inschr. d. Panammū 23 = ذرة: **Hirse?** *millet?* (Löw 1, 740) Js 28, 25. †

I שׂוֹרֵק: n.l.; שׂרק; Dir. 76 f: Sūrīq am Nordhang v. *on the northern slope of W. eṣ-Ṣarār* Jd 16, 4. †

II שׂוֹרֵק: F שׂרֵק.

שׂוּשׂ u. **שִׂישׂ**: Nöld. BS 43:

qal: pf. שָׂשׂ, שַׂשְׂתִּי, שָׂשׂוּ, impf. יָשִׂישׂ, יְשִׂישׂוּ, ישׂשׂום (Torrey, Sec. Is. 296: < יְשֻׂשׂוּן, :: BL 405) Js 35, 1, נָשִׂישׂ, inf. שׂוֹשׂ, שׂוּשׂ, imp. שִׂישׂוּ, שִׂישִׂי, pt. שָׂשׂ: **sich freuen** *rejoice, display joice* Js 35, 1 65, 18 66, 10. 14 Ps 68, 4 Hi 3, 22 39, 21 Th 1, 21 4, 21, cj Js 42, 11 ישׂישׂו, c. בְּ über *over* Js 61, 10 (בַּי׳) 65, 19 Ps 35, 9 40, 17 70, 5 119, 14 Si 39, 31, c. עַל Dt 28, 63 30, 9 Js 62, 5 Ir 32, 41 Ze 3, 17 Ps 119, 162, c. לְ c. inf. Dt 28, 63 Ir 32, 41 Ps 19, 6; dele Js 64, 4; ? Hs 21, 15. †

Der. מָשׂוֹשׂ, שָׂשׂוֹן.

***שֵׂחַ**: sf. שֵׂחוֹ [מַה־]: gewöhnlich: sein Sinnen *commonly: his thoughts* (II שׂיח); Ehrlich l מַעֲשֵׂהוּ: Am 4, 13. †

שׂחה: ak. *šaḫū* im Schlamm waten *wade in mud*; mhb. סָחוּ Schwimmen *swimming*; ja., sy. סחא baden, schwimmen *bathe, swim*:

qal: inf. שְׂחוֹת, pt. שֹׂחֶה: **schwimmen** *swim* Js 25, 11; †

hif: impf. אַשְׂחֶה: **zum Schwimmen bringen, überschwemmen** *make swim, overflow* Ps 6, 7. †

Der. שָׂחוּ.

שָׂחוּ: שׂחה: Schwimmen *swimming*, שָׂחוּ Wasser so tief, dass man darin schwimmen kann *water as deep as permitting swimming* Hs 47, 5. †

שְׂחוֹק: שׂחק: 1. Lachen *laughter* Ps 126, 2 Pr 14, 13 Hi 8, 21 Ko 2, 2 7, 3. 6; 2. Vergnügen *sport* Pr 10, 23 Ko 10, 19; 3. Gespött *derision* Ir 20, 7 48, 26. 27 (l לִשְׂחוֹק). 39 Hi 12, 4 Th 3, 14. †

שׂחט: ak. *ṣaḫātu* fliessen lassen, auspressen *cause to flow*, *squeeze out*; mhb.; ja., mnd. סחט:
qal: impf. וָאֶשְׂחַט: (Trauben) **auspressen** *squeeze out* (*grapes*) Gn 40, 11. †

***שָׂחִיף**: *שׂחף: cs. שְׂחִיף: ungedeutet *unexplained* Hs 41, 16, l סְפוּנֵי? (F Komm.). †

***שׂחף**: *שָׂחִיף.

שׂחק: NF v. צחק (שׂ pro צ wegen *on account of* ק):
qal: pf. שָׂחַק, שָׂחֲקוּ, impf. יִשְׂחַק, יִשְׂחָק, יִשְׂחָקוּ, inf. שְׂחוֹק: 1. **spielen, sich** (zur Belustigung Anderer) **täppisch benehmen** *play*, *act clumsily* (*to the amusement of others*) Jd 16, 27; 2. **lachen** *laugh* Pr 29, 9 Ko 3, 4, c. לְ über *over* Ha 1, 10 Ps 2, 4 u. 37, 13 (Gott *God*) 59, 9 Pr 31, 25 (unbekümmert *unconcerned*) Hi 5, 22 39, 7. 18. 22 41, 21, c. עַל Ps 52, 8 Hi 30, 1 Th 1, 7, c. בְּ Pr 1, 26; c. אֶל jmd **zulächeln** *smile at* Hi 29, 24; †
pi: pf. שִׂחַקְתִּי, impf. וַיְשַׂחֵק, וַיְשַׂחֲקוּ, inf. שַׂחֶק־, pt. מְשַׂחֵק, מְשַׂחֶקֶת, מְשַׂחֲקִים, מְשַׂחֲקוֹת: 1. **froh sein** *be glad* Ir 30, 19 31, 4 Sa 8, 5 (Kinder *children*), **scherzen** *jest* Ir 15, 17 Pr 26, 19 (Betrüger *deceiver*); c. בְּ **sein Spiel treiben mit** *play with* Ps 104, 26; 2. **Kurzweil treiben für** *make merry for* Jd 16, 25; 3. **tanzen, spielen** *play*, *dance* 1 S 18, 7 (נָשִׁים) 1 C 15, 29 (דָּוִד), c. לִפְנֵי vor *before* (Gott *God*) 2 S 6, 5. 21 Pr 8, 30 f 1 C 13, 8, e. **Kampfspiel aufführen** *perform a combat* 2 S 2, 14; †
hif: pt. מַשְׂחִיקִים: c. עַל **sich lustig machen über** *utter mockery* 2 C 30, 10. †
Der. שְׂחוֹק, מִשְׂחָק.

שְׂחֹת cj Hi 9, 31: F סוּחָה.

***שֵׂט**: pl. שֵׂטִים: l נַחַל הַשִּׁטִּים Ho 5, 2. †

שׂטה: ja., sy. סְטָא, ሰጠየ, tigrin. *seṭeṭe* entschlüpfen, entweichen *stray*, *turn aside*; شَاطِئ Ufer *shore*, شَطّ Seite *side* Nöld. NB 83; NF שׂוט:
qal: pf. שָׂטִית, impf. תִּשְׂטֶה, יֵשְׂטְ, imp. שְׂטֵה: 1. **abweichen, auf Abwege geraten** *turn aside*: Ehefrau *wife*, c. תַּחַת fort von *from* Nu 5, 19 f. 29, abs. 5, 12 (Si 42, 10); 2. **abweichen** *turn aside*, c. מֵעַל von *from* Pr 4, 15, c. אֶל zu *towards* 7, 25. †

שׂטם: NF v. שׂטן:
qal: impf. וַיִּשְׂטֹם, sf. יִשְׂטְמֵנוּ, יִשְׂטְמֵנִי, תִּשְׂטְמֵנִי, יִשְׂטְמוּנִי: c. ac. vel עַל: **anschuldigen, anfeinden** *bear a grudge*, *cherish animosity against* Gn 27, 41 49, 23 50, 15 Ps 55, 4 Hi 16, 9 30, 21. †
Der. מַשְׂטֵמָה.

שׂטן: NF שׂטם; ak. *šatānu* (selten *rare*) Tallqvist, Akk. Götterepitheta (1938) 240, befehden? *attack*?; mhb., aram. סטן; subst. ja. שִׂטְנָא, סָטָנָא (= sy.); شَيْطَان, ሰይጣን, ሠይጣን Nöld. NB 34. 47;
qal: impf. sf. יִשְׂטְנוּנִי, inf. sf. שִׂטְנוֹ, pt. pl. cs. שֹׂטְנֵי, sf. שֹׂטְנַי: **anschuldigen, anfeinden** *bear a grudge*, *cherish animosity* Sa 3, 1 Ps 38, 21 71, 13 109, 4. 20. 29. †
Der. שָׂטָן, I שִׂטְנָה; n. l. II?.

שָׂטָן: שׂטן; ὁ διάβολος Sa Ps Hi 1 C, ἐπίβουλος 1 S 2 S 1 K 5, 18, ἀντικείμενος 1 K 11, 25, ἐνδιαβαλεῖν, διαβολή Nu: 1. **Anschuldiger, Gegner** *adversary* a) irdischer *terrestrian*: 1 S 29, 4 2 S 19, 23 1 K 5, 18 11, 14. 23. 25 Ps 109, 6; b) מַלְאַךְ י׳ Nu 22, 22. 32; c) d. personifizierte (R. Schärf, D. Gestalt des Satans, 1948), **der Satan** *the personificated Satan*

הַשָּׂטָן Sa 3, 1 f Hi 1, 6—12 2, 1—7 (14 ×); > שָׂטָן (n. proprium) 1 C 21, 1. †

I שִׂטְנָה: שׂטן: **Anschuldigung** *accusation* Esr 4, 6. †

II שִׂטְנָה: n. l.; = I?: e. Brunnen *a well*: Gn 26, 21. †

*שִׂיא: sf. שִׂיאוֹ: נשׂא, inf. = שְׂאֵת?, sf. שִׂיאוֹ: **Hoheit** *excellency* Hi 20, 6; F שִׂיאוֹן. †

שִׂיאוֹן: n. montis; *שִׂיא u.-*ōn*: Name des *name of* חֶרְמוֹן: Dt 4, 48. †

שִׂיב: ug. subst. *šbt*; Sem; ak. *šābu*, *šību*; aram. סיב, סאב; شَابَ, ሸበ:
qal: pf. שַׂבְתִּי, pt. שָׂב: **grau, alt sein** *grow, be grey, old* 1 S 12, 2 Hi 15, 10. †
Der. *שֵׂיב, שֵׂיבָה.

*שֵׂיב: שׂיב: sf. שֵׂיבוֹ: **Grauköpfigkeit, Alter** *grey-headness, age* 1 K 14, 4. †

שֵׂיבָה: שׂיב: cs. שֵׂיבַת, sf. שֵׂיבָתוֹ, שֵׂיבָתְךָ: **Grauköpfigkeit, Alter** *grey-headness, age* Gn 42, 38 44, 29. 31 1 K 2, 6. 9 Js 46, 4 Ho 7, 9 Ps 71, 18 92, 15 Pr 16, 31 20, 29 Ru 4, 15, cj 2 S 19, 34 (l אֶת־שֵׂיבָתְךָ); אִישׁ שֵׂיבָה Dt 32, 25 > שֵׂיבָה Lv 19, 32 **Graukopf, graues Haupt** *greyhead*; בְּשֵׂיבָה טוֹבָה **in gutem Alter** *in a good old age* Gn 15, 15 25, 8 Jd 8, 32 1 C 29, 28; l לִיבָּשָׁה Hi 41, 24. †

שִׂיג: = סִיג (סוג): **Ausscheidung, Stuhlgang** *excrement, motion* (F Montg-Gehman ICC p. 302; הֶרֶךְ־לוֹ er muss austreten *he has to go to the privy*) 1 K 18, 27 (Si 13, 26). †

שִׂיד: denom. v. שִׂיד; sam.:
qal: pf. שַׂדְתָּ: **mit Kalk überstreichen** *white-wash* Dt 27, 2. 4. †

שִׂיד: mhb. סיד, ja. סִידָא, ܣܝܕܐ, شِيد; F שִׂיד, *סיר, שׂדר hof.: **Kalk** *lime, white-wash*: Dt 27, 2. 4 Js 33, 12 Am 2, 1. †

שֵׂיו, שֵׂיהוּ: F שֶׂה.

I *שִׂיחַ: F I שִׂיחַ.

II שִׂיחַ: mhb., ja. שׂיח u. mhb., ja. סוח sprechen *speak*; شَاحَ eifrig sein *be eager* Nöld. BS 43:
qal: impf. תָּשִׂיחַ, יָשִׂיחוּ, אָשִׂיחָה, יָשִׂיחַ, sf. תְּשִׂיחֶךָ, inf. שִׂיחַ, imp. שִׂיחַ, שִׂיחוּ: **sich mit etw. befassen** *be concerned with a matter*: a) bedenkend *considering* Ps 77, 4. 7, c. בְּ Ps 77, 13 119, 15. 23. 27. 48. 78. 148, cj 138, 5, c. ac. Ps 145, 5; l שׂוּחַ (Torcz. Bund.[2] 28)? Jd 5, 10; b) klagend *complaining* Ps 55, 18 Hi 7, 11; c) redend *speaking* Ps 69, 13 105, 2 Pr 6, 22 1 C 16, 9; l חַיַּת הָאָרֶץ Hi 12, 8; †
pil: impf. יְשׂוֹחֵחַ, אֲשׂוֹחֵחַ: **sich abgeben mit, bedenken** *be concerned with, consider* Js 53, 8 Ps 143, 5. †
Der. II שִׂיחַ, שִׂיחָה.

I שִׂיחַ: I *שׂיח: ak. *šīḫu* hochgewachsen *tall*; pu. שח Strauch *shrub* Lidz. 374; mhb.; ܫܝܚܐ *Artemisia Judaica*; شِيح Strauch *shrub* (Hess ZAW 35, 125 f): Rüthy, Pflanze u. ihre Teile 127: pl. שִׂיחִים: **Strauch** *shrub*: Gn 21, 15 Hi 30, 4. 7. †

II שִׂיחַ: II שׂיח: sf. שִׂיחוֹ: was einen in Anspruch nimmt *with what a person is concerned*: **Anliegen**, das einen beschäftigt, plagt, *business, concern* 1 S 1, 16 Ps 55, 3 64, 2 102, 1 104, 34 142, 3 Hi 7, 13 9, 27 10, 1 21, 4 23, 2 Pr 23, 29; > **Geschwätz** (*empty*) *talk* 2 K 9, 11 Si 13, 11; שִׂיחַ לוֹ hat ein „Geschäft" (Notdurft) *has to relieve himself* (בַּעַל) F שִׂיג 1 K 18, 27. †

שִׂיחָה: fem. v. II שִׂיחַ: sf. שִׂיחָתִי: **Beschäfti-**

gung (der Gedanken, des Gemüts) *concern, business* (*of one's thoughts, mind*) Ps 119, 97. 99 Hi 15, 4. †

I **שׂים** (580 ×): ak. *šâmu* festsetzen (als Schicksal) bestimmen *fix, determine*; altaram. שׂים Assurbrief 7, *F* ba. שׂים; شَامَ hineinstecken *insert*, asa. שים aufstellen *set up*, שׂים Vorgesetzter *chief*; ሠም u. asa. שום setzen, legen *put*:

qal: pf. שָׂם, שָׂמָה, שַׂמְתָּ, שַׂמְתֶּם, sf. שָׂמְהוּ > שָׂמוֹ, שָׂמְתִּיהוּ, שָׂמַתְנִי, שָׂמְתוֹ, שָׂמְתִּיו, שָׂמוּךְ, impf. יָשׂוּם, יָשִׂים, יָשֵׂם, יָשֶׂם, וַיָּשֶׂם Ex 4, 11, וָאָשִׂימָה l וָאָשֵׂם, וָאָשִׂם, אָשִׂים, וַתָּשִׂימִי, תָּשִׂימִי Jd 12, 3 pro וָאָשִׂימָה, יָשִׂימוּ, pro l וַתָּשִׂימוּן l וַתָּשִׂימוּם Hs 44, 8, נָשִׂימָה, sf. וַיְשִׂימֵהוּ, אֲשִׂימְךָ, אֲשִׂימֵנוּ, יְשִׂימֵם, וַיְשִׂמְךָ, יְשִׂימֵנִי, inf. שׂוּם, שׂוּם, שִׂים (BL 405), sf. שׂוּמִי, שׂוּמוֹ, שׂוּמוֹ Q Js 10, 6, imp. שִׂים, שִׂימָה, שִׂימוּ, pt. שָׂם, שָׂמִים, pass. שִׂים Nu 24, 21, fem. שִׂימָה K 2 S 13, 32; l וְשָׁם Ir 13, 16: hinlegen, hinstellen, bestimmen *put, place, set, fix*: **1. setzen, stellen** *set, put*: c. שָׁם Gn 2, 8, c. רִאשֹׁנָה zuvorderst *foremost* Gn 33, 2, c. בְּ Ex 33, 22, c. לְ Js 60, 15, c. בֵּין Ex 40, 30, etc.; **2. aufstellen** *set up*: אֶבֶן 1 S 7, 12, פֶּסֶל Jd 18, 31, אֹרֵב Ir 9, 7; שִׂים חָצֵר einrichten *set up* Ex 40, 8; c. רָאשִׁים Abteilungen bilden *put in compagnies* 1 S 11, 11 2 K 10, 24; c. מָצוֹר aufwerfen *lay siege* Mi 4, 14; c. כָּרִים aufstellen *set up* Hs 4, 2; שָׂם עַל ansetzen gegen, angreifen (Stadt) *set up against, attack* (*town*) 1 K 20, 12; שָׂם בַּדֶּרֶךְ לְ jmd in den Weg treten *set oneself in the way against* 1 S 15, 2; **3.** שָׂם עַל **auferlegen** *impose on* Hi 34, 23' setzen über *set over* Ex 1, 11 Dt 17, 15, = שָׂם אֶל 2 S 23, 23, שָׂם תַּחַת an s. Stelle setzen *set on one's place* 1 K 20, 24; **4. einsetzen** *make, appoint*, c. מֶלֶךְ 1 S 8, 5 Ho 2, 2, c. לְאָדוֹן Gn 45, 9, c. לְרֹאשׁ Ps 18, 44, cj 2 S 22, 44; ? (*F* Komm. u. BH) Nu 24, 23; **5.** שָׂם לִתְהִלָּה zu Ruhm bringen *make a praise* Ze 3, 19; c. לְנֶגְדּוֹ sich vor Augen halten *set for one* Ps 54, 5 86, 14, = c. לִפְנֵי jmd vor Augen stellen *put before one's eyes* Hs 14, 4; **6. hinlegen** *put down*, c. בְּ Gn 31, 34 Dt 26, 2, c. לְעֵינֵי Gn 30, 41, c. עַל 22, 9 Jos 10, 24 2 K 4, 34, c. מִצַּד Dt 31, 26, c. תַּחַת Gn 24, 2, etc.; **7.** שָׂם דֶּרֶךְ בֵּין bringt, legt e. Abstand zwischen *sets a distance between* Gn 30, 36; שָׂם תָּהֳלָה בְּ bezichtigt des Irrtums *charges with error* Hi 4, 18, שָׂם שִׂמְלָה עַל legt an *puts on* Ru 3, 3 Hi 24, 15, etc.; **8.** שָׂם בְּיָדוֹ legt ihm in die Hand *puts in h. hand* Ex 4, 21, nimmt in die eigne H. *takes in h. own hand* Jd 4, 21 (:: לָקַח) 1 K 20, 6; = שָׂם בְּכַפּוֹ Jd 12, 3; שָׂם בְּפִיהָ gibt ihr in d. Mund *puts in her mouth* 2 S 14, 3; etc.; **9.** שָׂם (עֵרָבוֹן) hinterlegen (Pfand) *deposit* (*pledge*) Hi 17, 3; שָׂם אָשָׁם gibt als Sühnopfer *gives for atonement* Js 53, 10; **10.** שָׂם בְּ **legen auf** *put upon* Dt 7, 15, = c. עַל Ps 109, 5 Ex 5, 8 22, 24; שָׂם לְ zur Last legen *charge with* Dt 22, 14. 17 (adde לָהּ), = c. בְּ 1 S 22, 15 Hi 4, 18; שָׂם דָּמִים בְּ e. Blutschuld bringen auf *bring blood upon* Dt 22, 8 (l וַיָּקָם ? 1 K 2, 5); **11.** שָׂם שֵׁם לְ e. N. geben *give a name* Da 1, 7, שָׂם דִּבְרָתוֹ אֶל jmd s. Sache vorbringen *commit one's cause to* Hi 5, 8, שָׂם לִפְנֵי vorlegen *communicate to* Ex 21, 1 Dt 4, 44, שָׂם בְּאָזְנֵי einschärfen *inculcate* Ex 17, 14; etc.; **12.** שָׂם c. עַל־לִבּוֹ Js 47, 7 Da 1, 8, c. אֶל־לִבּוֹ 2 S 13, 33, c. בְּלִבּוֹ 1 S 21, 13 zu Herzen nehmen, beachten *lay to heart, pay heed to*, > שָׂם לִבּוֹ beachten *pay heed to* Js 41, 22 Hg 2, 15, > שָׂם Js 41, 20 Hi 23, 6 (בִּי mich *me*); **13.** שָׂם יָדַיִם לְ festnehmen *arrest* 2 K 11, 16; **14.** שָׂם an-

bringen *put up*, *fix*, c. לְ Ex 40, 5, c. עַל Gn 24, 47, c. בֵּין Dt 14, 1, c. בְּ Nu 24, 21; etc.; 15. שָׂם חִטָּה W. pflanzen *plant wh.* Js 28, 25, שָׂם דֶּשֶׁן hinschütten *throw*, *heap up* Lv 6, 3; שָׂם מָרָק giessen *pour* Jd 6, 19, c. דָּם Hs 24, 7, c. דִּמְעָה Ps 56, 9; 16. **שָׂם hinlegen = machen** *put down* = *make* Ex 4, 11; c. 2 acc. **machen zu** *make to* Jos 8, 28 Hs 19, 5 Jd 8, 31 Ne 9, 7 (aram. Da 5, 12); = c. acc. u. לְ Gn 21, 13 Ze 3, 19 Js 25, 2 (l עִיר); c. acc. u. כְּ machen wie *make as* Gn 13, 16 1 K 19, 2; 17. **שָׂם festsetzen, bestimmen** *fix*, *state*: גְּבוּל Ps 104, 9, חֹק Pr 8, 29, קֵץ Hi 28, 3, מָקוֹם Ex 21, 13, מוֹעֵד 9, 5 Hi 34, 23 (l מוֹעֵד); c. ac. u. לְ jmd etw. **anweisen** *assign a th. to a person* Ps 19, 5 1 K 20, 34, **sichern** *preserve* Gn 45, 7 2 S 14, 7, **zukommen lassen** *give* Jos 7, 19 Js 42, 12 Nu 6, 26 Js 47, 6 Ps 66, 2 (l לוֹ כָּבוֹד), **beordern für** *order for* Ex 8, 8; 18. Besonderes *particulars*: l וַיֵּשֶׁם 2 K 8, 11; l יִשְׁמַע Hi 24, 12; l יָשִׁיב (MSS, dele לִבּוֹ) Hi 34, 14; l וְתָם Ps 50, 23; l וְיֹשֶׁר Ps 85, 14; ? Js 61, 3 Esr 10, 44 Hi 36, 13 Ct 6, 12; 2 K 9, 30 u. Hi 13, 27 *F* II שׂים;
hif: keine Form gesichert *no form certain*: l וְשַׂמְתִּיהוּ Hs 14, 8; הֲשִׂימִי dittogr. Hs 21, 21; l שָׂם pro מֵשִׂים Hi 4, 20;†
hof (pass. qal.): impf. ויישם (sic pro וַיּוּשַׂם Gn 24, 33 u. pro וַיִּישֶׂם 50, 26): **gesetzt, gelegt werden** *be put*.†
Der. תְּשׂוּמֶת; n. m. יְשִׂימָאֵל.

II **שׂים**: וְתָשֵׂם Hi 13, 27 u. וַתָּשֵׂם: שמם *F* סמם.

***שֵׂךְ**: II שׂכך; ak. *šakāku* spitzig sein *be pointed*, *šikkatu* Nagel, Spitze *nail, point*; شَوْك Dorn *thorn*: pl. שִׂכִּים: **Dorn, Splitter** *thorn*, *splinter* Nu 33, 55.†

***שֹׂךְ**: = *ךְ sf. שֻׂכּוֹ Th 2, 6, l בְּאֻשּׁוֹ, *F* חמס.

שׂכה: mhb. סכה schauen *look*; ja. סכא ausschauen, hoffen *look out*, *hope*, סְכוָאָה (MS סכואה) Wächter *watchman*, סְכוּתָא = hbr. מִצְפֶּה; ܣܟܐ hoffen auf *hope for*; شكا beklagen *complain*; ... > مِشْكَاة Fenster *window* Nöld. NB 51:
cj qal: pf. שָׂכוּ: c. לְ **spähen nach** *look out for* Ps 35, 12 (l שָׂכוּ לְנַפְשִׁי Perles).†
Der. שֶׂכְוִי ?, מַשְׂכִּית.

***שֻׂכָּה**: II שׂכך; *F* *שֵׂךְ: pl. שֻׂכּוֹת: **Harpune** *harpoon* Hi 40, 31.†

שׂכה: n. l. *F* שׁוֹכֹה.

שֶׂכוּ 1 S 19, 22: l שְׁפִי (G).†

שֶׂכְוִי: Hi 38, 36; *F* טֻחוֹת; V *gallus*; mhb. שֶׂכְוִי Hahn *cock*, שֶׂכְוִיָּה Henne *hen*; Dhorme RHR 120, 209; Badé ZAW 51, 150 ff: **Hahn** *cock*.†

שָׂכְיָה: n. m.; Var. שָׂבְיָה, Σαβια, Sy סריא!; Noth S. 178; שׂכה u. יִ ? 1 C 8, 10.†

***שְׂכִיָּה**: äg. *šk.tj* EG 4, 315 (Budde-Begrich ZAW 49, 198): pl. שְׂכִיּוֹת: **Schiff** *ship* Js 2, 16.†

שַׂכִּין: II שׂכך; äga., ja., sy. סַכִּינָא, > سِكِّين; Zimm. 31[1] zu *to* ak. *šikkatu* Pflock *peg*: **Messer** *knife* Pr 23, 2.†

שָׂכִיר: שׂכר: cs. שְׂכִיר, sf. שְׂכִירֶךָ, pl. sf. שְׂכִירֶיהָ; fem. שְׂכִירָה: 1. um Lohn, für Entgelt **gemietet** *hired for recompense*: Tier *animal* Ex 22, 14, Messer *knife* Js 7, 20, Soldat, Söldner *soldier* Js 16, 14 21, 16 Ir 46, 21; 2. **Taglöhner** (für Lohn) *hireling*, *hired labourer* Ex 12, 45 Lv 19, 13 22, 10 25, 6. 40. 50 Hi 7, 1 Dt 24, 14 Hi 7, 2 14, 6 Si 7, 20; für e. Jahr in Dienst genommen *hired for a year* Lv 25, 53; שְׂכַר שָׂכִיר Dt 15, 18 Ma 3, 5.†

I שׂכך: NF v. סכך:
qal: pf. וְשַׂכֹּתִי: versperrend anbringen, abschirmend halten *cover in order to fence, to screen* Ex 33, 22, cj Ps 139, 11 (l יְשׂוּכֵּנִי); †
po: impf. sf. תְּשֹׂכְכֵנִי (mhb. סכך hif. flechten, weben *weave*): durchflechten, durchweben *weave together* Hi 10, 11 (BH תְּסֹכְכֵנִי). †
Der. מְשׂוּכָה.

II* שׂכך: *F* *שֵׂךְ: spitzig sein *be pointed*.
Der. *שֵׂךְ, *שֻׂכָּה, שַׂכִּין.

I שׂכל: mhb. hitp. bedenken, betrachten *consider*; ja. af. u. sy. pa. belehren *instruct*; *F* ba. שׂכל; *F* II שׂכל:
qal: pf. שָׂכַל: **Erfolg haben** *prosper* 1 S 18, 30 (l מַשְׂכִּיל?); †
pi: יְשַׂכֵּל pro יְסַכֵּל Js 44, 25; cj שִׂכֵּל pro סִכֵּל *F* סכל: Hi 12, 17 (pro שׁוֹלָל); †
hif: pf. הִשְׂכִּיל, הִשְׂכַּלְתִּי, הִשְׂכִּילוּ, impf. תַּשְׂכִּיל, תַּשְׂכֵּל, אַשְׂכִּילָה, sf. אַשְׂכִּילְךָ, inf. הַשְׂכִּיל, הַשְׂכֵּל, הַשְׂכִּיל, sf. הַשְׂכִּילְךָ, imp. הַשְׂכִּילוּ, pt. מַשְׂכִּיל, מַשְׂכִּילִים, מַשְׂכִּלִים, fem. מַשְׂכֶּלֶת:
1. **verstehen, einsehen** *have insight, comprehension* Dt 32, 29 Ps 64, 10 106, 7 Da 9, 25, c. אֶל Einsicht gewinnen in *gain insight in* Ne 8, 13; c. בְּ genau beachten *look sharp at* Da 9, 13, = c. עַל Pr 16, 20; c. לְ Acht haben auf *give attention to* Pr 21, 12 (l לְבֵיתוֹ וְרֶשַׁע); 2. absol. **Einsicht haben** *have insight* Js 41, 20 44, 18 Ir 9, 23 10, 21, cj 50, 9 (מַשְׂכִּיל) Am 5, 13 Ps 2, 10 14, 2 36, 4 47, 8 (l מַשְׂכִּילִים) 53, 3 94, 8 119, 99 (מִן mehr als *more than*), Pr 10, 5. 19 14, 35 15, 24 17, 2 Hi 22, 2 Da 1, 14 11, 33. 35 12, 3. 10 Ne 9, 20; אִשָּׁה מַשְׂכֶּלֶת **einsichtige** Frau *prudent woman* Pr 19, 14; הַשְׂכִּיל (mit) Einsicht (*with*) *insight* Ir 3, 15 Pr 21, 11 (l חָכָם); = הַשְׂכֵּל Pr 1, 3 21, 16 Hi 34, 35 Da 1, 17; 3. **einsichtig, klug machen** *cause to have insight* Gn 3, 6 Ps 32, 8 Pr 16, 23 Da 9, 22; 4. **Erfolg, Gelingen haben** *prosper, have success* Dt 29, 8 Jos 1, 7f 1 S 18, 5. 14f Ir 20, 11 23, 5 50, 9 (Var. מַשְׂכִּיל) Pr 17, 8 Hi 34, 27, c. acc. in etw. *in a matter* 1 K 2, 3, = c. בְּ 2 K 18, 7; 5. **einsichtig, fromm handeln** *act with insight, piously* Js 52, 13 Ps 41, 2? 101, 2; c. לְ **sich als fromm, geeignet erweisen für** *show oneself pious, fit for* 2 C 30, 22; ? 1 C 28, 19. †
Der. שֶׂכֶל, שֵׂכֶל, מַשְׂכִּיל.

II שׂכל: شَكَلٌ Strick (um die Beine e. Tiers zusammenzubinden) *rope (for tying together an animal's legs)*; شَكَلَ, أَشْكَلَ (durch Ähnlichkeit) undeutlich werden *grow indistinct (by resemblance)*; ak. *šakkilu* Kopfbinde *turban*:
pi: pf. שִׂכֵּל: **übers Kreuz legen, vertauschen** *lay crosswise, exchange* Gn 48, 14. †

שֶׂכֶל (5 ×) u. שֵׂכֶל (8 ×): I שׂכל: I שֶׂכֶל, sf. שִׂכְלוֹ: **Einsicht, Verstand** *insight, prudence* Pr 12, 8 16, 22 19, 11 Hi 17, 4 1 C 22, 12 26, 14 Si 8, 9, (ungünstig *bad sense*) Da 8, 25: אִישׁ שֶׂכֶל einsichtiger Mann *judicious man* Esr 8, 18, שֶׂכֶל מִלִּים einsichtige Worte *prudent words* Pr 23, 9; טוֹבַת שֶׂכֶל recht einsichtig *of good understanding* 1 S 25, 3; שֶׂכֶל טוֹב Feingefühl *delicate feeling* Pr 13, 15 2 C 2, 11 30, 22 (Geschick *ingenuity*); שֶׂכֶל טוֹב לְ Einsicht, gut für *insight, good for* Ps 111, 10; שׂוֹם שֶׂכֶל unter Erläuterungen *with explanations* Ne 8, 8. †

שִׂכְלוּת: = סִכְלוּת (MS) Ko 1, 17. †

שׂכר: ug. *škr*; mhb., ph. (Klmw 7f) dingen *hire*; palm. ושכרא (אלהא טבא) u. belohnend *a. giving reward*; شَكَرَ belohnen *reward*, modern شَكَارَةٌ

im Taglohn gepflügtes Land *land ploughed by hire*; asa. שכר F Rossini 249 b; F II סכר:
qal: pf. שָׂכַר, sf. שְׂכַרְתִּיךָ, שְׂכָרוֹ, impf. וַיִּשְׂכֹּר, sf. וַיִּשְׂכְּרֵנִי, inf. לִשְׂכֹּר, שְׂכֹר, pt. שֹׂכֵר, שֹׂכְרִים, = סֹכְרִים Esr 4, 5, pass. שָׂכוּר: **um Lohn in Dienst nehmen, dingen** *hire* Dt 23, 5 Jd 9, 4 18, 4 2 S 10, 6 2 K 7, 6 Js 46, 6 Pr 26, 10 (pro 2. שֹׂכֵר l וְשָׂכוּר) Esr 4, 5 Ne 6, 12 f 13, 2 1 C 19, 6 f 2 C 24, 12 25, 6; e. Mann (für e. Nacht) mieten *hire a man (for a night)* c. בְּ pretii Gn 30, 16; †
nif: pf. נִשְׂכָּרוּ: **sich verdingen** (müssen) (*must*) *hire oneself out*, c. בְּ pretii 1 S 2, 5; †
hitp: מִשְׂתַּכֵּר: **sich verdingen** *hire oneself* Hg 1, 6. †
Der. I, II n.m. שָׂכָר; שֶׂכֶר, *מַשְׂכֹּרֶת, שָׂכִיר, n.m. יִשָּׂשכָר.

I שָׂכָר: שכר; F II: cs. שְׂכַר, sf. שְׂכָרוֹ, שְׂכָרְךָ: (Arbeits-) **Lohn** *hire, wages* Gn 30, 32 f 31, 8 Ex 2, 9 Nu 18, 31 Dt 24, 15 1 K 5, 20 Hs 29, 18 f Sa 11, 12 Ko 4, 9 9, 5, שְׂכַר שָׂכִיר Dt 15, 18 Ma 3, 5; שְׂכָרְךָ עָלַי Lohn für dich von mir *thy wages I give [thee]* Gn 30, 28; **Lohn** (den Gott gibt) *reward (given by God)* Gn 15, 1 30, 18 Js 40, 10 62, 11 Ir 31, 16 Ps 127, 3 2 C 15, 7; בָּא בִשְׂכָרוֹ d. Mietpreis geht dafür (für die Entschädigung) *it is reckoned (comes) in his hire* Ex 22, 14; **Fahrpreis** *fare* Jon 1, 3; **Aufwand, Unterhalt** *expense* Sa 8, 10; F יִשָּׂשכָר.

II שָׂכָר: n.m.; = I, Lohn *reward*: 1. 1 C 11, 35 (= שָׁרָר 2 S 23, 33), 2. 1 C 26, 4. †

שֶׂכֶר: שכר: **Lohn** *hire* Pr 11, 18, עֹשֵׂי שֶׂכֶר Lohnarbeiter *hired labourers* Js 19, 10. †

*שׂלה: שְׂלָו.

שְׂלָו (Q שליו, Gordis 92): *שׂלה; إِسْتَلَتَ *became fat* Joüon MFB 6, 136 f; werden noch jetzt am Sinai u. in Ägypten wegen ihrer fetten Schwerfälligkeit in Massen von Hand gefangen *are still today caught in large numbers by the hand in Sinai a. Egypt because they are fat a. clumsy*, Bodenheimer 143, Nicoll 648 ff); ܣܠܘܐ, سَلْوَى: pl. שַׂלְוִים: **Wachtel** *quail Coturnix coturnix* Ex 16, 13 Nu 11, 31 f Ps 105, 40. †

*שׂלם: شَلَّمٌ Funke *spark*: n.m. שַׂלְמָא, שַׂלְמוֹן, שַׂלְמַי.

שַׂלְמָא: n.m.; *שׂלם: 1. 1 C 2, 51. 54; 2. 1 C 2, 11, = (II) שַׂלְמָה Ru 4, 20, = שַׂלְמוֹן 4, 21. †

I שַׂלְמָה: < *שִׂמְלָה = שִׂמְלָה: cs. שַׂלְמַת, sf. שַׂלְמָתוֹ, pl. שְׂלָמוֹת, sf. שַׂלְמֹתַי, שַׂלְמֹתֵיכֶם: **Mantel, Hülle**, mit d. man sich zum Schlafen zudeckt *mantle, wrapper (covering in sleep)* Ex 22, 8. 25 f Dt 24, 13 29, 4 Jos 9, 5. 13 22, 8 1 K 10, 25 11, 29 f Ps 104, 2 Hi 9, 31 Ct 4, 11 Ne 9, 21 2 C 9, 24; ? Mi 2, 8. †

II שַׂלְמָה: n.m.; > F שַׂלְמָא: Ru 4, 20. †

שַׂלְמוֹן: n.m.; *שׂלם u. -*ōn*; = שַׂלְמָא: Ru 4, 21; F שַׂלְמַי. †

שַׂלְמַי: n.m.; zu *to* n.m. שַׂלְמוֹן: Ne 7, 48; > שַׁמְלַי Esr 2, 46. †

שׂלק: F נשק.

*שׂמא: F שְׂמֹאל.

שְׂמֹאל u. שְׂמֹאול (BL 535): mhb.; ug. *ʾšmʾl*; ak. *šumēlu*, Mari *Si-im-a-al* Sy 19, 116; links *left*, altaram. שמאל, palm. (sf.) סמלך, ܣܡܠܐ; شَمْلٌ, شَمْأَلٌ, شَامَلٌ, شَأْمَلٌ Nordwind *north wind* Nöld. BS 165; شَأَمَ ungünstig sein *be unlucky*; شَأْمٌ Norden, Syrien *north, Syria* (die links gelegene Gegend *the left country* : : Jemen Südland); also *therefore* שמאל v. שמא u. ל (F שְׁאוֹל) Ruž. 104:

sf. שְׂמֹאלוֹ, שְׂמֹאלָם, שְׂמֹאלֶךָ: 1. die linke Seite, links *the left side, left*: שְׂמֹאלוֹ was links von ihm ist *his left hand* Jon 4, 11; מִשְּׂ׳ לְ links von *on the left of* Gn 14, 15; עַל־שְׂ׳ nach links *to the left* Gn 24, 49 Js 9, 19 Sa 12, 6; מִשְּׂ׳ c. gen. links von *on the left of* Gn 48, 13; בִּשְׂמֹאלוֹ auf s. linke Seite *towards his left hand* 48, 13; מִשְּׂמֹאלָם Ex 14, 22. 29; הַשְּׂ׳ nach links *to the left* Gn 13, 9, = שְׂ׳ Nu 20, 17 22, 26 Dt 2, 27 5, 32 17, 11. 20 28, 14 Jos 1, 7 23, 6 1 S 6, 12 2 K 22, 2 Pr 4, 27 2 C 34, 2; עַל־שְׂמֹאלֶךָ nach links *to the left* 2 S 2, 21, = עַל־הַשְּׂ׳ 2, 19 1 C 6, 29, = cj לִשְׂ׳ Ne 12, 38; מִשְּׂ׳ auf d. linken Seite *on the left side* 1 K 7, 49 2 C 4, 6—8; מִשְּׂמֹאלוֹ links von ihm *on his left* 2 S 16, 6 1 K 7, 39 22, 19 Sa 4, 3. 11 Ne 8, 4, = [עַל] עַל־שְׂמֹאל אִישׁ 2 C 18, 18; שְׂמֹאלוֹ links *on the left* 2 K 23, 8; מֵהַשְּׂ׳ auf d. l. Seite *on the l. s.* Hs 1, 10 2 C 3, 17; 2. יַד שְׂמֹאלוֹ s. linke H. *his left hand* Jd 3, 21 7, 20 Hs 39, 3, > שְׂמֹאלוֹ s. Linke *his left* Gn 48, 14 Jd 16, 29 Pr 3, 16 Ct 2, 6 8, 3 Da 12, 7; 3. links = ungedeihlich, **unglücklich** *left = unlucky* Ko 10, 2; 4. links = **nordwärts** *left = northwards* אֶל־מִשְּׂ׳ nach Norden *towards north* Jos 19, 27, = שְׂ׳ Js 54, 3; עַל־שְׂמֹאולֵךְ nördlich von dir *north of thee* Hs 16, 46, שְׂ׳ (in Vierer-Reihe *in series of 4*) **nordwärts** *northwards* Hi 23, 9. †

Der. שמאל (שמל); שְׂמָאלִי.

שמאל (שמל): den. v. שְׂמֹאל:

hif: impf. הַשְׂמְאִילוּ, אַשְׂמְאִילָה, inf. (א weggelassen *dropped*) הַשְׂמִיל, imp. הַשְׂמִילִי, pt. מַשְׂמְאִלִים: 1. **nach links gehen** *go to the left* Gn 13, 9 2 S 14, 19 Js 30, 21 Hs 21, 21; 2. **die linke Hand brauchen** *use the left hand* 1 C 12, 2. †

שְׂמָאלִי: שְׂמֹאל: fem. שְׂמָאלִית: **auf d. linken Seite befindlich, links** *on the left, left* Lv 14, 15 f. 26 f 1 K 7, 21 2 K 11, 11 Hs 4, 4 2 C 3, 17 23, 10. †

שמח: mhb.; ug. *šmḫ* sich freuen *rejoice*; ak. *šamāḫu* üppig sprossen *flourish*; شمخ hoch, stolz sein *be high, proud*:

qal: (127 ×): pf. שָׂמַח, שָׂמֵחַ, שָׂמְחָה, שָׂמַחְתִּי, שְׂמַחְתֶּם, שָׂמֵחוּ, שָׂמְחוּ, impf. יִשְׂמַח, וַתִּשְׂמַח, תִּשְׂמַחְנָה, יִשְׂמְחוּ, אֶשְׂמְחָה, אֶשְׂמַח, תִּשְׂמְחִי, נִשְׂמְחָה, inf. שְׂמֹחַ, שָׂמֹחַ, imp. שְׂמַח, שִׂמְחִי, שִׂמְחוּ, שְׂמֵחִי: 1. **sich freuen** *rejoice* 1 S 11, 9, c. בְּ über *in* Dt 33, 18 (oft *often*), = c. לְ Js 14, 8 Ob 12 Ps 35, 19. 24 38, 17, = c. עַל Js 39, 2 etc.; c. לְ c. inf. freut sich, zu ... *rejoice to* ... 1 S 6, 13; וַיִּשְׂמַח לִקְרָאת ging freudig entgegen *went to meet him rejoicing* Jd 19, 3; subj. יהוה Ps 104, 31; שָׂמַח בְּ **hat Freude an** *rejoices in* Jd 9, 19 Ps 122, 1 149, 2 Pr 5, 18 (l בְּ) 23, 24 Ct 1, 4; שָׂמַח בִּיהוה Jl 2, 23 Ps 32, 11 40, 17 63, 12 64, 11 66, 6 70, 5 85, 7; 2. **fröhlich sein** *be joyful, glad* Dt 12, 7 (oft *often*); שָׂמַח לִפְנֵי יהוה Lv 23, 40 Dt 12, 12. 18 16, 11 27, 7 Js 9, 2 Ps 68, 4; l יִשְׂמַח Js 9, 16, l יִזְרַח Pr 13, 9;

pi: pf. שִׂמַּח, שִׂמַּחְתָּ, sf. שִׂמַּחְתִּים, שִׂמְּחָהוּ, יְשַׂמְּחֵנָה, impf. יְשַׂמַּח, יְשַׂמְּחוּ, sf. שַׂמְּחוּךָ, inf. שַׂמֵּחַ, imp. שַׂמַּח, sf. שַׂמְּחֵנוּ, pt. מְשַׂמֵּחַ, pl. cs. מְשַׂמְּחֵי: 1. **erfreuen, fröhlich machen** *cause to rejoice, gladden* Ir 20, 15 Ps 45, 9 Pr 10, 1 12, 25 15, 20 29, 3, seine Frau *one's wife* Dt 24, 5, Gott u. Menschen *God a. men* Jd 9, 13, לֵב Ps 19, 9 104, 15 (subj. יַיִן) Pr 15, 30 27, 9. 11; subj. יַיִן Ko 10, 19; subj. Gott *God* Js 56, 7 Ir 31, 13 Ps 30, 2 86, 4 90, 15 92, 5 Esr 6, 22 Ne 12, 43; 2. **fröhlich sein lassen** *allow to rejoice* Th 2, 17 2 C 20, 27 (מִן gegenüber *over*); Ho 7, 3 l יְשַׂמְּחוּ; †

hif: pf. הִשְׂמַחְתָּ: sich freuen lassen *cause to rejoice* Ps 89, 43. †

Der. שִׂמְחָה ,שָׂמֵחַ.

שָׂמֵחַ: שמח: fem. שְׂמֵחָה, pl. שְׂמֵחִים, cs. שִׂמְחֵי u. שִׂמְחֵי Js 24, 7: von Freude erfüllt, froh *joyful, glad*: Dt 16, 15 1 K 1, 40. 45 4, 20 8, 66 (וטובי לב) Ps 113, 9 126, 3 Hi 3, 22 Est 5, 14 2 C 7, 10 Est 5, 9, 2 K 11, 14 2 C 23, 13; שְׂמֵחַ לֵב Pr 15, 13 17, 22, c. מִן Ko 2, 10, שִׂמְחֵי לֵב Js 24, 7, c. לְ über *over* Am 6, 13 Pr 17, 5, c. gen. über *over* Ps 35, 26, c. לְ u. inf. zu ... *to* ... Pr 2, 14. †

שִׂמְחָה: (90 ×): שמח; ug. *šmḥt*: cs. שִׂמְחַת, sf. שִׂמְחָתוֹ, pl. שְׂמָחוֹת ,שִׂמְחוֹת: Freude (sowohl die Empfindung als auch ihre Bekundung) *joy, gladness, mirth* (*both: the feeling a. its signs*) שׂ׳ וָגִיל Js 16, 10 Jl 1, 16, שָׂשׂוֹן וְשׂ׳ Js 22, 13 (8 ×), שִׂמְחַת לֵבָב Js 30, 29 Ir 15, 16 Ct 3, 11 Ko 5, 19, שִׂמְחַת עוֹלָם Js 35, 10 51, 11 61, 7, קוֹל שׂ׳ Ir 7, 34 16, 9 25, 10 33, 11, שׂ׳ בַּקָּצִיר Js 9, 2; :: יָגוֹן Ps 30, 12, :: שַׂק Est 9, 22; מִשְׁתֶּה וְשׂ׳ Est 9, 17—19, חֲנֻכָּה וְשׂ׳ Ne 12, 27; עָבַד יהוה בְשׂ׳ Dt 28, 47 Ps 100, 2; עָשָׂה שׂ׳ e. Freudenfest halten *make a festival* Ne 8, 12; l בְּשִׂמְחָה 2 C 30, 23; pl. Ps 16, 11 45, 16.

שְׂמִיכָה: pro סְמִיכָה; סמך = שׂמך: Vorhang (der das Frauenzelt abtrennt) *curtain* (*separating the women's room in tents*) Jd 4, 18. †

שׂמך: cj inf. לִשְׂמוֹךְ Ko 2, 3, F סמך; Der. שְׂמִיכָה.

***שׂמל**: hif: F שמאל.

***שׂמל**: F שַׂלְמָה, n. m. שַׂמְלָה, שַׂ׳לַי.

שַׂמְלָה: n. m.; *שׂמל; شَمَلَ Unterkunft, Schutz *abode*; n. m. شَمْلَة Moritz, Mus. 50, 114: K. v. אֱדוֹם: Gn 36, 36 f 1 C 1, 47 f; F שַׂמְלַי. †

שִׂמְלָה: *שׂמל; شَمَلَ einwickeln *wrap*; *Lkš*; aram. Urtext *ša-am-lat*: > שַׂלְמָה: cs. שִׂמְלַת, sf. שִׂמְלָתוֹ, pl. שְׂמָלוֹת, sf. שִׂמְלֹתָיו: Hülle, Umwurf *wrapper, mantle* (شَمْلَة) Gn 9, 23 35, 2 37, 34 41, 14 44, 13 45, 22. 22 Ex 3, 22 12, 34 f 19, 10. 14 22, 26 (zum Schlafen *for sleeping*) Dt 8, 4 10, 18 21, 13 (für Frau *for woman*) 22, 3. 5 (für Frau *for woman*). 17 (als Unterlage *to lie upon*) Jos 7, 6 Jd 8, 25 1 S 21, 10 2 S 12, 20 Js 3, 6 f 4, 1 9, 4 Pr 30, 4 Ru 3, 3. †

שַׂמְלַי: n. m.; zu *to* שַׂמְלָה: Esr 2, 46 (Var. שַׁלְמַי). †

I שׂמם: F סמם.

II *שׂמם: F שְׂמָמִית.

שְׂמָמִית: II *שׂמם; سَمّ giftig *venomous* ZAW 35, 127 f: Gecko *gecko Hemidactylus turcicus* et alii (Bodenheimer 194 f) Pr 30, 28. †

שׂמר: F סמר, מַשְׂמְרָה.

שׂנא: ug. *šn'*; mo., mhb., aram. F ba.; شَنِئَ, asa. שׂנא:

qal (124 ×): pf. שָׂנֵא, שָׂנֵאתִי, שָׂנֵאת, שָׂנְאוּ, שְׂנֵאתֶם, sf. שְׂנֵאָהּ, שְׂנֵאתִיהָ, שְׂנֵאתַנִי, שְׂנֵאתִים, שְׂנֵאָהוּ, שְׂנֵאוּנִי, impf. יִשְׂנָא, אֶשְׂנָא, יִשְׂנְאוּ, sf. יִשְׂנָאֶךָּ, inf. שְׂנֹא, שָׂנֹא, > שִׂנְאַת, (BL 376) Pr 8, 13, imp. שִׂנְאוּ, pt. שֹׂנֵא, שׂוֹנֵא, sf. שֹׂנְאוֹ, pl. cs. שֹׂנְאֵי, pro שֹׂנֵא l שׂנֵאי Pr 28, 16, sf. שֹׂנְאָיו, שֹׂנְאֵינוּ, שֹׂנְאֵיכֶם, pl. fem. sf. שֹׂנְאֹתַיִךְ, pt. pass. שְׂנוּאָה, pro שְׂנֻאֵי (K שְׂנוּאוּ, Q שְׂנוּאֵי) l שְׂנֵאָה 2 S 5, 8: 1. hassen *hate* Gn 26, 27 Jd 11, 7 Ir 12, 8 (27 ×); Gott hassen *hate God* Ex 20, 5 Dt 5, 9 7, 10; Gott hasst *God hates* Dt 12, 31 16, 22 Js 61, 8 Ir 44, 4 Ho 9, 15 Am 5, 21 (חַג) 6, 8 Sa 8, 17 Ma 1, 3 (עֵשָׂו) 2, 16 (שַׁלַּח) Ps 5, 6 31, 7 Pr 6, 16; subj. נֶפֶשׁ 2 S 5, 8 Js 1, 14 (Gottes *God's* נ׳) Ps 11, 5; 2. e. Frau nichtmehr ausstehen können, zurücksetzen *be unable* (*unwilling*) *to bear one's wife, disdain* (= äga.; ak. *zāru* ZA 35, 200[2]): Dt 22, 13. 16 24, 3 Jd 14, 16 15, 2; שְׂנוּאָה Gn 29, 31. 33 Dt 21, 15—17 Js 60, 15 Pr 30, 23; 3. שֹׂנֵא der einen hasst *he who hates*: שֹׂנְאֵי יהוה 2 C 19, 2; שֹׂנֵא לוֹ e. Feind von ihm *one of his adversaries* Dt 4, 42 19, 4. 6. 11 Jos 20, 5; שֹׂנֵא Feind *enemy* Gn 24, 60 Ex 1, 10 (26 ×); 4. שֹׂנְאֵי בֶצַע Gewinn geringschätzen *despise profit* Ex 18, 21 Pr 28, 16; l לְדָם אָשַׁמְתְּ Hs 35, 6, l נִשְּׂאֵנִי Ps 69, 15;

nif: impf. יִשָּׂנֵא: gehasst werden *be hated* Pr 14, 20; l יִשָּׁאֵן 14, 17;

pi: pt. sf. מְשַׂנְאִי, pl. cs. מְשַׂנְאֵי, sf. מְשַׂנְאָיו, מְשַׂנְאֶיךָ: Hasser, Feind *enemy* Nu 10, 35 Dt 32, 41 33, 11 2 S 22, 41 Ps 18, 41 44, 8. 11 55, 13 68, 2 83, 3 89, 24 139, 21 Pr 8, 36 Hi 31, 29, מְשַׂנְאֵי יהוה Ps 81, 16.

Der. שִׂנְאָה, שָׂנִיא.

שִׂנְאָה: שׂנא; Verbalsubstantiv: cs. שִׂנְאַת, sf. שִׂנְאָתְךָ, שִׂנְאָתוֹ (BL 604) Hs 35, 11: Hass *hatred*:: אַהֲבָה Ps 109, 5 Pr 10, 12 15, 17 Ko 9, 1. 6; מִשִּׂנְאָתוֹ אוֹתָם weil er sie hasst *because he hates them* Dt 9, 28; בְּשִׂנְאַת יהוה אֹתָנוּ weil J. uns hasst *because Y. hates us* Dt 1, 27; דִּבְרֵי שׂ׳ hasserfüllte W. *hateful w.* Ps 109, 3; בְּשׂ׳ aus Hass *of hatred* Nu 35, 20; *F* 2 S 13, 15 Hs 23, 29 35, 11 (l מִשִּׂנְאָתְךָ) Ps 25, 19 139, 22 Pr 10, 18 26, 26. †

***שָׂנִיא**: שׂנא qal 2: fem. שְׂנִיאָה: zurückgesetzt *disdained* Dt 21, 15. †

שְׂנִיר: n. montis; ug. gntl. *snrj*?; Dhorme, Les pays bibl., 20 f; amor.; ak. *Saniru* Halévy, REJ 20, 206; سنير Teil des Gebirgs *part of the mountains* n. Damaskus ZDP 4, 87 6, 6; = Hermon oder Teil davon *or part of it*: Dt 3, 9 Hs 27, 5 Ct 4, 8 (Var. שְׁנִיר) 1 C 5, 23. †

***שְׂעִפִּים**: *F* שְׂעִפִּים.

I שָׂעִיר, שָׂעָר: I שֵׂעָר: pl. fem. שְׂעִרֹת: behaart *hairy* Gn 27, 11 (:: חָלָק). 23; zottig *shaggy* (צָפִיר) Da 8, 21; *F* II u. III. †

II שָׂעִיר: = I: cs. שְׂעִיר, pl. שְׂעִירִים, cs. שְׂעִירֵי: Ziegenbock („der Haarige") *he-goat, buck* („*the hairy*"): שְׂעִיר עִזִּים Gn 37, 31 Lv 4, 23 9, 3 23, 19 Nu 7, 16—82 (12 ×) 15, 24 28, 15. 30 29, 5—25 (6 ×) Hs 43, 22 45, 23, pl. Lv 16, 5 Nu 7, 87, הַשָּׂעִיר Lv 4, 24 16, 9—26 (9 ×), pl. 16, 7 f; שְׂעִיר חַטָּאת Lv 9, 15 10, 16 16, 15. 27 Nu 28, 22 29, 28—38 (4 ×) Hs 43, 25, pl. 2 C 29, 23. †

III שָׂעִיר: = I: pl. שְׂעִירִם, שְׂעִירִים: Haariger, Bocksdämon *hairy being, demon* (*with he-goat's form*) Lv 17, 7 2 C 11, 15, cj 2 K 23, 8, Js 13, 21 34, 14. adde (G) 12 (in Js Aharoni, Osiris 5, 471 = *Otus scops scops*, e. kleine Eulenart *a kind of small owls*). †

IV *שָׂעִיר: IV שֵׂעָר: pl. שְׂעִירִים: Regenschauer *showers of rain* Dt 32, 2. †

I שֵׂעִיר: n. montis; äg. *Sa-ʿa-ra*, ak. *Saʾarri*, EA *Še-e-ri* Alb. Voc. 38; I שֵׂעָר; „kleiner Waldbezirk *small forest*"; الأشعر n. montis reich bewaldet *rich forest*: loc. שֵׂעִירָה: d. Gebirge ö. Totes Meer u. südwärts *the mountains east Dead Sea a. stretching south*: Seir: Gn 14, 6 32, 4 33, 14. 16 אֶרֶץ שֵׂעִיר 36, 30 cj 6, הַר שֵׂעִיר Gn 36, 8 f Dt 1, 2 2, 1. 5 Jos 24, 4 Hs 35, 2 f. 7. 15 1 C 4, 42 2 C 20, 10. 22 f; מוֹאָב וְשֵׂעִיר Hs 25, 8; *F* Nu 24, 18. cj 19 Dt 1, 44 2, 8. 12. 22. 29 33, 2 Jos 11, 17 12, 7 Jd 5, 4 Js 21, 11. †

II שֵׂעִיר: = I: in Juda Jos 15, 10. †

III שֵׂעִיר: (n. m.); = I; ZAW 44, 90: בְּנֵי שֵׂעִיר in אֱדוֹם Gn 36, 20 f 1 C 1, 38 2 C 25, 11. 14. †

I שְׂעִירָה: fem. v. I שָׂעִיר: cs. שְׂעִירַת: c. עִזִּים Ziege *goat* Lv 4, 28 5, 6.†

II *שְׂעִירָה: n. l. F I שֵׂעִיר (Waldgebirg *woody hills*, Löw 1, 714): loc. הַשְּׂעִירָתָה: Jd 3, 26.†

*שׂעף: F שְׂעִפִּים, *שַׂרְעַפִּים.

שְׂעִפִּים: *שׂעף; شَغَفَ beunruhigt sein *be disquieted*: sf. שְׂעִפַּי: beunruhigende Gedanken *disquieting thoughts* Hi 4, 13 20, 2.† Der. *שַׂרְעַפִּים.

I שׂער: شَعِرَ haarig sein *be hairy*:
qal: pf. שָׂעֲרוּ, impf. יִשְׂעֲרוּ, imp. שַׂעֲרוּ: sträubende Haare haben, schaudern *bristle (with horror)* Ir 2, 12 Hs 27, 35 32, 10;†
hif: pf. הסערתה (II סער): in Erregung bringen *cause to bristle* Si 47, 17.†
Der. I שַׂעַר, שֵׂעָר, שַׂעֲרָה, I-III שָׂעִיר, I-III שֵׂעִיר, I, II שְׂעִירָה, שְׂעֹרָה; n. m. שְׂעֹרִים?

II שׂער: F I סער; mhb. pi. סער aufwirbeln *whirl away*:
qal: impf. sf. יִשְׂעָרֶנּוּ: im Sturm davontragen? *carry off in a storm-wind?* Ps 58, 10;†
nif: pf. נִשְׂעֲרָה: es stürmt *it is stormy weather* Ps 50, 3;†
pi: impf. sf. וִישָׂעֲרֵהוּ: im Sturm fortreissen *whirl away* Hi 27, 21;†
hitp: impf. יִשְׂתָּעֵר: c. עַל: einstürmen auf *storm against* Da 11, 40.†
Der. II שַׂעַר, שְׂעָרָה.

III שׂער: ja., sy. סער, شعر kennen *know*:
qal: pf. sf. שְׂעָרוּם: wissen von *know about* Dt 32, 17.†

IV *שׂער: شَاغِرٌ Hund, der wässert *dog making water*:
Der. IV *שָׂעִיר.

I שַׂעַר: I שׂער: שַׂעַר: Haarsträuben, Schauder *bristling, shudder* Hs 27, 35 32, 10 Hi 18, 20.†

II שַׂעַר: II שׂער: Sturm *storm* Js 28, 2.†

שְׂעֹר: F שְׂעֹרָה.

שֵׂעָר, שַׂעֲרֵךְ: F שֵׂעָר.

שֵׂעָר: I שׂער: äg. *sꜥr* (Alb. Voc. 38) Gestrüpp *brushwood*; ak. *šārtu* Haar *hair*; mhb., aram. F ba. שְׂעַר; شَعَرٌ Haar *hair*, ሥዕርት: cs. שְׂעַר u. שַׂעַר, sf. שְׂעָרוֹ, שְׂעָרָהּ > שְׂעָרָה! Lv 13, 4, שְׂעָרֵךְ u. שַׂעֲרֵךְ Ct 4, 1 6, 5: Behaarung, Haarbesatz *hair* Lv 13, 3 f. 10. 20—37 (9 ×) 14, 8 f, שְׂעַר הָרֹאשׁ Kopfhaare *hair of the head* Nu 6, 5. 18 Jd 16, 22 2 S 14, 26 Esr 9, 3, > שֵׂעָר Ps 68, 22 (l שֵׂעָר) Ct 4, 1 6, 5; שַׂעַר הָרַגְלַיִם Schamhaare *hair of genitals* Js 7, 20 > שֵׂעָר Hs 16, 7; בַּעַל שֵׂעָר Mann mit wallendem Haar? im Haarfell? *hairy man? with a hairy garment?* 2 K 1, 8; אַדֶּרֶת שֵׂ׳ Mantel aus Haaren *hairy garment* Gn 25, 25 Sa 13, 4; F צִמַּח, גִּלַּח.†

שַׂעֲרָה: I שׂער: cs. שַׂעֲרַת, sf. שַׂעֲרָתוֹ, pl. cs. שַׂעֲרוֹת: d. einzelne Haar *the single hair* Jd 20, 16 1 S 14, 45 2 S 14, 11 1 K 1, 52 Ps 40, 13 69, 5 Hi 4, 15.†

שְׂעָרָה: fem. v. II שַׂעַר (BL 594): Sturm *storm* Na 1, 3 Hi 9, 17.†

שְׂעֹרָה: I שׂער; ug. *šꜥr* u. *šꜥrm*; mhb.; aram. שערן Eph 3, 14; שערם Gezer-Kalender 4; NE 381; Moscati 38; ja. u. sy. סַעֲרְתָא; شَعِيرٌ; ሥገም: pl. שְׂעֹרִים: die haarige, grannige Körnerfrucht *the hairy grain-plant*: Gerste *barley Hordeum sativum* L. (Löw 1, 707 ff): die Pflanze *the plant* Ex 9, 31, Fruchtart *kind of grain* sg. Dt 8, 8 Js 28, 25 Jl 1, 11 Hi 31, 40, pl. 2 S 14, 30 Ru 3, 2 1 C 11, 13 2 C 2, 14, Körner *grains* Lv 27, 16 2 S 17, 28 1 K 5, 8

2 K 7, 1. 16. 18 Ir 41, 8 Hs 4, 9 13, 19 45, 13 Ho 3, 2 Ru 2, 17 3, 15. 17 2 C 2, 9 27, 5; Mehlart *kind of flour* Nu 5, 15 Jd 7, 13 2 K 4, 42 Hs 4, 12; קְצִיר שְׂעֹרִים Gerstenernte *harvest of barley* 2 S 21, 9 Ru 1, 22 2, 23. †

שְׂעֹרִים: n. m.: 1 C 24, 8. †

שׂפר Ir 49, 3: *F* ספר.

שָׂפָה: Sem.; Nöld. NB 127 ff; ug. *špt*, ak. *šaptu*, äg. *špt*; ܣܦܬܐ; شَفَة: cs. שְׂפַת, sf. שְׂפָתוֹ; du. שְׂפָתַיִם, שְׂפָתַיִם, cs. שִׂפְתֵי, sf. שְׂפָתָיו, שְׂפָתֵיהֶם, שִׂפְתֵיהֶם, שְׂפָתֵימוֹ, auch *also* pl. cs. שִׂפְתוֹת Js 59, 3 Ps 45, 3 59, 8 Ct 4, 3. 11 5, 13 Ko 10, 12†, sf. שִׂפְתוֹתָיִךְ: 1. **Lippe** (des Mundes) *lip* (*of mouth*) Js 6, 7 Ps 22, 8 45, 3 66, 14 Pr 13, 3 16, 30 (קָרַץ) 24, 26 Ps 51, 17 Hi 11, 5 32, 20 Ct 4, 3. 11 Pr 5, 3 Ct 5, 13 7, 10 (l שְׂפָתַי); 2. **Lippe** (als Sprachorgan) *lip* (*organ of speech*) Ex 6, 12. 30 Lv 5, 4 Ps 106, 33 Hi 2, 10 Nu 30, 7. 9, c. מוֹצָא Nu 30, 13 Dt 23, 24 Ir 17, 16 Ps 89, 35, 1 S 1, 13 2 K 18, 20 Pr 14, 23 Ps 17, 4 Js 6, 5 11, 4 28, 11 29, 13 57, 19 59, 3 Hi 27, 4 Pr 24, 2 Ha 3, 16 Ma 2, 7 Ps 12, 3. 5 16, 4 17, 1 31, 19 34, 14 40, 10 59, 8 63, 4 71, 23 119, 13. 171 120, 2 140, 4. 10 141, 3 Pr 4, 24, cj 6, 2, 7, 21 10, 8. 13. 19. 21. 32 12, 13. 19 16, 13 18, 6. 20 26, 23 Hi 8, 21 11, 2 12, 20 15, 6 23, 12 Ko 10, 12, l דְּרָכָיו Pr 19, 1; 3. Lippe = Sprechweise, **Sprache** *lip* = *manner of speaking*, *language* Gn 11, 1. 6 f. 9, Pr 17, 7 (l יֹשֶׁר); שְׂפַת כְּנַעַן Js 19, 18, עִמְקֵי שָׂפָה 33, 19 Hs 3, 5 f; שְׂפַת לָשׁוֹן Gerede der Zungen *gossip of tongues* Hs 36, 3 Ze 3, 9, Pr 17, 4; שְׂפַת לֹא יָדַעְתִּי Sprache, die ich nicht verstehe *language that I knew not* Ps 81, 6; 4. (metaph.) **Rand, Ufer** *shore*, *bank* (*of river*): שְׂפַת הַיָּם Gn 22, 17 Ex 14, 30 Jd 7, 12 1 S 13, 5 1 K 5, 9 9, 26, שְׂפַת הַיְאֹר Gn 41, 3 Ex 2, 3 7, 15 Da 12, 5, שְׂפַת הַיַּרְדֵּן 2 K 2, 13; שְׂפַת הַנַּחַל Hs 47, 6 f; *F* Dt 2, 36 Jos 12, 2 Jd 7, 22; **Saum** *edge* Ex 26, 4. 10 28, 26. 32 39, 19. 23, **Rand** *brim* 1 K 7, 23. 26 Hs 43, 13. †

Der. שָׂפָם.

שׂפח: *F* II ספח:

pi: pf. שִׂפַּח: **grindig machen** *make scabby* Js 3, 17. †

שָׂפָם: שָׂפָה; Torcz. Entst. 1, 169; ja. ספמא: sf. שְׂפָמוֹ: **Lippenbart, Schnurrbart** *moustache* (Gressmann, Budde-Festschr. 66 f) Lv 13, 45 Hs 24, 17. 22 Mi 3, 7, c. עָשָׂה pflegen *attend* 2 S 19, 25. †

שִׂפְמוֹת: n. l.; in S-Juda 1 S 30, 28. †

שׂפן = ספן:

qal: pt. pass. pl. cs. שְׂפֻנֵי: **verbergen** *cover*, *hide* Dt 33, 19 (Driver Anal. Or. 12, 59 f). †

I **שׂפק** = ספק:

qal: impf. יִשְׂפֹּק: c. כַּפַּיִם: **in die Hände klatschen** *clap one's hands* Hi 27, 23; †

hif: impf. יַשְׂפִּיקוּ: (l בִּידֵי) **Handschlag tauschen** mit *shake hands with* Js 2, 6; aber eher *but rather* (//מָלְאוּ) = II שׂפק. †

II **שׂפק**: mhb. ספק genügen *suffice*, = ja., sy., auch *also*: überfliessen *abound*; asa. שפק IV genug tun *satisfy*:

qal: impf. יִשְׂפֹּק: c. לְ **reichen, genügen** für *suffice for* 1 K 20, 10 (Si 15, 18 ספקה); †

hif: impf. יַשְׂפִּיקוּ: **Überfluss haben** *abound*, c. בְּ Js 2, 6, *F* I שׂפק. †

Der. *שֶׂפֶק.

***שֶׂפֶק**: בְּשָׂפֶק Hi 36, 18: unerklärt *unexplained* (*F* Komm.). †

***שֶׂפֶק**: II שׂפק: sf. שִׂפְקוֹ: **Überfluss** *plenty* Hi 20, 22. †

שַׂק: *שׂקק; ak. *šaqqu* (Zimm. 67); mhb. סַק, ja., sy. סַקָּא; ⲥⲟⲕ; σακκος; äg. *sag*, kopt. *sok*; Nöld. NB 39 f: שָׂק, sf. שַׂקּוֹ, pl. שַׂקִּים, sf. שַׂקֵּיהֶם: 1. geringes, ziegenhärenes Zeug *ordinary stuff*, *of goat-hair* 2 S 21, 10 Js 3, 24; 2. **Leidschurz** (auf dem blossen Leib um die Hüften) *loin-covering of mourning* (*worn upon the naked body*) Gn 37, 34, חָגַר *F* שַׂק; 1 K 20, 31 21, 27 2 K 6, 30; הִתְכַּסָּה בַשָּׂק 2 K 19, 1 f Js 37, 1 f Jon 3, 8; Js 20, 2 50, 3 Ir 48, 37 Jl 1, 13 Am 8, 10 Jon 3, 5 f Ps 30, 12 35, 13 69, 12 Est 4, 2 Hi 16, 15; שַׂק וָאֵפֶר Js 58, 5 Est 4, 1. 3 Da 9, 3, Est 4, 4 Ne 9, 1 2 C 21, 16; 3. **Sack** *sack* Gn 42, 25. 27. 35 Lv 11, 32 Jos 9, 4. †

שׂקד: nif.: pf. נִשְׂקַד: Th 1, 14; l נִשְׁקַד (27 MSS). †

***שׂקק**: שַׂק.

שׂקר: ja., sy. סקר:
pi: pt. מְשַׂקְּרוֹת (Var. מְשַׁ׳): c. עֵינַיִם: „Augen machen", **verführerische Blicke werfen** *ogling of eyes* Js 3, 16 (Torcz. Bund. 35 = sy. סקר schminken *lay paint*). †

שַׂר (420 ×): שׂרר; sf. שַׂרְכֶם, pl. שָׂרִים, cs. שָׂרֵי, sf. שָׂרָיו: ak. *šarru* König *king*; ak. pl. bedeutet Unterkönige, dann vom König bestellte Vorsteher, Leiter, Beauftragte, Verwalter; *šarru* u. pl. bedeutet dann e. Stand, den Beamtenadel; ak. pl. *means viceroys, thereafter chieftain, leader of a group or commission, official*; *šarru* a. pl. *finally designs a rank, the caste of officials*:
I. 1. im Ausland *in foreign countries*: Vertreter des Königs, **Beamter** *representative of the king, official*: שָׂרֵי פַרְעֹה Gn 12, 15 Ir 25, 19, שָׂרֵי בָלָק Nu 22, 13. 35, שָׂרֵי מֶלֶךְ בָּבֶל Ir 38, 17 f, שָׂרָיו des K. von Persiens *of the Persian king* Est 1, 3 2, 18 Esr 7, 28; 2. im Ausland *in foreign countries*: Notabeln, Befehlshaber *chieftain, ruler*: שָׂרֵי מוֹאָב Nu 22, 8, שָׂרֵי מִדְיָן Jd 7, 25, *F* 1 C 19, 3 1 S 18, 30 Js 19, 11. 13; שָׂרָיו u. כֹּהֲנָיו von *of* כְּמוֹשׁ Ir 48, 7 49, 3; אַשּׁוּר denkt *says*: שָׂרַי sind *are* מְלָכִים Js 10, 8; 3. im Ausland *in foreign countries*: שַׂר **Leiter** einer Gruppe, eines Bereichs *leader of a group, profession, a district*: שַׂר צְבָאוֹ Gn 21, 22, שַׂר בֵּית הַסֹּהַר 37, 36, הַטַּבָּחִים 39, 21; *F* 40, 2 47, 6 Ex 1, 11 1 K 20, 14 Est 1, 3;
II. 4. in Israel *in Israel*: שַׂר **Notabler, Vorsteher** (in Reihen) *notable people*, *chief* (*in series*): שַׂר וְגָדוֹל 2 S 3, 38, שָׂרִים וַעֲבָדִים 2 S 19, 7; הָעָם :: הַשָּׂרִים 2 S 18, 5; שָׂרָיו u. עַם, כֹּהֲנִים, שָׂרִים, מְלָכִים Js 3, 14; זִקְנֵי עַמּוֹ הָאָרֶץ Ir 1, 18; *F* Ir 2, 26 26, 11 f 34, 10 44, 17. 21 Ho 7, 5 13, 10 Pr 19, 10 Hi 34, 19 Esr 8, 25 9, 2, etc.; 5. in Israel *in Israel*: שָׂרִים einem Ort oder e. Gruppe zugehörig: **Vorsteher, Beamte** *belonging to a place or group*: *leaders, officials*: שָׂרֵי סֻכּוֹת Jd 8, 6, שָׂרִים אֲשֶׁר־לוֹ (שְׁלֹמֹה) 1 K 4, 2, שָׂרֵי v. *of* יְרוּשָׁלַםִ Ir 34, 19 (Js 1, 23), יְהוּדָה 24, 1, הָעָם Hs 11, 1, שָׂרֵיהֶם (v. *of* יִשְׂרָאֵל) Ho 7, 16 *F* 1 C 27, 22, שָׂרֵינוּ v. *of* קָהָל Esr 10, 14; הַמֶּלֶךְ וְשָׂרָיו 2 C 36, 18 *F* 2 K 24, 12; 6. Aufgaben eines *tasks of a* שַׂר: אִישׁ שַׂר וְשֹׁפֵט Ex 2, 14; שַׂר אֶלֶף 1 S 17, 18; שָׂרֵי von *of* אֲלָפִים u. מֵאוֹת u. חֲמִשִּׁים u. עֲשָׂרֹת Ex 18, 21; שַׂר הַצָּבָא 1 S 17, 55, pl. 1 C 25, 1; שַׂר הָעִיר Jd 9, 30 1 K 22, 26; שַׂר גְּדוּד 1 K 11, 24, pl. 2 S 4, 2; שָׂרֵי הַחַיִל 2 S 24, 2. 4; שַׂר רִכְבּוֹ 1 K 9, 22; שָׂרֵי הָרָצִים 1 K 14, 27; שַׂר מְנוּחָה Ir 51, 59; שַׂר פֶּלֶךְ Ne 3, 14; שַׂר הַבִּירָה Ne 7, 2; שָׂרֵי הַכֹּהֲנִים Esr 8, 24; שָׂרֵי הַלְוִיִּם 1 C 15, 16; שָׂרֵי קֹדֶשׁ u. שָׂרֵי הָאֱלֹהִים (Titel? *titles?*) 1 C 24, 5; שָׂרֵי הָאָבוֹת Esr 8, 29; etc.; 7. Einzelnes *particulars*: שַׂר עַל 1 S 22, 14;

שָׂרִים // נְדִיבִים Nu 21, 18; הָיָה לְשַׂר עַל 1 S 22, 2; הָיָה לְשַׂר לְ 2 S 23, 19; שַׂר שָׁלוֹם Js 9, 5 dem der Friede anvertraut ist *trustee of peace*; סֹחֲרִים v. *of* צֹר sind *are* שָׂרִים Handelsherren *principals* Js 23, 8; שָׂרִים sorgen für *administer* מִשְׁפָּט Js 32, 1 F Mi 7, 3; לְשִׁכַּת הַשָּׂרִים Ir 35, 4; שָׂרִים gesalbt *anointed?* Ho 7, 3 8, 10; בְּנֵי הַמֶּלֶךְ sind *are* שָׂרִים Ze 1, 8; רֹאשׁ // שַׂר 1 C 11, 6;

III. שַׂר e. höheres Wesen, Schutzengel *a higher being, patron-angel* שַׂר פָּרַס (F Da 10, 13) u. שַׂר יָוָן Da 10, 20; מִיכָאֵל ist *is* שַׂרְכֶם der Juden *of the Jews* Da 10, 21 u. הַשַּׂר הַגָּדוֹל Da 12, 1; Gott *God* שַׂר שָׂרִים Da 8, 25; שַׂר צְבָא יהוה Jos 5, 14 f (d. Mond als Leiter des Sternenheers *the moon leader of the stars* H. Duhm, Verkehr Gottes, 1926, 8).

שַׂרְאֶצֶר: n. m.; ak. *Šar-uṣur* APN 219 f; cf. aram. n. m. סנ־צר > *סר־צר Lidz. 329, Ruž. 24: 1. S. u. Mörder v. *son a. murderer of* סַנְחֵרִיב 2 K 19, 37 Js 37, 38; F Montg.—Gehman 498 ff; 2. Sa 7, 2; alii legunt בֵּית־אֵל־שַׂרְאֶצֶר als *as* n. m, E. Meyer ZAW 49, 12, Noth S. 127, Hyatt JBL 56, 87 ff. †

שׂרג: ja., sy. סרג flechten *intertwine*; شَرِيجَة aus Palmblättern geflochtner Korb *basket woven of palm-leaves*:
pu: impf. יְשֹׂרָגוּ: verflochten sein *be intertwined* Hi 40, 17;†
hitp: impf. יִשְׂתָּרְגוּ: sich ineinander verflechten *intertwine oneself* Th 1, 14.†
Der. *שָׂרִיג.

שׂרד: ܣܪܕ sich fürchten *be terrified*, شَرَدَ vor Angst flüchten *run away frightened*:
qal: pf. שָׂרְדוּ: davonlaufen *run away* Jos 10, 20.†
Der. I שָׂרִיד.

שְׂרָד: mhb. סָרָד (<*sarrād) Siebmacher *sieve-maker*; ja. סְרָדָה Draht (?)-Geflecht *lattice-work*; ak. (sum.) *serdū* (Zug-) Seil *towing-line*, ZA 42, 225: בִּגְדֵי הַשְּׂרָד Ex 31, 10 35, 19 39, 1. 41; שְׂרָד besondre Art von Gewebe, Kord? *special kind of woven stuff, corduroy?*†

שֶׂרֶד: Js 44, 13; nach d. Zusammenhang **Rötel** *according to context red chalk* (Fe_2O_3; zum Kennzeichnen von Schafen benutzt *used to mark sheep* ZDP 38, 55, von Handwerkern gebraucht *used by craftsmen* Dioskurides 5, 96, 126).†

I שׂרה: شَرِيَ zornig werden *grow angry*:
qal: pf. שָׂרָה, שָׂרִיתָ, impf. cj וַיָּשַׂר Ho 12, 5: streiten *contend*, c. עִם *with* Gn 32, 29, = c. אֵת Ho 12, 4, c. אֶל gegenüber *against* cj Ho 12, 5.†
Der. n. m. יִשְׂרָאֵל, שְׂרָיָה(וּ).

II *שׂרה: F מִשְׂרָה.

I שָׂרָה: <*sarrā; fem. v. שַׂר: cs. שָׂרָתִי (BL 526. 599) Th 1, 1, pl. שָׂרוֹת, sf. שָׂרוֹתֶיהָ, שָׂרוֹתֵיהֶם: **Herrin, Vornehme** *mistress, gentlewoman* Jd 5, 29 1 K 11, 3 Js 49, 23 Th 1, 1 Est 1, 18; cj Am 8, 3.†
Der. n. fem. II שָׂרָה.

II שָׂרָה: n. fem.; = I; F שָׂרַי: **Sara** *Sarah* Gn 17, 15—21 18, 6—15 20, 2. 14—18 21, 1—12 23, 1 f. 19 24, 36 25, 10. 12 49, 31 Js 51, 2.†

שְׂרוּג: n. m.; ak. n. l. *Sarugi* bei *near* *Harrān* ZAW 40, 153: Gn 11, 20—23 1 C 1, 26.†

שְׂרוֹךְ: שׂרך; شِرَاك Sandalriemen *sandal-thong*; F חוּט: שְׂרוֹךְ נַעַל **Sandalriemen** *sandal-thong* Js 5, 27, > geringfügige Sache *matter of no value* Gn 14, 23.†

שְׁרוּקִים: F שָׁרֹק.

שֶׂרַח: n. fem.; ak. *Surḫu* APN 204; asa. n. m. אלשרח, ישרחאל Noth S. 180; F I סרח; Überfluss *abundance*: שֶׂרַח: Gn 46, 17 Nu 26, 46 1 C 7, 30.†

שׂרט: ak. *šarāṭu* zerfetzen *tear to pieces*; mhb. שׂרט, ja., sy. סרט kritzeln *scratch*; شَرَطَ schlitzen *slit*:

qal: impf. יִשְׂרְטוּ, inf. שָׂרוֹט: **Einschnitte machen, tätowieren** *make incisions, tattoo* Lv 21, 5;†

nif: impf. יִשָּׂרֵטוּ: **sich wund reissen** *make oneself severely scratched* Sa 12, 3;†

cj hitp: imp. הִשְׂתָּרְטָנָה: **sich gegenseitig wund ritzen** *scratch one another severely* Ir 49, 3.†

שֶׂרֶט: שׂרט: Einschnitt, Tätowierung *incision, tattoo* Lv 19, 28.†

***שָׂרֶטֶת**: < **sarrāṭāt*; שׂרט: שָׂרֶטֶת: Einschnitt, Tätowierung *incision, tattoo* Lv 21, 5.†

שָׂרַי: n. fem.; > II שָׂרָה; ak. *Sarai(a)* APN 193: שָׂרַי: Sarai Gn 11, 29—31 12, 5. 11. 17 16, 1—8 17, 15.†

***שָׂרִיג**: שׂרג: pl. שָׂרִיגִים, sf. שָׂרִיגֶיהָ: **Ranke** (der Rebe) *tendril (of vine)* Gn 40, 10. 12 Jl 1, 7.†

I שָׂרִיד: שׂרד: pl. שְׂרִידִים, cs. שְׂרִידֵי, sf. שְׂרִידָיו: (im Kampf, dann überhaupt) **Entronnener** *survivor (from a defeat, then in general)* Nu 21, 35 Dt 2, 34 3, 3 Jos 8, 22 10, 28. 30. 33. 37. 39 f 11, 8 2 K 10, 11; שׂ׳ וּפָלִיט Jos 8, 22 Ir 42, 17; פָּלִיט וְשׂ׳ Ir 44, 14 Th 2, 22; שְׂרִידֵי חֶרֶב dem Schwert Entronnene *escaped ones from the sword* Ir 31, 2; F Nu 24, 19 Js 1, 9 Ir 47, 4 Ob 14. 18 Hi 18, 19 20, 21. 26 27, 15 Jl 3, 5 (F Sellin[2]); ? Jd 5, 13 l יָרַד יִשְׂרָאֵל (?).

II שָׂרִיד: n. l.; l *שָׂרוּד, שׂרד: *T. Šadūd*, N-Rand d. Jesreelebene *northern border of Plain of Jezreel*, PJ 22, 59 f: Jos 19, 10. 12.†

שְׂרָיָה: n. m.; < שְׂרָיָהוּ; Dir. 192: 1. ein *a* סופר, F שִׁישָׁא, שַׁוְשָׁא 2 S 8, 17; 2. V. v. *father of* Esra Esr 7, 1; 3. 2 K 25, 18 Ir 52, 24; 4. 2 K 25, 23 Ir 40, 8 51, 59. 61 1 C 4, 13 f. 35 5, 40 Ne 10, 3 11, 11 12, 1. 12; l עֲזַרְיָה Esr 2, 2.†

שְׂרָיָהוּ: n. m.; > שְׂרָיָה; I שׂרה u. יָ׳; Noth S. 191 f: Ir 36, 26.†

שִׂרְיֹן u. **שִׂרְיוֹן**: n. montis; ug. *Šrjn* = Antilibanus: Dussaud RHR 118, 164; heth. *Ša-ri-ja-na* Friedrich MVG 31, 1, 47; H. Bauer OLZ 38, 477; F סִרְיוֹן; ph. (sidonisch) Name des *name of* Hermon Dt 3, 9 Ps 29, 6, cj 1 C 5, 16.†

***שָׂרִיק**: I שׂרק: pl. fem. שְׂרִיקוֹת: **gekämmt** (Flachs) *carded (flax)*, AS 5, 13 f: Js 19, 9, l שְׂרֻקוֹת.†

שׂרך: ja. סרך verdrehen, anhaften *twist, adhere*, sy. anhaften *adhere*; سَرِكَ Genosse sein *share*, شَرَكٌ Fangstrick *snare*:

pi: pt. fem. מְשָׂרֶכֶת: c. דְּרָכִים Wege verflechten = **sinnlos hin u. her laufen** *entangle ways = run to a. fro aimlessly* Ir 2, 23.†

Der. שְׂרוֹךְ.

שַׂר־סְכִים: n. m. F G!; Winckler OLZ 4, 148 שַׂר סְכִיִּים Vorsteher der Negersklaven *chief of the negro slaves* (?): Ir 39, 3.†

שׂרע: شَرَعَ ausstrecken *point directly at*, أَشْرَعَ

langnasig *long-nosed*; شرم (Ohr) schlitzen *slit* (*ear*):
qal: pt. pass. שָׂרוּעַ: Menschen *men* Lv 21, 18, Kind, Schaf, Ziege *cattle*, *sheep*, *goat* Lv 22, 23: eine körperliche Verstümmelung oder Missbildung *a kind of mutilation or deformity of body*: G verstümmeltes Ohr *ear mutilated or deformed*: Lv 22, 23, V Lv 21, 18 missbildete Nase *deformed nose*; †
hitp.: inf. הִשְׂתָּרֵעַ: **sich dehnen, ausstrecken** *stretch oneself* Js 28, 20. †

*שַׂרְעַפִּים: < שְׂעִפִּים c. ר insertum: sf. שַׂרְעַפָּי: **beunruhigende Gedanken** *disquieting thoughts* Ps 94, 19 139, 23. †

שׂרף: ug. verb. et subst. (Brandopfer *burnt offering*) *šrp*; ak. *šarāpu* anzünden, verbrennen *burn*; mhb.; äga. שרף; äg. *śrf* warm sein; NF סרף:
qal (100 ×): pf. שָׂרַף, שָׂרַפְתִּי, שָׂרְפוּ, sf. שְׂרָפָהּ, שְׂרַפְתֶּם, שְׂרָפָהּ, impf. תִּשְׂרֹף, וָאֶשְׂרֹף, וַיִּשְׂרְפֵהוּ, נִשְׂרְפָה, תִּשְׂרְפוּן, תִּשְׂרְפוּ, יִשְׂרְפוּ, sf. וַיִּשְׂרְפוּהָ, תִּשְׂרְפֻנּוּ, inf. שְׂרֹף, שָׂרוֹף, sf. שָׂרְפוֹ, pt. שֹׂרֵף, pass. שְׂרוּפָה, שְׂרֻפָה, pl. שְׂרֻפִים, שְׂרֻפוֹת: **1. verbrennen** *burn*: עֵגֶל Ex 32, 20 Dt 9, 21, Kleider *garments* Lv 13, 52, Menschen *men* Lv 20, 14 Nu 17, 4 Jos 7, 25 Jd 14, 15 15, 6, Kinder für Gott *children in God's honour* Dt 12, 31 Ir 7, 31 19, 5, Leichen *dead bodies* 1 S 31, 12, Gebeine *bones* 1 K 13, 2 2 K 23, 16. 20 2 C 34, 5, פְּסִילִים Dt 7, 5. 25, Stadt *town* Nu 31, 10 Dt 13, 17 (20 ×), etc.; שׂרף בָּאֵשׁ im Feuer verbrennen *burn with* (*in the*) *fire* Ex 29, 14 (47 ×); **e. Stelle ausbrennen** *burn*, *cauterize a spot* Lv 13, 55; שָׂרַף לַשִּׂיד zu Kalk verbrennen *burn into lime* Am 2, 1; l תִּשָּׂרֵף Ir 38, 23; **2.** שָׂרַף שְׂרֵפָה J. entzündet e. Brand *Y. kindles a burning* Lv 10, 6; **3.** שָׂרַף לְבֵנִים לִשְׂרֵפָה Ziegel **hart brennen** (:: an d. Luft trocknen) *burn bricks thoroughly* (:: *dry in the sun*) Gn 11, 3;
nif: impf. יִשָּׂרֵף, יִשָּׂרְפוּ, תִּשָּׂרַפְנָה: **verbrannt werden** *be burnt* (oft mit *often with* בָּאֵשׁ): זוֹנָה Gn 38, 24 Lv 21, 9, Opfer *offering* Lv 4, 12 6, 23 7, 17 19, 6, Unreines *unclean things* Lv 7, 19 13, 52, Dieb *thief* Jos 7, 15, Nichtswürdige *evildoers* 2 S 23, 7, אֶתְנַנִּים Mi 1, 7, Götterbilder *idols* 1 C 14, 12, Kleider *garments* Pr 6, 27, Stadt *town* Ir 38, 17. cj 23; †
pu (pass. qal): pf. שֹׂרַף: **verbrannt werden** (Tier) *be burnt* (*animal*) Lv 10, 16. †
Der. I, II n. m. שָׂרָף, שְׂרֵפָה, מִשְׂרְפוֹת.

I שָׂרָף: שׂרף: pl. שְׂרָפִים: **1. Schlange** *serpent* נָחָשׁ שָׂרָף Dt 8, 15, pl. Nu 21, 6; שָׂרָף מְעוֹפֵף Js 14, 29 30, 6, also fliegende Schlange (welche Art?) *therefore flying serpent* (*which kind?*); F II שָׂרָף; **2.** d. eherne Schlange *the serpent of brass* Nu 21, 8; **3. Seraph** (mythologisches Wesen mit 6 Flügeln *seraph* (*mythological being of 6 wings*) pl. Js 6, 2. 6. †

II שָׂרָף: n. m.; = I, 1: 1 C 4, 22. †

שְׂרֵפָה: שׂרף: cs. שְׂרֵפַת: **1. Brand, Verbrennung** *burning* Lv 10, 6 Nu 19, 6. 17 Js 9, 4 Am 4, 11; הַר שְׂרֵפָה verbrannter Berg *burnt-out mountain* Ir 51, 25; שְׂרֵפַת אֵשׁ Raub des Feuers *burnt with fire* Js 64, 10; **2. Gebranntes, durch Brand Gehärtetes** *burnt*, *with fire hardened bricks* Gn 11, 3; **3. Leichenfeuer** *burning of corpses*, *funeral burning* 2 C 16, 14 21, 19; **4. Brandstätte** *place of burning* Nu 17, 2 Dt 29, 22. †

I שׂרק: ja., sy. סרק kämmen *comb*; شَرَقَ schlitzen *slit*:
cj qal: pt. fem. pl. שֹׂרְקוֹת: (Flachs) **kämmen** *card* (*flax*) (AS 5, 21) cj Js 19, 9. †
Der. *שָׂרִיק.

II *שׂרק: ak. *šarqu* Blut *blood*; شرق rot sein (Blut, aufsteigende Sonne) *be red* (*blood*, *rising sun*); أَشْقَرُ rötliches Pferd *reddish horse*;

asa. משרק Sonnenaufgang, Osten *sunrise, East*, cf. Συράκουσαι Oststadt *Easttown*.

Der. *שָׂרֹק, שָׂרֵק, שֹׂרֵק, שְׂרֵקָה; n.l. מַשְׂרֵקָה.

שָׂרֹק*: II *שרק: pl. שְׂרֻקִּים, sf. שְׂרוּקֶּיהָ: **hellrot** *bright red* (J. J. Hess, Islam 10, 79): Trauben *grapes* Js 16, 8, Pferde *horses* Sa 1, 8.†

שֹׂרֵק, שׂוֹרֵק: II שרק; ug. *šrqm* Trauben *grapes*: **hellrote, geschätzte Traubenart** *bright red choice of vine* (Löw 1, 81) Js 5, 2 Ir 2, 21.† Der. n. l. II שׂוֹרֵק.

שְׂרֵקָה: II שרק: **Weinstock mit hellroten Trauben** *vine with bright red grapes*, F שֹׂרֵק: Gn 49, 11.†

שׂרר: ak. *šarāru* herrschen *rule*, *šarru* König *king*, Zimm. 7; ph. שר Herrscher *ruler*; äg. *śr* Vornehmer *notable*:

qal: impf. יָשֹׂר (8 MSS, MT יָסֹר) 1 C 15, 22, וַיָּשַׂר (BL 401), יָשֹׂרוּ, pt. שֹׂרֵר: 1. **herrschen** *rule* Jd 9, 22 Js 32, 1 Pr 8, 16 Est 1, 22; 2. **vorstehen** *conduct*, c. בְּ einer Sache *a thing* 1 C 15, 22; †

hif: pf. הֵשִׂירוּ!: **zum** שַׂר **machen** *make* שַׂר Ho 8, 4; †

hitp: impf. תִּשְׂתָּרֵר, inf. הִשְׂתָּרֵר: **sich zum Herrn aufwerfen** *play the ruler* Nu 16, 13.†

Der. שַׂר; I, II u. fem. שָׂרָה, u. n. fem. שָׂרַי.

שָׂשׂוֹן: שׂושׂ: cs. שְׂשׂוֹן: **Freude, Jubel** *rejoicing, exultation*: שׂ׳ וְשִׂמְחָה Js 22, 13 35, 10 51, 3. 11 Ps 51, 10 Si 15, 6, שִׂמְחָה וְשׂ׳ Est 8, 17, in 4-Reihe *series of 4* 8, 16, קוֹל שׂ׳ Ir 7, 34 16, 9 25, 10 33, 11; :: אֵבֶל Ir 31, 13; הָיָה לְשׂ׳ Ir 15, 16 33, 9 (dele שֵׁם) Sa 8, 19; שֶׁמֶן שׂ׳ Js 61, 3 Ps 45, 8; בְּשׂ׳ mit Freuden *with joy* Js 12, 3 Ps 105, 43; שְׂשׂוֹן לִבִּי Ps 119, 111; שְׂשׂוֹן יִשְׁעֶךָ Ps 51, 14; הוֹבִישׁ שׂ׳ מִן Jl 1, 12.†

שֵׂת: < שְׂאֵת; F III שֵׁת.

שׂתם: F סתם:

qal: pf. שָׂתַם (MSS סתם): c. ac. einer Sache **den Weg verschliessen** *hamper, stop a thing* Th 3, 8; cj pt. pass. cs. [שְׂתֻם [הָעַיִן mit geschlossnem Auge *with shut eye* Nu 24, 3. 15.†

שׂתר: Perles OLZ 14, 502: ak. *šutturu* niederreissen *pull down*, شَتَرَ spalten *slit*,  zerreissen *rend*, asa. שתר zerstören *destroy*; F ba:

nif: impf. יִשָּׂתְרוּ: **aufgebrochen werden** (Geschwüre) *break out* (*tumours*) 1 S 5, 9 (Nestle ZAW 29, 232 l וַיִּשְׂתְּרוּ (שׂרה aufbrechen *break out*).†

שׁ

שׁ, שִׁין, Driv. SW 216, später *later on* = 300: s mit Kesselresonanz = sch, *s like sh, ss in she, mission*; = س (Ausnahmen *exceptions* شَمْس, etc.), = ث F שֶׁלֶג, שְׁמֹנֶה, = ث F שָׁלֹשׁ, etc.; ak. *š* (F שׁאב); F Gramm; ug. *š* u. *ṯ*.

שֶׁ (d. folgende Konsonant wird verdoppelt *the following consonant is doubled*; < *šan?), שַׁ, שֶׁ (wenn die Verdopplung unmöglich *if doubling not possible*, oder wenn ă-ā, ă-ō entstünde *or if ă-ā, ă-ō would result*), > שְׁ vor *preceding*

הֵם Ko 3, 18 (:: Ct 6, 5 Th 4, 9); immer proklitisch *always proclitic*; ak. *ša*, *šu* derjenige, welcher; einer, der; Genetivpartikel; dass; weil *he who*; *one who*; *particle of genetive*, *that*; *because*; ph. שׁ; mhb.; Bergsträsser ZAW 29, 40 ff, K. Albrecht, שֶׁ in d. Mischna ZAW 31, 205 ff: שַׁ, שָׁ, שֶׁ, 139 ×: Ko 68 ×, Ct 32 × u. ausser an d. unten genannten Stellen *a. save the quotations given below still* Jd 8, 26 Ps 124, 1 f 129, 7 136, 23 137, 8. 8. 9 144, 15. 15 146, 3. 5 Th 2, 16 4, 9 5, 18 Esr 8, 20 1 C 27, 27; F n. m. מִישָׁאֵל, מְתוּשָׁאֵל: 1. fraglich *doubtful* Gn 6, 3 u. 2 K 6, 11 (l מְגַלֵּנוּ?); cj שֶׁיֹּרֵד Ps 133, 2, l שֶׁחֻבְּרָה Ps 122, 3, l שֶׁקְּדִים 129, 6, l הַהֹלְכִים Jos 10, 24, l יֵשׁ דִּין Hi 19, 29, l בְּכָל־אֲשֶׁר Ko 8, 7; 2. zum Gebrauch *for usage* F אֲשֶׁר: a) verknüpfende Partikel nach Substantiv *connecting particle after subst.* כְּחוֹל שֶׁעַל wie d. Sand am *as the sand which is upon* Jd 7, 12; שֶׁיֹּרֵד (wie *as* הַיֹּרֵד) Ps 133, 3. cj 2; שֶׁלִּי mein *my* Ct 1, 6 8, 12, שֶׁלִּשְׁלֹמֹה dem S. gehörig *belonging to S.* Ct 3, 7; בְּשֶׁלִּי (= בִּי) um meinetwillen *for my sake* Jon 1, 12 u. בְּשֶׁלְּמִי um wessen willen *for whose sake* Jon 1, 7; b) daher oft (wie *as* אֲשֶׁר) vor Relativsatz *therefore often preceding relative clause*: שֶׁהִכָּה **welcher** schlug *who smote* Ps 135, 8. 10, שֶׁיִּפֹּל welcher fällt *who falls* Ko 4, 10, F Th 2, 15 Ps 135, 2 1 C 5, 20 Ko 10, 16 f Ps 124, 6, etc.; c) in verwickeltem Relativsatz *in complicated relative clause*: שֶׁכֻּלָּם **welche** alle *who all* Ct 4, 2 6, 6; שֶׁעִטְּרָה לוֹ mit der sie ihn *with which she him* Ct 3, 11; שֶׁ... בָּהּ wo *where* Ct 8, 8; שֶׁ... שָׁם Ko 11, 3 > שֶׁשָּׁם Ps 122, 4 wohin *wither*; שַׁלָּמָה warum *wherefore* Ct 1, 7; mit vorgesetztem *with foregoing* כְּ: כְּשֶׁתִּפּוֹל wenn *if* Ko 9, 12, כְּשֶׁסָּכָל (Q) wenn d. Törichte *if the fool* Ko 10, 3; :: כְּשֶׁהָיָה wie er *as he* Ko 12, 7, F 5, 14; d) שַׁ, שֶׁ, שָׁ = **dass** *that*: שַׁאַתָּה dass du es bist *that it is thou* Jd 6, 17, שֶׁיָּמוּתוּ dass sie *that they* Ko 9, 5, F Ko 2, 24 (l מִשֶּׁיֹּאכַל) 3, 18; c. עַד־שֶׁ **bis dass** *until that* Jd 5, 7. 7 Ps 123, 2 Ct 3, 4; כִּמְעַט שֶׁ kaum dass *but a little that* Ct 3, 4; שֶׁגַּם dass auch *that also* Ko 1, 17 2, 15 8, 14; בְּשֶׁכְּבָר weil längst *because already* Ko 2, 16; weil > denn *because* > *for* Ct 5, 2.

שָׁ, שֶׁ, שְׁ: F שַׁ.

שֹׁא: F שׁוֹא.

שׁאב: ug. *š'b*; ak. *sa'ābu* (*s*! Behrens WZK 1905, 394 f) schöpfen *draw* (*water*); mhb.; سَابَ genug trinken *be satisfied with drinking*: qal: pf. שְׁאַבְתֶּם, impf. אֶשְׁאַב, וַתִּשְׁאַב, וַתִּשְׁאַבְנָה, יִשְׁאָבוּן, וַיִּשְׁאֲבוּ, inf. שְׁאֹב, imp. שַׁאֲבִי, pt. שֹׁאֵב, pl. cs. שֹׁאֲבֵי, fem. שֹׁאֲבֹת: c. מַיִם: Wasser **schöpfen** *draw water* Gn 24, 13 Dt 29, 10 Jos 9, 21. 23. 27 1 S 7, 6 9, 11 2 S 23, 16 Js 12, 3 Na 3, 14 1 C 11, 18, absol. Gn 24, 11. 19 f. 43—45 Ru 2, 9, cj Hi 5, 5 (l שָׁאֲבוּ). †

Der. מַשְׁאַבִּים.

שׁאג: ug. *š'gt* Wiehern *neigh*; سَأَجَ brüllen *low*: qal: pf. שָׁאַג, impf. יִשְׁאַג, יִשְׁאָג, יִשְׁאֲגוּ, יִשְׁאָגוּ, inf. שָׁאֹג, pt. שֹׁאֵג, שׁוֹאֵג, pl. שֹׁאֲגִים: **brüllen** (Löwe) *roar* (*lion*) Jd 14, 5 Js 5, 29 Ir 2, 15 51, 38 Hs 22, 25 Ho 11, 10 Am 3, 4. 8 Ze 3, 3 Ps 22, 14 38, 9 (l לָבִיא) 104, 21, cj 35, 17 (l מִכְּפִירִים//מִשֹּׁאֲגִים); (metaph.) יהוה Am 1, 2 Jl 4, 16 Ir 25, 30, צֹרְרִים Ps 74, 4, Donner *thunder* Hi 37, 4. †

שְׁאָגָה: שׁאג: cs. שַׁאֲגַת, sf. שַׁאֲגָתִי, pl. sf. שַׁאֲגֹתַי: 1. **Brüllen** (des Löwen) *roaring* (*of lion*) Js 5, 29 Hs 19, 7 Sa 11, 3 Hi 4, 10; 2. **Schreien** (des Betenden) *cry* (*in prayer*) Ps 22, 2 32, 3, pl. Hi 3, 24. †

I שׁאה: ja. שְׁהָא erstarrt sein *stiffen*; ܫܐܐ, ܫܐܐ, erloschen sein (Feuer, Kraft) *be extinguished (fire, strength)*; سوء Unglück *misfortune*; äg. *saj'* Verbrechen *crime*:

qal: pf. שָׁאוּ öde liegen *be desolate, waste* Js 6, 11; †

nif: cj וְתִשָּׁא: **verwüstet sein** *be desolated* cj Na 1, 5; l תִּשָּׁאֵר Js 6, 11; †

hif: inf. הַשְׁאוֹת Js 37, 26, > *הַשּׁוֹת > לַהְשׁוֹת (c. לְ) 2 K 19, 25: c. ac. u. גַּלִּים: zu Steinhaufen **veröden lassen** *cause to desolate into heaps of stones.* †

Der. שְׁאוֹל, I שָׁאוֹן, שְׁאִיָּה, שֵׁאת.

II שׁאה: F II שׁוא; (Zusammenhang mit *connected with* ak. *nēšu* heulen *howl*?) (also eigentlich *thus properly* III נשׁא?):

nif: impf. יִשָּׁאוּן: **brausen** *roar* Js 17, 12 f. †

Der. II שָׁאוֹן.

III שׁאה: NF v. שׁעה; ak. *še'ū* sehen *look*: hitp: pt. cs. מִשְׁתָּאֵה: **sich betrachten** *be gazing at* Gn 24, 21. †

שֹׁאָה: F שׁוֹאָה.

שאוה Pr 1, 27; l שׁוֹאָה Q.

שְׁאוֹל u. 1 K 2, 6 Hi 17, 16 שְׁאֹל; (65 × ; G 61 × ᾅδης, V 65 × *infernum, inferi*): I שׁאה u. לְ (wie *as* שְׂמֹאל v. שׂמא u. לְ) Köhler ThZ 2, 71 ff, ar. *sū'*, *sū'a* Unheil, Hölle *harm, hell* (Littmann), F I שָׁאוֹן : : Ableitung aus *derivation from* ak. (sum.) Albright F Baumgartner ThZ 2, 233 ff, aus *from* äg. Dévaud, Sphinx 13, 120 f): loc. שְׁאוֹלָה, cj שְׁאָלָה Js 7, 11; fem: Öde, Unland, **Unterwelt** *waste, no-country, underworld*: אֶרֶץ תַּחְתִּית Hs 31, 16, שְׁאוֹל תַּחְתִּית Dt 32, 22, שׁ׳ תַּחְתִּיָּה Ps 86, 13, שׁ׳ מִתָּחַת Js 14, 9; שְׁאוֹל : : שָׁמַיִם Am 9, 2 Ps 139, 8, // הִשְׁפִּיל עַד־שׁ׳ ; יַרְכְּתֵי בוֹר Js 14, 15; Js 57, 9; die Toten *the dead ones* שְׁאוֹלָה (יָרְדוּ) Gn 37, 35 Nu 16, 30. 33 Hs 31, 15. 17 32, 27 Ps 55, 16 Hi 7, 9 17, 16, (נָחַת) Hi 21, 13, F Js 14, 11. 15 Gn 42, 38 44, 29. 31 1 K 2, 6. 9 Hs 31, 16; עִמְקֵי שׁ׳ Pr 9, 18; מָוֶת // שׁ׳ 2 S 22, 6 Js 28, 15. 18 38, 18 Ho 13, 14 Ha 2, 5 Ps 6, 6 18, 6 49, 15 89, 49 Pr 5, 5 7, 27 Ct 8, 6; שְׁאוֹל וַאֲבַדּוֹן Pr 15, 11 27, 20; — שְׁאוֹל ist gierig *is covetous* Js 5, 14 Ha 2, 5, פָּעֲרָה פִיהָ Js 5, 14, hat nie genug *has never enough* Pr 30, 16, erwartet bebend ihren Gast *trembles awaiting her guest* Js 14, 9; hat *has* קֹטֶב Ho 13, 14, חֶבְלֵי 2 S 22, 6 Ps 18, 6, שַׁעֲרֵי Js 38, 10, בֶּטֶן Jon 2, 3, דַּרְכֵי Pr 7, 27; in שְׁאוֹל kein Loben Gottes *no praising God* Ps 6, 6 Js 38, 18, kein Tun, Denken, Wissen *no acting, thinking nor knowing* Ko 9, 10; Gott führt in die שְׁאוֹל u. heraus *God brings down to* שׁ׳ *a. brings out of* שׁ׳ 1 S 2, 6; Zeichen von שׁ׳ gefordert *sign asked from* שׁ׳ cj Js 7, 11; F Ho 13, 14 Ps 49, 16 89, 49 16, 10 30, 4 86, 13 Pr 23, 14; שׁ׳ liegt nackt vor Gott שׁ׳ *naked before God*; Hi 26, 6; F Hs 32, 21 Ps 9, 18 31, 18 49, 15 88, 4 116, 3 141, 7 Pr 1, 12 15, 24 Hi 11, 8 14, 13 17, 13; ? Hi 24, 19; שׁ׳ nicht genannt, aber gemeint *not mentioned, but aimed at* Hi 3, 17—19 16, 22 Ko 9, 5 f. †

שָׁאוּל: n. m.; שׁאל (Noth S. 136 cf. שָׁאוּל לַיהוה); keilschr. *Saūli* APN 194; ph. n. m. שׁאל; Dir. 354; palm. n. m. שׁילא cf. Σίλας: **Saul**: 1. בֶּן־קִישׁ 1 S 9, 2—2 S 22, 1 (259 ×) Ps 18, 1 52, 2 54, 2 57, 1 59, 1 1 C 8, 33—26, 28 (28 ×), in n. l. גִּבְעַת שָׁאוּל 1 S 11, 4 15, 34 Js 10, 29; 2. בֶּן־מַלְכֵּי־אֱדוֹם Gn 36, 37 1 C 1, 48 f; 3. שִׁמְעוֹן Gn 46, 10 Ex 6, 15 Nu 26, 13 1 C 4, 24; 4. 1 C 6, 9; F שָׁאוּלִי. †

שָׁאוּלִי: gntl. v. שָׁאוּל: Nu 26, 13. †

I שָׁאוֹן: I שׁאה; F שְׁאוֹל: Öde *waste, deso-*

late country: בּוֹר שָׁאוֹן (= שְׁאוֹל) Ps 40,3.†

II **שָׁאוֹן**: II שׁאה: cs. שְׁאוֹן, sf. שְׁאוֹנָהּ: **Lärmen, Tosen** *roar, din*: Wasser *water* Js 17,13 Ps 65,8.8, cj 89,10, Menge *crowd* Js 5,14 13,4 17,12 66,6 Ir 25,31 46,17 51,55 Ho 10,14, cj וּשְׁאוֹנְךָ Js 37,29 u. 2 K 19,28, Gottlose *impious people* Js 24,8 25,5 Ps 74,23; unter Getöse sterben *die with tumult* Am 2,2; בְּנֵי שָׁאוֹן die Lärmer *the roaring people* = Moabiter *Moabites* Ir 48,45.†

***שׁאט**: שְׁאָט.

שְׁאָט: *שׁאט, ak. *šâṭu* verachten *scorn* BAS 87,33[8]: sf. שְׁאָטְךָ* < שְׁאָטֵךְ: Hs 36,5 בִּשְׁאָט נֶפֶשׁ sic lege 25,6.15?: **Verachtung** *scorn*.†

שְׁאִיָּה: I שׁאה: **Verödung** *desolation* Js 24,12.†

שׁאל: Sem.; ug. *š'l*, ak. *ša'ālu*, سَأَلَ; **F** ba.: qal (171 ×): pf. שָׁאַל, שָׁאֵל, שָׁאַלְתָּ, שָׁאֲלָה, שָׁאֲלָתְ, שָׁאֲלוּ, שְׁאֵלוּ, שְׁאֶלְתֶּם (BL 357), sf. שְׁאֶלְתִּיהוּ, שְׁאֵלְךָ, שְׁאֵלְךָ Jd 4,20, (BL 357), אֶשְׁאַל, תִּשְׁאַל, יִשְׁאַל, impf. שְׁאֵלוּנוּ, שְׁאֵלֻהוּ, יִשְׁאָלְךָ, נִשְׁאֲלָה, יִשְׁאָלוּן, יִשְׁאָלוּ, sf. אֶשְׁאָלְךָ, לִשְׁאָל־, שָׁאוֹל, שְׁאוֹל, inf. יִשְׁאָלוּנִי, וְאֶשְׁאָלֵם, imp. שְׁאַל, שְׁאָלִי, שַׁאֲלוּ, sf. שְׁאָלוּנִי, pt. שֹׁאֵל, שֹׁאֶלֶת, שֹׁאֲלִים, pass. שָׁאוּל; יִשְׁאַל Pr 20,4 = יִשְׁאַל K vel וְשָׁאַל Q: **1. fragen** *ask, inquire*, c. ac. Gn 32,18, שָׁאַל אֶת־פִּיהָ fragt sie selbst *asks herself* Gn 24,57, obj. פִּי יהוה Jos 9,14 Js 30,2, אוֹב Dt 18,11 (:: 1 C 10,13!), c. 2 acc. jmd etw., nach etw. *somebody something* Ps 137,3; c. לֵאמֹר Gn 38,21, c. indirekter Rede *indirect speech* Jd 13,6, c. עַל inbetreff *about* Js 45,11, c. לְ nach *for* Dt 4,32; שָׁאַל לְ befragen *ask* 2 K 8,6; שָׁאַל לוֹ לְשָׁלוֹם fragt ihn nach s. Ergehen *inquires after his state of health* Gn 43,27 Ex 18,7 Jd 18,15 1 S 10,4 17,22 25,5 30,21 2 S 8,10 Ir 15,5 1 C 18,10, 2 S 11,7; c. לִשְׁמוֹ nach s. N. *after his name* Gn 32,30; abs. verhören *interrogate* Dt 13,15; **2.** שָׁאַל בְּ **befragen** *consult*: בָּאוֹב 1 C 10,13, בַּתְּרָפִים Hs 21,26, בְּעֵץ Ho 4,12; שָׁאַל בַּיהוה J. befragen *consult Y.* (eigentlich: unter Anrufung J.s fragen *properly: ask after invoking Y.*) 1 S 10,22 23,2.4 30,8 2 S 2,1 5,19.23, c. לְ für *for* 1 S 22,10; שָׁאַל בֵּאלֹהִים Gott befragen *consult God* Jd 18,5 20,18 1 S 14,37 1 C 14,10.14, c. לְ für *for* 1 S 22,13.15, שָׁאַל בִּדְבַר הָאֱלֹהִים 2 S 16,23; שָׁאַל לוֹ בְּמִשְׁפַּט הָאוּרִים holt für ihn die Entscheidung der U. ein *asks for him the decision of* אוּ׳ Nu 27,21; **3.** (nach etw. fragen) **verlangen, fordern** *ask for, demand, request*: בֵּן 1 S 1,20 2 K 4,28, מַיִם Jd 5,25, מֶלֶךְ 1 S 12,13.19, עֹלָה Ps 40,7, עִיר Jos 19,50, etc.; fordern von *request from* שׁ׳ מִן Ps 2,8, שׁ׳ מֵעִם Dt 18,16, שׁ׳ מֵאֵת Jos 15,18; הִקְשָׁה לִשְׁאוֹל fordert Schweres *ask a hard thing* 2 K 2,10; שׁ׳ בְּאָלָה fordert unter Flüchen *demands cursing* Hi 31,30; אֲשֶׁר תִּשְׁאָלְךָ נַפְשֶׁךָ was d. Verlangen von dir fordert *what thou art requested by thy desire* Dt 14,26; שָׁאַל c. 2 ac. etw. von jmd fordern *request a thing from a person* Js 58,2 Ps 137,3; **4. erbitten, wünschen** *petition for, desire*: מָטָר Sa 10,1, c. מִן Ex 3,22, c. מֵאֵת 11,2, c. לְ für *for* 1 K 2,22 1 S 12,17; שׁ׳ שְׁלוֹם פ׳ jmd Gedeihen wünschen *wish a person prosperity* Ps 122,6; וַיִּשְׁאַל אֶת־נַפְשׁוֹ לָמוּת wünscht sich d. Tod *requested for himself that he might die* Jon 4,8 1 K 19,4; שׁ׳ שְׁאֵלָה מִן etw. erbitten von *desire a request of* Jd 8,24 1 K 2,20; **5.** שָׁאוּל **geliehen** *borrowed* (:: eigen *his own*) 2 K 6,5, c. לְ an *to* 1 S 1,28 (**F** n. m. שָׁאוּל); (שָׁאֲלוּ 1 Ps 105,40, הַשְּׁאֵלָה 1 1 S 2,20, וַיִּשָּׂא לָהֶם 1 pro וַיִּשְׁאַל הֲמוֹן 2 C 11,23; nif: pf. נִשְׁאַל, נִשְׁאֲלְתִּי, inf. נִשְׁאֹל: **sich Ur-**

laub erbitten *ask leave of absence* 1 S 20, 6. 28 Ne 13, 6; †

pi: pf. שָׁאֲלוּ, impf. יְשַׁאֲלוּ: 1. nachfragen *inquire carefully* 2 S 20, 18; 2. betteln *practise beggary* Ps 109, 10; †

hif: pf. cj הִשְׁאִלָה 1 S 2, 20, sf. הִשְׁאִלְתִּיהוּ, impf. sf. וַיַּשְׁאִלוּם: sich bitten lassen, eine Bitte gewähren *let one ask, give, lend on request* (أسْأَلَ) Ex 12, 36 1 S 1, 28. cj 2, 20. †

Der. שְׁאֵלָה, מִשְׁאָלָה*; n. m. שָׁאוּל, שְׁאַלְתִּיאֵל, יִשְׁאָל; n. l. אֶשְׁתָּאוֹל (Platz des Bittens *place of asking* Honeyman, JTS 50, 50).

שְׁאָל: n. m., l יִשְׁאָל Esr 10, 29. †

שְׁאֵלָה: Js 7, 11, l שְׁאָלָה.

שְׁאֵלָה: שׁאל: sf. שְׁאֵלָתִי, שֵׁאֱלָתִי, שֶׁאֱלָתְכֶם, שְׁאֵלָתֵךְ* > שֵׁלָתֵךְ 1 S 1, 17: Bitte *request, thing asked for*, שָׁאַל שׁ׳ מִן e. Bitte richten an *require a thing from* Jd 8, 24 1 S 1, 17. 27 2, 20 1 K 2, 16. 20, נָתַן שׁ׳ e. Bitte erfüllen *grant a request* 1 S 1, 27 Ps 106, 15 Est 5, 8; תָּבוֹא שׁ׳ e. Bitte erfüllt sich *a request is granted* Hi 6, 8; בִּשְׁאֵלָתִי auf m. B. hin *at my petition* Est 7, 3; F Est 5, 6 f 7, 2 9, 12 Si 40, 30. †

שַׁאֲלַנַּן: Hi 21, 23, l שַׁאֲנַן.

שְׁאַלְתִּיאֵל: n. m.; שׁאל u. אֵל; Noth S. 63: Volksetymologie *popular etym.* pro שַׁלְתִּיאֵל Hg 1, 12. 14 2, 2 = keilschr. *Salti-ilu* APN 189: Hg 1, 1 2, 23 1 C 3, 17 Esr 3, 2. 8 5, 2 Ne 12, 1. †

שׁאן: (Albr. JPO 14, 133 cf. ug. *šnn*); ܫܝܢ pa. beruhigen *pacify*, שַׁיְנָא Frieden *peace*; ሰላም Frieden *peace*; asa. שנא:

pilp.: pf. שַׁאֲנַן, שַׁאֲנָנוּ: sorglos sein *be at ease, secure* Ir 30, 10 46, 27 48, 11 Pr 1, 33 Hi 3, 18, cj יְשַׁאֲנַן Pr 14, 17. †

Der. שַׁאֲנָן.

שְׁאָן (in n. l. בֵּית שְׁאָן): bab. (?) Gott *God Šaḫan*: Jirku, Sellin-Festschr. 57 f u. Maisler ZAW 50, 87[8]; cf. ph. n. m. אבשאן.

שַׁאֲנָן: שׁאן u. -*ān*: pl. שַׁאֲנַנִּים, fem. שַׁאֲנַנּוֹת: sorglos *at ease, secure* Js 32, 9. 11 Am 6, 1 Sa 1, 15, cj Ze 1, 12; sicher *secure* Ps 123, 4 (l לַשׁ׳) Hi 12, 5, ungestört *undisturbed* Js 32, 18 33, 20, cj Hi 21, 23; l שְׁאוֹנְךָ 2 K 19, 28 u. Js 37, 29. †

***שׁאס**: שָׁאסַיִךְ: Ir 30, 16: F שׁסס. †

שׁאף: NF II שׁוף; ja. schnappen, lechzen *snap, be parched*; Vollers, Ar. Volkssprache 97 = *sahafa* schnappen, dürsten *snap, be thirsty*:

qal: pf. שָׁאֲפָה, שָׁאֲפוּ, sf. שְׁאָפַנִי, impf. יִשְׁאַף, אֶשְׁאַף, וָאֶשְׁאֲפָה, inf. שְׁאֹף, pt. שֹׁאֲפִים: c. ac. schnappen nach *gasp, pant after*: Luft *breath* Ir 2, 24 14, 6, (ellipt.) Js 42, 14 Ps 119, 131; lechzen nach *pant for*: צֵל Hi 7, 2, nach d. (Ruhe der) Nacht *for the night ('s rest)* Hi 36, 20, c. עַל (l לַ?) Am 2, 7; schnappen nach, nachstellen *snap at, set traps for* Am 8, 4 Hs 36, 3 (l וְשָׁאֹף) Ps 56, 2 57, 4 (l נַפְשִׁי, שֹׁאֲפֵי נַפְשִׁי aus *from* v. 5, Driver JTS 33, 38 f); l וְשָׁאֲבוּ Hi 5, 5, l שַׁב אַף Ko 1, 5. †

I שׁאר: mhb.; ja. pa. übrig lassen *leave over*, cp. itp. zurückgelassen werden *be left over*, F ba. שְׁאָר; سَأَرَ übrig bleiben *be left over*; asa. שאר übrig *remaining*:

qal: pf. שָׁאַר: übrig sein *remain* 1 S 16, 11;

nif (90 ×): pf. נִשְׁאַר, נִשְׁאַר, נִשְׁאֲרָה, נִשְׁאָרָה, נִשְׁאַרְתִּי, נִשְׁאֲרוּ, impf. יִשָּׁאֵר, יִשָּׁאֵר, וַיִּשָּׁאֲרוּ, תִּשָּׁאַרְנָה; וָאִשָּׁאֵר Hs 9, 8 = וָאֶשָּׁאֵר vel וְנִשְׁאַר;

וָאֵשֵׁר Hs 3, 15 F unten *below*; pt. נִשְׁאָר, נִשְׁאָרוֹת, נִשְׁאֶרֶת, נִשְׁאֶרֶת, נִשְׁאָרִים: übrig gelassen werden, übrig bleiben *be left over, remain* Gn 7, 23 Js 4, 3, etc., הַנִּשְׁאָר בַּדָּם was vom Blut übrig bleibt *the rest of the blood* Lv 5, 9; נִשְׁאַר בַּשָּׁנִים es bleibt an Jahren übrig *there remain some years* Lv 25, 52; cj תִּשָּׁאֵר bleibt übrig *remains* (als *as* שְׁמָמָה) Js 6, 11; לֹא נִשְׁאַר עַד־אֶחָד Jd 4, 16; וָאֵשֵׁר < *וָאֶשָּׁאֵר ich hielt mich zurück *I kept back* (?) Hs 3, 15;

hif: pf. הִשְׁאִיר, הִשְׁאַרְתִּי, הִשְׁאִירוּ, הִשְׁאַרְנוּ, impf. יַשְׁאִיר, יַשְׁאִירוּ, יַשְׁאִרוּ, נַשְׁאֵר, inf. הַשְׁאִיר: 1. übrig lassen *leave over* Ex 10, 12 Nu 9, 12 Dt 2, 34 28, 51 Jos 10, 28. 30. 37. 39 f 11, 14 Jd 6, 4 1 S 14, 36 25, 22 1 K 15, 29 16, 11 19, 18 2 K 10, 14 13, 7 25, 12. 22 Ir 39, 10 49, 9 50, 20 52, 16 Ob 5 Ze 3, 12 Esr 9, 8; עַד־בִּלְתִּי הִשְׁאִיר F בִּלְתִּי, מִבְּלִי הַשְׁאִיר Dt 28, 55; c. אחריו hinter sich zurücklassen *leave behind oneself* Jl 2, 14; 2. übrig haben *have left* Am 5, 3; ? 2 K 3, 25 (Text ?).

Der. שְׁאָר, שְׁאֵרִית; n. m. שְׁאָר יָשׁוּב.

II *שאר; F שְׁאֵר.

שְׁאָר (Lieblingswort des *favourite word of* Js): I שאר; F ba.: 1. Rest, Übriges *rest, remnant*: יַעַר Js 10, 19, כֶּסֶף 2 C 24, 14, דְּבָרִים 2 C 9, 29, יִשְׂרָאֵל Js 10, 20 Ne 11, 20, יַעֲקֹב Js 10, 21, עַמּוֹ 11, 11. 16 28, 5, אֲרָם 17, 3, Juden *Jews* Est 9, 16, הָעָם Ne 10, 29 11, 1, e. Gruppe *a group* Js 21, 17 Esr 3, 8 4, 3. 7 1 C 16, 41, מְדִינוֹת Est 9, 12, עִיר 1 C 11, 8, שֵׁם וּשְׁאָר Js 14, 22 (cf Ze 1, 4 2 S 14, 7); ? Ma 2, 15; בַּעַל Ze 1, 4; שְׁאָר מִעַט Js 16, 14; 2. der endzeitliche, heilige Rest *the eschatological, holy rest* Js 10, 21 f; F n. m. שְׁאָר יָשׁוּב.†

II *שאר: שְׁאֵר.

שְׁאֵר: II *שאר; ug. *š3r*?; ak. *šīru* Fleisch, Leib *flesh, body*; ph. שאר Fleisch *flesh*: sf. שְׁאֵרוֹ, שְׁאֵרְךָ (שְׁאֵר archaisch?): 1. Leib, Fleisch *body, flesh* Si 7, 24, שְׁאֵרוֹ s. eignes Fleisch *his own flesh* Pr 11, 17, שְׁאֵר :: עֲצָמוֹת Mi 3, 2, כְּבָשָׂר // כַּשְּׁאֵר Mi 3, 3, cj שְׁאֵר, עוֹר, עֲצָמוֹת Mi 3, 3, בְּשָׂרְךָ וּשְׁאֵרֶךָ d. Fl. u. Leib *your flesh a. body* Pr 5, 11, l לְשָׁרֶּךָ < לְשָׁאֵרֶךָ Pr 3, 8, (cj שְׁאֵר וְרוּחַ Ma 2, 15); שְׁאֵרִי וּלְבָבִי Ps 73, 26; 2. Fleischnahrung *flesh as food* Ex 21, 10 Ps 78, 20. 27; 3. שְׁאֵר בְּשָׂרוֹ s. leibliches Fleisch = s. leiblicher Verwandter *h. bodily flesh = h. blood-relation* Lv 18, 6 25, 49 F 20, 19 21, 2, cj שְׁאֵרָה 18, 17, Nu 27, 11, c. אָבִיךָ vom Vater her *on father's side* Lv 18, 12, c. אִמְּךָ von d. Mutter her *on mother's side* Lv 18, 13; l שִׁבְרִי ? Ir 51, 35.†

שַׁאֲרָה Lv 18, 17: l שְׁאֵרָה.†

שֶׁאֱרָה: n. fem.; (G Κατάλοιποι I שאר): 1 C 7, 24.†

שְׁאָר יָשׁוּב: symbol. n. m. („der Rest, der zurückkehrt *the rest who comes back*") F Js 10, 21 f: S. v. יְשַׁעְיָהוּ Js 7, 3.†

שְׁאֵרִית: I שאר; nab.; > שֵׁרִית 1 C 12, 39: sf. שְׁאֵרִיתוֹ; (66 ×, 6 × Js, 24 × Ir, 7 × Hs, 17 × Am-Sa): 1. das Übrige, der Rest *rest, what is left*: עֵץ Js 44, 17, c. שָׂרֵי מֶלֶךְ בָּבֶל Ir 39, 3, v. *of* יִשְׂרָאֵל 1 C 12, 39 Ne 7, 71, הַגּוֹיִם Hs 36, 3—5; 2. der Rest, die Letzten (von e. Volk, das vernichtet wird) *rest, remainder* (*of people to be destroyed*): Ir 8, 3 41, 10. 16 42, 2 44, 7 Hs 5, 10, אַשְׁדּוֹד Ir 25, 20, עֲנָתוֹת 11, 23, כַּפְתּוֹר 47, 4, [עֲנָקִים] 47, 5, פְּלִשְׁתִּים Hs 25, 16 Am 1, 8 Js 14, 30, אֱדוֹם Am 9, 12, בָּבֶל Ir 50, 26, יְרוּשָׁלַםִ Ir 15, 9 24, 8, F 2 K 19, 4 Js 37, 4; 3. der Rest (der gerettet wird) *the rest (who* *is to be saved*): שְׁאֵרִית וּפְלֵיטָה Esr 9, 14, שְׁ׳ הַפְּלֵטָה 1 C 4, 43, פְּלֵ׳//שְׁ׳ 2 K 19, 31 Js 15, 9 37, 32; שְׁאֵרִית יִשְׂרָאֵל Ir 6, 9 31, 7 Hs 9, 8 11, 13 Mi 2, 12 Ze 3, 13 1 C 12, 39 2 C 34, 9, שְׁ׳ בֵּית יִשְׂר׳ Js 46, 3; נָתַן שְׁ׳ יְהוּדָה lässt Juda e. Rest übrig *leaves a rest of Judah* Ir 40, 11, שְׁ׳ יְהוּדָה Ir 40, 15. 42, 15. 19 43, 5 44, 12. 14. 28, שְׁ׳ בֵּית יְה׳ Ze 2, 7; שְׁ׳ יוֹסֵף Am 5, 15; שְׁ׳ יַעֲקֹב Mi 5, 6 f; שְׁ׳ נַחֲלָתִי 2 K 21, 14 Mi 7, 18; שְׁ׳ צֹאנִי Ir 23, 3; שְׁ׳ עַמִּי Ze 2, 9, שְׁ׳ הָעָם Hg 1, 12. 14 2, 2 Sa 8, 6. 11 f; שָׂם שְׁ׳ לְ gibt e. Rest, Nachkommen *gives a remnant, offspring* Gn 45, 7, שִׂים שֵׁם וּשְׁאֵרִית לְ 2 S 14, 7, שָׂם לִשְׁ׳ Mi 4, 7; שְׁאֵרִית Ps 76, 11 F Komm.†

שֵׁאת: I שׁאה: Verödung *desolation* Th 3, 47.†

שְׁבָא: n. p. (n. m.): Zusammenhang mit *connected with* ak. *sabe'* Menschen *mankind* (W. Hertz, Ges. Abhandlungen 1905, 430[3])? asa. סבא: Saba *Sheba*: 1. מַלְכַּת שְׁבָא 1 K 10, 1. 4. 10. 13 2 C 9, 1. 3. 9. 12 bringt *carries* גְּמַלִּים, בְּשָׂמִים, זָהָב, אֶבֶן יְקָרָה; זְהַב שְׁבָא Ps 72, 15; מִשְּׁבָא זָהָב וּלְבֹנָה Ir 6, 20, לְבֹנָה מִשְּׁבָא Js 60, 6; שְׁבָא neben *along with* דְּדָן Gn 10, 7 1 C 1, 9 Hs 38, 13, רַעְמָה Gn 10, 7 1 C 1, 9 Hs 27, 22 f, תֵּמָא Hi 6, 19, סְבָא Ps 72, 10; Raubzug aus *raid from* שְׁבָא Hi 1, 15; 2. n. m. שְׁבָא S. v. יָקְטָן Gn 10, 28 1 C 1, 22, v. יָקְשָׁן Gn 25, 3 1 C 1, 32; Saba bei d. Assyrern *Sheba with the Assyrians* F Montg. 58 ff: erst in Nord-, später in Südarabien *early* (Tiglathpileser IV, Sargon, 8. saec.) *in northwestern, later in s.-Arabia*; F שְׁבָאִים.†

שְׁבָאִים: n. p.; שְׁבָא: Sabäer *men of Sheba* Jl 4, 8; l לַשְּׁבִי (G)?†

שְׁבָאֵל: F שְׁבוּאֵל.

***שׁבב**: שָׁבִיב, שְׁבָבִים.

שְׁבָבִים: mhb. שׁבב pi. behauen *hew*, ja. שְׁבָא Span *splinter*; سَبَّ schneiden *cut*: (Holz-) Späne *splinters* (?) Ho 8, 6.†

שׁבה: ug. *šby*; ak. *šabū*; ja. sy. שְׁבָא; سَبَا gefangen nehmen *take captive*; asa. שבא Krieg führen *wage war*:

qal: pf. שָׁבָה, שָׁבִית, שָׁבוּ, sf. שְׁבָם, שָׁבוּם, impf. תִּשְׁבֶּה, וַיִּשְׁבּוּ, וַיִּשְׁבְּ, sf. וַיִּשְׁבֵּם, תִּשְׁבְּךָ, inf. שְׁבוֹת, imp. שְׁבֵה(וּ), pt. שֹׁבִים, sf. שׁוֹבֵינוּ, pass. שְׁבוּיִם, fem. שְׁבוּיוֹת: (kriegs-)gefangen fortführen *take captive* Menschen *mankind* Gn 34, 29 Nu 24, 22 Jd 5, 12. cj 12 (l שֹׁבֶיךָ) 1 K 8, 46—48. 50 2 K 6, 22 Js 14, 2 61, 1 Ir 41, 10. cj 16 43, 12? 50, 33 Ob 11 Ps 106, 46 137, 3 2 C 6, 38. 38. cj 38 (l שֹׁבֵיהֶם) 21, 17 25, 12 28, 8. 11 30, 9, cj לְשׁוֹבֵינוּ Mi 2, 4, Frauen *women* Gn 31, 26 1 S 30, 2 2 K 5, 2, Menschen und Tiere *men and animals* Nu 31, 9 1 C 5, 21, Tiere *animals* 2 C 14, 14; שָׁבָה שְׁבִי מִן Gefangene abnehmen *take away captives* Nu 21, 1 Dt 21, 10 Ps 68, 19 2 C 28, 5. 17;†

nif: pf. נִשְׁבָּה, נִשְׁבּוּ: gefangen fortgeführt werden *be taken captive*: לוֹט Gn 14, 14, Frauen und Kinder *women a. children* 1 S 30, 3. 5, Israel 1 K 8, 47 Hs 6, 9 2 C 6, 37, עֵדֶר יהוה Ir 13, 17, Tier *animal* Ex 22, 9.†

Der. שְׁבִי, שְׁבִית, שִׁבְיָה, שְׁבוּת; n. m. שְׁבוּאֵל.

שְׁבוֹ: ak. *šubū*: e. Edelstein *a precious stone* (G, V Achat *agate*); RLA 26 f: Ex 28, 19 39, 12.†

שְׁבוּאֵל, שְׁבָאֵל: n. m.; ug. n. m. *šb3l*; *שְׁבוּ (? שׁבה) u. אֵל: 1. 1 C 23, 16, שְׁבָאֵל 26, 24, = שׁוּבָאֵל (F Bauer, ZAW 48, 74) 24, 20; 2. 1 C 25, 4, = שׁוּבָאֵל 25, 20.†

שְׁבוֹל* Ir 18, 15 K: *F* שְׁבִיל. †

שָׁבוּעַ: I שבע: cs. שְׁבֻעַ, du. שְׁבֻעַיִם, pl. שָׁבֻעִים, cs. שְׁבֻעֵי Hs 21, 28 (*F* unten *below*), u. שָׁבֻעֹת, cs. שְׁבֻעֹת, sf. שָׁבֻעֹתֵיכֶם: **Einheit von Sieben, Siebent** *unit (period) of seven* (ἑπτάς): 1. sieben zusammenhängende Tage, **Woche** *period of seven days, week* Da 9, 27, חֲצִי הַשָּׁ׳ die halbe Woche *the half of the week* Da 9, 27, c. יָמִים an Tagen *of days*: 3 Wochen *3 weeks* Da 10, 2f, 7 W. *w.* Dt 16, 9 Da 9, 25, 60 W. *w.* 9, 25/26, 70 W. *w.* 9, 24; שְׁבֻעַ זֹאת (Hochzeits-)Woche mit dieser Frau *week (of marriage feast) with this woman* Gn 29, 27f; 2. חַג שָׁבֻעֹת **Wochenfest** *feast of weeks* ἁγία ἑπτὰ ἑβδομάτων Tob 2, 1 Ex 34, 22 Dt 16, 10. 16 2 C 8, 13; > שָׁבֻעֹת Wochenfest *feast of weeks* Nu 28, 26; 3. שְׁבֻעַיִם zwei Wochen hinter einander *period of two weeks* Lv 12, 5; שבעת Ir 5, 24 dittogr.; l שְׁבֻעַת Hs 45, 21; ? Hs 21, 28. †

שְׁבוּעָה, שְׁבֻעָה: I שבע: cs. שְׁבֻעַת, sf. שְׁבֻעָתוֹ: **Eid, Schwur** *oath* (Pedersen, D. Eid bei d. Semiten, 1914): 2 C 15, 15; נִשְׁבַּע שְׁ׳ e. Eid schwören *take an oath* Nu 30, 3 Jos 9, 20; שְׁבֻעַת יהוה Eid (unter Anrufung von) J. *oath whereby Y. is invoked* Ex 22, 10 2 S 21, 7 1 K 2, 43, // שְׁ׳ אֱלֹהִים Ko 8, 2; שְׁבֻעָתֶךָ Eid, den du gefordert hast *oath thou hast asked for* Jos 2, 17. 20; שְׁ׳ לִ׳ Eid gegenüber *oath unto* Ps 105, 9 1 C 16, 16; שְׁבֻעַת אָלָה Eid mit Fluch verbunden, eidlicher Fluch *oath connected with curse* u. לְאָלָה וְלִשְׁ׳ zu e. Fluch- u. Schwurwort (werden, machen) (*make, become*) *to a formula of oath a. curse* Nu 5, 21, הָאָלָה וְהַשְּׁ׳ Da 9, 11; שְׁבֻעַת אִסָּר Enthaltungseid *binding oath* Nu 30, 14 *F* 30, 11; שְׁ׳ גְּדוֹלָה feierliche E. *great o.* Jd 21, 5; שְׁ׳ שֶׁקֶר falscher E. *false o.* Sa 8, 17; שְׁ׳...בֵּין Freundschaftsschwur z··· *oath of friendship betw.* 2 S 21, 7; בַּעֲלֵי שְׁ׳ לוֹ ihm eidlich Verbundene *sworn ones to him* Ne 6, 18; שְׁ׳ Fluch *curse* 1 S 14, 26; הָיָה לִשְׁ׳ (e. Name) dient als Fluchwort (*a name*) *is used as curse* Js 65, 15; בּוֹא בְאָלָה וּבִשְׁ׳ sich mit e. Eid unter e. Fluch stellen *by an oath enter into a curse* Ne 10, 30; שָׁמַר שְׁ׳ e. E. halten *keep an o.* Dt 7, 8 1 K 2, 43; יָרֵא שְׁ׳ e. E scheuen *fear an o.* Ko 9, 2; הֵקִים שְׁ׳ e. E. erfüllen *establish an o.* Gn 26, 3 Ir 11, 5; נִקָּה מִשְּׁ׳ v. eidlicher Verpflichtung frei werden *be clear from an o.* Gn 24, 8; בִּטֵּא בִשְׁ׳ Lv 5, 4; l שִׂבַּעְתָּ Ha 3, 9; ? Hs 21, 28. †

שָׁבוּר: שבר: **Bruch** (e. Glieds) *fracture (of limb)* Lv 22, 22. †

שְׁבוּת (17 ×), **שְׁבִית** (6 × u. cj Ps 126, 1) u. *formae mixtae* שְׁבִוּת (3 ×) u. שְׁבִיּת (2 ×): שבה: sf. שְׁבוּתְכֶם (l שְׁבוּתָם Ze 3, 20), שְׁבִיתֵךְ: **Wegführung** in **Gefangenschaft, Schuldhaft** *leading away into captivity, imprisonment for debt* (Baumann, ZAW 47, 17 ff; anders (reiches Material) *differently (with rich material)* E. L. Dietrich, BZAW 40, 1925): Subjekt immer Gott *subject always God* (*F* Th 2, 14); ausser *except* Hi 42, 10 immer *always* שְׁבוּת Mehrerer *of more than one*: 1. הֵשִׁיב אֶת־שְׁבוּת die Schuldhaft aufheben, **das Geschick** (zum Guten) **wenden** *put an end to the emprisonment of debt, turn one's fortune (to the good)* Ir 32, 44 33, 7. 11. 26 Q 49, 6. 39 Q Hs 39, 25 Jl 4, 1 Th 2, 14; 2. שָׁב אֶת־שְׁבוּת (*F* II שוב) Dt 30, 3 Ir 29, 14 30, 3. 18 31, 23 48, 47 Hs 16, 53 29, 14 Ho 6, 11 Am 9, 14 Ze 2, 7 3, 20 Ps 14, 7 53, 7 85, 2 126, 4. cj 1 Hi 42, 10; 3. Hs 16, 53 (l וְשַׁבְתִּי pro וּשְׁבִית u. שְׁבוּתֵךְ pro שְׁבִיתַיִךְ). †

שְׁבוּת: *F* שְׁבוּת.

I שבח: aram. *F* ba.; > سَبَّحَ, ሰብሐ:

pi: pf. שִׁבַּחְתִּי, impf. יְשַׁבַּח, sf. יְשַׁבְּחוּנְךָ, inf. שַׁבֵּחַ, imp. שַׁבְּחִי, sf. שַׁבְּחוּהוּ: preisen *praise, laud*: שִׂמְחָה Ko 8, 15, Gott *God* Ps 63, 4 117, 1 145, 4 147, 12; glücklich preisen *congratulate* Ko 4, 2; †

hitp: הִשְׁתַּבֵּחַ: c. בְּ sich einer Sache rühmen *boast of* Ps 106, 47 1 C 16, 35. †

Der. n. m. יִשְׁבָּח.

II שבח: سبح sorglos sein *be free of care*; Jensen ZA 4, 268 cf. ak. *pašāḫu* sich beruhigen *grow calm*:

pi: impf. sf. תְּשַׁבְּחֵם: zur Ruhe bringen *soothe, still* Ps 89, 10; l יְחַשְּׁכֶנָּה Pr 29, 11; †

hif: pt. מַשְׁבִּיחַ: besänftigen *still* Ps 65, 8. †

*שׁבט: שַׁרְבִיט, שֵׁבֶט.

שֵׁבֶט (189 ×): *שׁבט; ak. *sabāṭu* schlagen *smite*; *šabbiṭu* Stock, Szepter *rod, sceptre*: mhb.; **F** ba. שְׁבַט; asa. *sbṭ* Stock *rod*; ሀበጠ schlagen *smite*; > ϣⲃⲱⲧ: שֵׁבֶט, שֵׁבֶט, sf. שִׁבְטוֹ, pl. שְׁבָטִים, cs. שִׁבְטֵי, sf. שְׁבָטֶיךָ, שִׁבְטֵיכֶם: 1. Stock, Stab *rod, staff*: רֹעֶה Lv 27, 32 Mi 7, 14 Ps 23, 4, des Erziehers *of teacher* 2 S 7, 14 Ps 89, 33 Pr 13, 24 26, 3 29, 15, des Gebieters *of ruler* Gn 49, 10 Jd 5, 14 Js 9, 3, 14, 5 Am 1, 5. 8; הִכָּה בַשֵּׁבֶט Ex 21, 20; שֵׁבֶט Waffe *weapon* 2 S 23, 21, Gerät *tool* Js 28, 27; הֵנִיף שִׁבְטוֹ Js 10, 15; שֵׁבֶט אֱלוֹהַּ Hi 21, 9, שֵׁבֶט 9, 34; שׁ׳ אַפִּי (Gottes *of God*) Js 10, 5; שׁ׳ מִצְרַיִם Szepter *sceptre* Sa 10, 11; שׁ׳ בַּרְזֶל Ps 2, 9; שׁ׳ הָרֶשַׁע u. שׁ׳ מַלְכוּת Ps 45, 7; שׁ׳ מִישֹׁר Ps 125, 3; שׁ׳ פִּיו (des *of* Messiah) Js 11, 4; חֶסֶד :: שֵׁבֶט Hi 37, 13; שׁ׳ Szepter oder Komet *sceptre or comet* Nu 24, 17 (ZAW 62, 276[3]) cj שְׁבָטִים Stockschläge *thrashing* Pr 19, 29; l שְׁלָחִים 2 S 18, 14; ? Hs 21, 15. 18; 2. Stamm (e. Volks) *tribe* (143 ×): שִׁבְטֵי יִשְׂרָאֵל Gn 49, 16 1 K 8, 16 (44 ×), שְׁנֵי עָשָׂר שֵׁבֶט Ex 28, 21 39, 14, שִׁבְטֵי בְנֵי יִשׂ׳ Nu 24, 2 Jos 7, 16, יִשְׂרָאֵל לְשִׁבְטָיו Nu 36, 3 Jos 4, 5, שֵׁבֶט מְנַשֶּׁה Nu 32, 33 (22 ×), אִישׁ, מִשְׁפָּחָה, שֵׁבֶט; שֵׁ׳ הַלֵּוִי Dt 10, 8; Dt 29, 17 (**F** Jd 21, 24); שִׁבְטֶיהָ (מִצְרַיִם) Js 19, 13; שִׁבְטֵי יָהּ Ps 122, 4; l שֹׁפְטֵיכֶם Dt 29, 9 u. שֹׁפְטֵי 2 S 7, 7.

שְׁבָט: ak. *šabāṭu*; nab., palm.: Name d. 11. Monats *name of the 11th month* (Febr.-März *March*) Sa 1, 7. †

שְׁבִי: שבה: שְׁבִי, שֶׁבִי, sf. שִׁבְיוֹ, שְׁבָיִם, was als kriegsgefangen weggeführt wird *what is taken captive*: Menschen u. Tiere *mankind a. animals* Nu 31, 26; שָׁבָה שְׁבִי Kriegsgefangene machen *take captives* Nu 21, 1 Dt 21, 10 Ps 68, 19 2 C 28, 17; הָלַךְ שְׁבִי gefangen dahinziehn *go into captivity* Th 1, 5; = הָלַךְ בַּשְּׁבִי Dt 28, 41 Js 46, 2 Ir 20, 6 22, 22 30, 16 Hs 12, 11 30, 17 f Am 9, 4 Na 3, 10 Th 1, 18; שְׁבִי Kriegsgefangene *captives* Ex 12, 29 Nu 31, 12. 19 Js 20, 4 (// גָּלוּת) 49, 24 f, cj Hs 32, 9 (l שִׁבְיְךָ), Ha 1, 9 Ne 1, 2 f, cj לָקַח שְׁבִי Mi 2, 8, Dt 21, 13 Esr 2, 1 Ne 7, 6; בַּשְּׁבִי in Gefangenschaft genommen werden *be taken captive* Ir 48, 46; נָתַן לַשְּׁבִי in Gef. geben *give into capt.* Ps 78, 61; הֵבִיא בַּשְּׁבִי als Gefangene bringen *carry captive* Da 11, 8; שְׁבִי Gefangenschaft *captivity* Ir 15, 2 43, 11 Da 11, 33 Esr 3, 8 8, 35 9, 7 Ne 8, 17 2 C 29, 9; אֶרֶץ שִׁבְיָם d. Land, wo sie gefangen sind *the land where they are captives* Ir 30, 10 46, 27 2 C 6, 37 f; **F** שִׁבְיָה; l שְׁבִיךְ Jd 5, 12, l שִׁבְיָה Js 52, 2; l שְׁבִיהֶם 2 C 6, 38; ? Am 4, 10; **F** שְׁבָאִים. †

שֹׁבִי: n. m.; KF?; Dir. 201: 2 S 17, 27. †

שֹׁבָי: n. m.; KF?; Dir. 201: Esr 2, 42 Ne 7, 45. †

*שָׁבִיב: *שׁבב; ak. *šabābu* u. شَبَّ (ش!) aufflammen *blaze*; ܫܒ brennen *burn*; F ba. שְׁבִיב: Funke *spark* Hi 18, 5 Si 8, 10 45, 19. †

שְׁבִיָה: שבה; fem. v. שְׁבִי: coll. (Kriegs-) Gefangene *captives* Dt 21, 11 Ir 48, 46 Dt 32, 42 2 C 28, 5. 11. 13—15, > Gefangenschaft *captivity* Ne 3, 36 (MSS שְׁבִים). †

שְׁבִיָּה: שבה; fem. v. *שָׁבִי: kriegsgefangen weggeführt *taken captive* Js 52, 2. cj 2. †

***שְׁבִיל**: *שבל: sf. שְׁבִילְךָ Ps 77, 20 Q, pl. cs. שְׁבִילֵי, sf. שְׁבִילֶיךָ Ps 77, 20 K: Pfad *path* Ir 18, 15 Ps 77, 20. †

***שָׁבִים**: *שבס: pl. שְׁבִיסִים; ug. *špš* = שֶׁמֶשׁ; :: Sidersky, Mél. Dussaud 632: שָׁבָץ, Haarnetz *hair-net*: Stirnband aus Goldblech oder Silber *headband of gold-foil or silver* (Benzinger, Arch.[3] 92): Js 3, 18. †

שְׁבִיעִי (95 ×): שבע: שֶׁבַע, שְׁבִעִי, fem. שְׁבִיעִית, שְׁבִעִית, שְׁבִיעִת: siebenter *seventh*: הַיּוֹם הַשְּׁבִיעִי Gn 2, 2 (40 ×); יוֹם הַשְּׁבִיעִי Gn 2, 3 (4 ×); הַחֹדֶשׁ הַשְּׁבִיעִי Gn 8, 4 (23 ×); הַשָּׁנָה הַשְּׁבִיעִת Lv 25, 4 (8 ×); בַּשְּׁבִעִית beim 7. Mal *on the seventh time* 1 K 18, 44, im 7. Jahr *in the 7th year* Ex 21, 2; צוֹם הַשְּׁבִיעִי d. Fasten des 7. Monats *the fast of the seventh month* Sa 8, 19; הַשְּׁבִעִי d. 7. Sohn *the seventh son* 1 C 2, 15.

שְׁבִית: שבה: 1. Gefangenschaft *captivity* Nu 21, 29; 1 שְׁבוּתֵךְ Hs 16, 53; 2. F שְׁבוּת; cj Ps 126, 1. †

שבית: F שְׁבוּת.

***שׁבל**: سَبَلَ lang herabhängen (Schnurrbart, Nase) *hang down* (*moustache, nose*): F שֹׁבֶל, שְׁבִיל, I, II שִׁבֹּלֶת; n. m. אֶשְׁבֵּל; ? שַׁבְּלוּל.

שֹׁבֶל: *שבל; سَبَل Schleppe, fallender Regen *flowing skirt, falling rain*, سُنْبُل Ähre *ear (of grain)*: Schleppe, Rocksaum *train, hem of skirt* Js 47, 2. †

שַׁבְּלוּל (*dageš dirimens!*): ja. תִּבְלָלָא Schnecke *snail*; בלל u. ? שַׁ vel ? שבל: tradition. Schnecke *snail*, aber *but* Driver JTS 34, 41 ff: Fehlgeburt *miscarriage* Ps 58, 9. †

I **שִׁבֹּלֶת**: *שבל; ug. *šblt*; ak. *šubultu*; ph. n. fem.; ja. שֻׁבַּלְתָּא, sy. שֶׁבֶלְתָא; سُنْبُلة, öt. *es-sbäleh*; ሰብል; > סִבֹּלֶת Speiser BAS 85, 10 ff: pl. שִׁבֳּלִים, cs. שִׁבֲּלֵי (BL 614): Ähre *ear of grain* Gn 41, 5—27 (10 ×) Jd 12, 6 (F II) Js 17, 5 Ru 2, 2 Hi 24, 24; Zweigbüschel *bunch of twigs* Sa 4, 12. †

II **שִׁבֹּלֶת**: *שבל: Wasserschwall *flowing stream* Js 27, 12 Ps 69, 3. 16 Jd 12, 6 (F I) Si 4, 26. †

שֶׁבְנָא: n. m.; KF v. ? שְׁבַנְיָהוּ; Dir. 214, 124; Noth 258: 2 K 18, 37 19, 2 Js 22, 15 36, 3. 11. 22 37, 2, = שֶׁבְנָה 2 K 18, 18. 26. †

שבנה: mhb.; F שֶׁבְנָא.

שְׁבַנְיָה: n. m.; < שְׁבַנְיָהוּ: 1.—3. Ne 9, 4 f; 10, 11. 13; 10, 5 12, 14 (Var. שְׁכַנְיָה). †

שְׁבַנְיָהוּ: n. m.; > שְׁבַנְיָה, F שֶׁבְנָא; Dir. 122. 218. 223; Noth S. 258; ak. *Šubunu-jāma* PSBA 15, 15; Albr. BAS 79, 28: 1 C 15, 24. †

***שׁבם**: *שָׁבִים.

I **שׁבע**: ug. *šbʿ*; mhb. nif., ja. itp. schwören *swear*; asa. שבע; Zusammenhang mit *connected with* שֶׁבַע sieben *seven* (wie genauer erklärlich? *how to explain precisely?*), Hehn, Festschr. Marti 134 f:

qal: F שְׁבוּעָה;

nif(150×): pf. נִשְׁבַּע, נִשְׁבַּעְתָּ, נִשְׁבְּעוּ, נִשְׁבַּעְנוּ, impf. יִשָּׁבַע, תִּשָּׁבַע, אִשָּׁבַע, וָאִשָּׁבַע, תִּשָּׁבְעוּ, inf. הִשָּׁבַע, הִשָּׁבֵעַ, imp. הִשָּׁבְעָה, הִשָּׁבְעוּ, pt. נִשְׁבָּע, נִשְׁבָּעִים, נִשְׁבָּעוֹת: schwören (unter Eid, Anrufung Gottes, Einsatz eines Gutes eine Aussage oder Zusage machen) *swear* (*make a statement or a promise with an oath, invoking God, pledging something valuable*): 1. c. לְ jmdm schwören *swear unto* Gn 21, 23 Jd 15, 12 (47 ×), absol. Gn 21, 24 (14 ×); F נִשְׁבַּע שְׁבֻעָה e. Eid schwören *swear an oath* Gn 26, 3 (4 ×); der Inhalt des Schwurs folgt (nach לֵאמֹר) *what is sworn is stated* (*after* לֵאמֹר): in direckter Rede *in direct speech* Gn 24, 7 Jd 21, 1 (19 ×), eingeleitet mit *introduced with* אִם dass nicht *that not* Gn 21, 23 Am 8, 7 (15 ×), mit *with* אִם לֹא dass *that* Jos 14, 9, mit *with* כִּי dass *that* Gn 22, 16 f (7 ×), mit *with* לְ c. inf. zu tun *to do* Ex 13, 5 Dt 1, 35, mit *with* לָתֵת zu geben *to give* (das verheissne Land *the promised country*) Dt 1, 8 (14 ×, in Dt 10 ×), mit *with* obj. (לָתֵת) הָאָרֶץ weggelassen *being dropped* Gn 50, 24 (13 ×), mit *with* מִן c. inf. dass nichtmehr *that no more* Js 54, 9. 9, mit *with* לְבִלְתִּי dass nicht *that not* Dt 4, 21 Jos 5, 6 Jd 21, 7;

2. בְּ bei נִשְׁבַּע gibt das Gut an, das man aufs Spiel setzt, wenn d. Schwur nicht gehalten wird בְּ *after* נִשְׁבַּע *indicates the valuable thing that is pledged in case the oath is not kept*: (Gott *God*) נִשְׁבַּע בְּנַפְשׁוֹ schwört bei s. Leben *swears by his life* Ir 51, 14 Am 6, 8, בִּימִינוֹ Js 62, 8, בִּגְאוֹן יַעֲקֹב Am 8, 7, בְּקָדְשׁוֹ Am 4, 2, Ps 89, 36; נִשְׁבַּע בְּקָדְשִׁי c. formula חי יהוה = es gilt d. Leben J.s. *Y.s life is pledged* = J. soll nicht leben, wenn (nicht) *Y. shall not live, if* (*not*) 1 S 19, 6 20, 3 28, 10 Ir 4, 2 12, 16 38, 16 Ho 4, 15;

3. mit בְּ bei nennt den Gott, der Zeuge u. Bürge des Schwurs ist; c. בְּ *by names the god who is witness a. sponsor of the oath*: בֵּאלֹהִים Gn 21, 23 1 S 30, 15 Js 65, 16 Ir 5, 7!; בְּשֵׁם beim Namen e. Gottes *by the name of a god* Lv 19, 12 Dt 6, 13 10, 20 1 S 20, 42 Js 48, 1 Ir 12, 16 44, 26 Sa 5, 3 f, בַּיהוה Jos 2, 12 9, 18 Jdc 21, 7 1 S 24, 22 28, 10 2 S 19, 8 1 K 1, 17. 29 f 2, 8. 23 Ps 63, 12 (בּוֹ), בַּבַּעַל Ir 12, 16, בְּאַשְׁמַת שֹׁמְרוֹן Ze 1, 5, בְּמַלְכָּם Am 8, 14, בְּחֵי עוֹלָם Da 12, 7, בְּפַחַד אָבִיו יִצְחָק Gn 31, 53; Gott schwört bei sich selber *God swearing by himself*: בִּי Gn 22, 16 Js 45, 23 Ir 22, 5 49, 13, בָּךְ Ex 32, 13;

4. נִשְׁבַּע לְ unter Schwören bitten, jmd beschwören *implore with swearing* 2 S 21, 17, sich jmd zuschwören *appropriate oneself by swearing to* Js 19, 18 45, 23 2 C 15, 14, cj 1 S 20, 17 (l לְהִשָּׁבַע לְדָוִד); נִשְׁבַּע עַל schwören inbetreff *swear concerning* Gn 24, 9 Lv 5, 24; נִשְׁבַּע בֶּאֱמֶת Ir 4, 2, נִשׁ׳ עַל־שָׁקֶר Lv 5, 24 Ir 5, 2 7, 9 (5 ×) u. נִשׁ׳ לַשָּׁקֶר Lv 5, 22 u. נִשׁ׳ לְמִרְמָה Ps 24, 4; נִשׁ׳ לְבַטֵּא Lv 5, 4; נִשְׁבַּע c. obj. בְּרִית Dt 4, 31 7, 12 8, 18, דָּבָר 9, 5, חֶסֶד Mi 7, 20;

5. Gott schwört *God is swearing* Gn 24, 7 (42 ×), ich *I* (= Gott *God*) Gn 22, 16 (26 ×), du *thou* (= Gott *God*) Ex 32, 13 (6 ×); 6. dele הַנִּשְׁבָּעִים Ze 1, 5, l וַיָּשֶׁב 1 S 20, 3;

hif: pf. הִשְׁבִּיעַ, הִשְׁבַּעְתִּי, הִשְׁבִּיעוֹ, sf. הִשְׁבִּיעֶךָ, הִשְׁבִּיעֵנִי, הִשְׁבַּעְתָּנוּ, הִשְׁבַּעְתִּיךָ, impf. וַיַּשְׁבַּע, וַיַּשְׁבִּיעֵנִי, וַיַּשְׁבִּיעֵנִי, אַשְׁבִּיעֲךָ, וָאַשְׁבִּיעֵם, תַּשְׁבִּיעוּ, inf. הַשְׁבַּע, הַשְׁבִּיעַ, pt. sf. מַשְׁבִּיעֶךָ: 1. c. ac. jmd schwören lassen *cause to take an oath* Gn 24, 37 50, 5 f. 25 Ex 13, 19 Nu 5, 19 Jos 2, 17. 20 6, 26 1 S 14, 27 f 1 K 18, 10 22, 16 2 K 11, 4 Esr 10, 5 Ne 5, 12 2 C 18, 15; c. בְּ bei *by* (F nif. 3) Gn 24, 3 1 K 2, 42 Ne 13, 25 2 C 36, 13; הִשְׁבִּיעַ בִּשְׁבֻעַת הָאָלָה e. Fluch schwören lassen *cause to swear with an oath of cursing* Nu 5, 21; 2. c. ac. et בְּ: jmd beschwören, dringend bitten bei etw. *adjure by* Ct 2,7 3,5 5,8f 8,4; 3. הִשְׁבִּיעַ c. אִם dass nicht *that not* Ne 13,25, אֲשֶׁר dass *that* Gn 24,3 1 K 22,16 2 C 18,15, כִּי dass *that* 1 K 18,10; c. לֵאמֹר Gn 24,37 50,5.25 Ex 13,19 Jos 6,26 1 S 14,28, c. לְ c. inf. Esr 10,5 Ne 5,12; 4. l לְהִשָּׁבַע לְדָוִד 1 S 20,17, l תִּשָּׁבְעוּ Jos 23,7, l וַאֲשַׁבֵּעַ Ir 5,7.

Der. שְׁבוּעָה.

II *שׁבע: سَبَغَ reichlich, vollzählig sein *be copious, complete*, سَبْغَة Fülle, Behagen, *plenty, ease* (Koehler ZAW 55, 165f).

Der. II, III שֶׁבַע; n. m. אַשְׁבֵּעַ; n. fem. אֱלִישֶׁבַע, שִׁבְעָה, בַּת־שֶׁבַע; יְהוֹשֶׁבַע; n. l. III שֶׁבַע u. שִׁבְעָה.

I שֶׁבַע (390 ×): Sem.; ug. *šbʿ*, *šbʿt*, *šbʿm*; äg. *sfḫ* (Sethe, D. Zahlwort, 20), Hehn, Siebenzahl u. Sabbat, 19; Hehn, Festschr. Marti 128ff; F I שבע: cs. שֶׁבַע, שְׁבַע, וּשְׁבַע 1 K 14,21, fem. שִׁבְעָה, cs. שִׁבְעַת, sf. שִׁבְעָתָם (K שִׁבְעָתַיִם, Q שִׁבְעָתָּם 2 S 21,9):

1. sieben, Siebenheit *seven, unit of seven*; שֶׁבַע שָׁנִים Gn 5,7, שִׁבְעָה פָרִים Nu 23,1, שִׁבְעַת יָמִים Gn 8,10, שִׁבְעַת בָּנָיו 1 S 16,10, אֵילִים שִׁבְעָה 2 C 13,9, cj שִׁבְעָתָם (Q) die sieben *the seven* 2 S 21,9; שְׁבַע עֶשְׂרֵה = 17 Gn 37,2, שֶׁבַע וּשְׁמוֹנִים = 87 Gn 5,25, שְׁבַע מֵאוֹת = 700 Gn 5,26; 137 Ex 6,16, 1700 Jd 8,26, 57000 Nu 1,31, 27000 1 K 20,30; pro שִׁבְעָה l שְׂבָכָה 1 K 7,17.17;

2. שִׁבְעָה שִׁבְעָה je sieben *seven and seven* Gn 7,2; שִׁבְעָתַיִם (F Torczyner F I אַרְבַּע) siebenfach *sevenfold* Gn 4,15, שֶׁבַע sieben mal *seven times* Lv 26,18;

3. pl. שִׁבְעִים siebzig *seventy* Gn 50,3; שִׁבְעִים וְשִׁבְעָה 77 mal *times* Gn 4,24;

4. Datierung *dating*: בְּשִׁבְעָה עָשָׂר יוֹם am 17. Tag *on the seventeenth day* Gn 7,11, בְּשִׁבְעָה וְעֶשְׂרִים יוֹם am 27. T. *on the seven a. twentieth day* Gn 8,14; שְׁנַת הַשֶּׁבַע d. 7. Jahr *the seventh year* Dt 15,9; בִּשְׁנַת עֶשְׂרִים וָשֶׁבַע לְ im 27. J. des *in the twenty a. seventh year of* 1 K 16,10; בְּשִׁבְעָה לַחֹדֶשׁ am 7. Tag des Monats *in the seventh day of the month* Hs 30,20; 5. לְשִׁבְעָה עָשָׂר das 17. (Los) *the seventeenth (lot)* 1 C 25,24; l שָׁלֹשׁ 2 S 24,13.

Der. n. l. בְּאֵר שֶׁבַע; שָׁבוּעַ, שְׁבִיעִי, שִׁבְעָנָה.

II *שֶׁבַע: II שבע: cj; Fülle *abundance* Pr 3,10.†

III שֶׁבַע: n. m.; II שבע: 1. 2 S 20,1f. 6f. 10. 13. 21f; 2. 1 C 5,13.†

IV שֶׁבַע: n. l.; II שבע: Lawrence a. Woolley, Annual PEF 1914f, 46: Jos 19,2.†

שִׁבְעָה: n. l. (Quelle *well*), II שבע: Gn 26,33.†

שִׁבְעָנָה: forma mixta e. שִׁבְעָה sieben *seven* et שִׁבְעָן 2 mal 7 *twice seven times*; cf. ug. n. m. *šbʿnj* (Dussaud, RHR 108, 14): Hi 42,13.†

שׁבץ: mhb. (Holz, Metall) mit Verzierungen versehen *ornament with a pattern* (*wood, metal*); ضبز mischen *mix*; ضَبَثَ packen *seize*; ak. *sabsinnu* Buntwirker (?) *weaver of coloured patterns* (?) Zimm. 28; F שָׁבָץ:

pi: pf. שִׁבַּצְתָּ: **in Mustern weben** *weave patterns* Ex 28,39;†

pu: pt. מְשֻׁבָּצִים: **eingefasst** *set* (זָהָב in Gold *in gold*) Ex 28,20, cj מְשֻׁבָּצוֹת Ps 45,14.†

Der. תַּשְׁבֵּץ, מִשְׁבְּצוֹת, שָׁבָץ.

שָׁבָץ: שׁבץ; ak. *šabṣu* körperliche Schwäche? *bodily weakness?*: **Schwächeanfall? Krampf?** *seizure of feebleness? cramp?* 2 S 1,9.†

שׁבק: F n. m. יִשְׁבָּק, שׁוֹבֵק, u. ba.

I שׁבר: ug. *šbr*, ak. *šabāru*; aram. F ba. תְּבַר; تَبِرَ u. تَبَّرَ, ሰበረ; , asa. תבר:

qal: pf. שָׁבַר, שָׁבַרְתָּ, sf. שְׁבָרָהּ, impf. יִשְׁבֹּר, לִשְׁבֹּר, שְׁבוֹר, sf. וַיְשַׁבְּרֵהוּ, inf. תִּשְׁבְּרוּ, תִּשְׁבָּר־ sf. שִׁבְרִי, imp. שְׁבֹר, sf. שְׁבָרֵם, pt. שֹׁבֵר, pass. שְׁבוּרִי: zerbrechen *break*, *break in pieces*: דֶּלֶת Gn 19, 9, עֶצֶם Ex 12, 46 Nu 9, 12 Pr 25, 15, כְּלִי Lv 11, 33 Ir 19, 10 f Jd 7, 20, קָנֶה Js 42, 3, Waffen *weapon* Ir 49, 35 Ho 1, 5 2, 20, מֹטָה Lv 26, 13 Ir 28, 10. 12 f Hs 30, 18 34, 27 Na 1, 13, עֹל Ir 2, 20 5, 5 28, 2. 4. 11 30, 8, מַטֶּה Js 14, 5 Lv 26, 26 Hs 4, 16 5, 16 14, 13 Ps 105, 16, cj 89, 45, בְּרִיחַ Am 1, 5, חוֹמָה Js 30, 14, זְרוֹעַ Hs 30, 21 f. 24 Ps 10, 15, עֵצִים Ps 29, 5; e. Körper zermalmen *crush a body* 1 K 13, 26. 28; Volk, Feind zerschlagen *break*, *destroy people*, *foe* Js 14, 25 Ir 17, 18 19, 11 48, 38 Th 1, 15 Da 11, 26, e. Flotte scheitern lassen *cause a fleet to be wrecked* Hs 27, 26; (metaph.) brechen *break down*: לֵב גָּאוֹן Lv 26, 19, Mut, Zuversicht *courage*, *confidence* Ps 69, 21 147, 3, cj Hs 6, 9 (וְשִׁבַּרְתִּי): שָׁבַר צָמָא (lat. *frangere sitim*) Durst stillen *quench thirst* Ps 104, 11; ? Hi 38, 10; †

nif: pf. נִשְׁבַּר, נִשְׁבְּרָה, נִשְׁבָּר, נִשְׁבְּרוּ, נִשְׁבָּרָה (נִשְׁבָּרָה) vel נִשְׁבְּרוּ 1 K 22, 49, impf. יִשָּׁבֵר, תִּשָּׁבֵר Hs 32, 28, תִּשָּׁבַרְנָה, יִשָּׁבֵרוּ, inf. הִשָּׁבֵר, pt. נִשְׁבָּר, נִשְׁבֶּרֶת, נִשְׁבָּרִים, נִשְׁבְּרֵי: zerbrochen werden, zerbrechen *be broken*: Glied *limb* Ex 22, 9. 13 Hs 34, 4. 16 Sa 11, 16 Ir 48, 25 Hs 30, 22 Hi 31, 22 38, 15 Da 11, 22, עֶצֶם Ps 34, 21, כְּלִי Lv 6, 21 15, 12 Ko 12, 6, מַטֶּה Ir 48, 17, שֵׁבֶט Js 14, 29, כְּעֵץ עַוְלָה 27, 11, פֹּארֹת Hs 31, 12, סְעִפִּים Hi 24, 20, פַּטִּישׁ Ir 50, 23, בְּרִיחַ 51, 30, Hs 26, 2 (דֶּלֶת 1), קֶשֶׁת Ps 37, 15, קֶרֶן Da 8, 8. 22, חַמָּנִים Hs 6, 4, גִּלּוּלִים 6, 6; rissig werden *become cracked* בֹּארֹת Ir 2, 13, zerreissen *be rent* פַּח Ps 124, 7, scheitern *be wrecked* (Schiff *ship*) 1 K 22, 49 Jon 1, 4 2 C 20, 37; sich d. Genick brechen *break the neck* 1 S 4, 18; sich e. Glied brechen *break a limb* Js 8, 15 28, 13; zerschlagen werden *be broken* עֹז Js 24, 10 Ir 14, 17 22, 20 48, 4 51, 8 Hs 27, 34 (נִשְׁבַּרְתְּ 1) 29, 7 30, 8 Da 8, 25 11, 4. 20, Mut, Zuversicht *courage*, *confidence* Js 61, 1 Ps 34, 19 Ir 23, 9 Ps 51, 19, אָדָם Pr 6, 15 29, 1 2 C 14, 12; 1 וְשִׁבַּרְתִּי Hs 6, 9; ? 32, 28; †

pi: pf. שִׁבַּר, שִׁבַּרְתָּ, שִׁבֵּר, שִׁבְּרוּ, impf. יְשַׁבֵּר, וָאֲשַׁבְּרָה, תְּשַׁבְּרוּן, תְּשַׁבֵּרוּ, sf. וָאֲשַׁבְּרֵם; inf. שַׁבֵּר, pt. מְשַׁבֵּר: in Stücke zerschlagen *shatter*: מַצֵּבָה Ex 23, 24 34, 13 Dt 7, 5 12, 3 2 K 18, 4 23, 14 Ir 43, 13 2 C 14, 2 31, 1, פְּסִילִים Js 21, 9 *F* 2 C 34, 4, [כְּלִי] מֹשֶׁה הַלֻּחֹת בֵּית־יהוה 2 K 25, 13 Ir 52, 17; Ex 32, 19 34, 1 Dt 9, 17 10, 2, הַבָּרָד כָּל־עֵץ Ex 9, 25 *F* Ps 105, 33, רוּחַ סְלָעִים 1 K 19, 11; דֶּלֶת (כָּאֲרִי) עַצְ֯מוֹת Js 38, 13 *F* Th 3, 4; Js 45, 2 Ps 107, 16, בְּרִיחַ Th 2, 9, קֶרֶן Da 8, 7; *F* Hi 29, 17; Gott zerschlägt *God shatters* אֲרָזִים cj Js 63, 6, עַמִּים Ps 3, 8, שִׁנֵּי רְשָׁעִים 29, 5, קֶשֶׁת 46, 10 76, 4, רָאשֵׁי תַנִּינִים 74, 13; Gott lässt Schiffe scheitern *God causes ships to be wrecked* Ps 48, 8; †

hif: impf. אַשְׁבִּיר: (zur Geburt) durchbrechen lassen *cause to break through* = *bring to the birth* Js 66, 9; †

hof: pf. הָשְׁבַּרְתִּי: zum Zerbrechen gebracht werden *be shattered* Ir 8, 21. †

Der. I, II שֶׁבֶר, שָׁבוּר, שִׁבָּרוֹן, מַשְׁבֵּר, מִשְׁבָּר*; n. l. שְׁבָרִים; n. m. III שֶׁבֶר?

II שבר: denom. v. II שֶׁבֶר.

qal: impf. נִשְׁבְּרָה, תִּשְׁבְּרוּ, inf. לִשְׁבֹּר, לִשְׁבָּר־, imp. שִׁבְרוּ, pt. שֹׁבְרִים: Getreide einkaufen *buy grain*: שָׁבַר שֶׁבֶר Gn 47, 14, שָׁבַר בָּר 42, 3, absol. 41, 57 42, 2. 5 Js 55, 1; einkaufen *buy*: אֹכֶל Gn 42, 7. 10 43, 2. 4. 20. 22 44, 25 Dt 2, 6, יַיִן וְחָלָב Js 55, 1; 1 וַיִּשְׁבֹּר Gn 41, 56; †

hif: impf. cj נַשְׁבִּירָה, נַשְׁבִּיר; וַיַּשְׁבֵּר, sf. תַּשְׁבְּרֵנִי, pt. מַשְׁבִּיר: **zu kaufen geben** *sell*: שֶׁבֶר Am 8, 5, מַפַּל בַּר 8, 6, אֹכֶל Dt 2, 28, c. לְ cj Gn 41, 56, 42, 6 Pr 11, 26. †

I שֶׁבֶר, שֵׁבֶר (Js 65, 14 Am 6, 6): I שׁבר: שֶׁבֶר, sf. שִׁבְרָהּ, שִׁבְרֵךְ, pl. sf. שְׁבָרֶיהָ: 1. **das Brechen, d. Bruch** *the breaking, fracture*: שֶׁבֶר רֶגֶל gebrochner Fuss *broken foot* u. שֶׁבֶר יָד Lv 21, 19; שֶׁבֶר תַּחַת שֶׁבֶר 24, 20; Bruch e. Glieds *breaking of limb* Ir 10, 19 30, 12. 15, e. Gefässes *of vessel* Js 30, 14; Einsturz e. Mauer *breaking of wall* Js 30, 13; pl. Risse der Erde *breaches of earth* Ps 60, 4; 2. **Zerschlagenheit** d. Gemüts *crushing of spirit* Js 65, 14 Pr 15, 4; 3. **Zusammenbruch** *crash, breakdown* Js 1, 28 15, 5 30, 26 51, 19 59, 7 60, 18 Ir 4, 6. 20 6, 1. 14 8, 11. 21 14, 17 48, 3. 5 50, 22 51, 54 Am 6, 6, cj 5, 9a, Na 3, 19 Ze 1, 10 Pr 16, 18 17, 19 18, 12 Th 2, 11. 13 3, 47 f 4, 10; l שְׁבִיךְ Hs 32, 9; F n. l. שְׁבָרִים. †

II שֶׁבֶר: Driv. II שׁבר; I שׁבר: grob zerschlagene Körner? *roughly broken grains?*: zum Verkauf kommendes **Getreide** *corn, grain to be sold* Gn 42, 1 f. 19. 26. cj 33 43, 2 44, 2 47, 14 Am 8, 5 Ne 10, 32. †

III שֶׁבֶר: n. m.; I vel II?: 1 C 2, 48. †

*שֶׁבֶר: sf. שִׁבְרוֹ, **Deutung** (e. Traums) *interpretation (of dream)* Jd 7, 15. †

שִׁבָּרוֹן: I שׁבר: cs. שִׁבְרוֹן: 1. **Zusammenbruch** *breakdown* Ir 17, 18 (l מִשְׁנֶה); 2. שִׁבְרוֹן מָתְנַיִם brechende Hüften *breaking, shaking hips* Hs 21, 11. †

שְׁבָרִים: n. l.; I שֶׁבֶר, (Stein)-Bruch *quarries*: bei *near* עַי Jos 7, 5. †

שׁבת: سبت aufhören ruhen, *cease, rest*; F שַׁבָּת: qal: pf. שָׁבַת, שָׁבְתָה, שָׁבָתָה, שָׁבָתוּ, impf. יִשְׁבֹּתוּ, תִּשְׁבֹּת, תִּשְׁבַּת, יִשְׁבּוֹת: 1. **aufhören, stocken** *cease* Gn 8, 22 Jos 5, 12 Js 14, 4 24, 8 33, 8 Pr 22, 10 Th 5, 15 Ne 6, 3, cj Hi 38, 11 (l יִשְׁבֹּת גְּאוֹן), c. מִן Gn 2, 2 f, c. מִן c. inf. Ir 31, 36 Ho 7, 4 Hi 32, 1; c. מִן **fernbleiben von** *keep aloof from* Th 5, 14; 2. **mit d. Arbeit aufhören, feiern** *cease working, rest* Ex 16, 30 23, 12 31, 17 34, 21, subj. das Land *the land*: **ruhen** *rest* Lv 26, 34 f 2 C 36, 21; (Einfluss d. Sabbatvorstellung *influenced by the conception of Sabbath*): Ex 23, 12 34, 21 (ZAW 48, 143 49, 326); > שָׁבַת שַׁבָּת **den Sabbat halten** *keep sabbath* Lv 23, 32 25, 2; (Opfer) **feiern, sind eingestellt** (*offerings*) *cease, are discontinued* cj Da 9, 27 (l יִשְׁבֹּת); †

nif: pf. נִשְׁבַּת, נִשְׁבְּתוּ: **zum Aufhören gebracht werden, verschwinden** *be stopped, disappear* Js 17, 3 Hs 6, 6 (dele?) 30, 18 33, 28; cj נִשְׁבַּתְּ bist still gelegt worden *art caused to cease* Hs 26, 17; †

hif: pf. הִשְׁבִּית, הִשְׁבַּתִּי, sf. הִשְׁבַּתִּים, impf. תַּשְׁבִּית, וַיַּשְׁבֵּת, אַשְׁבִּיתָה, inf. לְהַשְׁבִּית > לַשְׁבִּית, imp. הַשְׁבִּיתוּ, pt. מַשְׁבִּית: 1. **ein Ende machen mit, zum Aufhören bringen** *put an end to, cause to cease*: הֵידָד Js 16, 10, אֲנָחָה 21, 2, מָשׂוֹשׂ Ho 1, 4, מַמְלְכוּת 2, 13, חֶרְפָּה Da 11, 18, cj Ps 85, 4, מְלָאכָה die Arbeit einstellen *cause to cease work* Ne 4, 5 2 C 16, 5; 2. **beseitigen** *put away* Ex 12, 15 Lv 26, 6 Hs 34, 25 2 K 23, 5. 11 Js 13, 11 Hs 7, 24 23, 27. 48 30, 10. 13 Am 8, 4 Ps 8, 3 46, 10 Pr 18, 18 Si 3, 15 10, 17; 3. **fehlen lassen** *suffer to be lacking* Lv 2, 13 Ru 4, 14, **verschwinden lassen** *cause to disappear* Ir 7, 34 16, 9 36, 29 48, 33. 35 Hs 12, 23 26, 13; 4. c. מִן **ruhen lassen von** *make to rest from* Ex 5, 5; הִשְׁבַּתִּיךְ מִזּוֹנָה ich setze dein. Dirnentum e. **Ende** *I cause to cease* *thy fornications* Hs 16, 41; c. מִן c. inf. dem e. Ende setzen, dass (er, sie)... *cause to cease (him, she) from...* Hs 34, 10; 5. c. acc. rei et מִן pers. jmd etw. **abhanden kommen lassen** *cause to cease a thing from a man* Dt 32, 26; 6. c. acc. et לְבִלְתִּי **davon abbringen,** zu... *make a person cease from* Jos 22, 25; 7. c. acc. et מִפְּנֵי **in Ruhe lassen mit** *leave undisturbed with* Js 30, 11, cj (מֵחֲרוֹן אַפֶּךָ) הַשְׁבֵּת **abwenden** *turn aside* Ps 85, 4; l יַשְׁבִּת Da 9, 27; l חָשַׁבְתָּ Ps 119, 119; l שִׁבַּרְתָּ Ps 89, 45; †

cj hof: pt. מָשְׁבָּת: **zum Stocken gebracht, beseitigt werden** *be caused to cease, be removed* cj Js 30, 7 (l רַהַב הַמָּשְׁבָּת) †

Der. שַׁבָּת, שַׁבָּתוֹן, *מִשְׁבָּת; n. m. שַׁבְּתַי.

שֶׁבֶת: ישׁב, inf.: שֶׁבֶת, sf. שִׁבְתּוֹ: **Stillsitzen, Untätigkeit** *sitting quiet(ly), inaction* Ex 21, 19 (durch Krankheit verursacht *caused by sickness*) 2 S 23, 7 (dele) Pr 20, 3 Ru 2, 7?, cj 2 K 16, 18 (l הַשֶּׁבֶת); l יֹשֵׁב בַּשֶּׁבֶת 2 S 23, 8; l רַהַב הַמָּשְׁבָּת Js 30, 7; l שֵׁב: תֹּךְ Ir 9, 5, l שְׁנַת Am 6, 3. †

שַׁבָּת (101 × dele Lv 24, 8², l הַשֶּׁבֶת 2 K 16, 18): שׁבת: cs. שַׁבַּת, sf. שַׁבַּתּוֹ, שַׁבַּתָּהּ, pl. שַׁבָּתוֹת, cs. שַׁבְּתוֹת, sf. שַׁבְּתוֹתַי, שַׁבְּתֹתֵיכֶם, fem. Ex 31, 14 Lv 25, 6 (< *שַׁבַּתְּתְ, *F* sf. sg.), masc. Js 56, 2. 6 58, 13; שַׁבַּת שַׁבָּתוֹן c. הִיא Lv 16, 31, c. הוּא 23, 32: 1. שַׁבָּת findet sich *to be found*: Js 1, 13 Am 8, 5 Ho 2, 13 Ex 20, 8. 10 Dt 5, 12. 14 f 2 K 4, 23 11, 5. 7. 9. 9 Ir 17, 21—27 (7 ×) Hs 20, 12 f. 16. 20 f. 24 22, 8. 26 23, 38 44, 24 45, 17 46, 1. 3 f. 12 Ps 92, 1 Th 2, 6 Ne 9, 14 10, 32. 32. 34 13, 15—22 (9 ×) 1 C 9, 32. 32 23, 31 2 C 2, 3 8, 13 23, 4. 8. 8 31, 3 36, 21 und *and* (in P 41 ×): Ex 16, 23. 25 f. 29 20, 11 31, 13—16 (6 ×) 35, 2 f Lv 16, 31 19, 3. 30 23, 3. 3. 11. 15. 15 f. 32. 32. 38 24, 8 25, 2—8 (6 ×) 26, 2. 34. 34. 35. 43 Nu 15, 32 28, 9. 10. 10; 2. Bedeutung *meaning*: a) יוֹם הַשַּׁבָּת **der Ruhetag, der Sabbat** *the day of rest, Sabbath*: Ex 20, 8. 11 31, 15 35, 3 Lv 24, 8 Nu 15, 32 28, 9 Dt 5, 12. 15 Ir 17, 21 f. 24. 27 Hs 46, 1 (יוֹם הַחֹדֶשׁ//). 4. 12 Ps 92, 1 Ne 10, 32 13, 15. 17 f. 22; b) שַׁבָּת < יוֹם הַשַּׁבָּת **Ruhetag, Sabbat** *day of rest, sabbath* Ex 16, 25 (לַיהוה). 26 (d. 7. Wochentag *the seventh day of the week*). 29 (von J. gegeben *given by Y.*) 20, 10 (לַיהוה) 31, 14 (שָׁמַר). 16 (עָשָׂה begehen *keep*) Lv 23, 3. 11. 15 f 25, 4 Dt 5, 14 (לַיהוה) 2 K 4, 23 (חֹדֶשׁ//) 11, 5. 7. 9 2 C 23, 4. 8 Js 1, 13 (חֹדֶשׁ//) 56, 2 u. 6 (חִלֵּל) 58, 13 66, 23 (חֹדֶשׁ//) Ho 2, 13 (חֹדֶשׁ, חַג//) Am 8, 5 (חֹדֶשׁ//) Th 2, 6 (מוֹעֵד//) Ne 10, 32 (יוֹם קֹדֶשׁ//) 13, 15 f. 19. 21; שַׁבַּת־קֹדֶשׁ לַיהוה Ex 16, 23, שַׁבַּת קָדְשְׁךָ Ne 9, 14; תִּשְׁבְּתוּ שַׁבַּתְּכֶם Lv 23, 32; שַׁבַּת בְּשַׁבַּתּוֹ Nu 28, 10 u. שַׁבָּת שַׁבָּת 1 C 9, 32 S. um S. *s. after s.*; c) pl. שַׁבְּתוֹת יהוה Lv 23, 38, שַׁבְּתֹתַי c. שָׁמַר Ex 31, 13 Lv 19, 3. 30 26, 2 Js 56, 4, c. קִדֵּשׁ Hs 20, 20 44, 24, c. חִלֵּל Hs 20, 13. 16. 21. 24 22, 8 23, 38, als אוֹת gegeben *given as* אוֹת Hs 20, 12; missachtet *neglected* 22, 26; d) הַשַּׁבָּתוֹת **die Sabbattage** *the days of the sabbath* Ne 10, 34; בַּשַּׁ an d. S. *at the s.* Hs 45, 17 (חֳדָשִׁים, חַגִּים//), = לַשַּׁ 1 C 23, 31 2 C 2, 3 8, 13 31, 3; e) שַׁבָּתוֹן *F* שַׁבַּת שַׁבָּתוֹן; f) שַׁבָּתוֹת: die Fristen von e. Sabbat zum andern, Wochen *the spaces of time from one sabbath to the next, weeks* Lv 23, 15; שַׁבְּתוֹת שָׁנִים **Jahrwochen** (= je 7 Jahre) *weeks of years* (= *seven years each*) Lv 25, 8; g) (metaph.): d. Land feiert (durch Nichtbestellung) *the country keeps (by not being tilled)* שַׁבָּת לַיהוה Lv 25, 2, שַׁבַּת הָאָרֶץ 25, 6, pl. שַׁבְּתֹתֶיהָ 26, 34. 43, שַׁבְּתֹתֵיכֶם die Landsabbate, die ihr hättet halten sollen *the sabbaths of the country which you ought to have kept* Lv 26, 35; 3. Literatur: Hehn, Siebenzahl u. Sabbath, 1907; Budde,

JTS 1928, 1 ff; E. G. Kraeling, AJL 1933; Meinhold, ZAW 48, 121 ff u. Budde, ibidem, 138 ff; Mahler, Jubilee Volume B. Heller, 1941, 239 ff; Landsberger, D. kult. Kalender d. Bab. 1911; I. Lewy HUC 17, 75 ff.

שַׁבָּתוֹן: künstliche Weiterbildung v. *artificial development of* שַׁבָּת: **Sabbatfeier** *sabbatical feast* Ex 16, 23 31, 15 Lv 23, 24. 39; שְׁנַת שַׁבָּתוֹן Sabbatjahr *sabbatical year* Lv 25, 5; שַׁבַּת שַׁבָּתוֹן ganz feierlicher Sabbat *most solemn sabbath* Ex 35, 2 Lv 23, 3 25, 4, (= יוֹם הַכִּפֻּרִים 23, 27) 16, 31 23, 32.†

שַׁבְּתַי: n. m.; שַׁבָּת (am Sabbat geboren *born at sabbath*, cf. חַגַּי u. lat. Domenicus, sy. ברדחד בשבא); keilschr. *Sabbatai* BEU 9, 27 10, 62; שבתי sin. Lidzb. 372, nab., palm.; Σαββαθαῖος Wuthnow: Esr 10, 15 Ne 8, 7 11, 16.†

***שַׁג**: in n. m. אֲבִישַׁג; sum. ŠAG Herz, Inneres *heart, interior* AJS 43, 50.

***שגא**: F שָׂגָא, *שְׁגִיאָה.

שגג: NF v. שׁגה:
qal: pf. שָׁגַג, pt. שֹׁגֵג, fem. שֹׁגֶגֶת: **sich unwissentlich verfehlen** *commit error, sin inadvertently* (:: מֵזִיד Pirqe Aboth 4, 4) Lv 5, 18 Nu 15, 28 Ps 119, 67 Hi 12, 16.†
Der. שְׁגָגָה.

שְׁגָגָה: שׁגג: sf. שִׁגְגָתוֹ: **Versehen, Missgriff** *sin of error, inadvertence* Lv 4, 2. 22. 27 5, 18 22, 14 Nu 15, 24—29 35, 11. 15 Jos 20, 3. 9 Ko 5, 5 10, 5, cj 1 S 14, 24 (add.).†

שׁגה: NF *שׁגא u. שׁגג; äga., ja. sy. שׁגא irren *err*; cf. ሰሕተ; F *שׁגא:
qal: pf. שָׁגִיתִי, שָׁגוּ, impf. תִּשְׁגֶּה, יִשְׁגּוּ, inf. שְׁגוֹת, pt. שֹׁגֶה, שֹׁגִים: 1. **fehl gehen** (Schafe) *stray (sheep)* Hs 34, 6, Tor *fool* Pr 5, 23; e. (unbewussten) **Fehler machen** *err (inadvertently)* 1 S 26, 21; c. מִן **abirren** von *err from* Pr 19, 27; 2. c. בְּ **taumeln, nichtmehr geradeaus gehen können** wegen *swerve, meander caused by*: Trinken *drinking* Js 28, 7 Pr 20, 1, Gesicht *vision* Js 28, 7, Liebe *love* Pr 5, 19, fremde Frau *strange woman* 5, 20; 3. (unbewusst) **sich vergehen** (*ignorantly*) *commit sin* Lv 4, 13 Nu 15, 22 Hs 45, 20 Hi 6, 24 19, 4, c. מִן gegen *against* Ps 119, 21. 118; cj שָׁגֹה שָׁגָה ohne es zu wissen e. Sünde begehen *commit sin of inadvertence* (G) 1 S 14, 24; l יִסָּפֶה Pr 5, 23;†
hif: impf. sf. תַּשְׁגֵּנִי, pt. מַשְׁגֶּה: 1. **abirren lassen** *lead astray* Ps 119, 10; 2. **irreführen** *mislead* Dt 27, 18 Pr 28, 10 Hi 12, 16.†
Der. מִשְׁגֶּה.

שָׁגֵה: n. m.; שׁגא?: 1 C 11, 34.†

שׁגח: mhb. hif.; ja. betrachten *gaze*:
hif: pf. הִשְׁגִּיחַ, impf. יַשְׁגִּיחוּ, pt. מַשְׁגִּיחַ: **blicken, schauen** *gaze* Ct 2, 9, c. אֶל Js 14, 16 Ps 33, 14; c. עַל Si 40, 29, c. מִן 50, 5.†

***שְׁגִיאָה**: *שׁגא = שׁגה: pl. שְׁגִיאוֹת: **Verfehlung** (aus Unkenntnis) *sin (of ignorance)* Ps 19, 13.†

שִׁגָּיוֹן: < ak. *šegū* Klagelied *dirge*?: pl. שִׁגְיֹנוֹת: Ps 7, 1, pl. Ha 3, 1.†

שׁגל: denom. v. שֵׁגָל als שֵׁ׳ behandeln *treat as* שֵׁ׳; MT ersetzt es durch *replaces it by* שׁכב (Gordis 86):
qal: impf. sf. ישׁגלנה: **beschlafen** *violate, ravish* Dt 28, 30;†
nif: impf. תִּשָּׁגַלְנָה: **beschlafen werden** *be ravished* Js 13, 16 Sa 14, 2;†
pu (qal pass?): pf. שֻׁגָּלָה: **beschlafen werden** *be ravished* Ir 3, 2.†

שֵׁגָל: palm. n. fem. שגל Lidz. 327; mhb. שֵׁגְלוֹן;

F ba. *שֵׁגָל Beischläferin *concubine*; kaum *rather not* < *ša ekalli* Haremsfrau *woman of harem* Zimm. 7; Feigin, AJS 43, 46 ff; Haupt JBL 1916, 320 f: ثَيِّلَة Königin *queen*: **Königs frau** (*queen-consort*) Ps 45, 10 Ne 2, 6, cj Jd 5, 30. † Der. שׁגל.

שׁגע: سَاجَعَ anhaltend gurren (Täuberich) *coo continuously* (*male of pigeon*); **H370** rasen *be mad*; ak. *šegû* wüten *be furious*:
pu: pt. מְשֻׁגָּע, מְשֻׁגָּעִים: **rasend, verwirrt** (stets als Tadel gebraucht) *maddened*, *mad* (*always contemptuously used*) Dt 28, 34 1 S 21, 16 2 K 9, 11 Ir 29, 26 Ho 9, 7; †
hitp: inf. הִשְׁתַּגֵּעַ, pt. מִשְׁתַּגֵּעַ: **sich rasend gebärden** *shew madness*, *behave as madman* 1 S 21, 15 f. †

שִׁגָּעוֹן: שׁגע: **Raserei, Verrücktheit** *madness* 2 K 9, 20 Dt 28, 28 Sa 12, 4. †

***שׁגר**: שֶׁגֶר.

שֶׁגֶר: ug. *šgr mỉd* viel Wurf *many young* (*animals*)?; ph. n. m. עבדשגר; שגר ja. pa. werfen *throw*, sy, cp. pa. senden *send* (Schulth. HW 74 f šaf. גרר): cs. שְׁגַר u. Ex 13, 12 †
שֶׁגֶר: **Wurf, Satz** (von Zuchttieren) *litter*, *offspring* (*of breeding*) Ex 13, 12 (gloss?) Dt 7, 13 28, 4. 18. 51. †

***שַׁד**: NF I שׁד; ug. *ṡ̂d*; ja. pl. תַּדַיָּא, ܬܕܝܐ; ثَدْى (ثَدَى feucht sein *moisten*), öt. *eṯ-ṭédī* (Gegend d. Brustwarzen bei Mann u. Frau *region of nipples with male a. female*); Lallwort *word originating in infant's babble* Nöld. NB 121 f: שַׁד, du. שָׁדַיִם, שָׁדָיִם, cs. שְׁדֵי, sf. שָׁדַי, שָׁדֶיהָ, שְׁדֵיהֶן: **Brust** *breast* (הַנִּין) Th 4, 3, du. **Brüste** *breasts* (d. Frau *of female*) Gn 49, 25 (Mensch u. Tier *women a. animals*), d. Frau *of woman* Js 28, 9 32, 12 Hs 16, 7 (1 שָׁדַיִךְ) 23, 3. 21. 34 Ho 2, 4 9, 14 Jl 2, 16 Ps 22, 10 Hi 3, 12 Ct 1, 13 4, 5 7, 4. 8 f 8, 1. 8. 10. †

***שֵׁד**: ja. sy. שידא; ak. *šēdu* (guter!) Dämon (*good!*) *demon* (Zimm. 69) F כְּרוּב; *שׁוּד, أَسْوَد schwarz sein *be black* ZAW 54, 291 f: pl. שֵׁדִים: **Unhold, Dämon** *evil spirit*, *demon* Dt 32, 17 Ps 106, 37, cj Gn 14, 3. 8. 10, F שֵׂדִים. †

I שֹׁד: NF v. *שַׁד: **Brust** *breast* Js 60, 16 66, 11 Hi 24, 9. †

II שֹׁד: שׁדד: **Misshandlung, Verheerung** *violence*, *devastation* Js 22, 4 51, 19 Ho 7, 13 10, 14 Ha 2, 17 Ps 12, 6 Pr 21, 7 24, 2 Hi 5, 21 f; שֹׁד מִשַּׁדַּי Js 13, 6 Jl 1, 15; שֹׁד וָשֶׁבֶר Js 59, 7 60, 18 Si 40, 9 (cf. Js 51, 19); חָמָס וָשֹׁד Ir 6, 7 20, 8 48, 3 Hs 45, 9 Am 3, 10; שֹׁד וְחָמָס Ha 1, 3; 1 שֹׁדֵד Js 16, 4; 1 הָלְכִים אַשּׁוּר Ho 9, 6; 1 וְשָׁוְא Ho 12, 2; ? Am 5, 9 (1 שֶׁבֶר 9a). †

שׁדד: mhb. nif.; سَدَّ versperren *obstruct*:
qal: pf. שָׁדְדוּ, sf. שַׁדּוּנִי, impf. יָשׁוּד, sf. יְשָׁדֵּם, יְשָׁדְּדֵם Pr 11, 3 Q, inf. לִשְׁדּוֹד, שְׁדוֹד, imp. שָׁדְדוּ, pt. שֹׁדֵד, שׁוֹדֵד, pl. שֹׁדְדִים, cs. שׁוֹדְדֵי, pass. שָׁדוּד, שְׁדוּדָה: **verheeren, verwüsten, vergewaltigen** *devastate*, *despoil*, *deal violently with*: Ir 5, 6 49, 28 Hs 32, 12 Ps 17, 9 Pr 11, 3; subj. יהוה Ir 25, 36 47, 4. 4 51, 55; absol. Js 21, 2 33, 1 Ir 12, 12 Mi 2, 4 Ps 91, 6 (Seuche *plague*) 137, 8 (1 הַשּׁוֹדְדָה) Hi 12, 6; שׁוֹדֵד der Verwüster *the devastator* (*despoiler*) Js 16, 4. cj 4 21, 2 33, 1 Ir 6, 26 15, 8 48, 8. 32 51, 48. 53. 56 Hi 15, 21 Si 4, 19; שׁוֹדֵד מוֹאָב Ir 48, 18; שׁוֹדְדֵי לַיְלָה nächtliche Verheerer *despoilers by night* Ob 5; pt. pass. Jd 5, 27 Js 33, 1 Ir 4, 30; †
nif: pf. נְשַׁדְּנוּ (BL 439): **verheert werden** *be devastated* Mi 2, 4; †
pi: impf. תְּשַׁדֵּד, pt. מְשַׁדֶּד־: **misshandeln** *maltreat* Pr 19, 26, **zerstören** *devastate* 24, 15; †

pu: pf. שֻׁדַּד, שֻׁדַּד, שֻׁדְּדָה, שֻׁדְּדָה (BL 439) Na 3, 7, שָׁדְּדָה, שֻׁדְּדוּ, שֻׁדַּדְנוּ: verheert werden *be devastated*: עִיר Js 15, 1, cj 16, 8 (l שָׁדְּדָה), 23, 14 Ir 48, 1 49, 3 (l שֻׁדַּד עָלָה?) Na 3, 7, אֶרֶץ Ir 4, 20, בַּיִת Js 23, 1, אֹהֶל Ir 10, 20, שָׂדֶה u. דָּגָן Jl 1, 10, עֵצִים Sa 11, 2 f, Volk *people* Ir 48, 15. 20, Menschen *mankind* Ir 4, 13 9, 18 49, 10; †

po: impf. יְשֹׁדֵד: verheeren *devastate* Ho 10, 2; †

hof (pass. qal?): impf. תּוּשַׁד, יוּשַׁד: verheert werden *be devastated* Js 33, 1 Ho 10, 14 (Torczyner ZDM 66, 400 l יְשֻׂדַּד zu Kalk brennen *burn to lime* F שִׂיד). †

שִׁדָּה: שִׁדָּה וְשִׁדּוֹת Ko 2, 8: G οἰνοχόους καὶ οἰνοχόας, = S; J. T. Milik (brieflich *by letter*): ug. *št* Dame *lady*, ست: Dame *lady*. †

cj ***שָׁדוּד**: n. l.; שדד „Sperre *barring*": Jos 19, 10. 12. †

שַׁדַּי, שַׁדָּי: n. dei: 1. Vorkommen *occurrence*: a) אֵל שַׁדַּי cj Gn 49, 25 (J), Gn 43, 14, (P) Gn 17, 1 28, 3 35, 11 48, 3 Ex 6, 3; b) שַׁדַּי Nu 24, 4. 16 Js 13, 6 Hs 1, 24 Jl 1, 15 Ps 91, 1 Ru 1, 20 f u. (31 ×) Hi 5, 17—40, 2; ? Ps 68, 15; 2. Etymologie: a) ak. *šadū* Berg *mountain* (Hommel, Hehn, etc.); cf. n. m. *Šadūni-Šamaš*, *Bel-Šadūni*, *Šadi-Tešup* etc. (Stamm 359a); b) *שַׁד; Muttergottheit mit vielen Brüsten *maternal goddess of many breasts* Canney, ET 34, 332; c) שדד (Js 13, 6 Jl 1, 15); d) Rabb. שֶׁ u. דַּי der sich selbst genug ist *self-sufficient*; e) שֵׁד; f) G παντοκράτωρ (14 ×), Aquila, Symmachus ἱκανός, V meist *mostly omnipotens*; keine Erklärung ist befriedigend *no explanation is satisfactory*. †

Der. שְׁדֵיאוּר; צוּרִישַׁדַּי, עַמִּישַׁדַּי?

שְׁדֵיאוּר: n. m.; nab. n. m. שדיא; שַׁדַּי? u. אוּר: Nu 1, 5 2, 10 7, 30. 35 10, 18. †

שַׁדִּין: Hi 19, 29; l תֵּדְעוּ יֵשׁ דַּיָּן. †

***שׁדם**: שְׁדֵמָה.

שְׁדֵמָה: *שׁדם; ug. *šdmt*: pl. שְׁדֵמוֹת, cs. שַׁדְמוֹת, שַׁדְמֹת: (e. besondre Art von Kulturland *special kind of tilled land*) Terrasse *terrace* Dt 32, 32 2 K 23, 4, cj Ir 31, 40, Ha 3, 17; l שְׁדֵדָה Js 16, 8; l שְׁדֵפָה 37, 27. †

שׁדף: mhb. hitp., ja. itpe. vertrocknen (Getreide) *scorch* (*grain*); أسدف dunkel werden *be dark*; F שׁזף:

qal: pt. pass. שְׁדוּפֹת: austrocknen *scorch* F שְׁדֵפָה: Gn 41, 6. 23. 27, cj Ps 129, 6 l שֶׁקָּדִים (תִּשְׁדֹּף). †

Der. שְׁדֵפָה, שִׁדָּפוֹן.

שְׁדֵפָה: שׁדף: Vertrocknen (des Getreides, wenn d. Ostwind zu früh einsetzt) *scorching* (*of standing grain when eastern winds begin too early*) AS 1, 158. 326: 2 K 19, 26, cj Js 37, 27. †

שִׁדָּפוֹן: שׁדף: Vertrocknen *scorching* F שְׁדֵפָה: Dt 28, 22 1 K 8, 37 Am 4, 9 Hg 2, 17 2 C 6, 28. †

שַׁדְרַךְ: n. m.; ak?; absichtlich entstellt *intentionally disfigured*: Sadrach *Shadrach*: Da 1, 7 2, 49 3, 12—30 (13 ×). †

***שׁדשׁ**: F I שֵׁשׁ.

I **שֹׁהַם**: ak. *sāmu* dunkelrot *dark-red*, äth. *sōme*, σάρδιος (aus Indien nach Sardes eingeführt *imported from India to Sardes*): Karneol *carnelian* (Fundstelle *to be found in* Jemen u. Indien, Erman-Ranke, Ägypten 570, Bauer, Edelsteinkunde 682 f) Gn 2, 12 Ex 25, 7 28, 9. 20 35, 9. 27 39, 6. 13 Hs 28, 13 Hi 28, 16 1 C 29. 2. †

Der. II n. m. שֹׁהַם.

II **שֹׁהַם**: n. m.; = I: 1 C 24, 27. †

שׁ: Hi 15, 31; l שָׁוְא? †

I שׁוא: سَاءَ (med. u) schlecht, böse, unscheinbar sein *be evil, bad, unseemly*; ሰሬአ Gemeinheit *baseness*:

hif: impf. (cf. יַנִּיחַ:נוח (BL 441) < *יַשִּׁיא (יַשִּׁי Ps 55, 16 Q, יַשִּׁא: c. עַל Ps 55, 16 Q, c. בְּ 89, 23 übel umgehn mit *treat badly*. †

Der. מְשׁוֹאָה, שׁוֹאָה, שָׁוְא.

II *שׁוא: F II שאה, *תְּשֻׁאָה.

שָׁוְא: I שׁוא; Mowinckel, Ps-Studien 1, 50 ff; Böses, Schlechtes, Wertloses *a thing bad, evil, worthless*: 1. wertlos *worthless*: c. מִנְחַת Js 1, 13; לַשָּׁוְא vergeblich, ohne Erfolg *in vain* Ir 2, 30 4, 30 6, 29 46, 11 Ps 139, 20; דַּבֵּר־שָׁוְא Haltloses reden *speak vain things* Js 59, 4 Hs 13, 8 Sa 10, 2 Ps 12, 3 41, 7 144, 8. 11; נָשָׂא שֵׁם לַשָּׁוְא e. Namen unnötig, unnütz nennen; e. N. missbrauchen *name a name without reason, vainly; misuse a name* Ex 20, 7 Dt 5, 11; שֵׁמַע שָׁוְא haltlos = falsch *unfounded = false* Ex 23, 1; = עֵד שָׁוְא Dt 5, 20; שָׁוְא d. Nichtige (= Götzen) *the vain (= idols)* Ir 18, 15; הַבְלֵי שָׁוְא nichtige Götzen *vain idols* Jon 2, 9 Ps 31, 7; 2. שָׁוְא wertlos, haltlos = Trug *vain, unfounded = deception, fraud*: Ps 24, 4 60, 13 108, 13 119, 37 Hi 35, 13; חֲזוֹן שָׁוְא Hs 12, 24; שָׁוְא c. מַחֲזֵה Hs 13, 7, קֶסֶם 21, 28, חָזָה 13, 6. 9. 23 21, 34 22, 28 Th 2, 14, אָלוֹת Ho 10, 4; מְתֵי שָׁוְא falsche Leute *false people* Ps 26, 4 Hi 11, 11 Si 15, 7; כָּזָב//שָׁוְא Hs 21, 34 Pr 30, 8; cj [כָּזָב] וָשָׁוְא Ho 12, 2; 3. wertlos = vergeblich, umsonst *worthless = in vain*: adv. Ps 89, 48 (l הַשָּׁוְא) 127, 1; הָיָה שָׁוְא zunichte werden *come to nothing* Hi 15, 31; שָׁוְא c. inf. es ist umsonst zu ... *it is vain to* ... Ma 3, 14; cj לַשָּׁוְא vergeblich *in vain* Ps 63, 10; 4. l הַשּׁוֹר Js 5, 18; fraglich *doubtful* נֹפַת שָׁוְא Js 30, 28 u. אַף שָׁוְא Ho 12, 12; יַרְחֵי שָׁוְא leere Monate? M. der Pein? *worthless months? months of pain?* (//עָמָל) Hi 7, 3; ? (בַּשָׁו(א Hi 15, 31. †

שְׁוָא: n. m.; I שׁוה; äga. n. m.; Noth S. 222; F שִׁישָׁא: 1. 2 S 20, 25 Q (K שְׁיָא); 2. 1 C 2, 49. †

שׁוא*: pl. sf. שׁוֹאֵיהֶם Ps 35, 17: l שֹׁאֲגִים. †

שׁוֹאָה, שֹׁאָה: < *שַׁוְאָה; I שׁוא: cs. שׁאַת: Unheil, Unwetter *trouble, storm* (oft *often* c. בוא): Js 10, 3 47, 11 Hs 38, 9 Ps 35, 8 Pr 1, 27 Q (K שַׁאֲוָה) 3, 25 Hi 30, 14, cj שׁוֹאָתוֹ (//פַּחְדּוֹ) Hi 13, 11, שׁוֹאָה וּמְשׁוֹאָה Ze 1, 15 Hi 30, 3 38, 27 Si 51, 10; l בְּשׁוּחָה Ps 35, 8, l לַשָּׁוְא 63, 10. †

Der. מְשׁוֹאָה.

I שׁוב: ug. *ṯ(w)b*; amor. in n. m. *Jašub-*, Bauer (ostkan.) 80; aram. F ba. תוב; تَابَ (u), Albr. BAS 110, 18 f; asa. תוב; > تَابَ:

qal (670 ×): pf. שָׁב, שָׁ֫בָה, pro וְשָׁבַת l וְשָׁ֫בָה Hs 46, 17, שַׁבְתָּ, שַׁבְתְּ, שָׁ֫בוּ, שַׁבְתֶּם, impf. יָשׁוּב, יָשֹׁב, יָשֹׁב, וַיָּשָׁב, תָּשׁוּבִי, אָשׁוּבָה, יָשׁוּבוּ, וַתָּשֹׁבְנָה, תְּשֻׁבֶן, יְשׁוּבוּן, יְשֻׁבוּן, pro יָשֻׁבוּ. נָשׁוּבָה, תְּשֻׁבֶינָה, Hs 35, 9 תֵּישַׁבְנָה l תְּשֹׁבְנָה, inf. שׁוּב, שֹׁב, cs. שׁוּב, שׁוּב, sf. שׁוּבְךָ, שׁוּבְכֶם, imp. שׁוּב, שֹׁב, שׁוּבָה, שֻׁבָה, שׁוּבִי, שֻׁבוּ, שֻׁבְנָה l הֲשִׁיבֵנוּ Ps 85, 5, pt. שָׁב, pl. שָׁבִים, שָׁבֵי, sf. שָׁבֶיהָ, pro pt. pass. שׁוּבֵי Mi 2, 8 l שָׁבֵי; l שָׁבָה Ps 7, 8; l יֵשְׁבוּ Ps 73, 10; l וְיָשַׁבְתִּי Ps 23, 6; l שְׁבָה? Nu 10, 36; l וְיֹשְׁבֶיהָ? Js 1, 27; dele יהוה אֶת Na 2, 3; 1. zurückkehren *turn back, return*: Jd 14, 8, c. מִן 2 K 2, 25, c. מֵאַחֲרֵי (von d. Verfolgung *from pursuing*) 1 S 24, 2, c. מֵעַל Gn 8, 3 2 K 18, 14, c. אֶל zu *towards* Gn 22, 19, = c. לְ 18, 33 Dt 3, 20, c. ac. loci nach *towards*

2 S 20, 22 Ho 9, 3, c. עַל zu *towards* Pr 26, 11, c. אַחֲרֵי zusammen mit *together with* Ru 1, 15; שָׁב לְדַרְכּוֹ geht seines Wegs *goes his way* Gn 33, 16; שָׁב אָחוֹר weicht zurück *withdraws* Ps 9, 4; שָׁב אֲחֹרַנִּית geht rückwärts *go backward* 2 K 20, 10; עֹבֵר וָשָׁב geht hin u. her *goes to a. fro* Hs 35, 7; יָצֹא וָשׁוֹב aus u. ein *to a. fro* Gn 8, 7; הָלוֹךְ וָשׁוֹב immermehr zurück *returning continually* Gn 8, 3; שָׁב שָׂדֶה לְ e. Feld kehrt in jmd.s Besitz zurück *a field returns into someone's possession* Lv 27, 24; תָּשׁוּב חֵמָה lässt nach *turns away* Gn 27, 44; שָׁב מֵהַכּוֹת kehrt zurück, nachdem er ... *returns after having* ... Gn 14, 17; שׁוּבִי kehr zurück = dreh dich um *turn back* = *turn around* (l סֹבִּי?) Ct 7, 1; F גְּמוּל; 2. (metaph.): zu Gott zurückkehren, **sich Gott zuwenden** *return towards God*, *turn to God*: c. אֶל 2 K 23, 25, c. עַל 2 C 30, 9, c. עַד Dt 4, 30 (10 ×), c. לְ cj (וְאֵלַי שָׁבֵי לוֹ) Ps 85, 9; absol. **Einkehr halten, sich bekehren** *turn back* (*to God*) Ir 3, 12. 14. 22 2 C 6, 24; v. Gott gesagt *said of God*: **sich wieder zuwenden** *turn back to* c. אֶל Sa 8, 3, c. לְ 1, 16; 3. שׁוּב מִן **sich abwenden** von, **ablassen** von *turn back*, *desist from*: Beschluss *decision* Ir 4, 28, רִשְׁעָה Hs 18, 27, דֶּרֶךְ 1 K 13, 33, חָרוֹן Ex 32, 12; שָׁבֵי פֶשַׁע Js 59, 20; absol. ablassen, nicht tun *desist*, *go back* Jd 11, 35 Hi 6, 29; 4. שׁוּב מֵאַחֲרֵי sich abwenden von *turn away from* Jos 22, 16 1 S 15, 11, Dt 23, 15 (יהוה); abtrünnig werden *go back* Jos 23, 12; 5. שָׁבוּ דָּמִים בְּ Blutschuld kommt auf *the* [*guilt of*] *blood returns upon* 1 K 2, 33; שָׁב עֲמָלוֹ בְּ s. Unheil fällt zurück auf *h. mischief returns upon* Ps 7, 17; שָׁב לְקַדְמָתוֹ in s. frühern Zustand zurückkehren *return to his former estate* (ak. *ašrišu tāru*) Hs 16, 55; שָׁב כְּ wird wieder wie *turns again as* Ex 4, 7; = שָׁב עַד Mi 1, 7; שָׁב מִשְׁפָּטוֹ עַד s. Recht wird ihm wieder *his right turns back to him* (l צַדִּיק) Ps 94, 15; שָׁב לְ wandelt sich zu *be turned into* Js 29, 17; שָׁב דָּבָר wird rückgängig *be broken off* Js 45, 23; 6. שָׁב u. 2. verbum: **wieder tun, wieder sein** *be again*, *do again*: אָשׁוּבָה אֶרְעֶה will wieder weiden *will again feed* Gn 30, 31; שֻׁבוּ שִׁבְרוּ kauft wieder *buy again!* Gn 43, 2; וַיָּשָׁב וַיָּלֶן nächtigte wieder *lodged again* Jd 19, 7; שׁוּב c. לְ c. inf.: אָשׁוּב לְשַׁחֵת vernichte wieder *destroy again* Ho 11, 9;

pil: pf. שׁוֹבַבְתִּי, sf. שׁוֹבַבְתָּךְ, שׁוֹבַבְתִּיךָ, impf. יְשׁוֹבֵב, inf. שׁוֹבֵב, sf. שׁוֹבְבִי, pt. מְשׁוֹבֵב, מְשׁוֹבֶבֶת, Ir 50, 6 שׁוֹבְבִים = K שׁוֹבָבִים u. Q שׁוֹבְבוּם; 1. **zurückbringen** *bring back* Hs 39, 27, c. אֶל Js 49, 5 Ir 50, 19; שׁוֹבֵב נֶפֶשׁ **erquicken** *restore the soul*, *refresh* Ps 23, 3; שׁוֹבֵב לָשֶׁבֶת **wieder bewohnbar machen** *repair* Js 58, 12; 2. herumlenken? *turn around?* Hs 38, 4 39, 2; 3. abwenden, **verleiten** *lead away* Js 47, 10 Ir 50, 6 Q; 4. c. לְ **Wiederherstellung gewähren** *allow repairing* (alii: zurückweichen lassen *allow withdrawing* (?)) Ps 60, 3; †

pol: pt. מְשׁוֹבֶבֶת: **wiederhergestellt werden** *be repaired* Hs 38, 8; l שׁוֹבַב Ir 8, 5; †

hif (350 ×): pf. הֵשִׁיב, הֵשִׁיבָה, הֲשִׁיבוֹתָ u. הֲשִׁבֹתָ Dt 4, 39, הֲשִׁיבוֹת, הֲשִׁבֹתִי, הֵשִׁיבוּ, הֲשֵׁבוֹתֶן, הֲשִׁיבֹנוּ, sf. הֱשִׁיבְךָ u. הֲשִׁיבְךָ (BL 402), הֲשִׁיבוֹתָם 2 C 6, 25, הֲשִׁבוֹתִים, הֲשִׁבֹתוֹ, הֱשִׁיבַנִי, impf. יָשִׁיב, יָשֵׁב, וַיָּשֶׁב, תָּשֵׁב, תָּשִׁבִי, וָאָשִׁיב Ne 2, 20 u. וָאָשֵׁב, אָשִׁיב, אָשִׁיבָה, יְשִׁיבֵנִי, יְשִׁיבֶנָּה, יְשִׁיבֻנוּ, sf. תְּשִׁבֶנָה, יְשִׁיבוּ, וַיְשִׁיבוּם, אֲשִׁיבֶךָ, אֲשִׁיבְךָ, תְּשִׁיבֵם, inf. הָשֵׁב, הָשִׁיב, sf. הֲשִׁבֵנִי, הֲשִׁיבֵנִי, רְשִׁיבוֹ, imp. הָשֵׁב, הָשִׁיב 2 K 8, 6 (BL 405), הָשֵׁב, הָשִׁיבָה, הָשִׁיבוּ, sf. הֲשִׁיבֵנִי, הֲשִׁיבֵנוּ, pt. מֵשִׁיב, fem. cs. מְשִׁיבַת, pl. מְשִׁיבִים; l הֵשַׁבְתָּ Ps 85, 4: 1. zurückbringen *b r i n g b a c k* 2 S 3, 26 F שְׁבוּת; zurücklegen *put back* Gn 29, 3, zurückführen *lead back* 24, 5, zurückkommen lassen *allow to come back* 2 S 14, 13, umkehren lassen *allow to return* Ir 15, 19; הֵשִׁיב מַסְוֶה legt wieder an *puts on again* Ex 34, 35; הֵשִׁיב חֲמָתוֹ beschwichtigt *appeases* Pr 15, 1; הֵ׳ תַּאֲנָתָהּ dämpft *checks* Ir 2, 24, הֵשִׁיב אַפּוֹ besänftigt *softens* Ps 78, 38; 2. (mit Gewalt zurückbringen) **zurücktreiben** (*bring back by violence*) *t u r n a w a y* 2 K 18, 24 Js 28, 6, jmdm wehren *resist* Hi 9, 12 11, 10 23, 13; e. Hand zurückbiegen *turn back a hand* Js 14, 27; הֵשִׁיב אָחוֹר z. Rückzug bringen *turn backward* Js 44, 25 Th 1, 13; 3. (e. Bewegung, Empfindung) **umkehren** *t u r n a r o u n d* (*a movement, sentiment*): הֵשִׁיב יָדוֹ **zieht zurück** *d r a w s b a c k* Jos 8, 26, = הֵשִׁיב יְמִינוֹ אָחוֹר Th 2, 3; הֵשִׁיב פָּנָיו מֵעַל Hs 14, 6, = הֵשִׁיב מִן 18, 30 (1 שׁוּבוּ 18, 32) wendet ab *turns away*; הֵשִׁיב מִן u. הֵשִׁיב מֵעַל **abwenden** von *t u r n a w a y from* c. חֵמָה Ir 18, 20 Nu 25, 11, חֲרוֹן אַף Esr 10, 14, אַף Pr 24, 18, c. מִן et inf. dass [er] nicht *that [he] not* Ps 106, 23; 4. הֵשִׁיב **zurückkehren lassen** *c a u s e t o r e t u r n*: = zurückgeben *give back* Ex 22, 25 Hi 33, 26 (1 וְיָשִׁיב), heimzahlen *pay back* Js 66, 15, erstatten *repay, restore* Nu 5, 7; הֵשִׁיב אָשָׁם entrichten *pay* 1 S 6, 4 F 2 K 3, 4 17, 3 Nu 18, 9; הֵשִׁיב לְ vergelten *requite, repay* Gn 50, 15 Ho 12, 15, c. עַל an *to* 2 S 16, 8; הֵשִׁיב בְּרֹאשׁ Jd 9, 57 u. הֵ׳ עַל־רֹאשׁ 1 K 2, 32 auf d. Kopf heimzahlen *repay upon the head*; אֶל־חֵיקָם in d. Busen *into the bosom* Ps 79, 12; הֵ׳ נָקָם לְ Rache üben an *render vengeance to* Dt 32, 41; 5. הֵשִׁיב דָּבָר **antworten** *a n s w e r* Js 41, 28, **melden** *i n f o r m* Hs 9, 11, c. ac. et דָּבָר jmdm melden *inform a person* Gn 37, 14, = c. אֲמָרִים לְ Pr 22, 21, Bescheid geben *give information* 1 K 12, 6. 9; מִלִּין pro דָּבָר Hi 35, 4; (ellipt.) הֵשִׁיב antworten *answer* Hi 13, 22, הֵשִׁיב אֶת אֶל Bescheid geben *give information* Est 4, 13; 6. הֵשִׁיב zurückbringen = **rückgängig machen** *bring back* = *u n d o, c a n c e l* Js 43, 13 Am 1, 3. 6. 9; הֵשִׁיב כְּתָב Est 8, 8, הֵ׳ סְפָרִים Est 8, 5 widerrufen *revoke*; > ändern *alter* Nu 23, 20; 7. zurückbringen = **abhalten** *bring back* = *t u r n a w a y* Ma 2, 6, zurückhalten *withdraw* Hs 18, 8, c. פְּנֵי jmd abweisen *turn away* 2 C 6, 42 Ps 132, 10; 8. הֵשִׁיב **wiederherstellen** *r e s t o r e*: עִיר Dt 9, 25, עַם Ps 80, 4, cj 85, 5, Gebiet *territory* 2 K 14, 25, שֹׁפְטִים Js 1, 26, יָדוֹ s. Macht *his power* 2 S 8, 3; הֵשִׁיב נֶפֶשׁ d. Leben wieder geben *restore life* Ru 4, 15 Th 1, 11 Ps 19, 8; הֵשִׁיב רוּחוֹ wieder zu Atem kommen *take fresh breath* Hi 9, 18; 9. **wieder tun** *d o a g a i n* (d. Gedanke d. Wiederholung tritt oft zurück *the notion of repeating in many cases is fading*): הֵשִׁיב יָדוֹ עַל legt s. H. [nochmals] an *turns [again] h. h. into* Ir 6, 9 Hs 38, 12 Js 1, 25 Am 1, 8 Sa 13, 7 Ps 81, 15; הֵשִׁיב פָּנָיו לְ wendet s. G. [wieder] gegen *turns [again] h. f. against* Da 11, 18 f, הֵשִׁיב אֶל־לִבּוֹ Dt 4, 39 u. הֵשִׁיב עַל־לֵב Js 46, 8 nimmt [wieder] zu Herzen *lays it [again] to h. heart*; הֵשִׁיב רוּחוֹ אֶל richtet s. Schnauben [wieder] auf *turns [again] h. rage against* Hi 15, 13;

hof: pf. הוּשַׁב, impf. וַיּוּשַׁב, pt. מוּשָׁב (sic Gn 43, 12), pl. מוּשָׁבִים: **zurück-gebracht, -geführt, -gegeben werden** *b e c a r r i e d, b r o u g h t, g i v e n b a c k* Gn 42, 28 43, 12 Ex 10, 8 Nu 5, 8 Ir 27, 16.

Der. I, II שׁוֹבָב, שׁוֹבֵב*, שׁוּבָה, מְשׁוּבָה, תְּשׁוּבָה; n. m. מְשׁוֹבָב, יָשׁוּב, אֶלְיָשִׁיב.

II שׁוב: ثاب zusammenlegen, vereinigen *turn one part upon another, join*: hebr. nur in d. Verbindung *only in the phrase* שָׁב אֶת־שְׁבוּת; (שְׁבִית) Stellen *occurrences* F שְׁבוּת; Formen wie von *forms like those of* I שׁוב: die in Gefangenschaft, Schuldhaft Gebrachten sammeln *gather those in captivity, imprisonment for debt.*†

שׁוּבָאֵל: F שְׁבוּאֵל.

I שׁוֹבָב: I שׁוב: pl. שׁוֹבָבִים: abtrünnig, abgewandt *backturning, apostate* Js 57, 17 Ir 3, 14. 22, l שׁוֹבְבוּם Ir 50, 6 Q. †

II שׁוֹבָב: n. m.; I שׁוב; „Wiederkehr, Ersatz *coming back, reparation*" Nöld. BS 100: 1. 2 S 5, 14 1 C 3, 5 14, 4; 2. 1 C 2, 18. †

***שׁוֹבֵב**: I שׁוב: fem. שׁוֹבֵבָה: abtrünnig *backturning, apostate* Ir 31, 22 49, 4, cj שׁוֹבֵב 8, 5; l שׁוֹבֵינוּ Mi 2, 4. †

שׁוּבָה: I שׁוב: Umkehr *coming back* Js 30, 15. †

שׁוֹבָךְ: n. m.; Kraeling, Aram a. Israel 43[1]: cf. aram. n. m. *Sākap*: 2 S 10, 16. 18, = שׁוֹפַךְ 1 C 19, 16. 18. †

שׁוֹבָל: n. m.; ZAW 44, 90, Noth S. 226: 1. Gn 36, 20. 23. 29 1 C 1, 38. 40; 2. 1 C 2, 50. 52 4, 1 f. †

שׁוֹבֵק: n. m.; Noth S. 231: Ne 10, 25. †

***שׁוג**: F שׁגג, שׁגה: מְשׁוּגָה.

***שׁוד**: F *שֵׁד.

שׁוד: F שׁד.

I שׁוה: aram. F ba. I שׁוה; سوى:

qal: pf. שָׁוָה, impf. יִשְׁוֶה, אֶשְׁוֶה, תִּשְׁוֶה, pt. שֹׁוֶה: 1. gleich sein, werden *be, become like, equalled*, c. אֶל Js 40, 25, c. לְ Pr 26, 4, c. בְּ 3, 15 8, 11; 2. שֹׁוֶה לְ gemäss, genügend für *appropriate to, suitable for* Est 3, 8 7, 4; ? Hi 33, 27; †

nif: pf. נִשְׁוָתָה l נִשְׁתָּוָה: sich gleich kommen *be alike* Pr 27, 15; †

pi: pf. שִׁוָּה, שִׁוִּיתִי, pt. מְשַׁוֶּה: 1. eben machen *make smooth, level (ground)* Js 28, 25; 2. beschwichtigen *smooth, compose* Ps 131, 2; l שִׁוַּעְתִּי Js 38, 13; 3. c. כְּ gleich machen wie [die von] *make like [those of]* 2 S 22, 34 Ps 18, 34; †

hif: impf. אַשְׁוֶה, תַּשְׁוּו: c. לְ gleichstellen, vergleichen mit *make like, compare with* Js 46, 5 Th 2, 13. †

Der. *שָׁוֶה, שָׁוֵה, *תַּשְׁוִית; n. m. יִשְׁוָה u. יִשְׁוִי.

II שׁוה: aram. F ba. II שׁוה; vulgär ar. سوى II machen *make*:

pi: pf. שִׁוִּיתִי, imp. תְּשַׁוֶּה: hinlegen *place*, c. לְנֶגֶד vor *before* Ps 16, 8, c. עַל auf *upon* Ps 21, 6 89, 20 (l נֵזֶר); l יְשַׁנֶּה Ho 10, 1; l אִוִּיתִי Ps 119, 30; †

pu: impf. תְּשֻׁוֶּה Hi 30, 22 K, l תְּשֻׁוָּאָה. †

***שָׁוֶה**: I שׁוה: cs. שָׁוֵה: Ebene *plain* (W. Konick brieflich *by letter*: Höhenlage *level*) Gn 14, 5. †

שָׁוֵה: in n. l.; = *שָׁוֶה: עֵמֶק שָׁוֵה Gn 14, 17 (= עֵמֶק הַמֶּלֶךְ Gn 14, 17 2 S 18, 18). †

I שׁוח: NF שׁחח, שׁחה; mhb. שִׁיחַ u. ja. שִׁיחָא u. sy. שִׁיחָא Brunnen *fountain*; سَاخَ (ש) tief einsinken *sink down*; mo. Mesa 9. 23 אשוח:

qal: pf. שָׁחָה: sich senken, herunterführen *run down* (l נְתִיבָתָהּ) Pr 2, 18. †

Der. I, II n. m. שׁוּחָה, שַׁחַת, שִׁיחָה.

II *שׁוח: שִׁיחַ.

שׁוּחַ: n. m.; Musil, The Northern Hegaz 1, 251 ff; Moritz ZAW 57, 149: Gn 25, 2 1 C 1, 32, cj Jd 5, 10; F שׁוּחִי. †

I **שׁוּחָה**: I שׁוח; F שִׁיחָה: **Fanggrube** *pit* Ir 2, 6 18, 20. 22 Q Pr 22, 14 23, 27, cj Ps 35, 8 (בַּשּׁוּחָה); F II. †

II **שׁוּחָה**: n. m.; = I?: 1 C 4, 11. †

***שׁוּחָט**: شَوْحَط: F *שׁוּחָט: **Greviaholz** *Grevia wood*, שׁוּחָט (l שְׁוּחָט) עֵץ: **Pfeil von starkem Bogen** *arrow from a strong bow* Ir 9, 7. †

שׁוּחִי: gntl. v. שׁוּחַ: Hi 2, 11 42, 9, = שֻׁחִי 18, 1 25, 1. †

שׁוּחָם: n. m.; S. v. דָּן Nu 26, 42, = חֻשִׁים Gn 46, 23; F שׁוּחָמִי. †

שׁוּחָמִי: gntl. v. שׁוּחָם: Nu 26, 42 f. †

I **שׁוּט**: mhb., ja., cp. umherstreifen *rove about*; ak. *šâṭu* schleppen *drag*; F שׁוּט:

qal: pf. שָׁטוּ, impf. וַיָּשֻׁטוּ, inf. שׁוּט, imp. שׁוּט, pt. שָׁטִים (MS שָׁאטִים): 1. **umherstreifen, schweifen** *rove about* Nu 11, 8 2 S 24, 2 (l שׁוּטוּ). 8 Hi 1, 7 2, 2; 2. (übers Wasser) **streichen, rudern** *row* Hs 27, 8. 26; †

pil: impf. יְשׁוֹטְטוּ, imp. שׁוֹטְטוּ, pt. מְשׁוֹטְטִים, מְשׁוֹטְטוֹת: **umherschweifen** *rove about* Ir 5, 1 Am 8, 12 Sa 4, 10 2 C 16, 9; auch *also* Da 12, 4 (Behrmann: יִשֹׁוטְטוּ)?; †

hitpol: imp. הִתְשׁוֹטַטְנָה: sich hin und her wenden *turn hither and thither*? l הַשָּׂרְטְנָה (הִשְׂתָּרַטְנָה) Ir 49, 3. †

Der. I שׁוֹט, שַׁיִט, מָשׁוֹט.

II **שׁוּט**: ak. *šâṭu* nachlässig sein *be careless*; äga., ja., sy. verachten *despise*:

qal: pt. שָׁאטִים (BL 405), שָׁאטוֹת: **vernachlässigen, verachten** *treat with carelessness, with despite*: Hs 16, 57 28, 24. 26. †

III ***שׁוּט**: II שׁוֹט.

I **שׁוֹט**: I שׁוט; mhb., ja. שׁוֹטָא, sy. שַׁוטָא, > ar. äth. *sauṭ*, demot. *šwṭe* (OLZ 14, 193 f): pl. שׁוֹטִים: **Peitsche** *whip* 1 K 12, 11. 14 Na 3, 2 Pr 26, 3 2 C 10, 11. 14, cj Jos 23, 13 שׁוֹט לָשׁוֹן Hi 5, 21 (l מִשּׁוֹט). †

II **שׁוֹט**: III *שׁוט; سَوْط Ansammlung v. Wasser *collected waters*, [Ethiopic] giessen *pour* Barth ZAW 33, 306 f 34, 69, Poznánski 36, 119 f: **plötzliche Wasserflut** *spate* Js 28, 15 Q. 18 Hi 9, 23. †

שֹׁטֵט Jos 23, 13: l שׁוֹטִים.

***שׁוּל**: *שׁוּל, שִׁילוֹ n. l.

***שׁוּל**: *שׁוּל; سَوِلَ loose herabhängen *hang down loose*; cf. שׁבל: pl. cs. שׁוּלֵי, sf. שׁוּלַיִךְ, שׁוּלָיו: **Schleppe, unterster Saum (e. Gewands)** *skirt, lowest hem of garb*: Js 6, 1 Ir 13, 22. 26 Na 3, 5 Th 1, 9, b. Hohenpriester *with highpriest* Ex 28, 33 f 39, 24—26. †

שׁוֹלָל : שׁלל: ausgezogen = **barfuss** *stripped off = barefoot* Mi 1, 8 Q Hi 12, 19, l שֹׁכֵל 17 = סָכָל. †

שׁוּלַמִּית: *שׁוּלָם unbekannter Ort *unknown place*: Ct 7, 1 (G ἡ Σουναμῖτις = *שׁוּנַמִּית v. n. l. שׁוּנֵם 1 K 1, 3); n. f. zu *to* שְׁלֹמֹה? F Rowley, The Servant of the Lord, 1952, 219[1]. †

שׁוּמִים: ak. (sum.?) *šûmu*; Znğ. (Hadadinschr. 6) שׁמי; ja. שׁוּם, [Syriac]; ثُوم: **Knoblauch** *garlic* (*Allium sativum* Löw 2, 138 ff): Nu 11, 5. †

שׁוֹמֵם: F שׁמם po.

שׁוֹמֵר: n. m.; I שׁמר: 1 C 7, 32 (Σαμηρ = שֶׁמֶר?). †

I **שׁוּנִי**: n. m.: S. v. גָּד: Gn 46, 16 Nu 26, 15; F II. †

II **שׁוּנִי**: gntl. v. I: Nu 26, 15.†

שׁוּנֵם: n. l.; EA 250, 43 *Šunama*, Thutmosis III *Šum*, Jos. Σουνα: *Sōlem* NO-Ecke d. Ebene v. *N.E-corner of plain of* מְגִדּוֹ (Alt PJ 20, 35 f 21, 40): Jos 19, 18 1 S 28, 4 2 K 4, 8 F שׁוּלַמִּית u. שׁוּנַמִּי.†

*__שׁוּנַמִּי__: gntl. v. שׁוּנֵם: fem. שׁוּנַמִּית, שֻׁנַמִּית: 1 K 1, 3. 15 2, 17. 21 f 2 K 4, 12. 25. 36.†

I **שׁוע**:

pi: pf. שִׁוַּעְתִּי, impf. וָאֲשַׁוֵּעָה, תְּשַׁוַּע, תְּשַׁוֵּעַ, יְשַׁוְּעוּ, יְשַׁוֵּעוּ, inf. sf. שַׁוְּעוֹ, pt. מְשַׁוֵּעַ: **um Hilfe rufen** *cry for help*: Js 58, 9, cj 38, 13 (l שִׁוַּעְתִּי), Jon 2, 3 Ha 1, 2 Ps 18, 42, cj 2 S 22, 42 (l יְשַׁוְּעוּ), Ps 22, 25 72, 12 119, 147, cj 88, 2 (l שִׁוַּעְתִּי), Hi 19, 7 24, 12 29, 12 30, 28 36, 13 Th 3, 8, c. אֶל zu *to* Ps 18, 7 28, 2 30, 3 31, 23 88, 14 Hi 30, 20 38, 41 (Raben *raven*), c. מִן vor *before* Hi 35, 9.†

Der. *שֶׁוַע, שַׁוְעָה.

II *__שׁוע__: I שׁוֹעַ; II שׁוּעַ, אֲבִישׁוּעַ, n. fem. בַּת־שׁוּעַ, n. m. יְהוֹשׁוּעַ, מַלְכִּישׁוּעַ.

*__שֶׁוַע__: I שׁוע: sf. שַׁוְעִי: **Hilferuf** *cry for help* Ps 5, 3.†

I **שׁוֹעַ**: II *שׁוע; ug. *šʿ*; وسع VIII, X edel, freigiebig sein *be noble, open-handed*: cj pl. שׁוֹעִים: **edel, vornehm** *noble* Js 32, 5 Hi 34, 19, cj 34, 20.†

II **שׁוֹעַ**: n. p.; Σουη; ak. *Sutū*, EA S. 1038 f: Völkerschaft am *tribe on the* Djala (Nebenfluss v. *tributary of* Tigris); Mél. Syr. 204: Js 22, 5 Hs 23, 23.†

I **שׁוּעַ**: sf. שׁוּעֲךָ: I שׁוע?: ungedeutet *unexplained* Hi 30, 24 36, 19.†

II **שׁוּעַ**: n. m.; II שׁוע: Gn 38, 2. 12 1 C 2, 3.†

שׁוּעָא: n. fem.; KF? Noth S. 154: 1 C 7, 32. cj 39.†

שַׁוְעָה: I שׁוע: cs. שַׁוְעַת, sf. שַׁוְעָתָם: **Hilferuf** *cry for help* Ex 2, 23 1 S 5, 12 2 S 22, 7 Ir 8, 19 Ps 18, 7, cj 22, 2, 34, 16 39, 13 40, 2 102, 2 145, 19 Th 3, 56.†

I **שׁוּעָל**: ak. *šēlibu*, mhb.; ja. תַּעֲלָא, ܬܥܠܐ; ثُعَالٌ, ثُعَلٌ, ثَعْلَبٌ: **Fuchs** *fox Vulpus niloticus* in S-Palästina, *V. flavescens* in N-Palästina: Jd 15, 4 Hs 13, 4 Ps 63, 11 Ct 2, 15 Th 5, 18 Ne 3, 35.†

Der. II n. m., III n. l. שׁוּעָל; n. l. חֲצַר שׁוּעָל.

II **שׁוּעָל**: n. m.; = I; Dir. 200: 1 C 7, 36.†

III **שׁוּעָל**: n. l.; = I; אֶרֶץ שׁוּעָל in Benjamin 1 S 13, 17.†

שֹׁעֵר, שׁוֹעֵר: v. שַׁעַר: cj fem. שֹׁעֶרֶת, pl. שֹׁעֲרִים, cs. שֹׁעֲרֵי: **Torhüter** *porter*: v. עִיר 2 K 7, 10 f, cj fem. **Torhüterin** *portress* v. בַּיִת 2 S 4, 6, v. מִקְדָּשׁ Esr 2, 42. 70 7, 7 10, 24 Ne 7, 1. 45. 72 10, 29. 40 11, 19 12, 25. 45. 47 13, 5 1 C 9, 17—26 15, 18. 23 f 16, 38 23, 5 26, 1. 12. 19 2 C 8, 14 23, 19 34, 13 35, 15, v. סִפִּים 2 C 23, 4; 31, 14.†

I **שׁוּף**: ak. *šāpu* mit Füssen treten *trample upon* = mhb. u. ja. Torcz., Entst. 1, 290; ܫܦ zermahlen *bruise*:

qal: impf. sf. יְשׁוּפְךָ: c. ac. et רֹאשׁ: **jmd d. Kopf zermalmen** *bruise one's head* Gn 3, 15.†

II **שׁוּף**: NF v. שׁאף; شاف *vidit*; asa. hinschauen *look at*:

qal: impf.: יְשׁוּפֵנִי, תְּשׁוּפֶנּוּ: c. ac. **schnappen, haschen nach** *snap, snatch* Hi 9, 17; c. ac. u. עָקֵב jmd nach d. Ferse schnappen *snatch one's heel* Gn 3, 15; l יְשׁוּכֵּנִי Ps 139, 11.†

שׁוֹפָךְ: n. m.: F שׁוֹבַךְ.

שְׁפָם*: n. m.; < שְׁפוּפִים?: cj Gn 46, 21; F שׁוּפָמִי. †

שׁוּפָמִי: gntl. v. cj שׁוּפָם: Nu 26, 39. †

שׁוֹפָן: F n. l. עַטְרוֹת.

שֹׁפָר, שׁוֹפָר: II שׁפר; ak. (sum.) š/sapparu (Landsb. 96 f) Wildschaf *wild sheep*; سَوَافِر Widderhörner *ram's horns*: cs. שׁוֹפַר, pl. שׁוֹפָרוֹת, cs. שׁוֹפְרוֹת, sf, שׁוֹפְרֹתֵיהֶם: **Widderhorn** (zum Blasen) *ram's horn* (*for blowing*) (Finesinger HUC 8/9, 193 ff): Jd 7, 8. 16. 20 Js 58, 1 Ho 8, 1, שׁ׳ גָּדוֹל Js 27, 13; שׁ׳ תְּרוּעָה Alarmhorn *alarm-horn* Lv 25, 9; שׁ׳ וּתְרוּעָה Ze 1, 16; תָּקַע בַּשּׁוֹפָר ins Horn stossen *blow the horn* Jos 6, 4—20 Jd 3, 27 6, 34 7, 18—20 1 S 13, 3 2 S 2, 28 18, 16 20, 1. 22 1 K 1, 34. 39 2 K 9, 13 Hs 33, 3 (צֹפֶה). 6 Sa 9, 14 (יהוה) Ne 4, 12, = תָּקַע שׁוֹפָר Jos 6, 9 Jd 7, 22? Js 18, 3 Ir 4, 5 6, 1 51, 27 Ho 5, 8 Jl 2, 1. 15 Ps 81, 4, נִתְקַע שׁוֹפָר Am 3, 6; הֶעֱבִיר שׁוֹפָר בְּ d. Horn erschallen lassen in *cause the horn to be blown in* Lv 25, 9, cj Mi 1, 11; תָּקַע שׁ׳ Ps 150, 3; קוֹל שׁוֹפָר Hörnerschall *sounding of horn* Ex 19, 16. 19 20, 18 Jos 6, 5. 20 2 S 6, 15 15, 10 1 K 1, 41 Ir 4, 19. 21 6, 17 42, 14 Hs 33, 4 Am 2, 2 Ps 47, 6 98, 6 Hi 39, 24 Ne 4, 14 1 C 15, 28; בְּשׁוֹפָרוֹת unter Hörnerschall *with the sounding of horns* 2 C 15, 14, בְּדֵי שׁוֹפָר sobald d. H. tönt *as soon as the h. blows* Hi 39, 25; שׁוֹפְרוֹת הַיּוֹבְלִים Jos 6, 4. 6. 8. 13. †

I שׁוק: ak. *sāqu* eng sein *be narrow*, *sīqu* eng *narrow*:
hif: pf. הֵשִׁיקוּ: sich als [zu] eng erweisen, **überfliessen** *prove* [*too*] *narrow*, *overflow* Jl 2, 24 4, 13; †
pil: impf. sf. וַתְּשֹׁקְקֶהָ: [zu] eng machen, **reichlich beschenken** *cause to be* [*too*] *narrow*, *give abundance* Ps 65, 10. †
Der. שׁוֹק, *שׁוֹקֵק.

II *שׁוק: *תְּשׁוּקָה.

שׁוֹק: I שׁוק Dhorme, RB 1920, 483 1923, 202; ak. *sīqu* Knie *knee*; ja., sy. שָׁקָא u. سَاق Schenkel *thigh*: du. שֹׁקַיִם, cs. שׁוֹקֵי, sf. שׁוֹקָיו: d. enge Teil des Schenkels, **Wadenbein** *the narrow part of the thigh*, *splint-bone*: d. Menschen *of man* Dt 28, 35 Js 47, 2 Ps 147, 10 Pr 26, 7 Ct 5, 15; הִכָּה שׁוֹק עַל־יָרֵךְ Jd 15, 8; d. Opfertiers *of sacrificial animal* 1 S 9, 24 Ex 29, 22 Lv 7, 32 f 8, 25 f 9, 21 Nu 18, 18; שׁוֹק הַתְּרוּמָה Ex 29, 27 Lv 7, 34 10, 14 f Nu 6, 20. †

שׁוּק: I שׁוק; ak. *suqāqu* Gasse *lane*; ja., sy. שׁוּקָא; ܫܘܩܐ > سُوق: pl. שְׁוָקִים: (mit Toren absperrbare Stadt-) **Strasse** *street* (*in town*, *enclosed with gates*) Pr 7, 8 Ct 3, 2 Ko 12, 4 f. †

***שֹׁקֵק, *שׁוֹקֵק**: I שׁוק: fem. שׁוֹקֵקָה נֶפֶשׁ, eng, **ausgetrocknet** *narrow*, *dried out* Js 29, 8 Ps 107, 9. †

I שׁוּר: ak. *šēru* sich neigen (?) *bend* (?): qal: impf. יָשׁוּר, תְּשׁוּר, אָשׁוּר, sf. יְשׁוּרֶנּוּ, אֲשׁוּרֶנּוּ, תְּשׁוּרֵנִי, יְשׁוּרֶנָּה, imp. שׁוּר: (vorgebeugt betrachten?) **gewahren, ansehen** (*regard bending?*) *behold*, *regard*: Nu 23, 9 u. 24, 17 (//ראה), cj אָשֻׁר 24, 22 u. 24, Hi 7, 8 17, 15 20, 9 (l יִשְׁ׳) 24, 15 33, 14 34, 29 35, 5. 13. 14; l וַאֲאַשְּׁרֶנּוּ Ho 14, 9; ? Ir 5, 26 u. Ho 13, 7. †

II שׁוּר: ak. *šāru* (w) u. سَار (j) reisen *journey*; mhb. שַׁיָּרָה, palm. שירתא, سَيَّارَة Karawane *caravan*:

qal: impf. תָּשׁוּרִי, וַתָּשֻׁרִי, pt. pl. fem. sf. שָׁרוֹתַיִךְ: herabsteigen *descend*, c. מִן von *from* Ct 4, 8, c. לְ zu *towards* Js 57, 9, pt. fem. Karawane *caravan* (AS 6, 160) Hs 27, 25. †

III *שׁוּר: n. m. אֲבִישׁוּר, I שׁוּר, *שׁוּרָה; שׁוֹר; תְּשׁוּרָה.

שׁוֹר: III *שׁוּר; Sem.; ug. *ṡr*; ak. *šūru*: mhb.; ja. תּוֹרָא, sy. תַּוְרָא, nab. n. m. תורא; ثَوْر, ሰር; asa. תור; ταῦρος, *taurus*: sf. שׁוֹרוֹ, שׁוֹרְךָ, pl. שְׁוָרִם; l שְׁדִים Ho 12, 12: ausgewachsenes männliches Rind, Stier *outgrown male neat*, *bullock*, *steer*: of *often coll.*: Teil des Viehstands *part of cattle* Gn 32, 6 Ex 20, 17 22, 3. 8 f. 29 23, 4. 12 Dt 5, 14. 21 15, 19 (שׁוֹר :: צֹאן) 22, 1. 4 Jos 6, 21 7, 24 Jd 6, 4 1 S 12, 3 15, 3 22, 19 Js 7, 25 32, 20; שׁוֹר וָשֶׂה Ex 34, 19 Lv 22, 23, שׁוֹר וְכֶשֶׂב וָעֵז Lv 7, 23, שׁוֹר וָאַיִל Lv 9, 4; metaph. Dt 33, 17; dient zum Pflügen *used in ploughing* Dt 22, 10, zum Dreschen *in thrashing* Dt 25, 4, als Schlachttier *for slaughter* Lv 17, 3 Dt 14, 4 28, 31 1 S 14, 34 1 K 1, 19. 25 Js 66, 3 Pr 7, 22 Ne 5, 18, als Opfertier *sacrificial animal* Lv 4, 10 9, 4. 18 f 22, 27 f 27, 26 Nu 7, 3 15, 11 18, 17 Dt 15, 19 17, 1 18, 3 2 S 6, 13 Ps 69, 32; שׁוֹר נַגָּח Ex 21, 29, שׁוֹר אָבוּס Pr 15, 17, c. גָּעָה Hi 6, 5, c. עִבֵּר Hi 21, 10, c. לָחַךְ יֶרֶק Nu 22, 4; **F** Gn 49, 6 Ex 21, 28—37 Js 1, 3 Hs 1, 10 Ps 106, 20 (goldnes Stierbild *golden idol*) Pr 14, 4 Hi 24, 3, cj Js 5, 18. †

I שׁוּר: III *שׁוּר: **F** ba. *שׁוּר: Mauer *wall*: (um Quelle *around well*) Gn 49, 22, (zwischen Feldern *between fields*) 2 S 22, 30 Ps 18, 30; pro שׁוּרָי l שׁוֹרְרָי Ps 92, 12; **F** *שׁוּרָה. †

II שׁוּר: n. l.; = I?: loc. שׁוּרָה: (Mowinckel, Paradiselvenen 56: die Fürstenmauer längs d. äg. Ostgrenze *the Wall of Princes along the e.-border of Egypt*); *darb el-šūr* Lawrence-Woolley, Wilderness of Zin 39 f. 71: Gn 16, 7 20, 1 25, 18 1 S 15, 7 27, 8; מִדְבַּר־שׁוּר Ex 15, 22 (Jaussen, Mission 244). †

*שׁוּרָה: fem. v. I שׁוּר: pl. sf. שׁוּרוֹתָם, cj שׁוּרֹתֶיהָ: Stützmauer (von Terrassen) *supporting wall* (*of terraces*) Hi 24, 11, cj Ir 5, 10. †

*שׁוֹרֵר: שׁרר: ak. *šāru* gehässig, Feind *spiteful*, *foe*: pl. sf. שׁוֹרְרַי, שׁוֹרְרָי: **Feind** *foe* Ps 5, 9 27, 11 54, 7 56, 3 59, 11, cj 92, 12. †

שַׁוְשָׁא: n. m.; CIS II, 1, 65 aram. כישוש = ak. *Ki-Šamaš*, also *therefore* שַׁוְשָׁא < *שַׁמְשָׁא; Marquardt, Fundamente 22, Dupont-Sommer RA 40, 146: 1 C 18, 16 (= שִׁישָׁא 1 K 4, 3). †

I שׁוּשַׁן; שׁוֹשַׁנָּה: cs. שׁוֹשַׁנַּת, pl. שׁוֹשַׁנִּים; ug. *ṡwṡ* [*n*]? nab. שושנה, n. fem. שושנה; neosy. *šušanā*, *šušantā*; ak. *šešanu* (äg. FW) Zimm. 58, سَوْسَن, σοῦσον Dioskur. 3, 116; < äg. *sššn* u. *sšn* grosse Blume *big flower* (J. J. Hess, L. Keimer brieflich *by letter*): **1. Lilie** (Blume) *lily* (*flower*) *Lilium candidum*: 1 K 7, 26 2 C 4, 5 Ho 14, 6 Ct 2, 1 f. 16 4, 5 6, 2 f 7, 3; **2. Lotosblume** *lotus flower* (als Ornament *as ornament*) 1 K 7, 19. 22; 3. Glaser ZS 8, 195 zu *to* ak. *šuššu* = $^1/_6$ sechsseitig *six-sided* Ps 45, 1 60, 1 69, 1 80, 1; **F** Mowinckel Ps-Studien IV, 29 f, Gunkel-Begrich, Einleitg. in Ps 45, 8. †

II שׁוּשַׁן: n. l.; altpers. *oldpers.* Çusā-, ak. *Šušan*, *Šuši*, (spät- *late*) äg. *Swš*: **Susa** *Shushan* Wintersitz d. Perserkönige *winter-residence of Persian kings* (König MVA 35, 1, 74) Ne 1, 1 Est 1, 2. 5 3, 15. †

שׁוּשַׁק: **F** שִׁישַׁק.

שׁוּת: **F** שִׁית.

שׁוּתֶלַח: n. m.; Hommel, Die altisr. Überlieferung 234; Friedrich RLA I 145: שׁוּתֶלַח: Nu 26, 35 f 1 C 7, 20 f; **F** שֻׁתַלְחִי. †

שׁזף: mhb.; F שׁרף: cf. لوح aufblitzen *flash* > c. إلى hinblicken auf, bräunen (Sonne) *glance at, make brown (sun)*:
qal: pf. sf. שְׁזָפַתְהוּ, שֱׁזָפַתְנִי: 1. (Auge) **erblicken** *catch sight of* Hi 20, 9 28, 7; 2. (Sonne) **bräunen, versengen** *make brown, burn* Ct 1, 6. †

שׁזר: mhb., ja., cp.; شزر d. Faden einwärts drehen, zwirnen *twist thread from the left* (Barth, ES 49):
hof: pt. מָשְׁזָר: **gezwirnt** *twisted* Ex 26, 1. 31. 36 27, 9. 16. 18 28, 6. 8. 15 36, 8. 35. 37 38, 9. 16. 18 39, 2. 5. 8. 24 (l שְׁנִי וְשֵׁשׁ). 28 f. †

שַׁח: שׁחח: gebückt *bent, low*, שַׁח עֵינַיִם mit **niedergeschlagnen Augen** *with downcast eyes* Hi 22, 29. †

שׁחד: aram.; (H. Bauer) Alphabet 26: < š u. אחד, ug. *ʾḫl* nehmen *seize*):
qal: impf. וְתִשְׁחֲדִי, imp. שִׁחֲדוּ: **beschenken** *give a present* Hs 16, 33, c. בְּעַד zu Gunsten von *in favor of* Hi 6, 22. †
Der. שֹׁחַד.

שֹׁחַד: שׁחד: 1. **Geschenk** *present* 1 K 15, 19 2 K 16, 8 Js 45, 13 Pr 17, 8 21, 14; 2. **Bestechung** *bribe* Js 1, 23 5, 23 33, 15 Mi 3, 11 Ps 26, 10 Pr 6, 35 Hi 15, 34, c. לָקַח annehmen *take* Ex 23, 8 Dt 10, 17 16, 19 27, 25 1 S 8, 3 Hs 22, 12 Ps 15, 5 Pr 17, 23 2 C 19, 7. †

שׁחה: zu *to ištaḫaḫin* etc. Böhl, Sprache d. EA. 64; *uš̆ḫeḫin* in 2 bab.-keilschr. Briefen *letters* v. Ras Shamra (Syr. 10, pl. LXXVI, 1, 4 u. 2, 4); mhb., ja. שחא sich niederwerfen *prostrate*; NF שׁוח, שׁחח:
qal: imp. שְׁחִי: **sich bücken** *bow down* Js 51, 23; †
hif: impf. sf. יַשְׁחֶנָּה (l תַּשְׁחֶנּוּ) **sich niederbücken lassen** *cause to bow down* Pr 12, 25; †
hitpal (170 ×): pf. הִשְׁתַּחֲוָה (< *הִשְׁתַּחְוו), אֶשְׁתַּחֲוֶה, יִשְׁתַּחֲוֶה, הִשְׁתַּחֲווּ, impf. הִשְׁתַּחֲוֵיתָ, וַיִּשְׁתַּחוּ > וַיִּשְׁתַּחֲווּ, (l Gn 27, 29 Q), יִשְׁתַּחֲווּ, הִשְׁתַּחֲוִי, inf. הִשְׁתַּחֲוֹת, imp. וַיִּשְׁתַּחֲוֶיךָ, וַיִּשְׁתַּחוּ, יִשְׁתַּחֲוֶה l הִשְׁתַּחֲווּ, pt. מִשְׁתַּחֲוִים, מִשְׁתַּחֲוֶה, Js 2, 8, l בְּהִשְׁתַּחֲוֹתוֹ 2 K 5, 18, l מִשְׁתַּחֲוִים Hs 8, 16 (MS): 1. **sich tief beugen, sich neigen** *bow down*: c. עַל über *over* Gn 47, 31, c. אֶל gegen hin *towards* Ps 5, 8, c. לְ vor *before* Ps 99, 5. 9 22, 30 (l אַךְ לוֹ יִשְׁתַּחֲווּ); c. עַל vor *before* Lv 26, 1, c. אַרְצָה auf die Erde nieder *to the earth* Gn 18, 2, c. אַפַּיִם אַרְצָה Gn 19, 1 u. לְאַפָּיו אַרְצָה Gn 48, 12 mit dem Gesicht auf die Erde nieder *with his face to the earth*; קדד) קָדַד וְהִשְׁ׳ לְ nur in dieser Verbindung *only in this connection*) Gn 24, 26 u. oft *a. often*: kniet hin u. neigt sich nieder vor *kneels down a. bows down before*; עָבַד אֶת . . וְהִשְׁ׳ לְ jmd dienen u. sich niederneigen vor *serve a person a. bow down before him* Gn 27, 29; 2. הִשְׁתַּחֲוָה die höchste Äusserung von Verehrung *the highest performance of homage*: Abraham vor 3 Fremden *before 3 strangers* Gn 18, 2; bittstellende Frauen u. Kinder vor einem Mächtigen *suppliant women a. children before a mighty one* Gn 33, 7; cf. Abigail u. David 1 S 25, 23, Absalom u. s. königlicher Vater *a. his father the king* 2 S 14, 33, Braut d. Königs u. König *king's bride a. king* Ps 45, 12, Frau u. Prophet *woman a. prophet* 2 K 4, 37; 3. הִשְׁתַּחֲוָה oft von d. kultischen Huldigung *frequently expressing cultic homage* = προσκύνησις: vor Gestirnen *before the stars* Dt 4, 19, im Tempel *in the temple* 2 K 5, 18, vor d. heiligen Berg *before the holy mountain* Ps 99, 9, vor *before* יהוה Gn 24, 26, vor *before* פֶּסֶל, תְּמוּנָה Ex 20, 4 f, vor *before* מַלְאָךְ Nu 22, 31; etc.; F *שְׁחוּת u. *שְׁחִית

שְׁחוֹר: שחר: **Schwärze, Russ** *blackness, soot* (zum Schreiben *for writing* :: קִיטוֹר, Löw, Graphische Requisiten, 1870, 146) Th 4, 8.†

***שְׁחוּת**: בִּשְׁחוּתוֹ Pr 28, 10, 1 בְּשַׁחְתּוֹ.†

שחח: NF שוח, שחה; EA *ištaḫaḫin, ušḫeḫin* ich verneige mich *I bow down* BL 420[1]; De Langhe 1, 113:

qal: pf. שַׁחוּ, שַׁחוֹתִי, שַׁחְתִּי, שָׁחוֹתִי, שַׁחוּ, שַׁח, impf. יָשֹׁחַ, וַיָּשֹׁחוּ, Th 3, 20 תָּשִׁיחַ 1 תָּשׁוּחַ Q, inf. שְׁחוֹחַ: **sich ducken** *bow down, crouch*: אַרְיֵה Ps 10, 10 Hi 38, 40, רָע Pr 14, 19, Unglückliche *miserable ones* Ps 107, 39, עֹזְרֵי רָהַב Hi 9, 13, *F* Ps 38, 7 35, 14, נֶפֶשׁ Th 3, 20, גִּבְעוֹת Ha 3, 6; **sich ducken müssen** *must bow down* Js 2, 11. 17; הָלַךְ שְׁחוֹחַ רוֹם **geduckt gehen** *go humbled* Js 60, 14;†

nif (qal?): impf. יִשַּׁחוּ, תִּשַּׁח, וַיִּשַּׁח: 1. **sich ducken müssen** *must bow down* Js 2, 9 5, 15; 2. **geduckt, gedämpft tönen** *sound low, reduced* Js 29, 4 Ko 12, 4;†

hif: pf. הֵשַׁח: **jmd ducken** *lay low* Js 25, 12 26, 5.†

Der. שַׁח.

I שחט: mhb., ja.; ak. *šaḫāṭu* (Haut) abziehen *flay*; سحط schlachten *slaughter*:

qal (81 ×): pf. שָׁחַט, שְׁחַטְתֶּם, שְׁחָטוּ, sf. שְׁחָטוֹ, impf. יִשְׁחַט, יִשְׁחָט, וְתִשְׁחָטִי, sf. וַיִּשְׁחָטֵהוּ, וַיִּשְׁחָטוּם, inf. שְׁחֹט, שָׁחֹט, sf. שַׁחֲטָם, imp. שַׁחֲטוּ, pt. שׁוֹחֵט, pl. cs. שֹׁחֲטֵי, pass. שָׁחוּט, שְׁחוּטָה, שָׁחוּט, שְׁחוּטָה; Ir 9, 7 *F* *שׁוּחַט: 1. (Tiere) **schlachten** *slaughter (animals)*: Gn 37, 31 Ex 12, 6 Js 66, 3, c. הַפֶּסַח Ex 12, 21 Esr 6, 20 2 C 30, 15 35, 1. 6. 11, c. לִפְנֵי יהוה Ex 29, 11 Lv 1, 5. 11 4, 4. 15. 24, (Opfer *sacrifices*) Ex 29, 16 Lv 3, 2 Nu 19, 3 1 S 1, 25 Hs 40, 41 2 C 29, 22 (33 ×, 22 × Lv), c. עֹלָה Lv 4, 24. 33 7, 2 9, 12 14, 13 Hs 40, 39. 42 44, 11, c. זֶבַח Hs 44, 11, c. אָשָׁם Lv 7, 2 Hs 40, 39, c. חַטָּאת Lv 4, 29 14, 13 Hs 40, 39; c. עַל־חָמֵץ Ex 34, 25; absol. Lv 8, 15. 19. 23; שָׁחַט אַרְצָה auf der blossen Erde schlachten *slaughter upon the naked ground* 1 S 14, 32; שָׁחֹט צֹאן Js 22, 13; 2. **Menschen schlachten** *slaughter man*: Abraham Isaak Gn 22, 10, Gott *God* Israel Nu 14, 16, e. Menschen *a person* Jd 12, 6 1 K 18, 40 2 K 10, 7. 14 25, 7 Ir 39, 6 41, 7 52, 10, Kinder *children* Js 57, 5, Jerusalem s. Söhne *her sons* Hs 16, 21 23, 39 (לְגִלּוּלִים);

nif: impf. יִשָּׁחֵט: **geschlachtet werden** *be slaughtered* Lv 6, 18 Nu 11, 22.†

Der. שְׁחִיטָה.

II שחט: ak. *suḫḫuṭu* verletzt *wounded* (?); ܣܚܛ pa. verletzen *wound*, ܣܘܚܛܐ Vergewaltigung *oppression*, *rape*:

qal: pt. pass. שָׁחוּט: **legiert, mit anderm Metall vermischt** *alloyed, blended with another metal*, Gold *gold* 1 K 10, 16 f 2 C 9, 15 f.†

Der. *שַׁחַט.

***שַׁחַט**: II שחט: cj שַׁחַט הַשְּׂטִים: **die Vergewaltigung, Unzucht v.** *the oppression, lewdness of* שְׂטִים (Nu 25, 1), Driver JTS 33, 40 Ho 5, 2.†

***שְׁחִיטָה**: I שחט: cs. שְׁחִיטַת: **Schlachtung** *(act of) slaying* 2 C 30, 17.†

שְׁחִין: *שחן; ug. *šḫn* brennen *burn*; ak. *šaḫānu* heiss werden *grow hot*; ja., sy. שְׁחַן; سخن warm werden, sich entzünden *be warm, inflamed*: **Geschwür, entzündete Stelle** *boil, inflamed spot* Ex 9, 9—11 Lv 13, 18—20. 23 2 K 20, 7 Js 38, 21; (Ebell, La variole . . . Nordiskt medic. arkiv 1906, afd. 2 u. Gemayel, L'hygiène . . dans la bible, 1932, 30: **Pocken** *smallpox*: שְׁחִין מִצְרַיִם Dt 28, 27, שְׁחִין רָע 28, 35 Hi 2, 7.†

שָׁחִים Js 37, 30: < F סָחִישׁ. †

שָׁחִיף Hs 41, 16: F שְׁחִיף.

***שְׁחִית**: pl. sf. שְׁחִיתוֹתָם: 1 מִשַּׁחַת חַיָּתָם Ps 107, 20, 1 בְּשַׁחְתָּם Th 4, 20. †

***שׁחל**: שַׁחַל, שְׁחֵלֶת.

שַׁחַל: *שׁחל: حِسْل Junges *young one* (v. ضَبّ), n. m. *Sheili* (J. J. Hess, Beduinennamen 28): שָׁחַל: (weil *because* // כְּפִיר, אַרְיֵה); F ZDP 62, 121) **Löwenjunges** *young lion* Ho 5, 14 13, 7 Ps 91, 13 Pr 26, 13 Hi 4, 10 10, 16 28, 8. †

שְׁחֵלֶת: *שׁחל; ug. *šḥlt*; (mhb. שְׁחָלִים u. ja. תַּחְלֵי Gartenkresse *garden-cress*); سَحَالَة Hülsen v. Weizen, Gerste usw. *husks of wheat, barley* etc.: **Räucherklaue, Meernagel** *kind of incense* (F Lane 1913 b; Deckel v. Strombus-(Flügelschnecken) Arten, stark riechend, wenn verbrannt *closing-flaps of certain molluscs* (*Strombus*), *with pungent odour when burnt*) Ex 30, 34. †

***שׁחן**: שְׁחִין.

***שׁחף**: שַׁחַף, שַׁחֶפֶת.

שַׁחַף: *שׁחף: שַׁחַף: verbotener Vogel *forbidden bird*: tradit. **Seemöwe** *sea-gull* (Aharoni, Osiris, 5, 469 f cf. خُفَّاش **Fledermaus** *rearmouse*, in Palästina häufig *common*, Bodenheimer 92 ff) Lv 11, 16 Dt 14, 15. †

שַׁחֶפֶת (*šaḥḥäfät*): *שׁחף: سُحَاف Schwindsucht *consumption*: **Schwindsucht** *consumption* Lv 26, 16 Dt 28, 22. †

***שׁחץ**: שַׁחֲצוּמָה, שַׁחַץ.

***שַׁחַץ**: *שׁחץ; mhb. שַׁחַץ stolzieren *walk proudly*; ja. שַׁחְצָא Löwe (der Stolze) *lion* (*the proud one*); شَخَصَ (ش wegen *on account of* ص) erhaben sein *be elevated*, ሥሐጸ unverschämt sein *be insolent*: שַׁחַץ: Grösse, Stolz *greatness, pride*, בְּנֵי שַׁחַץ **stolze Tiere** *majestic wild beasts* Hi 28, 8 41, 26. †

שַׁחֲצוּמָה Jos 19, 22, 1 שַׁחֲצִימָה loc. v. *שַׁחֲצִים, du. v. *שַׁחַץ Hochplatz *elevated place*: n. l. *Elkarm* sö. תָּבוֹר (Saarisalo 121 :: Albr. ZAW 44, 232 f). †

שׁחק: ak. *šaḫāqu* niesen *sneeze*; ja., cp., sy. zerstossen *pulverize*; سَحَقَ zermalmen *crush*, سَحْق abgenutztes Kleid *torn garment*:

qal: pf. שָׁחַקְתָּ, שָׁחֲקוּ, impf. תשחוק Si 6, 36, sf. אֶשְׁחָקֵם: **zerreiben** *rub away, pulverize* Steine *stones* Hi 14, 19, Räucherwerk *incense* Ex 30, 36, Feinde wie Staub *foes like dust* 2 S 22, 43 Ps 18, 43; (Schwelle) abnutzen *wear out* (*threshold*) Si 6, 36. †

Der. שַׁחַק.

שַׁחַק: שׁחק: pl. שְׁחָקִים: 1. sg. coll. **Staubbelag** *cover of dust* Js 40, 15 (Si 42, 4 F Smend); 2. sg. coll. (Staub-) **Wolken** *clouds* (*of dust*) Ps 89, 7. 38 (1 וּבְעֹד שַׁחַק); 3. pl. **Wolken** *clouds*: // שָׁמַיִם Dt 33, 26 Js 45, 8 Ir 51, 9 Ps 36, 6 57, 11 108, 5 Hi 35, 5, // דַּלְתֵי שָׁמַיִם Ps 78, 23, // נִבְלֵי שָׁמַיִם Hi 38, 37, עָבֵי שְׁחָקִים (MT עָבֵי) dichte Wolken *tight clouds* 2 S 22, 12 Ps 18, 12; שְׁחָקִים geben Donner *cause thunder*, :: עָבִים geben Wasser *spend water* Ps 77, 18; שְׁחָקִים geben Tau *spend dew* Pr 3, 20, Regen *rain* Hi 36, 28; תְּהוֹמוֹת :: שְׁחָקִים Pr 3, 20 8, 28; Wolkendecke *cover of clouds* Hi 37, 18; שְׁחָקִים bergen d. Licht *shelter the light* 37, 21; Gottes Macht *God's power* בַּשְּׁחָקִים Ps 68, 35. †

I שׁחר: mhb. hif. u. ja., sy. שׁחר schwarz werden *grow black*:
qal: pf. שָׁחַר: **schwarz werden** (Haut) *become black* (*skin*) Hi 30,30. †
Der. שָׁחֹר, שְׁחוֹר, *שְׁחַרְחֹר; שַׁחֲרוּת?

II שׁחר: ak. *saḫāru* sich zuwenden *turn towards*:
qal: pt. שֹׁחֵר: c. ac. **auf etwas aus sein** *look for a thing* Pr 11,27; †
pi: pf. שִׁחֲרוּ, sf. שִׁחֲרוֹ, שִׁחַרְתַּנִי, impf. תְּשַׁחֵר, sf. אֲשַׁחֲרֶךָּ, יְשַׁחֲרֻנְנִי, inf. שַׁחֵר, sf. שַׁחֲרָהּ, pt. pl. cs. מְשַׁחֲרֵי, sf. מְשַׁחֲרַי: 1. c. ac. **auf etwas aus sein, suchen nach** *look for a thing, seek* Hi 7, 21 24, 5 Pr 1, 28 8, 17 7, 15, obj. Gott *God* Js 26, 9 Ho 5, 15 Ps 63, 2 78, 34 Hi 8, 5 (dele אֶל); 2. c. 2 ac. שִׁחֲרוֹ מוּסָר er sucht ihn mit Züchtigung, er züchtigt ihn bei Zeiten *he seeks him with chastening, he chastises him betimes* Pr 13, 24; 3. (ak. *sāhiru* Zauberer *sorcerer*, Zimm. 67; سحر zaubern *use charms*): שַׁחְרָהּ **Zauber gegen es** *charms against it* Js 47, 11, cj שֹׁחֲרַיִךְ deine Zauberer *thy sorcerers* Js 47, 15. †
Der. שַׁחַר, שְׁחַרְיָם; n. m. שְׁחַרְיָה.

שָׁחֹר: I שׁחר: fem. שְׁחֹרָה, pl. שְׁחֹרִים, שְׁחֹרוֹת: **schwarz** *black*: Haar *hair* Lv 13, 31. 37, Rabe *raven* Ct 5, 11, Pferde *horses* Sa 6, 2. 6, Gesichtsfarbe *complexion* Ct 1, 5. †

שַׁחַר: II שׁחר; ZAW 44, 56 ff; ug. *šḥr* (Gott *god*); asa. שׁחר; ZAW 53, 57: שַׁחַר; d. rötliche Schein, der d. Tagesanbruch vorhergeht, **Morgenröte** (in weitern Sinn) *the reddish light preceding dawn*, c. עָלָה Gn 19, 15 32, 25. 27 Jos 6, 15 Jd 19, 25 1 S 9, 26 Jon 4, 7 Ne 4, 15, c. נִבְקַע Js 58, 8, c. פָּרֻשׂ Jl 2, 2, c. נִשְׁקָף Ct 6, 10, Gott *God* עֹשֵׂה שַׁחַר Am 4, 13 (:: עֵיפָה), כַּנְפֵי שַׁחַר Ps 139, 9, עַפְעַפֵּי שַׁחַר Hi 3, 9 41, 10; *F* Js 8, 20 14, 12 Ho 6, 3 10, 15 Ps 57, 9 108, 3 Hi 38, 12; אַיֶּלֶת שַׁחַר Ps 22, 1 (e. Gott שַׁחַר angenommen von *a god* שַׁחַר *suggested by* May, ZAW 55, 273 ff, Lewy RHR 110, 43, Morgenstern HUC 14, 70. 126). †

II *שַׁחַר: n. m. אֲחִישַׁחַר; *F* I Ende *at the end*. †

שְׁחוֹר: *F* שְׁחוֹר.

שִׁחֹר: *F* שִׁיחוֹר.

שַׁחֲרוּת: I שׁחר? شَخْرٌ, erste Jugendzeit *prime* (*of life*)? schwarze Haare? *black hair*? (*F* Ct 5, 11 Lv 13, 31. 37) vel **Jugendblüte** *prime*? Ko 11, 10. †

*שְׁחַרְחֹר: I שׁחר: fem. שְׁחַרְחֹרֶת: **schwärzlich** (Gesichtsfarbe) *blackish* (*complexion*) Ct 1, 6. †

שְׁחַרְיָה: n. m.; II שׁחר (Noth S. 169) u. יה Dir. 194 f. 198; cf. pu. שחרבעל Lidz. 374: 1 C 8, 26. †

שַׁחֲרַיִם: n. m; zur Stunde des שַׁחַר geboren *born at the time of* שַׁחַר: 1 C 8, 8. †

שׁחת: Klmw 15 שחת; altaram. Lidz. 374, *F* ba., sy. שחת u. (Einfluss v. *influenced by* ח) שחט; سحت ausrotten *extirpate*, ሰሐጠ verletzen *injure*; ak. *šētu* entweichen *escape* (cf. אבד):
nif: pf. נִשְׁחַת, נִשְׁחָתָה, impf. תִּשָּׁחֵת, pt. fem. pl. נִשְׁחָתוֹת: **verdorben werden** *be marred, spoiled* Gn 6, 11 f Ex 8, 20 Ir 13, 7 (durch *by* מַיִם) 18, 4 Hs 20, 44; †
pi: pf. שִׁחֵת, שִׁחַתָּ, שִׁחֲתוּ, שִׁחֵתוֹ, sf. שִׁחֶתְךָ, שִׁחֲתָהּ, inf. שַׁחֵת, sf. שַׁחֶתְכֶם, שַׁחֲתָהּ, imp. שַׁחֲתוּ: 1. **vernichten, verderben** *spoil, ruin* Gn 6, 17 9, 11. 15, עִיר 13, 10 19, 13. 29 2 S 24, 16 Hs 43, 3, Gebäude *building* Ir 48, 18 Hs 26, 4 Th 2, 5, כֶּרֶם Ir 12, 10 5, 10, אֹהֶל Th 2, 6, Pflanzen *plants* Na 2, 3, זֶרַע Gn 38, 9, אֶרֶץ Jos 22, 33 Jd 6, 5 Js 14, 20 Hs

22,30 30,11, אָדָם 2 S 1, 14 Hs 5, 16 20, 17, Volk *people* 2 K 19, 12 Ho 11, 9 13, 9 (l שִׁחֶתְךָ), עַיִן Ex 21, 26; שִׁחֵת רַחֲמָיו verdirbt, erstickt s. Erbarmen *corrupts, casts off his compassion* Am 1, 11; שִׁחַתָּ חָכְמָתְךָ missbraucht, verdirbt s. Wissen *corrupts his wisdom* Hs 28, 17; שִׁחַתֶּם בְּרִית Ma 2, 8; שׁ׳ דְּבָרֶיו vergeudet s. W. *flings away h. w.* Pr 23, 8; 2. שִׁחֵת לְ Verderben bringen für *bring decay for* Nu 32, 15 Dt 32, 5? 1 S 23, 10; 3. absol. verderblich handeln, Unheil anrichten *bring harm, prove fatal* Ex 32, 7 Dt 9, 12 2 S 14, 11; l שִׁחֲתוּ Ho 9, 9; †

hif (95 ×): pf. הִשְׁחִית, הִשְׁחַתִּי, הִשְׁחִיתוּ, impf. יַשְׁחִית, תַּשְׁחֵת, נַשְׁחִיתֶהָ, תַּשְׁחִיתוּן, sf. וַתַּשְׁחִיתֵם, וָאַשְׁחִיתֵךְ, inf. הַשְׁחֵת, הַשְׁחִית, sf. הַשְׁחִיתֶךָ, pt. מַשְׁחִית, sf. מַשְׁחִיתָם: 1. verderben, zerstören *spoil, ruin* Gn 18, 28 2 K 18, 25 Da 9, 26 Dt 20, 19 1 S 6, 5 (Mäuse *mice*) Js 65, 8 Ma 3, 11, etc.; Verderben bringen *bring decay* Ps 78, 45; absol. verderblich handeln *prove fatal* Dt 4, 16 Jd 2, 19; 2. vernichten *destroy* Jd 6, 4 1 S 26, 15 2 S 11, 1 Dt 9, 26 Js 36, 10 Ir 6, 5 51, 20; subj. Gott *God* 2 C 21, 7 Gn 6, 13; absol. 2 S 20, 20 Ir 15, 3: 3. Einzelnes *special expressions*: הִשְׁחִית דַּרְכּוֹ ging verderbliche Wege *corrupted his way* Gn 6, 12; הִשׁ׳ עֲלִילָה handelt verderblich *acts fatally* Ze 3, 7 Ps 14, 1 53, 2, הִשׁ׳ פְּאַת זְקָנוֹ stutzen *mar* Lv 19, 27; הִשׁ׳ אַרְצָה zu Boden strecken *stretch on the ground* Jd 20, 21; הִשׁ׳ niedermachen *cut down* 2 C 24, 23; untergraben (Mauer) *undermine* (*wall*) 2 S 20, 15; Besitz schädigen *mar inheritance* Ru 4, 6; (Häuser) verfallen lassen *allow to decay* (*houses*) 2 C 34, 11; וַתַּשְׁחֵת עַגְבָתָהּ מִן sie war noch schlimmer brünstig als *she was yet more badly incensed by her fiery passion than* Hs 23, 11; הִשׁ׳ נַפְשׁוֹ verdirbt sich selbst *destroys himself* Pr 6, 32; עַד־לְהַשְׁחִית sodass er verderblich handelte *so that he acted fatally* 2 C 26, 16; נִפְלָאוֹת יַשְׁחִית richtet unerhörtes Unheil an *brings harm unheard of* Da 8, 24; לְמַשְׁחִית לוֹ ihm zum Verderben *to his destruction* 2 C 22, 4; אַל תַּשְׁחֵת Ps 57, 1 58, 1 59, 1 75, 1 ungedeuteter Terminus *unexplained term*; 4. pt. מַשְׁחִית! F: אַרְיֵה מַ׳ würgend *destroying* Ir 2, 30; מַ׳ גּוֹיִם Ir 4, 7; רוּחַ מַ׳ G. d. Verderbers *spirit of destroyer* Ir 51, 1; הַמַּלְאָךְ הַמַּ׳ Würgengel *angel that destroyes* 2 S 24, 16 1 C 21, 15, > הַמַּשְׁחִית Ex 12, 13, מַלְאַךְ י׳ מַ׳ 1 C 21, 12; מַשְׁחִית besondre Gruppe v. Soldaten *special group of soldiers* 1 S 13, 17 14, 15 Ir 22, 7, F Hs 9, 1 Ex 12, 13. 23 2 S 24, 16 (Houtsma ZAW 27, 59);

hof: pt. מָשְׁחָת: verdorben *ruined* Pr 25, 26, Ma 1, 14 (kastriert? *castrated?*). †

Der. מַשְׁחִית, מִשְׁחָת, *מַשְׁחֵת, *מִשְׁחַת, *מָשְׁחָת.

שַׁחַת: שׁוּחַ (cf. נַחַת : נוּחַ): שַׁחַת, sf. שַׁחְתָּם: 1. Fanggrube *pit* (AS 6, 334) Hs 19, 4. 8 Ps 7, 16 9, 16 35, 7, cj Pr 28, 18 (בְּשַׁחַת) u. Th 4, 20 (בְּשַׁחְתָם), c. כרה Ps 94, 13 Pr 26, 27; 2. Grube, Grab, Aufenthalt der Toten *pit, grave, dwelling-place of the dead ones* (ebenso *the same* ak. *šuttu* Tallqvist, Sum.-ak. Namen d. Totenwelt, 1934, 3): Js 38, 17 Jon 2, 7 Ps 16, 10 49, 10 103, 4 (Driver JQR 40, 366) Hi 33, 18. 30 Si 51, 2, cj Ps 107, 20 (l מִשַּׁחַת חַיָּתָם); מוּת בְּשַׁחַת Js 51, 14; הוֹרִיד לְשַׁחַת Hs 28, 8 F Ps 55, 24, יָרַד אֶל־שַׁ׳ Ps 30, 10 F Hi 33, 24; רִמָּה//שַׁחַת Hi 17, 14; קָרַב לַשַׁ׳ Hi 33, 22, l בְּשֶׁלַח Hi 33, 28, l בַּשַּׁחַת Si 9, 9; הטה אל ש׳ Hi 9, 31. †

שִׁטָּה (< *šinṭā): ak. *samṭu*; äg. *šnd.t* EG 4, 521; > سَنْطٌ: pl. שִׁטִּים: Akazie, ägyptischer Schotendorn *acacia* (*tree a. wood*) *Acacia* (früher *older name Mimosa*) *nilotica* (Löw 2, 277 ff) Ex 25, 5—38, 6 (26 ×) Dt 10, 3 Js 41, 19; F n. l. בֵּית הַשִּׁטָּה u. שִׁטִּים. †

שׁטח: mhb.; ja. sy.; سَطَحَ, ሰጥሐ: qal: pf. sf. שְׁטָחוּם, impf. וַיִּשְׁטְחוּ, וְתִשְׁטַח, (pro inf. שָׁטוֹחַ Nu 11, 32 l מִשְׁטוֹחַ), pt שֹׁטֵחַ: ausbreiten *spread abroad* Nu 11, 32 Ir 8, 2 Hi 12, 23 (l לָאֻמִּים), aufschütten *heap up* 2 S 17, 19; †

pi: pf. שִׁטַּחְתִּי: ausbreiten *spread out* Ps 88, 10. †

Der. *מִשְׁטוֹחַ, מִשְׁטָח.

שׂטט Jos 23, 13: l שֹׁטִים (שׁוֹט). †

שִׁטִּים: n. l.; שִׁטָּה: 1. אָבֵל הַשִּׁטִּים *T. el Hammām*, S-seite *-side* v. *W. Kefrēn* BAS 91, 17 Nu 33, 49, > הַשִּׁטִּים Nu 25, 1 Jos 2, 1 3, 1 Mi 6, 5, cj Ho 5, 2 (l שַׁחַת הַשִּׁ׳); 2. נַחַל הַשִּׁ׳ *W. es-Sanṭ* 30 km sw. Jerusalem (Sellin l נַחַל הַשֵּׁדִים = Tal d. Toten Meers *Valley of Dead Sea*) Jl 4, 18 (Glueck AAS 25—28). †

שׁטף: mhb.; ja; سَطَفَ; abspülen *rinse*; äg. *śtf* (Flüssigkeit bei Arzneibereitung) sorgfältig abgiessen *carefully decant* (*in preparing medecine*), = kopt. *sōtf*; NF שׁצף:

qal: pf. שָׁטַף, sf. שְׁטָפוּנוּ, שְׁטָפַתְנִי, impf. יִשְׁטוֹף, יִשְׁטְפוּ, וְאֶשְׁטֹף, sf. תִּשְׁטְפֵנִי, יִשְׁטְפוּךְ, pt. שׁוֹטֵף, שֹׁטֵף: 1. c. ac. fortschwemmen *wash off* Js 28, 17 43, 2 Ps 69, 3. 16 124, 4 Hi 14, 19 Ct 8, 7; abspülen *rinse* Lv 15, 11 1 K 22, 38 Hs 16, 9; 2. fluten, strömen *flood, stream*: מַיִם Js 28, 2. 15. 18, גֶּשֶׁם Hs 13, 11. 13 38, 22; überfliessen *overflow* Js 8, 8 30, 28 66, 12 Ir 47, 2 Ps 78, 20 2 C 32, 4, צְדָקָה Js 10, 22; daherströmen *dash, rush* Ir 8, 6 (סוּס); einherfluten *overflow* (חַיִל) Da 11, 10. 26. 40: †

nif: impf. יִשָּׁטֵף, יִשָּׁטְפוּ, cj inf. הִשָּׁטֵף Da 11, 22: 1. abgespült werden *be rinsed* Lv 15, 12 Da 11, 22 (l יִשָּׁטֵף SV 11, 26?); †

pu (pass. qal?): pf. שֻׁטַּף: abgespült werden *be rinsed* Lv 6, 21. †

Der. שֶׁטֶף.

שֶׁטֶף, שֵׁטֶף: שׁטף: Flut *flood* Na 1, 8 Ps 32, 6 Hi 38, 25 Da 9, 26 Pr 27, 4 (v. Zorn *of anger*): l הִשָּׁטֵף Da 11, 22. †

שׁטר: < ak. *šaṭāru* (Zimm. 29), سَطَرَ, asa. סטר schreiben *write*; äga., ja., sy. שְׁטָרָא Schriftstück *document*; nab., palm. Lidz. 374:

qal: pt. שֹׁטֵר, שׁוֹטֵר, pl. שֹׁטְרִים, cs. שֹׁטְרֵי, sf. שֹׁטְרָיו: Listenführer, Ordner *scribe*, (*organizing*) *officer* ägyptische *Egyptian* Ex 5, 6. 10. 14 f. 19, in Israel שֹׁטְרֵי הָעָם Jos 1, 10, sg. neben *along with* סוֹפֵר 2 C 26, 11, neben *along with* קָצִין u. מֹשֵׁל Pr 6, 7; pl. bestimmen die Kriegsteilnehmer *select warriors* Dt 20, 5. 8 f, //זְקֵנִים Nu 11, 16, //שֹׁפְטִים Dt 16, 18 1 C 23, 4 26, 29, //שָׂרִים Dt 1, 15 1 C 27, 1; F Dt 29, 9 31, 28 Jos 3, 2 8, 33 23, 2 24, 1 2 C 19, 11 34, 13. †

Der. *מִשְׁטָר; n. m. שִׁטְרַי.

שִׁטְרַי: n. m.; KF; שׁטר; Q שִׁרְטַי; Noth 1327: 1 C 27, 29. †

שַׁי: ؟ شَيْء (!ش); Montg. JQR 1935, 268: I שׁוה vel II? = נתן Ps 21, 6; Znğ. שי(?): שַׁי: Gabe, Geschenk *gift* (*offered as homage*) Js 18, 7 Ps 68, 30 76, 12; F אַבְשַׁי, אֲבִישַׁי. †

שְׁיָא: n. m.; Q F שְׁוָא; Noth S. 222: 2 S 20, 25. †

שִׁיאֹן: n. l.; שׁאה?; Albr. ZAW 44, 228 f (שִׁירוֹן?): Jos 19, 19. †

שִׁיבָה*: cs. שִׁיבַת l שְׁבִית Ps 126, 1, sf. שִׁיבָתוֹ l שִׁבְתּוֹ 2 S 19, 33. †

שׁיה: impf. תֶּשִׁי Dt 32, 18: l תֶּשִׁי (נשה). †

שִׁיזָא: n.m.; KF; Noth S. 156: 1 C 11, 42.†

שׂיח: ja. שׁוּח, sy. שַׁח; سَاخَ, يَسِيخُ, ሰሐ am Boden hinfliessen u. vergehen *flow a. melt away*:

qal: pf. שָׁחָה: c. לֶעָפָר im Staub **zerfliessen** *vanish to dust* Ps 44, 26; †

hitpal: impf. תִּשְׁתּוֹחֲחִי, תִּשְׁתּוֹחָח: **sich aufgelöst zeigen, aufgelöst sein** *prove despairing, be despairing* Ps 42, 6 f. 12 43, 5; †

NB: תָּשִׁיחַ, Q תָּשׁוּחַ Th 3, 20 kann hierher, wie umgekehrt die obigen Formen alle zu F שׁחח gehören; תָּשִׁיחַ *may belong hither as the above mentioned forms may belong to* F שׁחח.†

שִׁיחָה: NF v. שׁוּחָה: pl. שִׁיחוֹת: **Fanggrube** *pit* Ps 57, 7 119, 85 Ir 18, 22 K.†

שִׁיחוֹר, שִׁחוֹר Ir 2, 18, **שִׁחֹר** Js 23, 3: äg. *šiḥōr* Teich des *pond of* Horus ZAW 54, 289 ff; Alt ZAW 57, 147 f: *ši* nur Gewässer *only piece of water*: **Fluss, Kanal** (in Ägypten) *river, canal (in Egypt)*: Jos 13, 3 Js 23, 3 Ir 2, 18 1 C 13, 5.†

שִׁיחוֹר לִבְנָת: Kanalname *name of canal*, F שִׁיחוֹר: d. Sumpfgebiet des *the swamps of* Nahr Difle u. Nahr *ez-Zerqa* s. Karmel (ZAW 45, 69[4]): Jos 19, 26.†

שׁיט Js 28, 15: F II שׁוֹט.†

שַׁיִט: I שׁוֹט: **Ruder** *oar* Js 33, 21; 1 שׁוֹט 28, 15 Q.†

שִׁילֹה, Q שִׁילוֹ: Nötscher ZAW 47, 323 f; MGJ 1925, 444 ff; Dürr, Heilandserwartung 1925, 67[68]: ungedeutet *unexplained*: Gn 49, 10.†

שִׁלוֹ: Jd 21, 21 Ir 7, 12, שִׁלוֹ Jd 21, 19 1 S 1, 24 14, 3 Ir 7, 14 26, 9 41, 5 Ps 78, 60 u. F שִׁלֹה: n. l.; שׁול?, < *שִׁלוֹן < *שִׁילוֹן?: Ch. Sēlūn n. Bethel; ZAW 47, 301, ZDP 54, 96 ff: (BRL 490 f): **Silo** *Shiloh*.†

Der. שִׁילֹנִי, שִׁלֹנִי.

שׁילל Mi 1, 8 K: 1 שׁוֹלָל.†

שִׁילֹנִי: gntl. v. שִׁילֹה: 1 K 11, 29 15, 29, > שִׁלֹנִי 1 K 12, 15, > שִׁילוֹנִי 2 C 9, 29, > שִׁלוֹנִי 2 C 10, 15; 1 הַשֵּׁלָנִי Ne 11, 5 u. 1 C 9, 5.†

שִׁימוֹן: n.m.; *Simanu* APN 221: 1 C 4, 20.†

שַׁיִן: ug. *tjn*; ak. pl. *šinātu* Harn *urine*, *šānu* harnen *urinate*; = ሰ, ܫܝܢܐ; مَثَانَةٌ Harnblase *bladder*:

ift. (BL 405): pt. מַשְׁתִּין: **sein Wasser abschlagen, harnen** *urinate* 1 S 25, 22. 34 1 K 14, 10 16, 11 21, 21 2 K 9, 8.†

Der. *שַׁיִן.

***שַׁיִן**: שׁין: pl. sf. שֵׁינֵיהֶם: **Harnwasser, Urin** *urine* Js 36, 12 u. 2 K 18, 27 K (Q מֵימֵי רַגְלֵיהֶם).†

שׁיר: ug. *šr* singen *sing*, ak. *sāru* tanzen, springen *dance, leap*; Nöld. BS 43; Albr. JPO 4, 210;

qal: pf. שַׁר Ps 7, 1, cj שָׁרוּ Ne 12, 46, impf. יָשַׁר, נָשִׁיר, יָשִׁירוּ, אָשִׁירָה, וַתָּשַׁר, יָשִׁיר, pro יָשֹׁר Hi 33, 27 1 יָשֹׁר, inf. שִׁיר u. שׁוֹר 1 S 18, 6, imp. שִׁירוּ, שָׁרוֹת, pt. שָׁר, שָׁרִים, שָׁרוֹת: **1. singen** *sing* Ex 15, 1 Nu 21, 17 Jd 5, 1 1 S 18, 6 Ps 57, 8 65, 14, cj Ne 12, 46 u. Hs 33, 32 (1 כַּשָׁר), c. לְ von *of* Js 5, 1, c. עַל vor *before* Hi 33, 27, obj. שִׁירָה Ex 15, 1 Nu 21, 17, שִׁיר Ps 137, 4, מִשִּׁיר Ps 137, 3, F שִׁיר חָדָשׁ חָדָשׁ; **besingen** *sing of* גְּבוּרָה Ps 21, 14, עֻזְּךָ 59, 17, חַסְדֵי י׳ 89, 2, חֶסֶד וּמִשְׁפָּט 101, 1, תְּהִלָּה 106, 12; c. לִיהוה zu Ehren von J. singen *sing unto Y., in Y's honour* Ex 15, 1. 21 Jd 5, 3 Js 42, 10 Ir 20, 13 Ps 7, 1 13, 6 27, 6

33, 3 (לוֹ) 68, 33 (לאלהים) 96, 1 f 98, 1 104, 33 105, 2 (לוֹ) 144, 9 (לָךְ) 149, 1 1 C 16, 9 (לוֹ). 23; זִמֵּר//שָׁר Jd 5, 3 Ps 21, 14 27, 6 57, 8 68, 33 101, 1 104, 33 105, 2 108, 2, //רִנֵּן 59, 17;

2. pt. Sänger(in) *singer* (*songstress*) 2 S 19, 36 Ps 68, 26 87, 7 Ko 2, 8 2 C 35, 25 1 K 10, 12 2 C 9, 11, cj Am 8, 3; ? Pr 25, 20; l שָׁתִים Hs 40, 44, l (שִׁיחַ) וְיָשִׁיחוּ Ps 138, 5; †

pil: pf. שֹׁרְרוּ, impf. יְשׁוֹרֵר, pt. מְשׁוֹרֵר, pl. מְשֹׁרְרִים, מְשֹׁרְרוֹת: (anhaltend) singen, besingen (*continually*) *sing*: Ze 2, 14 Hi 36, 24, ertönen (Lied) *resound* (*song*) 2 C 29, 28; pt. Tempelsänger(in) *singer* (*songstress*) *in temple* 1 C 6, 18, pl. Esr 2, 41. 70 7, 7 10, 24 Ne 7, 1. 44. 72 10, 29. 40 11, 22 f 12, 28 f. 42. 45—47 13, 5. 10 1 C 9, 33 15, 16. 19. 27 2 C 5, 12 f 20, 21 23, 13 35, 15, masc. u. fem. Esr 2, 65 Ne 7, 67; †

hof (pass. qal): impf. יוּשַׁר: gesungen werden *be sung* Js 26, 1. †

Der. שִׁירָה, שִׁיר.

שִׁיר: שִׁיר: sf. שִׁירוֹ, שִׁירֹה Ps 42, 9, pl. שִׁירִים, שִׁרִים, sf. שִׁירֵיכֶם: **Lied** *song*, beim Wein *when drinking* Js 24, 9, der *of the* זוֹנָה 23, 16, v. *of* שְׁלֹמֹה 1 K 5, 12; שִׁיר הַשִּׁירִים d. schönste Lied *the sweetest song* Ct 1, 1; Lied *song* der Frauen *of women* Jd 5, 12 Hs 26, 13, der Toren *of fools* Ko 7, 5, beim Geleit *when seeing off* Gn 31, 27; beim Kultfest *on festivals* Js 30, 29 Am 5, 23, bei Tempelweihe *on dedicating temple* Ps 30, 1, am Sabbath *at sabbath* 92, 1; שִׁיר יְדִידֹת 45, 1, שִׁיר :: קִינָה Am 8, 10; שִׁיר חָדָשׁ Ps 40, 4 F חָדָשׁ; שִׁיר הַמַּעֲלוֹת Ps 120, 1—134, 1 (15 × *inscriptio*); שִׁיר יהוה Ps 137, 4 2 C 29, 27, שִׁיר צִיּוֹן Ps 137, 3, שִׁיר בֵּית יהוה 1 C 6, 16; כְּלֵי שִׁיר Begleitinstrumente *accompanying instruments* Am 6, 5 (l כָּל־ שִׁיר Nowack ?) 1 C 15, 16 16, 42 2 C 5, 13 7, 6 23, 13 34, 12; בְּנוֹת הַשִּׁיר (Stimmen *voices*?) Ko 12, 4; meist v. Kultlied *mostly cultic song* שַׂחֵק לִפְנֵי י׳ בְּשִׁירִים 1 C 13, 8, cj 2 S 6, 5, שִׂמְחָה//שִׁיר 2 C 23, 18; מְלֻמְּדֵי שִׁיר 1 C 25, 7, הִלֵּל בְּשִׁיר Ps 69, 31, שִׁיר תְּהִלָּה Ne 12, 46, תּוֹדוֹת//שִׁיר Ne 12, 27; שֵׁרַת בַּשִּׁיר 1 C 6, 17, שִׁיר מִזְמוֹר Ps 48, 1 66, 1 83, 1 88, 1 108, 1; F Ps 28, 7 42, 9 46, 1 65, 1 67, 1 68, 1 75, 1 76, 1 87, 1 Pr 25, 20? 1 C 25, 6 2 C 29, 28; l כְּשָׁר Hs 33, 32; F שִׁירָה. †

שִׁירָה: fem. v. שִׁיר; ug. *šrt*: cs. שִׁירַת: **Lied** *song*, c. לְ von *of* Js 5, 1 (דוֹד), der *of* זוֹנָה Js 23, 15, für *for* יהוה Ex 15, 1, הַשִּׁירָה הַזֹּאת Nu 21, 17 Dt 31, 19. 21 f. 30 32, 44 2 S 22, 1 Ps 18, 1; l שָׁרוֹת Am 8, 3. †

cj **שִׁירָה***: mhb., palm., ja., sy., Dalman AS 6, 160 l שִׁירֹתַיִךְ* Hs 27, 25: **Karawane** *caravan*. †

שַׁיִשׁ: < II שֵׁשׁ: (Kalk-) **Alabaster** *alabaster* 1 C 29, 2. †

שִׁישָׁא: n. m.; l שַׁוְשָׁא; Honeyman JBL 63, 49: 1 K 4, 3. †

שִׁישַׁק: n. m.; richtiger *more correct* שׁוּשַׁק 1 K 14, 25 K; äg. Stele bei Megiddo gefunden *stele found near Megiddo Ššnq*, ZDP 61, 281 (Literatur); keilschr. *Susinqu*, *Šušanqu* APN 204; Σεσώγχις: שִׁישָׁק: König v. Ägypten *king of Egypt* 1 K 11, 40 14, 25 2 C 12, 2. 9. †

שִׁית: ug. *št*; (ph. שת v. ישן ? Harris 107); Ahiram 1 כשתה pf. c. sf. ?, Klmw 11 שתי Lidz. 375; Nöld. BS 42 f:

qal: pf. שַׁתָּ u. שַׁתָּה Ps 90, 8, שָׁתָה, שָׁת, שַׁתִּי Ex 23, 31, שָׁתוּ, שָׁתוּ (BL 405) Ps 73, 9, sf. שָׁתָם, שַׁתַּנִי, שַׁתָּה, impf. יָשֵׁת, יָשֵׁת, יָשִׁית, וַיָּשֶׁת, וָאָשִׁית, תָּשִׁיתִי, אָשִׁית, יְשִׁיתוּ, sf. יְשִׁיתֵהוּ, אֲשִׁיתֵנוּ, אֲשִׁיתֵךְ, תְּשִׁיתֵמוֹ; pro יָשִׁית (K יָשִׁית, Q תָּשִׁית) l וְשַׁת Ir 13, 16; l שְׁעֵה Hi 10, 20; inf. שַׁת,

שִׁית, sf. שִׁתִי, imp. שִׁית, שִׁיתָה, שִׁיתִי, שִׁיתוּ, sf. שִׁיתֵמוֹ: 1. **hinlegen** *put*, *set*: יְמִינוֹ Gn 48, 14. 17, Hand legen an *lay hand upon*, יָד עַל 46, 4 Hi 9, 33 Ps 139, 5, cj רַגְלָם d. Fuss setzen Ps 73, 18, עֲטֶרֶת Ps 21, 4, אֵיבָה Gn 3, 15, Vogel die Jungen *bird the young ones* (אֶת bei *with*) Ps 84, 4, תֵּבֵל 1 S 2, 8, חֹק Hi 14, 13, c. תַּחַת רַגְלָיו Ps 8, 7, *F* Ex 33, 4 לְנֶגֶד Ps 88, 7 140, 6 Hi 38, 36 Ru 4, 16, c. Ps 90, 8 101, 3; שִׁית עַל aufladen *lay a load on* Ru 3, 15, auferlegen *impose on* Ex 21, 22 Js 15, 9, setzen über (Land) *set over* (*country*) Gn 41, 33, zugesellen *join with* Gn 30, 40; c. לְבַדּוֹ absondern, für sich behalten *set apart*, *keep for oneself* Gn 30, 40; שַׁת יָדוֹ לְ gemeine Sache machen mit, jmd Beistand leisten *put one's hand with*, *render aid to* Ex 23, 1; שַׁת חַטָּאת עַל Schuld geben *lay the guilt upon* Nu 12, 11; שַׁת בְּיֵשַׁע ins Heil setzen, = Heil geben *set in safety* = *give saf.* Ps 12, 6; 2. **bestellen, kommen lassen** *order*, *cause to come* אוֹת Ex 10, 1, מִשְׁתֶּה Ir 51, 39, חֹשֶׁךְ Ps 104, 20, שמרה Ps 141, 3, c. לְכִסֵּא für d. Thron bestellen *set for* = *upon the throne* Ps 132, 11; מִרְמָה Pr 26, 24; c. בְּ 2 S 19, 29 u. c. עִם Hi 30, 1 gesellen zu *cause to join with*; 3. **richten, festsetzen auf** *fix*, *direct for*, *towards*: cj מַחְסוֹ בְּ Ps 9, 21, מֹארָה Ps 73, 28; קָצִיר לְ Ho 6, 11; גְּבוּל Ex 23, 31; שַׁת לִבּוֹ לְ sich zu Herzen nehmen *set his heart upon* Ex 7, 23 2 S 13, 20 u. beachten *take notice of* Ir 31, 21 Pr 22, 17 27, 23, ohne *without* לְ 1 S 4, 20 Ps 48, 14 62, 11 Pr 24, 32, c. אֶל Hi 7, 17; שַׁת פָּנָיו אֶל richtet s. Ges. nach *turns his face towards* Nu 24, 1; שַׁת עֵינָיו c. לְ u. inf. richtet s. A. darauf, zu ... *sets h. eyes to* ... Ps 17, 11; שַׁת פִּיו בְּ reisst s. Maul auf gegen *sets h. mouth against* 73, 9; 4. c. 2 ac. **machen zu** *make* c. 2. ac. 2 S 22, 12 1 K 11, 34 Js 5, 6 16, 3 26, 1 Ir 22, 6 Ps 18, 12 21, 7? 88, 9 110, 1 Hi 22, 24 (1 וְשַׁתְּ); = c. acc. u. לְ Ir 2, 15 13, 16 50, 3 Ps 45, 17, cj לְצִיד שַׁת לוֹ בָנָיו Ho 9, 13; c. ac. u. כְּ machen wie *set*, *make like* Ho 2, 5 Ps 21, 10 83, 12. 14; c. ac. u. שְׁכֶם machen, dass (er) die Schulter, den Rücken zeigen muss *cause* (*him*) *to show* (*h.*) *shoulder*, *back* Ps 21, 13; 5. (הַשַּׁעְרָה) שָׁתוּ nahmen (am Tor) Stellung *they set themselves in array* (*at the gate*) Js 22, 7, c. עַל gegen *against* Ps 3, 7; בְּ (cj עַצֶּבֶת) שַׁת hegt Schmerzen in *feels pain in* Ps 13, 3; אֲשִׁיתֵךְ כַּבָּנִים ich stelle dich [im Erben] wie einen Sohn *I* (*put*) *treat thee* [*as inheritor*] *like a son* (cf. Hi 42, 15 Duhm) Ir 3, 19; 1 יַחְתּוּ (נחת) Ps 49, 15, 1 יְשִׁתוּ Ps 84, 7, 1 יִשְׁבֹּת Hi 38, 11; †

hof (pass. qal): impf. יוּשַׁת auferlegt werden *be imposed* Ex 21, 30. †

Der. שִׁית, II n. m. שֵׁת.

שִׁית: שִׁית: **Tracht, Kleidung** *garment* Ps 73, 6 Pr 7, 10. †

שַׁיִת (nur Js *only*; immer *always* // שָׁמִיר): Rüthy, D. Pflanze u. ihre Teile, 1942, 20: sf. שִׁיתוֹ: v. שאה, Allgemeinausdruck *general expression*: Wüstkraut, **Unkraut** *weeds* (:: AS 2, 321, Löw 4, 33): sf. שִׁיתוֹ (BL 583): Js 5, 6 7, 23—25 9, 17 10, 17 27, 4. †

שׁכב: ug. *škb*; ak. *sakāpu* niederwerfen *overthrow* (?); ph. שכב; mhb.; aram. (*F* מִשְׁכָּב);

ስከበ daliegen *lie down*; *F* ba.:

qal (147 ×): pf. שָׁכַב, שָׁכֵב, שָׁכְבָה, שָׁכַבְתְּ, שָׁכַבְתִּי, שָׁכְבוּ, שְׁכַבְתֶּם, impf. יִשְׁכַּב, יִשְׁכָּב, נִשְׁכְּבָה, יִשְׁכָּבוּן, יִשְׁכְּבֻן, יִשְׁכָּבוּ, אֶשְׁכְּבָה, inf. שְׁכַב, שְׁכָב, לִשְׁכַּב, sf. שָׁכְבָהּ, שָׁכְבְּךָ, imp. שְׁכַב, שִׁכְבִי, שִׁכְבָה, שְׁכָב, pt. שֹׁכֵב, שֹׁכֶבֶת, שֹׁכְבִים, שֹׁכְבֵי: 1. **sich hinlegen, daliegen** *lie down*: zum Schlafen *to sleep* Gn 19, 4, krank *ill* 2 K 9, 16, בְּ an e. Ort *at a place* Gn 28, 11, עַל auf *upon* Lv 15, 4, אֵצֶל neben *together with* Gn 39, 10; עַל־צִדּוֹ Hs 4, 4, אַרְצָה 2 S 12, 16, לָאָרֶץ Th 2, 21, לֶעָפָר Hi 7, 21; שֹׁכֶבֶת חֵיקֶךָ die an d. Busen liegt *she that lies at thy bosom* Mi 7, 5; שָׁכַב לִבּוֹ liegt ruhig, hat Ruhe *h. heart takes rest* Ko 2, 23; 2. שָׁכַב אֶת־אֲבֹתָיו legt sich (im Tode) mit s. Vätern hin *lies (after dying) together with h. fathers* (Alfrink OTS 2, 106 ff) Gn 47, 30 Dt 31, 16 2 S 7, 12 1 K 1, 21 2, 10 11, 21. 43 14, 20. 31 15, 8. 24 16, 6. 28 22, 40. 51 2 K 8, 24 10, 35 13, 9 14, 16. 29 15, 7. 22. 38 16, 20 20, 21 21, 18 24, 6 2 C 9, 31 12, 16 13, 23 16, 13 21, 1 26, 2! 23 27, 9 28, 27 32, 33 33, 20; 3. vom Beischlaf *said of sexual intercourse*: c. עִם Gn 19, 32 30, 15, c. אֵת 19, 33 26, 10; v. Perversen *cases of perversity* Lv 18, 22 20, 13 Ex 22, 18 Dt 27, 21; שָׁכַב c. ac. einer Frau beiliegen *lie with a woman* Dt 28, 30 Q 2 S 13, 14 (1 אִתָּהּ?) Hs 23, 8 (1 אִתָּהּ?);

nif: impf. תִּשָּׁכַבְנָה (Q pro תִּשָּׁגַלְנָה): **beschlafen werden** *be lain with* Js 13, 16 Sa 14, 2; †

pu: pf. שֻׁכַּבְתְּ (Q pro שֻׁגַּלְתְּ): beschlafen werden *be lain with* Ir 3, 2; †

hif: pf. הִשְׁכִּיבָה, sf. הִשְׁכַּבְתִּים, impf. יַשְׁכִּיב, sf. וַיַּשְׁכִּיבֵהוּ ,וַיַּשְׁכִּבֵהוּ, inf. הַשְׁכֵּב: 1. **hinlegen** *lay* 1 K 3, 20 17, 19 2 K 4, 21 2 C 16, 14, liegen lassen, ruhen lassen *cause to lie, to rest* Ho 2, 20; hinlegen lassen *cause to lay down* 2 S 8, 2; (Gefässe) umlegen (sodass ihr Inhalt ausfliesst) *tip (vessels so that contents may flow out)* Hi 38, 37; †

hof: pf. הָשְׁכְּבָה ,הֻשְׁכַּב (BL 333), pt. מֻשְׁכָּב: **hingelegt werden, sein** *be laid* 2 K 4, 32 Hs 32, 19. 32. †

Der. *שְׁכָבָה, מִשְׁכָּב, *שְׁכֹבֶת.

***שְׁכָבָה**: (vel *שְׁכָבָה): שׁכב: cs. שִׁכְבַת: was sich hinlegt *what lies down*: שׁ׳ טַל **Taubelag** *layer of dew* Ex 16, 13 f; שׁ׳ זֶרַע **Samenerguss** *discharge of seed* Lv 15, 16 f. 32 22, 4; שָׁכַב שׁ׳ זֶרַע unter S. beschlafen *lie under giving seed* Lv 15, 18 19, 20 Nu 5, 13. †

***שְׁכֹבֶת**: שׁכב; VG 1, 359: sf. שְׁכָבְתּוֹ, שְׁכָבְתְּךָ: **Beilager** *copulation*; נָתַן שְׁכָבְתּוֹ אֶל vollzieht d. Beischlaf mit *lies with a woman* Lv 18, 20 (לְזֶרַע damit Nachkommenschaft entsteht *to beget offspring*), c. בְּ mit *with* Lv 18, 23 20, 15 Nu 5, 20. †

***שׁכה**: hif. pt. מַשְׁכִּים: > מַאֲשִׁיכִים* (אָשֶׁךְ): (starke) **Hoden zeigend** *having (strong) testicles* Ir 5, 8. †

שְׁכוֹל: שׁכל: (Kinderlosigkeit durch) **Verlust der Kinder** *(childlessness by) loss of children* Js 47, 8 f; 1 שָׁכוּ Ps 35, 12. †

שַׁכּוּל: שׁכל: fem. שַׁכֻּלָה, pl. שַׁכֻּלוֹת: **um die Kinder (Jungen) gekommen** *having lost the children (young ones)* Ir 18, 21, Bärin *female bear* 2 S 17, 8 Ho 13, 8 Pr 17, 12, Mutterschaf *ewe* Ct 4, 2 6, 6. †

שְׁכוּלָה: שׁכל: **der Kinder beraubt** *bereaved of children* Js 49, 21. †

שִׁכּוֹר, שִׁכֹּר: שׁכר: fem. שִׁכֹּרָה, pl. שִׁכּוֹרִים, cs. שִׁכֹּרֵי: **betrunken** *drunken* 1 S 1, 13 (חַנָּה) 25, 36 Js 19, 14 24, 20 Jl 1, 5 Ps 107, 27 Pr 26, 9. cj 10 Hi 12, 25, שִׁכֹּרֵי אֶפְרַיִם Js 28, 1. 3, שָׁתָה שִׁכּוֹר **bis zur Trunkenheit zechend** *drinking himself drunk* 1 K 16, 9 20, 16. †

שׁכח: mhb.; aram. F ba. antreffen, finden *come across, find*:

qal (102 ×): pf. שָׁכַח, שָׁכֵחָה Pr 2, 17, שָׁכַחַתְּ

(שְׁכַחְתְּ vel שָׁכַחַתְּ) Js 17, 10, שְׁכַחְתִּי, שְׁכַחְתֶּם, sf. שְׁכַחְתַּנִי, שְׁכֵחֻנִי, שְׁכֵחֲנוּךָ, שְׁכֵחוּךָ, impf. יִשְׁכַּח, תִּשְׁכָּחִי, תִּשְׁכָּחוּ, sf. תִּשְׁכָּחֵנִי, אֶשְׁכָּחֵךְ, inf. שָׁכוֹחַ, imp. שִׁכְחִי, pt. שֹׁכְחֵי: **vergessen** *forget* (:: זכר): Gn 40, 23 Ir 30, 14 Dt 24, 19 Ir 2, 32; Frau ihr Kind *woman her child* Js 49, 15, ihr Volk *her people* Ps 45, 11; obj. אֵת אֲשֶׁר das, was *that which* Gn 27, 45, כִּי dass *that* Hi 39, 15; Menschen vergessen *mankind forget*: יהוה Dt 8, 14. 19 Jd 3, 7 1 S 12, 9 Ir 3, 21 Ho 2, 15, Gott *God* Js 17, 10 שֹׁכְחֵי אֱלוֹהַּ Ps 50, 22, שֹׁכְחֵי אֵל Hi 8, 13, שֵׁם אֱלֹהֵינוּ Ps 44, 21, תּוֹרַת אֱלֹהֶיךָ Ho 4, 6, מִצְוֹתֶיךָ Dt 26, 13, הַבְּרִית Dt 4, 23 2 K 17, 38 Pr 2, 17, Israel עֹשֵׂהוּ Ho 8, 14; Gott vergisst *God forgets* הַבְּרִית Dt 4, 31, מַעֲשֵׂיהֶם Js 49, 14, צִיּוֹן Ps 9, 13, צַעֲקַת עֲנָיִים Am 8, 7, חַנּוֹת Ps 77, 10, abs. Ps 10, 11; שָׁכַח בְּ vergessen über *forget by* Ir 23, 27; שָׁכַח c. מִן u. inf. vergessen, zu ... *forget to* ... Ps 102, 5; l תִּכְחַשׁ pro תִּשְׁכַּח Ps 137, 5;

nif: pf. נִשְׁכַּחְתִּי, נִשְׁכַּחַת, נִשְׁכַּח, נִשְׁכְּחָה, impf. יִשָּׁכַח, תִּשָּׁכַח, pt. נִשְׁכָּחִים, נִשְׁכָּחָה: **in Vergessenheit geraten** *be forgotten* Gn 41, 30 Dt 31, 21 (מִפִּה im Mund *out of the mouth*) Js 23, 15f 65, 16 Ir 20, 11 23, 40 50, 5 Ps 9, 19 31, 13 (wie e. Toter *as a dead one*) Hi 28, 4 (מִנִּי fern von *far from*) Ko 2, 16 9, 5;†

pi: pf. שִׁכַּח: **in Vergessenheit geraten lassen** *cause to be forgotten* Th 2, 6 Si 11, 25. 27;†

hif: inf. הַשְׁכִּיחַ: c. 2 ac. jmd etw. **vergessen lassen** *make a person forget a thing* Ir 23, 27;†

hitp: impf. יִשְׁתַּכְּחוּ: **vergessen sein** *be forgotten* Ko 8, 10.†

Der. שָׁכֵחַ*.

שָׁכֵחַ*: שכח: pl. שְׁכֵחִים, cs. שִׁכְחֵי: **vergessend** *forgetting* Js 65, 11 Ps 9, 18.†

שׁכך: mhb. שִׁכֵּךְ אֹזֶן d. Ohr befriedigen *satisfy the ear* (:: schweigen *be silent*), שְׁכִיכָה Beschwichtigung (d. Zorns) *allaying* (*of anger*); سَكَّ V sich demütigen *humble oneself*:

qal: pf. שָׁכָכָה, impf. וַיָּשֹׁכּוּ, inf. שֹׁךְ: **heruntergehen, abnehmen** *go down, abate*: Wasser *water* Gn 8, 1, Zorn *anger* Est 2, 1 7, 10; שֹׁךְ? Ir 5, 26;†

hif: pf. הֲשִׁכֹּתִי: c. מֵעַל **zum Ablassen bringen von** *allay from upon* Nu 17, 20.†

שׁכל: ug. *škl*, ja. תְּכֵיל, תְּכוֹל, ثَكِلَ kinderlos werden *be bereaved of children*; cp. חוכיל, ܬܟܠܐ Verlust der Kinder *loss of children*:

qal: pf. שָׁכֹלְתִּי, שָׁכָלְתִּי, impf. אֶשְׁכַּל, תִּשְׁכַּל: **sein(e) Kind(er) verlieren** *be bereaved of one's child(ren)* Gn 27, 45 43, 14 1 S 15, 33;†

pi: pf. שִׁכֵּלָה, l שִׁכַּלְתִּיהָ pro שִׁכַּלְתָּה Hs 14, 15, שִׁכְּלוּ, sf. שִׁכַּלְתִּים, שִׁכְּלָךְ, impf. תְּשַׁכֵּל, מְשַׁכֵּלָה, תְּשַׁכְּלִי, תְּשַׁכְּלִי, inf. sf שַׁכְּלָם, pt. fem. מְשַׁכֵּלֶת, מְשַׁכָּלֶת: 1. **um die Kinder bringen, kinderlos machen** *bereave of children, make childless* Gn 42, 36 Lv 26, 22 Dt 32, 25 1 S 15, 33 Ir 15, 7 Hs 5, 17 14, 15 36, 12 f. cj 14 u. 15 (l תְּשַׁכְּלִי), Ho 9, 12 Th 1, 20; 2. **zu Fehlgeburten führen** *cause abortion* 2 K 2, 19. 21; 3. **Fehlgeburt haben, verwerfen** *suffer abortion, miscarry* Gn 31, 38 Hi 21, 10 Ex 23, 26; 4. **fehltragen** (Rebe) *prove barren* (*vine*) Ma 3, 11;†

hif: pt. מַשְׁכִּיל: **fehlgebärend** *miscarrying* Ho 9, 14; l מְשַׁכֵּיל Ir 50, 9.†

Der. אֶשְׁכֹּל, שַׁכּוּל, שָׁכוּל, שְׁכוֹלָה, שִׁכֻּלִים.

שִׁכֻּלִים*: שׁכל: sf. שִׁכֻּלָיִךְ: Zustand einer Mutter, die (durch Gewalt oder Tod) ihre Kinder verloren hat *state of a mother who, by violence or death, has lost her children* Js 49, 20.†

שׁכם: denom. v. I שְׁכֶם: ሰከመ auf d. Schulter tragen *carry on the shoulder*:
hif (66 ×): pf. הִשְׁכִּים, הִשְׁכִּימוּ; הִשְׁכַּמְתֶּם, impf. וַיַּשְׁכֵּם, תַּשְׁכִּים, וַיַּשְׁכִּימוּ, נַשְׁכִּימָה, pro אַשְׁכֵּים (BL 333) Ir 25, 3 l inf. הַשְׁכֵּם, הַשְׁכִּים, imp. הַשְׁכֵּם, pt. מַשְׁכִּים, pl. cs. מַשְׁכִּימֵי: (in der Frühe) auf die Schulter laden > früh tun > eifrig tun *load (in the early morning) backs of beasts > do early > do eagerly*: 1. **früh aufstehen** *rise early* Jd 19, 5. 8 1 S 15, 12 29, 10 f Js 5, 11 Ct 7, 13, הִשְׁכִּים לְדַרְכּוֹ macht sich früh auf d. Weg *rises early to depart* Jd 19, 9; inf. הַשְׁכִּים frühzeitig *early* Pr 27, 14; מַשְׁכִּימֵי קוּם die früh aufstehen *those rising early* Ps 127, 2; הַשְׁכֵּם וְהַעֲרֵב früh u. spät *early a. late* 1 S 17, 16; 2. **früh tun** *do early* וַיַּשְׁכִּימוּ ... וַיִּבְנוּ in der Frühe bauten sie *in the early morning they built* Jd 21, 4; וַיַּשְׁכֵּם ... וַיִּקְרָא in d. Frühe rief er *in the early morning he called* Gn 20, 8; so oft, auch mit beigefügtem בַּבֹּקֶר *thus often, even with added* בַּבֹּקֶר F Gn 19, 27 Jos 3, 1 6, 12; תַּשְׁכִּים וּפָשַׁטְתָּ in d. Frühe sollst du ... *rise early and ...* Jd 9, 33, הַשְׁכֵּם וְהִתְיַצֵּב stell dich in d. Frühe hin *rise early a. stand* Ex 8, 16; F Gn 19, 2 Jd 6, 28 2 K 19, 35 Js 37, 36; מַשְׁכִּים הֹלֵךְ (Tau) der früh vergeht *(dew) going early away* Ho 6, 4 13, 3; 3. früh = **eifrig, immer wieder tun** *do early = do eagerly, do again and again*: הִשְׁכִּימוּ הִשְׁחִיתוּ sie tun eifrig, immer wieder Böses *they act wickedly again and again* Ze 3, 7, הַשְׁכֵּם וְשָׁלֹחַ indem er immer wieder schickt *sending again a. again* Ir 7, 25 25, 4 26, 5 29, 19 35, 15 44, 4 2 C 36, 15, הַשְׁכֵּם וְהָעֵד Ir 11, 7, הַשְׁכֵּם וְלַמֵּד Ir 32, 33, הַשְׁכֵּם וְדַבֵּר Ir 7, 13 25, 3 (l וְהַשְׁכֵּם) 35, 14; מַשְׁכִּים Ir 5, 8 F שׁכה; l וַיִּשְׁכַּב 1 S 9, 26.

I **שְׁכֶם**: (Bauer ZAW 48, 76); ug. *ṯkm*; äth. denom. F שׁכם: שְׁכֶם, sf. שִׁכְמוֹ, שִׁכְמְךָ, שִׁכְמָה, pro שִׁכְמָה Hi 31, 22: 1. das **Schulterpaar**, Nacken, oberer Teil des Rückens, *the pair of shoulders, neck a. upper part of back* (F כָּתֵף Hi 31, 22): trägt die Lasten *bears burdens* Gn 21, 14 24, 15. 45 49, 15 Ex 12, 34 Jos 4, 5 Jd 9, 48 Js 10, 27 14, 25 Ps 81, 7; trägt d. Gewand *supports cloths* Gn 9, 23, מִשְׂרָה Js 9, 5, מַפְתֵּחַ Js 22, 22; מִשִּׁכְמוֹ וָמַעְלָה 1 S 9, 2 10, 23; הִפְנָה שִׁכְמוֹ לְ 1 S 10, 9; שְׁכֶם אֶחָד Schulter an Schulter Ze 3, 9; שִׁית שְׁכֶם in die Flucht schlagen *turn to flight* Ps 21, 13; 2. (metaph.) **Bergrücken** *shoulder of mount* Gn 48, 22. †
Der. שׁכם; n. l. II שְׁכֶם; n. m. שֶׁכֶם, שְׁכֶם.

II **שְׁכֶם**: n. l.; = I 2; EA *Šakmi*, äg. *Skmʾmʾ* = *Sakmāmi* (die 2 Schultern *the two shoulders*) BAS 83, 33: loc. שְׁכֶמָה Gn 37, 14, שְׁכֶמָה Ho 6, 9: מְקוֹם שְׁ׳ Gn 12, 6, עִיר שְׁ׳ Gn 33, 18: **Sichem** *Schechem*, Συχεμ, Σικιμα, seit *since* Vespasian Flavia Neapolis = *Nāblus*: *Tell Balāṭa* BRL 477 f: Gn 12, 6 33, 18 37, 12—14 48, 22 Jos 17, 7 20, 7 21, 21 24, 1. 32 Jd 8, 31 9, 1—57 (23 ×) 21, 19 1 K 12, 1. 25 Ir 41, 5 Ho 6, 9 1 C 6, 52 7, 28 2 C 10, 1. †

III **שְׁכֶם**: n. m; = I; Dir. 354; palm. n. m.; asa. שׁכם n. m. u. gntl.: Gn 34, 2—26 (11 ×) Jos 24, 32 Jd 9, 28. †

שֶׁכֶם: n. m.; I שְׁכֶם; F III שְׁכֶם: 1.—3. Nu 26, 31; Jos 17, 2; 1 C 7, 19; F שִׁכְמִי. †

שִׁכְמִי: gntl. שֶׁכֶם 1: Nu 26, 31. †

שׁכן: (šaf. v. כון Haupt AJS 23, 248; VG 1, 522); ak. *šakānu* hinlegen *lay down*; ph. שׁכן; ug. *škn* wohnen *dwell*; ja. שְׁכֵין; F ba.; سَكَنَ wohnen *dwell*:
qal (111 ×): pf. שָׁכַן, שָׁכֵן, שָׁכְנָה, שָׁכַנְתָּ, impf. יִשְׁכּוֹן, יִשְׁכֹּן, יִשְׁכָּן־, אֶשְׁכְּנָה, אֶשְׁכֹּנָה, יִשְׁכְּנוּ, תִּשְׁכֹּנָּה (!נ) Hs 17, 23, inf. לִשְׁכֹּן, sf. לְשָׁכְנִי Ex 29, 46, לְשִׁכְנוֹ Dt 12, 5, imp. שְׁכֹן,

שְׁכֻנוּ, שָׁכֵךְ, pt. שֹׁכֵן, cs. שֹׁכְנֵי (BL 525. 549), fem. cs. שֹׁכַנְתִּי Ir 51, 13 (BL 614), pl. שֹׁכְנִים, sf. שֹׁכְנֵיהֶם; pro שֹׁכְנֵי l הַשְּׁכוּנִי Jd 8, 11: 1. sich herunterlassen, **sich unterwerfen** *go down, submit* (سكن wurde unterwürfig *submitted* Driv. JTS 33, 43): לִשְׁכֹּן [sind bereit,] sich zu unterwerfen [*are prepared*] *to submit* Ps 68, 19; **2. sich** (zeitweilig) **niederlassen** *settle down (for a time)*: Löwe *lion* Dt 33, 20, כְּבוֹד י' Ex 24, 16, עָנָן Ex 40, 35 Nu 9, 17 f. 22 10, 12; F Ps 139, 9 Mi 4, 10; שֹׁכֵן לִשְׁבָטָיו nach Stämmen gelagert *dwelling according to their tribes* Nu 24, 2; **3. sich aufhalten** *stay at a place* Jd 5, 17 Pr 7, 11; **4. weilen, wohnen** *settle down to abide* Gn 14, 13 Ir 25, 24 Ps 15, 1, c. עִם bei *with* Ps 120, 5 f, c. מִן ... עַד Gn 25, 18, c. בָּדָד Ir 49, 31; c. ac. **bewohnen** *live in* אֶרֶץ Ps 37, 3, צְחִיחָה 68, 7, בָּתֵּי חֹמֶר Hi 4, 19; שֹׁכֵן תַּחְתָּיו wohnt an s. Stätte = ungestört *lives at his place = undisturbed* 2 S 7, 10 1 C 17, 9, c. בֶּטַח Dt 33, 28 Pr 1, 33, c. לָבֶטַח Dt 33, 12 Ps 16, 9 Ir 23, 6; Tiere *animals* Js 13, 21 Hi 26, 5 37, 8; Tote *dead ones* Ps 94, 17 Js 26, 19; 5. von Gott gesagt *said of God*: בְּהַר צִיּוֹן Js 8, 18 Jl 4, 17. 21 Ps 74, 2 68, 17, בִּירוּשָׁלָם Ps 135, 21 1 C 23, 25, בָּעֲרָפֶל 1 K 8, 12 2 C 6, 1, am erwählten Platz *at the chosen place* Dt 12, 5, מָרוֹם Js 33, 5, מָרוֹם וְקָדוֹשׁ Js 57, 15, סְנֶה Dt 33, 16, עַד Js 57, 15; 6. von Sachen gesagt *said of things* **wohnen, weilen, sich befinden** *dwell*: עִיר Ir 33, 16 50, 39 Js 13, 20, אֹהֶל מוֹעֵד Lv 16, 16, cj Ps 78, 60, מִשְׁכַּן י' Jos 22, 19, אוֹר Hi 38, 19, מִשְׁפָּט Js 32, 16, כָּבוֹד Ps 85, 10; l יָשְׁנוּ Na 3, 18. l שָׁכַנְתִּי (שָׁכֵן) Pr 8, 12;

pi: pf. שִׁכַּנְתִּי, שִׁכֵּן, impf. אֲשַׁכְּנָה, inf. שַׁכֵּן: **wohnen lassen** *make settle down, establish*: Nu 14, 30 Ir 7, 3. 7; obj. שְׁמוֹ שָׁם Dt 12, 11 14, 23 16, 2. 6. 11 26, 2, שְׁמִי Ir 7, 12 Ne 1, 9, l שִׁכֵּן Ps 78, 60; †

hif: pf. הִשְׁכַּנְתִּי, impf. יַשְׁכֵּן, וַיַּשְׁכִּינוּ: **sich aufhalten lassen, wohnen lassen** *cause to dwell, place* Gn 3, 24 Jos 18, 1 Hs 32, 4 Ps 7, 6 78, 55 Hi 11, 14. †

Der. שָׁכֵן, שֶׁכֶן, מִשְׁכָּן; n. m. שְׁכַנְיָה(וּ).

שָׁכֵן: שכן: (cs. שְׁכַן l שֹׁכְנֵי Ho 10, 5), sf. שְׁכֵנוֹ, pl. sf. שְׁכֵנַי, שְׁכֵנָיו 2 K 4, 3 (BL 557), שְׁכֵנֵינוּ, fem. sf. שְׁכֶנְתָּהּ (F unten *below* cj Pr 8, 12), pl. שְׁכֵנוֹת: **1. Bewohner** *inhabitant* Js 33, 24; **2. Anwohner, Nachbar(in)** *neighbour* Ex 3, 22 12, 4 2 K 4, 3 Ir 6, 21 Hs 16, 26 Ps 31, 12 44, 14 79, 4. 12 80, 7 89, 42 Pr 27, 10, cj cs. שְׁכֶנְתִּי 8, 12, Ru 4, 17, Nachbarstadt *neighbour town* Ir 49, 18 50, 40, Nachbarvolk *neighbour nation* Dt 1, 7 Ir 12, 14 49, 10. †

שְׁכַנְיָה: n. m.; < שְׁכַנְיָהוּ: 1.—7. 1 C 3, 21 f; Ne 3, 29; 6, 18 12, 3; Esr 10, 2; 8, 3; 8, 5; F שְׁבַנְיָה. †

שְׁכַנְיָהוּ: n. m.; שכן u. י'; > שְׁכַנְיָה; Dir. 354; *Sakānu, Sakandada* APN 190; cf. *Διογείτων*: 2 C 31, 15. †

שׁכר: ug. *škr*; ak. *šakāru*; mhb.; ܫܟܪ; سكر, ሰከረ:

qal: pf. שָׁכְרוּ, impf. יִשְׁכַּר, וַיִּשְׁכְּרוּ, יִשְׁכְּרוּן, inf. לְשִׁכְרָה, imp. שִׁכְרוּ: **betrunken sein, werden** *be, become drunk* Js 29, 9 (//נָעוּ) Th 4, 21; שָׁתָה וַיִּשְׁכָּר trank u. wurde trunken *drank a. became drunken* Gn 9, 21 43, 34 Ir 25, 27 Hg 1, 6 Ct 5, 1; c. דָּם v. Blut trunken sein *be drunken with blood* Js 49, 26; l תִּשָּׁבְרִי Na 3, 11; †

pi: impf. sf. וַיְשַׁכְּרֵהוּ, inf. שַׁכֵּר, pt. מְשַׁכֶּרֶת: **trunken machen** *make drunken* 2 S 11, 13 Ir 51, 7 Ha 2, 15; l וָאֲשַׁבְּרֵם Js 63, 6; †

hif: pf. הִשְׁכַּרְתִּי, sf. הִשְׁכַּרְתִּים, impf. אַשְׁכִּיר, imp. sf. הַשְׁכִּירֻהוּ: **trunken werden lassen** *cause to become drunk* Dt 32, 42 Ir 48, 26 51, 39. 57; †
hitp: impf. תִּשְׁתַּכָּרִין: **sich trunken gebärden, zeigen** *behave drunken* 1 S 1, 14. †

שֵׁכָר: שכר: ak. *šikru, šikaru* Getränk, Bier *beverage, beer*; mhb.; ja. שִׁכְרָא, sy. שַׁכְרָא; سَكَر, σίκερα: **berauschendes Getränk**, Bier *strong drink, beer*; F סֹבֶא; BRL 110; Löw 1, 718 f; Lutz, Viticulture a. Brewing in the Anc. Orient, 1922: meist *mostly* // יַיִן: Lv 10, 9 Nu 6, 3 Dt 29, 5 Jd 13, 4. 7. 14 1 S 1, 15 Dt 14, 26 Mi 2, 11 Js 5, 11. 22 24, 9 28, 7 29, 9 56, 12 Ps 69, 13 Pr 20, 1 31, 4. 6 Si 40, 18; נֶסֶךְ שֵׁכָר Nu 28, 7, חֹמֶץ שֵׁכָר Nu 6, 3. †

***שָׁכֵר**: שכר: fem. cs. שִׁכְרַת: **betrunken** *drunken* Js 51, 21. †

I **שִׁכָּרוֹן**: שכר: **Trunkenheit, Rausch** *drunkenness* Ir 13, 13 Hs 23, 33 39, 19. †

II ***שִׁכְּרוֹן**: n. l.; Noth S. 61 vermutet *suggests* dittogr.; Σακχαρώνα; sy. שַׁכְרוֹנָא = *Hysocamus* Bilsenkraut *hog's bean* (Löw 3, 359 ff; F Joseph. Antt. 3, 7, 6): loc. שִׁכְּרוֹנָה: Jos 15, 11. †

שַׁל: 2 S 6, 7; A. van Selms, De Babylonische Termini voor Zonde, 1933, 43: bab. *sullū* verächtlich behandeln *treat disdainfully* u. *sil'atu* Unehrerbietigkeit *irreverence*: Textfehler? F 1 C 13, 10. †

שֶׁל < *שֶׁל: F שֶׁ.

שַׁלְאֲנַן Hi 21, 23; l שַׁאֲנַן (:: Ružička KD 221). †

שלב: denom. v. *שָׁלָב:
pu: pt. pl. f. מְשֻׁלָּבֹת: **eingefügt, in Verband gebracht** *be bound, joined* (mit *with* יָדוֹת Zapfen *plugs*) Ex 26, 17 36, 22. †

***שָׁלָב**: ak. *šulbū* Türverschluss *contrivance for shutting a door* v. *labū* einschliessen *lock up* (Haupt zu *to* 1 K 7, 28)?: pl. שְׁלַבִּים: **Sprosse, Verbindungsleiste** *rung, cross-bar* 1 K 7, 28 f; F שׁלב. †

שלג: denom. v. שֶׁלֶג:
hif: impf. תַּשְׁלֵג: **schneien** *snow* Ps 68, 15. †

I **שֶׁלֶג**: ak. *šalgu*; mhb.; aram. תַּלְגָּא; ثَلْج: **Schnee** *snow* Js 55, 10 Ps 148, 8 Pr 26, 1 31, 21 Hi 6, 16 37, 6 38, 22, kühl *cool* Pr 25, 13, weiss *white* Js 1, 18 Ps 51, 9, rein *clean* Th 4, 7; מְצֹרַעַת כַּשָּׁלֶג Ex 4, 6 Nu 12, 10 2 K 5, 27, שֶׁלֶג כַּצָּמֶר Ps 147, 16; שֶׁלֶג לְבָנוֹן Ir 18, 14; Tag des Schneefalls *day of snowfall* 2 S 23, 20 1 C 11, 22; Schneewasser *snow-water* Hi 24, 19. †
Der. II שֶׁלֶג.

II **שֶׁלֶג**: = I; mhb., אַשְׁלָג, ja. שַׁלְגָא u. אַשְׁלְגָא; ak. *ašlaku* Bleicher *bleacher*: **Seifenkraut** *soapwoot Saponaria* (Preuss, Bibl.-talmud. Medicin 451, Löw 1, 648 f): Hi 9, 30. †

שלה: aram. שְׁלָא, ܫܠܐ, ܫܠܐ; سَلَا; F ba. שָׁלֵה, שְׁלוּ, שָׁלֵו, שְׁלוּא; שׁלה < שׁלב (Torcz.) F שׁלם:
qal: pf. שָׁלוּ, שָׁלַוְתִּי, impf. יִשְׁלָיוּ: **Ruhe haben** *be at ease* Ir 12, 1 Ps 122, 6 Hi 3, 26 12, 6 (לְ gegenüber *in front of*) Th 1, 5; Hi 27, 8 יֵשֶׁל > *יִשְׁלֶה > יִשְׁלֶה 1 יִשָּׂא אֵל; †
nif: impf. תִּשָּׁלוּ: **sich d. Ruhe hingeben** *give oneself up to rest* 2 C 29, 11; †
hif: impf. תַּשְׁלֶה: **beruhigen, (falsche) Hoffnung machen** *set at ease, lead to (false) hope* 2 K 4, 28. †
Der. שָׁלֵו, *שְׁלִי, שַׁלְוָה, שָׁלֵו, *שְׁלִיָה, שֵׁלָה ?; n. m. שִׁלּוֹן.

I ***שֵׁלָה**: שְׁאֵלָה >: sf. שֵׁלָתֵךְ **Bitte** *petition* 1 S 1, 17. †

II שֵׁלָה: n. m.; = I? Noth 1335: S. v. יְהוּדָה Gn 38, 5. 11. 14. 26 46, 12 Nu 26, 20 1 C 2, 3 4, 21; F שֵׁלָנִי.†

שִׁלֹה (21 ×), שִׁלוֹ (8 ×), שִׁילוֹ (Jd 21, 21 Ir 7, 12): n. l.; Σηλων: Silo *Shilo* = *Ch. Sēlūn* F שִׁילֹנִי; BRL 490f: Jos 18, 1. 8—10 19, 51 21, 2 22, 9. 12 Jd 18, 31 21, 12 1 S 1, 3 (בְּלִשְׁכָּה 1 ?9.) 2, 14 3, 21 4, 3 f. 12 1 K 2, 27 14, 2. 4 Ir 26, 6; F תַּאֲנָה.†

שַׁלְהֶבֶת: להב; ܫܰܠܗܶܒܬܳܐ anzünden *kindle*; ja. שַׁלְהוֹבִיתָא, ܫܰܠܗܶܒܺܝܬܳܐ: שַׁלְהֶבֶת: Flamme *flame* Hs 21, 3 Hi 15, 30; cj pl. cs. u. pl. sf. F שַׁלְהֶבֶתְיָה.†

שַׁלְהֶבֶתְיָה Ct 8, 6: l שַׁלְהֲבֹתֶיהָ שַׁלְהֶבֶת יָהּ.†

שָׁלֵיו, שָׁלֵו Ir 49, 31, שָׁלֵיו Hi 21, 23: שלה: fem. שְׁלֵוָה, pl. cs. שַׁלְוֵי: ungestört, sorglos *quiet, at ease* Ir 49, 31 Sa 7, 7 Ps 73, 12 Hi 16, 12 21, 23 1 C 4, 40; l שַׁלְוָה Hi 20, 20; l שָׂרוּ? Hs 23, 42.†

*שֶׁלֶו: שלה: cs. שַׁלְוִי: Ungestörtheit, Sorglosigkeit *quietness, ease* Ps 30, 7.†

שָׁלוּ: F שלה.

שַׁלְוָה: שלה: cs. שַׁלְוַת, pl. sf. שַׁלְוֹתַיִךְ: 1. Sorglosigkeit *ease* Ps 122, 7 Pr 1, 32 17, 1, cj Hi 20, 20, כְּשַׁלְוָה während sie sorglos sind *while they are at ease* Da 8, 25 11, 21. 24; שַׁלְוַת הַשְׁקֵט sorglose Ruhe *careless security* Hs 16, 49; 2. pl. sf. die Zeit deines Gedeihens *the period of the prosperity* Ir 22, 21.†

*שִׁלּוּחִים: II שלח: sf. שִׁלּוּחֶיהָ: 1. Entlassung, Heimsendung (Scheidung) e. Frau *sending away, of a wife to her father's home* Ex 18, 2; 2. Abschieds-, Entlassungs-Geschenk (des Vaters an die heiratende Tochter) *parting gift* (*dowry*) (*of father to his marrying daughter*) JBL 68, 1: 1 K 9, 16 Mi 1, 14.†

שָׁלוֹם (236 ×), שָׁלֹם; שלם: ug. *šlm*: cs. שְׁלוֹם; sf. שְׁלוֹמְנוּ, שְׁלֹמָם, שְׁלוֹמִי, שְׁלוֹמְךָ, שְׁלֹמֹה, pl. שְׁלוֹמִים: unversehrtes Sein, Gedeihen (Friede) *completeness, welfare* (*peace*): 1. Unbefangenheit *unconcern, ease* Ps 120, 7 (:: מִלְחָמָה Streit *fighting*); לְשָׁלוֹם unbefangen *without preoccupation* Gn 37, 4; אִישׁ שְׁלוֹמִי m. Vertrauter *my intimate*, pl. אֱנוֹשׁ שְׁלוֹמִי u. אַנְשֵׁי שְׁלֹמֶךָ Ir 38, 22 Ob 7 Ir 20, 10; שָׁלוֹם לָכֶם seid unbekümmert! *stay at ease!* Gn 43, 23; 2. Gedeihen *prosperity* Lv 26, 6 Nu 6, 26 Dt 23, 7 Js 48, 18 60, 17 48, 22 = 57, 21 52, 7 = Na 2, 1, etc.; מַחְשְׁבוֹת שָׁ׳ Ir 29, 11, שְׁלוֹם הָעִיר Ir 29, 7, דָּרַשׁ לְשָׁ׳ לְ Js 59, 8; דֶּרֶךְ שָׁ׳ auf jmds Gedeihen aus sein *look, act for one's prosperity* Ir 38, 4, etc.; שָׁ׳ פַּרְעֹה was für d. Ph. erspriesslich ist *what is for the Ph's profit* Gn 41, 16; 3. Unversehrtheit *intact state*: לְשָׁ׳ unbehelligt *unmolested* Gn 44, 17 Jd 18, 6 1 S 20, 13, unbesorgt *unconcerned* 1 S 1, 17 20, 42 2 K 5, 19; בְּשָׁ׳ unversehrt *unviolated* 1 K 2, 6 2 K 22, 20 Ir 43, 12, שִׁלַּח בְּשָׁ׳ unversehrt ziehen lassen *send away unhurt* Gn 26, 29; עָבַר שָׁ׳ unversehrt einherziehen *pass on safely* Js 41, 3, הָיָה שָׁ׳ unversehrt bleiben *be unhurt, safe* 2 S 17, 3; Grussformel *formula of greeting*: שָׁלוֹם לְךָ sei willkommen! *be welcome!* Jd 19, 20 (Ir. Lande, Formelhafte Wendungen ... im AT, 1949, 3—9); שָׁ׳ es ist gut *it is allright* 2 K 4, 23; 4. (persönliche Unversehrtheit) Wohlergehen, Befinden (*personal*) *welfare, condition, health*: שְׁ׳ הַצֹּאן u. שְׁ׳ אַחֶיךָ Gn 37, 14; שְׁ׳ אֶסְתֵּר Est 2, 11, שָׁלוֹם לוֹ es geht ihm gut *he is well* Gn 43, 28 (F Dt 29, 18 2 S 18, 29); הֲשָׁ׳ אַתָּה geht es dir gut? *how are you?* 2 S 20, 9;

הֲשָׁ' steht es gut? *is all well?* 2 K 5, 21, מָה הַשָּׁ' wie kann es gut stehn? *how could things be well?* 2 K 9, 22; שְׁ' הַמִּלְחָמָה wie es mit d. Kampf steht *how the fight prospers* 2 S 11, 7; שָׁאַל לוֹ לְשָׁלוֹם fragt nach s. Befinden *asks after h. condition* Gn 43, 27 (10 ×), לִשְׁאֹל לִשְׁלוֹם < לִשְׁלוֹם 2 K 10, 13; 5. gedeihliche Beziehung = **Friede** *prosperous relation = peace*: c. בֵּין ... וּבֵין Jd 4, 17 1 S 7, 14, :: חֶרֶב Ir 4, 10; קָרָא לְשָׁ' c. לְ Jd 21, 13, c. אֶל Dt 20, 10 Frieden anbieten *proclaim peace unto*; עָנָה שָׁ' אֶת auf d. Frieden eingehen mit *accept the offer of peace with* Dt 20, 11; עָשָׂה שָׁ' לְ' Frieden, Freundschaft gewähren *make peace with* Jos 9, 15 Js 27, 5; בְּשָׁ' in Frieden *in peace*, c. הֵשִׁיב Jd 11, 13, c. שָׁב Gn 28, 21, c. בָּא אֶל־אֲבֹתָיו (= sterben *die*) Gn 15, 15; c. מוּת Ir 34, 5, c. שָׁכַב Ps 4, 9; אֵין שָׁ' friedlos *without peace* Ir 30, 5; עֲצַת שָׁ' friedliche Beratung *counsel of peace* Sa 6, 13; דִּבְרֵי שָׁ' friedliche W. *w. of peace* Dt 2, 26; בַּשָּׁ' im Frieden *in peace (prosperity?)* Hi 15, 21; בְּשָׁ' in Friedenszeit *in the time of peace* 1 K 2, 5; לְשָׁ' in friedlicher Absicht *in peaceful mood* 1 K 20, 18; הֲשָׁ' in friedl. Abs. *in peaceful m.* 1 S 16, 4 f 1 K 2, 13; שָׁ' מִן Friede mit *peace with* 1 K 5, 4; בָּא שָׁ' zum Fr. kommen *enter into p.* Js 57, 2; דִּבֶּר שָׁ' אֶת friedfertig reden mit *speak peaceably to* Ir 9, 7, c. לְ Frieden schliessen mit *make peace with?* Sa 9, 10; שָׁ' וֶאֱמֶת Fr. u. Bestand *p. a. truth* 2 K 20, 19 Js 39, 8 Ir 33, 6, שְׁ' אֱמֶת beständiger Fr. *assured p.* Ir 14, 13; אֶרֶץ שָׁ' Ir 12, 5, נְוֵה שָׁ' Js 32, 18, pl. Ir 25, 37, שַׂר שָׁ' Js 9, 5, מַלְאֲכֵי שָׁ' Js 33, 7; etc.; 6. (abgeschwächt >) **Freundlichkeit** *(weakened >) friendship, friendliness*: אָסַף שְׁלוֹמוֹ מֵאֵת entzieht (ihm) s. Freundschaft *withdraws h. friendship from* Ir 16, 5; לֹא שָׁ' Unfreundliches *unfriendly things* Ps 35, 20; דִּבְרֵי שָׁ' freundliche W. *friendly w.* Est 9, 30, דִּבֶּר שָׁ' freundlich reden (mit) *speak friendly (to)* Ps 28, 3 85, 9; דִּבֶּר שָׁ' לְ für jmd zum besten reden *speak to one's favour* Est 10, 3; 7. (gesteigert >) **Heil** *(strengthened >) peace, salvation*: שָׁ' לְ מֵעִם יהוה 1 K 2, 33; Altarname *name of altar* יהוה שָׁ' Jd 6, 24, עֹז//שָׁ' Ps 29, 11; מַר :: שָׁ' Js 38, 17, :: רַע 45, 7; מוּסַר שְׁלוֹמֵנוּ zu uns. Heil *for our salvation* Js 53, 5; בְּרִית שָׁ' Hs 34, 25 37, 26, בְּרִית שְׁלוֹמִי m. Bund des Heils *my covenant of salvation* Js 54, 10, בְּרִיתִי שָׁ' m. B., der Heil bringt *my cov. bringing salvation* Nu 25, 12; בְּשָׁ' heil *with peace* Js 55, 12; יַעַץ שָׁ' Heilsames raten *advise peaceful things* Pr 12, 20; Offenbarungsformel *formula of revelation*: שָׁ' לְךָ Jd 6, 23 Da 10, 19; Gruss-(Wunsch-)-formel *formula of greeting, wishing*: אַתָּה שָׁ' 1 S 25, 6, (zum König *to the king*) שָׁ' Heil! *peace!* 2 S 18, 28; l שָׁלְמוּ Hi 21, 9; 8. pl. (alle Fälle Textverderbnis *in all places corrupted*) l שְׁלוֹמֵנוּ Js 53, 5, l בִּשְׁלָמָיו Ps 55, 21, l וְשַׁלְמֵיהֶם Ps 69, 23, l שְׁלֵמָה Ir 13, 19. Der. n. m. שְׁלֹמֹה, אֲבִישָׁלוֹם, אַבְשָׁלוֹם; F שׁלם hif. 3.

שַׁלֻּם, שַׁלּוּם: n. m.; שׁלם; ph. n. m. שלם; Dir. 354; Noth S. 174: 1. K. v. Israel 2 K 15, 10. 13—15; 2. K. v. Juda Ir 22, 11 1 C 3, 15 (F יְהוֹאָחָז), cj Ho 10, 14; Mann v. *husband of* חֻלְדָּה 2 K 22, 14 2 C 34, 22; 4. שֹׁעֵר 1 C 9, 17. 19. 31 Esr 2, 42 Ne 7, 45, = שֶׁלֶמְיָהוּ 1 C 26, 14 = מְשֶׁלֶמְיָהוּ 26, 1 = מְשֶׁלֶמְיָה 9, 21 = מְשֻׁלָּם Ne 12, 25; 5.—14. 1 C 5, 38 f Esr 7, 2; 1 C 2, 40 f; Ir 32, 7; 35, 4; 1 C 4, 25; 7, 13; 2 C 28, 12; Esr 10, 24; 10, 42; Ne 3, 12.†

שִׁלּוּם u. Ho 9, 7 שִׁלֻּם: שׁלם: pl. שִׁלּוּמִים:

Vergeltung, Heimzahlung, *reward, retribution* Js 34, 8 Mi 7, 3 Ho 9, 7. †

שַׁלּוּן: n. m.; *(שַׁלּוּ(ו (שׁלה) u. -*n?* Ne 3, 15. †

שִׁלוֹנִי: F שִׁילֹנִי.

שָׁלוֹשׁ: F שָׁלֹשׁ.

I ***שׁלח**: F *שְׁלָחִים, שֶׁלַח.

II **שׁלח**: F ba.; ak. *tešlitu* Befehl *order* (?); ph. שלח יד Klmw 6; ak. *šiliḫtu* F שֶׁלַח; mhb.: qal (562 ×): pf. שָׁלַח, שְׁלַח־ Th 1, 13, שָׁלְחָה, שְׁלַחְתֶּם, sf. שְׁלָחוֹ, שְׁלָחַתְיוּ, impf. יִשְׁלַח, תִּשְׁלַח, תִּשְׁלָחֶם, תִּשְׁלַחְנָה, יִשְׁלָחוּ, אֶשְׁלְחָה, sf. יִשְׁלָחֲךָ, inf. שְׁלוֹחַ, שְׁלֹחַ u. שְׁלַח Js 58, 9, sf. שָׁלְחִי, imp. שְׁלַח, וּשְׁלַח 2 K 9, 17, שִׁלְחָה, שִׁלְחוּ, sf. שְׁלָחֵנִי, שְׁלָחִיו, pt. שֹׁלֵחַ, sf. שֹׁלְחִי, שֹׁלֵחֲךָ, pass. שָׁלוּחַ, שְׁלוּחָה, שְׁלֻחָה, F subst. שְׁלֻחוֹת: **1. freien Lauf lassen, gehen lassen** *let loose, give free course*: שׁ׳ פִּיו בְּ s. Mund fr. Lauf lassen in *let loose one's mouth to* Ps 50, 19; שְׁלֻחָה freilaufend, flüchtig *fugitive, fleet* (Aharoni, Osiris 5, 465: mit verzweigtem Gehörn *with branched antlers*) Gn 49, 21, F שְׁלֻחוֹת; **2. ausstrecken** *stretch out*: אֶצְבַּע Js 58, 9, יָדוֹ Gn 3, 22, c. אֶל 1 S 17, 49, c. בְּ d. Hand legen an *put the hand upon* Hi 28, 9, sich vergreifen an *lay hands on* Gn 37, 22 Ne 13, 21, יְמִינוֹ Gn 48, 14, (יָדוֹ weggelassen *dropped*) Ps 18, 17 57, 4, c. אֶל 2 S 6, 6, c. בְּ Ob 13; שָׁלַח מַטֶּה 1 S 14, 27 Ps 110, 2; שׁ׳ מַגָּל d. Sichel anlegen *put in the sickle* Jl 4, 13; **3. gehen lassen** *let go* Jd 11, 38, c. לְפָנָיו voraus *in advance* Gn 45, 5 Ex 23, 20 Mi 6, 4; **4. schicken, senden** *send*: c. אֶל Gn 37, 13, c. לְ 2 S 10, 3, c. עִם Ne 2, 9, c. אֵת mit *together with* Gn 43, 8, c. לְ nach *for* Ir 14, 3 1 K 20, 7, c. לִקְרַאת 2 S 10, 5, c. לְ c. inf. Nu 13, 16 1 S 15, 1; Gott schickt Propheten *God sends prophets* Js 6, 8 2 K 2, 2 Js 61, 1 48, 16; שֹׁלְחִי der mich schickt *who sends me* (Gott *God*) 2 S 24, 13; שׁ׳ דָּבָר לְ e. Botschaft schicken an *send a message to* Gn 45, 23, c. דְּבָרִים Nachricht *news* Pr 26, 6, c. סֵפֶר אֶל 2 K 5, 5, c. אִגֶּרֶת Ne 6, 19; Dinge, die Gott schickt *things sent by God* Ex 9, 14 Jd 9, 23 Js 9, 7 Ir 25, 16. 27 Ps 18, 15 105, 28 107, 20 135, 9 147, 15 Hi 5, 10 Th 1, 13; שׁ׳ בְּיַד durch jmd schicken *send by a person* 1 S 16, 20 2 S 11, 14 (auch *also* Ex 4, 13 1 K 2, 25!); שָׁלוּחַ קָשָׁה mit Schwerem geschickt *sent with heavy tidings* 1 K 14, 6; שׁ׳ אֶל jmd [durch Boten] anweisen *send an order* [*by messengers*] 1 K 5, 23 20, 9;

nif: inf. **נִשְׁלוֹחַ: geschickt werden** *be sent* Est 3, 13; †

pi. (265 ×): pf. שִׁלַּח, שִׁלְּחָה > שִׁלְּחָה Hs 17, 7 31, 4 wie *like* שִׁלְּחוּ Ps 74, 7 (BL 221), שִׁלְּחוּ, sf. שִׁלַּחְתּוֹ, שִׁלַּחְתִּיךָ, שִׁלְּחוּךָ, שִׁלְּחָנִי שִׁלְּחוֹ, impf. יְשַׁלַּח, וַיְשַׁלְּחֵם, תְּשַׁלַּחְנָה, יְשַׁלְּחוּ, וַיְשַׁלְּחוּ, sf. אֲשַׁלַּח, וַאֲשַׁלֵּחֲךָ, אֲשַׁלֵּחֲךָ, תְּשַׁלְּחֵנוּ, inf. שַׁלַּח, שַׁלֵּחַ, sf. שַׁלְּחָם, שַׁלְּחוֹ שִׁלְחוֹ 1 C 8, 8 (BL 362) u. שַׁלְּחוֹ Ex 4, 23, imp. שַׁלַּח, שַׁלְּחוּ, sf. שַׁלְּחֵנִי, שַׁלְּחֻנִי, pt. מְשַׁלֵּחַ, pl. cs. מְשַׁלְּחֵי: **1. freien Lauf lassen, gehen lassen** *let loose, set free*: בְּעִירֹה Ex 22, 4, מַיִם Hs 31, 4 Ps 104, 10, Menschen *man* Gn 30, 25, F Gn 8, 7 f Js 32, 20 Sa 9, 11 Ko 11, 1 Ir 38, 6. 11, Haar *hair* (offen tragen *wear loose*) Hs 44, 20, Streit *discord* (entfesseln) Pr 6, 14. 19 16, 28, Wehen [gebärend] loswerden *get rid of labour-pains* Hi 39, 3; ausstrecken *stretch out*: יָדָיו Pr 31, 20, cj תְּשַׁלַּח יָד Ob 13, ausbreiten *spread out*: שָׁרָשָׁיו Ir 17, 8, c. פֹּארֹת Hs 17, 6 f Ps 80, 12; **2. loslassen** *let go* 1 S 20, 5. 13, Gegner (beim Ringen) *antagonist* Gn 32, 27; c. חָפְשִׁי freilassen *release* Dt 15, 13; c. רֵיקָם mit leeren Händen ziehen lassen *send away empty* Gn 31, 42; c. בְּדֶרֶךְ טוֹבָה friedlich s. Wegs ziehen lassen *let go in peace* 1 S 24, 20; c. הַחוּצָה (heiratende Töchter) nach auswärts ziehen lassen *send abroad (marrying daughters)* Jd 12, 9; c. לְאֹהָלָיו heimlassen *send home* 1 K 8, 66 Jd 7, 8; 3. geleiten, fortbegleiten *accompany* Gn 12, 20 18, 16 31, 27; 4. **fortschicken, ausschicken** *send away* Gn 28, 6, חֵץ (abschiessen *shoot*) 1 S 20, 20, c. מֵעַל Gn 25, 6 Ir 15, 1 (l שַׁלְּחֵם), c. בְּ ausliefern an *hand over to* Ps 81, 13, c. בְּיַד Hi 8, 4; fortweisen, vertreiben *send forth* Gn 3, 23 (//גֵּרֵשׁ cf. Ex 6, 1 11, 1); (e. Ehefrau) entlassen *send forth (wife)* Dt 24, 1 21, 14 (לְנַפְשָׁהּ wohin sie will *wherever she wants to go*) Js 50, 1; c. עַד Ob 7; 5. **schicken, senden** *send* Gn 19, 13 1 S 31, 9 Js 43, 14, c. מָנוֹת Ne 8, 12; besonders v. Gott, der Heimsuchungen usw. schickt *especially said of God who sends trials etc.* Dt 7, 20 32, 24 2 K 17, 25 Js 10, 6 Ir 8, 17 Ma 2, 2 Ps 78, 45, דֶּבֶר, חֶרֶב etc. Am 4, 10 Ir 24, 10 Hs 28, 23, בְּרָקִים Hi 38, 35, רוּחוֹ Ps 104, 30; Redensart *idiomatic phrase* שִׁלַּח בָּאֵשׁ in Brand stecken *set ablaze* Jd 1, 8 20, 48 2 K 8, 12 Ps 74, 7, :: שִׁלַּח אֵשׁ בְּ Hs 39, 6 Ho 8, 14 Am 1, 4. 7. 10. 12 2, 2; l וַתִּשְׁתְּלֵם Ps 44, 3, l אַשְׁלִךְ 1 K 9, 7, l וַיְשַׁלֵּשׁ 2 S 18, 2; ? Hs 31, 5 u. Hi 30, 12;

pu: pf. שֻׁלַּח, שֻׁלְּחָה, שֻׁלַּחְתִּי, impf. יְשֻׁלַּח, pt. מְשֻׁלָּח: **gehn gelassen werden, fortgeschickt werden** *be let loose, be sent away*: 1. c. בְּ in, geraten in *be cast into* Hi 18, 8, ziehen gelassen werden *be allowed to go* Gn 44, 3; pt. sich selbst überlassen *left to oneself* Pr 29, 15; 2. **geschickt werden** *be sent (away)* Ob 1 Pr 17, 11 Da 10, 11; (durch „Scheidung") entlassen werden *be sent away (by „divorce")* Js 50, 1; pt. fortgescheucht *chased away* Js 16, 2, entvölkert *deserted* Js 27, 10; fortgerissen werden? *be carried away?* Jd 5, 15; †

hif: pf. הִשְׁלַחְתִּי, inf. הַשְׁלִיחַ, pt. מַשְׁלִיחַ: c. ac. u. בְּ: **loslassen auf** *let loose upon*: עָרֹב Ex 8, 17, חַיַּת־הַשָּׂדֶה Lv 26, 22, Feind *enemy* 2 K 15, 37, רָעָב Hs 14, 13 Am 8, 11. †

Der. *שִׁלּוּחִים, מִשְׁלַחַת, מִשְׁלֹחַ, מִשְׁלָח*; שְׁלֻחוֹת, I, II, III שֶׁלַח, שִׁלֹּחַ; *שְׁלֻחוֹת; n. m. שִׁלְחִי.

I שֶׁלַח: II שלח; ug. *šlḥ*: שֶׁלַח, sf. שִׁלְחוֹ, pl. cj שְׁלָחִים 2 S 18, 14: **Wurfspiess** *missile, javelin* Jl 2, 8 Ne 4, 11. 17 (l וּמָגִנּוֹ pro הַמַּיִם) 2 C 23, 10 32, 5; עָבַר בַּשֶּׁלַח in d. Spiess rennen *rush into a javelin* Hi 33, 18. cj 28, 36, 12 (gloss?) F שלף; cj Ps 23, 5 (pro שֻׁלְחָן). †

II שֶׁלַח: II שלח; ak. *šalḫu* Bewässerungsröhre *irrigation-channel?*, *šiliḫtu* Wasserlauf *water-course*: **Wasserleitung,-rinne** *water-conduit* (Dalman, Jerusalem 171): Ne 3, 15; F שִׁלֹחַ. †

III שֶׁלַח: n. m.; = I?; Noth S. 171 zu *to* שִׁלְחִי; neopun. שלח Lidz. 376: שֶׁלַח: Gn 10, 24 11, 12—15 1 C 1, 18. 24. †

שִׁלֹחַ: Bildung wie *form as* קִיטֹר; II שלח; = II שֶׁלַח, > nomen proprium; Σιλωαμ: **Siloah** *Shiloah*: מֵי הַשִּׁלֹחַ Js 8, 6; Kanal *water-conduit*, SO-Ecke *corner* v. Jerusalem, F Archäologien u. A. Lods, Actes du 5. Congrès Internat. d'Archéologie 1933; Simons, Jerusalem 109[2]. †

***שְׁלֻחוֹת**: II שלח: sf. שְׁלֻחוֹתֶיהָ: **Ranken** *shoots* Js 16, 8. †

שִׁלְחִי: n. m.; KF; F III שֶׁלַח: 1 K 22, 42 2 C 20, 31. †

***שְׁלָחִים**: I שלח; F שֻׁלְחָן: sf. שְׁלָחַיִךְ: **Haut** *skin* (Dhorme JPO 3, 45 = II שֶׁלַח Kanal *channel* > Schoss *womb?*): Ct 4, 13. †

שִׁלְחִים: n. l. Jos 15, 32: l שָׁרוּחֶן.

שֻׁלְחָן: ug. *ṯlḥn*; I שלח; aram. שלח; سلخ Haut

abziehen *strip off hide*; ja. שַׁלְחָא, sy. שַׁלְחָא abgezogne Haut *hide*: cs. שֻׁלְחַן, sf. שֻׁלְחָנִי, pl. שֻׁלְחָנוֹת, cs. שֻׁלְחֲנוֹת: 1. profan: „Essleder", Tierhaut, zum Auftragen der Speisen auf den Boden gelegt, (gedeckter) **Tisch** „*meat-leather*", *hide spread upon the ground for dishes*, *table* (*with dishes*): Jd 1, 7 Ps 128, 3 Hi 36, 16 Ne 5, 17; שׁ׳ הַמֶּלֶךְ 1 S 20, 29 1 K 5, 7; מַאֲכַל שׁ׳ 1 K 10, 5 2 C 9, 4; עָרַךְ שׁ׳ Js 21, 5 Hs 23, 41 Ps 23, 5 (l שֶׁלַח ?) 78, 19 Pr 9, 2, עַל־ שׁ׳ אֶחָד Da 11, 27; F 2 S 9, 7 10 f. 13 19, 29 1 K 2, 7 18, 19 13, 20 2 K 4, 10 Js 28, 8; 2. im Kult *cultic*: **Opfertisch** *table for sacrifices* Ps 69, 23, לַגָּד Js 65, 11, לַיהוה Hs 39, 20, f. Opferschlachtung *for slaughtering victims* Hs 40, 39—43, c. לַיהוה 41, 22 44, 16 Ma 1, 7. 12, für *for* לֶחֶם פָּנִים Ex 25, 23. 27 f. 30 26, 35 30, 27 31, 8 35, 13 37, 10—16 39, 36 40, 4. 22. 24 Lv 24, 6 Nu 3, 31 1 K 7, 48 2 C 4, 19, שׁ׳ הַפָּנִים Nu 4, 7, שׁ׳ הַמַּעֲרֶכֶת 2 C 29, 18, pl. u. הַשׁ׳ הַטָּהוֹר; שׁ׳ הַכֶּסֶף 1 C 28, 16; 2 C 13, 11; 10 שׁ׳ im *in* הֵיכָל 2 C 4, 8. †

שלט: aram. LW, F ba.; mhb.; ak. *šalāṭu* herrschen *have power*; ug. F שַׁלִּיט: qal: pf. שָׁלַט, שָׁלְטוּ, impf. יִשְׁלַט, יִשְׁלְטוּ, inf. שְׁלוֹט: 1. c. בְּ **Macht gewinnen über** *lord over* Est 9, 1; 2. c. בְּ **Macht haben über** *lord, dominate over* Ko 2, 19 8, 9; 3. c. עַל **herrisch begegnen** *domineer over* Ne 5, 15; †

hif: pf. sf. הִשְׁלִיטוֹ, impf. תַּשְׁלֶט־, sf. יַשְׁלִיטֶנּוּ: 1. **Macht gewinnen lassen** *give power* Ps 119, 133; 2. c. ac. **gestatten** *grant* (Gott *God*) Ko 5, 18 6, 2. †

Der. שַׁלִּיט, שַׁלֶּטֶת, שִׁלְטוֹן.

***שֶׁלֶט**: ak. *šalṭu* Schild *shield*?: pl. שְׁלָטִים, cs. שִׁלְטֵי, sf. שִׁלְטֵיהֶם: (kleiner) **Rundschild** (*small, circular*) *shield* 2 S 8, 7 2 K 11, 10 Ir 51, 11 Hs 27, 11 (BRL 498) Ct 4, 4 1 C 18, 7 2 C 23, 9. †

שִׁלְטוֹן: שׁלט; F ba.: **der Macht hat** *mastery* Ko 8, 4. 8 (בְּ über *over*) Si 4, 7. †

שַׁלֶּטֶת: שׁלט: שַׁלֶּטֶת: **mächtig** *domineering* Hs 16, 30 (F Ehrlich). †

***שְׁלִי**: שׁלה: שְׁלִי: **Ungestörtheit, Ruhe** *quietness* 2 S 3, 27. †

***שִׁלְיָה**: שׁלה ?; ak. *šilītu*, ja. שִׁלְיְתָא, ܫܠܝܬܐ; سلا: **Nachgeburt** *after-birth* Dt 28, 57. †

שָׁלֵיו, שְׁלָיו: F שְׂלָו.

שַׁלִּיט: שׁלט; F ba.; ug. *šljṭ*: pl. שַׁלִּיטִים: **Machthaber** *master, ruler* Gn 42, 6 Ko 7, 19, Gewalthaber *tyrant* Ko 8, 8 10, 5. †

I **שָׁלִישׁ**: שָׁלֹשׁ: **Drittel, Dreimass** (e. uns unbekannten Einheit) *third part* (*of measure unknown to us*) Js 40, 12 Ps 80, 6. †

II **שָׁלִישׁ**: שָׁלֹשׁ: pl. שָׁלִשִׁים: Musikinstrument *musical instrument*; mit 3 Saiten? dreiteilig? dreieckig? *three-stringed? three-barred? three-cornered?* BRL 391: Laute *lute* (Triangel? *triangle?*) Glaser ZS 8, 193 ff: 1 S 18, 6. †

III **שָׁלִישׁ**: שָׁלֹשׁ: sf. שָׁלִישׁוֹ, שָׁלִישָׁה, pl. שָׁלִשִׁים, שָׁלִשִׁם, שָׁלִישִׁים, sf. שָׁלִישָׁיו: d. 3. Mann (so hethitische Bilder) auf e. Kriegswagen *the third man* (*thus hittite pictures*) *upon chariot*; oder *or* < heth. *šalliš* gross *great?* Cowley JTS 1920, 326 f?: Schildhalter, **Adjutant** *carrier of shield, adjutant* Ex 14, 7 15. 4 1 K 9, 22 2 K 7, 2. 17. 19 9, 25 10, 25 15, 25 Hs 23, 15 (Beschreibung *description*). 23 2 C 8, 9; l הַשְּׁלֹשָׁה 2 S 23, 8 u. 1 C 11, 11, l שִׁלְשׁוֹם Pr 22, 20 u. 1 C 12, 19; Ir 38, 14 F Komm. †

שְׁלִישִׁי (105 ×): שָׁלֹשׁ: pl. שְׁלִשִׁים, fem. שְׁלִישִׁיָּה, שְׁלִישִׁית, שְׁלִשַׁת; pro שְׁלִישִׁתָה l וּשְׁלִשָׁה Hs 21, 19; 1. **dritter** *third*: יוֹם Gn 1, 13, שָׁנָה 1 K 18, 1; als dritter *the third* (לְ neben *with*) Js 19, 24, cj הַשְּׁלִשִׁית 1 K 6, 8; pl. die 3. Gruppe *a third man* 1 S 19, 21; בַּשְּׁלִשָׁת zum 3. Mal *for the third time* 1 S 3, 8; הַשְּׁלִישִׁית übermorgen *the day after to-morrow* 1 S 20, 5 u. 12 (dele?); 2. **Drittel** *third part* 2 S 18, 2 Hs 5, 12 Sa 13, 8 Ne 10, 33; l הַשְּׁלֹשִׁים 2 S 23, 18; l מִשְּׁלֹשִׁים Hs 42, 3; 3. n. m. עֶגְלַת שְׁלִישִׁיָּה: in Moab; = עֶגְלַיִם?: Js 15, 5 Ir 48, 34. †

שׁלךְ: ph. in n. m. שלכבעל, אשמנשלך, שמששלך, שלך; pu. (Sy. 11, 202) bezahlen *pay*:

hif (111 ×): pf. הִשְׁלַכְתִּי, הִשְׁלִיכָה, הִשְׁלִיךְ, pro הִשְׁלַכְתֶּנָה l הִשְׁלַכְתֶּן Am 4, 3, sf. הִשְׁלִיכוֹ, הִשְׁלַכְתִּיךָ, הִשְׁלַכְתִּהוּ, impf. וַיַּשְׁלֵךְ, וַיַּשְׁלֵךְ, וַיַּשְׁלִכֵהוּ, sf. הַשְׁלִכוּן, וַיַּשְׁלִכוּ, וָאַשְׁלִיכָה, אַשְׁלִיךְ, הַשְׁלִכוֹ, וַיַּשְׁלִיכוּם, וַתַּשְׁלִיכֵנִי, inf. הַשְׁלִיךְ, sf. הַשְׁלִכוֹ 2 K 24, 20 Ir 52, 3 (BL 333), imp. הַשְׁלֵךְ, הַשְׁלִיכוּ, sf. הַשְׁלִיכֻהוּ, pt. מַשְׁלִיךְ, pl. cs. מַשְׁלִיכֵי: 1. **hinwerfen** *throw, cast* Ex 7, 9, **fortwerfen** *throw away* 2 K 7, 15 Hs 20, 7 f Ko 3, 6 (:: שׁמר); schütten *heap up* קֶמַח 2 K 4, 41, מֶלַח 2 K 2, 21 Hs 43, 24; werfen *throw, cast,* c. בְּ Gn 37, 20, c. אֶל Ex 15, 25, c. לְ in 2 C 24, 10, c. חוּצָה לְ 2 C 33, 15, c. מִן הַחוּץ Ne 13, 8, c. מִן 2 C 25, 12 Ps 2, 3, c. עַל Nu 35, 20 2 S 20, 12, c. מֵעַל Hs 18, 31, c. תַּחַת Gn 21, 15, c. מֵעַל יָדָיו aus den Händen *out of h. hands* Dt 9, 17; c. אֶל zuwerfen *throw to* 2 S 20, 22, c. לְ vorwerfen *cast to* Ex 22, 30; c. loc. Ex 4, 3; 2. Besonderes *particulars*: הִשְׁ׳ חַכָּה הִשְׁלִיךְ גּוֹרָל Jos 18, 8. 10; Js 19, 8, הִשְׁ׳ נַעֲלוֹ Ps 60, 10 108, 10; הִשְׁ׳ נִצָּתוֹ s. Bl. abwerfen *cast off h. flower* Hi 15, 33; F 2 S 20, 12, 1 K 19, 19; הִשְׁ׳ אַחֲרֵי גֵוּוֹ hinter s. Rücken werfen = verwerfen = den Rücken kehren *cast behind one's back* 1 K 14, 9 Hs 23, 35 Ne 9, 26, c. אַחֲרָיו hinter sich *behind oneself* Ps 50, 17; 3. von Gott gesagt *said of God*: הִשְׁ׳ מֵעַל־פָּנָיו verwirft von s. Angesicht *casts from h. presence* 2 K 13, 23 24, 20 Ir 7, 15 52, 3 2 C 7, 20, cj 1 K 9, 7; = c. מִפָּנָיו 2 K 17, 20, = c. מִלְּפָנֶי Ps 51, 13; Gott wirft Isr. in e. anderes Land *God casts Isr. into another land* Dt 29, 27, die Sünden hinter s. Rücken *the sins behind h. back* Js 38, 17, ins Meer *into the sea* Mi 7, 19; F Th 2, 1 Jos 10, 11 Ps 147, 17; רוּחַ י׳ wirft = treibt d. Propheten in d. Berge *casts = drives the prophets into the mountains* 2 K 2, 16; l הָשְׁלְכוּ Ir 9, 18, l וְהִשְׁלַם Da 8, 12, l אֶשְׁלַח Hi 29, 17, l וְתַשְׁלֵךְ Jl 1, 7;? 2 K 10, 25 (fehlt *wanting* obj.) l הִשְׁלִיכֻם Am 8, 3 (Maag);

hof: pf. הָשְׁלְכוּ, הָשְׁלַכְתָּ, הָשְׁלְכָה, הָשְׁלַךְ, cj הָשְׁלַכְתֶּן Am 4, 3, impf. יָשְׁלְכוּ, וְתָשְׁלְכִי, pt. מֻשְׁלָכִים, מֻשְׁלֶכֶת, מֻשְׁלָךְ: 1. c. אֶל **zugeworfen werden** *be thrown to* 2 S 20, 21; 2. **hingeworfen sein** *be cast*: Leiche *carcass* 1 K 13, 24 f Js 14, 19 34, 3, F Ir 14, 16 22, 28 36, 30 Hs 16, 5 19, 12, cj Am 4, 3 Da 8, 12; c. עַל (in Abhängigkeit, Schutzbedürfnis *in dependence, want of protection*) Ps 22, 11; 3. **hingeworfen, gestürzt sein** *be cast down* Da 8, 11, cj Ir 9, 18. †

Der. I שַׁלֶּכֶת.

שָׁלָךְ: καταρράκτης: unreiner Vogel *unclean bird*: **Cormoran** *cormorant*? Aharoni, Osiris 5, 470 Fischeule „*fish-owl*" *Ketupa zeylonensis* (?): Lv 11, 17 Dt 14, 17. †

I **שַׁלֶּכֶת**: שׁלך: **Fällen** (e. Baums) *cutting down (of tree)* Js 6, 13. †

II **שַׁלֶּכֶת**: Name e. Tempeltors *name of temple-gate* (Simons, Jerusalem 426) 1 C 26, 16. †

I שלל: سَلَّ:
qal: impf. תָּשֹׁלּוּ, inf. שֹׁל: (Halm) ausziehen *draw out (sheaves)* Ru 2, 16. †

II שלל: mhbr.; ak. *šalālu*, asa. הלל plündern *plunder*:
qal: pf. שָׁלַל, שָׁלוֹת, שָׁלְלוּ, שַׁלּוּ, impf. sf. יְשָׁלּוּךָ, inf. שְׁלֹל, pt. שֹׁלְלִים, sf. שֹׁלְלֶיהָ: **plündern** *spoil, plunder* Ir 50, 10 Hs 26, 12 39, 10 Ha 2, 8 Sa 2, 12; שָׁלַל שָׁלָל Beute machen *make booty* Js 10, 6 Hs 29, 19 38, 12 f; †
hitp: pf. אֶשְׁתּוֹלְלוּ (BL 439), pt. מִשְׁתּוֹלֵל: **geplündert dastehen** *be despoiled* Js 59, 15 Ps 76, 6. †
Der. שָׁלָל, שׁוֹלָל.

שָׁלָל (75 ×): II שלל: cs. שְׁלַל, sf. שְׁלָלָהּ, שְׁלַלְכֶם: 1. **Beute, Plündergut** *plunder, booty* 2 S 3, 22 Ios 7, 21, //מַלְקוֹחַ Nu 31, 11 f, //בִּזָּה Da 11, 24; שְׁלַל דָּוִד B., die D. gemacht hat *booty taken by D.* 1 S 30, 20; שׁ׳ הדרעזר B., die von H. genommen ist *booty taken from H.* 2 S 8, 12; לַשָּׁ׳ an die Beute! *to the booty!* 2 K 3, 23; שׁ׳ und *and* בְּהֵמָה Jos 8, 2. 27, und *and* Kriegsgefangene *prisoners of war* 1 S 30, 19; שָׁלָל c. לָקַח 1 S 30, 16 c. שָׁלַל Hs 38, 12, c. חִלֵּק Gn 49, 27 Ex 15, 9, c. בָּזַז 2 C 20, 25, c. מָצָא 1 S 14, 30, c. הִצִּיל 30, 22, c. הוֹצִיא 2 S 12, 30, c. נָשָׂא 2 C 14, 12, c. הֵבִיא 2 C 15, 11, c. אָכַל Dt 20, 14; הָיָה לְשָׁ׳ Ir 49, 32, נָתַן לְשָׁ׳ Hs 7, 21; הָיְתָה לוֹ נַפְשׁוֹ לְשָׁלָל trägt s. Leben als B. davon *carries his life off as h. prey* Ir 21, 9 38, 2 39, 18 F 45, 5; היה שׁ׳ לְ Sa 2, 13; n. m. מַהֵר שָׁלָל Js 8, 1. 3; 2. > (abgeblasst *fading*) Gewinn *gain* Pr 1, 13 31, 11; l כְּמוֹ שָׁלָל Js 33, 4.

שׁלם: ug. *šlm* verb. et subst., n. m. *šlmn*; ak. *šalāmu* unversehrt, wohlauf, einig sein *be intact, in good health, in harmony*; ph. vollständig sein *be complete*; aram. F ba. שְׁלֵם; سلم unversehrt, heil sein *be intact, in good health*; asa. שלם unversehrt bleiben *remain intact*; (Torcz. Entst. 1, 243: שלם < שלה via שָׁלוֹם):
qal: pf. שָׁלֵמוּ, impf. וַתִּשְׁלַם, וַיִּשְׁלַם, imp. שְׁלַם, pt. cj pl. sf. שֹׁלְמָיו, pass. pl. cs. שְׁלֻמֵי: 1. **fertig, vollendet werden** *be completed, finished*: Mauer *wall* Ne 6, 15, Arbeit *work* 1 K 7, 51 2 C 5, 1; **zu Ende gehen** *be ended*, Frist *space of time* Js 60, 20; 2. **heil, unversehrt bleiben** *remain sound, uninjured*: Leib *body* cj Hi 21, 9 (l שְׁלֵמוּ) u. 41, 3 (l וַיִּשְׁלָם) im Wortstreit *in argueing* Hi 9, 4; 3. **Frieden halten** *keep peace* Hi 22, 21; cj שֹׁלְמָיו die mit ihm Fr. halten = s. Freunde *those living in peace with him = h. friends* Ps 55, 21; 2 S 20, 19 F Komm.; l מְשַׁלְּמִי Ps 7, 5; †
pi: pf. שִׁלֵּם, שִׁלְּמוּ, שִׁלַּמְתֶּם, impf. יְשַׁלֵּם, יְשַׁלֶּם־, אֲשַׁלֵּם, אֲשַׁלְּמָה, נְשַׁלְּמָה, sf. יְשַׁלְּמֶךָּ, יְשַׁלְּמֶנָּה, יְשַׁלְּמוּנִי, inf. שַׁלֵּם, sf. שַׁלְּמִי, imp. שַׁלֵּם, שַׁלְּמוּ, pt. מְשַׁלֵּם, pl. מְשַׁלְּמִים, cs. מְשַׁלְּמֵי: 1. unversehrt, vollständig machen, **Ersatz leisten** *make intact, complete, make good* Ex 21, 34 22, 2. 10—14 Pr 22, 27, c. ac. ersetzen mit *make good with* Ex 22, 4 Js 57, 18, Ersatz leisten für *make amends for* Ex 22, 5 Lv 5, 16. 24 (בְּ im Betrag von *amounting to*) 24, 18. 21 2 S 12, 6 Hs 33, 15 Jl 2, 25; c. תַּחַת für etw. *for* Ex 21, 36 f Ps 38, 21; c. נִשְׁיֵךְ e. Schuld bezahlen *pay a debt* 2 K 4, 7; c. שְׁנַיִם zweifach *double* Ex 22, 3. 6. 8, c. שִׁבְעָתַיִם siebenfach *sevenfold* Pr 6, 31; 2. **vergelten, heimzahlen** *recompense, reward* Js 65, 6 Ir 51, 56 Ps 37, 21, cj Dt 32, 35 (l אֲשַׁלֵּם), c. ac. Pr 20, 22 Ru 2, 12, c. ac. u. לְ Dt 32, 41 Jd 1, 7 2 S 3, 39 2 K 9, 26 Js 59, 18 66, 6 Ir 51, 6. 24 Jl 4, 4 (עַל) Ps 41, 11 137, 8 Pr 19, 17 25, 22 Hi 21, 31, c. ac. pers. 1 S 24, 20 Ps 31, 24 35, 12, cj 7, 5

(1 מְשַׁלְּמֵי), c. תַּחַת für *for* Gn 44, 4, c. מִשְׁנֶה zwiefach *double* Ir 16, 18, c. כְּ u. לְ jmd nach (entsprechend) *to a person according to* Ir 25, 14 50, 29 Ps 62, 13 Hi 34, 11, c. אֶל־פָּנָיו ins Gesicht *to h. face* Dt 7, 10, c. אֶל־חֵיק Ir 32, 18; שִׁלֵּם אֶל vergelten an *recompense unto* Hi 21, 19, c. מֵעִם nach s. Sinn *as he will* Hi 34, 33; 3. שׁ׳ נֶדֶר Gelübde **erfüllen** *pay vow* Dt 23, 22 2 S 15, 7 Js 19, 21 Jon 2, 10 Na 2, 1 Ps 22, 26 50, 14 61, 9 66, 13 76, 12 116, 14. 18 Pr 7, 14 Hi 22, 27 Ko 5, 3f; c. ac. als Entgelt darbringen *offer as recompense* Ho 14, 3 (1 פְּרִי) Ps 56, 13 (תּוֹדֹת); 4. ersetzen, **wiederherstellen** *restore* Hi 8, 6; 5. **vollenden** *finish* 1 K 9, 25; 1 יִשָּׁגֵם Pr 13, 21, 1 וַיִּשְׁלָם Hi 41, 3; †

pu: impf. יְשֻׁלַּם, יְשֻׁלָּם, pt. מְשֻׁלָּם: **vergolten werden** *be repaid* Ir 18, 20, **Vergeltung finden** *be requited* Pr 11, 31 13, 13; **erfüllt werden** (Gelübde) *be paid* (*vows*) Ps 65, 2; ? Js 42, 19; †

hif: pf. הִשְׁלִימָה, הִשְׁלִימוּ, impf. יַשְׁלִים, וַיַּשְׁלֵם יַשְׁלִם, sf. תַּשְׁלִימֵנִי: 1. **zur Vollendung bringen** *perform* Js 44, 26. 28 Hi 23, 14; cj וְהַשְׁלֵם vollständig *entirely* Jl 1, 7; 2. **völlig preisgeben** *deliver up* (= aram.) Js 38, 12 f; (:: O.T.S. 9, 180 ff) 3. denom. v. שָׁלוֹם: c. אֵת **Frieden machen** mit *make peace with* Jos 10, 1. 4 11, 19 (Var. אֶל) 2 S 10, 19; c. עִם **sich friedlich vergleichen** mit *come to an agreement with* Dt 20, 12 1 C 19, 19, **in Frieden leben** mit *live in peace with* 1 K 22, 45; c. ac. **zum Frieden bringen** *cause to be at peace* Pr 16, 7; cj absol. יַשְׁלִים Heil schaffen *create peace* Pr 10, 10; †

hof: pf. הָשְׁלְמָה: c. לְ **zum Frieden bringen sein** mit *be brought to live in peace with* Hi 5, 23. †

Der. שָׁלֵם, *שֶׁלֶם, שָׁלוֹם, שִׁלֵּם, *שִׁלְמָה, מְשֻׁלֶּמֶת, מְשֶׁלֶמְיָה(וּ), מְשִׁלֵּמוֹת, מְשֻׁלָּם; n. m. שַׁלְמָנִים, שְׁלֹמִית, שֻׁלֵּם, שְׁלֹמֹה, שַׁלְמַי, שְׁלֹמוֹת, שְׁלֻמִיאֵל, שִׁלֵּם, שַׁלְמָן, שֶׁלֶמְיָה(וּ), n. fem. מְשֻׁלֶּמֶת, שְׁלֹמִית; n. l. II שָׁלֵם, יְרוּשָׁלַםִ.

*שְׁלָם: שלם; F ba.; cs. שְׁלָם: **Einvernehmen** *agreement* (Klostermann GVI 1896, 216, Schaeder Esra 27 f): Esr 4, 7. †

שֶׁלֶם: sg. Am 5, 22 fraglich *doubtful*; pl. tantum שְׁלָמִים: שלם: cs. שַׁלְמֵי, sf. שְׁלָמָיו, שַׁלְמֵיהֶם: 1. (49 v. *of* 86 × in Verbindung mit *in connexion with* זֶבַח (זְבָחִים שְׁלָמִים Ex 24, 5 1 S 11, 15; זִבְחֵי שַׁלְמֵיהֶם Ex 29, 28, etc. (11 ×); זֶבַח שְׁלָמִים Lv 3, 1. 3, etc. (34 ×); זָבַח שְׁלָמִים Dt 27, 7 Jos 8, 31; 2. עֹלוֹת u. שְׁלָמִים Ex 20, 24, etc. (13 ×); הָעֹלָה וְהַשּׁ׳ 1 S 13, 9 2 S 6, 18 1 C 16, 2; עֹלָה u. שׁ׳ Hs 46, 2. 12. 12 2 C 31, 2; עֹלָה, מִנְחָה u. שׁ׳ Hs 45, 15. 17; עֹלָה, חַטָּאת u. שׁ׳ Lv 9, 22 Nu 6, 14; 3. שְׁלָמִים in Reihen (immer zuletzt) *in series* (*always at the end*) Nu 15, 8 29, 39 Jos 22, 27 1 K 8, 64. 64 2 K 16, 13; 4. חֶלְבֵי שׁ׳ Lv 6, 5 2 C 29, 35 Lv 6, 5 2 C 7, 7 29, 35 u. דַּם שׁ׳ Lv 7, 14. 33; cj וְשַׁלְמֵיהֶם Ps 69, 23 (?): G θυσία εἰρηνική (שָׁלוֹם): F pi שלם 5: **Abschlussopfer** *final offerings*.

I שָׁלֵם: שלם: cs. *שְׁלֵם in n. m. שֶׁלֶמְיָהוּ, fem. שְׁלֵמָה, pl. שְׁלֵמִים; שְׁלֵמוֹת: 1. **unversehrt** *intact* Gn 33, 18 Jos 8, 31 1 K 6, 7 (aber *but* F Šanda!); 2. **vollständig** *complete* Gn 15, 16 Dt 25, 15 Pr 11, 1 Ru 2, 12 Am 1, 6. 9, cj Ir 13, 19; 3. **friedlich** *of peace* Gn 34, 21; לֵבָב שָׁלֵם (ak. *libbu gummuru*) ungeteiltes, lauteres, friedliches Herz *mind at peace* (עִם gegenüber *with*) 1 K 8, 61 11, 4 15, 3. 14 2 K 20, 3 1 C 12, 39 29, 19 2 C 15, 17 19, 9 25, 2 (אֶל gegenüber *with*) 16, 9, לֵב שָׁלֵם dasselbe *the same* Js 38, 3 1 C 28, 9 29, 9; ? Na 1, 12; 1 שְׁלֹמֹה 2 C 8, 16; F II. †

II שָׁלֵם: n. l.; = I: Gn 14, 18 Ps 76, 3; Deckname für *assumed name for* יְרוּשָׁלֵם? Jos. Antt. 1, 10, 2 τὴν Σολυμα ἐκάλεσεν Ἱεροσόλυμα (Hier.: e. Stadt *a town* Salem 8 Meilen *miles* v. Skythopolis); H. Vincent Memnon 6, 107 ff. †

שִׁלֵּם Dt 32, 35: l אֲשַׁלֵּם. †

שִׁלֵּם: n. m.; שלם; bab. *Šilimmu* BEU 9, 27. 71; Littmann ZS 4, 38 cf. ar. *Sullaim*; Noth S. 174: Gn 46, 24 Nu 26, 49; F שִׁלֵּמִי. †

שַׁלֵּם: F שִׁלּוּם.

שַׁלֻּם: F שִׁלּוּם.

*שִׁלֻּמָה: שלם: cs. שִׁלֻּמַת: **Vergeltung** *retribution* Ps 91, 8. †

שְׁלֹמֹה: 162 × [1 u. 2] K, 109 × [1 u. 2] C, cj 2 C 8, 16; 2 S 5, 14 12, 24 Ir 52, 20 Ps 72, 1 127, 1 Pr 1, 1. 10, 1 25, 1 Ct 1, 1. 5 3, 7. 9. 11 8, 11 f Esr 2, 55. 58 Ne 7, 57. 60 11, 3 12, 45 13, 26 †: n. m.; שְׁלֹמֹה alte Orthographie *old orthography* = *שְׁלֹמָה; Σαλωμων, V *Pacifitus* 1 C 22, 9: **Salomon** *Solomon*: v. שָׁלוֹם; Wellh. IsrJüd G 108 cf. ar. Baumname *tree-name Salāmān*; ak. n. dei *Šulmān*, n. m. *Š(S)alamānu* APN 190; mo. n. m. et dei שלמן; ar. *Sulaimān* Lidz. Johannesbuch II 74: S. v. דָּוִד u. בַּת־שֶׁבַע 2 S 12, 24, geboren in *born at* Jerusalem 5, 14; andrer Name *other name* ידידיה 12, 25; מִשְׁלֵי שְׁ׳ Pr 1, 1 10, 1 25, 1; בְּנֵי עַבְדֵי שְׁ׳ Esr 2, 55. 58 Ne 7, 57. 60 11, 3.

שְׁלֹמוֹת: n. m.; שלם: 1. 1 C 23, 9 (Q שְׁלֹמִית); 2. 1 C 24, 22 26, 26! 25 (Q שְׁלֹמִית = v. 28). †

שְׁלֹמִי: n. m.; שָׁלוֹם; F שְׁלֹמִית: Nu 34, 27. †

שִׁלֵּמִי: gntl. v. שִׁלֵּם: Nu 26, 49. †

שְׁלֻמִיאֵל: n. m.; שָׁלוֹם u. אֵל; keilschr. *Šu-[lum-]ili* APN 224: Nu 1, 6 2, 12 7, 36. 41 10, 19. †

שֶׁלֶמְיָה: n. m.; < שֶׁלֶמְיָהוּ; Lkš 9, 7: 1.—5. Ir 37, 3; 37, 13; Ne 3, 30; 13, 13 הַכֹּהֵן; Esr 10, 39. †

שֶׁלֶמְיָהוּ: n. m.; שָׁלֵם u. יי; > שֶׁלֶמְיָה; ak. *Ša-lam-ja-a-ma* Mél. Syr. 927: 1.—5.: Ir 36, 14; 36, 26; 38, 1; 1 C 26, 14; Esr 10, 41. †

שלמית n. m. u. fem.; fem. v. שְׁלֹמִי: I. n. fem. 1. Lv 24, 11; 2. 1 C 3, 19; II. n. m. 1.—5.: 2 C 11, 20; Esr 8, 10; 1 C 23, 9 Q; 26, 28 F שְׁלֹמוֹת. †

שַׁלְמַן (Var. שַׁלְמָן): n. m.; שלם: l שַׁלּוּם Ho 10, 14. †

שַׁלְמַנְאֶסֶר: n. m.; ak. *Šulman-ašared* (ר in אֶסֶר־ Schreibfehler *scribal error*) = (Gott *god*; F Deimel, Pantheon 3165, Albr. AFO 7, 164 ff) Š. ist vorzüglich *is superior*: **Salmanassar V**: *Shalmaneser* (727—22) 2 K 17, 3 18, 9. †

שַׁלְמֹנִים: שלם; ug. *šlm*; ak. *šulmānu* EA (oft *frequently*) Geschenke, Bestechung *gift, bribe* Zimm. 10: **Geschenke** *gifts* Js 1, 23. †

שֵׁלָנִי: gntl. v. שֵׁלָה: Nu 26, 20, cj 1 C 9, 5 u. Ne 11, 5. †

שלף: ak. *šalāpu*; mhbr.; ja., sy.; سَلَبَ ausziehen *strip*:

qal: pf. שָׁלַף, impf. וַיִּשְׁלֹף, sf. וַיִּשְׁלְפָהּ, imp. שְׁלֹף, pt. שֹׁלֵף, pass. שְׁלוּפָה: **herausziehen, zücken** *draw out*: חֶרֶב Nu 22, 23. 31 Jos 5, 13 Jd 3, 22 8, 20 9, 54 1 S 17, 51 31, 4 1 C 21, 16; שֹׁלֵף חֶרֶב mit d. Schwert bewaffnet *drawing sword* Jd 8, 10 20, 2. 15. 17. 35. 46 2 S 24, 9 2 K 3, 26 1 C 21, 5, pl. Jd 20, 25; שְׁ׳ נַעַל **ausziehen** *draw off* Ru 4, 7 f; שְׁ׳ טֶרֶף **herausreissen** *draw, tear out* cj Hi 29, 17 (l אֶשְׁלֹף); l קָדִים תִּשְׁדֹּף Ps 129, 6;

Hi 20, 25 l שֶׁלַח (vel *שֶׁלֶף, ܫܠܦܐ Klinge *blade*?). †

שֶׁלֶף: n. l.; سَلَف Ahne *ancestor* Driver BAS 90, 34; سِلْف Schwager *brother-in-law* Montg. 40[13]); *as-Salif* u. *as-Sulaf* 2 jemenitische Stämme *yemenite tribes* bei Aden Jacut 3, 119, 3: = Ἀδάνη Aden: Gn 10, 26 1 C 1, 20. †

שׁלשׁ: denom. v. שָׁלֹשׁ:
pi: pf. שִׁלַּשְׁתָּ, impf. וַיְשַׁלֵּשׁוּ, imp. שַׁלֵּשׁוּ: 1. **in drei Teile** (Bezirke) **teilen** *divide into three parts* (*districts*) Dt 19, 3, cj 2 S 18, 2 (l וַיְשַׁלֵּשׁ); 2. **am 3. Tage tun, sein** *do, be at the third day* 1 S 20, 19; 3. **zum 3. Mal tun** *do for the third time* 1 K 18, 34; †
pu: pt. מְשֻׁלָּשׁ, מְשֻׁלֶּשֶׁת, cj pl. מְשֻׁלָּשִׁים, מְשֻׁלָּשׁוֹת: 1. **dreijährig** *three years old* (Ehrlich: vom dritten (besten) Wurf *of the third* (*best*) *litter*): Opfertiere *sacrificial animals* Gn 15, 9, cj 1 S 1, 24 (l בְּפַר מְשֻׁלָּשׁ): 2. **verdreifacht** *threefolded*: dreifacher Faden *threefold cord* Ko 4, 12, dreistöckig *three-storied* Hs 42, 6; cj Schwert *sword* Hs 21, 19 (l וּמְשֻׁלָּשָׁה). †

שָׁלֹשׁ, שָׁלוֹשׁ, שְׁלֹשָׁה (zusammen *in all* 430 ×): Sem.; VG 1, 485, Ruž. 174; ug. *šlš*, ak. *šalāšu*, ph. שלש, aram. תְּלָת, ثَلَاثٌ, asa. שלה, תלת: cs. שְׁלֹשׁ, שְׁלָשׁ־, fem. שְׁלֹשֶׁת, sf. שְׁלָשְׁתְּכֶם: **drei** *three*: שָׁלֹשׁ drei Dinge *three things* 2 S 24, 12, שָׁלֹשׁ עָרִים Am 4, 8, seltener *less frequently* עָרִים שָׁלֹשׁ Jos 21, 32, בָּנוֹת שָׁלוֹשׁ 1 C 25, 5, cs. שְׁלֹשׁ סְאִים Gn 18, 6, שְׁלֹשׁ הַשָּׁנִים Lv 25, 21, שְׁלֹשׁ קִלְּשׁוֹן 1 S 13, 21, שְׁלָשׁ־אֵלֶּה diese drei *these three* Ex 21, 11; כְּמִשְׁלֹשׁ חֳדָשִׁים (l כְּמִשְׁלֹשֶׁת) nach etwa 3 M. *about 3 m. after* Gn 38, 24; שְׁלֹשָׁה בָנִים Gn 6, 10, cs. שְׁלֹשֶׁת הַשָּׁנִים Gn 40, 12; בִּשְׁנַת שָׁלֹשׁ לְ im 3. Jahr des *in the third year of* 2 K 18, 1; שְׁלָשְׁתְּכֶם ihr drei *you three* Nu 12, 4, שְׁלָשְׁתָּם die drei *they three* Hs 40, 10; שָׁלֹשׁ רְגָלִים Ex 23, 14 u. שָׁלֹשׁ פְּעָמִים u. (gekürzt *shortened*) שָׁלוֹשׁ Hi 33, 29 3 Mal 3 *times*; zu *to* שְׁלֹשֶׁת הַנָּפֶת Jos 17, 11 F Noth; לִשְׁלֹשֶׁת הַיָּמִים binnen 3 Tagen *within 3 days* Esr 10, 8 f; לִשְׁלֹשֶׁת יָמִים (für) den 3. Tag (*for*) *the third day* Ex 19, 15 Am 4, 4, הַיּוֹם שְׁלֹשֶׁת הַיָּמִים heute vor 3 T. *three days ago* 1 S 9, 20; שְׁלֹשׁ עֶשְׂרֵה 1 K 7, 1 u. שְׁלֹשׁ־עֶשְׂרֵה Ir 1, 2 u. שְׁלֹשָׁה עָשָׂר Nu 29, 14 Est 3, 12 **dreizehn** *thirteen*; יוֹם שְׁלֹשָׁה עָשָׂר d. 13. Tag *the thirteenth day* Est 9, 17, (ohne יוֹם *dropped*) Est 3, 13 8, 12; שְׁלֹשׁ מֵאוֹת 300 Gn 5, 22, שְׁלֹשֶׁת אֲלָפִים 3000 Jos 7, 3; pl. שְׁלֹשִׁים **dreissig** *thirty* Jos 7, 5 Jd 10, 4, שְׁלֹשִׁים וְאַחַת 31 1 K 16, 23; cj שָׁלוֹשִׁים 30 Abschnitte *parts, sections* Pr 22, 20; l בְּפַר מְשֻׁלָּשׁ 1 S 1, 24, l הַשְּׁלִשִׁית 1 K 6, 8.
Der. שָׁלֹשׁ, שְׁלִישִׁי, I-III שָׁלִישׁ; שִׁלְשׁוֹם, שִׁלֵּשִׁים; n. m. שָׁלִשׁ u. שְׁלִשָׁה.

שֵׁלֶשׁ: n. m.; שׁלשׁ; ak. *Išališ-ilum* (Stamm 161); Noth S. 228 f: 1 C 7, 35; F שִׁלְשָׁה. †

שָׁלִשׁ: F שָׁלִישׁ.

שָׁלִשָׁה: n. l.; אֶרֶץ־שָׁלִשָׁה, cf. בַּעַל שָׁלִשָׁה; S. R. Driver ad locum: 1 S 9, 4. †

שִׁלְשָׁה: n. m.; fem. v. שֵׁלֶשׁ: 1 C 7, 37. †

שִׁלְשׁוֹם, שִׁלְשֹׁם: שׁלשׁ; EA *šalšami* vorgestern, *the day before yesterday*: am 3. Tag, vorgestern *three days ago*; *the day before yesterday*; immer mit *always with* F אֶתְמוֹל, אִתְמוֹל, תְּמוֹל. †

שִׁלֵּשִׁים: שׁלשׁ: Nachkommen der 3. Generation

descendants of the third generation: **Enkel** (wenn d. Vater mitgezählt ist *grandsons* (*the father being counted*) Gn 50, 23 Ex 20, 5 Nu 14, 18 Dt 5, 9; **Urenkel** (wenn d. Vater nicht mitgezählt ist) *great-grandsons* (*the father not being counted*) Ex 34, 7; F רִבֵּעַ. †

***שִׁלְתָּה**: n. l. cj Jos 19, 42, F יִתְלָה. †

שַׁלְתִּיאֵל n. m.: F שְׁאַלְתִּיאֵל.

שָׁם: loc. שָׁמָּה: ug. *šm*, altaram. שם, F ba. תַּמָּה; תַּם dort *there*, תֻּם dann *then*: 1. (örtlich *local*): שָׁם **dort, da** *there* Gn 2, 12 Am 7, 12, **dorthin** *there* Gn 2, 8, אֲשֶׁר ... שָׁם wo *where* 2 S 15, 21, wohin *whither* Ir 19, 14; שָׁם ... שָׁם da ... dort *here* ... *there* Js 28, 10; cj וְשָׁם Ir 13, 16; l שֵׁם Hs 39, 11; 2. (zeitlich *temporally*) da, damals *then* Ps 36, 13 132, 17; 3. מִשָּׁם **von dort** *from thence* Gn 2, 10, **von da an** *from thence* Ir 50, 9, daher = daraus *thereof* 1 K 17, 13, = davon *thereof* Hs 5, 3; אֲשֶׁר ... מִשָּׁם von woher *whence* Dt 9, 28; l וַהֲשִׁמֹּתִי אֶת Ho 2, 17; 4. שָׁמָּה dorthin *thither* Gn 19, 20, dort *there* Hs 48, 35, אֲשֶׁר ... שָׁמָּה wohin *whither* Gn 20, 13, wo *where* 2 K 23, 8.

I שֵׁם (860 ×): Sem; Nöld. NB 140; ug. *šm*; ak. *šumu*; ph. שם (אשמן in n. m. שמנאדן etc. cf. שְׁמוּאֵל); mhbr.; altaram. אשם, F ba. *שֻׁם; اِسْمٌ (وَسَمَ markieren *mark*), asa. שמו nennen *give name*: cs. שֵׁם, שֵׁם־, שֶׁם־, sf. שְׁמִי, שִׁמְךָ, שְׁמֶךָ Ir 29, 25, שִׁמְכָה, שְׁמוֹ, pl. שֵׁמוֹת, שְׁמֹת, sf. שְׁמֹתָם, שְׁמוֹתָן: 1. **Name** *name*, v. Tieren *of animals* Gn 2, 19, v. Menschen *of man* Gn 3, 20 1 S 25, 25, v. Stadt *of town* 1 K 16, 24, v. Fluss *of river* Gn 2, 11, v. Tag *of day* Est 9, 26; שְׁמוֹ אֶלְקָנָה er hiess E. *he was named E.* 1 S 1, 1, cf. 1 S 17, 4 Gn 35, 10 1 K 18, 31 1 C 22, 9; מַה־שְּׁמוֹ Gn 32, 28 u. מִי שְׁמוֹ wie heisst er? *what is his name?* F קרא u. כנה; שָׂם שְׁמוֹ דָן gab ihm d. Namen D. *called his name D.* Jd 8, 31 Ne 9, 7; שָׂם לָהֶם שֵׁמוֹת gab ihnen Namen *gave names unto them* Da 1, 7; יֵאָמֵר שִׁמְךָ דָן dein N. wird D. genannt *thy name is called D.* Gn 32, 29; וַיַּסֵּב שְׁמוֹ דָן änderte s. N. in D. *changed h. name to D.* 2 K 23, 34; שֵׁם חָדָשׁ Js 62, 2; יָדַע בְּשֵׁם mit Namen kennen *know by the name* Ex 33, 12; כָּתוּב בְּשֵׁם 1 C 4, 41; בָּא בְשֵׁם e. Namen tragen *be mentioned by name* 1 C 4, 38; כֻּלָּם בְּשֵׁמוֹת Esr 10, 16; נִקְּבוּ בְשֵׁמוֹת Nu 1, 17; פָּקַד בְּשֵׁמוֹת mit N. zuweisen *appoint by name* Nu 4, 32; בְּנֵי בְלִי שֵׁם namenlose Leute *men of no name* Hi 30, 8; בְּשֵׁם unter Nennung des Namens = im Namen von *calling the name = in the name of* 1 S 25, 5 Est 3, 12 1 K 21, 8; 2. Name (gesteigert) **Ansehen, Ruf** *name* > *reputation, fame*: Ko 7, 1 Pr 22, 1 Dt 22, 14, 19 Ne 6, 13, קְרָא שֵׁם habe e. guten Ruf *be famous* Ru 4, 11 :: טְמֵאַת הַשֵּׁם mit beflecktem Ruf *having a defiled name, being infamous* Hs 22, 5; Ansehen, Ruhm *reputation, great renown*; עָשָׂה לוֹ שֵׁם macht sich e. Namen *makes himself a name* Gn 11, 4 Js 63, 12 Ir 32, 20 Ne 9, 10 2 S 8, 13 (adde לוֹ?) שֵׁם לְשֵׁם 2 S 7, 9, גִּדֵּל שֵׁם Gn 12, 2; שֵׁם גָּדוֹל c. ac. Ze 3, 19 u. נָתַן לְשֵׁם c. ac. jmd zu Namen bringen *make famous*; = שֵׁם לוֹ שֵׁם 2 S 7, 23; וַיֵּצֵא לָךְ שֵׁם dein Ruhm erscholl *thy renown was known* Hs 16, 14, עַל־שְׁמֵךְ auf d. R. hin *on account of thy ren.* 16, 15; שֵׁם לוֹ בְ war berühmt unter *was famous among* 2 S 23, 18, וַיֵּלֶךְ שְׁמוֹ עַד s. R. reichte bis *h. ren. reached as far as* 2 C 26, 8; 3. שֵׁם **Name, Nachruhm** *name*, (*remaining*) *reputation, memory* Hi 18, 17, יָד וָשֵׁם Js 56, 5, cj שֵׁם Hs 39, 11 (?), שֵׁם וּשְׁאָר Js

14, 22, שֵׁם וּשְׁאֵרִית 2 S 14, 7, זֶרַע וְשֵׁם Js 66,22. זֵכֶר//שֵׁם Hi 18,17 Pr 10,7; 4. **Name, Nachruhm, Fortdauer** (in d. Trägern des Namens) *name, renown, continuance* (*in those named after him*): אַנְשֵׁי שֵׁם Nu 16, 2 u. אַנְשֵׁי שֵׁמוֹת 1 C 5, 24 Männer, deren Name e. Familie trägt *men whose name is given to a family* (Pedersen, Israel, I 245 ff) namhafte Leute *renowned people*; קָם עַל־שֵׁם אָחִיו geht auf d. Namen s. Br. *has his brother's name* Dt 25,6, הֵקִים שֵׁם לְ s. Namen fortleben lassen *cause h. n. to survive* Dt 25, 7, :: מָחָה Dt 9, 14 u. גָּרַע Nu 27, 4 u. הִכְרִית Jos 7, 9 Sa 13, 2 Ze 1, 4 u. הִשְׁמִיד 1 S 24, 22; 5. der Name Gottes *the name of God*: שְׁמִי יהוה Ex 6, 3, יהוה שְׁמוֹ Am 4, 13 5, 8. 27 9, 6 Ir 10, 16 33, 2 etc.; י׳ קַנָּא שְׁמוֹ Ex 34, 14, נִקְרָא שֵׁם שֵׁם יהוה י׳ עַל 2 S 6, 2 Ir 7, 11 Am 9, 12, bedeutet oft der Name [welcher] Jahwä [lautet] *means frequently the name* [*which is*] *Yahveh*, so *thus* Js 56, 6 Ps 5, 12 Js 59, 19 Ps 9, 11 91, 14 der Gegensatz ist dann d. Name eines andern Gottes *the opposite is in these cases the name of another god*; daher *therefore* קָרָא בְשֵׁם יהוה :: בְּשֵׁם אֱלֹהֵיכֶם 1 K 18, 24; unter Nennung des Namens יהוה rufen *cry*, *call by mentioning the name* יהוה; so oft, auch mit נִשְׁבַּע, נִבָּא etc. *thus frequently*, *also with* נִשְׁבַּע, נִבָּא etc.: Ir 11, 21 26, 9, קִלֵּל 2 K 2, 24, בֵּרֵךְ 2 S 6, 18, נָשָׂא לַשָּׁוְא Ex 20, 7; David kommt gegen *goes against* Goliath בְּשֵׁם י׳ :: 1 S 17, 45; דִּבֶּר בְּשֵׁם אֱלֹהִים אֲחֵרִים Dt 18, 20; vielfach meint שֵׁם יהוה nicht bloss d. Namen, sondern das ganze Wesen, die Macht u. Wirksamkeit Jahwäs *in many cases* שֵׁם יהוה *means not only the name, but the full being a. power of Yahveh*: שֵׁם י׳ wird gepriesen *is praised* Hi 1, 21 Ps 145, 21, in ihm ist *in it lies* עֵזֶר Ps 124, 8, Zuversicht *confidence* Ps 89, 25, er kommt *it comes* מִמֶּרְחָק Js 30, 27, ist *is* בְּקֶרֶב מַלְאָךְ Ex 23, 21, נִקְרָא עַל־ יִשְׂרָאֵל Dt 28, 10, *F* 1 K 8, 16 Dt 12, 5. 11, Ps 74, 7 Js 18, 7, 29, 23, Ps 7, 18 18, 50 22, 23, 44, 21, Am 2, 7 Hs 36, 20 Lv 18, 21, Ps 74, 10; הַשֵּׁם הַנִּכְבָּד וְהַנּוֹרָא הַזֶּה Dt 28, 58; הַשֵּׁם = יהוה? Lv 24, 11; (später *later on* הַשֵּׁם = Gott *God*); Gott selber *God himself*: נִשְׁבַּעְתִּי בִשְׁמִי אַזְכִּיר שְׁמִי Ex 20, 24, Ir 44, 26; לְמַעַן שְׁמִי Js 48, 9 Hs 20, 44; שֵׁם קָדְשִׁי Am 2, 7 Hs 36, 20 39, 7 43, 7 Lv 20, 3 Ps 103, 1; l שְׁמֶךָ Ps 138, 2; l שָׁלוֹם Hs 34, 29; l עֶצֶם Hs 24, 2; l שַׁמָּה Hs 23, 10. Der. II n. m. שֵׁם, שְׁמוּאֵל, שְׁמִידָע, שְׁמִידָעִי.

II **שֵׁם**: n. m.; ph. n. m.; Poebel AJS 68, 20 ff sum. *Šumi* (= *Šumer*); hbr. verstanden als *taken as* = I, 2: S. v. נֹחַ Gn 5, 32 6, 10 7, 13 9, 18. 23. 26 f 10. 1 (l חָם? Gressmann ZAW 30, 33). 21 f. 31 11, 10 1 C 1, 4. 17. 24.†

שָׁמָא: n. m.; *F* II שַׁמָּה: 1 C 7, 37.†

שֶׁמְאֵבֶר: n. m.: K. v. צְבֹיִים Gn 14, 2.†

שִׁמְאָה: n. m.; KF? Noth 1355: 1 C 8, 32, = שִׁמְאָם 9, 38.†

שַׁמְגַּר; n. m.; keilschr. *Šangar* APN 192; churr. Alt ZAW 60, 73 f: Jd 3, 31 5, 6.†

שׁמד: ba. haf. vertilgen *exterminate*; mhbr. pi. u. ja. pa. zum Abfall, Religionswechsel zwingen *cause to apostatize*:

nif: pf. נִשְׁמַד, נִשְׁמְדָה, נִשְׁמַדְתִּי, impf. יִשָּׁמֵד, תִּשָּׁמְדוּן, inf. הִשָּׁמֵד, sf. הִשָּׁמֶדְךָ, הִשָּׁמְדָךְ: **vertilgt, ausgerottet werden** *be destroyed*, *exterminated*: Menschen *man* Gn 34, 30 Jd 21, 16, Volk *people* Dt 4, 26 7, 23 12, 30 (מִפְּנֵי vor *before*) 28, 20. 24. 45. 51. 61 Ir 48, 42 Hs 32, 12, Sünder *sinners* Ps 37, 38. cj 28 92, 8 Pr 14, 11, Feinde *foes*

Ps 83, 11, Name *name* Js 48, 19; **unbrauchbar gemacht werden** *be made barren* מֵישֹׁר Ir 48, 8, בָּמוֹת Ho 10, 8; l לְהִשָּׁמֵד 2 S 21, 5; †
hif: pf. הִשְׁמִיד, הִשְׁמַדְתִּי, הִשְׁמִידְךָ, sf. הִשְׁמִידוֹ, הִשְׁמַדְתִּיו, הִשְׁמִידָם, impf. יַשְׁמִיד, וַיַּשְׁמֵד, sf. יַשְׁמִידֵם, אַשְׁמִידְךָ, וַיַּשְׁמִידוּם, inf. הַשְׁמִיד, הַשְׁמִידָם, הַשְׁמִידוֹ, sf. Js 23, 11, לַשְׁמִד < לְהַשְׁמִיד הַשְׁמִדְךָ Dt 7, 24 u. הַשְׁמִידוֹ 28, 48 (BL 346), imp. הַשְׁמֵד: **ausrotten** *exterminate* Dt 4, 3 6, 15 7, 4. 24 9, 20 2 S 14, 7. 11 22, 38, Familie *family* 1 K 13, 34 15, 29 16, 12 2 K 10, 17, Name *name* 1 S 24, 22, Volk *nation* Dt 1, 27 2, 12. 21—23 9, 3. 8. 14. 19. 25 28, 48. 63 31, 3 f Jos 9, 24 11, 14. 20 23, 15 24, 8 2 K 21, 9 Js 10, 7 Hs 25, 7 Am 2, 9 Sa 12, 9 Ps 106, 23. 34 Est 3, 6. 13 4, 8 7, 4 8, 11 1 C 5, 25 2 C 20, 10. 23 33, 9, בָּמוֹת Lv 26, 30 Nu 33, 52, Götter *gods* 2 K 10, 28 Js 26, 14 Mi 5, 13!, falsche Propheten *false prophets* Hs 14, 9, חֵרֶם Jos 7, 12, חַטָּאִים Js 13, 9 Ps 145, 20, מַמְלָכָה Am 9, 8, pl. Hg 2, 22, Feinde *foes* Th 3, 66, (כְּנַעַן) מָעֻזֶּיהָ Js 23, 11, viele *many people* Da 11, 44; absol. Dt 33, 27; inf. הַשְׁמֵד Ausrottung *extermination* Js 14, 23; l אַשְׁמֹר Hs 34, 16. †

*שֶׁמֶר: n. m.: שֶׁמֶד, l שֶׁמֶר MSS u. G Σημηρ: 1 C 8, 12. †

שַׁמָּה: F שֵׁם.

I שַׁמָּה: שׁמם: pl. שַׁמּוֹת Ps 46, 9 †: 1. **Schauerliches, Entsetzliches** *awful, dreadful event* (immer Verheerung im Gericht *always destruction in judgement*): הָיָה לְשַׁמָּה Dt 28, 37 2 K 22, 19 Js 5, 9 Ir 25, 11. 38 42, 18 44, 12 46, 19 48, 9 49, 13. 17 50, 23 51, 37. 41. 43 Ho 5, 9 Ze 2, 15 Ps 73, 19, נִהְיְתָה שַׁמָּה Ir 5, 30, שׂוּם לְשׁ׳ Js 13, 9 Ir 4, 7 18, 16 19, 8 25, 9 51, 29 Jl 1, 7 Sa 7, 14, נָתַן לְשׁ׳ Ir 25, 18 29, 18 2 C 29, 8 30, 7, שִׁית לְשׁ׳ Ir 2, 15 50, 3; neben *along with* מָשָׁל u. שְׁנִינָה Dt 28, 37, שַׁעֲרוּרָה Ir 5, 30, שְׁרֵקָה Ir 51, 37 (49, 17), חֶרְפָּה, קְלָלָה u. אָלָה Ir 42, 18, חָרְבָּה 25, 11; 2. **Entsetzen** *horror* Js 24, 12 Ir 8, 21, כּוֹס שַׁמָּה וּשְׁמָמָה Hs 23, 33; cj [לְ] שַׁמָּה [הָיְתָה] Hs 23, 10; 3. pl. שַׁמּוֹת **Erstaunen, Entsetzen Erregendes** *event causing horror* Ps 46, 9. †

II שַׁמָּה: n. m.; keilschr. Šamā APN 208; Noth S. 185 KF v. שׁמע ? vel v. שֶׁמֶשׁ (cf. Šamaja Stamm 114)? ZAW 44, 87: 1.—5. Gn 36, 13 1 C 1, 37; 1 S 16, 9 17, 13 Bruder v. *brother of* דָּוִד, = שִׁמְעָה u. שִׁמְעָא; 2 S 23, 11; 2 S 23, 33; 2 S 23, 25, F שַׁמּוֹת u. שַׁמְהוּת.

שַׁמְהוּת: n. m.; < שַׁמּוֹת, geboren zu Zeit e. entsetzlichen Ereignisses *born at a horrible event*: 1 C 27, 8. †

שְׁמוּאֵל: n. m.; שֵׁם u. אֵל (d. ungenannte Gott ist *the unnamed god is* אֵל; F שֵׁם 5, cf. יוֹאֵל u. שְׁמִידָע; L. Koehler ZAW 32, 16): **Samuel**: 1. Nu 34, 20; 2. 1 S 1, 20—25, 1 (± 125 ×; Name volkstümlich gedeutet *popular interpretation of the name* 1 S 1, 20) 28, 3. 11. 12? 14—16. 20 Ir 15, 1 Ps 99, 6 1 C 6, 13. 18. cj 12 9, 22 11, 3 26, 28 29, 29 2 C 35, 18 Si 46, 13; 3. 1 C 7, 2. †

שַׁמּוּעַ: n. m.; KF < שְׁמַעְיָה 1 C 9, 16: 1.—4. 2 S 5, 14 1 C 14, 4 = שִׁמְעָא 1 C 3, 5; Nu 13, 4; Ne 11, 17 = שְׁמַעְיָה 1 C 9, 16; Ne 12, 18. †

שְׁמוּעָה, שְׁמֻעָה: שׁמע: cs. שְׁמֻעַת, sf. שְׁמֻעָתֵנוּ, pl. שְׁמֻעוֹת: Gehörtes, Nachricht, Gerücht; Offenbarung: *heard things, report, rumour; revelation*: 1. **Nachricht, Kunde** *news, report* Hs 7, 26 1 S 4, 19 (אֶל über *concerning*) 2 S 4, 4 13, 30 1 K 2, 28 Ir 51, 46 Hs 21, 12 1 K 10, 7 2 K 19, 7 Js 37, 7 Ir 49, 14. 23 51, 46 Ob 1 2 C 9, 6 Ir 10, 22, שְׁ׳ רָעָה

schlimme N. *bad news* Ir 49, 23 Ps 112, 7, שְׁ׳ טוֹבָה gute N. *good news* 1 S 2, 24 Pr 15, 30 25, 25; הָיָה לְשְׁ׳ בְּפִי von jmd im Mund geführt werden *be mentioned by one's mouth* Hs 16, 56; 2. pl. **Gerüchte** *rumours* Da 11, 44; 3. (von Propheten Gehörte) **Offenbarung** (*heard by prophets*) *revelation* Js 28, 9. 19; שְׁמֻעָתֵנוּ d. von uns Gehörte, was wir offenbaren *the things heard by us, what we have to reveal* Js 53, 1; > Lehrvortrag *teaching* Si 5, 11 8, 9. †

שָׁמוּר n. m. 1 C 24, 24 K: *F* III שָׁמִיר.

שַׁמּוֹת: n. m.; II שַׁמָּה; aber *but F* שַׁמְהוּת: 1 C 11, 27. †

cj **שמח**: سمح freigiebig sein *be open-handed*: qal: impf. יִשְׁמַח: c. עַל **grossmütig sein** gegen *be generous against* cj Js 9, 16. †

שמט: ak. *šamāṭu* für nichtig erklären *declare invalid*; mhb., ja. loslassen *loosen*, sy. herausziehen (Schwert) *draw (sword)*; سمّط (Schuldner) freigeben *release (debtor)*: qal: pf. שָׁמְטוּ, וְשָׁמַטְתָּה, impf. sf. תִּשְׁמְטֶנָּה, וַיִּשְׁמְטוּהָ, inf. שָׁמוֹט: 1. **freigeben, sich selber überlassen**, (vom Fenster) herunterfallen lassen *let loose, let drop, let fall (out of window)* 2 K 9, 33 (l שִׁמְטוּהָ); c. יָדוֹ מִן s. Hand **loslassen** von *let drop one's hand from* Ir 17, 4 (l יָדְךָ pro וּבְךָ); שָׁמַט אֶרֶץ Land sich selbst = **brach liegen lassen** *let rest land* Ex 23, 11; (e. Wagen) sich selbst überlassen = **umwerfen (wollen)** *leave (a cart) to itself, nearly upset* 2 S 6, 6 1 C 13, 9; 2. c. מַשֵּׁה יָדוֹ e. Darlehen fahren lassen, **erlassen** *let fall a loan, remit* Dt 15, 2; †
nif: pf. נִשְׁמְטוּ: Ps 141, 6 (verderbt *corrupt*); †
hif: impf. תַּשְׁמֵט: freigeben lassen *cause to let fall* (l תַּשְׁמִט?) Dt 15, 3. †
Der. שְׁמִטָּה.

שְׁמִטָּה: שמט: **Schulderlass** *remitting of debt* Dt 15, 1 f. 9 31, 10. †

שַׁמַּי: n. m.; KF; שמע vel II שַׁמָּה?: שַׁמַּי: 1.—3. 1 C 2, 28. 32; 44 f; 4, 17. †

שְׁמִידָע: n. m.; < *שְׁמִיָּדַע; שֵׁם (*F* שְׁמוּאֵל) u. ידע; Dir. 354: Nu 26, 32 Jos 17, 2 1 C 7, 19; *F* שְׁמִידָעִי. †

שְׁמִידָעִי: gntl. v. שְׁמִידָע: Nu 26, 32. †

שָׁמַיִם (420 ×; l הַשֶּׁמֶשׁ Ko 1, 13): Sem; ug. *šmm*, ak. *šamū*; pl. Himmel *heaven*, sg. Regen *rain* (v. Soden, Gramm. 61h); aram. *F* ba. שְׁמַיָּא; سماء, asa. שמה, שמו; VG 1, 232; Zusammenhang mit *connected with* מַיִם? (Wasserort, Himmels-ozean? *water-place, ocean of heaven?* *F* Gn 8, 2 Dt 11, 11 28, 12 2 S 21, 10 Ps 148, 4 Ir 10, 13 Hi 38, 37; ak. *šamū* Himmel, Regen *sky, rain*; = kordofan-nubisch *árū*, bischarisch *ō breh* Regen *rain* u. *tō breh* Himmel *sky* (J. J. Hess, Beiträge = Zeitschr. f. Eingeborenen-Sprachen X, 65); oder Frankenberg GA 1901, 687 Zusammenhang mit *connected with* ak. *šamū* Decke *cover*, sy. שְׁמַי גֶּלְדָא Lederdach *leather-roof* u. שְׁמַי חֶכָּא Gaumen *roof of the mouth*?: שָׁמָיִם, cs. שְׁמֵי, sf. שָׁמֶיךָ, שָׁמָיו, שְׁמֵיכֶם, loc. הַשָּׁמַיְמָה (oft c. pl. konstruiert *frequently construed with pl.*): **Himmel**, die (scheinbare) Himmelsdecke, der Luftraum (*heavens*) *sky, the (seeming) celestial cover, the atmosphere*: 1. Beschreibendes *descriptive*: רָקִיעַ = שָׁמַיִם Gn 1, 8, רְקִיעַ הַשְּׁ׳ Gn 1, 14 f. 17. 20, אֲרֻבֹּת הַשְּׁ׳ Gn 7, 11, שַׁעַר הַשְּׁ׳ Gn 28, 17, דַּלְתֵי שְׁ׳ Ps 78, 23, לֵב הַשְּׁ׳ Dt 4, 11, קְצֵה הַשְּׁ׳ Dt 4, 32 30, 4, קְצוֹת הַשְּׁ׳ Ir 49, 36; שְׁ׳ // שְׁחָקִים Dt 33, 26 (9 ×); חֲצִי הַשְּׁ׳ Jos 10, 13, 4 רוּחוֹת הַשְּׁ׳ Sa 2, 10 6, 5 Da 8, 8 11, 4; חוּג שְׁ׳ Hi 22, 14, מְאוֹרֵי אוֹר בַּשְּׁ׳ Hs 32, 8; עַמּוּדֵי שְׁ׳ Hi 26, 11, מוֹסְדוֹת הַשְּׁ׳ 2 S 22, 8; נִבְלֵי שְׁ׳ Hi 38, 37; שְׁ׳ ist *is* טָהוֹר Ex 24, 10; צְבָא הַשְּׁ׳ Dt 4, 19 (17 ×); 2. Erscheinungen am u. vom Himmel *phenomena at a. from heaven*: Wasser *water* מֵעַל הַשָּׁ׳ Ps 148, 4 u. בַּשָּׁ׳ Ir 10, 13 51, 16; גֶּשֶׁם Gn 8, 2, מָטָר Dt 11, 11, טַל Gn 27, 28 Dt 33, 28, שֶׁלֶג Js 55, 10, כְּפוֹר Hi 38, 29, רְבִבִים Ir 14, 22; אֵשׁ הַשָּׁ׳ 2 K 1, 10, גָּפְרִית וָאֵשׁ Gn 19, 24; אָבָק וְעָפָר Dt 28, 24; אֲבָנִים Jos 10, 11; לֶחֶם (=מָן) Ex 16, 4 Ps 78, 24 105, 40; כּוֹכְבֵי הַשָּׁ Gn 22, 17 (10 ×); אוֹתוֹת הַשָּׁ׳ Ir 10, 2, מוֹפְתִים Jl 3, 3; הִתְקַדְּרוּ הַשָּׁ׳ Hg 2, 6. 21; הִרְעִישׁ הַשָּׁמַיִם 1 K 18, 45; 3. Himmel u. Erde *heaven a. earth*: שָׁ׳ וָאָרֶץ Gn 2, 4b Ps 148, 13, אֶרֶץ וְשָׁ׳ Gn 14, 19 Jl 4, 16 Ps 69, 35 (8 ×), הַשָּׁ׳ וְהָאָרֶץ Gn 1, 1 (17 ×); הָאָרֶץ u. dann *a. thereafter* הַשָּׁ׳ Ir 4, 23. 28; אֶרֶץ :: שָׁ׳ Lv 26, 19; הַשָּׁ׳ מִמַּעַל :: הָאָרֶץ מִתַּחַת Dt 4, 39 F 28, 23 Ir 31, 37; אֶרֶץ // שָׁ׳ Jd 5, 4 Js 1, 2 (8 ×); שָׁ׳ לָרוּם :: הָאָרֶץ Ps 115, 16 Ko 5, 1; הַשָּׁ׳ וָאָרֶץ לָעֹמֶק Pr 25, 3; 4. שָׁ׳ :: תְּהוֹם Gn 49, 25 Dt 33, 13 Pr 8, 27, :: תְּהוֹמוֹת Ps 107, 26; עֵבֶר לַיָּם // שָׁ׳ Dt 30, 12 f; :: שְׁאוֹל Am 9, 2 Hi 11, 8 Ps 139, 8; 5. שָׁמַיִם der höhere Luftraum unterhalb des Firmaments *the higher atmosphere below the firmament*: עוֹף הַשָּׁ׳ („in d. Luft" „*in the air*") Gn 1, 26 (38 ×), צִפּוֹר Dt 4, 17 Ps 8, 9; נִשְׁרֵי שָׁ׳ Ir 8, 7, חֲסִידָה בַשָּׁ׳ Th 4, 19, קָדִים הַשָּׁ׳ Ps 78, 26; הַמַּיִם מִתַּחַת הַשָּׁ׳ Gn 1, 9; in d. Luft *in the air* = בֵּין־הַשָּׁ׳ וּבֵין־הָאָרֶץ 2 S 18, 9, = בֵּין־הָאָרֶץ וּבֵין־הַשָּׁ׳ Hs 8, 3 Sa 5, 9 1 C 21, 16; 6. שָׁמַיִם c. praepos.: תַּחַת הַשָּׁ׳ Ko 1, 3 3, 1, מִתַּחַת הַשָּׁ׳ Gn 1, 9 (7 ×), תַּחַת כָּל־הַשָּׁ׳ Gn 7, 19 Dt 2, 25 4, 19 Hi 28, 24 37, 3 41, 3 Da 9, 12; עַל־הַשָּׁ׳ gegen d. H. hin *towards heaven* Ex 9, 22 f 10, 21 f; בַּשָּׁ׳ bis in d. H. *unto h.* Gn 11, 4 Dt 1, 28 9, 1; שָׁמַע מִשָּׁ׳ vom H. her *from h.* Ne 9, 27 2 C 6, 21; נָשָׂא יָדוֹ אֶל־שָׁ׳ zum H. hin *towards h.* Dt 32, 40; הַשָּׁ׳ = הַשָּׁמַיְמָה 1 S 5, 12 1 K 8, 22 (9 ×); הַשָּׁ׳ im H. *in h.* 1 K 8, 32—49 (7 ×);

7. שָׁמַיִם mit verschiedenen Verben *with divers verbs*: נטף Jd 5, 4 Ps 68, 9, גלל nif. Js 34, 4, נִמְלָח Js 51, 6, רנן Js 44, 23 49, 13, הִרְעִיף Js 45, 8, גבה 55, 9, נִפְתַּח Hs 1, 1, סִפֵּר כְּבוֹד אֵל Ps 19, 2, הִגִּיד Ps 50, 6 97, 6, הלל Ps 69, 35, שמח 96, 11 1 C 16, 31, לֹא זַכּוּ Hi 15, 15, גִּלָּה עָוֹן Hi 20, 27; 8. besondere Arten von *special kinds of* שָׁמַיִם: שָׁ׳ wird wie *becomes like* בַּרְזֶל Lv 26, 19; שְׁמֵי הַשָּׁמַיִם Dt 10, 14 1 K 8, 27 Ps 148, 4 Ne 9, 6 2 C 2, 5 6, 18; שָׁמֶיךָ Gottes *of God* Ps 8, 4, Israels *of Israel* Dt 28, 23; שָׁ׳ חֲדָשִׁים Js 65, 17 66, 22; שְׁמֵי קָדְשׁוֹ Ps 20, 7; שְׁמֵי קֶדֶם Ps 68, 34; 9. Gott macht *God makes* שָׁמַיִם: קנה Gn 14, 19, נטה Js 40, 22 (10 ×), ברא Js 42, 5 45, 18, עשׂה Ps 96, 5 Ne 9, 6 (10 ×), בִּדְבַר י׳ נַעֲשׂוּ Ps 33, 6, מַעֲשֵׂה יָדֶיךָ Ps 102, 26; בנה Am 9, 6 (cj עֲלִיָּתוֹ); כונן Pr 3, 19, הכין 8, 27; 10. Gott im Himmel *God in heaven*: אֱלֹהִים בַּשָּׁמַיִם Dt 4, 39 1 K 8, 23 Ps 115, 3, אֵל בַּשָּׁ׳ Th 3, 41, יֹשֵׁב בַּשָּׁ׳ Ps 2, 4; הַשָּׁ׳ ist *is* מְעוֹן קָדְשְׁךָ Dt 26, 15, מְכוֹן שִׁבְ׳ 1 K 8, 30, מְקוֹם שִׁבְתְּךָ 8, 39; כִּסְאִי Js 66, 1 Ps 11, 4, זְבֻל קָדְשְׁךָ Js 63, 15; שְׁמֵי קָדְשׁוֹ Ps 20, 7, מְרוֹם קָדְשׁוֹ 102, 20; יהוה ist *is* רֹכֵב שָׁמַיִם Dt 33, 26; שָׁמַיִם fassen Gott nicht *cannot contain God* 1 K 8, 27 2 C 2, 5 6, 18; Gott *God* מָלֵא אֶרֶץ וְשָׁ׳ Ir 23, 24; שָׁמַיִם ist Gottes Besitz *is God's own* Dt 10, 14 (וְהָאָרֶץ), Ps 115, 16; שְׁמֵי י׳ (l שָׁמֶיךָ ?) Ps 89, 12; 11. Gottes Wirken vom (im) Himmel *God's acting from (in) heaven*: מַלְאַךְ י׳ ruft *is calling* מִשָּׁ׳ Gn 21, 17 22, 11. 15, י׳ redet *is speaking* מִשָּׁ׳ Ex 20, 22 Ne 9, 13, הִשְׁמִיעַ קֹלוֹ Dt 4, 36 Ps 76, 9; עָצַר Dt 11, 17 cf. 1 K 8, 35; Gott *God* הִרְעִים 2 S 21, 10, נִתַּךְ מַיִם עַל Ps 18, 14, הִלְבִּישׁ קַדְרוּת Js 50, 3, קָרַע שָׁ׳ Js 63, 19, הִשְׁקִיף מִן שָׁ׳ Ho 2, 23, עָנָה שָׁ׳ Th 3, 50 Ps

14, 2, 'הַבִּיט מִן שָׁ Ps 33, 13, שָׁלַח מִן Ps 57, 4, כִּסֶּה בְעָבִים שָׁ' Ps 147, 8; 12. der Gott des Himmels *the God of heaven*: 'אֵל הַשָּׁ Ps 136, 26; 'אֱלֹהֵי הַשָּׁ Gn 24, 3. 7 Jon 1, 9 Esr 1, 2 Ne 1, 4 f 2, 4. 20 2 C 36, 23; 13. Einzelnes *particulars*: 'הֹבְרֵי שָׁ Js 47, 13; מְלֶכֶת F הַשָּׁ'; 'חֻקּוֹת שָׁ Hi 38, 33; zum Himmel aufsteigen *ascend into heaven* (2 K 1, 11) Hi 20, 6 Ps 139, 8 Pr 30, 4, vom H. herabsteigen *descend from h.* 2 S 22, 10 Ps 18, 10 144, 5; Vergänglichkeit des H. *frailty of h.* Hi 14, 12.

שְׁמִינִי, fem. שְׁמִינִית (31 ×): שְׁמֹנֶה: **der achte** *t h e e i g h t h*: בַּיּוֹם הַשְּׁמִינִי Ex 22, 29 (17 ×) cj Gn 17, 14; 'הַחֹדֶשׁ הַשְּׁ 1 K 6, 38 (5 ×); 'הַשְּׁ 1 C 12, 13 (5); הַשָּׁנָה הַשְּׁמִינִית Lv 25, 22; עַל־הַשְּׁמִינִית auf d. achtsaitigen? *upon the instrument of eight strings?* (O. Glaser ZS 8, 193 ff) Ps 6, 1 12, 1 1 C 15, 21. †

I **שָׁמִיר**: שׁמר; ar. *smr* für mehrere Pflanzenarten *of divers species of plants*: sf. שְׁמִירוֹ (שָׁמִיר nur Js *only*; oft neben *frequently along with* שַׁיִת): Stechdorn *Christ's thorn Paliurus aculeatus* (Löw 3, 133), wilde Möhre *carrot Daucus aureus* (Dalman (Saadja) AS 2, 321): vielleicht allgemein **Dorngestrüpp** *perhaps t h o r n-b u s h in general* (Rüthy, D. Pflanze 20): Js 5, 6 7, 23—25 9, 17 10, 17 27, 4 32, 13. †

II **שָׁמִיר**: zu *to* מִסְמָר (Harris, Development 33 f? FW; ak. *ašmur*: **Schmirgel** *e m e r y* (Löw, Jub. Vol. B. Heller, 1941, 230 ff; Driver SW 84): Ir 17, 1 Hs 3, 9 Sa 7, 12. †

III **שָׁמִיר**: n. m.; = I vel II? 1 C 24, 24 Q (שָׁמוּר K). †

IV **שָׁמִיר**: n. l.: 1. *Ch. Sōmera* oberhalb *above T. Bet-Mirsim* (Alt, PJ 30, 15 f): Jos 15, 48; 2. in אֶפְרַיִם Jd 10, 1 f. †

שְׁמִירָמוֹת: n. m.; ak. n. fem. (Göttin *goddess?*) *Sammurāmat*; Albr. AJP 66, 100 ff; Σεμίραμις: 1. 1 C 15, 18. 20 16, 5; 2. 2 C 17, 8 Q (K שְׁמָרִימוֹת). †

שַׁמְלַי Esr 2, 46: l שַׁלְמַי. †

שׁמם: mhb. starr, öde sein *be appalled*, *desolated*; F ba.; F ישׁם:

qal: pf. שָׁמֵמָה, שָׁמְמוּ, שָׁמֵמָה — K שָׁמֵמָה, Q שָׁמֵמוּ Hs 35, 12, impf. יָשֹׁם, יָשֹׁמּוּ, תֵּשַׁם, תֵּשָׁם, תִּשֹּׁמְנָה (wie v. *as of* ישׁם) l תֵּשַׁמְנָה Hs 6, 6 (BL 439), imp. שֹׁמּוּ, pt. שֹׁמֵם, שֹׁמֵמָה, שֹׁמְמִים, שֹׁמְמִין Th 1, 4 (BL 549), שֹׁמְמוֹת, sf. שֹׁמְמֹתֵינוּ: 1. v. Siedelungen *of places*: **menschenleer, verödet sein** *b e d e s o l a t e d*, *d e s e r t e d b y m e n*: Gn 47, 19 Js 49, 8. 19 61, 4 Hs 6, 6 12, 19 19, 7 33, 28 35, 12, 15 36, 4 Th 1, 4, cj Hs 6, 6 (l וְיֵשַׁמּוּ), cj תֵּשַׁם Ho 14, 1; 2. von Menschen *of mankind*: **d. Umgang mit Menschen** (wegen Entehrung, Heimsuchung) **entzogen sein** *b e w i t h h e l d f r o m i n t e r c o u r s e w i t h o t h e r s* (*caused by seduction*, *afflictions*) 2 S 13, 20 Js 54, 1 (:: בְּעוּלָה: Verheiratete *married woman*) Th 1, 13. 16 3, 11 Da 9, 18; 3. (angesichts von Verödung, Strafgericht) **schaudern, sich entsetzen** *b e a p p a l l e d*, *a w e s t r u c k* (*in face of desolation, divine judgement*) Lv 26, 32 1 K 9, 8 Js 52, 14 Ir 2, 12 18, 16 19, 8 49, 17 50, 13 Hs 26, 16 27, 35 28, 19 Hi 17, 8 2 C 7, 21, cj 2 K 8, 11 (l וַיֵּשֹׁם); ? Hs 36, 3 u. Da 9, 26; l יָשׁוּבוּ Ps 40, 16; †

nif: pf. נָשַׁמּוּ, cj imp. הִשַּׁמּוּ Hi 21, 5, pt. נְשַׁמָּה; pl. נְשַׁמּוֹת: 1. (durch Gewalt) **menschenleer gemacht werden, veröden** (*by violence*) *b e m a d e d e s e r t e d*, *d e s o l a t e d*: Weg *road* Lv 26, 22 Js 33, 8 Si 49, 6, עִיר Js 54, 3 Hs 36, 35 Am 9, 14, אֶרֶץ Ir 12, 11 Hs 29, 12 30, 7 32, 15 (l וְנָשַׁמָּה) 36, 34 f Jl 1, 17 Sa 7, 14, חוּצוֹת Ir 33, 10, מִזְבֵּחַ Hs 6, 4, בָּמוֹת Am 7, 9, אֲדָמָה Hs 25, 3 36, 36, פִּנּוֹת Ze

3, 6, אֹצָרוֹת Jl 1, 17, טִירָה Ps 69, 26, עֵדֶר cj Jl 1, 18; 2. (Menschen) zum Schaudern gebracht werden *be caused to be appalled, awe-struck (man)* Ir 4, 9 Hs 4, 17 Hi 18, 20 Th 4, 5, cj Hi 21, 5; †
po: pt. מְשׁוֹמֵם, מְשֹׁמֵם > שׁוֹמֵם (BL 549): 1. in Schauder versetzt, (innerlich) zerschlagen, betäubt *appalled, stupefied*: Esr 9, 3 f; 2. verödend = Verwüster *desolating = horror-causer* Da 8, 13 9, 27. 27; שִׁקּוּץ שֹׁמֵם Da 12, 11 (βδέλυγμα ἐρημώσεως 1 Mk 1, 54 u. N. Test.) u. cj [הַשִּׁקּוּץ] הַשּׁוֹמֵם Da 11, 31 (Anspielung auf *alluding to* בַּעַל שָׁמַיִם Nestle ZAW 4, 248; F Bentzen zu *to* Da 8, 13; Dölger, Antike u. Christentum 2, 161 ff); †
hif: pf. הֵשַׁמּוֹתָ, הֲשִׁמֹּתִי, הֵשַׁמּוּ, impf. יַשִּׁים, sf. וַיַּשִּׁמֵּם, inf. הֲשַׁמֵּם, imp. הָשַׁמּוּ l הַשַּׁמּוּ Hi 21, 5: 1. menschenleer, verödet machen *cause to be deserted, desolated*: מִקְדָּשׁ Lv 26, 31, עִיר Hs 30, 14 Mi 6, 13, נָוֶה Ir 10, 25 49, 20 (עַל wegen *on account of*) = 50, 45 Ps 79, 7, אֶרֶץ Lv 26, 32 Hs 30, 12, cj אַשִּׁים Na 1, 14, F Hi 16, 7 Ho 2, 14; 2. Menschen verstören aus d. Fassung bringen *cause men to be awe-struck, disconcerted* 1 S 5, 6 Hs 3, 15 (die, welche ihn sehen müssen *his onlookers*) 20, 26 32, 10; l אֲשֶׁר שָׁם Ha 1, 11; l וַנַּשִּׁים אֵשׁ Nu 21, 30; l הַשַּׁמּוּ Hi 21, 5; †
hof: inf. הָשַּׁמָּה u. הָשַׁמָּה (< *בְּהַשַּׁמָּה): Verödung *desolation* Lv 26, 34 f. 43 2 C 36, 21; †
hitp: impf. יִשְׁתּוֹמֵם, וָאֶשְׁתּוֹמֵם, < תִּשּׁוֹמֵם Ko 7, 16 (BL 439): 1. sich befallen zeigen von Staunen *show oneself driven to astonishment* Js 59, 16 63, 5, von Bestürzung *to horror* Da 8, 27, von Erstarren *to numbness* Ps 143, 4; 2. sich zugrunde richten *cause oneself ruin* Ko 7, 16. †
Der. שְׁמָמָה, שִׁמָּמוֹן; שָׁמֵם, מְשַׁמָּה, I שַׁמָּה.

שָׁמֵם: שמם: fem. שְׁמֵמָה: verödet, menschenleer *desolated, deserted* Ir 12, 11 Th 5, 18 Da 9, 17. †

שְׁמָמָה: שמם: pl. cs. שִׁמְמוֹת: menschenleeres u. deshalb Schauer erregendes Gebiet, unheimlicher Öde *deserted a. therefore awe-producing region, dismal desolation*: Ex 23, 29 Lv 26, 33 (//חָרְבָּה) Js 1, 7 (//שְׂרֻפוֹת אֵשׁ) Jos 8, 28 Js 6, 11 17, 9 62, 4 64, 9, Ir 4, 27 6, 8 (לֹא נוֹשָׁבָה) 9, 10 (מִבְּלִי יֹשֵׁב) 10, 22 12, 10 f 32, 43 (מֵאֵין אָדָם) 34, 22 44, 6 49, 2. 33 50, 13 Hs 6, 14 12, 20 14, 15 15, 8 29, 10 (//חֹרֶב). 12 33, 28 f 35, 3 f. 7. cj 7. 14 f Jl 4, 19 Mi 7, 13 Ze 1, 13 2, 4. 13 Ma 1, 3; שִׁמְמוֹת עוֹלָם Ir 25, 12 51, 26. 62 Hs 35, 9, cf. Ir 49, 33 Ze 2, 9; מִדְבַּר שְׁמָמָה Ir 12, 10 Jl 4, 19 2, 3 (::גַּן עֵדֶן); אֶרֶץ צִיָּה וּשְׁמָמָה Jl 2, 20; l מְשַׁמָּה Hs 7, 27 u. Mi 1, 7; l וּמְשַׁמָּה Hs 23, 33 u. 35, 7. †

שִׁמָמָה: Hs 35, 7: l שְׁמָמָה וּמְשַׁמָּה. †

שִׁמָּמוֹן: שמם: Grauen, Schauder *appalment, horror* Hs 4, 16 12, 19. †

שְׁמָמִית: F שְׂמָמִית.

I שמן: denom. v. שֶׁמֶן: ja., sy. שְׁמֵן, سَمِنَ: qal: pf. שָׁמַנְתָּ, impf. וַיִּשְׁמַן: fett werden, sein *grow, be fat* Dt 32, 15 Ir 5, 28; †
hif: impf. וַיַּשְׁמִינוּ, imp. הַשְׁמֵן: 1. fett, unempfindlich machen *make fat, unreceptive* Js 6, 10; 2. Fett ansetzen *show fatness* Ne 9, 25. †
Der. F שֶׁמֶן.

II *שמן: F שְׁמֹנֶה.

שֶׁמֶן (190 ×): ug. *šmn*; ak. *šamnu*; mhbr.; ph. שמן, palm. שמנא; [Syriac]; aram. Deriv.; سَمْن (bei Viehzucht Fett, Butter, bei Pflanzenbau Öl *with cattle-breeders fat, butter, with plant-growing oil*): שֶׁמֶן, שָׁמֶן, sf. שַׁמְנָהּ, pl. שְׁמָנִים, sf. שְׁמָנֶיךָ: 1. (Oliven-) Öl *oil (of olives)*: שֶׁמֶן זַיִת Ex 27, 20, זֵית שֶׁ׳ Dt 8, 8 F Mi

6, 15, שֶׁ׳ וָיַיִן 2 C 11, 11, *F* 2 C 2, 9. 14; *F* פַּךְ, קֶרֶן, צַפַּחַת; dient zum *used for* משׁח Ex 25, 6 2 K 9, 6 2 S 14, 2 (סוּךְ) Ps 23, 5 (דשׁן), auch des Schildleders *even of shield-leather* 2 S 1, 21; gebraucht *used* im Leuchter *for lights* Ex 25, 6 Nu 4, 9. 16, an Backwerk *in baking* Ex 29, 2. 23 Lv 2, 7, im Reinigungsritus *in ritual cleansing* Lv 14, 17, *F* 14, 16. 26 f, für Wunden *for wounds* Js 1, 6; verboten *forbidden* *F* Lv 5, 11 Nu 5, 15; *F* Gn 28, 18 35, 14 Js 57, 9 Ex 29. u. 30, Lv 2. u. 7. u. 8. u. 14 Nu 7 u. 28 f u. Hs 45 u. 46; שֶׁמֶן im Handel *in trade* Hs 27, 17 Ho 12, 2; שֶׁ׳ טוֹב, שֶׁ׳ כָּתִית Ko 7, 1; שֶׁ׳ הַטּוֹב ist *is* רַךְ Ps 55, 22 u. חָלָק Pr 5, 3; שֶׁמֶן ist glatt, lässt sich nicht fassen *is something sleek a. not to be grasped* Pr 27, 16 (II קרא); שֶׁ׳ הַמֹּר Est 2, 12, תַּמְרוּק [שֶׁ׳] cj Ct 1, 3; l שִׁמְרוֹן Js 10, 27; 2. **Oliven**? *olives*? Ir 40, 10 41, 8 Hs 16, 13. 19; בֶּן־שֶׁמֶן oliven-reich? *abounding in olives*? Js 5, 1; 3. pl. שְׁמָנִים: Speisen mit viel Öl *dishes with much oil* Js 25, 6; (mit Duftstoffen versetzte) Ölarten *species of oil* (*mixed with perfumes*) Am 6, 6 Ct 1, 3 4, 10; גֵּיא שְׁ׳ *F* שָׁמֵן; 4. עֵץ שֶׁמֶן† pl. עֲצֵי שֶׁמֶן (:: זַיִת Ne 8, 15): Ölweide *oleaster Eleagnus hortensis* (Löw 1, 590; Kiefer? *Scotch pine*? Rüthy, Pflanze 11) Ne 8, 15 Js 41, 19 Si 50, 10, als Nutzholz *as timber* 1 K 6, 23. 31 f.

Der. I שׁמן; *שָׁמָן, שָׁמֵן, מִשְׁמָן, מַשְׁמַנִּים; n. m. מַשְׁמַנָּה.

שָׁמָן*: שֶׁמֶן: pl. שְׁמָנִים, cs. שְׁמַנֵּי: fett (Acker) *fat* (*field*) Gn 27, 28. 39; גֵּיא שְׁ׳ Js 28, 1. 4. †

שָׁמֵן: שֶׁמֶן; ug. *šmn*: fem. שְׁמֵנָה: fett *fat*, Tier *animal* Hs 34, 16, cj pl. הַשְּׁמֵנִים 1 S 15, 9, Land *country* Nu 13, 20 Ne 9, 35. 25, Weide *pasture* Hs 34, 14 1 C 4, 40, Speise *food* Gn 49, 20, Saatgut *seed* Js 30, 23, Anteil *portion* Ha 1, 16, fett = gut genährt *fat = robust* (Leute *people*) Jd 3, 29. †

שְׁמֹנֶה, שְׁמוֹנֶה, fem. שְׁמֹנָה, שְׁמוֹנָה, cs. שְׁמֹנַת (zusammen *in all* 109 ×), pl. שְׁמֹנִים, שְׁמוֹנִים (38 ×): II *שׁמן; ug. *s̊mn(t)*, ak. *samānū*, ph. שמן, aram. תְּמָנְיָא, ثَمَانٍ; etc.; VG 1, 486, Nöld. BS 50: **acht** *eight*, pl. **achtzig** *eighty*: שְׁמֹנֶה אַמּוֹת Hs 40, 9, שְׁמֹנָה בָנִים 1 S 17, 12, שְׁמֹנִים אִישׁ 2 K 10, 24, שְׁמֹנִים שָׁנָה Gn 5, 26, שְׁמֹנַת יָמִים Gn 17, 12, שְׁמֹנָה אֵלֶּה Gn 22, 23, פָּרִים שְׁמֹנָה Nu 29, 29; achtzehn *eighteen* = שְׁמֹנָה עָשָׂר Gn 14, 14 u. שְׁמֹנֶה עֶשְׂרֵה Jd 3, 14 u. שְׁמֹנַת עָשָׂר Jd 20, 25; בִּשְׁמֹנֶה עֶשְׂרֵה שָׁנָה לְ 2 K 22, 3 u. בִּשְׁנַת שְׁ׳ עֶ׳ לְ Ir 52, 29 im 18. Jahr des *in the eighteenth year of*; שְׁמֹנִים אִישׁ achtzig Männer *eighty men* 2 K 10, 24; שֶׁבַע וּשְׁמֹנִים שָׁנָה 87 J. *y.* Gn 5, 25; שְׁמֹנֶה מֵאוֹת שָׁנָה 800 J. *y.* Gn 5, 17; שְׁמֹנַת אֲלָפִים 8000 Nu 2, 24.

Der. שְׁמִינִי.

שְׁמַנֵּי: *F* *שָׁמָן.

שׁמע: Sem.; ug. *šmʿ*, ak. *šamū*; aram. *F* ba.; سمع; amor. in n. m. *Jašmaḫu* (Bauer 80): qal (1050 ×): pf. שָׁמַע, שָׁמֵעַ, שָׁמְעָה, שָׁמַעְתְּ, שָׁמַעַתְּ = *שָׁמַעְתְּ vel שָׁמַעַתְּ 1 K 1, 11, שָׁמַעְתִּי = *שָׁמַעְתִּי vel שָׁמַעַתְּ Ir 4, 19, שָׁמֵעוּ, שְׁמַעְתֶּם, sf. שְׁמַעְתָּם, שְׁמַעְתִּיו, שְׁמֵעֻנוּהָ; impf. יִשְׁמַע, אֶשְׁמַע, וָאֶשְׁמְעָה, יִשְׁמְעוּ, יִשְׁמָעוּ, תִּשְׁמְעוּן, נִשְׁמָע, תִּשְׁמַעְנָה, תִּשְׁמָעוּן, inf. שְׁמֹעַ, שָׁמוֹעַ, שְׁמַע, sf. שָׁמְעִי, שָׁמְעוֹ Dt 29, 18 u. שָׁמְעָתוֹ Js 30, 19; imp. שְׁמַע, שִׁמְעָה u. שְׁמָעָה, שִׁמְעִי, שְׁמָעֶן (BL 362), שְׁמַעְנָה, sf. שְׁמָעֵנִי, שְׁמָעוּ, שִׁמְעוּנִי, pt. שֹׁמֵעַ, שֹׁמַעַת, שֹׁמַעַת, שֹׁמְעָנָּה, שֹׁמְעִים: 1. (mit d. Ohr) **hören** *hear* (*with the ear*): abs. Js 1, 2, אֹזֶן Hi 29, 11, נֶפֶשׁ Ir 4, 19; Redensart *proverbial saying* שָׁמַע הַשֹּׁמֵעַ man hört davon *it is heard* 2 S 17, 9; c. ac.: שָׁמַע מְדַבֵּר (jmd) sagen hören *hear (a person)* *speak* Gn 27,6, קוֹל Gn 3,10, שׁוֹפָר Ir 4,19, דְּבָרִים Gn 24,52, נֶדֶר Nu 30,5; F שֵׁמַע, שְׁמוּעָה; שׁוֹמֵעַ wie *like* ak. *šameānu* Zeuge *witness* Jd 11,10 Pr 21,28 Driver ZAW 50,145; c. עַל Gn 41,15 u. אֶל 2 K 19,9 von *about*, c. אֶל auf jmd hören *hearken unto* Hs 3,7, c. מֵאֵת von seiten *from* Js 21,10, c. מִפִּי aus jmds Mund *from one's mouth* Hs 3,17; c. ac. etwas *a thing* Ps 132,6 Hi 42,5, c. כִּי hören, dass *hear that* 2 S 11,26, c. מָה hören, was *hear what* Jd 7,11, c. בְּאָזְנָיו mit eignen Ohren *with one's own ears* 2 S 7,22, c. לֵאמֹר Gn 41,15; direkte Frage ohne Einleitung *direct question without introduction* Dt 9,2; 2. **anhören** *listen to* Am 5,23 Js 33,15, c. בְּ Gn 27,5, Zuhörer sein *attend to* Hi 15,8 26,14, hinhören auf *listen to* Hi 37,2; c. ac. (willig) anhören *hearken to* Gn 23,8, c. אֶל Js 46,3, c. לְ Pr 8,34 Hi 15,17, c. לְקוֹל Ex 4,9; אֹזֶן שֹׁמַעַת williges Ohr *ready ear* Pr 25,12; c. בְּ gern-hören *readily hear* 2 S 19,36 Ps 92,12; 3. **erhören** *listen to* Gn 17,20 (לְ inbetreff *concerning*), קוֹל פ׳ Ps 5,4, בְּקוֹל פ׳ Gn 30,6, c. לְ Ps 61,6, c. אֶל Gn 16,11; 4. hören > **gehorchen** *listen to* > *yield to, obey*: Ex 24,7, c. מִצְוָה Ir 35,14, c. בְּתוֹרָה Js 42,24, c. בְּקוֹל Gn 22,18, c. אֶל־מִצְוָה Ne 9,16, c. עַל־מִצְוָה Ir 35,18; c. אֶל Gn 28,7 u. לְ Ho 9,17; absol. gehorsam sein *be obedient* 1 S 15,22 2 K 14,11; 5. hören = **verstehen** *hear = understand*: שָׂפָה Gn 11,7; לֵב שֹׁמֵעַ verständig *reasonable* 1 K 3,9; 6. שׁ׳ בֵּין (als Richter) verhören *examine* (*in court*) Dt 1,16; שׁ׳ הַטּוֹב וְהָרָע unterscheiden *distinguish* 2 S 14,17; l וַיַּשְׁמִיעוּ Hs 19,4;

nif (42 ×): pf. נִשְׁמַע, נִשְׁמְעוּ, נִשְׁמָע, impf. יִשָּׁמַע, יִשָּׁמְעוּ, יִשָּׁמֵעַ, inf. הִשָּׁמַע, pt. נִשְׁמָע, נִשְׁמַעַת, נִשְׁמָעִים: 1. **gehört, vernommen werden** *be heard*: קוֹל Gn 45,16 Ex 28,35, דָּבָר 1 S 17,31, Werkzeug *tool* 1 K 6,7, כָּמֹהוּ so etwas *such a thing* Dt 4,32, etc.; נִשְׁמַע לוֹ er erfährt *he is told* Ne 6,1.7, נִשְׁמַע בְּ wird bekannt bei *is reported among* Ne 6,6; Redensart *proverbial saying*: הֲנִשְׁמַע לָכֶם ist es nicht unerhört bei euch? *is it not unheard of with you?* Ne 13,27; 2. **erhört werden** *hearing is granted*: נִשְׁמַע בְּקוֹלָם 2 C 30,27; 3. gehört werden = **gehorsam sein, werden** *be heard = be obedient* 2 S 22,45 u. Ps 18,45 (לִי mir gegenüber *unto me*);

pi: impf.: וַיְשַׁמַּע: (hören lassen) **aufbieten** (*cause to hear*) *assemble* 1 S 15,4 23,8; †

hif (63 ×): pf. הִשְׁמִיעַ, הִשְׁמַעְתִּי, הִשְׁמִיעוּ, sf. הִשְׁמִיעָנוּ, הִשְׁמַעְתִּיךָ, הִשְׁמִיעֲךָ, impf. יַשְׁמִיעַ, תַּשְׁמַע, יַשְׁמִעוּ, sf. אַשְׁמִיעֵם, יַשְׁמִיעֵנוּ, inf. הַשְׁמִיעַ, לַשְׁמִיעַ (< לְהַשְׁמִיעַ) Ps 26,7, imp. הַשְׁמִיעוּ, sf. הַשְׁמִיעֵנִי, הַשְׁמִיעֻנוּ, pt. מַשְׁמִיעַ, pl. מַשְׁמִיעִים: 1. **hören lassen** *cause to hear* (*be heard*) Dt 4,10 Jos 6,10 Js 41,22; etc.; l תַּשְׂבִּיעֵנִי Ps 51,10; 2. **verkündigen, ansagen** *cause to hear, make proclamation of*: שָׁלוֹם Js 52,7, אָוֶן Ir 4,15, etc.; 3. (קוֹל ausgelassen *dropped*) **aufbieten** *summon* 1 K 15,22, c. עַל gegen *against* Ir 51,27, cj 50,29 (l רַבִּים u. עַל), cj Hs 19,4 (l וַיַּשְׁמִיעוּ עָלָיו); 4. הִשְׁמִיעַ בְּקוֹל **laut hören lassen** *cause to hear aloud* Hs 27,30 Ps 26,7; 5. (קוֹלוֹ ausgelassen *dropped*) **sich hören lassen** *make oneself heard*: Sänger *singers* Ne 12,42 1 C 15,16, Musikanten *musicians* 1 C 15,19.28 16,5.42 (l לְהַשְׁמִיעַ) 2 C 5,13.

Der. שֵׁמַע, שֶׁמַע, *שֹׁמַע, שְׁמוּעָה, הַשְׁמָעוּת, מִשְׁמַעַת; n. m. שָׁמָע, שֶׁמַע, שַׁמּוּעַ, מִשְׁמָע, שְׁמַעְיָה(וּ), שִׁמְעוֹן, שִׁמְעָה, שִׁמְעָה, שִׁמְעָא, אֱלִישָׁמָע, הוֹשָׁמָע, יִשְׁמַעְיָה(וּ), יִשְׁמָעֵאל; n. l.

אֶשְׁתְּמוֹעַ = (Platz der) Erhörung (*place of*) *hearing* Honeyman JTS 50, 50.

I *שֶׁמַע: שׁמע: שֶׁמַע: **Klang, Wohlklang** *sound, melodious sound* Ps 150, 5, F צִלְצְלִים. †

II שֶׁמַע: n. m.; = I: שֶׁמַע; Dir. 176. 226: 1.—4. 1 C 2, 43 f; 5, 8; Ne 8, 4; 1 C 8, 13. †

שֵׁמַע: שׁמע: sf. שִׁמְעֲךָ, שִׁמְעִי: 1. שֵׁמַע אֹזֶן **Hörensagen** *hearsay* Ps 18, 45 Hi 42, 5; 2. **Nachricht, Kunde** *report* Gn 29, 13 Nu 14, 15 Dt 2, 25 1 K 10, 1 Js 23, 5 66, 19 Ir 37, 5 50, 43 Na 3, 19 Ho 7, 12 (l עַל־רָעָתָם) Ha 3, 2 Hi 28, 22 2 C 9, 1, cj שִׁמְעֲךָ was man von dir erzählt *what is reported about thee* Ps 138, 2; שֵׁמַע שָׁוְא üble Nachrede *slander, defamation* Ex 23, 1. †

שָׁמָע: n. m.; KF; < שְׁמַעְיָהוּ?; *Sama*ʾ APN 191, *Sama*(ʾ) *gunu* 208: 1 C 11, 44. †

*שֹׁמַע: שׁמע: sf. שָׁמְעוֹ: **Gerücht** *rumour* Jos 6, 27 9, 9 Ir 6, 24 Est 9, 4. †

שְׁמַע: n. l.; in Juda; Albr. JPO 4, 152 = *T. Saʿwe*, : : Alt JPO 15, 320[1]: Jos 15, 26. †

שִׁמְעָא: n. m.; KF; ph. n. m.; altsin. שמעא BAS 110, 21; < שְׁמַעְיָהוּ?: 1.—4. 1 C 3, 5 = שַׁמּוּעַ 2 S 5, 14 1 C 14, 4; 1 C 6, 15; 6, 24; 2, 13 20, 7 = שִׁמְעָה, = שַׁמָּה 1 S 16, 9 17, 13. †

שִׁמְעָה: n. m.; KF; < שְׁמַעְיָהוּ?: 2 S 13, 3. 32 21, 21 Q; F שִׁמְעָא. †

שְׁמָעָה: הַשְּׁמָעָה; n. m.; שׁמע: 1 C 12, 3. †

שְׁמֻעָה: F שְׁמוּעָה.

שִׁמְעוֹן: n. p., n. m.; שׁמע; nab. n. m.; F שמון Lidz. 378: Volksetym. *popular etym.* Gn 29, 33; سِمْع Hyänenhund *hyena-dog, Lycaon pictus* (Jacob ZDM 89, 250 ff; ausgezeichnet durch grosse Ohren *conspicuous by large ears*; שׁמע); bab. n. m. *Šamaḫunu*: **Simeon**: 1. der Stamm *the tribe*: מַטֵּה שׁ׳ Nu 1, 23 2, 12 13, 5, (מַטֵּה בְנֵי שׁ׳) 10, 19 34, 20 Jos 19, 1. 8 21, 9 1 C 6, 50, F Ex 6, 15 Nu 1, 6. 22 2, 12 7, 36 26, 12 Dt 27, 12 Jos 19, 9 Jd 1, 3. 17 Hs 48, 24 f 1 C 2, 1 4, 24. 42 12, 26 2 C 15, 9 34, 6; שַׁעַר שׁ׳ Hs 48, 33; 2. S. v. יַעֲקֹב Gn 29, 33 34, 25. 30 35, 23 42, 24. 36 43, 23 46, 10 48, 5 Ex 1, 2; 3. Esr 10, 31; F שִׁמְעֹנִי. †

I שִׁמְעִי: n. m.; KF; < שְׁמַעְיָהוּ?: **Simei** *Shimei*: 1.—6.: S. v. גֵּרְשׁוֹן Ex 6, 17 Nu 3, 18 1 C 6, 2 23, 7. 10 25, 17; Feind Davids *David's adversary* 2 S 16, 5. 7. 13 19, 17. 19. 22. 24 1 K 2, 8—44 (11 ×); 1 K 1, 8 4, 18; 1 C 4, 26 f; 2 C 31, 12 f; Est 2, 5; Verschiedene *divers*: Esr 10, 23. 33. 38 1 C 3, 19 5, 4 6, 14. 27 8, 21 27, 27 2 C 29, 14; K 2 S 21, 21; F II. †

II שִׁמְעִי: gntl. v. I: Nu 3, 21 Sa 12, 13. †

שְׁמַעְיָה: n. m,; < שְׁמַעְיָהוּ: 1. Prophet *prophet* 1 K 12, 22 2 C 12, 5. 7. 15, = שְׁמַעְיָהוּ 2 C 11, 2; 2. Prophet *prophet*, הַנֶּחֱלָמִי Ir 29, 31 f, = שְׁמַעְיָהוּ 29, 24; 3. Ne 11, 15 12, 42 1 C 9, 14; 4. 1 C 15, 8. 11, = 24, 6?; 5. 1 C 26, 4. 6 f; 6. 2 C 29, 14, = שְׁמַעְיָהוּ 31, 15; 7. Esr 8, 13. 16; 8. Esr 10, 21, = Ne 10, 9?; 9. Ne 12, 6. 18; 10. 1 C 9, 16, = שַׁמּוּעַ Ne 11, 17; Verschiedene *divers*: Esr 10, 31 Ne 3, 29 6, 10 12, 34—36 1 C 3, 22 4, 37 (l שִׁמְעִי?) 5, 4 9, 16. †

שְׁמַעְיָהוּ: n. m.; שׁמע u. יו׳; > שְׁמַעְיָה; Dir. 354: 1.—7. Ir 26, 20; 36, 12; 2 C 17, 8; 35, 9; 11, 2 = שְׁמַעְיָה 1.; Ir 29, 24 = שְׁמַעְיָה 2.; 2 C 31, 15 = שְׁמַעְיָה 6. †

שִׁמְעֹנִי: gntl. v. שִׁמְעוֹן: Nu 25, 14 26, 14 Jos 21, 4 1 C 27, 16.†

שִׁמְעָת: n. fem?; שׁמע: 2 K 12, 22 2 C 24, 26.†

***שִׁמְעָתִי**: gntl. v. שִׁמְעָה? שִׁמְעַת?: pl. שִׁמְעָתִים: 1 C 2, 55.†

***שֶׁמֶץ**: F שֶׁמֶץ, שִׁמְצָה.

שֶׁמֶץ: mhb. שֶׁמֶץ u. ja. שִׁמְצָא Makel *blemish*; שמץ Si 10, 10 18, 32 unerklärt *unexplained*: Flüstern? *whisper?* vel: ein wenig? *a little?* Hi 4, 12 26, 14.†

שִׁמְצָה: fem. v. שֶׁמֶץ?; unerklärt *unexplained* Ex 32, 25.†

I שׁמר: ug. *šmr*? De L. 2, 312; ak. *šamāru* warten, pflegen *wait upon, attend to*; ph. bewachen *watch*; mhb.; تَمَلَ (r=l) zurückbehalten *retain*, ثُمَالَةٌ Schaum (d. Milch) *froth (of milk)* F שֶׁמֶר, ثَمِيلَةٌ Rest (v. Futter) *remainder (of fodder)*, [syr.] u. ja. תְּמוּרְתָּא Augenlid *eye-lid*, cj. سَمَرَ wachen *watch* (Barth, Wurzel-Untersuchungen 51) F אַשְׁמֻרָה; asa. שמר:

qal (420 ×): pf. שָׁמַר, שָׁמָר, שָׁמְרוּ, sf. שְׁמָרוֹ, שְׁמָרַנִי, שְׁמַרְתִּיךָ, שְׁמָרְתְּ* < שְׁמָרָה, impf. יִשְׁמֹר, יִשְׁמָר־, אֶשְׁמְרָה, אֶשְׁמֹרָה Ps 59, 10, sf. יִשְׁמָרְךָ, תִּשְׁמְרֵם, 1 תִּשְׁמְרוּם pro תִּשְׁמוּרֵם Pr 14, 3, inf. שָׁמֹר, שָׁמוֹר, שְׁמֹר, שְׁמוֹר, sf. שָׁמְרוֹ, שָׁמְרְךָ, imp. שְׁמֹר, שְׁמָר־, שָׁמְרָה, sf. שָׁמְרֵנִי, שִׁמְרוּ, pt. שֹׁמֵר, שֹׁמְרִים, שֹׁמְרֵי, sf. שֹׁמְרֶיךָ, pass. שָׁמוּר, שְׁמֻרָה:

1. **hüten, bewachen** *keep*: עֵדֶר Ir 31, 10, צֹאן 1 S 17, 20, גַּן Gn 2, 15, דֶּרֶךְ 3, 24, בַּיִת 2 S 15, 16, שָׂדֶה Ir 4, 17, כֵּלִים 1 S 17, 22, שַׁעַר Ne 3, 29, עִיר Ct 5, 7, etc.; F שֹׁמְרֵי הַסַּף; שֹׁמֵר הַבְּגָדִים (der Priester, der für die Kultreinheit ihrer Gewänder sorgt *who attends to the cultic cleanness of the priest's garbs*) 2 K 22, 14; שֹׁמֵר הַנָּשִׁים Vorsteher d. Harems *warden of harem* Est 2, 3, = שֹׁמֵר הַפִּילַגְשִׁים 2, 14; שׁ׳ הַפַּרְדֵּס Ne 2, 8; Redensart *phrase* שְׁמֹר נַפְשׁוֹ = taste ihn nicht an *spare his life* Hi 2, 6; שׁוֹמֵר יִשְׂרָאֵל = Gott *God* Ps 121, 4; 1 הִשָּׁמְרוּ Jos 6, 18;

2. שָׁמַר c. בְּ 2 S 18, 12, c. אֶל 1 S 26, 15, c. עַל 1 S 26, 16 Pr 6, 22 **achtgeben auf, behüten** *heed to, watch over*; שָׁמַר מִן bewahren vor *keep from* Ps 121, 7;

3. **bewahren, aufbewahren, zurückbehalten** *save, retain*: אֹכֶל Gn 41, 35, Anvertrautes *deposit* Ex 22, 6, Speise *food* 1 S 9, 24, :: הִשְׁלִיךְ Ko 3, 6; c. דָּבָר im Gedächtnis behalten *keep in mind* Gn 37, 11; c. עֶבְרָה Groll bewahren *keep wrath* Am 1, 11, ellipt. Ir 3, 5;

4. behüten > **beobachten** *keep > watch, observe*: Sa 11, 11, שָׁמַר פִּיהָ 1 S 1, 12, Vorgang *event* Js 42, 20 Hi 39, 1, **beachten** *mind* cj Ps 105, 28 (1 שָׁמְרוּ); שׁ׳ אֶל wartend beobachten *wait a. observe* 2 S 11, 16 Ps 59, 10. cj 18; שׁ׳ לְ Rücksicht nehmen auf *mind* 2 C 5, 11;

5. שָׁמַר neben 2. Verbum *beside a second verb*: **sorgfältig tun** *act carefully*: שָׁמַר וְעָשָׂה Dt 4, 6, = שׁ׳ לַעֲשׂוֹת 5, 1, שׁ׳ לְדַבֵּר genau, getreulich reden *speak faithfully* Nu 23, 12;

6. שָׁמַר bewachen, **Wache halten** *watch*: שֹׁמְרִים Wachtposten *watchmen* Jd 1, 24, שׁ׳ מִשְׁמָר Wache halten *keep watch* Ne 12, 25; c. ac. **in Haft halten** *keep in custody* Hi 10, 14;

7. c. ac. e. Vorschrift, Abmachung, Verpflichtung **beobachten, halten** *observe, keep an order, covenant, appointment*: מִצְוָה 1 S 13, 13, חֻקָּה 1 K 11, 11, מִשְׁפָּט Js 56, 1, דֶּרֶךְ י׳ Gn 18, 19, בְּרִית 17, 9, שְׁבֻעַת Ir 5, 24, אֱמֶת Ps 146, 6, שַׁבָּת Dt 5, 12, חַג Ex 23, 15, עֵת Ir 8, 7;

8. wie *like* ak. *šamāru*: verehren *revere* Ps 31, 7 Pr 27, 18 *F* pi; l אֲשִׁימָה Ps 39, 2 ante לְפִי;

nif: pf. נִשְׁמַר, נִשְׁמָר, נִשְׁמְרוּ, impf. יִשָּׁמֵר, תִּשָּׁמְרוּ, imp. הִשָּׁמֵר, הִשָּׁמֶר, הִשָּׁמְרִי, הִשָּׁמְרוּ: 1. behütet werden *be kept, guarded*: Ho 12, 14; 2. sich hüten *be on one's guard*, oft *frequently* c. dat. ethic. לְךָ, לוֹ etc.; c. מִן vor, dass nicht *against, of, that not* Gn 31, 29 Ex 19, 12 (l מֵעֲלוֹת) 23, 21 Dt 23, 10 Jd 13, 13 1 S 21, 5 2 K 6, 9 Ir 9, 3, c. בְּ Ex 23, 13 Dt 24, 8 2 S 20, 10, c. פֶּן dass nicht *that not* Gn 24, 6 31, 24 Ex 34, 12 Dt 4, 23 6, 12 8, 11 11, 16 12, 13. 19. 30 15, 9, c. אַל nicht zu *not to* Ex 10, 28 Ii 36, 21; abs. sich hüten, achthaben *keep oneself, take care* Dt 2, 4 4, 9 Jd 13, 4 1 S 19, 2 2 K 6, 10 Js 7, 4; נִשְׁמַר לְנַפְשׁוֹ Dt 4, 15 Jos 23, 11 u. נִשְׁמַר בְּנַפְשׁוֹ Ir 17, 21 hütet sich *takes heed to himself*; c. בְּרוּחוֹ in s. Geist *in h. spirit* Ma 2, 15 f; l נִשְׁמָדוּ Ps 37, 28; †

pi: pt. pl. מְשַׁמְּרִים (l ? שֹׁמְרִים): verehren *revere* Jon 2, 9 †:

hitp: impf. וָאֶשְׁתַּמֵּר, וְאֶשְׁתַּמְּרָה: sich in Acht nehmen *keep oneself*, c. מִן vor *from* 2 S 22, 24 Ps 18, 24; l וַתִּשְׁמֹר Mi 6, 16. †

Der. מִשְׁמֶרֶת, מִשְׁמָר, אַשְׁמֹרֶת, אַשְׁמוּרָה, I *שֶׁמֶר, שְׁמָרָה, שְׁמֻרָה*, שִׁמֻּרִים; n. m. יִשְׁמְרַי, שְׁמַרְיָה(וּ), n. fem. שֹׁמֵר; n. m. שִׁמְרִי, שׁוֹמֵר, שֹׁמְרוֹן, שִׁמְרוֹן; n. l. שָׁמְרָת, שִׁמְרוֹן.

II *שׁמר: I שָׁמִיר.

I *שֶׁמֶר: I שׁמר: pl. שְׁמָרִים, sf. שְׁמָרָיו, שִׁמְרֵיהֶם: Bodensatz d. Weins, aus dem durch Seihen זקק noch lauterer Wein gewonnen wird *lees, dregs of wine out of which still clear wine is gained by* זקק: Js 25, 6 Ir 48, 11 (l עַל) Ze 1, 12 Ps 75, 9, cj Hs 23, 34 (שְׁמָרֶיהָ). †

II שֶׁמֶר: n. m.; = I? Dir. 354; (Šanda zu *to* 1 K 16, 24 = ሰምር reicher Ertrag *rich yield*): שֶׁמֶר: 1.—4. 1 K 16, 24; 1 C 6, 31; 7, 34 = שׁוֹמֵר 7, 32; 8, 12 (Var. שֶׁמֶד). †

שֹׁמֵר: n. fem.; = שִׁמְרִית 2 C 24, 26: Moabiterin *Moabite woman* 2 K 12, 22. †

שָׁמְרָה: I שׁמר: Wache *guard, watch* Ps 141, 3. †

*שְׁמֻרָה: *F* l שׁמר: pl. שְׁמֻרוֹת: Augenlid *eyelid* Ps 77, 5 (*F* אחז). †

I שִׁמְרוֹן: n. l.; I שׁמר: in d. Ebene *in the plain of* יִזְרְעֶאל: Jos 11, 1 12, 20 19, 15. †

II שִׁמְרוֹן: n. m.; zu *to* II שׁמר: Gn 46, 13 Nu 26, 24 1 C 7, 1; *F* שִׁמְרֹנִי. †

שֹׁמְרוֹן: (190×): n. l.; I שׁמר: ak. *Samerina*; aram. *F* ba. *שָׁמְרָיִן, Σαμαρία, *Samaria* (später *later on* Σεβαστή = Augusta, Jos. Antt. 15, 7, 7): *Sebastije*: loc. שֹׁמְרוֹנָה: Samaria; BRL 437ff: 1 K 16, 24—32 18, 2 20, 1—43 21, 18 22, 37. 52 2 K 1, 2 2, 25 3, 1. 6 5, 3 6, 19—25 10, 1—36 13, 1—13 14, 14. 16. 23 15, 8—27 17, 1—28 18, 9 f. 34 21, 13 23, 18 Js 7, 9 8, 4 9, 8 10, 9—11 36, 19, cj 10, 27, Ir 23, 13 41, 5 Hs 16, 46—55 23, 4. 33 Ho 7, 1 8, 5 f 10, 5. 7 14, 1 Am 3, 12 8, 14 Mi 1, 1. 5 f Ne 3, 34 2 C 18, 2 22, 9 25, 13. 24 28, 8 f. 15; שַׁעַר שׁ׳ 1 K 22, 10 2 K 7, 1. 18 2 C 18, 9; בְּרֵכַת שׁ׳ 1 K 22, 38; שְׂדֵה שׁ׳//שְׂדֵה אֶפְרַיִם Ob 19; עָרֵי שׁ׳ 1 K 13, 32 2 K 17, 24 23, 19; in עָרֶיהָ ... שׁ׳ 2 K 17, 24; מֶלֶךְ שׁ׳ 1 K 21, 1 2 K 1, 3; הָרֵי שׁ׳ Ir 31, 5 Am 3, 9 (:: הַר שׁ׳ Am 4, 1 6, 1 u. הָהָר שׁ׳ 1 K 16, 24) ist שׁ׳ das Reich, dessen Hauptstadt S. ist *is* שׁ׳ *the state the capital of which is S.* (Alt, Die Rolle Samarias, 1934); so auch *the same* Ho 14, 1 (u. sonst? *a. more?*); חֵיל שׁ׳ Ne 3, 34. †

שִׁמְרִי: n. m.; KF; I שמר: 1.—4. 1 C 4, 37; 11, 45; 26, 10; 2 C 29, 13. †

*** שִׁמְרִי**: F שַׁמְשְׁרַי.

שְׁמַרְיָה: n. m.; < שְׁמַרְיָהוּ: 1.—3. 2 C 11, 19; Esr 10, 32; 10, 41. †

שְׁמַרְיָהוּ: n. m.; I שמר; > שְׁמַרְיָה; Dir. 354: 1 C 12, 6. †

שִׁמֻּרִים: pl. tant.; I שמר: (Zeit der) Nachtwache (*time of*) *vigil*: Ex 12, 42. †

שמרימות: F שְׁמִירָמוֹת.

שֹׁמְרֹנִי: gntl. v. שֹׁמְרוֹן: Nu 26, 24. †

שֹׁמֵרֶת: n. m.; I שמר: 1 C 8, 21. †

שֶׁמֶשׁ (133×): ug. *špš*, ak. *šamšu*, F ba. שִׁמְשָׁא; ph. שמש; شَمْس < *شَمْش (äth. *ṣahai* = ar. *ḍuḥai*); Schulthess, Zurufe 56 *samsam* hurtig *swift*, von d. zitternden Strahlen *said of the quivering beams*: sf. שִׁמְשֵׁךְ, שִׁמְשָׁהּ, pl. sf. שִׁמְשֹׁתַיִךְ; 23 × masc., 17 × fem. F, Ps 104, 19 :: 22: 1. Sonne *sun*; הַשֶּׁמֶשׁ, aber *but* 28 × ohne Artikel *without article*: יָצָא geht auf *rises* Gn 19, 23, בּוֹא geht unter *goes down* 15, 12, מְבוֹא הַשֶּׁמֶשׁ Sonnenuntergang, Westen *sunset, west* Dt 11, 30; הֵבִיא untergehen lassen *cause to go down* Am 8, 9; זָרַח strahlen *beam* Gn 32, 32, מִזְרַח שֶׁמֶשׁ Sonnenaufgang, Osten *sunrise, east* Jd 11, 18; חַם warm scheinen *wax hot* Ex 16, 21; דָּמַם stillstehen *stand still* Jos 10, 12 f, עָמַד stehen bleiben *stand still* 19, 13; הִכָּה stechen *smite* Js 49, 10 Jon 4, 8 Ps 121, 6; שָׁזַף verbrennen *burn* Ct 1, 6; נֶהְפַּךְ לְחֹשֶׁךְ Jl 3, 4 u. חָשַׁךְ Js 13, 10 (sich verfinstern *be darkened*); קָדַר sich verdunkeln *be darkened* Jl 2, 10; תְּבוּאֹת שֶׁמֶשׁ was d. Sonne zeitigt *fruits grown by the sun* Dt 33, 14; שֶׁ׳ ist *is* מֶמְשֶׁלֶת בַּיּוֹם Ps 136, 8; שֶׁ׳ hat *has* אֹהֶל Ps 19, 5 (l בַּיָּם); 2. Wendungen *phrases*: נֶגֶד הַשֶּׁ׳ Nu 25, 4 2 S 12, 12; מָאוֹר וְשֶׁ׳ Ps 74, 16; הַשֶּׁ׳ וְהַיָּרֵחַ Gn 37, 9 (7 ×); לְעֵינֵי הַשֶּׁ׳ 2 S 12, 11; שָׁרָב וָשֶׁ׳ Js 49, 10; חָזָה שֶׁ׳ הַזֹּאת Ps 58, 9 u. רָאָה שֶׁ׳ Ko 6, 5 7, 11 11, 7; עִם שֶׁ׳ solange die S. scheint *as long as the sun shines* Ps 72, 5; לִפְנֵי שֶׁ׳ Ps 72, 17 Hi 8, 16; תַּחַת הַשֶּׁ׳ (= ph.) Ko 1, 3—10, 5 (27 × u. cj 1, 13); 3. (metaph.) שִׁמְשֵׁךְ Js 60, 20, שִׁמְשָׁהּ Ir 15, 9, שֶׁ׳ צְדָקָה Ma 3, 20 (= ak., Dürr, Festschr. Sellin 43); 4. שֶׁמֶשׁ Sonnenuhr *sun-dial* Js 38, 8; 5. שֶׁמֶשׁ (sonnenförmiger) Schild (*sun-shaped*) *shield* שֶׁ׳ וּמָגֵן (Gott *God*) Ps 84, 12, pl. Js 54, 12 (Meissner, MVG 15, 520); Sonnenkult *worship of sun*: שֶׁ׳ als Gottheit *a god* 2 K 23, 5. 11 Ir 8, 2 Hs 8, 16; מַרְכְּבוֹת הַשֶּׁמֶשׁ 2 K 23, 11; F n. l. בֵּית, עִיר, עֵין u. c. שֶׁמֶשׁ. Der. שִׁמְשׁוֹן; שִׁמְשַׁי ? שִׁמְשָׁא ?

שִׁמְשׁוֹן: n. m.; שֶׁמֶשׁ u. *ōn*; Σαμψων, Samson; Jos. Antt. 8, 285 ἰσχυρός v. שָׁמֵן: Simson *Samson* Jd 13, 24—16, 30 (38 ×). †

שִׁמְשַׁי: n. m.; שֶׁמֶשׁ; keilschr. *Samsaia* APN 191; F ba.: Esr 4, 8 f. 17. 23; F שַׁמְשְׁרַי.

שַׁמְשְׁרַי: n. m.; Mischform aus *blend of* שִׁמְשַׁי u. *שִׁמְרִי: 1 C 8, 26. †

שֻׁמָתִי: gntl. v. *שֻׁמָה: 1 C 2, 53. †

שָׁן, שַׁן: F בֵּית שְׁאָן.

שֵׁן: שנן; ak. *šinnu*; mhb.; F ba. *שֵׁן; ja. שִׁנָּא, [Syriac], سِن, [Ethiopic]: cs. שֵׁן־, שֶׁן־, sf. שִׁנּוֹ, du. שִׁנַּיִם, cs. שִׁנֵּי, sf. שִׁנָּיו, שִׁנֵּיהֶם,

שִׁנֵּימוֹ; fem.: 1. Zahn *tooth*: des Menschen *of man* Ex 21, 27 Nu 11, 33 Ps 3, 8 57, 5 58, 7 Pr 10, 26 25, 19 (רָעָה) 30, 14 Ct 4, 2 6, 6 7, 10 (l וְשִׁנָּיו); לְבֶן־שִׁנַּיִם weisszähnig *with white teeth* Gn 49, 12; lex talionis: שֵׁן בְּשֵׁן Dt 19, 21 u. שֵׁן תַּחַת שֵׁן Ex 21, 24 Lv 24, 20 Zahn um Zahn *tooth for tooth*; c. קהה Ir 31, 29f Hs 18, 2; נִקְיוֹן שׁ׳ Am 4, 6; c. נָשַׁךְ בְּ Mi 3, 5, c. חָרַק עַל Ps 35, 16 37, 12 112, 10 Hi 16, 9 Th 2, 16; Zahn d. Tiers *tooth of animal* Jl 1, 6 Hi 4, 10 41, 6; Zähne halten die Beute *teeth keep the booty* Sa 9, 7 Ps 124, 6 Hi 29, 17; Redensart *phrase*: נִשָּׂא בְשָׂרוֹ בְשִׁנָּיו Hi 13, 14; עוֹר שִׁנָּי? Hi 19, 20; 2. Zahn d. Elephanten, **Elfenbein** *tooth of oliphant, ivory*, nach *according to* Hs 27, 15 für Hörner gehalten *considered as horns* (BRL 142 ff); am Thron *at the throne* 1 K 10, 18 2 C 9, 17, Wand *wall* 1 K 22, 39, Lager *bed* Am 6, 4 Ct 5, 14, F Am 3, 15 Hs 27, 6 Ps 45, 9; מִגְדַּל הַשֵּׁן = Hals *throat* Ct 7, 5; 3. Zahn, **Zinke** (e. Geräts) *tooth, tine* (*of fork*) 1 S 2, 13; 4. Felszahn, **Felszacke** *tooth, crag* (*of rock*) 1 S 14, 4 f Hi 39, 28; l n. l. הַיְשָׁנָה 1 S 7, 12. †
Der. שֶׁנְהַבִּים.

שׁנא: سَنَا hell scheinen, leuchten *shine*:
qal: impf. יִשְׁנֶא (wie von *as if* שׁנה): **leuchten** *shine* (זָהָב) Th 4, 1; †
pi, pu: שִׁנָּא 2 K 25, 29, יְשֻׁנֶּא Ko 8, 1 u. ישנא Si 13, 25 F שׁנה. †
Der. שִׁנְאָן.

שֵׁנָא: < שֵׁנָה: **Schlaf** *sleep* Ps 127, 2. †

שִׁנְאָב: n. m.; ak. *Sin-abušu* (S. ist s. Vater *S. is his father*) Stamm 208; aber *but* F. Perles AOF 4, 220 = *šin-a-ab-ba* (= F שֶׁנְהַבִּים), heute noch bei d. Ostjuden *still to-day with eastern Jews* n. m.: Gn 14, 2. †

שִׁנְאָן: שׁנא, سَنِيَ hohe Stellung einnehmen *be high in rank* (Zolli, Jubilee Vol. B. Heller, 1941, 299): **Erhabenheit** *highness* Ps 68, 18. †

שֶׁנְאַצַּר: n. m.; ak. *Sin-uṣur* Sin, schütze *Sin, protect*; שנאבאצר Eph 3, 128: 1 C 3, 18. †

שׁנה: ug. *šnj* wiederholen *repeat*; ak. *šanû* anders werden, wiederholen *change, repeat*; mhb. wiederholen *repeat*; F ba. שׁנא; ja. תנא wiederholen *repeat*; pa. verändern *change*; sy. תנא = ja. pe; ثَنَى; aber *but* F שָׁנָה = سَنَا!; asa. תני; F שׁנן:
qal: pf. שָׁנָה, שָׁנִיתִי, impf. אֶשְׁנֶה, וַיִּשְׁנוּ, תִּשְׁנוּ, imp. שְׁנוּ, pt. שֹׁנֶה, שׁוֹנֶה, שׁוֹנִים, שֹׁנוֹת: 1. **sich ändern** *change* Ma 3, 6 (Gott *God*) Ps 77, 11 (l שָׁנְתָה); 2. c. מִן **verschieden sein von** *be different from* Est 1, 7 3, 8 Si 42, 24; l שְׁנֵיהֶם Pr 24, 21; 3. **wiederholen, noch einmal tun** *repeat, do again* 1 K 18, 34 Ne 13, 21, cj Hi 40, 5 (l אֶשְׁנֶה), Si 50, 21; c. בְּ wiederholen *repeat* Pr 26, 11, c. בְּדָבָר weiter erzählen *keep talking about* Pr 17, 9; c. לוֹ er wiederholt es für ihn = er hat einen andern nötig *he repeats it for him = he needs one more* 1 S 26, 8 2 S 20, 10; לֹא שָׁנָה er wiederholt nicht, sagt nichtsmehr *he does not speak again, any more* Hi 29, 22; 4. c. ac. **zum 2. Mal tun** *do for a second time* Si 7, 8. 14 33, 6; שׁנה דבר weiter erzählen *keep talking about* Si 42, 1; †
nif: inf. הִשָּׁנוֹת: **wiederholt werden** *be repeated* Gn 41, 32; †
pi: pf. שִׁנָּה, > שִׁנָּא 2 K 25, 29, impf. וַיְשַׁנֶּה, אֲשַׁנֶּה, וַיְשַׁנֶּהָ, וַיְשַׁנּוּ, sf. שַׁנּוֹת, inf. שַׁנּוֹתוֹ, sf. מְשַׁנֶּה, pt. מְשַׁנֶּה: 1. **ändern** *change* Ir 2, 36 Ps 89, 35; > **entstellen** *pervert* Pr 31, 5 Hi 14, 20 Si 13, 25; l יְשַׁנֶּנּוּ pro יְשֻׁנֶּא אֲנִי Ko 8, 1—2; 2. c. בֶּגֶד **ablegen** *take off* 2 K

25, 29 Ir 52, 33; c. ac. pers. u. לְטוֹב jmd e. besseres Zimmer **zuteilen** *transfer a person into a better room* Est 2, 9; c. טַעְמוֹ (cf. ak. *šanē ṭēmi* u. [illegible] Wahnsinn *madness*) **sich wahnsinnig stellen** *feign to by mad* 1 S 21, 14 (וַיְשַׁנֶּה) Ps 34, 1; †

pu: impf. יְשֻׁנֶּא: F pi 1.; †

hitp.: pf. הִשְׁתַּנִּית: **sich verkleiden** *disguise oneself* 1 K 14, 2. †

Der. מִשְׁנֶה ;שָׁנָה.

שָׁנָה (877 ×): mhb.; ug. *šnt*, pl. *šnm* u. *šnt*; ak. *šattu*; aram. F ba. *שְׁנָה; سَنَة (س loco ث, weil LW?); ph. שת, pl. שנת; I שנה: was an die Stelle eines andern Zeitraums tritt *what is replacing a previous period*: cs. שְׁנַת, sf. שְׁנָתוֹ, pl. שָׁנִים, cs. שְׁנֵי u. (9 ×) שְׁנוֹת, sf. שָׁנָיו, שָׁנֵינוּ, שְׁנוֹתָם, שְׁנוֹתֶיךָ, שְׁנוֹתַי Hi 36, 11 u. שְׁנֵיהֶם, du. שְׁנָתַיִם, שְׁנָתַיִם: **Jahr** *year* Gn 1, 14, שְׁנוֹתֶיךָ (Gottes *God's*) Ps 102, 25. 28, יְמֵי שׁ׳ Hi 3, 6; שׁ׳ תְמִימָה volles J. *fully*. Lv 25, 30; בַּשׁ׳ jährlich *yearly* Ex 23, 14; שׁ׳ בְשׁ׳ Dt 15, 20 u. שׁ׳ שָׁ׳ 14, 22 J. um J. *y. for y.*, בְּכָל־שׁ׳ וְשׁ׳ alljährlich *every year* Est 9, 21. 27; צֵאת הַשׁ׳ Ex 23, 16; רֵשִׁית הַשׁ׳ u. אַחֲרִית הַשׁ׳ Dt 11, 12, שׁ׳ רָצוֹן Js 61, 2; שְׁנַת הָרָעָב Gn 41, 50; שְׁנֵי שָׂכִיר Js 16, 14; בְּעוֹד שׁ׳ Js 21, 16; F בְּעוֹד שָׁלֹשׁ שׁ׳ l?) גְּאוּלִים, דְּרוֹר, יוֹבֵל, שְׁמִטָּה, תְּקוּפָה u. תְּשׁוּבָה; בֶּן־שָׁנָה Ex 12, 5 ein J. alt *one year old*; בֶּן־שְׁנָתוֹ Lv 12, 6 Hs 46, 13 u. בַּת־שְׁנָתָהּ Lv 14, 10 ein Jahr alt (Torcz. ZDM 1916, 561: noch im Geburtsjahr stehend *still in the year of its birth*); שְׁנַת מָלְכוֹ sein 1. offizielles Jahr *his first year of reigning* u. הַשׁ׳ הָרִאשׁוֹנִית d. Akzessionsjahr *the year of accession* (Lewy MVG 1924, 2, 25. 27); cj [בָּא] בַשָּׁנִים zu Jahren gekommen *come to years* 1 S 17, 12; שְׁנָתַיִם יָמִים 2 volle Jahre *two full years* Gn 41, 1; שֵׁשׁ שָׁנִים 6 J. lang *for six years* Ex 21, 2,; לְשָׁנִים שָׁלֹשׁ 3 J. lang *3 years* 2 C 11, 17; לְקֵץ שָׁנִים nach Jahren *at the end of years* Da 11, 6; יָמִים עַל־שָׁנָה über Jahr u. Tag *after a year a. days* Js 32, 10; שָׁנָה אַחֲרֵי שׁ׳ ein Jahr ums andere *year after year* 2 S 21, 1; תִּשְׁעִים שָׁנָה 90 Jahre *years* Gn 5, 9, בְּאַרְבַּע שָׁנָה לְ 2 K 18, 13 u. בִּשְׁנַת אַרְבַּע לְ 1 K 22, 41 u. בִּשְׁנַת הָרְבִעִית לְ Ir 46, 2 im 4. Jahr des *in the fourth y. of*; pro בַּשָּׁנָה Ir 28, 1 32, 1 l בִּשְׁנַת vel בִּשְׁנַת.

שֵׁנָה: I ישן; F ba. *שְׁנָה: cs. שְׁנַת, sf. שְׁנָתוֹ; pl. שֵׁנוֹת; pro שְׁנַת Ps 132, 4 MS l שֵׁנָה: **Schlaf** *sleep* (F תַּרְדֵּמָה, נוּם) Gn 28, 16 31, 40 Jd 16, 14. 20 Ir 31, 26 51, 39. 57 Sa 4, 1 Ps 76, 6 90, 5 132, 4 Pr 3, 24 4, 16 6, 4. 9 20, 13 Hi 14, 12 Ko 5, 11 8, 16 Est 6, 1 Da 2, 1, pl Pr 6, 10 24, 33. †

שֶׁנְהַבִּים: שֵׁן Zahn *tooth* u. הַבִּים Elefant? *oliphant?* cf. ak. *šinni-pīri* (= فيل Elephant *oliphant*) also *therefore* הַבִּים afrikanisches Wort *African word*, cf. יֵב = Ἐλεφαντίνη; sanskr. *ibha* — Elfenbein *ivory*: **Elfenbein** *ivory* (BRL 142 ff) 1 K 10, 22 2 C 9, 21 (Elefanten aus *oliphants from Rṯmw ḥrt* = Palaestina F Breasted, Ancient Records 2, 51 (Thutmosis II), aus *from Nij* w. Euphrates F Records 2, 233 (Thutmosis III)). †

I **שָׁנִי**: ? שנה: cs. שְׁנִי, pl. שָׁנִים: **Karmesinrot** *scarlet* (Farbstoff aus Eiernestern einer Schildlaus, türkisch *kyrmys*, persisch, arabisch *qirmiz* genannt, auf d. Blättern v. *Quercus coccifera* gesammelt *colouring matter from egg-clusters of a cochineal, turkish kyrmys, persian, arabic qirmiz, collected on the leaves of Quercus coccifera* Hofmann ZA 9, 331; Dalm. AS 5, 84 f; F כַּרְמִיל): Faden *thread* Jos 2, 18 Ct 4, 3; שָׁנִי = Karmesinroter Faden *scarlet thread* Gn

38,28.30 Jos 2,21; Gewand *garment* 2 S 1,24 Ir 4,30, Sünde *sin* Js 1,18; תּוֹלַעַת שָׁנִי Ex 25,4 26,1—39,29 (25 ×) Nu 4,8, שְׁנִי תוֹלַעַת Lv 14,4.6.49.51 f Nu 19,6; l שְׁנַיִם Pr 31,21 (doppeltes Gewand *double garment* Driver BAS 105,11). †

cj II שָׁנִי: ثَنِيّ Lane 358 f, Guillaume JTS 50,52 f; G σιτευτός: ausgewachsen *full grown*; הַשֵּׁנִי (ה)פַּר (l הַשָּׁנִי) שֶׁבַע שָׁנִים d. ausgewachsene, sieben Jahre alte Stier *the full grown bull of seven years* Jd 6,25.26.28. †

שֵׁנִי (157 ×): שְׁנַיִם: fem. שֵׁנִית, pl. שְׁנִיִּם: zweiter *second*: בַּיּוֹם הַשֵּׁנִי Ex 2,13, בַּשָּׁנָה הַשֵּׁנִית Gn 47,18; שֵׁנִית zum 2. Mal *a second time* Gn 22,15; וְהַשֵּׁנִית u. zweitens [ist zu sagen] *and in the second place* [*I must say*] 2 S 16,19; l שְׁאָת Js 11,11; pl. שְׁנִיִּם: an 2. Stelle *as second* Nu 2,16, zweites Stockwerk *second stories* Gn 6,16; l שֵׁנִית Ne 3,30; l הַשֵּׁנִי Est 2,14, l וְהַשֵּׁנִי 1 C 6,13; zu *to* פַּר הַשֵּׁנִי Jd 6,25 (.26.28) cf. Grünberg ZAW 49,308 ak. *alap šunū* Buckelochs *zebu* (*Bos taurus indicus*), aber *but* F II שָׁנִי.

שְׁנַיִם (768 ×): שנה; ug. *šn*, f. *št*; ph. אשנם, שנם zwei *two*, שני zweiter *second*; ak. *šina* zwei *two*; اِثْنَانِ, > aram. תְּרֵין F ba.; asa. תני; BL 622 f; VG 1,230.484 f.: שְׁנַיִם, cs. שְׁנֵי, sf. שְׁנֵיהֶם, fem. שְׁתַּיִם (BL 621 f; שְׁתַּיִם vel שִׁתַּיִם?), שְׁתֵּים Jon 4,11, cs. שְׁתֵּי; c. בְּ, כְּ > בִּשְׁתֵּי, כִּשְׁתֵּי, aber *but* מִשְּׁתֵי Jd 16,28, sf. שְׁתֵּיהֶם: 1. zwei *two* Am 3,3, שְׁנֵינוּ wir beide *we two* Gn 31,37, שְׁנֵיכֶם ihr beide *you both* Gn 27,45, שְׁנֵי אֶחָיו s. beiden Br. *his two br.* Gn 9,22, שְׁתֵּי נָשִׁים Gn 24,22, שְׁנֵי צְמִידִים Gn 4,19, שְׁתֵּים נָשִׁים Jd 11,37, שְׁנַיִם חֳדָשִׁים 1 K 3,16, בָּקָר שְׁנַיִם אֵילִם שְׁנַיִם Ex 29,1, Nu 7,17 u. שְׁתֵּי צֹאן Js 7,21 u. שְׁתֵּי לֶחֶם 1 S 10,4 (2 Stück *two pieces*); שְׁתֵּי אֵלֶּה Js 47,9 u. שְׁתַּיִם הֵנָּה Js 51,19 diese, jene zwei *these, those two*; 2. שְׁנַיִם שְׁנַיִם je zwei und zwei *two and two* Gn 7,9; שְׁנַיִם zweifach *double* Ex 22,3; בִּשְׁנַיִם zu zweit *between two* Nu 13,23; פִּי שְׁנַיִם 2 Teile *two (a double) portions* Dt 21,17; בִּשְׁתַּיִם? 1 S 18,21; לִשְׁנַיִם in 2 Stücke, entzwei *in two* 1 K 3,25; שְׁתַּיִם zweierlei *two things* Pr 30,7; פַּעַם וּשְׁתַּיִם ein, zwei Male *once, or twice* Ne 13,20; cj שְׁנַיִם doppelt *double* Pr 31,21; 3. שְׁנֵים עָשָׂר Gn 17,20 u. שְׁתֵּים עֶשְׂרֵה Gn 14,4 zwölf *twelve*; 22 F Jd 10,3; 52 F 2 K 15,27; 232 F 1 K 20,15; 32.200 F Nu 1,35; בִּשְׁנַת שְׁתַּיִם לְ im 2. Jahr des *in the second year of* 1 K 15,25; בִּשְׁנֵי עָשָׂר חֹדֶשׁ im 12. M. *in the twelfth month* Hs 32,1; בִּשְׁתֵּי עֶשְׂרֵה שָׁנָה Hs 32,17; l הַנּוֹ (ut v. 25) 1 C 11,21.
Der. שֵׁנִי.

שְׁנִינָה: שנן: scharfer Spott, Spottwort *sharp word, taunt* Dt 28,37 1 K 9,7 Ir 24,9 2 C 7,20. †

שְׁנִיר; F שְׂנִיר.

I **שנן**: ja. pa. u. سَنَّ schärfen *whet, sharpen*; ja., sy. שְׁנִינָא geschärft, *sharp*; שִׁנָּנָא Klinge *blade*; F שֵׁן:

qal: pf. שַׁנּוֹתִי, שָׁנְנוּ, pt. pass. שָׁנוּן, שְׁנוּנִים: schärfen *sharpen*: חֶרֶב Dt 32,41, חֵץ Js 5,28 Ps 45,6 120,4 Pr 25,18, לָשׁוֹן Ps 64,4; †

hitp: אֶשְׁתּוֹנָן: sich scharf gestochen fühlen *be poignantly pierced* Ps 73,21. †
Der. שֵׁן, שְׁנִינָה.

II **שנן**: = שנה; ug. *ṯnn* e. 2. Mal tun *do a*

second time (Driver Alttestl. Studien Nötscher, 1950, 48):

pi: pf. sf. וְשִׁנַּנְתָּם: **wiederholen, immer wieder sagen** *repeat, say again and again* Dt 6, 7. †

שׁנס: zu *to* äg. *šndw.t*, kopt. *šentō* Schurz *apron*? Šanda S. 442:

pi: impf. וַיְשַׁנֵּס: **schürzen** *gird up* 1 K 18, 46. †

שִׁנְעָר: n. t.; Poebel AJS 68, 20 ff: sum. *Šingi-Uri* = Sumer u. Akkad; ak. *Ša-an-ḫa-ra* (Albr. JSOR 10, 256 f); äg. *Śngr* (Burchardt 2, 41, Nr. 787); Σιγγαρα (Pauly-Wissowa II, 5, 232 f); heute *to-day Ǧebel Sinǧar* w. Mossul; Friedrich, Staatsverträge d. Hatti-Reiches II (MVG 34, 1), 96 f. 169: von Babylonien zu trennendes Reich *empire to be distinguished from Babylonia, in N-Mesopotamia?*; aber *but* bei *with* Israel = Mesopotamia: **Sinear** *Shinar*: Gn 10, 10 11, 2 14, 1. 9 Jos 7, 21 Js 11, 11 Sa 5, 11; Da 1, 2 (hier geradezu Babylonien *here straightways Babylonia*). †

שְׁנָת: F שָׁנָה.

שׁסה: NF שׁסס; Böhl, Kanaanäer u. Hebräer 47. 88; äg. *šЗś.w* Beduinen *Bedouins* EG 4, 42 (F unten *below* שֹׁסִים):

qal: pf. שָׁסוּ, impf. יִשְׁסֶה, pt. sf. שֹׁסֵהוּ 1 S 14, 48 (l שֹׁסֵיהוּ), שֹׁסֵיהֶם, שֹׁסִים, sf. שֹׁסֵינוּ, pass. שְׁסוּי; pro שֹׁאסַיִךְ Ir 30, 16 l שֹׁסַיִךְ (BL 439): **plündern** *spoil, plunder* Jd 2, 14. 16 1 S 14, 48 23, 1 2 K 17, 20 Js 17, 14 42, 22 Ir 30, 16 50, 11 Ho 13, 15 Ps 44, 11; † po: pf. שׁוֹשֵׂתִי (Var. שׁוֹסַתִי): **ausplündern** *plunder* Js 10, 13. †

שׁסס: NF v. שׁסה:

qal: pf. sf. שְׁסָהוּ, impf. וַיָּשֹׁסּוּ: **plündern** *spoil, plunder* Jd 2, 14 1 S 17, 53 Ps 89, 42; †

nif: pf. נָשַׁסּוּ, impf. יִשַּׁסּוּ: **geplündert werden** *be plundered* Js 13, 16 Sa 14, 2. †

Der. מְשִׁסָּה.

שׁסע: mhb. pi., ja. pa. zerreissen *tear apart*; شسع getrennt sein *be divided* (Yahuda JQR 15, 711):

qal: pt. cs. שֹׁסַע, fem. שֹׁסַעַת, pass. שְׁסוּעָה: שֹׁסַע שֶׁסַע **e. Spalt aufweisen** *cleave* (*have a cloven hoof*) Lv 11, 3. 7. 26 Dt 14, 6; pt. pass. **gespalten** *cleft* Dt 14, 7; †

pi: pf. שִׁסַּע, impf. וַיְשַׁסַּע, sf. וַיְשַׁסְּעֵהוּ, inf. שַׁסַּע: 1. c. ac. u. בְּ etwas an e. Stelle **anreissen** (ohne es abzureissen *tear a thing at a place (without tearing it off)* Lv 1, 17; 2. c. ac. **zerreissen** *tear asunder* Jd 14, 6; schelten *scold* (Driver JTS 28, 285 f. cf. ak. *šasū* befehlend zurufen *shout an order*):: Yahuda: **auseinandertreiben** *disperse* 1 S 24, 8. (:: de Boer, OTS 6, 53 f). †

Der. שֶׁסַע.

שֶׁסַע: שׁסע: **Spalt** *cleft* Lv 11, 3. 7. 26 Dt 14, 6. †

שׁסף: mhb. שׁצף abtrennen *separate*; Yahuda JQR 15, 709:

pi: impf. וַיְשַׁסֵּף: **in Stücke hauen**? *cut to pieces*? (S. R. Driver וַיְשַׁסַּע?) 1 S 15, 33. †

שׁעה: ug. *šʿj*; ak. *šeʾū* sehen, suchen *behold, look for*; F III שׁאה:

qal: pf. שָׁעָה, שָׁעוּ, impf. יִשְׁעֶה, וַיִּשַׁע, יִשְׁעוּ (אֶשְׁעָה) Ps 119, 117 u. תִּשְׁעֶינָה Js 32, 3 F unten *below*), imp. שְׁעֵה, שְׁעוּ: **blicken, sehen** *gaze, look*, cj וּשְׁעוּ Js 29, 9, c. אֶל Gn 4, 4 f Js 17, 8; c. בְּ **sich kümmern** um *care for* Ex 5, 9. cj 9 (l וַיִּשְׁעוּ), c. מִן **wegblicken von** *turn gaze away from* Js 22, 4, cj 52, 15 (l כֵּן יִזֶּה pro מִמֶּנּוּ יִשְׁעוּ), Hi 7, 19 14, 6 (מֵעָל), cj Hi 10, 20 (l שְׁעֵה) u. Ps 39, 14 (l שְׁעֵה); c. עַל **blicken auf** *look at* Js 17, 7 1, 1; l יִשְׁעוּ 2 S 22, 42; l תִּשְׁעֶינָה (l שׁעע)

Js 32, 3; 1 וְאֶשְׁתַּעְשַׁע (II שׁעע) Ps 119, 117 †
hif: imp. הָשַׁע, 1 שְׁעֵה Ps 39, 14; †
hitp: impf. נִשְׁתָּעָה, תִּשְׁתָּע: **um sich blicken** *gaze about* Js 41, 10 · (angstvoll *full of fear*) 41, 23 (gespannt *anxiously*), cj imp. הִשְׁתָּעוּ 29, 9. †

***שׁעט**: F *שַׁעֲטָה.

***שַׁעֲטָה** vel ***שְׁעָטָה**: *שׁעט; ثَعَطَ zerstossen *pound to pieces*: cs. שַׁעֲטַת: **Stampfen** (d. Pferde) *stamping* (*of hoofs*) Jr 47, 3. †

שַׁעַטְנֵז: offenbar Kontraktion *evidently a contraction of words*: *שֵׁשׁ = شَاش (öteb., Berggren 798) schwarze Gaze f. Kopftücher *black gauze for head-cloth* u. *עטנז = عُطْمُوز, عَطْمَز stark *strong* (m > n)?: **weitmaschiges Gewebe** *stuff of large meshes* Lv 19, 19 Dt 22, 11. †

שֵׁעִיר: F שֵׁעִיר.

***שׁעל**: F *שַׁעַל, מִשְׁעוֹל.

***שֹׁעַל**: mhb. Tiefe (d. Meers)? *depth* (*of sea*)?; ja. שַׁעְלָא, שַׁעֲלָא, שְׁעוֹלָא, sy. שֶׁעְלָא; mnd. Nöldeke, Mand. Gr. 70; Holma, Kl. Beitr. 21; F מִשְׁעוֹל: sf. שָׁעֳלוֹ, pl. שְׁעָלִים, cs. שַׁעֲלֵי: **hohle Hand, Handvoll** *hollow hand, handful* 1 K 20, 10 Js 40, 12 (1 בְּשָׁעֳלִים־יָם) Hs 13, 19. †

שַׁעַלְבִים (sine dāgēš): n. l.; ak. *šēlibu*, ثَعْلَب Fuchs *fox* Bauer ZAW 48, 78: Lage unbekannt *site unknown* (PJ 31, 52f): Jd 1, 35 1 K 4, 9; F שַׁעַלְבִין.

שַׁעַלְבִּין: n. l.; = שַׁעַלְבִים: Jos 19, 42. †

שַׁעַלְבֹנִי: gntl. v. *שַׁעַלְבֹן: 2 S 23, 32 1 C 11, 33. †

שַׁעֲלִים: n. l.; zu *to* *שֹׁעַל?; PJ 31, 50ff: אֶרֶץ שַׁ׳ 1 S 9, 4, cj Jd 12, 15. †

שׁען: Etym?: Šaf. v. ענה hinunter drücken > sich lehnen auf *press down* > *lean on* (De Boer, Oudste Christendom etc. I 472):
nif: pf. נִשְׁעַן, נִשְׁעֲנוּ, נִשְׁעָנוּ, impf. יִשָּׁעֵן, וְהִשָּׁעֲנוּ, יִשָּׁעֲנוּ, אֶשָּׁעֵן, inf. הִשָּׁעֵן, sf. הִשָּׁעֶנְךָ, הִשָּׁעֲנָם, imp. הִשָּׁעֲנוּ, pt. נִשְׁעָן: 1. c. עַל **sich stützen auf** *support oneself on* 2 S 1, 6 Hs 29, 7, **sich anlehnen an** *lean on* Jd 16, 26, = c. עַל־יָד 2 K 5, 18 7, 2. 17; absol. Hi 24, 23; 2. sich aufgestützt lagern, **sich ausruhen** *lie supported, rest* Gn 18, 4; 3. metaph. **sich anlehnen** *lean* (לְ an *upon*) Nu 21, 15; 4. metaph. **sich stützen auf** *support oneself upon* = *trust upon* Js 10, 20 30, 12 31, 1 Hi 8, 15 Pr 3, 5 2 C 16, 7, auf Gott *upon God* Js 50, 10 Mi 3, 11 2 C 13, 18 14, 10 16, 7 f. †
Der. מִשְׁעֶנֶת, מַשְׁעֵנָה, מַשְׁעֵן, מִשְׁעָן.

I שׁעע: ja., sy. שַׁע u. שׁוּע glätten, bestreichen *smooth, smear over*:
qal: (imp. שֹׁעוּ) cj impf. תִּשְׁעֶינָה Js 32, 3: **überstrichen, verklebt sein** (Auge) *be smeared over, pasted together* (*eye*) cj Js 32, 3; 1 וְשֹׁעוּ Js 29, 9; †
hif: imp. הָשַׁע: **verkleben** *paste together* (Augen *eyes*) Js 6, 10; †
hitpalp: imp. הִשְׁתַּעַשְׁעוּ: sich verklebt zeigen *prove smeared over*, aber *but* 1 הִשְׁתָּעוּ (Buhl, F 41, 10) Js 29, 9 (שׁעה hitp.). †

II שׁעע: ܫܥܐ, ja. pa. sich schmeichelnd losmachen *get free by flattering*, שַׁעְיָא Getändel *dallying*; cp. etp. sich unterhalten *amuse oneself*; VG 1, 247:
pilp: pf. שִׁעֲשַׁע, impf. יְשַׁעַשְׁעוּ: **patschen, spielen** *sport on* Js 11, 8, **zärtlich behandeln** *take delight in* Ps 94, 19; 1 שִׁעֲשְׁעוּ pro שִׁעֲשָׁעְתִּי Ps 119, 70; †
pilp pass: impf. תְּשָׁעֳשָׁעוּ: **geschaukelt werden** (Kinder im Spiel) *be fondled* (*children in play*) Js 66, 12; †
hitpalp: impf. אֶשְׁתַּעֲשַׁע, ־שָׁע: **sich vergnügt**

wissen *feel delighted* Ps 119, 16. 47. cj 117. †
Der. שַׁעֲשׁוּעִים.

שֶׁעַף: n. m.; Noth S. 223 = ja. שַׁעֲפָא Balsam *balm*: שָׁעַף: 1 C 2, 47. 49. †

I שער: mhb. שַׁעַר, ja. שַׁעֲרָא Preis *price*; mhb. pi., ja. pa. einschätzen *estimate*; سعر Wert, *market-price*:
qal: pf. שָׁעַר: berechnen *estimate* (l שֹׂעֵר G? vel שער = סַעַר Gemser?) Pr 23, 7. †
Der. II *שַׁעַר.

II שער: ثغر aufbrechen *break*; ... spalten *split*: Der. I שַׁעַר, *שְׁעָר.

III שער: F *שֹׁעֲרוּר, *שַׁעֲרוּרִי.

I שַׁעַר (370 ×): II שער, ug. *ṯġr*; ثغر Spalte, Mundöffnung *split, orifice*; mo.; aram. F ba. *תְּרַע; ph. שער; asa. הַעֲר: שַׁעַר, loc. שַׁעְרָה, pl. שְׁעָרִים, cs. שַׁעֲרֵי, sf. שַׁעֲרֵיכֶם (fem. Js 14, 31 Hs 40, 19?): 1. Tor *gate*, v. עִיר Gn 34, 20, חָצֵר Ex 27, 16, מַחֲנֶה Ex 32, 26, מָקוֹם Dt 21, 19, בֵּית י׳ Ir 7, 2, בִּירָה Ne 2, 8; שַׁעֲרֵי הָאָרֶץ Ir 15, 7, שַׁעֲרֵי הַנְּהָרוֹת die zu d. Kanälen führen *leading to the channels* (πυλίδες Herodot 1, 191) Na 2, 7; שַׁעַר הַשָּׁמַיִם Gn 28, 17; שַׁעֲרֵי c. שְׁאוֹל Js 38, 10; c. מָוֶת Ps 9, 14 107, 18 Hi 38, 17; שַׁעַר c. צֶדֶק Ps 118, 19; c. צַלְמָוֶת Hi 38, 17; עַמִּי Ob 13 Mi 1, 9 Ru 3, 11; שְׁעָרָיו (v. י׳) Ps 100, 4 (118, 20); 2. am Tor befindet sich *at the gate there are*: רְחוֹב 2 C 32, 6, פֶּתַח Jd 9, 40, מָבוֹא 2 C 23, 15, דַּלְתוֹת Jd 16, 3, בְּרִיחַ Ps 147, 13, מַנְעוּל Ne 3, 3, גַּג 2 S 18, 24; עֲלִיָּה 2 S 19, 1, סַף, בְּאֵר 2 S 23, 15 f; אֵלָם u. תָּאִים Hs 40, 6—10, מִפְתָּן u. מְזוּזָה Hs 46, 2, אֲסֻפִּים Ne 12, 25; d. Tor liegt am obern Rand d. Stadtmauer *the gate is situated at the higher border of the town-wall* Hi 29, 7 Dt 25, 7 Ru 4, 1; 2 Tore hinter einander *two gates one behind the other* 2 S 18, 24; 3. בָּאֵי שַׁעַר Gn 23, 10 u. יֹצְאֵי שַׁעַר 34, 24 (Zimm. 13); גֵּר אֲשֶׁר בִּשְׁעָרֶיךָ Ex 20, 10 Dt 5, 14 24, 14 31, 12; בִּשְׁעָרֶיךָ in deinen Ortschaften *in thy places* Dt 12, 17 etc.; Tor als Statte v. Rüge u. Gericht *the gate the place of censure a. court* Js 29, 21 Am 5, 10. 12. 15 Sa 8, 16 Ps 127, 5 Pr 22, 22 24, 7 31, 23. 31 Hi 5, 4 31, 21 Ru 4, 1. 10 f Th 5, 14; ? Jd 5, 8; cj הַשְּׁעָרִים Hs 40, 19. 32; l הַשְּׁעָרִים 2 K 23, 8; 4. Tore in *gates in* Jerusalem (F Komm. u. Simons, Jerusalem): a. שַׁעַר אֶפְרַיִם 2 K 14, 13 Ne 8, 16 12, 39 2 C 25, 23; b. F שַׁעַר הָאַשְׁפֹּת; c. שַׁעַר בֵּין הַחֹמֹתַיִם 2 K 25, 4 Ir 39, 4 52, 7; d. F שַׁעַר הַגַּיְא; e. שַׁעַר הַדָּגִים Ze 1, 10 Ne 3, 3 12, 39 2 C 33, 14; f. F שַׁעַר הַחַרְסוּת; g. שַׁעַר יְהוֹשֻׁעַ 2 K 23, 8; h. F שַׁעַר הַיְסוֹד; i. F שַׁעַר הַיְשָׁנָה; j. שַׁעַר הַמִּזְרָח Ne 3, 29; k. שַׁעַר הַמַּטָּרָה Ne 12, 39; l. שַׁעַר הַמַּיִם Ne 3, 26 8, 1. 3. 16 12, 37; m. שַׁעַר הַמִּפְקָד Ne 3, 31; n. שַׁעַר הַסּוּסִים Ir 31, 40 Ne 3, 28 2 C 23, 15; o. שַׁעַר סוּר 2 K 11, 6; p. שַׁעַר הָעַיִן Ne 2, 14 3, 15 12, 37; q. שַׁעַר הָעִיר 2 K 23, 8 2 C 32, 6; r. F שַׁעַר הַפִּנָּה u. שַׁעַר הַפְּנִים Sa 14, 10; s. שַׁעַר הַצֹּאן Ne 3, 1. 32 12, 39; t. שַׁעַר הָרִאשׁוֹן Sa 14, 10; u. שַׁעַר הָרָצִים 2 K 11, 6. 19; v. שַׁעַר הַתָּוֶךְ Ir 39, 3; † 5. Tore am Tempel *the gates of the temple*: 2 K 15, 35 Ir 20, 2 26, 10 36, 10 37, 13 38, 7 Hs 8, 3. 5. 14 9, 2 10, 19 11, 1 40, 6? 22? 20. 24. 28. 35. 44 42, 15 43, 1. 4 44, 1. 4 46, 9. 12 47, 2 48, 31—34 Sa 14, 10 1 C 9, 18 26, 16 2 C 23, 20 24, 8 27, 3; † 6. שַׁעַר הַמֶּלֶךְ [רַבִּים] cj [שַׁעַר] בֵּית Ct 7, 5; in Susa Est 2, 19—6, 12, am Tempel 1 C 9, 18. Der. שׁוֹעֵר; n. l. שַׁעֲרַיִם.

II *שַׁעַר: I שער; pl. שְׁעָרִים: Mass (Getreide) *measure* (*of grain*) Gn 26, 12. †

שֹׁעָר : II שער : pl. שֹׁעָרִים : aufgeplatzt *burst open* (Feigen *figs*; Löw 1, 228): Ir 29, 17. †

***שַׁעֲרוּר** : III שער ; Löw, Festschr. Blau, Frankfurt 1927, 195: fem. שַׁעֲרוּרָה : Grässliches *horrible things* Ir 5, 30 23, 14; F *שַׁעֲרוּרִי. †

***שַׁעֲרוּרִי** : שַׁעֲרוּר : fem. שַׁעֲרוּרִיָּה , Ho 6, 10 Q, שַׁעֲרֻרִת Ir 18, 13: Grässliches *horrible things*. †

שְׁעַרְיָה : n. m.; יו u.?: 1 C 8, 38 9, 44. †

שַׁעֲרַיִם : n. l.; I שַׁעַר : 1. in יְהוּדָה, am *on W. eṣ-Ṣant* unterhalb *below* עֲזֵקָה ? Jos 15, 36 1 S 17, 52; 2. in שִׁמְעוֹן 1 C 4, 31, l שָׁרֻחֶן vel שָׁרְחֶן , F שָׁרוּחֶן , (äg. Š³rahuna, Albr. Voc. 53) ut Jos 15, 32 pro שִׁלְחִים . †

שַׁעַשְׁגַז : n. m.; pers., Scheft. 53: Est 2, 14. †

שַׁעֲשֻׁעִים : II שעע ; tac-tuc-Form: sf. שַׁעֲשֻׁעָיו : Ergötzen, Wonne *delight* Js 5, 7 Ir 31, 20 Ps 119, 24. 77. 92. 143. 174 Pr 8, 30 (l שַׁעֲשֻׁעָיו). 31. †

שׁפה : سَفَا kahl, glatt fegen (Wind) *sweep bare, smooth (wind)*; aram. שפא (שְׁף) glätten *smooth*: nif: pt. נִשְׁפֶּה : (Hügel *hill*) **kahl gefegt** (vom Wind) *swept bare (by wind)*, **mit nackten Felsen** *with bare rocks* Js 13, 2; † pu: וְשֻׁפּוּ l impf. יִשְׁפּוּ : **kahl, fleischlos werden** *grow bare, without flesh* Hi 33, 21. † Der. שְׁפִי ; שְׁפוֹת ? n. m. יִשְׁפָּה .

***שָׁפָה** : F שְׁפוֹת .

שְׁפוֹ : n. m.; ZAW 44, 91: Gn 36, 23; = שְׁפִי 1 C 1, 40. †

שְׁפוֹט : שׁפט : **Strafgericht** *judgement* 2 C 20, 9; pro שְׁפוֹטִים Hs 23, 10 l שְׁפָטִים . †

שְׁפוּפָם : n. m.; שׁפף ? Noth l שׁוּפָם : Nu 26, 39, cj Gn 46, 21. †

שְׁפוּפָן : n. m.; שׁפף ? Noth l שׁוּפָם : 1 C 8, 5. †

שְׁפוֹת : שׁפה ; sg. *שָׁפָה ? : **Quark** *curds* (Dalman PJ 15, 34) 2 S 17, 29; הָאַשְׁפּוֹת < הַשְּׁפוֹת Ne 3, 13. †

***שׁפח** : I ספח : מִשְׁפָּחָה , שִׁפְחָה .

שִׁפְחָה : *שׁפח ; ug. *šp̣h* Nachkommenschaft *scion*; ph. שפח Familie *family*; cf. lat. *familia* = Familie u. Gesinde *family a. servants* (Joüon, MFB 1925, 45 f cf. سفح (Wasser) ausgiessen *pour out (water)*, שִׁפְחָה die unterste Sklavin, die d. Wasser auf die Hände giesst *the lowest maid-servant who pours water over her master's hands*): cs. שִׁפְחַת , sf. שִׁפְחָתִי , pl. שְׁפָחוֹת , שִׁפְחֹת , sf. שִׁפְחֹתָיו , שִׁפְחוֹתֵיכֶם : **Sklavin** *maid-servant* (nicht genau v. אָמָה zu unterscheiden *not strictly distinguished from* אָמָה): שִׁפְחָה v. רָחֵל Gn 30, 7 35, 25, לֵאָה Gn 30, 10. 12 35, 26, שָׂרָה 16, 8 25, 12; :: גְּבִרְתָּהּ Js 24, 2 Ps 123, 2 Pr 30, 23; יַעֲקֹב hat 2 Frauen u. 2 שִׁפְחֹת *owns two women and two* שִׁפְחֹת Gn 32, 23; עֶבֶד וְשִׁפְחָה Gn 32, 6 Ir 34, 9—11. 16, pl. Gn 12, 16 20, 14 24, 35 Dt 28, 68 1 S 8, 16 2 K 5, 26 Js 14, 2 Jl 3, 2 Ir 34, 11 Ko 2, 7 Est 7, 4 2 C 28, 10 u. Gn 30, 43; שִׁפְחָה unterwürfige Selbstbezeichnung *humble self-designation* 1 S 1, 18 (// אָמָה 1, 16) 25, 27 28, 21 f 2 S 14, 6—19 (6 ×) 2 K 4, 2. 16 Ru 2, 13; שִׁפְחָה an d. Mühle *behind the mill* Ex 11, 5; אָמָה tut Dienst als *serves as* שִׁפְחָה 1 S 25, 41; שׁ׳ מִצְרִית Gn 16, 1 (הָגָר); F Gn 16, 2—6 29, 24. 29 30, 4. 18 33, 1 f. 6 Lv 19, 20 2 S 17, 17. †

שׁפט : ug. *špṭ*; ak. *šapāṭu* entscheiden *decide*,

šāpiṭu Richter *judge* Bauer (ostkan.) 81; ph. שפט > lat. *suffetes* (Livius); asa. הפט; (سَفَطَ Nöld. ZDM 40, 724); aram. *F* ba.:

qal (180×): pf. שָׁפַט, שָׁפְטָה, שָׁפַטְתִּי, שָׁפְטוּ, sf. שְׁפָטוֹ, שְׁפָטְךָ, שְׁפָטָנוּ, impf. יִשְׁפֹּט־, יִשְׁפָּט, יִשְׁפְּטוּ, יִשְׁפּוֹטוּ (BL 301) Ex 18, 26, sf. יִשְׁפְּטֵהוּ Q Hs 44, 24, אֶשְׁפָּטְךָ, אֶשְׁפְּטֵם, inf. שְׁפוֹט, לִשְׁפֹּט, sf. שָׁפְטֵנוּ, שָׁפְטֶךָ, imp. שָׁפְטָה Ps 82, 8, שִׁפְטוּ, שָׁפְטוּ, sf. שָׁפְטֵנִי, pt. שֹׁפֵט, fem. שֹׁפְטָה Jd 4, 4, pl. שֹׁפְטִים, cs. שֹׁפְטֵי, sf. שֹׁפְטֵיהֶם, שֹׁפְטָיִךְ: 1. שׁפט בֵּין... וּבֵין **entscheiden, schlichten** zwischen *decide, settle a dispute between* Gn 16, 5 Ex 18, 16 Js 2, 4 (12×) = שׁפט בֵּין... לְ Hs 34, 17. 22; 2. שׁפט דָּבָר e. Angelegenheit **schlichten** *settle a cause* Ex 18, 26; 3. שׁפט אֶת jmd **zum Recht helfen** *help a man to his right* Js 1, 17. 23 Ps 72, 4 82, 3; absol. **schlichten, richten** *decide, judge* Gn 19, 9 Ex 5, 21 1 K 7, 7 Ps 51, 6 82, 1 Hi 22, 13 Ru 1, 1; 4. שֹׁפֵט **Richter** (im Sinne von Schiedsrichter, Rechtshelfer) *judge* (*who settles a cause, helps to one's right*) cf. מוֹשִׁיעַ... וַיִּשְׁפֹּט Jd 3, 9f u. שֹׁפְטִים וַיּוֹשִׁיעוּם 2, 16: שֹׁפְטֵי יִשְׂרָאֵל Nu 25, 5, הַשֹּׁפֵט Dt 17, 12, שַׂר וְשֹׁפֵט Ex 2, 14, שֹׁפְטִים וְשֹׁטְרִים Dt 16, 18; שֹׁפֵט וְנָבִיא Js 3, 2, Deborah שֹׁפְטָה Ri 4, 4; 5. Gott *God* שֹׁפֵט Jd 11, 27 Ir 11, 20, שְׁפָטוֹ מִיַּד אֹיְבָיו 2 S 18, 19, Gott *God* שֹׁפֵט הָאָרֶץ Ps 94, 2, שֹׁפְטֵנוּ Js 33, 22, שׁפט צַדִּיק Ps 7, 12; l אֱלֹהֵי מִשְׁפָּט Ps 50, 6 u. מִשֹּׁפְטִי Hi 23, 7; י׳ steht *standing* בְּקֶרֶב אֱלֹהִים יִשְׁפֹּט Ps 82, 1; אֱלֹהִים ist *is* שֹׁפֵט Ps 75, 8, pl! 58, 12: 6. שָׁפַט **richten** *judge* Gn 18, 25 (54×), c. בְּצֶדֶק Lv 19, 15, c. מִשְׁפַּט צֶדֶק Dt 16, 18. c. צֶדֶק Dt 1, 16, c. בֶּאֱמֶת Pr 29, 14, c. בֶּאֱמוּנָה Ps 96, 13, c. לְמַרְאֵה עֵינָיו auf d. blossen Schein hin *after the sight of his eyes* Js 11, 3, c. בְּשֹׁחַד Mi 3, 11, c. מֵישָׁרִים Ps 58, 2, c. מִישׁוֹר Ps 67, 5, עָוֶל Ps 82, 2; 7. שָׁפַט **richten = bestrafen** *judge = punish* 1 S 3, 13 (בְּ wegen *on account of*) Hs 7, 3 (כְּ entsprechend *according*). 8. 27 11, 10f 18, 30 20, 4 21, 35 22, 2 23, 24. 36 24, 14 33, 20 35, 11 36, 19 Ob 21 Hi 21, 22 Da 9, 12; שׁפט בְּ Gericht halten über *judge, punish* 2 C 20, 12; שָׁפַט c. ac. u. מִשְׁפָּט jmd mit e. Strafe bestrafen *put a punishment upon* Hs 16, 38 23, 45; 8. שֹׁפֵט > **Herrscher** *master, ruler* Mi 4, 14 Da 9, 12; l וּשְׁפָטִים Hs 23, 10; l לְמִשְׁפָּט u. יִשְׁפְּטֵהוּ 44, 24; ? 2 C 20, 9;

nif: pf. נִשְׁפַּטְתִּי, impf. אִשָּׁפֵט, אִשָּׁפְטָה, יִשָּׁפְטוּ, נִשָּׁפְטָה, inf. הִשָּׁפֵט, sf. הִשָּׁפְטוֹ, pt. נִשְׁפָּט: 1. **sich vor Gericht stellen** *enter into controversy* (*before a court*), *plead* Js 43, 26 59, 4 Ps 9, 20 37, 33 109, 7, c. לִפְנֵי י׳ 1 S 12, 7, c. יַחַד mit einander *together* Js 43, 26, c. אֵת mit *with* 1 S 12, 7 Ir 2, 35 Hs 17, 20 20, 35f 38, 22 Pr 29, 9, c. 2. אֵת wegen *on account of* Hs 17, 20, c. עִם mit *with* Jl 4, 2 2 C 22, 8 Si 8, 14, c. לְ jemandem *with* Ir 25, 31, c. עַל wegen *on account of* Jl 4, 2; 2. **sich sein Recht suchen** *plead for one's right* Js 66, 16 (יהוה); †

po: pt. sf. לִמְשֹׁפְטִי Hi 9, 15, l לִמְשֹׁפְטִי. †

Der. שְׁפֹט, שְׁפוֹט, מִשְׁפָּט, *שֶׁפֶט; n. m. אֱלִישָׁפָט, שְׁפַטְיָהוּ, שִׁפְטָן.

*שֶׁפֶט: שפט: pl. שְׁפָטִים, sf. שְׁפָטַי; **Strafgerichte** *acts of judgment* Ex 6, 6 7, 4 Hs 14, 21, c. עָשָׂה בְ vollziehen an *execute against* Ex 12, 12 Nu 33, 4 Hs 5, 10. 15. cj 8 11, 9 16, 41, cj 23, 10, 25, 11 28, 22. 26 30, 14. 19, = עָשָׂה אֶת 2 C 24, 24; l שְׁבָטִים Pr 19, 29. †

שָׁפָט: n. m.; KF < שְׁפַטְיָהוּ; ph. Moscati 57: 1—5. Nu 13, 5; 1 K 19, 16. 19 2 K 3, 11 6, 31; 1 C 3, 22; 5, 12; 27, 29. †

שְׁפַטְיָה: n. m.; < שְׁפַטְיָהוּ: 1.—6. 2 S 3, 4 1 C 3, 3; Ir 38, 1; Ne 11, 4; Esr 2, 4 8, 8 Ne 7, 9; Esr 2, 57; Ne 7, 59; 1 C 9, 8.†

שְׁפַטְיָהוּ: n. m.; שפט u. יְ; > שְׁפַטְיָה, u. שָׁפָט: 1.—3. 1 C 12, 6; 27, 16; 2 C 21, 2.†

שִׁפְטָן: n. m.; שפט: Nu 34, 24.†

I שְׁפִי: I שׁפה: שְׁפִי, pl. שְׁפָיִים, שְׁפָיִם: **Piste** (die kahlen Bahnen, die sich durch den Verkehr der Karavanen von selbst bilden) *piste, track* (*bare ways formed without human work by the traffic of caravans*) Joüon J As 1906, 137 ff: Nu 23, 3 Js 41, 18 49, 9 Ir 3, 2. 21 4, 11 7, 29 12, 12 14, 6, cj בַּשְּׁפִי 1 S 19, 22; pro וְשֻׁפּוּ Hi 33, 21 1 וְשֻׁפִּי (שׁפה pu.).†

II שְׁפִי: n. m.; = I?: 1 C 1, 40; F שְׁפוֹ.†

שְׁפִיפֹן: שׁפף: سُفّ, سِفّ, سَفّ = *Zamenis diadema* **Zornnatter** *horned snake* (?) (Lane 1368); ak. *šippu* Viper? *viper?*: Gn 49, 17 (Musil 2, 1, 35).†

שָׁפִיר: n. l.; שׁפר: Mi 1, 11.†

שׁפך: ug. *špk*, ak. *šapāku*; mhb.; aram.; سَفَكَ, ሰፈከ:

qal (113 ×): pf. שָׁפַךְ, שָׁפַךְ, שָׁפָכְתְּ, שָׁפְכוּ, שָׁפְכָה Dt 21, 7 (BL 315), sf. שְׁפָכְתְּהוּ, impf. יִשְׁפֹּךְ, אֶשְׁפְּכָה, תִּשְׁפְּכוּ, sf. תִּשְׁפְּכֵנוּ, inf. שְׁפֹךְ, לִשְׁפֹּךְ־, sf. שָׁפְכְךָ, imp. שְׁפֹךְ־, שִׁפְכוּ, שִׁפְכוּ, pt. שׁוֹפֵךְ, שֹׁפֶכֶת, pl. שֹׁפְכִים, שֹׁפְכוֹת, sf. שֹׁפְכוֹ, pass. שָׁפוּךְ: 1. **giessen, schütten** *pour, spill*: דָּם Gn 9, 6, מַיִם Ex 4, 9, עָפָר Lv 14, 41, מָרָק Jd 6, 20, מֵעָיו 2 S 20, 10, מְרֵרָה Hi 16, 13; etc.; שָׁפַךְ סֹלְלָה aufschütten *cast up* 2 S 20, 15; 2. kultisch *cultic*: שׁ׳ לִפְנֵי יְ 1 S 7, 6, שׁ׳ נֶסֶךְ Js 57, 6; 3. (metaph.) **ausgiessen, fliessen lassen** *pour out, cause to flow*: חֵמָה Ir 10, 25, חֲרוֹן אַפּוֹ Ir 6, 11, עֶבְרָתוֹ Ho 5, 10, חֲמַת יְ Th 4, 11, זַעְמוֹ Ze 3, 8 Ps 69, 25, רוּחוֹ Hs 39, 29 Jl 3, 1, רָעָה Ir 14, 16, תַּזְנוּת Hs 16, 15 23, 8, בּוּז Ps 107, 40 Hi 12, 21; שׁ׳ לִבּוֹ sein Herz **ausschütten** *pour out one's heart* Ps 62, 9 Th 2, 19; שׁ׳ נַפְשׁוֹ (cf. ak. *tabāku napišta* Zimm. 13) s. Seele ausschütten = sich aussprechen *pour out one's soul = ease one's mind* 1 S 1, 15 (לִפְנֵי יְ) Ps 42, 5 (עָלַי vor mir *before me*); שׁ׳ שִׂיחוֹ Ps 102, 1 142, 3;

nif: pf. נִשְׁפַּךְ, נִשְׁפַּכְתִּי, impf. יִשָּׁפֵךְ: **vergossen, verschüttet werden** *be poured out, be shed*: דָּם Gn 9, 6 Dt 12, 27 19, 10, כַּמַּיִם Ps 22, 15, דֶּשֶׁן 1 K 13, 3. 5, כְּבֵדִי Th 2, 11; 1 הָשְׁפַּךְ Hs 16, 36;†

pu: pf. שֻׁפַּךְ, שֻׁפְּכָה (BL 316) Ps 73, 2; **vergossen werden** *be poured out* Nu 35, 33 Ze 1, 17; Schritte *steps* > **zu Fall gebracht werden** *be caused to slip* Ps 73, 2 (Q שֻׁפְּכוּ);†

hitp: impf. תִּשְׁתַּפֵּךְ, inf. הִשְׁתַּפֵּךְ: **hingeschüttet daliegen** *lay shed around* אַבְנֵים Th 4, 1, **ergossen sein** *be poured out* נֶפֶשׁ (F nif.) Hi 30, 16, **ausgeschüttet, verströmt sein** *be shed, expire* נֶפֶשׁ Th 2, 12.†

Der. שֶׁפֶךְ, שָׁפְכָה.

שֶׁפֶךְ: שׁפך: **Aufschüttung, Abfallplatz** *place of pouring, heap of rubbish* Lv 4, 12.†

שָׁפְכָה: שׁפך (BL 603): (Giesser) **Harnröhre** (*fluid duct*) **male organ** Dt 23, 2.†

שׁפל: Sem., ausser *except* äth.; F ba.; ug. *špl*: qal: pf. שָׁפֵל, שָׁפְלָה, impf. יִשְׁפַּל, יִשְׁפְּלוּ, inf. שְׁפַל: **niedrig sein, sich senken** *become low* Js 10, 33 40, 4, **niedersinken** *sink down* 32, 19; **niedrig, demütig sein** *be humiliated, abased* Js 2, 9. 11 (1 שָׁפְלוּ). 17 5, 15 Pr 16, 19; שְׁפַל דָּבָר **redet von unten**

her *speaks from below* Js 29, 4; קוֹל: leise werden *grow low* Ko 12, 4; †
hif: pf. הִשְׁפִּיל, הִשְׁפַּלְתִּי, impf. תַּשְׁפִּיל, sf. יַשְׁפִּילֶהָ, יַשְׁפִּילֶנָּה, inf. הַשְׁפִּיל, sf. הַשְׁפִּילְךָ, imp. הַשְׁפִּילוּ, sf. הַשְׁפִּילֵהוּ, pt. מַשְׁפִּיל, הַמַּשְׁפִּילִי Ps 113, 6 (BL 526 l): 1. herunterholen, niederbringen *lay low* מִבְצָר Js 25, 12 26, 5, עֵץ Hs 17, 24, (am Tisch) heruntersetzen *set in a lower place* Pr 25, 7; 2. erniedrigen, demütigen *abase, humiliate* 1 S 2, 7 2 S 22, 28 Ps 18, 28 Js 13, 11 25, 11 Hs 21, 31 Ps 75, 8 (:: הֵרִים) 147, 6 Pr 29, 23 Hi 40, 11?; 3. הַשְׁפִּילוּ שְׁבוּ setzt euch herunter *sit in a lower place* Ir 13, 18; הַשְׁפִּיל לִרְאוֹת blickt in die Tiefe *looks down from his height* Ps 113, 6; שִׁלַּח הַשְׁפִּיל sendet tief hinab *sends down* Js 57, 9; ? Hi 22, 29. †
Der. שֵׁפֶל, שָׁפָל, שָׁפֵל, שִׁפְלָה, שְׁפֵלָה, שִׁפְלוּת; n. l. שְׁפֵלָה.

שֵׁפֶל: שפל: sf. שִׁפְלֵנוּ: Niedrigkeit *low condition* Ps 136, 23 Ko 10, 6. †

שָׁפָל: שפל: cs. שְׁפַל, fem. שְׁפָלָה, cs. שִׁפְלַת, pl. שְׁפָלִים: 1. tief gelegen *low* (*situation*) Lv 13, 20 f. 26 14, 37; 2. niedrig *low*: עֵץ Hs 17, 24; (in d. Geltung *in social situation*) 2 S 6, 22 Ma 2, 9 Hi 5, 11; l הַשָּׁפָל was niedrig ist *what is low* Hs 21, 31, Reich *kingdom* Hs 17, 14 29, 14 f; שִׁפְלַת קוֹמָה niedrig gewachsen *low* (*in height*) Hs 17, 6; 3. demütig *humble* Js 57, 15 Ps 138, 6; שְׁפַל רוּחַ Pr 29, 23. †

שָׁפֵל: שפל: niedrig *low* Js 2, 12 (וְגָבֹהַּ); F שְׁפֵלָה. †

שִׁפְלָה: שפל: Niedrigkeit *low, humiliated state* Js 32, 19. †

שְׁפֵלָה: n. l.; fem. v. שָׁפֵל: sf. שְׁפֵלָתָה: d. niedrige Vorland am Westrand des Gebirges von Juda *the low country west of the western border of the Judaean hills*: die Niederung *the lowland*: Dt 1, 7 Jos 9, 1 10, 40 11, 2. 16 12, 8 15, 33 Jd 1, 9 Ir 17, 26 32, 44 33, 13 Ob 19 Sa 7, 7 2 C 26, 10 28, 18, Heimat der *habitat of* שִׁקְמִים 1 K 10, 27 1 C 27, 28 2 C 1, 15 9, 27; d. westliche Vorland des Gebirges Israels *the lowland west of the Israelite hills* Jos 11, 16. †

שִׁפְלוּת: שפל: בְּשִׁפְלוּת יָדַיִם wenn man die Hände [untätig] hängen lässt *lowering of hands, inactivity* Ko 10, 18. †

שָׁפָם: n. m.: 1 C 5, 12. †

שְׁפָם: n. l.; loc. שְׁפָמָה: Nu 34, 10 f. †

שֻׁפָּם: n. m.; l שְׁפָם?: 1 C 7, 12. 15; > שְׁפוּפָם 26, 16 (?). †

שִׁפְמִי: gntl.; v. שְׁפָם?: 1 C 27, 27. †

*__שׁפן__: שָׁפָן.

I **שָׁפָן**: *שׁפן; altsin. *ṯpn* BAS 110, 21: pl. שְׁפַנִּים: Klippdachs, Klippschliefer *rock-badger*; وَبْر (*Procavia syriaca*; Bodenheimer 111 f; kein Wiederkäuer *no ruminant*:: Lv 11, 5; photogr. RB 44, 582): Lv 11, 5 Dt 14, 7 Ps 104, 18 Pr 30, 26; F II. †

II **שָׁפָן**: n. m.; = I; ph. n. m.: 1. Staatsschreiber d. Königs Josia *secretary of king Josiah* 2 K 22, 3—14 2 C 34, 8—20; 2. ff: 2 K 25, 22 Ir 26, 24 29, 3 36, 12 39, 14 40, 5. 9. 11 41, 2 43, 6 Hs 8, 11. †

שׁפע: mhb.; ja., cp., sy.; سَبَغَ (Barth, Wurzeluntersuch. 51) reichlich sein, überfliessen *be abundant, overflow*:

qal: cj impf. יִשְׁפַּע: reichlich fluten *flow abundantly* (נָהָר) cj Hi 40, 23. †
Der. שֶׁפַע, שִׁפְעָה; n. m. שִׁפְעִי.

שֶׁפַע: שׁפע: Überfluss *abundance*: Dt 33, 19. †

שִׁפְעָה: שׁפע: cs. שִׁפְעַת: **Schwall, Menge** *heaving mass*: מַיִם Hi 22, 11 38, 34, סוּסִים Hs 26, 10, גְּמַלִּים Js 60, 6, l שִׁפְעַת אֲנָשִׁים 2 K 9, 17. 17. †

שִׁפְעִי: n. m.; שׁפע; *Šapi*ʾ APN 215; 1 C 4, 37. †

***שׁפף**: ThLZ 48, 465; F שְׁפִיפֹן, n. m. שְׁפוּפָם, שְׁפוּפָן.

I שׁפר: aram.; mhb. pi. *make beautiful*; ja., sy. schön sein, gefallen *be beautiful*, *pleasing*; سفر glänzen *shine*:
qal: pf. שָׁפְרָה: c. עַל **gefallen** *be pleasing* Ps 16, 6; †
cj pi: pf. שִׁפְּרָה: **blank fegen** *polish up* cj Hi 26, 13 (Hölscher). †
Der. n. fem. שִׁפְרָה, n. l. שָׁפִיר.

II *שׁפר: F שׁוֹפָר, I *שֶׁפֶר; אֶשְׁפָּר.

I *שֶׁפֶר: II *שׁפר: שָׁפֶר: **Geweih** *antlers* (Aharoni, Osiris 5, 465) Gn 49, 21. †

II *שֶׁפֶר: n. montis; = סְפָר Gn 10, 30 (Hommel, Aufsätze u. Abhandlungen 293): Berg in d. Wüste *mountain in wilderness*: Nu 33, 23 f. †

שֹׁפָר: F שׁוֹפָר.

שִׁפְרָה: Hi 26, 23, F I שׁפר pi. †

שִׁפְרָה: n. fem.; I שׁפר; Schönheit *beauty*: Ex 1, 15. †

***שַׁפְרִיר**: Del. Prol. 126 Thronteppich *carpet of the throne*; Barth § 144 Szepter *sceptre* (Zimm. 8 cf. ak. *šipirri* Szepter *sceptre*); שׁפר? פרר?: sf. שַׁפְרִירוֹ: **Prachtzelt?** *state-tent?* Ir 43, 10. †

שׁפת: ug. *špd*; [asa. שׁפת geben *give = ponere?*], F אַשְׁפֹּת:
qal: impf. תִּשְׁפֹּת, sf. תִּשְׁפְּתֵנִי, inf., imp. שְׁפֹת:
1. שְׁפֹת סִיר e. Kessel **auf-** (d. Feuer) **setzen** *set a pot upon* (*the fire*) 2 K 4, 38 Hs 24, 3; 2. c. ac. u. לְ jmd **stellen auf** *set a person upon* Ps 22, 16 (l שְׁפַתְנִי); 3. c. ac. u. לְ pers. **bereitstellen** für *set ready for* Js 26, 12. †
Der אַשְׁפֹּת, שְׁפַתַּיִם, מִשְׁפְּתַיִם.

שְׁפַתַּיִם: du., שׁפת: **Abstellplatten** (aus Stein? *slabs?*), *places where to set down things* Hs 40, 43; **Packsättel** *pack-saddles* Ps 68, 14. †

***שׁצף**: NF v. שׁטף; ph. in n. m.: F *שֶׁצֶף.

***שֶׁצֶף**; *שׁצף: cs. שֶׁצֶף: **Fluten, Strömen** (des Zorns) *flowing, streaming* (*of anger*) Js 54, 8. †

I שׁקד: mhb. strebsam sein *be insistent*; ja. wachen *watch*; ph. wachsam sein *be circumspect*:
qal: pf. שָׁקַד, שָׁקַדְתִּי, impf. אֶשְׁקֹד, יִשְׁקוֹד, inf. שְׁקֹד, imp. שִׁקְדוּ, pt. שֹׁקֵד, pl. c. שֹׁקְדֵי: **wachsam sein** *be wakeful* Ps 127, 1 Pr 8, 34 Hi 21, 32 Esr 8, 29, יהוה Ir 1, 12 31, 28 44, 27 Da 9, 14; c. ac. **lauern auf** *watch* Js 29, 20 Ir 5, 6 (נָמֵר); †
nif: pf. נִשְׁקַד (MSS): **sich wachsam halten** *keep oneself wakeful* (l עַל) Th 1, 14. †
pu: pt. מְשֻׁקָּדִים: F מְשֻׁקָּד; †
Der. שָׁקֵד.

II שׁקד: سَقَدَ abgezehrt sein *be emaciated* (Hava) Aharoni, Osiris 5, 471:

qal: pf. שָׁקַדְתִּי: abgezehrt sein *be emaciated* Ps 102, 8. †

שָׁקֵד: I שקד; der am ersten im Jahr blühende (= erwachende) Baum *the tree which flourishes* (= *awakens*) *first in spring*; ak. *šiqdu* u. *šiqittu* Meissner, MVG 9, 211); mhb.; ja. שִׁקְדָּא, sy. שִׁקְדָא; ሰገኣ: pl. שְׁקֵדִים: **Mandelbaum**, pl. **Mandeln** *almond-tree*, pl. *almonds* *Amygdalus communis* (Löw 3, 142 ff): Ir 1, 11 Ko 12, 5, pl. Gn 43, 11 Nu 17, 23; F לוּז. †
Der. מְשֻׁקָּד.

שקה: ug. *šqj*; ak. *šaqū*; mhb.; aram. שקא; سقى; asa. סקי; F שתה:
nif: pf. Am 8, 8, l וְנִשְׁקְעָה ;וְנִשְׁקְהָ †
hif: pf. הִשְׁקִיתִי, הִשְׁקִית, הִשְׁקְתָה, הִשְׁקָה, הִשְׁקִיתִים, הִשְׁקִיתָנוּ, sf. הִשְׁקָה, הִשְׁקִינוּ, הִשְׁקוּ, impf. יַשְׁקוּ, וָאַשְׁקֶה, אַשְׁקֶה, וַיַּשְׁק, יַשְׁקֶה, וַתַּשְׁקְמוֹ, וַיַּשְׁקֵנוּ, יַשְׁקֵנִי, sf. נַשְׁקֶה, וַתַּשְׁקֶין, הַשְׁקוֹת, נַשְׁקֶנּוּ, וַיַּשְׁקֵהוּ, אַשְׁקֶנָּה, inf. אַשְׁקְךָ; sf. הַשְׁקוֹתוֹ, imp. הַשְׁקִינִי, הַשְׁקוּ, sf. הַשְׁקֵהוּ, pt. מַשְׁקֶה, cs. מַשְׁקֵה, sf. מַשְׁקֵהוּ, pl. מַשְׁקִים, sf. מַשְׁקָיו: 1. **zu trinken geben** *give to drink*, c. ac. jmd *to a person* Gn 21, 19 24, 14. 18 f. 43—46 29, 2 f. 7 f. 10 Ex 2, 16 f. 19 Nu 20, 8 Jd 4, 19 1 S 30, 11 2 C 28, 15, c. 2 ac. jmd etwas *to a person a drink* Gn 19, 32—35 Ex 32, 20 Nu 5, 24—27 (Fluchwasser *water of bitterness*) Ir 16, 7 25, 15. 17 35, 2 Am 2, 12 Ha 2, 15 Ps 69, 22 Pr 25, 21 Hi 22, 7 Ct 8, 2; sbj. יהוה Js 27, 3 43, 20 Ir 8, 14 9, 14 23, 15 Ps 36, 9 60, 5 78, 15, אֱלֹהִים Ps 104, 13; 2. (Land, Boden, Garten, Pflanze) **tränken** *cause to drink* (*country*, *ground*, *garden*, *plant*) Gn 2, 6 (אֵד) 2, 10 (נָהָר) Hs 17, 7 32, 6 Jl 4, 18 Ps 104, 11 Ko 2, 6; בְּרַגְלְךָ (Öffnen u. Schliessen d. Wassergraben mit d. Fuss *opening a. shutting of small channels with the foot*) Dt 11, 10; **mit Thränen tränken** *cause to drink tears* Ps 80, 6, mit Küssen *kisses* cj Ct 1, 2 (l הַשְׁקֵנִי); 3. **zu trinken verschaffen** *bring to drink* 2 S 23, 15 1 C 11, 17: 4. **zu trinken reichen** *pass to drink* Est 1, 7; 5. מַשְׁקֶה **Mundschenk** *butler* Gn 40, 1—23 41, 9 Ne 1, 11; 6. מַשְׁקָיו seine **Trinkeinrichtung** oder **Kellereien** *drinking-service or wine-vaults* (1 C 27, 27) 1 K 10, 5 2 C 9, 4; †
pu: impf. יְשֻׁקֶּה: **getränkt werden** *be watered* Hi 21, 24. †
Der. שֶׁקֶת, שִׁקּוּי, מַשְׁקֶה, *שֹׁקֶת.

שִׁקּוּי: שקה: < *שִׁקְוּוּ, pl. sf. שִׁקּוּיִ, שִׁקֻּוָי: **Getränk** *drink* Ho 2, 7 Ps 102, 10, **Labsal** *refreshment* Pr 3, 8. †

שִׁקּוּץ, שִׁקֻּץ: שקץ, pl. שִׁקּוּצִים, c. שִׁקּוּצֵי, sf. שִׁקּוּצֵיהֶם, שִׁקּוּצֶיךָ: 1. **heidnisches, abscheuliches Kultbild** *heathen, detested idol* Dt 29, 16 2 K 23, 24 Js 66, 3 Ir 4, 1 7, 30 13, 27 16, 18 32, 34 Hs 5, 11 7, 20 11, 18. 21 20, 7 f. 30 37, 23 Ho 9, 10 2 C 15, 8; v. *of* מִלְכֹּם 1 K 11, 5; v. *of* כְּמוֹשׁ u. מֹלֶךְ 1 K 11, 7 2 K 23, 13; v. *of* עַשְׁתֹּרֶת 2 K 23, 13; 2. (durch Beziehung zu heidnischem Kult) **Abscheuliches** *detested thing* (*related to heathen worship*) Na 3, 6 Sa 9, 7; Da 9, 27 u. 11, 31 u. 12, 11 F Komm. †

שקט: ak. *šaqāṭu* fallen *drop*; mhb., ja. ruhen *be undisturbed*; سقط niederfallen *drop down*; F שתק:
qal: pf. שָׁקַט, שָׁקְטָה, impf. יִשְׁקֹט, תִּשְׁקֹטִי, אֶשְׁקוֹט, אֶשְׁקוֹטָה (BL 301) Q אֶשְׁקְטָה, K אֶשְׁקוֹטָה Js 18, 4, pt. שֹׁקֵט, fem. שֹׁקֶטֶת: 1. **Ruhe haben** *be undisturbed, at peace* (מִן vor *from*): אֶרֶץ Jos 11, 23 14, 15 Jd 3, 11. 30 5, 31 8, 28 1 C 4, 40 2 C 13, 23 14, 5, עִיר 2 K 11, 20 2 C 23, 21, Erde *earth* Js 14, 7 Sa 1, 11, עַם Jd 18, 7 u. 27 (//בֹּטֵחַ), חֶרֶב Ir 47, 6 f, יִשְׂרָאֵל Ir 30, 10 46, 27, Schläfer *the sleeping* Hi 3, 13, //שָׁלַו Hi 3, 26; 2. **sich ruhig verhalten** *keep quiet* Js 62, 1 Hs

16,42 38,11 Ps 76,9 83,2, יהוה Js 18,4, מוֹאָב Ir 48,11; Regierungszeit verläuft in Ruhe *the kingdom was undisturbed* 2 C 14,4 20,30; **nichts unternehmen** *sit still* Ru 3.18;† hif: impf. יַשְׁקִט, יַשְׁקִיט, inf. הַשְׁקִיט, inf. u. imp. הַשְׁקֵט: 1. **Ruhe schaffen** *cause quietness* (מִן vor *from*) Ps 94,13; הִשְׁקִיט רִיב e. Streit **zur Ruhe bringen** *pacify, allay* Pr 15,18; 2. **Ruhe haben** *shew quietness* Js 32,17 Hi 37,17, **sich stille halten** *be quiet, sit still* Js 7,4 30,15 57,20 Ir 49,23 Hi 34,29; שַׁלְוַת הַשְׁקֵט sorglose **Ruhe** *prosperous ease* IIs 16,49.† Der. שֶׁקֶט.

שֶׁקֶט: שׁקט: (politische) **Ruhe** (*political*) *quietness* 1 C 22,9.†

שׁקל: ak. *šaqālu* (Zimm. 23) wägen *weigh*; ph., altaram. שׁקל; mhb.; ja., cp., sy. תקל; ثقل schwer sein *be heavy*; ሰቀለ aufhängen, wägen *hang up, weigh*:

qal: pf. שָׁקַל, impf. יִשְׁקֹל, תִּשְׁקוֹל, וָאֶשְׁקְלָה Ir 32,9 u. וָאֶשְׁקֳלָה K, וָאֶשְׁקוֹלָה (= וָאֶשְׁקְלָה Q) Esr 8,25, יִשְׁקְלוּ, sf. יִשְׁקְלֵנִי, inf. שָׁקוֹל, לִשְׁקוֹל, pt. שֹׁקֵל: 1. **wiegen, Gewicht haben** *weigh* 2 S 14,26; 2. **abwägen** *weigh out* Js 33,18, בַּפֶּלֶס Js 40,12, בַּקָּנֶה 46,6, בְּמֹאזְנַיִם Ir 32,10 Hi 31,6, בְּכַפָּיו 2 S 18,12; שׁ׳ לִפְנֵי **darwägen** vor *weigh out before* Esr 8,29, c. לְ an *for* Gn 23,16 Ex 22,16 Ir 32,9 Esr 8,25; שׁ׳ כֶּסֶף S. darwägen = **bezahlen** (müssen) (*have to*) *weigh out* = *pay s.* 1 K 20,39 Js 55,2 Est 3,9 4,7 (עַל an *to*) Esr 8,26; שָׂכָר Lohn darwägen *weigh out wages* Sa 11,12; metaph. שׁ׳ כַּעַשׂ s. Kummer wägen *weigh one's sorrows* Hi 6,2;†

nif: pf. נִשְׁקַל, impf. יִשָּׁקֵל: (ab-) **gewogen werden** *be weighed* (*out*) Hi 6,2 28,15 (als *as* מְחִיר) Esr 8,33.†

Der. מִשְׁקוֹל, מִשְׁקָל, מִשְׁקֶלֶת; שֶׁקֶל.

שֶׁקֶל: שׁקל; ug. *ṯql*; ak. *šiqlu* (Zimm. 21), σίκλος: שֶׁקֶל, pl. שְׁקָלִים, cs. שִׁקְלֵי: **Gewicht**, > bestimmtes Gewicht, Gewichtseinheit, **Scheqel** *weight* > *special weight, unit of weight, shekel* (BRL 185 ff, Ugarit F 187): Hs 4,10 Am 8,5 2 C 3,9; שֶׁקֶל כֶּסֶף Gn 23,15 f Lv 27,3, שִׁקְלֵי זָהָב 1 C 21,25; שֶׁקֶל הַקֹּדֶשׁ heiliges, am Heiligtum gültiges Gewicht *holy weight* = *shekel valuable at the sanctuary* Ex 30,13.24 38,24—26 Lv 5,15 27,3.25 Nu 3,47.50 7,13.19—86 (13 ×) 18,16; ½ שֶׁקֶל Ex 30,13.15 38,26; ⅓ שֶׁקֶל Ne 10,33; ¼ שֶׁקֶל 1 S 9,8; 1 שֶׁקֶל = 20 גֵּרָה Ex 30,13 Lv 27,25 Nu 3,47 Hs 45,12; 50 שֶׁקֶל = 1 מָנֶה Hs 45,12; שְׁקָלִים בְּאֶבֶן הַמֶּלֶךְ 2 S 14,26; 3 שׁ׳ Lv 27,6; 10 שׁ׳ Lv 27,5; 15 שׁ׳ Lv 27,7; 730 שׁ׳ Ex 38,24; 5000 שְׁקָלִים נחשׁת 1 S 17,5; Goldzunge v. 50 שׁ׳ *golden tongue of* 50 שׁ׳ Jos 7,21; 50 שׁ׳ Silber *of silver* als Kopfsteuer *as individual tax* 2 K 15,20, Preis e. Feld *price of a field* Ir 32,9, für Tenne *of thrashing-floor* 2 S 24,24; F 2 K 7,1.16.18 Ex 21,32 38,29 Lv 27,16 Nu 31,52 1 S 17,7 Ne 5,15, cj 2 S 21,16; F Handbücher *handbooks*.†

***שׁקם**: *שִׁקְמָה.

***שִׁקְמָה**: *שׁקם; mhb.; ja. שִׁיקְמָא, ܫܩܡܐ, cp. שׁוּקְמָא, > συκάμινος: pl. שִׁקְמִים, sf. שִׁקְמוֹתָם: **Maulbeerfeigenbaum** *sycomore-tree Ficus sycomorus L.* (Löw 1, 274 ff; Koehler, Amos, 36 f); wächst in der Schefela *growing* בַּשְּׁפֵלָה 1 K 10,27 1 C 27,28 2 C 1,15 9,27, in מִצְרַיִם Ps 78,47; Königsgut *crown-land* 1 C 27,28; בֹּלֵס שׁ׳ Am 7,14; Js 9,9.†

שׁקע: mhb., ja. sinken *sink down*; صقع einstürzen (Brunnen) *collapse* (*well*):

qal: pf. שָׁקְעָה, impf. תִּשְׁקַע: in sich zu-

sammensinken *sink down, collapse*: Feuer *fire* Nu 11, 2, בָּבֶל Ir 51, 64, מִצְרַיִם Am 9, 5 (wie Nil *like Nile*); †
nif: pf. נִשְׁקְעָה: sinken *sink*, מִצְרַיִם (wie Nil *like Nile*) Am 8, 8 Q. †
hif: impf. תַּשְׁקִיעַ: 1. **niederhalten** (Zunge) *hold down* (*tongue*) Hi 40, 25; 2. **sich senken lassen, klar werden lassen** (Wasser) *make to sink, to grow clear* (*water*) Hs 32, 14; †
Der. *מִשְׁקָע.

***שְׁקַעֲרוּרָה**: קער: pl. שְׁקַעֲרוּרֹת: Vertiefung *depression, hollow* Lv 14, 37. †

שקף: mhb. nif., hif. hervorragen *overhang*; שְׁקִיפָא Felsenriff *rocky reef* Schulth. HW 84 f; עשה השקוף machte die Türschwelle *made the sill* hebr. Inscr. Kefr Birᶜim Lidz. 485; سقف, asa. שקף mit Dach versehen *ceil, roof*; ak. *askuppu, askuppatu* (ja., sy., neosy.) (Zimm. 31) Schwelle *sill*:
nif: pf. נִשְׁקַף, נִשְׁקְפָה, נִשְׁקַפְתִּי, pt. נִשְׁקָף, נִשְׁקָפָה: c. עַל (von oben) **hinunterblicken** auf (Standpunkt d. Blickenden) *look down upon* (*from above*; *point of view of the looking*) Nu 21, 20 (l הַנִּשְׁקָפָה) 23, 28 Jd 5, 28 1 S 13, 18 2 S 6, 16 Ir 6, 1 Ps 85, 12 Pr 7, 6 Ct 6, 10 1 C 15, 29; †
hif: pf. הִשְׁקִיף, impf. יַשְׁקִיף, וַיַּשְׁקֵף, imp. הַשְׁקִיפָה: (von oben) **herunterblicken** (Standpunkt des Angeblickten) *look down* (*from above*; *point of view of the looked at*) Gn 18, 16 19, 28 26, 8 Ex 14, 24 Dt 26, 15 2 S 24, 20 2 K 9, 30. 32 Ps 14, 2 53, 3 102, 20 Th 3, 50. †
Der. מַשְׁקוֹף; שְׁקֻפִים.

שֶׁקֶף 1 K 7, 5: l רְבֻעֵי מַשְׁקֹף. †

שְׁקֻפִים: שקף: etwas wie Fenster *something like windows* (Möhlenbrink, Tempel 128 f); „Erscheinungsfenster *window of apparition*"? BRL 165; Baumgartner) 1 K 6, 4 7, 4. †

שקץ: ak. *šaqāṣu* fleckig, unrein sein *be spotted, unclean*; mhb. pi. u. ja. pa. verabscheuen *detest*: Šaf. v. קוץ, Thierry, OTS 9, 181:
pi: pf. שִׁקַּץ, impf. תְּשַׁקְּצוּ, תְּשַׁקְּצוּ, sf. תְּשַׁקְּצֶנּוּ, inf. שַׁקֵּץ: 1. **als kultisch unrein verabscheuen** *detest as unclean* Lv 11, 11. 13 Dt 7, 26 Ps 22, 25; 2. c. נַפְשׁוֹ **sich selbst als kultisch unrein verabscheuenswert machen** *make oneself detestable as unclean* Lv 11, 43 20, 25 (בְּ durch *by*). †
Der. שִׁקּוּץ, שֶׁקֶץ.

שֶׁקֶץ: שקץ: (kultisch) **Abscheuliches** *detestable thing* Lv 7, 21 11, 10—42 Js 66, 17 Hs 8, 10. †

שקק: ak. *šakāku* eggen *harrow*; neosy. שקי schnell rennen *rush upon*: F שׁוק?:
qal: impf. יָשֹׁקּוּ, pt. שֹׁקֵק, שׁוֹקֵק: c. בְּ **sich auf etwas stürzen** *rush upon* Js 33, 4 Jl 2, 9, **hervorbrechen** *rush forth* Pr 28, 15 F דֹּב; †
hitpalp: impf. יִשְׁתַּקְשְׁקוּן: **sich hin u. her werfen** (Kriegswagen) *rush to and fro* (*chariot*) Na 2, 5. †
Der. מַשָּׁק.

שקר: ak. *tašqirtu* Lüge *lie*; mhb. pi., altaram., ja. pa. täuschen *deceive*; سقر u. شقر Trug *lie*:
qal: impf. תִשְׁקֹר: c. לְ täuschen *do falsely* Gn 21, 23; †
pi: pf. שִׁקַּרְנוּ, impf. יְשַׁקֵּר, יְשַׁקְּרוּ: 1. **täuschen, hintergehen** *deceive* 1 S 15, 29 Js 63, 8, cj נוֹשְׁקֵי רוֹמֵי pro מְשַׁקְּרִים Ps 78, 9; c. בְּ **trügerisch handeln an** *deal falsely with* Lv 19, 11 Ps 44, 18 89, 34. †
Der. שֶׁקֶר, *שַׁקָּר.

שֶׁקֶר (109 ×; 33 × Ir, 22 × Ps, 20 × Pr): שקר: שָׁקֶר, pl. שְׁקָרִים, sf. שִׁקְרֵיהֶם: 1. **Lüge**,

Trug, Täuschung (als Äusserung) *lie, falsehood, deception (by words)*: שֶׁ׳ :: אֱמוּנָה Ir 9, 2, דִּבְרֵי שֶׁ׳ Ex 5, 9 Js 59, 13 Ir 7, 4. 8, אִמְרֵי שֶׁ׳ דְּבַר שֶׁ׳ Ex 23, 7 Pr 13, 5 29, 12, Js 32, 7, דַּבֵּר שֶׁ׳ Js 59, 3 Ir 9, 4 40, 16 43, 2 Mi 6, 12 Sa 13, 3 Ps 63, 12; דֹּבֵר שְׁקָרִים Ps 101, 7; עָנָה שֶׁ׳ בְּ Dt 19, 18, מוֹרֶה שֶׁ׳ Js 9, 14 Ha 2, 18; עֵד שֶׁ׳ Ex 20, 16 (6 ×), עֵד שְׁקָרִים Pr 12, 17 19, 5. 9; שְׁבֻעַת שֶׁ׳ Sa 8, 17; נִבָּא בַשֶּׁ׳ Ir 14, 14 (6 ×), נִבָּא שֶׁ׳ Ir 5, 31 20, 6 29, 9, נִבָּא לַשֶּׁ׳ Ir 27, 15, נִשְׁבַּע לַשֶּׁ׳ Lv 5, 24 (6 ×); חָזָה שֶׁ׳ Sa 10, 2, חֲלֹמוֹת שֶׁ׳ Ir 23, 32; רוּחַ שֶׁ׳ 1 K 22, 22 f 2 C 18, 21 f, שְׂפַת שֶׁ׳ Ps 120, 2 Pr 17, 7, שִׂפְתֵי שֶׁ׳ Ps 31, 19 Pr 12, 22, 10, 18 l שִׂפְתֵי ישֶׁר; עַל־שֶׁ׳ unwahrerweise *falsely* Lv 5, 22; עָשָׂה לַשֶּׁ׳ zur Lüge machen *make a falsehood of* Ir 8, 8; לֶחֶם שֶׁ׳ durch e. Lüge erschlichenes Brot *bread gained by a lie* Pr 20, 17; 2. Lüge, Täuschung, Trug (durch e. Tat) *lie, deception, falsehood (by acting)*: עָשָׂה שֶׁ׳ trügerisch handeln *deal falsely* (בְּ an *with*) 2 S 18, 13 Ir 6, 13 8, 10, = פָּעַל שֶׁ׳ Ho 7, 1; דֶּרֶךְ שֶׁ׳ Ps 119, 29, אֹרַח שֶׁ׳ Ps 119, 104. 128; הָלַךְ בַּשֶּׁ׳ Ir 23, 14, פְּעֻלַּת שֶׁ׳ Pr 11, 18, מַתַּת שֶׁ׳ 25, 14; עֵט שֶׁ׳ Ir 8, 8, יְמִין שֶׁ׳ Ps 144, 8. 11; 3. שֶׁ׳ Lüge, Trug *lie, falsehood* Js 9, 14 28, 15 44, 20 Ir 10, 14 (7 × in Ir) Hs 13, 22 Mi 2, 11 Ps 33, 17 (4 × in Ps) Pr 31, 30; בַּשֶּׁ׳ :: בְּכָל־לִבָּהּ Ir 3, 10; יַלְדֵי שֶׁ׳ Ps 7, 15, זֶרַע שֶׁ׳ Js 57, 4; 4. לַשֶּׁ׳ umsonst, unnötig *causeless, for nothing* 1 S 25, 21; שֶׁ׳ Trug! *a lie!* = du machst Ausflüchte *thou shufflest* 2 K 9, 12; שֶׁ׳ es ist nicht wahr *it's a lie* Ir 37, 14, cf. לֹא שֶׁ׳ Hi 36, 4; שֶׁ׳ ohne Grund *without reason* Ps 35, 19 38, 20 69, 5 119, 78. 86; 5. טפל שֶׁ׳ F טפל (Torcz. Bund. 35[48] = ak. *tašqirtam ṭapālu* rot schminken *lay on rouge* Hi 13, 4; l שַׁקָּר Pr 17, 4.

***שַׁקָּר**: שקר; ܫܩܘܪܐ, سَقَّار Driver ZAW 50, 144: **Lügner, Lästerer** *liar, slanderer* cj Pr 17, 4.†

שֶׁקֶת: שקה; سَاقِيَة: pl. cs. שִׁקְתוֹת (BL 673): **Tränkrinne** (für Vieh) *watering-trough (for cattle)* Gn 24, 20 30, 38.†

I *שֵׁר: ak. *sēweru* (Meissner GGA 1904, 756; Zimm. 38); aram. שֵׁירָא; سِوَار: pl. שֵׁרוֹת: **Armspange** *bracelet* (BRL 30 f) Js 3, 19.†

II *שֵׁר: sf. שָׁרֶךָ: l שְׁאֵרֶךָ Pr 3, 8.†

***שֹׁר**: שרר; ja. שׁוּרָא, sy. שֻׁרָּא; سُرّ, > beduin. *ṣurre* (*ṣ* wegen *on account of rr*) d. ringförmige Wulst um d. Nabel *the ring-shaped roll around the navel*: sf. שָׁרֵּךְ (BL 222) u. שָׁרְרֵךְ: 1. **Nabelwust** *navel-roll* Ct 7, 3; 2. **Nabelschnur** *navel-string* Hs 16, 4; שָׁרֶּךָ Pr 3, 8 F II *שֵׁר.†

***שׁרב**: mhb, ja., sy. glühen, trocken sein *glow, be parched*: F *שָׁרָב.

***שָׁרָב**: *שׁרב: **Sonnenhitze, Trockenzeit** *parching heat* Js 35, 7 49, 10 (AS I 328 f. 480. 521; Caspari ZAW 49, 81: Js 49, 10 e. Dämon *a demon* cf. Šarrabu, Deimel, Panth. 3098).†

שֵׁרֵבְיָה: n. m.; שׁרב? u. יָה; bab. *Išribijāma* BEU 10, 53: Esr 8, 18. 24 Ne 8, 7 9, 4 f 10, 13 12, 8. 24 (שֵׁרֵבְיָה).†

שַׁרְבִיט: < *שַׁבִּיט, ak. *šabbiṭu* (Zimm. 8), = שֵׁבֶט: **Stab, Szepter** *staff, sceptre* Est 4, 11 5, 2 8, 4 (שַׁרְבִט).†

שׁרה: ak. *šurrū*, ܫܪܝ pa. anfangen *begin*; mhb., F ba. שְׁרָא loslassen *let loose*; ሠረየ (Sünde) vergeben *condone (sin)*:

qal: impf. sf. יִשְׁרֵהוּ: **loslassen** (Donner) *let loose (thunder)* Hi 37, 3;†

pi: pf. sf. שֵׁרוּתִךָ = שֵׁרִיתִךָ Q u. שֵׁרוֹתִךָ

(שרר) K; l שֵׁרִתִיךְ (שרת) Ir 15, 11 (Condamin, Volz); †
hitp: cj וַיִּשְׁתָּרוּ 1 S 5, 9, F שׁתר. †
Der. *מִשְׂרָה, שְׂרָיָה.

***שָׁרָה**: pl. sf. שָׁרוֹתֶיהָ (BL 599) Ir 5, 10: l שָׁרוּתֶיהָ F *שׁוּרָה, שָׁרוֹתַיִךְ l שְׁרוֹתַיִךְ Hs 27, 25. †

***שֵׁרָה** pl. שֵׁירוֹת Js 3, 19: F I *שֵׁר.

שָׁרוּחֶן n. l.: äg. *Š'raḥuna* Albr. Voc. 53; Noth l. שְׁרְחוֹן, שְׁרְחֶן: = *T. Fārʿah* (Alt PJ 30, 17 f): Jos 19, 6, cj 15, 32 pro שִׁלְחִים; cj 1 C 4, 31 pro שַׁעֲרַיִם (Humbert). †

שָׁרוֹן: n. t.; ישׁר, „Flachland" „*level country*"; äg. *Saruna*; ph. שרן: die Ebene am Meer von Jafa bis Cäsarea *the coastal plain from Jafa until Caesarea*: הַשָּׁרוֹן: **Saron** *Sharon*: Jos 12, 18 Js 33, 9 35, 2 65, 10 Ct 2, 1 1 C 27, 29; l שָׁרוֹן 1 C 5, 16; F שָׁרוֹנִי*. †

שָׁרוֹנִי: gntl. v. שָׁרוֹן: 1 C 27, 29. †

***שְׁרוּקָה**: Ir 18, 16; F שְׁרֵקָה.

שִׁרְטַי: F שִׁטְרַי.

שָׁרַי: n. m.: Esr 10, 40. †

שִׁרְיָה: שרה; سِرْوٌ feinste Pfeilspitze *finest arrow-head*: **Pfeilspitze** *arrow-head* Hi 41, 18. †

שִׁרְיוֹן, שִׁרְיֹן: < סִרְיוֹן: pl. שִׁרְיֹנִים, שִׁרְיֹנוֹת: **Schuppenpanzer** *scaly mail* 1 S 17, 5. 38 1 K 22, 34 2 C 18, 33 Js 59, 17 Ne 4, 10 2 C 26, 14. †

***שָׁרִיר**: שרר: pl. cs. שְׁרִירֵי: **Muskel** *sinew* Hi 40, 16; F שְׁרִרוֹת. †

שֵׁרִית: F שְׁאֵרִית.

שְׁרֵמוֹת Ir 31, 40: l שְׁדֵמוֹת. †

שָׁרַץ: mhb.; sy. kriechen *crawl*: ሠረጸ knospen *sprout* VG 1, 169:
qal: pf. שָׁרַץ, impf. יִשְׁרֹץ, imp. שִׁרְצוּ, pt. שֹׁרֶצֶת, שֹׁרֵץ: 1. **wimmeln, zahllos sein** *swarm, teem* Gn 7, 21 8, 17 9, 7 Ex 1, 7 Lv 11, 29. 41—43. 46 Hs 47, 9; 2. c. ac. **wimmeln von** *swarm with* Gn 1, 20 f Ex 7, 28 Ps 105, 30. †
Der. שֶׁרֶץ.

שֶׁרֶץ: שרץ: **Gewimmel**, kleines Getier, das sich in grossen Mengen findet *swarming things, small animals to be found in large numbers*: im Wasser *in the water* Gn 1, 20 Lv 11, 10, geflügelt *winged* Lv 11, 20 f. 23 Dt 14, 19, auf d. Erdboden *upon the ground* Gn 7, 21 Lv 11, 29. 41 f. 44; wirkt verunreinigend *makes unclean* Lv 5, 2 11, 43 22, 5. †

שׁרק: mhb., F ba. מַשְׁרוֹקִי; ja., sy.; > σύριγξ?:
qal: pf. שָׁרַק, שָׁרָק, impf. יִשְׁרֹק, אֶשְׁרְקָה: 1. **pfeifen** (wenn man an Trümmern, Verödung usw. vorbei muss, Lasch, Pfeifen u. Dämonenglaube AR 18, 585 ff) *whistle* (*when passing by ruins, desolated places etc.*) 1 K 9, 8 Ir 19, 8 49, 17 50, 13 Hs 27, 36 Ze 2, 15 Th 2, 15 f Hi 27, 23; 2. c. לְ jmd **pfeifen** (um ihn herbeizuholen) *whistle up a person*: subj. יהוה Js 5, 26 7, 18 Sa 10, 8. †
Der. שְׁרֵקָה, *שְׁרִקָה.

שְׁרֵקָה: שרק: (die Dämonen der Zerstörung abwehrendes) **Pfeifen** *whistling* (*protecting from the demons of destruction*), immer *always* // שַׁמָּה: Ir 19, 8 25, 9. 18 29, 18 51, 37 Mi 6, 16 2 C 29, 8, cj שְׁרֵקַת עוֹלָם Ir 18, 16. †

***שְׁרִקָה**: שרק: pl. שְׁרִקוֹת: **Pfeifen, Flötentöne** *piping, flute-playing* Jd 5, 16; l שְׁרֵקַת Ir 18, 16. †

***שרר**: aram. fest sein *be firm*; mhb.; ja. שְׁרִיר sg. שָׁרִיר hart *hard*: F *שֹׁר, *שְׁרִיר; n.m. שָׁרָר; שְׁרִרוּת.

שָׁרָר: n.m.; שרר: 2 S 23, 33, = שָׂכָר 1 C 11, 35.†

***שֹׁרֶר**: F שׁוֹרֵר.

שְׁרִרוּת: שרר: Verhärtung, **Verstocktheit** *firmness > stubbornness*, immer *always* c. לֵב: Dt 29, 18 Ir 3, 17 7, 24 9, 13 11, 8 13, 10 16, 12 18, 12 23, 17 Ps 81, 13.†

שׁרשׁ: denom. v. שֹׁרֶשׁ:

pi: pf. sf. שֵׁרֶשְׁךָ: **entwurzeln** *root out* Ps 52, 7; pro impf. תְּשָׁרֵשׁ Hi 31, 12 l תִּשְׂרֹף;†
pu: impf. יְשֹׁרָשׁוּ: **entwurzelt werden** *be rooted out* Hi 31, 8;†
po: pf. שֹׁרֵשׁ (Nöld. NB 101 l שֹׁרַשׁ): **Wurzel schlagen** *take root* Js 40, 24;†
poal: pf. שֹׁרָשׁוּ: **Wurzel treiben** *take root* Ir 12, 2;†
hif: impf. יַשְׁרֵשׁ, וַתַּשְׁרֵשׁ, pt. מַשְׁרִישׁ: **Wurzel bilden** *take root* Js 27, 6 Ps 80, 10 Hi 5, 3; F שֹׁרֶשׁ, *שֹׁרֶשׁ.†

***שֶׁרֶשׁ**: n.m.; = שֹׁרֶשׁ : שָׁרֶשׁ: 1 C 7, 16.†

שֹׁרֶשׁ: ug. *šrš*; ak. *šuršu*; ph. שרש; ba. שֹׁרֶשׁ; ja., cp. שׁוּרְשָׁא, , mnd. שירשא; neoarab. *širš* Wurzel *root*; شرس kleines Dorngestrüpp *small thicket of thorns*: asa. שרס Wurzel *root*; Sehne, Wurzel *muscle, root* VG 1, 169; Schwally ZDM 52, 140 f v. שרשר F שרר:: Ruž. KD 179: sf. שָׁרְשׁוֹ, שָׁרְשָׁם, pl. cs. שָׁרְשֵׁי, sf. שָׁרָשָׁיו (*šorāšāu*), שָׁרָשֶׁיהָ (BL 184): **1. Wurzel** (v. Pflanze) *root (of plant)* Hi 30, 4, שׁ' פֹּרֶה Dt 29, 17, שׁ' וְעָנָף Ma 3, 19, פְּרִי :: שׁ' 2 K 19, 30 Js 14. 29 37, 31 Am 2, 9; **Wurzelstock** *rootstock* Js 5, 24 11, 1, **Wurzeltrieb** *sucker* Js 53, 2; שִׁלַּח שׁ' Wurzel treiben *take root* Ir 17, 8; c. יָבֵשׁ Ho 9, 16 Hi 18, 16, c. הִכָּה W. schlagen *take root* Ho 14, 6; הִשְׁרִישׁ שׁ W. bilden *take (form) root* Ps 80, 10; F Hs 17, 6 f. 9 31, 7 Hi 8, 17 14, 8 29, 19; ? Jd 5, 14; 2. (metaph.) שֹׁרֶשׁ יִשַׁי Js 11, 10; שׁ :: שְׁאֵרִית 14, 30; Wurzel = **Grundlage** *root = foundation* Pr 12, 3. 12, שֹׁרֶשׁ דָּבָר Grund der Sache *root (reason) of the matter* Hi 19, 28; מִשֹּׁרֶשׁ von Grund auf *by the roots* Hi 28, 9; שָׁרָשֶׁיהָ ihre Wurzeln = **Familie** *her roots = family* (l מִשָּׁ') Da 11, 7; l רָאשֵׁי הָרִים Hi 36, 30.†

שַׁרְשׁוֹת: F *שַׁרְשְׁרָה.

***שַׁרְשְׁרָה**: ak. *šaršarratu* (Zimm. 35) Kette *chain*: pl. שַׁרְשְׁרֹת, שַׁרְשְׁרוֹת: **Kette** *chain*: Ex 28, 14 1 K 7, 17 2 C 3, 5. 16, l שַׁרְשְׁרֹת גַּבְלֻת Ex 28, 22.†

שׁרת: v. *Aširt* wie *like* sy. שַׁמֵּשׁ v. *Šamaš* H. Bauer ZDM 71, 411; v. *šarrūtu* Herrschaft *dominion* Perles OLZ 22, 111 f; ph. שרת dienen *serve*, משרת Dienst *ministry*; mhb. Dienst *service*; ja. שֵׁירוּתָא Priesterdienst *service of priests*:

pi: pf. שֵׁרֵת, שֵׁרְתוֹ, sf. l שֵׁרְתִיךָ Ir 15, 11, impf. וַיְשָׁרֶת, יְשָׁרְתוּ, sf. יְשָׁרְתוּנִי, וַתְּשָׁרְתֵהוּ, יְשָׁרְתוּנְךָ, יְשָׁרְתֻהוּ, inf. לְשָׁרֵת, שָׁרֵת, sf. שָׁרְתוֹ, pt. מְשָׁרֵת, sf. מְשָׁרְתוֹ, pl. מְשָׁרְתִים, cs. מְשָׁרְתֵי, sf. מְשָׁרְתָיו, מְשָׁרְתַי, fem. מְשָׁרֶתֶת (BL 608) 1 K 1, 15:

1. (als persönlicher Diener) **bedienen** *serve (in personal service)* Gn 39, 4 40, 4 Nu 8, 26 2 S 13, 17 f 1 K 10, 5 2 C 9, 4 1 K 19, 21 2 K 4, 43 2 C 17, 19, = c. לְ 2 C 22, 8 Pr 29, 12 Est 1, 10 2, 2 6, 3 1 C 27, 1 (mit Einzelheiten *with particulars*) 28, 1; subj. נַעֲרָה 1 K 1, 4. 15; יְהוֹשֻׁעַ, מְשָׁרֵת v. מֹשֶׁה Ex 24, 13 33, 11 Nu 11, 28 Jos 1, 1; Leviten *Levites* מְשָׁרְתִים

v. אַהֲרֹן Nu 3, 6 18, 2; subj. die Gemeinde *the congregation* Nu 16, 9 Hs 44, 11 f; 2. (im Kult, am Heiligtum) **Dienst tun** *serve* (*at sanctuary, in worship*) Ex 28, 35 39, 26 28, 43 29, 30 30, 20 35, 19 39, 1. 41 Hs 44, 27 Nu 1, 50 3, 31 4, 9 (לְ an *at*). 12. 14 2 K 25, 14 Ir 52, 18 Dt 18, 5 (בְּשֵׁם י׳). 7 Hs 44, 11 2 C 23, 6 29, 11 31, 2 1 K 8, 11 2 C 5, 14 Hs 42, 14 44, 19. 11 45, 5 46, 24 44, 17 45, 4 Jl 1, 13 (מִזְבֵּחַ) Esr 8, 17 (לְ obj.) Ne 10, 37. 40 1 C 6, 17 (בַּשִּׁיר) 16, 4. 37 26, 12 2 C 8, 14 (נֶגֶד הַכֹּהֲנִים); 3. im **Dienste Gottes stehen** *serve God*: c. יהוה Dt 10, 8 21, 5 Ir 33, 21 f 1 C 15, 2 Dt 17, 12 Hs 40, 46 43, 19 45, 4 2 C 13, 10 (לְ obj.) 1 S 2, 11 3, 1 2, 18 1 C 23, 13 Js 56, 6 (בְּנֵי נֵכָר), cj Ir 15, 11, Priester *priests* = מְשָׁרְתֵי י׳ Jl 1, 9 2, 17, Ps 103, 21 (gegen Kult? *against cultic worship?*), הֹלֵךְ בְּדֶרֶךְ תָּמִים Ps 101, 6, אֵשׁ לֹהֵט 104, 4; Opfertiere *sacrificed animals* Js 60, 7 u. מְלָכִים 60, 10 stehen J. zu Dienst *at Y.s service*; מְשָׁרְתֵי אֱלֹהֵינוּ 61, 6 c. אֱלֹהֵי עֵץ וָאֶבֶן; Jl 1, 13 (als Göttern *as gods*) dienen *serve* Hs 20, 32; Tiere dargebracht *animals are offered*, um J. zu bedienen *to serve Y.* Hs 43, 19 44, 15 f. †
Der. שָׁרֵת.

שָׁרֵת: inf. pi. שׁרת: **Kultdienst** *cultic service* Nu 4, 12 2 C 24, 14. †

שׁשׁה: *F* שׁסה.

I שֵׁשׁ: שׁרשׁ: ba. שֵׁת; ug. *ṯṯ*, ordin. *ṯdṯ*; ak. *šiššu* sechs *six*, *šedištu* sechsfach *sixfold*; سِتّ, سَادِس sechs *six*, asa. שדת; VG 1, 486: שֵׁשׁ Pr 6, 16, pl. שִׁשִּׁים, fem. שִׁשָּׁה, cs. שֵׁשֶׁת: **sechs** *six*; שֵׁשׁ שָׁנִים Ex 21, 2, שֵׁשׁ מֵאוֹת Gn 7, 6, שֵׁשׁ עָרִים Jos 15, 59, שִׁשָּׁה בָנִים Gn 30, 20, שֵׁשֶׁת יָמִים Ex 23, 12; שֵׁשׁ עֶשְׂרֵה Gn 46, 18 u. עָשָׂר שִׁשָּׁה Ex 26, 25 = 16; שִׁשִּׁים וָשֵׁשׁ Gn 46, 26 = 66; שֵׁשֶׁת אֲלָפִים Nu 3, 34 = 6000.
Der. שִׁשִּׁי.

II שֵׁשׁ: > שַׁיִשׁ; mhb. שַׁיִשׁ; sy. ܫܝܫܐ, armen. *šiš*: (Kalk-) **Alabaster** (*chalk-*) *alabaster* Ca CO_3 (L. Koehler ZAW 55, 166 ff) Ct 5, 15 Est 1, 6.; *F* III. †

III שֵׁשׁ: *F* II: äg. *šś*: שֵׁשׁ Hs, 16, 13 l שֵׁשׁ: (ägyptisches) **Leinen** (*egyptian*) *linen* (βυσσος, *F* בּוּץ u. AS 5, 86. 167) für Kleider *for garments*: für *of* יוֹסֵף Gn 41, 42, Priester *priests* Ex 28, 5. 39 39, 27, Frauen *women* שֵׁשׁ וְאַרְגָּמָן Pr 31, 22, Priestermütze *priest's cap* Ex 28, 39 39, 28, Frauenmütze *women's cap* Hs 16, 10. 13, אֵפֹד Ex 28, 6. 8 39, 2 f. 5. cj 24, Gürtel *girdle* 39, 29, Beinkleider *trousers* 39, 28, Zierat *adornement* cj 39, 24, Decken am Heiligtum *covers at the sanctuary* Ex 26, 1. 31. 36 27, 9. 16. 18 36, 8. 35. 37 38, 9. 16. 18, Segel *sails* Hs 27, 7; Kultabgabe Israels *cultic gifts of Israel* Ex 25, 4 35, 6. 23. 25. 35. †

ששׁא: ⲥⲱⲥ einhergehen *walk along*: pi: pf. sf. שִׁשֵּׁאתִיךָ: gängeln *teach* (*like a child*) *to walk* l וְהִשֵּׁאתִיךָ Hs 39, 2. †

שֵׁשְׁבַּצַּר (שֵׁשְׁבַּצַּר): n. m.; Albr. JBL 40, 108 f; Noth GI 267 ff!: Σαναβάσσαρος = neobab. *Sin-ab-uṣur*; aram. n. m. [שבאבאצ[ר Eph 3, 128: Esr 1, 8. 11. (5, 14. 16). †

ששׁה: pi. pf. שִׁשֵּׁיתֶם: l שִׁשִּׁית Hs 45, 13. †

שָׁשַׁי: n. m.; keilschr. *Šaši* APN 219; Feiler ZA 45, 226 cf. churr. *Šeswaja*: Esr 10, 40. †

שֵׁשַׁי: n. m.: Nu 13, 22 Jos 15, 14 Jd 1, 10. †

שֶׁשִׁי Hs 16, 13: l שֵׁשׁ.

שִׁשִּׁי: I שֵׁשׁ: fem. שִׁשִּׁית: **sechster** *sixth*: Tag *day* Gn 1, 31 Ex 16, 5. 22. 29 Nu 7, 42

29, 29 1 C 27, 9, Monat *month* Hs 8, 1 Hg 1, 1. 15 1 C 27, 9, Jahr *year* Lv 25, 21, Sohn *son* Gn 30, 19, Loos *lot* Jos 19, 32, Teppich *carpet* Ex 26, 9; *F* 2 S 3, 5 Ne 3, 30 1 C 2, 15 3, 3 12, 12 24, 9 26, 3. 5; **2. sechster Teil, Sechstel** *sixth part* Hs 4, 11 45, 13. cj 13 46, 14. †

שֵׁשַׁךְ: Name für Babylon *name of Babylon*; vielleicht *perhaps Šiš-kû* in späten Königslisten *in late lists of kings* (RLA 1, 333 b); oder *or*: Versteckname *cryptographical name* (אַתְבַּשׁ ש = ב, ךְ = ל, also *thus* שֵׁשַׁךְ = בָּבֶל: Ir 25, 26 51, 41; *F* לֵב קָמָי (לב 13). †

שֵׁשָׁן: n. m.; Noth S. 41: 1 C 2, 31—35. †

שֹׁשַׁנִּים: *F* שׁוּשַׁן.

שָׁשָׁק. n. m.; Noth S. 63 f äg.: 1 C 8, 14. †

שָׁשַׁר: < ak. *šaršarru*, *šaršēru* rote Paste *red paste* MAOG X 1, $^1/_2$, 75 f: **Mennig** *minium* Ir 22, 14 Hs 23, 14. †

I **שֵׁת**: ak. *išdu* Bein mit Hinterbacke *leg with buttock* > Grundlage *foundation*; ph. אשתת Grundlage? *foundation?*; mhb. שֵׁית, *F* ba. אשׁ; ja. אֶשְׁתָּא Grundlage *foundation*; sy. אֶשְׁתָּא, pl. אֶשְׁתָּתָא u. neosy. *išta* u. ar. *ist* (Nöld. BS 143 f), Gesäss *posterior*: (pl. שָׁתוֹת 1 קְשָׁתוֹת Ps 11, 3) sf. שְׁתוֹתֵיהֶם: **Gesäss** *posterior* 2 S 10, 4 Js 20, 4. †

II **שֵׁת**: n. m.; שֵׁית Gn 4, 25; Ersatz *restitution*: Gn 4, 25 f 5, 3—8 1 C 1, 1 Si 49, 16. †

III **שֵׁת**: Nu 24, 17; 1 שֵׁת < שְׁאֵת: **Trotz** *defiance*. †

I **שתה**: ak. *šatû* (Zimm. 28); ja. שְׁתָא, sy. אַשְׁתִּי: qal: pt. fem. cj שֹׁתִיהָ pro שָׁתֹתֶיהָ: **weben** *weave* (AS 5, 93): cj Js 19, 10. † Der. I שְׁתִי.

II **שתה**: ug. *štj*, ak. *šatû*; mhb.; altaram. שתה, ja. שְׁתָא, אִשְׁתִּי, sy. אֶשְׁתִּי, asa. שתי; **ሰትየ**:

qal (215 ×): pf. שָׁתָה, שָׁתִית, שָׁתוּ, שְׁתִיתֶם, impf. יִשְׁתֶּה, יֵשְׁתְּ, תִּשְׁתִּי, וָאֵשְׁתְּ, יִשְׁתּוּ, יִשְׁתָּיוּן, תִּשְׁתֶּינָה, sf. יִשְׁתָּהוּ, inf. שָׁתוֹ, שָׁתֹה, שְׁתוֹת (BL 427) Js 22, 13, cs. לִשְׁתֹּת, -שְׁתוֹ (BL 427) Pr 31, 4, sf. שְׁתוֹתוֹ, imp. שְׁתֵה, שְׁתוּ, pt. שֹׁתֶה, שֹׁתָה, pl. שֹׁתִים, cs. שׁוֹתֵי: **trinken** *drink*, subj. Mensch *man* Gn 9, 21, Tier *animal* 24, 19, Gott *God* Ps 50, 13; obj. יַיִן Gn 9, 21, שֵׁכָר Dt 29, 5, מַיִם Nu 20, 11, חֹמֶץ 6, 3, מֵי רַגְלֵיהֶם 2 K 18, 27, חָלָב Hs 25, 4, מַמְתַקִּים Ne 8, 10, דָּם Hs 39, 17, etc.; (metaph.) חָמָס Pr 26, 6, חֵמָה Hi 6, 4, עַוְלָה 15, 16; שָׁתָה בְּ (wie franz. *like french boire dans*) trinken aus *drink in* (*from*) Gn 44, 5 Am 6, 6, auch *also* שָׁתָה מִן 2 S 12, 3 u. שָׁתָה כּוֹס Js 51, 17. 22 Ir 25, 16. 28 49, 12 Ha 2, 16; essen u. trinken *eat a. drink* Gn 24, 54; שָׁתָה וְשָׁכַר trinken u. sich betrinken *drink a. get drunk* Gn 43, 34, שֹׁתֶה שִׁכּוֹר zechend u. sich betrinkend *drinking a. getting drunk* 1 K 16, 9 20, 16; אָכַל וְשָׁתָה וְחָגַג 1 S 30, 16, 'שָׂמֵחַ שָׁ' u. אָ' 1 K 4, 20; obj. יַיִן וְחָלָב u. דּוֹדִים Liebesgenuss *enjoyment of love* Ct 5, 1; cj מַעְיָן יְשִׁתֻהוּ Ps 84, 7, cj יִשְׁתֶּה Ko 2, 25;

nif: impf. יִשָּׁתֶה: **getrunken werden** *be drunken* Lv 11, 34; נִשְׁתָּוָה Pr 27, 15 *F* שׁוה;

hif: ersetzt durch *replaced by* הִשְׁקָה.

Der. II שְׁתִי, שְׁתִיָּה, מִשְׁתֶּה.

שָׁתוֹת: *F* I שֵׁת, שָׁתֹת.

I **שְׁתִי**: I שתה: (bestimmte Art) **Gewebe** (*special kind of*) *texture* Lv 13, 48—59. †

II שְׁתִי : II שׁתה : das Trinken *drinking* Ko 10, 17.†

שְׁתִיָּה : II שׁתה : Art, Verlauf des Trinkens *manner, time of drinking* Est 1, 8.†

*שָׁתִיל : שׁתל : pl. cs. שְׁתִלֵי : Pflanzreis, Steckreis *layer, cutting* (Bild *picture* PJ 1930, 40f) Ps 128, 3.†

שְׁתַּיִם : *F* שְׁנַיִם.

שׁתל : ak. (*satālu*), *šitlu* kleines Rebreis *small cutting of vine*; mhb., aram. שְׁתַל; vulgärar. *šatala*, pflanzen *plant*; pu. σιθιλεσαδε *F* Nöld. ZDM 57, 417:

qal: pf. שָׁתַלְתִּי, impf. sf. אֶשְׁתָּלֶנּוּ, cj וַתִּשְׁתְּלֵם Ps 44, 3, pt. pass. שָׁתוּל, שְׁתוּלָה : einpflanzen *transplant* Jr 17, 8 Hs 17, 8. 10. 22f 19, 10. 13 Ps 1, 3 92, 14 (1 שָׁת לוֹ ?), cj 44, 3, Ho 9, 13.†

Der. *שָׁתִיל.

שֻׁתַלְחִי : gntl. v. שׁוּתֶלַח : Nu 26, 35.†

שׁתם שְׁתֻם הָעָיִן (Allégro, VT 3, 78f.) Nu 24, 3. 15: 1 שְׁתֻם.†

שׁתן : מַשְׁתִּין : *F* שׁין.

שׁתק : mhb., aram. Nöld. ZDM 57, 417; *F* שׁקט :

qal: impf. יִשְׁתֹּק, יִשְׁתְּקוּ : zur Ruhe kommen *grow silent*: גַּלִּים Ps 107, 30, יָם Jon 1, 11f, Streit *quarrel* Pr 26, 20.†

שֵׁתָר (Var. שֵׁתָר): n. m.; pers., Scheft. MGJ 47, 212: Est 1, 14.†

שׁתת qal: pf. שַׁתּוּ : 1 יֵחָתּוּ (נחת) Ps 49, 15; *F* שׁית Ps 73, 9.†

שָׁתֹת : sf. שָׁתֹתֶיהָ, 1 שָׁתֹתֶיהֶם (BL 549): äg. *sḫtj* [hieroglyph] : Weber *weaver* (oder *or* Seiler *rope-maker*? oder *or* Treidler *tracker*?) Js 19, 10.†

ת

ת, תָּו, Driv. SW 216; später *later on* = 400. ת = th, griech. *greek* ϑ, VG 1, 41ff, BL 164ff, Bergsträsser, Hebr. Grammatik 35ff; *F* zu *to* ד, ט u. ש; *F* תעה : טעה; קֶשֶׁת : aram. קְשַׁט; ת = äg. *d* *F* הֵבָה.

תָּא : ak. *tāʾu* Gemach *room* (Zimm. 32); mhb.; ja. תָּוָא, äga. תונכם, sy. תַּוְנָא : pl. תָּאִים, תָּאוֹת Hs 40, 12, cs. תָּאֵי, sf. תָּאָו, Q תָּאָיו : Dienstzimmer *guard chamber*, der Läufer *of out-runners* 1 K 14, 28, am Tempeltor *at the temple-gate* Hs 40, 7—36.†

I תאב : Weiterbildung v. *secondary root from* אבה vel יאב ? Nöld. ZDM 57, 417; mhb.; ja. תְּאֵיב :

qal: pf. תָּאַבְתִּי : c. לְ verlangen nach *long for* Ps 119, 40. 174.†

Der. תַּאֲבָה.

II תאב : (absichtlich entstellt? *intentionally defaced*?):

pi: pt. מְתָאֵב pro מְתַעֵב : Am 6, 8.†

תַּאֲבָה : I תאב : Verlangen *longing* Ps 119, 20.†

תאה: NF v. I תוה:
pi: pf. תֵּאִיתֶם cj Nu 34, 10, impf. תְּתָאוּ: **e. Linie ziehen, festsetzen** *draw a line, mark out* Nu 34, 7f. cj 10. †

תְּאוֹ Dt 14, 5, cs. תּוֹא Js 51, 20: zum Genuss erlaubt *clean animal*: **Wildschaf?** *wild sheep?* (*ṭay* = *mouton*, Moudon-Vidalhet, Études sur le Guragiē 1913, 36). †

תַּאֲוָה: אוה: cs. תַּאֲוַת, sf. תַּאֲוָתָם: **Verlangen, Begierde** *appetite, desire* Js 26, 8 Ps 10, 3. 17 21, 3 38, 10 78, 30 Pr 10, 24 11, 23 21, 25; הִתְאַוָּה תְ׳ sich lüstern, begierig zeigen *show oneself desirous* Nu 11, 4 Ps 106, 14 Pr 21, 26; הֵבִיא תְ׳ לְ jmds Verlangen befriedigen *satisfy one's appetite* Ps 78, 29; תְ׳ בָּאָה Pr 13, 12 u. תְ׳ נִהְיָה Pr 13, 19 *satisfied, fulfilled appetite*; תְ׳ לָעֵינַיִם Lust für d. Augen *delight to the eyes* Gn 3, 6; מַאֲכַל תַּ׳ Lieblingsspeise *dainty meat, favourite dish* Hi 33, 20; תְ׳ גִּבְעֹת d. Begehrenswerte auf d. Hügeln *the desirable things upon the hills* Gn 49, 26; F n. l. קִבְרוֹת הַתַּ׳; Ps 112, 10 l תִּקְוַת; Pr 18, 1 l תֹּאֲנָה; Pr 19, 22 l תְּבוּאַת. †

תְּאוֹמִים: F תּוֹאֲמִים.

***תַּאֲלָה**: I אלה: sf. תַּאֲלָתְךָ: **Fluch** *curse* Th 3, 65. †

תאם: denom. v. תּוֹאֲמִים:
hif: pt. מַתְאִימוֹת: **Zwillinge gebären** *bear twins* Ct 4, 2 6, 6. †

***תַּאֲנָה**: III אנה: sf. תַּאֲנָתָהּ: **Brunst** *rut-tingtime* Ir 2, 24. †

תְּאֵנָה: ug. *tịt* (?); ak. *tittu*; ja. תֵּינְתָא, ⲧⲁⲛⲧⲁ; تِين: sf. תְּאֵנָתוֹ, pl. תְּאֵנִים, cs. תְּאֵנֵי, sf. תְּאֵנֵיכֶם: **Feige** *fig Ficus Carica L.* (Löw 1, 224 ff): 1. d. Baum *the tree* Nu 20, 5 Dt 8, 8 Jd 9, 10 f 2 K 18, 31 Js 34, 4 36, 16 Ir 5, 17 8, 13 Ho 2, 14 9, 10 Jl 1, 7. 12 2, 22 Am 4, 9 Ha 3, 17 Hg 2, 19 Ps 105, 33 Pr 27, 18 Ct 2, 13; עֲלֵה תְ׳ Feigenlaub *fig leaves* Gn 3, 7, unter Rebe u. Feigenbaum sitzen *sit under vine a. fig-tree* 1 K 5, 5 Mi 4, 4 Sa 3, 10; 2. die Frucht *the fruit*: **Feige** *fig*: Nu 13, 23 Ir 8, 13 24, 2 (טֹבוֹת u. רָעוֹת). 3. 5. 8 29, 17 (שֹׁעָרִים) Na 3, 12 Ne 13, 15; F בִּכּוּרָה, בִּכֻּרוֹת; דוּד; דְּבֵלָה. †

תֹּאֲנָה: < *תַּאֲנָה; III אנה: בִּקֵּשׁ תֹ׳ **e. Vorwand, Anlass** (z. Streit) **suchen** *seek an occasion, ground (of quarrel)* Jd 14, 4, cj Pr 18, 1. †

תַּאֲנִיָּה: I אנה; immer *always* // אֲנִיָּה: **Traurigkeit** *mourning* Js 29, 2 Th 2, 5. †

תְּאֵנִים Hs 24, 12: dele תְּאֻנִים הֶלְאָת, dittogr. †

תַּאֲנַת שִׁלֹה: n. l; *Ch. taʿna et-taḥta* 15 km sö. Nāblus, Elliger ZDP 53, 277: Jos 16, 6. †

תאר: sy. تَارَ, תָּאַר scharf, beständig betrachten *regard intently, continually*; cp. תאר aufmerken *give heed to*; ak. *tāru*, تور zurückkommen *come back*; F תֹּאַר:
qal: pf. תָּאַר: **(e. Grenze) biegt um, wendet sich** *(a border) turns, inclines* Jos 15, 9. 11 18, 14. 17, cj 19, 13 (l רִמּוֹנָה וְתָאַר); †
pi: impf. sf. יְתָאֲרֵהוּ: (e. Schnitzbild) **umreissen, vorzeichnen** *outline, trace out (a idol to be carved)* Js 44, 13; †
pu: pt. מְתֹאָר Jos 19, 13 (F qal). †

תֹּאַר: ph. תאר; F תאר pi; vel < (ראה) תֹּרְאָה: sf. תָּאֳרוֹ, תֹּאֲרוֹ (BL 582): **Erscheinung, Gestalt** *form* Gn 29, 17 39, 6 41, 18 f Dt 21, 11 1 S 25, 3 1 K 1, 6 Ir 11, 16 Th 4, 8 Est 2, 7; v. Frau *of woman* Gn 29, 17, Kuh *cow* 41, 19, זַיִת Ir 11, 16; **Ansehnlichkeit, schöne, stattliche Erscheinung** *stately appearance* 1 S 16, 18 Js 52, 14 53, 2. †

תַּארֵעַ: F תַּחְרֵעַ.

תְּאַשּׁוּר: ug. *t3šrm*; nab. n.m. תאשרו?; Ableitung unbekannt *etymology unknown*: vielleicht *perhaps* **Zypresse** *cypress Cupressus sempervirens var. horizontalis L.*, weil *because*: a) auf d. Libanon zu finden *to be found on Lebanon* (Seetzen 1, 167.213), b) cj Hs 27, 6 als Schiffsholz genannt *mentioned as ship-timber*, c) sonst kein hebr. Wort für Zypresse bekannt *otherwise no Hebrew word for cypress known*: Js 41, 19 60, 13, cj Hs 27, 6 u. 31, 3. †

I **תֵּבָה**: **Kasten** *chest*: äg. *ḏb3.t* E-G 5, 561 u. *tb.t* 5, 261 Schrein, Sarg *chest, coffin*; > تَابُوت Rabin, Ancient West-Arabia (1951) 109: cs תֵּבַת: Ex 2, 3. 5. †

II **תֵּבָה**: **Palast, Arche** *palace, ark* (wie *like ekallu* Gilgamesch 11, 96 = Schiff der Flut *the ship of the Flood*): äg. *ḏb3.t* (andere Hieroglyphen als in I! *hieroglyphs different from those sub I!*) EG 5, 561: Gn 6, 14—9, 18 (26 ×). †

תְּבוּאָה: בוא; was eingeht *what comes in*, cf. ܬܥܠܠܬܐ u. ak. *erbu* von עלל u. *erēbu* eingehen *come in*: cs. תְּבוּאַת, sf. תְּבוּאָתוֹ, pl. תְּבוּאֹת: **1. Ertrag** *yield*: v. שָׂדֶה Lv 25, 12 2 C 31, 5, pl. 2 K 8, 6, אֲדָמָה Js 30, 23, אֶרֶץ Ex 23, 10 Lv 23, 39 25, 7. 22 Jos 5, 12 Ne 9, 37, מִגְרָשׁ Hs 48, 18, כֶּרֶם Lv 25, 3 Dt 22, 9, עֵץ Lv 19, 25, זֶרַע Dt 14, 22 Js 23, 3, גֹּרֶן Nu 18, 30, דָּגָן etc. 2 C 32, 28; עָשָׂה תְ׳ Ertrag bringen *bring forth yield* Lv 25, 21 Ps 107, 37 (dele פְּרִי); בָּאָה תְ׳ d. Ertrag wird eingebracht *the yield is brought home* Lv 25, 22; אָסַף תְ׳ Ex 23, 10 Lv 25, 20; *F* Dt 14, 28 16, 15 26, 12, pl. Ir 12, 13 Hi 31, 12 Pr 3, 9 10, 16 15, 6, cj 19, 22 u. Hi 22, 21; שְׁנֵי תְ׳ Ertragsjahre *the years yielding revenue* Lv 25, 15; מִסְפַּר תְ׳ 25, 16; רֵאשִׁית תְ׳ Erstlingsertrag *first yield* Ir 2, 3; בַּתְּבוּאֹת jedesmal, wenn etwas einkommt *every time there is a yield* Gn 47, 24; תְ׳ שֶׁמֶשׁ was die Sonne hervorbringt *the fruits of (what is produced by) the sun* Dt 33, 14; Ertrag *revenue* Ko 5, 9; תְ׳ שְׂפָתָיו Ertrag *revenue* Pr 18, 20; תְ׳ v. *of* חָכְמָה was d. Weisheit einbringt *gain of wisdom* Pr 3, 14 8, 19; pl. Einkünfte *increase* Pr 14, 4 16, 8, cj 28, 16, Si 6, 19. †

תְּבוּנָה: בין: sf. תְּבוּנָתִי, תְּבוּנָתוֹ l Hi 26, 12 pro תּוּבַנְתּוֹ; Ho 13, 2 l תַּבְנִית pro תְּבוּנָם; pl. תְּבוּנוֹת, תְּבוּנוֹתֵיכֶם: **Einsicht, Geschick** (d. Handwerkers) *understanding, skill (of artisan)* Ex 31, 3 35, 31 36, 1 1 K 7, 14; Einsicht Gottes *understanding of God*: als Schöpfer *when creating* Js 40, 14. 28 Ir 10, 12 51, 15 Ps 136, 5 147, 5 Pr 3, 19 Hi 12, 13 26, 12, als Lenker der Geschichte *when ruling history* בִּתְבוּנוֹת כַּפָּיו mit s. einsichtigen Händen *with his understanding hands* Ps 78, 72; *F* Dt 32, 28 1 K 5, 9 Js 44, 19 Hs 28, 4 Ob 7. 8 Ps 49, 4 Pr 2, 2 f. 6. 11 3, 13 5, 1 8, 1 14, 29 18, 2 19, 8 21, 30 24, 3 Hi 12, 12; אִישׁ תְּבוּנָה Pr 10, 23 15, 21 17, 27 20, 5 u. אִישׁ תְּבוּנוֹת Pr 11, 12 Einsichtiger *understanding man*; חֲסַר תְּבוּנוֹת Einsichtsloser *man lacking underst.* Pr 28, 16; adv. תְּבוּנוֹת mit einsicht. Wort *with understanding word* Hi 32, 11. †

***תְּבוּסָה**: בוס: cs. תְּבוּסַת: **Zertretung** *downtreading* (l לָבוֹא אֲחַזְיָהוּ *F* סִבָּה) 2 C 22, 7. †

תָּבוֹר: n. l.; 1. Berg **Thabor** *mountain Tabor* (Josephus Ἰταβύριον, Ἀταβύριον; Eissfeldt AR 31, 1 ff, Dalman, Orte u. Wege [3], 202 ff; Etym ?) = *Ǧebel et Ṭōr* Jos 19, 22 Jd 4, 6. 12. 14 Ir 46, 18 Ho 5, 1 Ps 89, 13; 2. in זְבֻלוּן 1 C 6, 62; 3. אֵלוֹן תָּבוֹר (?א׳ תָּמָר l) unweit *near* גִּבְעָה 1 S 10, 3; 4. *F* אַזְנוֹת u. *F* כִּסְלוֹת: Jd 8, 18 *F* Komm. †

תֵּבֵל n. f. < אֶרֶץ תֵּבֵל?: oft *frequently* // אֶרֶץ;

nie *never* c. art.; 1 S 2, 8 u. Ps 90, 2 u. Pr 8, 31 u. Hi 37, 12 (l אַרְצָה) v. אֶרֶץ unterschieden *to be distinguished from* אֶרֶץ; ak. *tābālu* (Zimm. 43) F II אבל: **Festland** *continent* (cf. מוֹסְדוֹת תֵּ׳ :(יַבָּשָׁה) 2 S 22, 16 Ps 18, 16; אֶרֶץ וְתֵ׳ Ps 90, 2; תֵּ׳ אַרְצוֹ Pr 8, 31 Hi 37, 12 (F oben *above*); עַפְרוֹת תֵּ Pr 8, 26 //אוֹר (also die lichte Welt *therefore the world full light*); gestellt auf *situated upon* מְצֻקֵי אֶרֶץ 1 S 2, 8; F Js 13, 11 14, 17. 21 18, 3 24, 4 26, 9. 18 27, 6 34, 1 Ir 10, 12 51, 15 Na 1, 5 Ps 9, 9 19, 5 24, 1 33, 8 50, 12 77, 19 89, 12 93, 1 96, 10. 13 97, 4 98, 7. 9 Hi 18, 18 34, 13 Th 4, 12 1 C 16, 30; Si 10, 4 37, 3. †

תֶּבֶל: בלל: **Vermischung, Schändlichkeit** *confusion, abominable things* Lv 18, 23 20, 12. †

תֻּבַל, תּוּבַל: θοβελ; V: Italia Js 66, 19: n. p.; ak. *Tabal*, Τιβαρηνοί (Herodot. 3, 94); I. Lewy HUC 23, 364 ff: **Tibarener** *Tibarenians*: sö. vom Schwarzen Meer *SE of Black Sea*, später am *later on at* Antitaurus; Besitzer v. Kupferminen *owner of copper-mines* Hs 27, 13; בְּנֵי יֶפֶת Gn 10, 2 1 C 1, 5; Hs 32, 26 38, 2 f 39, 1. †

תַּבְלִית: בלה: sf. תַּבְלִיתָם: **Vernichtung** *destruction* Js 10, 25 (6 MSS תַּכְ׳). †

תְּבַלֻּל: בלל: תְּ׳ בְּעֵינוֹ wer e. (weissen) Fleck im Auge **hat** *having a (white) spot on his eyeball* Lv 21, 20. †

תֶּבֶן: mhb.; ak. *tibnu* (Zimm. 41); äga., ja. תִּיבְנָא, sy. תִּבְנָא, > تِبْن: zerdroschene Halme, Stroh, **Häcksel** *ears threshed fine, straw, chaff* (AS 3, 133): Viehfutter *fodder* Gn 24, 25. 32 Jd 19, 19 1 K 5, 8 Js 11, 7 65, 25; in Ton gemischt zur Ziegelbereitung *mixed with clay in brick-making* Ex 5, 7—18, :: בַּר Ir 23, 28, :: בַּרְזֶל Hi 41, 19; metaph. = Vergänglichkeit *instability* Hi 21, 18. †

Der. מַתְבֵּן.

תִּבְנִי: n. m.; cf. ph. תבנת: 1 K 16, 21 f. †

תַּבְנִית: בנה: sf. תַּבְנִיתוֹ: **Gebild, Gestalt** *shape, figure*: 1. **Urbild** *pattern* Ex 25, 9. 40; 2. **Abbild** *image* Dt 4, 16—18 Jos 22, 28; 3. **Modell** *model* 2 K 16, 10 Ps 144, 12 1 C 28, 11 f. 18 f; 4. **Bild** *image* Js 44, 13 Hs 8, 10 Ps 106, 20, cj Ho 13, 2; 5. תַּ׳ יָד **etwas wie** e. Hand *something like a hand* Hs 8, 3 10, 8; 6. **Bauplan** *architect's plan* 1 C 28, 19. †

תַּבְעֵרָה: n. l.; II בער, Weidegrund *pasture* (GVS Brandstätte *scene of fire* v. I בער): Nu 11, 3 Dt 9, 22. †

תֵּבֵץ: n. l.; בצץ?: *Ṭūbās* 15 km nw. שְׁכֶם: Jd 9, 50 2 S 11, 21. †

תבר: F I ברר hitp.

תִּגְלַת פִּלְאֶסֶר 2 K 15, 29 16, 10, תִּ׳ פִּלֶסֶר 2 K 16, 7, תִּ׳ פִּלְנְאֶסֶר 1 C 5, 6 2 C 28, 20, תִּ׳ פִּלְנֶסֶר 1 C 5, 26; תכלתפלסר Assurbrief 15; *Tukulti-Apil-Ešarra* APN 233; Poebel, D. appos. best. Pron. (Chicago) 1932, 49[3]: d. assyr. König **Thiglat-Pileser III.** *the Assyr. king Thiglath-pileser III*, F פּוּל. †

***תַּגְמוּל**: גמל: sf. תַּגְמוּלוֹהִי (aram.): **Guttat** *benefit* Ps 116, 12. †

***תִּגְרָה**: גרה; sy. תִּגְרָא: cs. תִּגְרַת: **Erregung** *irritation*, aber *but* l גְּבוּרַת Ps 39, 11. †

תֹּגַרְמָה Gn 10, 3, תּוֹגַרְמָה Hs 27, 14 38, 6 1 C 1, 6: G: θερ-, θο-, θαιργαμα; *Tegarama*, *Takarama* (Boghasköi-Texte), Böhl Th T 50, 306. 323: **Tegarma**: n. t. Gn 10, 3 1 C 1, 6

בֶּן גֹּמֶר; liefert Pferde u. Maultiere nach Tyrus *exports horses u. mules to Tyre* Hs 27, 14, יַרְכְּתֵי צָפוֹן Hs 38, 6; ak. *Tilgarimmu*, hith. *Tegarama* (Forrer, Provinzeinteilung 81: Provinz Til-Garimmu zwischen *between* Antitaurus u. Euphrat; Götze, Kleinasien zur Hethiterzeit 1924, 6: Ufergebiet des Eufrat zwischen Samosata u. Melita *on the shores of Euphrates between Samosata a. Melita*). †

תִּדְהָר: unbestimmte Baumart des Libanon *unknown species of tree on Lebanon* (G: Fichte *fir*, V: Buchsbaum *box-tree*; Dalman ThLZ 51, 215 Esche *ash-tree*; Löw 3, 419: nicht Ulme *not elm-tree*) Js 41, 19 60, 13. †

תַּדְמֹר: ak. (*alu*) *Tadmar ša māt Amurri* (Keilschr. Texte aus Assur histor. Inhalts II, 63. 71, 20); palm. תדמר, תדמור: n. l. = Palmyra (I. Starcky, Palmyre, 1952) 2 C 8, 4 1 K 9, 18 (K תָּמָר). †

תִּדְעָל: n. m.; G θαργα (< θαργαλ): K. v. גוים; Böhl ZAW 36, 68 f; Wreszinski OLZ 34, 1009 ff l Tharg-el (= G): Gn 14, 1. †

***תהה**: F תֹּהוּ.

תֹּהוּ: *תהה; ug. *thw*; تيه wasserlose, unwegsame Wüste *waterless, impassable desert*: הַתֹּהוּ 1 S 12, 21 Js 29, 21 40, 23 Hi 6, 18 †, sonst *otherwise* תֹּהוּ: **Wüste** *desert* Dt 32, 10, weglos *trackless* Ps 107, 40 Hi 12, 24; wo man umkommt *where one perishes* Hi 6, 18; Öde *emptiness* Gn 1, 2 (וָבֹהוּ) Js 45, 18 Ir 4, 23 Hi 26, 7; קִרְיַת־תֹּ׳ verödete St. *deserted t.* Js 24, 10; קַו־תֹּ׳ Js 34, 11; Öde = **Nichts** *emptiness = unreality* 1 S 12, 21, (GL l) Js 29, 13, 40, 23 41, 29 44, 9 49, 4 59, 4; Si 41, 10; **Nichtiges** *groundless arguments* Js 29, 21; nichtig, **umsonst** *in vain* 45, 19. †

תְּהוֹם: ug. *thm*, du. *thmtm*; ak. *tiʾāmtu* (Zimm. 44) > *Tiʾāmat*, > *tamtu*, *tamdu*; ܬܗܘܡܐ; تِهَامَة: pl. תְּהֹמוֹת, תְּהֹמֹת, תְּהוֹמוֹת: (immer ohne Artikel *always without article*; Ausnahme *exception* Js 63, 13 Ps 106, 9; l בַּתְּ׳ (?)): 1. sg. **die Urflut** *the primaeval ocean* Gn 1, 2 49, 25 (:: שָׁמַיִם) Dt 33, 13 Hs 26, 19 Jon 2, 6 Ha 3, 10 Ps 42, 8 (eine Urflut um die andere *one prim. ocean after the other*) 104, 6 Pr 8, 27 f Hi 28, 14 38, 16. 30 41, 24; Si 16, 18 (שָׁמַיִם, תְּ׳, אֶרֶץ) 42, 18; תְּ׳ רַבָּה Gn 7, 11 Js 51, 10, Am 7, 4 Ps 36, 7; מַעְיְנֹת תְּ׳ Gn 8, 2; 2. pl. **die Urfluten** *the primaeval oceans* Ps 77, 17 78, 15 135, 6 148, 7 Pr 3, 20 (:: שְׁחָקִים) 8, 24; **die Meeresfluten** *the deeps of the sea* Ex 15, 5. 8 Js 63, 13 Ps 33, 7 106, 9 107, 26; 3. **Grundwasser** *the subterranean water* Dt 8, 7 Hs 31, 4 u. 5 (?); Ps 71, 20 l תַּחְתִּיּוֹת. †

***תהל**: תָּהֳלָה.

תָּהֳלָה: *תהל (BL 497); ተሐለ, وَهِلَ irren *err*: **Irrtum** *error*; שִׂים תָּ׳ בְּ des Irrtums besichtigen *charge with an error* Hi 4, 18. †

תְּהִלָּה: II הלל: cs. תְּהִלַּת, sf. תְּהִלָּתִי, pl. תְּהִלּוֹת; Ps 9, 15 l תְּהִלָּתֶךָ; Ir 49, 25 l תְּהִלָּת (BL 599) Q: 1. **Ruhm, Lobpreis** *glory, praise*; Ruhm *glory*, v. מוֹאָב Ir 48, 2, יִשְׂרָאֵל Dt 10, 21 26, 19, der Frommen *of the pious* Ps 148, 14, כָּל־הָאָרֶץ Ir 51, 41; עִיר תְּ׳ ruhmreiche Stadt *glorious town* Ir 49, 25; zu Ruhm bringen *fill with glory* שִׂים לִתְ׳ Ze 3, 19 u. נָתַן לִתְ׳ 3, 20; Ruhm, **Lobpreis Gottes** *praise of God* Js 42, 8. 10. 12 43, 21 48, 9 Ir 13, 11 Ha 3, 3 Ps 9, 15 34, 2 35, 28 40, 4 48, 11 51, 17 65, 2 66, 2. 8 71, 8. 14 79, 13 102, 22 106, 2. 12. 47 111, 10 145, 21 149, 1 1 C 16, 35; תְּ׳ Name d. Tore *name of the gates* Js 60, 18 תְּהִלָּה :: רוּחַ כֵּהָה Js 61, 3; **Lobpreis**, den man anstimmt *song of praise* Ps 22, 26 33, 1 71, 6

100,4 109,1 2 C 20,22; F Js 61,11 62,7 Ir 33,9 Ps 119,171 147,1 Ne 9,5 (בְּרָכָה וּתְ׳); 2. (technisch-musikalisch *technical-musical*) **Lobgesang** *song of praise*: Ps 145,1, שִׁיר תְּ׳ Loblieder *songs of praise* Ne 12,46; רֹאשׁ הַתְּ׳ Leiter des Lobgesangs *conductor of praise-singing* cj Ne 11,17; pl. **Lobpreisungen** *songs of praise* Js 63,7; **Ruhmestaten** *praiseworthy deeds* Js 60,6 Ps 78,4; l תְּהִלָּתִי Ir 17,14; l תּוֹחֶלֶת Ps 22,4.†

תַּהֲלֻכָה*: הלך: תַּהֲלֻכָה: **Festzug** *procession*, l וְהָאַחַת הֹלֶכֶת Ne 12,31.†

תַּהְפֻּכ(וֹ)ת: הפך: **Verkehrtheit, Verkehrtes** *perversity, perverse thing*: דּוֹר תַּ׳ verkehrtes Geschlecht *perverse generation* Dt 32,20; אִישׁ תַּ׳ verkehrter, ränkevoller M. *perverse, intriguing m.* Pr 16,28; חָשַׁב תַּ׳ Ränke ersinnen *invent intriguing* Pr 16,30; F 2,12.14 6,14 8,13 10,31 f 23,33.†

תָּו: sf. תָּוִי: (Name d. letzten Konsonanten *name of the last consonant*; ursprünglich: × *originally*: ×; F Driver SW 209): **Kennzeichen** *mark* Hs 9,4.6, **Handzeichen** (Bestätigung einer Urkunde) *mark* (*confirming a deed*) Hi 31,35; F I תוה.†

תּוֹא: F תְּאוֹ.

תּוֹאֲמִם: ak. *tu'āmu*; mhb. u. ja. תְּיוֹם, ܬܐܡܐ; تَوْم ; وَأَم übereinstimmen *tally*: 2 Formen *forms*: 1. *תָּאוֹם, pl. תְּאוֹמִים Gn 38,27 > תּוֹמִם 25,24, cs. תְּאוֹמֵי Ct 4,5; 2. *תֹּאָם, pl. תֹּאֲמִם Ex 26,24 u. 36,29, cs. תָּאֳמֵי Ct 7,4: **Zwillinge** *twins*: a) Menschen *mankind* Gn 25,24 38,27, cj כִּתְ׳ Js 47,9; b) Tiere *animals* Ct 4,5 7,4; c) = **doppelt**, *double*: Hölzer *pieces of wood* Ex 26,24. cj 24 36,29. cj 29; >

n. m. Θωμᾶς (auch griechisch *also originally greek*); F L. Koehler, D. Hebr. Mensch, Anm. 25.†

תּוּבַל קַיִן: n. m.; Streck VAB VII, 810; Albr. JBL 58,96 v. *wbl*: Gn 4,22; F II קַיִן.†

תּוּבָנָה Hi 26,12: F תְּבוּנָה.

תּוּגָה: יגה: cs. תּוּגַת: **Kummer** *grief* Ps 119,28 Pr 10,1 14,13 17,21.†

תּוֹגַרְמָה: F תֹּגַרְמָה.

תּוֹדָה: II ידה: cs. תּוֹדַת, pl. תּוֹדֹת, תּוֹדוֹת: **Danklied** *song of thanksgiving* Js 51,3 Ir 30,19 Jon 2,10 Ps 26,7 42,5 50,14.23 69,31 95,2 100,4 147,7 Ne 12,27; d. Danklied als Begleitstück des Schuldbekenntnisses wird **Geständnis** *the song of thanksgiving accompanying the avowal of sin developes into confession* (Horst ZAW 47, 50 ff) Jos 7,19 Esr 10,11†; זֶבַח תּ׳ Lv 22,29 Ps 116,17; זִבְחֵי תּ׳ Ps 107,22 F Lv 7,12 f. 15 **Dankopfer** *sacrifice of thanksgiving*; = זְבָחִים וְתוֹדוֹת 2 C 29,31.31 F 33,16; > תּוֹדָה **Dankopfer** *sacr. of thanksg.* Am 4,5 Ir 17,26 33,11 Lv 7,12 Ps 100,1, pl. 56,13; תּוֹ׳ (Danklieder-) **Chor** *choir* (*of songs of thanksg.*) Ne 12,31.38.40.†

I תוה: denom. v. תָּו: F תאה:

pi: impf. וַיְתָו 1 S 21,14, l וַיָּתָף:†

hif: pf. הִתְוִית תָּו: e. תָּו, **Kennzeichen machen** *make a* תָּו, *mark* Hs 9,4.†

II תוה ja., sy. תְּוָא bereuen *repent*:

hif: pf. הִתְווּ: **betrüben** *pain* (fig.) Ps 78,41.†

תּוֹחַ: n. m.; = תֹּחוּ (G^L Θωε = תּוֹחַ) 1 S 1,1: 1 C 6,19.†

תּוֹחֶלֶת: יחל: sf. תּוֹחַלְתִּי: Erwartung, Hoffnung *expectation, hope* Ps 39,8, cj 22,4, Pr 10,28

11, 7 13, 12 Hi 41, 1 Th 3, 18; Si 14, 2, cj Ir 17, 14.†

תוך* : תָּוֶךְ.

תָּוֶךְ : *תוך; ug. *tk*; mhb.: cs. תּוֹךְ, sf. תּוֹכִי, תּוֹכוֹ, תּוֹכֵךְ, תּוֹכֵכִי, תּוֹכֹה Ps 116, 19 135, 9† (BL 583), תּוֹכְכֶם, תֹּכְּם Hi 2, 1†, תּוֹכְהֶנָה Hs 16, 53† (BL 252): **Mitte** *midst*; in die Mitte > mitten entzwei schneiden *divide in the midst* Gn 15, 10; in d. Mitte liegen *be in the midst*; הָיָה בְתָוֶךְ לְ mitten zwischen... geraten *come into the midst of*... Jos 8, 22; שִׂים בְּתָ׳ in d. Mitte anbringen *put in the midst* Jd 15, 4; תּוֹךְ הַנַּחַל Dt 3, 16 Jos 12, 2, תּוֹךְ הֶחָצֵר 1 K 8, 64 2 C 7, 7; שַׁעַר הַתָּ׳ Mitteltor *the middle gate* Ir 39, 3; עַמּוּדֵי הַתָּ׳ Mittelsäulen *the middle pillars* Jd 16, 29; תּוֹכוֹ s. Mitte *the midst of it* Hs 15, 4 Ct 3, 10; ? Js 66, 17; cs. תּוֹךְ c. praep.: 1. בְּתוֹךְ mitten in *in the midst of* Gn 1, 6 18, 24 Gn 23, 10; עָשָׂה בְתוֹךְ hineinarbeiten in *work into* Ex 39, 3; עָבַר בְּתוֹךְ mitten hindurchgehen *go through the midst of* Hs 9, 4; etc.; 2. אֶל־תּוֹךְ mitten in *in the midst of* Dt 13, 17 21, 12 Hs 5, 4; etc.; 3. מִתּוֹךְ mitten aus *out of the midst of* Ex 3, 4 Am 6, 4; etc.; 5. עַד־תּוֹךְ bis in die Mitte von *unto the midst of* 2 S 4, 6 (?); 6. מֵעַל־תּוֹךְ über die Mitte von *above the midst of* Hs 11, 23; NB: in vielen Fällen wird תּוֹךְ bedeutungslos *in many cases* תּוֹךְ *looses its stress*, daher *therefore* בְּ = בְּתוֹךְ, מִן — מִתּוֹךְ, etc.

תּוֹכֵחָה : יכח: pl. תּוֹכֵחוֹת: **Züchtigung** *rebuke, correction* 2 K 19, 3 Js 37, 3 Ho 5, 9; עָשָׂה תּ׳ בְּ Ps 149, 7.†

תּוֹכַחַת, תֹּכַחַת : יכח: sf. תּוֹכַחְתִּי, pl. תּוֹכָחוֹת, cs. תּוֹכְחוֹת: 1. (im רִיב) **Zurechtweisung** *rebuke* Hs 5, 15 25, 17, **Einrede, Vorhaltung** *objection, reproof* Ha 2, 1, **Entgegnung, Widerrede** *contradiction* Ps 38, 15 Hi 13, 6 23, 4, **Züchtigung** *correction* Ps 39, 12; 2. (in Erziehung, Belehrung *in education, instruction*) **Vorwurf, Rüge** *reproach, blame* Pr 1, 23. 25. 30 3, 11 5, 12 6, 23 10, 17 12, 1 13, 18 15, 5. 10. 31 f 27, 5 29, 1. 15; l וְהוֹכַחְתִּי Ps 73, 14.†

תּוֹלָד : n. m.; = אֶלְתּוֹלַד; d. Ort, wo man Kinder empfing *the place where children could be obtained* S. A. Cook, The Rel. of Ancient Palest. 1930, 85²: 1 C 4, 29.†

תּוֹלֵדוֹת* : ילד, mhb. sg. תּוֹלָדָה Erzeugnis *product*, pl. Unterarten *subspecies*; sy. תולדתא Zeugung *procreation*: pl. tant.; cs. תּוֹלְדוֹת, sf. תּוֹלְדֹתָם, תּוֹלְדֹתָיו: 1. **Nachkommen, Sprösslinge** *descendants* Nu 1, 20—42 (12×) Gn 5, 1 10, 1. 32 11, 10. 27 25, 12 f. 19 36, 1. 9 Ex 6, 16. 19 Nu 3, 1 Ru 4, 18 1 C 1, 29 5, 7 7, 2. 4. 9 8, 28 9, 9. 34 26, 31; 2. **Generation, Zeitgenossen** *generation, contemporaries* Gn 6, 9; 3. Entstehungsgeschichte > **Geschichte** *genealogy* Gn 37, 2, > Entstehung, **Erzeugung** *begettings* Gn 2, 4, > **Geburtsfolge** *successive generations* Ex 28, 10.†

תּוֹלָל* : pl. sf. תּוֹלָלֵינוּ Ps 137, 3: l מוֹלִיכֵינוּ (הלך; Wutz).†

I תּוֹלָע : ak. *tultu*; ja., cp., mnd. תוליתא, sy. תַּוְלַעְא, äth. *tel*, *šḫauri tilʿalot* Wurm *worm*: mit Karmesin (שָׁנִי) **rot gefärbte Stoffe** *crimson cloth dyed with* שָׁנִי Js 1, 18 Th 4, 5; *F* II; תּוֹלַעַת, תּוֹלֵעָה.†

II תּוֹלָע : n. m.; = I: 1. Gn 46, 13 Nu 26, 23 1 C 7, 1 f; 2. שֹׁפֵט Jd 10, 1; *F* תּוֹלָעִי.†

תּוֹלֵעָה, תּוֹלַעַת : fem. v. I תּוֹלָע: sf. תּוֹלַעְתָּם, pl. תּוֹלָעִים: 1. **Made** *maggot* Ex 16, 20 (in מִן) Js 14, 11 41, 14 66, 24 Ps 22, 7 Hi 25, 6; 2. **Wurm** *worm* (in Pflanze *in a plant*) Jon 4, 7; 3. **Beerenwurm** *vine-weevil* (*Cochylis ambiguella* Hüb., befällt Weinbeeren *attacks grapes*, Löw 1, 101 f) Dt 28, 39; 4. תּוֹלַעַת שָׁנִי Kermes-schildlaus *kermes(-insect) Lecanium ilicis* (befällt *attacks Quercus coccifera*, Löw 1, 630 f; dient zum Rotfärben *used for red-dying* BRL 153) > **karmesinfarbener Stoff** *crimson cloth* Ex 25, 4 26, 1. 31. 36 27, 16 28, 5 f. 8. 15. 33 35, 6. 23. 25. 35 36, 8. 35. 37 38, 18. 23 39, 1—3. 5. 24. 29 Nu 4, 8; שְׁנִי תוֹלַעַת **Karmesinfarbe** *scarlet colour* Lv 14, 4. 6. 49. 51 f Nu 19, 6. †

תּוֹלָעִי: gntl. v. תּוֹלָע Nu 26, 23. †

תּוֹמִיךְ Ps 16, 5: F תמך. †

תּוֹמִים: F תּוֹאֲמִם.

תּוֹעֵבָה (112 ×; Hs 40, Pr 20, Dt 17, Ir 8 ×; Js 41, 24 Lv 18, 26 2 C 28, 3 33, 2 34, 33 36, 8. 14 Esr 9, 1. 11 2 K 21, 11 Ps 88, 9, cj 50, 20; mehr Stellen *other quotations* F unten *below*): תעב ? יעב ? Albr. Von d. Steinzeit usw. (1949) 423 cf. äg. *wʿb* reinigen, rein sein *cleanse, be clean* (EG 1, 280) u. وعب unbefleckt erhalten *keep intact*; ph. תעבת Abscheuliches *abomination*: cs. תּוֹעֲבַת, pl. תּוֹעֵבוֹת, תֹּעֵבוֹת, cs. תּוֹעֲבוֹת, sf. תּוֹעֲבֹתֶיךָ, תּוֹעֲבֹתָם: **Abscheuliches** (im kultischen, dann im moralischen u. allgemeinen Sinn) *abomination* (*in ritual, thereafter also in moral a. general sense*) N. Glueck, Actes 18. congrès internat. des orientalistes, Leyden, 1932, 184 f: 1. für Ägypter, mit Hebräern zu essen *for Egyptians to eat together with Hebrews* Gn 43, 32, רֹעֵה צֹאן Gn 46, 34, זֶבַח לִיהוה Ex 8, 22; in Israel: Homosexualität *homosexuel intercourse* Lv 18, 22 20, 13; חֻקּוֹת הַתּוֹעֵבוֹת die abscheulichen Bräuche *the abominable usages* Lv 18, 30; Gold u. Silber v. Götterbildern *gold a. silver of idols* Dt 7, 26; Genuss unreiner Tiere *food of unclean animals* Dt 14, 3, Heirat entlassener Frauen *marriage with dismissed women* Dt 24, 4; für *for* יהוה: קְטֹרֶת Js 1, 13; תּוֹעֲבַת יהוה Opfer fehlhafter Tiere *sacrifice of deficient animals* Dt 17, 1, Tragen v. Kleidern des andern Geschlechts *to be dressed in garments of the other sex* Dt 22, 5, Unzuchtsgeld d. Tempel geben *give money of lewdness to the temple* Dt 23, 19; zweierlei Mass *different measures* Dt 25, 16, heimliche Götterbilder *clandestine idols* Dt 27, 15; 2. תּוֹעֵבָה = fremde Götter *foreign gods* Dt 32, 16, sg. Js 44, 19; תּוֹעֲבֹת abscheuliche Bräuche fremder Völker *abominable usages of foreign peoples* 1 K 14, 24! 2 K 16, 3 21, 2 Dt 18, 9, 2 K 23, 13, Kinderopfer *sacrifice of children* 2 C 28, 3, עַמֵּי תוֹ׳ Esr 9, 14; עָשָׂה תוֹ׳ Lv 18, 27. 29 Ir 6, 15 8, 12 44, 22, נַעַשְׂתָה תוֹ׳ Dt 13, 15 17, 4 Ma 2, 11; 3. in Hs: צַלְמֵי תוֹ׳ בֵּית יִשְׂרָאֵל 6, 11, תוֹ׳ 7, 20, גִּלּוּלֵי תוֹ׳ 16, 36, תוֹ׳ mit e. fremden Frau *with a strange woman* 22, 11, תוֹ׳ gegenüber d. Tempel *against the temple* 43, 8; sehr oft *most frequently*: deine, ihre, eure *thine, their, your* תוֹ׳; 4. Widerwärtigkeit *abominable thing* Pr 24, 9.

תּוֹעָה: תעה: **Wirrwarr, Verkehrtes** *confusion, disturbance* Js 32, 6 Ne 4, 2. †

תּוֹעָפוֹת: II יעף; cf. عَفَا (عِفْوَة) d. Beste, d. Kopfhaar *the best, the hair of the head* (Lane 2094): cs. תּוֹעֲפֹת: 1. Hörner *horns* (des *of* רְאֵם) Nu 23, 22 24, 8, **Spitzen** (d. Berge) *tops* (*of mountains*) Ps 95, 4; 2. **d. Beste, Erlesenste** *the best, choice* Hi 22, 25; Si 45, 7. †

***תּוֹף**: I תֹּפֶת.

תּוֹצָאוֹת: יצא: cs. תּוֹצְאֹת, sf. תּוֹצְאֹתָם: **Ausgänge** (e. Stadt) *outlets* (*of town*) Hs

48,30; **Ausgangspunkt, Ursprung** (d. Lebens) *starting-points, sourc s* (*of life*) Pr 4,23; **Ausläufer, Ende** (e. Gebiets) *extremities* (*of territory*) 1 C 5, 16; **Auswege** (לְ vor) *escapes* (לְ *before*) Ps 68, 21; תּוֹצְאֹת הַגְּבוּל הָיוּ die Grenze läuft aus *the border ends* Jos 15, 4. 11 19, 22, F Nu 34, 4f. 9. 12 Jos 15, 7 16, 3. 8 17, 9 18, 12. 14. 19 19, 14. 29. 33; 17, 18 was sich davon ergibt, **das so gewonnene Gebiet** *the resulting ground.* †

תָּוֹקְהַת: n. m. 2 C 34, 22, l תִּקְוָה. †

תּוֹקְעִים: תקע: Handschlag *shake of hands* Pr 11, 15. †

תור: mhb.; syropal. תאר? sam. תור, תער erwägen *balance* (*in one's mind*); ak. *tāru*, تَارَ IV beständig ausschauen nach *keep a constant look-out*; F n. l. אֲתָרִים.

qal: pf. תַּרְתִּי, תָּרוּ, תַּרְתֶּם, impf. יָתֻרוּ, תָּתוּרוּ, inf. תּוּר, pt. pl. תָּרִים: 1. **auskundschaften** *spy out, explore*: אֶרֶץ Nu 13, 2. 16f. 21. 25. 32 14, 6f. 34. 36. 38 Hs 20, 6, מָקוֹם Dt 1, 33, מְנוּחָה Nu 10, 33, מִרְעֶה cj יָתֻר מִרְעֵהוּ Pr 12, 26 Hi 39, 8 (l יָתוּר); 2. abs. **erforschen** *explore* Ko 1, 13 (עַל inbetreff *regarding*) 7, 25; תַּרְתִּי בְלִבִּי (Schwally, Idiotikon 100): ich sann mir aus *I contrived for me* Ko 2, 3; l תַּרְשִׁישׁ [מֵאֳנִי] 1 K 10, 15 u. 2 C 9, 14 (ET 42, 439); †

hif: impf. וַיָּתִרוּ: c. בְּ **auskundschaften lassen** *cause to spy out* Jd 1, 23; l יָתֵר Pr 12, 26 u. וָאֶתַּר (נתר) 2 S 22, 33. †

I תּוֹר, תֹּר: ak. *t/ṭurru* Band *string* (Meissner MAO XI, 1, 52); ja. תּוֹרָא Schnur, Rand *cord*, *brim*: pl. תּוֹרִים, cs. תּוֹרֵי: 1. **Reihe** *turn*: הַגִּיעַ תֹּר אֶת־ die Reihe kommt an *it is* (*his, her*) *turn* Est 2, 12. 15; 2. pl. Reihen (v. Zierat), **Gehänge** *turns* (*of ornament*) *plaits* Ct 1, 10f; ? 1 C 17, 17. †

II תּוֹר, תֹּר: = lat. *turtur* Schallwort *sound-imitating word*; ak. *tūrtu* Taube *dove*: pl. תֹּרִים: **Turteltaube** *turtle-dove* (*Streptopelia turtur* u. *species of Columba*-Arten, Bodenheimer 171) Ir 8, 7 Ct 2, 12, Opfertier *animal of sacrifice* Gn 15, 9 Lv 1, 14 5, 7. 11 12, 6. 8 14, 22. 30 15, 14. 29 Nu 6, 10; l תּוֹדֶךָ Ps 74, 19. †

תּוֹרָה: III ירה: cs. תּוֹרַת, sf. תּוֹרָתִי, pl. תּוֹרוֹת, sf. תּוֹרֹתָיו, תּוֹרֹתַי: l הַפָּרָה Nu 19, 2, dele כָּל־הַתּוֹרָה Jos 1, 7 (G); ? תּוֹרַת 2 S 7, 19;

1. תּוֹרָה (ursprünglich) bei Gott eingeholte, **Weisung, Bescheid** (für e. gegebene Lage) (*originally*) *direction, instruction* (*for a given situation, asked from God*); :: חֹק (Dussaud, Les origines 10f) Dt 17, 11 Js 2, 3 Mi 4, 2 Js 1, 10 5, 24 8, 16 u. 20 (// תְּעוּדָה) 30, 9 42, 4 51, 4. 7 Ir 2, 8 6, 19; von d. Priestern verwaltet *administered by the priests*: Ir 18, 18 Hs 7, 26 22, 26 Ze 3, 4 Hg 2, 11 Ma 2, 6—9 Ho 4, 6 8, 1. 12 (l תּוֹרֹתַי) Sa 7, 12 Th 2, 9, pl. Ne 9, 13; 2. (menschliche) **Weisung** *instruction* (*given by human beings*): Pr 1, 8 u. 6, 20 (Mutter *mother*) 3, 1 6, 23 7, 2 13, 14 (חָכָם) 31, 26 (Hausfrau *housewife*) Hi 22, 22; 3. sg. (festgelegte einzelne Weisung, einzelnes) **Gesetz** (*single for ever fixed instruction, single*) *law*: תּוֹרַת הָעֹלָה Lv 6, 2, תּו׳ מִנְחָה 6, 7, תּו׳ חַטָּאת 6, 18, so *thus* תּוֹרַת e. אָשָׁם 7, 1, הַבְּהֵמָה וְהָעוֹף 7, 11, זֶבַח הַשְּׁלָמִים 11, 46, יֹלֶדֶת 12, 7, נֶגַע־צָרַעַת 14, 54, מְצֹרָע 14, 2, אֲשֶׁר־בּוֹ 14, 32, צָרַעַת 14, 57, זָב 15, 32, קְנָאֹת Nu 5, 29, נָזִיר 6, 13. 21, הַבַּיִת (Tempel *temple*) Hs 43, 12; cf. מְנָאוֹת הַתּוֹרָה gesetzliche Anteile *portions appointed by the law* Ne 12, 44; 4. תּוֹרָה **das Gesetz** (als Zusammenfassung oder Inbegriff der Gesetze) *the law* (*the total or substance of all single*

laws): תּוֹרַת יהוה Ex 13, 9 2 K 10, 31 Ir 8, 8 Am 2, 4 Ps 1, 2 19, 8 119, 1 Esr 7, 10 1 C 16, 40 22, 12 2 C 12, 1 17, 9 31, 3 f 35, 26; תּוֹרַת [הָ]אֱלֹהִים Jos 24, 26 Ne 8, 8. 18 10, 29 f, תּוֹ' אֱלֹהֵינוּ Js 1, 10, תּוֹ' אֱלֹהֶיךָ Ho 4, 6; תּוֹ' אֱלֹהָיו Ps 37, 31, י' אֱלֹהֵיהֶם Ne 9, 3, durch Mose gegeben *given through Moses* Ne 10, 30; תּוֹרַת מֹשֶׁה Jos 8, 31 23, 6 1 K 2, 3 2 K 14, 6 23, 25 Ma 3, 22 Da 9, 13 Esr 3, 2 7, 6 Ne 8, 1 2 C 23, 18 30, 16; oft *frequently* תּוֹרָתִי, תּוֹרָתְךָ, תּוֹרָתוֹ etc. (Gottes (*God's*); סֵפֶר הַתּוֹרָה Dt 28, 61 29, 20 30, 10 31, 26 Jos 1, 8 2 K 22, 8. 11 Ne 8, 3; 5. תּוֹרָה neben Synonymen *along with synonyms*: תּוֹרֹת, חֻקּוֹת, מִצְוֹת, מִשְׁמֶרֶת, תּוֹרֹתָי Gn 26, 5; מִצְוֹתַי, וְתוֹרֹתָיו, חֻקֵּי הָאֱלֹהִים Ex 18, 16; תּוֹרֹת, חֻקִּים Ex 18, 20 Ps 105, 45; etc. *F* Hs 44, 24 Ex 24, 12 Lv 26, 46, Nu 15, 16 Ha 1, 4 Ir 44, 23; חָזוֹן // תּוֹרָה u. עֵצָה Hs 7, 26; עֵדוּת // תּוֹרָה Ps 78, 5; *F* Ne 9, 14, 2 C 19, 10; 6. תּוֹרָה wird gegeben, mitgeteilt *is given*, *communicated*: הִזְהִיר Ex 18, 20, נָתַן בֵּין Lv 26, 46, עָשָׂה לְ (angewendet auf *applied to*) Nu 5, 30, צִוָּה Nu 19, 2 31, 21 Dt 33, 4 Ne 9, 14 Jos 22, 5 2 K 17, 13. 34 21, 8 Ne 8, 1 1 C 16, 40, בֵּאֵר Dt 1, 5, נָתַן לִפְנֵי Dt 4, 8 Ir 9, 12 26, 4 Da 9, 10, נָתַן אֶל Dt 31, 9 Ir 31, 33, שִׂים Dt 4, 44, הוֹרָה 17, 11 33, 10, הֵקִים 27, 26 2 K 23, 24, כָּתַב Dt 31, 9. 24 2 K 17, 37 Ir 31, 33, (נֶגֶד) קָרָא Dt 31, 11 Jos 8, 34 Ne 8, 8. 18, הוֹדִיעַ Hs 43, 11; 7. תּוֹרָה wird (nicht) befolgt *is (not) obeyed*: שָׁמַר Gn 26, 5 Ir 16, 11 Ps 119, 34. 44. 55. 136 Pr 28, 4 29, 18, שָׁמַר לַעֲשׂוֹת 2 K 17, 37; הָלַךְ בְּתוֹ' Ex 16, 4 Ir 32, 23 44, 10 Ps 78, 10 119, 1 2 C 6, 16, עָשָׂה 2 C 14, 3, עָשָׂה דִּבְרֵי הַתּ' Dt 17, 19 27, 26 28, 58 29, 28 31, 12 32, 46; עָזַב Ir 9, 12 Ps 89, 31 119, 53 Pr 4, 2 28, 4 2 C 12, 1, מָאַס Js 5, 24, עָבַר Js 24, 5 Da 9, 11, שָׁמַע בְּ Js 42, 24 Sa 7, 12, שָׁמַע Ne 13, 3 Pr 28, 9, פָּשַׁע עַל Ho 8, 1, זָכַר Ma 3, 22, לִמַּד מִתּ' Ps 1, 2, הָגָה בְּתוֹ' Ps 78, 1, הֶאֱזִין 94, 12, נָצַר 105, 45 119, 34 Pr 28, 7, שָׁכַח 119, 61. 109. 153 Pr 3, 1 Ho 4, 6, רָחַק מִן Ps 119, 150, לָקַח מִפִּי Hi 22, 22, הִשְׁלִיךְ Ne 9, 26, חָזַק בְּ 2 C 31, 4; 8. Einzelnes *particulars*: תּוֹרָה אַחַת ein u. dasselbe Gesetz *one law* Ex 12, 49 Lv 7, 7 Nu 15, 16. 29; זֹאת הַתּוֹ' so lautet d. G. *this is the law* Nu 19, 14 Dt 4, 44; מִשְׁנֵה הַתּוֹ' Dt 17, 18 Jos 8, 32, תּוֹרַת אֱמֶת Ma 2, 6, pl. Ne 9, 13; בִּקֵּשׁ תּוֹ' Ma 2, 7, כָּתוּב בַּתּוֹ' Ne 8, 14 10, 35. 37 Da 9, 11 2 C 23, 18 30, 16 31, 3 35, 26; לְלֹא תוֹ' 2 C 15, 3; *F* Lv 13, 59 14, 54 Dt 27, 3. 8 Js 42, 4. 21 Ps 40, 9 119, 18. 29. 51. 70. 72. 77. 85. 92. 97. 113. 126. 142. 163. 165. 174. cj 19 Esr 10, 3 Ne 8, 9. 13 9, 29. 34 2 C 14, 3 25, 4 31, 21 33, 8 34, 14 f. 19. †

תּוֹשָׁב: ישׁב: cs. תּוֹשַׁב, sf. תּוֹשָׁבְךָ, pl. תּוֹשָׁבִים: **Metök, Ansässiger** in e. Ortschaft, der weder עֶבֶד noch גֵּר noch Vollbürger ist *sojourner, inhabitant of a place who is neither* עֶבֶד, *nor* גֵּר, *nor citizen neither*: Gn 23, 4 Lv 25, 23. 35. 40. 47 Nu 35, 15 Ps 39, 13 1 C 29, 15; neben *along with* שָׂכִיר (OLZ 30, 830) Ex 12, 45 Lv 22, 10 (תּוֹשַׁב כֹּהֵן) 25, 40; in Reihe *in series* עֶבֶד, שָׂכִיר, תּוֹשָׁב, יִשְׂרְאֵלִי, גֵּר, תּוֹשָׁב u. Lv 25, 6 Nu 35, 15; הַתּוֹשָׁבִים הַגָּרִים Metöken, die Schutzbürger sind *sojourners who are clients* Lv 25, 45; מִתֹּשָׁבֵי 1 1 K 17, 1. †

תּוּשִׁיָּה, תֻּשִׁיָּה Pr 3, 21 †, Hi 30, 22 Q l תְּשֻׁוָּה: Bauer ZAW 48, 77 v. יֵשׁ* NF v. יֵשׁ: 1. **Gelingen, Erfolg** *effectual working* Js

28, 29 Pr 2, 7 8, 14 18, 1 Hi 6, 13 12, 16; Si 38, 8; עָשָׂה תו׳ Gelingen haben *work effectively* Hi 5, 12; הוֹדִיעַ תו׳ Gelingen zeigen *help to effect* Hi 26, 3; 2. **Umsicht**? *sound wisdom*? Pr 3, 21; ? Mi 6, 9 Hi 11, 6; Hi 30, 22 F oben *above*. †

תּוֹתָח: ونّح mit Knüppeln schlagen *beat with cudgels*: **Knüppel** *cudgel* Hi 41, 21. †

תזז: mhb., ja. נתז abspringen *spring out*: hif: pf. הֵתַז: (Ranken) **abreissen** *strike away* (*spreading branches*) Js 18, 5. †

תַּזְנוּת: I זנה: sf. תַּזְנוּתֵךְ, תַּזְנוּתָם, pl. sf. תַּזְנוּתַיִךְ, תַּזְנוּתֶיהָ: **unzüchtige Art** *fornication* Hs 16, 15—36 23, 7—35; l תְּזְנֶינָה 23, 43. †

תַּחְבֻּלוֹת: V חבל; Zimmerli ZAW 51, 183: sf. תַּחְבּוּלֹתָו (l ־תָיו) Hi 37, 12: **Steuerung, kluge Lenkung** *steering, skilful direction* Pr 1, 5 11, 14 12, 5 20, 18 24, 6 Hi 37, 12 (Gottes *God's*); Si 37, 17. †

תחו: F תּוֹחַ.

תַּחְכְּמֹנִי 2 S 23, 8: l הַחַכְמֹנִי.

תַּחֲלֻאִים: *חלא = חלה: cs. תַּחֲלוּאֵי, sf. תַּחֲלֻאֶיהָ, תַּחֲלוּאָיְכִי (BL 535): **Krankheiten** *diseases* Dt 29, 21 Ir 14, 18 16, 4 Ps 103, 3 2 C 21, 19. †

תְּחִלָּה: חלל: cs. תְּחִלַּת: **Anfang** *beginning* Ho 1, 2 Pr 9, 10 Ko 10, 13 2 S 21, 9 2 K 17, 25 Am 7, 1 Ru 1, 22 Da 9, 23 Esr 4, 6; בַּתְּ׳ im Anfang, das 1. Mal *in the beginning, the first time* Gn 43, 18. 20 Da 8, 1 9, 21, gleich im Anfang *right in the beg.* 2 S 17, 9; zuerst *at first* Gn 13, 3 Jd 1, 1 20, 18 Js 1, 26; zuvor *at the former time* Gn 41, 21; l בַּתְּחִלָּה Ne 11, 17. †

תְּחֶלֶת: F תּוֹחֶלֶת.

תַּחְמָס: חמס?: unreiner Vogel *unclean bird* (Aharoni, Osiris 5, 469. 471: *Otus brucei*, e. Eulenart *a species of owl*; alii: *Caprimulgus*) Lv 11, 16 Dt 14, 15. †

תַּחַן: n. m.; חנן?: 1. 1 C 7, 25; 2. Nu 26, 35; F תַּחֲנִי. †

I **תְּחִנָּה**: חנן: cs. תְּחִנַּת, sf. תְּחִנָּתוֹ, pl. תְּחִנּוֹת, sf. תְּחִנּוֹתֵיהֶם: 1. **Flehen** *supplication for favour* (oft *frequently* // תְּפִלָּה u. c. הִפִּיל, נָפַל) 1 K 8, 28. 30. 38. 45. 49. 52. 54 9, 3 Ir 36, 7 37, 20 38, 26 42, 2. 9 Ps 6, 10 55, 2 119, 170, cj 102, 18 (תְּחִנָּתָם), Da 9, 20 Esr 9, 8 2 C 6, 19. 29. 35 33, 13, pl. 2 C 6, 39 (Kropat, Syntax d. Chron. 10); 2. Gelegenheit zum Flehen > **Pardon, Erbarmen** *chance of supplication* > *favour* Jos 11, 20; F II. †

II **תְּחִנָּה**: n. m.; = I: 1 C 4, 12. †

***תַּחֲנוּן**: חנן: pl. תַּחֲנוּנִים, תַּחֲנוּנוֹת Ps 86, 6†; cs. תַּחֲנוּנֵי, sf. תַּחֲנוּנָיו: **Flehen** *supplication* (*for favour*) Ir 3, 21 Sa 12, 10 Ps 28. 2. 6 31, 23 86, 6 116, 1 (l קוֹל) 130, 2 140, 7 143, 1 Pr 18, 23 (:: עַזּוֹת) Hi 40, 27 Da 9, 3. 17 f. 23 2 C 6, 21; Si 51, 11; l וּבְתַנְחוּמִים Ir 31, 9. †

תַּחֲנִי: gntl. v. תַּחַן: Nu 26, 35. †

תַּחֲנֹתִי 2 K 6, 8: l תֵּחָבְאוּ אִתִּי (Šanda :: Montg.-Geh. 382). †

תַּחְפַּנְחֵס, תְּחַפְנְחֵס Hs 30, 18 Ir 2, 16 K: n. l.; äg. (*T-he-p-nhsj*) = Burg des Negers *the Fortress of the Negro* F פִּינְחָס; Spiegelb. 38 ff, Äg. Z. 65, 59 f; Albr., Bertholet-Festschr. 13 f: nicht Ταφναι, *Daphne*, sondern der Raum von *Ṭanis* bis *Ḳantir but the room between Ṭanis a. Ḳantir* (Alt, Die Delta-residenz d. Ramessiden (ungedruckt *not yet printed*)): Ir 43, 7—9 44, 1 46, 14 2, 16 Q Hs 30, 18.†

תַּחְפְּנֵיס: n. fem.; äg. Spiegelb. 40 ff: גְּבִירָה des *of* Pharao: 1 K 11, 19, 1 תַּחְפְּנְחֵס Ir 2, 16 Q.†

תַּחְרָא: äg. *dḥr* Sohle, Schild, Riemen usw. aus Leder *sole, shield, thong etc. of leather*: **Lederzeug**, Lederpanzer *leathers, leather cuirass*. Ex 28, 32 39, 23.†

***תַּחֲרָה**: impf. תִּתְחָרֶה Ir 12, 5: *F* I חרה hif.†

תַּחְרֵעַ: n. m.; äg?; = תַּאְרֵעַ 1 C 8, 35: 1 C 9, 41.†

I **תַּחַשׁ**: äg. *tḥś* e. Fell, Leder strecken *extend skin, leather*; دَخَسٌ, دُخَسٌ, تُخَسٌ: תַּחַשׁ, pl. תְּחָשִׁים: der **grosse Tümmler** *porpoise, Tursiops tursis Fabr.* (Brehm, 12. Bd. 459); e. Delphinenart *species of dolphin*: עוֹר תַּחַשׁ **Tachaschhaut** *tachash-skin* Nu 4, 6. 8. 10—12. 14, pl. Ex 25, 5 26, 14 35, 7. 23 36, 19 39, 34; עוֹר תַּחַשׁ < תַּחַשׁ Nu 4, 25 Hs 16, 10; *F* II.†

II **תַּחַשׁ**: n. m.; = I: Gn 22, 24 (*F* Komm.)†

I **תַּחַת**: (490×): ug. *tḥt*; Sem. ausser *except* ak.; amor. *taḫtun* (Bauer, Ostkan. 81); asa. תחת; נחת?: תַּחַת, sf. תַּחְתָּיו, תַּחְתֶּיהָ, תַּחְתֵּיכֶם, auch *also* תַּחְתֵּנִי, תַּחְתָּם (BL 645) 2 S 22, 37. 40. 48, תַּחְתֶּנָה (< *taḥtan-hā*; BL 645): 1. subst. **das unten, unterhalb Befindliche** *what is underneath, the under part*: תַּחְתֶּנָּה d. unter ihm Befindliche *the part underneath* Gn 2, 21; תַּחַת הָהָר (am) Fuss d. Berges (*at the*) *foot of the mountain* Ex 24, 4; תַּחְתּוֹ wo er stand *at his place* 2 S 2, 23; תַּחְתָּם wo sie stehen *where they stand* Hi 40, 12; יָשַׁב תַּחְתָּיו bleibt an s. Platz *abides in h. place* Ex 16, 29; = c. עָמַד Lv 13, 23, בּוֹא Pr 11, 8, שָׁכַן 2 S 7, 10, הִנִּיחַ Js 46, 7, קוּם מִן Ex 10, 23; 2. תַּחַת subst. > praep.: **unterhalb von** *under, beneath*: תַּחַת הָעֵץ Gn 18, 4, תַּ׳ יָדֶיהָ 16, 9, תַּ׳ הַשֵּׁבֶט Lv 27, 32; תַּחְתָּיו unter ihm *his under parts* Hi 41, 22; תַּ׳ אִישֵׁךְ unter d. M. stehend *being under* ... Nu 5, 19; נִכְנַע תַּ׳ Jd 3, 30; 3. (תַּחְתָּיו) an s. Stelle > statt seiner *at his place* > *instead of him*): **an Stelle von, anstatt, für** *in his place, instead of, for*: Gn 4, 25 2 C 21, 1; תַּ׳ עֵינוֹ als Entgelt für s. A. *for h. eye's sake* Ex 21, 26; תַּ׳ זֹאת dafür *for this* 2 S 19, 22; תַּ׳ מָה warum? *wherefore?* Ir 5, 19; תַּ׳ הֱיוֹתֵךְ dafür, dass du *therefore that* ... Js 60, 15; 1 S 21, 5 dele אֶל (dittogr.); 4. אֶל־תַּחַת unter ... hin *under* Ir 3, 6 Sa 3, 10 Lv 14, 42 Ha 3, 7; 5. תַּחַת־אֲשֶׁר anstatt dass *whereas* Dt 28, 47 Hs 36, 34, dafür dass *therefore that* Nu 25, 13 Dt 21, 14, cj 2 S 2, 6; 6. תַּחַת כִּי dafür dass *therefore that* Pr 1, 29; 1 וְתַחְתָּי Dt 4, 37; 7. תַּחַת לְ unterhalb von *under* Ct 2, 6 Hs 10, 2; 8. מִתַּחַת von unterhalb fort *out from underneath*: הוֹצִיא מִתַּ׳ Ex 6, 7, 18, 10 Sa 6, 12; זָנָה *F* מִתַּ׳ Ho 4, 12; פָּשַׁע *F* מִתַּ׳ 2 K 8, 20; מִתַּ׳ unterhalb von *from under* Hs 42, 9 46, 23 Hi 26, 5; 9. מִתַּחַת adverb. unten gelegen *beneath* Ex 20, 4 Dt 4, 39 Js 14, 9 Am 2, 9; 1 מִתַּחַת וְתַחְתָּי Hi 26, 5; 1 תַּחַת Hs 1, 8; 1 מִתַּחַת Dt 33, 27; 10. מִתַּחַת לְ unterhalb von *under* Gn 1, 7 Ex 30, 4 Jd 3, 16; cj Ps 66, 17; 11. = לְמִתַּחַת לְ 1 K 7, 32; 12. עַד־מִתַּחַת לְ bis unterhalb von *until under* 1 S 7, 11.
Der. II, III תַּחַת; תַּחְתּוֹן, תַּחְתִּי.

II **תַּחַת**: n. m.; = I: Ersatz *compensation*: 1.—3. 1 C 6, 9. 22; 7, 20; 7, 20.†

III ***תַּחַת**: n. l.; = I: unbekannte Wüstenstation *unknown station in the wilderness*: תָּחַת: Nu 33, 26 f.†

תַּחְתּוֹן: I תַּחַת: fem. תַּחְתֹּנָה, pl. תַּחְתֹּנוֹת: **der untere** *the lower*: 1 K 6, 6. cj 8 Js 22, 9 Hs 40, 18 f 41, 7 42, 5 f 43, 14; in *with* n. l. Jos 16, 3 18, 13 1 K 9, 17 1 C 7, 24 2 C 8, 5 (:: עֶלְיוֹן). †

תַּחְתִּי: I תַּחַת: fem. תַּחְתִּיָּה, תַּחְתִּית: pl. תַּחְתִּיּוֹת: **der untere, unterste** *the lower, lowest*: Stockwerk *story* Gn 6, 16, Mühlstein *millstone* Hi 41, 16; in *with* n. l. Jos 15, 19 Jd 1, 15; תַּחְתִּית הָהָר d. Fuss d. Berges *the foot of the mountain* Ex 19, 17; תַּחְתִּיּוֹת אֶרֶץ (cf. *irṣitu šaplītu* Tallqvist, Totenwelt 11 f) d. Tiefen d. Erde *the lowest parts of the earth* Js 44, 23 Ps 139, 15 63, 10 71, 20 (l מִתַּ׳); אֶרֶץ תַּחְתִּית = אֶרֶץ תַּחְתִּיּוֹת Hs 31, 14. 16. 18 u. Hs 26, 20 32, 18. 24; בּוֹר תַּחְתִּיּוֹת Ps 88, 7 Th 3, 55; שְׁאוֹל תַּחְתִּית Dt 32, 22 u. שְׁאוֹל תַּחְתִּיָּה Ps 86, 13 u. שאול תחתיות Si 51, 6; תַּחְתִּיּוֹת לְ Stellen, die tiefer liegen als *the lowest parts of* Ne 4, 7. †

תַּחְתִּים חָדְשִׁי: n. l. 2 S 24, 6: l הַחִתִּים קָדֵשָׁה (Wellhausen) vel תַּחַת יַם־קָדֵשָׁה (Caspari)?

תִּיכֹן, תִּיכוֹן: תָּוֶךְ, תּוֹךְ (*ō—ō* > *i—ō*): fem. תִּיכוֹנָה, pl. תִּיכוֹנוֹת: **der mittlere** *middle*: Ex 26, 28 36, 33 Jd 7, 19 1 K 6, 6. 8 (l הַתַּחְתֹּנָה) pro הַתִּיכֹנָה 1. 2 K 20, 4 (l חָצֵר) Hs 41, 7; l חֲצַר עֵינוֹן Hs 47, 16. †

תִּילוֹן*: n. m. K תּוֹלוֹן; Etym?: 1 C 4, 20. †

תֵּמָא, תֵּימָא: n. l., n. p., n. m.; ימא Nöld. EB 2213; keilschr. *Tēmā*, *Tēmāʾ*; تَيْمَاء; *Teimā* (38° 53′ ö. long., 27° 31′ 42″ n. lat.; *F* Doughty, Index u. Dougherty, Nabonidus a. Belshazzar (1929) 138 ff: **Thema** *Tema*: Ir 25, 23 Hi 6, 19; אֶרֶץ תֵּימָא Js 21, 14; Heros eponymus Gn 25, 15 1 C 1, 30; *F* תֵּימָנִי. †

I **תֵּמָן, תֵּימָן**: ימן: loc. תֵּימָנָה: **Süden, Südgegend** *south, southern quarter*: Jos 15, 1 Js 43, 6 Sa 6, 6 (אֶרֶץ) Hi 9, 9; מִתֵּימָן Jos 12, 3 13, 4; תֵּימָנָה nach Süden *southwards* Ex 26, 18. 35 27, 9 36, 23 38, 9 Nu 2, 10 3, 29 10, 6 Dt 3, 27 Hs 21, 2 47, 19 48, 28; 2. **Südwind** *south wind* Ps 78, 26 Hi 39, 26 (*F* Duhm) Ct 4, 16; Si 43, 16; סַעֲרוֹת תֵּימָן Sa 9, 14; *F* II. †

II **תֵּימָן**: n. t.; n. m.; = I: **Theman** *Teman*: 1. Landschaft in Edom *region of Edom* Ir 49, 7. 20 Hs 25, 13 Am 1, 12 Ob 9 Ha 3, 3; 2. Heros eponymus Gn 36, 11. 15. 42 1 C 1, 36. 53 (Musil, The Northern Ḥeǵaz 1, 249 f, Glueck AAS 15, 83; = *Tawilān*, Abel 1, 284 f; *Thimanei* in Plin., Dhorme RB 1911, 106); *F* תֵּימָנִי. †

תֵּמָנִי, תֵּימָנִי: nab. תימניא; gntl.: 1. v. II תֵּימָן Gn 36, 34 1 C 1, 45; 2. v. תֵּימָא Hi 2, 11 4, 1 15, 1 22, 1 42, 7. 9. †

תֵּימְנִי: gntl.; ימן: 1 C 4, 6. †

תִּמָרָה, תִּימָרָה*: תמר; *F* II תֹּמֶר: pl. cs. תִּימְרוֹת: **Säule** (v. Rauch) *column* (*of smoke*) Jl 3, 3 Ct 3, 6; *F* II תַּמְרוּרִים. †

תִּיצִי: gntl. (v. *תִּיץ vel תּוֹץ?): 1 C 11, 45. †

תִּירֹשׁ, תִּירוֹשׁ: ירשׁ; ug. *trṡ*; Lewy ZA 38, 247 f: archaisch für *archaic for* יַיִן (Koehler ZAW 46, 218 ff): sf. תִּירֹשְׁךָ: **Wein** *wine*: *F* דָּגָן u. יִצְהָר; 1. דָּגָן וְתִירוֹשׁ וְיִצְהָר Dt 7, 13 11, 14 12, 17 14, 23 18, 4 28, 51 Ir 31, 12 Ho 2, 10. 24 Jl 1, 10 2, 19 Hg 1, 11 Ne 5, 11 10, 40 13, 5. 12 2 C 31, 5 32, 28; 2. דָּ׳ תִּירוֹשׁ ... יִצ׳ Nu 18, 12; 3. בָּר ... תִּי׳ וְיִצ׳ Jl 2, 24; 4. דָּ׳ וְתִי׳ Gn 27, 28. 37 Dt 33, 28 2 K 18, 32 Js 36, 17 62, 8 Ho 2, 11 7, 14 9, 1—2 Sa 9, 17 Ps 4, 8; 5. תִּי׳ וְיִצ׳ Ne 10, 38; 6. *only* תִּי׳ allein Jd 9, 13 Js

24, 7 65, 8 Ho 4, 11 (F זְנוּנִים) Pr 3, 10; Si 34, 25. 27; l תִּירֹשׁ Mi 6, 15.†

תִּירְיָא: n. m.; תריא (?) Dir. 182; *Tīrijāma* BEP 9, 72 10, 65: 1 C 4, 16.†

תִּירָס: (n. m.; n. p.); Τυρσηνοί Herodot. 1, 57. 94.?; äg. *Ty-w-u-š3*, *Tw-rj-š3* (Ramses III) Meyer, GA II, 1, 556 f II, 2, 94 ff; = Etrusker?: Gn 10, 2 1 C 1, 5.†

תַּיִשׁ: ak. *daššu* Böckchen *kid* Landsb. 100, AFO 10, 159; mhb., aram. תַּיְשָׁא; تَيْس: תְּיָשׁ, pl. תְּיָשִׁים: **Ziegenbock** *he-goat* (fem. עֵז): Gn 30, 35 32, 15 Pr 30, 31 2 C 17, 11.†

תֹּךְ, תּוֹךְ: *תכך; ZDM 57, 47: pl. תְּכָכִים: **Bedrückung** *oppression*: cj Ir 9, 5 (l שֶׁב : תּוֹךְ בְּתוֹךְ), Ps 10, 7 55, 12 72, 14 cj 90, 11 (l וּמִי יְרֵא תֹּךְ); אִישׁ תְּכָכִים **Leuteschinder** *tormentor, petty tyrant* Pr 29, 13.†

תכה: pu: impf. תֻּכּוּ: ungedeutet *unexplained* Dt 33, 3 (Stummer, Nötscher-Festschr. 265 ff).†

תְּכוּנָה: כון: sf. תְּכוּנָתוֹ: 1. **Stätte** *fixed place* (הֵכִין מוֹשָׁב Hi 29, 7) Hi 23, 3; 2. **Einrichtung, Ausstattung** (e. Hauses) *arrangement, disposition* (*of house*) Hs 43, 11 Na 2, 10 (AP 15, 6 תכונה).†

תֻּכִּיִּים, תּוּכִּיִּים: sg. *תֻּכִּי; Schallwort *sound-imitation*; تُكّ تَكّ (cf. זְכוּכִית: زُجاج), kurdisch *dik*, sanskr. *çikhi* alle *all* = Huhn *hen*; *tukka* Perlhuhn *guinea-hen* (am Obern Nil *on Upper Nile* C. Peters, Im Goldland d. Altertums, 1929, 221); B. Maisler ZAW 51, 153: *Gallus ferrugineus*: **Hühner** *poultry* (:: Albr., ARI 212: = äg. *t.ky* (*t* = art. fem.) Affe *ape*): 1 K 10, 22 2 C 9, 21.†

***תכך**: ܬܟ bedrücken *oppress*, تَكَّ mit Füssen treten *tread under foot*; F תֹּךְ.

תְּכָכִים: F תֹּךְ.

תִּכְלָה: I כלה: **Vollkommenheit** (?) *perfection* (?) Ps 119, 96.†

תַּכְלִית: I כלה: **Vollendung, Äusserstes** *completeness, end*: תַּ׳ שִׂנְאָה äusserster Hass *completeness of hatred* Ps 139, 22; לְכָל־תַּ׳ ganz bis zum Äussersten *to every end* Hi 28, 3; עַד־תַּ׳ bis zum Letzten von *unto the end of* Hi 11, 7 26, 10 Ne 3, 21.†

תְּכֵלֶת: ak. *takiltu*, mhb., ja. תְּכֵילְתָא, תַּכְלָא, sy. תְּכֵלְתָא: violette Purpurfarbe (Dibromindigo; aus d. Purpurdrüse bestimmter Murexschnecken) *violet purple-dye* (*gained from the purple-gland of certain Murex-snails*), BRL 153: **violette Purpurwolle** *violet purple-wool* für Fäden, Stoffe *for threads, stuff*: Ex 25, 4 26, 1. 4. 31. 36 27, 16 28, 5 f. 8. 15. 31. 33. 37 35, 6. 23. 25. 35 36, 8. 11. 35. 37 38, 18. 23 39, 1—31 Nu 4, 6—12 15, 38 Jr 10, 9 Hs 23, 6 27, 7. 24 Est 1, 6 8, 15 2 C 2, 6. 13 3, 14; Si 6, 30 45, 10; F אַרְגָּמָן.†

תכן: ak. *taqānu* in Ordnung kommen *be set in order*; *taknu* sorgfältig bereitet *carefully prepared*; aram. תקן fest sein *be solid*, ja. pa. u. mhb. pi. zurechtstellen *prepare*; أَتْقَنَ festmachen *fix*:

qal: pt. תֹּכֵן: (Gott) **prüfen** *estimate* (*God*) Pr 16, 2 21, 2 24, 12;†

nif: pf. נִתְכְּנוּ, impf. יִתָּכֵן, יִתָּכְנוּ, יִתָּכֵנוּ: 1. **geprüft werden** *be estimated* 1 S 2, 3; 2. **in Ordnung, richtig sein** (Gottes Verhalten gegen die Menschen) *be adjusted, be right* (*God's attitude towards man*) Hs 18, 25. 29 33, 17. 20;†

pi: pf. תִּכֵּן, תִּכַּנְתִּי: 1. **fest hinstellen** *adjuste* Ps 75, 4, cj 93, 1 u. 96, 10 u. 1 C 16, 30; 2. **bemessen** *mete out* Js 40, 12 f Hi 28, 25; Si 42, 21;†

pu: pt. מְתֻכָּן: **in Ordnung gebracht, abgezählt** (Geld) *set in order, counted off* (*money*) 2 K 12, 12 (Eissfeldt ZAW 63, 109[8]).†
Der. I תֹּכֶן, תָּכְנִית; מַתְכֹּנֶת.

I תֹּכֶן: תכן: 1. **festgesetztes Mass, Quantum** *fixed measure, quantity* Ex 5, 18; 2. **Masseinheit** *measurement* Hs 45, 11.†

II תֹּכֶן: n.l.; = עֶתֶר Jos 19, 7; Noth vermutet *suggests* עֲתָךְ: 1 C 4, 32.†

תָּכְנִית: תכן; ak. *taknītu* sorgfältige Herstellung *careful production*: **Vorbild** *paragon* Hs 28, 12 43, 10.†

תַּכְרִיךְ: כרך: **Umwurf, Mantel** *robe* Est 8, 15.†

תֵּל: I *תלל; ak. *tillu*, < *tīlʿu* (auch weibliche Brust *also breast of a woman* Zimm. 14); mhb.; ja. תִּלָּא, sy. תֶּלָּא; ﺗَﻞّ: sf. תִּלָּהּ: 1. (gleichmässig geböschter) **Schutthügel** *mound, ruin-heap* (*with uniform slopes*) Dt 13, 17 Jos 8, 28 11, 13 Ir 30, 18 49, 2; 2. in n.l.: a) תֵּל אָבִיב, ak. *Til abūbi* (Sturmfluthügel *mound of storm-tide*; *abūbi* ersetzt durch *substituted by* אָבִיב!) Zimm. 43, in Babylonien *Babylonia* Hs 3, 15; b) תֵּל חַרְשָׁא (חַרְשָׁא = חֹרֶשׁ vel חֶרֶשׁ?) in Babylonien *Babylonia* Esr 2, 59 Ne 7, 61; c) תֵּל מֶלַח Esr 2, 59 Ne 7, 61; F תָּלוּל.†

תלא: = תלה:
qal: pf. sf. תְּלָאוּם = תְּלוּם (תלה) K u. (תלא) Q, pt. pass. תְּלוּאִים, תְּלֻאִים: **aufhängen** *hang* 2 S 21, 12 Dt 28, 66 (לְךָ מִנֶּגֶד dir gegenüber = in Ungewissheit *before thee* = *in uncertainty*) Ho 11, 7 (Text?).†

תַּלְאֻבוֹת: *לאב; ak. *laʾābu* mit Fieber heimsuchen *attack with fever*: אֶרֶץ תַּל׳ **Land der Fieberschauer** *country of fevers* Ho 13, 5.†

תְּלָאָה: לאה; Barth § 179[2] תלא = לאה: **Mühsal, Beschwerde** *weariness, hardship* Ex 18, 8 Nu 20, 14 Ne 9, 32 Ma 1, 13 (מַה־תְּלָאָה > מַתְּלָאָה) Th 3, 5 (Text?).†

תְּלַאשָּׂר 2 K 19, 12, תְּלַשָּׂר Js 37, 12: ak. *Til-Ašūri* (Kraeling, Aram 63 f).†

תִּלְבֹּשֶׁת: לבש: **Bekleidung** *raiment* Js 59, 17 (gloss.).†

תִּלְגַת: F תִּגְלַת.

תלה: ak. *tullu*; mhb.; aram. תלא; ﺗَﻞَّ (Seil) herablassen *let down* (*rope*), asa. תלו; ·ተለወ·; NF תלא:
qal: pf. תָּלָה, תָּלוּ, תְּלִינוּ, sf. תְּלוּם, 2 S 21, 12 K, impf. יִתְלוּ, sf. וַיִּתְלֵם, inf. תְּלוֹת, imp. sf. תְּלֻהוּ, pt. pass. תָּלוּי, pl. תְּלוּיִם: **aufhängen** *hang* (עַל an *at*) Gn 40, 19. 22 41, 13 Dt 21, 22 f Jos 8, 29 10, 26 Js 22, 24 Hs 15, 3 Ps 137, 2 Ct 4, 4 Est 5, 14 6, 4 7, 9 f 8, 7 9, 13 f. 25; תּ׳ אֶרֶץ עַל־בְּלִי־מָה Hi 26, 7;†
nif: pf. נִתְלוּ, impf. וַיִּנָּתְלוּ: **aufgehängt werden** *be hanged* Th 5, 12 Est 2, 23, cj וַיִּתָּל blieb hängen *remained hanging* 2 S 18, 9;†
pi: pf. תִּלָּה: **aufhängen** *hang* Hs 27, 10 f.†
Der. *תְּלִי; n.l. יִתְלָה.

תָּלוּל: den. v. תֵּל (Zimm. 14): **hochragend** (Berg) *lofty* (*mountain*) Hs 17, 22.†

*תלח: n.m. תֶּלַח.

תֶּלַח: *תלח: n.m.; ja., sy. תלח spalten *split*; Spalt? *fissure?* cf. פֶּרֶץ: 1 C 7, 25.†

*תְּלִי: תלה: sf. תֶּלְיְךָ: **Wehrgehäng** *quiver-belt* Gn 27, 3.†

I תלל*: תָּלוּל, תֵּל.

II תלל: تَلَّ tändeln, schäkern *act coquettishly*; تَلِيلَة Intrigantin *designing woman*; F התל: hif: pf. הֵתֵל, הֵתַלָּה, impf. יְהָתֶּל (BL 229), תְּהָתֵלּוּ, inf. הָתֵל: täuschen, hintergehen *mock, trifle with* (c. בְּ obj.): Gn 31, 7 Ex 8, 25 Jd 16, 10. 13. 15 Jr 9, 4 Hi 13, 9; Si 13, 7; †

hof: pf. הוּתַל: getäuscht werden *be deceived* Js 44, 20. †

Der. מַהֲתַלּוֹת.

תלם*: תֶּלֶם.

תֶּלֶם: mhb., ja. תַּלְמָא, cp. תלם; تَلَم, modernar. تِلِم; ፍልም: pl. cs. תַּלְמֵי, sf. תְּלָמֶיהָ: Ackerfurche *furrow*: Ho 10, 4 12, 12 Ps 65, 11 Hi 31, 38 39, 10 (Text?). †

תַּלְמַי: n. m.; nab. n. m. תלמי, תלמו, תלם: תַּלְמַי: 1. K. v. גְּשׁוּר 2 S 3, 3 13, 37 1 C 3, 2; 2. יְלִיד הָעֲנָק Nu 13, 22 Jos 15, 14 Jd 1, 10. †

תַּלְמִיד: למד; mhb.: Schüler *scholar* 1 C 25, 8. †

תְּלֻנּוֹת: לון: sf. תְּלֻנֹּתֵיכֶם, תְּלוּנֹּתָם: das Murren *murmuring* Ex 16, 7—9. 12 Nu 14, 27 17, 20, 25. †

I תלע*: מַחְלְעוֹת.

II תלע: den. v. תּוֹלָע:

pu: pt. מְתֻלָּעִים: in Scharlachstoffe gehüllt *wrapt in scarlet-dyed stuff* Na 2, 4. †

תַּלְפִּיּוֹת: לפא*, Honeyman JTS 50, 51 f: [in] Steinschichten [*in*] *courses of stones* Ct 4, 4. †

תְּלַשַּׂר: F תְּלַאשַּׂר.

תַּלְתַּל*: ak. *taltallū* Blütenstaub d. Dattelrispe *pollen of date-panicle* Zimm. 54, تَلْتَل schütteln *shake* (Löw 2, 337, AS 5, 268): pl. תַּלְתַּלִּים: Dattelrispe *date-panicle* Ct 5, 11. †

תָּם: תמם; ug. *tm*: pl. תַּמִּים, fem. sf. תַּמָּתִי: 1. ganz, recht, friedlich *complete, right, peaceful* Gn 25, 27 (1 G ἀβίαστος pro ἄβλαστος > ἄπλαστος) Ps 64, 5 Pr 29, 10 Hi 8, 20 9, 20—22 (:: רָשָׁע); תָּם וְיָשָׁר Hi 1, 1. 8 2, 3, cj לְתֹם Pr 1, 11, cj לְתֹם Pr 10, 29, cj וְתַם דֶּרֶךְ wer recht wandelt *walking the right way* Ps 50, 23, cj לָמוֹ תָּם gesund, wohlbehalten *sound, wholesome* Ps 73, 4; 2. תַּמָּתִי mein Alles? *my all?* Ct 5, 2 6, 9; 1 תֹּאמִים Ex 26, 24 36, 29; 1 תֹּם Ps 37, 37. † Der. n. m. יוֹתָם.

תֹּם: תמם: cs. תָּם־, sf. תֻּמּוֹ, pl. תֻּמִּים, sf. תֻּמֶּךָ: Vollkommenheit *completeness*: 1. בְּעֶצֶם־תֻּמּוֹ mitten in voller Kraft *in his full strength* Hi 21, 23; 2. תָּם־לֵבָב Arglosigkeit *guilelessness* Gn 20, 5 f, Lauterkeit *integrity* 1 K 9, 4 Ps 101, 2, = תֹּם לֵבָב Ps 78, 72; > תֹּם Ps 7, 9 25, 21 26, 1. 11 41, 13 Pr 19, 1, cj בְּתֻמּוֹ 14, 32, cj תֹּם Ps 37, 37; לְתֻמּוֹ לְתֻמָּם arglos *guilelessly* 2 S 15, 11; ahnungslos *unsuspecting* 1 K 22, 34 2 C 18, 33; הָלַךְ תֹּם lauter wandeln *walk in integrity* Pr 2, 7, הָלַךְ בַּתֹּם in Lauterkeit wandeln *walk in integrity* Pr 10, 9 28, 6, = הַתְהַלֵּךְ בְּתֻמּוֹ 20, 7; תָּם־דֶּרֶךְ Lauterkeit d. Wandels *integrity of way* 13, 6, = תֹּם דְּרָכִים Hi 4, 6; 1 תָּם Pr 10, 29; 1 כִּתְאוֹמִים Js 47, 9; F תֻּמִּים. †

תֵּמָא: F תֵּימָא.

תמה: mhb.; ja., sy. תְּמַהּ; *F* ba. תְּמַהּ: qal: pf. תָּמְהוּ, impf. וַיִּתְמְהוּ, יִתְמְהוּ, תִּתְמַהּ, imp. תְּמְהוּ: (vor Verwunderung) starr sein, **staunen** *be astounded* Js 29, 9 Ir 4, 9 Ha 1, 5 Ps 48, 6 Hi 26, 11; **anstaunen** *look in astonishment* Gn 43, 33 Js 13, 8; **erstaunen** *be amazed* Ko 5, 7 Si 11, 13;† hitp: imp. הִתְמַהְמְהוּ Js 29, 9, > הִתַּמְּהוּ Ha 1, 5: **sich gegenseitig anstarren** *look in astonishment at each other* (:: p. 499a!).† Der. תִּמָּהוֹן.

תֻּמָּה: תמם: cs. תֻּמַּת, sf. תֻּמָּתוֹ: **Lauterkeit** *integrity* Pr 11, 3 Hi 2, 3. 9 27, 5 31, 6.†

תִּמָּהוֹן: תמה: cs. תִּמְהוֹן: **Verwirrung** *bewilderment* Dt 28, 28 Sa 12, 4.†

תַּמּוּז: n. dei; bab. *Du'ūzu*, *Dūzu* < **Tamūzu*; nab. Monatsname *name of a month*; = 'Αδῶνις; Baudissin, Adonis-Esmun 1911, 94 ff; Moortgat, Tammuz 1949: der Gott **Tammuz** *god Tammuz*: Hs 8, 14.†

תְּמוֹל, תְּמֹל: ak. *timāli*, EA *tumāl*; ja. תְּמָלִי, ܬܡܠ; ሃኤሊ [illegible]; *F* אתמול: **gestern** *yesterday* 2 S 15, 20; תְּמוֹל שִׁלְשֹׁם gestern, vor 2 Tagen *yesterday, three days ago* = **früher** *heretofore* Ex 5, 8 Ru 2, 11; כִּתְ' שִׁ' **wie früher** *as heretofore* Gn 31, 2. 5 Ex 5, 7. 14 Jos 4, 18 1 S 21, 6 2 K 13, 5; מִתְּ' שִׁ' **schon (seit) früher** *already in times past* Ex 21, 29. 36 Dt 4, 42 19, 4. 6 Jos 3, 4 20, 5; תְּ' :: הַיּוֹם gestern :: heute *yesterday :: to-day* Ex 5, 14 1 S 20, 27 2 S 15, 20; לֹא גַם מִתְּ' גַּם מִשְּׁ' weder gestern noch vorher *neither heretofore nor since* Ex 4, 10; גַּם תְּ' גַּם שִׁ' sowohl gestern als vordem *as yesterday as in times past* 1 C 11, 2.†

תְּמוּנָה: מין: cs. תְּמוּנַת: **Gestalt** *form* Nu 12, 8 Dt 4, 12. 15 Ps 17, 15 Hi 4, 16; **künstliche Gestalt, Abbild** *representation* Ex 20, 4 Dt 4, 16. 23. 25 5, 8.†

תְּמוּרָה: מור: sf. תְּמוּרָתוֹ: was man gegen e. Sache vertauscht, **Eintausch** *thing acquired by exchange, exchange* Lv 27, 10. 33 Hi 15, 31 20, 18 28, 17; **Tauschgeschäft** *exchanging* Ru 4, 7.†

תְּמוּתָה: מות: **Sterben** *death*; בְּנֵי תְ' dem Sterben Verfallene *people appointed to death* Ps 79, 11 102, 21 (G auch *also* 34, 22).†

***תֶּמַח**: n. m.; ? מחה ? מחח: תֶּמַח Esr 2, 53 Ne 7, 55.†

תָּמִיד (103 ×): I *מוד, مَادَ, zunehmen *increase* Driver ZAW 52, 55 (cf. mhb. תָּדִיר **beständig** *lasting* v. דּוּר): adverb. **beständig, unablässig** *continually* Ex 25, 30 Lv 24, 3 Dt 11, 12 1 K 10, 8 (62 ×); עוֹלַת תָּמִיד 1 Hs 46, 14; אַנְשֵׁי תָמִיד dauernd beauftragte Männer *men continually employed* Hs 39, 14; אֵשׁ תְּ' dauernd unterhaltenes Feuer *fire continually burning* Lv 6, 6; מַעֲרֶכֶת תְּ' *F* 2 C 2, 3; אֲרֻחַת תְּ' beständige Verpflegung *permanent sustenance* 2 K 25, 30 Ir 52, 34, נֵר תְּ' immer brennende Leuchte *continually burning light* Ex 27, 20 Lv 24, 2; תְּ' mit vorangehender Opferbezeichnung *with preceding name of sacrifice*: **regelmässig** *regular*, c. עֹלַת Ex 29, 42 Nu 28, 6 Hs 46, 15. cj 15 Esr 3, 5, c. קְטֹרֶת Ex 30, 8, c. מנחת Nu 4, 16 Ne 10, 34; עֹלַת הַתָּמִיד Nu 28, 10—29, 38 (15 ×) Ne 10, 34; לֶחֶם הַתְּ' Nu 4, 7; הַתָּמִיד d. regelmässige Opfer *the regular sacrifice* Da 8, 11—13 11, 31 12, 11; Nu 28, 3 1 עֹלַת (MSS); מִנְחָה תָמִיד ? Lv 6, 13; Ob 16 1 חֶמֶר ?

תָּמִים: תמם: cs. תְּמִים, pl. תְּמִימִים, cs. תְּמִימֵי, fem. תְּמִימָה, pl. תְּמִימֹת: **1. vollständig** *complete*: יוֹם Jos 10, 13, שַׁבָּת Lv

23,15, שָׁנָה 25,30, אֵלָיָה 3,9; 2. unversehrt *intact*: עֵץ Hs 15,5, 2 S 22,33 Ps 18,33; 3. einwandfrei *incontestable, free from objection*: פֹּעַל Dt 32,4, דֶּרֶךְ 2 S 22,31 Ps 18,31 101,2.6, Opfertiere *victims* Ex 12,5 29,1 Lv 1,3. 10—23,12. 18 (18 ×) Nu 6,14 19,2 28,3—29,36 (15 ×) Hs 43,22 f 45,18. 23 46,4. 6. 13; ת׳ עִם einwandfrei gegenüber *incontestable with* Dt 18,13 Ps 18,24; בְּתָמִים auf einwandfreie Weise *in a way free from objection* Jos 24,14 Jd 9,16. 19 Ps 84,12; 4. untadelig *blameless* Gn 6,9 17,1 2 S 22,24. 26 Hs 28,15 Ps 18,26 19,8 37,18 119,80 Pr 1,12 2,21 11,5 28,18 Hi 12,4; תְּמִימֵי דֶרֶךְ Ps 119,1 Pr 11,20; 5. c. דֹּבֵר Am 5,10 u. הֹלֵךְ Ps 15,2 Pr 28,18 aufrichtig *honestly*; תְּמִים דֵּעוֹת Hi 36,4 u. תְּמִים דֵּעִים 37,16 vollkommenes Wissen *perfect knowledge*; l תֻּמִּים 1 S 14,41.†

תֻּמִּים: pl. v. תֹּם: Begleitwort v. *always along with* אוּרִים ausser *save* cj 1 S 14,41: (schuldlos? *blameless?* Hempel, Althebr. Lit. 69) Ex 28,30 Lv 8,8 Dt 33,8 Esr 2,63 Ne 7,65; cj 1 S 14,41.†

תמך: ak. *tamāḫu* (*tamāku* v. Soden Gr. § 25 d); ja. pa. festhalten *hold fast*; ph. stützen *support*: qal: pf. תָּמְכָה, תָּמַכְתָּ, sf. תְּמַכְתִּיךָ, impf. וַיִּתְמֹךְ, אֶתְמָךְ־, יִתְמְכוּ, inf. תָּמֹךְ, תְּמוֹךְ, pt. תּוֹמֵךְ; pro תּוֹמִיךְ l תּוֹמֵךְ Ps 16,5, pl. sf. תֹּמְכֶיהָ: 1. ergreifen *grasp, lay hold of*: Gn 48,17 Js 41,10 Pr 3,18 4,4 5,5 11,16 29,23 Hi 36,17; Si 4,13; 2. halten *hold fast* Am 1,5. 8 ת׳ שֵׁבֶט ak. (*amēlu*) *ḫaṭri*; σκηπτοῦχος, Ps 16,5 17,5 Pr 31,19; Si 38,25; 3. c. בְּ anfassen *grasp* Js 33,15, halten *hold fast* Ex 17,12 Js 42,1 Ps 41,13 63,9 Pr 28,17;†
nif: impf. יִתָּמֵךְ: festgehalten werden *be seized* Pr 5,22.†

תמם: mhb.; ph. תם beschliessen *be resolved*; ja. תְּמִימָא, sy. תַּמִּימָא vollständig, aufrichtig *complete, honest*; تَمَّ vollständig sein *be complete*: qal: pf. תַּם, תַּמּוּ, תָּמּוּ, תַּמְנוּ, תָּמְנוּ, Th 3,22 l תַּמּוּ, impf. יִתֹּם, תִּתֹּם, וַתִּתֹּם, אִיתָּם, יִתַּמּוּ, וַיִּתַּמּוּ, Ps 19,14 l (Var.) אֵתָּם, יִתָּמּוּ Var. יִתַּמּוּ Ps 102,28, inf. תֹּם, תֹּם־, תָּם־, sf. תֻּמּוֹ: 1. vollständig sein *be complete* Dt 31,24. 30; תַּמּוּ נִכְרָתוּ waren vollständig abgeschnitten *were wholly cut off* Jos 3,16; תַּם לַעֲבוֹר vollständig hinübergehen *all pass over* Jos 3,17 4,1. 11 2 S 15,24; עַד־תֹּם 1 K 6,22 Ir 36,23 u. עַד־תֻּמּוֹ 1 K 14,10 vollständig *completely*; in תַּמּוּ לִגְוֹעַ Nu 17,28 u. תַּמּוּ לָמוּת Dt 2,16 u. תַּמּוּ לְהִמּוֹל Jos 5,8 תמם = alle *all* (sie verscheiden alle *they die all* etc.); הֲתַמּוּ sind es alle? *are they all?* 1 S 16,11; 2. fertig, zu Ende sein *be finished, completed*: שָׁנָה Gn 47,18 Lv 25,29 Ir 1,3 Ps 102,28, יָמִים Dt 34,8, דִּבְרֵי Hi 31,40, F Nu 32,13 Dt 2,14 Jos 4,10 1 K 7,22 Js 18,5 Th 4,22; 3. verbraucht, erschöpft, vergangen, alle sein *be consumed, exhausted, spent* Gn 47,15 Lv 26,20 Nu 14,33. 35 Ir 44,12 (//מות) Jos 5,6 Js 16,4 Ir 44,12 Ps 73,19 Ir 37,21 44,18 Hs 24,11 47,12 Ps 9,7 Th 3,22; Si 40,14; übrig bleiben *remain over* Ir 6,29 (l מֵאֵשׁ תַּם), umkommen *perish* Ir 14,15 44,27; cj הֲתַמּוּ ist es aus mit ihnen? *is it all over with them?* 2 S 20,18; עַד־תֻּמָּם bis zu ihrer Vernichtung *until they were consumed* Dt 2,15 Jos 8,24 10,20 Ir 24,10 Si 49,4; c. מִן verschwinden von *be consumed out of* Ps 104,35; 4. unsträflich sein *be without blame* Ps 19,14; l תַּעֲלוּמֹתֵנוּ Ps 64,7;†
hif: pf. הֲתִמֹּתִי, impf. תַּתֵּם, inf. הָתֵם, sf. הֲתִמְּךָ: 1. fertig machen *terminate, boil well* (בָּשָׂר) Hs 24,10; 2. (e. Mass) vollmachen, vollenden *complete* (*measure*) Js 33,1 Da 8,23; cj 9,24 לְהָתֵם חַטָּאת;

3. c. מִן fortschaffen von *destroy from* Hs 22, 15; cj הַתְמֵם (imp. sf. pro מִמְתִים?) Ps 17, 14; 4. **unsträflich machen** *cause to be blameless* (דַּרְכְּךָ) Hi 22, 3; 5. ויתם לבו אל übergab s. Herz ganz *gave h. whole heart to* Si 49, 3; l הַתְמוּ 2 S 20, 18; l וַיַּתֵּךְ 2 K 22, 4; †

hitp: impf. תִּתַּמָּם: **sich als** תָּמִים **erweisen** *deal as* תָּמִים 2 S 22, 26 Ps 18, 26. †

Der. תֹּם, תָּם, תֻּמָּה, תָּמִים, תְּמִים, מְתֹם; n. m. יוֹתָם.

תֵּמָן: F תֵּימָן.

תִּמְנָה: n.l.; מנה?: cs. תִּמְנַת, loc. תִּמְנָתָה: 1. *Ch. Tibne* in *W. eṣ-Ṣarār* Jos 15, 10 19, 43 Jd 14, 1—5 2 C 28, 18; 2. bei *near* מָעוֹן Jos 15, 57 Gn 38, 12—14; 3. תִּמְנַת־סֶרַח in אֶפְרַיִם Jos 19, 50, = תִּמְנַת־חֶרֶס Jd 2, 9; F תִּמְנִי. †

תֵּמָנִי: F תֵּימָנִי.

תִּמְנִי: gntl. v. תִּמְנָה: Jd 15, 6. †

תִּמְנָע, תִּמְנַע: n. fem., n. tribus; ZAW 44, 85; מנע? Albr. BAS 119, 8[8]: 1. פִּילֶגֶשׁ v. אֱלִיפַז Gn 36, 12. 22 1 C 1, 39; 2. Stamm von *tribe of* אֱדוֹם Gn 36, 40 1 C 1, 36. 51. †

תֶּמֶס: מסס: **Zerfliessen** (v. Schleim der Schnecke) *melting away* (*of snail's slime*) Ps 58, 9. †

***תמר**: I, II תָּמָר, II תֹּמֶר, *תִּימָרָה.

I תָּמָר: F II תֹּמֶר; mhb.; ja. תַּמְרָא, [Syriac]; [Arabic]; [Ethiopic]; asa. תמר u. תֹמר; ph. תמר Dattelzüchter oder D.-händler *palmgrower or date-merchant*: pl. תְּמָרִים: **Dattelpalme** *date-palm Phoenix dactylifera* (Theob. Fischer, Die Dattelpalme, 1881): Ex 15, 27 Nu 33, 9 Lv 23, 40 Jl 1, 12 Ps 92, 13 Ct 7, 8 f Ne 8, 15. †

Der. II, III תָּמָר, I תֹּמֶר, תִּמֹרָה, אִיתָמָר.

II תָּמָר: n. fem.; I, F Ct 7, 8: **Thamar** *Tāmar*: 1. Schwiegertochter v. *daughter-in-law of* יְהוּדָה Gn 38, 6—24 Ru 4, 12 1 C 2, 4; 2. Tochter v. *daughter of* דָּוִד 2 S 13, 1—32 1 C 3, 9; 3. Tochter v. *daughter of* אַבְשָׁלוֹם 2 S 14, 27. †

III תָּמָר: n. l.; = I: loc. תָּמָרָה cj Hs 47, 18: an d. S-Grenze v. *at S-boundary of* יְהוּדָה; = *Qaṣr eğ-Ğeheinīje* (Simons OTS 5, 104)?: 1 K 9, 18 K (Q תַּדְמֹר) Hs 47, 19. cj 18 48, 28; F תָּמָר בַּעַל u. I אֵלוֹן u. עִיר הַתְּמָרִים. †

I תֹּמֶר: n. l.; = I תָּמָר: Jd 4, 5 (Dalm. JBL 48, 354 ff bei d. Quelle v. *near the well of el-Bīre*). †

II תֹּמֶר: (*תמר zu *to* ak. *amāru* sehen *see*; Barth ZA 3, 60; II אמר Haupt ZDM 63, 518); davon auch *same root in* תָּמָר, תֹּמֶר, תִּימָרָה: **Vogelscheuche** *scare-crow* (προβασκάνιον Ep. Ier. 69) Ir 10, 5. †

תִּמֹרָה: I תָּמָר; deminut. VG 1, 351: pl. תִּמֹרִים, sf. תִּמֹרָו l תִּימֹרָיו Hs 40, 22, u. תִּמֹרוֹת, תִּמֹרֹת: **Palmenornament** *palm-figure, palm-ornament* 1 K 6, 29. 32. 35 7, 36 Hs 40, 16—41, 26 (13 ×) 2 C 3, 5. †

תַּמְרוּק: מרק: pl. cs. תַּמְרוּקֵי, sf. תַּמְרוּקֵיהֶן: Knetung *kneading*, **Massage** (zur Schönheitspflege) (*cosmetic*) *massage* Pr 20, 30 (K תַּמְרִיק) Est 2, 3. 9. 12. †

I תַּמְרוּרִים: מרר: **Bitterkeit** *bitterness* Ir 6, 26 31, 15; ? Ho 12, 15. †

II תַּמְרוּרִים: τιμωρίαν < τιμωρειν führt auf *leads to* תְּמָרִים, pl. v. תִּימָרָה: **Wegzeichen** *guide-post, sign-post* Ir 31, 21. †

*תַּן: תנן: pl. תַּנִּים, תַּנִּים 1 pro תַּנִּין Th 4, 3, 1 נָוֹת Ma 1, 3: **Schakal** *jackal Canis aureus* (Bodenheimer 110 f) Js 13, 22 34, 13 35, 7 43, 20 Ir 9, 10 10, 22 14, 6 49. 33 51, 37 Mi 1, 8 Ps 44, 20 Hi 30, 29 Th 4, 3 (Weibchen *female*); 1 הַתַּנִּין Hs 29, 3 u. כַּתַּנִּין 32, 2 (F תַּנִּין). †

תנה: verwandt mit *related to* שׁנה?:
qal: impf. יִתְנוּ Ho 8, 10 1 יִתְּנוּם? imp. [אֲשֶׁר]תְּנָה Ps 8, 2 1 אַדִּרְתְּכָה?; †
hif: pf. הִתְנוּ Ho 8, 9 1 נִתְּנוּ?; †
pi: impf. יְתַנּוּ, inf. תַּנּוֹת: (nach Zusammenhang *according to context*) **besingen** *recount* Jd 5, 11, c. לְ für *for* Jd 11, 40, cj תַּנּוֹת pro עַנּוֹת Ex 32, 18 (Morgenstern HUC 19, 492).†

*תְּנוּאָה: נוא: sf. תְּנוּאָתִי, pl. תְּנוּאוֹת: **Widerstand, Befremden** *opposition, amazement* Nu 14, 34, pl. **Anlässe zu Widerstand, Befremden** *causes for opposition, amazement* Hi 33, 10. †

תְּנוּבָה: נוב: cs. תְּנוּבַת, sf. תְּנוּבָתִי, pl. תְּנוּבוֹת: **Ertrag** *produce,* v. *of* שָׂדֶה Dt 32, 13 Hs 36, 30 Th 4, 9, אֶרֶץ Js 27, 6, זַיִת Jd 9, 11; דברה Si 11, 3. †

תְּנוּךְ: λόβος: c. אֹזֶן: **Ohrläppchen** *lobe of ear*: Ex 29, 20 Lv 8, 23 f 14, 14. 17. 25. 28. †

תְּנוּמָה: נום: pl. תְּנוּמוֹת: **Schlummer** *slumber* Ps 132, 4, Pr 6, 4, pl. Pr 6, 10 24, 33 Hi 33, 15. †

תְּנוּפָה: I נוף, ug. *np*: cs. תְּנוּפַת, pl. תְּנוּפֹת; Vincent Mél. Syr. 267 ff: 1. (durch Schwingen, Hin- und her-bewegen auf d. Händen vor d. Gottheit, vor d. Altar bewirkte) **Weihung** (*by swinging, brandishing upon the hands before God or the altar effected*) *consecration*: תְּנוּפַת יַד־י' Weihung durch J.s Schwingen der Hände *consecration by Y.s brandishing his hands* Js 19, 16; c. cj מְחֹלֹת ת' **Weihereigen** *processions of consecration* Js 30, 32; 2. **Weihgabe** *wave-offering* (*of things consecrated* F 1) Ex 29, 24. 26 Lv 7, 30 8, 27. 29 9, 21 10, 15 14, 12. 21. 24 23, 20 Nu 6, 20 8, 11. 13. 15. 21; תְּנוּפַת בְּנֵי יִשְׂרָאֵל Nu 18, 11, לֶחֶם תְּנוּפָה **geweihtes Brot** *consecrated bread* Lv 23, 17, חֲזֵה ת' Ex 29, 27 Lv 7, 34 10, 14 f Nu 6, 20 18, 18, זְהַב ת' Ex 38, 24, נְחֹשֶׁת ת' Ex 38, 29, עֹמֶר ת' Lv 23, 15; תְּנוּפַת זָהָב in Gold bestehende Weihg. *wave-offering of gold* Ex 35, 22; ת' ... לפני גלול Si 30, 18. †

תַּנּוּר: ak. *tinūru* Zimm. 32; aram. תַּנּוּרָא, > تَنُّور; ⲧⲣⲓⲡ קוּפ Albr. Voc. 18: F 50: pl. תַּנּוּרִים, sf. תַּנּוּרֵיךְ: **Backofen** *stove, fire-pot* (BRL 77 f) Gn 15, 17 (עָשָׁן) Ex 7, 28 Lv 2, 4 7, 9 11, 35 26, 26 Js 31, 9 Ho 7, 4. 6 f Ma 3, 19 Ps 21, 10 (אֵשׁ) Th 5, 10; Si 48, 1; מִגְדַּל הַתַּנּוּרִים F 1 מִגְדָּל. †

תַּנְחוּמוֹת: נחם: sf. תַּנְחוּמוֹתֵיכֶם: **Trost** *consolation* Hi 15, 11 21, 2. †

תַּנְחוּמִים: נחם: sf. תַּנְחוּמֶיהָ: **Trost** *consolation* Js 66, 11 Ir 16, 7, cj 31, 9, Ps 94, 19. †

תַּנְחֻמֶת: n. m., auch *also* Lkš, BAS 28, 24: נחם; Trost *consolation*: 2 K 25, 23 Ir 40, 8. †

תַּנִּים: F תַּן u. תַּנִּין.

תַּנִּין, תַּנִּים Hs 29, 3 32, 2: תנן: ug. *Ann*; mhb.; äga. תנין, ja. תַּנִּינָא, sy. תַּנִּינָא; تِنِّين; ⲧⲁⲛⲓⲛ: pl. תַּנִּינִם, 1. **Seeungeheuer** *sea-monster* Gn 1, 21 Ps 148, 7, **Seedrache** *dragon* Js 27, 1 51, 9 Ir 51, 34 Hs 29, 3 32, 2 Ps 74, 13 Hi 7, 12; 2. **Schlange** *serpent* Ex 7, 9. 12 Dt 32, 33 Ps 91, 13; F n. l. עֵין הַתַּנִּין F. †

תנן*: F תַּן* u. תַּנִּין.

I תִּנְשֶׁמֶת*: נשם; (cf. فَحَّاخ „Schnauber *snorter*" = Chamäleon); תִּנְשֶׁמֶת: **Chamäleon** *chameleon Chamaeleo chamaeleo* (Bodenheimer 196): Lv 11, 30. †

II תִּנְשֶׁמֶת: נשם: תִּנְשֶׁמֶת: **Weisse Eule** *White owl Tyto alba* (v. Fauchen benannt *named by its snorting*; Bodenheimer 166) Lv 11, 18 Dt 14, 16. †

תעב: F תּוֹעֵבָה u. II תאב:

nif: pf. נִתְעַב, pt. נִתְעָב: **verabscheut werden** *be abhorred*: Js 14, 19 1 C 21, 6 (אֶת bei *with*) Hi 15, 16 (d. Mensch bei Gott *man with God*); †

pi: pf. sf. תִּעֲבוּנִי, impf. יְתָעֵב, יְתַעֲבוּ, תְּתָעֵב (!תִּ), וָאֲתַעֲבָה, וַתְּתַעֲבִי, sf. תְּתַעֲבֵנוּ, inf. תַּעֵב, pt. מְתַעֲבִים: **verabscheuen, als** תּוֹעֵבָה **behandeln** *abhor, treat as* תּוֹעֵבָה: Dt 23, 8 7, 26 Am 5, 10 Hi 9, 31 19, 19 30, 10; Ps 107, 18, Ps 119, 163 (//שָׂנֵא), Mi 3, 9; subj. י׳: Ps 5, 7 106, 40, cj Am 6, 8 (l מְתָעֵב); **schänden, zum Abscheu machen** *cause to be an abomination* Hs 16, 25; l לִמְתֹעָב Js 49, 7; †

cj pu: pt. cs. מְתֹעָב: **verabscheut** *abhorred* cj Js 49, 7; †

hif: pf. הִתְעִיבוּ, הִתְעַבְתְּ, impf. וַיַּתְעֵב: **abscheulich handeln** *act abominably* 1 K 21, 26 Hs 16, 52 Ps 14, 1 53, 2. †

תעה: mhb.; ja. תְּעָא; NF v. טעה:

qal: pf. תָּעָה, תָּעִיתִי, תָּעוּ, תָּעֽוּ Js 16, 8 (BL 427), impf. יִתְעוּ, תֵּתַע, inf. תְּעוֹת, pt. תֹּעֶה, pl. cs. תֹּעֵי: **umherirren** *err about* Gn 21, 14 37, 15, cj Nu 14, 33, Js 16, 8 35, 8 53, 6 Hs 48, 11 Ps 58, 4 107, 4 119, 176 Pr 7, 25 14, 22 Hi 38, 41; **sich verlaufen** *lose one's way* Ex 23, 4; **taumeln** *stagger* Js 28, 7 47, 15; c. אַחֲרֵי Hs 44, 10, c. מִן Ps 119, 110 Pr 21, 16, c. מֵאַחֲרֵי Hs 14, 11, c. מֵעַל 44, 10. 15; c. לֵבָב **verwirrt sein** *be entangled, confused* Js 21, 4 Ps 95, 10, תֹּעֵי רוּחַ **Leute mit verwirrtem Geist** *people troubled in their mind* Js 29, 24; †

nif: pf. נִתְעָה; l pt. נִתְעֶה Hi 15, 31; cj pf. נִתְעוּ Sa 10, 2; inf. הִתָּעוֹת: 1. **ins Taumeln geraten** *be made to stagger* Js 19, 14; 2. **irregeführt werden** *be led astray* Hi 15, 31, cj 12, 25 (l וַיִּתָּעוּ), cj Sa 10, 2;

hif: pf. הִתְעָה, הִתְעוּ, הִתְעָה, הִתְעֵיתֶם, l sic pro הִתְעֵתִים K Ir 42, 20, sf. הִתְעוּם, impf. וַיַּתַע, וַיַּתְעוּ, sf. וַיַּתְעוּם, תַּתְעֵנוּ, pt. מַתְעֶה, מַתְעִים: 1. **irreführen** *cause to err about* Js 3, 12 9, 15 Ir 23, 13. 32 Ho 4, 12 (l הִתְעָהוּ) Am 2, 4. Pr 10, 17 12, 26 Mi 3, 5 2 C 33, 9; Si 3, 24; c. מִן **abirren lassen von** *make to err from* (subj. יהוה) Js 63, 17; subj. Gott *God*: **in Irre führen** *cause to err* Ps 107, 40 Hi 12, 24, **umherirren lassen** *cause to err about* Gn 20, 13; c. לְ c. inf. **verleiten, zu...** *seduce to...*: 2 K 21, 9; 2. (Herde) **umherirren lassen** *cause (herd) to go astray* Ir 50, 6; 3. **zum Taumeln bringen** *cause to stagger* Js 19, 13 f; 4. הִתְעָה בְנַפְשׁוֹ **betrügt sich selbst** *deceives himself* Ir 42, 20; l וַיִּתָּעוּ Hi 12, 25; l מְתַגֵּה Js 30, 28 (Gressmann, Messias 111[1]). †

Der. תּוֹעָה.

תֹּעִי, תֹּעוּ: n. m.; keilschr., *Tuḫi*, *Tūi* APN 233; EA *Tāgi*, *Taku*; churr. n. m. Feiler ZA 45, 216. 222: K. v. חמת; תֹּעוּ 1 C 18, 9 f, תֹּעִי 2 S 8, 9 f. †

תְּעוּדָה: עוד: **Bezeugung** *attestation*: durch Gestus *by gesture* Ru 4, 7, durch Worte *by words* Js 8, 16. 20. †

cj **תְּעוּפָה***: II עוף; NF v. עיף: **Dunkel** *darkness* cj Hi 11, 17. †

I **תְּעָלָה**: עלה?; pu. תעל(י)ת (?); تَلْعَة; VG 1, 275: 1. **Wassergraben** *water-course* 1 K 18, 32. 35. 38 Hi 38, 25; 2. **Wasserleitung** *conduit* 2 K 18, 17 20, 20 Js 7, 3 36, 2; 3. Kanal *channel* Hs 31, 4; BL 497.†

II **תְּעָלָה**: עלה: **Überzug** (die bei Heilung einer Wunde sich bildende neue Fleischschicht) *healing* (*over new flesh a. skin forming over wound*) Ir 30, 13.†

תַּעֲלוּלִים: I עלל: sf. תַּעֲלוּלֵיהֶם; pl. tant.: 1. **Willkür** *arbitrary power* Js 3, 4; 2. **Misshandlung** *ill-treatment* Js 66, 4.†

***תַּעֲלֻם**: sf. תַּעֲלֻמָהּ: 1 תַּעֲלֻמָה Hi 28, 11.†

תַּעֲלֻמָה: I עלם: pl. תַּעֲלֻמוֹת, sf. cj תַּעֲלוּמֵנוּ: **Verborgenes, Geheimnis** *hidden thing, secret* Ps 44, 22 Hi 11, 6 28, 11 (1 תַּעֲלֻמָה), cj Ps 64, 7.†

תַּעֲנוּג: ענג: pl. תַּעֲנוּגִים, sf. תַּעֲנוּגֶיךָ, ־גֶיהָ, u. תַּעֲנוּגוֹת: **Behagen, Genuss** *comfort, delight, luxury* Mi 2, 9 Pr 19, 10; Si 6, 28 11, 27 14, 16 37, 29 41, 1; pl. **Genüsse** *pleasures* Ko 2, 8, **Verwöhnung** *daintiness* Mi 1, 16 Ct 7, 7 (1 בַּת תַּ׳).†

תַּעֲנִית: II ענה: **Kasteiung, Bussübung** *humiliation, penitential exercise* (*fasting*) Esr 9, 5.†

תַּעֲנַךְ, תַּעְנָךְ: n. l.; EA *Ta-aḫ-nu-ka*, äg. *T(a)-ʿa-na-ka* Albr. Voc. 63; Böhmer ZAW 47, 79 v. عَنَك „Sperre *barring*": *T. Taʿannek* (BRL 519f): Jos 12, 21 17, 11 21, 25 Jd 1, 27 5, 19 1 K 4, 12 1 C 7, 29, cj 6, 55.†

תעע: تَعْتَعَ stammeln *stammer*:
pilp: pt. מְתַעְתֵּעַ: **sich lustig machen** *mock* Gn 27, 12;†
hitpal: pt. מִתַּעְתְּעִים: c. בְּ, s. **Spott treiben mit** *mock at* 2 C 36, 16.†
Der. תַּעְתֻּעִים.

תַּעֲצֻמוֹת: I עצם: **Kräftigkeit** *might* Ps 68, 36.†

תַּעַר: I ערה: sf. תַּעְרָהּ, תַּעַרְךָ, fem. Js 7, 20: 1. **Messer** *knife, razor* Ps 52, 4, (zum Scheren *of shaving*) Nu 6, 5 8, 7 Js 7, 20 Hs 5, 1, (des Schreibers *of scribe*) Ir 36, 23; 2. **Scheide** (d. Schwerts) cf. ug. *tʿrt*: *sheath* (*of sword*) 1 S 17, 51 2 S 20, 8 Ir 47, 6 Hs 21, 8—10. 35.†

תַּעֲרֻבוֹת: I ערב; pl. tant.: **Bürgschaft** *pledge*, בְּנֵי הַתּ׳ **Geiseln** *hostages* 2 K 14, 14 2 C 25, 24.†

תַּעְתֻּעִים: תעע: **Gespött** *mockery* Ir 10, 15 51, 18.†

תֹּף: תפף; ja. תֻּפָּא; دُفّ (Schallwort *sound-imitating*): pl. תֻּפִּים, sf. תֻּפֶּיךָ: **Handtrommel** (Rahmentrommel) **timbrel, tambourine** (BRL 392f): v. Frauen gebraucht *used by women* Ex 15, 20 Jd 11, 34 1 S 18, 6 Ir 31, 4, v. Männern gebraucht *used by men* 2 S 6, 5 Ps 81, 3 149, 3 150, 4 1 C 13, 8; F Gn 31, 27 1 S 10, 5 Js 5, 12 24, 8 30, 32 Hi 21, 12 ? Hs 28, 13.†

תִּפְאֶרֶת: II פאר: תִּפְאָרֶת, sf. תִּפְאַרְתּוֹ, תִּפְאַרְתְּכֶם: 1. **Schmuck, Zier** *beauty, ornament* Ex 28, 2. 40 Dt 26, 19 Js 4, 2 2 C 3, 6, v. יִשְׂרָאֵל Js 46, 13 Ps 71, 8 78, 61 (die Lade *the ark*); 2. **Pracht** *glory* Js 3, 18 28, 1. 4f Sa 12, 7 Ps 96, 6 Est 1, 4 Js 63, 15 64, 10 Ir 13, 20 48, 17 Hs 16, 17. 39 23, 26 24, 25, בִּגְדֵי תִפְ׳ Js 52, 1, עֲטֶרֶת תִּפְ׳ Js 62, 3, Ir 13, 18 Hs 16, 12 23, 42 Pr 4, 9 16, 31 Si 6, 31; mein Prachtshaus (Tempel) *my beautiful house* (*temple*) Js 60, 7; s. glorreicher Arm *his glorious arm* Js 63, 12, F 14; Prachtsstück von e. Menschen *glorious piece of a man*

44, 13; 3. **Auszeichnung** *distinction* Jd 4, 9 Ir 13, 11 33, 9 Pr 17, 6 19, 11 20, 29 28, 12 1 C 22, 5 29, 13; Si 9, 16; יהוה ist *is* Israels Auszeichnung *Israel's distinction* Ps 89, 18; 4. **Stolz** *pride* Js 10, 12 13, 19 20, 5.†

I **תַּפּוּחַ**: נפח; > تُفَّاح; ϫ(ε)ⲙⲡⲉϩ: pl. תַּפּוּחִים, cs. תַּפּוּחֵי: 1. (duftender *scenting*) **Apfel** *apple* Ct 2, 3. 5 7, 9, תַּפּוּחֵי זָהָב Pr 25, 11; 2. **Apfelbaum** *apple-tree* Ct 8, 5 Jl 1, 12; *F* II, III u. n. l. בֵּית תַּפּוּחַ.†

II **תַּפּוּחַ**, תַּפֻּחַ: n. m.; = I: 1 C 2, 43.†

III **תַּפּוּחַ**: n. l.; = I: < בֵּית תַּפּוּחַ; Τεφω(ν) 1 Mk 9, 50: 1. w. Hebron Jos 15, 34; 2. *Šeḫ Abu Zarad* 52 km n. Jerusalem RB 45, 103 ff (BAS 49, 26 : : Elliger ZDP 53, 294 ff und Alt PJ 27, 45 f): Jos 12, 17 16, 8 17, 8, = עֵין תַּ׳ 17, 7; cj 2 K 15, 16.†

***תְּפוּצָה**: פוץ: pl. sf. תְּפוּצוֹתֵיכֶם: **Zerstreuung** *dispersion*: Ir 25, 34 (Text?), cj Ze 3, 10.†

תֻּפִינִים: cs. תֻּפִינֵי: l תְּפַתֶּנָּה (פתת): Lv 6, 14.†

I ***תפל**: *F* I תָּפֵל.

II **תפל**: mhb., ja. albern reden *say silly things*; تَفَلَ speien *spit*, تُفْل Speichel *spittle*: qal: pf. תָּפַלְתִּי: **albern, unsinnig reden** *say silly things* cj Ps 141, 5 (l כְּרָעוֹתֵיהֶם); hitp: impf. תִּתַּפָּל: **sich albern zeigen** *behave silly* 2 S 22, 27 (l תִּתְפַּתָּל?); *F* n. m. אֲחִיתֹפֶל.† Der. II תָּפֵל, תִּפְלָה.

I **תָּפֵל**: I *תפל, *F* טפל (trotz *despite* ט Einfluss von *influenced by* II תָּפֵל?): **Lehmstrich, Tünche** *whitewash* Hs 13, 10 f. 14 f 22, 28.†

II **תָּפֵל**: II תפל: **Fades, Gehaltloses** *tasteless, unsatisfying things, sayings* Th 2, 14 Hi 6, 6.†

תֹּפֶל: n. l.; in d. Wüste *in the desert* (*Ṭafīla* in *Ğebāl*?) Dt 1, 1.†

תִּפְלָה: fem. v. II תָּפֵל: **Fades, Anstössiges** *unseemliness* Ir 23, 13, cj Ps 109, 4 (l וְאֵין תְּפִלָּה), נָתַן תִּ׳ לְ Haltloses äussern gegen *ascribe unseemliness to* Hi 1, 22; l תְּפִלָּה Hi 24, 12.†

תְּפִלָּה (77 ×; nicht *not in* Gn—1 S Ob Mi Na Ze—Sa Esr 1 C): פלל: cs. תְּפִלַּת, sf. תְּפִלָּתִי, pl. תְּפִלּוֹת: **Gebet** *prayer*: הִתְפַּלֵּל תְּ׳ c. אֶל 2 S 7, 27, c. לִפְנֵי 1 K 8, 28; נָשָׂא תְּ׳ בְּעַד 2 K 19, 4 Js 37, 4; דִּבֵּר בַּתְּ׳ Da 9, 21; שָׁמַע אֶל־תְּ׳ 1 K 8, 29, שָׁמַע תְּ׳ Ps 4, 2, לָקַח תְּ׳ Ps 6, 10; הֶאֱזִין תְּ׳ Ps 17, 1; בֵּית תְּפִלָּה Bethaus *house of prayer* Js 56, 7; רִנָּה ות׳ Ir 7, 16 11, 14; תְּ׳//תְּחִנָּה 1 K 8, 54; תְּ׳ וְתַחֲנוּנִים Da 9, 3; תְּפִלָּה לְמֹשֶׁה Ps 90, 1, תְּ׳ לְחֲבַקּוּק Ha 3, 1, תְּ׳ לְדָוִד Ps 17, 1 86, 1, תְּפִלּוֹת דָּוִד Ps 72, 20 (תְּ׳ Gebet > Psalm *prayer* > *psalm*): l בִּפְלִיטַת Ps 80, 5; l תְּחִנָּתָם 102, 18, l וְאֵין תְּפִלָּה 109, 4.

***תִּפְלֶצֶת**: פלץ: sf. תִּפְלַצְתְּךָ: d. Grauen von dir (?) *the horror caused by thee* (?) Ir 49, 16.†

תִּפְסַח: n. l.; פסח, „Furt *ford*"; Xenoph. Anab. 1, 4, 11 Θάψακος; *Thapsacus* an d. Mündung d. Belich in d. Euphrat *at the confluence of Belichus a. Euphrates* (Sarre u. Herzfeld, Archäol. Reise I, c. 3): 1 K 5, 4; l תַּפּוּחַ 2 K 15, 16.†

תפף: denom. v. תֹּף; ph. pt. pi. Harris 156: qal: cj impf. וַיָּתֹף, pt. תּוֹפְפוֹת: **trommeln** *beat (the timbrel)* Ps 68, 26, cj 1 S 21, 14;†

po: pt. מְתוֹפְפוֹת: immer wieder schlagen *beat continuously* Na 2, 8. †

תפר: mhb.; ja.:
qal: pf. תָּפַרְתִּי, impf. וַיִּתְפְּרוּ, inf. לִתְפּוֹר: nähen *sew together* Gn 3, 7 Hi 16, 15 Ko 3, 7; †
pi: pt. מְתַפְּרוֹת: nähen *sew together* Hs 13, 18 (l לְבֵן מְתַפְּרוֹת). †

תפשׂ: mhb., ja. תפשׂ, תפס:
qal: pf. תָּפָשׂ, תְּפָשׂוּם, תְּפָשׂוּ, תָּפְשָׂה, sf. תְּפָשָׂהּ, impf. יִתְפֹּשׂ, וָאֶתְפֹּשׂ, sf. וַיִּתְפְּשֵׂהוּ, נִתְפְּשֵׂם, inf. תְּפֹשׂ, לְתָפְשׂ, sf. תָּפְשָׂם, imp. תִּפְשׂוּ, sf. תִּפְשׂוּם, pt. תֹּפֵשׂ, pl. cs. תֹּפְשֵׂי, pass. תָּפוּשׂ:
1. תָּפַשׂ בְּ packen, ergreifen *lay hold of, seize* Gn 39, 12 Dt 9, 17 21, 19 1 K 11, 30 Js 3, 6 Ir 37, 14 Hs 29, 7 30, 21; = 2. תָּפַשׂ c. ac. Dt 22, 28 Jos 8, 23 1 S 23, 26 1 K 13, 4 18, 40 2 K 14, 13 25, 6 Ir 26, 8 37, 13 52, 9 Hs 21, 16 (בְּ mit *with*) Ps 71, 11, cj 10, 2 (l יִתָּפְשׂוּ), 2 C 25, 23; תָּפַשׂ חַי lebend **ergreifen** *take, capture alive* Jos 8, 23 1 S 15, 8 1 K 20, 18 2 K 7, 12 10, 14; 3. תָּפַשׂ c. ac.: **zu tun haben mit, umgehen mit** *handle, deal with*: כִּנּוֹר וְעוּגָב Gn 4, 21, מִלְחָמָה Nu 31, 27, תּוֹרָה Ir 2, 8, (Albr. Von d. Steinzeit 258), מָגֵן Ir 46, 9 (l וְנִפְתָּחִים pro 2. תֹּפְשֵׂי), מַגָּל Ir 50, 16, מָשׁוֹט Hs 27, 29, חֶרֶב Hs 38, 4, קֶשֶׁת Am 2, 15; 4. תָּפַשׂ עִיר e. Stadt einnehmen *seize a town* Dt 20, 19 Jos 8, 8 2 K 14, 7 16, 9 18, 13 Js 36, 1 Ir 40, 10, 49, 16; מְרוֹם גִּבְעָה תָּפַשׂ יִשׂ׳ בְּלִבָּם greife Isr. ans Herz *touch, move the heart of Isr.* Hs 14, 5; 5. תָּפוּשׂ זָהָב in **Gold gefasst** (Götterbild) *sheathed in gold (idol)* Ha 2, 19; 6. תָּפַשׂ שֵׁם אֱלֹהִים sich an G.s Namen vergreifen (?) *do violence to God's name (?)* Pr 30, 9; †
nif: pf. נִתְפָּשׂ, נִתְפָּשָׂה, נִתְפְּשָׂה, נִתְפַּשְׂתְּ, נִתְפְּשׂוּ, impf. יִתָּפֵשׂ, תִּתָּפְשׂוּ, inf. הִתָּפֵשׂ: 1. **ergriffen werden** *be seized* Ir 34, 3 38, 23 Hs 21, 28 f Nu 5, 13; **gefangen werden** (in Fallen) *be caught (in snare)* Ir 50, 24 Hs 12, 13 17, 20 19, 4. 8; **erobert werden** (Stadt) *be seized (town)* Ir 48, 41 50, 46 51, 41, **besetzt werden** (Furt) *be seized (ford)* Ir 51, 32; cj gepackt werden *be seized, caught* Ps 57, 7 (l כַּפָּם נִתְפָּשָׂה); l יִתָּפְשׂוּ Ps 10, 2; †
pi: impf. תְּתַפֵּשׂ: **fangen** *catch, grasp* Pr 30, 28. †

I **תֹּפֶת**: *תוף; ja. תְּפַף ausspeien *spit (out)*; ተፍአ speien *spit*; äg. *tf*, ⲧⲁϥ Speichel *spit*; تُفًّا pfui! *fie!*: **Speichel, Auswurf** *spitting* (1 Kor 4, 13 περίψημα) Hi 17, 6 (l לִפְנֵיהֶם). †

II **תֹּפֶת**: n. l.; Ταφεθ; Vocalis. = בֹּשֶׁת; < *תְּפָת (Wellh., Skizz. 6, 259) ja. תְּפַיָּא, sy. תְּפָיָא, أثفية Koch-herd *cooking-stove*; „Feuerstätte *fire-place*" (Rob. Smith, Sem. 1, 357): im Tal v. *in valley of* בֶּן־הִנֹּם bei *near* Jerusalem; Stätte des Molochkultes *place of Molech-worship*: הַתֹּפֶת 2 K 23, 10 Ir 7, 31 f 19, 6. 13, תֹּפֶת Ir 7, 32 19, 11 f; cj sf. תָּפְתֹּה Js 30, 33; l מֵהַפָּחָה Ir 19, 14. †

תָּפְתֶּה Js 30, 33: l תָּפְתֹּה.

תקא, תקה: F אֶלְתְּקֵה, אֶלְתְּקֵא; F Honeyman JTS 50, 50.

תָּקְהַת 2 C 34, 22: F תּוֹקְהַת.

I **תִּקְוָה**: I קוה: cs. תִּקְוַת: **Schnur** *cord* F חוּט Jos 2, 18. 21. †

II **תִּקְוָה**: I קוה: cs. תִּקְוַת, sf. תִּקְוָתִי: **Spannung, Erwartung, Hoffnung** *tension, hope* Ir 31, 17 Hs 19, 5 37, 11 Ps 9, 19 62, 6 71, 5

Hi 4, 6 5, 16 6, 8 7, 6 8, 13 11, 18. 20 14, 7. 19 17, 15 (1 וְתִקְוָתִי pro וְטוֹבָתִי) 19, 10 27, 8 Pr 10, 28 11, 7. 23 19, 18 23, 18 24, 14 26, 12 29, 20 Th 3, 29 Ru 1, 12; אַחֲרִית וְתִקְוָה Ir 29, 11; אֲסִירֵי הַתִּקְוָה Gefangene, die noch hoffen können *prisoners who may still hope* Sa 9, 12; פֶּתַח תִּקְוָה Ho 2, 17; cj [רְשָׁעִים] תִּקְוַת Ps 112, 10; F III. †

III תִּקְוָה: n.m.; = II: 1. 2 K 22, 14, = תָּקְהַת 2 C 34, 22; 2. Esr 10, 15. †

תְּקוּמָה: קום: **Standhaftigkeit** *power to stand* Lv 26, 37. †

*תְּקוֹמֵם, pl. sf. תְּקוֹמְמֶיךָ: 1 מִתְקוֹמְמֶיךָ (קום) Ps 139, 21. †

תְּקוֹעַ: n. l.; תקע: loc. תְּקוֹעָה: **Thekoa** *Tekoa*: *Taquʿa*, 16 km s. Jerusalem: 2 S 14, 2 Ir 6, 1 Am 1, 1 1 C 2, 24 4, 5 2 C 11, 6 (befestigt durch *fortified by* רחבעם); מִדְבַּר תְּקוֹעַ die Wüste ö. Thekoa *the desert e. of Tekoa* 2 C 20, 20; 1 Mk 9, 33; F תְּקוֹעִי; בְּתְּקוֹעַ Hs 7, 14 1 תִּקְעוּ (תקע). †

תְּקוֹעִי, תְּקֹעִי: gntl.: fem. תְּקֹעִית, pl. תְּקֹעִים: 2 S 14, 4. 9 23, 6 Ne 3, 5. 27 1 C 11, 28 27, 9. †

תְּקוּפָה: *קוף; F נקף; ug. *nqpt*||*šnt*; sam. *qjf* ZDM 87, 256: cs. תְּקוּפַת, sf. תְּקוּפָתוֹ, pl. תְּקֻפוֹת 1 S 1, 20 (1 תְּקֻפַת): **Wendepunkt** (astronom.) d. Sonne *solstitial point (of sun)* Ps 19, 7, des Jahres *of the year* (Äquinoktium) Ex 34, 22 2 C 24, 23, der Tage (d. Jahrs) *of the days of the year* (**Jahresende** *turn of the year* Joüon Bibl. 3, 71) 1 S 1, 20; Mondwechsel *lunation* Si 43, 7. †

תַּקִּיף: תקף; F ba. תַּקִּיף: **stark** *mighty* Ko 6, 10 Q, cj 4, 12 (1 תַּקִּיף יִתְקְפוֹ). †

תקן: ak. *taqānu* geordnet sein *be well ordered*; mhb. pi., ja. pa. zurechtstellen *establish*, F ba.; F תכן:

qal: inf. לִתְקֹן Ko 1, 15 1 לְהִתָּקֵן:

pi: pf. תִּקֵּן, inf. תַּקֵּן: **gerade richten** *make straight* (:: עִוָּה) Ko 7, 13, (Sprüche) **in gute Form bringen** *arrange in order (proverbs)* Ko 12, 9; in Einklang bringen (mit לְ) *put in harmony (with* לְ) Si 47, 9;

cj nif: inf. לְהִתָּקֵן: **gerade gerichtet werden** *be made straight* cj Ko 1, 15. †

תקע: mhb.; ja. תְּקַע schlagen, blasen *strike, blow*, F ba.; ⲧⲱⲕ (ⲧⲱ wegen *on account of* ק) (Trompete) blasen *blow (trumpet)*:

qal: pf. תָּקַע, תָּקַעְתִּי, תָּקְעוּ, sf. תְּקָעָתִיו; impf. יִתְקַע, וַיִּתְקַע, יִתְקְעוּ, יִתְקָעוּ, sf. וַיִּתְקָעֵהוּ, pt. תֹּקֵעַ, pass. תְּקוּעָה: 1. **stossen, schlagen** *drive, thrust* Ex 10, 19 Jd 3, 21 4, 21 16, 14 2 S 18, 14 Js 22, 23. 25; תָּקַע אֹהֶל (d. Zeltpflöcke einstossen) **d. Zelt aufschlagen** *(drive the tent-pegs) pitch a tent* Gn 31, 25. 25 (1 אָהֳלוֹ) Ir 6, 3; 2. תָּקַע כַּף (e. Hand in d. andere stossen *thrust one hand into the other*) **in die Hände klatschen** *clap hands* Ps 47, 2 Na 3, 19, **Handschlag geben** (zur Bestätigung e. Rechtsgeschäfts) *shake hands (to pledge one's words)* cf. ak. *maḫāṣu* (Zimm. 25; F Diodor. XVI, 43, 3 f) Pr 6, 1 17, 18 22, 26, = תָּקַע יַד cj Hi 17, 3 (1 לִי יַד יִתְקָע); 3. תָּקַע בְּ (e. Instrument) **blasen** *blow (an instrument)*: בַּחֲצֹצְרוֹת Nu 10, 3. 8. 10 2 K 11, 14 2 C 23, 13, בַּשּׁוֹפָר, בַּשּׁוֹפָרוֹת Jos 6, 4—20 Jd 3, 27 6, 34 7, 18—20 1 S 13, 3 2 S 2, 28 18, 16 20, 1. 22 1 K 1, 34. 39 2 K 9, 13 Hs 33, 3. 6 Sa 9, 14 Ne 4, 12; בְּאַחַת nur mit einem einzigen Instr. blasen *blow only a single instr.* Nu 10, 4; 4. תָּקַע שׁוֹפָר, שׁוֹפָרוֹת blasen *blow* Jos 6, 9 Jd 7, 22 Js 18, 3 Ir 4, 5 6, 1 51, 27 Ho 5, 8 Jl 2, 1. 15 Ps 81, 4; תָּקַע תְּרוּעָה Alarm

blasen *s o u n d a n a l a r m* Nu 10, 5 f; abs. תָּקֹעַ blasen *b l o w* Nu 10, 7; l תִּקְעוּ תָקוֹעַ Hs 7, 14; l 1 S 31, 10 u. 1 C 10, 10 (יקע) תְּקִיעוּ; †
nif: impf. יִתָּקַע: geblasen werden (Instrument) *be blown* (*horn*) Js 27, 13 Am 3, 6; Hi 17, 3 **F** qal 2. †
Der. תּוֹקְעִים, *תֵּקַע; n. l. תְּקוֹעַ.

***תֵּקַע**: תקע: תֵּקַע שׁוֹפָר **Hornblasen** *b l a s t o f h o r n* Ps 150, 3. †

תקף: mhb.; ja. תְּקֵיף, sy. תְּקֵף stark sein *be strong*; nab תקף Autorität *authority*; > تَقَفَ (Nöld. ZDM 47, 102) (mit Anstrengung) erreichen *attain to*; asa. תקף:
qal: impf. sf. תִּתְקְפֵהוּ: packen, **überwältigen** *o v e r p o w e r* Hi 14, 20 15, 24 Ko 4, 12 (l יִתְקְפוֹ); Ko 6, 10 l שֶׁתַּקִּיף Q. †
Der. תֹּקֶף, תַּקִּיף.

תֹּקֶף: תקף: sf. תָּקְפּוֹ: **Kraft, Gewalt** *s t r e n g t h, p o w e r* Est 9, 29 (l תֹּקֶף מָרְדֳּכַי) 10, 2 Da 11, 17. †

תֹּר: **F** תּוֹר.

תַּרְאֲלָה: n. l.; *ראל: in Benjamin Jos 18, 27. †

תַּרְבּוּת: I רבה: **Nachwuchs, Brut** *i n c r e a s e, b r o o d* Nu 32, 14. †

תַּרְבִּית: I רבה; cf. ak. *rabū* Zimm. 18: **Aufgeld, Zuschlag, Wucherzins** *i n c r e m e n t, i n t e r e s t, u s u r y* (immer neben *always along with* נֶשֶׁךְ) Lv 25, 36. cj 37 Hs 18, 8. 13. 17 22, 12 Pr 28, 8. †

תִּרְגַּלְתִּי: **F** רגל tif.

תרגם: denom. v. ak. (*ragāmu* rufen *call*) *targumānu* Dolmetscher *interpreter*: pt. pass. מְתֻרְגָּם: **übersetzt** *t r a n s l a t e d* Esr 4, 7. †

תַּרְדֵּמָה: רדם: **Tiefschlaf, Betäubung** *d e e p s l e e p, l e t h a r g y* (**F** שֵׁנָה, נוּם): Gn 2, 21 15, 12 1 S 26, 12 Js 29, 10 Pr 19, 15 Hi 4, 13 33, 15. †

תִּרְהָקָה: n. m.; äg. *T'-h-rw-q*; ak. *Tarqū* APN 231; Τάρκως, Τάρκος, Τάρακος: מֶלֶךְ־כּוּשׁ (689—64) 2 K 19, 9 Js 37, 9. †

תְּרוּמָה: רום: cs. תְּרוּמַת, sf. תְּרוּמָתִי, תְּרוּמֹתֵיכֶם: (Erhebung, Weihung) **Abgabe** (an d. Kult) (*lifting, offering*) *c o n t r i b u t i o n* (*for sacred uses*), Vincent Mél. Syr. 267 ff: neben *along with* מַעֲשֵׂר Ma 3, 8, רֵאשִׁית Hs 20, 40, **F** Ne 12, 44; תְּרוּמַת יֶדְכֶם was eure Hand freiwillig abgibt *what your hand contributes voluntarily* Dt 12, 6. 11. 17; Si 7, 31; תְּרוּמַת יהוה Abgabe für J. *contribution offered Y.* Ex 35, 5. 21. 24 Nu 18, 26. 28 f = תְּ׳ לַיהוה Lv 7, 14 Nu 15, 19 18, 19 31, 52 Ex 35, 5 Hs 45, 1 48, 9; תְּרוּמָתִי Ex 25, 2 u. תְּרוּמֹתַי Nu 18, 8 die für mich bestimmte(n) A. *contribution(s) for me*; תְּ׳ בֵּית־אֱלֹהֵינוּ Esr 8, 25; תְּ׳ הַכֹּהֲנִים Ne 13, 5; נָתַן תְּ׳ לַכֹּהֵן (י׳) Hs 20, 40; דָּרַשׁ תְּרוּמוֹת Lv 7, 32 Nu 18, 28; תְּ׳ für den Priester *for the priest* Lv 7, 14. 32 Nu 5, 9 18, 28 Hs 44, 30 48, 10. 12 Ne 10, 38, für Leviten *for levites* Nu 18, 24; הֵבִיא תְּ׳ Ex 35, 21. 24 36, 3 2 C 31, 10. 12; הֵרִים תְּ׳ Ex 35, 24 Nu 15, 19 18, 26. 29 31, 52 Hs 45, 1 48, 9; תְּ׳ הַקֹּדֶשׁ Ex 36, 6 Hs 45, 6 f 48, 10. 18. 20 f; Si 7, 31; תְּ׳ גֹּרֶן Nu 15, 20; תְּ׳ הַקֳּדָשִׁים Lv 22, 16 Nu 18, 19; תְּ׳ הָאָרֶץ Hs 48, 12; תְּ׳ מַתְּנָם Nu 18, 11; Bestandteile der Abgabe *ingredients of the contribution* Ex 25, 3 35, 5, שׁוֹק הַתְּ׳ Ex 29, 27 Lv 7, 34 10, 14 f Nu 6, 20; תְּ׳ כֶּסֶף Ex 35, 24, זְהַב הַתְּ׳ Nu 31, 52; תְּ׳ הַדָּגָן Ne 10, 40, **F** Ex 29, 28 30, 13—15 Nu 15, 20 f 18, 11. 27 31, 29. 41 Hs 45, 13. 16 48, 8. 18 2 C 31, 14; אִישׁ תְּרוּמוֹת wer auf A. aus ist *one eager after contr.* Pr 29, 4; ? 2 S 1, 21 u. Js 40, 20; תְּרוּמִיָּה. †

תְּרוּמִיָּה (l. c. 5 MSS תְּרוּמָה?): רום: Abgabe *contribution* Hs 48, 12. †

תְּרוּעָה: רוע: cs. תְּרוּעַת: P. Humbert, La Terouᶜa, Neuchâtel, 1946: **1. Lärmzeichen** *alarm-signal*: הֵרִיעַ תְּרוּעָה Jos 6, 5. 20, תְּ׳ מִלְחָמָה Ir 4, 19 49, 2, //שׁוֹפָר Am 2, 2 Ze 1, 16 Ps 47, 6, *F* Ir 20, 16 Hs 21, 27 Am 1, 14 Hi 39, 25; **2. Jubelgeschrei** *shout of joy* Nu 23, 21 1 S 4, 5 f 2 S 6, 15 Ps 33, 3 150, 5 Hi 8, 21 33, 26 Esr 3, 11—13 1 C 15, 28 2 C 15, 14; Si 39, 15; זִבְחֵי תְ׳ Ps 27, 6; יֹדְעֵי תְ׳ Ps 89, 16; **3. Zeichen** m. Instrument *signal given with instrument*: שׁוֹפַר תְּ׳ Lärmhorn *signal-horn* Lv 25, 9, חֲצֹצְרוֹת הַתְּ׳ Lärmtrompeten *signal-trumpets* Nu 31, 6 2 C 13, 12 (Koehler ZAW 34, 147); תָּקַע תְּ׳ Lärmzeichen blasen *blow alarm* Nu 10, 5 f, > תְּ׳ Lärmblasen *blowing alarm* Lv 23, 24 Nu 29, 1, צִלְצְלֵי תְ׳ Ps 150, 5 *F* צִלְצְלִים. †

תְּרוּפָה: רוף = רפא: **Heilmittel** *healing* Hs 47, 12; pl. תרופות Si 38, 4. †

תִּרְזָה: unbekannte Baumart *unknown species of tree* Js 44, 14. †

תֶּרַח: n. m.; ak. *turāḫu* Steinbock *ibex*; תֶּרַח: יָרֵחַ = תֵּימָן : ימן Dussaud RHR 107, 5 ff; heth. Gott *hitt. god Tarḫu* E. Meyer IN 238; KF < *Til-ša-turaḫi* Kraeling ZAW 40, 153 f; ug. *trḫ* Frau mit Brautgeld erwerben *acquire wife by paying bride-price*, Albr. JPO 14, 138 f: תֶּרַח: **Tharah** *Terah*: Gn 11, 24—26 Jos 24, 2 1 C 1, 26. †

תָּרַח: n. l.; Wüstenstation *station in the wilderness* Nu 33, 27 f. †

תִּרְחֲנָה: n. m.: 1 C 2, 48 (Kahle 79: or. תִּרְחֲנָה). †

תִּירְיָא, **תִּירְיָא**: n. m.; keilschr. *Tirijāma* BEP 9, 72 10, 65; Noth S. 163: 1 C 4, 16. †

תְּרֻמָה: בַּתְּ׳ Jd 9, 31 l בָּארוּמָה. †

תְּרֻמוֹת: Ir 14, 14 K: l תַּרְמִית Q. †

תַּרְמִית, **תַּרְמִת**: II רמה: **Trug** *deceitfulness* Ir 8, 5 14, 14 Q 23, 26 Ze 3, 13; Si 37, 3; l תַּרְעִיתָם Ps 119, 118. †

תֹּרֶן: neopun. אתרנם; ak. *arū* führen, leiten *conduct, guide*: sf. תָּרְנָם: **Signalstange** *signal-post* Js 30, 17, **Mastbaum** *mast* Js 33, 23 Hs 27, 5. †

cj ***תַּרְעִית**: III רעה; ja. תַּרְעִיתָא Denken, Sinnen *thinking, speculation*: cj sf. תַּרְעִיתָם: **Sinnen** *speculation* cj Ps 119, 118. †

תַּרְעֵלָה: רעל: **Taumel** *reeling* Js 51, 17. 22 Ps 60, 5. †

תִּרְעָתִים: n. p.; gntl?; Αγαραθιμ, Θαραθι: unbekannt *unknown*: 1 C 2, 55. †

***תרף**: תְּרָפִים.

תְּרָפִים: *תרף; mhb. hif. verderben *perish*; ja. af. schändlich handeln *act ignominiously*; שִׁקּוּצִים, גִּלּוּלִים // תְּרָפִים 2 K 23, 24; „die Faulenden *the decaying ones*"; Kakophemie für Götzenbild *cacophemy of idol*; wechselt *changes* Gn 31, 19. 34. 35 im Mund des Erzählers *said by the narrator* mit *with* אֱלֹהִים 31, 30. 32 im Mund des Redenden *said by the speaker* (so *thus* I. Löw WZM 10, 136, MGJ 73, 314); *F* Aubrey Johnson, The Cultic Prophet (1941) 31: **Gottesbild** *idol* (verächtlich gesagt *said in contempt*): הַתְּ׳ Gn 31, 19. 34 f Jd 18, 17 f. 20

1 S 19, 13. 16 2 K 23, 24 Hs 21, 26 Sa 10, 2, ohne *without* art. Jd 17, 5 18, 14 1 S 15, 23 Ho 3, 4.†

I תִּרְצָה: n. fem.; רצה: Nu 26, 33 27, 1 36, 11 Jos 17, 3.†

II תִּרְצָה: n. l.; רצה; loc. תִּרְצָתָה: *T. Fārʿa* nö. *Nāblus*(?) Albr. BAS 49, 26 (Alt PJ 28, 41 ff): Jos 12, 24 1 K 14, 17 15, 21. 33 16, 8 f. 15. 17. 23 2 K 15, 14. 16 Ct 6, 4.†

תֶּרֶשׁ: n. m.; pers. Scheft. MGJ 47, 289: Est 2, 21 6, 2.†

I תַּרְשִׁישׁ: n. l.; רשׁשׁ; loc. תַּרְשִׁישָׁה „Giesserei *foundry*, *refinery*": 1. für Lage am Mittelmeer sprechen *suggesting situation in the Mediterranean*: a) Gn 10, 4 1 C 1, 7 Js 23, 1 60, 9 66, 19 (l פוּט) Hs 27, 12 (Metalle *metals*) Jon 1, 3 4, 2 Ps 72, 10; b) Καρχηδών Js 23, 1. 6. 10. 14, Καρχηδόνιοι Hs 27, 12 38, 13, *Carthaginienses* Hs 27, 12; 2. Gegen *against* Tartessus (Spanien *Spain*), die ältere, verbreitete Ansicht *the older*, *wide-spread meaning*, spricht d. Lautbestand *tell phonetics*; 3. תַּרְשִׁישׁ Tharsis *Tarshish* = Gegend von Tunis *region of Tunis*: Ibn Ḥanqal (de Goeje, Bibl. Geogr. Arab. IV, 49); el-Bekri, Description de l'Afrique septentr., traduite par Mac Guckin de Slane, Paris 1913, 80 (Text 37); A. Herrmann, Die Tartessosfrage, Petermanns Geogr. Mitt. 88, 351 ff (תַּרְשִׁישׁ = *Debaia el Kebira* u. *Deb. eš-Šrira* in S-Tunesien); G u V *F* 1 b.; 4. אֳנִי תַ' 1 K 10, 22. cj 15 u. 2 C 9, 14 u. אֳנִיּוֹת תַ' 1 K 22, 49 Js 2, 16 23, 1. 14 60, 9 Hs 27, 25 Ps 48. 8 2 C 9, 21, c. לָלֶכֶת 20, 36 f: mit **Erz beladene Schiffe** im Roten Meer *refinery fleet in the Red Sea*; 5. *F* Ir 10, 9 Hs 38, 13.†

II תַּרְשִׁישׁ: e. Edelstein (Art unbestimmt) *a precious stone* (*kind unknown*): Ex 28, 20 39, 13 Hs 1, 16 10, 9 28, 13 Ct 5, 14 Da 10, 6; *F* III.†

III תַּרְשִׁישׁ: n. m.; = II; 1. 1 C 7, 10; 2. Est 1, 14.†

תִּרְשָׁתָא: immer *always*: הַתִּ': pers.; Beamtentitel *title of officer*; Scheft. 93 f: awest. *taršta* der Ehrfurcht Gebietende *the reverend*: **d. Statthalter** *the Tirshata*: Nehemia Ne 8, 9 10, 2 = פֶּחָה 12, 26; *F* Esr 2, 63 Ne 7, 65. 69.†

תַּרְתָּן: ak. *tardinnu* (Unger ZAW 41, 204 ff) *F* ba. תְּרֵין: der Zweite, Stellvertreter, **Heerführer** *the second*, *delegate*, *commander* 2 K 18, 17 Js 20, 1.†

תַּרְתָּק: n. dei; Gott der *god of* עַוִּים: Ἀταργάτη > Δερκέτω; Ταργατή? (Baethgen, Beiträge 1888, 68; Montg.-Gehman p. 474 zu *to*) 2 K 17, 31.†

תְּשׂוּמֶת: I שׂים: תְּשׂוּמֶת־יָד: Anvertrautes? **gemeinsamer Besitz**? *deposit? joint property?* Lv 5, 21.†

***תְּשֻׁאָה**: שׁוא = II שׁאה: pl. תְּשֻׁאוֹת: **Lärmen** *noise* Js 22, 2 Hi 39, 7, **Rufe** *shoutings* Sa 4, 7, cj sg תְּשֻׁוָה < *תְּשֻׁאָה **Krachen** *crash(ing)* Hi 30, 22; l תְּשׁוּיוֹת Hi 36, 29.†

תֹּשָׁב: *F* תּוֹשָׁב.

תִּשְׁבִּי: gntl. v. אֵלִיָּהוּ: תִּשְׁבִּי: 1 K 17, 1 21, 17. 28 2 K 1, 3. 8 9, 36.†

תִּשְׁבֵּי: n. l.; cj מִתִּשְׁבֵּי [גִלְעָד]: *el-Isdib* (ZPV 13, 207 ff): cj 1 K 17, 1; *F* תִּשְׁבִּי.†

תַּשְׁבֵּץ: שׁבץ: **Buntwirkerei**(?) *chequered work*(?), AS 5, 126. 166: Ex 28, 4.†

תְּשׁוּבָה: I שׁוב: cs. תְּשׁוּבַת, sf. תְּשׁוּבָתוֹ, pl. תְּשֻׁבֹת, sf. תְּשׁוּבֹתֵיכֶם: 1. Rückkehr *return* 1 S 7, 17; לִתְשׁוּבַת הַשָּׁנָה übers Jahr, im folgenden Frühling *at the return of the year, the next spring* 2 S 11, 1 (F לְעֵת צֵאת הַמְּלָכִים u. Begrich, Chronologie 88 f) 1 K 20, 22. 26 2 C 36, 10; = לְעֵת תְּ׳ 1 C 20, 1 (Joüon Bibl. 3, 71 ff, Lewy MVG 29, 2, 26[1]); 2. pl. Erwiderungen *answers* Hi 21, 34 34, 36. †

תְּשֻׁוָה Hi 30, 22 (Q תֻּשִׁיָּה), 1 K תְּשֻׁוָה F תְּשֻׁאָה*.

cj **תַּשְׁוִית*** : I שׁוה; ja. תַּשְׁוִיתָא Polster *squab*, sy. תֶּשְׁוִיתָא Bett *bed*: Polsterlager *ottoman* (Torcz., Bund. 26 f) cj Hi 36, 29. †

תְּשׁוּעָה תְּשֻׁעָה: v. ישׁע nach d. Muster von תְּמוּתָה etc. gebildet *formed in pattern of* תְּמוּתָה, VG 1, 383: cs. תְּשׁוּעַת, sf. תְּשׁוּעָתִי, תְּשׁוּעָתְךָ: Rettung *deliverance, salvation* Jd 15, 18 1 S 11, 9. 13 (עָשָׂה בְ) 19, 5 2 S 19, 3 23, 10. 12 1 C 11, 14 2 K 13, 17 Js 45, 17 46, 13 Ir 3, 23 Ps 33, 17 37, 39 38, 23 40, 11. 17 51, 16 60, 13 u. 108, 13 (תְּ׳ אָדָם R. durch Menschen *help of man*) 71, 15 119, 41 u. 81 Ps 144, 10 u. 2 K 5, 1 Ps 146, 3 Pr 11, 14 24, 6 21, 31 (לַי׳ ist J. s Sache *is Y's doing*) Th 3, 26 1 C 19, 12 2 C 6, 41, cj תְּשׁוּעָה Pr 2, 7 u. Hi 6, 13. †

תְּשׁוּקָה*: II *שׁוק; Driv. JTS 47, 158[7]: Drang, Verlangen *impulse, urge* Gn 3, 16 4, 7 Ct 7, 11. †

תְּשׁוּרָה: III *שׁור: Gabe? *gift?*: 1 S 9, 7. †

תֻּשִׁיָּה: F תְּשֻׁוָה.

תְּשִׁעִי, תְּשִׁיעִי: תֵּשַׁע: fem. תְּשִׁיעִית, תְּשִׁעִת: (der, die) neunte (*the*) *ninth* Lv 25, 22 Nu 7, 60 2 K 17, 6 Ir 39, 1 Sa 7, 1 1 C 24, 11. †

תֵּשַׁע, cs. תְּשַׁע, fem. תִּשְׁעָה, cs. תִּשְׁעַת: *תשׁע; Sem.; ak. *tišū, tišītu > tišittu*, ug. *tšʿ*; تِسْع; VG 1, 486: neun *nine*: תְּשַׁע אַמּוֹת Dt 3, 11, תְּשַׁע מֵאוֹת Gn 5, 5, תִּשְׁעָה חֳדָשִׁים 2 S 24, 8, תִּשְׁעַת הַמַּטּוֹת Nu 34, 13, תִּשְׁעַת הַשְּׁבָטִים Jos 13, 7; בְּתִשְׁעָה לַחֹדֶשׁ am 9. Tag des Monats *on the ninth day of the month* Lv 23, 32; pl. תִּשְׁעִים neunzig *ninety* Gn 5, 17; F תְּשִׁעִי.

WÖRTERBUCH ZUM ARAMÄISCHEN TEIL DES ALTEN TESTAMENTS IN DEUTSCHER UND ENGLISCHER SPRACHE

A DICTIONARY OF THE ARAMAIC PARTS OF THE OLD TESTAMENT IN ENGLISH AND GERMAN

VON / BY

WALTER BAUMGARTNER

א

א: wechselt *alternates* 1. mit ה als Konsonant *with* ה *as consonant* a. im Kausativ *in causative stem*: af. statt *instead of* haf., ZAW 45, 106 f., b. im Reflexiv *in reflexive stem* אִתְ/אֶתְ׳ statt הִתְ׳, ib. 45, 108 f., c. sonst *elsewhere* F אֲלוּ, אִנּוּן, אֲרוּ, הֵאךְ, הֵן; 2. mit ה als *with* ה *as* mater lectionis: a. in m. det. u. f. abs., ZAW 45, 90 ff., Schaed. 33 ff. b. in verbis ל״י, ib. 45, 112 ff., Schaed. 35 ff.; 3. mit *with* י in impf. verborum ל״י, in pt. verborum ע״ו (קָאֵם, pl. Q קָיְמִין), in חֲטָי u. חַטָּיָא; 4. dient zur graphischen Unterscheidung *serves for distinction in writing in* צַוַּאר; 5. schwindet im Anlaut mit Murmelvokal *disappears as initial sound with half vowel in* חַד (BL 54a); 6. quiesziert *quiesces in* מֵאמַר, בְּאִישׁ, בָּ(א)תַר, מָאן u. רֵאשׁ, in Q v. מְרֵא c. sf. u. in verbis פ״א, ist geschwunden *has disappeared in* גֵּוָה u. רֵן u. meist *mostly* in verbis ל״א; 7. ist dissimiliert *is dissimilated* < ע in אָע u. מחא.

***אַב**: he. אָב; Aram.; pehl. Frah. 11, 2, sogd. Gauth.-B. II 236, cp. ʾ*abbā* (Schulth. Gr. § 85, 1 :: Bergstr. OLZ 29, 498), nar. *ōb* (Spit. 110a); BL 247a :: Ruž. 142: sf. אֲבִי Da 5, 13 (Var. אֲבִי, BL 77 l :: Birk. 3), אֲבוּךְ, אֲבוּהִי, pl. (gebildet als *formed as* f., ja. cp. u. md., als *as* m. Znğ. u. äga., als *as* m. u. f. sam. u. sy.) sf. אֲבָהָתִי (BL 77 n), אֲבָהָתָךְ, אֲבָהָתָנָא (Var. -תַנָא, BL 79 t): **Vater** *father* Da 5, 2. 11. 13. 18; pl. Vorfahren *ancestors* 2, 23 Esr 4, 15 5, 2.†

***אֵב**: he. =; אבב, Ruž. 109; ja. אִבָּא, אִנְבָּא, sy. ܐܶܒܳܐ u. md. עבאבא (MG 163) Frucht *fruit*, amhar. አበባ Blume *flower*; ak. *enbu* (Zimm. 55) = he. עֵנָב, Poebel ZA 39, 149[2]; :: BL 221 g: sf. אִנְבֵּהּ **Frucht** *fruit* Da 4, 9. 11. 18.†

אבב: ja. מַאֲבַבָּא Blühen *blossom*, md. עבאבא u. amhar. አበባ, s. o.; ak. *ebēbu* (Driver PEQ 1945, 6 f.); Der. אֵב.

אבד: he. =; Znğ. äga. AD ja. cp. sam. sy. md. (MG 247[2]):

pe: impf. pl. juss. יֵאבַדוּ, BL 30 a, 89 d: **zugrunde gehen** *perish* Ir 10, 11.†

haf: (wie *as* ja. cp. u. sy., BL 139 i; cp. etiam ܐܘܒܕ, Ner. יהאבד) impf. תְּהוֹבֵד (or. -*bad*, BL 140 n), יְהֹבְדוּן, inf. הוֹבָדָה: **umbringen** *slay* Da 2, 12. 18. 24, abs. vernichten *destroy* 7, 26.†

hof: pf. הוּבַד, BL 139 j: **vernichtet werden** *be destroyed* Da 7, 11.†

אֶבֶן: he. =; äga. ja. cp. sam. sy. md.; BL 181 x: det. אַבְנָא, f.: **Stein** *stone*, 1. ein einzelner Stein *a single stone* Da 2, 34 f. 45 6, 18; 2. als Werkstoff *as material* Da 5, 4. 23 (Idol), Esr 5, 8 6, 4 F אֶבֶן גְּלָל (Bauwerk *building*).†

אִגְּרָה/א: he. אִגֶּרֶת; Assbr. 4, mspt., äga. (abs. ebenso *likewise* אגרת, Leand. 112 a :: Rosenth. AF 53) AD palm., ja. אִגַּרְתָּא, sy. ܐܶܓܰܪܬܳܐ,

md. ענגירתא MG 318 155[3]; LW < spätak. *late Ak. egirtu*, Eil. 31; BL 241 s: det. אִגַּרְתָּא, f.: **Brief** *letter* Esr 4, 8. 11 5, 6.†

אֱדַיִן, or. *ʾedajin* (BL 660n): he. אָז, אֱזַי; pehl. (Frah. 25, 3), äga. AD ja. u. sam., ja. הֵידֵין, cp. *hēdēn* u. sy. ܗܝܕܝܢ praemisso *F* הא; Znǧ. אז, Assbr. 6. 14 אזי; BL 252a, b: **dann** *then* Da 2, 15—7, 19 (20×), Esr 4, 9 (corr?)—6, 13 (6×), וֶאֱדַיִן Esr 5, 5, בֵּאדַיִן (or. *beʾedajin*) dann *then* Da 2, 14—7, 11 (26×), Esr 4, 24 (? l. כִּדְנָה, Rud.) 5, 2 6, 1, מִן־אֱדַיִן (he. מֵאָז) **von da an** *since* Esr 5, 16.†

אֲדָר: he. ja. =; sy. ܐܕܪ: **Adar**, Name des 12. Monats *name of the 12th month*, Esr 6, 15.†

***אִדַּר**: T. Halaf 71, Vs. 5 u. Pachtv. 13 (א)דר, ja. אִדְּרָא, cp. u. sy. ܐܕܪܐ, nar. *ettra* (Gl. 96), > أندر Frae. 136; ug. *ʾdr* (?), n. l. Aduru in EA, he. אֲדֹרַיִם; Ader, Adora n. l.; ak. *adru* (Stapelplatz *emporium?* Ungn. T. Halaf 49: Scheune *barn*, Landsberger JNES 8, 292[138]); LW < **idru*. Montg. JAOS 46, 56 ff.; pl. cs. אִדְּרֵי: **Tenne** *threshing-floor* Da 2, 35.†

***אֲדַרְגָּזַר**, pl. אֲדַרְגָּזְרַיָּא: LW < mpe. andar-žaghar, Hübschm. 99[1], AD הנדרז Anzeige *notification* < mpe. *handarz*; BL § 15d: **Ratgeber** *counsellor* Da 3, 2f.†

אַדְרַזְדָּא: Esd 8, 21 ἐπιμελῶς, V diligenter; LW < av. *zrasdā* < ape. *ʿdrazdā*, Schaed. 75: adv. **mit Eifer** *with zeal* Esr 7, 23.†

אֶדְרָע, Var. אֶדְרָע, *F* דְּרָע, he. אֶזְרוֹעַ u. זְרוֹעַ; ja. sam. cp.; BL 193o 215j: **Arm** *arm*, metaph. Gewalt *force*, בְּאֶ׳ וְחָיִל Esr 4, 23.†

***אזד**: אַזְדָּא, sbst. det. vel adj. f., schlechte *bad*. Var. אָזְדָא wie von *as from* אזד (ja) gehen *walk* (Kau. 63); LW < ape. *azdā* Kunde *notice* (Andr., Hübschm. 92) vel kund *known* (Schaed. 68, Herzf. 104, Kent 173f); äga. הן אזד יתעבד, אזדכרא Bekanntmacher *proclaimer* (Schaed. 66): מִנִּי אַזְדָּא מִלְּתָא Da 2, 5 u. מִלְּתָא מִנִּי אַ׳ 2, 8 das Wort ist von mir aus (BL 316h) **kundgetan** *the word is promulgated by me* Montg. 147f.†

אזה: ja.; ar. أزى.
pe: pt. pass. אֵזֵה, or. *ʾizē*, inf. מֵזֵא, sf. מֵזְיֵהּ (BL 168c, 234k!): anzünden, **heizen** *light, heat* Da 3, 19, pt. pass. geheizt *heated* 3, 22.†

אזל: he. =, < Aram.; pehl. Frah. 20, 6f., äga. AD ja. cp. sam. sy. md. nar. (Gl. 105): pe: pf. אֲזַל, אֲזַ֫לוּ, אֲזַלְנָא, אֲזַ֫לוּ, imp. אֱזֶל־ Esr 5, 15 (BL 67p); impf. von *from F* הלך (äga.): **gehen** *go*, c. לְ loci Da 2, 17 6, 19f. Esr 4, 23 5, 8, abs. Da 2, 24 (*F* I עלל u. Komm.) Esr 5, 15.†

***אַח**: he II אָח; Aram., pehl. Frah. 11, 2, Hatra 20, 3 sg. sf. אחיהי: pl. sf. K אֲחָיִךְ, Q אַחָךְ, BL 247b, Littm. OLZ 31, 580: **Bruder** *brother*.†

אחד: he. אחז; Suǧ. Bb 20, Znǧ., Assbr. 5f., Ner., Saqq. 5; אחד pehl. (Frah. 20, 10), äga. AD nab. ja. cp. sam. sy. md.; Der. אֲחִידָה:

אַחֲוָיַת: Da 5, 12, *F* חוה haf.

***אֲחִידָה**, or. *ʾaḥīdā* (BL 66n) אחד; he. חִידָה; ܐܘܚܕܬܐ, ? äga (Aḥ. 99 אחדי cs. pl.); BL 54a, 188j: pl. אֲחִידָן **Rätsel** *riddle* Da 5, 12; G Da 12, 8 pro אחרית παραβολαί = אֲחִדוֹת (Montg.)†

***אַחְמְתָא**: n. l., < *(א)חמתנ, sy. ܐܚܡܬܐ, ape. Hagmatān*a*, bab. Agmatanu u. ä. (ZA 15, 367f.), G Ἐκβάτανα, Ἀγβάτανα: **Ekbatana**, Hauptstadt Mediens, Sommerresidenz der Perserkönige *capital of Media, summer-residence of the Persian kings*, Weissbach P-W 5, 2155 ff., heute *to-day*

Hamadan, Enzykl. d. Islam 2, 256; — Esr 6, 2, ?1Js 11, 11 pro חמת (ZAW 4, 93 Anm.). †

***אַחַר**: אחר; he. אַחַר, אַחֲרֵי; pehl. Frah. 25, 9, לאוחר 25, 7, אגר sogd. Gauth.-B. 2, 206), äga. u. AD (adv., praep. אחרי), nab. u. klas. (Eph. 1, 67, 4); ja. (אַ)חוֹרֵי, cp. ܒܬܪ u. ܒܬܪܝ, md. אהוריא MG 194, nar. *roḥl* (<**luḥraj*, Spit. 131 v); zurückgedrängt durch *limited in use by* F בָּאתַר: pl. cs. אַחֲרֵי, or. *ʾaḥrē*, sf. אַחֲרֵיהֹן: **nach** *after* Da 7, 24, אַ׳ דְנָה hernach *hereafter* 2, 29. 45 (BL 255 v).

***אַחֲרִי**: he. אַחֲרִית; pehl. (s. u.), Ner. (progenies), cp., sy. u. nsy. ܐܚܪܝܬܐ; BL 197 f; cs. אַחֲרִית **Ende** *end*, אַ׳ יוֹמַיָּא Da 2, 28 (< he. אַחֲרִית הַיָּמִים Montg. 163 f., tg. סוֹף יוֹמַיָּא, Avr. 3, 4 אחרית עדן). †

אָחֳרִי, or. *ʾuḥrī*: äga. אחרה (Leand. 76v), BMAP 6, 15 אחרת, ja. אוּחְרֵי u. חוֹרִי, cp. *ḥurīthā* (Spit. 62[6]), nar. *ḥrītha* (Spit. 62k.m), sy. **oḥrē* > ܐܚܪܢܝܬܐ, md. הורינתיא (MG 185 f.), ar. أُخرى; BL 200k :: Rosenth. Spr. 53: f. zu *of* F אָחֳרָן: **eine andere** *another* (*woman*) Da 2, 39 7, 5 f. 8. 20. †

אחרין, Q אָחֳרָן (or. *ʾuḥrēn*) u. אָחֳרָן, K אחרין/רן (Torcz. 65 f) vel אָחֳרִין (Torr. N 267); äga. על אחרן, BMAP 4, 19 אחרנא :: äga. u. AD (ל)קדמ(י)ן, palm. לקדמין (Syr. 12, 139, 3); BL 256 w, 372, Montg. 227: adv. עד אחרין **zuletzt** *at last* Da 4, 5. †

אָחֳרָן, or. *ʾuḥrān*: pehl. (Paik. 55 f.), äga. AD nab. u. palm. אחרן, ja. אָחֳרָן, אָחֲרָן, חוֹרָן (sam. *uran*) u. חוֹרִין, cp. ܚܘܪܢ u. ܚܘܪܢܝ, sy. ܐܚܪܢܐ, md. הורינא (MG 185 f.), nar. *ḥrēna* (Spit. 62 k, l); VG I 412 f., BL 196 a: **ein anderer** *another* Da 2, 11. 44 3, 29 4, 5 Q (F אחרין) 5, 17 7, 24; f. F אָחֳרִי. †

***אֲחַשְׁדַּרְפַּן**, pl. det. אֲחַשְׁדַּרְפְּנַיָּא, or. *ʾaḥšᵉd*. (BL 44 a): he. אֲחַשְׁדַּרְפְּנִים; LW < ape. *kshathrapān*, mpe. סאתרף (Paik. 706), keilschr. *aḥšad(a)rapānu* (Eil. 78[4]) u. *šatarpānu*, > ܣܛܪܦܐ, (ἐ)ξετράπης, σατράπης u. ä. (Liddell-Scott 1585) Hübschm. 208, Montg. 199; palm. n. d. שדרפא Σατραπης, cf. Levi della Vida BASOR 87, 29 ff., Starcky Syr. 25, 67 ff.: **Satrap** *satrap* Da 3, 2 f. 27 6, 2—5. 7 f. †

אִילָן: he. אֵלוֹן; ja. sam. cp. sy. md. (MG 136); BL 196 b: det. אִילָנָא: **Baum** *tree* Da 4, 7 f. 11. 17. 20. 23. †

אים: אים; ja. אֵימְתָא **Schrecken** *fright*; Der. *אֵימְתָן:

***אֵימְתָן**: אים, *אימתה; ja.; BL 197 f: f. אֵימְתָנִי (Var. אֵמְתָנִי, cf. J. Lewy HUCA 18, 452[122]): **schrecklich** *terrible* Da 7, 7. †

אִיתַי, Var. אִתַי: he. יֵשׁ; איתי äga. AD nab. u. ja.; אית Assbr. 6, pehl. (Frah. 24, 2), Pachtv. 15, äga. (1 × את), palm. ja. (bta. אִיתָא), cp. sam. sy. md. (MG 293 ff.) nsy. *it* u. *ith*, nar. Spit. § 183; ug. *ᵓṯ*; c. לָא: Suǧ. Ab 9 u. Zng. לא איתי, לישׁ, pehl. Frah. 25, 8 לעיתי, äga. (AP) u. (לאית(י RÉSB 1942—45, 71 f., ja. u. cp. לֵית, לֵית, sy. ܠܝܬ, md. לאיית u. nsy. *lit*, *lith.*, ar. لَيْسَ; VG I 75 m, BL 254 l-n, Rosenth. Spr. 83 f. :: Blake JAOS 35, 377 ff., Eitan AJSL 44, 187 f. 45, 138: sf. Q אִיתָךְ, K אִיתָיךְ (BL 74 z, 77 o), אִיתֵיכוֹן, Q אִיתָנָא u. -תָנָא (BL 79 u), K אִיתֵינָא: **Vorhandensein** *existence*, BL 331 t-w; es gibt *there is (are)* Da 2, 28 3, 12 5, 11, c. לָא es gibt nicht *there is (are) not* 2, 10 f. 3, 25. 29 4, 32 Esr 4, 16; sich befinden *be* Da 2, 11 b. 30 3, 25; הֵן אִיתַי דִּי ob es sich so verhält dass *whether it be so that* Esr 5, 17; als betonte Kopula vor pt. oder adj. *as stressed copula before pt. or adj.*

(BL 291 e) הֵן אִיתַי ... יָכִל Da 3, 17 wenn er imstande ist *if he is able* (alii: wenn es so ist dann *if it is so then*; BL 365 b), c. sf. (BL 256 z) 2, 26 3, 14 f. 18, c. pleon. sf. 3. m. 2, 11. †

אכל: he. =; Suğ. Ab 8, Znğ. Assbr. 17, pehl. Paik. 74, äga. ja. cp. sam. sy. md. nsy. u. nar, ja. u. cp. etiam אכיל:
pe.: pf. אֲכַ֫לוּ (or. ʾakalū, BL 138 d), impf. יֵאכֻל, תֵּאכֻל (or. j/tōkul, BL 138 a-b :: Littm. OLZ 31, 580), imp. f. אֱכֻ֫לִי (or. ʾikulī, BL 138 d), pt. f. אָכְלָה: **essen** *e a t*, sich nähren von *live on* Da 4, 30 7, 5, abs. 7, 7. 19, metaph. אַרְעָא verheeren *devastate* 7, 23; אכל קַרְצִין 3, 8 6, 25 F*קְרַץ. †

אַל: he. =; Zkr I 13, Suğ. Ab 2 ff., Assbr. 17, pehl. Frah. 25, 7, Saqq. 7, äga. AD, dann ausser Gebrauch *afterwards out of use*, BL 349 e, Rosenth. Spr. 60: prohibitives **nicht** *not (of prohibition)* Da 2, 24 4, 16 5, 10. †

***אֵל**: he. VI אֵל; Zkr I 9, Znğ. (?); BL 82 b, 83 k: pron. dem. pl. (sg. F דְּנָה), **diese** *these* Esr 5, 15 Q (K F אֵלֶּה). †

אֱלָהּ, or. ʾelāh (BL 66 n); he. אֱלוֹהַּ; Znğ., Assbr. 19, pehl. Frah. 1, 3, äga. AD nab. u. palm., ja. sam. u. cp. אֱלָהָא, sy. ܐܰܠܳܗܳܐ (< ar. ʾallāh, Littm. Syriac Inscriptions, 1934, X f.), md. (Lidzb. OS 540 [1]), nsy. alāhā, nar. aɩō Gl. 51; BL 189 p.: cs. =, det. אֱלָהָא, sf. אֱלָהִי, אֱלָהָךְ, אֱלָהֵהּ, אֱלָהֲנָא (Var. Da 3, 17 -הָ֫נָא, BL 79 t), אֱלָהֲכֹם/כוֹן, -הֹם/הוֹן, or. ʾelāhā etc.; c. praef. לֶאֱלָהּ (or. leʾelāh), sed det. u. sf. בֵּאלָהָא, לֵאלָהָא, וֵאלָהָא etc. (BL 60 e, or. leʾelāheh, wilʾelāhā); pl. אֱלָהִין, אֱלָהַיָּא, sf. לֵאלָהַי, לֵאלָהָי, אֱלָהַי, לֵאלָהָיךְ 3, 12. 18 (K -הָיִךְ, Q -הָךְ, BL 77 o): **Gott** *god*, 1. sg., im allgemeinen *in general* † Da 2, 28 3, 15. 28 6, 8. 13, אֱלָהּ רַב, det. = Jahwe † 2, 20 Esr 6, 12. 18, אֱלָהָא רַבָּא Esr 5, 8, חַיָּא Da 6, 21. 27, עִלָּיָא 3, 26. 32 5, 18. 21; c. gen.: F שְׁמַיָּא אֱלָהּ 2, 18 f. 37. 44 Esr 5, 11 f, 6, 9 f. 7, 12. 21. 23, אֱלָהִין Da 2, 47 (BL 312 i), יִשְׂרָאֵל Esr 5, 1 6, 14 7, 15, יְרוּשְׁלֶם 7, 19 (:: Rud.), אֲבָהָתִי, † Da 2, 23; בֵּית אֱלָהָא † Da 5, 3, Esr 4, 24-7, 24 (25 ×); 2. pl. אֱלָהִין Götter *gods* † Da 2, 11 (;; Montg. 153). 47 3, 12 (:: Montg. 205) 4, 5 f. 15 5, 4. 11. 14. 23, אֱלָהַיָּא Ir 10, 11 (BL 309 n), F בַּר אֱלָהִין Gottwesen, Engel *divine being, angel* Da 3, 25 (= מַלְאֲכֵהּ 28); pl. im Sinn des *with the meaning of* sg. (he. II 2): = Jahwe † Da 6, 17 u. 21 K Var. (irrig *falsely*, BL 305 f), = Heidengott *heathen-god* 2, 11 u. 3, 12 (Montg.)?

אֵ֫לֶּה: he. =; Assbr. 12 f., Pachtv. 15, äga. AD nab. klas. Eph. 1, 323, 4; cj. *אֵלֶּה, BL 82 j, Leand. 34 l: ut F אֵל, F אִלֵּין, F אִלֵּךְ pron. dem. pl.: diese *these* Ir 10, 11 Esr 5, 15 K (Q אֵל), sg. F דְּנָה. †

אֲלוּ, or. ʾalū (BL 66 n!), Da 7, 8 ʾilū: gilt meist als NF zu *mostly regarded as NF of* F אֲרוּ: הלו Assbr. 9. 11. 13 u. äga. (APO, ZAW 47, 150 f. 2. 9. 12), EA allū, ug. hl; ZAW 45, 89, BL 266 a :: Littm. OLZ 31, 580: interj. **sieh da!** *b e h o l d!* וַאֲלוּ (or. weʾalū) Da 4, 7. 10 7, 8 (Var. וַאֲרוּ). †

אִלֵּין, Da 6, 7 אִלֵּן: Suğ. Aa 7, b 19, palm. u. asa. אלן, ja. אִלֵּין u. אִלֵּן, sy. u. cp. ܗܠܝܢ, md. עלין u. האלין MG 89 f.; BL 82 j: ut F אֵל, F אֵלֶּה, F אִלֵּךְ pron. dem. plur.: **diese** *these* Da 2, 40. 44 6, 3. 7 7, 17; sg. F דְּנָה†.

אִלֵּךְ: äga. AD nab.; cp. hellēk u. hellōk, sy. ܗܠܝܟ, ܗܢܘܟ, md. האניך MG 91, ar. أُلَائِكَ; BL 83 l: ut F אֵל, F אֵלֶּה, F אִלֵּין,

pron. dem. pl.: diese *these* Da 3, 12 f. 21—23. 27 6, 6. 7 (Var.K). 12. 16. 25 Esr 4, 21 5, 9 6, 8; sg. F דְּנָה. †

אִלֵּן: F אִלֵּין.

אֲלַף: he. II אֶלֶף; Aram., sogd. Gauth.-B. 2, 225, äga. nab. u. palm., sy. ܐܠܦ, nar. *ōlef.*, nsy. *alfilpā*: BL 251 q: cs. אֲלַף, det. אַלְפָּא, pl. אַלְפִין Da 7, 10 Q Var. (K אלפים, BL 201 f): **tausend** *thousand* Da 5, 1, אֲלַף אַלְפִין 7, 10 viele Tausende *many thousands* (BL 312 i). †

*****אַמָּה**: he. =; äga. nab. palm. ja. cp. sy. md. (MG 163[2] 172): pl., wie meist m. gebildet *as mostly formed as m.*, אַמִּין (palm. אממא, md. אמאמיא, Rosenth. Spr. 78); BL 240 f: **Elle** *cubit* Da 3, 1 Esr 6, 3. †

אֻמָּה: he. =; ja. u. sam. אֻמְּתָא, sy. ܐܘܡܬܐ; BL 239 x, 240 k: pl., wie überall m. gebildet *as everywhere formed as m.*, det. אֻמַּיָּא Da 3, 7. 31, אמיא 3, 4 5, 19 6, 26 7, 14: **Nation** *nation* Esr 4, 10, neben *together with* עמא u. לִשָּׁן: sg. Da 3, 29, pl. 3, 4. 7. 31 5, 19 6, 26 7, 14. †

אמן: he. =; Suğ. Bb 11 u. Znğ. אמן?; haf. pehl. הימן (Frah. 18, 2 f.) et, adiuvante he. הֶאֱמִין, ja. הֵימִין, sy. u. cp. ܗܝܡܢ, md. האימן MG 244, nsy. *m^ehemin*, *m^ehamin*, > ܗܝܡܢ; sbst. הימנותא äga. ja. sy. md. u. nsy.; adj. אמין Saqq. 3, sy. u. nsy.:

haf.: (BL 139 i) pf. הֵימִן (or. *hēmen*), pt. pass. מְהֵימַן (or. *m hēmān*): **vertrauen auf** *trust in* בְּ Da 6, 24; pt. pass. (etiam pehl. ja. cp. sy. md. nsy.) **zuverlässig** *trustworthy* (BL 297 c) 2, 45 6, 5. †

אמר: he. =; Aram., pehl? (Nyb. 2, 84), äga. AD, Uruk 18. 43, nar. nsy.:

pe.: pf. אֲמַר (or. *ʾamar*, BL 138 d), 3. f. אַמְרַת (BL 139 g), 1. אַמְרֵת (BL 138 f), pl. אֲמַרוּ; impf. יֵאמַר (or. *jōmar*, F אכל), pl. תֵּאמְרוּן; imp. אֱמַר, אֱמַר (BL 139 l), inf. מֵאמַר Da 2, 9, מֵמַר Esr 5, 11 (:: לאמר Assbr. 8, äga., < kan.) pt. אָמַר, pl. אָמְרִין: 1. **sagen** *say* c. or. recta: abs. עָנֵה וְאָמַר Da 2, 7 u. ä. F עָנָה, c. לְ pers. 2, 5. 25 3, 9 u. ö., c. קֳדָם † 2, 9 5, 17 6, 13 f.; c. דִּי † 2, 25, † כֵּן † 4, 11 7, 23, † כְּנֵמָא 5, 4. 9, † כִּדְנָה Ir 10, 11, לְמֵמַר (= he. לֵאמֹר) † Esr 5, 11, אָמְרִין es wird gesagt *it is said* (BL 333 d!) † 4, 28 Esr 5, 3; 7, 1 cf. Komm. 2. † **etw. sagen** *say something*: F שָׁלָה c. עַל pers. gegen *against* Da 3, 29, sagen, mitteilen *tell* (// ידע haf., חוה pa. haf.) חֶלְמָא vel פִּשְׁרָא 2, 4. 9. 36 4, 4 f. 6. 15; 3) † **befehlen** *command* c. or. recta, אָמְרִין (s. o. 1, AD) es wird befohlen *it is commanded* Da 3, 4, c. inf. u. לְ 2, 12. 46 3, 13. 19 f. 4, 23 (אֲמַרוּ BL 333 d!) 5, 2 6, 24, c. pf. der Ausführung *of execution* (BL 351 e) 5, 29 ... אמר וְהַלְבִּישׁוּ 6, 17. 25.

אַנְבֶּה: F אֵב.

אֲנָה, אנא Var. Da 2, 8 u. Esr 6, 12: he. אֲנִי; אנה Suğ. Zkr. Assbr. Znğ. pehl. Paik. 102 f., äga. AD Mcheta 1 u. sam., אֲנָא ja. cp. sy. u. md., nar. u. nsy.: pron. pers. **ich** *I* Da 2, 8 ... 7, 28 (12 ×), Esr 6, 12; verstärkend *stressing* רוּחִי אֲנָה דָנִיֵּאל mein, D.s Geist *as for me, D., my spirit* Da 7, 15 u. מִנִּי אֲנָה Esr 7, 21 (BL 267 b). †

אִנּוּן, f. **אִנִּין** Da 7, 17 (Var. Q, K אנון): f. הני Assbr. 12, nab. אנו, palm. הנן, ja. ה/אינון, f. א/הנין, sam. אנון, cp. u. sy. ܗܢܘܢ, f. ܗܢܝܢ, md. הינון, f. הינין MG 86, nar. *hinn(un)*; BL 71 p, 124 s, Schaed. 53 f.: pron. pers. pl. (sg. F הוּא, f. הִיא): sie *they*, als Kopula *as* *copula* (BL 268d) Da 7, 17 Esr 5, 4, als *as* acc. Da 6, 25; als *as* pron. dem. **jene** *those* 2, 44, F (הִמּוֹ(ן).†

אֱנוֹשׁ: F אֱנָשׁ.

אֲנַ֫חְנָא, Esr 4, 16 u. Var. 5, 11 **אֲנַ֫חְנָה**: he. (א)נַחְנוּ; äga. אנחנה, 2 × אנחן, ja. (א)נַחְנָא, sy. ܐܢܚܢܢ > ܚܢܢ, cp. ܐܢܚܢ, nar. *anaḥ*, nsy. *aḥnan*; jüngere Formen *later forms* bta. אנן, sam. *(an)anan*, cp. ʾᵃnan, ʾᵃnen, md. ʾanin MG 87; VG I 300, BL 70n: pron. pers. pl. wir *we* Da 3, 16 f. Esr 4, 16 5, 11.†

אנס: he. =, < aram. (Kau. Aram. 22); ja. cp. sy.; הנס? (<*האנס?) Zkr 2, 20, Ner.: pe. pt. אָנֵס: **bedrängen** *oppress*, רָז Mühe machen *trouble* Da 4, 6.†

***אֲנַף**: he. אַף, אנף; אנפ* pehl. Frah. 10, 4, äga. (אפ* in eodem textu Sem. 2, 31, Rs. 4 f.), Tema 14 f. ja. md. (MG 51), אפ* Suğ. Ab 23, palm. ja. cp. sam. sy., nar. *ffōja* Gl. 24; Ruž. 130, BL 181x: du. (BL 202o :: pl. ja. sy. md.) אַנְפּוֹהִי: **Gesicht** *face* Da 2, 46 3, 19.†

אֱנָשׁ, or. ʾenāš (BL 16s): Aram., pehl. אנשותא (cp. sy.) Frah. 11, 1, Pul-i-D. 2, md. אנאשא MG 182 f., nsy. *nāšā*; Grdf. *ʾunāš, BL 41o, 190u: cs. =, det. אֲנָשָׁא (Var. Da 2, 43 4, 13 5, 21 u. 7, 8 'אֱ, or. ʾenāšā) u. אֱנוֹשָׁא (nab. Cant. 2, 65 212 u. palm. Rosenth. Spr. 27) K 4, 13 f., BL 34a :: Brockelm. OLZ 37, 689 f.; pl. אֲנָשִׁים 4, 14 (he., l. אֲנָשָׁא coll., BL 201f): 1. det. coll. (Znğ., BL 304d, :: pl. Znğ. ja. cp. sy. md.): **Menschen(geschlecht)** *mankind* Da 4, 13 f (F מִן 1b). 14. 22. 29 f. 7, 8, die M. e. bestimmten Landes *the people of a certain country* Esr 4, 11, מַלְכוּת אֲנָשָׁא Da 4, 14. 29 5, 21, זְרַע אֲ' Menschensamen *seed of mankind* (ak. *zēr amēlūti*) 2, 43; בְּנֵי אֲ' 2, 38 5, 21 die (einzelnen) Menschen *the (single) men*, בַּר אֱנָשׁ e. (einzelner) M. *a (single) man* (F II בַּר, 2) 7, 13; 2. **einzelner Mensch** *a single man* (nab. u. ja. jemand *somebody*) Da 2, 10 5, 5 6, 8, כָּל־אֱנָשׁ jedermann *everybody* 3, 10 5, 7 6, 13 (= כָּל־ 6, 8) Esr 6, 11.†

אַנְתָּה, K אַנְתָּה, nur *only* ba., Q u. Esr 7, 25 etiam K אַנְתְּ: he. אַתָּה; אנת pehl. Paik. 108, äga. AD palm. klas. (Eph. 1, 67, 5), ja. u. cp. selten *rarely*, sy. (K), md. אנאת MG 86 f.; את Znğ. Assbr. 2, 19, Ner., ja. cp. sam. sy. (Q), nsy. u. nar. (Spit. § 34, a. f-h); BL 50e, 70k :: Leand. 18j: pron. pers. m. **du** *thou* Da 2, 29—6, 21 (13 ×), Esr 7, 25.†

אַנְתּוּן: he. אַתֶּם; äga. u. AD אנתם, ja. (אַתּוּ(ן, אַנְתּוּ, cp. ܐܢܬܘܢ, auch ܐܬܘܢ, sy. K ܐܢܬܘܢ, Q ܐܢܬܘܢ, md. אנאתון MG 86 f., nar. Spit. 50 f. i; BL 70o, F אַנְתָּה: pr. pers. pl. **ihr** *you* Da 2, 8.†

אֱסוּר: אסר; he. אֵסוּר; ja. אֱסוּרָא; cp. *ܐܣܘܪ, ܐܣܘܪܐ, sy. ܐܣܘܪܐ, md. עוסורא, R. Gi. 215, 13, nsy. *jisūra*: Grdf. *ʾisūr? :: BL 189s: pl. אֱסוּרִין: **Band, Fessel** *bond* Da 4, 12. 20, pl. Haft *imprisonment* Esr 7, 26.†

אָסְנַפַּר, G Ἀσενναφαρ, G^L u. Jos. Ant. XI 2, 1 Σαλμανασσαρης: n. pr. e. assyr. Königs *of an Assyrian king* Esr 4, 10, wahrscheinl. *probably* *אס(רב)נפר = **Assurbanipal**, Streck VAB VII p. CCCLXIV f., Rud. 36.†

אָסְפַּרְנָא: G ἐπιδέξιον, ἐπιμελῶς, ἑτοίμως; אספרן CJS II 108? (:: Schwyzer, Indogerm. Forschgen 49, 40 ff.) AD, L 10, 4; LW < ape. *usprna vollständig *completely*, Hübschm. 239, Schaed. 75, Driv. ad l.c.: adv. **genau, eifrig** *exactly, eagerly* Esr 5, 8 6, 8. 12 f. 7, 17. 21. 26.†

אסר: he. =; pehl. Frah. 20, 11, äga., Uruk 5.8 *a-si-ir* pt. pass.(?) palm. (Syr. 17, 351, 12

u. n. d. רב אסירא, Rosenth. Spr. 77 [2]), ja. cp. sy. md. nsy. binden *bind.*
Der. אֱסָר, אֱסוּר.

אֱסָר, or. ʾesār (BL 66n) u. ʾissār; he. אִסָּר; אסרא BEUP VIII 1, nr. 51, ja. אִסְּרָא u. אֱסָרָא, cp. u. sy. ܐܣܪܐ, u. md. אסארא MG 115, Band, Fessel *bond*, *fetter*; Grdf. *ʾisār, BL 189r: cs. =, det. אֱסָרָא: Verbot *inhibition* Da 6, 8—10. 13f. 16. †

אָע: he. עֵץ; ja.; äga. עק, ? Uruk 2 [a]ḫ-ḫee; sonst verdrängt durch *elsewhere displaced by* F אִילָן Baum *tree* u. ja. cp. קִיסָא, sy. u. nsy. ܩܝܣܐ, nar. qīsa Holz *wood*; BL 59c, 179f, Nöld. NB 144f.: det. אָעָא: Holz *wood* Da 5, 4. 23, Balken *beam* Esr 5, 8 6, 4. 11. †

אַף: he. I אַף; pehl. Frah. 24, 1. 3, sogd. Gauth.-B. II 208, äga. AD Tax. 11 palm. ja. sam. u. md., sy. ܐܦ, ܐܘܦ, tg. u. cp. אוּף, nsy. ūp, Znğ. u. nab. פ; Nöld. MG 208[1]: auch *also*, וְאַף Da 6, 23 Esr 5, 10. 14 6, 5. †

***אֲפָרְסָי**, pl. det. אֲפָרְסָיֵא (Var.S 'אֲפַרְ), BL 196d: Esr 4, 9, vox inc.; n. p. (G), = פָּרְסָיֵא (F פָּרְסָי), Meyer 38, Bew. 91 :: Eil. 40; oder Beamtentitel *or title of officials*, cf. אֲפַרְסְכָי u. אֲפַרְסַתְכָי, Galling ZAW 63, 70f. †

***אֲפַרְסְכָי**, pl. det. אֲפַרְסְכָיֵא (Var. 'אֲפָרְ), BL 196d, Esr 5, 6 6, 6: vox inc.; n. p. (G, V), = פָּרְסָיֵא (Meyer 38)? eher **Beamtentitel** *rather title of officials*, Esd ἡγεμόνες; LW < ape. **prasaka*, **patifrāsa*, Eil. 5ff. 30ff. †

***אֲפַרְסַתְכָי**, pl. det. אֲפַרְסַתְכָיֵא (Var. 'אֲפָרְ), BL 196d: Esr 4, 9. G n.p., pe. **Beamtentitel** *title of officials*; LW < mpe. *frēstak* > ja. פְּרִסְתְּקָא, sy. ܦܪܝܣܬܩܐ, Eil. 37ff. 100. †

***אַפְּתֹם**, Var.S אַפְּתֹּם, Var.G אַפְּתֹם: vox inc., אַ' מַלְכִים Esr 4, 13; < ape. *pathma* Vorratskammer *store-house* > Schatzhaus *treasury*, Albr. JBL 40, 114f. : : < ape. *apatam*, mpe. *abdom* schliesslich *eventually* Schaed. 74, Nyb. 2, 1 : : < ak. *appittum*, *appitti(mma)* sicherlich *positively*, Driv. JTS 32, 364, Herzf. 102f. †

***אֶצְבַּע**, or. ʾiṣbaʿ: he. =; ja. etiam אֶצְבַּעְתָּא ut cp.: äga. ja. u. sy. צְבַע, md. צבתא MG 16, nsy. ṣipʿā, nar. spaʿta Spit. § 83, ak. iṣbittu; BL 193o: pl. אֶצְבְּעָן, cs. אֶצְבְּעָת, f.: 1. **Finger** *finger* Da 5, 5; 2. **Zehe** *toe* Da 2, 41f. †

***אַרְבַּע**: he. =; Aram., pehl. Frah. 29, 1, md. ארביא MG 16, nsy. arbē, nar. arpaʿ Spit. 15f.; BL 250i: f. אַרְבְּעָה: **vier** *four* Da 3, 25 7, 2f. 6. 17 Esr 6, 17; F רְבִיעָי. †

***אַרְגְּוָן**: he. אַרְגָּמָן, 1 × aram. אַרְגְּוָן; LW < ak. < heth.; palm. ja. cp. sy. nsy.: det. אַרְגְּוָנָא: **Purpur(gewand)** *purple* Da 5, 7. 16. 29. †

אֲרוּ, or. ʾarū: Assbr. 19 ארה, ja. אֲרֵי, אֲרוּם, הֲרֵי (mhe.) siehe, weil *behold*, *because*; F אֲלוּ; kan., < רְאוּ, BL 266b, : : Eitan AJSL 44, 181ff.; L. Bauer, D. Palästin. Arabisch[4], 1926, 74: *harʿūh*, *helehū* etc.: interj. **sieh da!** *behold!*, וַאֲרוּ (or. wəʾarū) Da 7, 2. 5—7. 13 Var. 8. †

***אֹרַח**: he. אֹרַח; äga. palm. ja. u. cp. אוֹרַח, sam. *ura*, sy. u. nsy. ܐܘܪܚܐ, md. עוהרא MG 66, nar. *urḥ* Mal *time* Gl. 75, cp. u. nar. etiam fem. gebildet *formed*; BL 184o, 230w: pl. (fem. wie meist *as mostly*) sf. אֹרְחָתֵהּ, אֹרְחָתָךְ, Var. 'אֹרְ: **Weg** *way*, pl. (Gottes) Handlungsweise (*Gods*) *way of acting* Da 4, 34 // מַעְבָדוֹהִי, Ergehen (des Menschen) *condition* (*of man*) 5, 23 // נִשְׁמְתָה, (cf. he. אֹרַח, דֶּרֶךְ). †

אַרְיֵה: he. =; äga. palm. LP Rec. 61, 1; ja. cp. sy md. u. nsy. אַרְיָא; BL 200l: : Brockelm. ZDMG 94, 357[1]: pl. det. אַרְיָוָתָא, BL 233i:

Löwe *lion* Da 6, 8. 13. 17. 20 f. 23. 25. 28 7, 4. †

אַרְיוֹךְ: *F* he. Lex.: n.m. **Arioch**, Da 2, 24 f. 24 f.; ᾿Αριωχ Judith 1, 6 u. 2 Hen 33, 11, ᾿Αριουκης Eph. 2, 249 f., AJSL 45, 279 f. †

אַרִיךְ, Var. (velut < **arrik*, BL 159) אֲרִיךְ u. אָרִיךְ: ja; non ארך pt. pass. (Kau. § 57 b γ), sed LW < ape. *ārya-ka* eines Ariers würdig *worthy of an Aryan*, BL 188 i: passend, geziemend *fitting*, *becoming* c. לְ Esr 4, 14. †

ארך: he. =; Ner. äga. ja. cp. sam. u. sy., nar. *ʾrḫ*; adj. אריך pehl. (Frah. 25, 4), ja. cp. sy. md.:

Der. (אֲרִיךְ), אַרְכָה.

***אַרְכֻבָּה**, Var. אַרְכֻּ׳ BL 241 q: mhe. ja. u. cp. (Schulth. Gr. § 46, 1 b *ʾarkūbā*), nar. *rḫoppṭha* Spit. 15 g; BL 193 o; trad. zu *connected with* he. בֶּרֶךְ, VG I 276 :: Schwally 89: رَكِبَ, רכב: Knie: pl. sf. אַרְכֻבָּתֵהּ, f.: Knie *knee* Da 5, 6. †

אַרְכָה: ארך; mhe. ja. :: ja. cp. u. sy. m. אוּרְכָּא = he. אֹרֶךְ; BL 185 s: f.: Länge, Dauer *length*, *prolongation* Da 4, 24 7, 12. †

***אַרְכְּוָי**, pl. det. Q אַרְכְּוָיֵא, K אַרְכְּוָיֵא, BL 212 z; G ᾿Αρχυαῖοι, ᾿Αρχοῦοι, Esr 4, 9: n. p., Bewohner von *inhabitant of* Uruk (*F* he. אֶרֶךְ), keilschr. (lu) *Uruk-a-a*, (lu) *A-ra-ka-a-a* (Eil. 40) = אַרְכָּיֵא; l אַרְכָּיֵא < אַרְכָּי (Torr. ESt. 170). †

אֲרַע, or. *ʾaraʿ* (BL 66 n): he. אֶרֶץ, *F* אֲרַק; äga. nab. palm. ja. cp. sam. sy. nar. nsy.; BL 26 c. d, 182 x: det. אַרְעָא: 1. die Erde *the earth* Da 2, 35. 39 3, 31 4. 7 f. 12. 17. 19 f. 32 Q, 26 7, 4. 17. 23, שְׁמַיָּא וְא׳ Esr 5, 11 Ir 10, 11 cf. Da 6, 28; 2. אַרְעָא K, אֲרַע Q (BL 254 o; ארע unten *beneath* BMAP 3, 5, ja. u. cp. לְרַע Schulth. § 26, 2 c, nar. *erra*, Spit. 118 e, 130 q) erdwärts, **nach unten** *earthwards*, *downwards*, א׳ מִנָּךְ unter dir, geringer als du *beneath thee*, *inferior to thee* Da 2, 39. †

***אַרְעִי**: אֲרַע; ja.; mhe. אַרְעִית; BL 197 f: cs. אַרְעִית: **Boden** (der Grube) *bottom* (*of pit*) Da 6, 25 (palm. ארע גומחה B. seiner Grabnische, *b. of his sepulchral niche* Beryt. 1, 39, 10 f.). †

***ארק**: he. אֶרֶץ, *F* אֲרַע; mspt., Suǧ. Ab 7 ff., Zkr b 26, Znǧ, pehl. Frah. 2, 1, Saqq. 2, äga. md. MG 183, cf. ᾿Αρκακιηλ Erdengel *angel of the earth* 1. Hen 8, 3; ארקתא AD sec. ak. *irṣitu*, > ארצתא Ner. I 4. 7. 12; BL 26 c, ZAW 45, 100 f, Schaed. 48 f.: det. אַרְקָא: **die Erde** *the earth* :: שְׁמַיָּא Ir 10, 11. †

אַרְתַּחְשַׁשְׂתְּא Esr 4, 8. 11. 23 6, 14 u. **אַרְתַּחְשַׁסְתְּא** 7, 12. 21 K u. Var. -תָּא, cf. 4, 7; *F* he.; ארתחשסש äga. u. Sard. (Schaed. 70), [א]רתחשס Nakš-i-Rustam (F. Altheim, Weltgesch. Asiens I, 1947, 37): n. m. **Artaxerxes** †

***אֹשׁ**, i. e. *ʾoš*: he. שֵׁת; mhe. f. אָשָׁה, pl. אָשִׁין, ja. f. אָשְׁתָּא, cp. ܐܫܐ u. f. ܐܫܬܐ, > ar. أُسّ, Frae. 11; denom. mhe. pu. u. hitpo., ar. II; LW < sum-ak. *uššu*, Zimm. 31: pl. det. אֻשַּׁיָּא, m.: **Fundament** *foundation* Esr 4, 12 5, 16; 6, 3 l. אֻשּׁוֹהִי vel אֻשַּׁיָּא, *F* אֶשָּׁא (Bewer 61), vel מִשְׁחוֹהִי, *מְשַׁח, seine Masse *its measurements* (Rud.). †

אֶשָּׁא, f. abs. (ZAW 45, 92): he. אֵשׁ u. אִשָּׁה; Suǧ. Ab 16. 18 אש, Assbr. 17 u. äga. אשה, Uruk 21 *iš-ša-aʾ*, ja. אשתא, sam. אשתא, cp. u. sy. ܐܫܬܐ, md. עשאתא MG 168, nsy. *šatha*; f.-Form *f.-form* etiam ug. ak. äth.; BL 189 q; f.: 1. **Feuer** *fire* Da 7, 11. 2. **Feueropfer**

offerings made by fire (he. אִשֶּׁה), pl. אִשַּׁיָּא vel sf. אִשּׁוֹהִי cj. Esr 6, 3; F אש.†

אָשַׁף, Var. אָשָׁף u. אַשָּׁף: he. אַשָּׁף Da 1, 20 2, 2; sy. ܐܳܫܽܘܦܳܐ u. ܐܳܫܽܘܦܳܐ, pa. denom.; LW < ak. *āšipu*, Zimm. 67; BL 190 x :: Montg. 138. 153: pl. אָשְׁפִין, det. אָשְׁפַיָּא: **Beschwörer**, Zauberer *enchanter* Da 2, 10. 27 4, 4 5, 7. 11. 15.†

*__אֻשַּׁרְן__, det. אֻשַּׁרְנָא, Esr 5, 3. 9, לְשַׁכְלָלָה א׳, // בַּיְתָא; G χορηγίαν, Esd 6, 4 τὴν στέγην ταύτην καὶ τἆλλα πάντα (cf. Bewer 56), 6, 10 τὰ ἔργα ταῦτα, SV Mauern *walls*; äga. אשרנא, vox inc., Ausstattung *outfit* (Barth u. Nöld. ZA 21, 192 f. 199, < ape. **us-čarana*, Nyb. MO 24, 138 f.) :: *אֻשַּׁרְן/א Bauholz, Getäfel *timber, panelling* (= אָע 5, 8), أَشَرَ sägen *saw* (Joüon Bibl. 22, 38 ff., Rud.) :: l אֻשַּׁרְנָא, < אשרן pl. BMAP 3, 23 Balken *beams*, > Dachgerüst *scaffold of the roof?* (Kraeling).†

אֶשְׁתַּדּוּר: שדר, orig. inf. itpa. (VG I 580 :: BL 193 o): **Aufruhr** *revolt* Esr 4, 15. 19.†

אֶשְׁתִּיו: Da 5, 3 f., F שתה.

*__אָת__: he. אוֹת; ja. cp. sy. md.; sy. u. nsy. ܐܳܬܳܐ Buchstabe *letter*; BL 185 s. t.: pl. אָתִין, אָתַיָּא (ja. u. cp., 1 × sy. P. Sm.; pl. fem. sy. u. md., selten *rarely* ja. u. cp., Schwally 8), sf. אָתוֹהִי, m.: **Zeichen** *sign*, pl. neben *along with* תִּמְהִין Da 3, 32 f. 6, 28.†

אתה: he. =; Suğ. Bb 9. 12, Assbr. 7. 11, pehl. Frah. 20, 5. 12 f., Saqq. 4. äga. AD nab. palm. ja. cp. sam. sy. md. (MG 257) nar. u. nsy., אטא ja. u. cp.; BL 168 d:

pe.: אֲתָה, Esr 5, 3. 16 אֲתָא, pl. אֲתוֹ, imp. pl. אֱתוֹ, inf. מֵתֵא (< *מֶאתֵא), pt. אָתֵה: **kommen** *come* Da 3, 2. 26 7, 13. 22 Esr 4, 12 5, 3. 16.†

haf: (BL 141 e, 169 e) pf. הַיְתִי, pl. הַיְתִיו, inf. הַיְתָיָה: **bringen** *bring*, Personen *persons* Da 3, 13 5, 13 6, 17. 25, Sachen *things* 5, 2 f. 23; pass. (BL 169 f-h) 3. f. Da 6, 18 הֵיתָיִת, l. c. Var. הֵיתָיִת, or. *hētījat* (BL 169 g, היתית Uzzia-Inschr. BASOR 44, 8 f.), 3. pl. 3, 13 6, 25 Var. הֵיתָיו, l. c. Var. הֵיתָיו, or. *hajtījū* (:: BL 169 h): **gebracht werden** *be brought* Da 3, 13 6, 18. 25 Var.†

*__אַתּוּן__: ja. cp. sy. md. (MG 125); > ar. أَتُّون, äth. አቶን; LW < ak. *atūnu, utūnu*, sum. *udun*, Zimm. 32: cs. =, det. אַתּוּנָא, m.: **Ofen** *furnace* Da 3, 19 f. 22, אַתּוּן נוּרָא יָקִדְתָּא 3, 6. 11. 15. 17. 20 f. 23. 26.†

אִתַי: F איתי.

אֲתַר: he. אֲשֶׁר; אתר locus äga. AD nab. palm. ja. cp. sam. sy. md. (MG 159) u. nsy.; אשר Suğ. Aa 5, Ba 3, Zkr b 15 (inscriptio), Znğ. Ner.; ak. *ašru* locus, أَثَر, asa. אתר u. ዐሥር vestigium, saf. אתר (Littm. TS 155) vestigium, inscriptio: BL 184 p: **1. Spur** *trace* Da 2, 35 (alii sec. 2); **2. Ort** *place*, עַל־אַתְרֵהּ Esr 5, 15 6, 7 u. לְאַתְרֵהּ 6, 5 (:: Ehrl. VII 167: auf d. Stelle *at once*, ja. md.); אֲתַר דִּי 6, 3 da wo *where* (BL 362 q) :: als e. Stätte wo *as a place where* (V Esd., Rud.); 3. F בָּאתַר.†

ב

ב: ב = he. פ in בדר; wechselt mit *alternates with* aram. פ in בִּקְעָה, mit *with* צ in חֲסַף.

בְּ: he. =; Aram., pehl. Paik. 186, Uruk 21. 24 *ba-aᵓ*, Demot. 9, 4 (בא(ביתא; BL 257 b-h: sf. בִּי, בָּךְ, בַּהּ, בַּהּ, בְּהוֹן: praep. 1. in *in*, räumlich *of space* Da 2, 28 3, 1, *בִּפְלָגָן Esr 6, 18, צְבוּ בְּ Anteil an *a share in* 4, 16, חֲלָק בְּ Da 6, 18; zeitlich *of time* Da 2, 28 3, 5; 2. räumlich auf die Frage wohin *of place whither* יְהַב בִּידָךְ Da 2, 38, עֲדָה בְּ kommen an *pass on* 3, 27; 3. durch, mittelst *by means of* Da 2, 30 7, 8 Esr 6, 14, בִּדְרַת (I כְּדַת? :: Rud.), קְנֵה בְּ kaufen um *buy for* 7, 17; 4. für begleitenden Umstand *of an accompanying condition*: בְּחֶדְוָה Esr 6, 16; 5. andere Verbindungen *other connexions*: שְׁתָה בְּ (cf. he.) trinken aus *drink from* Da 5, 2, הֵימִן בְּ glauben an *believe in* 6, 24, שְׁלֵט בְּ herrschen über *reign over* 2, 38, עֲבַד בְּ verfahren mit *treat* 4, 32, יוֹם בְּיוֹם (auch *also* sy.) Tag für Tag *day by day* Esr 6, 9; 6. Zusammensetzungen *compositions*: *F* בָּאתַר u. גַּו.

*באיש: באש; < *בְּאִישׁ, BL 60 k; äga. AD ביש, Uruk 35 pl. f. sf. *bi-ᵓi-ša-ti-ia*, palm. (Rosenth. Spr. 29), ja. cp. sam. sy. md. (MG 117) nar. u. nsy. בִּישׁ, ak. *biᵓšu*, *bīšu*: f. בְּאִישְׁתָא, Var. בְּאִישְׁתָא u. בְּ(י)שְׁתָא, BL 22 b. c.: böse *bad* Esr 4, 12. †

באשׁ: he. =, stinken *stink*; Ner. palm. ja. cp. sy.: pe: pf. בְּאֵשׁ schlecht sein *be bad*, c. עַל: pers. es missfällt *is displeasing to* (he. רעע אל) Da 6, 15 (:: טְאֵב עַל 6, 24). †

בָּאתַר, Var. בָּתַר: < *בְּ-אֲתַר; Zng. באשר, pehl. Frah. 25, 9 u. nab. באתר, palm. sam. ja. u. sy. (exc. Syr ^{sin}, Black 219) בתר, cp. u. md. באתר (scr. plena!), nsy. *bāthar* > *bār*, nar. *bōthar* (Spit. 127 e); BL 261 k: sf. בָּתְרָךְ: in vestigio (*F* אֲתַר) > praep.: nach *after* Da 2, 39, *F* בָּאתַר דְּנָה 7, 6 f. †

בָּבֶל; he. =; בבל äga. u. palm. (Inv. IX 11, 4), AD etiam בבאל, Demot. 7, 5 באבאל; BL 42 w: Babylon (*F* he. Lex.) Da 2, 12—7, 1 (15 ×), Esr 12—7, 16 (9 ×). †

Der. בָּבְלָי.

*בָּבְלָי: gntl. v. בָּבֶל; äga.; ak. *Ba-bi-lu-a-a* ApI Nr. 24, 16; PN *Babilaia* APN 49; BL 196 d: pl. det. בָּבְלָיֵא, Var. בַּבְ׳: Babylonier *Babylonian* Esr 4, 9. †

בדר: he. פזר u. בזר; mhe., Sard. 8, ja. cp. sy. u. nsy. בדר pe. u. pa.; ja. etiam בזר; pehl. Frah. 4, 2 בזר, ja. בִּזְרָא (Dalm. Gr. 99¹:: Ruž. 6), ak. *bizru* (Ebeling MAOG 14, 1, 12, nisi l. *biṣru* Zwiebel *onion*), > ar. بَذْر, بِزْر (Frae. 138) Samen *seed*, sy. ܒܶܙܪܳܐ Leinöl *linseed-oil*:

pa: imp. pl. בַּדַּרוּ: zerstreuen *disperse* Da 4, 11. †

בְּהִילוּ: בהל; ja.; BL 198 g: Eile *hurry* Esr 4, 23. †

בהל: he. =; ja. pa. beunruhigen *disturb*, itpe. pass. u. eilen *hurry*, sy. pe. aufhören *cease*: pa: impf. pl. sf. יְבַהֲלֻנַּנִי, יְבַהֲלֻנֵּהּ, יְבַהֲלוּנֵהּ (BL 130 f. i), juss. (BL 89 d, 131 k) יְבַהֲלָךְ u.

יְבַהֲלוּךְ: jmd erschrecken *frighten* Da 4, 2. 16 5, 6. 10 7, 15. 28.†
hitpe: (ja.): eilen *hurry*, inf. F הִתְבְּהָלָה als *as* sbst. Eile *hurry* Da 2, 25 3, 24 6, 20.†
hitpa: pt. מִתְבָּהַל, or. *-bahal* (BL 67 t) u. *-b^ehal* (hitpe., ja.): erschreckt werden *be frightened* Da 5, 9.†
Der. בְּהִילוּ.

בטל: he. =, < aram.; palm., בְּטַל ja. cp. u. sam., בְּטֵל ja. sy. u. md. MG 219, nsy.:
pe: pf. 3. f. בְּטֵלַת, Var. בְּטִלַת u. בְּטֵלַת (BL 68 x, 103 x), pt. f. בָּטְלָא, Var. בְּטִילָא pt. pass. (106 i): aufhören, eingestellt werden *cease, be discontinued* Esr 4, 24.†
pa: pf. pl. בַּטִּלוּ, inf. בַּטָּלָא: **Einhalt gebieten** *stop* Esr 4, 21. 23 5, 5; דִּי־לָא לְבַטָּלָא (BL 302 g) Esr 6, 8 ohne Unterbrechung *without interruption* vel zeitlich unbegrenzt *without limit of time* (cf. Thuc. I 129, 3 μηδὲ … κεκωλύσθω, Olmstead AJSL 49, 160).

בין: he. =; palm. af., ja. sy. nsy. u. md. (MG 250) pa., cp. pol.; Der. בִּינָה, בֵּין.

בֵּין: he. =; ak. (*ina*) *bīri*, *birit*; בין pehl. Frah. 25, 7, äga. AD (in *in* sec. mpe. *andar*, Nyb. II 10), palm. ja. cp. sam.; andere Formen *other forms* palm. ביני u. בינות (Beryt. 2, 104, XII 4), ja. בֵּינֵי, בֵּינָת u. (ת)בֵּי, sam. u. cp. בינת, sy. ܒܝܬ, ܒܝܢܬ, ܒܝܢ u. ܒܝܢܝ, md. (א)ביני, בינאת u. בית (MG 194 f.), nar. *bainth* u. *bainoth*, nsy. *ben*, *bīn*, *benāth*; BL 257 i: sf. K בֵּינֵיהוֹן, Q הֵין, Var. חֵן- (BL 75 h): **zwischen** *between* Da 7, 5. 8.†

בִּינָה: בין; he. =; ja.; BL 239 x: **Einsicht** *discernment* Da 2, 21.†

***בִּירָה**: he. =, LW. < ak. *bīrtu*; pehl. abgekürzt *abridged* בר Paik. 211, בירתא äga. AD Sard. 2, nab. (Tempel *temple*, Cant. 2, 70, cf. he.), ja. sy.: det. בִּירְתָא, Var. בִּירְתָּא (BL 67 r): (feste) **Stadt** *fortified place*, בְּאַחְמְתָא בְּבִירְתָא Esr 6, 2 (? dl בְּ², Rud.).†

בית: denom. < בַּיִת :: Jean, Mél. Syr. 704; ja. u. sam.; sy. u. md. (MG 249) בות, nsy., VG I 614; ak. *bātu* u. *bādu* (Driver-Miles, Assyrian Laws, 1935, 467 f.), بَاتَ, ብተ.

בַּיִת: he. =; Aram. seit *since* Suğ. Bb 13 u. Znğ., pehl. Frah. 3, 5, md. MG 183; בי (Leand. 24 k) abs. Znğ. äga. AD Uruk 4. 7 (*ba-a-a*), cp. sy. u. nsy., cs. ja. u. nar. (Spit. 101 f.); BL 247 c: det. בַּיְתָא, Esr 5, 12 u. 6, 15 בַּיְתָה, cs. בֵּית, sf. בַּיְתִי (Da 4, 1 or. u. schlechte *bad* Var. בֵּיתִי, BL 231 a), בַּיְתֵהּ, pl. sf. בָּתֵּיכוֹן, (BL 231 b): 1. **Haus** *house* Da 2, 17 3, 29 6, 11 Esr 6, 11, pl. Da 2, 5; Palast *palace* 4, 1, בֵּית מַלְכָּא der königliche Fiskus *the royal treasury* Esr 6, 4, בֵּית מַלְכוּ Residenz *residence* Da 4, 27, בֵּ׳ מִשְׁתְּיָא Festsaal *banqueting hall* 5, 10, בֵּ׳ גִנְזַיָּא Schatzhaus,-häuser *treasure-house(s)* Esr 5, 17, cf. 7, 20 (BL 310 b), בֵּ׳ סִפְרַיָּא Archiv *archives* 6, 1 (F סְפַר) 2. **Tempel** *temple* Esr 5, 3. 9. 11 f. 6, 3. 15, בֵּית אֱלָהָא Esr 4, 24—7, 24 (17 ×), c. sf. 6, 16 f. 7, 19 f., בֵּית אֱלָהּ שְׁמַיָּא 7, 23.†

בָּל: äga. cp. sam. sy. u. nsy., nar. *bōla*, بَالٌ; BL 179 h: **Herz** *heart*, שָׂם בָּל c. לְ u. inf. den Sinn richten auf *set the mind on* Da 6, 15.†

בֵּלְאשַׁצַּר: n. m., Da 7, 1 u. Var. 5, 1, F בֵּלְשַׁאצַּר.†

בלה: he. =; äga. בלא, ja. cp. u. sy. בְּלָא u. בְּלִי:
pa: impf. יְבַלֵּא: **aufreiben** *wear out* Da 7, 25.†

בְּלוֹ: äga. (? בלוה APE 91 B 3); LW < ak.

biltu, Zimm. 10; kan. pro *בְּלָה, BL 196 e :: Rosenth. AF 51[3]: (Natural-) **Abgabe** *tax (paid in kind)* Esr 4, 13. 20 u. 7, 24, zwischen *between* F מִדָּה/מִנְדָּה u. F הֲלָךְ. †

בֵּלְטְשַׁאצַּר, Var. 'בֵּלְטְ u. Da 4, 5 f. -שַׁצַּר, or. *Belṭašaṣṣar* u. *Belaṭš.*: n. m.; G Βαλτασαρ (Ruž. 178), V Baltassar; bab. Name v. *Bab. name of* Daniel (Da 1, 7): 2, 26 4, 5 f. 15 f. 5, 12; < ak. **Balaṭ-šarri-uṣur* (schütze das Leben des Königs *protect the life of the king*, Ruž. 6), vokalisiert nach *with the vowels of* F בֵּלְשַׁאצַּר (cf. 4, 5); בלטסר (?) auf Keramik aus *upon pottery from* Ninive JRAS 1932, 29 ff. †

בֵּלְשַׁאצַּר, Da 7, 1 u. Var. 5, 1 בֵּלְאשַׁצַּר (he. 8, 1), Q בֵּלְשַׁצַּר: n. m., G Βαλτασαρ, V Baltassar: **Belsazar** *Belshazzar*, angeblich Sohn des *alleged to be son of* F נְבוּכַדְנֶאצַּר u. letzter König v. *a. last king of* בָּבֶל, 5, 1 f. 9. 22. 29 f. 7, 1, tatsächlich *in fact* = *Bēl-šarra-uṣur* (Bel, schütze den König *B. protect the king*) APN 61, aram. בלסראצר (Eph. 3, 117 f., Lidzb. Urk. 15 Nr 1) erstgeborener Sohn v. *firstborn son of Nabu-naʾid*, 556-539 v. Chr., cf. R. Th. Dougherty, Nabonidus a. Belshazzar, 1929, u. OLZ 33, 625 ff. †

בנה: he. =; Znǧ., pehl. Frah. 18, 5 f. äga. nab. palm. (pa. βανι Inv. DE 51) ja. cp. sam. sy. md. (בני, etiam בנן, MG 83) nsy.:
pe: pf. pl. בְּנוֹ Esr 6, 14 (corr.?), sf. בְּנָהִי (BL 154 n), 1. sg. בְּנַיְתַהּ Da 4, 27, Var. 'בְּ, 'בֵּ u. 'בְּ (BL 155 p), *etiam* -תָה; impf. pl. יִבְנוֹן; inf. מִבְנֵא (BL 156 x, Var. מִבְנֵי) Esr 5, 2. 6, 8, מִבְנְיָה (ja., l. מִבְנֵיהּ? BL 156 z, 371) 5, 9, לִבְּנֵא (Znǧ., VG I 579, BL 156 y, 371, Var. לְבְנֵא) 5, 3. 13; pt. pl. בָּנַיִן, pass. בְּנֵה: **bauen** *build* Da 4, 27 Esr 4, 12 5, 2—4. 9. 11. 13. 17 6, 7 f. 14 (corr.?). †
hitpe: impf. יִתְבְּנֵא, תִּתְבְּנֵא, pt. מִתְבְּנֵה: **gebaut werden** *be built* Esr 4, 13. 16. 21 5, 15 f. 6, 3, c. acc. materiae אֶבֶן גְּלָל 5, 8 (BL 338 m). †
Der. בִּנְיָן.

***בִּנְיָן**: בנה; he. =, < aram.; äga. (AP?, BMAP 3, 23) nab. palm. (Inv. P. IX nr. 11, 4) ja. cp. sy. (ܒܶܢܝܳܢܳܐ) md. (MG 136), nsy. بُنيان; BL 195 z: det. בִּנְיָנָא, m.: **Gebäude** *building* Esr 5, 4. †

בְּנִין: F II בַּר.

בנס: ja., adj. בְּנִיס; sam. פנס (Kahle Bem. 53: LW < πόνος):
pe: pf. בְּנַס, or. *bᵉnes*: **ärgerlich werden** *become angry* Da 2, 12. †

בעה: he. =; Suǧ. Bb 16. 20, pehl. Frah. 21, 11, äga. AD nab. palm. ja. cp. sam. sy. md. (MG 257 ff.). u. nar. nsy.:
pe.: pf. בְּעָה/א, pl. בְּעוֹ, בְּעֵינָא; impf. יִבְעֵא, אֶבְעֵא; inf. מִבְעֵא, pt. בָּעֵה/א, pl. בָּעַיִן Da 6, 5 (Q^or^ בָּעַן, BL 235 z): 1 **suchen** *seek* Da 6, 5; 2, 13 F 3; 2. **erbitten** *request* c. מִן pers. Da 2, 16. 23. 49 6, 13, c. מִן־קֳדָם u. acc. rei 2, 18, c. עַל rei 7, 16, בְּעוּ e. **Gebet sprechen** *speak a prayer* 6, 8. (13 Var.) 14, abs. 6, 12; 3. c. inf. **im Begriff sein**, **Gefahr laufen** *be on the point of, run great risk* Da 2, 13 (Tg. Jona 1, 4 pro he. חִשְּׁבָה, nsy. pro fut., Nöld. NsG 259 f.) Behrm., Torr. N 257, BL 341 v :: man suchte *they sought* (BL 390 e) vel בְּעוֹ sie wurden gesucht *were sought* (Cha.). †
pa. (sonst nirgends *nowhere else*): impf. pl. יְבַעוֹן, Var. יְבָעוֹן (BL 130 g!): **eifrig suchen** *search eagerly* :: alii: aufsuchen *call upon* Da 4, 33. †
Der. בָּעוּ.

***בָּעוּ**: בעה; ja. cp. sam. sy. md. (MG 145 f.) nsy.; BL 197 g :: Blake 85 f: sf. בָּעוּתֵהּ **Bitte**, **Gebet** *petition, prayer* Da 6, 8. (13 Var.) 14. †

בעל: he. =; ja. sy.: Der., nisi vb. denom., בְּעֵל.

*__בְּעֵל__: בעל; he. בַּעַל; Aram. seit *since* Znğ. äga. ausser *except* cp.; md. ביל (ak.) MG 16, nar. Gl. 11; BL 47 x: cs. =: Besitzer, **Herr**, *owner lord*, F בְּעֵל־טְעֵם Esr 4, 8 f. 17. cj. 23 (Rud.).†

בקע: he. =, spalten *cleave*; mhe. ja.; ja. cp. sy. u. nsy. פקע; VG I 169; Der. בִּקְעָה.

*__בִּקְעָה__: בקע; he. =; Suğ. Ba 10 (n. t.), ja. (etiam בִּקְ׳); sy. ܦܩܥܬܐ, md. pl. פאקאתא MG 101; BL 243 b: cs. בִּקְעַת: **Ebene** *p l a i n* Da 3, 1.†

בקר: he. =, < aram., Kau. Aram. 23 f.; nab. ja. sam. u. sy. nachforschen *investigate*, nar. wissen *know*:

pa: pf. pl. בַּקַּרוּ (BL 42 v, 134 t) Esr 4, 19, impf. יְבַקַּר, inf. בַּקָּרָא/ה suchen, **nachforschen** *seek*, *i n v e s t i g a t e* Esr 4, 15 (cj יְבַקְּרוּן, BLK 63, vel יְבַקַּר < יִתְבַּקַּר [5, 17], Seybold OLZ 8, 353). 19 6, 1, c. עַל 7, 14.†

hitpa: impf. יִתְבַּקַּר **nachgeforscht werden** *b e i n v e s t i g a t e d* Esr 5, 17, cj 4, 15 (F pa.).†

*I __בַּר__: he. IV בַּר; pehl. Paik. 221 f., Nyb. 34, äga. ja. cp. sam. (etiam *elbar*) sy. md. (MG 360) nsy. u. nar. (*elbar*, Gl. 14) freies Feld, aussen, ausser *open field*, *outside*, *except*; BL 180 n: det. בָּרָא: **Feld** *f i e l d*, חֵיוַת בָּ׳ (he. חַיַּת הַשָּׂדֶה) Da 2, 38 4, 9. (cj. 12) 18. 20. 22. 29, דִּתְאָא דִּי בָ׳ 4, 12. 20.†

II **בַּר**: he. I בַּר (< aram.) u. בֵּן; Aram., pehl. Frah. 11, 3, sogd. TSB 113, *ba-ri* Uruk 22, cp. *ber* (Schulth. Gr. § 31), md. etiam אברא MG 25, nar. *ebra* (Spit. 63 a), cf. אברו Znğ. Sohnschaft *sonship* (ZAW 56, 281[2]), keilschr. *bir* (BASOR 87, 26[5]), *bir* u. f. *birt* in Mehri u. Soqotri (Nöld. NB 137 ff., cf. B. Thomas, Arabia Felix, 1932, 46[2] 92[1]); Ruž. 68 f., VG I 230, BL 179 f: cs. =, sf. בְּרֵהּ, pl. cs. בְּנֵי, sf. בְּנוֹהִי, בְּנֵיהוֹן: 1. **Sohn** *s o n* Da 5, 22 Esr 5, 2, pl. Kinder *children* Da 6, 25, (d. König u.) seine Söhne (*the king a.*) *his sons* = Prinzen *princes* (בר/בני ביתא Suğ. Bb 25, äga. AD sy.) Esr 6, 10, = seine Nachfahren *his descendants* 7, 23, Enkel *grandson* 5, 1 6, 14 (cf. Sa 1, 1, he. בֵּן 2); בְּנֵי תוֹרִין junge Stiere *young bulls* Esr 6, 9; 2. von fernerer Zugehörigkeit *of remoter relation* (BL 312 h, he. בֵּן 4—8): בְּנֵי יִשְׂרָאֵל Esr 6, 16, F בְּנֵי גָלוּתָא Da 2, 25 5, 13 6, 14 Esr 6, 16; F בַּר אֱנָשׁ e. Mensch *a man* Da 7, 13, בְּנֵי אֲנָשָׁא die Menschen *men* 2, 38 5, 21; בַּר אֱלָהִין e. Engel *an angel* (F אֱלָהָא) 3, 25; בַּר שְׁנִין x Jahre alt *x years old* Da 6, 1.†

I **ברך**: he. I ברך; denom. < בְּרֵךְ, sy. u. nsy. pe., md. pe. רביך(!) (JA 1938, 6, 760), af. MG 74; بَرَكَ, **በረከ**:

pe: pt. בָּרֵךְ (BL 293 q c. Var. הֲוָא, BH[3]; :: c. הוא, pa. pf. II ברך), Da 6, 11: **niederknien** *k n e e l*.†

Der. בְּרֵךְ, אַרְכֻבָּה (?).

II **ברך**: he. II ברך; äga. (NE), Demot. 7, 3 ff. nab. palm. ja. cp. sam. sy. md. (MG 215) nar.:

pe: pt. pass. בְּרִיךְ; **gepriesen** *blessed* Da 3, 28.†

pa: pf. (BL 130 h) בָּרֵךְ Da 2, 19, בָּרְכֵת 6, 11 (F I ברך), בָּרְכֵת 4, 31; pt. pass. מְבָרַךְ: (Gott) **preisen** *b l e s s* (*God*) Da 2, 19 f. 4, 31 (6, 11, s. o.).

*__בְּרַךְ__ vel *__בְּרֵךְ__: he. בֶּרֶךְ; pehl. Frah. 10, 9 (?), ja. בִּרְכָּא, sy. u. md. בורכא MG 157, nsy. meist *mostly birkā*; Grdf. **birku*, BL 183 g: pl. sf. בִּרְכוֹהִי (Var. בִּרְכּוֹהִי du., BL 226 x!): **Knie** *k n e e* Da 6, 11.†

בְּרַם: ja. sy.; sam. *berran*, cp. *lᵉran(dē)* < **bᵉram-dē*, Schulth. Gr. § 132, 1; < I בַּר u. מָה

ausser was *except what*: **aber** *yet* Da 2, 28 4, 12. 20 5, 17 Esr 5, 13. †

בְּשַׂר: he. בָּשָׂר; בשר pehl. (Frah. 10, 1), äga. u. palm. (Syr. 17, 353, 1); בְּסַר ja. sam., cp. *bᵉser*, ja. u. nsy. *bisrā*, sy. u. nar. *besrā*, md. ביסרא MG 107; BL 29x, 184 p, 218a: det. בִּשְׂרָא **1. Fleisch** *flesh* Da 7, 5; 2. metaph. coll. (BL 202 m, he. 6) (כָּל־)בִּשְׂרָא alles was Fleisch ist *all flesh* = die Menschen *mankind* Da 2, 11, die Tierwelt *the animals* 4, 9. †

בַּת*: he. II בַּת; mhe. ja.; BL 222 t: pl. בַּתִּין: **Bat, ein Flüssigkeitsmass** *bath, liquid measure* Esr 7, 22. †

בָּאתַר F **בָּתַר**.

ג

ג: wechselt mit *alternates with* כ in סגר.

גאה: he. =, hoch sein, werden *grow up*, *be high*, ja. sy. u. md. (MG 132); Der. גֵּוָה:

גַּב*, pl. sf. K גַּבִּיהּ, Q sg. גַּבַּהּ (BL 75 c): עַל־גַּ'... אַרְבַּע גַּפִּין Da 7, 6; etym. ambigua; vel c. G, Th u. V **Rücken** *back*: גבב; he. mhe., pehl. Frah. 10, 7 u. ja. (עַל גַּב/גַּבֵּי auf, an *upon, at*), Montg. 295; — vel c. S **Seite** *side*: גנב, ar. جَنْبٌ; Zkr b 8 (?), palm. Inv. IV nr. 7 b 2, ja. גַּב (praep. s. o.), cp. *gebbā*, etiam. ܓܦ, sy. ܓܶܒܳܐ, ܠܓܶܒ nahe bei *near*, nsy. *gībā*, nar. *ġapp* Spit. 127 f, md. גאנבא MG 50, Behrm., BL 223 a. †

גֹּב*: he. גֵּב u. II גּוֹב; nab. גבא, ja. cp. sy. u. md. (MG 105) גּוּבָּא; BL 181 v: cs. גֹּב Da 6, 8. 25, גּוֹב 6, 13 (BL 222 p), det. גֻּבָּא: (Löwen-) **Grube** *pit* (*of lions*) Da 6, 8. 13. 17 f. 20 f. 24 f. †

גְּבוּרָה*: גבר; he. =; Znğ. ja. cp.; BL 189 m: det. גְּבוּרְתָא, Var. -תָּא, BL 22 b. c, 67 r **Stärke** *might* Da 2, 20. 23. †

גבר: he. =; stark sein *be strong*, ja. cp. sam. sy.; Der. גְּבוּרָה, גְּבַר u. גִּבָּר.

גְּבַר: גבר; he. גֶּבֶר; Suğ. Bb 5 (?), pehl. Frah. 11, 2, äga. AD nab. u. palm. Eph. 1, 79, ja. (etiam גּוּבְרָא) cp. sam. sy. u. md. (MG 18) גַּבְרָא, nar. *ġabrōna*, nsy. *gōrā*: pl. גֻּבְרִין, det. גֻּבְרַיָּא (BL 225 o, ja. u. md., cf. n. l. Beth Gubrīn, Neubauer 122), or. (Da 3, 20—25) u. cp. (Schulth. Gr. § 42, 2 A 1) *gabr-*, Uruk 12. 37 *gab(a)rē*: **Mann** *man* Da 2, 25 5, 11, pl. 3, 12. 21—25. 27 6, 6. 12. 16. 25 Esr 4, 21 5, 4. 10 6, 8; גֻּבְרִין גִּבָּרֵי חַיִל Da 3, 20 u. גּ' כַּשְׂדָּאִין/יְהוּדָאִין 3, 8. 12, BL 318 g. †

גִּבָּר*: גבר; he. גִּבּוֹר; n. m. גבר Klmw 2, keilschr. Gabbaru APN 78, Gabbara Plinius VII 16 (ZAW 57, 150), ja. גִּבָּרָא u. גִּ/גַּנְבָּרָא, sy. ܓܰܢܒܳܪܳܐ, nsy. *gabārā*, > جَبَّارٌ; Ruž. 109, BL 191 c :: VG I 361 [1]: pl. cs. גִּבָּרֵי: **starker Mann** *strong man*, גֻּבְרִין גִּבָּרֵי חַיִל etliche starke Männer *some strong men* Da 3, 20 (he. גִּבּוֹר חַיִל). †

גְּדָבַר*: ja. גִּדְבְּרָא, גִּדַּבְרָא u. גִּדְבָּרָא: pl. det. גְּדָבְרַיָּא Da 3, 2 f., NF v. F גְּזַבַּר: **Schatzmeister**

treasurer, Schaed. 47 f : : alii : corr. < הַדְּבְרַיָּא vel dittogr. < דְּתָבְרַיָּא . †

גדד: he. =; ja. sy. :
pe. imp. גֹּדּוּ, or. *guddū*, BL 166 c : **umhauen** *cut down* Da 4, 11. 20. †

גדף: sy. fliegen *fly*, ar. جَدَفَ fliegen, rudern *fly*, *row*, Frae. 227 f. ; Der. גַּף.

*גַּו vel *גּוֹ (BL 220 b) : he. II גֵּו ; גו Zkr a 3, äga. AD BMAP (etiam. f. גוא innen befindlich *insider*, cf. גַּוָּיָא palm. ja. sy. u. md. (MG 141) Eunuch *eunuch*, Rosenth. AF 98[2]), nab. (1 × גוא, det. ?), palm. u. cp., ja. det. גַּוָּא, cs. (א)גּוֹ, sam. *go/u*, c. ב u. ל *ewgu*, *elgu*, sy. ܓܰܘ, cs. ܓܳܘ, md. (א)גו (MG 361), nsy. *go/u*, nar. *ǧauwa*, c. ל *elǧul* (Spit. 118 g, nsy. *lalgul* VG I 293 f.) ; ph. גו Mitte *midst*, < aram. ; ar. جَوّ, pl. أَجْوَاء Inneres v. Haus od. Tal *interior of house or valley*, saf. (Littm. TS 110 f.) גו Tal *valley* ; BL 110 n. p (א nur graphisch *only graphic* : : Nöld. ZA 30, 167, Montg. 204) : cs. גּוֹא, Var. u. or. גֹּו, sf. גַּוַּהּ גַּוָּה, (Var. גַּוֵּהּ, BL 79 s) : **Inneres** *interior*, immer mit *always with* präp. : a. בְּגוֹא (mitten) in *in (the midst of)*, c. נוּרָא Da 3, 25, † c. קִרְיְתָא Esr 4, 15, v. Schriftstück *document* Esr 5, 7 6, 2, אַרְעָא Da 4, 7 7, 15, F נִדְנֶה ; b.† לְגוֹא in . . . hinein *into* Da 3, 6. 11. 15. 21. 23 f. ; c.† מִן־גּוֹא aus . . . heraus *out from* Da 3, 26.

גוא: F גּוֹ.

גוב: F גֹּב.

גוה: he. = ; ja. גאה ; גֵּיוּתָא, גֵּיאוּתָא, sy. ܓܐܘܬܐ, ܓܐܝܘܬܐ, md. גאיותא MG 146 ; BL 183 f., ? < he. : **Stolz** *pride* Da 4, 34. †

גוח: he. גיח ; ja. sy., F דין :
haf : pt. pl. f. מְגִיחָן : trad. c. G ThV intr. losbrechen *burst forth*, c. לְ in ; eher *rather* c. S trans. : (das Meer) **aufwühlen** *stir up (the sea)* Da 7, 2, cf. Montg. 286. †

*גִּזְבַּר : he. mhe. גִּזְבָּר ; ja. גִּזְבְּרָא u. גִּזְבָּרָא, G Esr 1, 8 γασβαρηνός ; keilschr. *gizbarrē* ZA 10, 6, 63, *ganzabar(r)a* ZDMG 90, 169[2] auf Mörsern aus *upon mortars from* Persepolis, sy. ܓܙܒܪܐ, md. גאנזיברא (MG 51, Priestertitel *priestly title*, Drow. MJJ 414, Widgr. 153[2]) ; LW < pe. **ganzabara* (F גְּנַז), Schaed. 47 f., Eil. 123 f. : pl. det. גִּזְבְּרַיָּא, Var. גִּזְבִּ׳ u. גִּזְבָּ׳ : **Schatzmeister** *treasurer*, G γαζοφύλακες, Esr 7, 21, NF F *גְּדָבַר. †

גזר: he. =, schneiden, bestimmen *cut, determine* ; Suǧ. Ab 21, pehl. Frah. App. 33, äga. JRAS 1929, 107 ff. = ZAW 47, 150, 9, ja. cp. sy. md. :
pe : pt. pl. גָּזְרִין, det. גָּזְרַיָּא : Da 2, 27 4, 4 5, 7, 11, GTh γαζαρηνοί, Bestimmer (des Schicksals) *determiners (of destiny)* = **Astrologen** *astrologers* (cf. he. חֹבְרֵי שָׁמַיִם) vel Leberbeschauer *men who consult the liver*, V haruspices, ar. جَزَّار, Montg. 163 : : Beschwörer *exorcists*, Furlani Atti della Accad. Naz. dei Lincei 1948, 177 ff. †
*hitpe : pf. 3. f. הִתְגְּזֶרֶת Da 2, 34, אִתְגְּ׳ 2, 45 (ZAW 45, 108 f., BL 108 j) : ausgebrochen werden, **losbrechen** (Stein) *be cut out, break off (stone)*. †
Der. *גְּזֵרָה.

*גְּזֵרָה : גזר ; he. = ; ja. ; BL 186 y, < kan. : : Brockelm. ZDMG 94, 353 : cs. גְּזֵרַת, f. : **Entscheidung** *decree* Da 4, 14. 21. †

גיר: ja. cp. u. sy. pa. tünchen *white-wash* ; denom. v. גִּיר.

גִּיר: גִּיר ; he. גִּר, < aram., Kau. Aram. 25 ; ja. ; sy. Leim *glue* ; BL 180 j : det. גִּירָא : **Kalk** *plaster* Da 5, 5. †
Der. גיר.

*גַּלְגַּל: גלל; he. = u. גַּלְגַּל; Znǧ. גלגל, äga. גלג(ו)ל PN; ja. גַּלְגְּלָא, sy. u. nsy. ܓܠܓܠܐ, md. גירגלא u. גארגולא MG 55; BL 192h: pl. sf. גַּלְגִּלּוֹהִי: **Rad** *wheel* Da 7, 9.†

גלה: he. =; äga. ja. sy. mp. nsy.: pe: pt. גָּלֵא/ה, inf. מִגְלֵא, pf. pass. גְּלִי Da 2, 19, גְּלִי 2, 30, or. *gulī*, BL 156t: **enthüllen** *reveal* Da 2, 22. 22f. 47; pass. 2, 19. 30.† haf: הַגְלִי: **in d. Verbannung führen** *take into exile* Esr 4, 10 5, 12.† Der. גָּלוּ.

*גָּלוּ: גלה; he. גָּלוּת; ja. cp. sy. md.; BL 197g, ? < he. (Blake 85f., Schulth. Gr. § 73, 2 A): det. גָּלוּתָא, f.: **Wegführung** *exile*, בְּנֵי ג׳ die Weggeführten *the exiles* Da 2, 25 5, 13 6, 14 Esr 6, 16.†

גלל: he. =; ja. u. sy. rollen, wälzen *roll*; Der. גַּלְגַּל, גְּלָל u. מְגִלָּה:

גְּלָל: גלל; ja. u. md. Stein *stone*, sy. Fels *rock*; palm. στήλη λιθίνη, ak. *galālu* beschrifteter Tonzylinder *inscribed clay cylinder*, Driver SW 13; BL 187a: אֶבֶן גְּלָל Esr 5, 8 6, 4 coll., orig. durch Drehen rundgeschliffene grosse Steine, **Quadern** *large stones ground by turning, square stones*, ak. *aban galāla* (Herzf. 100).†

גמר: he. =, zu Ende sein, bringen, *come, bring to an end*; Znǧ. ja. cp. sy. nsy. u. md. MG 213: pe: pt. pass. גְּמִיר, BL 188k: **vollendet**, fertig *finished*; inc. Esr 7, 12: Abkürzungsformel *formula of abbreviation* (Ehrl. VII 172) vel שְׁלָם davor ausgefallen *fallen out before it* (S, Esd 8, 9, cf. Esr 5, 7, Rud.) vel daraus verderbt *corrupted from it* (Bewer)?†

גנז: mhe. ja. u. cp. verbergen *conceal*; denom. v. גְּנַז:

*גְּנַז: he. גְּנָזִים, < aram.: äga. גנזא (AD etiam כנז, -כנד, -חנר), ja. גִּנְזָא, גַּזָּא u. גִּיזְפָא, sy. u. nsy. ܓܙܐ, md. גאנזא u. גינזא MG 13. 51, γάζα, γαζοφ(ύλαξ) Doura F. 50; pe. LW. Schaed. 47, F גזבר: pl. det. גִּנְזַיָּא, cs. גִּנְזֵי: **Schatz** *treasure*, בֵּית גִּנְזַיָּא Esr 5, 17 6, 1 (sic l.!) 7, 20: **Schatzhäuser** *treasure-houses* (BL 310b).† Der. גנז.

*גַּף: גדף; ja. גַּדְפָּא u. גַּפָּא, cp. (Schulth. Gr. § 37, 1c) u. sy. ܓܦܐ, md. גאדפא, גאפא u. גאנפא (MG 77[4], Gi. 225[4], Johb. II 155[3]); ug. *gappu* Seite *side*; BL 182c :: Widengr. 97[2]: גנף, ak. *kappu*, *agappu*, cf. Holma NKt 140f., Albr. JPOS 14, 134[175]: u. גַּב: pl. גַּפִּין, sf. K גַּפַּיהּ vel גַּפִּיהּ (BL 49e, 79e), Q גַּפַּהּ, f.: **Flügel** *wing* Da 7, 4. 6.†

גרם: he. =; ja. stark sein *be strong*, pa. Knochen zermalmen *crush bones* u. sy. itpa. bis auf die Knochen abgenagt werden *be gnawed to the bone*; denom. v. גְּרַם.

*גְּרַם: vel *גֶּרֶם: גרם; he. גֶּרֶם; äga., ja. u. sy. גַּרְמָא, cp. *germā* (Schulth. Gr. § 34, 1a), nar. *ġerma* Gl. 31, md. גירמא MG 14; BL 182x: pl. sf. גַּרְמֵיהוֹן: **Knochen** *bone* Da 6, 25.†

גשם: sy. pa. mit e. Körper versehen *provide with a body*; denom. v. *גְּשֵׁם:

*גְּשֵׁם: ja. גִּשְׁמָא u. גּוּשְׁמָא, sy. u. nsy. (etiam ܓܘܫܡܐ), ܓܫܡܐ, md. גיש(ו)מא MG 20. 32; ar. جِسْم; Grdf. **gišmu*, BL 225r: sf. גִּשְׁמֵהּ, גִּשְׁמַהּ, גֶּשְׁמְהוֹן, pl. sf. K Var. גֶּשְׁמֵיהוֹן Da 3, 27f (BL 306k), Var. גּוּשְׁ׳, or. *giš-*: **Körper** *body* Da 3, 27f. 4, 30 5, 21 7, 11.†

ד

ד: I. = ursem. *Proto-Sem. d*, ar. د, he. ד, in דבק, דְּבַר, דור etc.; 2. = ursem. *dh*, ar. ذ, he. ז, in דָּא, בדר, אחד, אֶדְרָע, אֱדַיִן, דְּרָע, דְּנָה, דכר, דִּכֵּן, דָּךְ, דֵּךְ, דִּי, דְּהַב, דבח, מַדְבַּח, כדב, חֲזֵה, wo älter oft noch ז geschrieben wird *where older inscriptions often still write* ז, ZAW 45, 94 ff., Rowl. Aram. 16 ff., Schaed. 44 ff., Bowman JNES 3, 224[17]; 3. assim. in (גַּב u.) גַּף.

דָּא: he. זֹה, זוֹ, זֹאת; זא Suǧ. Ab 18, Znǧ. Tema Assbr. 8, äga. (1 × כזת) AD, sogd. כזה (Gauth.-B. II 221), Demot. 228 חא, nab. u. cp. דא, palm. u. sam. דה, ja. דָּא/ה u. (praemisso *F* הָא) הָדָא, sy. ܗܳܕܶܐ, ܗܳܕ, md. האזא MG 89 f., nsy. *hādhe* u. *dhā*, nar. *hōdh(i)* Spit. 5g; VG I 322, BL 81 a—c: pron. demonstr. f., *F* m. דְּנָה: **diese** *this* (f.) Da 4, 27 7, 8; דָּא לְדָא aneinander *one against another* 5, 6, דָּא מִן־דָּא voneinander *one from another* 7, 3, BL 87 a. †

דֹּב: he. =; pehl. (Frah. 9, 2?), äga. (Ah. 120?), ja. דֻּבָּא, sy. ܕܶܒܳܐ, nsy. *dibā*; BL 181 v: **Bär** *bear* Da 7, 5. †

דבח: he. זבח; זבח Znǧ. u. pehl. Frah. 19, 7; דבח ja. cp. sy. md. (MG 43) u. nsy.:
pe: pt. pl. דָּבְחִין: **opfern** *sacrifice*, דָּבְחִין Esr 6, 3. †
Der. דְּבַח, מַדְבַּח.

***דְּבַח**: דבח; he. זֶבַח; äga. ja. sam. sy.; Znǧ. זבח, md. *זיבא MG 43; BL 183 j: pl. דִּבְחִין **Schlachtopfer** *sacrifice of slain animals* (cf. he.) Esr 6, 3. †

דבק: he. =; äga. palm. ja. cp. sy. nsy.:
pe: pt. pl. דָּבְקִין: **zusammenhalten** *stick together*, עִם Da 2, 43. †

דבר: he. II דבר; aram. nur *only* äga. עלדבר (etiam md.) u. 1 × vb. reden *speak* (Eph. 3, 120, 7), ja. דִּבּוּרָא Rede *speech*, דְּבִירָא Wort *word* u. דַּבְּרָנָא Sprecher *speaker*; Der. דִּבְרָה:

***דִּבְרָה**: דבר; he. =; BL 240 b; cs. דִּבְרַת: **Angelegenheit** *matter*; עַל־דִּבְרַת דִּי zum Zwecke dass *to the intent that* Da 2, 30, עַד־דִּ' דִּי 4, 14 (*ʿal d.* > *ʿadd.*, BL 362 r), cf. he. עַל־דִּבַר u. עַל־דִּבְרַת, äga. עלדבר u. 1 × עדבר, md. על דבאר Gi. 208[4]; < kan. Amtssprache *secretarial language*, Rosenth. AF 51.

דְּהַב: he. זָהָב; זהב; Znǧ., pehl. Frah. 16, 2 neben *besides* דהבא, äga. (1 × דהב); דהב palm. ja. cp. sam. sy. md. (etiam זאהבא, MG 43) nsy. u. nar.; BL 185 p: דְּהַב Esr 7, 15 (Var. דְּהָב, BL 23 d!), det. דַּהֲבָא Da, דַּהֲבָה Esr, or. *dahbā*, BL 45 f: **Gold** *gold* Esr 7. 15 f. 18, Werkstoff v. Götterbildern *material of images* Da 2, 32. 35. 38. 45 3, 1. 5. 7. 10. 12. 14. 18 5, 4. 23, v. Tempelgerät *of temple vessels* 5, 2 f. Esr 5, 14 6, 5, Schmuck *ornaments* Da 5, 7. 16. 29. †

דהוא K, דֶּהָיֵא u. דֶּהָיֵא Q Esr 4, 9 trad. n. p. G[A], l. c. MSS u. G[B] דִּהוּא pro דִּי־הוּא (*F* דִּי 2a) id est, BL 212 z, cf. דהו äga. (W. Hamm.). †

דוק: *F* דק.

דור: he. =; mhe. ja. sam.; äga. דורה (sf.?) Umkreis *circuit?*, ja. דּוּרָא, sy. u. nsy. ܕܘܪܐ, md. דאורא MG 159, Wohnung *abode*:
pe: impf. תְּדוּר, pl. יְדֻרוּן Da 4, 9 K, יְדֻרָן Q (BL 200 j), pt. pl. דָּאֲרִין K, דָּיְרִין Q, cs. דָּאֲרֵי K, דָּיְרֵי Q (BL 51 h. j): **wohnen** *dwell* Da 2, 38 (cf. BL 367 c, Montg. 172 f.) 3, 31 4, 9. 18. 32 6, 26. †
Der. דָּר, מְדוֹר, מְדָר, תְּדִיר.

דּוּרָא, Th. Δεειρα, 1 MS^Ken^ דירא: בְּבִקְעַת דּוּרָא Da 3, 1, n. t. in Babylonien *Babylonia*, < ak. *dūru* Mauer, Kastell *wall*, *castle*, etiam n. l., Del. Paradies 216, Marti 65*; heute Fluss u. Hügelzug *to-day river a. range of hills*, ZAW 44, 40[1], Kuhl BZAW 54, 5. †

דוש: he. =; ja. cp. sam. sy. md. (MG 446) nsy.:
pe: impf. sf. תְּדוּשִׁנַּהּ: **zertreten** *tread down* Da 7, 23. †

***דחוה**, pl. דַּחֲוָן, or. *dahwān*, Da 6, 19: vox inc.: Beischläferinnen *concubines* (vel ar. دحا beschlafen *lie with*, vel < F לְחֵנָן), vel Speisen *food* (Th. VS), Musikinstrumente *musical instruments* (Ibn Esra), Tische *tables* (Raschi), mhe. דַּחֲוָנוֹת Wohlgerüche *perfumes* (ar. دُخَانٌ), cf. Komm. †

דחל: nur *only* Aram.; ? ar. دَخَلَ Rachedurst *revengefulness* Nöld. ZDMG 40, 741 54, 163; זחל Zkr a 13; דחל pehl. Frah. 21, 1, äga. palm. LP Rec. 2ter 10, u. sam. *daal*, ja. cp. u. sy. דְּחַל, md. דהיל MG 219:
pe: pt. pl. דָּחֲלִין, pt. pass. דְּחִיל, f. דְּחִילָה: **sich fürchten** *fear*, מִן־קֳדָם Da 5, 19 u. 6, 27 //זוע; pt. pass. **furchtbar** *dreadful* (BL 297 c) (ja. cp. sy., he. נוֹרָא) 2, 31 7, 7. 19. †
pa: impf. sf. וִידַחֲלִנַּנִי (BL 130 e. i) **schrecken** *make afraid* Da 4, 2 //בָּהֵל. †

דִּי, דִּ in F דהוא u. דְּ in Da 3, 15 Var. (F עבד): = he. זֶה, זוּ, ; זי Barh. 1. 4, Zkr a 16, Suğ. (?) Ab 16, Bb 12. 16, Assbr. 13 (זלי), Znğ, T. Halaf 69 f., sogd. BTB 279, äga. (etiam די) AD Mcheta, Saqq. 3 f.; דִּ u. דְּ ja. (Dalm. Gr. 116 f.) u. sam., דְּ cp. sy. md. (MG 92 f.), nar. *ti*, *dhi*, *dh* (Spit. 59 a-e, 117 c. d. g.), nsy. *d'*, *di*; jemen. *dhē* Rabin 75 f; ZAW 45, 94 ff., Rosenth. Spr. 51; Deutewort, dann Beziehungspartikel *orig. demonstrative, then a particle of relation*.

1. Wie *like* ar. ذُو Ausdruck eines **Genetivverhältnisses** *mark of genitive relation*, BL § 90; nach determ. Nomen *after determ. noun* שָׁלִיטָא דִּי מַלְכָּא Da 2, 15, עַל־גִּירָא דִּי כְּתַל הֵיכְלָא דִּי מַלְכָּא 5, 5, nach indeterm. *after indeterm.* (BL 313 c) נְהַר דִּי נוּרָא 7, 10. Wenn beide Nomm. determ. sind, gern mit vorweisendem sf. *if both nouns are determ. often with proleptic sf.* (BL 314 j), שְׁמֵהּ דִּי אֱלָהָא 2, 20 sein (nämlich Gottes) Name *his (i. e. Gods) name*, 3, 8. 26 Esr 5, 11; zur Angabe des Stoffes *indicating material* (BL 313 f) רֵאשָׁה דִּי דַהֲבָא Da 2, 38 das goldene Haupt *the head of gold*, 2, 39 3, 1 5, 7 7, 7 Esr 5, 14 u. 6, 5 (BL 314 h. i); רֵאשֵׁהּ דִּי דְהַב Da 2, 32 sein H. war von Gold *his h. was of gold*, 2, 33 7, 19. — 2. Zur Einführung e. **Relativsatzes** *to introduce a relative clause* (he. אֲשֶׁר, שֶׁ), BL § 23. 108; a. nach Nomen *after a noun* הֵיכְלָא דִּי בִירוּשְׁלֶם Da 5, 2 der Tempel *the temple* in Jer., 6, 14 Esr 6, 2, cj. 6, 3, als *as* subj. דִּי ... יְהַבְתְּ Da 2, 23 (vel sec. 3 e?), 4, 19 6, 14, als *as* obj. חֶלְמָא דִּי־חֲזֵית 2, 26, 2, 11. 24 4, 6 6, 14 Esr 4, 10, das was *what* Da 2, 23, וְדִי Esr 7, 25 u. den der *a. him who*, כָּל־דִּי alles was *everything which* Esr 7, 23, מָה דִּי (F 2 b); c. sf. als Rückweis *pointing backwards* (BL 357 j) דִּי שְׁמֵהּ Da 4, 5 dessen Name *whose name*, 2, 11 5, 12. 23 Esr 7, 25; בְּעִדָּנָא דִּי Da 3, 5. 15 sobald als *as soon as* אֲתַר דִּי Esr 6, 3 F אֲתַר,

בְּכָל־דִּי Da 2, 38 überall wo *wherever*; c. pron. pers. דִּי הִיא Esr 6, 15 id est, F דהוא 4, 9, דִּי אִנּוּן Da 7, 17 welche ... sind *which are*; b. nach Fragepron. *after interrogative pron.* (BL 357 m-o) מַן־דִּי † Da 3, 6. 11 4, 14. 22. 29 5, 21 wer *who*, מָה/א דִּי (F מָה)† 2, 28 f. 45 Esr 6, 8 7, 18 das was *that which* (he. מִי אֲשֶׁר, מַה־שֶּׁ); c. sonstwie *in some other way*: דִּי ... תַּמָּה 6, 1 wo *where*, דִּי לֵהּ Da 2, 20 sind sein *are his* (Ansatz zu e. *starting-point leading to a* pron. poss. דִּילִי, דִּילָךְ etc., VG I 315 f., BL 359 t, Assbr. 13, Ner. 1, 14, äga. AD, Leand. § 13, ja. cp. sy. u. md., cf. he. שֶׁל), דִּי לָא תִתְחַבַּל Da 6, 27 7, 14 unzerstörbar *indestructible*, c. inf. (BL 302 g) דִּי לָא לְהַשְׁנָיָה 6, 9 unwiderruflich *irrevocable*, F דִּי לָא לְבַטָּלָא Esr 6, 8; דִּי־לָא ohne *without* (BL 359 u, ja. cp. sam. u. sy. דְּלָא, > spbab. [v. Soden § 115 s] *ša lā*) Esr 6, 9 7, 22, דִּי לָא בִידַיִן Da 2, 34. 35 ohne Zutun v. Menschenhand *without human assistance* (cf. he. Hi 34, 20 Da 8, 25); — 3. conj. (BL § 79 109 u. 110, nicht immer sicher von 2. zu scheiden *not always with certainty to be distinguished from 2.*, cf. he. אֲשֶׁר u. כִּי): a) dass *that*, nach vb. des Wissens *after vb. of knowing* Da 2, 8 4, 6, Mitteilens *informing* Esr 4, 15, Sehens *seeing* 2, 8 3, 27, Hörens *hearing* 5, 14, Bittens *asking* 2, 16, Befehlens *ordering* 2, 9 3, 10, als Inhalt e. Erlasses *as contents of a decree* 6, 8. 16, nach *after* עֲתִיד Da 3, 15; מִן־קְשֹׁט דִּי 2, 47 (F מִן 6) es gehört zur Wahrheit dass = wahrlich *it appertains to the truth = truly*, (וְ)דִי 2, 41. 43 4, 20. 23 was das betrifft dass *whereas*, כָּל־קֳבֵל דִּי 2, 41. 45 dementsprechend dass *forasmuch as*; b) leitet direkte Rede ein *introduces direct speech* (he. כִּי 15) † Da 2, 25 5, 7 6, 6. 14: c) final: damit *in final clause*: *that* Da 4, 3 5, 15 (im Wechsel mit *alternating with* inf.) Esr 6, 10, damit nicht *lest* דִּי לָא Da 2, 18 3, 28 6, 18, u. דִּי־לְמָה (F מָה) Esr 7, 23; d) konsekutiv: so dass *in consecutive clause*: *so that* Esr 5, 10 (Leander ZAW 45, 156); e) kausal: denn, weil *in causal clause*: *for*, *because* Da 2, 20. 23. 47 4, 15. 31. 34 6, 24. 27; f) c. praep. α) כְּדִי † (he. כַּאֲשֶׁר; Zkr Assbr. pehl. äga. AD כזי; BL 361 f-h) so wie *as* 2, 43 (:: F הֵא), als *when* 3, 7 5, 20 6, 11. 15; β) מִן־דִּי (מזי) Suğ. F מִן; BL 361 i-k) nachdem *after* Esr 4, 23, weil *because* Da 3, 22 (BL 266 i) Esr 5, 12; γ) עַד־דִּי F עַד, לָקֳבֵל, דִּבְרַת דִּי F עַל/ד דִּבְרָה, u. קֳבֵל F כָּל־קֳבֵל דִּי.

דין: he. =; ja. cp. sam. sy. md. (MG 250) u. nsy., übergehend *in changing to* דון (VG I 614): pe: pt. pl. דָּאֲנִין K, דָּיְנִין Q, BL 51 j: **Recht sprechen** *judge* Esr 7, 25.†

Der. דִּין, דַּיָּן, מְדִינָה, דָּנִיֵּאל.

דִּין: he =; pehl. Frah. 13, 3, äga. ja. cp. sam. sy. md. (MG 436). nsy.; BL 180 k: det. דִּינָא: 1. **Gericht** *judgment*, c. עבד hitpe. u. מִן G. wird gehalten über *be tried* Esr 7, 26, c. יְהִיב u. לְ Genugtuung wird gegeben *judgment is pronounced in favour of* Da 7, 22 (al.: l. יְהַב, cf. 2, u. וְשָׁלְטָנָא), Recht *justice* // קְשֹׁט 4, 34; 2. **Gerichtshof**, Richterkollegium *council of judges* (mhe. בֵּית דִּין) Da 7, 10. cj. 22 (cf. 1). 26. †

*דַּיָּן: דין; he. =; äga. ja. cp. sam. sy. md. (MG 436) nsy.; BL 191 c: pl. דַּיָּנִין: **Richter** *judge* Esr 7, 25; F דִּינָיֵא. †

דִּינָיֵא: m. pl. Esr 4, 9, trad. n. p., G Διναῖοι; eher *rather* l. דַּיָּנַיָּא Richter *judges*, G^L οἱ κριταί, Meyer 39 f. :: Galling ZAW 63, 70: דִּנוּ. †

דֵּךְ, fem. דָּךְ: pehl. זך u. דך (Frah. 24, 2 f.), sogd. (Gauth.-B. II 238) זך, äga. AD זכי, ך, דכי, זכם (etiam Saqq. 8) u. זנך (Leand. § 13 e-o),

BMAP 1 × דך, ja. דִּיךְ u. דֵּיכִי, ar. ḏāka, äth. > ዝክ; BL 83 l, 269 e.f: pron. dem.: jener *that*, immer *always* adj.: שֵׁשְׁבַּצַּר דֵּךְ Esr 5, 16, בֵּית אֱלָהָא דֵּךְ 5, 17 (Var. דִּי BL 356 f) 6, 7 f. u. 12 (F דְּנָה 1), קִרְיְתָא דֵּךְ 4, 13. 15 f. 19. 21 5, 8. †

דִּכֵּן: palm. (Rosenth. Spr. 49 f. :: Ingholt Beryt. 2, 98, Cant. AFO 11, 379 a), äga. זנך (Leand. 34 n); BL 83 n. o: pron. dem. m. u. fem.: **jener** *that*, m. Da 2, 31, fem. 7, 20 (cf. Montg. 310). 21. †

I דכר: he. זכר sich erinnern *remember*; זכר Znğ. u. äga. (etiam דכר); דכר nab. palm. ja. cp. sy. u. nar., nsy. ܕܟܼ < etpe.; Der. דִּכְרָן, דִּכְרוֹן.

II דכר: F דְּכַר.

***דְּכַר**: II דכר; he. זָכָר; זכר Znğ. (?), pehl. (Frah. 11, 2, c. ד 8, 2?) u. md. (MG 43 זאכרא u. זיכרא); דכר äga. nab. u. palm., sam. *dakar*, ja. u. nsy. דִּכְרָא, sy. ܕܶܟܪܳܐ Mann, männliches Tier *male* (*animal*), nar. Penis *penis*; BL 220 t: pl. דִּכְרִין: **Widder** *ram* Esr 6, 9. 17 7, 17. †

***דִּכְרוֹן**: I דכר; he. זִכָּרוֹן; nab. דכר(ו)ן; BL 53 t, 195 y, < kan.: det. דִּכְרוֹנָה **Protokoll, Memorandum** *record*, G ὑπόμνημα, (Bickermann JBL 65, 250 ff.) Esr 6, 2, F דִּכְרָן. †

***דָּכְרָן**: I דכר; äga. Ai.-Gi. זכרן, palm. דכרן (Inv. DE 47), Hatra 16, 1 ja. cp. sy. u. md. (MG 136) דוכרנא, sam. cp. u. nsy. > דיכרונא; BL 195 z: pl. det. דָּכְרָנַיָּא: **Memorandum** *record*, G ὑπομνηματισμός, F דִּכְרוֹן; סְפַר־דָּכְ' Esr 4, 15 **Protokollbuch, -bücher** *record book(s)* (BL 310 b). †

דלק: he. =; ja. cp. sy.
pe. pt. דָּלִק: **brennen** *burn* Da 7, 9. †

דמה: he. =; pehl. (Frah. 18, 1) palm. ja. cp. sy. md. u. nsy., Mcheta 10 דמע; דְּמוּת (he. =) BMAP 3, 21, ja. cp. sy. md. (MG 146) u. nsy.:
pe: pt. דָּמֵה, f. דָּמְיָה **gleichen** *resemble* Da 3, 25 7, 5. †

דְּנָה: Zkr. a 17 זנה, Znğ. זנה u. (Had. Pan.) זן, pehl. (Frah. 24, 2, Paik. 348 524 576, Ps) זנה (etiam Dura, Alth. 28) u. דנה/א, sogd. (Gauth.-B. II 238) זנה u. זן, Pachtv. Rs 2, äga. (etiam דנה) u. AD זנה; Demot. 225 (א)תנ, nab. u. palm. דנה (etiam f.), ja. דְּנָא ,דֵּין u. דְּנָן, praemisso F הָא ja. הָדֵין ,הָנָא, md. האזין u. האדין (MG 90), > הָנָא pehl. (Frah. 25, 5) u. sy., nar. *hanna* (Spit. 37 p); ph. זן (Friedr. § 288 a), asa. u. tham. דן, äth. ዝንቱ; BL 82 h: pron. dem. m. (f. F דָּא) **dieser** *this*, BL § 73; 1. adj. דָּנִיֵּאל דְּנָה Da 6, 4. 6. 29, כְּתָבָא דְ' 2, 18. 30. 47, רָזָה דְ' 5, 7. 15. 24, Tempel *temple* (F דֵּךְ) Esr 5, 3. 9. 12 f 6, 15—17 7, 17, 6, 11 7, 17, vor dem sbst. *before the noun* Da 4, 15 (vel 2?) Esr 5, 4; 2. sbst. dies ist *this is* Da 2, 28 (cf. Komm.). 36. 4, 15 (cf. 1). 21. 5, 25 f. Esr 4, 11; 3. sonst *otherwise*: כִּדְנָה (pehl. äga. u. sogd. (II 221 TSB 257) כזנה ,כזה, Demot. 225 כאתנא; he. כָּזֹאת ,כָּזֶה(כְּ/) so *thus* Ir 10, 11 Da 3, 29 Esr 5, 7, cj 4, 24 (Rud.); מִלָּה כִדְ' so etwas *such a thing* Da 2, 10; דְּנָה עִם־דְּנָה aneinander *one to another* 2, 43 (BL 87 a); כָּל־דְּ' dies alles *all this* 5, 22 7, 16; עַל־דְּ' darum *therefore* Esr 4, 14 f. 6, 11, in Bezug darauf *with regard to this* Da 3, 16 (Leand. ZAW 45, 157) Esr 4, 22 5, 17; בָּאתַר דְּ' אַחֲרֵי־דְ' Da 2, 29. 45, id. (GV) vel nach diesem (m.) *after him* (Th., Leand. l. c.) 7, 6 f.; F קֳבֵל ,קַדְמָה. †

דָּנִיֵּאל, or. *Danī'el*: n. m. 2, 13—7, 28, F he. †

דקק: he. =; ja. sy. nsy. u. md. (JRAS 1938,

3, 570) zerschmettern *shatter*, adj. דקק fein *fine* äga. (RÉSB 1942—1945, 71 Ostr. 16, 3): pe: pf. pl. דְּקוּ sec. דוק (ja. u. sy., Dalm. Gr. 328; Var. דָּקוּ u. דַּקּוּ, BL 166 d): **zerschlagen** *crush*, 3. pl. Da 2, 35 man zerschlug (sie) = sie wurden zerschlagen *people crushed (them) = they were crushed* (BL 273 j, 333 d) :: alii intr.: in Stücke gehen *break into pieces*. †

haf: pf. 3. f. הַדֶּקֶת, Var. הַדֶּקֶת (BL 167 i), pl. הַדִּקוּ, impf. תַּדִּק, or. *taddeq* (BL 30 b), sf. תַּדְּקִנַּהּ, Var. תַּדִּ' (BL 40 m), pt. מַהַדֵּק, f. מַדְּקָה u. מַדְּקָה (BL 40 m. n!): **zermalmen** *crush* Da 2, 34. 40. 44 f. 6, 25 7, 7. 19. 23. †

דָּר: דור; he. דּוֹר; ja. sam. cp. sy. md. (MG 339. 478) nsy.; BL 179 h: **Generation** *generation*, עִם דָּר וְדָר (F) Da 3, 33 4, 31 (//עָלַם) von Geschlecht zu Geschlecht *from gen. to gen.*, md. לדאר דאריא (cf. he. דֹּר דֹּר, ug. *dr dr*). †

דָּרְיָוֶשׁ: n. m.; *F* he.; **Darius**, bab. *Dārijawuš*, *Dāriwuš* (RLA II 121 a), aram. (Rowl. DM 47 f.) Pachtv. 1 דרוש, äga. דריהוש, דריוהוש u. דריוש, mspt. דריהוש. **1. D. der Meder** *the Mede* (cf. Komm., Rowley DM 12 ff.) 6, 1 f. 7. 10. 26. 29; **2. Darius I.** Esr 4, 24 5, 5—7 6, 1. 12—15. †

***דְּרָע**: *F* אֶדְרָע; he. זְרוֹעַ; äga. (APE Nr. 91 B 4 f.) ja. cp. sy. md. (MG 70) nsy. nar.; BL 189 p: pl. sf. דְּרָעוֹהִי: **Arm** *arm* Da 2, 32. †

דָּת: he. =; LW < ape. *dātam*, Hübschm. 136, (neu-ass. *neo-ass. dātu*, v. Soden ZA 44, 181 ff.); äga. (Aḥ. 177? cf. APE Nr. 61, 5) ja. sam. sy.: cs. =, det. דָּתָא, sf. דָּתְכוֹן, pl. cs. דָּתֵי Esr 7, 25 (l. sg. c. Vrss.), f.: **1.** (königlicher) **Befehl** (*royal*) *order* Da 2, 13. 15, דָּתְכוֹן das Urteil über euch *the sentence upon you* 2, 9; **2. Staatsgesetz** *public law* Da 6, 9. 13. 16, דִּי מַלְכָּא Esr 7, 26; **3. Gesetz Gottes** *law of God* (= תּוֹרָה), Esr 7, 12. 14. 21, jüdisch *Jewish* 7, 25 f., abs. Da 7, 25; c. sf. = Religion *religion* 6, 6. †

***דֶּתֶא**: he. דֶּשֶׁא; ja. דִּתְאָה, sy. ܬܐܐ (VG I 277); BL 228 h: det. דִּתְאָא **Gras** *grass*, דִּי בָרָא des Feldes *of the field* Da 4, 12. 20. †

***דְּתָבַר**: pe. LW, *F* דָּת, mpe. *dātabar* „legifer", דאתבר Frah. 13, 3, keilschr. *dātabari* BEUP IX 28[1]; Hübschm. 136, Eil. 94, Nyb. II 54: pl. det. דְּתָבְרַיָּא: **Richter** *judge* Da 3, 2 f. †

ה

ה: wechselt mit *alternates with* *F* א.

הֲ, הַ: he. =; Assbr. 12. 19, ja. nur *only* in Tg, sy. ܗܐ selten *rare*; behandelt wie *treatened as* he., BL 253 g-j, 348 d-g: **Fragepartikel** *interrogative particle* Da 2, 26 3, 14 (*F* צְדָא) 6, 21, הֲלָא nonne? 3, 24 4, 27 6, 13. †

הָא: he. הֵא; Suğ. Ab 18, Znğ. BrRkb 17—19?, äga. Tema, palm. Rosenth. Spr. 83, ja. cp. sy. md. (MG 81). nsy.; *F* אֲרוּ, דָּא u. דְּנָה; VG

I 316, BL 266 c. d: interj. **sieh!** *behold!* Da 3, 25.†

הָא: he. =, interj.; ja. הָא, הֵי: הָא־כְדִי Da 2, 43 **so wie** *as*, prob. l. הֵי (= הֵיךְ/הָאךְ); Suğ. Ab 16. 19 f., sogd. TSB 247 u. äga. איך זי, Mcheta 9 היך זי, palm. היך די Rosenth. Spr. 87, ja. הָא כְ, הֵיךְ, הֵי כְ, tg. הֵיךְ דְ/אֵ (Dalm. Gr. 220. 226 f.), sam. הך די, cp. ܐܝܟ ܕ, nsy. ܐܝܟ ܕ, nar. *eḥt* (Spit 122 b); אֵיךְ etiam pehl. (Frah. 25, 1), Dura 19, 3, md. (MG 209 453 f.) u. nsy.; *F* he. הֵיךְ, אֵיךְ; BL 264 w :: BDB.†

***הַדָּבַר**: pe. LW, etym. inc., cf. Andr., Montg. 216 f.: pl. det. הַדָּבְרַיָּא, cs. הַדָּבְרֵי, sf. הַדָּבְרַי, הַדָּבְרוֹהִי, Var. 'הַדָּב: **hoher königlicher Beamter** *high royal official* Da 3, 24 f. 27 4, 33 6, 8.†

***הַדָּם**: ja. u. sy. =, md. האנדאם MG 51; denom. ja. u. sy. הַדֵּם zerstückeln *dismember*, > ar. هَدَّم zerstören *destroy*; pe. LW, av. *handāma* Glied *member*, Hübschm. 98, Telegdi 241: pl. הַדָּמִין: **Glied** *member*, הַדָּמִין הִתְעֲבֵד in Stücke gehauen werden *be dismembered* Da 2, 5 3, 29, d. orientalische Strafart stückweiser Tötung *oriental punishment of killing by cutting the singular limbs*, G διαμελίζειν, 2 Mk 1, 16 μέλη ποιεῖν, cf. Montg. 146, Kuhl BZAW 55, 49[6].†

הדר: he. =; äga. ja. sy.; denom. v. *F* הֲדַר, BL 273 g:

pa: pf. 2. sg. הַדַּרְתְּ, 1. הַדְּרֵת, pt. מְהַדַּר BL 133 g: **verherrlichen** *glorify*, //שַׁבַּח Da 4, 31. 34 5, 23.†

***הֲדַר**: הדר; he. הָדָר, הֶדֶר, הָדָר; äga., ja. הַדְרָא, sy. ܗܕܪܐ, md. הידרא MG 326; BL 185 r: det. הַדְרָא/הדרה, sf. הַדְרִי: **Herrlichkeit** *majesty* Da 4, 27. 33 (cf. Montg. 246) 5, 18.†

הוּא: he. =; nab. (raro, Cant. I 51 f.) u. ja.; הא Znğ. u. palm. (raro, Beryt. 2, 113[364]), הו Suğ. Ab 10, äga. nab. palm. cp. sy. md. (MG 86), nar. *hū*, nsy. VG I 304; BL 70 m: pron. pers. **er** *he* Da 2, 22—7, 24 (10 ×), Esr 5, 8; dem. **jener** *that* Da 2, 32 (:: BL 268 e), das Subj. betonend *stressing the subj.* 6, 17, als Kopula *as copula* (BL 267 d) 2, 28. 47 3, 15, אֲנַחְנָה־הוּא † 2, 38 4, 19 5, 13; 6, 11 l. הֲוָא (*F* II ברך); *F* f. הִיא, pl. אִנּוּן, אִנִּין u. הִמּוֹן.†

הוה: he. היה, II הוה; הוה pehl. Frah. 22, 2 31, 6 f., äga., AD Mcheta 9 f., raro nab.; sonst *elsewhere* הוא; ZAW 45, 112 ff:

pe. pf. הֲוָה Da 4, 26, 7, 13, הֲוָא 5, 19 6, 4. 11 (cj pro הוא). 15 Esr 5, 11; 3 f.† הֲוָת Da 2, 35, הֲוָת 7, 19 Esr 4, 24 5, 5 (BL 154 k. l :: Torr. N. 262 f.), 2. m. הֲוַיְתָ, 1. הֲוֵית, 3. pl. הֲווֹ, impf.† לֶהֱוֵה Da 4, 22, לֶהֱוֵא 2, 20. 28 f. 41. 45 3, 18 5, 29 6, 3 Esr 4, 12 f. 5, 8 6, 9 7, 23. 26 (inschriftl. *inscriptions* יהוה/א/י; ZAW 45, 124 f., Rowl. Aram. 92 f., BL 152 d, Rosenth. AF 173 f.), 3. f. תֶּהֱוֵה 2, 41 f., תֶּהֱוֵא Da 2, 40 4, 24 7, 23 Esr 6, 8, pl.† לֶהֱוֹן Da 2, 43 6, 2 f. 27 Esr 6, 10 7, 25 f. לֶהֶוְיָן Da 5, 17, or. *lihwē* etc., imp.† הֱווֹ Esr 6, 6 u. הֱוִי 4, 22 (BL 153 i): **sein** *be*: 1. geschehen *happen* Da 2, 28 f. 45; 2. dasein *exist* Da 7, 23, קְצָת kommen über *arise* c. עַל Esr 7, 23, c. לְ werden zu *become* Da 2, 35, c. כְּ werden wie *become like* 2, 35; zuteil werden *fall to* c. לְ 4, 24, gehören *belong to* c. לְ 5, 17 (= behalten *keep for oneself*); 3. sein *be*, עִם Da 4, 22, בְּ 2, 41 6, 2, עַל Esr 4, 20 5, 5; als Kopula *as copula* Da 2, 40-42 4, 1 5, 29 6, 3 7, 19 Esr 6, 6; 4. c. pt. pass. zum Ausdruck des Passivs *expressing passive voice* (BL 296 a. b)† Da 2, 20. 43 3, 18 Esr 4, 12 f. 5, 8. 11 6, 8 f. 7, 26; c. pt. act. z. Ausdruck des Futurs *expressing future tense* (BL 292 i) 2, 43 6, 3, der Vergangenheit *perfect tense* (BL 293 p. q) 5, 19 6, 4 f. 11 (pro

הוא) 7, 13 Esr 4, 24, חֲזֵה הֲוַיְתָ/הֲוֵית† Da 2, 31. 34 4, 7. 10 7, 2. 4. 6. 21. †

הִיא: he. =; הי äga. nab. palm. cp. sy. md. (MG 86), ja. u. sam. etiam הִיא; BL 70 m: pers. pron. f. (m. **F** הוּא) **sie** *she* Da 2, 44 4, 21 7, 7, als Kopula *as copula* (BL 267 d) 2, 9. 20 4, 27 Esr 6, 15. †

***הֵיכַל**: he. הֵיכָל; äga. היכלא, palm. auch *also* הכלא (Rosenth. Spr. 17[4]), ja. md. u. nsy. הֵיכְלָא, sy. ܗܰܝܟܠܳܐ > ar. هَيْكَل (Frae. 274) > nar. *haikla*: cs. =, det. הֵיכְלָא, sf. הֵיכְלִי, הֵיכְלֵהּ: 1. **Palast** *palace* (äga. u. palm. nur so *only thus*) Da 4, 1. 26 5, 5 6, 19 Esr 4, 14; 2. **Tempel** *temple*, in Jerusalem Da 5, 2 f. Esr 5, 14 f. 6, 5, heidnischer *a pagan one* in Babel 5, 14. †

הלך: he. =; Suğ. Ab 5 3. pl. f. יהכן, äga. Taxila 10, nab. ja. sam.; cp. sy. u. nar. (Spit. 184 a) pa:

pe: impf. יְהָךְ (Suğ. äga. tg. sam. SL II p. XL), inf. מְהָךְ, meist abgeleitet v. *generally derived from* *הוך, äth. ሆከ, BL 144 b : : Littm. OLZ 33, 450: ל ausgefallen *dropped*; pf. u. imp. liefert *are taken from* **F** אזל: **gehen** *go* Esr 7, 13, (Gegenstände *inanimate objects*) c. לְ gelangen an *reach* 5, 5 6, 5 (BL 335 n : : Bewer 62). †

pa. pt. מְהַלֵּךְ, pl. cj. מְהַלְּכִין Da 3, 25 4, 34: **umhergehen** *walk about* Da 4, 26, cj 3, 25 4, 34. †

haf: pt. pl. מַהְלְכִין, l. pa. (Var., or., BL 274 n) מְהַלְּכִין Da 3, 25 4. 34. †

Der. הֲלָךְ.

הֲלָךְ: ja. mspt. u. AD; LW < ak. *ilku*, *alku*, *allūka* Lehenspflicht, Leistung *feudal duty*, *obligation*, gebildet nach d. durchsichtigen *formed after the transparent* etym. *alāku* /הָלַךְ, > pe. *harāka* Grundsteuer *land-tax*, > ar. خَرَاج, ja. כרגא Steuer *tax*; Streck ZA 18, 198, Herzf. 246 f., Henning Or. 4, 291 f.: e. Art **Steuer** *some sort of tax* Esr 4, 13. 20 7, 24, immer neben *always together with* **F** מִנְדָּה/מִדָּה u. **F** בְּלוֹ (AD fr. 8, 1, 2 ומנדה [הל]ך. †

הִמּוֹ Esr u. **הִמּוֹן** Da: ja.; he. הֵם, הֵמָּה; המו Assbr. 4 u. äga. (acc. etiam הם AP 18, 3, אם 34, 6), AD nab. הם, palm. הנן, cp. u. sy. ܗܶܢܽܘܢ, ja. הִמּוֹ(ן) u. אִ/הִנּוּן, md. הינון MG 86, nar. *hinn(un)* Spit. 50 ff.; BL 70 i, ZAW 45, 104 f.: pron. pers. pl. m. **sie** *they*, nom. (als Kopula *as copula*) Esr 5, 11 (BL 268 d), acc. (äga.) 4, 10. 23 5, 5. 12. 14 f. 7, 17 Da 2, 34 f. 3, 22; **F** אִנּוּן. †

***הַמּוֹנֵךְ**, det. המונכא, Var. המונכא, המוניכא, המנכא u. המינכא, Q הַמְנִיכָא, etiam הַמְנִיכָא u. הֲמְנִיכָא, or. *hamūnikā*; BL 209 n-p: pe. LW, Andr., Telegdi 241, mpe. *hamyānak* Gürtelchen *small belt*, ja. הַמְנִיכָא u. מְנִיכָא, מַנִיקָא u. ä. (Krauss II 343 f.) sy. ܡܰܢܝܰܟܳܐ, > μανιάκης, μανιάκιον u. μανίκιον Doura F 12, 3, 10, S. 370 Hals- u. Armband *necklace*, *bracelet*; Deminutiv *diminutive* v. mpe. *hämyān* Gürtel *belt* > ja. sy. u. md. (Drower MJJ 31) הִמְיָנָא, mhe. הֶמְיָן, ἑμιαν pro he. אַבְנֵט Jos. Arch. III 7, 2, > ar. هِمْيَان: **Halskette** *necklace* Da 5, 7. 16. 19, Montg. 253 f. 256. †

הֵן: he. =, אִם; הן Suğ. Aa 14, Znğ. Ner. äga. nab. palm. ja. (הִין u. הֵין, selten *rare*) md. (MG 208); אן palm. ja., אִין sam. cp. u. sy. אֵן: conj. BL § 111: 1. **wenn** *if* Da 2, 6 3, 15. 17 (BL 265 b : : alii interj.) 5, 16 Esr 4, 13. 16 5, 17; wenn nicht *if not* הֵן לָא Da 2, 5 3, 15 b, הֵן . . . לָא 2, 9, ohne *without* vb. fin. 3, 18; ohne Nachsatz *without concluding sentence* 3, 15 a (BL 366 f), הֵן . . . הֵן . . הֵן sei es . . . oder . . . oder *whether . . . or . . . or* Esr 7, 26 (palm). 2. in abhängiger Frage *in in-*

direct question (F he. אִם 6): ob *whether* Da 4, 24 Esr 5, 17; F II לָהֵן.†

*הַנְזָקָה, cs. הַנְזָקַת: orig. נזק inf. haf., BL 246 n. q, ZAW 45, 115 f: Schädigung, Nachteil *injury*, *damage* Esr 4, 22.†

הַצְדָּא: Da 3, 14 F צְדָא.

*הַרְהֹר: הרר; ja. הַרְהוּרָא, mhe. הִרְהוּר (unreine) Phantasie (*impure*) *fancy*, sy. ܗܘܪܗܘܪܐ Fata Morgana *mirage*, md. הראהרא Blendwerk *illusion* (MG 64²); BL 192 i: pl. הַרְהֹרִין: Traumphantasien *fancies in dream* (Bentz. 32) Da 4, 2 (//חֵלֶם).†

הרר: ug. *hrr*//*ḥmd* חמד, ar. هَرَّ verabscheuen *detest*, sy. streiten *quarrel*; palp. (VG I 520) sy. erregen *excite*, ja. mhe. nachdenken, phantasieren *brood, indulge in fancies*; Der. הַרְהֹר.

הִתְבְּהָלָה: בהל, orig. inf. hitpe.; BL 246 (!), ZAW 45, 115 f.: Eile *hurry*, c. בְּ eilig *in hurry* (BL 302 i) Da 2, 25 3, 24 6, 20.†

*הִתְנַדְּבוּ: נדב, orig. inf. hitpa.; BL 246 n, 302 i, ZAW 45, 115 f.: cs. הִתְנַדְּבוּת: Spende *gift* Esr 7, 16.†

ו

ו: 1. ursem. ו im Anlaut *Proto-Sem. initial* ו > י in יַרְכָה, יְרַח, יקד, יסף*, יהב, ידע (?), ידה* יְגַר יתב u. יַתִּיר, exc. וְ; 2. ba. ו entspricht *corresponds with* he. י in הוה, *with* ak. *m*/*w* in אַרְגְּוָן, זִיו, כַּוָּה (?) u. נְוָלוּ/לִי (?).

וְ, וּ: behandelt wie *treated like* he. וְ, ante Murmelvokal *half vowel* וּ, or. *wi*, BL 21 t, 36 a-c, 262 b-k; Aram., Uruk *u-ma-a'* = *uwa*: conj. und *and* (BL § 96). Verbindet wie im He. Wörter u. Sätze *connects words a. clauses as in He.* Bei drei u. mehr Wörtern steht es entweder zwischen allen *In case of three words or more its place is either between all of them* Da 2, 6. 10 4, 34 5, 11. 14. 18 Esr 6, 9, oder vor den zwei letzten *or before the last two* Da 2, 37 3, 21, oder unregelmässig *or irregularly* 3, 2 Esr 4, 9, oder es fehlt ganz *or it is altogether absent* Da 2, 27 5, 11 b (BL 350 a b). Speziell *specially*: a. und zwar *and that* Da 4, 10 (:: BL 324 h). 12 Esr 6, 8 f.; b. steigernd *intensifying*: und auch *and also* Da 6, 29; c. gegensätzlich *adversatively*: aber *but* 2, 6 3, 6. 18 4, 4. 15 b; d. oder *or* Esr 7, 26 (BL 324 j); e. erklärend *explaining*: nämlich *for* 4, 22 Esr 5, 15; f. weiterführend *continuing*: dann, so *then*; oft überhaupt nicht zu übersetzen *often not be rendered at all*, nach *after* imp. Da 2, 4. 9. 24 impf. 2, 7; nach pf. in d. Erzählung *after pf. in the narrative* (= he. impf. cons.) c. pf. 5, 29 6, 2. 17, c. impf. (BL 280 m) 4, 2, c. pt. עֲנוֹ...וְאָמְרִין (F ענה) 2, 7; g. als Ausdruck d. Zwecks *expressing purpose* c. impf. 5, 2, c. pt. 2, 13, c. inf. (BL 301 e :: Torr. N 257) 2, 16. 18; h. Da 7, 1 (:: Montg.) u. 7, 20 (BL 324 i) corr.?

ז

ז: 1. allgemein *in general* = ursem. *Proto-Sem. z*, ar. ز; 2. = *dh*, ar. ذ (F ד), nur *only* in LW זכה, זְכוּ u. n. m. זְכַרְיָה.

זבן: pehl. (Frah. 21, 13) äga. nab. palm. ja. cp. sy. md. nsy. nar., > ar. زَبَنَ, pe. kaufen *buy*, pa. verkaufen *sell*; < ak. *zibānītu* (etiam *zibānu* AFO 14, 257[46]) Wage *balance*, Zimm. 16 (md. pl. sf. זבאנאתון Johb. I 85, 11, II 89, sg. זבאניתא Drow. Zod. 22[11]); dazu *related* äg. *dbn* Gewicht *weight*, *ti-ba-an* EA (Dossin, RA 31, 134)?

pe: pt. pl. זָבְנִין: **kaufen** *buy*, metaph. עִדָּנָא Da 2, 8 Zeit zu gewinnen suchen *try to gain time* (: : tempus emere, Eph. 5, 16, Montg. 151). †

***זְהִיר**: זהר; ja. cp. u. sy., mhe. זָהִיר, md. adv. בזאהראיית MG 201; BL 188 h: pl. זְהִירִין: **vorsichtig** *cautious*, c. הוה u. inf. sich hüten *beware of* (he. זהר nif.) Esr 4, 22. †

זהר: he. II זהר; äga. ja. cp. sy. md. (MG 229. 283) pe. u. itp. sich hüten *beware of*, pa. u. af. warnen *warn*; Der. זְהִיר.

זוד vel **זיד**: he. =; ja. af. mutwillig handeln *act wantonly*, sy. ܙܳܕ, ܙܺܝܕ (P. Smith 1071) heiss *hot*, md. זידא MG 109:

haf.: inf. הֲזָדָה, BL 147 z: **übermütig handeln** *act presumptuously* Da 5, 20. †

זון: he. =; ja. cp. u. sy. füttern *feed*, sam. weiden *graze*, äga. זון Speise *food*:

hitpe.: impf. יִתְּזִין, Var.S u. or. Q יִתְּזַן, BL 145 n-q: **sich nähren von** *live on* מִן Da 4, 9. †

Der. מָזוֹן.

זוע: he. =; ja. cp. sam. sy. md. (MG 254 f.) nar.:

pe: pt. pl. זָאֲעִין K, זָיְעִין Q, BL 51 h. j: **beben** *tremble*, מִן־קֳדָם vor *before* Da 5, 19 u. 6, 27, // דחל. †

***זִיו**: he. זִו; ja. (etiam f. זִיוְתָא) sam. (etiam זיב) sy. u. md. (MG 175), adj. sy. ܙܺܝܘܳܢܳܐ glänzend *bright*, pehl. (Frah. 12, 2) זיון angesehen: LW < ak. *zīm/wu* Aussehen, Gesichtsausdruck *appearance, features*, Zimm. 47: sf. זִיוִי, Var. זִיוַי, זִיוֵהּ, pl. זִיוַי, זִיוָךְ K u. זִיוָךְ Q (BL 77 o), זִיוֹהִי: **Glanz** *brightness* Da 2, 31 4, 33; pl. (BL 305 e) (frische) **Gesichtsfarbe** (*fresh*) *complexion* (ja. mhe.) 5, 6. 9 f. 7, 28. †

זכה: he. =; äga. זכי unschuldig *innocent*, Uruk 10 *za-ki-it* ich gewann *I won*, *za-ka-a-a* siegreich *victorious*; ja. cp. sy. sam. nar. (Gl. 105 *zkj*) u. nsy. pe. unschuldig sein *be innocent*, pa. freisprechen, Sieg geben (md. MG 261) *acquit, grant victory*; LW < ak. *zakū*, gegenüber *as against pure Aram.* דכה etc. rein sein *be clean*, pehl. (Frah. 26, 1) palm. (? F דְּכֵן) ja. cp. sy. u. md. (MG 152 f. 262) Zim. 25, Johb. I 1[3], Widgr. 42[2] : : H. Bauer OLZ 29, 803: < kan.; Der. זָכוּ:

זָכוּ: זכה; ja. (Tg. pro he. צְדָקָה); sy. md. (pl. MG 167); BL 197 g: **Unschuld** *innocence* Da 6, 23. †

זְכַרְיָה: n. m., **Sacharja** *Zechariah*, Esr 5, 1 6, 14, *F* he. 3. †

זמן: he. mhe.; ja. sam. sy. u. md. pa. einladen, versammeln *invite*, *assemble*; denom. v. זְמָן:
hitpe./pa: pf. Q הִזְדְמִנְתּוּן u. הִזְדַּמִּ׳, BL 32a: **sich verabreden** *agree*; K hitpa. הִזְמִנְתּוּן (BL 111 k, Rosenth. Spr. 56 f.), vel haf. הַזְמִנְתּוּן: **e. Bestimmung treffen** *decide* (Strack) c. inf. Da 2, 9. †

זְמָן Da 2, 16 u. זִמְנָא 7, 12, BL 220p: he. זְמָן < aram.; pehl. (Frah. 27, 3) u. nab. זמן, ja. זְמַן, det. זִמְנָא, sam. זימן, nar. *zamōna*; > זבן (Ruž. 92 f.) nab. u. palm., *zabnā* (Schulth. Gr. § 47, 2) cp. sam. sy. nsy. (> *zōnā*) u. nar. (*zebna*, Spit. 69a), *zibnā* cp. u. md. (MG 152), ar. زَمَانٌ u. زَمَنٌ; LW sive < ak. *simānu* BL 33h, Schaed. ZDMG 95, 269 f., sive < ape. *ǰamāna*, mpe. *zamān* Nyb. II 251 f., Telegdi 242: det. זִמְנָא, pl. זִמְנִין, det. זִמְנַיָּא, BL 218e; m.: 1. (bestimmte) **Zeit** (*fixed*) *time* Da 7, 12. 22, pl. 2, 21 (// עִדָּן), Aufschub *respite* 2, 16; Zeitpunkt *moment*, בֵּהּ זִמְנָא damals *at that time* Esr 5, 3 Da 3, 8, zur selben Zeit *at the same time* 4, 33, בֵּהּ ז׳ כְּדִי sobald als *as soon as* 3, 7; heilige Zeit, Fest *sacred time*, *feast* 7, 25. 2. **Mal** *time*, *turn* (ja. sy., he. עֵת Ne 9, 28), זִמְנִין תְּלָתָה dreimal *three times* Da 6, 11. 14. †
Der. זמן.

זמר: he. I זמר; pehl. (Frah. 19, 9 f.) ja. sy. u. md. (MG 221); Der. זְמָר, זַמָּר:

***זְמָר**: זמר; ja. cp. sam. sy. md. (MG 115) u. nsy.; BL 187d: det. זְמָרָא: **Saitenspiel**, Musikinstrumente *music for strings*, *musical instruments* Da 3, 5. 7. 10. 15. †

***זַמָּר**: זמר; ja. cp. sy. md. (MG 183) u. nsy.; BL 191c; pl. det. זַמָּרַיָּא: Musikant, **Sänger** *musician*, *singer* Esr 7, 24. †

***זַן**: he. =; äga. ja. sy. md. (MG 97) u. nsy.; LW < ape. *zana*, Hübschm. 148 f., Telegdi 242 f.: pl. cs. זְנֵי: **Art** *sort* Da 3, 5. 7. 10. 15. †

***זְעֵיר**: זער; he. =; äga. nab. u. ja.; זְעוֹר sam. cp. sy. nsy. u. nar. (*izᶜur* Spit. 76a); BL 190 v-w, Littm. OLZ 31, 580:: Blake 93, Kutscher, Tarbiz 22/23, 17 f.: f. זְעֵירָה: **klein** *small* Da 7, 8. †

זעק: he. = u. צעק; äga., ja. זְעֵק, sy. u. nar. זְעַק:
pe: pf. זְעִק, or. *zᵉᵉq* **schreien** *shriek* Da 6, 21. †

זער: he. = u. צער; ja. (זְעֵיר, זְעַר) cp. sy. u. nsy.; Der. זְעֵיר.

זקף: he. =; pehl. (Frah. App. 10) ja. cp. sy. u. nsy. aufrichten *raise*; als pfählen *in the meaning impale* (ja. u. sy.) LW < ak. *zaqāpu* u. *zuqqupu* Zim. 13:: G. Kittel ZNW 35, 282 ff.:
pe: pt. pass. זְקִיף: **gepfählt**, als Gepfählter *as one impaled* (:: Rud: aufrecht *erect*) Esr 6, 11. †

זְרֻבָּבֶל: n. m., **Zerubbabel**, Esr 5, 2, *F* he. Lex. †

זרע: he. I זרע; pehl. Frah. 18, 11 f., Pachtv. 3 f., äga. palm. ja. cp. sam. sy. md. (MG 70) nsy. u. nar.; ja. etiam דרע, ug. *drᶜ*, ar. ذَرَأَ iuxta زَرَعَ, asa. דרא; Grdf. **ḏrᶜ*, *zrᶜ* kan.? H. Bauer, Alphabet v. Ras Schamra, 1932, 69 [1]:: VG I 237; Der. זְרַע.

***זְרַע**: זרע; he. זֶרַע; Znğ. Pachtv. 4, äga. klas. (Eph. 3, 64, 5) ja. cp. sam. sy. md. (MG 445) nsy. u. nar.; BL 183c: cs. =: **Same, Nachkommenschaft** *seed*, *descendants*, ז׳ אֲנָשָׁא Da 2, 43. †

ח

ח: *ut* he. ח = ursem. *Proto-Sem.* ḥ u. ḫ, ar. ح u. خ.

חֲבוּלָה: חבל; ja. חֲבוּל; BL 189 m: schädigende Handlung, **Verbrechen** *hurtful act, crime* Da 6, 23.†

חבל: he. III חבל; äga. Tema, Sard. 6, palm. ja. cp. sy. md. (MG 76), meist *mostly* pa., ja. u. sy. etiam pe.:
pa: pf. pl. sf. חַבְּלוּנִי, imp. pl. sf. חַבְּלוּהִי, inf. חַבָּלָה: 1. verletzen *hurt* Da 6, 23; 2. zerstören *destroy* Da 4, 20 (אִילָנָא), Esr 6, 12 (Tempel *temple*). †
hitpa: impf. תִּתְחַבַּל, תִּתְחַבַּל zerstört werden, **zugrunde gehen** *be destroyed, perish* (מַלְכוּ) Da 2, 44 6, 27 7, 14. †
Der. חֲבוּלָה, חֲבָל.

חֲבָל, Var. חֲבַל: palm. ja. sy. Mcheta 7, jemen. Rabin 26, Schaden, Unglück *damage, misfortune* > interj. wehe *alas*, s. Joüon Syr 19, 186 ff., äga. מחבל; BL 187 d: det. חֲבָלָא, m.: **Verletzung** *hurt* Da 3, 25 6, 24, **Schaden** *damage* Esr 4, 22. †

חבר: he. II חבר; palm. ja. sy. verbunden, Gefährte sein *unite, be a companion*; Der. חֲבַר; חַבְרָה.

***חֲבַר**: חבר; he. חָבֵר; nab. ja. cp. sy. md. (MG 321) nsy.; BL 185 v, 218 b: pl. sf. חַבְרוֹהִי **Gefährte** *companion* Da 2, 13. 17 f.†

***חַבְרָה**: חבר, f. v. חֲבַר; ja. sy.; pl. f. *ḫa-ba-ra-an* Uruk 16; BL 241 p. q: pl. sf. חַבְרָתַהּ, Var. ־תַהּ, BL 79 s: Gefährtin *companion (feminine)*, pl. sf. Da 7, 20: seine Gefährten = **die anderen** (Hörner) *its companions = the other (horns)*, id. ja. cp. u. sy.; F he. רֵעַ, רְעוּת.†

חַגַּי, Var. חַגַּי (BL 196 d): n. m., **Haggai**, Esr 5, 1 6, 14 F he.†

חַד: he. אֶחָד, Aram., pehl. Frah. 29, 1, äga. AD; palm. vereinzelt *sporadic* אחד (Rosenth. Spr. 31), nar. *aḥḥadh* (ar., Spit. 114 c), nsy. *ḥā*, f. *ḥdhā*; BL 249 e: f. חֲדָה: **einer, eine, eines** *one*: a. als Zahlwort *numeral* Da 4, 16 6, 3 7, 5. 16, cj Esr 6, 4 st. חֲדַת; b. ein u. dasselbe, nur ein *one a. the same, only one* (he. Ct. 6, 9) Da 2, 9; c. unbestimmter Artikel *indefinite article* Da 2, 31 6, 18 Esr 4, 8 6, 2; d. zur Jahreszählung *when calculating years* (BL 252 y), בִּשְׁנַת חֲדָה im 1. Jahr *in the first year* Da 7, 1 Esr 5, 13 6, 3; e. als Multiplikativ *sign of multiplicative* (äga. ja. cp. sy. md. nsy., VG II 281, BL 323 p, Montg. 210 f., Mc 4, 8. 20 ἕν, Bl.-Debr. § 248, 3), חַד שִׁבְעָה siebenmal *seven times* Da 3, 19; f. כַּחֲדָה zusammen *together* Da 2, 35 (pehl. Nyb. II 297, Pachtv. 6 u. äga., ja. etiam אַכַּחֲדָה, sy. ܐܟܚܕܐ, ܐܟܚܕ, cp. ܐܝܟ ܚܕܐ, he. כְּאֶחָד).†

חדה: he. =, < aram., sich freuen *rejoice*; äga. AD ja. cp. sam. u. sy. חֲדִי, md. הדא MG 257, nsy., nar. *eḏi* Gl. 34; Der. חֶדְוָה.

***חֲדֵה**: he. חָזֶה; pehl. Frah. 10, 7 *ḥlyʾ*, ja. cp. u. sy. חַדְיָא, md. האדיא MG 177, nsy. *ḥidja*; BL 185 p:: aram. = he. חזה sehen *see*, Ginsb.

JBL 57, 210[3]: pl. (BL 305e :: du., Schulth. ZAW 22, 163f.) sf. חֲדוֹהִי: **Brust** *breast* Da 2, 32.†

חֶדְוָה: חדה; he. =, aram. LW.; ja. חֶדְוְתָא, חֶדוּתָא, cp. sy. u. nsy. ܚܕܘܬܐ, md. הארותא (abs. etiam הידוא MG 155), nar. *ḥadjūtha* Gl. 34; ak. *ḫidūtu*; BL 243b: **Freude** *joy* Esr 6, 16.†

חדת: he. חדשׁ; sy. ܚܕܬ neu sein *be new*, pa. caus. nab. palm. ja. cp. u. sy., sam. חרת/ד schaffen *create* (Perles OLZ 15, 218); Der. חֲדַת:

חֲדַת: חדת; he. חָדָשׁ; äga. nab. palm. ja. cp. sam. sy. md. (MG 107) nsy. u. nar. (Gl. 34); BL 185q: **neu** *new* Esr 6, 4, l. חַד (G).†

חוה: he. I חוה, ?aram.; pehl. (Frah. 23, 5f. kennen *know*) cp. sam. sy. u. md. pa., äga. AD u. ja. haf.; Rosenth. Spr. 65[4], Driver ad AD 8, 5:
pa: impf. אֲחַוֵּא/ה u. נְחַוֵּא, Var. -וֵה (BL 24l), sf. יְחַוִּנַּנִי, יְחַוִּנַּהּ (Var. -נַּהּ-, BL 81z!): etw. zeigen, **kundtun** *show*, *make known* Da 2, 4. 24 5, 7, 2, 11 c. קֳדָם.†
haf: impf. יְהַחֲוֵה, נְהַחֲוֵה (Var. -וְה, F pa), pl. תְּהַחֲוֻן, sf. תְּהַחֲוֻנַּנִי, imp. pl. sf. הַחֲוֻנִי, inf. הַחֲוָיָה/א, or. *haḥwāʾā* (BL 160t), cs. (af. ZAW 45, 106f., BL 91h!) אַחֲוָיַת (BL 246n—q): **kundtun** *make known*, F pa. (BL 274n, 372), Da 2, 6f. 9f. 16 (BL 301e :: Torr. N. 257). 27 3, 32 5, 12b. 15 (//הוֹדַע); **deuten** *interpret* (אֲחִידָן) 5, 12a (he. הִגִּיד Jd 14, 14f.).†

חוט vel **חיט**:
pe. vel haf. impf. יְחִיטוּ, Var. יַחִיטוּ, Esr 4, 12 c. אֻשַּׁיָּא: Form *form* (= יְחִיטוּן?), etym. u. Bedeutung *a. meaning* inc.: חוט ja. cp. u. sy. nähen *sew*, sy. u. ar. خيّط zusammenfügen *join together*, > ausbessern *repair* (Schulth. ZAW 22, 162), vel ar. خطّ legen *lay* (Torr. ESt. 187) vel ak. *ḫâṭu* besichtigen *inspect* (Driv. JTS 32, 364), vel l. יְהִיבוּ cf. 5, 16 (BL 148e).†

חור: he. =, mhe.; ja. u. sy. חֲוַר, nsy., weiss sein *be white*; Der. חִוָּר.

חִוָּר: חור: AD, L 6, 3 pl. cs. חורי, ja., cp. u. sy. ܚܘܪܐ, md. היואר MG 122, nsy. *ḥwār*, nar. *ḥuwwār* Spit. 81d; Grdf. *ḥuwwār, BL 52n: **weiss** *white* Da 7, 9.†

חזה: he. =, < aram., :: Ginsb. F חֲזָה: Zkr a 12, Suğ. Aa 13, Assbr. 17. 20, Ner., pehl. (Paik. 376-381, חדי Frah. 20, 9f.), äga. AD, palm. in n. m. בולחזי Inv. DE S. 58f., Uruk 6f. (*ma-aḫ-zi-ia-aʾ di-iʾ ḫa-za-u-ni-iʾ*) ja. cp. sam. (träumen *dream*) sy. md. (MG 257) nsy.:
pe.: pf. חֲזָה/א, 2. m. חֲזַיְתָ, Da 2, 41 -תָה, 1. חֲזֵית, pl. חֲזֵיתוּן (or. *-tōn*, ja. cp. u. sy.), pt. חָזֵה pl. חָזַיִן (BL 233g), pt. pass. חֲזֵה, inf. מֶחֱזֵא: **sehen** *see*: 1. etw. Da 3, 25. 27 5, 5 Esr 4, 14, c. דִּי 2, 45, abs. Da 5, 23; visionär u. im Traum *in vision a. dream* 4, 17. 20, חֵלֶם 2, 26 4, 2. 6. 15 7, 1, c. doppeltem *double* acc. 2, 41, 43 abs. (pt. c. (הֲוָה) 2, 31. 34 4, 7. 10 7, 2. 4. 6f 9. 11; 2. **einsehen** *perceive* 2, 8 3. pt. pass. angemessen, **üblich** *proper*, *customary* (ja., mhe. רָאוּי) 3, 19.†
Der. חֱזוּ, חָזוּת.

חֵזוּ* vel ***חֶזוּ**: חזה; ja. sam. md. (MG 102); Grdf. *ḥizw (or.), BL 232p-s: det. חֶזְוָא, sf. חֶזְוִי Da 7, 2 (G חֶזְוִי, Montg.), חֶזְוָהּ, pl. cs. חֶזְוֵי: 1. **Gesicht**, Vision *apparition*, *vision* Da 7, 2 (s. o.), חֶזְוֵי רֵאשׁ 2, 28 4, 2. 7. 10 7, 1. 15, Nachtgesicht *night vision* 2, 19 7, 2. 7. 13; חֶזְוֵי חֶלְמִי 4, 6 l. imp. חֲזִי (Montg., Th. שְׁמַע) vel אַחֲוִי (BL 232r); 2. **Aussehen** *appearance* Da 7, 20 (:: Ginsb., F חֱזוּת).†

***חֲזוֹת**: חזה; sf. חֲזוֹתֵהּ, BL 185 s, Var. S.BH חֲזוֹתַהּ (Montg., ja. md. MG 146, he. חָזוּת): **Anblick** = es war zu sehen *sight = it was to be seen* (: : Ginsb. 71,[47a]: Dicke *thickness*) Da 4, 8. 17. †

חטא: he. =; ja. cp. sy. md. (MG 164 257) nar. u. nsy., überall *everywhere* לֹי; Der. חֲטָי ,חַטָּיָא:

***חֲטָי**: חטא; äga. *חטא, ja. חֶטְאָה, sy. ܚܛܗܐ, md. האטא MG 29; BL 187 d: sf. חֲטָיָךְ K, חֲטָאָךְ Q, Var. etiam K: **Sünde** *sin* Da 4, 24, // עֲוִיָתָךְ. †

חַטָּיָא K, חַטָּאָה u. חַטָּאָה Q; חטא; LW < he. חַטָּאת, ja.; BL 10 u, 192 d: f. (ZAW 45, 92): **Sündopfer** *sin-offering* Esr 6, 17. †

חַי: חיה; he. =; Suǧ. Bb 17, pehl. Frah. 10, 8 11, 1, äga. nab. palm. ja. cp. sam. sy. md. (MG 108) nsy. u. nar. lebend *living*; pl. Leben *life*, dafür *instead of it* sg. f. Suǧ. Bb 2, sg. m. pehl. u. nar.; BL 181 q-r: cs. =, det. חַיָּא, pl. חַיִּין, det. חַיַּיָּא, cs. חַיֵּי: **1. lebend**, lebendig *living*, *alive*, חַיַּיָּא die Menschen *men* Da 2, 30 4, 14; אֱלָהָא חַיָּא 6, 21. 27, חַי עָלְמָא 4, 31 (12, 7, Sir 18, 1 I. Hen 5, 1); **2.** חַיִּין **Leben** *life* Da 7, 12 Esr 6, 10. †

חיה: he. =; äga. nab. palm. ja. cp. sam. sy. md. (MG 268) nar. (Spit. § 169 a) nsy.:

pe: imp. חֱיִי, BL 153 h, or. *ḥajī*: leben *live*, מַלְכָּא לְעָלְמִין חֱיִי (*F* he. qal 1) Da 2, 4 3, 9 5, 10 6, 7. 22. †

haf: pt. מַחֵא (schlechte *bad* Var. מָחֵא velut *F* מחה, Th. ἔτυπτεν) BL 170 k: am Leben erhalten, beleben *let live*, *restore to life* Da 5, 19. †

Der. חַי, חֵיוָה.

חֵיוָה: חיה; he. חַיָּה; klas. חיוא Eph. 1, 70, 2, ja. u. cp. חֵיוְתָא, sy. ܚܝܘܬܐ, md. m. היוא MG 22; BL 186 y: cs. חֵיוַת, det. חֵיוְתָא, pl. חֵיוָן, חֵיוָתָא: **Tier** *beast* Da 4, 13 7, 3. 5—7. 11 f. 17. 19. 23, coll. Getier *beasts* 4, 11 f. 5, 21, חֵיוַת בָּרָא 2, 38 4, 9. 18. 20. 22. 29. †

חיל: denom. v. חַיִל; pa. stärken *strengthen* ja. sam. sy.

חַיִל: he. =; Suǧ. Bb 12 f., Saqq. 7, äga. palm. ja. cp. sy. md. (MG 100) nar. nsy.; BL 230 z: חַיִל (BL 23 d), cs. חֵיל, sf. חֵילֵהּ (or. *ḥēlēh*, BL 231 a): **1. Stärke** *strength*, בְּאֶדְרָע וְחָיִל m. starken Arm *with strong arm* (: : Rud. m. Waffengewalt *by force of arms*, cf. 2 u. Esd.) Esr 4, 23, גִּבָּרֵי(*F*) חַיִל Da 3, 20, קְרָא בְחַיִל laut rufen *cry aloud* 3, 4 4, 11 5, 7. **2. Heer** *army* (äga. AD, ZAW 62, 223) Da 3, 20, חֵיל שְׁמַיָּא (he. צְבָא הַשָּׁמַיִם) 4, 32. Der. חיל. †

חַכִּים: חכם; he. חָכָם; pehl. Ps. 130 b, äga. Uruk 26 *ḫa-ki-mi*, klas. Eph. I 67, 5 325, 1, ja. cp. sam. sy. md. (MG 124) nsy.; BL 192 e: pl. חַכִּימִין, det. חַכִּימַיָּא, cs. חַכִּימֵי: weise, Weiser *wise*, *wise man* Da 2, 21, pl. d. Kollegium der Weisen von *the wise men of* Babylon 2, 12—14. 18. 24. 27. 48 4, 3. 15 5, 7 f. 15. †

חכם: he. =; äga. ja. sam. cp. sy. md. (הכום MG 218); Der. חַכִּים, חָכְמָה:

חָכְמָה, or. *ḥūkmā*: חכם; he. =; Znǧ. äga., ja. חָכְמְתָא/ח׳, cp. u. sy. ܚܟܡܬܐ, md. הו/היכומתא MG 103; BL 243 b: cs. חָכְמַת, det. חָכְמְתָא: **Weisheit** *wisdom* Da 2, 20 f. 23. 30 5, 11, 14 Esr 7, 25. †

חלם: he. =; pehl. (Frah. 19, 11 schlafen *sleep*) ja. cp. sy. nsy. (etiam schlafen *sleep*); Der. חֵלֶם:

חֵלֶם, or. *ḥelem*: חלם; he. חֲלוֹם; äga. CIS

II 137 (: : Dupont-Sommer, Ann. du Serv. des Ant. de l'Ég. 48, 121 f.), ja. חֶלְמָא/ח, cp. u. sy. ܚܠܡܐ, nsy. *ḥilmā*, nar. *ḥelma*; BL 224 h-i: det. חֶלְמָא, sf. חֶלְמִי, חֶלְמָךְ, pl. חֶלְמִין, or. *ḥilm*-, BL 225 r: **Traum** *dream* Da 2,4—7. 9. 26. 28. 36. 45 4, 2—6. 15 f. 5, 12 7, 1. †

חלף: he. I חלף; äga. (haf. tauschen *exchange* Sabb. 5) AD ja. cp. sam. sy. md. (הליף MG 219) nsy.; חֲלָף anstatt *instead of* äga. AD ja. cp. sy.:

pe: impf. pl. יַחְלְפוּן, or. *jiḥ*-, BL 128 b-c: **vorübergehen** *pass over* (עָדָן) c. עַל pers. Da 4, 13. 20. 22. 29. †

חלק: he. II חלק verteilen *divide*; pehl. Frah. 21, 6 u. sy.; Der. מַחְלְקָה, חֲלָק.

חֲלָק: חלק; äga. Pachtv. 11 u. nab. חלק, ja. חֻלְקָא, ja. cp. u. sam. חֻלְקָא Teil *portion*, ja. u. sy. חַקְלָא Feld *field*, sy. ܚܘܠܩܐ Stück Käse *piece of cheese*, jemen. Glück *luck*, Rabin 27; BL 187 d: **Anteil** an *a share in* בְּ Da 4, 12. 20 Esr 4, 16. †

חֵמָה Da 3, 13, חֱמָא 3, 19: יחם; he. חֵמָה; Zng. חמא, äga. חמתא, ja חֵמְתָא, חֵמָא, cp. u. sy. ܚܡܬܐ, md. הימתא (MG 111) Zorn, Gift *anger*, *poison*; BL 40 n, 179 g, 242 y.a: f.: **Wut** *fury* Da 3, 13. 19. †

חמר: he. I חמר gären *ferment*; cp; Der. חֲמַר:

חֲמַר: חמר; he. חֶמֶר; pehl. (Frah. 5, 1) äga. AD, Tell Chelēfe (BASOR 80, 7 f. 82, 15 f.) palm. ja. cp. sy. md. (האמאר MG 29) nar. nsy.; BL 183 e: det. חַמְרָא: **Wein** *wine* Da 5, 1 f. 4. 23 Esr 6, 9 7, 22. †

***חִנְטָה**: he. חִטָּה; Zng. חטה, mspt. חנטתא, äga. חנטא u. חטה, palm. חטא, ja. חִנְטְתָא u. חִטְּתָא, cp. u. sy. ܚܛܬܐ, nar. *ḥettha*, pl. md. היטיא (MG 172) u. nsy. *ḥiṭi*; BL 240 f: pl. (wie überall gebildet als *as everywhere formed as m.*) חִנְטִין: **Weizen**(körner) (*grains of*) *wheat* (BL 305 h-i) Esr 6, 9 7, 22. †

חנך: he. =; einweihen *dedicate*; palm. Syr. 14, 171, 4, ja; Der. חֲנֻכָּה:

***חֲנֻכָּה**: חנך: LW < he.; ja.; BL 187 b: cs. חֲנֻכַּת: **Einweihung** *dedication* Da 3, 2 f. Esr 6, 16 f. †

חנן: he. I חנן; ja. cp. sy. u. nsy., Zng. חנא(?): sbst. חן äga. ja.:

pe: inf. מִחַן, BL 166 f: **sich erbarmen** *show mercy* Da 4, 24. †

hitpa: pt. מִתְחַנַּן (schlechte *bad* Var. -חַנֵּן, BL 166 h) **flehen** *implore* Da 6, 12. †

Der. חֲנַנְיָה.

חֲנַנְיָה: n. m. Da 2. 17, F 1, 6 f. u. he. Lex. †

חַסִּיר: חסר; he. חָסֵר; äga., Uruk 15 (f. det. (*ḫa-as-si-ir-ta-a*), palm. ja. cp. sy. md. (MG 124) nsy.; BL 192 e: mangelhaft, **minderwertig** *wanting*, *deficient* Da 5, 27. †

חסן: he. II. I חסן; ja. sam. sy. stark sein *be strong*, pehl. Frah. 21, 2 packen, halten *seize*, *keep*, äga. ja. sam. (סחן, Kahle Bem. 33 f.) u. sy. (h)af. in Besitz nehmen *take possession of*; äga. AD חסן u. חסין, ja. u. sy. חַסִּין stark *strong*, adv. sehr *much*:

haf.: pf. pl. הֶחֱסִנוּ, or. *haḥ*-, BL 128 f, impf. יַחְסְנוּן: in Besitz nehmen, **besitzen** *occupy*, *possess* Da 7, 18. 22 (מַלְכוּתָא). †

Der. *חֱסֵן.

***חֱסֵן**: חסן; he. חֹסֶן; AD חסן Gewalt *force*, pl. Festungen, Speicher, Schätze *strongholds*, *stores*, *treasures* Suğ. Bb 9, Zkr. b 8 (?), äga. AD, ja. חִסְנָא, sy. ܚܣܢܐ ܣܘܚܢܐ u. ܚܣܢܐ, cp.

ܚܣܝܢܐ (Schulth. Gr. § 36 a 1) u. denom. pt. pa. pass. befestigt *fortified*; BL 183 j: det. חִסְנָא, sf. חִסְנִי, or. *ḫu*-: **Macht** *might*, חִסְנָא וְתָקְפָּא Da 2, 37, תְּקַף חִסְנִי 4, 27 (alii: Reichtum *wealth*). †

חֲסַף: ja. חַסְפָּא u. חַצְבָּא, mhe. חָצָב, cp. ܚܣܦ u. ܚܨܒ, sy. ܚܨܦܐ, ܚܣܦܐ u. ܚܨܒܐ (> ar. خَزَف, Frae. 169) Tongefäss, Scherbe *earthen vessel*, *potsherd*, md. האספא ML 218, 5 Ton *clay*, jemen. *ḥašaf* dicker Ton *thick clay*, Rabin 27, äth. ጸሕብ Tongefäss; BL 224 g, ? LW < ak. *ḫaṣbu* Krug *jar* Zim. 33: חֲסַף, cs. =, det. חַסְפָּא **geformter Ton** *moulded clay* (Montg. 167, terra-cotta Kelso 7) Da 2, 33—35. 42. 45, F חֲסַף דִּי פֶחָר (sy.) Töpferwerk *potter's work* 2, 41, חֲסַף טִינָא Lehmware *earthen ware* 2, 41. 43. †

חסר: he. =; mangeln *lack*; äga. AD ja. cp. sy. md. (MG 408) nsy.; Der. חַסִּיר:

חצף: äga. (Ostr. 16, 3) grob *coarse* (Salz *salt*, : : דקק fein *fine*), sy. frech sein *be bold*, ar. حَصُفَ, mhe. hif. u. ja. af. frech handeln *act insolently*, cp. u. sy. af. wagen *dare*, ja. u. sy. חוּצְפָא, md. הוספא (MG 44) Frechheit *insolence*:

haf: pt. f. מְהַחְצְפָה Da 2, 15, מַחְצְפָא 3, 22, Var. מְחַצְּפָה, BL 45 i, 129 r-u: **streng** *harsh* (מִלְּהָ, דָּת) Da 2, 15 3, 22. †

חרב: he. I חרב; wüst liegen *be desolate* ja. cp. sy. md. (MG 219) nar. u. nsy., verwüsten *lay waste* ja. cp. u. nar. pe., ja. sy. u. nar. af.; adj. pl. f. חרבת Znǧ:

hof: pf. 3 f. הָחָרְבַת, BL 115 r, 129 j: **verwüstet sein** *be laid waste* Esr 4, 15. †

חַרְטֹם, or. -*tum*, BL 221 d: he. =: pl. חַרְטֻמִּין, det. חַרְטֻמַּיָּא (: : BL 221 e! Var. -טְמַיָּא): **Magier** *magician* Da 2, 10, 27 4, 4; רַב חַרְטֻמִּין Obermagier *chief magician* 4, 6 5, 11. †

חרך: mhe. ja. sy. md. (MG 40) nar. (*ḥrḥ*) u. nsy. brennen, versengen *burn*, *singe*, حَرَقَ:

hitpa: pf. הִתְחָרַךְ, BL 130 h: **versengt werden** *be singed* Da 3, 27 (שְׂעַר רֵאשׁ). †

***חֲרַץ**: he. II חֲלָץ; ja. u. sam. חַרְצָא, cp. *ḥirṣa* > *ḥirsā* (Schulth. Gr. § 35 a), ar. > خَصْرٌ, md. האלצא MG 54, sy. nsy. u. nar. (Rücken *back*, Gl. 40 f) > ܚܨܐ; BL 185 p; Grdf. **ḥalṣ* (Nöld. l. c. : : VG I 246): sf. חַרְצֵהּ: **Hüfte** *hip*, קִטְרֵי ח׳ s. Hüftgelenke *his hip joints* (nsy. Rückgrat *spine*) Da 5, 6. †

חשב: he. =; palm. ja. cp. sy. md. (MG 215) nar. nsy.; äga. u. palm. חשבן Rechnung *account*:

pe: pt. pass. pl. חֲשִׁיבִין: **rechnen achten** *consider*, *respect*, pt. pass. *respected* (ja.), c. כְּלָה Da 4, 32, F לָא. †

***חֲשׁוֹךְ**: חשׁך; he. חֹשֶׁךְ; äga. חשוכא, ja. חֲשׁוֹכָא, sy. ܚܫܘܟܐ, md. השוכא (MG 118, *ʾeššūkā* Drow. MJJ 321), cp. u. sy. ܚܫܘܟܐ sam. *ašek*, ja. u. sy. etiam חֶשְׁכָּא, palm. חשכב, Beryt. 3, 99, 3, 103: kan. ? BL 188 g: det. חֲשׁוֹכָא: **Finsternis** *darkness* Da 2, 22. †

חשח: sy. u. nsy. nötig, geeignet sein *be necessary*, *fit*, cp. ištaf. gebrauchen *use*; < ak. *ḫašāḫu* nötig haben *need*, Zimm. 70:

pe: pt. pl. חַשְׁחִין (schlechte *bad* Var. חַשְׁחִין Eissf.-Fe. 48 f.): **nötig haben** *be in need of* c. לְ u. inf. Da 3, 16. †

Der. חַשְׁחָה, חַשְׁחוּ.

***חַשְׁחָה**: חשׁח; sy. ܚܫܚܬܐ; BL 185 s: pl. חַשְׁחָן (: : pt. pl. fem. Torr. ESt. 194., l. חַשְׁחִין

Rud.) **Bedarf** *need*, מָה חֲ' was man braucht *what is needed* Esr 6, 9. †

*חֲשַׁחוּ: חשח; sy. ܚܘܫܚܐ Gebrauch *use*; BL 245 g: cs. חַשְׁחוּת: **Bedarf** *need* Esr 7, 20. †

חשך: he. =, dunkel sein *be dark*; ja. חֲשׁוֹךְ, cp. ܚܫܟ, sy. ܚܫܟ, md. *האשיך MG 219, nsy.; Der. חֲשׁוֹךְ.

חשל: ja. pe., mhe. pi. zerquetschen *crush*, ja. u. sy. pe. hämmern, schmieden *hammer*, *forge*, ak. *ḫašālu* zermalmen; *grind*; ? ar. حسل wegstossen *push away* (MG 135 [2]); ja. חַשְׁלָא, ak. *ḫašlatu* Gerstengraupen *peeled barley*:

pe: pt. חָשֵׁל: **zermalmen** *grind* Da 2, 40. †

חתם: he. =; pehl. (Frah. 23, 2) äga. ja. cp. sy. md. (MG 278) nsy.; Siegel *seal* Eph. 3, 186, AD חתם, äga. חותם, ja. חוֹתָמָא, sy. ܚܬܡܐ, cp. ܚܬܡܐ (Schulth. Gr. § 11,5), md. האתמא MG 112:

pe: pf. sf. חַתְמַהּ, Var. מָהּ- (BL 81 z): **versiegeln** *seal* Da 6, 18. †

ט

ט: 1. wechselt in Assimilation u. Dissimilation mit *alternates in assimilation a. dissimilation with* ת in קטל, קטר(?), קשט; 2. = ursem. *Proto-Sem.* *ẓ* (VG I 128), ar. ظ, he. צ, in טור, II טלל, טפר, יעט u. עֵיטָה, קיט.

טאב: F יטב, he. טוב u. יטב; äga. AD טיב, ja. pe. nur *only* pt. טָיֵיב u. טָאֵב, sy. ܛܐܒ, sam. u. cp. טוב, nar. *ṭjb* u. *ṭbj*:

pe: pf. טְאֵב (velut sy., sec. בְּאֵשׁ, BL 141 g), or. *ṭeʾob* (BL 102 v!): **gut sein** *be good*, c. עַל es ist gut für ihn = er freut sich *it is good to him = he is glad* Da 6, 24. †

Der. טָב.

טָב: טאב; he. טוֹב; Suğ. Ca 4, pehl. (Paik. 447, Bori, חב Nyb. II 298) äga. Saqq. 8, Pachtv. 5, Uruk 34 (f. pl. sf. *ṭa-ba-ti-ia*), nab. palm. ja. cp. sam. sy. u. nsy., nar. *ṭōb* (Gl. 98, Spit. § 5 c); amor. *ṭābum* (Studia Mariana, 1950, 81 f.); BL 179 h: **gut** *good*, דְּהַב טָב (he. Gn 2, 12, ug. *ksp ṭb*) gediegenes Gold *pure gold* Da 2, 32; הֵן עַל מַלְכָּא טָב (AD 3, 5 5, 7) wenn es dem König beliebt *if it pleases the king* Esr 5, 17. †

טבח: he. =; ja. schlachten, kochen *slaughter*, *cook*, sy. besprengen *sprinkle*; Der. טַבָּח:

טַבָּח: טבח; he. =; palm. ja. sy. u. md. (MG 64) Schlächter, Koch *butcher*, *cook*; BL 191 c: pl. det. טַבָּחַיָּא **Scharfrichter, Leibwächter** *executioners*, *body-guard* (σωματοφύλακες Jos. Arch. X 10, 3, Montg. 155), רַב (F) טַ' Da 2, 14. †

טוה: he. mhe. u. ja. spinnen *spin*, sy. u. ar. طوى fasten *fast*, Schulth. HW 32 f.; Der. טְוָת.

טוּר: he. צוּר; äga. nab. (:: Cant.) ja. cp. sam. sy. md. (MG 105) nar. (Gl. 99) u. nsy. Berg *mountain*, ja. cp. u. asy. (Black 216) etiam Feld *field*; BL 180 l: det. טוּרָא **Berg** *mountain* Da 2, 34 (cj). 35. 45. †

טְוָת: טוה; ja. u. sy., nsy. *biṭwat* (Macl. Dict.

29 b); BL 185 s, 237 h: f.: Fasten *fasting*, adv. (VG I 493 :: BL 337 f) fastend, **nüchtern** *fastingly*, *hungrily* Da 6, 19. †

טין: denom.; pa. sy. u. nar. bestreichen mit *besmear with* F טִין:

***טין**: he. טִיט; pehl. Frah. 2, 2, ja. cp. sy. nar. u. nsy. Lehm *clay*, Sard. 8 Erde *earth* (neben *along with* מין Wasser *water*, Kahle-Sommer 69), denom. sy. u. nar. טין pa.; > ar. طِين (Frae. 8), denom. طَان; BL 180 j: det. טִינָא: (nasser) **Lehm** (*wet*) *clay* (Kelso 5 f.), F חֲסַף ט׳ Lehmware *earthen ware* Da 2, 41. 43, präzisierend :: blossem חֲסַף *added for preciseness* :: ח׳ *alone* 2, 33—35. 41—43 (Montg. 177). †

***טַל**: he. =; I טלל; Suğ. Ab 13, ja. sam. cp. sy. u. md. (MG 306 f.), nsy. *ṭlūlā*; BL 222 n: cs. =; **Tau** *dew*, טַל שְׁמַיָּא 4, 12. 20, 22. 30 5, 21. †

I **טלל**: denom. v. טַל; sam. Tau fallen lassen *drop dew*; mhe. טָלוּל befeuchtet *moisted*.

II **טלל**: he. III צלל u. < aram. טלל; palm. CIS II 3917, 4 u. md. JRAS 1938, 3, 530 pa., ja. u. sy. pa. u. af., cp. af.; denom. < sbst. Schatten *shade*, he. צֵל, ak. *ṣillu* u. *ṣulūlu*, ar. ظِلّ, ظِلَال u. ظُلُول; טולא äga. ja. cp. sam. u. md. (MG 20), טילא Mtg. AIT u. nsy., טְלָלָא äga. ja. cp. u. md. (MG 115), ܛܠܠܐ sy., ܛܘܠܠܐ cp., טולאלא md. (MG 123): haf: impf. תַּטְלֵל, BL 167 j; trad. Schatten suchen *seek shade* (BL 274 m, sy. af.), eher *rather* c. Th. (κατῴκουν, cf. cp. af. Lc 13, 19): **nisten** *make a nest* Da 4, 9 // יִשְׁכְּנָן 4, 18. †

טעם: he. =; Assbr. 8, ja. cp. u. sy. טְעֵים, md. (MG 256) nsy., schmecken, kosten *taste*, *eat*: pa: impf. pl. יְטַעֲמוּן, sf. יְטַעֲמוּנֵּהּ BL 130 g-j: **zu essen geben** *give to eat* Da 4, 22, 29 5, 21, cj. 4, 12 (Montg. 235, BH). † Der. טְעֵם.

טעם: טעם; he. טַעַם; äga. AD, ja. טְעֵים, טַעֲמָא, sy. ܛܥܡܐ, md. טאמא MG 16, nsy.; Geschmack *taste*, Verstand *judgement* (ja. sy. nsy.), Befehl *command* (äga. ja.); BL 224 g, Rowl. Aram. 117: cs. =, Da 5, 2 Esr 6, 14, טַעַם Esr 6, 14 7, 23 v. Gott *of God* (Strack § 8 c :: BL 228 f), det. טַעְמָא, or. *ta^{ee}mā* (BL 45 f): 1. **Verstand** *sense*, הֲתִיב עֵטָה וטעם Da 2, 14 F חוב, שִׂים ט׳ עַל Rücksicht nehmen auf *take into consideration* 3, 12 6, 14; 2. **Befehl** *command* מִן־טַעַם אֱלָהּ (s. o.) nach d. B. *according to the c.* Esr 6, 14 7, 23, שִׂים טְעֵם (äga. AD) Befehl geben *give an order* Da 3, 10 Esr 4, 21 5, 3. 9. 13 6, 1. 3. 12, pass. Da 3, 29 4, 3 6, 27 Esr 4, 19 5, 17 6, 8. 11 7, 13. 21; בְּעֵל טְעֵם F 4; בִּטְעֵם חַמְרָא unter dem Einfluss d. Weins *under the influence of wine* Da 5, 2 (alii :: beim Kosten d. W.s *at the tasting of the w.*); 3. Gutachten, **Bericht** *advice*, *report* (ak. *turru ṭēmu* berichten *report*) Esr 5, 5, יְהַב ט׳ Rechenschaft ablegen *give an account* Da 6, 3; בְּעֵל־ט׳ neben *besides* סָפְרָא Esr 4, 8 f. 17, ak. *bēl ṭēmi* (E. G. Klauber, Politisch-relig. Texte a. d. Sargonidenzeit, 1913, S. XXIV), Kanzleivorsteher *chief government official* (BL 312 h, Schaed. 67, Herzf. 318); trad. Befehlshaber *commanding officer*. In Bedeutung *in meaning* 2 u. 3 nachgebildet dem *formed after the* Ak. (Zim. 10) oder dem *or after* Pe. (Herzf. 149 236 f.). †

***טְפַר**: he- צִפֹּרֶן; bta. cp. (Schulth. Gr. 135 b) u. nsy. טֻפְרָא, sy. u. nar. ܛܶܦܪܳܐ, ja. u. md. טופרא, ak. *ṣupru*, ظِفْر, ظُفُر; Grdf. *ẓifr*, BL 183 g: pl. sf. טְפְרוֹהִי, or. *ṭofr*-, Da 4, 30, טִפְרַהּ 7, 19 Q, K טְפְרֵיהּ: BL 75 c: 1. **Nagel** *nail* Da 4, 30; 2. **Kralle** *claw* 7, 19.†

טרד: he. =; Uruk 15 imp. f. [*ṭ*]*i-r*[*u-d*]*i*, ja. cp. sam. sy. md. (Or. 15, 327, 15) nsy.: pe: pt. pl. טָרְדִין, pf. pass. (BL 104 b-e!): טְרִיד **vertreiben** *drive away* c. מִן Da 4, 22. 29, pass. 4, 30 5, 21.†

***טַרְפְּלָי**, pl. det. טַרְפְּלָיֵא (BL 196 d, 204 l) Esr 4, 9: inc., vel Beamtenklasse *class of officials* vel n. p. (G), Eil. 39 f., Rud. 36; Galling ZAW 63, 71 f. F טְ׳ אפרסתכיא d. Kanzleibeamten in *the government officials in* Tripolis.†

י

י: 1. wechselt mit *alternates with* F א (F יָת), mit *with* ו in הוה; 2. < anlautendem *initial* F ו.

יבל: he. =; Znğ, pehl. Frah. 20, 14; pe. äga. (יבל impf. pass. Hermop.), pa. ja. u. sy.; af. cp. ܐܘܒܠ u. ܐܘܒܶܠ, ja. אוֹבִיל, sy. ܐܰܘܒܶܠ, md. אויל (MG 49), nar. *aupel* (Spit. 171 c), nsy. *lābil* (Macl. Dict. 144 b); מובל Last *burden* mspt. Eph. 3, 63, 2 ff. äga. ja. cp. sy. md.; Nöld. NB 198 f.:

haf: pf. הֵיבֵל, inf. הֵיבָלָה, BL 50 b, 141 c: **bringen** *bring* Esr 5, 14 6, 5 7, 15.†

saf.: (VG I 526, BL 92 k, vel < ak. *šubulu*, ass. *subulu* v. (*w*)*abālu*; trad. F סבל po.:: Rud. F כיל): pt. pl. מְסוֹבְלִין: **darbringen** *offer* (he. הוֹבִיל) Esr 6, 3 (cj. אִשַּׁיָּא).†

יבשׁ: he. =; ja. cp. sy. md. (MG 244) nsy.; Der. יַבֶּשְׁתָּא.

***יַבֶּשָׁה**: יבשׁ; he. יַבָּשָׁה; palm. sam. cp. sy. u. nsy. m. יַבֶּשָׁא, fem. ja. יַבֶּשְׁתָּא, cp. *jabbeštā*, sy. ܝܰܒܶܫܬܳܐ; BL 41 s, 191 a, 199 d, ? < he.: det. יַבֶּשְׁתָּא: trockenes Land *dry land*, det. **die Erde** *the earth* Da 2, 10.†

***יְגַר**: ja. u. sy. יְגָרָא Steinhaufen *heap of stones*, nab. וגרא Felsengrab *rock-tomb*, asa. וגר Steinmal *stone-monument* BASOR 102, 5, äth. ወግር Hügel *mound*, ወገረ Steine werfen *throw stones*, ar. وَجْر Grotte *grotto*; BL 28 p, 182 x: cs. =: **Steinhaufen** *heap of stones*, יְגַר שָׂהֲדוּתָא Gen 31, 47 = he. גַּלְעֵד.†

***יַד**: he. יָד; Aram., Assbr. 5 (Syr. 24, 36), pehl. Frah. 10, 7; äga. AD; det. *īdā* cp. sy. md. (MG 184) nsy. u. nar., cs. *jad* exc. cp. (Schulth. Gr. § 85 p), βιδ Doura F. 367, 11; Nöld. NB 113 f., Bl 178 c: cs. =, det. יְדָא, Da 5, 5 יְדָהּ, du. יְדַיִן, sf. יְדִי, יְדָךְ, יְדֵהּ, יְדְהֹם (BL 81 y), pl. sf. יְדוֹי Da 3, 15 (BL 23 d, Var. יְדִי), f.: 1. **Hand** *hand*, e. Menschen *of man* Da 2, 34. 45 5, 5, פַּס (F) יַד 5, 5. 24 Esr 5, 8, Gottes *of God* (metaph., F מְחָא), Tatze (d. Löwen) *paw* (*of lion*) Da 6, 28 (:: alii sec. 2); שְׁלַח יַד (= he.) Esr 6, 12; 2. **Macht** *power*, c. בְּ Da 2, 38 7, 25 Esr 5, 12 7, 14. 25, Gottes *of God* Da 5, 23, c. מִן Da 3, 15. 17, s. o. 6, 28.†

ידה: he. =; preisen *praise*, af. palm. pt. מודא,

sbst. ודא LP Rec. 52 ter A 3, B 3, cp. u. sy. ܐܘܕܝ, sam. *udi*; bekennen *confess* ja. pa. u. itpa., sy. itpa., md. af. (MG 215):
haf: pt. מְהוֹדֵא Da 2, 23 > מוֹדֵא 6, 11 (ZAW 45, 107, BL 169i): **preisen** *praise* Da 2, 23, קֳדָם 6, 11. †

ידע: he. =; pehl. Paik. 466—470, äga. AD ja. cp. sy. md. (MG 245) nar. nsy.:
pe: pf. יְדַע (or. *īdaʿ*, BL 13c!), יִדְעֵת, יְדַעְתְּ (or. *jad-*), impf. אִנְדַּע, תִּנְדַּע, pl. יִנְדְּעוּן, imp. דַּע, pt. יָדַע, pl. יָדְעִין, יָדְעֵי, pt. pass. יְדִיעַ, BL § 45 d, i, j: **wissen, kennen** *know*, c. דִּי Da 2, 8f. 4, 6 6, 16, c. acc. 2, 22 5, 22, בִּינָה 2, 21, דָּת אֱלָהָא Esr 7, 25, erfahren *learn* c. דִּי Da 6, 11 Esr 4, 15, einsehen, verstehen *understand* Da 2, 30, c. דִּי 4, 14. 22 f. 29 5, 21, abs. 5, 23; יְדִיעַ לֶהֱוֵא (AD) es sei kund *be it known* Da 3, 18 Esr 4, 12 f. 5, 8. †
haf: pf. הוֹדַע, הוֹדַעְנָא, sf. הוֹדְעַךְ, הוֹדַעְתַּנִי, הוֹדַעְתֶּנָא Da 2, 23 (Var. -תָּנָא, or. -*tánā*, BL 53 r), impf. יְהוֹדַע, pl. יְהוֹדְעוּן, תְּהוֹדְעוּן, sf. תְּ/יְהוֹדְעֻנַּנִי, אֲהוֹדְעִנֵּהּ, תְּ/יְהוֹדְעֻנַּנִי, inf. הוֹדָעָה, sf. הוֹדָעוּתַנִי, -עֻתַנִי, הוֹדָעוּתָךְ, pt. pl. מְהוֹדְעִין: wissen lassen, **mitteilen** *make known, communicate* (//חוה pa., haf.) Da 2, 5. 9. 15. 17. 23. 25 f. 28—30. 45 4, 3 f. 15 5, 8. 15—17 7, 16 Esr 5, 10, c. דִּי Esr 4, 16 7, 24 (מְהוֹדְעִין = pass., BL 333 d!), שְׁלַחְנָא וְהוֹדַעְנָא (äga. AP 30, 29, cf. Pul-i-D. 8) Esr 4, 14, belehren *instruct* 7, 25. †
Der. מַנְדַּע.

יהב: he. =; ersetzt im Aram. meist *supplies in Aram. mostly* pf. v. נתן; Suğ. Bb 9, mspt., Assbr. 7, pehl. Frah. 21, 7 f., äga. AD nab. palm. (Rosenth. Spr. 35 [6]) ja. cp. sam. sy. md. (MG 61), nar. Spit. § 171. 184, nsy. Nöld. NsG. 255 f.; impf. in pehl. nab. sy. u. md.:
pe: pf. יְהַב (or. *īhab*, BL 13c), יְהַבְתְּ (Var. -תְּ, BL 101e :: Birkeland 15 f.); וִיהַבוּ, imp. הַב (he. =, BL 141i), pt. יָהֵב, pl. יָהֲבִין, pf. pass. (BL 104 b—e!) יְהִ(י)ב, 3. f. יְהִיבַת, Da 7, 12 יְהִיבַת (BL 24 p), וִיהִיבוּ; impf. ersetzt *supplies* F נתן (ja. cp.): **geben** *give* Da 2, 21. 23. 37. 48 5, 17—19, pass. 5, 28 7, 4. 6. 12. 14. 22 (? post דִּינָא ins. וְשָׁלְטָנָא יְהִב). 27 Esr 5, 14; בְּיַד Da 2, 38 Esr 5, 12, גִּשְׁמָא hingeben *surrender* Da 3, 28, pass. übergeben werden *be given* 7, 11; ל טְעֵם Bericht erstatten *report* 6, 3, אֻשַּׁיָּא (nab. ja. cp., Schulth. ZAW 22, 162 f.) Fundamente legen *lay foundations* Esr 5, 16, cj. 4, 12 (F חוט). †
hitpe: impf. יִתְיְהִב, תִּתְיְהִב/הַב, pl. יִתְיַהֲבוּן, pt. מִתְיְהִב, f. מִתְיַהֲבָה, pl. מִתְיַהֲבִין: **gegeben werden** *be given* Da 4, 13 Esr 4, 20 7, 19, בְּיַד Da 7, 25, bestritten werden *be defrayed* (נִפְקְתָא) Esr 6, 4. 8 f. †

יְהוּד: he. יְהוּדָה; keilschr. *Ia-u-du* (etiam VAB VII 788), *Ia-a-ḫu-du* u. *Ia-ku-du* (Mél. Syr. 926), יהוד äga. ja. cp. u. sy., יהד auf Münzen u. Krughenkeln *on coins a. jar-handles* (Sukenik JPOS 14, 178 ff., Sellin ZAW 53, 77 f., Albr. BASOR 53, 20 f. :: Cook ZAW 56, 268 ff.); rückgebildet aus *secondary formation from* F יְהוּדִי, BL 189 n: **Juda**, Judäa *Judaea* Da 2, 25 5, 13 u. 6, 14 (:: coll. die Juden *the Jews*, Marti § 68b, cf. מָדַי) Esr 5, 1. 8 7, 14. †

***יְהוּדָי**: he. יְהוּדִי; äga. יהודי(א), pl. יהודין, יהודיא, ja. יְהוּדָאָה > יוּדָאָה, cp. ܝܗܘܕܝ > ܝܘܕܝ, sy. u. nsy. ܝܗܘܕܝܐ, nar. *ūdaj*; keilschr. *Ia-a-ḫu-da-a*, *Ia-u-da-a-a* (Mél. Syr. 925 927): pl. יְהוּדָאִין K, יְהוּדָיִן Q u. det. יְהוּדָיֵא, BL 51 k-m: **Jude** *Jew* Da 3, 8. 12 Esr 4, 12. 23 5, 1. 5 6, 7 f. 14. †

יוֹם: he. =; יום Suğ. Aa 12, pehl. Frah. 27, 1, äga. AD Saqq. 3, nab. palm., יוֹמָא ja. cp. nar. u. nsy., *jūma* sam. md. (MG 175) nar. u. nsy., ܝܘܡܐ sy.; ja. יְמָמָא, cp. u. sy. ܐܝܡܡܐ, md. עוּמאמא (MG 140), Nöld. NB 133, VG I 474;

BL 182a: det. יוֹמָא, יוֹמִי, pl. יוֹמִין, יוֹמַיָּא Da 5, 11 u. יוֹמָת Esr 4, 15. 19 (f. pl. etiam sy., BL 201 j, cf. he. etc.): sf. יוֹמֵיהוֹן: Tag *day* Esr 6, 15 Da 6, 8. 13, בְּיוֹמָא (dreimal) am Tag (*three times*) *a day* Da 6, 11. 14, יוֹם בְּיוֹם Tag für Tag *day by day* Esr 6, 9; pl. Regierungszeit *reign* Da 2, 44 5, 11; Lebenszeit *lifetime*: עַתִּיק יוֹמִין hochbetagt *very old* Da 7, 9. 13. 22; לִקְצָת יוֹמַיָּא nach Ablauf dieser Zeit *at the end of this time* 4, 31, F מִן יוֹמָת עָלְמָא seit alters *of old* Esr 4, 15. 19; eschatologisch *eschatological* F בְּאַחֲרִית יוֹמַיָּא (he.) am Ende d. Tage *in the end of the days* 2, 28; יוֹם תְּלָתָה לִירַח am 3. Tag d. Monats *on the third day of the month* Esr 6, 15, BL 252 y. †

יוֹצָדָק: n. m., Esr 5, 2, F he. יְהוֹצָדָק. †

יזב: F שֵׁיזִב.

יזן: F *מֹאזְנֵא.

יחם: he. =, brünstig sein *be on heat*; aram. nur *only* ja. pa. brünstig machen *make hot*; Der. חֱמָה.

יטב: he. =; pe. יְטַב ja. sam. (u. cp.); (h)af. היטב Znğ. sam. cp. u. nar., אוטב ja. sy. (ettaf.) u. md. (*אוטף MG 279); F טאב:

pe: impf. יֵיטַב (ja., BL 141 f: : Brockelm. ZDMG 94, 252: es gefällt, beliebt *it is pleasing* c. עַל Esr 7, 18; als pf. dient *pf. is supplied by* F טאב †.

haf: pt. *מְהֵיטַב (BL 141 e!), in PN מְהֵיטַבְאֵל, F he. Lex.

יכל: he. =; Suğ. Ca 6, äga. nab. sam. ja. (יְכֵל) u. cp. (*jᵉkil* u. *jᵉkol*), nam. *awkel*; F כהל:

pe: pf. יְכִל (or. *jᵉkol*, BL 102 v!), יְכִלְתְּ; impf. יִכֻּל Da 3, 29 u. תִּכֻּל 5, 16 Q (or. *tikol*), falsch *wrong* יוּכַל 2, 10 u. תוּכל 5, 19 K (he.! BL 142 j. k), pt. יָכִל, f. יָכְלָה, pl. יָכְלִין: 1. können *be able* c. לְ u. inf. Da 2, 10. 27. 47 3, 17. 29 4, 15. 34 5, 16 6, 5. 21; 2. überwältigen *prevail against* (he. 3, ja., nar. af.) Da 7. 21 c. לְ. †

***יַם**: he. יָם; pehl. Frah. 3, 1, äga. palm. ja. cp. sy. md. (MG 100) u. nsy., > يم Frae. 231; BL 221 e: det. יַמָּא: Meer *sea* Da 7, 2 f. †

יסף: he. =; haf. Zkr b 4 f. הוספ[ת], äga. יהוספון, AD תהוספון, מהוס[פן], ja. u. cp. אוֹסֵף, sam. *usef*, sy. ܐܘܣܦ:

hof. pf. 3 f. הוּסְפַת (Var. הֻוסְּפַת, BL 40 m!), BL 141 h hinzugefügt werden *be added* Da 4, 33. †

יעט: he. יעץ; äga. pt. u. sbst. עטה; ja. יעט pa. itpa., יעץ pe. itpe.:

pe: pt. pl. sf. יָעֲטֹ(ו)הִי (Var. Eissf.-Fe. 48 f.): raten *advise*, pt. sbst. (äga.) Ratgeber *counsellor* Esr 7, 14 f. †

itpa: (ZAW 45, 108 f., BL 110 g) אִתְיָעַטוּ, BL 130 g sich beraten *take counsel together* Da 6, 8. †

יצא: he. =; יצא, מוצא sam.; יעא äga. ja. u. sy., sbst. Znğ. מוקא, äga. מועא, sy. ܡܦܩܬܐ, ܫܘܙܒܘܬܐ, BL 26 c, ZAW 45, 100 f.; Der. שֵׁיצִיא.

יצב: he. =; יצב sam., pa. ja.; sonst *elsewhere* נצב Znğ. nab. palm. ja. cp. sam. sy. md. (MG 239) nar. nsy.:

pa: inf. יַצָּבָא, Var. יַצִּיבָא genau feststellen *make certain* c. עַל, denom. v. יַצִּיב (BL 273 g), Da 7, 19. †

Der. יַצִּיב.

יצד: F צדא.

יַצִּיב: mhe. ja. u. sam., יצב BMAP 10. 17; ja. u. sam. Einheimischer *native*; BL 192 e; det. u. f. יַצִּיבָא feststehend, zuverlässig *well established*, *reliable* (= he. נֶאֱמָן), מִלָּה Da

6, 13, חֵלֶם 2, 45, fem. zuverlässige Auskunft *reliable information* 7, 16. 19 Var.; adv. מִן־יַצִּיב (BL 255 s) **gewiss** *surely* 2, 8, יַצִּיבָא (det. vel fem. BL. 254 p, 337 d) bejahend *affirmative*: ja, sicherlich *yes*, *certainly* 3, 24. †

יקד: he. =; Suğ. Ab 16 ff. äga. ja. cp. sy. md. (MG 244) nsy.:

pe: pt. f. det. יָקִדְתָּא (BL 241 t), or. *jāqēdtā*: **brennen** *burn*, נוּרָא יְ׳ Da 3, 6. 11. 15. 17. 20 f. 23. 26. †

Der. יְקֵדָה.

***יְקֵדָה**: יקד; mhe. ja.; kan. BL 186 y :: Brockelm. ZDMG 54, 252 f., *F* גְּזֵרָה: cs. c. לִ יְקֵדַת: **Brennen** *burning*, *יְקֵדַת אֶשָּׁא **Feuerbrand** *firebrand* Da 7, 11. †

***יַקִּיר**: יקר; he. =; pehl. Frah. 26, 2, äga. ja. cp. sam. sy. md. (MG 124) u. nsy., nar. *iqqer*; BL 192 e: det. יַקִּירָא, f. יַקִּירָה: **1. schwierig** *difficult* Da 2, 11; **2. erlaucht** *honourable* Esr 4, 10. †

יקר: he. =; schwer, kostbar, geehrt sein *be heavy*, *precious*, *esteemed*; äga. haf, palm. u. md. (MG 149) af., ja. cp. sam. sy. u. nsy. pe.; Der. יַקִּיר u. יְקָר:

***יְקָר**: יקר; he. =, < aram.; pehl. אכלא Ps., palm. Syr. 19, 100 f., ja. יְקָרָא, cp. sam. sy. md. (MG 115) u. nsy. *iqāra*; BL 187 d: c. וִ ויקר Da 7, 14, cs. c. לִ ליקר 4, 27, 4, 33 (sic c. Var. pro לִיקַר), det. c. וִ ויקרא 2, 37 5, 18, רָה- 5, 20 (רֵה- Var., SV): **Würde** *dignity* Da 2, 6. 37 4, 27. 33 5, 18. 20 7, 14. †

יְרוּשְׁלֶם, Var. לַם-, he.; ja. u. cp. =, nab. אורשלם, sy. *Urišlem*: n. l. **Jerusalem** Da 5, 2 f. 6, 11 Esr 4, 8—7, 19 (22 ×), *F* he. Lex. †

***יְרַח**: he. יֶרַח; pehl. Frah. 27, 1, Pachtv. 1, äga. nab. palm. ja. cp. (Schulth. Gr. § 86) sy. md. (MG 66. 170) nsy. (*jerḥā*) nar.; BL 224 g: cs. c. לִ לִירַח, pl. יַרְחִין: **Monat** *month* Da 4, 26 Esr 6, 15. †

ירך: ak. (*w*)*arku* Rückseite *back*, (*w*)*arkatu* Hinterbacke m. Lende *buttock with loin*, وَرِكٌ Hüfte *hip*, he. יָרֵךְ fem. Oberschenkel *upper part of the thigh* u. *ירכה Rücken *back*; *F* יַרְכָה:

***יַרְכָה**, or. *ji-*: ירך; in d. Bedeutung *in meaning* = he. יָרֵךְ, ja. יַ/יִרְכָא, formal *in form* = he. *יַרְכָה (sic!); Grdf. **warikat*, BL 186 y: pl. sf. יַרְכָתֵהּ: **Oberschenkel**: *upper part of the thigh* Da 2, 32. †

יִשְׂרָאֵל: n. p.: **Israel** Esr 5, 1, *F* he. Lex. †

יֵשׁוּעַ: n. m.: **Jesus** Esr 5, 2, *F* he. Lex. †

ישׁן: he. =, schlafen *sleep*; aram. nur *only* in subst. *שְׁנָה.

יָת: he. I אֵת; אית Zkr b 5—16, Suğ. Bb 13 u. Assbr. 6 (?); ית BMAP 3, 22, nab. palm. ja. (meist *mostly* Tg, Dalm. Gr. 110) cp. sam. sy. (Nöld. Sy. Gr. 217[1], Rosenth. AF 201 f., etiam sbst. essentia); ות Znğ., etiam in *F* לְוָת u. כְּוָת, äga. כותא so *so*, später *later* כות wie *as* (Rosenth. Spr. 86 f.) äga. Ai.-Gi. AD, nab. palm. ja. cp. sy. (etiam ܐܝܬܐ, ܟܘܬܐ) md. (MG 195. 363, Gi. 62[1]) nar. Spit. 128 h; VG I 314, إِيَّا + fem.-*t* :: BL 258 j: sf. יָתְהוֹן Zeichen des *mark of* acc., דִּי ... יָתְהוֹן quos Da 3, 12. †

יתב: he. ישׁב; ישב Suğ. Bb 6 u. Znğ; יתב pehl. Frah. 20, 1 f., äga. BMAP (*F* pe.), Uruk 13. 38 (*ia-a-ti-ib-a- a-ʾi-i* = *jātibaihī*, pl. sf. 3. m. ja. יָתֵיב, sam. *jateb*, cp. u. sy. ܝܬܒ, md. עתיב MG 244, nsy., jemen. *wathaba* Rabin 28, nsy.; sbst. Znğ. משב, Tema מיתב, nab. sy. md. u. nsy. מותב:

pe: pf. יְתִב, יְתֵב; impf. יִתִּב (BL 142 j), pt. pl. יָתְבִין: 1. **sich setzen**, Platz nehmen *sit, be seated*, (דִּינָא, ak. Cod. Hammurabi VI 27—30; BMAP 13, 3 König bei Regierungsantritt *king on accession to the throne*) Da 7, 9 f. 26, cj. 22, F יהב; 2. **wohnen** *dwell* Esr 4, 17. †

haf: pf. הוֹתֵב, BL 140 d (ja. etiam אוֹתִיב, cp.): wohnen lassen, **ansiedeln** *cause to dwell, settle* Esr 4, 10. †

יַתִּיר: יתר; äga. AD nab. palm. ja. cp. sam. u. sy. überschüssig, aussergewöhnlich, *remaining, exceeding*, adv. sehr *very*; BL 192 e: fem. יַתִּירָה u. Da 3, 22 6, 4 7, 7 יַתִּירָא: 1. **aussergewöhnlich** *extraordinary* Da 2, 31 (:: adv. ad רַב, G) 4, 33 5, 12 6, 4; 2. f. adv. (BL 254 p, 337 d, äga. יתרא) **überaus** *exceedingly* 3, 22 7, 7. 19. †

יתר: he. =; Znğ. pehl. Dura (Alth. 18 f.), ja. cp. sam. sy. md. (MG 29. 245) überschiessen *exceed*, pehl. Frah. 27, 3 תתרא Sommer *summer*, sy. ܝܘܬܪܢܐ Überfluss *abundance*, ak. *tattūru* Reichtum *wealth*; Der. יַתִּיר.

כ

כ: wechselt ausserhalb BA mit *alternates outside BA with* F ק.

כְּ: he. =; Aram., nsy., in cp. sam. sy. md. u. nar. nur in Zusammensetzungen *only in compounds* (כְּוָת, כַּד, אֵיךְ etc.); behandelt wie *treated as he.* כְּ; BL 258 k, 265 x-a: **wie** *like* Da 2, 35. 40 4, 32 (F לָא) 5, 11 7, 4. 6. 8 f. 13 (einer wie *one like*). Als präp. *used as praep.* (BL 258 k): **entsprechend**, gemäss *according to* Da 4, 5. 32 6, 9 Esr 6, 9. 18 7, 18. 25. Bei Zahl- u. Zeitangaben *indicating number a. time*: **ungefähr** *about*, כְּבַר שְׁנִין Da 4, 16, כְּשָׁעָה חֲדָה 6, 1 (F II בַּר); c. inf. sobald als *as soon as* 6, 21 (Var. בְּ); כְּמָה u. F דִּי, כְּדִי, כִּדְנָה, כַּחֲדָה, דְּנָה etc.; :: F כְּעַן, כְּעֶנֶת, כְּעֶת.

כדב: he. כזב, lügen *lie*; äga. ja. sy. u. md. (MG 370) pa.; Der. כִּדְבָה.

כִּדְבָה, or. *ka-*: כדב; he. כָּזָב; :: pehl. כדבא Frah. 10, 6, ja. כִּ/כַּדְבָא u. md. כארבא MG 106; sbst. f., BL 185 s: **Lüge** *lie*, מִלָּה כ׳ Da 2, 9 Lügenwort *lying word*, appos. (BL 318 g! :: 319 e; adj. [cf. וּשְׁחִיתָה] esset כַּדָּב, ja. sy. md.). †

כָּה: he. כֹּה, so, hier *so, here*; כה Snğ. C 1, לכה Uzzia-Inschr. BASOR 44, 8 f., כא Assbr. 8, nab. palm. (CIS II 3932) ja. (etiam כָּה) cp. u. md. (MG 204), sy. in ܗܳܪܟܐ, ܗܟܐ, nar. *hōḫa* (Spit. 118 a); BL 252 a: adv. **hier** *here*, עַד־כָּה bis hieher *hitherto* Da 7, 28. †

כהל: äga., ja. כְּהַל u. כְּהֵיל, ኀሀለ, كَهَلَ (Nöld. ZDMG 59, 417), asa. כהלת Fähigkeit *ability*; F יכל:

pe.: pt. כָּהֵל, pl. כָּהֲלִין: **können** *be able*, pt. imstande *able* c. לְ u. inf. Da 2, 26 4, 15 5, 8. 15. †

כָּהֵן*: he. כֹּהֵן; äga. nab. ja. cp. sam. sy. md. (MG 61); BL 190 y: det. כָּהֲנָא, pl. כָּהֲנַיָּא u. sf. כָּהֲנוֹהִי (schlechte *bad* Var. כַּהֲ׳, Eissf.-Fe. 48 f.):

Priester *priest* Esr 6, 9. 16. 18 7, 12 f. 16. 21, 24.†

***כְּוָה**: כַּוְּתָא ja. cp. u. sy., nar. *ḫautha*, pl. gebildet als *formed as* m. כוין, כויא äga. nab. md. (MG 172) etc., nur *only* ja. etiam כַּוְּתָא: : sg. sf. כונה BMAP 12,21; > كوّة, كوّة, Frae. 13; etym. inc., kaum *hardly* LW < ak. *kamātu* Aussengebiete *outer district* (Zim. 32): pl. כַּוִּין, f.: **Fenster** *window* Da 6, 11. †

כּוֹרֶשׁ: n. m., Da 6, 28 Esr 5, 13 f. 17 6, 3. 14: **Kyros** *Cyrus*, F he. Lex. †

cj. **כיל**: he. כול (oder gleichfalls *or likewise* כיל? cf. ar.; sicher belegt ist *kwl* nur in *kwl being well attested only in* Ak.); pe. pehl. (Frah. 19, 1 גיל) ja. md. (MG 250. 421) u. nsy., af. palm. ja. u. sy. messen *measure*; itpe. (ittaf.) ja. u. sy.; sbst. Mass *measure* ja. u. sy. כֵּילָא, md. כעלא MG 5:

itpe. (BL 145 n!): pt. pl. מִתְּכִילִין: **bestimmt werden** *be fixed* Esr 6, 3 cj. pro מסובלין (Rud., F סבל). †

***כַּכַּר**: he. כִּכָּר, or. (Kahle MT 73) u. Hieron. (Sperber, HUCA 12/13, 230) **kakkar*, EA *gaggaru*; äga. כנכר, pl. כנכרן u. ככרן, ja. sy. u. nsy. כַּכְּרָא; cp. ܟܟܪܐ u. sy. ܟܟܪܐ Honigscheibe *honeycomb*; Grdf. **karkar*, Ruž. 7 f., VG I 245, BL 192 h: pl. כַּכְּרִין, Var. כַּכְ׳ u. כִּכְ׳, BL 216 r. s, Blake 94; ? fem. (sy., BL 198 b) : : Leand. 90 e: **Talent** *talent* Esr 7, 22.†

***כֹּל**: כלל; he. =; Aram., pehl. Frah. 25, 5 31, 1 כלא, Uruk 14 u. nsy. *kul*, nar. *ḫull* Spit. 62 h, md. MG § 226; BL 87 g: cs. =, Da 2, 12 3, 2 f. 5. 7. 15 4, 3 5, 8. 19 6, 8 7, 14. 27, sonst *elsewhere* כָּל־, or. *kol* sine Maqqef; כֹּלָּא (AD) 4, 9. 18. 25, כֹּלָּא 2, 40 Esr 5, 7, cj. כֹּלָּה (= כֹּלָּא) post וִיהַךְ Esr 6, 5 (Rud.), det. vel erstarrter *fossilized* acc., BL 88 h, Leand. 39 n; sf. כָּלְּהוֹן 2, 38 7, 19 K (Q ־הֵין) BL 32 k: **Gesamtheit**, *the whole*; im allgemeinen vor d. betreffenden Wort *generally preceding its noun* in cs.; nachgestellt *placed after the noun* (BL 318 e, äga. Leand. 39 l, Hatra 23, 1; he. 2 c. sf.) שְׁלָמָא כֹלָּא alles Heil *all peace* Esr 5, 7: 1. ante determ. sg. **ganz** *whole* כָּל־אַרְעָא Da 2, 35. 39 3, 31 4, 8. 17 6, 26 7, 23, cf. 2, 48 6, 2. 4. 27 7, 27 Esr 4, 20 6, 17 7, 16. 25; 2. ante determ. pl. **alle** *all* Da 2, 12. 30. 44. 48 3, 2 f. 5. 7. 10. 15. 31 4, 3. 15. 32. 34 5, 8. 19. 23 6, 8. 25 f. 7, 7. 14. 23 Esr 7, 21. 24 f.; c. sf. כָּלְּהוֹן sie alle *they all* Da 2, 38 7, 19 K, כָּל־אִלֵּין diese alle *all these* 2, 40; ante sbst. coll. alles *all*, כָּל־בִּשְׂרָא 4, 9 †, כָּל־כְּסַף (abs.! BL 308 k) Esr 7, 16, כֹּלָּא (s. o.) alles *everything* Da 3, 40, dies alles *all this* 4, 25 (he. הַכֹּל Jos 21, 45), לְכֹלָּא für alle *for all* 4, 9. 18, כָּל־דְּנָה dies alles *all this* 5, 22 7, 16, כָּל־דִּי alles was *everything which* Esr 7, 21. 23, בְּכָל־דִּי über alles was *over everything which* 2, 38 (Anakoluth *anacoluthon* : : überall wo *wherever* BL 367 c, F Komm.); 3. c. sg. indeterm. **jeder** (...) *every* (...) Da 3, 29 6, 16, כָּל־אֱנָשׁ 3, 10 5, 7 6, 13 Esr 6, 11, c. pt. 7, 13; כָּל־דִּי jeder der *every one who* Da 6, 8 Esr 7, 26, כָּל־אֱנָשׁ דִּי 6, 13; id.; irgend ein *any* (nab. ja. sy.) 2, 10 6, 8. 13, ... כָּל־מֶלֶךְ לָא 2, 10 kein König *no king*, 2, 35 4, 6 6, 5. 16. 24, כָּל־קֳבֵל 3, 28.; לָא ... לְכָל־ 6, 6, לָא ... כָּל־ F קֳבֵל. †

כלל: he. =, F כֹּל; ja. cp. u. sy. šaf. u. eštaf., LW < ak. *ušaklil*, *uštaklil*, Zim. 70:

šaf. (BL 92 i): pf. pl. שַׁכְלִלוּ Esr 6, 14 u. 4, 12 Q (K corr., prp. יְשַׁכְלְלוּן : : Rud.: שָׁרִיו לְשַׁכְלָלָה), pf. sf. שַׁכְלְלֵהּ, inf. שַׁכְלָלָה: **vollenden** *finish* Esr 4, 12 (s. o.) 5, 3. 9, בְּנֵה וְשַׁכְלֵל zu Ende bauen *finish building* 5, 11 6, 14. †

hištafal (BL 93 m): impf. pl. יִשְׁתַּכְלְלוּן: vollendet werden *be finished* Esr 4, 13. 16. †

כְּמָה: F מָה.

כֵּן: he. =; Suğ. Ab. 18, Cb 8, pehl. Frah. 25, 6, äga. AD klas. (Eph. 1, 67, 3 323, 2), ja. cp. u. sy., Hatra 6, 1 אכין, sy. ܗܳܟܰܢ, md. MG 207, Mcheta 8 הכין, sy. ܗܳܟܰܢ; sy. u. md. dann *then*: כֵּן Esr 6, 2: adv. so *thus*, c. אמר u. Esr 6, 2 c. כתב, immer vorwärtsweisend *always pointing forward*, Da 2, 24 f. 4, 11 6, 7 7, 5. 23 Esr 5, 3 6, 2. †

כְּנֵמָא u. כְּנֵמָא: [כ]נם BMAP 11, 2; etym. inc., כְּ + נֵימָא < נֵאמַר (ja.), eher *rather* מָה + כֵּן (BL 253 d, 372): adv. so *thus*, vorwärtsweisend *pointing forward* c. אמר Esr 4, 8 5, 4. 9. 11, rückweisend *pointing backwards* c. עבד 6, 13. †

כנשׁ: he. כנס u. cj. כנשׁ; äga. palm. Uruk (12 pt. pass. pl. sf. *ka-ni-ša-a-a*[-ʾi-i] F יתב) ja. sam. cp. sy. md. (MG 382) nsy. nar. (Gl. 45); sbst. Versammlung *assembly* pehl. Frah. 12, 3 כנשי, sy. ܟܢܘܫܬܐ, בית כנשה Ostr. aus *from* Elath (BASOR 82, 9 f. 84, 4 f.), ja. כְּנִישְׁתָּא, כְּנִסְתָּא, > spbab. *kiništu* u. ar. كَنِيسَة (Frae. 275):

pe: inf. מִכְנַשׁ versammeln *assemble* Da 3, 2. †

hitpa. (ja. cp. u. sy.): pt. pl. מִתְכַּנְּשִׁין, Var. ־כַּנְשִׁין (hitpe. ja. u. sy., vel hitpa.! BL 216 s): sich versammeln *assemble* Da 3, 3. 27. †

***כְּנָת**: he. =, < aram.; Suğ. Bb 24, äga. AD cp. sy.; LW < ak. *kinātu* (v. Soden § 55 j) Angehöriger *relation*, Zim. 46, Eil. 37, BL 201 j: pl. sf. כְּנָוָתֵהּ, כְּנָוָתְהוֹן, m.: Kollege *colleague* Esr 4, 9. 17. 23 5, 3. 6 6, 6. 13. †

כַּשְׂדָּי: F כַּשְׂדָּי.

כסף: he. =, farblos, fahl sein *be colourless, pale*, ar. :: Zim. 17 f. 59; ja. sich schämen *be ashamed* (mhe.); Der. (?) כְּסַף:

כְּסַף: F כסף, denom.?: he. כֶּסֶף; Znğ. pehl. (Frah. 16, 1) äga. AD Ner. nab. palm. ja. cp. sy. md. u. nar. (Gl. 47); BL 224 g: כְּסַף, det. כַּסְפָּא: Silber *silver*: 1. als Werkstoff *as material* Esr 7, 15 f. 18. 22 (:: alii ad 2), v. Götterbildern *of images* Da 2, 32. 35. 45 5, 4. 23, v. Tempelgerät *of temple vessels* 5, 2, cj 5, 3 Esr 5, 14 6, 5; 2. als Geld *as money* Esr 7, 17. 22 (s. o.). †

כְּעַן, Da 3, 15 Var. כְּעָן: pehl. Frah. 25, 4, äga. AD ja.; wie *like* F כְּעֶנֶת u. כְּעֶת zugehörig zu *related with* ak. *enu*, *ettu* Zeit *time*, he. עֵת, BL 255 u: jetzt *now* Da 2, 23 3, 15 4, 34 5, 12. 15 f. 6, 9 Esr 4, 13 f. 21 5, 17 6, 6, immer zu Anfang e. Satzes *always beginning the sentence*; עַד־כְּעַן bis jetzt *until now* Esr 5, 16. †

כְּעֶנֶת Esr 4, 10 f. 7, 12 (äga. AD) u. **כְּעֶת** 4, 17 (Assbr. 20, äga. AD): fem. v. F כְּעַן, dem Briefstil eigen; im MT immer c. וּ am Ende e. Satzes u. darum früher als „usw." genommen, aber wie כְּעַן mit d. Folgenden zu verbinden als Übergang z. eigentlichen Anliegen d. Briefes *belongs to the epistolary style; in MT always c.* וּ *at the end of the sentence a. therefore formerly taken as „etc.", but just as* כְּעַן *to be connected with what follows, introducing the real object of the letter*, Lidzb. Eph. 2, 229 f., he. וְעַתָּה, καὶ νῦν 2 Mk 1, 6: und nun *and now*; 4, 10 dl. †

כְּעֶת F כְּעֶנֶת.

כפת: ja. mhe. cp. sy. u. md. (MG 85) pe. u. pa. binden *bind*, ak. *kupputu* u. كَفَتَ sammeln *gather*:

pe: pf. pass. (BL 104 b-e, 289 d) כְּפִתוּ, or. כְּפִיתוּ: **gebunden werden** *be bound* Da 3, 21.† pa.: inf. כַּפָּתָה, pt. pass. pl. מְכַפְּתִין: **binden** *bind* Da 3, 20, pass. 3, 23 f.†

***כֹּר**: he. =; mspt. pl. כרן, äga. כרא (? AP 37, 13), ja. כּוֹרָא, sy. ܟܘܪܐ, > ar. كُرّ (Frae. 207), κόρος; LW < ak. *kur(r)u* < sum. *gur*, Meissn. I 49 f.: pl. כֹּרִין: **Kor**, Hohlmass für Trockenes *dry measure* Esr 7, 22.†

***כַּרְבְּלָה**: mhe. כַּרְבֹּלֶת Hahnenkamm *cocks comb*, ja. u. sy. כַּרְבַּלְתָא, etiam e. Kopfbedeckung *headwear* ut äga. כרבלה; he. denom. מְכֻרְבָּל eingehüllt *wrapped*; spbab. *karballatu* (FW) d. hohe spitze Mütze spez. der Saken *the high pointed cap esp. of the Kimmerians*, die *the* κυρβασία der Perser *of the Persians*, cf. Ὀρθοκορυβάντιοι Herodot III 92 (Streck, Sachau-Festschr. 1915, 399[1], Montg. 211, Zim. 36): pl. sf. כַּרְבְּלָתְהוֹן: **Mütze** *cap* Da 3, 21 (G, Th. u. V Tiara *tiara*, S Kappe *cap*).†

כרה: sy. u. nsy. kurz sein, leiden *be short, suffer*, md. MG 365 betrübt sein *be sorry*, ja. כְּרְיָא leidend *suffering*, كَرًى Schläfrigkeit *drowsiness*, ak. *karû* kurz sein *be short*, *kûru* Not *distress*; Begriffsentwicklung wie *development of idea as* in he. קצר; cf. ja. sy. u. nsy. כְּרָה krank sein *be ill*, كَرِهَ verabscheuen *detest*: itpe. (ZAW 45, 108 f.): pf. 3. f. אֶתְכְּרִיַּת/א, BL 159 r, 333 f.: **bekümmert sein** *be distressed* (רוּחַ) Da 7, 15.†

***כָּרוֹז**: ja. cp. sam. (ZA 16, 99[16]) sy. md. (כאלוזא Stimme *voice*, MG 55) nsy. nar., mhe.; LW non < κήρυξ (BL 191 z), sed < ape. *xrausa Rufer *caller*, Schaed. 56, Eil. 19 f.:: Telegdi 198[1]: det. כָּרוֹזָא: **Herold** *herald* Da 3, 4.† Denom. כרז.

כרז: denom. < *כָּרוֹז, BL 274 m; af. ja. cp. sy. nsy. u. nar.; ja. u. sam. pe., mhe. qal u. hif., > كَرَزَ:

haf.: pf. pl. הַכְרִזוּ: **öffentlich ausrufen** *proclaim* Da 5, 29.†

***כָּרְסֵא**, or. *kursē*: he. כִּסֵּא; Zng. כרסא, pehl. כסיא Frah. 2, 4, äga. כרסאא, ja. cp. sy. md. (MG 166) u. nsy. כּוּרְסְיָא, nar. *korsa*, > كُرْسِيّ; LW < ak. *kussû*, 1 × altbab. *old-Bab. kursû* (Meissn. ZA 15, 418 f.), < sum. *guza*, VG I 245, Zim. 8 :: BL 233[1]: cs. =, sf. כָּרְסְיֵהּ, pl. כָּרְסָוָן (ja. sy. md.) BL 233 i: **1. Sessel** *seat* Da 7, 9; **2. Thron** *throne*, für König *for king* 5, 20, für Gott *for God* 7, 9.†

כַּשְׂדִּי: he. כַּשְׂדִּים: keilschr. *Kal-da-a* APN 111, כַּלְדָּיָא palm. (Beryt. 1, 38 f.), sy. u. md. (hic etiam denom. כלאד chaldäern = betrügen *act like a Chaldaean = cheat*, Gi. 545, 15), ja. כַּשְׂדָּאָה u. כַּסְדָּאָה: det. כַּשְׂדָּיָא Da 5, 30, i. e. K ־דָּיָא, Q ־דָּאָה (BL 51 k), u. ebenso *just so* כַּסְדָּיָא (BL 27 h) Esr 5, 12; pl. כַּשְׂדָּאִין, det. כַּשְׂדָּיֵא Da 2, 5 K u. or., Q ־דָּאֵי, BL 204 l: **1.** n. p.: chaldäisch, **Chaldäer** *Chaldaean* Da 3, 8 (:: sec. 2, Bentz.) 5, 30 Esr 5, 12; **2.** Ch. als Astrolog *as astrologer* (palm., Herodot, Strabo, Diodor etc., P-W III 2055 ff.) Da 2, 5. 10 4, 4 u. 5, 7. 11.†

כתב: he. =; Suğ. Ca 2, Assbr. 9, pehl. Frah. 23, 1 f. Pachtv. 18, äga. nab. palm. Pul-i D. 7, ja. cp. sam. sy. md. (MG 42) nar. nsy.:

pe.: pf. כְּתַב, pl. כְּתַבוּ, impf. נִכְתֻּב, pt. f. כָּתְבָה/א, pl. f. כָּתְבָן, pass. (vel pf. pass.? BL 173 o) כְּתִיב: **schreiben** *write* Da 5, 5 6, 26 7, 1 Esr 4, 8 5, 10, pass. Esr 5, 7 6, 2.† Der. כְּתָב.

כְּתָב: כתב; he. =; < aram.; nab. palm. (Eph. 2, 297, 6, Syr. 17, 353, 4. 8, Malerei *painting* Inv.

DE 15) ja. cp. sam. u. sy., äga. כתבתא APE 91 B 4, > كِتَاب u. መጽሐፍ (Frae. 249); BL 189 r: cs. =, Esr 6, 18 schlechte *bad* Var. כְּתָב; det. כְּתָבָא, Da 5, 7 u. 15 כְּתָבָה: 1. Schrift, Inschrift *writing*, *inscription* Da 5, 7 f. 15—17. 24 f.; 2. Urkunde u. ihr Inhalt *document a. its contents* 6, 9—11, Vorschrift *prescription* Esr 6, 18, דִּי־לָא כְ׳ (F די 2 c) ohne V. > unbegrenzt *without pr.* > *unlimited* 7, 22. †

*כְּתַל, or. *kōtal* (BL 224 k. l): he. כּוֹתֶל; ja. כּוֹתְלָא, sy. ܟܘܬܠܐ, nar. *ḥotla*, cp. u. md. (Johb. II 150[4]) כתלא, > كُوثَل, كَوْثَل Schiffshinterteil *stern of ship* (Frae. 223); LW < ak. *kutallu* Rückseite, Hinterkopf *backside*, *back of the head*, Zim. 32 45, Holma NKt 2, A. Salonen, D. Wasserfahrzeuge in Bab., 1939, 76[2]: < *kutlatu* Sperrwand *obstructing wall*, v. Soden ZA 41, 171[4]; cs. =, pl. det. כֻּתְלַיָּא: Wand *wall* Da 5, 5 Esr 5. 8. †

ל

לְ: 1. als Präfix des *as prefix of* impf. in הוה; 2. assimiliert *assimilated* in סלק, cf. הלך; 3. als *as r* in חֲלַץ:

לְ: he. =; Aram., pehl. Frah. 24, 1; BL 258 l-p: sf. לִי, לָךְ, לֵהּ, לַהּ u. לַנָא (Var. לַנָא, לַהּ, BL 79 s. t, 81 z), לְכֹם† (äga.) Esr 5, 3. 9 7, 24, לְכוֹן† Da 3, 4, לְהוֹם† Ir 10, 11, לְהֹם (Znğ. äga.) Esr 5, 3 f. 9 f. 6, 9, לְהוֹן† (palm.) Da 2, 35 3, 14 6, 3 7, 12 Esr 4, 20 5, 2, לְהֹן† (äga., Var. לְהוֹן) Da 7, 21: praep., im allgemeinen entsprechend *generally equivalent to* he. לְ, aber auch *but also to* he. אֶל u. עַל. 1. für Richtung u. Ziel einer Bewegung *indicating direction a. aim of a movement*, c. אזל Da 2, 17, אתה 3, 2, עַל 6, 11, הֵיבֵל Esr 5, 14, רמה Da 6, 17, נְטַל עַיְנִין 4, 31, הלך (טְעֵם, ad pers.) Esr 5, 5 (: : alii sec. 10 = gen.); 2. zeitlich *of time*; לִקְצָת gegen, an *at* Da 4, 26. 31, לְעָלְמִין für *for* 2, 4; 3. zur Angabe d. Bestimmung: als, zu *indicating destination*: *as*, *for* 4, 27 Esr 6, 9 7, 19, c. הוה werden zu *become* (BL 341 x) Da 2, 35; 4. c. inf. nach Verben d. Gehens, Schickens, Sagens, Befehlens, Beschliessens, Schreibens, Kommens usw.: (um) zu *after verbs of going*, *sending*, *saying*, *ordering*, *deciding*, *writing*, *being able etc.*: *to* Da 2, 9. 12. 14 3, 2. 16. 32 6, 4 f. 8 Esr 4, 22 7, 14 u. a.; 5. c. inf. post לָא für Verbot *expressing prohibition* (BL 302 g. h; Megillath Taʿanith, Dalman Aram. Dialektproben 1 f., he. 25 g), לָא לְהַשְׁנָיָה nicht zu ändern *not to be changed* Da 6, 9. 16, לָא לְבַטָּלָא F Esr 6, 8; 6. bei persönlichem Objekt: zu, an *with personal object*: *to*, sagen *tell* Da 2, 4, im Briefeingang ohne vb *in introduction of letter without vb* 3, 31 Esr 5, 7 7, 12, schreiben *write* Da 6, 26, geben *give* 2, 16, pass. Esr 6, 8, darbringen *offer* 6, 10, geloben *vow* 7, 15 f., kundtun *make known* Da 2, 15, c. יְדִיעַ 3, 18, גְּלִי 2, 19; 7. dat. commodi für *for* Da 4, 9. 23 Esr 6, 10 (Fürbitte *intercession*), c. pass. 7, 23; 8. dat. poss.: gehören = haben *belong to* = *possess* Da 6, 16 7, 4. 6 f. 20, zuteil werden *fall to* 4, 16, לֵהּ 5, 23 (: : alii c. הַדְרְתָּ conjungunt sec. 11), דִּי לֵהּ eius, suus (F דִּי 2 c), c. הוה 4, 24 5, 17, c. אִית Esr 4, 16, c. נפל 7, 20; c. הַשְׁכַּח (als zugehörig) finden an *find belonging to* Da 6, 5 f. (he. Dt 22, 14), pass. 2, 35 (: : alii sec. 10); 9. Ausdruck sonstiger Beziehung *expressing other relationships*: jmd. gleichen *resemble to* Da 7, 5, entsprechend *corresponding to* לְמִנְיָן Esr 6, 17 (he. לְ 21); 10. als Umschreibung für den gen. *as periphrasis for the gen.* (BL 315 e. f, he. לְ 14) Esr 5, 5 (s. o. 1); 11. in Daten *in dates* שְׁנַת ... לְ ... לְיֶרַח ... יוֹם (äga.) Esr 6, 15, (äga., שנת למוט im Jahr d. Wankens *in the year of wavering* Dura, Alth. 9, 1) Da 7, 1 Esr 4, 24 5, 13 6, 3; 11. ersetzt den acc. des persönl. obj. *takes the place of the acc. of the personal obj.* (VG II 315 ff., BL § 100, im älteren Aram. selten *in earlier Aram. rare*, Suğ. Bb 20, äga., ZAW 45, 117 [1], Rowl. Aram. 102 f., Rosenth. Spr. 68 [3]), determ. Da 2, 12. 14. 19. 25 3, 2. 27 4, 22. 33 5, 23 Esr 5, 2 7, 25, bei sächlichem obj. *if the obj. is neuter* †Da 2, 34 f. 3, 19 5, 2. 23 7, 2 Esr 4, 12 (BL 341 u), indeterm. †Da 2, 10; 12. zur Einführung e. betonten Apposition *introducing an emphatic apposition*: nämlich *to wit* Esr 7, 25, in Weiterführung e. anderen Konstruktion *continuing another construction* (BL 324 k) 6, 7 (corr. ?) u. 7, 14; 13. zusammengesetzt *composed* c. F גּוֹא, F מָה, F עַד, F קֳבֵל.

לָא, Da 4, 32 לָה: he. לֹא; Aram., pehl. Frah. 25, 7 u. sogd. (Gauth.-B. II 222) לא, procl. *proclitic* ל Assbr. 8, Ner. 1, 4. 6. 8, F II לָהֵן, nsy. *lā*, nar. *la*, *la*ʾ (Spit. 2 f. 124 b. c); BL § 104 a-c: **nicht** *n o t*; 1. zur Verneinung e. Satzes *negating a verbal sentence* Ir 10, 11 Da 2, 5—7, 14 (25 ×) Esr 4, 13. 21 5, 5. 16 7, 26, c. דִּי u. impf. damit nicht *lest*, F דִּי 3 c; als Verbot nur *prohibitive only* Esr 4, 21, F אַל; c. pt. † Da 2, 27. 43 3, 12. 16 (F חשח) 4, 4. 6. 15 5, 8. 15. 23, c. adj. Esr 4, 14 7, 24; F לָא אִיתַי (= he. אַיִן) Da 2, 10 f. 3, 14. 18. 15. 29 4, 32 Esr 4, 16; elliptisch *elliptic* וְהֵן לָא u. wenn nicht *a. if not* Da 3, 18; 2. zur Verneinung e. Wortes *negating a word* Da 2, 30, כְּלָה חֲשִׁיבִין 4, 32 wie Nichtgeachtete *like persons of no account*, BL 297 c (F חשב, (: : Th. ὡς οὐδέν, S Montg. 246 wie nichts geachtet *accounted as nothing*); לָא ... כָּל־מֶלֶךְ kein K. *no king* 2, 10, cf. 2, 35 4, 6 6, 5. 16. 24, כָּל־ ... לָא 6, 6; דִּי לָא ohne *without* F דִּי 2 c, c. ל u. inf. Da 6, 9 דִּי לָא לְהַשְׁנָיָה unwiderruflich *irrevocable*, דִּי לָא לְבַטָּלָא Esr 6, 8 unbegrenzt *illimited*, F לְ 5; F הֲ הֲלָא. †

לְאַךְ: he. =; aram. nur *only in* מַלְאַךְ.

***לֵב**: he. =, Suğ. Bb 23, äga. (1 ×), ja. sam. cp. sy. md. (MG 77) nsy. u. nar. (Gl. 52); BL 221 e: sf. לִבִּי: **Herz** *h e a r t* Da 7, 28. †

לבב: he. =; denom. v. לֵב u. לְבַב; sy. pa. u. sam. (Kahle, Bem. 25) palp. ermutigen *encourage*, sy. u. cp. itpa. sich entschliessen *resolve*:

***לְבַב**: he. לֵבָב; pehl. Frah. 10, 8, äga. (oft *often*) ja. md. (MG 77 [2], Johb. II 155 [6]); BL 186 z: cs. =, sf. לִבְבֵהּ, לִבְבָךְ, BL 218 c: **Herz** *h e a r t* Da 2, 30 4, 13 5, 20—22 7, 4. †

***לְבוּשׁ**: לבש; he. =; äga. לב(ו)ש, Ner. לבש, ja. cp. sy. md. (MG 301) u. nsy. לְבוּשׁ, ja. u. sy. etiam לְבָשׁ, nar. **labša*; BL 189 o, LW < kan. vel ak.: sf. לְבוּשֵׁהּ, pl. sf. לְבוּשֵׁיהוֹן: **Gewand** *g a r m e n t* Da 3. 21 7, 9. †

לבשׁ: he. =; äga., Uruk 20. 24 *labiš(u)* pt., 31 [*z*]*l-bi-iš-te-e* af. pf. 1. sg. sf., ja. cp. u. sy. לְבֵשׁ, sam. *labaš*, nsy.; F לְבוּשׁ: pe: impf. תִּלְבַּשׁ, יִלְבַּשׁ: **anziehen** *b e c l o t h e d w i t h* Da 5, 7. 16. †

haf: pf. pl. הַלְבִּשׁוּ (Var. rectius הַלְבְּשׁוּ, *i* breve, BL 114h.i): jmd. **bekleiden** *clothe* Da 5, 29.†

לָה: F לָא.

I **לָהֵן**: he. =; Tema; < **la-hinna* ob eas res; LW < he. vel kan., BL 256 v. x :: Driver Anal. Or. 12, 65 f., Montg. 150 f.: **deshalb** *therefore* Da 2, 6. 9 4, 24.†

II **לָהֵן**: mhe., äga. u. nab.; cf. ja. אֶלָּא u. אֱלָהֵין, sam. אלא, אלאן, cp. u. sy. ܐܠܐ, md. עלא MG 208, nsy. *ilā*, nar. *illa* wenn nicht, ausser, nur, aber *if not*, *except*, *only*, *but*; ar. إِلَّا, ܐܠܐ, he. אִם לֹא; < לָא u. הֵן, BL 264 q, 366 e (:: VG II 482 f. = I לָהֵן): 1. conj. **ausser** *except*, zur Einleitung e. Satzes *introducing a sentence* (cf. הֵן לָא, BL 366 d) Da 6, 6; vor Satzglied *before part of a sentence* 2, 11 3, 28 6, 8. 13; 2. advers. part. **aber, sondern** *but*, *yet* 2, 30 Esr 5, 12.†

***לֵוִי**: n. gntl.; he. לֵוִי; ja. לֵיוָאָה, cp. u. sy. ܠܘܝܐ; BL 196 d: pl. det. K לֵוָיֵא, Q לֵוָאֵי, BL 51 k: **Levit** *Levite* Esr 6, 16. 18 7, 13. 24.†

***לְוָת**: pehl. Frah. 25, 6, palm. Rosenth. Spr. 85, klas. Eph. 1, 170, 1. 3, ja. cp. sam. sy. md. (MG 194) u. nsy.; nicht zu *not connected with* he. לוה (ja. cp. u. md., Kau. Gr. 128[1]), sondern *but* < לְ u. וָת (F יָת), BL 259 s: praep. **bei** *near*, *beside*, c. מִן (ja. מִלְּוָת, sy., he. מֵעִם) u. sf. מִן־לְוָתָךְ von dir her *from thee* Esr 4, 12.†

לחם: he. II, I לחם; pa. sy. u. nsy. passen *be fit*, pa. sy. zusammenfügen *join together*, pass. itpe. cp. u. sy.; sonst nur *besides only* לְחֶם:

לְחֶם, Var. לְחֵם: לחם; he. לֶחֶם; Suğ. Ab 5, Bb 19, pehl. Frah. 4, 3, äga. u. palm., abs. לְחִים ja. sam. (*lem*) cp. u. sy.; det. לַחְמָא ja. (bta. נַהֲמָא) sy. md. (MG 54) u. nsy., *liḥma* cp. u. nsy., nar. *leḥma*, BL 182 x: **Brot** *bread* Mahlzeit, **Festmahl** *meal, feast* (Ko 10, 19, sy.) Da 5, 1.†

***לְחֵנָה**: äga. BMAP 12, 2 לחנה זי יהו אלהא Dienerin *maidservant*, 12, 1 לחן Diener *servitor*, Ai.-Gi. 102 לחנא Töpfer *potter* (? Driv. Anal. Or. 12, 59), tg. לְחֵינָתָא pro he. אָמָה u. פִּילֶגֶשׁ, ja. ליחנן (Arch. Or. 9, 8 7, 2) u. md. ליהאניא böse Geister *evil spirits*, orig. succubae, Montg. 252; ak. LW < *laḫanatu* Dirne *wench* ZAW 45, 90, J. Lewy Or. 19, 34 f. (ad *laḫannu* Gefäss *vessel*, cf. σκεῦος I Th 4, 4 1 P 3, 7 u. Str.-Bi. III 632 f., Lidzb. Joh. II 127[8]) vel < *laḫinnatu* Müllerin *miller's wife* (cf. I S 8, 18) Landsb. AfO 10, 150[51]: pl. sf. לְחֵנָתֵהּ, לְחֵנָתָךְ: **Kebsweib** *concubine* Da 5, 2 f. 23 (immer neben *always along with* F שֵׁגַל); cj. pro דַּחֲוָן Da 6, 19 u. he. לַמְחוֹת Prv 31, 3.†

***לֵילֵי**: he. לַיִל; Suğ. Aa 12 לילה u. Znğ. לילא (= *lajlē*, AfO 8, 5), pehl. Frah. 27, 1 u. nab. ליליא, ja. (adv. לֵילֵי) sam. cp. sy. (abs. ܠܠܝܐ) md. (MG 127) u. nar. לֵילְיָא, ja. u. cp. etiam לֵילָא, nsy. *līlī*; Grdf. **lajlaj*, BL 192 h: det. לֵילְיָא, m.: **Nacht** *night*, als Zeit d. Vision *as time of vision* Da 2, 19 7, 2. 7. 13, בַּהּ בְּלֵילְיָא in derselben N. *in the same n.* 5, 30.†

לשׁן: he. =: ja. verleumden *slander*; denom., LW. < he; F לִשָּׁן.

לִשָּׁן: he. לָשׁוֹן; Suğ. Bb 4, pehl. Frah. 10, 5, äga. Uruk 5, 8 *li-iš-ša-an/ni*, ja. לִשָּׁנָא, cp. u. sy. ܠܫܢܐ, md. לישאנא MG 122, nsy. *lišānā*, nar. *leššōna*; BL 189 p, Littm. OLZ 31, 580,

Gordon AfO 12, 25: pl. det. לִשָּׁנַיָּא, m.: Zunge, Sprache *tongue, language* (he. 4); neben *together with* עַם u. אֻמָּה in sg. Da 3, 29, pl. 3, 4. 7. 31 5, 19 6, 26 7, 14: Volk *people*, cf. Jes 66, 18 u. *šar napḫari lišānu* u. ä. VAB III 119, d 12, in d. bab. Version d. Achämeniden-Inschriften *in the Bab. version of the inscriptions of the Achaemenid kings*).

מ: wechselt mit *alternates with* ba. נ in (הֲמוֹ(ן :: אִנּוּן, ausserhalb *outside* BA in תַּמָּה, הֵן, בְּרַם.

מָא: Esr 6, 8 *F* מָה.

מְאָה: he. מֵאָה; Aram.; äga., md. (א)מא MG 189, nsy. (*i*)*mā*, nar. *emʿa* Spit. 115 m; BL 250 q: du. מָאתַיִן (kan? Leand. 117 q): **hundert** *hundred* Da 6, 2 Esr 6, 17 7, 22; du. 200 Esr 6, 17. †

***מֹאזְנֵא**: he. I יזן; he. מֹאזְנַיִם; pehl. מזנא Frah. 19, 2, äga. מוזנא AP 15, 24, ja. מוֹדְנָא u. מוֹזַנְיָא, cp. ܡܘܙܢܝܐ, md. מוזאניא MG 148; LW < he., sg. c. י rückgebildet *secondary form* < du., BL 234 l, Leand. 85 a: det. מֹאזַנְיָא, Var. pl. מֹאזַנְיָא: **Wage** *balance* Da 5, 27. †

***מֵאמַר**: אמר; he. מַאֲמָר; BL 194 s: cs. =: **Wort, Befehl** *word, order* Da 4, 14 Esr 6, 9. †

***מָאן**: he. II אנה, אֳנִי u. אֳנִיָּה. ak. *unūtu*; pehl. Frah. 5, 2, äga. u. Ner., ja. cp. u. sy. מָ(א)נָא, Nöld. ZA 30, 145; BL 194 r: pl. מָאנַיָּא, מָאנֵי, Var. מָנַי: **Gefäss** *vessel* Da 5, 2 f. 23 Esr 5, 14 f. 6, 5 7, 19. †

מְגִלָּה: גלל; he. =; pehl. Frah. 15, 2, ja. מְגִלְּתָא, sy. ܡܓܠܬܐ, md. מאגאלתא JRAS 1938, 1, Z. 464; BL 194 u: **Buchrolle** *scroll* Esr 6, 2. †

מגר: he. =; sy. fallen *fall*, äga. u. ja. pa. kaus.: pa.: impf. יְמַגַּר, BL 132 c: **stürzen** (trans.). *overthrow* Esr 6, 12. †

***מַדְבַּח**: דבח; he. מִזְבֵּחַ, or. *ma-*, Sperber HUCA 12/13, 235; äga., ja. cp. sy. nsy. u. nar. מַדְבְּחָא, sam. *medba*, md. מאדבהא MG 43; Ζεὺς Μάδβαχος Baud. Kyr. III 506 Anm.; Grdf. **madbiḥ*, BL 194 t, Th Z 9, 155: det. מַדְבְּחָא: **Altar** *altar* Esr 7, 17. †

מִדָּה Esr 4, 20 u. **מִנְדָּה** 4, 13. 20. (Var.) 7, 24: he. II מִדָּה; äga. AP S. 318, 6, AD (*F* הֲלָךְ) u. BMAP 5, 7 cs. מנדת, ja. מַדַּאתְא u. מִנְדָּה, sy. ܡܕܬܐ; LW < ak. *ma*(*n*)*dattu* (*nadānu* = נתן), Zimm. 9, BL 29 x, 50 e: cs. מִדַּת **Abgabe** *tax* Esr 4, 13. 20 6, 8 7, 24; 3 × neben *together with* בְּלוֹ וַהֲלָךְ. †

***מְדוֹר** u. Da 2, 11 ***מְדָר**: דור; mhe. מָדוֹר, ja. מְדוֹרָא u. מְדָרָא, sy. ܡܕܘܪܐ, md. מדורתא, מדארתא u. מדירתא (MG 130); BL 194 r, 42 x: sf. מְדוֹרֵהּ 5, 21, מְדָרָךְ 4, 22. 29, מְדָרְהוֹן (Var. מְדוֹרְ) 2, 11: **Wohnung** *dwelling* Da 2, 11 4, 22. 29 5, 21. †

מָדַי: he. =; ut bab. *Ma-da-a-a* (= *Madaia*) aram.

Namensform *form of name* : : ape. *Māda* (Herzf. 50 : : v. Soden § 56, 37) : det. מָדָיָא K, מָדָאָה Q (BL 51 k) : **Medien** *Media* Esr 6, 2, die **Meder** *the Medes* Da 5, 28 6, 9. 13. 16; det. der Meder *the Mede* Da 6, 1. †

***מְדִינָה**: דין, orig. Gerichtsort, -bezirk *town or district that has a court of justice*; he. =; מדינא pehl. Frah. 2, 2, äga. u. ja., מדינה AD, מְדִ(י)נְתָא äga. palm. ja. cp. sam. (*emdinta*) md. (etiam מדין MG 155[3]) sy. (K) u. nar. (*mdinča*), *meditta* palm. sy. (Q) u. nsy; Provinz *province* äga., Stadt *town* pehl. palm. sam. md. nsy. u. nar., beide Bedeutungen *both meanings* ja. sy., Torrey, Harvard Theol. Rev. 17, 83 ff.; BL 194 u: cs. מְדִינַת, det. מְדִינְתָא (BL 204 i), pl. מְדִינָן, מְדִינָתָא: 1. Amtsbezirk, **Provinz**, *administrative district, province* (G χώρα) Da 3, 2 f. Esr 4, 15, יְהוּד מְדִינְתָּא 5, 8, מְדַי מְ׳ 6, 2; 2. **Stadt** *town* (: : alii etiam hic sec. 1! cf. GTh), מְדִינַת בָּבֶל (palm. Syr. 12, 122, 3 f.) Da 2, 48 f. 3, 1. 12. 30 Esr 7, 16. †

***מְדָר**: F מְדוֹר.

מָה, Esr 6, 8 **מָא**: he. מָה; מה Suğ. Ca 1, pehl. Frah. 25, 1, äga. AD nab. palm.; procl. מ in מז pro מה זי Znğ., מחז pro מה חזה Ner., מדי pro מה די palm.; מא ja. u. sam. iuxta מָה, cp. sy. md. nsy., *mō* nar.; BL 86 a: 1. pron. interrog. **was?** *what?* Da 4, 32; 2. **das was** *that which* (BL 357 m-o, Suğ.) Da 2, 22 Esr 6, 9, מָה דִי Da 2, 28. 45, מָה דִי 2, 29 Esr 7, 18, מָא דִי 6, 8, s. דִּי 2; 3. c. praep. a. כְּמָה (ja. u. cp., sy. ܟܡܐ, ܐܟܡܐ, md. (הא)כמא MG 206. 438, he. כַּמָּה) wie! *how!* Da 3, 33 (BL 348 c); b. לְמָה (äga. AD 12, 7.) Esr 4, 22 u. דִּי־לְמָה (ja. u. cp. דִּלְמָא, sy. ܕܠܡܐ, md. עדילמא MG 209, > he. אֲשֶׁר לָמָּה u. שַׁלָּמָה) 7, 23 wozu > **damit nicht** *for what purpose* > *lest* (BL 265 c, 363 w), לְמָא דִי dafür wie *how to* 6, 8 (BL 358 n); c. עַל־מָה warum? *why?* Da 2, 15. †

מות: he. =; Suğ. Bb 26, Znğ. Ner. pehl. (Frah. 22, 4 מית) Mcheta 11, äga. nab. palm. (CIS II 3920) ja. cp. sam. sy. md. (MG 248) nar. nsy.; Der. מוֹת:

מוֹת: מות; he. מָוֶת; Ner. äga. Saqq. 9 (מתא) nab. ja. cp. sy. md. (MG 337) nar. u. nsy., מותנא Seuche *pestilence* pehl. Dura (Alth. 24), ja. cp. sy. nsy. u. md. MG 22 < ak. *mūtānu*; BL 182 a: **Tod** *death* Esr 7, 26. †

מָזוֹן: זון, : : מזה (he.), זון denom., Albr. BASOR 61, 13[5]; ja. (etiam מְזוֹן) sy. u. cp.; BL 194 r, kan. LW?: **Nahrung** *food* Da 4, 9. 18. †

מחא: he. מחץ, u. (< aram.) I מחא u. II מחה, א < ע < צ, Leand. 17 h; מחא (א conson.) Suğ. Ab 23, Zkr 16 u. äga., pehl. Frah. 2, 13 מחי, ja. cp. sam. sy. md. (MG 373) nsy. u. nar. מְחָא:

pe: pf. 3. f. מְחָת, Var. מַחַת (F הוה) **schlagen** *smite* Da 2, 34 f.: מְחָא 5, 19 Var. F חיה haf. †

pa: impf. יְמַחֵא: schlagen *smite*, בְּיַד (ja. pa., > mhe. pi; cf. ar. ضرب على يده, Montg. 246) in den Arm fallen, **hindern** *check, prevent* Da 4, 32. †

hitpe: impf. עַל אָע יִתְמְחֵא **an d. Pfahl geschlagen werden** *be impaled on the stake* Esr 6, 11. †

***מַחְלְקָה**: חלק teilen *divide*; he. מַחֲלֹקֶת; ja. מַחְלוֹקְתָא; BL 194 v; pl. sf. מַחְלְקָתְהוֹן **Abteilung** (der Leviten) *division* (*of the Levites*) Esr 6, 18. †

מְחַן: F חנן.

מטא: he. מטה u. מצא (?); ug. *mġy*; pehl. (Frah. 23, 4, Paik. 483—490) u. äga. AD מטא

u. מטי, Saqq. 4, JRAS 1929, 107 f. = ZAW 47, 150 f.) 11 u. palm. CIS II 4227, 1 מטא, ja. cp. sam. md. MG 257, nsy. u. nar. meist übergegangen in *mostly passed into* לי; ? etiam أنطى (< *أمطى) u. መጠወ I 2 hinstrecken *tender* :: (nisi kan. LW) מצא/י Sabb. Rs. 3, Ai.-Gi. 90, ja. sy. u. md. MG 258, שנצי AD Erfolg haben *succeed*, he. מצא, مضى, asa. 𐩣𐩷𐩱:

pe: pf. מְטָא Da 4, 25, מְטָה 7, 13. 22, 3. f. מְטָת, Var. מְטָת (F הוה) 4, 19. 21 u. מטית 4, 21 K, (äga. u. cp., = מְטֵית vel מְטִית, BL 155 r, Leand. 64 f. l), pl. מְטוֹ, impf. יִמְטֵא: 1. **reichen an** *reach* לְ Da 4, 8. 17. 19, erreichen *attain* 6, 25, gelangen zu *come to* c. עַד 7, 13; 2. abs. **eintreten** *come upon* (זִמְנָא, cf. AP 10, 7) 7, 22, c. עַל jmd widerfahren *happen to* 4, 21. 25. †

מִישָׁאֵל: n. m. (Μιζαηλ Wuthn. 76), Da 2, 17 F 1, 7 u. he. Lex. †

מֵישַׁךְ: bab. Name v. *name of* מִישָׁאֵל (Da 1, 6 f), 2, 49 3, 12—30 (13 ×), F he. Lex. †

מלא: he. מָלֵא; Suğ. Bb. 24 (?), Znğ., Assbr. 19 f., pehl. Frah. 25, 5, äga., Uruk 4. 7 pt. *ma-li-e*, ja. cp. sam. sy. md. (Drow. MJJ 104) nsy. nar.; sbst. מלאתא Pachtv. 9:

pe. pf. 3. f. מְלָת, Var. מְלָת (F הוה) מְלָאת u. מְלֵאת, BL 154 m: **füllen** *fill* Da 2, 35. †

hitp: pf. הִתְמְלִי, BL 159 q: **erfüllt werden** *be filled with* c. acc. Da 3, 19. †

***מַלְאַךְ**: לאך schicken *send*; he. מַלְאָךְ; ja. cp. sam. md. (Lidzb. Gi. 4) nsy. u. nar., ? palm. in n. d. מלכבל Μαλαχβῆλος Eissfeldt AO 40, 86 ff.; BL 149 q: sf. מַלְאֲכֵהּ: **Engel** *angel* Da 3, 28 6, 23. †

מִלָּה: מלל; he. =, LW < aram.; Suğ. Ca 2, b 4, Assbr. 12, Pachtv. 12, Ner., pehl. Frah. 10, 5, äga. AD Uruk 4. 7 pl. *mi-il-li-ni*, ja. cp. sam., sy. ܡܠܬܐ, (md. מילתא u. מינילתא MG 54. 184) nsy.; > مِلّة; BL 199 h, 238 k. r: cs. מִלַּת, det. מִלְּתָא, pl. wie allgemein *as everywhere* מִלִּין, מִלֵּי, מִלַּיָּא: 1. **Wort** *word*; d. gesprochene W. *the spoken w.* Da 2, 5. 8 3, 22. 28 4, 28 5, 10 6, 13 7, 11. 25 (c. מַלִּל), F מִלָּה כִדְבָה 2, 9, Gottes Strafwort *divine utterance of judgement* 4, 30, geschriebenes W. *written w.* 5, 15, 26, pl. מִלִּין (F ראש) Erzählung *narrative* 7, 1 (alii sec. 2); 2. Sache, **Angelegenheit** *matter, affair* (cf. he. דָּבָר) Da 2, 10 f. 15. 17. 23 6, 15, e. Vision *a vision* 7, 28, pl. 7, 16. †

מלח: denom. v. מְלַח; palm. ja. sy. u. nsy. salzen *salt*, sy. itpa. vertraut sein m. *be intimate with*:

pe: pf. 1. pl. מְלַח הֵיכְלָא מְלַחְנָא Esr 4, 14 **d. Salz** d. Palastes **essen** d. h. dem König verpflichtet sein *eat the salt of the palace* i. e. *be under an obligation of loyalty to the king* cf. Epstein ZAW 32, 132 :: alii subst. F מְלַח c. sf. (Rud.).

מְלַח: denom. מלח; he. II מֶלַח; Suğ. Ab 17, pehl. Frah. 16, 3, äga. OLZ 30, 1043 f., 2 f., RÉSB 1942—45, 67, 2 f., palm., ja. u. nsy. מִלְחָא, sy. cp. u. nar. ܡܠܚܐ, md. מאהלא Johb. II 5^3 u. *mihla* Drow. MJJ 188; BL 183 g: cs. = : **Salz** *salt* Esr 4, 14 (F מלח) 6, 9 7, 22. †

מלך: he. מלך I u. II; I (denom. < מֶלֶךְ ?) regieren *reign*, Suğ. Ab 6, Bb 3, Zkr a 3 u. 13 (haf.), ja. cp; af. palm. CIS II 4064 u. sy. Amt, Königsherrschaft antreten *assume office or kingship*, cf. he. hof. u. Montg. 360 f., Rowl. DM 52 f. Ginsb. 59 f.; Der. מֶלֶךְ, מַלְכָּה, מַלְכוּ :: II raten, sich beraten *advise, take counsel to-*

gether ja. cp. sy., versprechen *promise* AD u. sy.; Der. מְלַךְ:

מֶלֶךְ: I מלך: he. =; Aram., Suğ. Aa 1, pehl. Frah. 12,2, sogd. Gauth.-B II 223, äga. AD nab. u. palm., tg. cp. sy. md. (MG 151) מְלֵיךְ, nsy. u. nar.; BL 223 f: cs. =, det. מַלְכָּא (Da 2, 4 u. a. Vokativ *vocative*), 2, 11 מַלְכָּה, pl. מַלְכִין, fälschlich *faultily* מַלְכִים Esr 4, 13 (BL 201 f. : : l. מַלְכֵי Rud. 39), מַלְכַיָּא: **König** *king* Da 2, 4—7, 24 u. Esr 4, 8—7, 26, מֶלֶךְ מַלְכַיָּא (BL 312 i) Da 2, 37 (K. v. *king of* בָּבֶל), Esr 7, 12 (v. *of* פָּרַס), מָרֵא מַלְכִין Da 2, 47 (**F** מָרֵא), **F** מֶ׳ שְׁמַיָּא (Gott *God*) Da 4, 34, בֵּית מַלְכָּא Esr 6, 4 (**F** בַּיִת); מַלְכִין Da 7, 17 = Königreiche *kingdoms* G ThV, 1 MS מַלְכְוָן, cf. 7, 23, ? l. מַלְכְוָן, sg. *מְלֵךְ, ܡܰܠܟܳܐ, ug. ph. (Ginsb. 1) : : Montg. 307 f. †

***מְלַךְ**: II מלך; Assbr. 16, ja. מַלְכָּא/מְ, cp. ܡܠܟܐ, sy. ܡܶܠܟܳܐ; Grdf. *milk, BL 183 j: sf. מִלְכִּי, or. *ma*-: **Rat** *counsel* Da 4, 24. †

***מַלְכָּה**: I מלך; he. =; pehl. Frah. 12, 4, Demot. IX 5, pl. cs. מאלאכאת, nab. palm. ja. cp. sy. nsy. nar.; BL 243 a: det. מַלְכְּתָא: **Königin** d. h. Königinmutter *queen* i. e. *queen-mother* Da 5, 10. †

מַלְכוּ: מֶלֶךְ; he. מַלְכוּת; Suğ. Ab 6 Bb 4, pehl. Frah. 12, 1, äga. (1 × מלוכתא, Leand. 80 y) ja. cp. sam. sy. md. (MG 144), nar.; BL 197 g: cs. מַלְכוּת, det. מַלְכוּתָא, Da 2, 44 4, 28 7, 24. 27 -תָה, sf. מַלְכוּתִי, מַלְכוּתָךְ, מַלְכוּתֵהּ, pl. (BL 245 c. d) cs. מַלְכְוָת, det. מַלְכְוָתָא: 1. **Königswürde, -herrschaft** *kingship, sovereignty* Da 2, 37. 44 4, 28. 33 a 5, 18 6, 1 7, 18. 22. 27 a, בֵּית מַלְכוּ Residenz *residence* 4, 27, הֵיכַל מַלְכוּתָא Königspalast *royal palace* 4, 26, כָּרְסֵא מַ׳ Königsthron *royal throne* 5, 20; 2. **Regierungszeit** *reign* Da 6, 29 Esr 4, 24 6, 15; 3. (nicht leicht abzugrenzen gegen 1 *not easy to define over against 1*) **Königreich** *kingdom, realm* Da 2, 39—42. 44 3, 33 4, 15. 23. 33 b 5, 7. 11. 16. 26. 28 f. 6, 2. 4 f. 8. 27 7, 14 b. 27 b Esr 7, 13. 23, מַלְכוּת אֲנָשָׁא Da 4, 14. 22. 29 5, 21, Gottes *of God* 3, 33 4, 31 7, 14. †

מלל: he. III מלל; pehl. Frah. 18, 3, Pul i D. 7, äga. ja. cp. sy. md. MG 253:

pa: pf. מַלִּל, impf. יְמַלִּל, pt. מְמַלִּל, מְמַלֱּלָה, Var. מְמַלְּלָא/ה (BL 166 g): **reden** *speak*, etw. Da 7, 8. 11. 20. 25, abs. עִם 6, 22. †

Der. מִלָּה (:: vb. denom. BL 273 g).

מַן, Var. Da 3, 6. 11 u. 4, 22 מָן: he. II מָן; Suğ. Cb 3, Zkr b 16, Ner. u. äga. מן, pehl. Frah. 25, 1 u. Nyb. II 297 מנו (< **man-hū*), Uruk 19 f. *man-nu*, ja. מַ(א)ן, מַנּוּ u. מַנִּי, cp. *men*, sy. ܡܰܢ u. ܡܰܢܘ, md. מאנ(ו) MG 94, nsy. *man*, nar. *mōn* u. *mannu/e* Spit. 57 a-e; BL § 24: 1. pron. interrog. **wer?** *who?* Esr 5, 3. 9, מַן־הוּא אֱלָהּ דִּי Da 3, 15 wer ist e. Gott der = welcher Gott? *who is a god who = what god?* מַן־אִנּוּן שְׁמָהָת Esr 5, 4 welches sind die Namen? (**F** שֻׁם) *what are the names?* (BL 268 a : : Montg. 208); 2. rel. מַן־דִּי (BL 358 n, **F** דִּי 2b) **wer** *whosoever* Da 3, 6. 11, לְמַן־דִּי wem *to whomsoever* 4, 14. 22. 29, wen *whomsoever* 5, 21. †

מִן: he. =; Aram., pehl. Frah. 25, 6, sogd. TSB 258, äga. AD Uruk *mi-in*, Demot. 227, VII 3 ff. מִן, nar. *m(u-)*, Spit. 129 p; BL 259 t-w: sf. מִנִּי, מִנָּךְ, מִנֵּהּ (Var. מִנַּהּ, BL 73 o. p, 81 z), מִנְּהוֹן K u. מִנְּה(י)ֹן Q Da 2, 33. 41 f.; נ selten assimiliert *rarely assimilated* מִטּוּרָא Da 2, 45, מֵאַרְעָא Ir 10, 11 (BL 259 u, מזי Suğ.? : : Rosenth. Spr. 51[4]): praep. 1. räumlich *of space*: a. **aus**, von *from* Da 2, 35 (BL 316 h). 45 5, 2f. 13 6, 24 7, 3f. 24 Esr 6, 11, herab von *down from* Da 4, 10 5, 20, weg von *away from* 4, 11. 22. 28—30, 5, 21, Ir 10, 11 מִן־תְּחוֹת Esr 6, 6; zusammengesetzt mit *composed with* F גּוֹא, F לְוָת, F צַד, F קֳדָם u. F תְּחוֹת; b. retten *deliver* מִן־יַד Da 3, 15, דִּינָא vollziehen an *carry out on* Esr 7, 26, בְּעָה מִן 2, 16, מִלְּבַב אֱ׳ 4, 13 = (שַׁנּוֹ לִבְבֵהּ) מִן־אֲנָשָׁא so dass es kein Menschenherz mehr ist (*change*) *from man's heart* (:: BL 316 i), Ausgaben bestreiten aus *defray expenses from* Esr 6, 4 7, 20; 2. bei Vergleich *in comparison*: verschieden von *different from* Da 7, 3. 7. 19. 23 f., vor *more than* 2, 30, komparativisch *for comparative degree* (BL 319 h) ארעא מן 2, 39, עִלָּה מִן 6, 3.; 3. partitiv *partitive* aus, von *of* Da 2, 25 5, 13 6, 3. 14 7, 8. 16 (חַד מִן) Esr 7, 13; מִן־נִצְבְּתָא etwas von *somewhat of* Da 2, 41, מִנְּהוֹן ... וּמִנְּהוֹן 2, 33. 41 f. teils ... teils *some of them ... others of them* u. מִן־קְצָת F ... וּמִנַּהּ 2, 42 *partly ... partly* (Schulth. Gr. § 168, 6 :: VG II 361 f.); 4. zeitlich *of time*: seit *since* Esr 4, 15. 19, מִן ... וְעַד Da 2, 20 Esr 5, 16; מִקַּדְמַת דְּנָה vordem *previously* 5, 11; מִן־דִּי conj. nachdem, weil *after, because* F דִּי 3 f β; 5. zur Angabe von Urheber oder Ursache *indicating author or cause*: מִנִּי Da 2, 5. 8 (BL 316 h, F אזד), מִטַּל 4, 22. 30 5, 21 (= בְּ 4, 12. 20), sich nähren von *live on* 4, 9, wegen *on account of* 5, 19 7, 11 (:: Montg. 301 f.); 6. normativ *normative*: nach, gemäss *according to* (palm. מן נמוסא n. d. Gesetz *acc. to the law*, מן עידא n. d. Herkommen *acc. to usage*) מִן־טַעַם Esr 6, 14 7, 23, adv. (BL 255 s, vel sec. 3) מִן־יַצִּיב gewiss *certainly* Da 2, 8, מִן־קְשֹׁט דִּי es entspricht d. Wahrheit dass = tatsächlich *of a truth it is that* = *in fact* 2, 47. †

מְנֵא Da 5, 25 f.: als *as* sbst. Mine *Mina*, LW. < ak. *manū*, > sum. *mana* Zimm. 20 f., F he. מָנֶה; mspt. מנה, äga. pl. מנ(י)ן; ja. מָנְיָא, מָנָא/מְנֵי/א, sy. u. nsy. ܡܢܝܐ, BL 234 o; :: pt. pass. v. F מנה gezählt *numbered* Kau. Gr. 10 f), F פְּרֵס u. תְּקֵל u. Komm., BLK 58 f., Eissf. ZAW 63, 105 f.†

מנדה F מִדָּה.

מַנְדַּע: ידע; he. מַדָּע, aram., Kau. Ar. 51; äga. מנדע, ja. מַדַּע, מַנְדַּע, md. מאנדא Gnosis (MG 75, Lidzb. Johb. II S XVII, Rosenth. AF 244), cp. u. sy. ܡܕܥܐ; Der. מנדעם etwas *something* pehl. Frah. 16, 3, äga. AD nab., pl. f. Sachen *things* äga. Sard. 6. 8, palm. מרעם u. מרען (Rosenth. Spr. 52), ja. מִדַּעַם u. מִדִּי, sy. ܡܕܡ, nsy. *mi(n)di*, md. (ם)מינדא u. מידא (MG 50), nar. *mette* (Gl. 59) :: < ak. *mindē(ma)* Torcz. 47 ff., Landsb. OLZ 26, 73; BL 194 r: det. מַנְדְּעָא, sf. מַנְדְּעִי Verstand *understanding* Da 2, 21 4, 31. 33 5, 12.†

מנה: he. =, pi. < aram., Kau. Ar. 108; pehl. Frah. 23, 4, äga. AD ja. cp. sam. sy. nsy., md. ML 110[4]:

pe: pf. מְנָה, pt. pass. F מְנֵא (BL 157 i): **zählen** *number* Da 5, 25 f. †

pa: pf. מַנִּי, מַנִּיתָ, imp. מַנִּי (BL 159 p): bestellen, **einsetzen** *appoint* (äga. ja.) Esr 7, 25, über *over* עַל (äga. עם) Da 2, 49 3, 12, c. inf. u. לְ 2, 24.†

Der. מְנֵא(?), מִנְיָן.

מִנְחָה: LW < he.; nur *only* äga. u. ja. מִנְחָתָא; BL 244 d: pl. sf. מִנְחָתְהוֹן: **Opfer** *offering* Da 2, 46, spec. Speisopfer *grain offering* (he. mhe. u. äga. ja.) Esr 7, 17.†

מִנְיָן*: מנה; äga. nab. ja. cp. sam. sy. nsy. md. MG 179; BL 195 z: cs. =: **Zahl** *number* Esr 6, 17 †

***מַעֲבָד**: עבד; he. =; ja. u. sy. מַעְבָּדָא, md. מאבארא MG 130, sy. Zauber *spell*; BL 195 w: sf. מַעֲבָדוֹהִי: **Tat** *work* Da 4, 34. †

***מְעֵה**: he. *מֵעִים, mhe. מֵעֶה, Eingeweide, Bauch *bowels*, *belly*; ja. מְעָא, pl. מְעִין, cp. pl. sf. ܡܥܘܗܝ, sy. u. nsy. ܡܥܝܐ, pl. ܡܥܝܢ, md. מ(ע)יא MG 109, Or. 15, 329, 19 f.; BL 186 z, 305 o: pl. sf. מְעוֹהִי: **Bauch** *belly* (he. Ct 5, 14) Da 2, 32. †

***מֶעָל**: עלל; palm. Rosenth. Spr. 44 f., ja. מֵעָלָא, cp. u. sam. מעול, sy. ܡܥܠܐ, ܡܥܠܢܐ, ܡܥܠܬܐ, md. מאלא MG 129; Grdf. **maʿʿāl*, BL 195 w: pl. cs. מֶעָלֵי, Var. מֵעָלֵי u. מַעֲלֵי, or. *maʿalē* u. *mʿalē* (BL 45 f): **Sonnenuntergang** *sunset* (he. מָבוֹא) Da 6, 15. †

***מָרֵא**: äg. *ma-ru-ʾi/u* Albr. Voc. 43, altsinait. *early Sinait. mrʾ* BASOR 110, 21, keilschr. *ma-ri-iʾ* APN 134, מרא Barh. 3, Suğ. Bb 2. 8, Arslan-Tash (1931) 135, Znğ., Assbr. 7 f. 17, Saqq. 1. 6, pehl. Frah. 1, 1, äga. AD; cs. מר AJSL 49, 53 ff. (Siegel aus *seal from* Chorsabad), Demot. VII 17, Assbr. 6 (c. sf.), 1 × äga., dann *then*, oft noch neben *still along with* מרא, nab. palm. ja. cp. sy. md. (MG 184) nsy. u. nar.; ܡܪܝܐ (< sf. מרי) cp. sy. md. Hatra SBPA 1919, 1051, n. m. palm. LP Rec. 79, 2, jemen. *māriyyun* (Rabin 28); ZAW 45, 104, Rowl. Aram. 111 ff., Schaed. 41 f., Rosenth. Spr. 30; ar. مرءٌ Mann *man*, asa. מרא; BL 190 y: cs. =, sf. מָרְאִי K, מָרִי Q, BL 60 k:: Gordon BASOR 78, 10 f.: **Herr** *lord*, מָרְאִי מַלְכָּא Da 4, 16. 21, v. Gott *of God* (als *as* n. d. Baud. Kyr. 3, 57 ff.) מָרֵא־שְׁמַיָּא F u. מָ׳ מַלְכִין (Saqq., ph. ארן מלכם v. König *of king*, ak. *bēl šarrāni* = Marduk) 2, 47. †

מרד: he. =; äga. AD. ja. cp. sy. u. md. MG 321; Der. מְרַד, *מָרָד:

מְרַד: מרד; he. מֶרֶד; ja. מִרְדָּא, sy. ܡܪܕܐ, md. מירדא MG 102; Grdf. **mird*?:: BL 183 e: **Empörung** *rebellion* Esr 4, 19. †

***מָרָד**: מרד; ja. מָרָד u. מָרוֹד (mhe.), sy. ܡܪܘܕܐ; BL 191 c: f. מָרָדָא, det. מָרָדְתָּא (BL 16 z): **rebellisch** *rebellious* Esr 4, 12. 15. †

מרט: he. =; äga. (APE 76, 1 A 5 מתמרט Wolle *wool*) ja. sy. nsy.:

pe: pass. (BL 104 b-e) pf. pl. מְרִיטוּ: **ausraufen** *pluck out*, pass. (גַּפִּין) Da 7, 4. †

מֹשֶׁה, n. m.: **Mose** Esr 6, 18, *F* he. Lex. †

I משח: he. I משח salben *anoint*; äga. ja. cp. sy. nsy.; Der. I מְשַׁח:

II משח: he. II משח messen, *measure*; ja. cp. sy. md. MG 66; Der. II מְשַׁח:

I מְשַׁח: I משח; Suğ. Ab 2, mspt. CIS II 44 u. Delap. 76, pehl. Frah. 7, 5, äga. Hermop. palm., ja. u. nsy. מְשְׁחָא, cp. ܡܫܚܐ, sy. u. nar. ܡܫܚܐ, md. מישא MG 64; Grdf. ?**mišḥ*:: BL 183 e: **Salböl** *anointing oil* Esr 6, 9 7, 22 (l. מְשַׁח בַּתִּין). †

cj. **II *מְשַׁח**: II משח; äga. משחה, ja. מִשְׁחָא, מִשְׁחֲתָא, cp. ܡܫܘܚܐ, sy. ܡܫܘܚܬܐ, md. מאשיהתא MG 461: pl. sf. cj. מִשְׁחוֹהִי: **Mass** *measure* Esr 6, 3 (Rud.). †

***מִשְׁכַּב**: שכב; he. מִשְׁכָּב, or. *ma-*, Kahle MT 70; nab. משכבא Grab *tomb* (?), ja. מִשְׁכְּבָא, sy. ܡܫܟܒܐ, cp. *ܡܫܟܘܒܬܐ, md. *מישיכבא MG 177; Grdf. **maškab*, BL 194 q, ThZ 9, 155: sf. מִשְׁכְּבִי, מִשְׁכְּבָךְ, מִשְׁכְּבֵהּ, Da 2, 28 f. or. *ma-*: **Lager** *bed* Da 2, 28 f. 4, 2. 7. 10 7, 1. †

***מִשְׁכַּן**: שכן; he. מִשְׁכָּן, or. *ma-*, Kahle MT 70;

Hermop., palm. Syr. 17, 353,9, cp. ܡܫܟܢ, sam. *meškan*, ja. sy. nsy. u. md. MG 127 מַשְׁכְּנָא; Grdf. **maškan*, BL 194 q, ThZ 9, 155: sf. מִשְׁכְּנֵהּ, Var. מַ׳: **Wohnung** *abode* (Gottes *of God* = Jerusalem) Esr 7, 15. †

***מַשְׁרוֹקִי**: שׁרק; sy. u. nsy., md. מאשרוקתא MG 130 f.; kan. BL 10 t, 195 w, 197 f: det. מַשְׁרוֹקִיתָא, Da 3, 10 מַשְׁרֹקִ׳: **Rohrpfeife** *pipe* (Kolari 35 f., G Th σύριγξ) Da 3, 5. 7. 10. 15. †

***מִשְׁתֵּא**: שׁתה; he. מִשְׁתֶּה (or. id., Kahle MT 70); ja. u. md. MG 129 מִשְׁתְּיָא, cp. *meštē*, sy. ܡܫܬܝܐ Trank, Gelage *beverage*, *banquet*, ja. מִשְׁתּוּתָא, cp. u. sy. ܡܫܬܘܬܐ, nar. Gl. 88 *mašcuta* Hochzeit *nuptials*; BL 194 s, ThZ 9, 156: det. מִשְׁתְּיָא, or. *mištijā* BL 38 a: Trinken, **Gelage** *drinking*, *banquet*, בֵּית מִ׳: **Festsaal** *banqueting hall* Da 5, 10. †

***מַתְּנָה**: נתן; he. מַתָּן, מַתָּנָה; ja. מַתְּנָא; מַתְּנְתָא, cp. *mattūnā* f.; BL 194 r: pl. מַתְּנָן, sf. מַתְּנָתָא, f.: **Gabe** *gift* Da 2, 6. 48 5, 17. †

נ

נ: 1. wechselt mit *alternates with* ↗ מ; 2. ist assimiliert *is assimilated in* גַּב (?), הַדָּם u. עֵז, in נזק, נפל u. נתר; 3. ist nicht assimiliert, bzw. die Verdopplung wieder aufgelöst *is not assimilated or the duplication is again resolved* (BL 50 d. e :: Leand. § 6 j) in נתן, נפק, in *חִנְטָה u. *אַנְתּוּן, אַנְתָּה, אַנְפִּ u. עלל haf.

נבא: mitsamt den Ableitungen *together with its derivatives* LW < he. נבא?; pa. sy., itpa. ja. cp. sy. md. (MG 265) u. nsy. Macl. Dict. 181 b:

hitpa: pf. הִתְנַבִּי, Q u. Var. נַבִּיא-, BL 168 a: als Prophet auftreten, **weissagen** *act as prophet*, *prophesy* Esr 5, 1. †

Der. *נְבוּאָה, *נְבִיא.

***נְבוּאָה**: נבא; < he.; ja.; BL 189 m: cs. נְבוּאַת: **Prophezeiung** *prophecy* Esr 6, 14. †

נְבוּכַדְנֶצַּר: Da 2, 28—5, 2 (25 ×) Esr 5, 12. 14 6, 5, נְבֻכַ׳ Da 3, 14 5, 11. 18, n. m.: **Nebukadnezar** *Nebuchadnessar*, ↗ he. Lex. †

נְבִזְבָּה: Da 2, 6, Var. S נְבִ׳: Tg pl. נְבִזְבְּזַן u. נְבִזְבְּזִין; etym. inc., prob. LW < ak. *nibzu* Urkunde u. das darin genannte Gut *document a. goods mentioned in it*, > äga. נבז Quittung *receipt*, tg. sam. u. cp. Los *lot*, md. Stück der Liturgie *part of the liturgy* Lidzb. ML 76, 3 u. ö., Zimm. 19, Montg. 150: 5, 17 pl. sf. נְבִזְבְּיָתָךְ, Var. נְבִ׳ u. נְבְ׳, BL 244 k. l, ?l. נִבְזְבַת בֵּיתָךְ (Th V, BLK 58) vel נְבִזְתָךְ (Joüon Bibl. 8, 183) vel נְבִזְיָתָךְ: **Geschenk** *present* Da 2, 6 5, 17 neben *along with* מַתְּנָה. †

***נְבִיא**: נבא; < he. נָבִיא; ja. cp. sy. u. nsy. נְבִיָּא, md. נביהא MG 432: det. נביאה K, נְבִיָּא Q, pl. נביאיא K, נְבִיַּיָּא Q, BL 210 o, 212 z: **Prophet** *prophet* Esr 5, 1 f. 6, 14 (cf. Bewer). †

*נֶבְרְשָׁה, or. *nab-*: mhe. נִבְרֶשֶׁת, ja. נַבְרַשְׁתָּא, sy. ܢܒܪܫܬܐ, ܢܒܪܫܬܐ, denom. ܢܒܪܫ anzünden *kindle*, > ar. نبراس Frae. 95 f.; etym. inc., vel sem. < **mabrart*, *brr* (Montg. 255), vel < mpe. *nibarāz* (Scheft. II 311); BL 41 t: det. נֶבְרַשְׁתָּא: **Leuchter** *candlestick* Da 5, 5. †

נגד: he. =; ja. cp. sy. u. md. (MG 224) ziehen (tr.), fliessen *draw, flow*, ነገደ wandern *wander*, ja. נִגְדָּא Fluss *river*, Saqq. 8 (?), ja. u. sy. נָגוֹדָא Führer *leader*, ܢܓܕ in d. Augen fallen *be conspicuous*, نَجْد u. nar. *neğta* (Spit. 2 b) Hochfläche *tableland*; Nöld. NB 197 f.:

pe: pt. נָגֵד: **fliessen** *flow* Da 7, 10. †

Der. נֶגֶד.

נֶגֶד: נגד; he. =; sbst. > praep., BL 260 x, ? < he. (Rowl. Aram. 130): in d. Richtung **nach**, **gegen** *in the direction of*, *towards* (F עַל 4) Da 6, 11. †

נגה: he. =; ja. cp. sy. nsy. u. md. MG 235; Der. נְגַהּ.

*נְגַהּ (Leand. ZAW 45, 158): נגה; he. נֹגַהּ; ja. u. sy. נוֹגְהָא, md. ניהגא MG 102; BL 184 n: det. נָגְהָא, or. *na-* (falsch *wrongly* BL 32 i): **Helle** *brightness*, בְּנָ׳ bei Tagesanbruch *at dawn* Da 6, 20 (Montg. 279). †

נגו(א): F עֲבֵד נְגוֹ(א).

נדב: he. =; ja. pa. u. itpa., palm. n. m. נדבאל Syr. 11, 243, sbst. sf. נדבה Znğ.:

hitpa: pf. pl. הִתְנַדַּבוּ, pt. מִתְנַדַּב, pl. מִתְנַדְּבִין, inf. cs. הִתְנַדָּבוּת, BL 246 n: 1. pt. **gewillt** *willing* c. לְ u. inf. Esr 7, 13; 2. **spenden** *spend* Esr 7, 15 f. (ad v. 16 BL 339 n); inf. pro sbst. (BL 302 h) **Spende** *gift* 7, 16. †

נִדְבָּךְ: mhe. נִדְבָּךְ u. מִדְבָּךְ, ja. נִדְבְּכָא, > ܡܕܒܟ, Ruž. 127; LW < ak. *nadbaku* < **natbaku* Ziegelschicht *layer of bricks*, Meissn. 1, 57 f.: pl. נִדְבָּכִין: **Schicht** von Stein oder Holz *layer of stones or wood*, G δόμος, Esr 6, 4. †

נדד: he. =; ja. fliehen *flee*, sy. verabscheuen *detest*, cp. pa. bewegen *move*, F נוּד:

pe: pf. 3 f. נַדַּת, BL 166 d: **fliehen** *flee*, שִׁנְתֵהּ עֲלוֹהִי (F עַל 2) Da 6, 19. †

נִדְנֶה, Da 7, 15 רוּחִי ... בְּגוֹא נִ׳: trad. l. נִדְנָה (he. I נָדָן, ja. נִדְנָא, נִדְנָא) in seiner Scheide, d. h. im Körper *in its sheath*, *i. e. in its body* (Ginsb. 71); potius c. G ἐν τούτοις בְּגִין דְּנָה (ja. גִּין u. בְּגִין Schutz *shelter*, בְּגִ׳ praep., Schaed. OLZ 41, 593 ff :: Brockelm. ib. 42, 666 ff.) vel בְּגוֹן דְּנָה (ja. sam. sy. nsy. u. md. MG 152 גּוּנָא Farbe, Art *colour*, *sort*, pe. LW): **darob** *on account of it*, cf. Montg. 306 f. †

*נְהוֹר: I נהר; נְהוֹר ja. cp. sy. (cs!) u. md. MG 118; נוּהְרָא ja. sy. nsy. u. nar.; BL 188 g, kan. :: Schulth. Gr. § 38, 2 a: det. Q נְהוֹרָא, K נְהִירָא, F *נְהִיר: **Licht** *light* Da 2, 22 f. †

*נְהִיר: I נהר; נהיר palm., נְהִיר ja. sam. u. cp. adj., נַהִיר sy. nsy. u. md. (MG 155) adj., sy. etiam sbst.; BL 188 k: det. K נְהִירָא; Q F נְהוֹרָא: **Licht** *light* Da 2, 22. †

נַהִירוּ: I נהר pa.; cp. sam. sy.; BL 198 g: **Erleuchtung** (des Geistes) *illumination* (*of mind*) Da 5, 11. 14 neben *along with* שָׂכְלְתָנוּ u. חָכְמָה. †

I **נהר**: he. נור u. (< aram.) II נהר; ja. u. sy. נְהַר, sam. נהיר u. cp. ܢܗܪ (Schulth. Gr. § 137, 1 c) leuchten *shine*; pa. ja. sy. erleuchten *illuminate*; Der. נְהוֹר, נְהִיר, נַהִירוּ.

II **נהר**: = he. I נהר strömen *flow*; ja. itpa.; F נְהַר:

נְהַר: II נהר; he. נָהָר; ja. sam. sy. md. (MG

107) nsy. nar.: det. נַהֲרָה, Esr 4, 16 נַהֲרָא: **Strom** *stream*, נְ׳ דִּי נוּר Da 7, 10, spez. v. Euphrat עֲבַר(F)־נַהֲרָה Esr 4, 10—7, 25 (14 ×). †

נוד: he. =; ja. cp. sy. u. md. MG 248; F נדד: pe: impf. תְּנֻד: Var. תְּנוּד: **fliehen** *flee* (sy.) Da 4, 11. †

נוח: he. =; ja. cp. sam. sy. md. (MG 254 f., Sekundärform *secondary form* אתנח ib. 84) nsy. nar.; palm. sbst. cs. ניחת Rastplatz *resting-place* CIS II 3907, 1; Der. ניחוח.

נְוָלוּ: Esr 6, 11, נְוָלִי Da 2, 5 3, 29: ja. נְוָלִיתָא Misthaufe *dunghill*, denom. mhe. נָוַל, ja. נְוַל hässlich werden *become offensive*; etym. inc., ak. (Jensen KB VI 1, 363 :: Holma NKt 127[3]) dubia: **Abfall- u. Trümmerhaufen** *refuse-heap, ruins*, בַּיִת wird gemacht zu *is turned into* נְ׳ Da 2, 5 3, 29 Esr 6, 11, d. h. als Profanation zur Kloake gemacht *i. e. for profanation turned into a public privy* (2 K 10, 27), oder niedergerissen als Strafe der Wüstung *or pulled down as punishment by being made a ruin* (cf. A. Coulin, Ztschr. f. vergleich. Rechtswissensch. 32, 1914, 326 ff., K. Meuli, Schweizer Volkskunde 1951, 15 ff., Montg. 146 ff.).

נור: he. =; davon im Aram. nur *therefrom in Aram. only* נוּר u. denom. sy. pa. u. itpa.; F נהר.

נוּר: נור; he. =; ak. ar. Licht *light*, aram. Feuer *fire*; pehl. Frah. 2, 4, ja. cp. sam. sy. md. (MG 105. 159) nsy. nar.; f., meist auch *mostly also* (nsy. nur *only*) m.; BL 180 l, 200 j: det. נוּרָא, f. Da 3, 6 ff., m. 7, 9: **Feuer** *fire* Da 3, 6. 11. 15. 17. 20—27 7, 9 f. †

נזק: he. נֵזֶק, < aram.; ph. jif. יזק Klmw 14 (Friedr. Gr. § 151 :: Landsb. Samʾal, 1948, 52 f.) äga. (?), ja. Schaden leiden *sustain loss*, pa. u. af., mhe. hif. beschädigen *injure*, נִזְקָא Schaden *damage*; ak. *nazāqu* sich ärgern *worry*, III 1 *šuzzuqu* ärgern *annoy*, *niziqtu* Betrübnis *grief*: pe: pt. נָזִק **zu Schaden kommen** *come to grief* (Vrss. belästigt werden *be bothered*) Da 6, 3. †
haf: impf. תְּהַנְזִק, inf. cs. הַנְזָקַת, pt. f. cs. מְהַנְזְקַת: **schädigen** *damage* Esr 4, 13 (:: intr. BL 372; l. hof. מַלְכֵי מְהַנְזְקָן Rud.). 15. 22 (F הַנְזָקָה), semper c. מַלְכִין. †

נְחָשׁ: he. נְחֹשֶׁת u. נחושה: äga. Ner. palm. ja. cp. sam. sy. md. (MG 315) nsy. u. nar. (*nhōša*, etiam f. *nhōšča*), nab. נחשא Kupferschmied *coppersmith* (vel Wahrsager *soothsayer*?); BL 190 t: det. נְחָשָׁא: **Kupfer, Bronze** *copper, bronze* Da 2, 32. 35. 39. 45 4, 12. 20 5, 4. 23 7, 19. †

נחת: he. =, < aram.; pehl. haf. hof. הנחת Frah. 21, 12, Paik. 408, äga. הנחת, inf. *מנחתות, Uruk 3 (*[a]ḫ-ḫi-te-e* af. pf. 1. sg. sf.) palm. ja. sam. nsy. u. nar., ja. cp. u. sy. ܢܚܬ, md. MG 219 נהית:
pe: pt. נָחִת: **herabsteigen** *come down*, vom Himmel *from heaven* Da 4, 10. 22. †
(h)af: (ZAW 45, 106 f., BL 135 a. b) impf. תַּחֵת, imp. אַחֵת, Var. אֲחֵת (Dalm. Gr. 295 f., BL 137 p), pt. pl. מְהַחֲתִין (ja. מחית, מנחית): **niederlegen** *deposit* (pehl. Uruk) Esr 5, 15 6, 1; 6, 5 l. hof. יְנַחַת pro תַּחֵת. †
hof: pf. הֻנְחַת (or. *hu-*), cj. יְנַחַת Esr 6, 5, BL 115 r: **gestürzt** werden *be deposed* מִן־כָּרְסֵא Da 5, 20, **niedergelegt** werden *be deposited* cj. Esr 6, 5. †

נטל: he. =; äga. ja. sy.:
pe: pf. 1. sg. נִטְלֵת, or. *nä-*(? BL 41 t): pf. pass. (BL 104 c) 3 f. נְטִילַת: **erheben** *lift up*, עַיְנַיִן Da 4, 31 (ak. *naṭālu* aufschauen *look up*), pass. **emporgehoben werden** *be lifted up* מִן־אַרְעָא 7, 4 (:: Ginsb. 65[7], cf. Bentz. 48). †

נטר: he. נצר u. < aram. נטר; נצר Suğ. (? Ba 8

u. Cb 2. 4), Ner. Saqq. 8; נטר pehl. (Frah. 20, 7) äga. AD nab. palm. (Inv. DE 39, 3 40, 2) ja. cp. sam. sy. md. (Johb. II 25[10], MG 143) nsy. u. nar.; > ar. نطر (:: نظر), نَاطُور Frae. 138, saf. נטר Littm. SI 138b:

pe: pf. 1. sg. נִטְרֵת bewahren *keep*, בְּלִבָּא Da 7, 28 cf. Lc 2, 19. †

ניחוֹחַ*: נוח; LW < he. רֵיחַ נִיחוֹחַ Beschwichtigungsgeruch *smell of appeasement*, BL 193l: pl. נִיחוֹחִין, נִיחֹחִין: Opfergaben mit solcher Wirkung *offerings having such effect*, spec. **Räucheropfer** *incense* (:: Rud. 58), Da 2, 46 c. נסך pa., Esr 6, 10 c. קרב haf. (he. Lv 6, 14 Nu 15, 7). †

נכס: pehl. Frah. 22, 2, ja. cp. sy. u. md. MG 240, nar. *nḫs*, schlachten *immolate*, ja. נִכְסְתָא, ܢܶܟܣܬܳܐ, md. נכיסתא MG 353 Schlachtung, Opfertier *immolation*, *victim*; ak. *nakāsu* (den Kopf) abhauen *cut off* (*the head*), Zimm. 66; Der. *נְכַס (?).

נְכַס*: he. נְכָסִים; pehl. Frah. 16, 1 נכסיא, äga. AD u. palm. Syr. 19, 170 נכס(י)ן, ja. נִכְסָא, sy. u. cp. ܢܶܟܣܳܐ Besitz *property*, < ak. *nikkassu* < sum. *nig-gaz* Abrechnung, Vermögen *account*, *wealth* :: trad. נכס, Viehbesitz *live stock* vel Spende *gift* > Besitz *property* (cf. pecunia): pl. נִכְסִין, cs. נִכְסֵי: **Schätze** *riches*, נִכְסֵי מַלְכָּא königlicher **Fiskus** *royal treasury* Esr 6, 8, עֲנָשׁ(F)נִכְסִין **Geldstrafe** *fine* 7, 26. †

נְמַר: he. נָמֵר; ja. נִמְרָא, sam. נמרה ZA 16, 97[20], sy. ܢܶܡܪܳܐ; BL 185 u, 218 a: **Panther** *panther* Da 7, 6. †

נסח: he. =; Ner., Tema, pehl. (Ps. 140) äga. ja.: hitpe: impf. יִתְנְסַח, BL 132 c: **herausgerissen werden** *be pulled out* Esr 6, 11. †

נסך: he. I נסך; sy. pa. ausgiessen *pour out*; ja. pe. pa. spenden *bestow*:

pa: inf. נַסָּכָה, BL 111 n: **darbringen** *offer*, Da 2, 46 מִנְחָה וְנִחֹחִין. †

Der. *נְסַךְ.

נְסַךְ* vel *נֵסֶךְ: נסך; he. נֶ/נֵסֶךְ; ja. נִסְכָּא u. (pro he. זֶבַח) נסכתא MdO 19, 23; BL 183 j: pl. sf. נִסְכֵּיהוֹן (BL 226 z, cf. he.): **Trankopfer** *libation* Esr 7, 17. †

נפל: he. =; pehl. Frah. 20, 5, äga. ja. cp. sam. sy. nsy. u. md. (MG 226. 238); impf. ja. u. cp. יִפּוֹל, sam. *jippalu*, sy. ܢܶܦܶܠ, md. ניפיל:

pe: pf. נְפַל, pl. נְפַלוּ Da 7, 20 K, Q נְפַלָה (VG I 574 f., BL 370 :: Ginsb. 3 f: K *-ī* ut cp. sam. et partim sy., at nab. *-ū*), impf. יִפֵּל-, יִפֵּל, BL 136 e, pl. תִּפְּלוּן, pt. pl. נָפְלִין: 1. **fallen** *fall* Da 3, 23 (als Folge des *as a result of the* רְמִיו v. 23 :: alii: geworfen werden *be thrown*), abfallen *fall off* (קַרְנַיָּא) Da 7, 20, herabkommen *come down* (קָל מִן־שְׁמַיָּא) 4, 28; 2. **niederfallen** *fall down* Da 2, 46 (עַל אַנְפּוֹהִי), 3, 5—7. 10 f. 15, 3. zufallen, **obliegen** *fall to*, *be incumbent upon* (cp. u. palm., Rosenth. Spr. 51[3]) c. לְ pers. u. לְ c. inf. Esr 7, 20. †

נפק: pehl. Frah. 21, 7, äga. Ai.-Gi. AD Tema nab. palm. ja. cp. sam. sy. md. (MG 238 f.) nsy. u. nar., > mhe. נָפַק: ar. نفق leicht verkäuflich sein *be easely sold*:

pe: pf. נְפַק, 3. f. נִפְקַת BL 41 t, or. *nefaqat* u. *nafqat* (BL 136 h, 29 z), pl. נְפַקוּ K, נְפַקָה Q (F נפל), imp. pl. פֻּקוּ BL 135 c, pt. נָפֵק, pl. נָפְקִין: **ausgehen** *go out* Da 2, 14 3, 26 7, 10, hervorkommen *come forth* 5, 5 (אֶצְבְּעָן), erlassen werden *be issued* 2, 13 (דָּתָא), asa. נפק öffentlicher Erlass *public proclamation*, (cf. Lc 2, 1). †

haf: pf. הַנְפֵּק, pl. הַנְפִּקוּ, äga. u. AD, ח/אפק

Ostr. 16. Rs 1. 3: **herausholen** *take out* Da 5, 2 f. Esr 5, 14 6, 5. †
Der. נִפְקָה.

נִפְקָה*: נפק; äga. נפקה, sy. ܢܦܩܬܐ, ja. נַפְקוּת, Ausgabe *expense* > ar. نفقة Schwally ZDMG 52, 133; BL 238 p: det. נִפְקְתָא: **Kosten** *expense* Esr 6, 4. 8. †

נצב: he. =; Znğ. nab. palm. ja. cp. sam. sy. md. (MG 239, Johb. II 60 [6]) nsy. nar.; Der. נִצְבָּה.

נִצְבָּה*: נצב; äga. ja. cp. sy. u. md. MG 103 נִצְבְּתָא u. sam. נציבה Pflanze, Pflanzung *plant, plantation*; BL 214 h: det. נִצְבְּתָא: **Festigkeit, Härte** *firmness, hardness* (דִּי פַרְזְלָא) Da 2, 41. †

נצח: he. =; ja. cp. sam. u. sy. glänzen, siegen *shine, be victorious*, itpe./pa. äga. AD Mcheta 3, ja. sy. sich hervortun *distinguish oneself*:
hitpa: pt. מִתְנַצַּח, or. מִתְנְצַח hitpe. BL 133 g: **sich hervortun** *distinguish oneself* c. עַל Da 6, 4. †

נצל: he. =; haf. wegnehmen *take away* pehl. Frah. 21, 10, äga. (etiam bewahren *preserve*, BMAP 6, 15), Pachtv. 14, ja. (etiam pe.) u. sy. af. retten *rescue*:
haf: (נ assim. ut Pachtv. Saqq. ja. u. sy., BL 135 a) inf. הַצָּלָה, sf. לְהַצָּלוּתֵהּ BL 246 n, pt. מַצִּל: **retten** *rescue* Gott *God* Da 3, 29 6, 28, Mensch *man* 6, 15. †

נקה: he. =; rein, unschuldig sein *be clean, innocent* sam., pa. caus. ja. u. cp.; sy. pe. u. pa. opfern *sacrifice*, < ak. Zim. 66; äga. נקיה Reinigung *cleaning*; Der. נְקֵא.

נְקֵא: נקה; he. נָקִי; ja. נְקִי, cp. u. sy. ܢܩܐ; n. f. Naqīʾa-Zakūtu, aram. Frau *wife* v. Sanherib u. Mutter *mother* v. Asarhaddon, H. u. J. Lewy JNES 11, 272 ff.; BL 186 x: **rein** *pure* Da 7, 9 (כַּעֲמַר). †

נקשׁ: he. =; ja. cp. (nur *only* af.) sy. u. nsy. schlagen, klopfen *beat, knock*; Nöld. NB 188:
pe: pt. pl. f. נָקְשָׁן: intr. דָּא לְדָא **aneinanderschlagen** *knock together* Da 5, 6. †

נשׂא: he. =; in Aram. zurückgedrängt durch *limited in use by* נטל, נסב, סבל, שׁקל; Suğ. Bb 20 חשא, Zkr 11 ואשא, äga. u. AD ינשא, inf. מנשא, Uruk 1 *na-ša-a-a-tu* = *našaitu* 1. sg. pf., ja. נסא (:: < נסב Dalm. Gr. 292), sam. *naša*, ja. sy. u. nsy. מַסָּאתָא Wage *balance*:
pe: pf. נְשָׂא, imp. שֵׂא (BL 135 c, 60 h): 1. **nehmen** *take* Esr 5, 15; 2. **forttragen** *carry away* Da 2, 35 (רוּחָא). †
hitpa. (? < he.): pt. f. מִתְנַשְּׂאָה: **sich erheben gegen** *rise up against* עַל Esr 4, 19. †

נְשִׁין*: he. נָשִׁים; Suğ. Ab 22 u. Znğ. cs. נשי, pehl. נישה Frau *woman* Frah. 11, 2, äga. BMAP נשין, Uruk 37 *ni-še-e*, ja. (1 × rückgebildet *secondary formation* sg. נְשָׁא Dalm. Gr. 200), cp. u. sam. *inšen*, sy. ܢܫ̈ܐ, md. ענשיא MG 183, nsy. *inši*; BL 179 f; sg. *אִנְתָּה, he. אִשָּׁה: sf. נְשֵׁיהוֹן: **Frauen** *women* Da 6, 25. †

נשׁם: he. =; sy. u. nsy. pe., ja. pa. atmen *breathe*, ja. u. cp. itpe. genesen *recover*, jemen. *tanassama* blasen *blow*, Rabin 28; Der. נִשְׁמָה.

נִשְׁמָה*: נשׁם; he. נְשָׁמָה; cp. ܢܫܡܐ, sam. *nasema*, det. palm. נשמתא Beryt. 3, 99, 1, ja. נִשְׁמְתָא, sy. u. nsy. ܢܫܡܬܐ, nsy. etiam *nišimta*, md. נישימתא u. נישמא MG 109, Lidzb ML 12 [1]; BL 238 p: sf. נִשְׁמְתָךְ: (Lebens-) **Odem** *breath* (*of life*) Da 5, 23. †

נְשַׁר: he. נֶשֶׁר; ja. cp. u. nsy. נִשְׁרָא, sy. ܢܫܪܐ, md. Johb. I 133, 8 262, 4 נישרא; BL 182 x; pl. נִשְׁרִין: **Adler** *eagle* Da 4, 30 7, 4. †

***נִשְׁתְּוָן**: he. =; äga. נשתונא, Tax. 8 הונשתונא; pe. LW, vel < *ništōn (Andr. ad Tax.) vel < *ništavāna (Nyb. 2, 161 f., Herzf. 317 f.): det. נִשְׁתְּוָנָא: offizielles Schriftstück, **Dekret** *official document*, *decree* Esr 4, 18. 23 5, 5. †

***נְתִין**: נתן; he. נָתִין; ja.; Hatra 21, 1 מלכא נתינא geweiht *sacred*; BL 188 h: det. pl. נְתִינַיָּא: Geschenkter, **Tempelsklave** *one who is given*, *servant of the sanctuary* Esr 7, 24. †

נתן: im Aram. ist das pf. früh ersetzt durch *the pf. is early supplied by* יהב; pf. Znğ., Pachtv. 2. 11 f., äga.; impf. ינתן, Znğ., T. Halaf 71 Rs. 2, pehl. Paik. 498—502, äga. u. AD, Pachtv. 10, nab.; יתן äga. (raro, Leand. 56c), Pachtv. 11, palm. ja. sam. cp. (ܝܬܠ u. ܢܬܠ) sy. (assim. ܢܶܬܶܠ, inf. ܡܶܬܰܠ, VG I 291), md. (ניתין, inf. מיתין u. מיתאן, MG 238 f.): pe: impf. יִנְתֵּן־, Var. יִנְתֶּן־ u. יִנְתֵּן־, תִּנְתֵּן, pl. יִנְתְּנוּן, sf. יִתְּנִנַּהּ, Var. ־נַּהּ (BL 79 s), inf. מִנְתַּן, BL 135 b; d. übrigen Formen v. *the remaining forms supplied by* F יהב: **geben** *give* Da 2, 16 (זְמָן) 4, 14. 22. 29, aufbringen *defray* (חַשְׁחוּ) Esr 7, 20, entrichten *pay* (Abgaben *taxes*) Esr 4, 13. † Der. נְתִין, מַתְּנָה.

נתר: ja. sy. u. md. (MG 239) abfallen *fall off*, ja. sy. af. abwerfen *let fall*, äga. haf. beseitigen *remove* AP 15, 35 (?): af. (BL 113 b, 370): imp. pl. אַתַּרוּ, BL 42 v: **herunterschütteln** *shake off* (עֲפִי) Da 4, 11. †

ס

ס: 1. = ursem. *Proto-Sem.* s, *ar.* س, he. ס, in סלק, סוף, סגד, אסר etc.; 2. wechselt mit älterem *alternates with original* ś = שׂ, ar. ش, in כַּשְׂדָּי, שַׂבְּכָא, שׂגא, שַׂגִּיא u. שְׂטַר, u. vertritt es wie allgemein im späteren Aram. *a. represents it as generally in later Aram.* (BL 26 e-k, ZAW 45, 101 ff.) in סבר (سبر), II סתר, רפס (رفس); 3. wechselt ausserba. mit *alternates outside BA with* צ in חֲסַף; 4. = ass. *s* (bab. *š*) in *סוּבֵל (? F סבל) u. *סְגַן.

סַבְּכָא: Da 3, 5 F שַׂבְּכָא.

סבל: he. =; äga. ja. cp. sam. sy. u. md. MG 220 tragen *carry*, BMAP 9, 17 pietätvoll pflegen *take care of reverently*: po: pt. pass. pl. מְסוֹבְלִין: Esr 6, 3 אֻשּׁוֹהִי (F אשׁ) inc.: pt. pass. sollten **erhalten werden** *were to be preserved*, Kraeling sec. BMAP 9, 17 (BL 297 d!); alii darbringen *offer* (F יבל) c. אֻשּׁוֹהִי, vel seine Masse sind zu bemessen *its measurements are to be fixed* c. מִשְׁחוֹהִי (F כיל). †

סבר: he. שׂבר; aram. meinen, hoffen *think, hope* äga. ja. cp. sy. u. nsy., palm. Inv. P. IX 4 u. md. Or. 15, 332, 20 pt. (vel סַבָּר ja.) kundig *experienced*, sbst. סוברא Hoffnung *hope* pehl. Frah. 26, 1, ja. סְבָרָא/ס, sy. u. nsy. ܣܰܒܪܳܐ: pe: impf. יִסְבַּר, BL 132 c: **trachten** *intend* c. לְ u. inf. Da 7, 25. †

סנא u. **סַגִּיא**: F שׂגא u. שַׂגִּיא.

סגד: he. —, < aram.; äga., ja. cp. u. sam. סְגִד, ja. sy. u. md. (MG 219) סְגִיד; sbst. pehl. (ע)סגדה (F שתה) Frah. 19, 8, Ps. 141 b, מסגדא äga. nab. (משגדא) u. md. MG 129, > مَسْجِد:

pe: pf. סְגִד, or. *sᵉged*, impf. יִסְגֻּד (VG I 549, BL 98 s), pl. נִסְגֻּד, תִּסְגְּדוּן, יִסְגְּדוּן, pt. pl. סָגְדִין: **huldigen** *pay homage to* c. לְ, Gott u. Götzen *God a. idols* Da 3, 5—7. 10—12. 14 f. 18. 28 (3, 12//פלח), Menschen *man* 2, 46. †

***סְגַן**: he. *סָגָן; äga. סגן, ja. סִגְנָא,? md. pl. סיגנאניא (MG 76, Gi. 136[3]), keilschr. n. m. *Ilu-sagania* MAOG 13, 1, 47. 113; LW < ak. *šaknu* (E. Klauber, Ass. Beamtentum, 1910, 100, nie geistlicher Titel *nowhere clerical title*): pl. סִגְנַיָּא, סִגְנִין: **Vorsteher, Statthalter** *prefect, governor* Da 3, 2 f. 27 6, 8; רַב־סִגְנִין (F) Obervorsteher *chief prefect* 2, 48 (cf. 4, 6). †

סגר: he. =; ja. cp. u. sy. (ein)schliessen *shut, close up*; מסגרא äga. (Actes du 21ᵉ Congr. Intern. des Orientalistes 1948, 109 f.) u. מסגרת Znǧ. Gefängnis *prison*; F he. סכר, äga. ja. cp. sy. md. (MG 225) u. nar.:

pe: pf. וּסְגַר, BL 263 j, or. *wisgar*,: **verschliessen** *shut* (פֻּם אַרְיָוָתָא, Th. ἐνέφραξεν, verstopfen *close up*) Da 6, 23. †

סוּמְפֹּנְיָה/א: Da 3, 5. 15, סִיפֹּנְיָה K, סוּפּ' Q u. Var. סִמְפּ' 3, 10: e. Musikinstrument *musical instrument*; LW < συμφωνία (G, Th.) Polyb. 26, 10, 5 31, 4, 8, ja. סימ', סומפוניה/א u. mhe. סִמְפּוֹן, sy. u. nsy. ܨܦܘܢܝܐ, spätlatein. *late Latin* > *symphonia*, in roman. Sprachen *in Romance languages* > *zampogna* u. ä.: **Dudelsack** *bagpipe*; J. Garstang, Hittite Empire, 1929, 137. pl. XXX, Barry JBL 27, 99 ff, Komm.: : Tonharmonie *concord*, Kolari 81 f. †

סוף: he. =; ja. cp. sy. md. (MG 249) u. nsy. zu Ende, zugrunde gehen *cease, perish*:

pe: pf. 3 f. סָפַת, BL 144 g: **sich erfüllen** *be fulfilled* (מִלְּתָא, cf. he. כָּלָה qal 2), c. עַל pers. Da 4, 30. †

haf: impf. 3 f. תָּסֵיף, Var. תְּסֵף, or. *tᵉsēf*, BL 148 c: (einer Sache) e. **Ende bereiten, ganz vernichten** *put an end to, annihilate* Da 2, 44. †

Der. סוֹף.

***סוֹף**: סוֹף; he. =; ja. סוֹפָא, sy. ܣܘܦܐ, md. סוף MG 150: cs. =, det. סוֹפָא: **Ende** *end*, סוֹף (כָּל־) אַרְעָא Da 7, 28 (BL 353 f), דִּי מִלְּתָא 4, 8. 19. cj. 17; abs. עַד־סוֹפָא (bestehen *continue*) für immer *for ever* 6, 27, (vernichten *destroy*) ganz u. gar *totally* 7, 26. †

סוּפֹּנְיָא u. **סִיפֹּנְיָא**: F סוּמְפֹּנְיָה.

סטר: F שְׂטַר.

סלק: he. =, < aram.; Suǧ. יסקן Aa 5, Ca 4, pehl. Ps. 142 b, äga. BMAP (inf. מנסק, מסק), palm., ja. cp. u. sy. סְלֵיק, sam. md. MG 238 f., nar. *isleq*, nsy. af., ar. تَسَلَّقَ; af. spec. darbringen *offer* ja. cp. sam. u. sy.:

pe: pf. 3. f. סִלְקַת Da 7, 20, 7, 8 l. pro סִלְּקַת (BL 137 e, or. *salqat* BL 29 z!, Var. סְלִקַת u. סִלְקָת BL 102 r! 139 g!, Montg. 295 סְלִקַת), pl. סְלִקוּ, pt. pl. f. סָלְקָן: **hinaufgehen, -kommen** *go or come up* Esr 4, 12 Da 7, 3, קַרְנַיָּא 7, 8. 20, רַעְיוֹנִין 2, 29 (nar. *slq ʿabōla* < F עַל בַּל Gl. 81, cf. he. עָלָה עַל לֵב Js 65, 17). †

haf: pf. 3 pl. הַסִּקוּ BL 137 a, inf. הַנְסָקָה, BL 137 c: **hinaufbringen** *take up* Da 3, 22, heraufholen *lift up* 6, 24. †

hof: pf. הֻסַּק, BL 137 a: **heraufgeholt werden** *be lifted up* Da 6, 24. †

סעד: he. =; Znǧ. äga. (Beh. סעדני AP 301 b > bab. *issidanni* Xerxes Persep., ApI. 341 f., Rössler 33), ja. stützen *support*, pa. helfen *help*; cp. ܣܥܕܐ Hilfe *help*, palm. שעידא LP Rec. 14 hilfreich *benevolent*:

pa: pt. pl. מְסָעֲדִין, Var. מְסַעֲדִין, BL 58 p, 130g!: **unterstützen** *aid* Esr 5, 2. †

ספר: he. =, zählen *count*, denom. v. סְפַר; sam. pe. u. pa., sy. pe. erzählen *relate*; F סְפַר, סָפַר.

***סְפַר**: he. סֵפֶר; Suğ. Ba 8 (Inschrift *inscription*, Euler ZAW 55, 289 ff.), Pachtv. Rs. 2. 4, äga., ja. cp. u. nsy. ספרא, sy. ܣܦܪܐ, sam. *asfar*, md. ספאר(א) u. סיפרא MG 102. 151; LW. < ak. *šipru* Zimm. 19; BL 224 i: cs. =, pl. סִפְרִין, det. סִפְרַיָּא: **Buch** *book* Da 7, 10, סְפַר מֹשֶׁה Esr 6, 18, ס׳ דִּכְרָנַיָּא Gedenkbücher *record books* (BL 310 b) 4, 15, בֵּית סִפְרַיָּא Archiv *archives* (בית ספרא Ai.-Gi. nr. 71, ak. *bīt ṭuppāti*, Driver, SW 64) l. בֵּית גִּנְזַיָּא דִּי סִפְרַיָּא 6, 1 (F *גנז). †
Denom. ספר.

***סָפַר**: F סְפַר; he. סוֹפֵר; mspt. NE, Lidzb. Urk. Nr. 4, 13, Saqq. 9(?), Paik. 732, Dura Alth. 20, 5, äga. AD ja. cp. sy. nsy.; BL 215 k. m; LW < ak. *šāpiru*, Schaed. Esra 39 ff., Eil. 13[1], 67[1], OLZ 34, 931 ff.: cs. =, det. סָפְרָא, pl. סָפְרִין cj. pro שָׁפְטִין Esr 7, 25 (Rud.): **Schreiber** *clerk*, γραμματεύς, Sekretär d. *secretary of* פֶּחָה Esr 4, 8 f. 17. 23. cj. 7, 25 (s. o.), Esra סָפַר דָּתָא דִּי אֱלָהּ שְׁמַיָּא 7, 12. 21 Angabe s. Amtsbereiches *indicating his sphere of office* (früher: Schriftgelehrter oder Verfasser *formerly*: *scribe or author*). †

סַרְבַּל, pl. סַרְבָּלֵיהוֹן: Da 3, 21. 27 e. **Kleidungsstück, Hose oder Mantel** *a garment, trousers or cloak*; Th. G σαράβαρα (ἐσθὴς Περσική Suidas, etiam σαράβαλλα, σαράπαρα, P-W 2. R. I 2, 2386; Symm. ἀναξυρίδες, V braccae) die lange orientalische Überhose *the long oriental overalls*; (skythisches *Scythian*?) FW, pehl. Frah. 15, 4 סרב[י]ליא Hemd *shirt*, äga. סרבלק, ja. mhe. סַרְבָּל Mantel, Hose *cloak, trousers*, denom. ja. סַרְבֵּל einhüllen *wrap up*, mhe. מְסֻרְבָּל; > ar. سِرْبَالٌ Mantel *cloak*, Frae. 47 f.; ja. etiam Schuhzeug *footwear* Krauss II 412; cf. etiam sy. ܫܪܘܠܐ, md. שארואלא, nsy. ܫܲܠܘܵܪ u. ܫܲܠܘܵܐ, npe. *shirwāl* u. *shalwār* Hosen *trousers*; F Komm. u. Cook, Journ. of Phil. 26, 306 ff., Nyberg MO 25, 181 ff. †

***סָרַךְ**: ja. סָרְכָא (tg. pro he. שׁוֹטֵר), סַרְכְּנָא Fürst, G ἡγούμενοι, Th. τακτικοί, V *principes*; etym. inc.: LW < mpe. *sar* Kopf *head* Andr., Scheft. II 312 :: סרוכיא Sard. 4, heth. *šarkuš*, Kahle-Sommer 55 f. :: ar. شَرِكَ Genosse sein *be companion* Behrm.: pl. סָרְכִין, סָרְכֵי, סָרְכַיָּא: **hoher Beamter** *high official* Da 6, 3—5. 7 f. 16 Var. †

I סתר: he. =; ja. sy. u. md. (Johb. I 243, 4) pa. verbergen *hide*, sbst. äga. סתר, ja. סִתְרָא, sy. ܣܬܪܐ:
pa: pt. pass. pl. f. det. מְסַתְּרָתָא, BL 112 t: das **Verborgene** *the hidden things* Da 2, 22. †

II סתר: he. שׁחר; äga. שתר einbrechen *break into*, ja. cp. sam. sy. סתר, ak. *šutturu* zerstören *demolish*:
pe: pf. sf. סַתְרֵהּ, BL 126 b: **zerstören** *demolish* Esr 5, 12. †

ע

ע: 1. = ursem. *Proto-Sem.* ʿ= ar. ع, in עבד, עבר, עַיִן, עַל etc.; 2. via ק (F אַרְקָא) umgelautet *modified* < ḍ= ar. ض (BL 26c), he. ע, in רעה(?), עַר, עֲמַר, עֲלַע, אֲרַע, אָע; 3. umgelautet *modified* < ġ = ar. غ (BL 28n), he. ע, in עלל, בעה; 4. dissimiliert *dissimilated* > א (BL 50c) in אָע, מחא.

עבד: he. =; Suğ. Ca 5, b 7 f., Znğ., pehl. Frah. 18, 5 f. *עביד (pass.), äga. AD BMAP nab. palm. ja. cp. (etiam ܥܒܕ) sam. sy. md. (MG 241) nsy.:
pe: pf. עֲבַד, עַבְדֵּת, Var. (א)תָּ־, עַבְדֵת (or. ʿabaaīt Da 3, 15, ja.), pl. עֲבַדוּ, impf. pl. תַּעַבְדוּן (Var. תַּעְ׳, BL 129j), inf. מֶעְבַּד (or. mäcäbad Esr 7, 18), pt. עָבֵד, f. עָבְדָה/א, pl. עָבְדִין: 1. tun *do*, abs. Da 4, 32b 6, 11 Esr 6, 13 7, 18, verfahren mit jmd *treat* c. בְּ Da 4, 32a, c. עִם Esr 6, 8; 2. machen *make*, Gott *God* אָתִין וְתִמְהִין Da 3, 32 6, 28, שְׁמַיָּא וְאַרְקָא Ir 10, 11; Menschen *man* צְלֵם 3, 1, אֶשְׁתַּדּוּר Esr 4, 25, חֲנֻכָּה 6, 16, דָּתָא befolgen *comply with* 7, 26, שָׁלוּ 4, 22 u. חֲבוּלָה Da 6, 23 begehen *commit*, לְחֶם veranstalten *arrange* 5, 1, קְרָב führen *wage* 7, 21.†
hitpe: impf. יִתְעֲבֵד Da 3, 29 Esr 6, 11 7, 23, יִתְעֲבֵד/בֵד 6, 12, 7, 21, pl. תִּתְעַבְדוּן, pt. מִתְעֲבֵד, עֲבֵד־ (BL 31d), f. מִתְעַבְדָה: 1. gemacht, ausgeführt werden *be made, performed*: עֲבִידָה Esr 5, 8, טְעֵם 6, 12 7, 21. 23, דִּינָה c. מִן 7, 26, אֶשְׁתַּדּוּר 4, 19; 2. gemacht werden zu *be turned into* Da 2, 5 3, 29 Esr 6, 11.†
Der. עֲבֵד, עֲבִידָה, מַעְבָד.

***עֲבֵד**: עבד; he. עֶבֶד; Znğ., Assbr. 13, mspt. pehl. (Frah. 13, 1) äga. ja. cp. sam. (*awed*) sy. md. (MG 100) nsy. nar.; BL 47x: cs. =, pl. sf. K עַבְדִיךְ, Q עַבְדָךְ (Esr 4, 11 Var. עַבְדָךְ, BL 226z) BL 77o, עַבְדוֹהִי: Diener *servant*, d. Königs *of a king* Da 2, 4. 7 Esr 4, 11, Gottes *of God* Da 3, 26. 28 6, 21 Esr 5, 11; F עֲבֵד נְגוֹ.†

עֲבֵד נְגוֹ, Da 3, 29 עֲ׳ נְגוֹא, or. ʿābed: bab. Name d. *Bab. name of* עֲזַרְיָה (F 1, 6 f.) 2, 49 3, 12—30, F he. Lex. †

***עֲבִידָה**: עבד; he. עֲבֹדָה; äga. AD nab. ja. cp. sy. u. md. MG 465; BL 188j; cs. עֲבִידַת, det. עֲבִידְתָּא (BL 16z): 1. Arbeit *work*, am *on the* בֵּית אֱלָהָא Esr 4, 24 5, 8 6, 7, Dienst *service* (AD 5, 9) 6, 18 (l. c. G בֵּית אֱלָהָא Rud.). 2. Verwaltung *administration* Da 2, 49 3, 12.†

עבר: he. =; Znğ., pehl. Frah. 22, 4, äga. ja. cp. sam. sy. nsy. u. md. (MG 131. 270); Der. *עֲבַר.

***עֲבַר**: עבר; he. I עֵבֶר; ja. עֵבֶר, עִבְרָא, cp. ܥܒܪܐ, sy. ܥܒܪܐ, md. עברא MG 102; Grdf. *ʿibr, BL 183i: cs. =: d. jenseitige Ufer *the opposite bank*; עֲבַר־נַהֲרָא Esr 4, 10 f. 16 f. 20 5, 3. 6 6, 6. 8. 13 7, 21. 25, auf kilikischen Münzen *on Cilician coins* NE 336, he. עֵבֶר הַנָּהָר, keilschr. *Ebir-nāri*, πέραν τοῦ Εὐφράτου Inschr. d. *inscription of* Gadatas (Meyer 19 f.), das Land westlich des Stromes *the region to* *the west of the river*, Transpotamien *Transpotamia* = Syrien *Syria* (Streck VAB VII 782, Eil. 31 ff.). †

עַד: he. II עַד; Aram., pehl. Frah. 25, 3, md. (MG 209, nur *only* conj.) 1. praep. **bis** *unto, until*; a. räumlich *of space*: hin zu *even to* Da 7, 13, עַד־כָּא hieher *hitherto* 7, 28, quantitav *quantitatively* Esr 7, 22; b. zeitlich *of time*: bis zu *until* Da 6, 15 7, 25 Esr 4, 24 6, 15, F עַד־סוֹפָא Da 6, 27 7, 26, c. F עָלְם 7, 18, עַד־כְּעַן bis jetzt *until now* Esr 5, 16, während *during* Da 6, 8. 13 7, 12. 25; F עַד־אָחֳרֵין zuletzt *at last* 4, 5; F עַד־דִּבְרַת 4, 14 pro עַל־דִּי; 2. conj. **bis dass** *until* (äga., he. 8) c. impf. Esr 4, 21 5, 5; עַד דִּי (äga. עד זי) c. impf. Da 2, 9 4, 20. 22. 29, c. pf. 2, 34 4, 30 5, 21 7, 4. 9. 11. 22; לָא . . . עַד דִּי nicht . . . bis dass = kaum *not . . . until* = *hardly* 6, 25. †

עדה: he. I עדה, prob. < aram.; pe. vorüberweggehen *pass by, go away* ja. cp. u. md. MG 257, sy. kommen über *come upon*; af. beseitigen, wegnehmen *remove, take away* äga. Ai.-Gi. (AD itp. pass.) ja. sy.:
pe: pf. 3. f. עֲדָת (F הוה), impf. יֶעְדֵּה, תֶּעְדֵּא, or. *ti*-, BL 128 c: **gehen** *go*: 1. kommen an *touch* c. בְּ Da 3, 27; 2. weggehen = genommen werden *pass away* = *be taken* 4, 28 (מִן c. מַלְכוּ), abs. vergehen *vanish* 7, 14 //תִתְחַבַּל, aufgehoben werden *be annulled* 6, 9. 13. †
haf: pl. הֶעְדִּיו Da 7, 12 u. הֶעְדִּיוּ 5, 20 (BL 128 f, 156 w!), impf. יְהַעְדּוֹן, pt. מְהַעְדֵּה: **wegnehmen** *take away* 5, 20 (c. מִן) 7, 12. 26, absetzen *remove* 2, 21 (מַלְכִין). †

עִדּוֹא, Esr 6, 14 Var. עִדּוֹ ut he.: n. m., Vater des Propheten *father of the prophet* זְכַרְיָה Esr 5, 1 6, 14, F he. Lex. †

עִדָּן*: Suğ. Bb 22, pehl. Frah. 27, 3, אחרית עדנא Avr 3, 4, äga. cp. ja. ṣam.; sy. ܥܶܕܳܢܳܐ, md. MG 136 u. nsy. *ʿidānā*, > ar. عِدَّان u. ܥܕܢܐ Nöld. NB 44; ug. *ʿdn*, Mari *ʿidānum*, ? LW < ak. *e/adānu, adannu, ḫadānum* VAB V 523, VI 301(?); $\sqrt{w^{c}d}$, BL 196 z, F he. יעד: : Driver WdO 5, 412: det. עִדָּנָא, pl. עִדָּנִין (pl. pro du., BL 306 l!), עִדָּנַיָּא: 1. **Zeit** *time* Da 2, 8 f., neben *along with* זְמַן 2, 12 7, 12, בְּעִדָּנָא דִּי (BL 363 s) wenn, sobald als *when, as soon as* 3, 5. 15; 2. = **Jahr** *year* (ja. sy., he. מוֹעֵד Da 12, 7, G, Jos. Arch. X 10, 6 u. Hier., ut neugriech. *modern Greek* χρόνος), שִׁבְעָה עִדָּנִין Da 4, 13. 20. 22. 29, עַד עִדָּן וְעִדָּנִין וּפְלַג עִדָּן 7, 25 = 3½ Jahre (Ginsb. 1 f., Bentz. 34. 67). †

עוד: he. =; sy. pa. u. af. gewöhnen *accustom*, palm. עידא u. עדתא, sy. ܥܝܳܕܳܐ Gewohnheit *custom*: Der. עוֹד.

עוֹד: עוד; he. =; Znğ. (?), äga. עוד u. עד (Leand. 119 i), cp. sam. sy.; BL 254 o: **noch** *still* Da 4, 28. †

עוה: he. =; ja. abweichen *deviate*, af. sich vergehen *err*; Der. עֲוָיָה.

עֲוָיָה*: עוה; ja.; BL 187 f: pl. sf. עֲוָיָתָךְ: **Vergehen** *iniquity* Da 4, 24 //חֲטָיָךְ. †

עוף: he. =; ja., Arslan Tash 1 pt. f. det. עפתא, Mél. Syr. 422, Albr. BASOR 76, 7; Der. עוֹף.

עוֹף: עוף; he. =; ja. u. cp. עוֹפָא, sy. ܥܰܘܦܳܐ; BL 182 a: cs. =: **Vogel** *bird* Dn 7, 6, coll. Vögel *birds* עוֹף־שְׁמַיָּא 2, 38. †

עוּר: ja. sy.; ar. عُوَار, عَائِر Stäubchen im Auge *particle of dust in the eye*; BL 180 f: **Spreu** *chaff* Da 2, 35. †

*עֵז: he. =; pehl. אז Frah. 7, 3, äga. ענז, palm. עז, ja. עִזָּא, sam. cp. u. sam. ܥܙܐ, sy. cs. ܥܙܐ, nsy. ʿizā, nar. ʿezza; m. äga. ja. u. cp., f. äga. nsy. u. nar.; Grdf. *ʿanz, BL 29x, 182c, 198b: pl. עִזִּין: Ziege *goat*, צְפִירֵי עִזִּין Ziegenböcke *he-goats* (pl. doppelt ausgedrückt *expressed twice*) Esr 6, 17.†

עזק: he. =, aufhacken *hoe up*; aram. höchstens *if at all* in עזקה.

*עִזְקָה: äga. (1 × sf. עזכתיה Eph. 3, 23, 7), ja. עִזְקְתָא, sy. u. cp. ܥܙܩܬܐ, md. עז(י)קתא u. עס(י)קתא MG 46, 109, nsy. ʿizuqtā, ʿiziqthā siqthā, Ring, Fessel *ring*, *fetter*; trad. ad עזק, potius LW < ak. *izqatu*, *išqatu* Fessel *fetter*, Zim. 35; BL 244 f. g: sf. עִזְקְתֵהּ, or. ʿizqateh, pl. (fem. gebildet *formed as* fem. ut nsy., m. ja. cp. u. sy.) cs. עִזְקָת: Siegelring *signet-ring* Da 6, 18.†

עֶזְרָא: n. m. Esra Esr 7, 12. 21. 25, *F* he. Lex.†

עֲזַרְיָה: n. m., Da 2, 17, = עֲבֵד נְגוֹ 1, 7, *F* he. Lex.†

עֵטָה: יעט; he. עצה; äga., ja. עֵיטְתָא u. (< he.) עֵיצְתָא, cp. ܥܝܛܐ; BL 179 g: Rat *counsel*, הֲתִיב (*F*) עֵטָה וּטְעֵם Da 2, 14.†

*עַיִן: he. =; Suğ. Aa 13, Znğ. pehl. (Frah. 10, 3) äga. palm. cp. ja. sam. sy. md. (MG 157) nsy. nar.; BL 182 z, 203 d. e: cs. עֵין, pl. (pro du., BL 203 d. e, 306 l. m) עַיְנִין, cs. עַיְנֵי, sf. עַיְנֵי, f.: Auge *eye* Da 4, 31 7, 8. 20, Gottes *of God* Esr 5, 5.†

*עיר: he. III עור; cp. sy. nsy. u. md. MG 250 erwachen *wake up*, ja. caus., sekundär *secondary form* < ettaf. md. עתאר MG 84 u. nsy. tāʿir Macl. Dict. 324 b; Der. עִיר.

עִיר: עיר; he. עֵר n. m.; mhe. עֵיר, ja. cp. sy. u. md. (Or. 15, 331, 6) עיר wach, wachsam, *awake*, *wakeful*, nsy. ʿejār klug *intelligent* (cp.), sy. Engel *angel*; BL 180 j l: pl. עִירִין: wach > Wächter = **Engel** *awake* > *watcher* = *angel* Da 4, 10. 14. 20, G ἄγγελος, Th. εἶρ, Aqu. Symm. ἐγρήγορος, in titulo Cod. Chisiani = ἄγρυπνος, V *vigil*; Montg. 231 ff. Bentz. 43.

עַל: he. =; Aram., pehl. Paik. 761—766, Nyb. MO 17, 214 f., Dura Alth. 17, 1 66, 3, sogd. Gauth.-B. I 12, II 236 a, עאל Demot. 225, nsy. ʿal, ʿul, nar. ʿa(l) Spit. 125 a; deckt auch he. אֶל, das nur vereinzelt vorkommt *covers also* he. אֶל *occurring only sporadically*: Zkr a 11 f., T. Halaf 4, 2, äga., Hermop. u. md. MG 193, cf. Nyb. 215; BL 260 a-c: sf. עֲלַי, עֲלָיךְ K (äga.), עֲלָךְ Q or. (tg. Dalm. Gr. 229), עֲלוֹהִי, עֲלַיהּ K (äga.), עֲלַהּ Q or. (tg.), עֲלֶינָא (BL 260 c, sec. he.), Var. עֲלַיְנָא, עֲלֵיהֹם (äga. etiam הום-, nab.), עֲלֵיהוֹן: praep. 1. auf *upon*, auf d. Frage wo *answering the question where* Da 2, 10. 28 f. 4, 26 7, 6 Esr 5, 15 7, 17, um *about* Da 5, 7, c. הַשְׁכַּח an *in* 6, 5; auf d. Frage wohin *answering the question whither* Da 2, 34. 46 5, 5 6, 11 (*F* II ברך). 18 7, 4 Esr 5, 5 6, 11 7, 24. 2. über *over*, c. הֲוָה Esr 4, 20, sine vbo 5, 1 b, c. מַנִּי Da 2, 49 3, 12, הִתְקְנַת 4, 33, הַשְׁלֵט 2, 48, הֲקִים 4, 14 6, 2, מְטָא jmd widerfahren *happen to* 4, 21. 25, c. חֲלַף 4, 13 (עִדָּן), c. נדד 6, 19 (שְׁנָה) u. שׁנה itpa. 7, 28 (= dat. incommodi, sy.), c. הִתְנַבִּי pa. Esr 5, 1. 3. gegen *against* Da 3, 19. 29 5, 23 Esr 4, 19 7, 23. 4. hin ... zu *towards* c. vbis eundi (*F* נְגַד, he. אֶל) Da 2, 24 4, 31 6, 7 7, 16 Esr 4, 11 f. 18. 23, im Briefstil *in epistolary style* an *to* (äga. אל) 4, 11. 17. 5. den Sinn betreffend *relating to the mind*: c. שִׂים טְעֵם Da 3, 12 6, 14 u. שִׂים בָּל 6, 15, c. רְחַץ hitpe. 3, 28; jmd. gefallen *please to* 4, 24 6, 24 Esr 5, 17 7, 18, missfallen *displease* 6, 15. 6. **betreffend** *concerning* Da 2, 18 5, 14. 29 6, 13 7, 16. 20 Esr 4, 8. 14, für *on behalf of* 6, 17; עַל־מָה warum? *why?* Da 2, 15, עַל־דְּנָה deshalb *therefore* Esr 4, 15 6, 11, in Bezug darauf *in this matter* 4, 22 5, 17 Da 3, 16, F דְּבָרָה. 7. komparativisch *comparatively*: vor *above* Da 6, 4, עַל דִּי mehr als *more than* 3, 19.

עֵלָּא: עלה; pehl. לאלא Frah. 25, 1, äga. c. עד/מן/ל, nab. u. palm. Syr. 17, 271, 3 עלא, palm. לעל, ja. עֵיל u. לְעֵילָא, cp. u. sy. ܠܥܠ, md. לע(י)ל MG 203, nar. *elᶜel* Spit. 118 d u. nsy. *lilal, lilil*; asa. לעל, äth. ላዕለ; BL 254o: **oben** *above*, עֵלָּא מִן über *over* Da 6, 3. †

עלה: he. =; aram. in d. ursprüngl. Bedeutung nur *in the original meaning only* Suğ. Ab 9. 11. 13, Bb 14 u. äga. Ai.-Gi. 14 Rs. 2 (AJSL 58, 306); ja. itpa. u. pa. pt. pass. erhaben sein *be exalted* u. af. abschätzen *estimate*, sy. u. nsy. pa. erhöhen *elevate, heighten*; F עַל, עֵלָּא, עֲלוֹה*, עִלִּי*, עִלִּי, עֶלְיוֹן.

עִלָּה: Da 6, 5, עִלָּא 6, 6: (II) עלל; ja., cp. ܥܠܬܐ, sy. ܥܠܠ u. nsy. *ᶜiltā* Ursache, Vorwand *cause, pretext*, nar. *ᶜellṯha* Fehler *fault* Gl. 3, ar. عِلَّة; etym. inc.: ar. عَلَّ, he. I עלל, sich beschäftigen mit *be occupied with*, BL 181u :: ar. غَلَّ, aram. F עלל hineingehen *enter*, عِلَّة < aram., Schulth. HW 44 :: Körber, Or. 14, 280: Ursache *cause*, ut αἰτία Mt 27, 37 Grund zu e. Anklage, **Vorwand** *motive of accusation, pretext* Da 6, 5 f. †

עלוה*: (*עֲלָת, *עֲלָוָה, *עֲלָוָה vel potius *עֲלָה?), or. *ᶜalātā* MdO 19, 23: עלה; he. עֹלָה; äga. עלוה Opfer *sacrifice*, palm. עלתא Altar *altar*, sam. עלה, ja. cp. u. sy. עֲלָתָא Opfer, sy. etiam Altar, BL 187 f.: pl. (ut palm. ja. cp. sy.) עֲלָוָן: **Brandopfer** *burnt-offering* Esr 6, 9. †

עִלִּי*: עלה; he. u. ba. עִלִּי; Suğ. Aa 6 עלי (?), Cb 10 f. u. AD 5, 6 f. עליתא :: תחתיתא, etiam BMAP, f. sbst. äga. עלית, det. nab. עליתא, ja. עִלִּי, det. עִלָּאה, sy. ܥܠܝܐ, sam. u. md. MG 141 עלאי, nsy. *ᶜilāja*, nar. *ᶜillō* < *ᶜellāja* Spit. 91 b; BL 196 d: det. Q עִלָּאָה, K עִלָּיָא, BL 51 k: oberer, **höchster** *superior, highest*, אֱלָהָא עִ׳ Da 3, 26. 32 5, 18. 21 d. hochste Gott *the most high God*, עִ׳ allein in diesem Sinn *alone in this meaning* 4, 14. 21 f. 29. 31 7, 25, cf. n. m. nab. עליאל, palm. עליבעל Inv. Palm. VIII 5 u. Baud. Kyr. III 82[1]; F עֶלְיוֹן.

עִלִּי*: עלה; he. =; kan. LW = aram. F עִלִּי, BL 197 f; f. sbst. = he. עֲלִיָּה; palm. Rosenth. Spr. 74 עליתא, ja. עִלִּיתָא, cp. u. sy. ܥܠܝܬܐ, > ar. عِلِّيَّة (Frae. 20 f.) > nar. *ᶜulliṯha* Gl. 3: sf. עִלִּיתֵהּ: **Obergemach** *roof-chamber* Da 6, 11. †

עֶלְיוֹן*: עלה; LW < he. עֶלְיוֹן, F עִלִּי, ja., BL 196 c; pl. עֶלְיוֹנִין: **Höchster** *the Most High*, קַדִּישֵׁי עֶלְיוֹנִין Da 7, 18. 22. 25. 27 (Doppelpl. od. Nachahmung d. *double plural or imitating* he. אֱלֹהִים, BL 305 g, Montg. 307 f.) d. Heiligen des Höchsten *the Saints of the Most High*. †

I עלל: he. II עלל, < aram.; Suğ. pt. עלל Aa 6, mspt. יעל (?), pehl. Ps. 144 a, äga. AD (inf. מנעל), Uruk 4 *ḫa-al-li-tu* 1. sg. pf., עאל Demot. 225, ja. cp. sam. sy. md. MG 253 f., nar. Gl. 3:

pe: pf. עַל, or. *ᶜal* (ja., Dalm. Gr. 328, sec. עַ׳), f. עַלַּת Q, K עַלֲלַת vel עַלֲלַת (BL 166 d. e), pt. pl. עָלִּין Q, K עָלְלִין (BL 17 e, 54 x): **hineingehen** *go in*, v. d. Audienz beim König *of reception in audience by the king* (he. בּוֹא) Da 2, 16 4, 4 5, 8, c. קֳדָם 4, 5, c. עַל (VG II 391) 2, 24 (dl?

cf. Komm.), c. לְ loci (äga.) 5, 10 6, 11.† haf: pf. הַנְעֵל Da 2, 25 6, 19 (äga. AD, < *haʿʿel, ja. meist *mostly*, cp. u. sy. BL 166i), sf. הַעֲלֵנִי 2, 24, inf. הֶעָלָה 5, 7 u. הנעלה 4, 3: **hereinbringen**, vorführen *bring in, introduce* 5, 7, c. קֳדָם 2, 24 f. 4, 3 6, 19.† hof: pf. הֻעַל, pl. הֻעַלוּ, BL 57 h, 167 k: **vorgeführt werden** *be brought in* Da 5, 13. 15.†

Der. עִלָּה, מֶעָל.

II עלל: F עִלָּה.

עָלַם: he. עוֹלָם; pehl. Frah. 27, 4 לעלמן, äga. nab. palm. ja. sam. cp. sy. md. (MG 112. 479) nar. u. nsy.; als 2. Bedeutung: Welt *as second meaning: world* palm. ja. sam. cp. sy. md. u. nsy., asa. ar. äth.; als 3. Bedeutung: Leute *as third meaning: people* sy. md. u. nsy., asa. ar.; BL 190 x: cs. =, det. עָלְמָא, pl. עָלְמִין, עָלְמַיָּא: **ferne Zeit, „Ewigkeit"** *remote time, eternity* (F he.); v. d. Vergangenheit *of the past*: מִן־יוֹמָת עָלְמָא Esr 4, 15. 19; v. d. Zukunft *of the future*, oft *often* pl. (BL 306 j, etiam pehl. äga. nab. ja. cp.); im Gruss an den König *when greeting the king* לְעָלְמִין חֱיִי Da 2, 4 3, 9 5, 10 6, 7. 22; v. Gott *of God*: חַי עָלְמָא d. Ewige *the Eternal* 4, 31, מלכות עלם 3, 33 7, 27, שָׁלְטָן עָלַם 4, 31 7, 14, מִן עָלְמָא וְעַד עָלְמָא 2, 20, לְעָלְמִין 6, 27 u. לְעָלְמַיָּא 244 b (z. Gebrauch d. Artikels *for use of the article* BL 308 j) auf ewig *for ever*, לָא לְעָלְמִין 2, 44 a niemals *never*, עַד־עָלְמָא וְעַד עָלַם עָלְמַיָּא 7, 18 (BL 312 i, ähnlich *similarly* nab. ja. cp.) bis in alle Ewigkeit *to all eternity*. Lit.: E. Jenni, Das Wort ʿōlām im AT, 1953.†

עֵלְמָי*: n. gnt. z. *עֵלָם, he. עֵילָם, F he. Lex.; ak. *Elamū* VAB VII 782; BL 196 d: pl. עֵלְמָיֵא, BL 204 l: Ἠλαμαῖος, **Elamiter** *Elamite* Esr 4, 9.†

עֲלַע*: he. צֵלָע; äga., ja. עִלְעָא m., sam. עלע u. f. עלעה, cp. ܐܠܥܐ fem. (Schulth. Gr. § 49, 2 a), sy. dissim. ܐܠܥܐ f., nar. ʿalʿa Gl. 3; BL 26 c, 186 z: pl. עִלְעִין, f. (VG I 422 b): **Rippe** *rib* Da 7, 5.†

עַם: he. III עַם; Suğ. Bb 10, äga. nab. ja. cp. sam. sy. md. (Drow. MJJ 173), nsy.; BL 180 n: cs. =, det. עַמָּא Esr 7, 16, עַמָּה 5, 12 (Var. עַמֵּה) 7, 13. 25, pl. det עַמְמַיָּא (äga. Leand. 102 d, sy. K, Nöld. Sy. Gr. § 93, ja. cp), BL 221 h: **Volk** *nation*, Israel Dn 7, 27 Esr 5, 12 7, 13. 16. 25, Heiden *heathen* Da 2, 44 Esr 6, 12, zus. mit *along with* אֻמָּה u. F לִשָּׁן sg. Da 3, 29, pl. 3, 4. 7. 31 5, 19 6, 26 7, 14.†

עִם: he. =; Zkr. 14, Suğ. Aa 1, Assbr. 2 f. 7, Znğ. Pachtv. 4, äga. AD Ai.-Gi., nab. u. palm., ja. sam. nar. (Gl. 3) u. nsy. (etiam ʿum) עִם, sy. ܥܡ; BL 260 d: sf. עִמִּי, עִמָּךְ, עִמֵּהּ, עִמְּהוֹן: **zusammen mit** *along with*: 1. räumlich *of space*, mit *with* Da 2, 18 7, 13 Esr 5, 2 7, 13. 16, bei *near* Da 2, 11. 22 4, 12. 20. 22. 29 5, 21; spec. c. מַלִּל Da 6, 22, מְעָרַב 2, 43, שְׁוִי 5, 21, עֲבַד קְרָב 7, 21, tun an jmd *work toward* (sy. etc. Montg. 234) 3, 32, verfahren mit *treat* Esr 6, 8; 2. zeitlich *of time* (he. עִם־שֶׁמֶשׁ Ps 72, 5, sy.), עִם־לֵילְיָא bei Nacht *by night* Da 7, 2 (:: Cha.), F עִם־דָּר וְדָר 3, 33 4, 31.†

עַמִּיק*, Var. *עֲמִיק: עמק; he. עָמֹק; ja. etiam עֲמִיק, cp. u. sy. עַמִּיק, md. אמוק u. nsy. ʿumūq; VG I 362, BL 192 e (!), 188 h (!): pl. f. עַמִּיקָתָא: **tief** *deep*, pl. f. tiefe, unerforschliche Dinge *deep, inscrutable things* (BL 319 c. d; cf. he. עָמֹק; ak. *emqu* u. EA *imku* weise *wise*) Da 2, 22 // מְסַתְּרָתָא.

עמק: he. =, tief sein *be deep*; sy. u. nsy., caus. Zkr 10 haf., ja. af.; Der. *עֲמִיק.

עֲמַר: he. צֶמֶר; äga. (AP, BMAP u. Hermop. iuxta קמר) u. palm. עמר, ja. u. sy. עַמְרָא, md. אקאמרא MG 72, nsy. ʿ*umrā*; BL 26c, 182x: Wolle *wool*, כַּעֲמַר נְקֵא Da 7, 9. †

***עֵן**: F כְּעַן.

I ענה: he. I ענה; Zkr a 11, äga. palm. ja. sam. cp. sy. nsy. u. md. MG 284:

pe: pf. 3. f. עֲנָת Da 5, 10, Var. עֲנַת (F הוה), pl. עֲנוֹ, or. ʿ*anō*, pt. עָנֵה, pl. עָנַיִן BL 233g; immer zus. m. *always along with* אמר: עָנֵה וְאָמַר Da 2, 5—7, 2 (23×), עָנַיִן וְאָמְרִין 3, 24, עָנַת וַאֲמֶרֶת 2, 7. 10 3, 9. 16 6, 14, עֲנוֹ וְאָמְרִין 5, 10; äga. 1. sg. ענית ואמרת, ענו ואמרין :: sy. ... Nöld. Sy. Gr. § 274, cp. Schulth. Gr. § 173, 4, cf. Torr. N. 264f., BL 295 u. v, Montg. 147: 1. **antworten** *answer* 2, 5. 7f. 10. 27 3, 16. 24f. 4, 16 5, 17 6, 13f.; 2. anheben, zu reden anfangen *begin to speak* (äga. sy.) 2, 15. 20. 26. 47 3, 9. 14. 19. 24. 26. 28 4, 16. 27 5, 7. 10. 13 6, 17. 21 7, 2. †

II ענה: he. II ענה; ja. itpe. verarmen *become poor*, pa. quälen *afflict*, itpa. (sy., < he.) sich kasteien *humble oneself*; Der. *עֲנֵה.

***עֲנֵה**: II ענה; he. עָנִי, עָנָו; arm *poor* ja. עַנְיָא, md. אניא MG 124, Armut *poverty* äga. ענוה f., ja. עַנְיָא u. עַנְוְתָא, md. אניותא MG 146, demütig *humble* Zkr a 11 ענה (vel n. l.?), ja. u. cp. עַנְוְתָא, sy. ..., Demut *humility* cp. ענוותא, sy. ...; BL 186x: pl. עֲנָיִן, (schlechte *bad Var.* עֲנָיִן velut v. *עָנִי, BL 233h): **elend** *miserable* Da 4, 24. †

עֲנִין: F ענה.

***עֲנָן**: he. עָנָן; ja., sy. ..., md. אנאנא MG 115. 159; BL 187c :: Sarauw 117f.: pl. cs. עֲנָנֵי: Wolke *cloud* Da 7, 13. †

***עֲנַף**: he. עָנָף; ja. u. cp. ענפא, sy. ... (Sarauw 117); BL 185p: pl. sf. עַנְפוֹהִי: **Zweig** *bough* Da 4, 9. 11. 18. †

ענש: he. =; denom. v. F עֲנָשׁ; ja. pe., palm. af. mit Busse belegen *fine*, palm. ענושתא Schatzmeisteramt *treasureship*.

***עֲנָשׁ**: denom. ענש; he. עֹנֶשׁ; ja.; BL 187d: cs. =: **Busse** *fine*, עֲנָשׁ נִכְסִין Esr 7, 26. †

***עֲנַת**: F כְּעֶנֶת.

עפה: pe. sy. u. md. (MG 399), ja. u. sy. pa. einwickeln *wrap up*; ar. عفا (d. Haar) wachsen lassen *let (the hair) grow*; Der. *עֳפִי.

***עֳפִי**: עפה; he. =, < aram.; ja. עִפְיָא u. md. *אופא (MG 450) Laub *foliage*, sy. ... Blumen, Gras *flower*, *grass*; BL 184o: sf. עָפְיֵהּ: **Laub** *foliage* Da 4, 9. 11. 18. †

עצב: he. II עצב; ja. itpe. sich betrüben *grieve*; Der. עֲצִיב.

עֲצִיב, Var.S עַצִּיב: עצב; ja. עֲצִיב, BL 188h, 192e!: **betrübt** *sad*, (קָל) Da 6, 21. †

עקר: he. =; ja. sy. nsy. u. md. MG 275 ausreissen, ausrotten *pluck out*, *root out*:

itpe. (ja. sy. cp.; ZAW 45, 108f.): pf. pl. K אתעקרו, Q עֲקַרָה- 3. pl. pf.: (BL 134r :: Ginsb. 3 f., F נפל), Var. אֶתְעֲקַרוּ etpa. (sy.): **ausgerissen werden** *be plucked out* Da 7, 8. †

Der. עִקַּר.

***עִקַּר**: Var.BH עֲקַר: עקר; he. cj. עִקָּר (mhe.)

Hi 30, 3 u. עֲקַר; Suğ. Aa 3, Bb 6 Nachkommenschaft *offspring*, ja. עִקְּרָא, sy. ܥܶܩܳܪܳܐ u. md. עקארא MG 122, sam. *aqar* u. nsy. *ʿiqrā* Wurzel *root*; ? l. עִקַּר, BL 192 f :: Sarauw 118: cs. =: **Wurzel** *root*, עִקַּר שָׁרְשׁוֹהִי Pfahlwurzel, Wurzelstock *taproot*, *rootstock* Da 4, 12. 20. 23. †

*עָר: ערר; he. צַר; Suğ. Ab 9 צר, ja. עָרָא Feind *foe*, fem. sy. u. nsy. ܥܳܪܬܳܐ Nebenfrau *rival wife* (he. צָרָה); BL 180 n: sf. עָרָךְ Q, עָרַיִךְ K, BL 77 o: **Widersacher** *adversary* Da 4, 16//שָׂנְאָ. †

ערב: he. II ערב; äga. u. ja. pa., sy. pe. u. pa., md. (MG 242. 244) pe. u. af. mischen *mix*; pass. sy. etpe., ja. u. md. etpa.:

pa: pt. pass. מְעָרַב (äga.), BL 130 h: **mischen** *mix* Da 2, 41. 43, †

hitpa: pt. מִתְעָרַב, pl. מִתְעָרְבִין: **sich mischen** *mingle* Da 2, 43. †

*עֲרָד: he. עָרוֹד; äga. ערדה (f. ?), ja. cp. sy. md. (MG 115); BL 187 c: pl. det. עֲרָדַיָּא: **Wildesel** *wild ass* Da 5, 21. †

ערה: he. I ערה; sam. ערי nackt sein *be naked*, ja. af. ausleeren *empty*; äga. f. עריה kalt *cold*; Der. *עַרְוָה.

*עַרְוָה: ערה; he. עֶרְוָה; ja. עַרְיָתָא, sam. ערויה Blösse, Fehler *nakedness*, *defect*, sy. adv. ܥܰܪܛܳܐܝܺܬ nackt *naked*, cp. u. sy. ܥܰܪܬܳܐ Kälte *cold*; BL 183 f: cs. עַרְוַת: Blösse, **Schande** *nakedness*, *shame* Esr 4, 14. †

ערר: he. II צרר; ja. pa. widersprechen *oppose*, cp. pe. sich entrüsten *become angry*; Der. *עָר.

*עֲשַׂב: he. עֵשֶׂב; palm. עשב, ja. עִשְׂבָּא, עִסְבָּא, sam. עסב *esew*, cp. u. sy. ܥܶܣܒܳܐ; BL 40 n, 202 m, 225 p: cs. =, det. עִשְׂבָּא: coll. **Kräuter Gras** *herbs*, *grass* Da 4, 22. 29 f. 5, 21, 4, 12. † עֲשַׂב אַרְעָא

עֲשַׂר, or. *ʿasar*, u. עַשְׂרָה: he. עֶשֶׂר, עֲשָׂרָה; pehl. אסריא Frah. 29, 2, äga. AD עשרה, nab. u. palm. עשר, ja. u. sam. עֲשַׂר u. עֲסַר, cp. u. sy. ܥܣܰܪ, ܥܶܣܪܳܐ, sy. raro *ܥܣܰܪ (cf. ܥܶܣܪܳܝܳܐ Zehntel *a tenth*, Rosenth. AF 177), md. אסאר MG 188, nsy. u. nar. *ʿesar*; BL 250 l: **zehn** *ten*, עֲשַׂר c. fem. Da 7, 7. 20. 24, עַשְׂרָה c. masc. 7, 24; תְּרֵי־עֲשַׂר (BL 250 n) **zwölf** *twelve* 4, 26 Esr 6, 17; F עֶשְׂרִין. †

עֶשְׂרִין: עֲשַׂר; he. עֶשְׂרִים; äga. עשרן, nab. עשרין, ja. cp. u. sy. עֶסְרִין, sam. *esren*, md. (ע)סרין MG 189, nar. u. nsy. *ʿisr(i)*; BL 250 o: **zwanzig** *twenty* Da 6, 2. †

עשת: he. II עשת, < aram.; äga. AD BMAP pe. planen *plan*, itp. u. ja. itpa. denken an *think of*:

pe: עֲשִׁית, or. *ʿašīt*, nicht *not* intr. pf. (Kau. 37[1]), sondern *but* pt. pass. m. aktivem Sinn *with active meaning* (sy., BL 90 k) vel adj. (BL 297 e); Var.S עָשִׁת = עֲשִׁית pt. (BL 215 g): **beabsichtigen** *intend* c. inf. Da 6, 4. †

עתד: he. I עתד; pe. sy. bereit sein *be ready*, pa. ja. cp. u. sy. caus., äga. (Vieh) aufziehen *breed (cattle)*; Der. *עֲתִיד.

*עֲתִיד: or. *ʿatīd*; he. עָתִיד; ja. cp. sy. md. (MG 117, ML 251[1]) u. nsy. bereit, zukünftig *ready*, *future*; BL 188 h, 192 e: pl. עֲתִידִין: **bereit zu** *ready to* c. F דִּי (3 c) u. impf. Da 3, 15. †

*עַתִּיק: עתק; he. =; äga. (BMAP עטיק, 1 × עתיק), palm. CIS II 3958, 3 u. Syr. 7, 129, 4, ja. cp. sy. md. (MG 71) nar. Gl. 2 u. nsy.; BL 192 e: cs. =: **alt** *old*, עַתִּיק יוֹמִין (sy. P. Sm. 3011): **hochbetagt** *aged* Da 7, 9. 13. 22. †

פ

פ: wechselt ausserba. mit *alternates outside BA with* F ב.

פום: F פֻּם.

***פֶּחָה**: he. =; ja.; Znğ. cs. pl. פחי, äga. u. Saqq. 9 פחה, פחת, פחתא; < ak. *pī/pāḫatu*, orig. *bēl pī/pāḫati*, Landsb., MSL 1, 125 ff.; BL 201 j, 237 m, 238 t: cs. פַּחַת, pl. פַּחֲוָתָא: **Statthalter** *governor* (O. Leuze, D. Satrapieneinteilung in Syrien u. im Zweistromland, 1935, 18 ff.), die des bab. u. pe. Reiches *those of the Bab. a. Persian empire* Da 3, 2 f. 27 6, 8, spec. v. עֲבַר־נַהֲרָא Esr 5, 3. 6 6, 6. 13, v. Judäa *Judaea* 5, 14 6, 7. †

פֶּחָר: Töpfer *potter* ja. cp. (?) sy. u. nsy. פַּחָרָא; Ton(-ware) *clay, pottery* ja. פַּחֲרָא, cp. ܦܚܪܐ, sy. ܦܚܪܐ, md. פהארא Eph. 1, 94 c 7 u. nsy. *piḫārā*, > فَخَّار Tonware, Töpfer (Frae. 257, Lidzb. ZDMG 72, 189 ff., A. Fischer ib. 328 ff.) > nar. *faḫḫōra* (Gl. 25, Spit. 79 d); denom. sy. itpa. geformt werden *be formed*; LW < ak. *paḫḫāru* Töpfer (Zimm. 26) < (vor-)sum. *baḫar*; BL 191 c: **Töpfer** *potter*, F חֲסַף (:: Montg. 178: Ton *clay*, = חֲסַף טִינָא דִּי־פֶ׳ 2, 41. 43) Da 2, 41. †

***פַּטִּישׁ**, pl. sf. Q פַּטְּשֵׁיהוֹן, Var.S פַּטְ׳, or. *pišṭē-* (BL 46 m, 220 x. y), K פַּטִּישֵׁיהוֹן vel פַּטִּ׳, ja. פַּטִּישָׁא Beinkleider *trousers*, sy. ܦܛܫܐ Kopfbinde *head-band*, etiam Hose *trousers* (P. Sm. 3098) u. ܦܛܫܝܐ Schuh *shoe*; etym. inc., ? LW < pe. **patyuše* Gewand *dress*, c. לְבוּשֵׁיהוֹן als Glosse *as a gloss*, Nyb. MO 25, 178 ff: e. **Kleidungsstück** *a garment*, Rock *coat* vel Beinkleider *trousers* (Montg. 212, F סַרְבָּל) Da 3, 21. †

עתק: he. =; ja. cp. sy. u. nsy. alt werden *grow old*, sy. etiam vorrücken *advance* (ak. *etēqu*); Der. *עַתִּיק.

פלג: he. =; Pachtv. 4. 6, äga. ja. cp. sam. sy. md. (MG 37) nar. nsy.: pe: pt. pass. f. פְּלִיגָה: **teilen** *divide*, pt. pass. geteilt, nicht einheitlich *divided, not of a piece* Da 2, 41 cf. v. 43. † Der. פְּלַג, פְּלֻגָּה.

פְּלַג: פלג; he. פֶּלֶג Kanal *canal*; pehl. Frah. 31, 7, Avr. 3, 2, äga. nab. palm. (RA 27, 48 f., 2 f., saepius פלגות), ja. פַּלְגָּה, cp. ܦܠܓܐ, sy. u. nsy. ܦܠܓܐ u. nar. *felka* Hälfte *half*, פלגן Teilung *division* Pachtv. 3, äga. sy.; mhe. < aram.; BL 183 e: cs. =: **Hälfte** *half* Da 7, 25. †

***פְּלֻגָּה**, Var. *פְּלֻגָּה: פלג; he. פְּלֻגָּה, ja. פַּלְגּוּתָא Ableitung *division*, md. פלוגתא Zweifel *doubt* MG 119; BL 241 p. q: pl. sf. פְּלֻגָּתְהוֹן: **Abteilung** (v. Priestern) *division (of priests)* Esr 6, 18 cf. 2 Chr 35, 5. †

פלח: he. u. ar. فلح spalten *cleave*; mhe. graben, bearbeiten, dienen *dig, cultivate, serve*; Aram. bearbeiten, dienen, verehren *cultivate, serve, venerate*, pehl. (Frah. 18, 4, Ps. 132 b) ja. cp. sy. md. (MG 64 f.) u. nsy., פלח אלא Hatra 21, 2, sam. trennen *separate*; ja. פָּלְחָא, sy. u. nsy. ܦܠܚܐ > ar. فلّاح Frae. 126, nar. *fallōḥa*, Landarbeiter *agricultural labourer*; palm. פלחא, cp. *ܦܠܚܣ u. sy. ܦܠܚܐ Soldat *soldier*; ak. *palāḫu* (sich) fürchten, verehren *fear, venerate*, aram. hoc sensu LW (Zimm. 65)?

pe: impf. pl. יִפְלְחוּן, pt. פָּלַח, pl. פָּלְחִין, פָּלְחֵי: (Gott) **dienen** *serve* (*God*) //סגד, c. acc. Da 3, 17, c. לְ 3, 12. 14. 18. 28 6, 17. 21 7, 14. 27; pt. Diener *servant*, פָּלְחֵי בֵּית אֱלָהָא Esr 7, 24. †

***פָּלְחָן**: פלח; mhe. פֻּלְחָן, ja. cp. sy. u. nsy. פֻּלְחָנָא, md. פוהלאנא MG 418 Arbeit, (Gottes-) Dienst *work*, (*divine*) *service*; BL 195 z: cs. =: **Dienst, Kult** (*divine*) *service*, פ׳ בֵּית אֱלָהָךְ Esr 7, 19. †

פֻּם, Var. פּוּם Da 4, 28, or. *pom* (BL 221 d): he. פֶּה; Suğ. Ab 9 cs. פי (kan.!), Znğ. Ner. Pachtv. 18 u. äga. פם, pehl. Frah. 10, 4 u. Nyb. 2, 298 פומה, Uruk 21 sf. 3. m. *pu-um-mi-e*, ja. פֻּמָּא u. פּוּמָא, cp. ܦܘܡ *pem* u. sam. *fem* (Kutscher, Tarbiz 22/23, 66), sy. ܦܘܡܐ *pummā*, nsy. *pūmā*, md. פום MG 97, nar. *themma* Spit. 65 m; Nöld. NB 177, BL 178 b: cs. =; sf. פֻּמַּהּ, Var. פּוּמַהּ: 1. **Mund** *mouth* Da 4, 28 6, 23 7, 5. 8. 20. 2. **Mündung** *mouth* (v. גֻּבָּא, ja. sy.) 6, 18. †

פַּס: he. =; ja. Grabscheit *spade*, ja. פִּסָּא/פַּ, פַּ/פִּסְּתָא c. seq. יְדָא vel רִגְלָא, sy. ܦܣܬܐ Hand- oder Fussballen *palm of hand a. ball of foot*, sy. u. nsy. Stück Tuch *cloth*, BL 180 n: cs. =, det. פַּסָּא Da 5, 5. 24 c. יְדָא: trad. Handfläche *palm of hand*, potius Handrücken *back of the hand* (Bentz.) vel die ganze Hand v. Gelenk an *the hand proper below the wrist* (Montg. 253. 255). †

פְּסַנְתֵּרִין Da 3, 7 u. **פְּסַנְטֵרִין** 3, 5. 10. 15: ja. פְּסַנְטְרִין, LW < ψαλτήριον > *psalterium*, Ruž. 58, Krauss I 4, II 473; > سَنْطِير, سنطور Vollers ZDMG 51, 298: dreieckiges hackbrettartiges Saiteninstrument *stringed instrument in triangular shape*, Driver, Daniel, 1900, 38 f., Kolari 78 ff. †

פַּרְזֶל: he. בַּרְזֶל; äga. AP u. BMAP פרזל, ja. sy. u. md. MG 128 פַּרְזְלָא, sam. *bersel*, cp. u. sy. ܦܪܙܠܐ, nsy. *prizlā*, > ar. فِرْزِل Frae. 153; BL 42 w: פַּרְזֶל, det. פַּרְזְלָא, m.: **Eisen** *iron* Da 2, 33—35. 40—43. 45 4, 12. 20 5, 4. 23 7, 7. 19. †

פרס: he. =; ja. sy. u. nsy. teilen *divide*; äga. פרס Anteil *share*, ja. u. sy. פְּרָסָא Ration *portion*, פַּרְסְתָא gespaltene Klaue *cloven hoof*; distinguendum ab aram. II פרס ja. u. sy., mhe., = he. פרשׂ ausbreiten *spread*:

pe: pf. pass. (BL 104 c) 3. f. פְּרִיסַת: **zerteilen** *divide*, pass. Da 5, 28. †

Der. (?) פְּרֵס.

פְּרֵס: פרס (?); Znğ. פרס Teil e. Getreidemasses *part of measure of corn*, Pachtv. 5 Teil des *part of* he. חֹמֶר, BMAP 11, 3 Teil v. *part of* pers. Artabe, CIS II 10 פרש *mišil manē* u. ja. mhe. פְּרָס e. halbe Mine *half-mina*; BL 228 c, LW < ak. *parsu* Zimm. 21: pl. פַּרְסִין Da 5, 25 (G ante 5, 1, Th. V u. Jos. Ant. X 11, 3 sg.): Mass- u. Gewichtseinheit *unit of measure a. weight*, trad. halbe Mine *half-mina*, potius **halber Schekel** *half-shekel* (Eissf. ZAW 63, 109 ff.) Da 5, 25, 28, mit verbalem Verständnis d. פְּרֵס spielend *with word play on* פ׳ *understood as a verb* v. 28, F מְנֵא u. תְּקֵל. †

פָּרַס, פָּרָס (BL 23 d): he. =; sy. ܦܳܪܣ: Persien, die Perser *Persia, the Persians* Da 5,28 6,9. 13. 16, Esr 4,24 6,14; F *פַּרְסָי.†

***פַּרְסָי**: gntl. v. פָּרַס; he. פַּרְסִי, Var. 'פָּ; sy. ܦܳܪܣܳܝܳܐ, keilschr. *Parsajja* VAB III 152, *Parsū* APN 180; BL 196 d: det. K פַּרְסָיָא, Q פַּרְסָאָה, BL 51 k: persisch, **Perser** *Persian* Da 6,29; F אִפָּרְסָיֵא.†

פרק: he. =, losreissen *tear away*; äga. AP 58,2 (?); mhe. ja. (tg. pro גאל) cp. sy. u. md. (MG 372) lösen, ablösen entfernen, auslösen, retten *loosen, commute, remove, ransom, deliver*, sam. trennen *separate*, nsy. beenden *finish*:
pe: imp. פְּרֻק, or. *pᵉroq* (BL 99 c): **ablösen,** (Sünden) **tilgen** *commute, remove (sins)* Da 4,24 (G λύτρωσαι, V *redime*:: Montg. 239 f. 242: brechen *break up*).†

פרשׁ: he. I פרשׁ; pehl. Frah. 18,6 entscheiden *decide*, äga. ja. cp. sam. md. (MG 131. 221 f.) u. nsy. trennen, unterscheiden *separate, distinguish*, ja. u. sy. pa. etiam deutlich machen, erklären *make clear, explain*, md. verstehen *understand*, af. lehren *teach*:
pa: pt. pass. מְפָרַשׁ, BL 130 h (!): trennen *separate*, pt. pass. (äga. AP 17,3) Esr 4,18 trad. getrennt d. h. deutlich (gelesen *read*) *separately i. e. distinctly*, G^L σαφῶς, V *manifeste*:: sicut he. מְפֹרָשׁ Neh 8,8 abschnittweise übersetzt *translated in sections*, = he. מְתֻרְגָּם 4,7, Schaed. Esra 6 ff., Messina 22 ff.†

***פַּרְשֶׁגֶן**: = he. פַּתְשֶׁגֶן; ja. פַּת/פַּרְשֶׁגְנָא, sy. ܦܪܫܓܢܐ, md. פארשיגנא MG 41, G ἀντίγραφον Est 4,8, S pro he. מִשְׁנֵה Dt 17,18; pe. LW sive < ape. **paticayana* Abschrift *copy*, Hübschm. 224, Telegdi 253, sive < *ape. *patičagna* Antwort *answer*, Benv. JA 225, 180 ff., 'פַּר in Nachahmung pe. Wörter beginnend mit *imitating Persian words beginning with pari-*: cs. =: **Abschrift** *copy* Esr 4,11. 23 5,6.†

פשׁר: he. פשׁר u. פתר; äga. haf. (Schuld) bezahlen *pay (debt)*, ja. u. sy. pe. u. pa., cp. pa. lösen, deuten *solve, interpret* (Eissf. ZAW 63, 106 f.) > فسر Frae. 286; in d. letzteren Bedeutung *in the latter meaning* < ak. *pašāru* (*šutta* Traum *dream*), Zimm. 68:
pe: inf. מִפְשַׁר Da 5,16, cj 5,12: **deuten** *interpret*, c. פִּשְׁרִין 5,12. 16 Deutungen geben *give interpretations* (BL 336 c).†
pa: pt. מְפַשַּׁר BL 133 g: Deuter *interpreter* (ak. *pāširu, mupaššiiru*) Da 5,12, l. c. V מְפַשַּׁר, F pe.†
Der. *פְּשַׁר.

***פְּשַׁר**: he. פֵּשֶׁר; ja. פִּשְׁרָא, cp. *ܦܫܪܐ, sy. ܦܫܳܪܳܐ, ak. *pišru, piširtu*; BL 183 j: cs. =, det. פִּשְׁרָא, Da 2,7 (Var. פִּשְׁרָה) u. 5,12 פִּשְׁרָא, sf. פִּשְׁרֵהּ, 4,15 f. u. 5,8 פִּשְׁרָה (BL 73 n, Var. Q ־רֵהּ), pl. פִּשְׁרִין: **Deutung** *interpretation* 2,4—7. 9. 16. 24—26. 30. 36. 45 4,3 f. 6. 15 f. 21 5,7 f. 12. 15—17. 26 7,16.†

פִּתְגָם, Var. פִּתְגָּם: he. =; äga. AD ja. u. nsy. פִּתְגָמָא, sy. ܦܶܬܓܳܡܳܐ, md. פוגדאמא MG XXXII; LW < ape. **patgām* > **pagdām* Botschaft *message*, Hübschm. 222, Telegdi 253: det. פִּתְגָמָא: 1. **Wort** *word*, 'הֲתִיב פִּ erwidern *answer* Da 3,16 (sy., he. c. השׁיב Si 5,11 8,9) Rechenschaft geben *give an account of* Esr 5,11 (etiam Da 3,16 Montg.), 'שְׁלַח פִּ Bericht erstatten *report* Esr 4,17 5,7; 2. **Erlass** *decree* Da 4,14 Esr 6,11.†

פתה: he. II פתה, < aram.; ja. sam. sy. u. nsy. weit sein *be wide*, cp. itpa. u. af.; Der. פְּתָי.

פתח: he. =; äga. nab. palm. ja. cp. sam. sy. md. MG 234, nar. Gl. 28 u. nsy.:
pe: pf. pass. (BL 104 c) pl. פְּתִיחוּ, pt. pass.

pl. f. פְּתִיחָן: öffnen *open*, Bücher *books* Da 7, 10, Fenster *windows* 6, 11 (:: aushauen *cut out* Montg. 274, äga. כוין פתיחן AP 25, 6 u. כונה פתיחה BMAP 12, 21, F כַּוָּה, תופרא די פתיח palm. Inv. VII 1, B 3). †

פְּתָי*: פתה; äga. פתיא, פְּתָיָא ja., פּוּתְיָא ja. cp. u. md. MG 105, ܦܘܬܝܐ sy., ܦܬܝܐ sy. u. nsy.; BL 187 d: sf. פְּתָיֵהּ: **Breite** *breadth* Da 3, 1 Esr 6, 3. †

צ: 1. = ursem. *Proto-Sem.* ṣ, ar. ص, he. צ, in צבה, צבע, צדק, צלה etc., F ט, ע u. ק; 2. wechselt ausserhalb d. BA *alternates outside* BA c. ס in חֲסַף.

צבה: he. III צבה; pehl. *צבה Frah. 18, 2, äga. צבי, nab. palm. ja. cp. צבי/א, sy. md. MG 258 u. nsy. צבא, nar. ṣjb Gl. 83 wünschen, wollen *wish, will*; ak. ṣebū, ar. صَبَا, Herzf. 222:
pe: pf. 1. sg. צְבִית (BL 155 q), impf. יִצְבֵּא, Da 5, 21 יִצְבֵּה/א, inf. sf. מִצְבְּיֵהּ BL 234 k, pt. צָבֵא: 1. **begehren** *desire* c. לְ u. inf. Da 7, 19; 2. **wollen**, belieben *wish, like* (he. חָפֵץ 3), Da 4, 14. 22. 29 5, 19. 21, כְּמִצְבְּיֵהּ nach s. Belieben *according to his will* 4, 32. †
Der. צְבוּ.

צבו: צבה; pehl. Frah. 16, 2 (?), Paik. 888, äga. (?) AD palm. ja. sy. md. (MG 146. 301) u. nsy. Wunsch, Angelegenheit *wish, matter* (cf. ak. ṣebūtu, he. חֵפֶץ, ar. شَيْءٌ); BL 197 g: Angelegenheit, **Sache** *matter, thing*, לָא ... צְבוּ nichts *nothing* (pehl., BL 349 d) Da 6, 18. †

צבע: he. I צבע; äga. צבע gefärbt *dyed*, ja. cp. u. sy. eintauchen, *dip in*, sam. waschen *wash*, ja. nar. u. nsy. färben *dye*, md. pe. af. taufen *baptize*:
pa: pt. pl. מְצַבְּעִין: **benetzen** *wet* c. מִן Da 4, 22. †
hitpa. (ja. sy.): impf. יִצְטַבַּע, Var. יִצְטְבַע hitpe., BL § 7 a, 15 a: **benetzt werden** *be wet* Da 4, 12. 20. 30 5, 21 c. מִן od. בְּ. †

צַד*: צדד; he. =; ja. צִדָּא u. md. צידא MG 157 Seite *side*, > praep. pehl. לצד u. לצת (< *לצדת) Frah. 25, 7, Paik. 596 f., ja. (לְ)צִיד u. לְצֵית (Da. Gr. 232), sy. ܠܘܬ u. ܨܶܝܕ zur Seite v., bei *at the side of, near*; BL 180 n, 262 p: cs. =: **Seite** *side*, praep. (BL 262 p) לְצַד gegen *against* Da 7, 25 (he. לְנֶגֶד Da 10, 13, עַל 11, 36, Montg. 315 f.); מִצַּד von seiten, betreffend *from the side of, concerning* 6, 5. †

צְדָא, c. F הֲ interrog. (BL 237 n): הצדא Assbr. 12, ZAW 45, 89, Rowl. Aram. 132; ar. وَصَدَ fest sein *be firm* (Montg. 207, BL 371): **ist es wahr dass?** *is it true?* Da 3, 14. †

צדד: he. =; denom. v. F צַד; ja. u. sy. d. Blick (nach d. Seite) richten *turn one's eyes (aside)*.

צדק: he. =; Znğ. Ner. äga. Tema nab. ja. sam. cp. u. ja. צְדַק, pehl. Frah. 10, 6, palm. sy. u. nsy. זדק, VG I 166: gerecht, recht sein *be just, right*; Der. צדא (?), צִדְקָה.

צִדְקָה: צדק; he. צְדָקָה; Tema Ner. äga. u. nab. צדקה, sam. ṣadqa, ja. צִדְקְתָא, sy. ܙܕܩܬܐ;

Znğ. צדק, ja. צִדְקָא, cp. ܙܕܩܗ, sy. ܙܕܩܬܐ, md. זידקא MG 436; Gerechtigkeit *justice*, Tema u. nab. eingeräumtes Recht, Schenkung *concession, donation*, ja. sam. u. sy. f., cp. u. md. m. Mildtätigkeit *charity*; BL 236 d: rechtes Tun, **Mildtätigkeit** *right doing, charity* // מְחַן עֲנָיִן, Da 4, 24 (Montg. 239 f. Bentz. 36). †

צַוַּאר* : צור; he. צַוָּאר; pehl. Frah. 10, 7 u. sogd. (ich *myself*) TSB 251 צורה, Nyb. 2, 298 צולה, ja. צַוְּארָא, צַוְרָא u. צַוְרָא, cp. u. sy. ܨܘܪܐ, md. צאואר MG 127 f., Lidzb. Gi. 347 [1]; Grdf. *ṣawr > ṣawwar, Montg. 256 :: BL 60 j, 193 m: sf. צַוְּארֵהּ, צַוְּארָךְ: **Hals** *neck* Da 5, 7. 16. 29. †

צור: he. IV צור; sich drehen *turn round*; ܨܪ schwindlig sein *feel giddy*, sy. ܨܘܪܚܐ u. ܨܘܪܚܬܐ Schwindel *giddiness*, ja. צירא u. צירתא Türangel *pivot*;

Der. צַוַּאר.

צלה: pe. ja. sy. u. md. MG 372 (sich) neigen *incline (oneself)*, nsy. hinabgehen *go down*, ar. صَلًا Kreuz (anatom.) *small of the back*; pa. äga. ja. cp. sam. sy. u. nar. beten *pray*, צְלוֹתָא ja. cp. sam. sy. md. (MG 111 [2]) nar. u. nsy. Gebet *prayer* > ar. صَلَّى, صَلاة, äth. ጸለየ, ጸሎት, asa. צלות; hoc sensu LW < ak. *ṣullū*, Zimm. 65:

pa. pt. מְצַלֵּא, Var. מְצַלֵּא, pl. מְצַלַּיִן BL 233 g (!): **beten** *pray*, Da 6, 11 c. קֳדָם, Esr 6, 10 c. לְ. †

צלח: he. =; sy. gedeihen *prosper*, af. ja. cp. sam. u. sy. gelingen lassen, Erfolg haben *cause to prosper, have success*:

haf: pf. הַצְלַח, pt. מְהַצְלַח, מצלחין: 1. es jmd **gut gehen lassen** *cause to prosper* Da 3, 30; 2. **vorankommen** (m. e. Arbeit) *make progress (with a work)* Esr 6, 14, vonstatten gehen *proceed* 5, 8 (BL 330 o); es geht jmd gut *fare well* Da 6, 29, cf. 6, 4 G εὐοδούμενος (Cha. 150 f.)

צלם: he. I צלם; denom. pa. ja. sy. mit Bildwerk versehen *provide with sculpture*; Der. צְלֵם.

צְלֵם: צלם; he. צֶלֶם; Ner. u. cp. צלמא; nab. palm. u. Hatra 5, 1 etiam צלמתא, ja. צַלְמָא, cs. צְלֵם, צְלֵים, sy. nsy. u. nar. ܨܠܡܐ, cs. ܨܠܡ, ܨܠܡܬܐ, md. צאלמא u. צילמא MG 100, palm. σαλμα ZDMG 81, 298 = Inv. DE. 51; BL 228 c-g: cs. =, Da 3, 19, צְלֵם 3, 5—18 (künstl. unterschieden *artificially differentiated* Stra. § 8 c :: BL 228 f: sec. he.), or. ṣ[e]lem, det. צַלְמָא, or. ṣilmā, m.: **Standbild** *statue* Da 2, 31 f. 34 f. 3, 1—3. 5. 7. 10. 12. 14 f. 18, צְלֵם אַנְפּוֹהִי Da 3, 19 s. Gesichtsausdruck *his features*. †

צְפִיר*: he. צָפִיר; ja. u. sam. צְפִירָא, sy. ܨܦܝܪܐ, nsy. ṣupurtā Ziege *she-goat*; BL 188 h: pl. cs. צְפִירֵי: **Bock** *he-goat*, צְפִירֵי עִזִּין (BL 305 g!) Ziegenböcke *he-goats* Esr 6, 17. †

צפר: he. =; ja. pfeifen *whistle*; Der. *צְפַר.

צְפַר*: he. צִפּוֹר; pehl. *זפר (?) Frah. 8, 1, äga. צנפר, palm. PN צפרי u. צפרא Eph. 1, 199 D, 347 C, ja. צִפַּר u. צִפּוֹר, sy. u. *cp. ܨܦܪܐ, md. ציפאר MG 119. 157, nsy. ṣipra; meist *mostly* fem. :: md.; aram. Grdf. *ṣippar Schulth. Gr. § 99 :: BL 191 b :: VG I 360 :: Montg. 231: pl. צִפְּרַיָּא, צִפְּרִי, צִפְּרִין; f. Da 4, 9 Q. 18, m. 4, 9 K, BL 200 j: **Vogel** *bird* Da 4, 9. 11. 18. 30. †

ק

ק: 1. In *ארק umgelautet < ursem. *modified* < *Proto-Sem.* ḍ = ar. ض, he. צ; später *later on* > F ע (אֲרַע); 2. wechselt ausserhalb des *alternates outside* BA c. F כ assim. u. dissim. in קֹשֶׁט, קָרַץ*, קצה, קַיִט, קטר, קטל; md. gelegentlich *sometimes* > ג u. im Anlaut *when initial* > כ, MG 38 f.

קבל: he. =; kan. ti-ka-bi-lu EA 252, 18 (Albr. BASOR 89, 31 [16]); pe. ja. besuchen *visit*, sy. entgegengehen *go to meet*, (Gott oder Richter) anrufen *appeal to* (*God or judge*), äga. AD Klage führen *bring an action*; pa. empfangen, annehmen *receive*, *accept* pehl. Frah. 21, 9, äga. ja. cp. sam. sy. md. (MG 221) nar. nsy.; af., gegenüber sein *be opposite*, *facing* palm. (pt.) sy.:

pa: pf. קַבֵּל, Var. קַבִּל (BL 111 l), impf. pl. תְּקַבְּלוּן: empfangen *receive* Da 2, 6, וִיקַבְּלוּן מַלְכוּתָא d. Regierung übernehmen *come to the throne* (G Th V, sy. ܩܒܠ u. ܩܒܠ, Montg. 266 f., Rowl. DM 51 f.) 6, 1 7, 18. †

Der. קֳבֵל.

קֳבֵל, Var. u. or. *qᵉbēl*: קבל; orig. sbst. Vorderseite *front*, sy. ܩܘܒܠܐ Gesicht *face*, > praep. gegenüber, entsprechend *opposite*, *corresponding*; äga. AD Pachtv. 5. 9, klas. (CIS II 108), nab. palm. u. Sard. 5 (ל)קבל, ja. קְבֵל, (ל)קְבֵיל, sf. לְקוּבְלִי u. לְקֻבְלִי, sam. (*al*)*qawal*, cp. Schulth. Gr. § 38, 1a *lᵉqubal* > *luqᵘbal* > -*bel*, sy. ܠܘܩܒܠ (sbst. ܩܘܒܠܐ, ܡܩܒܠ, Gesicht *face*), md. (מן) ק(א)באל MG 196, nsy. sf. *lqū(b)leh*, nar. *luqbel* Spit. 128 m. n, asa. (ל)קבל; Grdf. **qubl*, VG I 353 A 3, BL 48 a, 260 f: c. לְ, לָקֳבֵל, sf. לָקֳבְלָךְ, or. *lᵉqublāk*: praep. 1. vor *before* Da 2, 31 3, 3 5, 1, gegenüber *over against* 5, 5; wegen *because of* 5, 10, לָקֳבֵל דְּנָה ... הֵן wenn ..., dann *if* ... *then* Esr 4, 16, לָקֳבֵל דִּי (nab. u. sam., c. זי äga.) so wie *just as* 6, 13; 2. c. כָּל־ (ja.), non < כָּל, sed כְּ + לְ, BL 262 q (cf. he. כָּל־עֻמַּת Ko 5, 15), כָּל־קֳבֵל דְּנָה (äga. לקבל זי) dementsprechend *accordingly* Esr 7, 17, daraufhin *thereupon* Da 2, 12. 24 3, 7 (.8 dl.) 6, 10, כָּל־קֳבֵל דִּי (s. o. 1) dementsprechend wie, deshalb weil *forasmuch as*, *because* Da 2, 8. 10. 40 f. 45 3, 29 4, 15 5, 12 6, 4 f. 11. 23 Esr 4, 14 7, 14, obgleich *although* Da 5, 22, כָּל־קֳבֵל דְּנָה מִן־דִּי eben deshalb weil *just because* 3, 22. †

קַדִּישׁ: קדשׁ; he. קָדוֹשׁ; äga. *קדש (?), ja. cp. sy. nsy. u. md. Gi. 80 [4] קַדִּישׁ, sam. *qadeš*, nar. *qattēš* Spit. 83 d; BL 192 e: pl. קַדִּישִׁין, קַדִּישֵׁי: heilig *holy*, Götter *gods* Da 4, 5 f. 15 5, 11; sbst. = Engel *angels* // עִיר 4, 14, עִירִין (וְ F a) 4, 10. 20; קַדִּישִׁין = Israel 7, 21, וְקַדִּישׁ F קַדִּישֵׁי עֶלְיוֹנִין 7, 18. 22. 25 u. עַם קַ׳ עֶ׳ 7, 27. †

קדם: he. =; pe. pa. af. vorangehen, vorher od. früh tun, zuvorkommen, entgegengehen *go before*, *do in advance or early*, *anticipate*, *go to meet* äga. Ai.-Gi. ja. sam. cp. sy. nsy. u. md. MG 444; Der. קֳדָם, קַדְמָה, קַדְמָי.

קֳדָם, קֳדָם־ Da 2, 10. 36, or. *qᵉdām*: orig. sbst.

Vorderseite *front* > praep. vor *before*; Suğ. Aa 8 ff. Znğ. Ner. pehl. (Frah. 25, 1, Dura) äga. Ai.-Gi. AD nab. u. palm. קדם, Uruk 11 *qu-da-am*, Assur etiam קודם u. קדום SPAW 1919, 1045, ja. קֳדָם, לְקֳדָם, sam. ק(ו)דם, cp. ܩܘܕܡ, ܩܘܕܡܝ, sy. ܩܕܳܡ, ܠܩܕܳܡ, md. קודאם MG 194, nar. *iqdum* Spit. 120 f; Grdf. *qudām, BL 261 g. h; formae contractae mspt. קם (Delap. 105, Messina 29 f.), ja. קַמֵּי, קֳמֵי, cp. ܠܩܘܕܡܐ, md. (א)קאם, nsy. *qām*, nar. *qomm*, < **qadm* (ja. sy. md. u. nsy. קַדְמָא, he. קֶדֶם, *F* קַדְמָה) u. **qudm*; sf. קֳדָמַי, Var. קֳ' u. קְ', קֳדָמַי (BL 23 d), קֳדָמָךְ Q, קֳדָמַיִךְ K (BL 77 o), וּקְדָמוֹהִי 7, 13, קֳדָמוֹהִי, f. Q קֳדָמַהּ, K קדמיה, or. *qᵉdāmajāh* BL 79 s, מִן־קֳדָמַי/מוֹהִי/מיה, קֳדָמֵיהוֹן: praep. **vor** *before* 1. zeitlich *of time* Da 7, 7. 2. räumlich *of space*: vor d. König *before the king* Da 2, 9—11. 24 f. 27. 36 3, 13 4, 3. 5 5, 13. 15. 17. 23 6, 13. 19 Esr 4, 18, d. König vor d. Anwesenden *the king before his audience* Da 4, 4 Esr 4, 23, vor Gott *before God* Da 6, 11 f. 7, 10. 13 Esr 7, 19; in d. Augen v. *in the eyes of* Da 6, 23, שְׁפַר קֳ' Da 3, 32 6, 2. 3. מִן־קֳדָם vor *before*: c. אֶתְעֲקַרוּ (scil. um ihm Platz zu machen *to make way for him*, Montg. 295) Da 7, 8. 20; sich fürchten vor *be afraid of* (he. מִלִּפְנֵי) 5, 19 6, 27 b; **von seiten** *from the part of* (he. מִפְּנֵי) Da 2, 6. 15 6, 27 a u. Esr 7, 14 (König *king*), Da 2, 18 5, 24 7, 10 (Gott *God*).†

*קַדְמָה: קדם; he. *קַדְמָה*, קִדְמָה*; orig. sbst. (Znğ. ?) > praep. קדמת pehl. Avr. 3, 4 (Messina 31), äga.; BL 243 b, 256 v; cs. קַדְמַת, or. *qi-*: **frühere Zeit** *former time*, c. מִן > praep., מִן־קַדְמַת־דְּנָה (ja., קדמת זנה äga.) Da 6, 11 u. מִקַּדְמַת דְּנָה Esr 5, 11 adv. **vordem** *formerly*.†

*קַדְמָי: קדם; AD Ai.-Gi. nab. u. palm. קדמי, ja. קַדְמָ(א)י, קַדְמָאָה u. קַמָּי (cp.), sy. ܩܕܡܝܐ, md. MG 191, nsy. *qāmāyā*; BL 196 d: pl. det. קַדְמָיֵא BL 204 l, f. קַדְמָיְתָא, pl. קַדְמָיָתָא: **erster** *first* Da 7, 4, **früherer** *former* 7, 8. 24.†

קדשׁ: he. =; pe. sam. u. nsy., pa. weihen *consecrate* ja. cp. sy. u. nsy., af. palm.; nar. *qtš* itpa. Spit. 161; Der. קַדִּישׁ.

קום: he. =; Aram., Suğ. Bb 21. 24, Assbr. 9. Pachtv. 10 f., pehl. Frah. 20, 2 f., äga. BMAP, Uruk 18 imp. *qu-um*, 17 pl. f. *qu-u-mi-ni*, md. MG 248 ff., nar., nsy. af.:

pe: pf. קָם, pl. קָמוּ, impf. יְקוּם, pl. יְקוּמוּן, Da 7, 24 יְקֻמוּן (*F* BH), imp. f. קוּמִי, pt. קָאֵם, pl. K קָאמִין, Q קָיְמִין (BL 51 h-j), det. קָאֲמַיָּא: 1. **aufstehen** *rise* Da 3, 24 6, 20 7, 5, erstehen *arise* (מַלְכוּ, מֶלֶךְ) 2, 39 7, 17. 24, sich an etwas machen *set about* (קָמוּ . . . וְשָׁרִיו) Esr 5, 2; 2. **dastehen** *stand* Da 2, 31 (צַלְמָא), 3, 3 (לְקֳבֵל צַלְמָא), 7, 10, 16 (Engel vor Gott *angels before God*); 3. **bestehen** *endure*, (מַלְכוּ) 2, 44. †

pa: (BL 146 r) inf. קַיָּמָה: **aufstellen** *set up*, קְיָם e. Verordnung erlassen *establish a statute* Da 6, 8 (*F* haf. 4, BL 274 n, 311 g). †

haf. (BL 147 v. x. y, 149 o-q): pf. הֲקִים, Da 6, 2 וַהֲקִים, 3. f. הֲקִמַת Var. 7, 5. *F* hof., 2. הֲקֵימְתָּ, 1. הֲקֵימֶת, or. *haqēmit* (BL 149 o. p: Birk. 3), pl. הֲקִימוּ, sf. הֲקִימֵהּ, 3, 1 אֲקִימֵהּ af. (BL 148 f, 370), impf. יְקִים, 5, 21 6, 16 תְּקִים, יְהָקִים, inf. sf. הֲקָמוּתֵהּ, pt. מְהָקִים (BL 147 a): 1. **aufstellen** *set up* (צְלֵם) Da 3, 1—3. 5. 7. 12. 14. 18; 2. **aufrichten** *found* (מַלְכוּ) 2, 44; 3. **einsetzen** *appoint* (מַלְכִין u. Beamte *officials*) Da 2, 21, c. 2 acc. 5, 11, c. acc. u. בְּ Esr 6, 18, c. acc. u. עַל Da 4, 14 5, 21 6, 2. 4; 4. **erlassen** *establish* (Gesetz *law*, *F* pa.) Da 6, 9. 16. †

hof. (BL 94 s, 147 b :: Ginsbg 2 f.): Da 7, 4 הֳ/הֳקִמַת 7, 5, הֳקְמַת, or. *hoqīmat*, Var. הֲקִימַת (BL 40 n. o): **aufgestellt werden** *be set up* Da 7, 4 f. †

קטל: he. =, < aram., VG I 154, Eissf.-Fe. 54 f.; קטל pehl. Frah. 22, 3, äga. ja. cp. sam. sy. nsy. u. nar.; Suğ. Bb 8 u. Znğ. קתל ita ut asa. ar. äth. u. Mari Syr. 19, 108, mehri *lṯġ* WZKM 24, 79; Ner. כטל, md. גטל MG 39; Grdf. *qtl:

pe: pf. *F* pa., pt. קָטֵל, pf. pass. (BL 93 o) קְטִיל, 3 f. קְטִילַת: **töten** *kill* Da 5, 19, pass. 5, 30 7, 11. †

hitpe: inf. הִתְקְטָלָה, pt. pl. מִתְקַטְלִין Da 2, 13 Var. (*F* hitpa.): **getötet werden** *be killed* Da 2, 13 a. b. †

pa: pf. קַטֵּל, or. *qeṭol* u. *qeṭel* (pe., BL 102 u. v), inf. קַטָּלָה: **töten** *kill* Da 2, 14, 3, 22. †

hitpa: pt. pl. מִתְקַטְּלִין, Var. -קַטְּלִין (BL 58, vel hitpe.): **getötet werden** *be killed*, pt. sollten getötet w. *were to be killed* (BL 293 o) Da 2, 13. †

קטר: he. I קשׁר; binden *tie*, ja. cp. sam. (ZA 16, 97 [24]) sy. nsy. u. nar. קטר, Suğ. Bb קתר (?), nsy. etiam כתר u. קתר, md. גטאר MG 225; Grdf. **qṭr*, BL 33 d, ak. *kaṣāru*, v. Soden § 51 e; Der. *קְטַר.

***קְטַר**: קטר; Uruk 1 *ki-ṭa-ri*, ja. קִטְרָא, nsy. id. u. *quṭārā*, sy. ܩܛܪܐ, md. גאטרא Drow. MJJ 31 f., Band, Knoten, Amulet *band, knot, amulet*; ak. *kiṣru*; BL 183 e: pl. קִטְרִין, קִטְרֵי, m.: **Knoten** *knot*: 1. Gelenk *joint*, Da 5, 6 קִטְרֵי חַרְצֵהּ der Hüfte *of the hip* (nsy. *qiṭrā dḥaṣā* Rücken *back*, ak. *kiṣir ammati* Ellbogen *elbow* Holma NKt 15); 2. schwierige Aufgabe *difficult task* (sy. PSm. 3591); ? orig. Zauberknoten *magic knot*, Cha. 130, Beek, Danielbuch, 1935, 11 f. :: Montg. 259. 261) Da 5, 12. 16 c. שְׁרֵה. †

קַיִט: he. קַיִץ, 1 × cj. קַיִט < aram.; Znğ. כיצא (VG I 239), ja. קַיְטָא, קִיטָא, cp. *qēṭā*, sy. ܩܝܛܐ, md. גאיטא MG 38; BL 182 z: **Sommer** *summer* Da 2, 35. †

קְיָם, or. *qijām* (BL 38 a, tg. MdO 165 u. sam.): קום pa.; äga. NE (?) Pachtv. 13, ja. cp. sam. sy.; BL 187 d: cs. =, ? Da 6, 8 (BL 311 f. g :: Mtg. 273): **Verordnung** *statute* Da 6, 8. 16. †

קַיָּם: קום pa.; ja. mhe. cp. sy. md. (MG 120) nsy. nar.: BL 191 c: f. קַיָּמָה: **dauernd** *enduring*, מַלְכוּתָךְ לָךְ קַ׳ Da 4, 23 = bleibt dir erhalten *is sure unto thee*, אֱלָהָא 6, 27 קַ׳ לְעָלְמִין (ja. sam., Montg. 279). †

קיתרס, קיתרוס Da 3, 5, Q (in Var. etiam K) קַתְרֹס, Krauss I 193, II 573, K קִיתָרֹס vel קִיתְרֹס vel קִיתָרֹס: ja. קַ/קִתְרֹס, cp. sy. u. nsy. ܩܝܬܪܐ: κίθαρις, κιθάρα, **Zither** *zither*, Kolari 76 ff. †

קָל: he. קוֹל; Barh. 4, Suğ. Bb 25, äga. ja. cp. sam. sy. md. MG 108 u. nsy., pehl. Frah. 10, 6 קאלא; BL 179 h: cs. =, m.: **Stimme** *voice* Da 4, 28 6, 21; **Klang** *sound*, קָל מִלַּיָּא 7, 11, v. Musik *of music* 3, 5. 7. 10. 15. †

קנה: he. I קנה; äga. ja. cp. sam. sy. md. MG 258 u. nsy.; sbst. pehl. Frah. 16, 1 קנין, Suğ. Bb 8 מקנא:

pe: impf. תִּקְנֵא: **kaufen** *buy* Esr 7, 17. †

קצה: he. I קצה; sam. abschneiden *cut off*, ja. cp. sy. u. nsy. (Brot) brechen *break (bread)*, Uruk 17 adj. f. det. *kaṣatā* mangelhaft *deficient* (:: sbst. קְצָת Landsb. AfO 12, 256); *F* קְצָת; Der. קְצָת.

קצף: he. I קצף; sy. u. md. JRAS 1938, 3, 525 zürnen *be angry*, ܡܩܦܐ traurig *sad*, ܡܩܦܐ Traurigkeit *sadness*:

pe: pf. קְצַף: ergrimmen *get furious* Da 2, 12. †

Der. קְצַף.

קְצַף: קצף; < he. קֶצֶף (Rowl. Aram. 130)?; BL 183e: **Grimm** (Gottes) *wrath* (*of god*) Esr 7, 23. †

קצץ: he. = ja. sam. u. sy. pe. pa. abschneiden *cut off*, cp. ja. u. sy. bestimmen *decide*:

pa: imp. pl. קַצִּצוּ: **abhauen** *cut off* Da 4, 11. †

***קְצָת**, or. *qaṣat*: קצה; he. =, < aram.; äga. u. ja. Teil *part*, sy. u. nsy. Brocken Brot, Hostie *piece of bread*, *Host*; BL 237 f. h: cs. =, f.: **1. Ende** *end*, לקצת יומין/ירחין (F ל 2) Da 4, 26. 31; **2.** c. F מן (äga. מן קצת, > he. u. mhe. מִקְצָת, ja. מקצתא) **Teil** *part* c. gen., מִן־קְצָת מַלְכוּתָא... וּמִנַּהּ e. Teil d. Reiches... u. e. Teil = das R. zum Teil ... u. z. T. *part of the kingdom* ... *a. part of it* = *the kingdom partly* ... *a. partly* Da 2, 42. †

קרא: he. =; Assbr. 12, äga. Ai.-Gi. nab. u. md. MG 257 ff. adhuc c. cons. א :: יקרני Znğ., קרי, קריתון etc. pehl. Frah. 23, 4 Avr. 3, 2, 1 × äga.; posterius omnino sec. ל״י exc. pt.:

pe: pf. pass. קְרִי BL 156u, impf. יִקְרֵה, אֶקְרֵא, or. *ʾiqrē* BL 152e, pl. יִקְרוֹן, inf. מִקְרֵא, pt. קָרֵא: **1. rufen** *shout* Da 3, 4 4, 11 5, 7; **2. lesen** *read* 5, 7 f. 15—17, pass. Esr 4, 18. 23. †

hitpe: impf. יִתְקְרֵי (Leand. OLZ 33, 774): **hergerufen werden** *be called* Da 5, 12. †

קרב: he. =; Aram., äga. AD, Demot. VII 18 קראב, ja. u. sam. קְרֵב u. קְרַב, cp. sy. u. md. MG 219 ܩܪܒ, nar. u. nsy.; darbringen *offer* Znğ. Tema äga. nab. palm. u. Hatra 22, 1, ja. cp. u. sy. pa., mspt. haf, ja. af.:

pe: pf. קְרֵב, 1. sg. קִרְבֵת, pl. Da 3, 8 קְרִבוּ, 6, 13 Var. melius pro קְרִיבוּ, or. *qᵉrabū*, inf. sf. מִקְרְבֵהּ, or. *miqirbēh* BL 45j: **hinzutreten** *approach* Da 3, 8 6, 13, c. לְ loci 3, 26 6, 21, c. עַל pers. 7, 16. †

pa: impf. תְּקָרֵב, BL 130h: **darbringen** *offer* (F haf. 2) Esr 7, 17. †

haf: pf. pl. הַקְרִבוּ, sf. הַקְרְבוּהִי, pt. pl. מְהַקְרְבִין: **1. hinführen** *bring near* (AD) קֳדָם Da 7, 13; **2. darbringen** *offer* (F pa., BL 274n, äga. palm. LPRec. 14, 1 16, 1 f.) Esr 6, 10. 17. †

Der. קְרָב.

קְרָב: קרב; he. =; aram. LW < ak. *qarābu*, BL 187e; äga. ja. cp. sy. u. md., Demot. VII 18 (S. 224) קראב; denom. Krieg führen *make war* sy. pe. u. af., md. pe. MG 431: **Krieg** *war* Da 7, 21. †

קִרְיָה Esr 4, 10 u. **קִרְיָא** 4, 15: he. קריה; Suğ. Bb 17 (?) u. pehl. (Bailey, Zoroastrian Problems, 1943, 152) קריתא, äga. Pachtv. 3 u. palm. (coll.) קריה, ja. קַרְיְתָא, sam. *qarja*, cp. sy. u. nar. ܩܪܝܬܐ; BL 182b: det. קִרְיְתָא, f.: **Ortschaft, Stadt** *village*, *town*, = יְרוּשְׁלֶם Esr 4, 12 f. 15 f. 19. 21, als *as* pl. coll. (BL 313g, l. קִרְיָה, sy., Rud. :: Bew. 52 l. pl. קִרְיָתָא) 4, 10. †

קֶרֶן: he. =; palm. (Syr. 17, 271, 1 19, 161, Beryt. 2, 78 Ecke *corner* ut ak. ja. sy.) ja. cp. sy. md. MG 157 u. nsy.; BL 182x: det. קַרְנָא, du. Da 7, 7 (v. e. Mehrheit *of a plurality*, or. *qarnīn* BL 200b, 306 l. m), det. קַרְנַיָּא, f. (ut ubique): **Horn** *horn*, **1.** e. Tieres *of animals* Da 7, 7 f. 11. 20 (l. קַרְנִין pro קַרְנָא דִכֵּן, Montg.) 21. 24; **2.** Musikinstrument *musical instrument* (sy. u. nsy., G σάλπιγξ) 3, 5. 7. 10. 15. †

קרץ: he. =; ja. sy. abkneifen *pinch off*, nar.

abreissen *tear off*, nsy. rechen *rake*, sy. u. md. (כרץ, MG 39) zublinzeln *wink at*; cf. Schulth. HW 40 u. sy.. ܩܪܨ abnagen *gnaw off*, ar. قرط abschneiden *cut off*; ak. *karāṣu*, F קטר; Der. *קְרַץ.

***קְרַץ**: קרץ; ja. קַרְצָא, etiam 'קו/ק Stück *piece*, sy. ܩܪܨܐ, äga. pl. cs. כרצי CIS II 141, 2 (VG I 239); BL 182 x: pl. sf. קַרְצוֹהִי, קַרְצֵיהוֹן, or. *qi-*; BL 30 z: **Stück** *piece*, אכל קַרְצֵי c. gen. vel sf. jmd. verklagen, **verleumden** *accuse, slander* Da 3, 8 6, 25: אֲכַל קַרְצָא/צִין ja. sy., pt. nsy. d. Teufel *the Devil*, äga. (s. o.) אמר כרצי, ug. *ʾkl qrṣ*; < ak. *akālu karṣi* Ungnad AFO 14, 270 f., EA *akālu* (1 × *qabū*) *karṣu* VAB II 1447, eodem sensu *karāṣu* II 2 Cod. Hamm., n. m. Karṣi, Jean, Studia Mariana, 1950, 84 b; orig. die jmd. abgerissenen Fleischstücke essen *eat the pieces of flesh torn off from someone's body*, Montg. 204 f., C. Kuhl, D. 3 Männer im Feuer, 1930, 17³, ar. أكل لحمه, äth. በልዐ፡ሥጋ/ከርሰ, cf. lat. rōdere, engl. *backbite*. †

קשׁט: he. =; קשט pa. palm. Erfolg haben *be successful*, ja. putzen, herrichten *trim, fit up*, כשט af. ja. schön handeln *behave well*, nsy. rechtfertigen *justify*; קְשׁוֹט ja. cp. sam. u. כשיט md. MG 39 u. nsy. wahr *true*; Lidzb. Johb. II S. XVII f., Rosenth. AF 245; Der. קְשֹׁט.

קְשֹׁט: קשט; he. קֹשֶׁט; palm. קשטא CIS II 3913 II c 32 das Richtige *the right thing*, קושטא Privileg *privilege* Beryt. 2, 102 XI 5, קוסטא ib. 104, 5, ja. קְשׁוֹט, det. קֻשְׁטָא, cp. ܩܘܫܛ u. ܩܘܫܛܐ, sy. ܩܘܫܬܐ, md. כושטא MG 39, sam. *qašta*; BL 184 n, 224 j: **Wahrheit** *truth* Da 4, 34, מִן־קְ׳ דִּי adv. fürwahr *truly* (ja. cp., F מן 6). †

קַתְרֹס: F קיתרס.

ר

ר: 1. wechselt mit *alternates with* ל in חֲרַךְ, נ in רֶגֶל; 2. assim. in כַּכַּר, in נחת, נפל, נפק, נצל, נתן, נתר.

ראה: he. =; in Aram. selten *rare* (VG I 324¹); verdrängt durch *supplanted by* F חזה u. חמה (ja. cp. sy. nar.); Der. רֵו, אֲרוּ (?).

רֵאשׁ: he. רֹאשׁ; pehl. (Frah. 10, 2, Paik. 926 f., Nyb. 2, 202) ר(ע)ישה, Suġ. Bb 14, äga. (2 × ריש, Leand. 22 e!) u. nab. (Rosenth. AF 92) ראש, palm. ריש, adj. ראישיא Syr. 17, 353, 6, ja. רֵאשָׁא, ja. sam. cp. sy. nsy. u. md. MG 70 רֵ(י)שָׁא, nar. *rajša*; Grdf. **raʾš*, BL 60 f :: < **riʾš*, Friedr. Or. 12, 18 f.; cs. =, det. רֵאשָׁה Da 2, 38, sf. רֵאשִׁי, רֵאשָׁךְ, רֵאשֵׁהּ, 7, 20 (Var. רֵאשָׁה BL 79 s), רֵאשְׁהוֹן 3, 27 (Var. רָאשֵׁיהוֹן), pl. רֵאשִׁין, sf. רָאשֵׁיהֹם Esr 5, 10 (he., BL 247 f, Var. 'רָא); m.: 1. **Kopf** *head* Da 2, 32. 38 3, 27 7, 6. 9. 20, חֶזְוֵי רֵאשׁ 2, 28 4, 2. 7. 10 7, 1. 15; metaph. בְּרָאשֵׁיהֹם Esr 5, 10 an ihrer Spitze *at their head* (? l. sg., Rud.); 2. **Anfang** *beginning*, רֵאשׁ מִלִּין 7, 1 (Montg. 283 f.) :: alii Hauptinhalt *essential contents* (he. Ps 119, 160) vel vollständiger Bericht *complete account*. †

רַב: רבב; he. =, viel, gross *much, great, big*; Aram. gross *great, big* (viel *much* F שַׂגִּיא); Suğ. Bb 11, pehl. Frah. 12, 3, sogd. Gauth.-B. II 231, äga. nab. palm. ja. cp. sam., sy. md. (MG 184 f.) nar. nsy.; BL 220 a: det. רַבָּא, f. רַבְּתָא, pl. רַבְרְבִין, רַבְרְבָן, רַבְרְבָתָא (VG I 439 f., Znğ. äga. ja. sam. u. cp., Uruk 11 *rabrabē*, 36 *rabbē* ut raro sy. (Nöld SG § 146) md. u. nar., sy. u. md. ܪܘܪܒܐ, F רַבְרְבָנִין: 1. gross *great, big* Da 2, 31. 35 3, 33 4, 27 5, 1 7, 2 f. 7. 17, מֶלֶךְ 2, 10 Esr 4, 10 5, 11, אֱלָהּ Da 2, 45 Esr 5, 8, מַלְּלָא frech *insolent* Da 7, 11, מַלֱּל רַבְרְבָן Freches *insolent things* 7, 8. 20 (BL 319 d); 2. c. gen. pl. als Amtsbezeichnung *as title* (he. II רַב u. שַׂר I 3) **Gross-, Ober-** *chief*, רַב־טַבָּחַיָּא Da 2, 14, חַרְטֻמַיָּא 4, 6 cf. 5, 11, סִגְנִין 2, 48. †

רבב: he. =; Aram. gross werden, sein *be, grow great*, pe. ja. sam. u. sy., pa. sam., palp. ja. רַבְרֵב, sy. u. md. (MG 130) ܪܰܘܪܶܒ; Der. רַב, רַבְרְבָנִין; F רבה.

רבה: he. I רבה; Aram. gross werden, wachsen *grow tall*, Suğ. Ba 12 pt. haf. מרבה, äga. palm. (pt. pa./af. מרבינא Erzieher *teacher*) ja. cp. sam. sy. md. MG 260, nsy. nar.; F רבב u. cp. sy. u. nar. ירב:

pe: pf. רְבָה, 3. f. רְבָת (Var. רַבַת, F הוה), 2. m. K רְבַיְת Da 4, 19 (Q male רְבָת, BL 161 a :: Torr. N 271): gross werden, **wachsen** *grow up* Da 4, 8. 17. 19. 30. †

pa: pf. רַבִּי gross machen, **erhöhen** *make great, heighten* Da 2, 48. †

Der. רִבּוֹ.

***רִבּוֹ**: רבב; he. =, < aram.; sogd. Gauth.-B. II 232 ריבו, palm. רבו, ja. רִבּוֹא, cp. ܪܒܘ, sam. רבבה, sy. ܪܶܒܘ, nsy. *rību*; pl. רִבְּוָן, ܪܶܒܘܳܬܳܐ, רבואן u. *ribwān*, md. רובאן MG 190; kan. LW, BL 196 e :: Rosenth. AF 51[3]: cs. =, pl. Q רִבְבָן (he.!), K רִבְּוָן BL 251 q :: Ruž. 108: grosse Menge, **Zehntausend** *great multitude, myriad*, רִבּוֹ רִבְּוָן (ja., BL 251 r, 312 i) viele Zehntausende *many myriads* Da 7, 10. †

רְבוּ: רבה; ja. sam.; eodem sensu רבותא (רבב) ja. cp. sy. u. md. MG 10; BL 197 g: det. רְבוּתָא, sf. רְבוּתָךְ: f.: **Grösse** *greatness* Da 4, 19. 33 5, 18 f. 7, 27. †

***רְבִיעָי**: he. רְבִיעִי; ja. cp. sam. sy. u. nsy., md. ארביאיא MG 192; BL 251 u: det. K רְבִיעָיָא, Q רְבִיעָאָה (ja.), f. K רְבִיעָיָה, Q רְבִיעָאָה, det. רְבִיעָיְתָא: **vierter** *fourth* Da 2, 40 3, 25 7, 7. 19. 23. †

***רַבְרְבָנִין**: רַב pl.; äga. cs. רבני Offiziere *officers*, det. ja. (VG I 454) רַבָּנֵי u. md. ראבאני (MG 184) Lehrer *teachers*, ja. u. cp. רַבְרְבָנִין, sy. ܪܘܪܒܳܢܶܐ u. md רורבאניא Magnaten *grandees*; VG I 450 f. II 701, BL 196 b; sf. רַבְרְבָנַי, K רַבְרְבָנֵיךְ, Q נָךְ· BL 74 z, רַבְרְבָנוֹהִי: pl. tantum **Grosse**, Magnaten *lords, grandees* Da 4, 33 5, 1—3. 9 f. 23 6, 18. †

רגז: he. =; zittern, zürnen *tremble, be angry*, Uruk 19 pt. *ragizu*, itpa. *mitraggazu*, ja. cp. u. sy., ja. sam. u. md. MG 220 רְגַז; caus. ja. cp. u. sy. af., md. etiam šaf. MG 138. 212: haf: pf. pl. הַרְגִּזוּ: **erzürnen** *irritate* (אֱלָהּא) Esr 5, 12. †

Der. רְגַז.

רְגַז: רגז; he. רֹגֶז; Znğ. רגז, Uruk 20 pl. det. *rugazē*, ja. רוּגְזָא u. רֻגְזָא, cp. ܪܘܓܙ u. ܪܘܓܙܐ, det. ja. cp. sy. md. MG 104 u. nsy. רוּגְזָא; Grdf. **rugz*, BL 224 k: **Zorn** *rage* Da 3, 13. †

רגל: denom. v. *רְגַל; he. =; sy. treten *tread*,

etpe. u. nsy. af. v. Pferd steigen *dismount*, ja. af. beugen *bow down*, md. pa. fesseln *chain* MG 74.

***רְגַל** vel ***רְגֵל**: he. רֶגֶל; Znğ. sf. רגלה, pl. cs. c. ב בלגרי, pehl. רגלה u. נגרין Frah. 10, 10, Paik. 663 f., äga. u. palm. רגל, ja. רִגְלָא, רַגְלִין u. נִגְרָא, cp. ܪܓܠܐ, sy. ܪܶܓܠܳܐ, md. ליגרא MG 74 u. ניגלא Brock. LS, nar. *reġla* Fuss e. Berges *foot of a mountain*, *reġra* e. Menschen *of man*, nsy. *aqlā* (Ruž. 53); Grdf. **rigl*, BL 225 s: du. רַגְלַיִן (or. *rigīn*, BL 306 l!), det. רַגְלַיָּא, sf. רַגְלוֹהִי, רַגְלָה Q, K רַגְלַיַּהּ vel רַגְלֵיהּ, or.-*ajāh* (BL 49 e, 79 s), f.: **Fuss** *foot* Da 2, 33 f. 41 f. 7, 4. 7. 19. †

רגשׁ: he. =; äga. tg. (pro he. המה, רעשׁ, שׁאה) u. sy. in lärmender Bewegung sein *be in tumult*, sbst. md. מארגוש MG 130; nsy. u. nar. erwachen *wake up*, pe. sy. u. nsy., af. ja. cp. u. sy., mhe. hif. merken, spüren *feel*: haf: pf. pl. הַרְגִּשׁוּ: **hereinstürmen** *entering thronging* Da 6, 12, c. על 6, 7. 16 (::verabredet kommen *come by agreement*, Montg. 272 f.:: zu beeinflussen suchen *try to influence*, Schulth. ZNW 21, 245 ff. :: Cha. 152 ff.). †

***רֵו**: ראה; ja. רֵיוָא; < kan., BL 184 k. l: sf. רֵוֵהּ; m: **Aussehen** *appearance* Da 2, 31 3, 25. †

רוח: he. רָוַח; רְוַח weit sein *be wide* ja. sam. sy. u. nsy., af. md. MG 247[2]; sy. ܪܘܰܚ, sam. *rawa* atmen *breathe*, denom. v. רוּחַ; af. אריח (he. hif.) riechen *smell* ja. cp. sy. u. md. MG 455, denom. < רֵיחַ; Der. רוּחַ, רֵיחַ.

רוּחַ, or. *rūḥ*: רוח; he. =; äga. Sturm *storm*, palm. CIS II 4058. 4100, ja. cp. sy. u. nsy. Wind, Geist *wind*, *spirit*, sam. ריח *ri*, md. רוהא MG 63. 159, nar. *rūḥa* Geist *spirit*, *rīḥa* Wind *wind*; plerumque fem.; BL 207 b: cs. =; det. רוּחָא, sf. רוּחִי, רוּחֵהּ, pl. cs. רוּחֵי (רוּחִין etiam ja. cp. sy. iuxta רוּחָן), f. (Da 2, 35 BL 333 g!): 1. **Wind** *wind* Da 2, 35 7, 2; 2. **Geist** d. Menschen *spirit of man*, Sinn *mind* Da 5, 20 7, 15, רוּחַ יַתִּירָה 5, 12 6, 4; 3. **göttlicher Geist** *divine spirit*, רוּחַ אֱלָהִין 4, 5 f. 15 5, 11. 14 (Gn 41, 38, = der Götter *of the gods* :: Gottes *of God*, Montg. 225). †

רום: he. =; Zkr 10, äga. nab. ja. (übergehend in *turning into* ראם) cp. sam. sy. u. nsy., md. af. MG 251 f.:

pe: pf. רָם, or. *rēm*, BL 145 j, 149 j: **sich erheben** *rise*, לֵב hochmütig sein *be haughty* Da 5, 20. †

pol. (BL 91 d, 146 t; ja. cp. u. sam., ja. u. sy. palp.): pt. מְרוֹמֵם, or. *-mam* BL 147 u: **preisen** *praise* Da 4, 34. †

hitpol. (äga. יתרום Leand. 61 a, ja. cp. u. sam., sy. u. md. etta'.): pf. הִתְרוֹמַמְתָּ: **sich erheben gegen** *rise up against* עַל Da 5, 23. †

haf: pt. מָרִים, Var.[S] מָרִם, BL 148 g: jmd **erhöhen** *heighten* Da 5, 19. †

Der. רוּם.

***רוּם**: רום, inf. sbst. BL 180 m; ja. u. cp., sy. u. nsy. ܪܰܘܡܳܐ: sf. רוּמֵהּ; m.: **Höhe** *height* Da 3, 1 4, 7 f. 17 Esr 6, 3. †

רָז: mhe. nur *only* Si 8, 18, Dam. III 18, DSS; äga. (Aḥ. 141?) ja. cp. u. sam. רָז, sy. u. nsy. ܐܪ̈ܙ(ܐ) (Nöld. Sy. Gr. § 51), md. ראזא ML 62, 2; denom. sy. ܪܳܙ u. ܐܰܪܙ, md. ראז MG 248: LW < mpe. *rāž*, npe. *rāz* Scheft. II 311 f., Telegdi 254 f.: det. רָזָה Da 2, 18 f. 27, רָזָא 2, 30, pl. רָזִין, רָזַיָּא; m.: **Geheimnis** *secret* Da 2, 18 f. 27—30. †

רְחוּם: רחם; äga. BMAP; n.m., Esr 4, 1 f. 17, 23, F he. Lex.

רַחִיק* : Var. רחק : רְחִיק; he. רָחוֹק; pehl. (Frah. 25, 4) äga. u. cp. רחיק, ja. u. sy. רַחִיק; BL 192e, 188h!: pl. רַחִיקִין: **fern** *far*, הֲוָה רַ׳ sich fern halten *keep aloof* Esr 6, 6.†

רחם: he. =; pehl. Ps., Herzf. ApI 139; saf. Littm. SI. Suğ. Bb 23 נתרחם (? nitpa. BLH 283 s), äga. palm. ja. cp. sam. sy. md. (MG 218) nsy. u. nar. lieben, sich erbarmen *love, have compassion*, Hatra 13, 2 רחמא Freund *friend*; jemen. *raḥima* (Rabin 27); Der. רַחוּם, רַחֲמִין.

רַחֲמִין: רחם; he. רַחֲמִים; pehl. Ps. 135 b, ja. sam. cp. sy. u. nsy.; pl. v. רַחֲמָא, רחם palm. ja. u. sy. Mutterleib *womb*, he. רֶחֶם; BL 182 x, 305 e: **Erbarmen** *compassion* Da 2, 18.†

רחץ: ja. cp. pe. u. itpe., sam. pe. vertrauen *trust*; ja. u. md. MG 61 רוּחְצָנָא Vertrauen *confidence*; ak. *raḫāṣu*; رَخَّصَ II zugestehen *concede*; he. cj. Th 3, 18 רְצָחִי (רָצַח*!) pro נצחי (Rud.):

hitpe: pf. pl. הִתְרְחִצוּ: **sich verlassen auf** *trust in* c. עַל Da 3, 28.†

רחק: he. =; ja. cp. sy. u. nsy. fern sein *be distant*, äga. u. palm. Eph. 2, 70 c. מִן abstehen v., etw. abtreten *relinquish, give up* (äg. ZAW 20, 145), md. אראק MG 447 fliehen *flee*; Der. רַחִיק.

רֵיחַ*: רוח; he. =; ja. cp. u. sy. רֵיחָא, md. MG 108 ריהא, nsy. *rīḥā*, ubique m., nar. *riḥtha*; ?he. LW, BL 186 w: cs. =, f. (nisi עֲדָת sec. נור, Bev.): **Geruch** *smell*, רֵיחַ נוּר Brandgeruch *smell of fire* Da 3, 27 (:: BL 349 d: c. לָא nicht das geringste v. Feuer *not the least trace of fire*).†

רכב: he. =; pehl. Frah. App. 29, äga. ja. cp. sy. u. nsy.; רכב Streitwagen *war-chariot* Zkr 2, Znğ. sam.; רַכָּב Reiter *horseman* AD ja. sy.; Der. אַרְכֻבָּה.

רמה: he. I רמה; pehl. Frah. 20, 11, AD 6, 3, pt. pass. רמי, ja. cp. sam. sy. md. (MG 257) nsy.:

pe: pf. pl. רְמוֹ, רְמִינָה, inf. מִרְמֵא, pf. pass. רְמִיו Da 3, 21 (or. *rᵉmijū*, BL 156 w, F עדה haf.): 1. **werfen** *throw*, c. לְ loci Da 3, 20 6, 17; 25, c. לְגוֹא 3, 24, pass. 3, 21; 2. (Throne) **hinsetzen** *place*, (*thrones*) pass. Da 7, 9 (Tg. Jer 1, 15 pro he. נתן, sy. ܪܡܐ liegend *lying* u. ܪܡܝܐ ܕܬܒܝܠ καταβολὴ (κόσμου), ak. *šubta*/*parakka*/*išdā ramū*, he. I ירה qal 2, Montg. 299); 3. (Abgabe) **auferlegen** *impose* (*a tax*) c. עַל Esr 7, 24.†

hitpe: impf. יִתְרְמֵא (or. *jitirmē*, BL 45 j), pl. תִּתְרְמוֹן (Var. -מוּן, BL 158 o): **geworfen werden** *be thrown* c. לְ loci Da 3, 6. 11. 15 6, 8. 13.†

רעה: W. Hamm. רעת pf. 1. sg., ja. gern haben, wollen *like, wish*, itpa. sich kümmern um *care about*, cp. u. sy. etpa. denken *think*; etym. inc.: = he. I רעה weiden *tend*, ja. cp. sy. u. md., Kau. Aram. 81 ff.; vel = he. I רצה, رَضِيَ, ja. u. sy. zufrieden sein *be content*, cp. u. sy. versöhnen *propitiate*, md. ריואנא versöhnlich *forgiving* MG 139, sam. רעוה, רחה = he. רָצוֹן, Nöld. ZDMG 54, 154 f., Cowl. SL LXIX b; vel eigene *special* √‾ sich abgeben mit *occupy oneself with* (he. II רעה) Schulth. HW 69 ff.; Der. רְעוּ, רַעְיוֹן.

רְעוּ*: רעה; he. II רְעוּת; sogd. רעי Schaed. 37 f., ja. רְעוּתָא, asy. ܪܥܘܬܐ Black 216, sam. ריחותא Wille *will*: BL 197 g: cs. רְעוּת: **Wille, Entscheid** *will, decision*, d. Königs *of the king* Esr 5, 17, Gottes *of God* 7, 18.†

רַעְיוֹן*, or. *rijōn*: רעה; he. =, aram.; ja. רַעְיוֹנָא, רַעְיָנָא, cp. ܪܥܝܢܐ, sy. ܪܶܥܝܳܢܳܐ, md. ר(י)ויאנא MG 137; BL 195 y: pl. cs. רַעְיוֹנֵי, sf. רַעְיוֹנַי, רַעְיוֹנָךְ, Da 2, 29 5, 10, Var. K רַעְיוֹנַיִךְ,

BL 74 z. a, רַעְיֹנָהִי; m.: Gedanke *thought*, רַעְיוֹנֵי לִבְ Da 2, 30, סְלִקוּ 2, 29, יְבַהֲלוּן 4, 16 5, 6. 10 7, 28. †

רען: he. =; alioquin in Aramaicis dialectis non invenitur; Der. רַעֲנַן.

רַעֲנַן: he. רַעֲנָן; ? he. LW, Blake 95; BL 193 k: laubreich *leafy*, Menschen *men* (Ps 92, 15) **wohlgedeihend** *flourishing* Da 4, 1. †

רעע: he. רצץ u. < aram. רעע; ja. sam. pe. u. pa., cp. palp., sy. pe. u. palp.:

pe: impf. 3. f. תֵּרֹעַ, or. *tērōᶜ*, BL 165 b: **zerschmettern** *crush* Da 2, 40. †

pa: pt. מְרָעַע, BL 130 g: **zerschmettern** *crush* Da 2, 40. †

רפס: he. רפשׂ/ס; ja. sy. u. nsy. treten *tread*, md. Johb. II 69[4] senken *lower*:

pe: pt. f. רָפְסָה: **zertreten** *tread down* בְּרַגְלַיַּא Da 7, 7. 19. †

רשׁם: he. =, aram.; ja. sy. nsy. u. md. MG 228, רוּשְׁמָא ja. cp. sy. nsy. u. md. MG 32 Zeichen *sign*; *saf.* schreiben, Schrift *write, script* TU 187 b, asa. n. p.:

pe: pf. רְשַׁם, רְשַׁמְתְּ, impf. תִּרְשֻׁם, or. *tiršom* (BL 31 g), pf. pass. רְשִׁים: **schreiben** *write*, Schriftstück, Verbot *document*, *inhibition* Da 6, 9 f. 13 f. (:: unterzeichnen *sign*, BDB, Cha.); pass. 5, 24 f. 6, 11. †

שׂ

שׂ: 1. wie im älteren Aram. noch meist erhalten *as in earlier Aram. inscriptions generally preserved:* שָׂב, עֲשַׂר, עֲשַׂב, נְשָׂא, בְּשַׂר etc.; š in Uruk, F נשׂא u. he. שִׂמְלָה; 2. wechselt mit u. wird verdrängt durch *alternates with a. is supplanted by* F ס (BL 26 e-k, ZAW 45, 101 ff.) כַּשְׂדָּי, שַׂבְּכָא etc.

***שָׂב**: שׂיב; äga. שב, ja. cp. sy. u. nsy. סָבָא, md. סאבא MG 108, nar. sōba; BL 186 w: pl. cs. שָׂבֵי, שָׂבַיָּא: Graukopf, pl. **Älteste** *hoary*, pl. *elders* (= he. זָקֵן), שָׂבֵי יְהוּדָיֵא Esr 5, 5 6, 7 f. 14, cf. 5, 9. †

שׂבך: he. שׂבך u. סבך; mhe. ja. סבך verflechten *entwine*, sy. haften, kleben an *adhere*; Der. שַׂבְּכָא.

שַׂבְּכָא: Da 3, 7. 10. 15 (Var. 'סַ) u. סַבְּכָא 3, 5 (Var. 'שַׂ): σαμβύκη, *sambūca*, dreieckiges Musikinstrument mit 4 Saiten u. hellem Ton *triangular musical instrument with 4 strings a. bright tone*, Σύρων εὕρημα (Athenaeus), P-W 2, 2124 f.: שׂבך; he. F שְׂבָכָה, mhe. סְבָכָה u. ja. סְבַכְתָּא, סִבְכָא, סְבָכָא Haarnetz, Gestrüpp *hairnet, thicket* (he. סְבָךְ, סֹבֶךְ), sy. ܣܒܟܬܐ Netzschleier *net veil*, pehl. Frah. 15, 4 שופכא; Lewy 161 f., Lidz. Eph. 2, 137 :: σαμβ. < *sa(m)būcus* Hollunder *elder tree* Gressmann, Musik u. M.-instrumente, 1903, 26 f., Kö. †

שׂגא: he. שׂגא/ה, aram.; äga. שגא, ja. סְגִי, sam. סגה, cp. ܣܓܐ, sy. ܣܓܝ u. ܣܓܐ, md. סגע u. סגיא(א) MG 257:

pe: imp. יִשְׂגֵּא Da 3, 31, Var. יִסְגֵּא, BL 26 g:

gross werden *grow great* Esr 4, 22 (חֲבָלָא), שְׁלָמְכוֹן יִשְׂגֵּא Grussformel *formula of salutation* Da 3, 31 6, 26.† Der. שַׂגִּיא.

שַׂגִּיא: שׂגא; he. =, aram.; äga. AD שגיא, 1 × שגי, palm., (א)סגי/שגי, ja. (א)סַגִּי, cp. sy. u. nsy. ܣܓܝ, md. סאגיא MG 124; BL 207 d: pl. f. שַׂגִּיאָן, Var. 'סַ, BL 26 g: **1. gross** *great, big* Da 2, 6. 31 (nisi sec. 3, G). 48 4, 7; **2. viel** *much, many*, c. sg. coll. Da 4, 9, 18 7, 5, שְׂנִין Esr 5, 11; **3.** adv. **sehr** *much* (BL 254 p, 337 d) Da 2, 12 5, 9 6, 15. 24 7, 28, exc. 2, 12 vorangestellt *placed at the head* (saepe äga.); 2, 31 (F 1) adv. ad רַב.†

שהד: he. שָׂהֵד, aram.; älter nur *earlier only* pt. pe. שהד, Suğ. Aa 12, Lidzb. Urk 15 f., T. Halaf 71 Rs. 3, pehl. Paik. 952, Avr. 3, 5, Pachtv. 15, äga. (1 × תסהדא Zeugnis *testimony*?), ja. cp. etc. סָהֵד, vollständiges *complete* vb. ja. (pa. af.), cp. u. sy. ܣܗܕ, sam. *sa-ed*, md. סהיד MG 61, nsy.; شَهِدَ; Der. שָׂהֲדוּ.

שָׂהֲדוּ*: שהד, שָׂהֵד*; ja. סָהֲדוּתָא, cp. sy. u. nsy. ܣܗܕܘܬܐ, sam. *sa-edu*; BL 197 g: det. שָׂהֲדוּתָא: **Zeugnis** *testimony* Gn 31, 47.†

שטר: denom. v. שְׂטַר; ja. af. ausbreiten *spread*, sy. an d. Seite setzen *put at the side of*, mhe. q. pi. ohrfeigen *box a person's ear*, cp. ܡܣܛܪܐ Ohrfeige *box on the ear* Schwally 62 122; شَطَرَ (denom.) teilen *divide*.

שְׂטַר, Var. סְטַר, BL 26 g: סטר; pehl. Frah. 2, 3, äga. u. palm. Rosenth. Spr. 85 שטר, ja. צ/סִטְרָא, cp. ܣܛܪܐ, sam. (אי)סטר, איצטר, sy. ܣܛܪܐ, md. סיטרא, nar. satra, شَطْر Hälfte *half*; שְׂטַר מִן ausser *except* äga. AD palm. sy.; BL 183 e; m.: Seite *side*, לִשְׂטַר חַד Da 7, 5, (l. ? לִשְׂטְרָה Ginsb. 3).†

שִׂיב: he. =; ja. סִיב, cp. sy. u. nsy. ܣܐܒ (< pt.), sam. *saab*; Greisenalter *old age* palm. סיבו Beryt. 3, 99, 6, ja. סִיבָא m., סִיבְתָא (he.) u. סֵיבוּתָא, md. סיבותא MG 144, sy. u. nsy. ܣܝܒܘܬܐ; Der. שָׂב.

שׂים: he. =; Barh. 1, Suğ. Ba 6, Cb 6. 10, Zkr 1. 9, Assbr. 7, Tema pehl. (Frah. App. 21, Dura סים u. סום, Alth. 19 f. Vs. 5, Rs. 1) u. äga. AD שים, ja. שׂוּם u. סוּם, sam. שום u. שים, cp. u. sy. ܣܡ, md. סום MG 278, nsy.: pe: pf. שָׂם Da 5, 12, שָׂמְתָּ 3, 10, Var. 'שָׂ (BL 145 i) u. שַׂ/שָׂמְתָּ, שָׂמֶת Esr 6, 12 (BL 144 h), sf. שָׂמֵהּ, imp. pl. שִׂימוּ; pf. pass. (BL 145 k) שִׂים (äga. AD), 3 f. שָׂמַת Da 6, 18 (warab. *sūṭa*, Rabin 159 :: BL 145 k): **setzen, legen** *place, lay*, pass. (אֶבֶן) Da 6, 18; spec. einsetzen als *appoint* c. 2 acc. Esr 5, 14; שִׂים טְעֵם (äga.) Befehl geben *give an order* Da 3, 10 Esr 4, 21 5, 3 9. 13 6, 1. 3. 12, pass. Da 3, 29 4, 3 6, 27 Esr 4, 19 5, 17 6, 8. 11 7, 13. 21; שִׂים טְעֵם עַל sich kümmern um *have regard for* Da 3, 12 6, 14; שִׂים בָּל לְ s. Sinn richten auf *set the mind on* 6, 15; שִׂים שֻׁם c. gen. jmd e. Namen geben *give a name to* 5, 12 (he. Da 1, 7 Jd 8, 31 Ne 9, 7 :: sy. pehl. Dura Alth. 20 Rs. 1 f.: unterzeichnen *sign*).†

hitpe: impf. יִתְּשָׂם (AD ja.; Var. יִתְּשֵׂם, äga. יתשים), pl. יִתְּשָׂמוּן, pt. מִתְּשָׂם, BL 145 n-q: **gelegt werden** *be put* Esr 5, 8 (אָע), gemacht werden zu *be turned into* c. לְ Da 2, 5, gegeben werden *be given* (טְעֵם, F pe.) Esr 4, 21 (AD).†

שׂכל: he. I שׂכל; ja. ס/שכל, cp. sy. ܣܟܠ, cp. u. sy. pa., ja. af. belehren *instruct*, itpa. ja.

cp. sy. betrachten, wahrnehmen *consider, perceive*:

hitpa: pt. מִשְׂתַּכַּל, BL 55 a: **betrachten** *consider* c. בְּ Da 7, 8. †

Der. שָׂכְלְתָנוּ.

שׂכלתנו, or. *sukal-*: שׂכל; ja. סכלתנותא, sy. ܣܘܟܠܬܢܘܬܐ, adj. ܣܘܟܠܬܢܐ, BL 198 o, f.: **Einsicht** *insight* Da 5, 11 f. 14. †

cj. ***שָׁלָה**, Da 3, 29 pro שָׁלָה (ZAW 45, 90): LW < ak. *sillatu* < *silʾatu*, √ *salū* abwerfen (Joch) *throw off* (*yoke*): he. I סלה, ja. sy. md. (Johb 2, 124, 11) u. nsy. verschmähen *despise*, pehl. סלי (Nyb. 2, 297) schlecht *bad*: **Frechheit, Empörung** *insolence, rebellion*, c. אמר (ut ak. c. *qibū*) frech reden *speak insolently* (he. דִּבֶּר סָרָה) Da 3, 29. †

שׂנא: he. =; Suğ. Bb 7, pehl. Ps. 148 b u. äga. BMAP (v. Ehescheidung *divorce*) שנא, c. ל u. sf. יסנלה Guzneh 3, Driver Anal. Or. 12, 50, palm. pt. pl. שנין CIS II 4058, 5, ja. ס/שְׂנָא, sam. pt. (א)סנ, cp. sy. u. nsy. ܣܢܐ, md. pt. סאנא MG 71, nar. *snj.*:

pe: pt. pl. sf. Q שָׂנְאָךְ, K שָׂנְאָיךְ, BL 77 o: **hassen** *hate*, pt. Feind *enemy* (passim, he. שׂנֵא) Da 4, 16. †

שׂער: he. =; behaart sein *be hairy* denom. v. שְׂעַר; sy. pa. u. af. Haare treiben *grow hairs*; שערה, pl. שערן Zng. mspt. Lidzb. Urk. 15 f. u. T. Halaf 1, 4. 6, סַעֲרְתָא, pl. סַעֲרִין ja. cp. sy. md. MG 115, nsy. u. nar., he. שְׂעֹרָה Gerste *barley*. Der. *שְׂעַר.

***שְׂעַר**: שׂער; he. שֵׂעָר; pehl. שארה Frah. 10, 3. 5, ja. ס/שַׂעֲרָא, cp. sy. u. nsy. ܣܥܪܐ, md. pl. סאריא MG 172, nar. *saʿra*, BL 182 x: cs. =; sf. שַׂעְרֵהּ, Var. שְׂעָרֵהּ, or. *šʿareh* (BL 45 f), m.: **Haar** *hair*, coll. Da 4, 30, שְׂעַר רֵאשׁ Haupthaar *hair of the head* 3, 27 7, 9. †

שׁ

שׁ: 1. = he. שׁ, wenn *if* = ursem. *Proto-Sem.* *š*, ar. س (שׁאל, שׁאר, שְׁבַע etc.); wenn *if* שׁ = ursem. *Proto-Sem. th*, ar. ث, dann *then* = ba. F ת; 2. = bab. *š* (ass. *s*) in בֵּלְשַׁאצַּר u. בֵּלְטְשַׁאצַּר.

שׁאל: he. =; Assbr. 12, Zng. äga. Ai.-Gi. AD nab. שאל, ja. שְׁאֵל, sam. *šal* u. *šel*, cp. u. sy. ܫܐܠ, md. MG 255, nar. nsy.:

pe: pf. שְׁאֵל Da 2, 10, Var. שְׁאַל, pl. שְׁאֶלְנָא, impf. sf. יִשְׁאֲלֻנְכוֹן BL 41 t, pt. שָׁאֵל: 1. **verlangen** *require*, c. acc. rei Da 2, 11, c. לְ pers. 2, 10, c. 2 acc. Esr 7, 21; 2. **fragen** *ask*, c. לְ pers. Esr 5, 9, c. acc. rei 5, 10 Da 2, 27. †

Der. שְׁאֵלָה.

***שְׁאֵלָה**: שׁאל; he. =; äga. [ה]שאיל, ja. שְׁאִילְהָ, cp. ܫܐܠܐ u. ܫܐܠܬܐ, sy. ܫܐܠܬܐ, md. שולתא MG 110; BL 186 y, kan.: det. שְׁאֵלְתָא, Var. -תָא, BL 16 z: Bitte, **Frage** *request, question*, Da 4, 14 // פִּתְגָמָא Entscheidung *decision* (Montg. 236 f.): : alii Sache, Angelegenheit *matter, affair*. †

שְׁאַלְתִּיאֵל, Esr 5, 2, Var. שְׁלְ ut he. Hg 1, 12. 14 2, 2: n. m., Vater v. *father of* זְרֻבָּבֶל, F he. Lex.†

שׁאר: he. I שׁאר; äga. ja. u. cp. etpe. übrig bleiben *be left over*, ja. pa. übrig lassen *leave over*; Der. שְׁאָר.

*__שְׁאָר__: שׁאר; he. =; äga. BMAP, palm. Beryt. 2, 96 V 2 u. ja.; ja. u. sy. שְׁיָרָא, BMAP u. nab. שארית; BL 187 d: cs. =, det. שְׁאָרָא: **Rest, Übriges** *rest, remainder* (coll.) Da 7, 7. 19, c. gen. 2, 18 7, 12 Esr. 4, 9 f. 17 6, 16 7, 18. 20.†

שׁבב: he. =; سَبَّ schneiden *cut*; ja. שְׁבָבָא Span, Funken *chip, spark*, md. pl. שאבוניא MG 140 Splitter *splinter* :: alii شَبَّ, ak. *šabābu* anzünden, brennen *kindle, burn* Montg. 213; Der. *שְׁבִיב.

שׁבח: he. I שׁבח, aram.; pa. ja. cp. sam. sy nsy. u. md. MG 143. 236; pehl. sbst. שובחא Ps. 148 b, palm. adv. שבוחית λαμπρῶς Syr. 13, 291, 7:

pa: pf. שַׁבַּחֵת, שַׁבְּחֵת, Var.S שַׁבַּחַת (ja.), pl. שַׁבַּחוּ, or. *šabbiḥū*, pt. מְשַׁבַּח, or. *mešabbeḥ*, BL 133 i-k: **preisen** *praise* Da 2, 23 4, 31. 34 5, 4. 23.†

שׁבט: he. =; ja. schlagen *smite*, sy. pa. bossieren, in getriebener Arbeit erstellen *emboss, produce work in relief*; äga. שביט eng gewoben *closely woven*; Der. *שְׁבַט.

*__שְׁבַט__ vel *שְׁבֶט: שׁבט; he. שֵׁבֶט; ja. שִׁבְטָא u. שׁוּבְטָא, cp. *šobṭā*, sy. u. nsy. (*šôṭā*) ܫܒܛܐ, md. שיבטא (Drow. Zod. 151 [5]) Stab, Rute *stick, rod*; metaph. Strafe, Heimsuchung *punishment, affliction*, ak. *šibṭu* (Schulth. ZA 24, 57); ja. sy. u. md. etiam Stamm *tribe*; BL 183 g: pl. שִׁבְטֵי: **Stamm** *tribe* שׁ׳ יִשְׂרָאֵל Esr 6, 17.†

*__שְׁבִיב__: שׁבב; he. שָׁבִיב; ja. u. sy. שְׁבִיבָא u. md. שאמביבא MG 76 Flamme *flame*; orig. Streifen, Zunge *streak, tongue* (cf. he. לָשׁוֹן 2); BL 188 h: det. שְׁבִיבָא, pl. שְׁבִיבִין: **Flamme** *flame*, שׁ׳ דִּי נוּר Da 3, 22 7, 9 (cf. שביבי להוב (= he. לַהַב) Sukenik, Megillot Genuzot 2, 1950, T. VIII 13).†

*__שְׁבַע__: he. שֶׁבַע; pehl. שבע Frah. 29, 2, sam. sy. u. nsy. (*šowa*) ܫܒܥܐ, ja. שִׁבְעָא u. שׁוּבְעָא, cp. ܫܘܒܥܐ, asy. ܫܒܥܐ Black 219, md. שובא MG 18, nar. *šōbᶜā*; Grdf. *šabᶜ, BL 250 k: f. שִׁבְעָה, or. *šubᶜā*, cs. שִׁבְעַת: **sieben** *seven* Da 4, 13. 20. 22. 29 Esr 7, 14, חַד (F)־שִׁבְעָה siebenfach *seven times* Da 3, 10.†

שׁבק: he. in PN, aram.: pehl. Frah. 21, 4 f., Saqq. 7, äga. Ai-Gi. AD BMAP ja. cp. sam. sy. nsy. md. MG 218 lassen, zurücklassen, verlassen *let, leave behind, abandon* (Mt 27, 46 σαβαχθάνει), سبق:

pe: imp. pl. שְׁבֻקוּ, inf. מִשְׁבַּק: **zurücklassen** *leave* Da 4, 12. 20. 23; לַעֲבִידַת בֵּית־אֱלָהָא Esr 6, 7, ungestört lassen *let alone* vel freie Hand lassen für *give a free hand to* (corr.? BL 324 k, Rud.)†

hitpe: impf. תִּשְׁתְּבִק, or. *-beq*: überlassen werden, **übergehen an** *be left, pass on to* Da 2, 44.†

שׁבשׁ: ja. שַׁבְשָׁא, שַׁבְשְׁתָּא u. שׁוֹשַׁבְתָּא, cp. ܫܘ(ܕ)ܫܒܐ, sy. ܫܒܫܬܐ, Ruž. 108, Ranken *branches*; mhe. q., ja. pa. Ranken treiben, verwirren *put forth shoots, entangle*, etpa. verwirrt werden *be entangled*, cp. eilen *hurry*, sy. pa. umschmeicheln *flatter*, md. שבאש u. שואש pa. betören *befool* MG 49. 272, > شَوَّش Schulth. HW 90; ak. *šabāšu* sich im Zorn abwenden *turn away in anger*:

hitpa: pt. pl. מִשְׁתַּבְּשִׁין (BL § 15 a): **verwirrt werden** *be perplexed* Da 5, 9.†

שגל: he., ? denom. v. שֵׁגַל; aram. nicht belegt *not attested*.

***שֵׁגַל**: שגל; LW. < he.; etym. inc.; ? < ak. *ša ēkalli* (belegt nur *attested only ēkallītu*, etiam pl., ZA 45, 51), BL 186 k; palm. n. f., n.m. Eph. 2, 312: pl. sf. שֵׁגְלָתָה, שֵׁגְלָתָךְ: **Beischläferin** (d. Königs *royal*) *concubine* Da 5, 2 f. 23. †

שדר: pa. schicken *send* pehl. Frah. 23, 3, äga. sam. sy. md. (MG 221) u. nsy., nar. *šattar*; äga. itpa. u. mhe. hitpa. sich anstrengen *exert oneself*, ja. sich widersetzen *oppose*; verw. سدر (d. Haare) öffnen *untie* (*the hair*), Nöld. ZDMG 40, 735; cf. **שלה**:

hitpa: pt. מִשְׁתַּדַּר (BL § 15 a): **sich bemühen** *strive*, c. לְ u. inf. Da 6, 15. †

Der. אֶשְׁתַּדּוּר.

שַׁדְרַךְ: bab. Name des *Bab. name of* חֲנַנְיָה (Da 1, 6 f.), 2, 49 3, 12—30, F he. Lex., Nyb. bei Bentz 17. †

שוה: he. II. I שוה; aram. gleich, wert sein *be like*, *worthy* äga., sam. sy. nsy. u. nar., pa. legen, ausbreiten *lay*, *spread* ja. cp. sam. sy. u. nsy., machen zu *make* klas. Eph. 1, 67, 7, ja. u. md. MG 260 f., etpa. gelegt, gleichgemacht werden *be put*, *be made like* ja. u. sy., gemacht werden zu *be made* md. MG 369:

pe: pf. pass. K שְׁוִי vel שֻׁוִּי, or. *šawī*, BL 156 s: **gleich sein** *be like*, pass. gleich gemacht werden *be made like*, c. עִם Da 5, 21. †

pa: pf. pl. שַׁוִּיו Q, BL 159 r: **gleich machen** *make like*, c. acc. u. עִם Da 5, 21. †

hitpa: impf. יִשְׁתַּוֵּה: **gemacht werden zu** *be made*, c. 2 acc. Da 3, 29. †

***שׁוּר**: he. =; Zkr 10. 17. שר, שרא, äga., palm. in PN, ja. cp. sy. md. (MG 105) nsy. nar.; BL 212 x: pl. det. Esr 4, 12 Q שׁוּרַיָּא (K שׁוּרֵי, F כלל šaf. u. שׁרה pa.), 13 שׁוּרַיָּה/א u. 16 שׁוּרַיָּה l. sf. שׁוּרַיָּה (BL 79 s, 37 l), m.: **Mauer** *wall* Esr 4, 12 f. 16. †

שׁוּשַׁנְכָי*, pl. det. שׁוּשַׁנְכָיֵא: cf. äga. *סונכן v. סְוֵן (F he. סְוֵנֵה) Assuan; Schaed. 22[1]. 72, Telegdi 243, Eil. 40; BL 196 d: Einwohner v. *inhabitant of* שׁוּשַׁן, Susa *Susa* (AD, F he.) Esr 4, 9. †

שחת: he. =; pe. ja. verstümmeln *mutilate*, sy. *become rusty*; pa. u. af. Znğ. äga. u. sy. verderben *spoil*; cf. שחט pa. sy. verderben *spoil* (äth. ስሐጠ), md. fahren lassen *abandon* MG 233:

pe: pt. pass. f. שְׁחִיתָה: **verderben**, *spoil*; pt. pass. verdorben, schlecht *corrupt*, *bad* Da 2, 9, f. sbst. etw. **Schlechtes**, schlechte Handlung, *something bad*, *mischief* (ja. שְׁחִיתְתָא, Sir. 30, 11 pl. sf. שחיתותיו) Da 6, 5, ? etiam 2, 9 (F כִּדְבָה). †

שֵׁיזִב: äga. *שזב, in PN APO, Ai.-Gi. u. Tema, nab. שזב(י)ש, ja. שֵׁיזֵב, cp. u. sy. ܫܘܙܒ, md. ביתלשזב *ש(א)זב MG 132. 138. 212, PN Hermop., he. F מְשֵׁיזַבְאֵל u. נְבוּשַׁזְבָּן; LW < ak. *šūzubu*, *ušēzib*, pt. *mušēzib*, šaf. v. *ezēbu* = he. עזב, etiam ja., Zimm. 69 f, BL 142 m: pf. שֵׁיזִב Da 3, 28, 6, 28, Var. שֵׁיזֵב, impf. יְשֵׁיזִב, sf. יְשֵׁיזְבִנָּךְ, יְשֵׁיזְבִנְכוֹן, inf. sf. שֵׁיזָבוּתָךְ, ־תַהּ, ־תָנָא (Var. ־תָנָא, BL 73 r!), pt. מְשֵׁיזִב (Var. ־זֵב): **retten** *rescue* jmd Da 3, 17. 28 6, 15. 17, c. מִן 3, 17 6, 21, c. מִן־יַד 3, 15. 17 6, 28 b, abs. 6, 28 a. †

שֵׁיצִיא: pehl. Frah. 20, 4 u. App. 38, ja. שֵׁיצֵי u. cp. ܫܝܨܝ vollenden, vernichten *finish*, *annihilate*, sbst. שיצאה u. ܫܘܨܝܐ Ende, Untergang *end*, *destruction*; LW < ak. *šūṣū*, *ušēṣi* hinausgehen lassen *cause to go out*, šaf. v. (*w*)*aṣū* (= he. יָצָא, ja. u. sy. יעא, md. af. MG 246 f.) Zimm. 70:

pf. שֵׁיצִיא K, שֵׁיצִי Q, BL 169j: **vollenden** *finish* Esr 6, 15, l. c. G V pl. שֵׁיצִיו. †

שכב: he. =; pehl. Frah. 19, 10f., cp. pt. ܫܟܒ, ja. שְׁכַב u. שְׁכֵיב, sy. ܫܟܶܒ, md. שכיב MG 219; Der. *מִשְׁכַּב.

שכח: he. שכח vergessen *forget*; Aram. finden *find*, haf. pehl. Frah. 20, 9 u. äga. Ai.-Gi. AD, af. imp. f. Uruk 16 *aš-ka-ḫi-i*, ja. (iuxta pe.), cp. *eškeḥ* Schulth. Gr. 43, sam. אשקח (Kahle Bem. 24), sy. ܐܶܫܟܰܚ, md. אשכא MG 234f., nar. Gl. 88, nsy. Macl. Dict. 202b; itpe. äga. אשתכח, AP 10, 17 יתשכח (nab. u. palm., VG I 268), ja. cp. sy. u. md.:
hitpe: pf. הִשְׁתְּכַח, 3f. הִשְׁתְּכַחַת Da 5, 11, 2. m. הִשְׁתְּכַחַתְּ 5, 27, BL § 41 f. i. m. n: **gefunden werden, sich finden** *be found*, c. בְּ Da 5, 11 f. 14 6, 24 Esr 6, 2, c. עַל Da 6, 5, c. לְ (cp. sy., BL 338l) 2, 35 (F לְ 8) 6, 23; erfunden werden als *be found to be* 5, 27. †
haf: pf. 1. sg. הַשְׁכַּחַת, pl. הַשְׁכַּחוּ, הַשְׁכַּחְנָה/א, impf. נְהַשְׁכַּח, תְּהַשְׁכַּח, inf. הַשְׁכָּחָה, BL § 41 c. i. j. w: **finden** *find*, jmd Da 2, 25 6, 12, etw. an *in* לְ (F hitpe.) 6, 5f. (6, 6 pf. BL 287n), seq. דִּי dass *that* Esr 4, 15. 19, bekommen *get* (äga. sy.) 7, 16. †

שַׁכְלֵל: F כלל.

שכן: he. =; Suğ. Bb 17 pt., äga. BMAP 12, 2 (יהו in Jeb), ja. שְׁכֵין, sy. ܫܟܶܢ, sam. *šakan*; caus. sam. u. sy. af., md. pe. MG 215:
pe: impf. 3. pl. f. יִשְׁכְּנָן: **wohnen** *dwell* (צִפְּרַיָּא) Da 4, 18. †
pa: pf. שַׁכִּן: **wohnen lassen** *cause to dwell* (Gott *God* שְׁמֵהּ, F he. pi.) Esr 6, 12. †
Der. *מִשְׁכַּן.

שלה: he. =; שְׁלָא ja. sam. u. cp., שְׁלִי ja. u. sy.; ja. cp. sy. u. nsy. sorglos sein, ruhen *be free from care*, *be tranquil*, ja. u. sam. irren, vergessen *err*, *forget*; sbst. äga. שלין Ruhe *repose*; Der. שָׁלוּ, שְׁלֵה, שָׁלוּ, שְׁלֵוָה.

שלה: or. *šālē*: שלה; he. שָׁלֵו; cp. u. sy. ܫܠܶܐ, md. pl. שאלייא MG 164; BL 186x: **ruhig, sorglos sein** *be at ease* Da 4, 1. †

שָׁלָה, Da 3, 29: trad. c. Q = F שָׁלוּ, vel l. *שְׁאֵלָה > *שְׁלֵה; potius l. F *שְׁלֵה. †

שָׁלוּ: שלה; he. שָׁלֵו m. u. שַׁלְוָה; ja. שְׁלָיָא u. שָׁלוּתָא Ruhe *repose*, sy. ܫܠܳܘܬܳܐ Aufhören *cessation*; BL 245e: שָׁלוּ Esr 6, 9 (Var. male שָׁלוּ BL 24m), pl. sf. שָׁלְוָתָךְ Var. Da 4, 24 male pro שְׁלֵוְתָךְ; f.: **Nachlässigkeit** *negligence* Da 6, 5 Esr 4, 22 6, 9. †

שְׁלֵוָה: שלה; he. שַׁלְוָה; ja. שַׁלְוָתָא שְׁלֵיוָתָא; kan., BL 186y; sf. שְׁלֵוְתָךְ, Var. Th.S V שְׁלֵוְתָךְ, F שָׁלוּ: **Glück** *prosperity* Da 4, 24. †

שלח: he. II שלח; Suğ. Ab 11, Bb 6. 8. 15, Assbr. 13. 19f., pehl. Paik. 964f., äga. AD u. Saqq. 7, ja. cp. sam. u. sy., md. שהל MG 270; cf. שדר; :: he. I שלח, سلخ abhäuten, ausziehen *skin*, *strip off*, pe. u. af. Uruk 30, ja. sy. md. (MG 270) u. nsy., cp. ܫܠܚ:
pe: pf. שְׁלַח, pl. שְׁלַחוּ, שְׁלַחְתּוּן, שְׁלַחְנָא, impf. יִשְׁלַח, pf. pass. שְׁלִיחַ: 1. **schicken** *send*, (Gott *God*) מַלְאֲכֵהּ Da 3, 28 6, 23, Brief, Bericht *letter*, *report* etc. Esr 4, 11. 17f. 5, 6f. 17, פַּסָּא דִי־יְדָא Da 5, 24; abs. (äga.) Befehl schicken *send order* Esr 6, 13, seq. vb. fin. (F ידע haf.) 4, 14, c. לְ u. inf. Da 3, 2, pass. שְׁלִיחַ (AP 21, 3) Esr 7, 14 (cj. שְׁלִיחָת Ehrl.); 2. metaph. שְׁלַח יַד c. לְ u. inf. d. H. ausstrecken *stretch out the h.* (Suğ. Bb 15, F he.) = **wagen** *dare* Esr 6, 12. †

שלט: he. =; Aram.; nab. ja. sam. u. sy. שְׁלֵט herrschen *rule*, cp. sich bemächtigen *make oneself master of*, md. pa. bestellen *appoint* MG 356:

pe: pf. שְׁלֵט, pl. שְׁלִטוּ, impf. יִשְׁלַט, תִּשְׁלַט: 1. **herrschen** über *rule* c. בְּ Da 2,39, Macht haben über *have power over* c. בְּ 3,27 (//שַׁלִּיט 5,29), abs. 5,7.16; 2. **sich bemächtigen** *make oneself master of* c. בְּ 6,25.†

haf. pf. sf. הַשְׁלְטָךְ, הַשְׁלְטֵהּ, or. *hašilṭ*-: zum **Herrn machen** über *make ruler over* c. בְּ vel עַל Da 2,38.41.†

Der. שַׁלִּיט, שִׁלְטָן, שִׁלְטוֹן.

***שִׁלְטוֹן**: שלט; he. =; nab. שלטון Kommando *command*, ja. שִׁלְטוֹן Herrscher *ruler*; Grdf. **šultān* (F שִׁלְטָן), kan., BL 10t, 195z: pl. cs. שִׁלְטֹנֵי: **hoher Beamter** *high official*, שׁ׳ מְדִינָתָא d. Provinzialbeamten *the provincial administrators* Da 3,2 f.†

שָׁלְטָן, or. *šulṭān* Da 4,31, *šilṭān* 7,6: שלט; palm. LP Rec. 2ter 7, ja. sy. u. md. MG 136 Herrschaft *dominion*, ja. u. sy. Machthaber *ruler*, > سُلْطَان, nar. *šulṭōna* Sultan *sultan*; BL 195z: cs. =, det. שָׁלְטָנָא, sf. שָׁלְטָנָךְ, שָׁלְטָנְהוֹן, pl. det. שָׁלְטָנַיָּא: **Herrschaft** *dominion* Da 3,33 4,19.31 6,27b 7,6. 12.14. (cj. 22). 26 f., שָׁ׳ מַלְכוּתִי 6,27a; pl. **Mächte**, Reiche *dominions* 7,27.†

שַׁלִּיט: שלט; he. =; pehl. Frah. 12,1, äga. AD palm. CIS II 4214, ja. sam. cp. sy. md. (MG 124) u. nsy. mächtig, Machthaber *mighty*, *ruler*, befugt *authorized* (äga. AD palm. sy.); BL 192e: det. שַׁלִּיטָא, pl. שַׁלִּיטִין Esr 4,20, שַׁלִּטִן Da 4,23 1. **mächtig** *mighty* Da 2,10 (G sbst.), c. בְּ (מַלְכִין) regierend *governing* Esr 4,20, Herr über *master of* (Gott *God*) 4,14.22.29 5,21, abs. (שְׁמַיִן) 4,23; sbst. Offizier *officer* 2,15, Machthaber *ruler* 5,29 (//שְׁלֵט 5,7.16); 2. c. לְ u. inf. (BL 328h) es ist **gestattet** *it is allowed* (cp.) Esr 7,24.†

שלם: he. =; äga. u. palm. bezahlen *pay*, palm. etpa., Uruk 15 imp. f. *šil[amī]*, ja. שְׁלֵם u. שְׁלִים, cp. u. sy. ܫܠܶܡ, md. שלים MG 219, u. nsy. vollständig, unversehrt, friedlich sein *be complete*, *intact*, *peaceful*, af. caus., ja. sy. u. md. MG 371 ausliefern *deliver up*:

pe: pf. שְׁלִם, schlechte *bad* Var. שְׁלִים BL 103w: **fertig sein** *be finished* Esr 5,16.†

haf: pf. sf. הַשְׁלְמַהּ, Var. -מָה, BL 81z, imp. הַשְׁלֵם: **vollständig machen** *complete*, (voll) abliefern *deliver* (*completely*) Esr 7,17, auszahlen *pay out* (Montg. 262 f. 265) Da 5,26 :: alii ein Ende machen *finish* vel preisgeben *abandon* (s.o. af., he. הִשְׁלִים Is 38,12 f.).†

Der. שְׁלָם.

שְׁלָם: שלם; he. שָׁלוֹם; Assbr. 1, pehl. Frah. 26,1, äga. AD nab. palm. ja. cp. sam. sy. md. (etiam שלום Johb. II 46[5]) nsy.; BL 187d: det. שְׁלָמָא, sf. שְׁלָמְכוֹן: **Wohlbefinden, Heil** (als Gruss) *welfare, hail* (*as salutation*) Esr 4,17 5,7, שְׁלָמְכוֹן יִשְׂגֵּא Da 3,31 6,26; ? etiam בִּשְׁלָם Esr 4,7 (Schaed. 16 f. :: Brgstr. OLZ 35, 204 f., Rud. 34).†

***שֻׁם**: he. I שֵׁם: Aram., Nöld. NB. 140 f.; Suğ. Cb 12, Zkr b 16 (Nöld. ZA 21, 383) u. Znğ. אשם, Assbr. 12, pehl. Paik. 966 f. Dura (Alth. 1 f. שום), äga. Ai.-Gi. AD Tema, Ner. nab. palm. u. klas. (Eph. 1, 323, 5 Nachkommenschaft *posterity*, ph. Eph. 1, 151[1].) שם, ja. שׁוּם, cp. ܫܘܡ (Gr. § 42, 2 A. 1), sy. ܫܶܡܳܐ, *ܫܽܘܡ, md. (ע)שומא MG 33.161, nar. *ešma*, nsy. *šimā*, *išmā* u. *šūmā*; BL 179f, 248g: cs. =, sf. שְׁמֵהּ, pl. cs. שְׁמָהָת, sf. שְׁמָהָתְהֹם (sic f. u. c.

ה etiam äga. ja. cp. sy. u. md., ܫܡܐ sy. u. nsy., m. sine ה md. u. nar.), m.: **Name** *name* Da 2, 26 4, 5. 16 5, 12 Esr 5, 4 (F מַן). 10 6, 12, Gottes *of God* Da 2, 20 Esr 5, 1 6, 12; שְׁמֵהּ post PN einer namens *somebody called* (spbab. *šumšu*, Rössler 40; äga. AD sy. u. md. MG 460[2], BL 358 p. q, Driver ad AD 3, 1) Esr 5, 14. †

שׁמד: he. =; pa. ja. (mhe. pi.) zum Abfall zwingen *force into apostasy*, sy. spotten, fluchen, exkommunizieren *mock, curse, excommunicate*; ja. u. md. Eph. 1, 100, 7. 13 שַׁמַּת (denom. < **šammadtā*) bannen *banish*, Schulth. ZA 19, 133[1]; nab. שמדין Fluch, Busse? *curse, fine?*:
haf: inf. הַשְׁמָדָה: abs. **vertilgen**, *annihilate* Da 7, 26. †

***שְׁמַיִן**: he. שָׁמַיִם; Zkr b 23. 25 Suğ. Aa 11, pehl. Frah. 1, 2, Saqq. 2 f. u. äga. שמין, שמיא, ja. nur *only* שְׁמַיָּא, sy. etiam ܫܡܝܐ, ausserbibl. *in non-Biblical literature* sg. m. u. f., sam. שומיא, cp. ܫܘ(ܡ)ܝܢ, etiam sg., md. שומיא(ע) sg. f. MG 33. 159, nar. *šmōja* sg. m. u. f; BL 187 c, 305 e: det. שְׁמַיָּא: **Himmel** *heaven, sky* Da 4, 8. 10. 17. 19 f. 28 7, 27, עוֹף־שׁ׳ 2, 38, צִפְּרֵי שׁ׳ 4, 9. 18, טַל שׁ׳ 4, 12. 20. 22. 30 5, 21, רוּחֵי שׁ׳ 7, 2, עֲנָנֵי שׁ׳ 7, 13, חֵיל שׁ׳ (= he. צְבָא הַשׁ׳) 4, 32, שׁ׳ וְאַרְקָא/אַרְעָא Ir 10, 11 Da 6, 28 (Saqq. 2, ארק [. . . ן ו] שמי Zkr b 25 f., בארק ובשמין Suğ. Ab 7); als Wohnsitz Gottes *as dwelling-place of God* 2, 28 4, 31, אֱלָהּ שׁ׳ (äga., he. אֱלֹהֵי הַשָּׁמַיִם) 2, 18 f. 37. 44 Esr 5, 11 f. 6, 9 f. 7, 12. 21. 23, מֶלֶךְ שׁ׳ Da 4, 34, מָרֵא־שׁ׳ 5, 23 (Demot. VII 17 מר שמין; saf. בעל סמן, Littm. TS 155 b., בעל שמם/שמין, Eissf. ZAW 57, 1 ff. Bentz. 22. 56); שׁ׳ = Gott *God* (NT, Str.-Bi. I 862 ff., Bentz. 36) 4, 23. †

שׁמם: he. =; ja. itpe. u. itpo., cp. itp. (Gr. § 149, 6 b A); ? < he., Cha. 94:
itpo. (ZAW 45, 108 f.): pf. אֶשְׁתּוֹמַם, BL 166 h: **vor Schreck erstarren** *be appalled* Da 4, 16. †

שׁמע: he. =; Aram., Suğ. Bb 2, Ca 1, Barh. 4, pehl. *עשמה (F סגד u. שתה) Frah. 23, 4 f., palm. pt. שמיעא CIS II 4100, cp. ܫܡܥ u. ܫܡܥ, sy. nsy., md. MG 70; itpe. gehorchen *obey* Suğ. Ab 10 (יתשמע!) äga. AD ja. cp. u. sy., md. מאשתימאנא gehorsam *obedient* MG 138:
pe: pf. שְׁמַע, שִׁמְעֵת, impf. יִשְׁמַע, pl. תִּשְׁמְעוּן, pt. pl. שָׁמְעִין: **hören** *hear*, abs. Da 5, 23, etw. 3, 5. 7. 10. 15 6, 15, c. עַל pers. u. דִּי 5, 14. 16. †
hitpa: impf. pl. יִשְׁתַּמְּעוּן, Var. יִשְׁתַּמְּ׳ (? hitpe., BL 275 q): **gehorchen** *obey* c. לְ Da 7, 27. †

שָׁמְרַיִן, male שָׁמְרָיִן BL 23 d: äga. שמרין; BLH 519[3], sy. ܫܡܪܝܢ, Montg.-Gehm. Kings, 1951, 290: Esr 4, 10. 17 Stadt u. Provinz **Samaria** *town a. province of S.*, he. F שֹׁמְרוֹן. †

שׁמשׁ: mhe. pi., palm. ja. cp. sam. sy. u. nsy. pa. dienen *serve*, sam. cp. sy. u. nsy. שַׁמָּשָׁא Diener *servant*, palm. ja. u. mhe. תַּשְׁמִישׁ, cp. ܬܫܡܫܐ u. f. ܬܫܡܫܬܐ, sy. u. nsy. ܬܫܡܫܬܐ Dienst *service*; etym. inc.: سمسم laufen *run* Levy IV 58, 1 vel denom. v. שַׁמָּשׁ Ruž. 75, vel < *שַׁמֵּשׁ ut شَمَّسَ Bauer ZDMG 71, 411, vel LW < äg. *šmśj follow, serve, šmśw*, kopt. *šemše* Diener *servant* EG IV 482 ff:
pa: impf. pl. sf. יְשַׁמְּשׁוּנֵּהּ: **dienen** *serve* Da 7, 10.
F *שְׁמַשׁ, שִׁמְשַׁי.

***שְׁמַשׁ** vel ***שֶׁמֶשׁ**: שמש?; he. שֶׁמֶשׁ; Znğ., äga., BMAP 1 × סמשא, pehl. שמסיא Frah. 1, 2 (dissim., Ruž. 179), palm. Inv. VIII nr. 6, Σαμισ-, Σεμισ- Inv. DE 45 93, 3, ja. שִׁמְשָׁא, cp. ܫܡܫܐ u. sy. ܫܡܫܐ, md. שאמיש, שאמשא MG 32 f., nsy. *šimšā*, nar. *šemša*, ja. sy. md. u. nsy. etiam f., nar. nur *only* f.; BL 182 x; det. שִׁמְשָׁא: **Sonne** *sun* Da 6, 15. †

שִׁמְשַׁי: ja. שַׁמְשַׁי, sy. ܫܡܫܝ P. Sm. 4225, שושי BEUP VIII 1, 89, bab. Šamšia, Šamšaia, ass. Samsaia, Samsia, Šamšua APN 191. 215, Eil. 37 f: n. m. שׁ׳ סָפְרָא Esr 4, 8 f. 17. 23. †

***שֵׁן**: שנן; he. =; ja. שִׁנָּא m., cp. ܫܢܐ m. u. f., sy. ܫܶܢܳܐ u. md. שינא MG 157 f. meist *mostly* f., nsy. *šinā* m., nar. *šanna* f.; BL 181 t: du. שִׁנַּיִן, sf. Q שִׁנַּהּ, K שִׁנַּיהּ vel שִׁנֵּיהּ, or. *šinnajāh* BL 49 e, 79 s; f.: **Zahn** *tooth*, du., orig. Zahnreihen *rows of teeth*, Da 7, 5. 7. 19. †

שְׁנָה: he. (I) שׁנה sich ändern *change*; äga. nab. palm. ja. sy. nsy. u. md. MG 257. 260; pe. sich ändern *change*, sy. u. md. weggehen, geistesgestört sein *go away*, *be deranged in mind*, pa. u. af. verändern, entfernen *change*, *remove*, etpa. pass. :: he. (II) שׁנה, F תנה:

pe: pf. pl. שְׁנוֹ, sf. שַׁנּוֹהִי Da 5, 6 (= שְׁנַיִן עֲלוֹהִי v. 9, BL 154 n, 341 w), impf. יִשְׁנֵא, תִּשְׁנֵא, pt. f. שָׁנְיָה/א, Var. שניה (Eissf.-Fe. 49), pl. שָׁנְיָן, f. שָׁנְיָן: **1. verschieden sein** *be different* Da 7, 3. 19. 23 f; **2. verändert werden** *be changed*, צְבוּ Da 6, 18, Kleider durch Feuer *garments by fire* 3, 27, זִיו 5, 6 c. sf. (s. o.), 5, 9 c. עַל. †

pa: pf. pl. שַׁנִּיו (? 3. pl. sf. שינוי Saqq. 9), impf. יְשַׁנּוֹן, pt. pass. f. מְשַׁנְּיָה, Var. מְשַׁנְּיָה (B 160 v): **1. verwandeln** *change*, לְבַב c. מִן (F מִן 1 b; ak. *šunnû ṭēma* m. Wahnsinn schlagen *smite with insanity*) Da 4, 13; pt. pass. c. מִן **verschieden** v. *different from* (F pe. 1) 7, 7; **2.** (e. Befehl) **übertreten** *violate (an order)* 3, 28. †

itpa. (ZAW 45, 108 f.): pf. Da 3, 19 Q אֶשְׁתַּנִּי/א, K pl. אֶשְׁתַּנּוֹ vel -תַּנּוֹ (BL 159 s, 334 m), impf. יִשְׁתַּנֵּא, pl. יִשְׁתַּנּוֹן, juss. יִשְׁתַּנּוֹ BL 89 d: **sich ändern** *be changed*, עִדָּן Da 2, 9, צְלֵם אַנְפּוֹהִי 3, 19, זִיו 5, 10 7, 28. †

haf. (F pa., BL 274 n): impf. יְהַשְׁנֵא, inf. הַשְׁנָיָה, Var.S הַשְׁנָאָה (BL 160 t!), pt. מְהַשְׁנֵא: **1. abändern** *alter*, אֱסָר 6, 9. 16 (F דִּי 2 c), עִדָּן, זִמְנָא, דָּת 2, 21 (Gott *God*) u. 7, 25 **2. übertreten** *violate*, פִּתְגָמָא Esr 6, 11, abs. 6, 12. †

I ***שְׁנָה**: he. שָׁנָה; pehl. Frah. 26, 2, 27, 1, Znǧ. äga. nab. u. palm. שנת, Tema שת, palm. שתא, ja. שַׁתָּא, שַׁתָּא, u. שְׁנָתָא, cp. *šattā* > *šettā*, sy. ܫܢܬܐ, nsy. etiam *šītā*, md. שי(ד)תא, שנאת MG 98. 185, nar. *ešna*; pl. Suǧ. Ab 8, Pachtv. 1, 5, äga. BMAP שנן, nab. etc. שנין, nar. *šnōtha*; Nöld. NB 125, BL 178 d, 304 a: cs. שְׁנַת, pl. שְׁנִין, f.: **Jahr** *year* Da 6, 1 Esr 5, 11, z. Datierung *for dating* בִּשְׁנַת חֲדָה/תַּרְתֵּין c. לְ Da 7, 1 Esr 5, 13 6, 3. 15 (BL 252 y; äga. nab., Dura Alth. 12). †

II ***שְׁנָה**: ישן; he. שֵׁנָה; Znǧ. שנה, ja. שֵׁינְתָא u. שִׁנְתָא, cp. ܫܢܬܐ, sy. ܫܶܢ݈ܬܳܐ, md. שינתא MG 111, nsy. *šintā*; BL 179 g: sf. שִׁנְתֵהּ, Var. שִׁנְתֵהּ u. שְׁנָתֵהּ, BL 199 d, 241 t. u; f.: **Schlaf** *sleep* Da 6, 19. †

שְׁנַן: he. =; ja. pa. schärfen *sharpen*, ja. cp. u. sy. שְׁנִינָא scharf *sharp*; Der. שֵׁן.

שָׁעָה: ? Suǧ. Bb 17 f. שעתא, ja. שַׁעֲתָא, cp. *šaʿtā* (Gr. § 27, 2), sy. ܫܳܥܬܳܐ, md. שיתא MG 16. 110, nar. *šaʿtha*, nsy. *šethā*; kan. pl. *šēti* EA 138, 76; > ساعة, ሰዐት u. ሰዓት; Nöld. NB 44, BL 199 d, 241 v, Brockelm. ZDMG 94, 353 f.; etym. inc.: שׁעה schauen *look*, F he., pehl. Frah. App. 4 (?), ak. *šeʾû* (Montg. 203 f.), vel < ak. **šattu* Dauer *duration* (Meissn. II 69 f.:: Landsb. ZA 41, 232 f., v. Soden § 41 c): det. שַׁעֲתָא Da 3, 6 4, 30, שַׁעֲתָה 3, 15 5, 5; 3, 6 Var.S u. 5, 5 or. שְׁ׳; f.: kleiner Zeitraum, **Augenblick** *short space of time*, *moment* (Pirque Abot IV 17), בַּהּ שַׁעֲתָא im selben Augenblick, sofort *at the same moment, at once* Da 3, 6. 15 4, 30 5, 5, כִּשְׁעָה חֲדָה (Var. 'בְּשָׁ) eine kurze Zeit *for a moment* 4, 16. †

שפט: he. =; äga. sam.; kan. LW, Rosenth. AF 54[1]:

pe: pt. pl. שָׁפְטִין: richten *judge*, pt. **Richter** *judge* Esr 7, 25, ?l. c. G סָפְרִין (Rud.). †

שַׁפִּיר: שפר; pehl. Frah. 26, 1, äga. u. klas. Eph. 1, 67, 6 שפיר, Assur SPAW 1919, 1045 u. Hatra 23, 2 25, 3 26, 3 שנפיר, ja. cp. sy. md. (MG 200) u. nsy.; BL 192c: **schön** *fair* Da 4, 9. 18. †

שׁפל: he. =; äga. ja. שְׁפַל u. שְׁפִיל, sy. ܫܦܶܠ, nsy.:

haf: pf. הַשְׁפֵּלְתְּ, Var. הַשְׁפַּלְתְּ (BL 101 e), impf. יְהַשְׁפִּל, inf. הַשְׁפָּלָה, pt. מַשְׁפִּיל Da 5, 19, l. c. Var. מַשְׁפִּל (BL 115 q!): **erniedrigen** *humiliate* Da 4, 34 5, 19 7, 24; c. לְבַב sich demütigen *humble oneself* 5, 22. †

שְׁפַל: שפל; he. שָׁפָל; äga., ja. שַׁפְלָא, cp. ܫܦܠܐ, sy. ܫܦܝܠ, nestor. ܫܦܝܠ, md. שפיל MG 152; elend, demütig, faul *wretched, humble, lazy*; BL 185 q: cs. =: **niedrig** *low*, F שְׁפַל אֲנָשִׁים d. allerniedrigste Mensch *the lowest of men* (BL 320 i) Da 4, 14. †

שׁפר: he. =; palm. c. לְ sich gefällig erweisen *show oneself obliging* ja. cp. sy. md. (MG 218, Zod. 203) u. nsy. gefallen *please*:

pe: pf. שְׁפַר, or. *šᵉfer*, impf. יִשְׁפַּר: **gefallen** gut scheinen, *please, seem good* c. עַל Da 4, 24 (מַלְכִּי), c. קֳדָם placet mihi δοκεῖ μοι es beliebt mir *I am pleased to*, seq. לְ c. inf. 3, 32, seq. pf. c. וְ 6, 2. †

Der. שַׁפִּיר, שְׁפַרְפַּר.

***שְׁפַרְפַּר**: שפר; سَفَرَ glänzen *shine* (Morgenröte *aurora*); ja. u. cp. (Gr. § 107); sy. ܫܦܪܐ u. ܫܦܪܦܪܐ hoc sensu; BL 193 j: det. שְׁפַרְפָּרָא, פ vel minus vel maius, Albrecht ZAW 39, 164, 168, Montg. 279, or. שְׁפַר פְּרָא: **Morgendämmerung** *dawn* Da 6, 20. †

***שָׁק**: he. שׁוֹק; ja. sy. md. (Or. 15, 330, 28) u. nsy.; BL 179 h: du. sf. שָׁקוֹהִי: (Unter-)**Schenkel** *lower part of the*) *leg* (F יַרְכָה) Da 2, 33. †

שׁרה: he. =; pehl. Frah. 21, 5 f., Saqq. 4 ש[ריו], äga. ja. cp. sam. sy. md. (MG 216. 286) u. nsy. lösen, *loosen*, itpe., sy. etiam itpa. refl. u. pass.; pa. ja. cp. sam. sy. md. anfangen *begin* (ak. *šurrū*, etiam einweihen *initiate*); pe. ja. sam. sy. md. u. nsy. Reit- u. Lasttiere absatteln > lagern, wohnen *unsaddle pack-animals and animals for riding > encamp, dwell*:

pe: inf. מִשְׁרֵא Da 5, 16 u. l. c. Var.[S V] etiam 5, 12 pro מְשָׁרֵא (pt. pa.), BL 89 i; pt. pass. שְׁרֵא, pl. שְׁרַיִן, BL 233 g: **1. lösen** *loosen*, F קִטְרִין Da 5, 12 (cj.) u. 16 // פשר; pt. pass. v. Fesseln gelöst, frei *loosed from fetters, free* 3, 25; **2. wohnen** *dwell*, pt. pass. (BL 297 e; ja. sy. u. md. MG 259 f., mhe. שָׁרוּי) Da 2, 22. †

pa: pf. 3. pl. שָׁרִיו (BL 130 h!, 159 r) pt. מְשָׁרֵא Da 5, 12 F pe: **beginnen** *begin*, c. לְ u. inf. Esr 5, 2, cj. 4, 12 (F שׁור). †

hitpa: pt. pl. מִשְׁתָּרַיִן BL 130 h!: **sich lösen**, schlottern *be loosened, shake* (Gelenke *joints*) Da 5, 6. †

שׁרק: he. = ja. pe., sy. u. nsy. af. pfeifen, zischen *whistle, hiss*; Der. *מַשְׁרוֹקִי.

שׁרשׁ: denom. v. *שֹׁרֶשׁ; he. =; ja. pa. (he. pi.) Wurzeln schlagen *strike roots*, ja. pa. u. sy. af. u. ܫܪܫ entwurzeln *root out*.

***שֹׁרֶשׁ** vel ***שְׁרֵשׁ** vel ***שֳׁרֶשׁ**: he. שֹׁרֶשׁ; Zkr b 28 שׁ[ר]שה, ja. שִׁרְשָׁא u. שֶׁרְשָׁא, cp. ܫܪܫܐ, sy. ܫܶܪܫܳܐ, md. שארשא u. שירשא MG 20, nsy. širšā, nar. šerša; BL 184 m: pl. שָׁרְשׁוֹהִי, or. šurš- BL 225 t: **Wurzel** *root* Da 4, 20. 23; F שׁרשׁ. †

שְׁרֹשׁוּ, Esr 7, 26, K שְׁרֹשׁוּ, Q שְׁרֹשִׁי: שׁרשׁ; BL 197 f, 198 g: Entwurzelung *rooting out* (F שׁרשׁ pa.), d. i. **Verbannung** (V) oder **Ausschluss** aus d. Gemeinde (Rud.) *i. e. banishment or exclusion from the community* Esr 7, 26. †

שֵׁשְׁבַּצַּר: n. m., Esr 5, 14. 16, F he. Lex.

שֵׁת: he. שֵׁשׁ; pehl. Frah. 29, 2 u. palm. שתא, äga. שתה, nab. שת, ja. שֵׁית, (אֲ)שְׁתָּא, (א)שיתא u. אֶשְׁתָּא, cp. ܫܬܐ, sy. ܫܬ, (ܐ)ܫܬܐ, md. (א)שית, nsy. ištā, nar. šeth, šečča, VG I 486, BL 250 j: שֵׁת: **sechs** *six* Da 3, 1 Esr 6, 15; F שִׁתִּין. †

שְׁתָה: he. =; pehl. שתו, Ostr. Dura (Alth.-Stiehl, Auftr. d. Hunnen 9) 1, 2, *עשתה (c. vocali praemissa ut in סגד et שמע, Schaed. 41) essen *eat* Frah. 19, 8, Znğ. u. palm. CIS II 3973, 5 שתא, äga. *שתה, ja. אִשְׁתָּא, שְׁתִי, שְׁתָא u. אִשְׁתִּי, cp. *ܐܫܬܝ, sy. ܐܫܬܝ u. ܐܶܫܬܺܝ, md. שתא MG 257, nar. štj u. išč(i), nsy. šātī:

pe: pf. pl. c. א praemisso (F pehl., BL 155 q) אִשְׁתִּיו Da 5, 3 f., Var.S ad 3, 21 אִשְׁתִּיו (BL 156 w!), impf. יִשְׁתּוֹן, pt. שָׁתֵה, pl. שָׁתַיִן BL 233 g: **trinken** *drink* Da 5, 1—4. 23, c. בְּ (ut he.) aus *from*. †

Der. *מִשְׁתֵּא.

שִׁתִּין: שֵׁת; he. שִׁשִּׁים; äga. שתן, ja. אֲשְׁתִּין, אֲשִׁיתִין u. אֶשְׁתִּין, cp. ܫܬܝܢ u. ܐܫܬܝܢ, sy. ܐܶܫܬܝܢ, md. שיתין, nar. šičči, nsy. ištī; BL 250 o: **sechzig** *sixty* Da 3, 1 6, 1 Esr 6, 3. †

שְׁתַר בּוֹזְנַי, n. m. Esr 5, 3. 6 6, 6. 13; c. Vrss. (G Σαθαρβουζανα) l. שְׁתַרְבּ׳: = שתרבוזן (?) Ai.-Gi. 15 Rs. 3 (Bowman AJSL 58, 312) :: Eil. 34, 103[3]: kontaminiert *contaminated* < äga. שתברזן, keilschr. *Šatabarzana*, Σατιβαρζάνης, BEUP 9, 71, u. < *U/Ištabuzana* BEUP 10, 53; F שֵׁתַר he. Lex.; etym. F Schaed. 73, J. H. Kramers apud I. J. Koopmans, Aramese Grammatica, 1949, 123. †

ת

ת: 1. = he. ת, wenn *if* = ursem. *Proto-Sem.* t, ت (תוה, תְּחוֹת, תְּמַהּ, תקן, תקף); 2. = he. שׁ, wenn *if* = ursem. *Proto-Sem.* th, ث (אִיתַי, אֲתַר, דְּתְאָ, חֲדַת, יתב, תבר, תוב, תּוֹר, תְּלַג, תְּלָת, תְּמָה, תְּנְיָן, תְּרֵין, תְּרַע), BL 25 b, ZAW 45, 100[2], Rowl. Aram. 26 ff., Schaed. 44 f.

תבר: he. I שׁבר; שבר Suğ. Ab 19; תבר pehl. Frah. 21, 3 f., äga. ja. cp. sy. md. (MG 221) u. nsy.; nar. čbr:

pe: pt. pass. f. תְּבִירָה: zerbrechen *break*, pt. pass. **zerbrechlich** *fragile* (BL 297 c) Da 2, 42. †

תְּדִיר*: דור; mhe. תָּדִיר u. ja. תְּדִירָא (etiam f., det. תְּדִירְתָּא) dauernd *lasting*, orig. sbst. Dauer *duration*, mhe. denom. תדר hif. dauern *last*; BL 195 x: det. תְּדִירָא (f. abs. Strack): Umkreisung, **Fortdauer** *encircling*, *duration*, בִּתְדִירָא adv., ja., BL 255 s) unablässig *continually* Da 6, 17. 21. †

תוב: he. שׁוּב; שוב Suğ. Ba 12, תוב Assbr. 11, äga. AD Ai.-Gi. nab. ja. cp. sam. sy. u. md. MG 250; adv. wieder *again* pehl. Nyb. 2, 56, äga. AD (תובא) nab. palm. (Beryt. 2, 86, 8) ja. cp. sy. u. nsy.; ak. *šābu*, Salonen Or. 19, 406:
pe: impf. יְתוּב: **zurückkehren** *return* c. עַל Da 4, 31. 33. †
haf: pf. הֲתִיב, pl. sf. הֲתִיבוּנָא, impf. יְהָתִיבוּן Esr 6, 5, יְתִיבוּן 5, 5 inf. sf. הֲתָבוּתָךְ: zurückgeben, zustellen *give back*, *deliver* Esr 5, 5 6, 5, הֲתִיב פִּתְגָם **antworten** *answer* (he. הֵשִׁיב דָּבָר) c. acc. pers. Da 3, 16 u. Esr 5, 11, הֲ׳ עֵטָא וּטְעֵם c. לְ pers. sich mit klugen u. verständigen Worten wenden an *adress oneself with wise a. prudent words to* (Bentz.) Da 2, 14.†

תוה: he. תמה; ja. u. sy. תְּוַהּ, ar. تاه; sbst. תְּוְהָא, cp. ܬܘܗܝܐ, sy. ܬܘܗܐ u. md. תיהוא MG 66 Erstaunen, Entsetzen *astonishment*, *fright*; cf. mhe. תָּהָה u. ja. תְּהָא erstarren *become motionless with fright*, sy. ܬܘܗ zögern *tarry*, he. תִּהֲהוּ, u. ja. sy. תְּוָא bereuen *regret*, he. II תוה; F תמה:
pe: pf. תְּוַהּ, BL 151 v: staunen, **erschrecken** *be amazed*, *frightened* Da 3, 24.†

***תּוֹר**: he. שׁוֹר; Suğ. Ab 4 f. שורה Kuh *cow*; pehl. Frah. 7, 1 u. äga. תור, ja. cp. sam. תּוֹר, sy. ܬܘܪܐ, md. תאורא MG 100, nsy. *tōrā*, BL 182 a: pl. תּוֹרִין: Rind, **Stier** *ox*, *bull* Da 4, 22. 29 f. 5, 21, als Opfertiere *for sacrifice* Esr 6, 17 7, 17, בְּנֵי תוֹרִין 6, 9 (F בַּר). †

תְּחוֹת u. Da 4, 11 *תְּחֹת: he. תַּחַת; Suğ. Aa 6 u. äga. BMAP תחת, 1 × תחות, adj. (תחתי(תא äga. AD u. BMAP, palm. תחת u. תחות (Rosenth. Spr. 27), Uruk 3 *ti-ḫu-u-ut*, ja. תְּחוֹת, תְּחוֹתֵי u. תּוֹת, adv. תַּחְתָּא, cp. ܬܚܘܬ, sam. *tet* u. *tat*, sy. ܬܚܘܬ, ܬܚܝܬ u. ܠܬܚܬ, md. (תותיא(א u. תית MG 194. 203, nsy. *tḫuth*, (*t*)*ḫēth* u. *iltiḥ*, nar. *čuḥč*; BL 261 i, Montg. 235; Grdf. **taḥt*, **tiḥūt* sec. אֲחוֹרֵי (ja.): praep. **unter** *under* Da 4, 9. 18 7, 27, c. מִן (Uruk 33, adv. palm. ja. sam. sy.) unter ... weg *away from under* 4, 11 Ir 10, 11. †

תְּלַג: he. שֶׁלֶג; ja. cp. sy. u. md. JRAS 1938, 510 תַּלְגָּא, nsy. *telgā*, nar. *thelka*; BL 182 x: **Schnee** *snow* Da 7, 9. †

***תְּלִיתָי**: תְּלָת; he. שְׁלִישִׁי; ja. cp. sam. sy. md. nsy.; BL 251 u. v: fem. K תְּלִיתָיא, Q תְּלִיתָאָה (ja. m. det.): **dritter** *third* Da 2, 39, F תַּלְתָּא, תַּלְתִּי. †

תלת: denom. v. תְּלָת; he. שׁלשׁ; ja. sy. u. md. MG 444 pa. dritteln, zum 3. Mal tun *divide in three parts*, *do for a third time*.

תְּלָת, c. m. תְּלָתָה, תְּלָתָא: he. שָׁלוֹשׁ; pehl. Frah. 29, 1, äga. AD u. nab. (תלת(ה, palm. (תלת(א, ja. cp. sy. md. u. nsy. תְּלָתָא, תְּלָת, nar. *ethlāth*, *thlōtha*; BL 249 h: sf. תְּלָתְהוֹן Da 3, 23 (palm. ja. cp. sy., VG I 487 f., Rosenth. Spr. 81 f.), BL 249 h: drei *three* Da 7, 8. 20, vor dem gezählten Wort *before the word numbered* 7, 5. 24, dahinter *behind* 3, 24 6, 3. 11. 14 Esr 6, 4, יוֹם תְּלָתָה der 3. Tag *the third day* Esr 6, 15, תְּלָתְהוֹן die drei (Männer) *the 3 (men)* Da 3, 23; F תְּלָתִין. †

תַּלְתָּא Da 5, 16. 19 u. תַּלְתִּי, Var. תַּלְתָּא 5, 7: תְּלָת; ja. תַּלְתָּא Drittel *third part*: trad. Triumvir *triumvir*, dritter an Rang *third in rank*, Th. τριστάτης, vel Herrscher über d. 3. Teil d. Reichs *ruler over the third part of* *the empire* (G, S, Jos. Ant. X 11, 2), prob. LW < ak. *šalšu*, Beamtentitel *title of official*, orig. dritter *third* (E. Klauber, Ass. Beamtentum, 1910, 111 ff.), F he. שָׁלִישׁ, Komm., Rowl. JTS 32, 18[3]. †

תְּלָתִין: pl. v. תְּלָת, he. שְׁלֹשִׁים; Zng. שלשן, nab. etc. תלתין; dreissig *thirty*, יוֹמִין תְּלָתִין Da 6, 8. 13. †

תמה: he. =; ja. u. sy. תְּמַהּ, asy. (Black 220) u. cp. ܐܬܡܗ, md. תמא MG 64, תהם Gi. 321[4], starr sein vor Staunen *be amazed*; F תוה; Der. *תְּמַהּ.

***תְּמַהּ**: תמה; ja. תְּמְהָא, sy. ܬܡܗܐ Staunen *amazement*; BL 184 j: pl. תְּמָהִין, תְּמְהַיָּא, sf. תִּמְהוֹהִי, Var.[S] תְּ׳, m.: Wunder *miracle* Da 3, 32 f. u. 6, 28, //אָת. †

תַּמָּה: he. שָׁם, שָׁמָּה; Suğ. Aa 7 u. Zng. שם; pehl. Frah. 25, 1. 8 u. äga. AD תמה, ja. (ה)תם, md. (הא)תאם dort *there* u. תום dann *then* MG 204, nsy. *tāmā*, ja. cp. sam. u. sy. תַּמָּן, äga. AD u. klas. תנה, nab. תנא, palm. u. sy. ܬܡܢ, Rosenth. Spr. 82 f.; BL 253 b: adv. dort *there* Esr 5, 17 6, 1. 12, מִן־תַּ׳ von dort *from there* 6, 6, דִּי . . . תַּ׳ wo *where* 6, 1. †

תנה: he. (II) שנה wiederholen *repeat* (:: he. (I) שנה sich ändern *change*, F שנה) u. תנה; ug. *šnj*, ثنى, ak. *šanû* I, äth. ሰነየ VG I, 169; ja. sam. cp. sy. nsy. u. md. MG 444 תנא; Der. תִּנְיָן, תִּנְיָנוּת, תְּרֵין.

***תִּנְיָן**: תנה, תְּרֵין; äga. ja cp. sam. u. md. תִּנְיָן, sy. ܬܢܝܢܐ, etiam ܬܢܝܢܐ, nsy.; BL 196 a: f. תִּנְיָנָה: zweite(r) *second* Da 7, 5. † Der. תִּנְיָנוּת.

תִּנְיָנוּת: *תִּנְיָן; ja. cp. sy.; BL 254 o :: ib. § 5 b: zweites Mal *a second time*, adv. Da 2, 7. †

***תִּפְתָּי**: äga. pl. תיפתיא inter F דיניא et גרשכיא (Horcher *listener*, τὰ βασιλέως ὦτα, Schaed. Iranica, 1934, 4 f.); pe. LW, Schaed. 65[1], Benv. JA 225, 185 f., Eil. 126: pl. K תִּפְתָּיֵא, Q תִּפְתָּאֵי, BL 51 k: Polizei- oder Gerichtsbeamter *police officer or magistrate* Da 3, 2 f. (Montg. 200). †

***תַּקִּיף**: תקף: he. =, aram.; ja. cp. u. sy., nab. תקף (sbst.?); BL 192 e: f. תַּקִּיפָא: Da 7, 7, תַּקִּיפָה/א 2, 40. 42, pl. תַּקִּיפִין: 1. stark *strong*, חֵיוָה Da 7, 7, מַלְכוּ כְּפַרְזְלָא 2, 40. 42, מַלְכִין תַּקִּיפִין Esr 4, 20; 2. gewaltig *mighty*, תַּקִּיפִין Da 3, 33. †

תקל: he. שׁקל; pehl. Frah. 19, 2, äga. ja. cp. sy. u. md. MG 271 wägen, hängen *weigh, suspend* :: שׁקל ja. abschätzen *assess* (denom. v. שֶׁקֶל):

pe: pf. pass. (BL 104 b.c) 2. m. תְּקִילְתָּה, Var. תְּקַלְתָּה/א u. תְּקִלְתָּה/א, BL 105 f. g: wägen *weigh*, pass. Da 5, 27. †

תְּקֵל: תקל: he. שֶׁקֶל; Zng. mspr. u. äga. שקל, abgekürzt *abridged* ש äga. Ai.-Gi. Hermop. u. Pachtv. 12, äga. 1 × u. Pachtv. 13 (תקל(א, ja. תִּקְלָא Schekel *shekel*, sy. ܬܩܠܐ, ܬܩܠܐ u. ܬܩܠܐ Last *burden*, sy. ܬܩܠܐ Last, Tribut *burden, tribute*; BL 228 c, LW < ak. *šiqlu* (Zimm. 21), aber teilweise mit *but partially with* aram. ת: Schekel *shekel*, Mass- u. Gewichtseinheit *unit of measure a. weight* Da 5, 25. 27, mit verbalem Verständnis d. תְּ׳ spielend *with word-play on* תְּ׳ *understood as a verb* = *תְּקִיל pt. pass., F מְנֵא u. פְּרֵס. †

תקן: he. תקן u. תכן, < aram.; sy. u. nar. ܬܩܢ u. md. תקון MG 218. 414 fest stehen, in Ordnung sein *be stable, in order*, pa. af. u. etpa. palm. ja. cp. sy. nsy. u. nar.:

hof: 3. f. הָתְקְנַת, l. c. Var. 1. sg. הָתְקְנֵת, or. *hut-*, BL 115 u. v: **wieder eingesetzt werden** *be reestablished* Da 4, 33 c. עַל, (text. corr.? *F* Komm.). †

תקף: he. =, aram.; ja. cp. u. sy. תְּקֵף, sam. *taqaf*, pa. u. af. caus.:
pe: pf. תְּקִף, 3. f. תִּקְפַת, Var. תְּקֵפַת (BL 103 w), or. *taqfat* BL 29 z (*F* נפק, סלק), 2. m. תְּקִפְתְּ, Var. תְּ- (BL 101 e): **stark sein, werden** *be, become strong* Da 4, 8. 17. 19, sich verhärten *grow hard* (רוּחַ) 5, 20 c. לְ u. inf.†
pa: inf. תַּקָּפָה: stark machen, **in Kraft setzen** *make stringent, enforce* אֱסָר, Da 6, 8, //קְיָמָה, cf. Montg. 273. †
Der. תַּקִּיף, תְּקֹף u. תְּקָף.

***תְּקֹף**: תקף; he. תֹּקֶף; nab. Vollmacht *warrant*, ja. u. sy. תּוּקְפָּא, תְּקוֹף; BL 224 k: det. תָּקְפָּא: **Stärke** *strength* Da 2, 37. †

***תְּקָף**: תקף; Var. תְּקַף, or. *tᵉqōf*; fehlerhaft *faultily* pro תְּקֹף? BL 187 d: cs. =: **Stärke** *strength* Da 4, 27. †

תְּרֵין, fem. **תַּרְתֵּין**: תנה; he. שְׁנַיִם; pehl. Frah. 29, 1, äga. AD nab. palm. (תרתן, תרן), Doura F. 11 = Doura Inv. 51 θαρθην), ja. sam. (etiam עתרין) cp. sy. u. md. (etiam תרתים, תרים MG 187), nar. *ithri*, f. *tarči*, nsy. *trī*, *tirtī*, *tirwē*, *tarwē* (Kutscher, Tarbiz 21—23, 66); mehri u. soq. *thrū*, *thrīt*; Grdf. **thinaj-* > *thiraj-*, *n* dissim > *r* u. übertragen auf *a.* *transferred to* fem., VG I 484 f., BL 249 f:: etiam *thrj-* u. f. *tart-* ursem. *Proto-Sem.* (Ruž. 66 f., Gordon Or. 19, 89), vel < ak. *tardennu* (√ *ridū*) > *tartēnu* jüngerer Sohn *junior son* (Ungnad ZAW 41, 204 f.): **zwei** *two* Da 6, 1 Esr 4, 24, תְּרֵי־עֲשַׂר zwölf *twelve* Da 4, 26 Esr 6, 17. †

תרע: he. שׁער; ja. sy. u. nsy. brechen, zerreissen, spalten *break, rend, split*; ثغر, äth. ሰበረ; Der. תְּרַע.

***תְּרַע**: תרע; he. שַׁעַר; äga. AD nab. palm. (Eph. 2, 278, 4, LP Rec. 7 a) Uruk 13 *ta-ra-ḫa*, ja. cp. sy. nsy. u. nar. תַּרְעָא, sam. *tera*, md. תירא MG 101; BL 182 x: cs. =: 1. **Türe**, Öffnung *door, mouth*, v. *of* אַתּוּן Da 3, 26; 2. Tor *gate*, תְּרַע מַלְכָּא königlicher Palast, **Hof** *palace, court of the king* (äga. wechselnd *alternating* c. בָּב מַלְכָּא, ak. *bāb šarri*, he. שַׁעַר הַמֶּלֶךְ, اَلْبَاب, θύραι τοῦ βασιλέως Herodot III 117 etc.) Da 2, 49. †
Der. תָּרָע.

***תָּרָע**: תְּרַע; he. שׁוֹעֵר; ja. תָּרָעָא, cp. ܬܪܥܐ, sy. ܬܳܪܥܐ u. ܬܪܳܥܐ; BL 191 c, < **tarrāᶜ*: pl. det. תָּרָעַיָּא: **Torhüter** *door-keeper* Esr 7, 24. †

תַּרְתֵּין: *F* תְּרֵין.

תַּתְּנַי: n. m., G Θαθθαναι(ς), Esd Σισίννης (Bew. 56:: Eil. 36[1]), Statthalter v. *governor of* עֲבַר־נַהֲרָא *F* Esr 5, 3. 6 6, 6. 13; non = Uštani-Hystanes (Meissn. ZAW 17, 191 f.), sed = Tattannu *paḫat Ebir-nāri* 502 a. Chr. n. *B. C.* (Ungnad ZAW 58, 240 ff., Olmstead JNES 3, 46) vel Tattannāj Eil. 35 f., תתן BEUP 10, 64[3], תת BMAP 4, 24. †